S0-AZL-900

Elenchus
of Biblica
23
e

ROBERT ALTHANN S.J.

Elenchus
of Biblica

2007

Ref
051
E39b
v. 23

WITHDRAWN

Kenrick-Glennon

Seminary Library

Charles L. Souvay Memorial

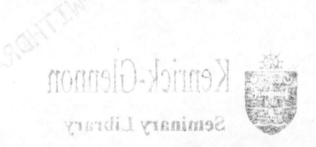

© 2010 Gregorian & Biblical Press
Piazza della Pilotta, 35
00187 - Roma
periodicals@biblicum.com

ISBN 978-88-7653-653-3

Urbes editionis — Cities of publication

AA	Ann Arbor	Lv(N)	Leuven (L-Neuve)
Amst	Amsterdam	M/Mi	Madrid/Milano
B	Berlin	Mkn	Maryknoll/
Ba/BA	Basel/Buenos Aires	Mp	Minneapolis
Barc	Barcelona	Mü/Müns	München/Münster
Bo/Bru	Bologna/Brussel	N	Napoli
C	Cambridge, England	ND	NotreDame IN
CasM	Casale Monferrato	Neuk	Neukirchen/Verlag
Ch	Chicago	NHv	New Haven
CinB	Cinisello Balsamo	Nv	Nashville
CM	Cambridge, Mass.	NY	New York
ColMn	Collegeville MN	Oxf	Oxford
Da:Wiss	Darmstadt, WissBuchg	P/Pd	Paris/Paderborn
DG	Downers Grove	Ph	Philadelphia
Dü	Düsseldorf	R/Rg	Roma/Regensburg
E	Edinburgh	S	Salamanca
ENJ	EnglewoodCliffs NJ	Sdr	Santander
F	Firenze	SF	San Francisco
Fra	Frankfurt/M	Shf	Sheffield
FrB/FrS	Freiburg-Br/Schweiz	Sto	Stockholm
Gö	Göttingen	Stu	Stuttgart
GR	Grand Rapids MI	T/TA	Torino/Tel Aviv
Gü	Gütersloh	Tü	Tübingen
Ha	Hamburg	U/W	Uppsala/Wien
Heid	Heidelberg	WL	Winona Lake IN
Hmw	Harmondsworth	Wmr	Warminster
J	Jerusalem	Wsb	Wiesbaden
K	København	Wsh	Washington D.C.
L/Lei	London/Leiden	Wsz	Warszawa
LA	Los Angeles	Wu	Wuppertal
Lp	Leipzig	Wü	Würzburg
LVL	Louisville KY	Z	Zürich

Punctuation: To separate a subtitle from its title, we use a COLON (:). The *semicolon* (;) serves to separate items that in other respects belong together. Hence, at the end of an entry a *semicolon* indicates a link with the following entry. This link may consist in the two entries having the same author or in the case of multiauthor works having the same book title; the author will be mentioned in the first entry of such a group, the common book title in the last entry, that is the one which concludes with a fullstop [period] (.).
Abbreviations: These follow S.M. Schwertner, **IATG**[2] (De Gruyter; Berlin 1992) as far as possible. A list of abbreviations **not found** in Schwertner appears below.
* The asterisk after a book review or an article indicates a reference to an electronic version.
Price of books: This is sometimes rounded off ($10 for $9.95).

The ⇒ indicates a reference to an earlier item: ⇒101 in the same volume, ⇒20,101 to volume 20. References to more than one volume are given in the form ⇒21,280; 22,285 or, if there are several references ⇒17,3757... 22,4461.

Index systematicus — Contents

The present volume contains all the 2007 material of the Elenchus. Thanks are due to the staff of the Editrice Pontificio Istituto Biblico which assures the publication of the Elenchus. Thanks also to the senior students, who have helped in its preparation.

The materials for this volume were gathered principally from the libraries of the Pontifical Biblical Institute, the Pontifical Gregorian University and the University of Innsbruck. I extend warm thanks to the staff of these libraries for their courtesy and obliging helpfulness. The Department for Biblical Studies and Historical Theology of the University of Innsbruck continues to be an invaluable source of bibliographical information. We in turn supply the Department with lists of book reviews which may be accessed through the University's electronic catalogue,· BILDI, at the following address: http://bildi.uibk.ac.at.

The "Analytische Bibliografie zum Deuteronomium" (AnaBiDeut) has moved from Innsbruck to the Institut für Alttestamentliche Bibelwissenschaft of the University of Vienna.

Work on putting the Elenchus online is proceeding. We hope that there will soon be more definite news to impart to our patient readers.

Acronyms: Periodica - Series (small).
8 fig.=ISSN; *10 or 13 fig.*=ISBN.

A: in Arabic.
ABIG: Arbeiten zur Bibel und ihrer Geschichte; Lp.
AcBib: Acta Pontificii Instituti Biblici; R.
ACCS: Ancient Christian Commentary on Scripture; DG.
ACPQ: American Catholic Philosophical Quarterly; Wsh.
ActBib: Actualidad Bibliográfica; Barc.
AcTh(B): Acta Theologica; Bloemfontein.
Ad Gentes; Bo.
Adamantius; Pisa.
AETSC: Annales de l'Ecole Théologique Saint-Cyprien; Yaoundé, Cameroun.
AfR: Archiv für Religionsgeschichte; Stu.
Afrika Yetu; Nairobi.
AGWB: Arbeiten zur Geschichte und Wirkung der Bibel; Stu.
AHIg: Anuario de historia de la iglesia; Pamplona.
AJBS: African Journal of Biblical Studies; Ado-Ekiti, Nigeria.
AJEC: Ancient Judaism & Early Christianity; Lei.
AJPS: Asian Journal of Pentecostal Studies;
AJSR: Association for Jewish Studies Review; Waltham, MA.
Ä&L: Ägypten und Levante; Wien.
Alpha Omega; R.
Alternativas; Managua.
AltOrF: Altorientalische Forschungen; B.
AME: Anthropology of the Middle East; NY.
AMIT: Archäologische Mitteilungen aus Iran und Turan; B.
AnáMnesis; México.
Anatolica; Lei.
AnBru: Analecta Bruxellensia; Bru.
Ancient Philosophy; Pittsburgh.
Ancient West & East; Lei.
AncYB: Anchor Yale Bible: NHv.

ANESt [<Abr-n]: Ancient Near Eastern Studies; Melbourne.
Anime e corpi; Brezzo di Bedero, Va.
Annali Chieresi; Chieri.
Annals of Theology [**P.**]; Kráków.
AnnTh: Annales Theologici; R.
AnScR: Annali di Scienze Religiose; Mi.
AnStR: Annali di studi religiosi; Trento.
Antiphon; Greenville.
Antologia Vieusseux; F.
AntOr: Antiguo Oriente; BA.
APB: Acta Patristica et Byzantina; Pretoria.
AramSt: Aramaic Studies; L.
Archaeology and History in Lebanon; L.
Archaeology in the Biblical World; Shafter, CA.
ARET: Archivi reali di Ebla, testi; R.
ARGU: Arbeiten zur Religion und Geschichte des Urchristentums; Fra.
ARJ: The Annual of Rabbinic Judaism; Lei.
AsbJ: The Asbury Journal; Wilmore, KY.
Asdiwal; Genève.
ASJ: Acta Sumerologica; Kyoto, Japan.
ATM: Altes Testament und Moderne; Münster.
ATT: Archivio teologico torinese; Leumann (Torino).
AtT: Atualidade teológica; Rio de Janeiro.
Atualizaçâo; Belo Horizonte.
AuOr: Aula Orientalis (**S**: Supplement); Barc.
AUPO: Acta Universitatis Palackianae Olomucensis; Olomouc.
Auriensia; Ourense, Spain.
Aviso; Mü.
AWE: Ancient West & East; Lei.
B&B: Babel und Bibel; Moscow.
BAChr: The Bible in Ancient Christianity; Lei.
BABC: Butlletí de l'Associació Bíblica de Catalunya.
BAEE: Boletín de la Asociación Española de Egiptología.

BAIAS: Bulletin of the Anglo-Israel Archaeological Society; L.
BBR: Bulletin for Biblical Research; WL.
BCSMS: Bulletin of the Canadian Society for Mesopotamian Studies; Toronto.
BEgS: Bulletin of the Egyptological Seminar; NY.
BHQ: Biblia Hebraica Quinta; Stu.
Bib(L): Bíblica; Lisboa.
BiblInterp (BiblInterp): Biblical Interpretation; Lei.
Biblioteca EstB: Biblioteca de Estudios Bíblicos; S.
BiCT: The Bible and Critical Theory; Monash University, ePress.
BnS: La bibbia nella storia; Bo.
Bobolanum [P.]; Wsz.
Bogoslovni Vestnik **[S.]**; Ljubljana.
BolT: Boletín teológico; BA.
BoSm: Bogoslovska Smotra; Zagreb.
BOTSA: Bulletin for Old Testament Studies in Africa; Stavanger.
BPOA: Biblioteca del Próximo Oriente Antiguo; M.
BPVU: Biblische Perspektiven für Verkündigung und Unterricht; B.
BRT: The Baptist Review of Theology / La revue baptiste de théologie; Gormely, Ontario.
BSAIN: British School of Archaeology in Iraq. Newsletter; L.
BSEG: Bulletin de la Société d'Égyptologie; Genève.
BSGJ: Bulletin der Schweizerischen Gesellschaft für Judaistische Forschung; Z.
BSLP: Bulletin de la Société de Linguistique de Paris; P.
BuBB: Bulletin de bibliographie biblique; Lausanne.
Bulletin of Judaeo-Greek Studies; C.
BurH: Buried History; Melbourne.
BWM: Bibelwissenschaftliche Monographien; Gießen.
C: in Chinese.
Cahiers de l'Atelier; P.
Cahiers Ratisbonne; J.
CahPhRel: Cahiers de l'Ecole des Sciences philosophiques et religieuses; Bru.

CAL.N: Comprehensive Aramaic Lexicon, Newsletter; Cincinatti.
CamArchJ: Cambridge Archaeological Journal; C.
Camillianum; R.
Carmel(T); Toulouse.
Carmel(V); Venasque.
Cart.: Carthaginensia; Murcia.
Catalyst; Goroka, Papua New Guinea.
Catechisti parrocchiali; R.
Cathedra; Bogotá.
Cathedra [H.]; J.
CBET: Contributions to biblical exegesis and theology; Lv.
CBRL: Bulletin of the Council for British Research in the Levant; L.
CaCSS: Catholic Commentaries on Sacred Scripture; GR.
CCO: Collectanea Christiana Orientalia; Córdoba.
CEJL: Commentaries on Early Jewish Literature; B.
Centro pro unione, Bulletin; R.
Chakana; Fra.
CHANE: Culture and History of the Ancient Near East; Lei.
ChDial:Chemins de Dialogue; Marseille.
Ching Feng; Hong Kong.
CHL: Commentationes Humanarum Litterarum; Helsinki.
Choisir; Genève.
Chongshin Review; Seoul.
Christian Thought; Seoul.
Christus(M); México.
Chronology and Catastrophism Workshop; Luton.
Cias; Buenos Aires.
CICat: Caietele Institutului Catolic; Bucharest.
CLEC: Common Life in the Early Church;
CLehre: Die Christenlehre; B.
CMAO: Contributi e Materiali di Archeologia Orientale; R.
Colloquium; Brisbane.
CoMa: Codices Manuscripti; Purkersdorf.
Comunidades; S.
ConAss: Convivium Assisiense; Assisi.

ConnPE: Connaissances des Pères de l'Église; Montrouge.
Contacts; Courbevoie.
CoSe: Consacrazione e Servizio; R.
CQuS: Companion to the Qumran Scrolls; L.
CR&T: Conversations in Religion and Theology; Oxf.
CredOg: Credereoggi; Padova.
CritRR: Critical Review of Books in Religion; Atlanta.
Crkva u Svijetu; Split.
Croire aujourd'hui; P.
Crux; Vancouver.
CSMSJ: The Canadian Society for Mesopotamian Studies Journal; Toronto. 1911-8643.
CTrB: Cahiers de traduction biblique; Pierrefitte, France.
CuBR: Currents in biblical research; L.
CuesTF: Cuestiones Teológicas y Filosóficas; Medellin.
Cuestion Social, La; Mexico.
Cultura e libri; R.
CurResB: Currents in Research: Biblical Studies; Shf.
D: Director dissertationis.
DCLY: Deuterocanonical and Cognate Literature Yearbook; B.
Diadokhē [ΔΙΑΔΟΧΗ]. Revista de Estudios de Filosofía Platónica y Cristiana; B.A.
Didascalia; Rosario, ARG.
DiscEg: Discussions in Egyptology; Oxf.
DosArch: Les Dossiers de l'Archéologie; Dijon.
DosB: Les Dossiers de la Bible; P.
DQ: Documenta Q; Leuven.
DSBP: Dizionario di spiritualità biblico-patristica; R.
DSD: Dead Sea Discoveries; Lei.
DT(B): Divus Thomas; Bo.
E: Editor, Herausgeber, a cura di.
EBM: Estudios Bíblicos Mexicanos; México.
Eccl(R): Ecclesia; R.
EfMex: Efemérides Mexicana; Tlalpan.
EgArch: Egyptian Archaeology, Bulletin of the Egypt Exploration Society; L.

Elenchos; R.
Emmanuel; Cleveland, OH.
Emmaus; Gozo, Malta.
Encounters; Markfield, U.K.
Epimeleia; BA.
ERSY: Erasmus of Rotterdam Society Yearbook; Lexington.
EscrVedat: Escritos del Vedat; Valencia.
Esprit; P.
EThF: Ephemerides Theologicae Fluminenses; Rijeka.
Ethical Perspectives; Lv.
Ethics & Medicine; Carlisle.
ETJ: Ephrem's Theological Journal; Satna, India.
ETSI Journal; Igbaja, Nigeria.
EurJT: European Journal of Theology; Carlisle.
Evangel; E.
Evangelische Aspekte; Stu.
Evangelizzare; Bo.
EyV: Evangelio y Vida; León.
Exchange; Lei.
F: Festschrift.
Faith & Mission; Wake Forest, NC.
FCNT:The feminist companion to the New Testament and early christian writings; L.
Feminist Theology; Shf.
FgNT: Filologia Neotestamentaria; Córdoba.
Filosofia oggi; Genova.
FIOTL: Formation and interpretation of Old Testament literature; Lei.
Firmana; Fermo.
Florensia; S. Giovanni in Fiore (CS).
FolTh: Folia theologica; Budapest.
Forum. Sonoma, CA.
Forum Mission; Luzern.
Forum Religion; Stu.
FoSub: Fontes et Subsidia ad Bibliam perinentes; B.
Franciscanum; Bogotá.
Freiburger Universitätsblätter; FrB.
Fundamentum; Basel.
Furrow; Maynooth.
G: in Greek.
Georgica; Konstanz.

Gnosis; SF.
Graphè; Lille.
H: in Hebrew.
HBM: Hebrew Bible Monographs; Shf.
HBO: Hallesche Beiträge zur Orientwissenschaft; Halle.
Hekima Review; Nairobi.
Henoch; T.
Hermeneutica; Brescia.
Hermenêutíca; Cachoeira, Brasil.
HlL: Das Heilige Land; Köln.
History of European Ideas; Oxf.
Ḥokhma; Lausanne.
Holy Land; J.
Horeb; Pozzo di Gotto (ME).
Horizons; Villanova, PA.
Ho Theológos; Palermo.
HPolS: Hebraic Political Studies; J.
HTSTS: HTS Teologiese Studies/ Theological Studies; Pretoria.
ICMR: Islam and Christian-Muslim Relations; Birmingham.
ICSTJ: ICST Journal; Vigan, Philippines.
Igreja e Missão; Valadares, Cucujaes.
IHR: International History Review; Burnaby, Canada.
IJCT: International Journal of the Classical Tradition; New Brunswick, NJ.
IJSCC: International Journal for the Study of the Christian Church; E.
IJST: International journal of systematic theology; Oxf.
ImAeg: Imago Aegypti; Gö.
Image; Seattle.
Immaculata Mediatrix; Frigento (Av).
IncW: The Incarnate Word; NY.
INTAMS.R: INTAMS [International Academy for Marital Spirituality] review; Sint-Genesius-Rode, Belgium.
Interpretation(F). Journal of Political Philosophy; Flushing.
Iran; L.
IRBS: International Review of Biblical Studies; Lei.
Isidorianum; Sevilla.
IslChr: Islamochristiana; R.
ITBT: Interpretatie; Zoetermeer.
ITE: Informationes Theologiae Europae; Fra.

Iter; Caracas.
Itin(L): Itinerarium; Lisboa.
Itin(M): Itinerarium; Messina.
J: in Japanese.
JAAS: Journal of Asia Adventist Seminary; Silang, Philippines.
JAAT: Journal of Asian and Asian American Theology; Claremont, Calif.
JAB: Journal for the Aramaic Bible; Shf.
JAGNES: Journal of the Association of Graduates in Near Eastern Studies; Berkeley, CA.
Jahrbuch Politische Theologie; Mü.
JANER: Journal of Ancient Near Eastern Religions; Lei.
JAnS: Journal of Anglican Studies; L.
Japan Mission Journal; Tokyo.
JATS: Journal of the Adventist Theological Society; Collegedale, Tennessee.
JBMW: Journal for Biblical Manhood and Womanhood; LVL.
JBSt: Journal of Biblical Studies; http://journalofbiblicalstudies.org.
JBTSA: Journal of Black Theology in South Africa; Atteridgeville.
JCoptS: Journal of Coptic Studies; Lv.
JCoS: Journal of Coptic Studies; Lv.
JECS: Journal of Early Christian Studies; Baltimore.
Jeevadhara; Alleppey, Kerala.
JEGTFF: Jahrbuch der Europäischen Gesellschaft für theologische Forschung von Frauen; Mainz.
JEMH: Journal of Early Modern History; Lei.
JGRChJ: Journal of Greco-Roman Christianity and Judaism; Shf.
JHiC: Journal of Higher Criticism; Montclair, NJ.
JHScr: Journal of Hebrew Scriptures [electr. journal]; Edmonton.
Jian Dao; Hong Kong.

JIntH: Journal of interdisciplinary history; CM.

JISt: Journal of Interdisciplinary Studies; Pasadena, CA.

JJSS: Jnanatirtha. (International) Journal of Sacred Scriptures; Ujjain, India.

JMA: Journal of Mediterranean Archaeology; Glasgow.

JMEMS: Journal of Medieval and Early Modern Studies; Durham, NC.

JNSL: Journal of Northwest Semitic Languages; Stellenbosch.

JOT; Journal of Translation [http://www.sil.org./siljot/].

Journal of Constructive Theology; Durban.

Journal of Medieval History; Amst.

Journal of Medieval Latin; Turnhout.

Journal of Psychology and Judaism; NY.

JPentec: Journal of Pentecostal Theology; Shf (S: Supplement).

JPersp: Jerusalem Perspective; J.

JPJRS: Jnanadeepa, Pune Journal of Religious Studies; Pune.

JRadRef: Journal from the Radical Reformation; Morrow, GA.

JRTheol: Journal of Reformed Theology; Lei.

JSem: Journal for Semitics; Pretoria.

JSHJ(.S): Journal for the study of the historical Jesus (Supplementary series); Shf.

JSQ: Jewish Studies Quarterly; Tü.

JSSc: Journal of Sacred Scriptures; Ujjain, India.

JSSEA: Journal of the Society for the Study of Egyptian Antiquities; Toronto.

JTrTL: Journal of Translation and Textlinguistics; Dallas.

Jud.: Judaism; NY.

K: in Korean.

Kairos(G); Guatemala.

KaKe: Katorikku-Kenkyu [**J.**]; Tokyo

KASKAL: Rivista di Storia, Ambiente e Culture del Vicino Oriente Antico; R.

Kerux; Escondido, CA.

KUSATU (KUSATU): Kleine Untersuchungen zur Sprache des Alten Testaments und seiner Umwelt; Waltrop.

Kwansei-Gakuin-Daigaku; Japan.

Labor Theologicus; Caracas.

Landas. Journal of Loyola School of Theology; Manila.

Laós; Catania.

LecDif: Lectio Difficilior [electr. journal]; Bern.

LeD: Lire et Dire; Donneloye.

Leqach; Lp.

Levant; L.

LHBOTS: Library of Hebrew Bible/ Old Testament studies; NY.

LingAeg; Lingua Aegyptia; Gö.

Literary and linguistic computing; Oxf.

L&S: Letter and Spirit; Steubenville.

LNTS: Library of New Testament studies; L.

LSDC: La Sapienza della Croce; R.

LSTS: Library of Second Temple Studies; L.

Luther-Bulletin; Amst.

Luther Digest; Crestwood, Miss.

^M: Memorial.

Mayéutica; Marcilla (Navarra).

MEAH: Miscellánea de Estudios Árabes y Hebraicos (**MEAH.A**: Árabe-Islam. **MEAH.H**: Hebreo); Granada.

Meghillot; J.

MESA.B: Middle East Studies Association Bulletin; Muncie, IN.

MTSR: Method and Theory in the Study of Religion; Toronto.

Miles Immaculatae; R.

MillSt: Milltown Studies; Dublin.

Mission de l'Église; P.

Missionalia; Menlo Park, South Africa.

MissTod: Mission Today; Shillong, India.

Mondo della Bibbia, Il; T.

Moralia; M.

MSJ: Master's Seminary Journal; Sun Valley, CA.

MST Review; Manila.

MTSR: Method and Theory in the Study of Religion; Lei.

Muslim World Book Review; Markfield, UK.

NABU: Nouvelles Assyriologiques Brèves et Utilitaires; P.

NAC(SBT): New American Commentary (Studies in Bible and Theology); Nv.

NEA: Near Eastern Archaeology; Boston.

NET: Neutestamentliche Entwürfe zur Theologie; Ba.

NewTR: New Theology Review; Ch.

NHMS: Nag Hammadi and Manichaean Studies; Lei.

NIBC: New International Biblical Commentary; Peabody.

Nicolaus; Bari.

NIDB: New Interpreter's Dictionary of the Bible; Nv.

NIGTC: The New International Greek Testament Commentary; GR.

NIntB: The New Interpreter's Bible; Nv.

NotesTrans: Notes on Translation; Dallas.

NSK.AT:Neuer Stuttgarter Kommentar: Altes Testament; Stu.

NTGu: New Testament Guides; Shf.

NTMon: New Testament Monographs; Shf.

NTSCE: New Testament Studies in Contextual Exegesis; Fra.

NTTRU: New Testament Textual Research Update; Ashfield NSW, Australia. 1320-3037.

NTTSD: New Testament Tools, Studies and Documents; Lei.

Nuova Umanità; R.

NV(Eng):Nova et Vetera, English edition; Naples, FL.

Obnovljeni Život; Zagreb.

Omnis Terra; R.

OrBibChr: Orbis biblicus et christianus; Glückstadt.

OrExp: Orient-Express, Notes et Nouvelles d'Archéologie Orientale; P.

Orient; Tokyo.

Orientamenti pastorali; Bo.

Orientamenti pedagogici; R.

P: in Polish.

Pacifica. Australian Theological Studies; Melbourne.

Paginas; Lima.

PaiC.: Paideia Cristiana; Rosario, ARG.

Paléorient; P.

Parabola; NY.

PaRe: The Pastoral Review; L.

Path; Città del Vaticano.

People on the Move; R.

Phase; Barc.

Philosophiques; Montréal.

PHScr: Perspectives on Hebrew Scriptures; Piscataway, NJ.

Physis; F.

PJBR: The Polish Journal of Biblical Research; Kraków.

PKNT: Papyrologische Kommentare zum Neuen Testament; Gö.

PoeT: Poetics Today; Durham, NC.

PredOT: Prediking van het Oude Testament; Baarn.

Presbyteri; Trento.

Presbyterion; St. Louis.

PresPast: Presenza Pastorale, R.

Prism; St. Paul, MN.

ProcGLM: Proceedings of the Eastern Great Lakes and Midwest Bible Societies; Buffalo.

Pro dialogo; Città del Vaticano.

ProEc: Pro ecclesia; Northfield, MN.

Prooftexts; Baltimore.

Proyección; Granada.

Prudentia [.S]; Auckland, NZ.

PzB: Protokolle zur Bibel; Klosterneuburg.

QL: Questions liturgiques; Lv.

Qol; México.

Qol(I); Novellara (RE).

Quaderni di scienze religiose; Loreto.

Qumran Chronicle; Kraków.

QVC: Qüestions de Vida Cristiana; Barc.

R: in Russian.

R: *recensio*, book-review.

RANL.mor.: Rendiconti dell'Accademia Nazionale dei Lincei, Cl. di scienze morali; R.

RANT: Res Antiquae; Bru.

RBBras: Revista Bíblica Brasileira; Fortaleza.

RBLit: Review of Biblical Literature; Atlanta.

REAC: Ricerche di egittologia e di antichità copte; Bo.

REAug: Revue d'études augustiniennes et patristiques; P.

Reformation, The; Oxf (Tyndale Society).

Religion; L.

Religious Research; Wsh.

RelSet: Religioni e Sette; Bo.

RelT: Religion and Theology; Pretoria.

RenSt: Renaissance Studies; Oxf.

ResB: Reseña Bíblica; Estella.

RevCT: Revista de cultura teológica; São Paulo.

Revista católica; Santiago de Chile.

Revue d'éthique et de théologie morale; P.

RGRW: Religions in the Graeco-Roman World; Lei.

Ribla: Revista de interpretação biblica latino-americana; Petrópolis.

RICAO: Revue de l'Institut Catholique de l'Afrique de l'Ouest; Abidjan.

Ricerche teologiche; Bo.

RiSCr: Rivista di storia del cristianesimo; Brescia.

Rivista di archeologia; R.

Rivista di scienze religiose; R.

Roczniki Teologiczne; Lublin

RRJ: Review of Rabbinic Judaism; Lei.

RRT: Reviews in Religion and Theology; L.

RSBS: Recent Research in Biblical Studies; Shf.

R&T: Religion and theology = Religie en teologie; Pretoria.

RTE: Rivista di teologia dell'evangelizzazione; Bo.

RTLit: Review of Theological Literature; Leiderdorp.

RTLu: Rivista Teologica di Lugano; Lugano.

S: Slovenian.

SAA Bulletin: State Archives of Assyria Bulletin; Padova.

SAAS: State Archives of Assyria, Studies; Helsinki.

Sacrum Ministerium; R.

Saeculum Christianum; Wsz.

SAIS: Studies in the Aramaic Interpretation of Scripture; Lei.

Sapientia Crucis; Anápolis.

SaThZ: Salzburger Theologische Zeitschrift; Salzburg.

SBL.SCSt: Society of Biblical Literature, Septuagint and Cognate Studies; Atlanta.

SBSl: Studia Biblica Slovaca; Svit.

Scriptura; Stellenbosch.

Scriptura(M): Scriptura; Montréal.

SdT: Studi di Teologia; R.

SEAP: Studi di Egittologia e di Antichità Puniche; Pisa.

Search; Dublin.

SECA: Studies on early christian Apocrypha; Lv.

Sedes Sapientiae; Chéméré-le-Roi.

SeK: Skrif en Kerk; Pretoria.

Semeia; Atlanta.

Seminarios; M.

Semiotica; Amst.

Servitium; CasM.

SeT: Segno e Testo; Cassino.

SEThV: Salzburger Exegetische Theologische Vorträge; Salzburg

Sevartham; Ranchi.

Sève; P.

Sewanee Theological Review; Sewanee, TN.

SiBiSl: Studia Biblica Slovaca; Svit.

SiChSt: Sino-Christian Studies, Taiwan.

SIDIC: Service International de Documentation Judéo-Chrétienne; R.

Silva—Estudios de humanismo y tradición clásica; León.

SMEA: Studi micenei ed egeo-anatolici; R.

SMEBT: Serie Monográfica de Estudios Biblicos y Teológicos de la Universidad Adventista del Plata; Libertador San Martín, Argentina.

Società, La; Verona.

Soleriana; Montevideo.

Sources; FrS.

Spiritual Life; Wsh.

Spiritus(B); Baltimore.

Spiritus; P.

SSEJC: Studies in Scripture in Early Judaism and Christianity; L.
STAC: Studien und Texte zu Antike und Christentum; Tü.
Stauros; Pescara.
StBob: Studia Bobolanum; Wsz.
StEeL: Studi epigrafici e linguistici; Verona.
Storia della storiografia; Mi.
St Mark's Review; Canberra.
StPhiloA: Studia Philonica Annual; Providence, RI.
Strata: Bulletin of the Anglo-Israel Archaeological Society; L.
StSp(N): Studies in Spirituality; Lv.
Studia Textus Novi Testamenti; Osaka.
Studi Fatti Ricerche; Mi.
Studi sull'Oriente Cristiano; R.
Studium(R): Studium; R.
StWC: Studies in World Christianity; E.
Sudan & Nubia; L.
Synaxis; Catania.
ᵀ: Translator.
TA:Tel Aviv; TA.
TBAC: The Bible in Ancient Christianity; Lei.
TC.JBTC: TC: a journal of biblical textual criticism [http://purl.org/TC].
TENTS: Texts and editions for New Testament study; Lei.
Teocomunicaçâo; Porto Alegre, Brasil.
Tertium Millennium; R.
TFE: Theologische Frauenforschung in Europa; Müns.
TGr.T: Tesi Gregoriana, Serie Teologia; R.
TEuph: Transeuphratène; P.
Themelios; L.
Theoforum; Ottawa.
Theologia Viatorum; Potenza.
Theologica & Historica; Cagliari.
Theologika; Lima.
Theologisches; Siegburg.
Théologiques; Montréal.
ThEv(VS): Théologie évangélique; Vaux-sur-Seine.
ThLi: Theology & Life; Hong Kong.
Theotokos; R.

ThirdM: Third Millennium: Pune, India.
T&K: Texte und Kontexte; Stu.
TKNT: Theologischer Kommentar zum Neuen Testament; Stu.
TMA: The Merton Annual; Shf.
TrinJ: Trinity Journal; Deerfield,a IL.
TTE: The Theological Educator; New Orleans.
Tychique; Lyon.
Una Voce-Korrespondenz; Köln.
VeE: Verbum et Ecclesia; Pretoria.
VeVi: Verbum Vitae; Kielce. P.
Viator; Turnhout.
Vie Chrétienne; P.
Vivar(C): Vivarium; Catanzaro.
Vivar(L): Vivarium; Lei.
VivH: Vivens Homo; F.
VO: Vicino Oriente; R.
Volto dei volti, Il; R.
Vox latina; Saarbrücken.
Vox Patrum; Lublin.
VoxScr: Vox Scripturae; São Paulo.
VTeol: Via Teológica; Paraná.
VTW: Voices from the Third World; Bangalore.
WAS: Wiener alttestamentliche Studien; Fra.
WaW: Word and World; St. Paul, Minn.
Way, The; L.
WBC: Word Biblical Commentary; Waco.
WGRW: Writings from the Greek and [Greco-] Roman World; Atlanta.
WJT: Wiener Jahrbuch für Theologie; W.
WUB: Welt und Umwelt der Bibel; Stu.
YESW: Yearbook of the European Society of Women in Theological Research; Lv.
ZAC: Zeitschrift für antikes Christentum; B.
ZAR(.B): Zeitschrift für altorientalische und biblische Rechtsgeschichte (Beihefte); Wsb.
ZeitZeichen; Stu.

ZME: Zeitschrift für medizinische Ethik; Salzburg.
ZNT: Zeitschrift für Neues Testament; Tü.
ZNTG: Zeitschrift für neuere Theologiegeschichte; B.

ZOrA: Zeitschrift für Orient-Archäologie; B.
ZPT: Zeitschrift für Pädagogik und Theologie; Fra.
ZThG: Zeitschrift für Theologie und Gemeinde; Mü.

I. Bibliographica

A1Opera collecta .1 **Festschriften**, memorials

1 ADAMS, Barbara: Egypt at its origins. [E]**Hendrickx, Stan; Friedman, R.F.** OLA 138: 2004 ⇒20,3; 22,1. [R]MSR 64/4 (2007) 69-70 (*Cannuyer, Christian*).

2 ADAMS, Robert M.: Settlement and society: essays dedicated to Robert McCormick Adams. [E]**Stone, Elizabeth C.** Ideas, debates and perspectives 3: LA 2007, Cotsen Institute xxii; 490 pp. $35. 978-1-931745-33-8. Bibl. 387-464. [R]Mes. 42 (2007) 277-278 (*Cellerino, Alessandra*).

3 AEJMELAEUS, Lars J.T.: Lux humana, lux aeterna. [E]**Mustakallio, Antti,** *al.*, 2005 ⇒21,1. [R]CBQ 69 (2007) 406-407 (*Bryant, Robert A.*); RBLit (2007)* (*Zamfir, Korinna*).

4 ALLEN, Leslie C.: Uprooting and planting: essays on Jeremiah for Leslie Allen. [E]**Goldingay, John E.** LHBOTS 459: NY 2007, Clark xi; 378 pp. $210. 978-05670-29522.

5 AULD, Graeme: Reflection and refraction: studies in biblical historiography in honour of A. Graeme Auld. [E]**Rezetko, Robert; Lim, Timothy; Aucker, Brian** VT.S 113: Lei 2007, Brill xxix; 572 pp. $194. 90-04-14512-5. Bibl. Auld xv-xxiii. [R]RBLit (2007)* (*Edelman, Diana*).

6 AUNE, David E.: The New Testament and early christian literature in Greco-Roman context: studies in honor of David E. Aune. [E]**Fotopoulos, John** NT.S 122: 2006 ⇒22,4. [R]DBM 25/1 (2007) 123-128 (*Gkoutzioudes, Moschos*).

7 BALZ, Horst: Fragmentarisches Wörterbuch: Beiträge zur biblischen Exegese und christlichen Theologie: Horst Balz zum 70. Geburtstag. [E]**Schiffner, Kerstin; Wengst, Klaus; Zager, Werner** Stu 2007, Kohlhammer 470 pp. €49.80. 978-31701-97923.

8 BAR-ASHER, Moshe: Sha'arei lashon: studies in Hebrew, Aramaic and Jewish languages presented to Moshe Bar-Asher, 1: Biblical Hebrew, masorah, and medieval Hebrew. [E]**Maman, A.; Fassberg, S.E.; Breuer, Y.** J 2007, Bialik lvi; 344; 184* pp. $41.77. 978-96534-29451;

9 2: Rabbinic Hebrew and Aramaic. J 2007, Bialik vi; 452; 84* pp. $41.77. 978-96534-29468;

10 3/1: Modern Hebrew; 3/2: Oral traditions, Jewish languages, and Arabic. viii; *84; viii + viii; 466; 156* pp. $41.77. 978-96534-29475.

11 BASSLER, Jouette: The impartial God: essays in biblical studies in honor of Jouette M. Bassler. [E]**Roetzel, Calvin J.; Foster, Robert L.** NTMon 22: Shf 2007, Sheffield Phoenix xiv; 272 pp. $110. 978-1-906-055-22-6. Bibl.

12 BECKER, Jürgen: Paulus und Johannes. [E]**Mell, Ulrich; Sänger, Dieter** WUNT 198: 2006 ⇒22,6. [R]ThLZ 132 (2007) 535-536 (*Niebuhr, Karl-Wilhelm*); EThL 83 (2007) 485-488 (*Stenschke, Christoph*); RBLit (2007)* (*Heil, John P.*).

13 BEN SHAMMAI, Haggai: דבר דבור על עופניו: מחקרים בפרשנות המקרא והקוראן בימי הביניים מוגשים לחגאי בן שמאי [A word fitly spoken: studies in medieval exegesis of the Hebrew Bible and the Quran presented to Haggai ben Shammai]. [E]Bar-Asher, Meir M., al., J 2007, Ben-Zvi Institute 446+170 pp.

14 BENEDICTUS XVI: "Ubi Petrus ibi Ecclesia": sui "sentieri" del Concilio Vaticano II: miscellanea offerta a S.S. Benedetto XVI in occasione del suo 80° genetliaco. [E]Sodi, Manlio Nuova biblioteca di scienze religiose 1: R 2007, LAS 795 pp. 88-213-0641-0.

15 BIGGS, Robert D.: Studies presented to Robert D. Biggs, June 4, 2004. [E]Roth, Martha T., al., From the Workshop of the Chicago Assyrian Dictionary 2: Ch 2007, Oriental Institute liv; 362 pp. $40. Ill.

16 BLUMENTHAL, Sieghild von: Kunst der Deutung–Deutung der Kunst: Beiträge zu Bibel, Antike und Gegenwartsliteratur. [E]Oertelt, Friederike; Schwebel, Horst; Standhartinger, Angela Ästhetik–Theologie–Liturgik 45: Müns 2007, LIT 202 pp. 978-3-8258-9997-4.

17 BRADSHAW, Paul F.: Studia liturgica diversa: essays in honor of Paul F. Bradshaw. [E]Johnson, Maxwell E.; Phillips, L.Edward 2004 ⇒20,12. [R]EO 24/1 (2007) 122-124 (Pommarès, Jean Marie).

18 BRÄNDLE, Werner: Philosophisch-theologische Anstöße zur Urteilsbildung: Festschrift für Werner Brändle. [E]Baumgart, Norbert C.; Ringshausen, Gerhard Lüneburger Theologische Beiträge 5: B 2007, LIT ix; 239 pp. 978-3-8258-0115-1.

19 BRITO, Emilio: Philosophie et théologie: Festschrift Emilio Brito. [E]Gaziaux, Eric BEThL 206: Lv 2007, Peeters lviii; 588 pp. 978-90429-19570. Bibl. Brito.

20 BRUEGGEMANN, Walter; COUSAR, Charles B.: Shaking heaven and earth. [E]Yoder, Christine R., al., 2005 ⇒21,16; 22,12. [R]CBQ 69 (2007) 183-185 (Ollenburger, Ben C.).

21 BURCHARD, Christoph: Das Gesetz im frühen Judentum und im Neuen Testament. [E]Konradt, Matthias; Sänger, Dieter StUNT 57; NTOA 57: 2006 ⇒22, 13. [R]RBLit (2007) 60-63 (Loader, William R.G.).

22 BURNEY, Charles: A view from the highlands: archaeological studies in honour of Charles Burney. [E]Sagona, Antonio ANESt.S 12: 2004 ⇒20, 14; 21,17. [R]BASOR 347 (2007) 117-120 (Steadman, Sharon R.).

23 CAMERON, Averil: From Rome to Constantinople: studies in honour of Averil Cameron. [E]Ter Haar Romeny, R.B.; Amirav, Hagit Late antique history and religion 1: Lv 2007, Peeters xiv; 425 pp. 978-90-429-1971-6. Bibl. Cameron 377-394; Ill.

24 CAQUOT, André: La bible et l'héritage d'Ougarit. [E]Michaud, Jean-Marc Proche-Orient et Littérature Ougaritique: 2005 ⇒21,22; 22,15. [R]CBQ 69 (2007) 179-180 (Smith, Mark S.); AuOr 25 (2007) 180-181 (Olmo Lete, Gregorio del).

25 CHANEY, Marvin L.: To break every yoke: essays in honor of Marvin L. Chaney. [E]Gottwald, Norman K.; Coote, Robert B. SWBAS Second series 3: Shf 2007, Sheffield Phoenix 380 pp. $50.

26 CHARLESWORTH, James: The changing face of Judaism, christianity, and other Greco-Roman religions. [E]Henderson, Ian H.; Oegema, Gerbern S. 2006 ⇒22,19. [R]RHPhR 87 (2007) 221-222 (Grappe, C.).

27 CIGNELLI, Lino: Grammatica intellectio scripturae. [E]Pierri, Rosario 2006 ⇒22,21. [R]CDios 220 (2007) 246-248 (Gutiérrez, J.).

28 CUNLIFFE, Barry W.: Communities and connections: essays in honour of Barry Cunliffe. [E]Gosden, Chris Oxf 2007, OUP xxix; 491 pp. 978-0-19-923034-1. Bibl. Cunliffe 464-484.

29 DAN, Joseph: Creation and re-creation in Jewish thought. ^E**Elior, Rachel; Schäfer, Peter** 2005 ⇒21,30. ^RJSJ 38 (2007) 376-378 *(Grözinger, Karl E.)*; Sal. 69 (2007) 574-575 *(Vicent, Rafael)*.

30 DEASLEY, Alex R.G.: Holiness and ecclesiology in the New Testament. ^E**Brower, Kent; Johnson, Andy** GR 2007, Eerdmans xxiv; 385 pp. $35. 978-0-8028-4560-3 [BiTod 46,131–Donald Senior].

31 DEVER, William G.: The Near East in the southwest: essays in honor of William G. Dever. ^E**Nakhai, Beth Alpert** AASOR 58: 2003 ⇒19,30; 22,31. ^RBiOr 64 (2007) 748-751 *(Kaptijn, Eva)*.

32 DEVOS, Paul: Aegyptus christiana: mélanges d'hagiographie égyptienne et orientale. ^E**Zanetti, Ugo; Lucchesi, Enzo** COr 25: 2004 ⇒20,30. ^RRHR 224 (2007) 120-126 *(Boud'hors, Anne)*.

33 DI LELLA, Alexander A.: Intertextual studies in Ben Sira and Tobit. ^E**Corley, Jeremy; Skemp, Vincent** CBQ.MS 38: 2005 ⇒21,35; 22,33. ^RThLZ 132 (2007) 399-402 *(Marböck, Johannes)*.

34 DIMANT, Devorah: Meghillot: studies in the Dead Sea scrolls, V-VI. ^E**Bar-Asher, Moshe; Tov, Emanuel** J 2007, Bialik xii; 345; 223*; xx* pp. $37.59. 978-96534-29444. **H.**

35 DINÇOL, Ali; DINÇOL, Belkis: Vita: Belkis Dinçol ve Ali Dinçol'a armagan = Festschrift in honor of Belkis Dinçol and Ali Dinçol. ^E**Alparslan, Metin; Dogan-Alparslan, Meletem; Peker, Hasan** Istanbul 2007, Ege Yayinlari xxviii; 834 pp. 978-975-807-161-6.

36 DION, Paul Eugène: The world of the Aramaeans. ^E**Daviau, Michèle; Wevers, John W.; Weigl, Michael** JSOT.S 324-6: 2001 ⇒17,25...21, 37. ^RAram 19 (2007) 739-749 *(Bonneterre, Daniel)*.

37 ELLIS, Edward E.: History and exegesis. ^E**Son, Sang-Won** 2006 ⇒22, 36. ^RCBQ 69 (2007) 195-196 *(Carmody, Thomas R.)*.

38 FABRIS, Rinaldo: "Generati da una parola di verità" (Gc 1,18). ^E**Grasso, Santi; Manicardi, Ermenegildo** SRivBib 47: 2006 ⇒22,38. ^RRivBib 55 (2007) 504-506 *(Colacrai, Angelo)*.

39 FAHEY, Michael A.: In God's hands. ^E**Attridge, M.S.; Skira, J.Z.** 2006 ⇒22,39. ^RColl. (2007) 461-462 *(Denaux, Adelbert)*.

40 FELDMAN, Louis H.: Studies in JOSEPHUS and the varieties of ancient Judaism: Louis H. Feldman jubilee volume. ^E**Cohen, Shaye J.D.; Schwartz, Joshua J.** AJEC 67: Lei 2007, Brill viii; 312 pp. €109/$139. 978-90-04-15389-9.

41 FIORENZA, Elisabeth S.: Walk in the ways of wisdom. ^E**Matthews, Shelly; Kittredge, Cynthia Briggs; Johnson-DeBaufre, Melanie** 2003 ⇒ 19,39... 22,41. ^RCBQ 69 (2007) 404-405 *(Malbon, Elizabeth S.)*.

42 FLANAGAN, James W.: 'Imagining' biblical worlds. ^E**Gunn, David M.; McNutt, Paula M.** 2002 ⇒18,38... 20,39. ^RJJS 58 (2007) 341-343 *(Collins, Matthew A.)*.

43 FOX, Michael V.: Seeking out the wisdom of the ancients. ^E**Friebel, Kelvin G.; Magary, Dennis R.; Troxel, Ronald L.** 2005 ⇒21,43; 22,43. ^RJJS 58 (2007) 154-157 *(Harding, James E.)*; OLZ 102 (2007) 43-47 *(Delkurt, Holger)*; CBQ 69 (2007) 390-392 *(Lasine, Stuart)*; JAOS 127 (2007) 225-226 *(Klingbeil, Gerald A.)*.

44 FREYNE, Seán: Recognising the margins: developments in biblical and theological studies. ^E**Jeanrond, Werner G.; Mayes, Andrew** 2006 ⇒ 22,46. ^RFurrow 58 (2007) 111-113 *(Thurston, Anne)*; DoLi 57/4 (2007) 63-64 *(Flanagan, Donal)*; SvTK 83 (2007) 93-94 *(Wirén, Jacob)*.

45 FRONZAROLI, Pelio: Semitic and Assyriological studies. ^E**Marrassini, Paolo** 2003 ⇒19,44; 22,47. ^RJNES 66 (2007) 71-72 *(Biggs, Robert D.)*.

46 GARCÍA MARTÍNEZ, Florentino: Flores Florentino: Dead Sea scrolls and other early Jewish studies in honour of Florentino García Martínez. ᴱHilhorst, Anthony; Puech, Émile JSJ.S 122: Lei 2007, Brill xxvii; 836 pp. €179/$249. 978-90-04-16292-1. Bibl. García Martínez 803-816.

47 GELLER, Stephen A.: Bringing the hidden to light: the process of interpretation: studies in honor of Stephen A. Geller. ᴱKravitz, Kathryn F.; Sharon, Diane M. WL 2007, Eisenbrauns xv; 304 pp. $49.50. 978-1-57506-124-5. Bibl. ix-xi.

48 GHIBERTI, Giuseppe: "Il vostro frutto rimanga" (Gv 16,16). ᴱPassoni Dell'Acqua, Anna RivBib.S 46: 2005 ⇒21,47; 22,51. ᴿRivBib 55 (2007) 115-120 (Iovino, Paolo).

49 GIBERT, Pierre: Mémoires d'écriture. ᴱAbadie, Philippe Le livre et le rouleau 25: 2006 ⇒22,52. ᴿCEv 141 (2007) 140-141 (Autané, Maurice).

50 GITIN, Seymour: 'Up to the gates of Ekron': essays on the archaeology and history of the eastern Mediterranean in honor of Seymour Gitin. ᴱCrawford, Sidnie W., al., J 2007, Albright Institute xxvi; 509 pp. $148. 978-96522-10661. ᴿUF 39 (2007) 909-911 (Zwickel, Wolfgang).

51 GOLDENBERG, Gideon: Studies in Semitic and general linguistics in honor of Gideon Goldenberg. ᴱBar, Tali; Cohen, Eran AOAT 334: Müns 2007, Ugarit-Verlag 377 pp. €94. 978-3-934628-84-7.

52 GORDON, Cyrus Herzl: Boundaries of the ancient Near Eastern world: a tribute to Cyrus H. Gordon. ᴱLubetski, Meir; Gottlieb, Claire; Keller, Sharon JSOT.S 273: 1998 ⇒14,31; 16,47. ᴿOLZ 102 (2007) 313-316 (Thiel, Winfried).

53 GRANT, Robert M.: Reading religions in the ancient world: essays presented to Robert... Grant on his 90th birthday. ᴱYoung, Robin D.; Aune, David E. NT.S 125: Lei 2007, Brill vi; 305 pp. 978-90-04-16196-2.

54 GRAYSON, Albert Kirk: From the upper sea to the lower sea. ᴱFrame, Grant 2004 ⇒20,50; 22,54. ᴿBiOr 64 (2007) 666-671 (Lion, Brigitte).

55 GREENWAY, Roger S.: For God so loved the world. ᴱLeder, Arie C. 2006 ⇒22,55. ᴿMiss. 35 (2007) 456-457 (Sherron, George); CTJ 42 (2007) 419-421 (Van der Weele, Steve).

56 GUNDLACH, Rolf: In Pharaos Staat.: Festschrift für Rolf Gundlach zum 75. Geburtstag. ᴱBröckelmann, Dirk; Klug, Andrea Wsb 2006, Harrassowitz vii; 298 pp. €78. 978-34470-54980. 90 fig.

57 HAACKER, Klaus: Logos—Logik—Lyrik: engagierte exegetische Studien zum biblischen Reden Gottes: Festschrift für Klaus Haacker. ᴱLehnert, Volker A.; Rüsen-Weinhold, Ulrich ABIG 27: Lp 2007, Evangelische 414 pp. €48. 978-3-374-02523-7.

58 HAASE, Richard: Recht gestern und heute. ᴱHengstl, Joachim; Sick, Ulrich Philippika 13: 2006 ⇒22,58. ᴿZAR 13 (2007) 429-433 (Achenbach, Reinhard).

59 HABACHI, Labib: Labib Habachi: the life and legacy of an egyptologist. ᴱKamil, Jill Cairo 2007, American University in Cairo Pr. xv; 344 pp. 978-977-416-061-5. Bibl. 313-326.

60 HALPERN-AMARU, Betsy: Heavenly tablets: interpretation, identity and tradition in ancient Judaism. ᴱLiDonnici, Lynn; Lieber, Andrea JSJ.S 119: Lei 2007, Brill xii; 333 pp. €119. 978-90041-58566. Bibl. 285-305.

61 HANKEY, Vronwy: La céramique mycénienne de l'Egée au Levant. ᴱBalensi, Jacqueline; Monchambert, Jean-Yves; Müller Celka, Sylvie 2004 ⇒20,53; 22,61. ᴿAJA 111 (2007) 807-808 (Haskell, Halford W.); RAr (2007/1) 149-153 (Rougemont, Françoise); SMEA 48 (2006) 318-324 (Bettelli, Marco).

62 HARDMEIER, Christof: Behutsames Lesen: alttestamentliche Exegese im interdisziplinären Methodendiskurs: Christof Hardmeier zum 65. Geburtstag. ^E**Lubs, Silke**, *al.*, ABIG 28: Lp 2007, Evangelische 411 pp. 978-3-374-02524-4. Bibl. Hardmeier 401-409.

63 HAUFE, Günter: Eschatologie und Ethik im frühen Christentum. ^E**Böttrich, Christfried** GThF 11: 2006 ⇒22,63. ^RThRv 103 (2007) 453 (*Dassmann, Ernst*).

64 HÄRLE, Wilfried: Menschenbild und Theologie: Beiträge zum interdisziplinären Gespräch: Festgabe für Wilfried Härle zum 65. Geburtstag. ^E**Brunn, Frank M.**, *al.*, MThSt 100: Lp 2007, Evangelische 272 pp. €24. 978-33740-25190.

65 HENTSCHEL, Georg: Ein Herz so weit wie der Sand am Ufer des Meeres: Festschrift für Georg Hentschel. ^E**Giercke, Annett; Gillmayr-Bucher, Susanne; Nießen, Christina** EThSt 90: Wü 2007, Echter 403 pp. 978-3-429-02833-6.

66 HIEROLD, Alfred E.: Im Dienst von Kirche und Wissenschaft: Festschrift für Alfred E. Hierold zur Vollendung des 65. Lebensjahres. ^E**Rees, Wilhelm; Demel, Sabine; Müller, Ludger** KStT 53: B 2007, Duncker & H. xx; 1175 pp. 978-3428-124787.

67 HILLERS, Delbert R.: A journey to Palmyra. ^E**Cussini, Eleonora** Culture and history of the ancient Near East 22: 2005 ⇒21,61. ^RBiOr 64 (2007) 720-725 (*Gzella, Holger*); ZDMG 157 (2007) 466-467 (*Niehr, Herbert*).

68 HORBURY, William: Redemption and resistance: the messianic hopes of Jews and christians in antiquity. ^E**Bockmuehl, Marcus; Carleton Paget, James** L 2007, Clark xxvii; 381 pp. £80. 978-05670-30436.

69 HOSSFELD, Frank-Lothar: Für immer verbündet: Studien zur Bundestheologie der Bibel. ^E**Dohmen, Christoph; Frevel, Christian** SBS 211: Stu 2007, Katholisches Bibelwerk 284 pp. 978-3-460-03114-2.

70 HURST, André: κορυφαίῳ ἀνδρί: Mélanges. ^E**Kolde, Antje; Lukinovich, Alessandra; Rey, André-Louis** Recherches et rencontres 22: 2005 ⇒ 21,64. ^RREA 109 (2007) 744-745 (*Fayant, Marie-Christine*).

71 HURTADO, Larry W.; SEGAL, Alan F.: Israel's God and Rebecca's children: christology and community in early Judaism and christianity: essays in honor of Larry W. Hurtado and Alan F. Segal. ^E**Capes, David B.**, *al.*, Waco, Tex. 2007, Baylor University Press xviii; 480 pp. $60. 978-1-602-58026-8. Bibl.

72 IBÁÑEZ ARANA, Andrés: La carne humana de la escritura: homenaje a don Andrés Ibáñez Arana. ^E**Badiola, José Antonio** Biblica Victoriensia 6: Vitoria-Gastei 2007, Eset 332 pp. 84-7167-149-2. Bibl. 325-332.

73 JANZEN, Waldemar: Reclaiming the Old Testament. ^E**Zerbe, Gordon** 2001 ⇒17,54; 18,63. ^RSR 36 (2007) 195-197 (*Yoder, Perry*).

74 JAPHET, Sara: שׁ"י לשׂרה יפת: מחקרים במקרא, בפרשנותו ובלשׁונו [Shai le-Sara Japhet: studies in the bible, its exegesis and its language]. ^E**Bar-Asher, Moshe**, *al.*, J 2007, Bialik xx; 484 (Hebr.); xix; 396 (Eng.) pp. $40.15.

75 JENNER, Konrad D.: Text, translation, and tradition. ^E**Ter Haar Romeny, Bas ; Van Peursen, Wido** MPIL 14: 2006 ⇒22,75. ^RRBLit (2007)* (*Cook, Johann*).

76 JENNI, Ernst: "... der seine Lust hat am Wort des Herrn!": Festschrift für Ernst Jenni zum 80. Geburtstag. ^E**Luchsinger, Jürg; Mathys, Hans-Peter; Saur, Markus** AOAT 336: Müns 2007, Ugarit-Verlag x; 466 pp. 978-3-934628-87-8.

77 JEREMIAS, Jörg: Schriftprophetie. ^E**Hartenstein, F.; Krispenz, J.; Schart, A.** 2004 ⇒20,65; 22,76. ^RThLZ 132 (2007) 139-141 (*Dietrich, Walter*).

78 JOHNSON, David W.: The world of early Egyptian christianity: language, literature, and social context: essays in honor of David W. Johnson. ᴱGoehring, James E.; Timbie, Janet A. Wsh 2007, Catholic University of America Press xix; 226 pp. $40. 978-08132-14801. Bibl. 189-210.

79 JOUANNA, Jacques: La science médicale antique: nouveaux regards: études réunies en l'honneur de Jacques Jouanna. ᴱBoudon-Millot, V.; Guardasole, A.; Magdelaine, C. P 2007, Beauchesne x; 486 pp. €93. 978-27010-15149.

80 JUNCO Garza, Carlos: Palabra no encadenada y pro-vocativa. ᴱLandgrave Gándara, Daniel R. Estudios Bíblicos Mexicanos 4: 2005 ⇒21, 74. ᴿRevBib 69 (2007) 125-126 (Albistur, Fernando).

81 JUNGE, Friedrich: Jn.t dr.w: Festschrift für Friedrich Junge. ᴱMoers, Gerald Gö 2006, Seminar für Ägyptologie und Koptologie: 2 vols; 735 pp. 3-00-018329-9. Bibl.; Ill.

82 JUNOD, Eric; KAESTLI, Jean-Daniel: Poussières de christianisme et de judaïsme antiques. ᴱFrey, Albert; Kaestli, Jean-D. Publications de l'Institut Romand des Sciences Bibliques 5: Prahins (CH) 2007, Zèbre 400 pp. €62. 29403-51104. 19 pl. ᴿRHPhR 87 (2007) 380-1 (Gounelle, R.).

83 KEEL, Othmar: Bilder als Quellen: images as sources: studies on ancient Near Eastern artefacts and the bible inspired by the work of Othmar Keel. ᴱBickel, Susanne, al., OBO.Sonderband: FrS 2007, Academic xlvi; 560 pp. €98. 978-3-7278-1613-0. 34 pl.; Bibl. Keel xix-xlvi.

84 KELBER, Werner: Peforming the gospel: orality, memory, and Mark. ᴱHorsley, Richard A.; Draper, Jonathan A.; Foley, John M. 2006 ⇒ 22,82. ᴿThLZ 132 (2007) 141-142 (Baum, Armin D.); EstB 65 (2007) 390-392 (Pikaza, Xabier); CBQ 69 (2007) 861-863 (Lee, Margaret E.); RBLit (2007) 312-315 (Kirk, Alan).

85 KIRCHSCHLÄGER, Walter: Damit sie das Leben haben (Joh 10,10): Festschrift für Walter Kirchschläger zum 60. Geburtstag. ᴱScoralick, Ruth Z 2007, Theologischer 338 pp. €38. 978-3-290-20035-0.

86 KLEIN, Ralph W.: The Chronicler as theologian. ᴱGraham, M. Patrick; McKenzie, Steven L.; Knoppers, Gary N. JSOT.S 371: 2003 ⇒19,69 ... 21,80. ᴿJNES 66 (2007) 230-231 (Handy, Lowell K.); Perspectives on Hebrew Scriptures II, 562-567 (Boda, Mark J.) ⇒373.

87 KLINGER, Elmar: Glaube in der Welt von heute. 2006 ⇒22,86. ᴿThPQ 155 (2007) 431-432 (Koller, Edeltraud).

88 KNIBB, Michael A.: Biblical traditions in transmission. ᴱHempel, Charlotte; Lieu, Judith M. JSJ.S 111: 2006 ⇒22,87. ᴿJSJ 38 (2007) 390-391 (Eshel, Hanan); CBQ 69 (2007) 619-621 (Stone, Michael E.); RBLit (2007)* (Oegema, Gerbern S.).

89 KOCH, Klaus: Der Gott Israels und die Götter des Orients: religionsgeschichtliche Studien II: zum 80. Geburtstag von Klaus Koch. ᴱHartenstein, Friedhelm; Rösel, Martin FRLANT 216: Gö 2007, Vandenhoeck & R. 362 pp. €79.90. 35255-3079X. ᴿRBLit (2007)* (Moore, Michael).

90 KOSAK, Silvin: Tabularia Hethaerum: hethiologische Beiträge: Silvin Kosak zum 65. Geburtstag. ᴱGroddek, Detlev; Zorman, Maria Dresdner Beiträge zur Hethitologie 25: Wsb 2007, Harrassowitz xlviii; 810 pp. €98. 978-3-447-05530-7.

91 KUSS, Otto: Unterwegs mit Paulus: Otto Kuss zum 100. Geburtstag. ᴱHainz, Josef 2006 ⇒22,91. ᴿThRv 103 (2007) 122-125 (Frankemölle, Hubert);

92 Rg ²2007, Pustet vii; 294 pp. €34.90. 978-3-7917-2000-5.

93 LAETARE Jerusalem: Festschrift zum 100jährigen Ankommen der Benediktinermönche auf dem Jerusalemer Zionsberg. ᴱSchnabel, Nikodemus C. Jerusalemer Theologisches Forum 10: 2006 ⇒22,92. ᴿThRv 103 (2007) 114-115 (*Böntert, Stefan*); POC 57 (2007) 456-457 (*Merceron, R.*); ALW 49 (2007) 414-416 (*Häußling, Angelus A.*).

94 LARSEN, Mogens T.: Assyria and beyond. ᴱDercksen, Jan G. 2004 ⇒ 20,82. ᴿBiOr 64 (2007) 174-175 (*Mouton, A.*).

95 LATTKE, Michael: 'I sowed fruits into hearts' (Odes Sol. 17:13): Festschrift for Professor Michael Lattke. ᴱAllen, Pauline; Franzmann, Majella; Strelan, Rick Early Christian Studies 12: Strathfield 2007, St. Pauls xix; 250 pp. $36.50. 978-09752-13865.

96 LEHMANN, Karl: Weg und Weite. ᴱRaffelt, Albert 2001 ⇒17,63. 2. Aufl. ᴿThGl 97 (2007) 514-517 (*Gerwing, Manfred*).

97 LEVINAS, Emmanuel: Après vous: Denkbuch für Emmanuel Levinas 1906-1995. ᴱMiething, Frank; Wolzogen, Christoph von 2006 ⇒22, 96. ᴿThPh 82 (2007) 275-276 (*Splett, J.*).

98 LLOYD, Alan B.: Egyptian stories: a British Egyptological tribute to Alan B. Lloyd on the occasion of his retirement. ᴱSzpakowska, Kasia M.; Schneider, Thomas AOAT 347: Müns 2007, Ugarit-Verlag x; 459 pp. 978-3-934628-94-6.

99 LÖNING, Karl: Die Weisheit–Ursprünge und Rezeption. ᴱFaßnacht, Martin; Leinhäupl-Wilke, Andreas; Lücking, Stefan NTA 44: 2003 ⇒19,78; 21,90. ᴿAnton. 82 (2007) 587-589 (*Nobile, Marco*).

100 LUST, Johan: Interpreting translation : studies on the LXX and Ezekiel in honour of Johan Lust. ᴱGarcía Martínez, Florentino; Vervenne, Marc BEThL 192: 2005 ⇒21,92; 22,99. ᴿJSJ 38 (2007) 108-110 (*Tilly, Michael*); Theoforum 38 (2007) 86-90 (*Laberge,Léo*).

101 LUTTIKHUIZEN, Gerard P.: The wisdom of Egypt. ᴱHilhorst, Anthony; Van Kooten, George H. AGJU 59: 2005 ⇒21,93; 22,100. ᴿHenoch 29 (2007) 176-178 (*Copeland, Kirsti B.*)

102 MARAVAL, Pierre: Pélerinages et lieux saints dans l'antiquité et le moyen âge. ᴱCaseau, B.; Cheynet, J.-C.; Deroche, V. 2006 →22,102. ᴿMuséon 120 (2007) 482-488 (*Capone, A.*).

103 MARTIN, Jean-Pierre: Pouvoir et religion dans le monde romain. ᴱBéranger-Badel, Agnès, *al.*, 2006 ⇒22,106. ᴿAnCl 76 (2007) 424-425 (*Van Haeperen, Françoise*); REA 109 (2007) 395-397 (*Haack, Marie-Laurence*)..

104 MCBRIDE, Samuel Dean: Constituting the community. ᴱStrong, John T.; Tuell, Steven S. 2005 ⇒21,98; 22,109. ᴿThPh 82 (2007) 124-125 (*Markl, Dominik*).

105 METZGER, Bruce M.: Text and community: essays in memory of Bruce M. Metzger. ᴱEllens, J. Harold NTMon 19-20: Shf 2007, Phoenix xvi; 329 + xiii; 226 pp. 978-1-906055-15-8/8-9.

106 MEYERS, Eric M.: The archaeology of difference: gender, ethnicity, class and the "other" in antiquity: studies in honor of Eric M. Meyers. ᴱEdwards, Douglas R.; McCollough, C. Thomas AASOR 60/61: Boston, MA 2007, ASOR xiii; 416 pp. $125. 978-0-89757-070-1.

107 MILLAR, Fergus: Aspects of the Roman East: papers in honour of Professor Fergus Millar FBA. ᴱLieu, Samuel N.C.; Alston, Richard Studia antiqua australiensia 3: Turnhout 2007, Brepols xiii; 230 pp. €45. 978-2-5035-2625-6.

108 MILLARD, Alan Ralph: Writing and ancient Near Eastern society. ᴱMee, Christopher; Bienkowski, Piotr A.; Slater, Elizabeth JSOT.S

426; LHBOTS 426: 2005 ⇒21,102. [R]TEuph 34 (2007) 155-156 (*Bron,*
F.); JHScr 7 (2007)* = Perspectives on Hebrew Scriptures IV,461-463
⇒22,593 (*Tebes, Juan M.*).
109 MOLONEY, Francis J.: Transcending boundaries: contemporary reading
of the NT. [E]**Chennattu, Rekha M.; Coloe, Mary L.** BSRel 187: 2005
⇒21,104. [R]CBQ 69 (2007) 186-188 (*Donahue, John R.*).
110 MONSENGWO PASINYA, Laurent: Sagesse humaine et sagesse divine
dans la bible: Human wisdom and divine wisdom in the bible: mé-
langes offerts à S.E. Laurent Monsengwo Pasinya à l'occasion de ses
25 ans d'épiscopat. Nairobi 2007, APECA-PACE 427 pp. 12th Con-
gress Panafrican Association of Catholic Exegetes, Kinshasa, Congo,
2005.
111 MORAN, William L.: Biblical and oriental essays in memory of Wil-
liam L. Moran. [E]**Gianto, Agustinus** BibOr 48: 2005 ⇒21,107; 22,114.
[R]CBQ 69 (2007) 174-175 (*Di Vito, Robert A.*).
112 MORGAN, Robert: The nature of New Testament theology. [E]**Rowland,
Christopher; Tuckett, Christopher** 2006 ⇒22,115. [R]RBLit (2007)
486-489 (*Blomberg, Craig L.*).
113 MÜLLER, Mogens: Kanon: Bibelens tilblivelse og normative status.
[E]**Engberg-Pedersen, Troels; Lemche, Niels P.; Tronier, Henrik**
2006 ⇒22,119. [R]SvTK 83 (2007) 43-44 (*Eriksson, LarsOlov*).
114 NAGEL, Peter: Sprache und Geist: Peter Nagel zum 65. Geburtstag.
[E]**Beltz, Walter; Pietruschka, Ute; Tubach, Jürgen** HBO 35: Halle
(Saale) 2003, Martin-Luther-Universität Halle-Wittenberg xx; 403 pp.
115 NEVEU, Bruno: Papes, princes et savants dans l'Europe moderne:
mélanges à la mémoire de Bruno Neveu. [E]**Quantin, Jean-L.; Waquet,
Jean-C.** HEMM 90: Genève 2007, Droz xii; 441 pp. 26000-11250.
116 NEYREY, Jerome H.: In other words: essays on social science methods
and the New Testament in honor of Jerome H. Neyrey. [E]**Hagedorn,
Anselm C.; Stewart, Eric C.; Crook, Zeba A.** SWBAS n.s. 1: Shf
2007, Sheffield Academic xii; 263 pp. $95. 978-1-905048-39-7.
117 NICHOLSON, Ernest Wilson: Covenant as context. [E]**Mayes, A.D.H.;
Salters, Robert B.** 2003 ⇒19,104... 21,110. [R]SJTh 60/1 (2007) 122-
113 (*Goldingay, John*).
118 O'COLLINS, Gerald Glynn: The convergence of theology. [E]**Kendall,
Daniel; Davis, Stephen T.** 2001 ⇒17,81; 18,86. [R]ACR 84 (2007)
246-247 (*Hamilton, Andrew*).
119 O'CONNOR, David: The archaeology and art of ancient Egypt: essays in
honor of David B. O'Connor. [E]**Hawass, Zahi A.; Richards, Janet E.**
ASAE.S 36: Cairo 2007, Conseil Suprême des Antiquités de l'Egypte 2
vols; 978-977-437-241-4. Bibl.
120 OSBURN, Carroll D.: Transmission and reception: New Testament text.
[E]**Childers, Jeff W.; Parker, David C.** TaS 4: 2006 ⇒22,124. [R]JThS
58 (2007) 675-678 (*Elliott, J.K.*).
121 PESCH, Otto H.: Studien zur Hermeneutik des ökumenischen Ge-
sprächs. [E]**Brosseder, Johannes; Wriedt, Markus** Fra 2007, Lembeck
460 pp. €25. 978-38747-65251.
122 PFANDL, Gerhard: "For you have strengthened me": biblical and theo-
logical studies in honor of Gerhard Pfandl in celebration of his sixty-
fifth birthday. [E]**Pröbstle, Martin; Klingbeil, Martin G.; Klingbeil,
Gerald A.** St. Peter am Hart, Austria 2007, Seminar Schloss Bogenho-
fen xxx; 478 pp. 978-3-902637-00-0.

123 POKORNÝ, Petr: Testimony and interpretation: early christology in its Judeo-Hellenistic milieu. ᴱMrázek, Jirí; Roskovec, Jan JSNT.S 272: 2004 ⇒20,112; 22,131. ᴿBBR 17 (2007) 179-181 (*Evans, Craig A.*).

124 PUECH, Émile: From 4QMMT to resurrection: mélanges qumraniens. ᴱGarcía Martínez, Florentino; Steudel, Annette; Tigchelaar, Eibert J.C. StTDJ 61: 2006 ⇒22,133. ᴿCDios 220 (2007) 824-825 (*Gutiérrez, J.*); CBQ 69 (2007) 615-617 (*Goff, Matthew*).

125 QUISPEL, Gilles: Paradise now: essays on early Jewish and christian mysticism. ᴱDe Conick, April D. SBL.Symposium 11: 2006 ⇒22,134. ᴿJAAR 75 (2007) 993-996 (*Buckley, Jorunn J.*).

126 REBIC, Adalbert: Neka iz tame svjetlost zasine!: zbornik radova u cast prof. dr. sc. Adalbertu Rebicu povodom 70. obljetnice zivota i 40. obljetnice profesorskoga rada. ᴱCifrak, Mario; Hohnjec, Nikola Teoloski radovi 50: Zagreb 2007, Krscanska sadasnjost 727 pp. 978-953-11-0299-5. **Croatian.**

127 REDFORD, Donald Bruce: Egypt, Israel, and the ancient Mediterranean world. ᴱKnoppers, Gary N.; Hirsch, Antoine PÄ 20: 2004 ⇒20,118 ... 22,135. ᴿBASOR 346 (2007) 102-104 (*Hasel, Michael G.*).

128 REINHARDT, Heinrich J.F.: Kirchenrecht und Theologie im Leben der Kirche: Festschrift für Heinrich J. F. Reinhardt zur Vollendung seines 65. Lebensjahres. ᴱAlthaus, Rüdiger; Lüdicke, Klaus; Pulte, Matthias Münsterischer Kommentar zum Codex Iuris Canonici / Beiheft 50: Essen 2007, Ludgerus 642 pp. 978-3-87497-263-5.

129 REININK, Gerrit J.: Syriac polemics: studies in honour of Gerrit Jan Reinink. ᴱDrijvers, Jan W.; Van Bekkum, Wout J.; Klugkist, Alexander C. OLA 170: Lv 2007, Peeters xviii; 259 pp.

130 REY-COQUAIS, Jean-Paul: Mélanges en l'honneur de Jean-Paul Rey-Coquais. ᴱGatier, P.-L., *al*., MUSJ 60: Beyrouth 2007, Université de Saint-Joseph 500 pp. Bibl.

131 RIBERA FLORIT, Josep: Targum y judaismo: homenaje al profesor J. Ribera Florit. ᴱDiez Merino, Luis; Giralt-López, E. Homenatges 26: Barc 2007, Publ. de la Univ. de Barcelona 282 pp. €20. 84475-31082. Bibl. Ribera Florit 19-24.

132 RICHTER, Wolfgang: Literatur- und sprachwissenschaftliche Beiträge zu alttestamentlichen Texten: Symposion in Hólar í Hjaltadal, 16.-19. Mai 2005: Wolfgang Richter zum 80. Geburtstag. ᴱOlason, Kristinn; Steingrimsson, Sigurdur Ö. ATSAT 83: St. Ottilien 2007, EOS x; 359 pp. 978-3-8306-7271-5.

133 ROBERTS, J.J.M.: David and Zion. ᴱBatto, Bernard F.; Roberts, Kathryn L. 2004 ⇒20,121; 21,128. ᴿBiOr 64 (2007) 435-441 (*Holman, Jan*).

134 ROFÉ, Alexander: On the border line: textual meets literary criticism. ᴱTalshir, Zipora; Amara, Dalia 2005 ⇒21,130; 22,139. ᴿPerspectives on Hebrew Scriptures II, 474-479 (*Ben Zvi, Ehud*) ⇒373.

135 SAKENFELD, Katharine D.: Engaging the bible in a gendered world. ᴱDay, Linda; Pressler, Carolyn 2006 ⇒22,142. ᴿBiCT 3/2 (2007)* (*Fuchs, Esther*); IncW 1 (2007) 600-604 (*Ambrogio, Mary*).

136 SCHENKER, Adrian: Sôfer mahîr: essays in honour of Adrian Schenker. ᴱGoldman, Yohanan; Van der Kooij, Arie; Weis, Richard D. VT.S 110: 2006 ⇒22,147. ᴿCBQ 69 (2007) 617-619 (*Cox, Claude E.*); RBLit (2007) 560-563 (*Nocquet, Dany*).

137 SCHMITT, Hans-C.: Auf dem Weg zur Endgestalt von Genesis bis II Regum. ᴱBeck, Martin; Schorn, Ulrike BZAW 370: 2006 ⇒ 22,151.

^{R}RSR 95 (2007) 573-574 (*Artus, Olivier*); OLZ 102 (2007) 687-694 (*Becker, Uwe*); ZAR 13 (2007) 403-410 (*Achenbach, Reinhard*).

138 SCHOORS, Antoon: The language of Qohelet in its context: essays in honour of Prof. A. Schoors on the occasion of his seventieth birthday. Berlejung, Angelika; Van Hecke, Pierre <ed> OLA 164: Lv 2007, Peeters viii; 241 pp. €75. 978-90-429-1910-5.

139 SCHÜNGEL-STRAUMANN, Helen: 'Gott bin ich, kein Mann': Beiträge zur Hermeneutik der biblischen Gottesrede. ^{E}**Riedel-Spangenberger, Ilona; Zenger, Erich** 2006 ⇒22,153. ^{R}JEGTFF 15 (2007) 255-258 (*Meyer-Wilmes, Hedwig*).

140 SCHWANTES, Milton: Dimensões socials da fé do Antigo Israel: uma homenagem a Milton Schwantes. ^{E}**Jarschel, Haidi; Kaefer, José Ademar** São Paulo 2007, Paulinas 462 pp. 978-85356-1970-6.

141 SEELIGMANN, Isac L.: Text-criticism and beyond: in memoriam of Isac Leo Seeligmann. ^{E}**Rofé, Alexander,** *al.*, J 2007, Magnes 233 + 80* pp.

142 SIJPESTEIJN, P.J.: Papyri in memory of P.J. Sijpesteijn (P.Sijp.). ^{E}**Sirks, A.J.B.; Worp, K.A.** ASP 40: Oakville, CT 2007, American Society of Papyrologists xlii; 445 pp. $110. 74 pl.; Bibl. Sijpesteijn.

143 STANTON, Graham: The written gospel. ^{E}**Bockmuehl, Markus; Hagner, Donald A.** 2005 ⇒21,138. ^{R}Theol. 110 (2007) 287-288 (*Hurtado, L.W.*); CBQ 69 (2007) 394-396 (*Iverson, Kelly R.*); JECS 15 (2007) 275-276 (*Jefford, Clayton*).

144 STEFAN, Hans-Jürg: Der Genfer Psalter—eine Entdeckungsreise. ^{E}**Bernoulli, Peter E.; Furler, Frieder** Z ^{2}2005, Theologischer 339 pp. €32. 978-32901-72268.

145 STEMBERGER, Günter: "The words of a wise man's mouth are gracious" (Qoh 10,12): Festschrift for Günter Stemberger on the occasion of his 65th birthday. ^{E}**Perani, Mauro** SJ 32: 2005 ⇒21,140. ^{R}JSJ 38 (2007) 143-145 (*Tigchelaar, Eibert*).

146 STOCK, Klemens: On his way. ^{E}**Malina, Artur** Studia i Materialy 21: 2004 ⇒20,135; 21,142. ^{R}AnnTh 21/1 (2007) 225-227 (*Estrada, B.*).

147 STONE, Michael E.: Things revealed: studies in early Jewish and christian literature. ^{E}**Chazon, Esther G.; Clements, Ruth A.; Satran, David** JSJ.S 89: 2004 ⇒20,136; 21,144. ^{R}JSJ 38 (2007) 359-361 (*Reed, Annette Y.*); DSD 14 (2007) 276-280 (*Brooke, George J.*).

148 SUGIRTHARAJAH, Rasiah S.: Border crossings: cross-cultural hermeneutics. ^{E}**Premnath, D.N.** Mkn 2007, Orbis xi; 179 pp. 978-1-570-75745-7. Bibl. Sugirtharajah 167-169.

149 TAL, Abraham: Samaritan, Hebrew and Aramaic studies. ^{E}**Bar-Asher, M.; Florentin, M.** 2005 ⇒21,146; 22,155. ^{R}JJS 58 (2007) 350-352 (*Baasten, Martin F.J.*).

150 THOMPSON, James W.: Renewing tradition: studies in texts and contexts in honor of James W. Thompson. ^{E}**Hamilton, Mark; Olbricht, Thomas H.; Peterson, Jeffrey** PTMS 65: Eugene, OR 2007, Pickwick xvi; 318 pp. $32. ^{R}CBQ 69 (2007) 858-859 (*McWhirter, Jocelyn*).

151 THRALL, Margaret: Paul and the Corinthians. ^{E}**Burke, Trevor J.; Elliott, J. Keith** NT.S 109: 2003 ⇒19,145... 22,157. ^{R}RBLit (2007)* (*Joubert, Stephan*).

152 TOV, Emanuel: Emanuel. ^{E}**Paul, Shalom M.,** *al.*, VT.S 94: 2003 ⇒19, 146; 21,152. ^{R}PSB 28 (2007) 231-233 (*Charlesworth, James H.*); RBLit (2007)* (*Greenspoon, Leonard*).

153 TRUMMER, Peter: Heilungen und Wunder: theologische, historische und medizinische Zugänge. ^{E}**Pichler, Josef; Heil, Christoph** Da:Wiss 2007, 302 pp. €59.90. 978-35342-00740.

154 TUBACH, Jürgen: Der Christliche Orient und seine Umwelt: gesammelte Studien zu Ehren Jürgen Tubachs anläßlich seines 60. Geburtstags. EGreisiger, Lutz; Vashalomidze, Sophia Studies in oriental religions 56: Wsb 2007, Harrassowitz viii; 488 pp. €78. 978-34470-56083.

155 TURA, Ermanno R.: Sul sentiero dei sacramenti: scritti in onore di Ermanno Roberto Tura nel suo 70° compleanno. ECorsato, Celestino Padova 2007, Messagero 400 pp. €20. 978-88250-18592.

156 VANHOYE, Albert: "Il Verbo di Dio è vivo": studi sul Nuovo Testamento in onore del Cardinale Albert Vanhoye, S.I. EAguilar Chiu, José, al., AnBib 165: R 2007, E.P.I.B. 634 pp. €50. 978-88765-31651; Bibl. Vanhoye 603-628. RLASBF 57 (2007) 750-753 (Pierri, Rosario).

157 VANSTIPHOUT, Herman L.J.: Approaches to Sumerian literature. EMichalowski, Piotr; Veldhuis, Niek Cuneiform monographs 35: 2006 ⇒ 22,164. RRA 101 (2007) 186-87 (Charpin, Dominique); RBLit (2007)* (Cavigneaux, Antoine).

158 VERNET, Joan M.: 'Tuo padre ed io ti cercavamo' (Lc 2,48): la Terra Santa, la famiglia di Nazareth, modelli educativi: studi in onore di don Joan Maria Vernet. EFerrero, Michele; Spataro, Roberto J 2007, Studium Theologicum 'SS. Peter and Paul' 336 pp.

159 VYCICHL, Werner: Egyptian and Semito-Hamitic (Afro-Asiatic) studies in memoriam W. Vycichl. ETakács, Gábor SStLL 39: 2004 ⇒20,147; 21,159. RStOr 101 (2007) 559-562 (Hämeen-Anttila, Jaakko); BiOr 64 (2007) 612-615 (Schneider, Thomas).

160 WAHL, Otto: Gottes Wort in Leben und Sendung der Kirche: Festgabe zu Ehren von... Otto Wahl SDB. EGraulich, Markus; Van Meegen, Sven Bibel konkret 3: Müns 2007, LIT 138 pp. 978-38258-04886.

161 WANKE, Joachim: Christi Spuren im Umbruch der Zeiten. EFreitag, Josef; März, Claus-Peter EThSt 88: 2006 ⇒22,167. RThRv 103 (2007) 111-112 (Richter, Klemens).

162 WANSBROUGH, Henry J.: What is it that the scripture says?: essays in biblical interpretation, translation and reception in honour of Henry Wansbrough OSB. EMcCosker, Philip LNTS 316: 2006 ⇒22,168. RScrB 37 (2007) 87-89 (Williams, Guy).

163 WELKER, Michael: Gegenwart des lebendigen Christus: Festschrift für Michael Welker zum 60. Geburtstag. EThomas, G.; Schüle, A. Lp 2007, Evangelische 598 pp. €48. 978-33740-25176.

164 WENHAM, Gordon J.: Reading the law: studies in honour of Gordon J. Wenham. EMöller, Karl; McConville, James G. LHBOTS 461: NY 2007, Clark xix; 319 pp. Bibl. 297-302.

165 WICKS, Jared: Sapere teologico e unità della fede. EAparicio Valls, Carmen; Dotolo, Carmelo; Pasquale, Gianluigi 2004 ⇒20,154; 21, 164. RThRv 103 (2007) 29-30 (Greshake, Gisbert).

166 WILCKE, Claus: Literatur, Politik und Recht in Mesopotamien. ESallaberger, Walther; Volk, Konrad; Zgoll, Annette 2003 ⇒19,159... 21,165. RJSSt 52 (2007) 139-141 (Lambert, W.G.).

167 WILLI, Thomas: Mein Haus wird ein Bethaus für alle Völker genannt werden: Judentum seit der Zeit des zweiten Tempels in Geschichte, Literatur und Kult: Festschrift für Thomas Willi zum 65. Geburtstag. EMännchen, J. Neuk 2007, Neuk 460 pp. €49.90. 978-37887-22425. Collab. T. Reiprich.

168 WILLI-PLEIN, Ina: "Sieben Augen auf einem Stein" (Sach 3,9): Studien zur Literatur des Zweiten Tempels: Festschrift für Ina Willi-Plein zum

65. Geburtstag. ^E**Hartenstein, Friedhelm; Pietsch, Michael** Neuk 2007, Neuk x; 430 pp. 978-3-7887-2231-9.

169 WILSON, Stephen G.: Identity and interaction in the ancient Mediterranean: Jews, christians and others: essays in honour of Stephen G. Wilson. ^E**Harland, Philip A.; Crook, Zeba A.** NTMon 18: Shf 2007, Sheffield Phoenix xvi; 291 pp. $100. 978-1-906055-17-2. Bibl. xv-xvi.

170 WINTER, Bruce W.: The New Testament in its first century setting. ^E**Clarke, Andrew D.; Williams, Peter J.** 2004 ⇒20,158; 21,166. ^RBS 164 (2007) 120-121 (*Fantin, Joseph D.*).

171 WINTER, Irene J.: Ancient Near Eastern art in context: studies in honor of Irene J. Winter by her students. ^E**Cheng, Jack; Feldman, Marian H.** CHANE 26: Lei 2007, Brill xv; 521 pp. $189. 978-90-04-15702-6.

172 WORONOFF, Michel: Troïka: parcours antiques: mélanges offerts à M. Woronoff, vol. 1. ^E**David, Sylvie; Geny, Evelyne** Besançon 2007, Presses universitaires de Franche-Comté 404 pp. 978-28486-72069.

173 WRIGHT, J. Robert: One Lord, one faith, one baptism: studies in christian ecclesiality and ecumenism in honor of J. Robert Wright. Dutton, Marsha; Gray, Patrick <ed> 2006, ⇒22,173. ^RER 59 (2007) 563-564 (*Falconer, Alan D.*).

174 WYATT, Nicolas: "He unfurrowed his brow and laughed": essays in honour of professor Nicolas Wyatt. ^E**Watson, Wilfred G.E.** AOAT 299: Müns 2007, Ugarit-Verlag xvi; 410 pp. 978-3-934628-32-8. Bibl. Wyatt x-xvi.

175 ZENGER, Erich: Das Manna fällt auch heute noch. ^E**Hossfeld, Frank-Lothar; Schwienhorst-Schönberger, Ludger** Herders biblische Studien 44: 2004 ⇒20,163... 22,175. ^RThRv 103 (2007) 188-189 (*Oeming, Manfred*); RivBib 55 (2007) 71-111 (*Minissale, Antonino*).

A1.2 Miscellanea *unius* auctoris

176 **Aejmelaeus, Anneli** On the trail of the Septuagint translators. CBET 50: Lv ²2007 <1993>, Peeters 328 pp. €44. 978-90429-19396. Bibl.

177 **Alexander, Loveday C.A.** Acts in its ancient literary context: a classicist looks at the Acts of the Apostles. LNTS 298: 2005 ⇒21,174. ^RJR 87/1 (2007) 91-92 (*Pervo, Richard I.*).

178 **Allison, Dale C.** Resurrecting Jesus: the earliest christian tradition and its interpreters. 2005 ⇒21,175; 22,177. ^RZNT 19 (2007) 77-80 (*Alkier, Stefan*).

179 **Ardener, Edwin** The voice of prophecy and other essays. ^E*Chapman, Malcolm* Oxf 2007, Berghahn xxxvi; 288 pp. 1-8454-5331-X. Foreword *Michael Herzfeld*; postscripts by *Maryon McDonald* and *Kirsten Hastrup*; rev. ed.; Bibl. 257-274.

180 **Aune, David E.** Apocalypticism, prophecy and magic in early christianity. WUNT 199: 2005 ⇒21,177. ^RRBLit (2007)* (*DiTommaso, Lorenzo*).

181 **Avishur, Y.** Comparative studies in biblical and Ugaritic languages and literatures. TA 2007, Archaeological Center 238 pp. ^RUF 38 (2006) 789-791 (*Heltzer, M.*).

182 **Baarlink, Heinrich** Verkündigtes Heil: Studien zu den synoptischen Evangelien. WUNT 168: 2004 ⇒20,169; 21,178. ᴿBBR 17 (2007) 175-176 (*Evans, Craig A.*).
183 **Barton, John** The Old Testament: canon, literature and theology: collected essays of John Barton. Aldershot 2007, Ashgate xii; 292 pp. $100. 978-0-7546-5451-3.
184 **Beauchamp, Paul** Testamento biblico. ᵀ*Debove, Augusto; Lanzarini, Valerio* Magnano 2007, Qiqajon 174 pp. €13. 978-88-8227-2197. Pref. *Paul Ricoeur*; Postfazione *Yves Simoens*.
185 **Becking, Bob** From David to Gedaliah: the book of Kings as story and history. OBO 228: FrS 2007, Academic x; 227 pp. €56.90. 978-3-7278-1592-8. Bibl. 191-219.
186 **Beckwith, Roger T.** Calendar, chronology and worship. AGJU 61; AJEC 61: 2005 ⇒21,184; 22,185. ᴿNT 49 (2007) 203-204 (*Collins, Nina L.*); Henoch 29 (2007) 155-156 (*Stern, Sacha*).
187 **Beentjes, Pancratius C.** Happy the one who meditates on wisdom (Sir. 14,20). CBET 43: 2006 ⇒22,186. ᴿRBLit (2007)* (*Wright, Benjamin G., III*).
188 **Berger, Klaus** Tradition und Offenbarung: Studien zum frühen Christentum. ᴱ*Klinghardt, Matthias; Röhser, Günter* 2006 ⇒22,188. ᴿAcTh(B) 27/1 (2007) 173-175 (*Stenschke, Christoph*); JETh 21 (2007) 284-286 (*Stenschke, Christoph*).
189 *Bickerman, Elias J.* On the margins of scripture. Studies in Jewish and Christian history. AGJU 68/1-2: 2007 ⇒190. 1000-1024.
190 **Bickerman, Elias J.** Studies in Jewish and Christian history: a new edition in English including *The God of the Maccabees.* ᴱ*Tropper, Amram* AGJU 68/1-2: Lei 2007, Brill lix; 584 + vi; 585-1242 pp. €359/ $499. 978-90-04-16144-3/5-0. Introd. *Martin Hengel*.
191 **Bird, Michael F.** The saving righteousness of God: studies on Paul, justification and the new perspective. Milton Keynes 2007, Paternoster xvii; 230 pp. $30. 18422-74651. ᴿEThL 83 (2007) 494-498 (*Nathan, Emmanuel*).
192 **Birdsall, James N.** Collected papers in Greek and Georgian textual criticism. Texts and Studies 3,3: 2006 ⇒22,189. ᴿTC.JBTC 12 (2007) 3 pp (*Nicklas, Tobias*).
193 **Blázquez, José M.** El Mediterráneo: historia, arqueología, religión, arte. Historia, ser. mayor: 2006 ⇒22,190. ᴿREA 109 (2007) 738-741 (*Rodríguez López, María I.*).
194 **Blenkinsopp, Joseph** Treasures old and new: essays in the theology of the pentateuch. 2004 ⇒20,178... 22,191. ᴿJSSt 52 (2007) 153-155 (*Johnstone, William*); BS 164 (2007) 499-500 (*Merrill, Eugene H.*).
195 **Boecker, Hans Jochen** "Gott gedachte es gut zu machen": theologische Überlegungen zum AT. ᴱ*Mommer, Peter; Thiel, Winfried* BThSt 54: 2003 ⇒19,173. ᴿRBLit (2007)* (*Buss, Martin J.*).
196 **Boesch Gajano, Sofia** GREGORIO MAGNO: alle origini del medioevo. 2004 ⇒21,191. ᴿFrancia 34/1 (2007) 317-319 (*Judic, Bruno*).
197 **Bovon, François** Studies in early christianity. WUNT 161: 2003 ⇒19, 175... 22,193. ᴿCBQ 69 (2007) 396-398 (*Brawley, Robert L.*);
198 2005 <2003> ⇒21,193; 22,193. ᴿBBR 17 (2007) 169-170 (*Strauss, Mark L.*).
199 **Braulik, Georg** Studien zu den Methoden der Deuteronomiumsexegese. SBAB 42: 2006 ⇒22,194. ᴿRBLit (2007)* (*Lundbom, Jack R.*).

200 **Brenk, Frederick E.** With unperfumed voice: studies in PLUTARCH, in Greek literature, religion and philosophy, and in the New Testament background. Potsdamer Altertumswissenschaftliche Beiträge (PAwB) 21: Stu 2007, Steiner 544 pp. 978-3-515-08929-6.

201 **Brennecke, Hanns C.** Ecclesia est in re publica: Studien zur Kirchen- und Theologiegeschichte im Kontext des Imperium Romanum. ᴱ**Heil, Uta; Stockhausen, Annette von; Ulrich, Jörg** AKG 100: B 2007, De Gruyter viii; 351 pp. 978-31101-99475.

202 **Brueggemann, Walter** The book that breathes new life: scriptural authority and biblical theology. ᴱ*Miller, Patrick D.* 2004 ⇒20,185; 22,196. ᴿEvangel 25/1 (2007) 21-22 (*Briggs, Richard S.*); Theol. 110 (2007) 127-128 (*Clements, Ronald E.*);

203 Like fire in the bones: listening for the prophetic word in Jeremiah. ᴱ*Miller, Patrick D.* 2006 ⇒22,198. ᴿHebStud 48 (2007) 375-377 (*Dempsey, Carol J.*); CBQ 69 (2007) 610-611 (*Lessing, Reed*);

204 The word that redescribes the world: the bible and discipleship. ᴱ*Miller, Patrick* 2006 ⇒22,197. ᴿCBQ 69 (2007) 611-2 (*Hensell, Eugene*);

205 Mandate to difference: an invitation to the contemporary church. LVL 2007, Westminster 215 pp. $20. 978-06642-31217;

206 The word militant: preaching a decentering word. Mp 2007, Fortress xi; 212 pp. $35. 978-08006-62776.

207 **Buber, Martin** Werkausgabe, 3: frühe jüdische Schriften 1900-1922. ᴱ*Schäfer, Barbara* Gü 2007, Gü 504 pp. 978-3-579-02678-7.

208 **Burkert, Walter** Kleine Schriften VII: tragica et historica. ᴱ*Rösler, Wolfgang* Gö 2007, Vandenhoeck & R. ix; 230 pp. €46.90. 978-35252-52741.

209 **Chester, Andrew** Messiah and exaltation: Jewish messianic and visionary traditions and New Testament christology. WUNT 207: Tü 2007, Mohr S. xvi; 716 pp. €119. 978-3-16-149091-0. Bibl. 603-645.

210 **Collins, John Joseph** Jewish cult and Hellenistic culture. JSJ.S 100: 2004 ⇒20,4146; 22,201. ᴿJSJ 38 (2007) 98-100 (*Beyerle, Stefan*); VT 57 (2007) 260-261 (*Dines, J.M.*);

211 Encounters with biblical theology. 2005 ⇒21,200; 22,202. ᴿInterp. 61 (2007) 88-90 (*Goldingay, John*); RBLit (2007) 236-242 (*Sanders, James A.*).

212 **Corbier, Mireille** Donner à voir, donner è lire: mémoire et communication dans la Rome ancienne. 2006 ⇒22,203. ᴿAnnales 62 (2007) 921-923 (*Jouhaud, Christian*); Epig. 69 (2007) 479-481 (*Cenerini, Francesca*); RAr (2007) 396-397 (*Kayser, François*); CRAI (2007) 981-982 (*Corbier, Mireille*).

213 **Dehandschutter, Boudewijn** Polycarpiana: studies on martyrdom and persecution in early christianity: collected essays. ᴱ*Leemans, Johan* BEThL 205: Lv 2007, Peeters xvi; 286 pp. €74. 978-90429-19938.

214 **Deissler, Alfons** Wozu brauchen wir das Alte Testament?: zwölf Antworten. ᴱ*Feininger, Bernd; Weißmann, Daniela* Übergänge 5: ²2006 <2004> ⇒22,207. ᴿJETh 21 (2007) 271-272 (*Rösel, Christoph*).

215 **Dreyfus, François-Paul** Exégèse en Sorbonne, exégèse en église: esquisse d'une théologie de la parole de Dieu. Sagesse et cultures: P 2007, Parole et S. 285 pp. 978-284573-3237. Préface du cardinal *Georges Cottier*.

216 **Du Toit, Andrie** Focusing on Paul: persuasion and theological design in Romans and Galatians. ᴱ*Breytenbach, Cilliers; Du Toit, David S.*

BZNW 151: B 2007, De Gruyter xiv; 443 pp. €91.59. 978-31101-951-25. Bibl. Du Toit 405-412.

217 **Dunn, James** The new perspective on Paul: collected essays. WUNT 185: 2004 ⇒20,195; 22,211. [R]ThLZ 132 (2007) 167-168 (*Niebuhr, Karl-W.*); ZRGG 59 (2007) 277-279 (*Horn, Friedrich W.*); RSR 95 (2007) 432-4 (*Aletti, Jean-N.*); Sal. 69 (2007) 585-6 (*Vicent, Rafael*).

218 **Eck, Werner** Rom und Judaea: fünf Vorträge zur römischen Herrschaft in Palästina. Tria Corda 2: Tü 2007, Mohr S. xvii; 263 pp. 978-31614-94604.

219 **Ehrman, Bart** Studies in the textual criticism of the NT. NTTS 33: 2006 ⇒22,212. [R]ThLZ 132 (2007) 417-418 (*Nicklas, Tobias*); JThS 58 (2007) 673-675 (*Parker, D.C.*); RBLit (2007)* (*Elliott, J.K.*).

220 **Feldman, Louis H.** Judaism and Hellenism reconsidered. JSJ.S 107: 2006, ⇒22,215. [R]CBQ 69 (2007) 613-615 (*Smiles, Vincent M.*).

221 **Fiedler, Peter** Studien zur biblischen Grundlegung des christlich-jüdischen Verhältnisses. SBAB 35: 2005 ⇒21,209; 22,216. [R]ThRv 103 (2007) 379-381 (*Henrix, Hans H.*).

222 **Fischer, Irmtraud** Gender-faire Exegese: gesammelte Beiträge zur Reflexion des Genderbias und seiner Auswirkung in der Übersetzung und Auslegung von biblischen Texten. Exegese in unserer Zeit 14: B 2004, Lit 218 pp. 3-8258-7244-0.

223 **Fishbane, Simcha** Deviancy in early rabbinic literature: a collection of socio-anthropological essays. Lei 2007, Brill xi; 234 pp.

224 **Flusser, David** Judaism of the second temple period, 1: Qumran and apocalypticism. [T]*Yadin, Azzan* GR 2007, Eerdmans xiii; 356 pp. $36. 978-08028-24692. Foreword *David Bivin*.

225 **Focant, Camille** Marc, un évangile étonnant: recueil d'essais. BEThL 194: 2006 ⇒22,218. [R]SNTU.A 32 (2007) 255-257 (*Giesen, Heinz*); RivBib 55 (2007) 378-380 (*Perego, Giacomo*).

226 **Fortin, Ernest L.** Ever ancient, ever new ruminations on the city, the soul, and the church. [E]*Foley, Michael P.* Lanham, Md. 2007, Rowman & L. xxxiv; 352 pp. 978-0-7425-5920-2. Bibl. 329-342.

227 **Frymer-Kensky, Tikva S.** Studies in bible and feminist criticism. 2006 ⇒22,219. [R]JEGTFF 15 (2007) 245-246 (*Scholz, Susanne*); RBLit (2007) 544-551 (*Tatlock, Jason R.*).

228 **Fuchs, Albert** Spuren von Deuteromarkus V. SNTU 5: Müns 2007, LIT ii; 212 pp. €29.90. 978-3-8258-0560-9.

229 **Fusco, Vittorio** Nascondimento e rivelazione: studi sul vangelo di Marco. Studi biblici 153: Brescia 2007, Paideia 199 pp. €17.80. 978-394-0738-2.

230 **García Martínez, Florentino** Qumranica minora I: Qumran origins and apocalypticism. [E]*Tigchelaar, Eibert J.C.* StTDJ 63: Lei 2007, Brill xvii; 325 pp. 978-90-04-15569-5;

231 II: thematic studies on the Dead Sea scrolls. [E]*Tigchelaar, Eibert J.C.* StTDJ 64: Lei 2007, Brill xiii; 305 pp. 978-90-04-15683-8.

232 **Gaventa, Beverly R.** Our mother Saint Paul. LVL 2007, Westminster xii; 218 pp. $25. 978-06642-31491. Bibl.

233 **Geffré, Claude** De Babel à Pentecôte: essais de théologie interreligieuse. CFi 247: 2006 ⇒22,222. [R]Spiritus 188 (2007) 361-364 (*Lefebvre, Pierre*); RICP 103 (2007) 193-213 [Rép. C. Geffré] (*Fédou, Michel; Bousquet, François*).

234 **Georgi, Dieter** The city in the valley. Studies in biblical literature 7: 2005 ⇒21,214; 22,223. [R]RBLit (2007) 466-470 (*Haney, Randy*);

RBLit (2007) 470-474 (*Friedrichsen, Timothy*); CBQ 69 (2007) 145-147 (*Balch, David L.*).

235 **Giesen, Heinz** Jesu Heilsbotschaft und die Kirche. Studien zur Eschatologie und Ekklesiologie bei den Synoptikern und im ersten Petrusbrief. BEThL 179: 2004 ⇒20,209; 21,215. [R]BBR 17 (2007) 362-364 (*Yarbrough, Robert W.*).

236 **Goodman, Martin** Judaism in the Roman world: collected essays. AJEC 66: Lei 2007, Brill xi; 275 pp. $129. 90041-53098. [R]RBLit (2007)* (*Lieu, Judith M.*).

237 **Gorman, Michael M.** Biblical commentaries from the early Middle Ages. Millennio Medievale 32; Reprints 4: 2002 ⇒18,171. [R]RSPhTh 91 (2007) 556-557 (*Mitalaité, Kristina*);

238 The study of the bible in the early Middle Ages. Millennio Medievale 67; Strumenti e studi 15: F 2007, Sismel 514 pp. €82. 978-88845-02261. Ill.

239 **Green, R.P.H.** Latin epics of the New Testament: JUVENCUS, SEDULIUS, ARATOR. 2006 ⇒22,226. [R]JThS 58 (2007) 721-723 (*White, C.*).

240 **Grego, Igino** La Terra Santa e le origini cristiane–luoghi, figure, testimonianze. 2005 ⇒21,218. [R]RivAC 83 (2007) 505-510 (*Luciani, Valentina*).

241 **Guijarro Oporto, Santiago** Jesús y sus primeros discípulos. ABE 46: S 2007, EVD 288 pp. €21.63. 97884-8169-7148. Bibl. 253-271. [R]CTom 134 (2007) 433-435 (*Huarte Osácar, Juan*); RBLit (2007)* (*Dupertuis, Ruben*).

242 **Gundry, Robert H.** The old is better: New Testament essays in support of traditional interpretations. WUNT 178: 2005 ⇒21,220; 22,228. [R]BBR 17 (2007) 364-365 (*Blomberg, Craig L.*).

243 **Haight, Roger** The future of christology. 2005 ⇒21,221. [R]Horizons 34/1 (2007) 132-134 (*De Celles, Charles*).

244 **Hardmeier, Christof** Erzähldiskurs und Redepragmatik im Alten Testament. FAT 46: 2005 ⇒21,222. [R]ThLZ 132 (2007) 420-422 (*Utzschneider, Helmut*); ThR 72 (2007) 496-500 (*Köhlmoos, Melanie*); RBLit (2007) 245-249 (*Ska, Jean Louis*).

245 **Harris, James R.** New Testament autographs and other essays. [E]*Falcetta, Alessandro* NTMon 7: 2006 ⇒22,234. [R]RBLit (2007)* (*Tuckett, Christopher*).

246 **Hengel, Martin** Studien zur Christologie: kleine Schriften IV. [E]*Thornton, Claus-Jürgen* WUNT 201: 2006 ⇒22,237. [R]RBLit (2007)* (*Novakovic, Lidija*);

247 Jesus und die Evangelien: Kleine Schriften V. [E]*Thornton, Claus-Jürgen* WUNT 211: Tü 2007, Mohr S. xii; 725 pp. €189. 978-3-16-149327-0. Bibl. 135-138.

248 **Horbury, William** Herodian Judaism and New Testament study. WUNT 193: 2006 ⇒22,240. [R]JSJ 38 (2007) 116-117 (*Nicklas, Tobias*); Neotest. 41 (2007) 235-238 (*Stenschke, Christoph*); RBLit (2007)* (*Estes, Douglas*).

249 **Höffken, Peter** JOSEPHUS FLAVIUS und das prophetische Erbe Israels. 2006 ⇒22,241. [R]OLZ 102 (2007) 511-516 (*Hoffmann, M.*).

250 **Hultgren, Stephen** From the Damascus covenant to the covenant of the community: literary, historical, and theological studies in the Dead Sea scrolls. StTDJ 66: Lei 2007, Brill xv; 621 pp. $246. 978-9004-15-465-0. Bibl. 555-575.

251 **Hurtado, Larry W.** How on earth did Jesus become a God?: historical questions about earliest devotion to Jesus. 2005 ⇒21,227; 22,242. ᴿRRT 14/1 (2007) 35-36 (*Moberly, Walter*); Worship 81 (2007) 353-356 (*Brooks, Gennifer*); BS 164 (2007) 375-376 (*Bleeker, Joshua; Kreider, Glenn R.*); SR 36 (2007) 615-616 (*Morehouse, Nathaniel*); RBLit (2007) 343-346 (*Just, Felix*).

252 **Japhet, Sara** From the rivers of Babylon to the highlands of Judah: collected studies on the restoration period. 2006 ⇒22,246. ᴿJSJ 38 (2007) 400-401 (*Beentjes, P.C.*); RBLit (2007)* (*Klein, Ralph W.*).

253 **Jeauneau, Édouard A.** "Tendenda vela": excursions littéraires et digressions philosophiques à travers le Moyen Âge. Instrumenta patristica et mediaevalia 47: Turnhout 2007, Brepols xvii; 786 pp. 978-2-503-51918-0.

254 **Kaiser, Otto** Des Menschen Glück und Gottes Gerechtigkeit: Studien zur biblischen Überlieferung im Kontext hellenistischer Philosophie. Tria Corda 1: Tü 2007, Mohr S. 269 pp. €29. 978-31614-94710.

255 **Käsemann, Ernst** In der Nachfolge des gekreuzigten Nazareners: Aufsätze... Vorträge aus dem Nachlass. ᴱ*Landau, Rudolf; Kraus, Wolfgang* 2005 ⇒21,236; 22,248. ᴿThLZ 132 (2007) 38-40 (*Klaiber, Walter*).

256 **Koester, Helmut** From Jesus to the gospels: interpreting the New Testament in its context. Mp 2007, Fortress xiii; 311 pp. $39. 978-08006-20936. Bibl. Koester 293-299 [BiTod 46,133–Donald Senior];

257 Paul and his world: interpreting the New Testament in its context. Mp 2007, Fortress 320 pp. $39. 978-08006-38900.

258 **Köckert, Matthias** Leben in Gottes Gegenwart: Studien zum Verständnis des Gesetzes im Alten Testament. FAT 43: 2004 ⇒20,223. ᴿOLZ 102 (2007) 697-701 (*Beyerle, Stefan*).

259 **Kratz, Reinhard G.** Das Judentum im Zeitalter des zweiten Tempels. FAT 42: 2004 ⇒20,225; 21,240. ᴿJSJ 38 (2007) 122-124 (*Henze, Matthias*); Protest. 61 (2007) 50-51 (*Noffke, Eric*); BiOr 64 (2007) 441-443 (*Tromp, Johannes*).

260 **Kraus, Thomas J.** Ad fontes: original manuscripts and their significance for studying early christiantity: selected essays. Texts and editions for New Testament study 3: Lei 2007, Brill xxiv: 272 pp. €119/ $169. 978-90-04-16182-5. Bibl.

261 **Kremer, Jacob** Weshalb ich es euch verkündet habe: gesammelte Studien zur Exegese, Theologie und Hermeneutik des Neuen Testaments. ᴱ*Kühschelm, Roman, al.*, Stu 2005, Kathol. Bibelwerk X, 505 pp. 978-3-460-32868-6.

262 **Kugel, James L.** The ladder of Jacob: ancient interpretations of the biblical story of Jacob and his children. 2006 ⇒22,2752. ᴿJSJ 38 (2007) 125-126 (*Van Ruiten, Jacques*); VeE 28/1 (2007) 372-373 (*Cronjé, S.I.*); Jud. 63 (2007) 74-75 (*Ego, Beate*).

263 **Lange, Dierk** Ancient kingdoms of West Africa: Africa-centred and Canaanite-Israelite perspectives. 2004 ⇒20,227. ᴿSMSR 73 (2007) 422-423 (*Lenci, Marco*).

264 **Leibowitz, Nechama** Studien zu den wöchentlichen Tora-Vorlesungen. ᴱ*Cohn, Gabriel H.* J 2006, Jewish Agency 336 pp. ᴿFrRu 14 (2007) 133-134 (*Frank, Abraham*).

265 **Lévêque, Jean** Job ou le drame de la foi. ᴱ*Gilbert, Maurice; Mies, Françoise* LeDiv 216: P 2007, Cerf 292 pp. 978-22040-81856. ᴿRSR 95 (2007) 587-588 (*Abadie, Philippe*).

266 **Lilla, Salvatore** DIONIGI L'AREOPAGITA e il platonismo cristiano. 2005
⇒21,248. ᴿCivCatt 158/4 (2007) 410-411 (*Cremascoli, G.*).
267 **Lohfink, Norbert** Studien zum Deuteronomium und zur deuterono-
mistischen Literatur V. SBAB 38: 2005 ⇒21,250; 22,263. ᴿZKTh 129
(2007) 118-119 (*Markl, Dominik*); CBQ 69 (2007) 177-178 (*Römer,
Thomas C.*).
268 **Lohse, Eduard** Rechenschaft vom Evangelium: exegetische Studien
zum Römerbrief. BZNW 150: B 2007, De Gruyter 224 pp. €72.90.
978-3-11-019358-9. Bibl. Lohse 2000-2006, 219-224.
269 **Longenecker, Richard N.** Studies in Paul, exegetical and theological.·
NTMon 2: 2004 ⇒20,234. ᴿSR 36 (2007) 182-183 (*Chartrand-Burke,
Tony*).
270 **Magness, Jodi** Debating Qumran: collected essays on its archaeology.
2004 ⇒20,237; 21,11242. ᴿJSJ 38 (2007) 409-410 (*Popović, Mladen*).
271 **Maier, Johann** Studien zur jüdischen Bibel und ihrer Geschichte. SJ
28: 2004 ⇒20,238; 22,267. ᴿThLZ 132 (2007) 192-193 (*Vahrenhorst,
Martin*).
272 **Markschies, Christoph** ORIGENES und sein Erbe: gesammelte Studi-
en. TU 160: B 2007, De Gruyter x; 283 pp. €88. 978-3-11-019278-0.
Bibl. 265-266.
273 **Mattingly, H..B.** From coins to history: selected numismatic studies.
2004 ⇒20,240. ᴿLatomus 66 (2007) 482-484 (*Pedroni, Luigi*).
274 **Mays, James L.** Preaching and teaching the psalms. ᴱ*Miller, Patrick
D.; Tucker, Gene M.* 2006 ⇒22,271. ᴿWorship 81 (2007) 372-373
(*Polan, Gregory J.*).
275 **Meagher, Paddy** Paddy fields and a grain of rice. ᴱ*Gonsalves, Francis*
2006 ⇒22,272. ᴿVJTR 71 (2007) 469-471 (*Valan, C. Antony*).
276 **Metzger, Martin** Schöpfung, Thron und Heiligtum: Beiträge zur The-
ologie des Alten Testaments. ᴱ*Zwickel, Wolfgang* BThSt 57: 2003
⇒19,239; 22,273. ᴿOLZ 102 (2007) 483-486 (*Hausmann, Jutta*);
RBLit (2007)* (*Wagner, Thomas*).
277 **Miller, Patrick D.** The way of the Lord: essays in Old Testament the-.
ology. FAT 39: 2004 ⇒20,245... 22,276. ᴿThPh 82 (2007) 125-126
(*Markl, Dominik*);
278 GR 2007 <2004>, Eerdmans x; 341 pp. $30.
279 **Neusner, Jacob** Neusner on Judaism, 1: history. 2004 ⇒20,252. ᴿJSSt
52 (2007) 395-397 (*Unterman, Alan*).
280 **Novak, David** Talking with christians: musings of a Jewish theologian.
2005 ⇒21,269. ᴿRRT 14/1 (2007) 75-77 (*Haynes, Stephen R.*); ThLZ
132 (2007) 294-295 (*Wengst, Klaus*).
281 **Ohly, Friedrich** Sensus spiritualis: studies in medieval significs and
the philology of culture. ᵀ*Northcott, Kenneth J.* 2005 ⇒21,270. ᴿJR 87
(2007) 492-493 (*Morrison, Karl F.*).
282 **Oppenheimer, Aharon** Between Rome and Babylon: studies in Jewish
leadership and society. *Oppenheimer, Nili* TSAJ 108: 2005 ⇒21,272;
22,281. ᴿSal. 69 (2007) 580-582 (*Vicent, Rafael*); RBLit (2007)*
(*Mills, Edward J., III*).
283 **Orlov, Andrei A.** From apocalypticism to Merkabah mysticism: stud-
ies in the Slavonic pseudepigrapha. JSJ.S 114: Lei 2007, Brill xiv; 483
pp. €159/$207. 90-04-15439-6. Bibl. 441-464.
284 **Parente, Fausto** Les juifs et l'église romaine à l'époque moderne:
(XVᵉ-XVIIIᵉ siècle). ᵀ*Anquetil-Auletta, Mathilde* Bibliothèque d'études

juives 29; série histoire 25: P 2007, Champion 493 pp. 978-2-7453-14-26-0. Bibl. 15-92.

285 **Pathrapankal, Joseph** Enlarging the horizons: studies in bible and theology. Vazhoor 2007, Samithi 238 pp. Rs150/$15. 81-7821-0835.

286 **Peterson, Erik** Ausgewählte Schriften, 5: Lukasevangelium und Synoptica. ^E*Bendemann, Reinhard von* 2005 ⇒21,277; 22,283. ^RFZPhTh 54 (2007) 276-278 (*Viviano, Benedict T.*);

287 7: Der erste Brief an die Korinther und Paulus-Studien. ^E*Weidemann, Hans-U.* 2006 ⇒22,7482. ^RThLZ 132 (2007) 527-28 (*Lohse, Eduard*).

288 **Pioche, Annette** Antiquité proche-orientale: des peuples, des cultes. P 2007, Connaissances et Savoirs 217 pp. €10. 978-27539-00905.

289 **Plümacher, Eckhard** Geschichte und Geschichten: Aufsätze zur Apostelgeschichte und zu den Johannesakten. ^E*Schröter, Jens; Brucker, Ralph* WUNT 170: 2004 ⇒20,259; 21,281. ^RThR 72 (2007) 418-419 (*Schröter, Jens*).

290 **Pola, Thomas** Gott fürchten und lieben: Studien zur Gotteserfahrung im Alten Testament. BThSt 59: Neuk 2007, Neuk ix; 217 pp. €24.90. 978-3-7887-2002-5. Bibl. 175-213.

291 **Postgate, J. Nicholas** The land of Assur & The yoke of Assur: studies on Assyria 1971-2005. Oxf 2007, Oxbow viii; 376 pp. £55. 978-1842-1-72162.

292 **Prior, Michael** A living stone: selected essays and address of Michael Prior CM. ^E*Macpherson, Duncan* 2006 ⇒22,286. ^RNBl 88 (2007) 503-504 (*Heille, Gregory*).

293 **Ravasi, Gianfranco** La parola, la scrittura e la musica. ^E*Gianotti, Daniele* Sussidi biblici 95: Reggio Emilia 2007, San Lorenzo 93 pp. €12. 978-88-8071-176-8.

294 **Reiser, Marius** Bibelkritik und Auslegung der Heiligen Schrift: Beiträge zur Geschichte der biblischen Exegese und Hermeneutik. WUNT 217: Tü 2007, Mohr S. ix; 407 pp. €94. 978-3-16-149412-3.

295 **Reiterer, Friedrich V.** "Alle Weisheit stammt von Herrn...": gesammelte Studien zu Ben Sira. ^E*Egger-Wenzel, Renate* BZAW 375: B 2007, De Gruyter ix; 420 pp. €98. 978-3-11-017814-2. Bibl. 374-375; Bibl. Reiterer 377-389.

296 **Reventlow, Henning Graf** Die Eigenart des Jahweglaubens. ^E*Mommer, Peter; Scherer, Andreas; Thiel, Winfried* BThSt 66: 2004 ⇒20, 263. ^RRBLit (2007)* (*Hamilton, Mark W.*).

297 **Rhoads, David** Reading Mark, engaging the gospel. 2004 ⇒20,264; 21,286. ^RTTK 78 (2007) 74-76 (*Holmås, Geir O.*).

298 **Richardson, Peter** Building Jewish in the Roman East. JSJ.S 92: 2004 ⇒20,265; 22,291. ^RRBLit (2007) 288-290 (*McCane, Byron*).

299 **Roberts, Jimmy J.M.** The bible and the ancient Near East. 2002 ⇒18, 230... 21,288. ^RPerspectives on Hebrew Scriptures II, 581-583 (*Munoz, Francisco V.*) ⇒373.

300 **Robinson, James M.** The sayings gospel Q. ^E*Heil, Christoph; Verheyden, Joseph* BEThL 189: 2005 ⇒21,289; 22,292. ^REThL 83 (2007) 222-5 (*Witetschek, S.*); JThS 58 (2007) 195-97 (*Tuckett, Christopher*);

301 Jesus according to the earliest witness. Mp 2007, Fortress xiii; 258 pp. $20. 978-08006-38627. Bibl. ^RHBT 29 (2007) 250-51 (*Lee, Simon S.*).

302 **Rohrbaugh, Richard L.** The New Testament in cross-cultural perspective. Eugene, OR 2007, Cascade xvi; 211 pp. $25. ^RCBQ 69 (2007) 830-831 (*Klutz, Todd E.*).

303 **Rudhardt, Jean** Les dieux, le feminin, le pouvoir: enquêtes d'un historien des religions. ^E*Borgeaud, Philippe; Pirenne-Delforge, Vinciane* 2006 ⇒22,294. ^RKernos 20 (2007) 454-456 (*Motte, A.*); REA 109 (2007) 737-738 (*Hoffmann, Geneviève*).

304 **Ruzer, Serge** Mapping the New Testament: early christian writings as a witness for Jewish biblical exegesis. Jewish and Christian Perspectives 13: Lei 2007, Brill x; 254 pp. €109. 978-90-04-15892-4.

305 **Sanz Giménez-Rico, Enrique** Un recuerdo que conduce al don: teología de Dt 1-11. Biblioteca de Teología Comillas 11: 2004 ⇒20, 268; 21,3164. ^RRB 114 (2007) 136-137 (*Loza Vera, J.*)

306 **Sänger, Dieter** Von der Bestimmtheit des Anfangs: Studien zu Jesus, Paulus und zum frühchristlichen Schriftverständnis. Neuk 2007, Neuk viii; 399 pp. 978-3-7887-2243-2.

307 **Schenker, Adrian** Recht und Kult im Alten Testament. OBO 172: 2000 ⇒16,206...18,235. ^RBiOr 64 (2007) 205-6 (*Hoop, Raymond de*).

308 **Schlosser, Jacques** À la recherche de la parole: études d'exégèse et de théologie biblique. LeDiv 207: 2006 ⇒22,296. ^REeV 170 (2007) 23-24 (*Cothenet, Édouard*); CEv 140 (2007) 73-74 (*Runacher, Caroline*); CBQ 69 (2007) 833-823 (*Gourgues, Michel*).

309 **Schmidt-Biggemann, Wilhelm** Apokalypse und Philologie: Wissensgeschichten und Weltentwürfe der frühen Neuzeit. ^E*Hallacker, Anja; Bayer, Boris* Gö 2007, V&R 388 pp. €49.90. 978-38997-13138.

310 **Schrage, Wolfgang** Kreuzestheologie und Ethik im Neuen Testament. FRLANT 205: 2004 ⇒20,270. ^RRBLit (2007)* (*Kraus, Wolfgang*);

311 Studien zur Theologie im 1. Korintherbrief. BThSt 94: Neuk 2007, Neuk vii; 212 pp. 978-3-7887-2234-0.

312 **Schröter, Jens** Von Jesus zum Neuen Testament: Studien zur urchristlichen Theologiegeschichte und zur Entstehung des neutestamentlichen Kanons. WUNT 204: Tü 2007, Mohr S. ix; 441 pp. €89. 978-3-16-149231-0. Bibl. 381-411.

313 **Seeligmann, Isac** Gesammelte Studien zur Hebräischen Bibel. ^E*Blum, Erhard* FAT 41: 2004 ⇒20,273. ^RRBLit (2007)* (*Rösel, Martin*).

314 **Segalla, Giuseppe** Sulle tracce di Gesù: la 'Terza ricerca'. 2006 ⇒22, 298. ^RSdT 19 (2007) 73-74 (*Martinengo, Emanuele*); Teol(M) 32 (2007) 257-259 (*Manzi, Franco*); ScC 135 (2007) 570-572 (*Manzi, Franco*); StPat 54 (2007) 643-644 (*Gagliardi, Mauro*); Lat. 73 (2007) 594-597 (*Sguazzardo, Pierluigi*).

315 **Seybold, Klaus** Der Segen und andere liturgische Worte aus der hebräischen Bibel. 2004 ⇒20,276. ^RALW 49 (2007) 388-389 (*Schenker, Adrian*).

316 **Ska, Jean-Louis** Il libro sigillato e il libro aperto. 2004 ⇒20,1111; 22, 1147. ^RGr. 88 (2007) 421-422 (*Farahian, Edmond*); CivCatt 158/1 (2007) 206-206 (*Scaiola, D.*).

317 **Skeat, Theodore C.** The collected biblical writings of T.C. Skeat. ^EElliott, James K. NT.S 113: 2004 ⇒20,279... 22,301. ^RTC.JBTC 12 (2007) 2 pp (*Kraus, Thomas J.*).

318 **Sordi, Marta** Impero romano e cristianesimo: scritti scelti. SEAug 99: 2006 ⇒22,307. ^RVetChr 44 (2007) 175-176 (*Bellini, Ilenia*); Aug. 37 (2007) 425-430 (*Ramelli, Ilaria*).

319 **Soskice, Janet M.** The kindness of God: metaphor, gender, and religious language. NY 2007, OUP viii; 203 pp. $50. 978-01982-69519.

320 **Speyer, Wolfgang** Frühes Christentum im antiken Strahlungsfeld: kleine Schriften III. ^E*Coroleu Oberparleiter, Veronika* WUNT 213: Tü 2007, Mohr S. x; 325 pp. €89. 978-3-16-149264-8. Bibl. 291-305.

321 **Stanley, Jason** Language in context: selected essays. Oxf 2007, Clarendon viii; 264 pp. 978-0-19-922592-7/3-4. Bibl.

322 **Stanton, Graham N.** Jesus and gospel. 2004 ⇒20,284... 22,309. ^RNeotest. 41 (2007) 459-461 (*Van der Merwe, Dirk G.*).

323 **Stegemann, Ekkehard W.** Paulus und die Welt: Aufsätze. ^E*Tuor, Christina; Wick, Peter* 2005 ⇒21,309. ^RFrRu 14 (2007) 149-150 (*Renker, Alwin*); KuI 22/1 (2007) 92-93 (*Strecker, Christian*).

324 **Swanson, Reuben J.** Reflections on biblical themes by an octogenarian. Eugene, Ore. 2007, Wipf & S. x; 199 pp. $24.

325 **Sweeney, Marvin A.** Form and intertextuality in prophetic and apocalyptic literature. FAT 45: 2005 ⇒21,313. ^RSal. 69 (2007) 782-783 (*Vicent, Rafael*); HebStud 48 (2007) 370-373 (*Cook, Stephen L.*); JHScr 7 (2007)* = PHScr IV,491-495 (*Linville, James*); ZAR 13 (2007) 447-450 (*Paganini, Simone*); JThS 58 (2007) 595-596 (*Mason, Rex*); RBLit (2007)* (*DiTommaso, Lorenzo*).

326 **Tadmor, Hayim** אשור בבל ויהודה בתולדות המזרח הקדום (Assyria, Babylonia and Judah: studies in the history of the ancient Near East). ^E*Cogan, Mordechai* 2006 ⇒22,314. ^RVDI 260 (2007) 258-259 (*Yakerson, S.M.*); Qad. 133 (2007) 58-61 (*Ahituv, Samuel*).

327 **Taeger, Jens W.** Johanneische Perspektiven: Aufsätze zur Johannesapokalypse und zum johanneischen Kreis, 1984-2003. ^E*Bienert, David C.; Koch, Dietrich-Alex G.* FRLANT 215: 2006 ⇒22,315. ^RRBLit (2007)* (*Fiorenza, Elisabeth S.*); TC.JBTC 12 (2007) 3 pp (*Chibici-Revneanu, Nicole*).

328 **Tannehill, Robert C.** The shape of the gospel: New Testament essays. Eugene, OR 2007, Wipf & S. xv; 237 pp. $28. 978-1-59752-511-1. ^RRBLit (2007)* (*Dodson, Derek S.*).

329 **Theobald, Christoph** Le christianisme comme style: une manière de faire de la théologie en postmodernité. CFi 260-261: P 2007, Cerf 2 vols; 1110 pp. €45 + 50. 978-22040-84202.

330 **Thiel, Winfried** Gedeutete Geschichte: Studien zur Geschichte Israels und ihrer theologischen Interpretation im Alten Testament. ^E*Mommer, Peter; Pottmann, Simone; Scherer, Andreas* Biblisch-theologische Studien 71: 2005 ⇒21,316. ^RRBLit (2007)* (*Moore, Michael S.*).

331 **Thiselton, Anthony C.** Thiselton on hermeneutics: the collected works with new essays. 2006 ⇒22,318. ^RRBLit (2007)* (*Porter, Stanley E.*).

332 **Thyen, Hartwig** Studien zum Corpus Iohanneum. WUNT 214: Tü 2007, Mohr S. viii; 734 pp. €149. 978-3-16-149115-3.

333 **Timm, Stefan** "Gott kommt von Teman...": kleine Schriften zur Geschichte Israels und Syrien-Palästinas. ^E*Pietsch, Michael; Bender, Claudia* AOAT 314: 2004 ⇒20,288. ^ROLZ 102 (2007) 53-57 (*Weippert, Manfred*).

334 **Timpe, Dieter** Antike Geschichtsschreibung: Studien zur Historiographie. ^E*Uwe, Walter* Da:Wiss 2007, 336 pp. €79.90. 978-35341-93530.

335 **Tremblay, Réal** 'Ma io vi dico...': l'agire eccellente specifico della morale cristiana. 2006 ⇒22,320. ^REccl(R) 21/1 (2007) 143-144 (*Antón, José María*).

336 **Utzschneider, Helmut** Gottes Vorstellung: Untersuchungen zur literarischen Ästhetik und Theologie des Alten Testaments. BWANT 175: Stu 2007, Kohlhammer 368 pp. €49.80. 978-3-17-019949-1.

337 **Van der Horst, Pieter W.** Jews and Christians in their Graeco-Roman context.. WUNT 196: 2006 ⇒22,321. ^RThLZ 132 (2007) 152-153 (*Nicklas, Tobias*); OLZ 102 (2007) 731-733 (*Wischmeyer, Oda*).

338 **Veijola, Timo** Offenbarung und Anfechtung: hermeneutisch-theologische Studien zum Alten Testament. *EDietrich, Walter; Marttila, Marko* BThSt 89: Neuk 2007, Neuk 207 pp. €24.90. 978-3-7887-2235-7.

339 **Viviano, Benedict T.** Matthew and his world: the gospel of the open Jewish Christians: studies in biblical theology. NTOA 61: FrS 2007, Academic 309 pp. FS89. 978-3-7278-1584-3.

340 **Watson, Wilfred G.E.** Lexical studies in Ugaritic. AuOr.S 19: Barc 2007, AUSA 376 pp. 978-84888-10731.

341 **Whybray, Norman** Wisdom: the collected articles of Norman Whybray. *EBarker, Margaret; Dell, Katharine J.* 2005 ⇒21,324. RJSSt 52 (2007) 427-428 (*Tomes, Roger*).

342 **Wifstrand, Albert** Epochs and styles: selected writings on the New Testament, Greek language and Greek culture in the post-classical era. *ERydbeck, Lars; Porter, Stanley E.*; TSearby, Denis WUNT 179: 2005 ⇒21,325. RBBR 17 (2007) 355-357 (*Padilla, Osvaldo*); RBLit (2007)* (*Thompson, Steven*).

343 **Wyatt, Nicholas** Word of tree and whisper of stone: and other papers on Ugaritian thought. Gorgias Ugaritic Studies 1: Piscataway, NJ 2007, Gorgias xv; 230 pp. $90. 978-15933-37162.

344 **Yee, Gale A.** Women in ancient Israel and the Hebrew Bible. CBAP Lectures 2006: Manila 2007, Catholic Biblical Association of the Philippines vi; 41 pp.

345 **Zanetti, Paolo S.** Imitatori di Gesù Cristo: scritti classici e cristiani. *ECacciari, Antonio, al.*, 2005 ⇒21,330. RCivCatt 158/4 (2007) 89-91 (*Cremascoli, G.*).

346 **Zeller, Dieter** Neues Testament und hellenistische Umwelt. BBB 150: 2006 ⇒22,331. RRBLit (2007)* (*Verheyden, Joseph*).

A1.3 *Plurium compilationes* biblicae

347 **Achenbach, Reinhard; Arneth, Martin; Otto, Eckart** Tora in der Hebräischen Bibel: Studien zur Redaktionsgeschichte und synchronalen Logik diachroner Transformationen. ZAR.B 7: Wsb 2007, Harrassowitz viii; 387 pp. €78. 978-34470-56342.

348 **Adam, A.K.M., al.**, Reading scripture with the church: toward a hermeneutic for theological interpretation. 2006 ⇒22,332. RRBLit (2007)* (*Green, Joel B.*); Sewanee Theological Review 50 (2007) 565-570 (*Edwards, O.C.*).

349 EAdamo, David T. Biblical interpretation in African perspective. 2006 ⇒22,333. RRBLit (2007)* (*Van der Watt, Jan*).

350 EAdams, Edward; Horrell, David G. Christianity at Corinth: the quest for the Pauline church. 2004 ⇒20,306... 22,7785. RBTB 37 (2007) 79-80 (*Crook, Zeba A.*).

351 EAichele, George; Walsh, Richard G. Those outside: noncanonical readings of canonical gospels. 2005 ⇒21,332. RCBQ 69 (2007) 847-849 (*Calef, Susan A.*).

352 EAlexander, Philip S.; Kaestli, Jean-Daniel The canon of Scripture in Jewish and christian tradition = Le canon des Ecritures dans les traditions juive et chrétienne. Publications de l'Institut romand des sciences bibliques 4: Lausanne 2007, Zèbre 253 pp. €25. 29403-51074.

353 EAlkier, Stefan; Hays, Richard B. Die Bibel im Dialog der Schriften: Konzepte intertextueller Bibellektüre. NET 10: 2005 ⇒21,333. RTC.JBTC 12 (2007) (*Omerzu, Heike*).

354 ᴱ**An, Choi Hee; Dart, Katheryn P.** Engaging the bible: critical readings from contemporary women. 2006 ⇒22,336. ᴿBiCT 3/2 (2007)* (*Sharp, Carolyn J.*); HBT 29 (2007) 87-90 (*Ahn, John*).

355 ᴱ**Auwers, Jean-Marie** Regards croisés sur le Cantique des cantiques. Le livre et le rouleau 22: 2005 ⇒21,338. ᴿCEv 141 (2007) 139-140 (*Berder, Michel*); RSR 95 (2007) 584-585 (*Abadie, Philippe*); Theoforum 38 (2007) 84-86 (*Laberge, Léo*).

356 ᴱ**Avalos, Hector I.; Schipper, Jeremy; Melcher, Sarah J.** This abled body: rethinking disabilities in biblical studies. SBL.Semeia Studies 55: Atlanta (Ga.) 2007, SBL x; 244 pp. $30. 978-1-58983-186-5. Bibl. 201-218.

357 ᴱ**Bachmann, Michael** Lutherische und neue Paulusperspektive. WUNT 182: 2005 ⇒21,339; 22,341. ᴿTThZ 116 (2007) 93-95 (*Schwindt, Rainer*); Protest. 61 (2007) 378-380 (*Jourdan, William*); RSR 95 (2007) 434-435 (*Aletti, Jean-Noël*).

358 **Backhaus, Knut; Häfner, Gerd** Historiographie und fiktionales Erzählen: zur Konstruktivität in Geschichtstheorie und Exegese. BThSt 86: Neuk 2007, Neuk 164 pp. €19.90. 978-37887-22043. Bibl. 137-57.

359 ᴱ**Ballard, Paul; Holmes, Stephen R.** The bible in pastoral practice. 2005 ⇒21,341. ᴿTheol. 110 (2007) 229-230 (*Vincent, John*).

360 ᴱ**Ballhorn, Egbert; Steins, Georg** Der Bibelkanon in der Bibelauslegung: Methodenreflexionen und Beispielexegesen. Stu 2007, Kohlhammer 347 pp. €32. 978-3-17-019109-9.

361 **Barnay, S.**, *al.*, Jésus, compléments d'enquête. P 2007, Bayard 160 pp. €18. 978-22274-76875.

362 ᴱ**Bartholomew, Craig**, *al.*, A royal priesthood?: the use of the bible ethically and politically: a dialogue with Oliver O'Donovan. Scripture and hermeneutics 3: 2002 ⇒18,272... 22,342. ᴿCBQ 69 (2007) 851-853 (*Stevenson, Margot*).

363 ᴱ**Barton, Stephen C.** The Cambridge companion to the gospels. 2006 ⇒22,344. ᴿHBT 29 (2007) 248-249 (*Ahearne-Kroll, Stephen*); RBLit (2007)* (*Foster, Paul*); TC.JBTC 12 (2007) 2 pp (*Hammes, Axel*).

364 **Baslez, Marie-Françoise**, *al.*, Aux origines de la bible. P 2007, Bayard 157 pp. €15. 978-22274-77209.

365 ᴱ**Baumann, Gerlinde; Hartlieb,Elisabeth** Fundament des Glaubens oder Kulturdenkmal?: vom Umgang mit der Bibel heute. Lp 2007, Evangelische 197 pp. €24. 978-3374-024704.

366 **Baumer-Löw, Anja**, *al.*, Löscht den Geist nicht aus! (1 Thess 5,19): theologische und pastorale Kompetenz in Zeiten kirchlichen Umbruchs. Biblische Perspektiven für Verkündigung und Unterricht 3: Müns 2007, LIT 161 pp. 3-8258-0010-5.

367 ᴱ**Bechtel, Carol M.** Touching the altar: the Old Testament for christian worship. GR 2007, Eerdmans 268 pp. $18. 978-08028-18484.

368 ᴱ**Becker, Brian; Notley, R. Steven; Turnage, Marc** Jesus' last week: Jerusalem studies in the synoptic gospels. Jewish and Christian Perspectives 11: 2006 ⇒22,346. ᴿNT 49 (2007) 407-9 (*Collins, Nina L.*).

369 ᴱ**Becker, Eve-Marie** Die antike Historiographie und die Anfänge der christlichen Geschichtsschreibung. BZNW 129: 2005 ⇒21,348; 22,347. ᴿTS 68 (2007) 176-177 (*Argov, Eran I.*); Gn. 79 (2007) 260-262 (*Van Nuffelen, Peter*); SR 36 (2007) 349-350 (*Henderson, Ian H.*).

370 ᴱ**Becker, Michael; Öhler, Markus** Apokalyptik als Herausforderung neutestamentlicher Theologie. WUNT 2/214: 2006 ⇒22,348. ᴿRHPhR 87 (2007) 225-26 (*Grappe, C.*); JETh 21 (2007) 292-297 (*White, Joel*).

371 ^E**Beckman, Gary M.; Lewis, Theodore J.** Text, artifact, and image: revealing ancient Israelite religion. BJSt 346: Providence, RI 2006, Brown Judaic Studies xix; 345 pp. $55. ^RRBLit (2007)* (*Edelman, Diana*).

372 ^E**Ben Zvi, Ehud** Utopia and dystopia in prophetic literature. SESJ 92: 2006 ⇒22,349. ^RJETh 21 (2007) 261-263 (*Wenzel, Heiko*); CBQ 69 (2007) 608-610 (*Cook, Stephen L.*); RBLit (2007)* (*Lang, Bernhard; Edenburg, Cynthia*);

373 Perspectives on Hebrew Scriptures II: comprising the contents of the Journal of Hebrew Scriptures, vol. 5. Piscataway (N.J.) 2007, Gorgias xxi; 685 pp. 978-15933-36127.

374 ^E**Berding, Kenneth; Lunde, Jonathan** Three views on the New Testament use of the Old Testament. GR 2007, Zondervan 256 pp. $17. 978-03102-73332.

375 ^E**Bernabé Ubieta, Carmen** Mujeres con autoridad en el cristianismo antiguo. Aletheia 4: Estella 2007, Verbo Divino 214 pp. €12.50. 978-84816-97759.

376 ^E**Berquist, Jon** Approaching Yehud: new approaches to the study of the Persian period. SBL.Semeia Studies 50: Atlanta 2007, SBL ix; 249 pp. $30. 978-15898-31452. Bibl. 215-246.

377 ^E**Berquist, Jon L.; Camp, Claudia V.** Constructions of space I: theory, geography, and narrative. LHBOTS 481: NY 2007, Clark x; 161 pp. 978-0-567-02707-8.

378 ^E**Bieberstein, Sabine** Frauenkörper. FrauenBibelArbeit 18: Stu 2007, Katholisches Bibelwerk 88 pp. 978-3-460-25298-1.

379 ^E**Black, Fiona C.** The recycled bible. SBL.Semeia Studies 51: 2006 ⇒ 22,351. ^RRBLit (2007)* (*Sharon, Diane M.*).

380 ^E**Blasi, Anthony J.; Duhaime, Jean; Turcotte, Paul-André** Handbook of early christianity: social science approaches. 2002 ⇒18,275... 21,355. ^RASSR 52/138 (2007) 108-109 (*Van den Kerchove, Anna*); RHR 224 (2007) 119-120 (*Baslez, Marie-Françoise*).

381 ^E**Boccaccini, Gabriele; Collins, John J.** The early Enoch literature. JSJ.S 121: Lei 2007, Brill x; 367 pp. €125/$186. 978-90041-61542. Bibl. 337-347.

382 ^E**Bockmuehl, Markus; Carleton Paget, James** Redemption and resistance: the Messianic hopes of Jews and christians in antiquity. L 2007, Clark xxviii; 381 pp. £80. 978-05670-30436.

383 ^E**Bons, Eberhard; Sänger, Dieter** Psalm 22 und die Passionsgeschichten der Evangelien. BThSt 88: Neuk 2007, Neuk vi; 159 pp. €22.90. 978-3-7887-2206-7.

384 ^E**Böhler, Dieter; Fabry, Heinz Josef** Im Brennpunkt: die Septuaginta: Studien zur Entstehung und Bedeutung der Griechischen Bibel, Band 3: Studien zur Theologie, Anthropologie, Ekklesiologie, Eschatologie und Liturgie der Griechischen Bibel. BWANT 174: Stu 2007, Kohlhammer 336 pp. €39.80. 978-3-17-019876-0.

385 **Braulik, Georg; Lohfink, Norbert** Liturgie und Bibel. ÖBS 28: 2005 ⇒21,360; 22,355. ^ROLZ 102 (2007) 531-538 (*Willmes, Bernd*).

386 ^E**Brawley, Robert L.** Character ethics and the New Testament: moral dimensions of scripture. LVL 2007, Westminster xvi; 269 pp. $30. 9780-6642-30661. ^RCBQ 69 (2007) 856-858 (*Harrington, Daniel J.*); RBLit (2007)* (*Hartin, Patrick J.*).

387 ^E**Bredin, Mark** Studies in the book of Tobit. LSTS 55: 2006 ⇒22, 357. ^RJSJ 38 (2007) 95-97 (*Nicklas, Tobias*).

KENRICK SEMINARY LIBRARY
5200 GLENNON DRIVE
ST. LOUIS, MO. 63119

388 ᴱBreytenbach, Cilliers; Behrmann, Ingrid Frühchristliches Thessalo-
niki. STAC 44: Tü 2007, Mohr S. xv; 184 pp. €99. 31614-78581.

389 ᴱBrooke, George J.; Römer, Thomas Ancient and modern scriptural
historiography = L'historiographie biblique, ancienne et moderne.
BEThL 207: Lv 2007, Leuven Univ. Pr. xxxvi; 371 pp. €75. 978-90-
429-1969-3.

390 ᴱBrown, William P. The ten commandments: the reciprocity of faith-
fulness. 2004 ⇒20,325... 22,358. ᴿHeyJ 48 (2007) 326-330 (Meynell,
Hugo);

391 Engaging biblical authority: perspectives on the bible as scripture. LVL
2007, Westminster xvi; 158 pp. $20. 978-06642-30579.

392 Burkitt, Francis C.; Meillet, Antoine; Magnus, Laurie Early and
later Jewish influence on christianity: essays on Hebrew influence on
religion, language and literature. Analecta Gorgiana 38: Piscataway,
N.J. 2007 <1927>, Gorgias 70 pp. 978-1-593-33692-9. Ill.

393 ᴱBusse, Ulrich Die Bedeutung der Exegese für Theologie und Kirche.
QD 215: 2005 ⇒21,363. ᴿThLZ 132 (2007) 1189-1191 (Niebuhr,
Karl-Wilhelm).

394 ᴱCampbell, William S.; Hawkins, Peter S.; Schildgen, Brenda D.
Medieval readings of Romans. NY 2007, Clark 241 pp. $49. 978-0-
567-02706-1. Bibl. 213-229.

395 ᴱCarroll R., M. Daniel; Lapsley, Jacqueline E. Character ethics and
the Old Testament. 2006 ⇒22,359. ᴿZAR 13 (2007) 416-418 (Otto,
Eckart); RBLit (2007)* (Otto, Eckart).

396 ᴱCarson, Donald A.; O'Brien, Peter T.; Seifrid, Mark A. Justifica-
tion and variegated nomism, 2: the paradoxes of Paul. WUNT 2/181:
2004, ⇒20,327... 22,7720. ᴿThLZ 132 (2007) 313-316 (Sänger,
Dieter); RSR 95 (2007) 431-432 (Aletti, Jean-Noël).

397 ᴱCausse, Jean-Daniel; Cuvillier, Elian Mythes grecs, mythes bib-
liques: l'humain face à ses dieux. LiBi 150: P 2007, Cerf 190 pp. €17.
978-22040-84727. ᴿETR 82 (2007) 613-614.

398 Charlesworth, James H., al., Resurrection: the origin and future of a
biblical doctrine. 2006 ⇒22,705. ᴿCBQ 69 (2007) 185-186 (Matera,
Frank J.).

399 Charlesworth, James H.; Elliott, J. Keith, al., Jésus et les nouvelles
découvertes de l'archéologie. ᵀGhirardi, Patrice P 2007, Bayard 144
pp. €20. 978-22274-76691.

400 ᴱCharlesworth, James H. Jesus and archaeology. 2006 ⇒22,362.
ᴿBiOr 64 (2007) 755-757 (Geus, C.H.J. de); CBQ 69 (2007) 398-400
(McDonald, Lee M.); JAOS 127 (2007) 87-88 (Magness, Jodi); RBLit
(2007)* (Reed, Jonathan).

401 ᴱChazelle, Celia; Edwards, Burton Van Name The study of the bible
in the Carolingian era. Medieval church studies 3: 2003 ⇒19,325... 22,
363. ᴿRSPhTh 91 (2007) 553-556 (Mitalaité, Kristina).

402 ᴱChilton, Bruce; Neusner, Jacob In quest of the historical Pharisees.
Waco, Texas 2007, Baylor Univ. Pr. xi; 512 pp. $35. 1-932-79272-4.
Bibl. 481-509.

403 ᴱChilton, Bruce D.; Green, William S.; Neusner, Jacob Historical
knowledge in biblical antiquity. Blandford Forum 2007, Deo xiv; 433
pp. £30/$40/€38. 978-1.905679-00-3.

404 ᴱCosgrove, Charles H. The meanings we choose: hermeneutical eth-
ics, indeterminacy and the conflict of interpretations. JSOT.S 411:
2004 ⇒20,331; 21,370. ᴿJThS 58 (2007) 183-186 (Davies, Eryl W.).

405 ᴱCoulton, Nicholas The bible, the church and homosexuality. 2005 ⇒ 21,371. ᴿWay 46/1 (2007) 118-120 (Gallagher, Clarence); Theol. 110 (2007) 156-157 (Vernon, Mark).

406 ᴱCzapla, Ralf G.; Rembold, Ulrike Gotteswort und Menschenrede: die Bibel im Dialog mit Wissenschaften, Künsten und Medien. Jahrbuch für Internationale Germanistik A.73: 2006 ⇒22,371. ᴿThLZ 132 (2007) 409-411 (Müller, Wolfgang E.).

407 ᴱDalferth, Ingolf U.; Schröter, Jens Bibel in gerechter Sprache?: Kritik eines misslungenen Versuchs. Tü 2007, Mohr S. vi; 141 pp. €14. 978-3-16-149448-2.

408 ᴱDe Groot, Christiana; Taylor, Marion A. Recovering nineteenth-century women interpreters of the bible. SBL.Symposium 38: Atlanta, GA 2007, SBL ix; 244 pp. $35. 978-1589-83220-6.

409 ᴱDeeg, Alexander; Heuser, Stefan; Manzeschke, Arne Identität: biblische und theologische Erkundungen. BTSP 30: Gö 2007, Vandenhoeck & R. 328 pp. €29.90. 978-35256-15997.

410 ᴱDieckmann, Detlef; Erbele-Küster, Dorothea "Du hast mich aus meiner Mutter Leib gezogen": Beiträge zur Geburt im Alten Testament. BThSt 75: 2006 ⇒22,374. ᴿJEGTFF 15 (2007) 241-243 (Rapp, Ursula); RBLit (2007)* (Schroer, Silvia).

411 ᴱDohmen, Christoph In Gottes Volk eingebunden: christlich-jüdische Blickpunkte zum Dokument der Päpstlichen Bibelkommission "Das jüdische Volk und seine Heilige Schrift in der christlichen Bibel". 2003 ⇒19,333. ᴿFrRu 14 (2007) 140-142 (Krabbe, Dieter).

412 ᴱDoyle, Brian; Ceulemans, R. Ik ben de Heer uw God: de tien geboden in traditie, beeld en bijbel. Lv 2007, Peeters xi; 154 pp. €24. 978-90429-19884. Ill. D. van de Loo.

413 ᴱDraper, Jonathan; Foley, John M.; Horsley, Richard Performing the gospel: orality, memory, and Mark. Ment. Kelber, Werner 2006 ⇒ 22,377. ᴿJThS 58 (2007) 638-640 (Morgan, Teresa).

414 ᴱDrawnel, Henryk Jezus jako Syn Boży: w Nowym Testamencie i we wczesnej literaturze chrześcijańskiej. Analecta Biblica Lublinensia 1: Lublin 2007, KUL 191 pp. 83736-36057. P.

415 ᴱEbach, Jürgen, al., "Schau an der schönen Gärten Zier ...": über irdische und himmlische Paradiese: zu Theologie und Kulturgeschichte des Gartens. Jabboq 7: Gü 2007, Gü 315 pp. 978-3-579-05336-3.

416 Edart, Jean-Baptiste; Himbaza, Innocent; Schenker, Adrian Clarifications sur l'homosexualité dans la bible. LiBi 147: P 2007, Cerf 141 pp. €15. 978-2-204-08336-2. Bibl. 131-136. ᴿBLE 108 (2007) 336-337 (Debergé, Pierre); LV(L) 56/2 (2007) 118-119 (Foerster, Jean-Luc M.); Brot. 165 (2007) 295-296 (Silva, Isidro Ribeiro da); RSR 95 (2007) 576-577 (Artus, Olivier);

417 L'omosessualità nella bibbia. Parola di Dio 26: CinB 2007, San Paolo 123 pp. €11. 978-88215-59921. Bibl. 109-114.

418 ᴱEgo, Beate; Merkel, Helmut Religiöses Lernen in der biblischen, frühjüdischen und frühchristlichen Überlieferung. WUNT 180: 2005 ⇒21,384; 22,380. ᴿBBR 17 (2007) 337-339 (Richards, E. Randolph); Sal. 69 (2007) 586-588 (Vicent, Rafael); ThRv 103 (2007) 503-504 (Frankemölle, Hubert).

419 ᴱEhrlich, Carl S. Saul in story and tradition. FAT 47: 2006 ⇒22,381. ᴿThLZ 132 (2007) 301-304 (Adam, Klaus-Peter).

420 ᴱEvans, Craig A. Of scribes and sages: early Jewish interpretation and transmission of scripture, 1-2. LSTS 50: 2004 ⇒20,347; 21,385. ᴿJJS

58 (2007) 157-159 (*Jason, Mark*); RSR 95 (2007) 598-599 (*Berthelot, Katell*).

421 **Finkelstein, Israel; Mazar, Amihai** The quest for the historical Israel: debating archaeology and the history of early Israel. ᴱ*Schmidt, Brian B.* Archaeology and biblical studies 17: Atlanta, GA 2007, SBL x; 220 pp. $25. 978-1-58983-277-0. Invited lectures, Sixth Colloquium, International Institute for Secular Humanistic Judaism, Detroit, Oct. 2005.

422 ᴱ**Finsterbusch, Karin** Bibel nach Plan?: biblische Theologie und schulischer Religionsunterricht. Gö 2007, Vandenhoeck & R. 193 pp. 978-3-525-61033-6.

423 ᴱ**Fitschen, Klaus; Maier, Hans** Wunderverständnis im Wandel: historisch-theologische Beiträge. Annweiler 2007, Plöger 132 pp. 978-389-857-232-3.

424 ᴱ**Forster, Regula; Michel, Paul** Significatio: Studien zur Geschichte von Exegese und Hermeneutik II. Z 2007, Pano xiv; 322 pp. €24. 978-3-907576-38-0.

425 ᴱ**Frey, Jörg; Schröter, Jens** Deutungen des Todes Jesu im Neuen Testament. WUNT 181: 2005 ⇒21,392; 22,401. ᴿBZ 51 (2007) 98-108 (*Röhser, Günter*); ThLZ 132 (2007) 33-35 (*Klaiber, Walter*); ThRv 103 (2007) 117-121 (*Backhaus, Knut*); ThPh 82 (2007) 607-609 (*Wucherpfennig, Ansgar*).

426 ᴱ**Gaca, Kathy L.; Welborn, Laurence L.** Early patristic readings of Romans. 2005 ⇒21,393. ᴿRBLit (2007)* (*Tomson, Peter*).

427 ᴱ**Gallagher, Robert L.; Hertig, Paul** Mission in Acts: ancient narratives in contemporary context. ASMS 34: 2004 ⇒20,354; 22,6527. ᴿPacifica 20 (2007) 108-110 (*Waldie, Kevin*).

428 ᴱ**Galli, Carlos M.; Fernández, Victor M.** La palabra viva y actual: estudios de actualización bíblica. Andamios Maior: BA 2007, San Benito 160 pp. 98711-77178.

429 ᴱ**Geiger, Michaela; Kessler, Rainer** Musik, Tanz und Gott: Tonspuren durch das Alte Testament. SBS 207: Stu 2007, Kathol. Bibelwerk 144 pp. 978-3-460-03074-9.

430 ᴱ**Gelardini, Gabriella** Hebrews: contemporary methods–new insights. BiblInterp 75: 2005 ⇒21,395; 22,403. ᴿBiCT 3/2 (2007)* (*Petterson, Christina*).

431 ᴱ**Geretti, Alessio** Apocalisse: l'ultima rivelazione. Mi 2007, Skira 222 pp. 978-88-6130-263-1. Catalogo Mostra, Illegio 2007; Bibl. 217-222.

432 ᴱ**Good, Deirdre** Mariam, the Magdalen, and the mother. 2005 ⇒21, 397. ᴿChH 76 (2007) 884-885 (*Haines-Eitzen, Kim*).

433 ᴱ**Gössmann, Elisabeth; Moltmann-Wendel, Elisabeth; Schüngel-Straumann, Helen** Der Teufel blieb männlich: kritische Diskussion zur "Bibel in gerechter Sprache": feministische, historische und systematische Beiträge. Neuk 2007, Neuk 254 pp. 978-3-7887-2271-5.

434 ᴱ**Grabbe, Lester L.** Good kings and bad kings: the kingdom of Judah in the seventh century BCE. Biblical Studies: L 2007, Clark x; 371 pp. 978-0-567-08272-5.

435 ᴱ**Grabner-Haider, Anton** Kulturgeschichte der Bibel. Gö 2007, Vandenhoeck & R. 487 pp. €39.90. 978-3-525-57309-9. Bibl.

436 ᴱᵀ**Granados, Carlos; Giménez, Agustín** Biblia y ciencia de la fe. Ensayos 311: M 2007, Encuentro 230 pp. €21. 978-84-7490-840-4. Bibl. 219.

437 ᴱ**Gray, Patrick; Roncace, Mark** Teaching the bible through popular culture and the arts. Resources for biblical study 53: Atlanta, Ga. 2007, Scholars vii; 393 pp. $38. 978-1-58983-244-2.

438 ᴱ**Grätz, Sebastian; Schipper, Bernd U.** Alttestamentliche Wissenschaft in Selbstdarstellungen. Uni-Taschenbücher 2920: Gö 2007, Vandenhoeck & R. 310 pp. €22.90. 978-3-8252-2920-7.

439 ᴱ**Greenman, Jeffrey P.; Larsen, Timothy** Reading Romans through the centuries: from the early church to Karl BARTH. 2005 ⇒21,400; 22,409. ᴿTJT 23/1 (2007) 68-69 (*Trites, Allison A.*); RBLit (2007)* (*Elliott, Mark*).

440 ᴱ**Greenspahn, Frederick E.** The Hebrew Bible: new insights and scholarship. NY 2007, New York Univ. Pr. xiii; 231 pp. $50/20. 978-08147-31871/88 [ThD 53,269–W. Charles Heiser].

441 ᴱ**Gregory, Andrew F.; Tuckett, Christopher M.** The reception of the New Testament in the Apostolic Fathers. Oxf 2007, OUP xiii; 375 pp. 978-019-923007-5/67828.

442 ᴱ**Greiner, Bernhard; Janowski, Bernd; Lichtenberger, Hermann** Opfere deinen Sohn!: das "Isaak-Opfer" in Judentum, Christentum und Islam. Tü 2007, Francke 337 pp. €68. 978-3-7720-8126-2.

443 ᴱ**Hafemann, Scott J.; House, Paul R.** Central themes in biblical theology: mapping unity in diversity. GR 2007, Academic 336 pp. $30. 978-18447-41663 [BiTod 46,58—Dianne Bergant].

444 ᴱ**Healy, Mary; Parry, Robin** The bible and epistemology: biblical soundings on the knowledge of God. Milton Keynes 2007, Paternoster xviii; 198 pp. £18. 978-1-84227-540-5.

445 ᴱ**Hecht, Anneliese** Maria–Mutter Jesu. FrauenBibelArbeit 19: Stu 2007, Katholisches Bibelwerk 96 pp. 978-3-460-25299-8.

446 ᴱ**Helmer, Christine; Landmesser, Christof** One scripture or many?: canon from biblical, theological, and philosophical perspectives. 2004 ⇒20,361... 22,1743. ᴿDSD 14 (2007) 385-387 (*Berthelot, Katell*).

447 ᴱ**Herrmann, Karin; Hübenthal, Sandra** Intertextualität: Perspektiven auf ein interdisziplinäres Arbeitsfeld. Sprache & Kultur: Aachen 2007, Shaker 228 pp. 978-3-8322-6694-3.

448 ᴱ**Holmén, Tom** Jesus from Judaism to Christianity: Continuum approaches to the historical Jesus. LNTS 352: L 2007, Clark xi; 179 pp. 978-0-567-04214-9.

449 ᴱ**Horsley, Richard A.** Oral performance, popular tradition, and hidden transcripts in Q. SBL.Semeia studies 60: 2006 ⇒22,417. ᴿEThL 83 (2007) 489-491 (*Witetschek, S.*); RBLit (2007)* (*Verheyden, Joseph*);

450 Sozialgeschichte des Christentums, I: die ersten Christen. Gü 2007, Gü 347 pp. 978-3-579-08001-7.

451 ᴱ**Human, Dirk J.** Psalms and mythology. LHBOTS 462: NY 2007, Clark xviii; 262 pp. $140. 978-0-567-02982-9.

452 ᴱ**Hurtado, Larry W.** The Freer biblical manuscripts: fresh studies of an American treasure trove. SBL.Text-Critical studies 6: 2006 ⇒22, 419. ᴿCBQ 69 (2007) 863-865 (*Witherington, Ben, III*); RBLit (2007)* (*Hernández, Juan, Jr.*).

453 ᴱ**Isherwood, Lisa** Patriarchs, prophets, and other villains. Gender, Theology, and Spirituality: Oakville, Conn. 2007, Equinox xix; 221 pp. $25. 978-1-84553-130-0/1-7. Bibl. 208-214.

454 ᴱ**Janowski, Bernd** Kanonhermeneutik: vom Lesen und Verstehen der christlichen Bibel. Theologie interdisziplinär 1: Neuk 2007, Neuk 161 pp. 978-3-7887-2216-6.

455 ᴱ**Janowski, Bernd; Welker, Michael** Opfer: theologische und kulturelle Kontexte. stw 1454: 2000 ⇒16,276. ᴿALW 49 (2007) 385-387 (*Schenker, Adrian*).

456 ^E**Jeffrey, David L.; Evans, C. Stephen** The bible and the university. Scripture and Hermeneutics 8: GR 2007, Zondervan ix; 328 pp. $35. 978-18422-70721.

457 ^E**Joynes, Christine E.; Macky, Nancy** Perspectives on the passion: encountering the bible through the arts. LNTS 381: L 2007, Clark xviii; 206 pp. £70. 978-0-567-03362-8.

458 **Kaiser, Walter C.; Silva, Moisés** An introduction to biblical hermeneutics: the search for meaning. GR 2007, Zondervan 350 pp. $35. 978-0-310-27951-8. Rev. ed.; Bibl. 337-338.

459 **Kannengiesser, Charles**, *al.*, Handbook of patristic exegesis: the bible in ancient christianity, 1-2. The bible in ancient christianity 1: 2004 ⇒ 20,375... 22,14682. One volume ed. 2006. ^RRThom 115 (2007) 517-519 (*Silly, Renaud*); ThRv 103 (2007) 388-389 (*Kampling, Rainer*); Henoch 29 (2007) 386-391 (*Waddell, James A.*).

460 ^E**Killeen, Kevin; Forshaw, Peter J.** The word and the world: biblical exegesis and early modern science. Basingstoke, Hampshire 2007, Palgrave M. xii; 264 pp. 978-0-230-50707-4.

461 ^E**Klement, Herbert H.; Steinberg, Julius** Themenbuch zur Theologie des Alten Testaments. BWM 15: Wu 2007, Brockhaus 342 pp. €17. 978-34172-95450. ^ROTEs 20 (2007) 514-519 (*Weber, Beat*).

462 ^E**Knobloch, Frederick W.** Biblical translation in context. 2002 ⇒18, 338. ^RPerspectives on Hebrew Scriptures II, 618-20 ⇒373 (*Ash, Paul*).

463 ^E**Krieger, Walter; Sieberer, Balthasar** Lebendig wird das Wort: wie Gott durch die Bibel spricht. Topos plus TB 501: Limburg/Lahn 2003, Matthias-Grünewald 102 pp. 37867-85015.

464 ^E**Kucz, Anna; Malina, Artur** Ethos and exegesis. Studia i materiały Wydziału Teologicznego Universytetu Slaskiego w Katowicach 41: Katowice 2007, Ksiegarnia Sw. Jacka 271 pp. 978-83703-06182. Bibl.

465 ^E**Kuhlmann, Helga** Die Bibel–übersetzt in gerechte Sprache?: Grundlagen einer neuen Übersetzung. 2005 ⇒21,423; 22,2351. ^RBZ 51 (2007) 266-270 (*Hahn, Ferdinand*).

466 La prova. Berges, Ulrich, *al.*, PSV 55: Bo 2007, EDB 258 pp.

467 ^E**Laato, Antti; Moor, Johannes C. de** Theodicy in the world of the bible. 2003 ⇒19,365... 22,433. ^ROLZ 102 (2007) 474-478 (*Kaiser, Otto*); RBLit (2007)* (*DiTommaso, Lorenzo*).

468 ^E**Labahn, Michael; Peerbolte, Jan L.** A kind of magic: understanding magic in the New Testament and its religious environment. LNTS 306; European Studies on Christian Origins 306: NY 2007, Clark xiii; 208 pp. $156.

469 ^E**Le Roux, Jurie H.; Otto, Eckart** South African perspectives on the pentateuch between synchrony and diachrony. LHBOTS 463: L 2007, Clark xi; 205 pp. $140. 978-0-567-02992-8.

470 Liber Annuus LIV: 2004. 2006 ⇒22,437. ^RRevBib 69 (2007) 121-124 (*Rivas, Luis H.*).

471 ^E**Lieu, Judith M.; Rogerson, John W.** The Oxford handbook of biblical studies. 2006 ⇒22,438. ^RJThS 58 (2007) 553-556 (*Harvey, A.E.*).

472 ^E**Lozada, Francisco; Thatcher, Tom** New currents through John. Resources for biblical study 54: 2006 ⇒22,439. ^RBiCT 3/3 (2007)* (*Petterson, Christina*); RBLit (2007)* (*Poplutz, Uta*).

473 ^E**McKim, Donald K.** CALVIN and the bible. 2006 ⇒22,443. ^RRBLit (2007)* (*Reventlow, Henning Graf*).

474 ^E**Malena, Sarah; Miano, David** Milk and honey: essays on ancient Israel and the bible in appreciation of the Judaic Studies program at the

University of California, San Diego. WL 2007, Eisenbrauns xxi; 289 pp. 978-1-57506-127-6.

475 **Marguerat, Daniel**, *al.*, Jésus, complément d'enquête. MoBi: P 2007, Bayard 160 pp. €18. 22274-76875.

476 ᴱ**Menken, Maarten J.J.; Moyise, Steve** Isaiah in the New Testament. 2005 ⟹21,443; 22,445. ᴿCBQ 69 (2007) 190-191 (*Bridge, Steven L.*); RBLit (2007) 175-179 (*Knowles, Michael*);

477 Deuteronomy in the New Testament: the New Testament and the Scriptures of Israel. LNTS 358: L 2007, Clark ix; 195 pp. $130. 978-0-567-04549-2.

478 ᴱ**Metternich, Ulrike; Rapp, Ursula; Sutter Rehmann, Luzia** Zum Leuchten bringen: biblische Texte vom Glück. 2006 ⟹22,446. ᴿThPQ 155 (2007) 438-439 (*Schwantner, Anita*).

479 ᴱ**Mies, Françoise** Bible et sciences des religions: Judaïsme, christianisme, Islam. Le livre et le rouleau 23; Connaître et croire 12: 2005 ⟹21,445; 22,448. ᴿIrén. 80/1 (2007) 190-192;

480 Bible et théologie: l'intelligence de la foi. Le livre et le rouleau 26; 2006 ⟹22,449. ᴿCEv 142 (2007) 57 (*Berder, Michel*);

481 Bible et philosophie: les lumières de la raison. Le livre et le rouleau 30; Connaître et croire 14: Namur 2007, Presses Universitaires de Namur 194 pp. €20. 978-2-87037-538-9.

482 **Moltmann, Jürgen; Moltmann-Wendel, Elisabeth** Pasión por Dios: teología a dos voces. Sdr 2007, Sal Terrae 118 pp. ᴿRelCult 53 (2007) 905-906 (*Álvarez, Miguel A.*).

483 ᴱ**Moore, Stephen D.; Segovia, Fernando F.** Postcolonial biblical criticism: interdisciplinary intersections. 2005 ⟹21,449; 22,450. ᴿThLZ 132 (2007) 774-776 (*Alkier, Stefan*).

484 ᴱ**Neudorfer, Heinz-Werner; Schnabel, Eckhard J.** Das Studium des Neuen Testaments: Einführung in die Methoden der Exegese. TVG: 2006 ⟹22,451. ᴿSNTU.A 32 (2007) 276-279 (*Fuchs, Albert*).

485 Neues Testament und Antike Kultur, Band 1-3. ᴱ**Erlemann, Kurt**, *al.*, 2005 ⟹728; 21,675ss; 22,452. ᴿPraktische Theologie 42/2 (2007) 127-129 (*Schroeter-Wittke, Harald*);

486 4: Karten–Abbildungen–Register. ᴱ**Erlemann, Kurt**, *al.*, Neuk 2006, Neuk viii; 253 pp. €29.90. 3-7887-2038-5.

487 ᴱ**Nicklas, Tobias; Kraus, Thomas J.** New Testament manuscripts: their texts and their world. Texts and editions for New Testament study 2: 2006 ⟹22,453. ᴿRBLit (2007) 564-565 (*Tuckett, Christopher*) TC.JBTC 12 (2007) 6 pp (*Cook, John G.*).

488 ᴱ**Noel, James A.; Johnson, Matthew V.** The passion of the Lord: African American reflections. 2005 ⟹21,451; 22,454. ᴿRBLit (2007) 529-532 (*Segovia, Fernando*).

489 ᴱ**Noss, Philip A.** A history of bible translation. History of Bible Translation 1: R 2007, Edizioni di Storia e Letteratura xix; 521 pp. $60. 978-88-8498-373-2.

490 ᴱ**Odell-Scott, David W.** Reading Romans with contemporary philosophers and theologians. L 2007, Clark £25. 978-0-567-02705-4.

491 **Osiek, Carolyn; MacDonald, Margaret Y.** A woman's place: house churches in earliest christianity. 2006 ⟹22,457. ᴿSR 36 (2007) 186-187 (*Morehouse, Nathaniel*); Interp. 61 (2007) 442-444 (*D'Angelo, Mary R.*); TJT 23 (2007) 216-218 (*LaFosse, Mona T.*); RBLit (2007) 509-512 (*Parris, David*).

492 [E]**Otto, Eckart; Zenger, Erich** "Mein Sohn bist du" (Ps 2,7): Studien zu den Königspsalmen. SBS 192: 2002 ⇒18,366... 20,412. [R]ALW 49 (2007) 370-372 (*Schenker, Adrian*).

493 **Panimolle, Salvatore A.**, *al.*, Maria di Nazaret nella bibbia. DSBP 40: 2005 ⇒21,458; 22,9461. [R]Theotokos 15 (2007) 563-564 (*Farina, Marcella*).

494 [E]**Patte, Daniel; Grenholm, Cristina** Gender, tradition and Romans: shared ground, uncertain borders. 2005 ⇒21,7939. [R]RBLit (2007)* (*Koperski, Veronica*).

495 [E]**Peerbolte, B.J. Lietaert** De magische wereld van de bijbel. Zoetermeer 2007, Meinema 149 pp. €16.50. 978-90211-40773.

496 [E]**Penner, Todd C.; Vander Stichele, Caroline** Moving beyond New Testament theology?: essays in conversation with Heikki Räisänen. SESJ 88: 2005 ⇒21,463. [R]RBLit (2007)* (*Tuckett, Christopher*).

497 [E]**Phillips, Thomas E.** Acts and ethics. NTMon 9: 2005 ⇒21,464; 22, 460. [R]ScrB 37 (2007) 109-110 [= ScrB 36 (2006) 108-109] (*Wansbrough, Henry*); Neotest. 41 (2007) 246-250 (*Steyn, Gert J.*); CBQ 69 (2007) 193-5 (*Omerzu, Heike*); RBLit (2007) 407-411 (*Steyn, Gert J.*).

498 [E]**Piñero, Antonio** Biblia y helenismo: el pensamiento griego y la formación del cristianismo. Córdoba 2007, El Almendro 702 pp. 84800-50918.

499 [E]**Plasger, Georg; Schipper, Bernd U.** Apokalyptik und kein Ende?. BTSP 29: Gö 2007, Vandenhoeck & R. 302 pp. €20.90. 978-3-525-61-594-2.

500 [E]**Plietzsch, Susanne** Literatur im Dialog: die Faszination von Talmud und Midrasch. Z 2007, Theologischer 173 pp. FS32/€22. 978-3-290-17432-3.

501 [E]**Poorthuis, Marcel; Schwartz, Joshua** Saints and role models in Judaism and christianity. Jewish and Christian Perspectives 7: 2004 ⇒ 21,467. [R]Zion 72 (2007) 231-236 (*Schwartz, Yossef*).

502 [E]**Porter, Stanley E.** Paul and his theology. Pauline Studies 3: 2006 ⇒ 22,462. [R]RBLit (2007)* (*Boring, M. Eugene*).

503 [E]**Puig i Tàrrech, Armand** La bíblia i els immigrants. 2005 ⇒21,471. [R]RivBib 55 (2007) 249-251 (*Calduch-Benages, Nuria*).

504 [E]**Riaud, Jean** L'étranger dans la bible et ses lectures. LeDiv 213: P 2007, Cerf 456 pp. €32. 978-22040-83126. Bibl. [R]BLE 108 (2007) 334-336 (*Debergé, Pierre*); VS 87/772 (2007) 463-464 (*Vermeylen, Jacques*); StPhiloA 19 (2007) 223-224 (*Runia, David T.*).

505 [E]**Ridge, Mian** Jesus: the unauthorized version. NY 2007, New American Library 228 pp. 978-0-451-22083-7. Bibl. 225-228.

506 [E]**Römer, Thomas; Macchi, Jean-Daniel; Nihan, Christophe** Guida di lettura all'Antico Testamento. Bo 2007, EDB 663 pp. €58. 978-88-10-20163-3.

507 [E]**Rüterswörden, Udo** Martin Noth–aus der Sicht der heutigen Forschung. BThSt 58: 2004 ⇒20,422. [R]RBLit (2007) 512-515 (*McKenzie, Steven L.*).

508 [E]**Sanders, Fred; Issler, Klaus** Jesus in Trinitarian perspective: an introductory christology. Nv 2007, B & H 244 pp. $25.

509 [E]**Sawyer, John F.A.** The Blackwell companion to the bible and culture. 2006 ⇒22,465. [R]RBLit (2007)* (*Clanton, Dan W., Jr.*).

510 [E]**Sänger, Dieter** Heiligkeit und Herrschaft: intertextuelle Studien zu Heiligkeitsvorstellungen und zu Psalm 110. BThSt 55: 2003 ⇒19,408. [R]ALW 49 (2007) 373-374 (*Schenker, Adrian*);

511 Gottessohn und Menschensohn: exegetische Studien zu zwei Paradig-
men biblischer Intertextualität. BThSt 67: 2004 ⇒20,425. ᴿRBLit
(2007)* (*Burkett, Delbert R.*) [Ps 2];
512 Das Ezechielbuch in der Johannesoffenbarung. BThSt 76: 2006 ⇒22,
466. ᴿRBLit (2007) 464-466 (*Court, John M.*).
513 ᴱSchäfer, Brigitte Im Kraftfeld des Geistes: biblische Spiritualität.
WerkstattBibel 11: Stu 2007, Kathol. Bibelwerk 96 pp. €11.80. 978-
34600-85114.
514 ᴱSchenker, Adrian; Hugo, P. L'enfance de la bible hébraïque: l'his-
toire du texte de l'AT à la lumière des recherches récentes. MoBi 52:
2005 ⇒21,477. ᴿPerTeol 39 (2007) 431-432 (*Paul, Claudio*).
515 ᴱSchenker, Adrian; Himbaza, Innocent Un carrefour dans l'histoire
de la bible: du texte à la théologie au IIe siècle avant J.-C. OBO 233:
FrS 2007, Academic x; 151 pp. 978-3-7278-53033-7.
516 ᴱScott, Bernard B. Jesus reconsidered: scholarship in the public eye.
Jesus Seminar Guides: Santa Rosa, Calif. 2007, Polebridge x; 104 pp.
$18. 978-15981-50025.
517 ᴱSeidl, Theodor; Ernst, Stephanie Das Buch Ijob: Gesamtdeutungen
–Einzeltexte–zentrale Themen. ÖBS 31: Fra 2007, Lang 310 pp. €54.
70. 978-3-631-56241-3.
518 ᴱSim, David C.; Riches, John Kenneth The gospel of Matthew in its
Roman imperial context. JSNT.S 276: 2005 ⇒21,484; 22,475. ᴿThLZ
132 (2007) 318-320 (*Omerzu, Heike*).
519 ᴱSkarsaune, Oskar; Hvalvik, Reidar Jewish believers in Jesus: the
early centuries. Peabody, MA 2007, Hendrickson xxx; 930 pp. $50.
978-15656-37634. Bibl. 783-884 [BiTod 45,396—Donald Senior].
520 ᴱSöding, Thomas Geist im Buchstaben?: neue Ansätze in der Exegese.
QD 225: FrB 2007, Herder 149 pp. €25. 978-3-451-02225-8.
521 ᴱSpronk, Klaas; Roukema, Riemer Over God: de bijbel teksten en
thema's in beeld. De bijbel 6: Zoetermeer 2007, Meinema 208 pp.
€18.50. 978-90211-41459.
522 Stewart, Robert B. The resurrection of Jesus: John Dominic Crossan
and N.T. Wright in dialogue. 2006 ⇒22,476. ᴿThTo 64 (2007) 410-
413 (*Ellens, J. Harold*).
523 ᴱStill, Todd D. Jesus and Paul reconnected: fresh pathways into an old
debate. GR 2007, Eerdmans xvi; 166 pp. $22. 978-0-8028-3149-1.
Bibl. 146-155.
524 ᴱStriet, Magnus Gestorben für wen?: zur Diskussion um das "pro
multis". Theologie kontrovers: FrB 2007, Herder 112 pp. €9.90. 978-3-
451-29708-3. (*Prosinger, Franz*) [Mt 26,28].
525 ᴱStuhlmacher, Peter; Janowski, Bernd The suffering servant: Isaiah
53 in Jewish and christian sources. ᵀBailey, Daniel P. 2004 ⇒20,436...
22,4580. ᴿJThS 58 (2007) 597-598 (*Kessler, Edward*).
526 ᴱSugirtharajah, Rasiah S. The postcolonial biblical reader. 2006 ⇒
22,479. ᴿJThS 58 (2007) 562-565 (*Hunter, Alastair*);
527 Voices from the margin: interpreting the bible in the third world. ³2006
⇒22,480. ᴿRBLit (2007)* (*West, Gerald O.*).
528 ᴱThatcher, Tom What we have heard from the beginning: the past,
present, and future of Johannine studies. Waco, Texas 2007, Baylor
University Pr. xix; 423 pp. $35. 978-1-60258-010-7.
529 ᴱTheobald, Christophe; Gibert, Pierre La réception des écritures in-
spirées: exégèse, histoire et théologie. Theologia: P 2007, Bayard 314
pp. €29. 978-22274-76783.

530 ᴱ**Trible, Phyllis; Russell, Letty M.** Hagar, Sarah, and their children: Jewish, Christian and Muslim perspectives. 2006 ⇒22,481. ᴿThTo 63 (2007) 502, 504 (*Sakenfeld, Katharine D.*); CBQ 69 (2007) 182-183 (*Steinberg, Naomi*).

531 ᴱ**Trigano, Shmuel** La bible et l'homme. Pardès 39 (2005) 211 pp.

532 ᴱ**Valerio, Adriana** Donne e bibbia: storia ed esegesi. La Bibbia nella storia 21: 2006 ⇒22,484. ᴿCivCatt 158/2 (2007) 206-7 (*Vanzan, P.*).

533 ᴱ**Van Belle, Gilbert** The death of Jesus in the fourth gospel. BEThL 200: Lv 2007, Univ. Pr. xxxi; 1003; 4 pp. €109. 978-90-429-1940-2.

534 ᴱ**Van der Watt, Jan G.** Review of biblical literature 8 (2006) ⇒22, 485. ᴿEThL 83 (2007) 475-478 (*Zamfir, K.*).

535 ᴱ**Van Harn, Roger E.** The ten commandments for Jews, christians, and others. GR 2007, Eerdmans 236 pp. $22. 978-08028-29658. Bibl.

536 ᴱ**Van Keulen, Percy S.F.; Van Peursen, W.Th.** Corpus linguistics and textual history: a computer-assisted interdisciplinary approach to the Peshitta. SSN 48: 2006 ⇒22,486. ᴿHebStud 48 (2007) 390-393 (*Phenix, Robert*); RBLit (2007)* (*Cook, Johann*).

537 ᴱ**Van Meegen, Sven; Wehrle, Josef** Gottes Wort-unser Leben: biblische Texte als Grundlage einer lebensbejahenden Ethik. Bibel und Ethik 1: Müns 2007, LIT 240 pp. 978-3-8258-9350-7.

538 ᴱ**Vander Stichele, Caroline; Penner, Todd C.** Her master's tools?: feminist and postcolonial engagements of historical-critical discourse. Global perspectives on biblical scholarship 9: 2005 ⇒21,493; 22,487. ᴿSR 36 (2007) 402-404 (*Webb, Carmen*); BiCT 3/1 (2007)* (*Bird, Jennifer*).

539 **Venturi, Gianfranco,** *al.,* Celebrare e annunciare la parola di Dio. Quaderni di spiritualità salesiana n.s. 6: R 2007, LAS 112 pp.

540 ᴱ**Verstraeten, Johan** Scrutinizing the signs of the times in the light of the gospel. BEThL 208: Lv 2007, Peeters x; 334 pp. €74. 978-90429-19785.

541 ᴱ**Wagner, Andreas** Parallelismus membrorum. OBO 224: FrS 2007, Academic viii; 300 pp. FS89. 978-37278-15751. Bibl. 273-95. ᴿOTEs 20 (2007) 258-60 (*Weber, B.*); UF 38 (2006) 779-88 (*Loretz, Oswald*).

542 ᴱ**Wallace, James A.; De Flon, Nancy** All your waves swept over me: looking for God in natural disasters. Mahwah, NJ 2007, Paulist xii; 123 pp. $17. 978-08091-45027 [ThD 53,261–W. Charles Heiser].

543 ᴱ**Watts, Fraser** Jesus and psychology. L 2007, Darton, L. & T. xiv; 190 pp. £17. 9780-2325-27094. Bibl.

544 **West, Gerald O.** Reading other-wise: socially engaged biblical scholars reading with their local communities. SBL.Semeia Studies 62: Atlanta, GA 2007, SBL vii; 170 pp. $25. 978158-9832732. Bibl. 159-68.

545 ᴱ**Williamson, Hugh G.M.** Understanding of the history of Ancient Israel. PBA 143: Oxf 2007, OUP xx; 432 pp. £50. 978-0-19-726401-0.

546 ᴱ**Witte, Markus** Die deuteronomistischen Geschichtswerke: redaktions- und religionsgeschichtliche Perspektiven zur "Deuteronomismus"-Diskussion in Tora und Vorderen Propheten. BZAW 365: 2006 ⇒22, 492. ᴿRHPhR 87 (2007) 206-207 (*Joosten, J.*); OLZ 102 (2007) 721-725 (*Stahl, Rainer*); CBQ 69 (2007) 845-847 (*Nelson, Richard D.*); ZAR 13 (2007) 454-463 (*Achenbach, Reinhard*); RBLit (2007)* (*Butler, Trent C.; Bösenecker, Jobst; Sals, Ulrike*).

547 ᴱ**Wolter, Michael** Ethik als angewandte Ekkelesiologie: der Brief an die Epheser. SMBen.BE 17: 2005 ⇒21,498. ᴿRSR 95 (2007) 427-428 (*Aletti, Jean-Noël*).

548 ^E**Yee, Gale A.** Judges and method: new approaches in biblical studies.
Mp ²2007 <1995>, Fortress ix; 284 pp. $22. 978-08006-38580. [ThD
53,169–W. Charles Heiser].
549 ^E**Yeo, Khiok-Khng** Navigating Romans through cultures: challenging
readings by charting a new course. 2004 ⇒20,444. ^RThLZ 132 (2007)
1072 (*Strecker, Christian*).
550 ^E**Yoder, P.B.** Take this word to heart: the shema in torah and gospel.
2005 ⇒21,499. ^RCBQ 69 (2007) 408-409 (*Ulrich, Daniel W.*).
551 ^E**Zetterholm, Magnus** The messiah in early Judaism and christianity.
Mp 2007, Fortress xxviii; 163 pp. $18. 978-08006-21087.

A1.4 *Plurium compilationes* **theologicae**

552 ^E**Acklin Zimmermann, Béatrice; Schmitz, Barbara** Frauen gestalten
Diakonie, Band 1: von der biblischen Zeit bis zum Pietismus. Stu
2007, Kohlhammer 423 pp. 978-3-17-019570-7.
553 ^E**Albrecht, Michaela; Ritter, Werner H.** Zeichen und Wunder: inter-
disziplinäre Zugänge. BTSP 31: Gö 2007, Vandenhoeck & R. 316 pp.
€21.90. 978-3-525-61604-8.
554 ^E**Althaus-Reid, Marcella; Isherwood , Lisa** Controversies in contex-
tual theology. L 2007, SCM 188 pp. £19. 978-03340-40507.
555 ^E**Ando, Clifford; Rüpke, Jörg** Religion and law in classical and chris-
tian Rome. Potsdamer Altertumswissenschaftliche Beiträge 15: 2006
⇒22,493. ^RThLZ 132 (2007) 1181-1182 (*Volp, Ulrich*).
556 ^E**Bakhouche, Béatrice; Le Moigne, Philippe** "Dieu parle la langue
des hommes": études sur la transmission des textes religieux (1er
millénaire). Histoire du texte biblique 8: Prahins 2007, Zèbre 217 pp.
€38. 2-940351-09-0.
557 ^E**Bedford-Strohm, Heinrich** "... und das Leben der zukünftigen .
Welt": von Auferstehung und Jüngstem Gericht. Neuk 2007, Neuk 158
pp. 978-3-7887-2247-0.
558 ^E**BeDuhn, Jason; Mirecki, Paul A.** Frontiers of faith: the christian
encounter with Manichaeism in the Acts of Archelaus. NHMS 61: Lei
2007, Brill viii; 178 pp. €93/$139. 978-90-04-16180-1. Bibl. 167-171.
559 **Benvenuti, A.,** *al.*, Storia della santità nel cristianesimo occidentale.
Sacro/Santo n.s. 9: 2005 ⇒21,505. ^RASEs 24 (2007) 252-254 (*Zocca,
Elena*).
560 **Berranger, Olivier de; Seddik, Youssef; Sirat, René-Samuel** Juifs,
Chrétiens, Musulmans: lectures qui rassemblent, lectures qui séparent.
P 2007, Bayard 302 pp. €20.
561 ^E**Bori, Pier C.; Haddad, Mohamed; Melloni, Alberto** Réformes:
comprendre et comparer les religions. Christianity and history 4: B
2007, LIT xii; 149 pp. 978-3-8258-9426-9.
562 ^E**Braun, Willi** Rhetoric and reality in early christianities. Studies in
Christianity and Judaism 16: 2005 ⇒21,515; 22,502. ^RSR 36 (2007)
603-604 (*Muir, Steven*).
563 ^E**Burrus, Virginia** Late ancient christianity. A people's history of
christianity 2: 2005 ⇒21,517. ^RInterp. 61 (2007) 222-224 (*Hearon,
Holly E.*).
564 ^E**Cardete, Maria C.; Montero, Santiago** Religión y silencio: el silen-
cio en las religiones antiguas. 'Ilu.M 19: M 2007, Univ. Complutense
246 pp. 978-84669-30505.

565 ᴱ**Cattaneo, Enrico; Canfora, Anna** Profeti e profezia: figure profetiche nel cristianesimo del II secolo. Oí christíanoí.Sezione antica 6: Trapani 2007, Il pozzo di Giacobbe 227 pp. 978-88-6124-047-6. Bibl.

566 ᴱ**Clark, Stephen** The forgotten Christ: exploring the majesty and mystery of God incarnate. Nottingham 2007, Apollos 256 pp. £15. 978-1-84474-210-3. Bibl.

567 ᴱ**Cornehl, Peter** Der Evangelische Gottesdienst–biblische Kontur und neuzeitliche Wirklichkeit, 1: theologischer Rahmen und biblische Grundlagen. 2006 ⇒22,506. ᴿThQ 187 (2007) 332-333 (*Odenthal, Andreas*).

568 ᴱ**Corrigan, Kevin; Turner, John D.** Platonisms: ancient, modern, and postmodern. Studies in Platonism 4: Lei 2007, Brill xi; 278 pp. 978-90041-58412.

569 ᴱ**D'Anna, Alberto; Zamagni, Claudio** Cristianesimi nell'antichità: fonti, istituzioni, ideologie a confronto. Spudasmata 117: Hildesheim 2007, Olms xii; 261 pp. €36.80. 978-3-487-13555-7.

570 ᴱ**Demmer, Ulrich; Gaenszle, Martin** The power of discourse in ritual performance: rhetoric, poetics, transformations. Performanzen = Performances 10: B 2007, LIT vii; 207 pp. 978-3-8258-8300-3. Bibl.

571 ᴱ**Dodd, David B.; Faraone, Christopher A.** Initiation in ancient Greek rituals and narratives: new critical perspectives. 2005 ⇒21,528. ᴿHZ 285 (2007) 148-149 (*Rosenberger, Veit*).

572 ᴱ**Ebner, Martin** Herrenmahl und Gruppenidentität. QD 221: FrB 2007, Herder 296 pp. €29.50. 978-3-451-02221-0. ᴿThRv 103 (2007) 456-458 (*Trummer, Peter*).

573 ᴱ**Evans, C. Stephen** Exploring kenotic christology: the self-emptying of God. 2006 ⇒22,518. ᴿJThS 58 (2007) 361-364 (*Castelo, Daniel*).

574 ᴱ**Faßnacht, Michael; Flothkötter, Hermann; Nacke, Bernhard** Im Wandel bleibt der Kern: Reflexionen–Ansätze–Ankerpunkte. Müns 2007, dialogverlag 235 pp. 978-3-93791-50-X.

575 ᴱ**Ferri, R.; Manganaro, P.** Gesto e parola: ricerche sulla rivelazione. 2005 ⇒21,534; 22,521. ᴿDT(P) 46 (2007) 277-281 (*Salvioli, Marco*).

576 ᴱ**Frankemölle, Hubert** Juden und Christen im Gespräch über 'Dabru emet–redet Wahrheit'. 2005 ⇒21,535. ᴿFrRu 14/1 (2007) 49-51 (*Trutwin, Werner*); ThRv 103 (2007) 257-260 (*Henrix, Hans H.*).

577 ᴱ**Frey, Jörg; Gripentrog, Stephanie; Schwartz, Daniel R.** Jewish identity in the Greco-Roman world; Jüdische Identität in der griechisch-römischen Welt. AJEC 71: Lei 2007, Brill viii; 435 pp. €129. 978-90-04-15838-2.

578 ᴱ**Garhammer, Erich** BilderStreit: Theologie auf Augenhöhe. Wü 2007, Echter 326 pp. 978-3-429-02889-3.

579 ᴱ**Gemünden, Petra von; Theißen, Gerd** Erkennen und Erleben: Beiträge zur psychologischen Erforschung des frühen Christentums. Gü 2007, Gü 415 pp. €35. 978-3-579-08026-0.

580 ᴱ**Gerhards, Albert** Jewish and christian liturgy and worship: new insights into its history and interaction. Jewish and Christian Perspectives 15: Lei 2007, Brill vii; 334 pp. €129. 978-90-04-16201-3.

581 ᴱ**Gerhards, Albert; Wahle, Stephan** Kontinuität und Unterbrechung: Gottesdienst und Gebet in Judentum und Christentum. 2005 ⇒21,540; 22,525. ᴿJJS 58 (2007) 347-348 (*Deines, Roland*).

582 ᴱ**Giorgio, Giovanni** Ragione e fede: un confronto fra cristianesimo e Islam. Fede e sapere 4: Pescara 2007, Sigraf 149 pp. 9788895-566108.

583 ^E**Haehling, Raban von** <Griechische Mythologie und frühes Christentum. 2005 ⇒21,542. ^RThGl 97 (2007) 115 (*Fuchs, Gotthard*).
584 ^E**Harries, Richard; Solomon, Norman; Winter, Tim J.** Abraham's children: Jews, Christians and Muslims in conversation. 2005 ⇒21, 544. ^RJJS 58 (2007) 179-181 (*D'Costa, Gavin*); NewTR 20/2 (2007) 91-92 (*Stayer, Caren*).
585 ^E**Harris, William V.** The spread of christianity in the first four centuries: essays in explanation. CSCT 27: 2005 ⇒21,545; 22,530. ^RJRS 97 (2007) 372-3 (*Barclay, John*); RBLit (2007) 496-8 (*Stander, Hennie*).
586 ^E**Hass, Andrew W.; Jasper, David; Jay, Elisabeth** The Oxford handbook of English literature and theology. Oxf 2007, OUP 889 pp. £85. 978-01992-71979.
587 ^E**Hauff, Adelheid M. von** An der Grenze: theologische Erkundungen zum Bösen. Fra 2007, Lembeck 213 pp. 978-3-87476-526-8.
588 ^E**Härle, Wilfried** Grundtexte der neueren evangelischen Theologie. Lp 2007, Evangelische lx; 375 pp. 978-3-374-02469-8.
589 ^E**Henderson, Ian H.; Oegema, Gerbern S.** The changing face of Judaism, christianity, and other Greco-Roman religions in antiquity. Studien zu den Jüdischen Schriften aus hellenistisch-römischer Zeit 2: Gü 2006, Gü xii; 551 pp. €148. Assist. *Sara Parks Ricker*.
590 ^E**Hinnells, John R.** A handbook of ancient religions. NY 2007, CUP xi; 610 pp. $150.
591 ^E**Hoeps, Reinhard** Handbuch der Bildtheologie, 1: Bild-Konflikte. Pd 2007, Schöningh 419 pp. €45. 978-35067-57364. ^RThGl 97 (2007) 507-509 (*Fuchs, Gotthard*).
592 ^E**Holmes, Stephen R.; Rae, Murray A.** The person of Christ. 2005 ⇒ 21,548. ^RTheol. 110 (2007) 45-46 (*Crisp, Oliver D.*).
593 ^E**Holter, Knut** Interpreting classical religious texts in contemporary Africa. Nairobi 2007, Action 219 pp. 99668-88543.
594 ^E**Horsley, Richard A.** Christian origins. A people's history of Christianity 1: 2005 ⇒21,550; 22,537. ^RJRH 31 (2007) 203-204 (*Strelan, Rick*); ThLZ 132 (2007) 438-440 (*Greschat, Katharina*); Interp. 61 (2007) 222-224 (*Hearon, Holly E.*); RHE 102 (2007) 185-187 (*Maraval, Pierre*); TJT 23 (2007) 213-215 (*Reed, David A.*).
595 **Houlden, James L.**, *al.*, Decoding early christianity: truth and legend in the early church. Oxf 2007, Greenwood xi; 140 pp. $50. 978-1-846-45-0181.
596 ^E**Hsia, R. Po-chia** A companion to the Reformation world. Blackwell companions to European history: 2006 ⇒22,538. ^RSvTK 83 (2007) 184-185 (*Bergman, Martin*).
597 ^E**Hüsken, Ute** When rituals go wrong: mistakes, failure and the dynamics of ritual. SHR 115: Lei 2007, Brill xi; 377 pp. 978-90-04-15811-5.
598 ^E**Jackson-McCabe, Matt** Jewish christianity reconsidered: rethinking ancient groups and texts. Mp 2007, Fortress x; 389 pp. $35. 978-0-80-06-3865-8. Bibl. 335-374. ^RJES 42 (2007) 646-647 (*Levine, Amy-Jill*).
599 ^E**Jersak, Brad; Hardin, Michael** Stricken by God?: nonviolent identification and the victory of Christ. GR 2007, Eerdmans 527 pp. $32. 978-08028-62877.
600 ^E**Johnston, Robert** Reframing theology and film: new focus for an emerging discipline. GR 2007, Academic 334 pp. $28. 9780801032400.
601 ^E**Johnston, Sarah I.** Ancient religions. CM 2007, Belknap xviii; 266 pp. $20. 978-06740-25486.

602 ᴱ**Johnston, Sarah Iles; Struck, Peter T.** Mantikê: studies in ancient divination. RGRW 155: 2005 ⇒21,553. ᴿKernos 20 (2007) 437-440 (*Bonnechere, Pierre*).

603 ᴱ**Katz, Steven T.** The Cambridge history of Judaism, 4: the late Roman-Rabbinic period. 2006 ⇒22,541. ᴿTrinJ 28/1 (2007) 156-157 (*Schnabel, Eckhard J.*); TS 68 (2007) 924-925 (*Joslyn-Siemiatoski, Daniel*); RBLit (2007) 260-263 (*Sweeney, Marvin A.*).

604 ᴱ**Klingshirn, William E.; Safran, Linda** The early christian book. Wsh 2007, Catholic University of America Press xi; 314 pp. $40. 0-81-32-14866. Bibl. 275-305.

605 ᴱ**Klöckener, Martin; Kranemann, Benedikt** Liturgiereformen, I-II. LWQF 88: 2002 ⇒18,416; 19,451. ᴿRHE 102 (2007) 966-969 (*Haquin, André*); EThL 83 (2007) 541-544 (*Haquin, André*).

606 ᴱ**Kohlbauer-Fritz, Gabriele; Krohn, Wiebke** Beste aller Frauen: weibliche Dimensionen im Judentum. W 2007, Jüdischen Museums Wien 173 pp. 978-3-901398-44-5.

607 ᴱ**Kuhlmann, Helga; Schäfer-Bossert, Stefanie** Hat das Böse ein Geschlecht?: theologische und religionswissenschaftliche Verhältnisbestimmungen. Stu 2007, Kohlhammer 232 pp. 978-3-17-019017-7.

608 (*a*) ᴱ**Larsen, Timothy; Treier, Daniel J.** The Cambridge companion to evangelical theology. C 2007, CUP 304 pp. £46/18.
(*b*) Leqach 7: Mitteilungen und Beiträge. Lp 2007, Thomas 109 pp. €7. 978-38617-41053. Forschungsstelle Judentum Theologische Fakultät, Leipzig.

609 ᴱ**Luomanen, Petri; Pyysiäinen, Ilkka; Uro, Risto** Explaining christian origins and early Judaism: contributions from cognitive and social science. BiblInterp 89: Lei 2007, Brill viii; 327 pp. €99. 978-90-04-16-329-4.

610 ᴱ**Malek, Roman** The Chinese face of Jesus Christ, 3a: modern faces and images of Jesus Christ. Monograph 50/3a: 2005 ⇒21,564; 22, 8869. ᴿForum Mission 3 (2007) 231-235 (*Meili, Josef*); Exchange 3 (2007) 322-323 (*Murre-Van den Berg, Heleen*); RHE 102 (2007) 1086-1087 (*Duteil, J.-P.*);

611 3b: contemporary faces and images of Jesus Christ. Monograph 50/3b: Sankt Augustin 2007, Institut Monumenta Serica xii; 1313-1742 pp. €60. 3-8050-0542-5.

612 ᴱ**McGhee, Glen S.; O'Leary, Stephen D.** War in heaven / heaven on earth: theories of the apocalyptic. Millennialism and Society 2: 2005 ⇒21,569. ᴿNumen 54 (2007) 96-98 (*Stuckrad, Kocku von*).

613 ᴱ**Meier-Hamidi, Frank; Schumacher, Ferdinand** Der Theologe Joseph Rᴀᴛᴢɪɴɢᴇʀ. QD 222: FrB 2007, Herder 143 pp. 9783451022227.

614 ᴱ**Mitchell, Margaret M.; Young, Frances M.** The Cambridge history of christianity, 1: origins to Constantine. 2006 ⇒22,558. ᴿRRT 14/1 (2007) 39-41 (*Lang, John*); JEH 58 (2007) 98-100 (*Carleton Paget, James*); ChH 76 (2007) 163-165 (*Trigg, Joseph W.*); RBLit (2007) 504-506 (*Ferguson, Everett*).

615 ᴱ**Müller, Peter** Geschichten sind ein Kleid der Wirklichkeit: Gleichnisse in Theologie, Philosophie, Literatur und Kunst. Hodos 5: Fra 2007, Lang 149 pp. 3-631-55790-6.

616 ᴱ**Münk, H.J.; Durst, M.** Schöpfung, Theologie und Wissenschaft. FrS 2006, Paulus 195 pp. €19.80. 978-37228-06877.

617 **Nauroy, Gérard** Aᴍʙʀᴏɪsᴇ de Milan: Écriture et esthétique d'une exégèse pastorale. Recherches en littérature et spiritualité 3: 2003

⇒19,464... 22,15094. ᴿAnCl 76 (2007) 374-375 (*Demarolle, Jeanne-Marie*); ARW 49 (2007) 119-121 (*Zerfaß, Alexander*).

618 ᴱ**Ogden, Daniel** A companion to Greek religion. Malden, MA 2007, Blackwell xvi; 497 pp. $170. Ill.

619 ᴱ**Parry, Kenneth** The Blackwell companion to eastern christianity. Oxf 2007, Blackwell xvii; 508 pp. 978-0-631-23423-4.

620 ᴱ**Parvis, Sara; Foster, Paul** JUSTIN Martyr and his worlds. Mp 2007, Fortress xv; 246 pp. $35. 978-08006-62127.

621 ᴱ**Penner, Todd; Vander Stichele, Caroline** Mapping gender in ancient religious discourses. BiblInterp 84: Lei 2007, Brill xviii; 580 pp. 978-90-04-15447-6.

622 ᴱ**Poorthuis, Marcel; Roggema, Barbara; Valkenberg, Pim** The three rings: textual studies in the historical trialogue of Judaism, Christianity, and Islam. Publications of the Thomas Instituut te Utrecht, n.s. 11: 2005 ⇒21,583. ᴿRHE 102 (2007) 202-204 (*Tolan, John*).

623 ᴱ**Prostmeier, Ferdinand R.** Frühchristentum und Kultur. Kommentar zu frühchristlichen Apologeten, Ergänzungsband 2: FrB 2007, Herder 325 pp. 978-3-451-29360-3.

624 ᴱ**Rajak, Tessa,** *al.*, Jewish perspectives on Hellenistic rulers. Hellenistic Culture and Society 50: Berkeley 2007, University of California Press xiv; 363 pp. £30. 978-0-520-25084-0. Bibl. 295-324.

625 ᴱ**Reiterer, Friedrich V.; Nicklas, Tobias; Schöpflin, Karin** Angels: the concept of celestial beings–origins, development and reception. DCLY 2007: B 2007, De Gruyter 714 pp. €98. 978-31101-92940.

626 ᴱ**Runia, David T.; Sterling, Gregory E.** The Studia Philonica Annual: Studies in Hellenistic Judaism. StPhiloA 19: Atlanta, GA 2007, Scholars viii; 239 pp. $40. 978-1-58983-295-4.

627 ᴱ**Rüpke, Jörg** A companion to Roman religion. Oxf 2007, Blackwell xxx; 542 pp. £95/$175. 978-14051-29435. Ill.;

628 Gruppenreligionen im römischen Reich: Sozialformen, Grenzziehungen und Leistungen. STAC 43: Tü 2007, Mohr S. vii; 212 pp. $70. 978-31614-91283.

629 ᴱ**Scarafile, Giovanni; Signore, Mario** Libertà e dialogo tra culture. Padova 2007, Messaggero 377 pp. 978-88-250-1907-0.

630 ᴱ**Schreiner, Thomas R.; Wright, Shawn D.** Believer's baptism: sign of the new covenant in Christ. NAC Studies in Bible & Theology: 2006 ⇒22,576. ᴿCTJ 42 (2007) 412-413 (*Johnson, Marcus P.*).

631 **Siniscalco, Paolo,** *al.*, Le antiche chiese orientali: storia e letteratura. 2005 ⇒21,587. ᴿPOC 57 (2007) 442-443 (*Merceron, R.*).

632 ᴱ**Tück, Jan-Heiner** Annäherungen an 'Jesus von Nazareth': das Buch des Papstes in der Diskussion. Ostfildern 2007, Matthias-Grünewald 200 pp. 978-37867-26968.

633 ᴱ**Van Asselt, Willem J.,** *al.*, Iconoclasm and iconoclash: struggle for religious identity. Jewish and Christian Perspectives 14: Lei 2007, Brill vii; 506 pp. 978-90-04-16195-5.

634 ᴱ**Veglianti, Tullio** Il sangue di Cristo nella teologia (continuatio mediaevalis), 1: chiesa latina V-VII secolo. Città del Vaticano 2007, Libreria Editrice Vaticana 639 pp. €25. 88209-8024X. Ed. biling. ᴿRivLi 94 (2007) 714-719 (*Venturi, Gianfranco*).

635 ᴱ**Veltri, Giuseppe; Wolf, Hubert; Schuller, Florian** Katholizismus und Judentum: Gemeinsamkeiten und Verwerfungen vom 16. bis zum 20. Jahrhundert. 2005 ⇒21,596. ᴿThLZ 132 (2007) 1261-1263 (*Leugers, Antonia*).

636 ᴱVigil, José M. Descer da cruz os pobres: cristologia da libertação. São Paulo 2007, Paulinas 357 pp. Comissão Teológica... Teológos/as do Terceiro Mundo.
637 ᴱWalter, Peter Gottesrede in postsäkularer Kultur. QD 224: FrB 2007, Herder 221 pp. 978-3-451-02224-1.
638 ᴱWard, Graham The Blackwell companion to postmodern theology. 2001 ⇒17,384. ᴿHeyJ 48 (2007) 160-161 (Briggs, Richard S.).
639 ᴱWellman, James K. Belief and bloodshed: religion and violence across time and tradition. Lanham 2007, Rowman & L. viii; 271 pp. 978-0-7425-5823-6/43. Bibl. 227-261.

A1.5 *Plurium compilationes* philologicae vel archaeologicae

640 Activités archéologiques de l'Ecole française de Rome: chronique: année 2006. MEFRA 119 (2007) 225-339;
641 année 2007. MEFRM 119 (2007) 463-489.
642 ᴱAdams, Colin; Roy, Jim Travel, geography and culture in ancient Greece, Egypt and the Near East. Oxf 2007, Oxbow vii; 208 pp. 978-18421-72490.
643 ᴱAland, Barbara; Hahn, Johannes; Ronning, Christian Literarische Konstituierung von Identifikationsfiguren in der Antike. STAC 16: 2003 ⇒19,488. ᴿBZ 51 (2007) 151-152 (Janßen, Martina).
644 ᴱAlcock, Susan E.; Osborne, Robin Classical archaeology. Oxf 2007, Blackwell xiii; 447 pp. $90. 978-0-631-23418-0/9-7. Bibl.
645 ᴱAntoniadou, Sophia; Pace, Anthony Mediterranean crossroads. Larnaca 2007, Pierides 784 pp. 99639-07164.
646 ᴱAsskamp, R., al., Luxus und Dekadenz: römisches Leben am Golf von Neapel. Mainz 2007, Von Zabern xii; 287 pp. 978-38053-37427.
647 ᴱAssmann, Jan; Müller, Klaus E. Der Ursprung der Geschichte: archaische Kulturen, das Alte Ägypten und das Frühe GriechenlandAPL:Stu. Stu 2005, Klett-Cotta 352 pp. 3-608-94128-2. Ill.; Bibl.
648 ᴱAttridge, Harold W.; Martin, Dale B.; Zangenberg, Jürgen Religion, ethnicity, and identity in ancient Galilee: a region in transition. WUNT 210: Tü 2007, Mohr S. xv; 509 pp. €124. 978-3-16-149044-6. Bibl. 481-498.
649 ᴱBagnall, Roger S. Egypt in the Byzantine world 300-700. C 2007, CUP xv; 464 pp. $99.
650 ᴱBamberg, Michael G.W.; De Fina, Anna; Schiffrin, Deborah Selves and identities in narrative and discourse. Studies in narrative 9: Amst 2007, Benjamins 355 pp. 978-90-272-2649-5. Bibl.; Ill.
651 ᴱBanks, Iain; Pollard, Tony War and sacrifice: studies in the archaeology of conflict. Lei 2007, Brill xiv; 224 pp. 90-04-15458-2.
652 ᴱBar-Asher, Moshe; Dimant, Devorah Meghillot: studies in the Dead Sea scrolls, volume 3. 2005 ⇒21,608; 22,588. ᴿJSJ 38 (2007) 345-348 (Doering, Lutz).
653 ᴱBaray, Luc; Brun, Patrice; Testart, Alain Pratiques funéraires et sociétés: nouvelles approches en archéologie et en anthropologie sociale. Art et Patrimoine: Dijon 2007, Ed. Universitaires de Dijon 415 pp. 978-29155-52577.
654 ᴱBarbero, Alessandro Storia d'Europa e del Mediterraneo, 2: dal Medioevo all'età della globalizzazione, sezione IV: il Medioevo (seco-

li V-XV), vol. IX: strutture, preminenze, lessici comuni. R 2007, Salerno 804 pp. 978-88840-25579.
655 ^E**Barbieri, Marcello** Biosemiotic research trends. NY 2007, Nova Science xii; 283 pp. 1-600-21574-2. Bibl.
656 ^E**Barclay, John M.G.** Negotiating diaspora: Jewish strategies in the Roman empire. 2004 ⇒20,548... 22,11007. ^RJSSt 52 (2007) 160-161 (*Gruen, Erich S.*); StPhiloA 19 (2007) 219-220 (*Weitzman, Steven*).
657 ^E**Barrowclough, David A.; Malone, Caroline** Cult in context: reconsidering ritual in archaeology. Oxf 2007, Oxbow xi, 352 pp. 978-1-84-217-303-9. Bibl.; Ill.
658 ^E**Bel, Bernard**, *al.*, The social and the symbolic. Communication processes 2: Thousand Oaks, Calif. 2007, Sage 481 pp. 978-07619-34462.
659 BIBEL+ORIENT im Original: 72 Einsichten in die Sammlungen der Universität Freiburg Schweiz. FrS 2007, Academic 104 pp. 978-3-727-8-1568-3.
660 ^E**Bienenstock, Myriam** Der Geschichtsbegriff: eine theologische Erfindung?. Religion in der Moderne 17: Wü 2007, Echter 257 pp. 978-3-429-02845-9.
661 ^E**Bispham, E.; Harrison, T.; Sparkes, B.A.** The Edinburgh companion to ancient Greece and Rome. 2006 ⇒22,596. ^RJRS 97 (2007) 265-267 (*Perkins, Phil*).
662 ^E**Blasius, Andreas; Schipper, Bernd U.** Apokalyptik und Ägypten: eine kritische Analyse der relevanten Texte aus dem griechisch-römischen Ägypten. OLA 107: 2002 ⇒18,451; 20,556. ^RBiOr 64 (2007) 643-648 (*Shupak, N.*).
663 ^E**Bobonich, Christopher; Destrée, Pierre** "Akrasia" in Greek philosophy: from SOCRATES to PLOTINUS. PhAnt 106: Lei 2007, Brill xxvii; 307 pp. 978-90-04-15670-8. Bibl.
664 ^E**Branigan, Keith** Cemetery and society in the Aegean Bronze Age. Sheffield Studies in Aegean Archaeology 1: 1998 ⇒14,10492. ^RIEJ 57 (2007) 116-117 (*Maeir, Aren M.*).
665 ^E**Burckhardt, Leonhard; Seybold, Klaus; Ungern-Sternberg, Jürgen von** Gesetzgebung in antiken Gesellschaften: Israel, Griechenland, Rom. Beiträge zur Altertumskunde 247: B 2007, De Gruyter xi; 246 pp. $141.
666 ^E**Cannuyer, Christian** Les scribes et la transmission du savoir. Acta Orientalia Belgica 19: 2006 ⇒22,602. ^RBiOr 64 (2007) 335-341 (*Loffet, Henri C.*).
667 ^E**Chavalas, Mark W.** Current issues in the history of the ancient Near East. Publications of the Association of ancient historians 8: Claremont, CA 2007, Regina 153 pp. $20. 978-19300-53465.
668 ^E**Chazon, Esther G.; Bakhos, Carol** Ancient Judaism in its Hellenistic context. JSJ.S 95: 2005 ⇒21,626; 22,603. ^RJSJ 38 (2007) 92-94 (*Van Henten, Jan W.*).
669 ^E**Christidis, Anastasios-Phoivos** A history of ancient Greek: from the beginnings to late antiquity. C 2007, CUP xlii; 1617 pp. £140/$250. 978-05218-33073.
670 ^E**Clack, Timothy; Brittain, Marcus** Archaeology and the media. Walnut Creek, CA 2007, Left Coast 323 pp. $30.
671 ^E**Cohen, Getzel M.; Joukowsky, Martha Sharp** Breaking ground: pioneering women archaeologists. 2004 ⇒20,563; 22,13071. ^RNEA (BA) 70 (2007) 61-63 (*Meyers, Carol*).

672 ᴱCooper, Craig R. Politics of orality. Orality and Literacy in Ancient·
Greece 6; Mn.S 280: Leiden 2007, Brill xvii; 377 pp. 978-90-04-
14540-5.

673 ᴱCoşkun, Altay Roms auswärtige Freunde in der späten Republik und
im frühen Prinzipat. 2005 ⇒21,636. ᴿREA 109 (2007) 840-841 (*Allé-
ly, Annie*).

674 ᴱCouvenhes, Jean-Christophe; Legras, Bernard Transferts culturels
et politique dans le monde hellénistique. Histoire ancienne et médié-
vale 86: 2006 ⇒22,614. ᴿRevue des études anciennes 109 (2007) 823-
25 (*Haack, Marie-L.*).

676 ᴱCunliffe, Barry; Osborne, Robin Mediterranean urbanization 800-
600 BC. PBA 126: 2005, ⇒21,638. ᴿAntiquity 81 (2007) 483-484
(*Lomas, Kathryn*).

677 ᴱDavis, Michael T.; Strawn, Brent A. Qumran studies: new ap-
proaches, new questions. GR 2007, Eerdmans xxvii; 296 pp. $30. 978-
0-8028-6080-4. Foreword *James A. Sanders*.

678 ᴱDelattre, Charles Objets sacrés, objets magiques de l'Antiquité au
Moyen Âge. P 2007, Picard 183 pp. £25. 978-27084-08067.

679 ᴱDewald, Carolyn; Marincola, John <The Cambridge Companion to
HERODOTUS. Cambridge Companions to Literature: 2006 ⇒22,615.
ᴿHZ 285 (2007) 686-687 (*Blösel, Wolfgang*); REA 109 (2007) 772-
775 (*Payen, Pascal*).

680 ᴱDillon, Sheila; Welch, Katherine E. Representations of war.in an-
cient Rome. 2006 ⇒22,616. ᴿAJA 111 (2007) 817-818 (*Grossman,
Janet B.*).

681 ᴱDominik, William; Hall, Jon A companion to Roman rhetoric. Mal-
den (MA) 2007, Blackwell xx; 524 pp. £85/$150. 9781-4051-20913.
Bibl. 451-486.

682 ᴱDueck, D.; Lindsay, H.; Pothecary, S. STRABO's cultural geog-
raphy: the making of a kolossourgia. 2005 ⇒21,639. ᴿREA 109 (2007)
328-330 (*Lebreton, Stéphane*).

683 ᴱDücker, Burckhard; Roeder, Hubert Text und Ritual: kulturwissen-
schaftliche Essays und Analysen von Sesostris bis Dada. Hermeia 8:
Heid 2005, Synchron 249 pp. 39350-25769.

684 ᴱEshel, Hanna The Qumran scrolls and the Hasmonean state. 2004 ⇒
20,574; 21,643. ᴿZion 72 (2007) 97-100 (*Dimant, Dvorah*).

685 ᴱExum, J. Cheryl; Nutu, Ela Between the text and the canvas: the
bible and art in dialogue. The Bible in the modern world 13: Shf 2007,
Sheffield Phoenix xiii; 246 pp. $85. 978-1-906055-19-6.

686 ᴱFalk, Harry Wege zur Stadt: Entwicklung und Formen urbanen
Lebens in der alten Welt. Vergleichende Studien zu Antike und Orient
2: 2005 ⇒21,644. ᴿZDMG 157 (2007) 199-201 (*Schmitt, Rüdiger*).

687 ᴱFeldman, Marian H.; Heinz, Marlies Representations of political
power : case histories from times of change and dissolving order in the
ancient Near East. WL 2007, Eisenbrauns xii; 210 pp. $39.50. 978-15-
750-61351.

688 ᴱFernández Ubiña, José; Marcos, Mar Libertad e intolerancia reli-
giosa el imperio romano. 'Ilu.M 18: M 2007, Univ. Complutense 284
pp. 978-84669-30512.

689 ᴱFonrobert, Charlotte E.; Jaffee, Martin S. The Cambridge com-
panion to the talmud and rabbinic literature. C 2007, CUP xxii; 413 pp.
£19/$25. 978-05216-05083.

690 ^E**Foucault, D.; Payen, P.** Les autorités: dynamiques et mutations d'une figure de référence à l'antiquité. Grenoble 2007, Millon 397 pp. 28413-72034. Bibl. ^RREA 109 (2007) 729-731 (*Devillers, Olivier*).

691 ^E**Frevel, Christian** Medien im antiken Palästina: materielle Kommunikation und Medialität als Thema der Palästinaarchäologie. FAT 2/10: 2005 ⇒21,646. ^ROLZ 102 (2007) 174-176 (*Rösel, Martin*).

692 ^E**Galinsky, Karl** The Cambridge companion to the age of AUGUSTUS. 2005 ⇒21,647; 22,621. ^RAnCl 76 (2007) 546-549 (*Vervaet, Frederik*).

693 ^E**Gibbs, Raymond W.; Colston, Herbert L.** Irony in language and thought: a cognitive science reader. NY 2007, Erlbaum xi; 607 pp. 978-0-8058-6061-0.

694 **Girard, René; Antonello, Pierpaolo; Rocha, Joaʃo Cezar de Castro** Evolution and conversion: dialogues on the origins of culture. L 2007, Continuum xiii; 282 pp. 978-05670-32515/22.

695 ^E**Hamilton, Sue; Whitehouse, Ruth D.; Wright, Katherine I.** Archaeology and women: ancient and modern issues. Walnut Creek, CA 2007, Left Coast 415 pp. $35. 73 fig.

696 ^E**Harris, W.V.; Ruffini, Giovanni** <Ancient Alexandria between Egypt and Greece. CSCT 26: 2004 ⇒20,582; 22,14204. ^RAnCl 76 (2007) 516-517 (*Strus, Jean A.*).

697 ^E**Heininger, Bernhard; Lindner, Ruth** Krankheit und Heilung: Gender–Religion–Medizin. Geschlecht–Religion–Symbol 4: B 2006, Lit 149 pp. 978-3-8258-9036-0.

698 ^E**Herzig, Arno; Rademacher, Cay** Die Geschichte der Juden in Deutschland. Da:Wiss 2007, 351 pp. 978-3-8319-0264-4.

699 ^E**Hodder, Ian; Doughty, Louise** Mediterranean prehistoric heritage: training, education and mangement. McDonald Institute Mon.: C 2007, McDonald Institute viii; 152 pp. $70. 978-19029-37380. 41 fig.; CD-ROM.

700 ^E**Holloway, Steven W.** Orientalism, assyriology and the bible. HBM 10: 2006 ⇒22,626. ^RRBLit (2007)* (*Hays, Christopher*).

701 ^E**Hornung, Erik; Krauss, Rolf; Warburton, David A.** Ancient Egyptian chronology. HO 1/83: 2006 ⇒22,628. ^RRBLit (2007)* (*Grimal, Nicolas*).

702 ^E**Hübner, Ulrich** Palaestina exploranda: Studien zur Erforschung Palästinas im 19. und 20. Jahrhundert anlässlich des 125jährigen Bestehens des Deutschen Vereins zur Erforschung Palästinas. ADPV 34: 2006 ⇒22,630. ^ROLZ 102 (2007) 527-531 (*Mulzer, Martin*).

703 ^E**Janowski, Bernd; Wilhelm, Gernot; Lichtenstein, Michael** Staatsverträge, Herrscherinschriften und andere Dokumente zur politischen Geschichte. TUAT N.F. 2: 2005 ⇒21,661. ^RThLZ 132 (2007) 513-514 (*Lämmerhirt, Kai*).

704 ^E**Jaubert, Ronald; Geyer, Bernard** Les marges arides du croissant fertile: peuplement, exploitation et contrôle des ressources en Syrie du nord. TMO 43: Lyon 2006, Maison de l'Orient 205 pp. Phot.; maps.

705 ^E**Jong, Irene J.F.; Nünlist, René** Time in ancient Greek literature: studies in ancient Greek narrative, 2. Mn.S 291: Lei 2007, Brill xiii; 542 pp. 978-90041-65069.

706 ^E**Kallendorf, Craig** A companion to the classical tradition. Oxf 2007, Blackwell xv; 491 pp. £85/$150. 978-1-405-12294-8.

707 ^E**Kampling, Rainer** Eine seltsame Gefährtin: Katzen, Religion, Theologie und Theologien. Apoliotes 1: Fra 2007, Lang 353 pp. €48/$58. 978-36315-65643. 36 pl.

708 ^E**Kaye, Alan S.** Morphologies of Asia and Africa. WL 2007, Eisenbrauns 2 vols; xxvi; 1380 pp. $175.
709 ^E**Keefer, Sarah L.; Bremmer, Rolf H., Jr.** Signs on the edge: space, text and margin in medieval manuscripts. Mediaevalia Groningana 10: Lv 2007, Peeters 319 pp. €62. 978-90429-19808. Ill.
710 ^E**Kinzl, Konrad H.** A companion to the classical Greek world. 2006 ⇒22,634. ^REtCl 75 (2007) 278-280 (*Clarot, B.*).
711 ^E**Klinkott, Hilmar; Müller-Wollermann, Renate; Kubisch, Sabine** Geschenke und Steuern, Zölle und Tribute: antike Abgabenformen in Anspruch und Wirklichkeit. CHANE 29: Lei 2007, Brill xxvii; 568 pp. $265. 978-90-04-16065-1.
712 ^E**König, Jason; Whitmarsh, Tim** Ordering knowledge in the Roman Empire. C 2007, CUP xiii; 304 pp. $99.
713 ^E**Kratz, Reinhard G.; Spieckermann, Hermann** Götterbilder Gottesbilder Weltbilder, I: Ägypten, Mesopotamien, Persien, Kleinasien, Syrien, Palästina; II: Griechenland und Rom, Judentum, Christentum und Islam. FAT 2/17-18: 2006 ⇒22,636. ^RASSR 52/138 (2007) 181-3 (*Van den Kerchove, Anna*); RBLit (2007) 75-8, 298-301 (*Schmid, Konrad*).
714 ^E**Krueger, Derek** Byzantine christianity. A people's history of christianity 3: 2006 ⇒22,639. ^RRBLit (2007)* (*Smit, Peter-Ben*).
715 ^E**Leader-Newby, Ruth E.; Newby, Zahra** Art and inscriptions in the ancient world. C 2007, CUP xvii; 303 pp. £65. 978-0-521-86851-8. Bibl. 272-299.
716 ^E**Leick, Gwendolyn** The Babylonian world. The Routledge Worlds: NY 2007, Routledge xxi; 591 pp. $240. 978-04153-53465.
717 ^E**Levy, Thomas** Archaeology, anthropology, and cult: the sanctuary at Gilat, Israel. 2006 ⇒22,645. ^RAJA 111 (2007) 580-82 (*Nakhai, Beth*);
718 The archaeology of society in the Holy Land.1998 ⇒14,9495. ^RThR 72 (2007) 156-157 (*Zwickel, Wolfgang*);
719 Crossing Jordan: North American contributions to the archaeology of Jordan. L 2007, Equinox x; 495 pp. $45. 978-1-84553-269-7.
720 ^E**Lion, Brigitte; Michel, Cécile** De la domestication au tabou: le cas des suidés dans le Proche-Orient ancien. Travaux de la maison Renéinouvès 1: 2006 ⇒22,649. ^RSyria 84 (2007) 326-7 (*Huot, Jean-Louis*).
721 ^E**Lubetski, Meir** New seals and inscriptions, Hebrew, Idumean, and cuneiform. Ment. *Moussaieff, Shlomo* HBM 8: Shf 2007, Sheffield Phoenix xxvii; 325 pp. $110. 978-1-905048-35-9. Bibl.
722 ^E**Magliveras, Konstantinos D.; Kousoulis, Panagiotis** Moving across borders: foreign relations, religion and cultural interactions in the ancient Mediterranean. OLA 159: Lv 2007, Peeters xxii; 369 pp. 978-90-429-1871-9. Bibl.
723 ^E**Major, René** DERRIDA pour les temps à venir. L'autre pensée: P 2007, Stock 530 pp. 978-22340-61057.
724 ^E**Marincola, John** A companion to Greek and Roman historiography. Oxf 2007, Blackwell 2 vols; xlii; xxviii; 705 pp. £175/$300. 978-1405-1-02162.
725 ^E**Mattioli, Umberto** Senectus: la vecchiaia nell'antichità ebraica e cristiana. ^E*Cacciari, Antonio; Neri, Valerio* Ebraismo e Cristianesimo 3: Bo 2007, Pàtron 827 pp.
726 Monstres et monstruosités dans le monde ancien. Cahiers KUBABA 9: P 2007, L'Harmattan 302 pp. €25. 978-22960-32729.

727 ᴱMorgan, Michael L.; Gordon, Peter E. The Cambridge Companion to Modern Jewish Philosophy. C 2007, CUP xxii; 383 pp. £19/$25. 978-05210-12553.
728 Neues Testament und antike Kultur, 3: Weltauffassung–Kult–Ethos. ᴱErlemann, Kurt, al., 2005 ⇒485; 21,677; 22,452. ᴿJETh 21 (2007) 286-289 (Schnabel, Eckhard).
729 ᴱOlsson, Birger O.; Mitternacht, Dieter; Brandt, Olof The synagogue of ancient Ostia and the Jews of Rome: interdisciplinary studies. Acta Instituti Atheniensis Regni Sveciae 4, 57: 2001 ⇒17,427... 21, 679. ᴿBiOr 64 (2007) 461-462 (Tromp, Johannes).
730 ᴱPeacock, David; Williams, David Food for the gods: new light on the ancient incense trade. Oxf 2007, Oxbow xiv; 151 pp. £35. 978-184-21-72254.
731 ᴱPiccirillo, Michele Un progetto di copertura per il memoriale di Mosè: a 70 anni dall'inizio dell'indagine archeologica sul Monte Nebo in Giordania: 1933-2003. SBF.CMa 45: J 2004, Franciscan 336 pp. ⇒ 20,620. ᴿBiOr 64 (2007) 456-461 (Wright, G.R.H.).
732 ᴱPoster, Carol; Mitchell, Linda C. Letter-writing manuals and instruction from antiquity to the present: historical and bibliographic studies. Columbia, SC 2007, Univ. of South Carolina Pr. x; 346 pp. $70.
733 ᴱRaaflaub, Kurt A. War and peace in the ancient world. Oxf 2007, Blackwell xii; 385 pp. 978-1-405-14525-1/6-8.
734 ᴱScheidel, Walter; Morris,Ian; Saller, Richard The Cambridge economic history of the Greco-Roman world. C 2007, CUP xv; 942 pp. £120. 05217-80535.
735 ᴱSchroer, Silvia Images and gender: contributions to the hermeneutics of reading ancient art. OBO 220: 2006 ⇒22,662. ᴿOLZ 102 (2007) 725-728 (Erbele-Küster, Dorothea); JAOS 127 (2007) 392-394 (Albenda, Pauline); RBLit (2007)* (Lopez, Davina C.).
736 ᴱShanks, Hershel Where christianity was born: a collection from the Biblical Archaeology Society. Wsh 2006, Biblical Archaeology Society ix; 229 pp. $30. ᴿRBLit (2007)* (Reed, Jonathan).
737 ᴱSilberman, Neil Asher; Small, David B. The archaeology of Israel: constructing the past, interpreting the present. JSOT.S 237: 1997 ⇒13, 9790... 16,445. ᴿThR 72 (2007) 166-167 (Zwickel, Wolfgang).
738 ᴱSnell, Daniel A companion to the ancient Near East. Blackwell Companions to the Ancient World: Oxf 2007 <2005>, Blackwell xix; 538 pp. $40. 978-14051-60018. ᴿEtCl 75 (2007) 276-7 (Bonnet, Corinne).
739 ᴱSteele, John M. Calendars and years: astronomy and time in the Ancient Near East. Oxf 2007, Oxbow vii; 167 pp. £25. 978-1-8421-73-02-2. Bibl.
740 ᴱStreck, Michael Sprachen des Alten Orients. 2005 ⇒21,692. ᴿOLZ 102 (2007) 414-420 (Gzella, Holger).
741 ᴱSuter, Claudia E.; Uehlinger, Christoph Crafts and images in contact: studies on eastern Mediterranean art of the first millennium BCE. OBO 210: 2005 ⇒21,693; 22,668. ᴿOr. 76 (2007) 436-440 (Di Ludovico, Alessandro); JAOS 127 (2007) 552-4 (Thomason, Allison K.).
742 ᴱTomson, Peter J., al., The literature of the sages, 2: midrash and targum, liturgy, poetry, mysticism, contracts, inscriptions, ancient science and the languages of rabbinic literature. CRI: 2006 ⇒22,669. ᴿRBLit (2007)* (Wesselius, Jan-Wim).

743 ᴱ**Tuplin, C.** Persian responses: political and cultural interaction with(in) the Achaemenid Empire. Swansea 2007, Classical Press of Wales xxvi; 373 pp. £60. 978-19051-25180. Ill.

744 ᴱ**Vaage, Leif E.** Religious rivalries in the early Roman empire and the rise of christianity. SCJud 18: 2006 ⇒22,670. ᴿTJT 23/1 (2007) 80-81 (*Oegema, Gerbern S.*); RBLit (2007) 334-336 (*Verheyden, Joseph*).

745 ᴱ**Valsiner, Jaan; Gertz, Sunhee K.; Breaux, Jean-Paul** Semiotic rotations: modes of meanings in cultural worlds. Charlotte, NC 2007, IAP x; 218 pp. 978-15931-16101/095.

746 ᴱ**Wilcke, Claus** Das geistige Erfassen der Welt im Alten Orient: Sprache, Religion, Kultur und Gesellschaft. Wsb 2007, Harrassowitz 359 pp. €98. 978-34470-55185. Vorarbeiten *J. Hazenbos*; *A. Zgoll*; Bibl.

747 ᴱ**Wilkinson, Toby A.H.** The Egyptian world. L 2007, Routledge xxiv; 558 pp. £135. 978-0-415-42726-5. Bibl. 488-545.

748 ᴱ**Worthington, Ian** A companion to Greek rhetoric. Malden (MA) 2007, Blackwell xvi; 618 pp. £85/$150. 9781-4051-15512.

749 ᴱ**Young, Ian** Biblical Hebrew: studies in chronology and typology. JSOT.S 369: 2003 ⇒19,559... 22,673. ᴿPerspectives on Hebrew Scriptures II, 531-534 ⇒373 (*Lee, Bernon P.*).

A2.1 **Acta** *congressuum* **biblica**

750 ᴱ**Albertz, Rainer; Knoppers, Gary N.; Lipschits, Oded** Judah and the Judeans in the fourth century B.C.E. WL 2007, Eisenbrauns xii; 423 pp. $59.50. 978-1-57506-130-6. Conf. Münster 2005.

751 ᴱ**Alston, Wallace M., Jr.; Welker, Michael** Reformed theology: identity and ecumenicity II: biblical interpretation in the Reformed tradition. GR 2007, Eerdmans 463 pp. $49. 878-08028-03865. Conf. Stellenbosch.

752 ᴱ**Amphoux, Christian-Bernard; Elliott, James Keith** The New Testament text in early christianity. Histoire du texte biblique 6: 2003 ⇒ 19,565... 22,681. ᴿTC.JBTC 12 (2007) 5 pp (*Jongkind, Dirk*).

753 ᴱ**Anderson, Paul N.; Thatcher, Tom; Just, Felix** John, Jesus, and history, vol. 1: Critical appraisals of critical views. SBL.Symposium 44: Atlanta, GA 2007, SBL viii, 346 pp. $38. 978-1-58983293-0.

754 ᴱ**Assmann, Jan; Mulsow, Martin** Sintflut und Gedächtnis: Erinnern und Vergessen des Ursprungs. Kulte, Kulturen: 2006 ⇒22,683. Meeting Wolfenbüttel 2003. ᴿActBib 44/1 (2007) 66-67 (*Boada, J.*).

755 ᴱ**Attias, Jean-Christophe; Gisel, Pierre** De la bible à la littérature. RePe 15: 2003, ⇒19,567... 22,684. Colloque Lausanne nov. 2002. ᴿREJ 166 (2007) 370-375 (*Couteau, Elisabeth*).

756 ᴱ**Attridge, Harold W.; Fassler, Margot E.** Psalms in community: Jewish and christian textual, liturgical, and artistic traditions. Symposium series 25: 2003 ⇒19,568... 22,685. Conf. Yale 2002. ᴿJAOS 127 (2007) 108-109 (*Way, Kenneth C.*).

757 ᴱ**Ayán Calvo, Juan J.; Navascués Benlloch, Patricio; Aroztegui Esnaola, Manuel** Filiación: cultura pagana, religión de Israel, orígenes del cristianismo. 2005 ⇒21,707. ᴿActBib 44 (2007) 115-6 (*Boada, J.*);

758 Filiación II: cultura pagana, religión de Israel, orígenes del cristianismo. Estructuras y procesos: M 2007, Trotta 370 pp. 978-84816-49437. Jornadas de estudio Nov. 2005 e Nov. 2006.

759 ^E**Ådna, Jostein** The formation of the early church. WUNT 183: 2005 ⇒21,708. ^RTrinJ 28/1 (2007) 154-156 (*Schnabel, Eckhard J.*); ThLZ 132 (2007) 1311-1313 (*Fitschen, Klaus*).

760 ^E**Baker, David W.** Biblical faith and other religions: an evangelical assessment. 2004 ⇒20,652; 22,689. ^RBS 164 (2007) 494-95 (*Horrell, J. Scott*).

761 ^E**Ballard, Paul; Holms, Stephen R.** The bible in pastoral practice. 2006 ⇒22,690. ^RTrinJ 28/1 (2007) 174-175 (*Scharf, Greg R.*).

762 ^E**Barr, David L.** The reality of apocalypse: rhetoric and politics in the book of Revelation. SBL.Symposium 39: 2006 ⇒22,691. ^RCBQ 69 (2007) 849-851 (*Frilingos, Chris*).

763 ^E**Barton, Stephen C.** Idolatry: false worship in the bible, early Judaism and christianity. L 2007, Clark x; 338 pp. $150. 978-0567-083234/333. Bibl. 331-334; Seminar Durham 2002-2004.

764 ^E**Barton, Stephen C.; Stuckenbruck, Loren T.; Wold, Benjamin G.** Memory in the bible and antiquity: the fifth Durham-Tübingen Research Symposium (Durham, September 2004). WUNT 212: Tü 2007, Mohr S. vi; 394 pp. €99. 978-3-16-149251-8. ^ROTEs 20 (2007) 525-529 (*Weber, Beat*).

765 ^E**Bateman, Herbert W.** Four views on the warning pasages in Hebrews. GR 2007, Kregel 480 pp. $30.

766 ^E**Becking, Bob; Peels, Eric** Psalms and prayers: papers read at the joint meeting of the Society of Old Testament Study and het Oudtestamentisch Werkgezelschap in Nederland en België, Apeldoorn August 2006. OTS 55: Lei 2007, Brill vi; 306 pp. €99. 978-90-04-16032-3.

767 ^E**Behrends, Okko** Der biblische Gesetzesbegriff: auf den Spuren seiner Säkularisierung. AAWG.PH 278: 2006 ⇒22,695. ^RZAR 13 (2007) 410-413 (*Otto, Eckart*).

768 ^E**Bellia, Giuseppe; Passaro, Angelo** The book of Wisdom in modern research: studies on tradition, redaction, and theology. DCLY 2005: 2005 ⇒21,713. ^RRSR 95 (2007) 591-592 (*Abadie, Philippe*); CBQ 69 (2007) 180-182 (*Goff, Matthew*).

769 ^E**Bellis, Alice O.; Grabbe, Lester** The priests in the prophets: the portrayal of priests, prophets... in the latter prophets. JSOT.S 408: 2004 ⇒ 20,656; 21,714. ^RJThS 58 (2007) 160-162 (*Rooke, Deborah*).

770 ^E**Bernat, David A.; Klawans, Jonathan** Religion and violence: the biblical heritage. Recent research in biblical studies 2: Shf 2007, Sheffield Phoenix xiv; 158 pp. 978-1-906055-32-5. Bibl. 135-147. Proc. conf. Wellesley College and Boston University, February 19-20, 2006.

771 Biblical responses to the poor and marginalized. Manila 2007, Catholic Biblical Association of the Philippines x; 123 pp. Proc. seventh annual convention: Phinma Training Center, Tagaytay City, 21-23 July 2006

772 ^E**Billon, Gérard** Lire la bible aujourd'hui: quels enjeux pour les églises?. CEv 141 (2007) 1-128. Colloque ISEO (2006).

773 ^E**Blum, Erhard; Johnstone, William; Markschies, Christoph** Das Alte Testament–ein Geschichtsbuch?. Altes Testament und Moderne 10: 2005 ⇒21,718. ^RRBLit (2007)* (*Sláma, Petr*).

774 ^E**Blum, Erhard; Lux, Rüdiger** Festtraditionen in Israel und im alten Orient. Veröffentlichungen der Wissenschaftlichen Gesellschaft für Theologie 28: 2006 ⇒22,698. ^RRHPhR 87 (2007) 195-196 (*Heintz, J.-G.*); OLZ 102 (2007) 443-449 (*Wagner, Volker*).

775 ^E**Boccaccini, Gabriele** Enoch and the Messiah Son of Man: revisiting the Book of Parables. GR 2007, Eerdmans xv; 529 pp. $50. 97808028-03771. Assoc. ed. *J. von Ehrenkrook*; Bibl. 513-39; Enoch Seminar.

776 ^E**Boda, Mark J.; Falk, Daniel K.; Werline, Rodney A.** Seeking the favor of God, 1: the origins of penitential prayer in second temple Judaism. Early Judaism and its literature 21: 2006 ⇒22,700. ^RRBLit (2007)* (*Hogeterp, Albert L.A.*);

777 Seeking the favor of God, 2: the development of penitential prayer in second temple Judaism. Early Judaism and its literature 22: Atlanta 2007, SBL xv; 281 pp. $40. 978-15898-32787.

778 ^E**Boer, Roland** BAKHTIN and genre theory in biblical studies. SBL.Semeia Studies 63: Atlanta 2007, SBL viii; 238 pp. $26. 978-158-98-32763. Bibl. 205-219 [ThD 53,153–W. Charles Heiser].

779 ^E**Borghi, Ernesto; Petraglio, R.** La fede attraverso l'amore: introduzione alla lettura del Nuovo Testamento. Nuove vie dell'esegesi: 2006 ⇒22,701. ^RRivBib 55 (2007) 509-510 (*Mela, Roberto*).

780 ^E**Böttrich, Christfried; Herzer, Jens; Reiprich, Torsten** JOSEPHUS und das Neue Testament: wechselseitige Wahrnehmungen: II. Internationales Symposium zum Corpus Judaeo-Hellenisticum, 25.-28. Mai 2006, Greifswald. WUNT 209: Tü 2007, Mohr S. xviii; 615 pp. €129. 978-3-16-149368-3.

781 ^E**Brant, Jo-Ann A.; Hedrick, Charles W.; Shea, Chris** Ancient fiction: the matrix of early Christian and Jewish narrative. SBL.Symposium 32: 2005 ⇒21,721; 22,702. ^RJSJ 38 (2007) 351-353 (*Rosen-Zvi, Ishay*); SR 36 (2007) 601-603 (*Patterson, Dilys N.*); RBLit (2007) 525-529 (*Alexander, Loveday*).

782 ^E**Breitsching, Konrad; Panhofer, Johannes** Jesus: Vorträge der siebten Innsbrucker Theologischen Sommertage 2006. theologische trends 16: Innsbruck 2007, Innsbruck Univ. Pr. 222 pp. 978-3-902571-19-9.

783 ^E**Breytenbach, Cilliers; Frey, Jörg** Aufgabe und Durchführung einer Theologie des Neuen Testaments. WUNT 205: Tü 2007, Mohr S. xii; 364 pp. €99. 978-3-16-149252-5. Tagung Berlin 2004.

784 ^E**Burnett, Joel S.; Bellinger, William H.; Tucker, W. Dennis** Diachronic and synchronic: reading the Psalms in real time: proceedings of the Baylor Symposium on the book of Psalms. LHBOTS 488: NY 2007, Clark xvi; 206 pp. 978-0-567-02686-6. 2006 Baylor University.

785 ^E**Busse, Ulrich** Der Gott Israels im Zeugnis des Neuen Testaments. QD 201: 2003 ⇒19,580. ^RThRv 103 (2007) 192-194 (*Frevel, Christian*).

786 ^E**Bürki, B.; Klöckener, M.; Lambert, John** Présence et rôle de la bible dans la liturgie. 2006 ⇒22,703. ^RCuMon 42 (2007) 244-245 (*Marcilla, José*); RTL 38 (2007) 435-437 (*Haquin, A.*); EThL 83 (2007) 534-536 (*Haquin, A.*).

787 ^E**Calduch-Benages, Núria; Liesen, Jan** History and identity: how Israel's authors viewed its earlier history. DCLY 2006: 2006 ⇒22,704. ^RJSJ 38 (2007) 356-358 (*Nicklas, Tobias*).

788 ^E**Carbajosa, Ignacio; Sánchez Navarro, Luis** Entrar en lo antiguo: acerca de la relación entre Antiguo y Nuevo Testamento. Presencia y Diálogo 16: M 2007, San Damaso 173 pp. €10. 978-84-96318-45-8. Jornada de estudio 2007, Madrid; Bibl. ^RAnVal 33 (2007) 387-390 (*Villota Herrero, Salvador*).

789 ^E**Chalcraft, David** Sectarianism in early Judaism: sociological advances. Ment. *Weber, Max* L 2007, Equinox viii; 267 pp. $27. 978-18455-3-083-9/46. SBL International meeting 2004: Groningen, Netherlands.

790 ^E**Charlesworth, James H.** The bible and the Dead Sea scrolls: the second Princeton Symposium on Judaism and christian origins. 2006, ⇒22,706. ^RCoTh 77/3 (2007) 188-199 (*Parchem, Marek*).

791 ^E**Clifford, Richard J.** Wisdom literature in Mesopotamia and Israel. SBL.Symposium 36: Atlanta, GA 2007, SBL xiii; 116 pp. €38. 978-1-58983-219-0.

792 ^E**Clines, David J.A.; Lichtenberger, Hermann; Müller, Hans-P.** Weisheit in Israel. Ment. *Rad, G von* Altes Testament und Moderne 12: 2003 ⇒19,583... 22,709. ^ROLZ 102 (2007) 449-452 (*Krispenz, Jutta*).

793 ^E**Collins, John J.; Evans, Craig A.** Christian beginnings and the Dead Sea scrolls. 2006 ⇒22,710. ^RTC.JBTC 12 (2007) 3 pp (*Zangenberg, Jürgen*).

794 ^E**Dal Covolo, Enrico; Fusco, Roberto** Il contributo delle scienze storiche allo studio del NT. Pontificio Comitato di Scienze Storiche, Atti 19: 2005 ⇒21,726. ^RSal. 69 (2007) 583-5 (*Poblano, Bata G.*).

795 ^E**Dauphinais, Michael; Levering, Matthew W.** Reading John with St. Thomas AQUINAS: theological exegesis and speculative theology. 2005 ⇒21,727. ^RThom. 71 (2007) 330-333 (*Ryan, Thomas F.*).

796 ^E**Day, John** Temple and worship in Biblical Israel. LHBOTS 422: 2005 ⇒21,731. ^RBTB 37 (2007) 136-137 (*Hawkins, Ralph K.*).

797 ^E**De Troyer, Kristin; Lange, Armin** Reading the present in the Qumran library. SBL.Symposium 30: 2005 ⇒21,732. ^RCBQ 69 (2007) 392-394 (*Goff, Matthew*).

798 ^E**Debié, Muriel**, *al.*, Les apocryphes syriaques. Etudes syriaques 2: 2005 ⇒21,733. ^RLTP 63 (2007) 149-151 (*Poirier, Paul-Hubert*).

799 ^E**Deines, Roland; Niebuhr, Karl-Wilhelm** PHILO und das Neue Testament. WUNT 172: 2004 ⇒20,668... 22,718. ^RTThZ 116 (2007) 89-90 (*Schwindt, Rainer*); ThLZ 132 (2007) 644-647 (*Niehoff, Maren R.*); BBR 17 (2007) 366-367 (*Yarbrough, Robert W.*).

800 ^E**Der Mugrdechian, Barlow** The Armenian bible: a symposium celebrating the 1600th anniversary of the discovery of the Armenian alphabet and the translation of the bible into Armenian. Burbank, CA 2007, Western Diocese of the Armenian Church of North America 130 pp.

801 ^E**Dever, William G.; Gitin, Seymour** Symbiosis, symbolism, and the power of the past: Canaan, Ancient Israel, and their neighbors from the Late Bronze Age through Roman Palaestina. 2003 ⇒19,590... 22,720. ^RBASOR 345 (2007) 93-94 (*Joffe, Alexander H.*).

802 ^E**Doré, Daniel** Comment la Bible saisit-elle l'histoire?: XXIe congrès de l'Association catholique française pour l'étude de la bible (Issy-les-Moulineaux, 2005). LeDiv 215: P 2007, Cerf 296 pp. €28. 978-2204-083263. Préf. *Jean-Michel Poffet*. ^RBrot. 165 (2007) 194-196 (*Silva, Isidro Ribeiro da*); SR 36 (2007) 607-609 (*Lavoie, Jean-Jacques*).

803 ^E**Dozeman, Thomas B.; Schmid, Konrad** A farewell to the Yahwist?: the composition of the pentateuch in recent European interpretation. SBL.Symposium 34: 2006 ⇒22,722. ^RThLZ 132 (2007) 631-632 (*Reventlow, Henning Graf*); CBQ 69 (2007) 843-845 (*Hiebert, Theodore*); RBLit (2007)* (*Ellens, J. Harold*).

804 ^E**Eriksson, Anders; Olbricht, Thomas** Rhetoric, ethic, and moral persuasion in biblical discourse. 2005 ⇒21,738; 22,723. ^RCBQ 69 (2007) 191-3 (*Anderson, Garwood*); RBLit (2007) 522-525 (*Vogels, Walter*).

805 ^E**Esler, Philip F.** Ancient Israel: the Old Testament in its social context. 2006 ⇒22,724. ^RTS 68 (2007) 172-173 (*Kim, Uriah Y.*); CBQ 69 (2007) 172-174 (*Moore, Michael S.*); JHScr 7 (2007)* = PHScr IV,513-515 (*Dutcher-Walls, Patricia*).

806 L'exégèse patristique de Romains 9-11: grâce et liberté; Israël et nations; le mystère du Christ. P 2007, Médiasèvres 168 pp. 2-8309-1080-X. Colloque, 3 Février 2007, Centre Sèvres / Faculté Jésuites de Paris.

807 ᴱ**Farkaš, Pavol** Législatívne texty biblie: zborník príspevkov z vedeckej konferencie konanej 16. novembra 2007 v Nitre v Rámci Grantového projektu VEGA č. 1/4678/07: legislatívne texty biblie–etický a religiózny aspekt. Nitra 2007, Univ. Komenského v Bratislave 163 pp. 978-80886-96513. ᴿSBSl (2007) 112-114 (*Štrba, Blažej*). **Slovak**.

808 ᴱ**Fassberg, Steven E.; Hurvitz, Avi** Biblical Hebrew in its Northwest Semitic setting: typological and historical perspectives. Publication of the Inst. for Advanced Studies, Hebrew Univ. 1: 2006 ⇒22,725. ᴿOLZ 102 (2007) 184-192 (*Gzella, Holger*); HebStud 48 (2007) 348-359 (*Korchin, Paul*).

809 ᴱ**Fernando, Leonard; Massey, James** Dalit world–biblical world: an encounter. New Delhi 2007, Centre for Dalit Studies 192 pp. Rs250/ €10. Seminar 2006. ᴿVJTR 71 (2007) 799-800 (*Gispert-Sauch, G.*).

810 ᴱ**Ferrer, Véronique; Mantero, Anne** Les paraphrases bibliques aux XVIᵉ et XVIIᵉ siècles. THR 415: 2006 ⇒22,726. ᴿRHPhR 87 (2007) 476-477 (*Noblesse-Rocher, A.*).

811 ᴱ**Firth, David; Johnston, Philip S.** Interpreting the Psalms: issues and approaches. 2005 ⇒21,740. ᴿSBET 25/1 (2007) 115-116 (*Brooks, R. Jeremy*); Evangel 25 (2007) 87-88 (*McKay, David*); CBQ 69 (2007) 385-387 (*Hoppe, Leslie J.*).

812 ᴱ**Floyd, Michael H.; Haak, Robert D.** Prophets, prophecy, and prophetic texts in second temple Judaism. 2006 ⇒22,728. ᴿCBQ 69 (2007) 387-388 (*Jassen, Alex*).

813 ᴱ**Focant, Camille; Wénin, André** Analyse narrative et bible: deuxième colloque international du RRENAB. 2005 ⇒21,742. ᴿRTL 38 (2007) 80-85 (*Bourquin, Y.*).

814 ᴱ**Ford, David F.; Stanton, Graham** Reading texts, seeking wisdom: scripture and theology. 2003 ⇒19,597... 21,744. ᴿCBQ 69 (2007) 400-402 (*Bergant, Dianne*).

815 ᴱ**Frey, Jörg; Van der Watt, Jan G.; Zimmermann, Ruben** Imagery in the gospel of John: terms, forms, themes, and theology of Johannine figurative language. WUNT 200: 2006 ⇒22,730. ᴿRSR 95 (2007) 291-292 (*Morgen, Michèle*); RBLit (2007)* (*Lee, Dorothy*).

816 ᴱ**Frey, Jörg; Schnelle, Udo** Kontexte des Johannesevangeliums: das vierte Evangelium in religions- und traditionsgeschichtlicher Perspektive. WUNT 175: 2004 ⇒20,674... 22,6805. ᴿBZ 51 (2007) 276-278 (*Rusam, Dietrich*); BBR 17 (2007) 170-172 (*Yarbrough, Robert W.*).

817 ᴱ**Glas, Gerrit**, *al.*, Hearing visions and seeing voices: psychological aspects of biblical concepts and personalities. Dordrecht 2007, Springer xvii; 323 pp. $139. 978-14020-59384. Conf. Amsterdam 2002.

818 ᴱ**Gordon, Robert P.** The God of Israel. UCOP 64: C 2007, CUP xvi; 310 pp. €15. 978-84285-31313. OT Seminar, Cambridge; Bibl.

819 ᴱ**Gordon, Robert P.; Moor, Johannes C. de** The Old Testament in its world. OTS 52: 2005 ⇒21,749. ᴿSJOT 21 (2007) 157-158 (*Lemche, Niels P.*); RBLit (2007)* (*Klingbeil, Gerald A.*); Perspectives on Hebrew Scriptures II, 499-501 ⇒373 (*Hamilton, Mark W.*).

820 ᴱ**Grabbe, Lester L.** Ahab agonistes: the rise and fall of the Omri dynasty. LHBOTS 421; European seminar in historical methodology 6: L 2007, Clark vi; 353 pp. 978-0-567-04540-9.

821 ᴱ**Graupner, Axel; Wolter, Michael** Moses in biblical and extra-biblical traditions. BZAW 372: B 2007, De Gruyter viii; 277 pp. €88. 978-3-11-019460-9. Coll. Bonn 2006.

822 ᴱGregory, Andrew F.; Tuckett, Christopher M. The New Testament and the Apostolic Fathers, 1-2. 2005 ⇒21,752s; 22,736ss. ᴿJEH 58 (2007) 511-513 (*Hurtado, L.W.*).

823 ᴱGroneberg, Brigitte; Spieckermann, Hermann Die Welt der Götterbilder. BZAW 376: B 2007, De Gruyter viii; 380 pp. €98. 978-3-11-019463-0. Seminar Göttingen 2005-7.

824 ᴱGuida, Annalisa; Vitelli, M. Gesù e i messia di Israele: il messianesimo giudaico e gli inizi della cristologia. 2006 ⇒22,739. ᴿRivista di science religiose 21/1 (2007) 164-167 (*Pinto, Sebastiano*); VetChr 44 (2007) 173-174 (*Bellini, Ilenia*); RBLit (2007)* (*Ramelli, Ilaria*).

825 ᴱGuijarro, Santiago Los comienzos del cristianismo. BSal.E 284: 2006 ⇒22,740. ᴿEstFil 162 (2007) 48-49 (*Casado, A.M.*); EstB 65 (2007) 553-557 (*Rosell, Sergio*); CBQ 69 (2007) 626-627 (*Branick, Vincent P.*); RBLit (2007) 336-338 (*Chapa, Juan*).

826 ᴱGutsfeld, Andreas; Koch, Dietrich-Alex Vereine, Synagogen und Gemeinden im kaiserzeitlichen Kleinasien. STAC 25: 2006 ⇒22,741. ᴿNT 49 (2007) 100-104 (*Stenschke, Christoph*).

827 ᴱGünther, Linda-Marie Herodes und Rom. Stu 2007, Steiner 121 pp. €28. 978-35150-90124. Conference Bochum.

828 ᴱHaas, Peter J.; Kalimi, Isaac Biblical interpretation in Judaism and Christianity. LHBOTS 439: 2006 ⇒22,742. ᴿRBLit (2007)* (*Evans, Craig A.*).

829 ᴱHelmer, Christine; Petrey, Taylor G. Biblical interpretation: history, context, and reality. SBL.Symposium 26: 2005 ⇒21,758; 22,744. ᴿCBQ 69 (2007) 859-861 (*Patterson, Stephen J.*); RBLit (2007) 520-522 (*Nicklas, Tobias*).

830 ᴱHenze, Matthias Biblical interpretation at Qumran. 2005 ⇒21,759; 22,746. ᴿCoTh 77 (2007) 183-188 (*Parchem, Marek*); ZAR 13 (2007) 433-437 (*Otto, Eckart*).

831 ᴱHess, Richard S.; Carroll R., M. Daniel Israel's messiah in the bible and the Dead Sea scrolls. 2003 ⇒19,605... 21,760. ᴿPerspectives on Hebrew Scriptures II, 593-595 ⇒373 (*Wise, Michael O.*).

832 ᴱHorton, Charles The earliest gospels: the origins and transmission of the earliest christian gospels–the contribution of the Chester Beatty Gospel Codex P45. JSNT.S 258: 2004 ⇒20,682... 22,747. ᴿJThS 58 (2007) 624-626 (*Muddiman, John*).

833 ᴱJarick, John Sacred conjectures: the context and legacy of Robert Lᴏᴡᴛʜ and Jean Aꜱᴛʀᴜᴄ. LHBOTS 457: NY 2007, Clark xvii; 260 pp. $140. 978-0-567-02932-4. Conf. Oxford 2003; Bibl. 243-248.

834 ᴱJohnstone, William The bible and the Enlightenment: a case study– Dr Alexander Gᴇᴅᴅᴇꜱ (1737-1802). JSOT.S 377: 2004 ⇒20,688. ᴿJThS 58 (2007) 147-148 (*Clements, Ronald E.*).

835 ᴱJonge, Henk J. de; Tromp, Johannes The book of Ezekiel and its influence. Aldershot 2007, Ashgate xiii; 218 pp. £50. 978-0-7546-5583-1. Coll. Leiden 2004.

836 ᴱJung-Kaiser, Ute Das Hohelied: Liebeslyrik als Kultur(en) erschließendes Medium? 4.: Interdisziplinäres Symposium der Hochschule für Musik und darstellende Kunst in Frankfurt am Main 2006. Bern 2007, Lang 441 pp. €79.30. 978-3-03910-777-3. 1 CD.

837 ᴱKeel, Othmar; Zenger, Erich Gottesstadt und Gottesgarten: zu Geschichte und Theologie des Jerusalemer Tempels. QD 191: 2002 ⇒18, 567; 19,612. ᴿALW 49 (2007) 384-385 (*Schenker, Adrian*).

838 ᴱ**Knibb, Michael A.** The Septuagint and messianism. BEThL 195: 2006 ⇒22,753. ᴿJNSL 33/1 (2007) 125-6 (*Cook, Johann*); Theoforum 38 (2007) 239-244 (*Laberge, Léo*); Irén. 80 (2007) 704-705.

839 ᴱ**Knoppers, Gary N.; Levinson, Bernard M.** The pentateuch as torah: new models for understanding its promulgation and acceptance. WL 2007, Eisenbrauns xvi; 352 pp. $49.50. 978-1-57506-140-5. SBL,. Edinburgh, July 2006.

840 ᴱ**Knowles, Melody** Contesting texts: Jews and Christians in conversation about the bible. Mp 2007, Fortress 229 pp. $29. 9780800-638429.

841 ᴱ**Korpel, Marjo C.A.; Oesch, Josef M.; Porter, Stanley E.** Method in unit delimitation. Pericope 6: Lei 2007, Brill 231 pp. €79/$115. 978-90-04-16567-0.

842 ᴱ**Korpel, Marjo; Oesch, Josef** Unit delimitation in Biblical Hebrew and Northwest Semitic literature. Pericope 4: 2003 ⇒19,614... 22,754. ᴿPerspectives on Hebrew Scriptures II, 578-581 ⇒373 (*Martin, Gary*).

843 ᴱ**Kraus, Wolfgang; Wooden, R. Glenn** Septuagint research. SBL. SCSt 53: 2006 ⇒22,755. ᴿRSR 95 (2007) 602-604 (*Berthelot, Katell*).

844 ᴱ**Kunz-Lübcke, Andreas; Lux, Rüdiger** 'Schaffe mir Kinder...': Beiträge zur Kindheit im alten Israel...Nachbarkulturen. ABIG 21: 2006 ⇒22,756. ᴿThLZ 132 (2007) 634-6 (*Conrad, Joachim*); BZ 51 (2007) 308-9 (*Finsterbusch, Karin*); OLZ 102 (2007) 470-4 (*Häusl, Maria*).

845 ᴱ**Labahn, Michael; Lang, Manfred** Lebendige Hoffnung–ewiger Tod?!: Jenseitsvorstellungen im Hellenismus, Judentum und Christentum. ABIG 24: Lp 2007, Evangelische iv; 444 pp. €88. 978-33740-24-261. European Association for Biblical Studies, Dresden 2005.

846 ᴱ**Labahn, Michael; Peerbolte, Bert** Wonders never cease: the purpose of narrating miracle stories in the NT & its religious environment. LNTS 288: 2006 ⇒22,758. ᴿCBQ 69 (2007) 188-190 (*Pilch, John J.*).

847 ᴱ**Lemaire, André** Congress volume Basel 2001; Leiden 2004. VT.S· 92, 109: 2002-2006 ⇒18,570... 22,759. ᴿSJOT 21 (2007) 306-307 (*Lemche, Niels P.*);

848 Congress volume Leiden 2004. VT.S 109: 2006 ⇒22,759. ᴿJThS 58 (2007) 559-562 (*Nicholson, Ernest*); RBLit (2007) 49-55 (*Johnstone, William*).

849 ᴱ**Leonardi, C.; Orlandi, G.** Biblical studies in the early Middle Ages. Millennio Medievale 52; Atti di convegni 16: 2002 ⇒21,773. ᴿRSPhTh 91 (2007) 557-560 (*Mitalaité, Kristina*).

850 ᴱ**Levin, Yigal** A time of change: Judah and its neighbours in the Persian and early Hellenistic periods. LSTS 65; CQuS 8: L 2007, Clark xx; 260 pp. £75. 978-0-567-04552-2. Conf. Jerusalem 2005.

851 ᴱ**Lierman, John** Challenging perspectives on the gospel of John. WUNT 2/219: 2006 ⇒22,761. ᴿRSR 95 (2007) 295-296 (*Morgen, Michèle*); Neotest. 41 (2007) 451-455 (*Stenschke, Christoph*); JETh 21 (2007) 303-306 (*Stenschke, Christoph*).

852 ᴱ**Lindemann, Andreas** The sayings source Q and the historical Jesus. BEThL 158: 2001 ⇒17,477... 21,774. ᴿCBQ 69 (2007) 627-629 (*Arnal, William E.*).

853 ᴱ**Massonnet, Jean** Accueil de la torah: le peuple juif et ses saintes écritures dans la bible chrétienne: étude et prolongements. Lyon 2007, Profac 105 pp. €10. 978-28531-71137. Symp. Lyon, April 2004.

854 ᴱ**McGinnis, Claire M.; Tull, Patricia K.** "As those who are taught": the interpretation of Isaiah from the LXX to the SBL. SBL.Symposium·

27: 2006 ⇒22,765. ^RRBLit (2007) 190-192 (*Tilly, Michael*); BIOSCS 40 (2007) 145 (*Silva, Moïses*).

855 ^E**Meissner, Stefan; Wenz, Georg** Über den Umgang mit den Heiligen Schriften: Juden, Christen, und Muslime zwischen Tuchfühlung und Kluft. B 2007, LIT 160 pp.

856 ^E**Morgan, Nigel** Prophecy, Apocalypse and the day of doom. Harlaxton Medieval Studies 12: 2004 ⇒20,703; 22,767. ^RHeyJ 48 (2007) 126-127 (*Swanson, R.N.*).

857 ^E**Oeming, Manfred**, *al.*, Das Buch Hiob und seine Interpretationen: Beiträge zum Hiob-Symposium auf dem Monte Verità vom 14.-19. August 2005. AThANT 88: Z 2007, Theologischer viii; 522 pp. FS82. 97-83-290-17407-1.

858 ^E**Otto, Eckart** Mosè, Egitto e Antico Testamento. Studi biblici 152: 2006 ⇒22,769. ^RCivCatt 158/2 (2007) 623-624 (*Scaiola, D.*).

859 ^E**Padgett, Alan G.; Keifert, Patrick R.** But is it all true?: the bible and the question of truth. 2006 ⇒22,771. ^RNewTR 20 (2007) 92-93 (*Wimmer, Joseph F.*); RBLit (2007) 44-49 (*Carson, D.A.*).

860 ^E**Padovese, Luigi** Atti del X Simposio paolino: Paolo tra Tarso e Antiochia: archeologia, storia, religione. Turchia 21: R 2007, Pontificia Università Antoniano, Ist. francescano di spiritualità 322 pp.

861 ^E**Painchaud, Louis; Poirier, Paul-H.** Colloque international: 'L'Evangile selon Thomas' et les textes de Nag Hammadi' (Québec, 29-31 mai 2003). BCNH.Etudes 8: Québec 2007, Presses de l'Université Laval x; 652. 978-27637-86629.

862 ^E**Palakeel, Joseph** The bible and the technologies of the word. Bangalore 2007, Asian Trading Corporation viii; 310 pp. Rs150. Conf. Ujjain Feb. 2005.

863 ^E**Penner, Todd C.; Vander Stichele, Caroline** Contextualizing Acts: Lukan narrative and Greco-Roman discourse. SBL.Symposium 20: 2003 ⇒19,628... 22,6552. ^RThR 72 (2007) 329-331 (*Schröter, Jens*).

864 ^E**Peters, Melvin** XII Congress, International Organization for Septuagint and Cognate Studies, 2004. SBL.SCSt 54: 2006 ⇒22,774. ^REThL 83 (2007) 478-481 (*Crom, D. de*); RBLit (2007)* (*Tilly, Michael*).

865 ^E**Poffet, Jean-Michel** La bible et l'histoire: actes des colloques pour le 150ème anniversaire de la naissance du P. M.-J. LAGRANGE. CRB 65: 2006 ⇒22,776. ^RBLE 108 (2007) 332-333 (*Debergé, Pierre*).

866 ^E**Porter, Stanley E.** Hearing the Old Testament in the New Testament. 2006 ⇒22,777. ^RScrB 37/1 (2007) 42-43 (*Docherty, Susan*); TrinJ 28/1 (2007) 153-154 (*Naselli, Andrew D.*); TJT 23 (2007) 203-205 (*Scott, Ian W.*); RBLit (2007) 324-328 (*Labahn, Michael*); RBLit (2007) 319-324 (*Steyn, Gert J.*);

867 The Messiah in the Old and New Testaments. McMaster NT Studies: GR 2007, Eerdmans xiv; 268 pp. $29. 978-08028-07663. Coll. McMaster 2004. ^RPSB 28 (2007) 228-231 (*Charlesworth, James H.*);

868 Reading the gospels today. 2004 ⇒20,714; 21,788. Colloquium McMaster 2002. ^RPacifica 20 (2007) 98-100 (*Loader, William*).

869 ^E**Porter, Stanley E.; Brodie, Thomas L.; MacDonald, Dennis R.** The intertextuality of the epistles: explorations of theory and practice. NTMon 16: 2006 ⇒22,778. ^RRBLit (2007)* (*Zamfir, Korinna*).

870 ^E**Puig i Tàrrech, Armand** Perdó i reconciliació en la tradició cristiana. 2004 ⇒20,717. ^RCart. 23 (2007) 236-237 (*Henares Díaz, F.*).

871 ^E**Romanello, Stefano; Vignolo, Roberto** Rivisitare il compimento: le scritture d'Israele e la loro normatività secondo il Nuovo Testamento: 2006 ⇒22,780. ^RTer. 58/1 (2007) 191-193 (*Moriconi, Bruno*).

872 ^E**Rooke, Deborah W.** A question of sex?: gender and difference in the Hebrew Bible and beyond. HBM 14: Shf 2007, Sheffield Phoenix xii; 184 pp. £45/$90/€67.50. 978-19060-55202. Conf. London 2006.

873 ^E**Römer, Thomas** La construction de la figure de Moïse: The construction of the figure of Moses. TEuph.S 13: P 2007, Gabalda 282 pp. €55. 978-2-85021-181-2. Symp. Lausanne 11-13 May 2006.

874 ^E**Römer, Thomas; Schmid, K.** Les dernières rédactions du pentateuque, de l'hexateuque et de l'ennéateuque. BEThL 203: Lv 2007, Peeters 276 pp. €65. 978-90429-19020. Séminaire Institut romand.

875 RRENAB: regards croisés sur la bible: études sur le point de vue: actes du III colloque international du Réseau de recherche en narrativité biblique. LeDiv hors série: P 2007, Cerf 480 pp. €42. 978-2204-0842-15. Paris juin 2006. ^RBrot. 165 (2007) 499-500 (*Silva, Isidro R. da*).

876 ^E**Schlosser, Jacques** The Catholic Epistles and the tradition. BEThL 176: 2004 ⇒20,722...22,784. ^RLTP 63 (2007) 131-33 (*Poirier, Paul*).

877 ^E**Scilironi, C.** San Paolo e la filosofia del novecento. Sem. Univ. di Padova 2004 ⇒20,723; 21,7700. ^RStPat 54 (2007) 246-248 (*De Carolis, Francesco*).

878 ^E**Shimahara, Sumi** Etudes d'exégèse carolingienne: autour d'HAYMON d'Auxerre: atelier de recherches, Centre d'études médiévales d'Auxerre, 25-26 avril 2005. Haut Moyen Âge 4: Turnhout 2007, Brepols 312 pp. €60. 978-25035-25334.

879 **Silva Retamales, Santiago; Guijarro Oporto, Santiago; Aguirre, Rafael** Kerygma: discipulado e missão–perspectivas atuais. ^T*Rossi, Luiz A.S.* Quinta Conferência–Bíblia: São Paulo 2007, Paulus 108 pp.

880 ^E**Stadelmann, Helge** Den Sinn biblischer Texte verstehen. 2006 ⇒22, 786. ^RJETh 21 (2007) 353-356 (*Hafner, Thomas*).

881 ^E**Stegemann, Wolfgang; Malina, Bruce J.; Theissen, Gerd** Il nuovo Gesù storico. Introd. allo studio della Bibbia.Suppl. 28: 2006 ⇒22, 788. ^RCart. 23 (2007) 513-514 (*Martínez Fresneda, F.*); ConAss 9/2 (2007) 130-132 (*Testaferri, Francesco*).

882 ^E**Thomas, David** The bible in Arab christianity. History of Christian-Muslim Relations 6: Lei 2007, Brill 421 pp. €125.10. 90-04-15558-9. 5th Mingana Symposium; Bibl. 393-414. ^RIslChr 33 (2007) 336-338 (*Cottini, Valentino*).

883 ^E**Tollet, Daniel** Les églises et le talmud: ce que les chrétiens savaient du judaïsme (XVIe-XIXe siècles). 2006 ⇒22,789. Coll. Sorbonne 2003. ^RREJ 166 (2007) 345-350 (*Couteau, Elisabeth*).

884 ^E**Tolmie, D.F.** Exploring new rhetorical approaches to Galatians: papers presented at an international conference, University of the Free State Bloemfontein, March 13-14, 2006. AcTh(B).S 9: Bloemfontein 2007, UFS iv; 174 pp.

885 ^E**Valentini, Natalino** Le vie della rivelazione: parola e tradizione. 2006 ⇒22,791. ^RAng. 84/1 (2007) 225-227 (*Mirri, Luciana M.*); VivH 18 (2007) 503-505 (*Mazzinghi, Luca*).

886 ^E**Van Belle, Gilbert; Van der Watt, Jan G.; Maritz, Petrus** Theology and christology in the fourth gospel. BEThL 184: 2005 ⇒21,796; 22,792. ^RRSR 95 (2007) 300-302 (*Morgen, Michèle*).

887 ^E**Van der Watt, Jan G.** Salvation in the New Testament: perspectives on soteriology. NT.S 121: 2005 ⇒21,798; 22,794. Conf. Univ. of Pretoria 2003. ^RETR 82 (2007) 277-278 (*Gloor, Daniel A.*); JThS 58 (2007) 254-258 (*Wedderburn, A.J.M.*); RBLit (2007) 474-477 (*Matera, Frank*).

888 ᴱVan Hecke, Pierre Metaphor in the Hebrew Bible. BEThL 187: 2005 ⇒21,799. ᴿRTL 38 (2007) 400-404 (*Van Treek Nilsson, Mike D.*).

889 ᴱVan Kooten, Geurt H. The revelation of the name YHWH to Moses: perspectives from Judaism, the pagan Graeco-Roman world, and early christianity. Jewish and Christian traditions 9: 2006 ⇒22,686. ᴿTC. JBTC 12 (2007) 3 pp (*Hieke, Thomas*).

890 ᴱVan Oyen, Geert; Kevers, Paul De apocriefe Jezus. 2006 ⇒22,797. ᴿColl. 37 (2007) 110-111 (*Denaux, Adelbert*).

891 ᴱVande Kerkhove, Jean-Luc Violence, justice et paix dans la bible. Publications de l'Institut St. François de Sales 3: Lubumbashi 2007, Don Bosco 304 pp. Actes des 2ᵉᵐᵉ journées bibliques de Lubumbashi (20-23 mars 2006); Bibl.

892 ᴱVon der Ruhr, Mario; Phillips, Dewi Z. Biblical concepts and our world. 2004 ⇒20,733. 2001 ᴿHeyJ 48 (2007) 619-20 (*Hill, Robert C.*).

893 ᴱXeravits, Géza G.; Zsengellér, Jószef The book of Maccabees: history, theology, ideology. JSJ.S 118: Lei 2007, Brill xi; 245 pp. $148. 90041-5700X. Papers of the Second International Conference on the Deuterocanonical books, Pápa, Hungary, 9-11 June 2005;

894 The book of Tobit text, tradition, theology. JSJ.S 98: 2005 ⇒21,3654; 22,3688. ᴿJSJ 38 (2007) 156-159 (*Faßbeck, Gabriele*); RBLit (2007)* (*Kiel, Micah*);

895 The books of the Maccabees: history, theology, ideology: papers of the Second International Conference on the Deuterocanonical Books, Pápa, Hungary, 9-11 June, 2005. JSJ.S 118: Lei 2007, Brill xi; 245 pp. €94/$122. 90-04-15700-X.

896 ᴱZangenberg, Jürgen; Labahn, Michael Christians as a religious minority in a multicultural city. JSNT.S 243: 2004 ⇒20,737. ᴿRBLit (2007)* (*Reed, Jonathan*).

897 ᴱZenger, Erich Ritual und Poesie: Formen und Orte religiöser Dichtung im Alten Orient, im Judentum und im Christentum. Herders Biblische Studien 36: 2003 ⇒19,652; 20,738. ᴿALW 49 (2007) 366-367 (*Schenker, Adrian*) .

A2.3 Acta *congressuum* theologica

898 ᴱAlkier, Stefan; Witte, Markus Die Griechen und das antike Israel: interdisziplinäre Studien zur Religions- und Kulturgeschichte des Heiligen Landes. OBO 201: 2004 ⇒20,740... 22,807. ᴿBiOr 64 (2007) 443-445 (*Rösel, Martin*).

899 ᴱArnold, Matthieu; Decot, Rolf Christen und Juden im Reformationszeitalter. VIEG Abt. Abendländischegeschichte 72: 2006 ⇒22,809. ᴿRHPhR 87 (2007) 381-382 (*Arnold, Matthieu*); Jud. 63 (2007) 78-79 (*Hasselhoff, Görge K.*).

900 ᴱAyres, Lewis; Twomey, Vincent The mystery of the Holy Trinity in the fathers of the church: the proceedings of the fourth Patristic Conference, Maynooth, 1999. ITQ.M 3: Dublin 2007, Four Courts 199 pp. 978-1-85182-859-3. Bibl.

901 ᴱBady, G.; Blanchard, Y.-M. De commencement en commencement: le renouveau patristique dans la théologie contemporaine. P 2007, Bayard 346 pp. Coll. Paris 2002.

902 La bellezza di essere cristiani: i movimenti nella chiesa. Laici oggi 11: Città del Vaticano 2007, Libreria Editrice Vaticana ix; 234 pp. Atti del

II Congresso mondiale dei movimenti ecclesiali e delle nuove comunità, Rocca di Papa, 31 maggio - 2 giugno 2006.

903 ᴱ**Berndt, Rainer**, *al.*, What is 'theology' in the Middle Ages?: religious cultures of Europe (12th-15th centuries) as reflected in their self-understanding. Archa Verbi, Subsidia 1: Müns 2007, Aschendorff xii; 733 pp. €122. 978-34021-02114. Cong. Warsaw 2004.

904 ᴱ**Boda, Mark J.; Smith, Gordon T.** Repentance in christian theology. 2006 ⇒22,813. ᴿRBLit (2007)* (*Wenkel, David H.*).

905 ᴱ**Bonnet, Corinne; Ribichini, Sergio; Steurnagel, Dirk** Religioni in contatto nel Mediterraneo antico: modalità di diffusione e processi d'interferenza: atti del 3° colloquio su le religioni orientali nel mondo greco e romano', Loveno di Menaggio (Como) 26-28 maggio 2006. Mediterranea 4: Pisa 2007, Serra 376 pp. 1827-0506.

906 ᴱ**Boulhol, Pascal; Guide, Françoise; Loubet, Mireille** Guérisons du corps et de l'âme: approches pluridisciplinaires. Aix-en-Provence 2007, Publications de l'Université de Provence 366 pp. €32. 978-2853-9-96518. Colloque sept. 2004 Aix-en-Provence.

907 ᴱ**Brakke, David; Satlow, Michael L.; Weitzman, Steven** Religion and the self in antiquity. 2005 ⇒21,818; 22,817. Conf. Indiana 2003. ᴿJSJ 38 (2007) 349-350 (*Van der Horst, Pieter W.*); TS 68 (2007) 437-439 (*Kelly, Joseph F.*); RBLit (2007) 57-60 (*Van Henten, Jan W.*).

908 ᴱ**Bremmer, Jan N.** The strange world of human sacrifice. Studies in the history and anthropology of religion 1: Lv 2007, Peeters 268 pp. €42. 90-429-1843-8. Conf. Groningen 2004; Bibl.

909 ᴱ**Brodersen, Kai; Kropp, Amina** Fluchtafeln: neue Funde und neue Deutungen zum antiken Schadenzauber. 2004 ⇒21,820. Symp. Mannheim 2003. ᴿAfR 9 (2007) 407-420 (*Brown, Christopher G.*).

910 ᴱ**Campi, Emidio; Opitz, Peter** Heinrich BULLINGER: life–thought–influence: Zurich, Aug. 25-29, 2004: International Congress Heinrich Bullinger (1504-1575), Vol. I-II. Zürcher Beiträge zur Reformationsgeschichte 24: Z 2007, Theologischer xvi; 492 + x; 493-1005 pp. 978-3-290-17387-6.

911 ᴱ**Camplani, Alberto; Filoramo, Giovanni** Foundations of power and conflicts of authority in late-antique monasticism: proceedings of the international seminar Turin, December 2-4, 2004. OLA 157: Lv 2007, Peeters xvi; 364 pp. 978-90-429-1832-0.

912 ᴱ**Chouraqui, Jean-Marc; Dorival, Gilles; Zytnicki, Colette** Enjeux d'histoire, jeux de mémoire: les usages du passé juif. L'atelier méditerranéen 8: 2006 ⇒22,822. ᴿREJ 166 (2007) 597-600 (*Costa, José*).

913 ᴱ**Coward, Harold** Los escritos sagrados en las religiones del mundo. 2006 ⇒22,825. ᴿItin. 53/187 (2007) 127-128 (*Neves, Joaquim Carreira das*).

914 La cultura scientifico-naturalistica nei padri della chiesa (I-V sec,): XXXV incontro di studiosi nell'antichità cristiana, 4-6 maggio 2006. SEAug 101: R 2007, Institutum Patristicum Augustinianum 801 pp. 88796-11097.

915 ᴱ**Cunningham, Philip A.; Hofmann, Norbert J.; Sievers, Joseph** The catholic church and the Jewish people: recent reflections from Rome. NY 2007, Fordham UP xiv; 271 pp. $50. 978-08232-28058. Conf. Rome [ThD 53,159–W. Charles Heiser].

916 ᴱ**Danz, Christian; Hermanni, Friedrich** Wahrheitsansprüche der Weltreligionen: Konturen gegenwärtiger Religionstheologie. 2006 ⇒22,826. ᴿActBib 44/1 (2007) 77-78 (*Boada, J.*).

917 ᴱ**Davis, Stephen T.; Kendall, Daniel; O'Collins, Gerald** The re-
demption. 2004 ⇒20,759. ᴿTheol. 110 (2007) 213-214 (*Loughlin,*
Gerard); JThS 58 (2007) 366-369 (*Ticciati, Susannah*).

918 ᴱ**De Troyer, Kristin,** *al.,* Wholly woman holy blood: a feminist cri-
tique of purity and impurity. Studies in Antiquity and Christianity:
2003 ⇒19,667... 22,828. ᴿPerspectives on Hebrew Scriptures II, 664-
667 ⇒373 (*Baker, Jon*).

919 ᴱ**Dobias-Lalou, Catherine** Questions de religion cyrénéenne. Kartha-
go 27 (2007) 1-304.

920 ᴱ**Dorman, Peter F.** Sacred space and sacred function in ancient
Thebes: occasional proceedings of the Theban workshop. Studies in
Ancient Oriental Civilization 61: Ch 2007, Oriental Institute of the
University of Chicago xxiii; 192 pp. 978-1-885923-46-2.

921 ᴱ**Dörner, Reinhard** 'Es gilt... nicht mehr Mann und Frau' (Gal 3,28):
der göttliche Plan der Geschlechter. Kevelaer 2007, Kardinal-von-Ga-
len Kreis 201 pp. €11. 978-39809-74875.

922 ᴱ**Draper, Jonathan A.** <Orality, literacy, and colonialism in antiquity.
Semeia Studies 47: 2004 ⇒20,763... 22,832. ᴿJSSt 52 (2007) 155-160
(*Hezser, Catherine*); JSJ 38 (2007) 368-370 (*Czachesz, István*); CBQ
69 (2007) 624-625 (*Dewey, Joanna*).

923 ᴱ**Duhaime, Jean** 40 ans après *Nostra aetate*: réalisations et défis des
relations entre chrétiens et juifs = *Nostra aetate* at 40: achievements
and challenges in Christian-Jewish dialogue of Montreal. Ottowa 2007,
Novalis 193 pp. $30. Coll. Montréal 2005.

924 ᴱ**Elm von der Osten, Dorothee; Rüpke, Jörg; Waldner, Katharina**
Texte als Medium und Reflexion von Religion im römischen Reich.
2006 ⇒22,834. ᴿAnCl 76 (2007) 426-427 (*Van Haeperen, Françoise*).

925 ᴱ**Faccioli, Gino A.** La donna vestita di sole e il drago rosso (Ap
12,1.3). Biblioteca Berica, In Domina nostra: Padova 2007, EMP 382
pp. €28. Convegno mariologico 2006.

926 ᴱ**Finsterbusch, Karin; Lange, Armin; Römheld, Diethard** Human
sacrifice in Jewish and Christian tradition. SHR 112: Lei 2007, Brill
xiii; 365 pp. €129/$174. 90-04-15085-4. Conf. Univ of North Carolina
2002.

927 ᴱ**Frey, Jörg; Becker, Michael** Apokalyptik und Qumran. Einblicke
10: Pd 2007, Bonifatius 304 pp. €23.90. 978-38971-03689. Conf.
Schwerte 2003.

928 ᴱ**Garribba, Dario; Tanzarella, Sergio** Giudei o cristiani?: quando na-
sce il cristianesimo?. Oi christianoi: 2005 ⇒21,833; 22,838. ᴿRivLi 94
(2007) 763-764 (*Tomatis, Paolo*).

929 ᴱ**Gestrich, Christof; Wabel, Thomas** An Leib und Seele gesund.
BThZ.B 24: B 2007, Wichern 193 pp. €18/12.50. 978-38898-12186.

930 ᴱ**Gisel, Pierre; Kaennel, Lucie** Receptions de la cabale. Bibliothèque
des fondations: P 2007, Éclat 350 pp. €28. 978-28416-21361. Coll.
Lausanne 2006.

931 ᴱ**Grohe, J.; Leal, J.; Reale, V.** I padri e le scuole teologiche nei conci-
li. 2006 ⇒22,841. ᴿAnnTh 21/1 (2007) 221-223 (*Pioppi, C.*).

932 ᴱ**Hofmann, Norbert J.; Sievers, Joseph; Mottolese, Maurizio** Chie-
sa ed ebraismo oggi: percorsi fatti, questioni aperte. 2005 ⇒21,843.
ᴿSal. 69 (2007) 596-597 (*Vicent, Rafael*).

933 ᴱ**Husbands, Mark; Larsen, Timothy** Women, ministry and the gos-
pel: exploring new paradigms. DG 2007, Inter-Varsity 305 pp. $24.
2005 Wheaton Theology Conference.

934 EIsetta, Sandra Letteratura cristiana e letterature europee: atti del convegno, Genova, 9-11 dicembre 2004. Letture patristiche 11: Bo 2007, EDB 572 pp. 978-88-10-42055-3. Pres. card. *Tarcisio Bertone*.

935 EJanowski, C. Christine; Janowski, Bernd; Lichtenberger, Hans P. Stellvertretung: theologische, philosophische und kulturelle Aspekte, Band 1: interdisziplinäres Symposium 2004. 2006 ⇒22,847. RJETh 21 (2007) 347-348 (*Weber, Beat*).

936 EKarfíková, Lenka; Douglass, Scot; Zachhuber, Johannes GREGORY of Nyssa: Contra Eunomium II: an English version with supporting studies: proceedings of the 10th international colloquium on Gregory of Nyssa (Olomouc, September 15-18, 2004). SVigChr 82: Lei 2007, Brill xxi; 553 pp. 978-90-04-15518-3.

937 EKämmerer, Thomas R. Studien zu Ritual und Sozialgeschichte im Alten Orient / Studies on ritual and society in the ancient Near East: Tartuer Symposien 1998-2004. BZAW 374: B 2007, De Gruyter xi; 386 pp. €88. 978-3-11-019461-6.

938 EKlinger, Susanne; Schmidt, Jochen Dem Geheimnis auf der Spur: kulturhermeneutische und theologische Konzeptualisierungen des Mystischen in Geschichte und Gegenwart. Theologie-Kultur-Hermeneutik 6: Lp 2007, Evangelische 149 pp. 978-3-374-02521-3.

939 EKöstenberger, Andreas Whatever happened to truth?. 2005 ⇒21, 845; 22,848. RTrinJ 28/1 (2007) 141-142 (*Leary, Michael*).

940 ELamdan, Neville; Melloni, Alberto Nostra aetate: origins, promulgation, impact on Jewish-Catholic relations: proceedings of the international conference, Jerusalem, 30 October - 1 November 2005. Christianity and history 5: Müns 2007, LIT xii; 218 pp. €29.90. 978-3-8258-0678-1. Conf. Jerusalem 2005.

941 ENauroy, Gérard Lire et éditer aujourd'hui AMBROISE de Milan. Recherches en littérature et spiritualité 13: Bern 2007, Lang 212 pp. Coll. Metz mai 2005.

942 EPouderon, Bernard; Duval, Yves-Marie L'historiographie de l'église des premiers siècles. ThH 114: 2001 ⇒17,541... 20,798. RSal. 69 (2007) 162-163 (*Pasquato, Ottorino*).

943 ERuether, Rosemary R. Feminist theologies: legacy and prospect. Mp 2007, Fortress 175 pp. $20. 978-08006-38948. Conf. Graduate Theological Union 2005.

944 ESattler, Dorothea; Wenz, Gunther Das kirchliche Amt in apostolischer Nachfolge, 2: Ursprünge und Wandlungen. DiKi 13: 2006 ⇒22, 858. RThLZ 132 (2007) 875-877 (*Gaßmann, Günther*).

945 ESchäfer, Peter Wege mystischer Gotteserfahrung: Judentum, Christentum und Islam—mystical approaches to God: Judaism, Christianity, and Islam. Schriften des Historischen Kollegs 65: 2006 ⇒22,859. RThLZ 132 (2007) 1298-1300 (*Talabardon, Susanne*).

946 EScheid, John Rites et croyances dans les religions du monde romain: huit exposés suivis de discussions. Entretiens 53: Genève 2007, Fondation Hardt x; 329 pp. 978-2-600-00753-5. Congr. Vandoeuvres 2006.

947 ESenn, Felix Welcher Gott?: eine Disputation mit Thomas Ruster: Jubiläumsschrift 50 Jahre 'Theologie für Laien'. 2004 ⇒20,804; 21,857. RSaThZ 11 (2007) 118-119 (*Gmainer-Pranzl, Franz*).

948 ESfameni Gasparro, Giulia, *al.*, Modi di comunicazione tra il divino e l'umano: tradizioni profetiche, divinazione, astrologia e magia nel mondo mediterraneo antico. Hierá 7: 2005 ⇒21,858. RRHR 224 (2007) 503-505 (*Van den Kerchove, Anna*).

949 ᴱShaked, Shaul Officina magica: essays on the practice of magic in antiquity. Studies in Judaica 4: 2005 ⇒21,859; 22,861. ᴿJAOS 127 (2007) 109-110 (*Miller, Daniel R.*).
950 ᴱSirat, René-S. Héritages de RACHI. Bibliothèque des fondations: P 2006, L'Éclat 320 pp. 28416-21286. Colloq. Troyes.
951 ᴱToniolo, E.M. La categoria teologica della compassione: presenza e incidenza nella riflessione su Maria di Nazaret. R 2007, Marianum 324 pp. XV Simposio Mariologico, Roma, ott. 2005.
952 ᴱWallraff, Martin JULIUS AFRICANUS und die christliche Weltchronik. TU 157: 2006 ⇒22,862. ᴿRBLit (2007)* (*Tloka, Jutta*).
953 ᴱWalter, Peter Das Gewaltpotential des Monotheismus und der dreieine Gott. 2005 ⇒21,863. ᴿThLZ 132 (2007) 915-916 (*Leuenberger, Martin*).
954 ᴱWittung, Jeffery A.; Christensen, Michael J. Partakers of the divine nature: the history and development of deification in the christian traditions. Madison (NJ) 2007, Fairleigh Dickinson Univ. Pr. 325 pp. 978-08386-41118. Drew University 21-22 May 2004; Bibl.

A2.5 *Acta* philologica et historica

955 ᴱAlroth, Brita; Hägg, Robin Greek sacrificial ritual: Olympian and Chthonian. 2005 ⇒21,866. ᴿAnCl 76 (2007) 412-413 (*Pirenne-Delforge, Vinciane*); Kernos 20 (2007) 387-399 (*Ekroth, Gunnel*).
956 ᴱBaroni, A. Amministrare un impero: Roma e le sue province. Labirinti 104: Trento 2007, Ed. Univ. degli Studi di Trento 216 pp. €20. 978-88844-32360. Conf. Trento 2005.
957 ᴱBertolini, Francesco; Gasti, F. Dialetti e lingue letterarie nella Grecia arcaica. 2005 ⇒21,869. ᴿREA 109 (2007) 312-314 (*Dobias-Lalou, Catherine*).
958 ᴱBertrand, J.M. La violence dans les mondes grec et romain. Histoire ancienne et médiévale 80: 2005 ⇒21,870; 22,868. ᴿRAr (2007/1) 142-144 (*Hoffmann, Geneviève*).
959 ᴱBlanc, Alain; Dupraz, Emmanuel Procédés synchroniques de la langue poétique en grec et en latin. Langues et Cultures Anciennes 9: Bru 2007, Safran 234 pp. 978-28745-70124. Actes d'un colloque oct. 2005, Rouen.
960 ᴱBlois, Lukas de; Lo Cascio, Elio The impact of the Roman army (200 BC-AD 476): economic, social, political, religious and cultural aspects: proceedings of the sixth workshop of the international network Impact of Empire (Roman Empire, 200 B.C.-A.D. 476), Capri, March 29-April 2, 2005. Lei 2007, Brill xxii; 589 pp. 978-90041-60446.
961 ᴱBouma, Gerlof; Kraemer, Irene; Zwarts, Joost Cognitive foundations of interpretation. VNAW.L 190: Amst 2007, Royal Netherlands Acad. of Arts and Sciences vii; 196 pp. 90-6984-49-31. Proceedings of the Colloquium, Amsterdam, 27-28 October 2004.
962 ᴱCapasso, Mario; Davoli, Paola New archaeological and papyrological researches on the Fayyum: proceedings of the International Meeting of Egyptology and Papyrology, Lecce, June 8th-10th, 2005. Papyrologica Lupiensia 14: Galatina 2007, Congedo 372 pp. €35. Ill.
963 ᴱCassuto, P.; Larcher, P. La formation des mots dans les langues sémitiques. Langues et Langage 15: Aix-en-Provence 2007, Publ. de

l'Univ. de Provence 202 pp. €25. 978-28539-96600. Col. Aix-en-Provence mai 2003.

964 [E]**Csapa, Eric; Miller, Margaret C.** The origins of theater in ancient Greece and beyond: from ritual to drama. C 2007, CUP xxi; 440 pp. £50. Colloquium.

965 [E]**Daverio Rocchi, Giovanna** Tra concordia e pace: parole e valori della Grecia antica: giornata di studio, Milano, 21 ottobre 2005. Quaderni di Acme 92: Mi 2007, Cisalpino xxviii; 376 pp. 978-88-311-363-1-0. Bibl. 877-899.

966 [E]**Declercq, Georges** Early medieval palimpsests. Bibliologia 26: Turnhout 2007, Brepols 155 pp. €49. 978-25035-24801.

967 [E]**Edzard, Lutz; Retsö, Jan** Current issues in the analysis of Semitic grammar and lexicon I. AKM 56/3: 2005 ⇒21,877. [R]BiOr 64 (2007) 326-332 (*Gzella, Holger*); OLZ 102 (2007) 206-213 (*Waltisberg, M.*).

968 [E]**Erler, Michael; Schorn, Stefan** Die griechische Biographie in hellenistischer Zeit: Akten des internationalen Kongresses vom 26.-29. Juli 2006 in Würzburg. Beiträge zur Altertumskunde 245: B 2007, De Gruyter vi; 492 pp. $157.

969 [E]**Faraone, C.A.; McLure, L.K.** Prostitutes and courtesans in the ancient world. 2006 ⇒22,876. [R]JRS 97 (2007) 279-281 (*Langlands, Rebecca*).

970 [E]**Frede, Dorothea; Inwood, Brad** Language and learning: philosophy of language in the Hellenistic Age. 2005 ⇒21,878; 22,878. [R]REA 109 (2007) 756-761 (*Bermon, Emmanuel*).

971 [E]**Frösén, Jaakko; Purola, Tina; Salmenkivi, Erja** Proceedings of the 24th International Congress of Papyrology, Helsinki, 1-7 August, 2004. CHL 122: Helsinki 2007, Societas Scientiarum Fennica 2 vols; 1-547; 549-1075 pp. €30+30.

972 [E]**Hekster, Olivier; Fowler, Richard** Imaginary kings: royal images in the ancient Near East, Greece and Rome. Oriens et Occidens 11: 2005 ⇒21,879. [R]AnCl 76 (2007) 489-491 (*Traina, Giusto*).

973 [E]**Hirsch-Luipold, Rainer** Gott und die Götter bei PLUTARCH: Götterbilder—Gottesbilder—Weltbilder. 2005 ⇒21,880. [R]BZ 51 (2007) 153-4 (*Klauck, Hans-Josef*); StPhiloA 19 (2007) 212-215 (*Runia, David T.*).

974 [E]**Lehmann, Yves** L'hymne antique et son public. Recherches sur les rhétoriques religieuses 7: Turnhout 2007, Brepols xix; 727 pp. 978-25-035-24641.

975 [E]**Lewin, Ariel S.; Pellegrini, Pietrina** The Late Roman army in the Near East from DIOCLETIAN to the Arab Conquest: proceedings of a colloquium held at Potenza..., May 2005. BAR.International Ser. 1717: Oxf 2007, Archaeopress iv; 441 pp. 978-14073-01617.

976 [E]**Lowden, John; Bovey, Alixe** Under the influence: the concept of influence and the study of illuminated manuscripts. Turnhout 2007, Brepols 234 pp. €80. 978-25035-15045. Coll. Courtauld Inst. 2003; Ill.

977 [E]**López Férez, Juan A.** Mitos en la literatura griega elenística e imperial. 2004 ⇒20,816. [R]At. 95 (2007) 1005-1006 (*Ferrari, Franco*).

978 [E]**Martinelli Tempesta, Stefano; Lozza, Giuseppe** L'epigramma greco: problemi e prospettive: atti del congresso della Consulta universitaria del greco, Milano, 21 ottobre 2005. Quaderni di Acme 91: Mi 2007, Cisalpino x; 175 pp. 978-88-323-6074-5.

979 [E]**Mathieu, Bernard; Bickel, Susanne** D'un monde à l'autre: textes des pyramides & textes des sarcophages. Bibliothèque d'étude 139: 2004 ⇒20,817; 22,880. [R]BiOr 64 (2007) 121-126 (*Nyord, Rune*).

980 ᴱ**Morenz, Ludwig D.; Schorch, Stefan** Was ist ein Text?: alttesta-
mentliche, ägyptologische und altorientalistische Perspektiven. BZAW
362: B 2007, De Gruyter xx; 393 pp. €91.59. 978-3-11-018496-9.
981 ᴱ**Naso, Alessandro** Stranieri e non cittadini nei santuari greci. 2006
⇒22,884. ᴿRAr (2007/1) 135-137 (*Rolley, Claude*).
982 ᴱ**Nicolas, Christian** Hôs ephat', dixerit quispiam, comme disait
l'autre... mécanismes de la citation et de la mention dans les langues de
l'antiquité. 2006 ⇒22,886. ᴿAnCl 76 (2007) 382-385 (*Donnet, Da-
niel*).
983 ᴱᵀ**Nogales, Trinidad; González, Julián** Culto imperial: política y po-
der. R 2007, Bretschneider 793 pp. 88826-54389. Congr. Merída 2006.
984 ᴱ**Parca, Maryline; Tzanetou, Angeliki** Finding Persphone: women's
rituals in the ancient Mediterranean. Bloomington 2007, Indiana Univ.
Pr. xiv; 327 pp. 0253-219388.
985 ᴱ**Schneider, Thomas** Das Ägyptische und die Sprachen Vorderasiens,
Nordafrikas und der Ägäis. AOAT 310: 2004 ⇒20,820; 21,892. ᴿBiOr
64 (2007) 101-105 (*Klotz, David*).

A2.7 *Acta* **orientalistica**

986 ᴱ**Azize, Joseph; Weeks, Noel** Gilgameš and the world of Assyria: pro-
ceedings of the conference held at Mandelbaum House, The University
of Sydney, 21-23 July 2004. ANESt.S 21: Lv 2007, Peeters viii; 240
pp. €84. 978-90-429-1802-3. ᴿJHScr 7 (2007)* = PHScr IV,538-543
(*Noegel, Scott*).
987 ᴱ**Bacqué-Grammont, J.L.; Pino, A.; Khoury, S.** D'un Orient l'autre.
Cahiers de la Société Asiatique n.s. 4: 2005 ⇒22,891. ᴿBEO 57 (2006-
2007) 199-204 (*James, Boris*).
988 ᴱ**Bietak, Manfred F.K.W.; Czerny, Ernst** The synchronisation of
civilisations in the eastern Mediterranean in the second millennium
B.C. III, proceedings of the SCIEM 2000-2nd EuroConference Vienna,
28th of May-1st of June 2003. Contributions to the chronology of the
Eastern Mediterranean 9; DÖAW 37: W 2007, Verlag d. Österr. Akad.
d. Wissenschaften 629 pp. 978-37001-35272.
989 ᴱ**Bosson, Nathalie; Bouvarel-Boud'hors, Anne** Actes du huitième
congrès international d'études coptes: Paris, 28 juin - 3 juillet 2004.
OLA 163: Lv 2007, Peeters 2 vols; xvi; 920 pp. 978-90-429-1909-9.
990 ᴱ**Bricault, Laurent; Meyboom, Paul G.P.; Versluys, Miguel J.** Nile
into Tiber: Egypt in the Roman world: proceedings of the IIIrd Interna-
tional Conference of Isis Studies, Faculty of Archaeology, Leiden Uni-
versity, May 11-14, 2005. RGRW 159: Lei 2007, Brill xxv; 562 pp.
€149/$194. 90-04-15420-5. Bibl. xiii-xvi.
991 ᴱ**Cannata, Maria** Current research in Egyptology 2006: proceedings
of the seventh annual symposium which took place at the University of
Oxford, April 2006. Oxf 2007, Oxbow xv; 176 pp. Bibl. 176.
992 ᴱ**Cardin, Christine; Goyon, Jean-Claude** Proceedings of the ninth
international congress of Egyptologists = Actes du neuvième congrès
international des égyptologues: Grenoble, 6-12 september 2004. OLA
150: Lv 2007, Peeters 2 vols; xxxi; 1060 + xxxi; 1062-2031 pp. €286.
978-90-429-1717-0.
993 ᴱ**Crawford, Harriet E.W.** Regime change in the ancient Near East
and Egypt: from Sargon of Agade to Saddam Hussein. PBA 136: Oxf
2007, OUP xv; 232 pp. £35. 0-19-726390-9.

994 ᴱDuyrat, Frédérique; Chankowski, Véronique Le roi et l'économie: autonomies locales et structures royales dans l'économie de l'empire séleucide. Topoi Supplément 6: Lyon 2004, Maison de l'Orient 595 pp. Actes des rencontres de Lille, 23 juin 2003, et d'Orléans, 29-30 janvier 2004; Bibl.

995 ᴱEndreffy, Kata; Gulyás, A. Tamás Proceedings of the fourth Central European Conference of Young Egyptologists: 31 August - 2 September 2006, Budapest. Studia Aegyptiaca 18: Budapest 2007, La Chaire d'Égyptologie 415 pp. 978-963-463-952-7.

996 ᴱFinkel, Irving L.; Geller, Markham J. Disease in Babylonia. Cuneiform monographs 36: Lei 2007, Brill viii; 226 pp. 90-04-12401-2. Conf. London Dec. 1996.

997 ᴱGundlach, Rolf; Klug, Andrea Das ägyptische Königtum im Spannungsfeld zwischen Innen- und Außenpolitik im 2. Jahrtausend v.Chr. 2004 ⇒20,828; 22,903. ᴿZDMG 157 (2007) 201-205 (*Quack, Joachim F.*).

998 ᴱHaring, Ben; Klug, Andrea 6. Ägyptologische Tempeltagung: Funktion und Gebrauch altägyptischer Tempelräume. Königtum, Staat und Gesellschaft früher Hochkulturen 3,1: Wsb 2007, Harrassowitz viii; 300 pp. €78. 978-34470-54362.

999 ᴱKokkinos, Nikos The world of the Herods: vol. 1 of the international conference *The world of the Herods and the Nabataeans* held at the British Museum, 17-19 April 2001. Oriens et Occidens 14: Stu 2007, Steiner 327 pp. €62. 978-35150-88176.

1000 ᴱLecarme, Jacqueline Research in Afroasiatic grammar II: selected papers from th Fifth Conference on Afroasiatic Languages, Paris, 2000. Current issues in linguistic theory 241: Amst 2003, Benjamins 547 pp. 90-272-4753-6.

1001 ᴱLowenstamm, Jean; Shlonsky, Ur; Lecarme, Jacqueline Research in Afroasiatic grammar: papers from the Third Conference on Afroasiatic Languages, Sophia Antipolis, France, 1996. Current issues in linguistic theory 202: Amst 2000, Benjamins vi; 378 pp. 90-272-3709-3. Bibl.

1002 ᴱMairs, Rachel; Stevenson, Alice Current research in Egyptology 2005: proceedings of the sixth annual symposium, University of Cambridge 2005. Oxf 2007, Oxbow x; 173 pp. $56. Bibl.

1003 ᴱMathieu, Bernard; Wissa, Myriam; Meeks, Dimitri L'apport de l'Égypte à l'histoire des techniques. Bibliothèque d'étude 142: 2006 ⇒22,906. ᴿBiOr 64 (2007) 375-377 (*Putter, Thierry de*).

1004 ᴱMichaud, Jean-Marc Le royaume d'Ougarit de la Crète à l'Euphrate: nouveaux axes de recherche. Proche-Orient et Littérature ougaritique 2: Sherbrooke 2007, FaTEP, Université de Sherbrooke xv; 654 pp. 978-28944-42265. Cong. Sherbrooke 2005.

1005 ᴱPolitis, Konstantinos D. The world of the Nabataeans: vol. 2 of the international conference *The world of the Herods and the Nabataeans* held at the British Museum, April 2001. Oriens et Occidens 15: Stu 2007, Steiner 392 pp. €62. 978-35150-88169. 150 fig.

1006 ᴱPostgate, J. Nicholas Languages of Iraq: ancient and modern. L 2007, British School of Archaeology in Iraq ix; 187 pp. $37.50. 978-0-903472-21-0. Study Day Nov. 2003.

1007 ᴱSánchez León, María L. V cicle de conferències 'Religions del món antic 5: la màgia'. Palma 2006, Fundació SA NOSTRA 202 pp. 84763-29717. Oct. -Dec. 2004, Palma.

1008 ᴱSchipper, Bernd U. Ägyptologie als Wissenschaft: Adolf ERMAN
(1854 - 1937) in seiner Zeit. 2006 ⇒22,910. ᴿArOr 75 (2007) 106-
108 (*Navrátilová, Hana*).
1009 Serekh III: Attualità archeologica in Egitto e Sudan; la diffusione
della civiltà faraonica; celebrazione trentennale dell'A.C.M.E. T
2006, A.C.M.E. iv; 162 pp.
1010 ᴱVermeulen, Urbain; D'Hulster, K. Egypt and Syria in the Fatimid,
Ayyubid, and Mamluk eras V: proceedings of the 11th, 12th and 13th
International Colloquium, organized at the Katholieke Universiteit
Leuven in May 2002, 2003 and 2004. OLA 169: Lv 2007, Peeters
xvi; 573 pp. 978-90-429-1945-7.
1011 ᴱVillard, Pierre; Battini-Villard, Laura Médecine et médecins au
Proche-Orient ancien: actes du colloque international organisé à Ly-
on les 8 et 9 novembre 2002, Maison de l'Orient et de la Méditerra-
née. Oxf 2006, Archaeopress xvii; 178 pp. 1-84171-750-9. Bibl.
1012 ᴱVoigt, Rainer From beyond the Mediterranean: Akten des 7. Inter-
nationalen Semitohamitistenkongresses (VII. ISHaK), Berlin 13. bis
15. September 2004. Semitica et Semitohamitica Berolinensia 5:
Aachen 2007, Shaker 572 pp. €48.80. 978-38322-63409.

A2.9 *Acta* archaeologica

1013 ᴱAngeli Bertinelli, Maria G.; Donati, Angela Le vie della storia:
migrazioni di popoli, viaggi di individui, circolazione di idee nel Me-
diterraneo antico. Serta antiqua et mediaevalia 9: 2006, ⇒22,914. In-
contro Genova 2004. ᴿREA 109 (2007) 733-736 (*Eck, Bernard*).
1014 ᴱBarta, Heinz; Rollinger, Robert Rechtsgeschichte und Interkultu-
ralität: zum Verhältnis des östlichen Mittelmeerraums und "Europas"
im Altertum. Philippika 19: Wsb 2007, Harrassowitz xi; 226 pp. 978-
3-447-05630-4. Bibl.; Contrib. ed. *Lang, Martin*.
1015 ᴱBietak, Manfred The Middle Bronze Age in the Levant: proceed-
ings of an international conference on MB IIA ceramic material, Vi-
enna 24th-26th January 2001. DÖAW 26: 2002 ⇒19,772; 21,918.
ᴿBer. 50 (2007) 117-119 (*Genz, Hermann*).
1016 ᴱBlenkinsopp, Joseph; Lipschits, Oded Judah and the Judeans in
the Neo-Babylonian period. 2003 ⇒19,776... 22,917. Conf. Tel Aviv
2001. ᴿPHScr II, 586-588 ⇒373 (*Chavalas, Mark W.*).
1017 ᴱBresson, A; Cocula, A.-M.; Pébarthe, C. L'écriture publique du
pouvoir. 2005 ⇒21,925. Coll. Bordeaux 2002. ᴿREA 109 (2007)
727-729 (*Fröhlich, Pierre*).
1018 ᴱBretschneider, Joachim; Driessen, Jan; Van Lerberghe, Karel
Power and architecture: monumental public architecture in the
Bronze Age Near East and Aegean. OLA 156: Lv 2007, Peeters x;
236 pp. €75. 978-90-429-1831-3. Conf. Leuven 2002.
1019 ᴱBréaud, Elisabeth Le patrimoine méditerranéen en question: sites
archéologiques, musées de sites, nouveaux musées. P 2006, De Boc-
card 316 pp. Coll. Monaco mars 2005. ᴿCRAI 4 (2007) 1551-1553
(*Laronde, André*).
1020 ᴱBriant, Pierre; Boucharlat, Rémy L'archéologie de l'empire aché-
ménide: nouvelles recherches. Persika 6: 2005 ⇒21,926; 22,921.
ᴿREA 109 (2007) 337-339 (*Martinez-Sève, Laurianne*).

1021 Bulletin de la Société française d'archéologie classique (XXXVIII, 2005-2006). RAr 1 (2007) 155-221.

1022 ᴱCampbell, Jonathan Goodson; Lyons, William John; Pietersen, Lloyd K. New directions in Qumran studies: proceedings of the Bristol colloquium on the Dead Sea scrolls, 8-10 September 2003. 2005 ⇒21,928. ᴿJJS 58 (2007) 160-162 (*Vermes, Geza*).

1023 ᴱCarmignani, P., *al.*, Le corps dans les cultures méditerranéennes: actes du colloque des 30-31 mars & 1ᵉʳ avril à l'Université de Perpignan. Etudes: Perpignan 2007, Presses Université de Perpignan 350 pp. €25. 978-23541-20061.

1024 ᴱClark, Douglas R.; Matthews, Victor H. One hundred years of American archaeology in the Middle East. 2003 ⇒19,784; 21,930. ᴿNEA(BA) 70 (2007) 63-64 (*Hallote, Rachel*).

1025 ᴱCleland, Liza; Stears, Karen Colour in the ancient Mediterranean world. BAR-IS 1267: 2004 ⇒21,931. ᴿAJA 111 (2007) 371-373 (*Ruscillo, Deborah*).

1026 ᴱÇilingiroglu, Altan; Sagona, Antonio Anatolian Iron Ages 6: the proceedings of the Sixth Anatolian Iron Ages Colloquium, Eskisehir, 2004. ANESt.S 20: Lv 2007, Peeters viii; 347 pp. 978-90429-18016.

1027 ᴱDasen, Véronique Naissance et petite enfance dans l'antiquité: actes du colloque de Fribourg, 28 novembre - 1er décembre 2001. OBO 203: 2004 ⇒20,856; 21,933. ᴿRAr (2007/1) 147-149 (*Collin-Bouffier, Sophie*); WO 36 (2006) 239-241 (*Stol, Marten*); BiOr 63 (2006) 269-273 (*Lion, Brigitte*).

1028 ᴱDescat, Raymond Approches de l'économie hellénistique. 2006 ⇒ 22,926. ᴿBiOr 64 (2007) 492-496 (*Aperghis, G.G.*).

1029 ᴱDuyrat, Frédérique; Picard, Olivier L'exception égyptienne?: production et échanges monétaires en Egypte hellénistique et romaine. Etudes alexandrines 10: 2005 ⇒21,937; 22,928. ᴿEgypte Afrique & Orient 46 (2007) 49-50 (*Albert, Florence*).

1030 ᴱEiring, Jonas; Lund, John Transport amphorae and trade in the eastern Mediterranean. 2004 ⇒20,860. ᴿAJA 111 (2007) 174-175 (*Schmid, Stephan G.*).

1031 ᴱFlourentzos, Pavlos Proceedings of the International Archaeological Conference 'From Evagoras I to the Ptolemies': the transition from the classical to the Hellenistic period in Cyprus. Nicosia 2007, Dept of Antiquities xx; 296 pp. 978-99633-64428. Nicosia 2002.

1032 ᴱGalaty, Michael L.; Parkinson, William A. Rethinking Mycenaean palaces II. LA 2007, Cotsen Inst. of Archaeology x; 254 pp. $70/ 40. 978-19317-45437/27.

1033 ᴱGalor, Katharina; Humbert, Jean-Baptiste; Zangenberg, Jürgen Qumran, the site of the Dead Sea scrolls. StTDJ 57: 2006 ⇒22, 932. ᴿBASOR 347 (2007) 114-116 (*Goranson, Stephen*); PEQ 139 (2007) 132-135 (*Mizzi, Dennis*); OLZ 102 (2007) 138-141 (*Zwickel, Wolfgang*).

1034 ᴱHardmeier, Christof Steine–Bilder–Texte: historische Evidenz außerbiblischer und biblischer Quellen. ABIG 5: 2001 ⇒17,613; 18, 742. ᴿThR 72 (2007) 170-171 (*Zwickel, Wolfgang*).

1035 ᴱHoffmeier, James K.; Millard, Alan R. The future of biblical archaeology: reassessing methodologies and assumptions. 2004 ⇒20, 869... 22,939. ᴿThR 72 (2007) 164-165 (*Zwickel, Wolfgang*); BASOR 345 (2007) 94-96 (*Hallote, Rachel*).

1036　^E**Höghammar, Kerstin** The Hellenistic polis of Kos: state, economy and culture. AUU.Boreas 28: 2004 ⇒20,871. ^RRAr (2007) 378-381 (*Le Dinahet, Marie-Thérèse*).

1037　^E**Kuzucuoğlu, Catherine; Marro, Catherine** Sociétés humaines et changement climatique à la fin du troisième millénaire: une crise a-t-elle eu lieu en Haute Mésopotamie?: actes du Colloque de Lyon, 5-8 déc. 2005. Varia Anatolica 19: P 2007, Institut français d'études anatoliennes d'Istanbul 590 pp. €95. 978-20960-53946.

1038　^E**Laneri, Nicola** Performing death: social analyses of funerary traditions in the ancient Near East and Mediterranean. Oriental Institute seminars 3: Ch 2007, Oriental Institute of the University of Chicago xviii; 317 pp. £19. 978-1-885923-50-9.

1039　^E**Larsson Lovén, Lena; Strömberg, Agneta** Public roles and personal status: men and women in antiquity. Proc. third Nordic symposium on gender and women's history in antiquity, Copenhagen 3-5 October 2003. Studies in Mediterranean Archaeology and Literature 172: Sävedalen 2007, Åström xiv; xxi; 265 pp. 978-91780-12378.

1040　^E**Levy, Thomas E.; Higham, Thomas** The bible and radiocarbon dating: archaeology, text and science. 2005 ⇒21,952. ^RAntiquity 81 (2007) 210-212 (*Whiting, Charlotte*); PEQ 139 (2007) 139-140 (*Oddy, Andrew*).

1041　^E**Lipschits, Oded; Oeming, Manfred** Judah and the Judeans in the Persian period. 2006 ⇒22,941. ^RBASOR 346 (2007) 100-101 (*Betlyon, John W.*); BiOr 64 (2007) 697-701 (*Albertz, Rainer*); CBQ 69 (2007) 621-624 (*Bautch, Richard J.*).

1042　^E**Marchand, Sylvie; Marangou, Antigone** Amphores d'Egypte de la basse époque à l'époque arabe. Cahiers de la céramique égyptienne 8: Cairo 2007, Institut français d'archéologie orientale 2 vols; x; 417 + x; 370 pp. €108. 978-27247-04570. Num. ill.

1043　^E**Massa-Pairault, F.-H.; Gauron, G.** Images et modernité hellénistiques: appropriation et représentation du monde d'Alexandre à César. CEFR 390: R 2007, École française de Rome 272 pp. 27283-07807. Colloq. Rome, mai 2004.

1044　^E**Mazoyer, Michel**, *al.*, L'homme et la nature: histoire d'une colonisation. Actes du colloque international, 3-4 décembre 2004, l'Institut catholique de Paris. P 2006, L'Harmattan 339 pp. 2296-019145. Bibl.

1045　^E**Mitchell, Stephen; Erkut, Gülden** The Black Sea: past, present and future. Proc. international, interdisciplinary conference, Istanbul, Oct. 2004. Mon. 42: L 2007, British Institute of Archaeology at Ankara 172 pp. 978-1-898249-21-4.

1046　^E**Morrison, Elizabeth; Kren, Thomas** Flemish manuscript painting in context. LA 2007, Getty Museum 160 pp. $60. 978-08923-68525. Symposia 2003.

1047　^E**Neudecker, Richard; Zanker, Paul** Lebenswelten, Bilder und Räume in der römischen Stadt der Kaiserzeit. 2005 ⇒21,954. ^RRAr (2007) 401-403 (*Turcan, Robert*).

1048　^E**Nichols, J.J.; Schwartz, G.M.** After collapse: the regeneration of complex societies. 2006 ⇒22,944. ^RBiOr 64 (2007) 452-455 (*Claessen, H.J.M.*).

1049　^E**Nielsen, Inge** Zwischen Kult und Gesellschaft: kosmopolitische Zentren des antiken Mittelmeerraumes als Aktionsraum von Kultvereinen und Religionsgemeinschaften. Hephaistos 24: Augsburg

2007, Camelion 278 pp. 0174-2086. Akten Symposiums des Archäologischen Instituts, Universität Hamburg, Okt. 2005; 118 fig.

1050 ᴱNigro, Lorenzo, al., Byblos and Jericho in the Early Bronze I, social Dynamics and cultural interactions. Proc. international workshop, Rome March 6th 2007, "La Sapienza". Studies on the archaeology of Palestine & Transjordan 4: R 2007, "La Sapienza" Expedition to Palestine & Jordan v; 133 pp. €30. 88-88438-06-8.

1051 ᴱRodgers, Zuleika Making history: JOSEPHUS and historical method. JSJ.S 110: Lei 2007, Brill xiv; 471 pp. €139. 90-04-15008-0. Josephus Colloquium Trinity College Dublin Sept. 2004.

1052 ᴱRollinger, Robert; Ulf, Christoph Commerce and monetary systems in the ancient world. Oriens et Occidens 6; Melammu Symposia 5: 2004 ⇒20,890. ᴿREA 109 (2007) 307-308 (Bréniquet, Catherine); HZ 285 (2007) 679-682 (Reden, Sitta von).

1053 ᴱSanders, Seth L. Margins of writing, origins of cultures. University of Chicago Oriental Institute seminars 2: 2006 ⇒22,949. ᴿBiOr 64 (2007) 801-803; JAOS 127 (2007) 561-563 (Chavalas, Mark W.).

1054 ᴱSauzeau, Pierre; Van Compernolle, Thierry Les armes dans l'antiquité: de la technique à l'imaginaire. Montpellier 2007, Presses universitaires de la Méditerranée 691 pp. 978-28426-97990. Colloq. du SEMA, Montpellier mars 2003.

1055 ᴱStarkey, Janet C.M. People of the Red Sea. BAR Int. Ser. 1395: 2005 ⇒21,961. ᴿBASOR 345 (2007) 90-91 (Hoffman, Tracy).

1056 ᴱVilling, Alexandra The Greeks in the east. 2005 ⇒21,965; 22,953. ᴿAJA 111 (2007) 588-589 (Kopanias, Konstantinos).

1057 ᴱWilhelm, Gernot Akten des IV. Internationalen Kongresses für Hethitologie Würzburg, 4.-8. Oktober 1999. StBT 45: 2001 ⇒17,650... 22,954. ᴿPHScr II, 662-664 ⇒373 (Beckman, Gary).

1058 ᴱYounger, K. Lawson Ugarit at seventy-five. WL 2007, Eisenbrauns xii; 183 pp. $32.50. 978-15750-61436. Symposium, Trinity International Univ. 2005.

A3.1 *Opera consultationis*—Reference works *plurium* infra

1059 DHGE: Dictionnaire d'histoire et de géographie ecclésiastiques, Fasc. 172: Kutschker-Lacus Dulcis. ᴱAubert, R. P 2007, Letouzé et A. 1025-1280 col. 978-2-7063-0242-8;

1060 Fasc. 173: Lacy-Lambardi. 1281-1520 col. 978-2-7063-0243-5.

1061 Encyclopaedia Aethiopica, 3. He - N. ᴱUhlig, Siegbert Wsb 2007, Harrassowitz xxvii; 1211 pp. 3-447-05607-X.

1062 RAC: Reallexikon für Antike und Christentum: Lieferung 170: Krieg-Kritische Zeichen: ᴱSchöllgen, Georg, al., Stu 2007, Hiersemann 1-160 col. 9783-7772-0704-9;

1063 Lieferung 171: Kritische Zeichen-Kultgebäude. 161-320 col. 9783-7772-07223;

1064 Lieferung 172: Kultgebäude [Forts.]-Kuppel I. 321-480 col. 9783-7772-07230;

1065 Lieferung 173: Kuppel I-Kynismus. 481-640 col. 9783-7772-07308.

1066 Religion past & present: encyclopedia of theology and religion, 1: A-Bhu. ᴱBetz, Hans D.; Orton, David E., al., Lei 2007, Brill ciii; 719 pp. $279. 90-04-13980-X. Transl. of RGG, 4th ed.;

1067 2: Bia-Chr. cxii; 664 pp. €249/$279. 978-90-04-146082;

1068   3: Chu-Deu. cxii; 795 pp. 978-90041-39794.
1069   **RGG:** Religion in Geschichte und Gegenwart: Register. ^E ... **Betz, Hans
       D.**, *al.*, Tü ⁴2007, Mohr 1596 pp. 978-31614-69497.
1070   **RLA:** Reallexikon der Assyriologie 10: Oannes-Priesterverkleidung.
       ^E**Edzard, D.O.** 2005 ⇒21,975. ^RBiOr 64 (2007) 656-666 (*Attinger,*
       Pascal);
1071   11/3-4: Qaṭṭunān-Religion. A. ^E**Streck, M.P.** B 2007, De Gruyter
       171-330 pp. 9783-11019-5446;
1072   11/5-6: Religion. A - Šaduppûm.B. 331-494 pp. 9783-11019-5453.
1073   **TRE:** Theologische Realenzyklopädie: Gesamtregister Band 1: Bi-
       belstellen, Orte, Sachen. ^E**Döhnert, Albrecht** 2006 ⇒22,964.
       ^RCDios 220 (2007) 499-500 (*Gutiérrez, J.*);
1074   2: Namen.^E**Döhnert, Albrecht; Ott, Katrin** B 2007, De Gruyter
       xi;772 pp. €248. 978-31101-90786.

A3.3 *Opera consultationis* **biblica** *non excerpta infra*—not subindexed

1075   **Andrés, Rafael de** Los verbos del Verbo: conjugar la vida al ritmo
       de Jesús. M 2007, Perpetuo Socorro 415 pp.
1076   ^E**Arnold, Bill T.; Williamson, Hugh G.M.** Dictionary of the Old
       Testament: historical books. 2005 ⇒21,979; 22,967. ^RKerux 22/1
       (2007) 38-46 (*Dennison, James T., Jr.*); RRT 14 (2007) 174-175
       (*Kim, Uriah Y.*); VeE 28 (2007) 742-744 (*Groenewald, Alphonso*);
       CBQ 69 (2007) 107-108 (*Schweitzer, Steven J.*).
1077   **Bauer, Thomas J.** Who is who in der Welt Jesu?. FrB 2007, Herder
       271 pp. 978-3-451-29615-4.
1078   ^E**Berlejung, Angelika; Frevel, Christian** Handbuch theologischer
       Grundbegriffe zum Alten und Neuen Testament (HGANT). 2006
       ⇒22,968. ^RBiKi 62/1 (2007) 65-66 (*Blum, Matthias*); ThRv 103
       (2007) 378-379 (*Gradl, Hans-Georg*).
1079   ^E**Betz, Otto; Ego, Beate; Grimm, Werner** Calwer Bibellexikon. Stu
       ²2006 <2003>, Calwer 2 vols; 1518 pp. 978-37668-38384. Num. ill.
1080   **Bimson, John J.** Encylopedie van bijbelse plaatsen. Kampen 2007,
       Kok 408 pp. €22.50. 978-90435-06830.
1081   **Court, John M.** The Penguin dictionary of the bible. L 2007, Pen-
       guin xxxiii; 419 pp. 978-0-14-101533-0.
1082   ^E**De Virgilio, Giuseppe** Dizionario biblico della vocazione. R 2007,
       Rogate xlv; 1080 pp. €98. 97888-8075-3476. Pres. *Giuseppe Betori.*
1083   *Engelhardt, Arndt* Divergierende Perspektiven: zur Rezeption der
       deutsch-jüdischen Enzyklopädien in der Weimarer Republik. Trumah
       17 (2007) 39-53.
1084   **Evans, Craig A.** Ancient texts for New Testament studies: a guide to
       the background literature. 2005 ⇒21,985; 22,971. ^RBS 164 (2007)
       372-373 (*Fantin, Joseph D.*); CBQ 69 (2007) 144-145 (*Aageson,*
       James W.).
1085   **Gilmore, Alec** A concise dictionary of bible origins and interpreta-
       tion. L 2007, Clark xvi; 228 pp. £17. 978-05670-30979.
1086   **GLAT** 7: Grande lessico dell'Antico Testamento, 7: קרבן - עת.
       ^E**Fabry, Heinz-Josef; Ringgren, Helmer; Borbone, Pier G.**;
       ^T*Bianchi, Francesco; Gatti, Vincenzo; Ronchi, Franco* Brescia 2007,
       Paideia xvi pp; 1142 col.. €114. 978-88394-07443.

1087 **Hays, J. Daniel; Duvall, J. Scott; Pate, C. Marvin** Dictionary of biblical prophecy and end times. GR 2007, Zondervan 512 pp. $30. 978-0-310-25663-2.

1088 **Henrich, Sara S.** Great themes of the Bible, 2. LVL 2007, Westminster viii; 143 pp. 978-0-664-23064-7.

1089 **Heriban, Jozef** Dizionario terminologico-concettuale di scienze bibliche e ausiliarie. 2005 ⇒21,989; 22,976. ᴿSal. 69 (2007) 371-372 (*Amata, Biagio*).

1090 ᴱ**Houlden, Leslie** Jesus: the complete guide. 2005 <2003>, ⇒22, 978. ᴿCBQ 69 (2007) 402-403 (*McKnight, Scot*).

1091 **Lang, J. Stephen** Everyday biblical literacy: the essential guide to biblical allusions in art, literature, and life. Cincinnati 2007, Writer's Digest vi; 426 pp. 978-1-582-97460-6.

1092 **Mandel, David** Who's who in the Jewish Bible. Ph 2007, Jewish Publication Society xx; 422 pp. 978-0-8276-0863-4. Bibl. 421-422.

1093 **March, W. Eugene** Great themes of the bible, 1. LVL 2007, Westminster vii; 143 pp. 978-0-664-22918-4.

1094 ᴱ**McKim, Donald K.** Dictionary of major biblical interpreters. DG ²2007 <1998>, IVP Academic xxviii; 1106 pp. £30. 9780830829279.

1095 **Mesotten, Bart** Valse profeten: honderden bijbelse woorden en uitdrukkingen te gast in het Nederlands. Averbode 2007, Altiora 644 pp. €36.50. 978-90317-25236.

1096 **NIDB** 1: New interpreter's dictionary of the bible: A-C. ᴱ**Sakenfeld, Katharine D.** 2006 ⇒22,982. ᴿRBLit (2007)* (*Vogels, Walter A.*);

1097 2: D-H. Nv 2007, Abingdon xxix; 1012 pp. $75. 978-0687-333554.

1098 **Pikaza Ibarrondo, Xabier** Diccionario de la biblia: historia y palabra. Estella 2007, Verbo Divino 1112 pp. €59. 978-84816-97261.

1099 ᴱ**Porter, Stanley E.** Dictionary of biblical criticism and interpretation. L 2007, Routledge xii; 406 pp. $220. 978-0-415-20100-1.

1100 ᴱ**Ryken, Leland; Wilhoit, James C.; Longman, Tremper, III** Le immagini bibliche: simboli, figure retoriche e temi letterari della bibbia. 2006 ⇒22,986. ᴿCivCatt 158/3 (2007) 326-327 (*Scaiola, D.*).

1101 **Schelling, Piet** Werkwoorden in de bijbel: hun betekenis in godsdienst en cultuur. 2006 ⇒22,987. ᴿStr. 74 (2007) 468-469 (*Beentjes, Panc*).

1102 **Tate, W. Randolph** Interpreting the Bible: a handbook of terms and methods. 2006 ⇒22,988. ᴿSNTU.A 32 (2007) 282-283 (*Urbanz, Werner; Zopf, Bernhard*); FgNT 20 (2007) 155-157 (*Stenschke, Christoph*); RBLit (2007)* (*McKenzie, Steven L.*).

1103 **TDOT**: Theological Dictionary of the Old Testament, 15: ־ תַּרְשִׁישׁ שָׂכַר šākar—taršîš. ᴱ**Botterweck, G. Johannes; Ringgren, Helmer; Fabry, Heinz-J.**; ᵀ*Green, David E.; Stott, Douglas W.* 2006 ⇒22, 989. ᴿVJTR 71 (2007) 236-237 (*Gispert-Sauch, G.*); EstTrin 41 (2007) 424-426 (*Pikaza, Xabier*); RBLit (2007)* (*Barrick, W. Boyd*).

1104 **Tischler, Nancy M.P.** All things in the bible: an encyclopedia of the biblical work. 2006, ⇒22,992. ᴿCBQ 69 (2007) 343-344 (*MacDonald, Burton*).

1105 ᴱ**Vanhoozer, Kevin J.**, *al.*, Dictionary for theological interpretation of the bible. 2005 ⇒21,1000; 22,993. ᴿFaith & Mission 24/2 (2007) 77-8 (*Bush, L. Russ*); TrinJ 28 (2007) 312-4 (*Yarbrough, Robert W.*).

1106 **Waldram, Joop** Encyclopedie van de bijbel in de Nieuwe Vertaling. 2006 ⇒22,996. ᴿStr. 74 (2007) 664-665 (*Beentjes, Panc*).

1107   **Yaghjian, Lucretia** Writing theology well: a rhetoric for theological and biblical writers. NY 2006, Continuum xxi; 354 pp. $25. 978-08264-18852. [R]RBLit (2007)* (*Reasoner, Mark*).

A3.5 *Opera consultationis* **theologica** *non excerpta infra*

1108   Abkürzungen Theologie und Religionswissenschaften nach **RGG** 4. UTB 2868: Tü 2007, Mohr S. 302 pp. 978-3-8252-2868-2.

1109   [E]**Baum, Wolfgang; Franz, Albert; Kreutzer, Karsten** Lexicon philosophischer Grundbegriffe der Theologie. FrB 2007, Herder 520 pp. 34512-90954.

1110   [E]**Bolognesi, Pietro; De Chirico, Leonardo; Ferrari, Andrea** Dizionario di teologia evangelica. Marchirolo 2007, Uomini nuovi xv; 875 pp. €58. 88077-2736. [R]ThEv(VS) 6/1 (2007) 75-77 (*Gysel, David*); Il Regno 52 (2007) 699 (*Stefani, Piero*).

1111   **Buchanan, Colin** Historical dictionary of Anglicanism. Lanham, MD 2006, Scarecrow liii; 554 pp.

1112   [E]**Christophersen, A.; Jordan, S.** Lexikon Theologie: hundert Grundbegriffe. Stu 2007, Reclam 360 pp. €9. 3-15-018493-6.

1113   [E]**Corrie, John; Escobar, J. Samuel; Shenk, Wilbert** Dictionary of mission theology: evangelical foundations. DG 2007, Intervarsity 462 pp. $37.

1114   **Della Rocca, Roberto; Luzzani, Sonia B.** I dizionari delle religioni: ebraismo. Mi 2007, Mondadori 332 pp. 320 ill.

1115   [E]**Di Berardino, Angelo** Nuovo dizionario patristico e di antichità cristiane, A-E. [2]2006 <1983> ⇒22,999. [R]Lat. 73 (2007) 839-840 (*Pasquato, Ottorino*);

1116   F-O. R [2]2007 <1983>, Institutum Patristicum Augustinianum xxxii; 1816 pp. €120. 978-88211-67416.

1117   [E]**Döpp, S.; Geerlings, W.; Noce, Celestino** Dizionario di letteratura cristiana antica. 2006 ⇒22,1000. [R]SapDom 60 (2007) 227-228 (*Pizzorni, Reginaldo M.*); Lat. 73 (2007) 837-838 (*Pasquato, Ottorino*).

1118   **Drobner, Hubertus R.** The fathers of the church: a comprehensive introduction. [T]*Schatzmann, Siegfried* Peabody, MA 2007, Hendrickson lvi; 632 pp. $45. 978-15656-33315.

1119   [E]**Espín, Orlando O.; Nickoloff, James B.** An introductory dictionary of theology and religious studies. ColMn 2007, Liturgical xxxiii; 1521 pp. $50. 978-08146-58567.

1120   [E]**Farruggia, Edgard G.** Diccionario enciclopédico del Oriente cristiano. Burgos 2007, Monte Carmelo 715 pp.

1121   **Fischer, Bonifatius; Frede, Hermann J.; Gryson, Roger** Répertoire général des auteurs ecclésiastiques latins de l'antiquité et du haut Moyen Âge. VL 1.5: FrB [5]2007, Herder 2 vols.; 1085 pp. 978-3-451-00134-5/7-6.

1122   **Floriani, Giovanni** I dizionari delle religioni: cristianesimo. Mi 2007, Mondadori 333 pp. 321 ill.

1123   [E]**Glazier, Michael; Hellwig, Monika K.** The modern catholic encyclopedia. [2]2004 <1994> ⇒20,968. [R]ACR 84/1 (2007) 116-118 (*Cullen, Michael*).

1124   [E]**González, Justo L.** The Westminster dictionary of theologians. 2006 ⇒22,1008. [R]CTJ 42 (2007) 399-401 (*Pattison, Bonnie L.*).

1125 ^E**Graf, Friedrich W.** Klassiker de Theologie, 1: von TERTULLIAN bis
      CALVIN, 2: von Richard SIMON bis Karl RAHNER. Becksche Reihe
      1630-1631: 2005 ⇒21,1015. ^RThPh 82 (2007) 283-4 (*Sieben, H.-J.*).
1126 ^E**Kaufhold, Hubert** Kleines Lexikon des Christlichen Orients. ^E*Aß-
      falg, Julius* (orig. ed.) Wsb ²2007 <1975>, Harrassowitz xlv; 655 pp.
      €68. 978-34470-53822.
1127 ^E**Lacoste, Jean-Yves** Encyclopedia of christian theology. 2005 ⇒21,
      1021. ^REThL 83 (2007) 471-474 (*Geldhof, J.*).
1128 **Lacoste, Jean-Yves**, *al.*, Dictionnaire critique de théologie. P ³2007
      <1998, 2002>, PUF xxxix; 1587 pp. €39. 978-21305-57364.
1129 ^E**Livingstone, E.A.** Oxford concise dictionary of the christian
      church. ³2006 ⇒22,1014. ^RSBET 25 (2007) 242-243 (*Talbot, Bri-
      an*); JECS 15 (2007) 439-440 (*Kelly, Joseph F.*).
1130 **Moreschini, Claudio; Norelli, Enrico** Handbuch der antiken christ-
      lichen Literatur. ^T*Steinweg-Fleckner, E.; Haberkamm, A.* Gü 2007,
      Gü xvii; 662 pp. €98. 978-3-579-05387-5.
1131 ^E**Neusner, Jacob; Avery-Peck, Alan J.** Encyclopedia of religious
      and philosophical writings in late antiquity: pagan, Judaic, christian.
      Lei 2007, Brill xii; 468 pp. €239/$299. 978-03910-41400.
1132 **Rayment-Pickard, Hugh** 50 key concepts in theology. L 2007, Dar-
      ton L. & T. vi; 170 pp. £11. 978-02325-26226.
1133 ^E**Sheldrake, Philip** The new Westminster[/SCM] dictionary of chris-
      tian spirituality. 2005 ⇒21,1030; 22,1019. ^RCTJ 42 (2007) 424-425
      (*Schwanda, Tom*).
1134 Thesaurus cultus et rituum antiquorum (ThesCRA), 1: processions,
      sacrifices, libations, fumigations, dedications. ^E**Balty, Jean Charles;
      Lambrinoudakis, Vassili** 2004 ⇒20,981; 22,1022. ^RRAr (2007)
      339-344 (*Ferriès, Marie-Claire*);
1135 1-5. 2004-2005 ⇒20,981... 22,1023. ^RKernos 20 (2007) 458-462
      (*Bonnet, Corinne*);
1136 4-6. 2005-2006 ⇒21,1034; 22,1024. ^RAnCl 76 (2007) 402-404
      (*Raepsaet-Charlier, Marie-Thérèse*).
1137 ^E**Veglianti, Tullio** Dizionario teologico sul sangue di Cristo. Città
      del Vaticano 2007, Libreria Editrice Vaticana xiv; 1585 pp. 978-88-
      209-7886-0. ^RRivLi 94 (2007) 714-719 (*Venturi, Gianfranco*).
1138 **Worth, Roland H.** Shapers of early Christianity: 52 biographies,
      A.D. 100-400. Jefferson (N.C.) 2007, McFarland vi; 195 pp. 978-0-
      7864-2923-3. Bibl. 165-192.

A3.6 *Opera consultationis* generalia

1139 Brill's new Pauly: encyclopaedia of the ancient world, classical tradi-
      tion, 10: Obl-Phe. ^E**Cancik, Hubert; Schneider, Helmuth**, *al.*, Lei
      2007, Brill lvi pp; 954 col. €215.22. 978-90-04-14215-2;
1140 11: Phi-Prok. Lei 2007, Brill xlix pp; 952 col.. €215.22. 978-90-04-
      14216-9;
1141 2: Dem-Ius. ^E**Landfester, Manfred**, *al.*, Lei 2007, Brill lvi pp; 1215
      col. €215.22. 90-04-14222-3.
1142 ^E**Cavallotto, Stefano; Mezzadri, Luigi** Dizionario dell'età delle
      riforme: 1492-1622. Grandi opere: R 2007, Città N. 662 pp. €65. 88-
      311-93341. ^RGr. 88 (2007) 459-460.

1143   ^E**Chavalas, Mark W.** The ancient Near East: historical sources in
       translation. 2006 ⇒22,1030. ^RBiOr 64 (2007) 320-325 (*Dercksen,
       J.G.*).
1144   ^E**Cicurel, Francine** Anthologie du judaïsme: 3000 ans de culture
       juive. P 2007, Nathan 463 pp. Préf. *Michel Serres.*
1145   **Coda, Piero; Filoramo, Giovanni** Dizionario del cristianesimo.
       2006 ⇒22,1031. ^RRdT 48 (2007) 467-468 (*Gamberini, Paolo*).
1146   Dizionario dei papi: i pontefici della storia. T 2006, UTET 208 pp.
       88-02-07406-2.
1147   ^E**Eder, Walter; Renger, Johannes** Brill's new Pauly: chronologies
       of the ancient world: names, dates and dynasties. ^{TE}*Henkelman, Wou-
       ter*; ^E*Chenault, Robert* Brill's new Pauly: supplements 1: Lei 2007,
       Brill lvi; 363 pp. €133.22. 90-04-153209.
1148   Encyclopaedia aethiopica, 2: D-Ha. ^E**Uhlig, Siegbert** 2005 ⇒21,
       1040. ^ROLZ 102 (2007) 397-407 (*Elliesie, Hattem*).
1149   Encyclopaedia Judaica. ^E**Skolnik, Fred** Macmillan ²2007 <1972>,
       Farmington Hills, MI 22 vols. 002-865928-7. ^RBArR 33/2 (2007) 18.
1150   Encyclopédie de l'Islam, 12: Supplément. ^E**Bearman, P.J.**, *al.*, Lei
       2007, Brill xv; 877 pp. €885.22. 978-90041-18522;
1151   Index tome, livraison 1: index des matières. 139 pp. 978-9004-
       156555.
1152   Enzyklopädie des Märchens, 12: Schinden-Sublimierung. ^E**Brednich,
       Rolf W.**, *al.*, B 2007, De Gruyter xvi; 1440 col. €115. 978-311-019-
       9369.
1153   **Ghiazza, Silvana; Napoli, Marisa** Le figure retoriche: parola e im-
       magine. Bo 2007, Zanichelli 350 pp.
1154   ^E**Hanegraaff, Wouter J.** Dictionary of gnosis and western esoteri-
       cism. 2005, ⇒21,1046; 22,1038. ^RLTP 63 (2007) 124-125 (*Poirier,
       Paul-Hubert*); DiEc 42 (2007) 235-236 (*Santamaría del Rio, Luis*).
1155   Historisches Wörterbuch der Rhetorik, 8: Rhet-St. ^E**Ueding, Gert** Tü
       2007, Niemeyer v; 1466 Sp.. €145. 978-34846-81088.
1156   **Kelly, Adrian** A referential commentary and lexicon to HOMER,_
       Iliad VIII. Oxf 2007, OUP ix; 515 pp.
1157   ^E**Landfester, Manfred** Geschichte der antiken Texte: Autoren- und
       Werklexikon. Der neue Pauly: Supplemente 2: Stu 2007, Metzler x;
       622 pp. €130. 978-34760-20307.
1158   ^E**Leclant, Jean** Dictionnaire de l'antiquité. Quadrige: 2005 ⇒21,
       1051. ^RAnCl 76 (2007) 231-232 (*Raepsaet-Charlier, Marie-T.*).
1159   ^E**Martin, Michael** The Cambridge companion to atheism. C 2007,
       CUP xix; 331 pp. 978-0-521-60367-6.
1160   ^E**Moseley, Christopher** Encyclopedia of the world's endangered lan-
       guages. L 2007, Routledge xvi; 669 pp. 978-0-7007-1197-0.
1161   **Norwick, Stephen A.** The history of metaphors of nature: science
       and literature from HOMER to Al Gore. Lewiston (N.Y.) 2006, Mel-
       len 2 vols. 978-0-7734-5592-4/3-1. Bibl. 863-916.
1162   ^E**Oleson, John P.** The Oxford handbook of engineering and technol-
       ogy in the classical world. Oxf 2007, OUP xviii; 865 pp. £82. 978-
       01951-87311.
1163   The SBL handbook of style: for ancient Near Eastern, biblical, and
       early christian studies. ^E**Alexander, Patrick H.**, *al.*, Peabody, Mass.
       2007, Hendrickson xiv; 282 pp. 978-1-56563-487-9.
1164   ^E**Schmitt, Hatto H.; Vogt, Ernst** Lexikon des Hellenismus. 2005 ⇒
       21,1056; 22,1046. ^RAnCl 76 (2007) 511-512 (*Straus, Jean A.*); WO
       37 (2007) 240-242 (*Leitz, Christian*).

1165 ^E**Shipley, G.**, *al.*, The Cambridge dictionary of classical civilization. 2006, ⇒22,1047. al. ^RJRS 97 (2007) 265-267 (*Perkins, Phil*).

1166 **Trask, Robert L.** Language and linguistics: the key concepts. ^E*Stockwell, Peter* Abingdon ²2007, Routledge xxi; 367 pp. 978-0-415-41358-9/9-6. Bibl. 330-350.

1167 **Van der Horst, Pieter W.** Het vroege jodendom van A tot Z: een kleine encyclopedie over de eerste duizend jaar (ca. 350 v.Chr.-650 n.Chr.). 2006 ⇒22,1048. ^RJSJ 38 (2007) 436-38 (*Boustan, Ra'anan*).

A3.8 *Opera consultationis* **archaeologica** et **geographica**

1168 ^E**Garrett, Duane A.; Kaiser, Walter C.** The NIV archaeological study bible. 2005 ⇒21,1062. ^RFaith & Mission 24/2 (2007) 80-81 (*Roden, Chet*).

1169 Lexicon topographicum urbis Romae: suburbium, 2: C-F. ^E**La Regina, Adriano** 2004 ⇒20,1005. ^RJRS 97 (2007) 358-359 (*Goodman, Penelope J.*).

1170 **Nunn, Astrid** Alltag im alten Orient. Bildbände zur Archäologie, Sonderbände zur Antiken Welt: 2006 ⇒22,1053. ^RAcTh(B) 27/1 (2007) 166-169 (*Stenschke, Christoph*); JETh 21 (2007) 253-255 (*Stenschke, Christoph*); OLZ 102 (2007) 672-676 (*Martin, Luz*).

A4.0 **Bibliographiae,** *computers* **biblicae**

1171 Accordance 7.4.2. Altamonte Springs, FL 2007, Oak Tree Software CD-ROM; Starter Package $39; Scholar's Collection Core Bundle $249; Scholar's Collection Complete Unlock $2499.

1172 *Bainbridge, William S.; Bainbridge, Wilma A.* Electronic game research methodologies: studying religious implications. RRelRes 49/1 (2007) 35-53.

1173 *Bergant, Dianne; Senior, Donald* The bible in review. BiTod 45 (2007) 53-64; 120-130; 189-201; 256-268, 325-335; 386-397.

1174 *BibleWorks 7*: software for biblical exegesis and research. 2006 ⇒ 22,1057. ^RStPhiloA 19 (2007) 210-212 (*Cox, Ronald R.*).

1175 *Bonaccorso, Giorgio* La scrittura e il computer. VM 61/237 (2007) 69-82.

1176 **BuBB**: Bulletin de bibliographie biblique. ^E*Naef, Thomas* Lausanne 2007, Institut des sciences bibliques de l'Université de Lausanne. 3 issues a year. BIBIL: version électronique.

1177 **Chrupcala, L. Daniel** The kingdom of God: a bibliography of 20th century research. ASBF 69: J 2007, Franciscan xviv; 873 pp. $50. 96551-60726. ^RCDios 220 (2007) 492-493 (*Gutiérrez, J.*); LASBF 57 (2007) 753-754 (*Cortese, Enzo*).

1178 *Cunchillos, Jesús-L.* Humanidades y nuevas tecnologías. ^FWYATT, N. AOAT 299: 2007 ⇒174. 45-57.

1179 ^E**Day, John** Society for Old Testament Study Book List 2007. L 2007, Sage vi; 297 pp. 1-4129-4851-7 = JSOT 31/5 (2007) 1-297.

1180 *Debergé, Pierre* Chronique biblique. BLE 108 (2007) 327-356.

1181 *Eeckhout, Christian* Internet: la bible en ligne pour les francophones. CEv 139 (2007) 58-62.

1182   *Finke, Roger; Bader, Christopher D.; Polson, Edward C.* A growing
web of resources: the Association of Religion Data Archives
(ARDA). www.thearda.com <http://www.thearda.com>. RRelRes
49/1 (2007) 21-34.

1183   **Fiormonte, Domenico** Scrittura e filologia nell'era digitale. T 2003,
Bollati Boringhieri 343 pp. 88-339-5713-6. Bibl. 291-336.

1184   **Glynn, John** Commentary & reference survey: a comprehensive
guide to biblical and theological resources. GR 2007, Kregel 380 pp.
$25 [BiTod 46,62—Donald Senior].

1185   *Glynn, John* Exegetical and bible study computer program. CR&T
5/1 (2007) 116-128.

1186   *Harrington, D.J.* The bible in the past, present and future. America
196/8 (2007) 30-32.

1187   *Hieke, Thomas* BibleWorks–ein Flaggschiff unter den elektronischen
Bibelprogrammen. WUB 43 (2007) 76-77.

1188   **IRBS (IZBG):** International review of biblical studies 53: 2006-
2007. ᴱ**Lang, Bernhard** Lei 2008, Brill xii; 538 pp. €133/$198. 978-
90041-65519.

1189   *Janse, Sam* "Much surfing is a weariness to the flesh": digitale
hulpmiddelen voor de nieuwtestamenticus. KeTh 58 (2007) 261-264.

1190   **JSNT** Booklist 2007. ᴱ**Oakes, Peter** JSNT 29/5 (2007) vi; 1-183.

1191   *Luciani, Didier* Chronique d'Ecriture Sainte: Ancien Testament et
Judaïsme. Vies consacrées 79 (2007) 215-229.

1192   *Martin, O.; Tjader, B.* Annotated bibliography for gender-related
articles in 2006. JBMW 12/1 (2007) 42-51.

1193   *Miller, Robert J.* A review of electronic resources for denominational
researchers. RRelRes 49/1 (2007) 90-92.

1194   *Naselli, A.D.* PNTC, BECNT, and NIGTC: three New Testament
commentary series available electronically in Libronix: a review arti-
cle. Detroit Baptist Seminary Journal [Allen Park, MI] 12 (2007) 81-
99.

1195   **NTAb:** New Testament Abstracts, 51. ᴱ**Harrington, Daniel J.; Mat-
thews, Christopher R.** CM 2007, Weston Jesuit School of Theol-
ogy. 3 issues a year.

1196   **OTA:** Old Testament Abstracts, 30. ᴱ**Begg, Christopher T.** Wsh
2007, Catholic Biblical Association. 3 issues a year.

1197   *Robinson, Bernard* Old Testament chronicle, 2007. PaRe 3/2 (2007)
84-89.

1198   *Roig Lanzillotta, Lautaro* New Testament philology bulletin n° 39-
40. FgNT 20 (2006) 163-193.

1199   *Royle, Marjorie; Shellhammer, Destiny* Potential response bias in in-
ternet use for survey religious research. RRelRes 49/1 (2007) 54-68.

1200   **Sandy, D. Brent; O'Hare, Daniel M.** Prophecy and apocalyptic: an
annotated bibliography. IBR bibliographies 4: GR 2007, Baker 240
pp. $25. 978-0-8010-2601-0.

1201   *Schenker, Adrian* Altes Testament und Liturgie. ALW 49 (2007)
359-390.

1202   **Sparks, Kenton L.** Ancient texts for the study of the Hebrew Bible:
a guide to the background literature. 2005 ⇒21,1082; 22,1075.
ᴿTrinJ 28/1 (2007) 142-3 (*Aderhold, K. Loren*); JNSL 33/1 (2007)
129-30 (*Cornelius, Izak*); RBLit (2007) 112-4 (*McLaughlin, John*).

1203   *Wakefield, Andrew H.* A word about ... bible study software. RExp
104 (2007) 19-26.

1204 *Wansbrough, Henry* New Testament chronicle 2007. PaRe 3/6 (2007) 92-97.
1205 *Whitacre, R.A.* Digital resources for bible study. Trinity Journal for Theology & Ministry [Ambridge, PA] 1 (2007) 110-113.
1206 *Wünch, Hans-Georg* Bibel-Software im Vergleich. JETh 21 (2007) 219-227.
1207 **ZAW** 119: Zeitschriften- und Bücherschau. [E]*Gertz, Jan C.; Van Oorschot, Jürgen*: B 2007, De Gruyter 100-167; 278-318; 421-482.

A4.2 *Bibliographiae* **theologicae**

1208 Bibliographia carmelitana annualis 2006. [E]**Waite, David** Carmelus· 54 (2007) 263-609.
1209 Bibliographia Franciscana 29: principaliora complectentes opera anno 2005 edita. CFr: R 2007, Istituto Storico dei Cappuccini 463 pp.
1210 Bibliographia internationalis spiritualitatis 39: bibliographia anni 2004. R 2007, Teresianum xxxiv; 526 pp. 0084-7834.
1211 *Bussières, Marie-P.* Littérature et histoire du christianisme ancien. LTP 63 (2007) 121-162.
1212 Decennial tables 1998-2007. VJTR 71/12 (2007) 881-960.
1213 Elenchus bibliographicus. [E]**Auwers, Jean-Marie**, *al.*, EThL 83: Lv 2007, Peeters 834* pp. 0013-9513.
1214 **Kranz, Dirk K.** Bibliografia della bibliografie patristiche e materie affini: un sussidio didattico e di ricerca. Sussidi e strumenti didattici 3: 2005 ⇒21,1095. [R]Byz. 77 (2007) 662-664 (*Macé, Caroline*).
1215 *Liess, Kathrin* Erinnerung: neuere Veröffentlichungen zu einer theologischen Basiskategorie. JBTh 22 (2007) 451-467.
1216 *Perrone, Lorenzo* Repertorio bibliografico. Adamantius 13 (2007) 416-652.
1217 *Plátová, Jana; Hušek, Vít* Bibliografia patristica recente di area ceca. Adamantius 13 (2007) 327-340.

A4.3 *Bibliographiae* **philologicae** et **generales**

1218 Bibliographie annuelle du Moyen-Âge Tardif. 17 Turnhout 2007, Brepols viii; 671 pp. 978-25035-24993.
1219 Bibliographie de l'année 2005 et compléments d'années antérieures. [E]**Corsetti, Pierre-Paul** AnPh 76: P 2007, Société internationale de bibliographie classique lxix; 2150 pp. 0184-6949.
1220 [E]**Manfredi, Antonio; Sosover, Mark L.; Jackson, Donald F.** Index seu inventarium Bibliothecae Vaticanae divi Leonis pontificis optimi: anno 1518 C., Series Graeca. StT 427; Studi e documenti sulla formazione della Biblioteca Apostolica Vaticana 5: Città del Vaticano 2006, Biblioteca Apostolica Vaticana lxxv; 199 pp. 88-210-0785-5. Bibl. lxiii-lxiv.
1221 *Neumann, Hans* Keilschriftbibliographie: 65: 2006 (Mit Nachträgen aus früheren Jahren). Or. 76 (2007) 1*-122*.
1222 **Roth, Norman** Dictionary of Iberian Jewish and converso authors. Pref. *C. del Valle* M 2007, Aben Ezra 765 pp.

1223 **Spagnoletto, Amedeo** ‫ספרי דגנזיא‬ Edizioni ebraiche del XVI secolo del Centro bibliografico dell'ebraismo dell'Unione delle Comunità Ebraiche Italiane. R 2007, Litos 382 pp.

A4.5 *Bibliographiae* orientalisticae et archaeologicae

1224 Bulletin archéologique. REG 120 (2007) 161-264.
1225 *Depauw, Mark; Hoffmann, Friedhelm* Demotistische Literaturübersicht XXX. Enchoria 30 (2006-2007) 109-140.
1226 *Faist, Betina I.; Justel, Josué-Javier; Vita, Juan-Pablo* Bibliografía de los estudios de Emar (3). UF 39 (2007) 142-160.
1227 *Tilly, Michael* Aus der Literatur zum antiken Judentum 1981-1999. ThR 72 (2007) 83-90.
1228 *Watson, Wilfred G.E.* La lengua y la historia de los hurritas y de los urarteos: bibliografia complementaria. AuOr 25 (2007) 293-310.
1229 *Whitley, J., al.*, Archaeology in Greece 2006-2007. Archaeology Reports 53 (2007) 1-121.

II. Introductio

B1.1 *Introductio tota vel VT*—Whole Bible or OT

1230 **Arens, Eduardo** A bíblia sem mitos: uma introdução crítica. [T]*Texeira, Celso M.* São Paulo 2007, Paulus 412 pp.
1231 **Ausloos, Hans** Oud maar niet verouderd: een inleiding tot de studie van het Oude Testament. 2006 ⇒22,1120. [R]AcTh(B) 27/2 (2007) 235-236 (*Snyman, S.D.*).
1232 **Benjamin, Don C.** The Old Testament story: an introduction with CD-ROM. 2004 ⇒20,1092; 21,1117. [R]PHScr II, 588-590 ⇒373 (*Sutherland, D. Dixon*).
1233 **Berlinerblau, Jacques** The secular bible: why nonbelievers must take religion seriously. 2005 ⇒21,1118; 22,1122. [R]Theol. 110 (2007) (*Crossley, James G.*); BiCT 3/2 (2007)* (*Brett, Mark G.*).
1234 **Binz, Stephen J.** Introduction to the bible: a catholic guide to studying scripture. ColMn 2007, Liturgical xi; 90 pp. $9.
1235 **Birch, Bruce C., al.**, A theological introduction to the Old Testament. [2]2005 ⇒21,1119; 22,1123. [R]HBT 29 (2007) 241-242 (*Phinney, D. Nathan*).
1236 **Bormann, Lukas** Bibelkunde: Altes und Neues Testament. 2005 ⇒ 21,1122. [R]RBLit (2007)* (*Oehler, Markus*).
1237 **Bravo, Arturo** Palabra de Dios en palabras humanas: introducción didáctica al contexto histórico-cultural y literario de la biblia. 2005 ⇒21,1123. [R]TyV 48 (2007) 111-112 (*Ferrada Moreira, Andrés*).
1238 **Brettler, Marc Z.** How to read the Jewish bible. Oxf 2007, OUP xvi; 384 pp. £11. 978-01953-25225.
1239 [E]**Briks, Piotr** Ksiegi historyczne Starego Testamentu. Wprowadzenie w mysl i wezwanie ksiag biblijnych 3: Wsz 2007, Wydawnictwa Uniwersytetu Kardynala Stefana Wyszynskiego 2 vols. 978-83707-24450. Chr, Ezra, Neh, Macc. P.

1240 **Brueggemann, Walter** Introduzione all'Antico Testamento: il canone e l'immaginazione cristiana. ^E*Malerba, Carla* 2005 ⇒21,1126. ^REstTrin 41 (2007) 421-423 (*Vázquez Allegue, Jaime*).

1241 **Burnette-Bletsch, Rhonda** Studying the Old Testament: a companion. Nv 2007, Abingdon xiv; 305 pp. $29. CD-ROM.

1242 **Collins, John J.** A short introduction to the Hebrew Bible. Mp 2007, Fortress xi; 324 pp. $30. 978-08006-62073. Bibl;

1243 Introduction to the Hebrew Bible. 2004 ⇒20,1097; 21,1128. ^RPaRe 3/2 (2007) 84-85 (*Robinson, Bernard*); ThLZ 132 (2007) 417-420 (*Schmitt, Hans-C.*); PHScr II, 525-527 ⇒373 (*Kaltner, John*).

1244 **Coogan, Michael D.** The Old Testament: a historical and literary introduction to the Hebrew scriptures. 2006 ⇒22,1126. ^RHeyJ 48 (2007) 618-619 (*Hill, Robert C.*).

1245 **Dauphinais, Michael; Levering, Matthew W.** Holy people, holy land: a theological introduction to the bible. 2005 ⇒21,1129. ^RThTo 64/1 (2007) 99-100, 102 (*Driggers, Ira B.*).

1246 **Delhez, Charles; Radermakers, Jean** Apprendre à lire la bible. Namur 2007, Fidélité 296 pp. €19.50.

1247 **Frey, Matthias** Das Bibel-Wissen-Paket. Stu 2006, Dt. Bibelges. CD-Rom. 978-3-438-02060-4.

1248 ^E**Gertz, Jan C.** Grundinformation Altes Testament: eine Einführung in Literatur, Religion und Geschichte des Alten Testaments. UTB 2745: 2006 ⇒22,1128. ^RZKTh 129 (2007) 121-122 (*Markl, Dominik*); BZ 51 (2007) 124-127 (*Rechenmacher, Hans*); ThQ 187 (2007) 149 (*Groß, Walter*).

1250 **Hermon, Peter** Lifting the veil: a plain language guide to the bible. C 2007, Lutterworth 540 pp. 978-07188-3063-2.

1250 **Holdsworth, John** Getting started with the bible. L 2007, Canterbury Pr. 178 pp. £9. 978-18531-18463.

1251 ^E**Johnston, Philip** IVP introduction to the bible: story, themes and interpretation. 2006 ⇒22,1133. ^RMissTod 9 (2007) 279-280 (*Varickasseril, Jose*); HBT 29 (2007) 95-96 (*Dearman, J. Andrew*).

1252 **Knohl, Israel** The divine symphony: the bible's many voices. 2003 ⇒19,1019. ^RRBLit (2007)* (*Briggs, Richard S.*); PHScr II, 670-673 ⇒373 (*Landy, Francis*).

1253 *Legrand, Thierry* I libri deuterocanonici. Guida di lettura all'AT. 2007 ⇒506. 563-565.

1254 **Longman, Tremper; Dillard, Raymond B.** An introduction to the Old Testament. L ²2007, Apollos 528 pp. 978-1-84474-187-8. Bibl.

1255 **McKenzie, Stephen L.; Kaltner, John** The Old Testament: its background, growth, and content. Nv 2007, Abingdon 382 pp. $32. 978-06870-39012.

1256 **Mendenhall, George E.** Ancient Israel's faith and history: an introduction to the bible in context. ^E*Herion, Gary A.* 2001 ⇒17,822. ^RJNES 66 (2007) 221-224 (*Holloway, Steven W.*).

1257 **Nigosian, Solomon A.** From ancient writings to sacred texts: the Old Testament and Apocrypha. 2004 ⇒20,1108... 22,1137. ^RBiOr 64 (2007) 433-435 (*Rösel, Martin*); JSSt 52 (2007) 378-380 (*Tomes, Roger*); PHScr II, 447-449 ⇒373 (*Kaltner, John*).

1258 **Rabin, Elliott** Understanding the Hebrew Bible: a reader's guide. 2006 ⇒22,1138. ^RJian Dao 27 (2007) 157-160 (*Kam, Abraham Y.*); JBQ 35 (2007) 132-133 (*Vogel, Dan*).

1259 **Rivas, Luis H.** Los libros y la historia de la biblia: introducción a las sagradas escrituras. Andamios Maior: BA 2007, San Benito 224 pp. 98798-62120.

1260 **Rogerson, John; Davies, Philip R.** The Old Testament world. [2]2005 ⇒21,1146; 22,1140. [R]IncW 1 (2007) 582-587 (*Crowell, Mary of the Angelus*); JThS 58 (2007) 148-150 (*Rooke, Deborah*).

1261 **Rogerson, John W.** An introduction to the bible. [2]2005 <1999>⇒21,1147; 22,1142. [R]RBLit (2007) 42-44 (*Keith, Pierre*). [E]**Römer, T**, *al.*, Guida di lettura all'AT 2007 ⇒506.

1262 **Sacchi, Alessandro; Rocchi, Sandra** La bibbia: un percorso di liberazione, 1: le tradizioni storiche. Mi 2007, Paoline 336 pp. €26.

1263 **Satterthwaite, Philip: McConville, Gordon** Exploring the Old Testament, 2: a guide to the historical books. DG 2007, InterVarsity xvi; 295 pp. £17. 978-08308-25523.

1264 [E]**Sánchez Caro, J.M.** Storia, narrativa, apocalittica. Introduzione allo studio della bibbia 3/2: 2004 ⇒21,1150. [R]RivBib 55 (2007) 223-230 (*De Virgilio, Giuseppe*).

1265 **Schmitt, Hans-Christoph** Arbeitsbuch zum Alten Testament: Grundzüge der Geschichte Israels und der alttestamentlichen Schriften. UTB 2146: 2005 ⇒21,1152; 22,1146. [R]ZKTh 129 (2007) 123-124 (*Markl, Dominik*); OLZ 102 (2007) 685-687 (*Schart, Aaron*).

1266 *Schnelle, Udo, al.*, Bible. Religion past & present, 2. 2007 ⇒1067. 1-32.

1267 **Sellin, E.; Fohrer, Georg** Introdução ao Antigo Testamento. [T]*Rocha, D. Mateos* São Paulo 2007, Paulus 826 pp.

1268 **Ska, Jean-Louis** Il libro sigillato e il libro aperto. 2004 ⇒20,1111; 22,1147. [R]Gr. 88 (2007) 421-422 (*Farahian, Edmond*); CivCatt 158/1 (2007) 206-208 (*Scaiola, D.*).

1269 **Tábet, Miguel Ángel** Introducción al AntiguoTestamento 3: libros poéticos y sapienciales. Pelícano: M 2007, Palabra 277 pp. 84-9840-092-9. Bibl. 267-277.

1270 **Varo, Francisco** Las claves de la biblia. M 2007, Palabra 219 pp.

1271 **Ventura, Fernando** Roteiro de leitura da bíblia. Biblioteca do século 19: Lisboa 2007, Presença 181 pp. 978-97223-37939. Bibl. 180-1.

1272 **Wälchli, Stefan** Glaubenswelten der Bibel: eine kleine Geschichte des biblischen Glaubens und der Entstehung der Bibel. Z 2007, TVZ 198 pp. €16.80. 978-32901-74194.

1273 [E]**Zenger, Erich** Introduzione all'Antico Testamento. 2005 ⇒21, 1159; 22,1149. [R]RdT 48 (2007) 152-154 (*Franco, Ettore*).

B1.2 'Invitations' to Bible or OT

1274 **Aláiz, Atilano** Dios se confiesa en la biblia. M 2007, Perpetuo Socorro 204 pp.

1276 Auf deine Liebe vertraue ich: Bibeleinführungen. FrB 2007, Herder 144 pp. 978-3-451-29498-3. Communauté de Taizé.

1277 **Ausloos, Hans; Lemmelijn, Benedicte** De bijbel: een (g)oude(n) gids: bijbelse antwoorden op menslijke vragen. 2005 ⇒21,1161. [R]AcTh(B) 27/2 (2007) 234-235 (*Snyman, S.D.*).

1278 **Bartholomew, Craig G.; Goheen, Michael W.** The drama of scripture: finding our place in the biblical story. 2004 ⇒20,1124... 22,1151. [R]BTB 37 (2007) 84-85 (*Williams, Ritva H.*); RExp 104

(2007) 165-167 (*Steibel, Sophia R.G.*); AsbJ 62/1 (2007) 120-121 (*Lancaster, Sarah H.*.)

1279 **Baudassé, Ph.** La bible, livre de vie. Guide Totus: P 2007, Jubilé 192 pp. €9.

1280 **Brossier, François** La bible dit-elle vrai?. Ivry-sur-Seine 2007, L'Atelier 156 pp. €17.

1281 **Chatham, James O.** Creation to Revelation: a brief account of the biblical story. 2006 ⇒22,1154. ^RRExp 104 (2007) 669-670 (*Wallace, Robert E.*).

1282 **Dawes, Gregory W.** Introduction to the bible. New Collegeville Bible Comm., OT 1: ColMn 2007, Liturgical 80 pp. $7. 978-0-8146-2835-5.

1283 **Flipo, Claude** Hommes et femmes du Nouveau Testament: cinquante portraits bibliques. 2006 ⇒22,1161. ^RChristus 214 (2007) 242-243 (*Pelletier, Anne-Marie*).

1284 **Gomes, Peter J.** The scandalous gospel of Jesus: what's so good about the good news?. NY 2007, Harper Luxe x; 351 pp. 978-0-06-136390-1.

1285 *Grabner-Haider, Anton* Aufbau und Inhalt der Bibel. Kulturgeschichte der Bibel. 2007 ⇒435. 71-92.

1286 **Jagersma, Henk** De onbekende rijkdom van de bijbel. Vught 2007, Skandalon 127 pp. €15. 978-9076-564241. ^RITBT 14/6 (2007) 32-33 (*Van Midden, Piet*).

1287 **Marconcini, B.** Gli amici di Dio nelle più belle pagine della bibbia. Letteratura Biblica 14: Mi 2007, Paoline 189 pp. €14.50.

1288 **Matthews, Victor H.** Old Testament turning points: the narratives that shaped a nation. 2005 ⇒21,1173. ^ROTEs 20 (2007) 254-255 (*Cronjé, S.J.*); HBT 29 (2007) 246-247 (*Branch, Robin G.*).

1289 **Mincato, Ramiro** Bíblia: ciência, fundamentalismo e exorcismo. Porto Alegre 2007, Est 80 pp.

1290 **Neves, Joaquim C. das** A bíblia: o livro dos livros. Braga 2007, Franciscana 2 vols.

1292 **Paganini, Claudia; Paganini, Simone** Am Anfang erschuf Gott Eva: die unbekannten Seiten des Alten Testaments. W 2007, Ueberreuter 175 pp. €18. 978-3-8000-7172-2.

1293 **Sellier, Philippe** La bible expliquée à ceux qui ne l'ont pas encore lue. P 2007, Seuil 368 pp. €20.

1294 **Theissen, Gerd** The bible and contemporary culture. ^T*Green, David E.* Mp 2007, Fortress xx; 163 pp. $16. 978-08006-38634. German original abridged; Bibl. ^RRBLit (2007)* (*Danz, Christian*).

B1.3 *Pedagogia biblica*—Bible teaching techniques

1295 *Alterman, Mark* Digital resources for ancient languages. Stone-Campbell Journal 10/1 (2007) 77-91.

1296 **Annicchiarico, Vincenzo** Mediare il vangelo oggi: dire o comunicare?. R 2007, VivereIn 251 pp. €20.

1297 *Augello, Armando* Bibbia e catechesi nella tradizione. Vivar(C) 15 (2007) 157-190.

1298 *Baumer-Löw, Anja, al.*, "Löscht den geist nicht aus!" (1 Thess 5,19): ein Wort zuvor. Löscht den Geist. 2007 ⇒366. 11-14.

1299 BENEDICT XVI The apostles and their co-workers: the origins of the church. Huntington, IN 2007, Our Sunday Visitor 174 pp. $15. 978-15927-64051. Catechesis [ThD 53,155–W. Charles Heiser].

1300 *Bergold, Ralph* Voneinander lernen: Religionspädagogik und Glaubensweitergabe aus der Sicht der Hirnforschung. Im Wandel. 2007 ⇒574. 91-106.

1301 La bibbia per te: il testo biblico con note, spiegazioni, dossier per scoprire il gusto di questo immenso libro. Leumann 2007, ElleDiCi 476 pp. €22.

1302 Das Bibel-Bilder-Paket, 1: Tausend Bilder zur Bibel ; 2: Gute Nachricht Fotobibel (Bibel Digital). ᴱ**Zwickel, Wolfgang** Stu 2007, Deutsche Bibelgesellschaft €50. CD-ROM. ᴿBiLi 80 (2007) 295-296 (*Hieke, Thomas*).

1303 **Billon, Gérard; Gruson, Philippe** Pour lire l'Ancien Testament: le Premier Testament par les textes. P 2007, Cerf 192 pp. €16. 978-2-204-07818-4. Bibl. 183-185.

1304 *Bissoli, Cesare* La bibbia nell'educazione dei giovani: proposta per un cammino alla scuola di BENEDETTO XVI. ᶠBENEDETTO XVI. 2007 ⇒14. 179-192;

1305 La bibbia nella catechesi. RPLi 261 (2007) 25-29;

1306 Catechesi biblica oggi: bilancio della ricerca negli ultimi vent'anni. Catechesi 76/4 (2006-2007) 4-15.

1307 **Bissoli, Cesare** 'Va' e annuncia' (Mc 5,19): manuale di catechesi biblica. 2006 ⇒22,1176. ᴿCivCatt 158/2 (2007) 513-4 (*Scaiola, D.*).

1308 *Bizer, Christoph* Von Bibel und Heiliger Schrift: Bekenntnis und Orientierung. JRPäd 23 (2007) 237-254.

1309 *Braun, Josef* "Neue" Kinderbibeln?: eine kritisch-exemplarische Sichtung. JRPäd 23 (2007) 166-174.

1310 *Brossier, François* L'utilisation de la bible dans les catéchismes: essai sur l'histoire de la pratique à travers les écrits catéchétiques catholiques. RICP 104 (2007) 153-171;

1311 Le rapport bible et histoire dans la formation biblique en catéchèse: difficultés et chances des représentations du rapport entre bible et histoire chez les animateurs de catéchèse: enjeux pour la transmission de la tradition biblique. Comment la bible saisit-elle l'histoire?. LeDiv 215: 2007 ⇒802. 73-86.

1312 **Bruce, Barbara** Triangular teaching: a new way of teaching the bible to adults. Nv 2007, Abingdon 192 pp. 0687-64352X. Bibl. 191-2.

1313 *Bruinier, Thomas* Als das Wasser wie eine Mauer stand: die Rettung der Israeliten am Schilfmeer in der jüdischen Tradition und bei Marc CHAGALL. FoRe 32/3 (2007) 4-20 [Exod 14].

1314 *Burnet, R.* Bible et communication. EeV 173 (2007) 9-13.

1315 *Burrichter, Rita* Lernortwechsel als Herausforderung zu "Perspektivwechsel" und "Perspektivenübernahme": Überlegungen zum Umgang mit einer aktuellen religionspädagogischen Begrifflichkeit. Im Wandel. 2007 ⇒574. 107-118.

1316 ᴱ**Büttner, Gerhard; Schreiner, Martin** 'Man hat immer ein Stück Gott in sich': mit Kindern biblische Texte deuten. 2006 <2004> ⇒ 22,1183. ᴿDiak. 38 (2007) 375-376 (*Wollherr, Magdalena*).

1317 **Büttner, Gerhard; Roose, Hanna** Das Johannesevangelium im Religionsunterricht: Informationen, Anregungen und Materialien für die Praxis. Stu 2007, Calwer 175 pp. €19.90. 978-37668-39374.

1318 *Chancey, Mark A.* A textbook example of the christian right: the national council on bible curriculum in public schools. JAAR 75 (2007) 554-581.

1319 *Clanton, Dan W.* Cartoons and comics. Teaching the bible. Resources for biblical study 53: 2007 ⇒437. 329-334.

1320 *Clanton, Dan W.; Roncace, Mark* Animated television. Teaching the bible. Resources for biblical study 53: 2007 ⇒437. 343-352;

1321 Television dramas and documentaries. Teaching the bible. Resources for biblical study 53: 2007 ⇒437. 353-358.

1322 *Clanton, Dan W., Jr.; Bibb, Bryan* Classical music. Teaching the bible. Resources for biblical study 53: 2007 ⇒437. 53-83.

1323 *Clark-Soles, Jaime; Gray, Patrick; Strawn, Brent A.* Prose: fiction and nonfiction. Teaching the bible. Resources for biblical study 53: 2007 ⇒437. 297-322.

1324 *Coha, G.; Capetti, R.* La catechesi biblica simbolica: l'esperienza in diocesi di Torino. Catechesi 76/4 (2006-2007) 30-59.

1325 *Costa, Giuseppe* La scrittura nella formazione dei ministri della parola: un dato acquisito o un cammino appena iniziato?. FBENEDETTO XVI. 2007 ⇒14. 207-223.

1326 *Dalton, Russell W.* Perfect prophets, helpful hippos, and happy endings: Noah and Jonah in children's bible storybooks in the United States. RelEd 102 (2007) 298-313.

1327 *Denzey, Nicola; Gray, Patrick* The bible in film;
1328 Nonbiblical narrative in film. Teaching the Bible. Resources for biblical study 53: 2007 ⇒437. 97-118/119-172.

1329 *Di Fiore, Calogero* Bibbia e formazione degli operatori pastorali. Vivar(C) 15 (2007) 229-237.

1330 *Dressler, Bernhard* "Verstehst du, was du liest?": die "Emmaus-Jünger" (Lk 24,1-35) und der "Kämmerer aus dem Morgenland" (Apg 8, 26-39) als religionsdidaktische Anstöße. FBLUMENTHAL, S. von. Ästhetik–Theologie–Liturgik 45: 2007 ⇒16. 177-182.

1331 *Driggers, Ira B.; Strawn, Brent A.* Poetry. Teaching the bible. Resources for biblical study 53: 2007 ⇒437. 251-295.

1332 *Du Toit, J.S.: Beard, L.* The publication of children's bibles in indigenous South African languages: an investigation into the current state of affairs. JSem 16 (2007) 297-311.

1333 *Du Toit, J.S.; Lamprecht, A.; Schmidt, N.F.* Children and the transfer of religious instruction. JSem 16 (2007) 289-296.

1334 **Dyas, Dee; Hughes, Esther S.** The bible in western culture: the student's guide. 2005 ⇒21,1214. RRRT 14 (2007) 178-179 (*Kenneson, Philip D.*).

1335 *Emeis, Dieter* Christwerden durch Teilhabe. Im Wandel. 2007 ⇒574. 172-179.

1336 *Finsterbusch, Karin* Einführung. Bibel nach Plan?. 2007 ⇒422. 7-10.

1337 *Funk, Katharina; Hartmann-Roffler, Verena; Lieberherr-Marugg, Rahel* Taufe mit Wasser und Geist (Lk 3,1-16). Im Kraftfeld. WerkstattBibel 11: 2007 ⇒513. 47-55.

1338 *Futterlieb, Hartmut* Die Bergrede (Mt 5-7) im Religionsunterricht der gymnasialen Oberstufe. JRPäd 23 (2007) 156-165.

1339 *Garmaz, Jadranka* Biblijska didaktika u osnovnoškolskom vjeronauku [Biblical didactics in primary school religious teaching]. Crkva u Svijetu 42 (2007) 607-628. **Croatian.**

1340 *Gärtner, Claudia* Plädoyer für einen neuen Bilderstreit im Religions-
unterricht. BilderStreit. 2007 ⇒578. 223-244.

1341 **Gies, Wolfgang** Das große Werkbuch zur Bibel: spielen, erzählen,
gestalten in Gemeinde, Schule und Gottesdienst. FrB 2007, Herder
191 pp. €19.90. 978-3-451-29495-2. CD-Rom.

1342 *Goswell, Gregory* The use of the Old Testament in the Westminster
Standards. RTR 66 (2007) 148-165.

1343 *Gross, Thea* Die Bibel entdecken–erleben–gestalten in der Bibelgale-
rie Meersburg. Zeitschrift für Religionsunterricht und Lebenskunde
36/2 (2007) 19-21.

1344 *Hanisch, Helmut* Der immer neue Blick in die Bibel: ist Bibeldidak-
tik noch zeitgemäß?: eine Anfrage an drei verschiedene Konzepte.
zeitzeichen 8/7 (2007) 33-35.

1345 *Heiligenthal, Roman* Grußwort. Bibel nach Plan?. 2007 ⇒422. 11-
12.

1346 *Herion, Horst* Ratgeber Religionspädagogik?: Anstöße zu reflektier-
ter Praxis vor dem Hintergrund der Religiosität Jugendlicher. Löscht
den Geist. 2007⇒366. 81-90.

1347 *Houtman, Cornelis* De bijbel als vrij domein: over Guus Kuijers
"Hoe een klein rotgodje God vermoordde". Theologisch debat 4/4
(2007) 28-34.

1348 *Huber, Lynn R.* Abstract and nonbiblical art. Teaching the bible.
Resources for biblical study 53: 2007 ⇒437. 229-237.

1350 *Huber, Lynn R.; Clanton, Dan W.; Webster, Jane S.* Biblical subjects
in art. Teaching the bible. Resources for biblical study 53: 2007 ⇒
1178. 187-228.

1350 *James, G.L.* Tell it like it is!: the case to include the story of the rape
of Tamar in children's bibles as an awareness tool. JSem 16 (2007)
312-332 [2 Sam 13].

1351 *Jestädt, Hannelie* Wohin die Worte nicht reichen ... Sinnlichkeit und
Körperausdruck als neu zu hebender Schatz der Glaubensweitergabe
und Glaubensfeier. Im Wandel. 2007 ⇒574. 132-147.

1352 *Joseph, N.S. Marie* The late Rev. Fr. P. Penven, m.e.p. and biblical a-
postolate in Karnataka. ITS 44/1 (2007) 103-107.

1353 *Kaufmann, Jürgen; Tremel, Monika* Geleitwort. Löscht den Geist.
2007 ⇒366. 7-10.

1354 **Kelly, Gabrielle** English for theology: a resource for teachers and
students. Hindmarsh, Australia 2004, ATF 240 pp. $35. 19206-9115-
4. CD. [R]RBLit (2007) 573-575 (*Judge, Peter J.*).

1355 *Keuchen, Marion* Kindlich, tierlieb und naturverbunden: Spielen in
der Bibel und in Kinderbibeln. Schlangenbrut 25/96 (2007) 5-8.

1356 *Könemann, Judith* Wieviel Kirche braucht der RU?: Überlegungen
zum Verhältnis von Religionsunterricht, Kirche und Öffentlichkeit.
Im Wandel. 2007 ⇒574. 148-163.

1357 *Krause, Vera* Compassion als diakonische Basiskompetenz und reli-
gionspädagogisches Lernziel. Im Wandel. 2007 ⇒574. 192-211.

1358 *Lachmann, Rainer* Weihnachtsgeschichten Jesu–ein kritischer Ver-
gleich neuerer Kinderbibeln. Amt und Gemeinde 58/9-10 (2007)
188-200.

1359 *Lagarde, Claude* La catechesi biblica simbolica, un percorso nella
parola. Catechesi 76/4 (2006-2007) 16-29.

1360 *Landgraf, Michael* Biblische Inhalte im Religionsunterricht: Überle-
gungen zu einem neuen Bibelcurriculum. Bibel nach Plan?. 2007 ⇒
422. 155-173.

1361 *Lange, Günter* Didaktik und Methodik der Bildbetrachtung in der Bibelarbeit. Maria–Mutter Jesu. 2007 ⇒445. 84-92.

1362 *Lee, Boyung* When the text is the problem: a postcolonial approach to biblical pedagogy. RelEd 102/1 (2007) 44-61 [Gen 16].

1363 *Lee, Sara S.* Vision and optimism: empowering new educators. RelEd 102 (2007) 367-370.

1364 **Lees, Janet** Word of mouth: using the remembered bible for building community. Glasgow 2007, Wild Goose 151 pp. £11.

1365 *Maier, H.O.* The familiar made strange: an orientation to biblical study in Vancouver. Teaching Theology & Religion 10/2 (2007) 80-86.

1366 **Manhardt, Laurie; Ponessa, Joseph** Moses and the Torah: come and see catholic bible study. Steubenville 2007, Emmaus iv; 220 pp. $20.

1367 *Mette, Norbert* Bibeldidaktik 1986-2006: ein Überblick. JRPäd 23 (2007) 175-195.

1368 *Molinario, Joël* Les questions théologiques que la bible pose dans la pratique catéchétique. RICP 104 (2007) 173-182.

1369 *Möller, Carl* Erfahrungen von Heilung und Heil als zentrale Kategorien der Glaubensweitergabe. Im Wandel. 2007 ⇒574. 183-191.

1370 *Müller-Friese, Anita* Bilder vom Reich Gottes: Kinder deuten und malen das Gleichnis vom verlorenen Schaf. Geschichten. Hodos 5: 2007 ⇒615. 37-50 [Lk 15,1-7].

1371 *Niehl, Franz W.* Verfahren des biblischen Unterrichts auf dem Prüfstand. JRPäd 23 (2007) 135-145.

1372 *Nordhofen, Eckard* Starke und schwache Mystagogie: zwei Wege, die sich treffen. Im Wandel. 2007 ⇒574. 46-72.

1373 *Oberthür, Rainer* Mit Johannes anfangen–schon mit Kindern?. KatBl 132 (2007) 316-319.

1374 **Oberthür, Rainer** Die Bibel für Kinder und alle im Haus. Mü ⁵2007, Kösel 336 pp. €22. Bilder der Kunst ausgewählt und gedeutet von *Rita Burrichter*.

1375 Old Testament foundations: Genesis through Kings: year one: student workbook. NY 2007, Paulist 115 pp. $17. Catholic Biblical School Program [BiTod 47,285–Dianne Bergant];

1376 Teacher guidebook. NY 2007, Paulist 80 pp. $20.

1377 *Ostermann, Friedrich* Katholischer Kindergarten und Weitergabe des Glaubens. Im Wandel. 2007 ⇒574. 212-219.

1378 *Rauchwarter, Barbara* Akeda: die Bindung Isaaks: eine Bibelarbeit. Amt und Gemeinde 58/9-10 (2007) 171-177 [Gen 22].

1379 *Reese, Annegret* Kinder und Jugendliche zur intertextuellen Lektüre befähigen: Werkbericht einer Lehr-Lern-Forschungsstudie zum unterrichtlichen Erwerb religiöser Orientierungsfähigkeit. Intertextualität. Sprache & Kultur: 2007 ⇒447. 82-94.

1380 *Reichert, Jean-Claude* La parole de Dieu dans une démarche de catéchèse: impulsions tirées du *Texte national* des évêques de France. RICP 104 (2007) 183-191.

1381 *Renz, Irene* "In einer Kinderbibel soll 'was Wichtiges' stehen"–zum Konzept von "Erstbibeln" und "Folgebibeln". Amt und Gemeinde 58/3-4 (2007) 50-56.

1382 *Renz, Sebastian* Alttestamentliches Wirklichkeitsverständnis: von Gott geschaffen. FoRe 32/3 (2007) 2-3.

1383   *Rickers, Folkert* Hermeneutik der Bibel und Religionspädagogik. JRPäd 23 (2007) 209-236.
1384   *Ritter, Werner H.* Religiöse Bildung ohne "zukünftige Welt"?: Beobachtungen und Reflexionen im religionspädagogischen Kontext. "... und das Leben der zukünftigen Welt". 2007 ⇒557. 114-134.
1385   *Roncace, Mark* Internet websites;
1386   Youth literature, programming and entertainment;
1387   *Roncace, Mark; Clanton, Dan W., Jr.* Popular music. Teaching the bible. 2007 ⇒437. 359-363/335-342/15-51.
1388   *Röller, Dirk* Babbeln von Babel. ᶠBRÄNDLE, W. Lüneburger Theologische Beiträge 5: 2007 ⇒18. 221-226.
1389   *Rupp, Hartmut* Die Bibel im kompetenzorientierten Religionsunterricht. Bibel nach Plan?. 2007 ⇒422. 183-193.
1390   *Sander-Gaiser, Martin* Die erste Schöpfungserzählung diachron und synchron erschlossen. FoRe 32/3 (2007) 30-38 [Gen 1-2];
1391   Reziprokes Lesen von Bibeltexten. FoRe 32/3 (2007) 39-41.
1392   *Schäfer, Brigitte* Methodische Einführung. Im Kraftfeld. Werkstatt-Bibel 11: 2007 ⇒513. 23-28.
1393   *Schelander, Robert* Kinderbibelforschung. VF 52/1 (2007) 72-76.
1394   *Schibler, Hansjakob* Davids Respekt oder: einen König, der seine Notdurft verrichtet, greift man nicht an .... Zeitschrift für Religionsunterricht und Lebenskunde 36/4 (2007) 20-21 [1 Sam 24].
1395   *Schimanowski, Gottfried* Der "Messias Israels" im Religionsunterricht. ᶠHAACKER, K. ABIG 27: 2007 ⇒57. 367-374.
1396   **Schnapp, Hannelore** Unter deinen Sternen: Fantasiereisen zu biblischen Geschichten: 12 komplette Entwürfe für die Praxis. Neuk 2007, Neuk 135 pp. €14.90. 978-37975-01646.
1397   *Schneider, Christian* "Mit neuen Augen sehen": Erstkommunionvorbereitung als Chance einer nachhaltigen Familienkatechese. Löscht den Geist. 2007 ⇒366. 67-77.
1398   *Schroeter-Reinhard, Alexander* Ein Koffer für die Reise in die Welt der Bibel. Zeitschrift für Religionsunterricht und Lebenskunde 36/2 (2007) 16-18.
1399   *Schweitzer, Friedrich* Wie Kinder und Jugendliche biblische Geschichten konstruieren: Rezeptionsforschung und Konstruktivismus als Herausforderung des Bibelunterrichts. JRPäd 23 (2007) 199-208.
1400   *Seidnader, Martin* Miteinander dem Wort begegnen: ethische Erwägungen zur gemeindlichen Bibelarbeit mit Erwachsenen als Teil der kirchlichen Sendung. ᶠWAHL, O. 2007 ⇒160. 109-137.
1401   *Shunfu, Chen* Bibelarbeit zur Weihnachtsgeschichte nach Matthäus 2,1-23. ÖR 56 (2007) 542-533.
1402   *Steffen, Tom A.; Terry, J.O.* The sweeping story of scripture taught through time. Miss. 35 (2007) 315-335.
1403   *Steinkühler, Martina* Von der Verfremdungs- und Fragmentendidaktik zu einer Fremdsprachendidaktik der Ganzschrift Bibel. Bibel nach Plan?. 2007 ⇒422. 174-182.
1404   **Theis, Joachim** Biblische Texte verstehen lernen: eine bibel-didaktische Studie... zum Gleichnis vom barmherzigen Samaritaner. PTHe 64: 2005 ⇒21,1262. ᴿThLZ 132 (2007) 94-96 (*Ritter, Werner; Albrecht, Michaela*); ThRv 103 (2007) 414-416 (*Dormeyer, Detlev*); CBQ 69 (2007) 377-379 (*Morton, Russell*) [Lk 10,29-37].
1405   *Torbett, D.* Debating Paul. Teaching Theology & Religion 10/4 (2007) 244-250.

1406 *Ulrich-Eschemann, Karin* Tradition und Identität: Kirche und Religionsunterricht als institutionelle Lern-Orte. Identität. BTSP 30: 2007 ⇒409. 95-119.

1407 *Vaage, L.E.* Learning to read the bible with desire: teaching the eros of exegesis in the theological classroom. Teaching Theology & Religion 10/2 (2007) 87-94.

1408 *Van Biema, D.* The case for teaching the bible. Time (April 2, 2007) 40-45.

1409 *Vanhoye, Albert* Catechesi biblica. Dizionario... sangue di Cristo. 2007 ⇒1137. 197-206.

1410 *Venturi, Gianfranco* La bibbia nel catecumenato. RPLi 45/3 (2007) 19-24;

1411 La bibbia nella mistagogia. RPLi 45/4 (2007) 20-25.

1412 *Wall, L.* Why do students keep writing me sermons?: teaching biblical studies cross-culturally in New Zealand. Teaching Theology & Religion 10/1 (2007) 34-41.

1413 *Waltermann, Reinhold* Freckenhorster Kreis. Im Wandel. 2007 ⇒ 574. 232-233.

1414 *Wischer, Mariele* Differenzen im Paradies: Aspekte einer geschlechtergerechten Bibeldidaktik in Theorie und Praxis. JRPäd 23 (2007) 146-155.

1415 *Woyke, Johannes* Der historische Jesus der Bibelwissenschaft und der lebensbedeutsame Christus der Religionsdidaktik: Bemerkungen zu zwei neuen Studien zur "Christologie" von Kindern und Jugendlichen. ThBeitr 38 (2007) 94-98.

1416 *Zimmermann, Mirjam & Ruben* Lutscher des Lebens?–kindertheologische Zugänge zu Johannes 6. KatBl 132/5 (2007) 336-340.

B2.1 Hermeneutica

1417 *Abell, Jesse W.* Interpretive processes. Jesus and psychology. 2007 ⇒543. 95-115.

1418 *Abraham, Ibrahim* 'On the doorstep of the work': Ricoeurian hermeneutics, queer hermeneutics, and scripture. BiCT 3/1 (2007)*.

1419 **Adam, A.K.M.** Faithful interpretation: reading the bible in a postmodern world. 2006 ⇒22,1242. [R]BiCT 3/2 (2007)* (*Sneed, Mark*); HBT 29 (2007) 223-224 (*Finitsis, Antonios*); RBLit (2007) 551-554 (*Green, Joel B.*).

1420 *Affolter-Nydegger, Ruth* VERGIL–Auslegung nach dem mehrfachen Schriftsinn: Bernardus Silvestris (?), 'Commentum super sex libros Eneidos Virgilii'. Significatio. 2007 ⇒424. 235-270.

1421 *Allen, R.J.* Torah, prophets, writings, gospels, letters: a new name for the old book. Encounter 68/2 (2007) 53-62.

1422 *Anthony, Francis-V.* Approcci alle scritture di altre religioni: modello veterotestamentario e fondamenti teologici. [F]BENEDETTO XVI. 2007 ⇒14. 707-724.

1423 *Barnbrock, Christoph* Rezeptionsästhetik: Überlegungen zu ihrer Bedeutung im Rahmen lutherischer Hermeneutik. LuThK 31/2 (2007) 105-127.

1424 *Barrios Tao, Hernando* Racionalidades emergentes y texto bíblico: hacia unas nuevas sendas en la interpretación. ThX 57 (2007) 371-398.

1425   *Barton, John* Classifying biblical criticism <1984>;
1426   The future of Old Testament study <1993>;
1427   Should Old Testament study be more theological? <1989>. The OT:
       canon, literature & theology. 2007 ⇒183. 95-108/157-168/149-156.
1428   **Becker, Sabina** Literatur- und Kulturwissenschaften: ihre Methoden
       und Theorien. Rowohlts Enzyklopädie 55686: Reinbek bei Hamburg
       2007, Rowohlt Taschenbuch 223 pp. 978-3-499-55686-9.
1429   BENEDICT XVI Jesus Christ and modern hermeneutical methods.
       DBM 25/1 (2007) 11-17. **G.**
1430   *Bertram, Georg W.* Sprache als Explikation von Sprache: warum die
       philosophischen Untersuchungen über eine Gebrauchstheorie der Be-
       deutung hinausweisen. ᶠBRÄNDLE, W. Ment. *Wittgenstein, L.* Lüne-
       burger Theologische Beiträge 5: 2007 ⇒18. 31-43.
1431   *Billon, Gérard* Héritage et ruptures en milieu catholique. CEv 141
       (2007) 36-48.
1432   *Blanchard, Yves-Marie* Aux sources de l'herméneutique chrétienne.
       CEv 141 (2007) 18-25.
1433   **Boer, Roland** Rescuing the bible. Oxf 2007, Wiley-Blackwell 184
       pp. $30. 978-14051-70208.
1434   *Borgonovo, Gianantonio* Il Primo Testamento, nella proposta di Ch.
       Theobald: una marginalità che fa pensare. Teol(Br) 32 (2007) 408-
       416.
1435   *Bori, Pier C.* Réforme religieuse, herméneutique des origines et ratio-
       nalité. Réformes. Christianity and history 4: 2007 ⇒561. 5-13.
1436   *Boring, Maynard E.* How Disciples of Christ interpret the bible: ex-
       planation and critique. Stone-Campbell Journal 10/1 (2007) 21-36.
1437   *Bowald, Mark A.* Rendering mute the word: overcoming deistic ten-
       dencies in modern hermeneutics: Kevin Vanhoozer as a test case.
       WThJ 69 (2007) 367-381.
1438   **Bowald, Mark A.** Rendering the word in theological hermeneutic:
       mapping divine and human agency. ᴰ*Webster, John* Aldershot 2007,
       Ashgate xi; 202 pp. £50. 978-07546-58771. Diss.
1439   *Branitzky, Leora F.* On reaffirming a distinction between Athens and
       Jerusalem. Ment. *Levinas, E.* HPolS 2/2 (2007) 211-231.
1440   *Breck, John* L'héritage de l'herméneutique orthodoxe. CEv 141
       (2007) 26-35.
1441   **Breitling, Andris** Möglichkeitsdichtung–Wirklichkeitssinn: Paul RI-
       COEURs hermeneutisches Denken der Geschichte. Phänomenol. Un-
       tersuchungen 21: Mü 2007, Fink 319 pp. €39.90. 978-37705-24581.
1442   **Bretschneider, Arnd** Heilsgeschichtliche Schriftauslegung: die Bi-
       bel heilsgeschichtlich lesen, verstehen und anwenden. 2006 ⇒22,
       1255. ᴿJETh 21 (2007) 441-442 (*Stadelmann, Helge*).
1443   *Briggs, Richard S.* The role of the bible in formation and transforma-
       tion: a hermeneutical and theological analysis. Anvil 24/3 (2007)
       167-182.
1444   **Brown, Jeannine K.** Scripture as communication: introducing bibli-
       cal hermeneutics. GR 2007, Baker 320 pp. $22. 978-08010-27888.
       Bibl. 291-303. ᴿTheoforum 38 (2007) 92-94 (*Beyrouti, François*).
1445   *Buganza Torio, Jacob* Génesis de la hermenéutica analógico-icónica
       de Mauricio Beuchot. AnáMnesis 17/1 (2007) 137-145.
1446   *Burton, W.L.* Buried treasure: why catholics should learn more about
       scripture. Commonweal 134/7 (2007) 15-17.

1447 **Camery-Hoggatt, Jerry** Reading the Good Book well: a guide to biblical interpretation. Nv 2007, Abingdon xii; 240 pp. 978-0-687-64275-5. Bibl.

1448 *Caputo, John D.* Avant la création: le souvenir de Dieu de DERRIDA. Derrida pour les temps à venir. 2007 ⇒723. 140-158;

1449 Die Tränen und Gebete einer diabolischen Hermeneutik: DERRIDA und Meister ECKHART. Dem Geheimnis. 2007 ⇒938. 125-146.

1450 *Catana, Leo* Giordano BRUNO's hermeneutics: observations on the bible in *De Monade*_(1591). Word and world. 2007 ⇒460. 91-107.

1451 *Cerasi, Enrico* Quale ermeneutica narrativa?: la critica di Frei a RICOEUR. Protest. 62 (2007) 111-135.

1452 *Clovis, Benedito; Bernardino, Orides* Caminhando ... e fazendo leitura popular da bíblia. Estudos bíblicos 96/4 (2007) 64-69.

1453 *Cook, M.A.* Unchanging 'truth' in contextual exegesis. ERT 31/3 (2007) 196-206.

1454 *Costacurta, Bruna* Prayerful reading and faithful exegesis: on the relationship between *lectio divina* and biblical scholarship. BDV 84/85 (2007) 5-7.

1455 *Crouch, J.E.* AUGUSTINE and GADAMER: an essay on *Wirkungsgeschichte*. Encounter 68/4 (2007) 1-14.

1456 **Danesi, Marcel** The quest for meaning: a guide to semiotic theory and practice. Toronto Studies in Semiotics and Communication: Toronto 2007, Univ. of Toronto Pr. 192 pp. $23. 978-08020-95145.

1457 **David, Robert** Déli_ lÉcriture: paramètres théoriques et pratiques d'herméneutique du procès. Sciences bibliques 17: 2006 ⇒22,1267. [R]SR 36 (2007) 364-366 (*Vogels, Walter*).

1458 *De Vries, Hent* La religion globale, la théologie minimale. Derrida pour les temps à venir. 2007 ⇒723. 199-221.

1459 *Despotis, Athanasios* Modern hermeneutical methods and their compatibility with the patristic exegesis: reflection on a homily by Asterios Amaseias on *Mt* 19:6-13. DBM 25/1 (2007) 39-57. **G.**

1460 *DiCeglie, Roberto* Metafisica, vangelo, bioetica. Aquinas 50/1 (2007) 163-180.

1461 *Dietrich, Luiz J.* Raízes de leitura popular da bíblia. Estudos bíblicos 96/4 (2007) 11-23.

1462 **Dohmen, Christoph** Die Bibel und ihre Auslegung. Wissen 2099: Mü [3]2006 <1998>, Beck 116 pp. €7.90. 978-34064-32996.

1463 *Dürmeier, Thomas* Die ökonomische Sprachtextur: effizienter Sprachimperialismus am Beispiel von Interessengruppen. Intertextualität. Sprache & Kultur: 2007 ⇒447. 211-225.

1464 *Enns, Peter E.* Preliminary observations on an incarnational model of scripture: its viability and usefulness. CTJ 42/2 (2007) 219-236.

1465 *Fleming, James D.* Making sense of science and the literal: modern semantics and early modern hermeneutics. The word and the world. 2007 ⇒460. 45-60.

1466 *Flot-Dommergues, Catherine* L'acte de lire et de faire lire: outils pour écouter et dialoguer. CEv 141 (2007) 4-8.

1467 *Ford, D.F.* God and our public life: a scriptural wisdom. International Journal of Public Theology [Leiden] 1/1 (2007) 63-81.

1468 *Fossion, André* Lire pour vivre: la lecture de la bible au service de la compétence chrétienne. NRTh 129 (2007) 254-271.

1469 *Frère Richard* "Lass in deinem Tag Arbeit und Ruhe vom Wort Gottes ihr Leben empfangen": die Heilige Schrift als Lebensquelle in der Gemeinschaft von Taizé. Geist im Buchstaben?. 2007 ⇒520. 83-97.

1470   *George, Mark K.* Space and history: siting critical space for biblical studies. Constructions of space 1. LHBOTS 481: 2007 ⇒377. 15-31.

1471   *Ghidelli, Carlo* La parola di Dio centro della Chiesa: verso il Sinodo 2008. vita pastorale 95/11 (2007) 72-74.

1472   *Gibert, Pierre* La differénciation moderne de la lecture biblique: le conflit des épistémologies. La réception. 2007 <2004> ⇒529. 161-193.

1473   *Gire, Pierre* Lecture et interprétation dans l'antiquité: quelques paradigmes philosophiques: notes et réflexions. SémBib 125 (2007) 6-16.

1474   *Gisel, Pierre* Statut de l'écriture et vérité en christianisme. RSR 95 (2007) 373-392.

1475   **Goldsworthy, Graeme** Gospel-centred hermeneutics. 2006 ⇒22, 1288. ᴿRBLit (2007)* *(Ochsenmeier, Erwin)*.

1476   *Grabner-Haider, Anton* Ansätze neuer Hermeneutik. Kulturgeschichte der Bibel. 2007 ⇒435. 469-475.

1477   *Graham, William* Beyond the written word. 1987 ⇒4,1200... 7,1022. ᴿRBLit (2007)* *(Kelber, Werner H.)*.

1478   *Green, Gene L.* Lexical pragmatics and biblical interpretation. JETS 50 (2007) 799-812.

1479   **Greisch, Jean** Entendre d'une autre oreille: les enjeux philosophiques de l'herméneutique biblique. 2006 ⇒22,1290. ᴿRTL 38 (2007) 237-240 *(Van Petegem, Pieter B.)*.

1480   *Gruber, Margareta* Verwandelnde Interpretation: zum Verhältnis von Exegese und lebendiger Schriftauslegung. AnzSS 116/5 (2007) 11-15.

1481   *Harrison, Peter* Reinterpreting nature in early modern Europe: natural philosophy, biblical exegesis and contemplative life. The word and the world. 2007 ⇒460. 25-44.

1482   *Hart, Kevin* Les philosophies de la religion de Jacques DERRIDA. Derrida pour les temps à venir. 2007 ⇒723. 159-179.

1483   *Hartenstein, Judith* Überlegungen zum Erkennen und Vermeiden von Antijudaismus in neutestamentlicher Exegese. ᶠHAACKER, K. ABIG 27: 2007 ⇒57. 353-366.

1484   *Havea, Jione* Is there a home for the bible in the postmodern world?. JES 42 (2007) 547-559.

1485   *Hecht, Anneliese* Schrifttext und Lebenstext legen sich gegenseitig aus: lebensbezogene Methoden der Bibelarbeit. AnzSS 116/5 (2007) 16-19.

1486   *Heen, Erik M.* The theological interpretation of the bible. LuthQ 21 (2007) 373-403.

1487   *Henriksen, Jan-Olav* Notater til en tekstlesningens etikk. Ung teologi 40/4 (2007) 85-91.

1488   *Herrmann, Karin* Dialogizität und Intertextualität: terminologische Fingerübungen im Hinblick auf die Zitatgedichte Ernst Meisters;

1489   *Herrmann, Karin; Hübenthal, Sandra* Die Intertextualitätstheorie in der Praxis wissenschaftlichen Arbeitens: interdisziplinäre Begegnungen. Intertextualität. Sprache & Kultur: 2007, ⇒447. 12-25/7-11.

1490   *Hoegen-Rohls, Christina* "Rhetorical criticism": zur Bedeutung rhetorischer Analyse für das Verstehen neutestamentlicher Texte. Praktische Theologie 42/2 (2007) 93-99.

1491   *Hoffmann, R.J.* The morality of historical skepticism: Enlightenment and biblical criticism. CSER Review [Amherst, NY] 2/1 (2007) 3-7.

1492 **Houtman, Cornelis** De Schrift wordt geschreven: op zoek naar een christelijke hermeneutiek van het Oude Testament. 2006 ⇒22,1301. ^RStr. 74 (2007) 754-755 (*Beentjes, Panc*).

1493 *Huie-Jolly, Mary R.* Formation of self in construction of space: Lefebvre in Winnicott's embrace;

1494 Language as extension of desire: the Oedipus complex and spatial hermeneutics. Constructions of space 1. LHBOTS 481: 2007 ⇒377. 51-67/68-84.

1495 *Janzen, J.G.* On naming the bible. Encounter 68/2 (2007) 45-52.

1496 **Jensen, Alexander S.** Theological hermeneutics—SCM core texts. L 2007, SCM xiv; 237 pp. £22/$30. 03340-29014.

1497 *Jones, P.H.* Back to the future: beyond literalism and liberalism to recontextualization. Encounter 68/2 (2007) 1-17.

1498 *Kealy, Séan P.* The limitations of the bible. BTB 37 (2007) 114-119.

1499 *Kirby, Jeffrey* Full gospel. HPR 107/10 (2007) 26-31.

1500 *Klinger, Susanne* Mystik und Religion in postsäkularer Zeit–kulturhermeneutische Perspektiven. Dem Geheimnis. 2007 ⇒938. 51-68.

1501 *Kort, Wesley A.* Sacred/profane and an adequate theory of human place-relations. Constructions of space 1. LHBOTS 481: 2007 ⇒ 377. 32-50.

1502 **Körtner, Ulrich H.J.** Einführung in die theologische Hermeneutik. 2006 ⇒22,1318. ^RActBib 44/1 (2007) 80-81 (*Boada, J.*).

1503 **Kugel, James** How to read the bible: a guide to scripture then and now. NY 2007, Free Press 848 pp. $35. 978-0-7432-3586-0. Bibl. ^RNew York Times Book Review [NY] Sept. 16 (2007) 12 (*Plotz, D.*); Commonweal 124/18 (2007) 35-36 (*Collins, J.J.*).

1504 *Kurka, Robert C.* Before "foundationalism": a more biblical alternative to the Grenz/Franke proposal for doing theology. JETS 50 (2007) 145-165.

1505 **Lacoste, Jean-Yves** Présence et parousie. 2006 ⇒22,1321. ^RTS 68 (2007) 700-701 (*Farrelly, M. John*).

1506 **Lampe, Peter** Die Wirklichkeit als Bild: das Neue Testament als ein Grunddokument abendländischer Kultur. 2006 ⇒22,1323. ^RZNT 20 (2007) 75-76 (*Busch, Peter*).

1507 *Lassave, Pierre* Ce que les écritures saintes font à leur science: vers une sociologie de l'exégèse biblique contemporaine. ASSR 52/3 (2007) 47-66.

1508 *Lehnert, Volker A.* Exegetisch Gott begegnen: historisch-vertrauende Hermeneutik bei Klaus Haacker. ^FHAACKER, K. ABIG 27: 2007 ⇒ 57. 389-408.

1509 *Lindsay, Dennis R.* "Bread broken and scattered": the "world church" and biblical interpretation. Stone-Campbell Journal 10/1 (2007) 5-20.

1510 *Link-Wieczorek, Ulrike* Unwiderruflich bis schwarz?: Nachdenken über das Wort Gottes als Metapher. ^FBRÄNDLE, W. Lüneburger Theologische Beiträge 5: 2007 ⇒18. 175-185.

1511 *López, E.* Género y tradición bíblica. Apuntes [Dallas] 27/1 (2007) 17-37.

1512 *Luh, Jing-Jong* A prolegomenon of dialectical-systematical hermeneutics: a primary research of the ground-presupposition of the intercultural-philosophical methodology. SiChSt 4 (2007) 137-166. **C.**

1513 **MacDonald, Neil B**. Karl BARTH and the strange new world within the bible: Barth, WITTGENSTEIN and the metadilemmas of the En-

lightenment. Theological Monographs: Milton Keynes ²2005 <2000>, Paternoster xxvi; 422 pp. £20/$30/€39.28.
1514 **Mantzavinos, C.** Naturalistic hermeneutics. C 2005, CUP xv; 180 pp. £40.
1515 *Marin, Pascal* La philosophie de l'interprétation du philosophe-philologue NIETZSCHE. SémBib 125 (2007) 17-29.
1516 *Matthews, Steven* Reading the two books with Francis BACON: interpreting God's will and power. The word and the world. 2007 ⇒460. 61-77.
1517 *Mazzarolo, Isidoro* Hermenêuticas bíblicas para depois de V Conferência de Aparecida. AtT 11/1 (2007) 43-75.
1518 *Mekkattukunnel, Andrews G.* The hermeneutics of the risen Lord. BiBh 33/3 (2007) 101-102.
1519 *Merz, Vreni* "Seine Vorhänge wollte er sehen": wie Kinder biblische Texte deuten. Diak. 38 (2007) 326-331.
1520 **Meschonnic, Henri** Un coup de bible dans la philosophie. 2004 ⇒ 20,1284; 21,1408. ᴿTheoforum 38 (2007) 363-364 (*Laberge, Léo*).
1521 *Meynet, Roland* Pour une définition scientifique de la notion de contexte. ᶠVANHOYE, A. AnBib 165: 2007 ⇒156. 585-600.
1522 *Mies, Françoise* Emmanuel LÉVINAS et la bible. Bible et philosophie. 2007 ⇒481. 125-179.
1523 *Millar, William R.* A Bakhtinian reading of narrative space and its relationship to social space. Constructions of space 1. LHBOTS 481: 2007 ⇒377. 129-140 [Gen 49,5-7; Deut 33,8-11].
1524 *Mitchell, Christine* Power, *eros*, and biblical genres. BiCT 3/2 (2007)*.
1525 *Moore, Stephen D.* A modest manifesto for New Testament literary criticism: how to interface with a literary studies field that is post-literary, post-theoretical, and post-methodological. BiblInterp 15 (2007) 1-25.
1526 *Mutel, J.M.* ERT 31/3 (2007) 196-206.
1527 *Müller, Gregor* In Bildern die Bibel lesen. Zeitschrift für Religionsunterricht und Lebenskunde 36/2 (2007) 9-11.
1528 *Nicklas, Tobias* Leitfragen leserorientierter Exegese: methodische Gedanken zu einer "Biblischen Auslegung". Der Bibelkanon. 2007 ⇒360. 45-61.
1529 **Noegel, Scott B.** Nocturnal ciphers: the allusive language of dreams in the ancient Near East. AOS 89: NHv 2007, American Oriental Society xvi; 346 pp. $70. 09404-9020X. Bibl. 281-346. ᴿRBLit (2007)* (*Gnuse, Robert*).
1530 **Oeming, Manfred** Biblische Hermeneutik: eine Einführung. Die Theologie: Da:Wiss ²2007, viii; 216 pp. 978-3-534-20490-8.
1531 *Overath, Joseph* Theologische Taschenspielertricks. Freikirchliche Bibeldeutung auf dem Prüfstand. Theologisches 37/1-2 (2007) 81-90.
1532 *Pape, Helmut* Verwirrende Erfahrungen und alltägliches Verstehen. ᶠBRÄNDLE, W. 2007 ⇒18. 201-207.
1533 *Parmentier, Elisabeth* Héritage et ruptures en milieu protestant. CEv 141 (2007) 49-63.
1534 **Parmentier, Elisabeth** La scrittura viva: guida alle interpretazioni cristiane della bibbia. Bo 2007, Dehoniane 277 pp. 9788810-201440.
1535 *Pathrapankal, Joseph* Interpreting the biblical text and beyond. **Pathrapankal, Joseph** Enlarging the horizons: studies in bible and

theology. Vazhoor 2007, Sopanam [238 pp].108-126. $13. 81782-10835.

1536 *Pénicaud, Anne* La lecture sémiotique sert-elle à quelque chose?: sémiotique & théologie. SémBib 125 (2007) 30-52.

1537 *Pikor, Wojciech* W jaki sposób Biblia jest "ksiega świeta"?. Roczniki Teologiczne 54/1 (2007) 83-103. **P**.

1538 **Pilnei, Oliver** Wie entsteht christlicher Glaube?: Untersuchungen zur Glaubenskonstitution in der hermeneutischen Theologie bei Rudolf BULTMANN, Ernst Fuchs und Gerhard Ebeling. Hermeneutische Untersuchungen zur Theologie 52: Tü 2007, Mohr S. xiv; 403 pp. 978-3-16-149330-0. Bibl. 381-395.

1539 *Pinho, Arnaldo de* A evidência de Jesus: anúncio e narratividade. Did(L) 37 (2007) 115-123.

1540 *Pohl-Patalong, Uta* Bibliolog: eine Begegnung von Bibel und Leben. AnzSS 116/5 (2007) 5-9.

1541 *Pottier, Bernard* Le péché originel dans la pensée de HEGEL. ᶠBRITO, E. BEThL 206: 2007 ⇒19. 105-123.

1542 *Provan, Iain* "How can I understand, unless someone explains it to me?" (Acts 8:30-31): evangelicals and biblical hermeneutics. BBR 17 (2007) 1-38.

1543 *Rae, Murray* 'Incline your ear so that you may live': principles of biblical epistemology. Bible and epistemology. 2007 ⇒444. 161-80.

1544 *Reiser, Marius* Die Prinzipien der biblischen Hermeneutik und ihr Wandel unter dem Einfluß der Aufklärung. Bibelkritik und Auslegung der Heiligen Schrift. WUNT 217: 2007 <2005> ⇒294. 219-75.

1545 *Reno, R.R.* Rebuilding the bridge between theology and exegesis: scripture, doctrine, and apostolic legitimacy. L&S 3 (2007) 153-168.

1546 *Revell, E.J.* The accents: hierarchy and meaning. Method in unit delimitation. Pericope 6: 2007 ⇒841. 61-91.

1547 **Ricoeur, Paul** Memory, history, forgetting. ᵀ*Blamey, Kathleen; Pellauer, David* 2004 ⇒20,1314. ᴿAThR 89 (2007) 105-112 (*Johnson, Michael A.*).

1548 *Rockmore, Tom* KANT, l'herméneutique et l'histoire universelle. Historia philosophiae: hommage à Alexis PHILONENKO. ᴱ**Vetö, Miklos** P 2007, L'Harmattan. 81-91.

1549 *Root, Michael* Faith and order in a postmodern world: a response. JES 42 (2007) 560-570.

1550 *Royannais, Patrick* L'herméneutique des énoncés dogmatiques: la fin du savoir absolu et l'herméneutique du témoignage. RSR 95 (2007) 495-514.

1551 *Rölver, Olaf* Die Bibel als Buch. Zeitschrift für Religionsunterricht und Lebenskunde 36/2 (2007) 3-7.

1552 *Ruhstorfer, Karlheinz* Die Quelle des Glaubens und Denkens: zum theologischen Ort der Heiligen Schrift heute. Geist im Buchstaben?. QD 225: 2007 ⇒520. 98-149.

1553 *Rüegger, Hans-Ulrich* Hermeneutische Prinzipien traditioneller und kritischer Bibelauslegung: eine Antwort. BZ 51 (2007) 235-248.

1554 *Sauter, Gerhard* The art of reading the bible: an art for everyone?. PSB 28 (2007) 191-209.

1555 *Schindler, D.C.* Mystery and mastery: philosophical reflections on biblical epistemology. Bible and epistemology. 2007 ⇒444. 181-98.

1556 **Schmidt, Lawrence K.** Understanding hermeneutics. Stocksfield 2006, Acumen viii; 184 pp. £40/14.

1557 *Schorch, Stefan* Die Rolle des Lesens für die Konstituierung alttestamentlicher Texte. Was ist ein Text?. 2007 ⇒980. 108-122.

1558 **Selby, Rosalind** The comical doctrine: an epistemology of New Testament hermeneutics. 2006 ⇒22,1389. ᴿCBQ 69 (2007) 834-835 (*Mercer, Calvin*).

1559 **Selz, Gebhard** Offene und geschlossene Texte im frühen Mesopotamien: zu einer Text-Hermeneutik zwischen Individualisierung und Universalisierung. Was ist ein Text?. 2007 ⇒980. 64-90.

1560 *Siegert, Folker* Du bon moment de la canonisation. La réception. 2007 ⇒529. 75-92.

1561 **Simpson, James** Burning to read: English fundamentalism and its Reformation opponents. Harvard 2007, Harvard Univ. Pr. 368 pp.

1562 *Smelik, Willem* Code-switching: the public reading of the bible in Hebrew, Aramaic and Greek. Was ist ein Text?. 2007 ⇒980. 123-151.

1563 **Snyman, Gerrie F.** Om die Bybel anders te lees: 'n etiek van bybellees. Pretoria 2007, Griffel Media 200 pp. R130. 978-09802-5566X. ᴿVeE 28 (2007) 748-750 (*Clasen, Ferdie*).

1564 *Söding, Thomas* Biblikus és rendszeres teológia párbeszéde a Szentírás értelméröl. Mérleg 43/2 (2007) 165-196. **Hungarian**.

1565 **Spinks, D. Christopher** The bible and the crisis of meaning: debates on the theological interpretation of scripture. NY 2007, Clark xi; 201 pp. $110. 978-05670-32102. Bibl. 187-197.

1566 **Spong, John S.** Die Sünden der heiligen Schrift: wie die Bibel zu lesen ist. Dü 2007, Patmos 340 pp. €26. ᴿZeitzeichen 8 (Nov. 2007) 71 (*Bauschke, Martin*).

1567 **Stadelmann, Helge; Richter, Thomas** Bibelauslegung praktisch: in zehn Schritten den Text verstehen. 2006 ⇒22,1397. ᴿJETh 21 (2007) 443-444 (*Siebenthal, Heinrich von*).

1568 *Stricklen, T.L.* What is the text we exegete for preaching?: or, meaningful exchange and the realm of God. Encounter 68/4 (2007) 15-31.

1569 *Tamez, E.* La biblia: saltos exegéticos y hermenéuticos en América Latina. Vida y Pensamiento [San José, Costa Rica] 27/2 (2007) 115-128.

1570 **Teevan, Donna** LONERGAN, hermeneutics, & theological method. Marquette Studies in Theology 45: 2005 ⇒21,1468. ᴿGr. 88 (2007) 204-206 (*Finamore, Rosanna*).

1571 *Theobald, Christoph* Il cristianesimo come stile: fare teologia nella postmodernità. Teol(Br) 32 (2007) 280-303.

1572 **Thiselton, Anthony C.** The hermeneutics of doctrine. GR 2007, Eerdmans xxii; 649 pp. $46/£25. 978-08028-26817. Bibl. 582-613; Thiselton on hermeneutics 2006 ⇒331.

1573 *Thomasset, Alain* Paul RICOEUR et la bible: poétique et argumentation. Bible et philosophie. 2007 ⇒481. 99-124.

1574 **Thompson, Mark D.** A clear and present word: the clarity of scripture. 2006 ⇒22,1432. ᴿSBET 25 (2007) 247-248 (*MacLeod, Colin L.*); RBLit (2007)* (*Viljoen, Francois*).

1575 *Tong, Joseph* History of redemption as hermeneutics and biblical interpretation principle. Evangel 25 (2007) 72-74.

1576 **Topping, Richard R.** Revelation, scripture, and church: theological hermeneutic thought of James BARR, Paul RICOEUR, and Hans FREI. Aldershot 2007, Ashgate x; 239 pp. £55/$100. 978-0-7546-5802-3. Bibl. 217-233.

1577 *Tosaus Abadía, José P.* El agua en el cristianesimo;

1578 El agua en la bíblia. Revista Aragonesa de Teología 13/2 (2007) 37-48/7-17.

1579 *Utzschneider, Helmut* Zur vierfachen Lektüre des Alten Testaments: Bibelrezeption als Erfahrung von Diskrepanz und Perspektive. Gottes Vorstellung. BWANT 175: 2007 <1993> ⇒336. 33-47.

1580 **Van Riessen, Renée** Man as a place of God: LEVINAS' hermeneutics of kenosis. Amsterdam Studies in Jewish Thought 13: Dordrecht 2007, Springer viii; 215 pp. 978-1-402-06227-8. Bibl. 207-212.

1581 ^E**Vandevelde, Pol** Issues in interpretation theory. Marquette Studies in Philosophy 49: Milwaukee 2006, Marquette Univ. Pr. 299 pp. $30.

1582 *Veijola, Timo* Text, Wissenschaft und Glaube: Üiberlegungen eines Alttestamentlers zur Lösung des Grundproblems der biblischen Hermeneutik. Offenbarung und Anfechtung. BThSt 89: 2007 <2000> ⇒ 338. 34-67.

1583 *Vellguth, Klaus* Die Hermeneutik des Bibel-Teilens: wenn das Christentum sich an seinen Wurzeln fasst. AnzSS 116/5 (2007) 20-23.

1584 *Vignolo, Roberto* L'ironia biblica—forma della verità che chi salva. Teol(M) 32 (2007) 203-238.

1585 **Village, Andrew** The bible and lay people: an empirical approach to ordinary hermeneutics. Aldershot 2007, Ashgate xiv; 190 pp. $100. 978-0-7546-5801-6. Bibl. 171-186.

1586 *Vinaya Raj, Y.T.* Towards a postmodern Dalit hermeneutics. VFTW 30/2 (2007) 85-95.

1587 **Virkler, Henry A.; Ayayo, Karelynne G.** Hermeneutics: principles and processes of biblical interpretation. GR ²2007, Baker 256 pp. $20. 978-0-8010-3138-0. Bibl. 241-246.

1588 *Vroom, H.M.* Echt gebeurd?: verhalen of feiten?: over historische en literaire bijbelkritiek en de zeggenschap van de bijbel. VeE 28 (2007) 345-371.

1589 *Wanke, Joachim* Die Heilige Schrift als Quellgrund von Verkündigung und Seelsorge: Anmerkungen aus exegetischer Sicht. AnzSS 116/12 (2007) 5-8.

1590 **Wischmeyer, Oda** Hermeneutik des Neuen Testaments. NET 8: 2004 ⇒20,1360. ^RBBR 17 (2007) 167-168 (*Yarbrough, Robert W.*).

1591 *Yamauchi, Edwin M.* Scripture as talisman, specimen, and dragoman. JETS 50 (2007) 3-30.

1592 **Zimmerman, Jen** Recovering theological hermeneutics: an incarnational-trinitarian theory of interpretation. 2004 ⇒20,1364; 21,1499. ^RProEc 16/1 (2007) 107-110 (*Malcolm, Lois*).

B2.4 *Analysis* narrationis *biblicae*

1593 *Andersen, Gregor* A narratologist's critical reflections on synchronic studies of the bible: a response to Gregory T.K. Wong. SJOT 21 (2007) 261-274.

1594 *Auld, Graeme* Narrative books in the Hebrew scriptures. ET 119 (2007) 105-110.

1595 **Bar-Efrat, Shimon** Wie die Bibel erzählt: alttestamentliche Texte als literarische Kunstwerke verstehen. 2006 ⇒22,1456. ^RJETh 21 (2007) 242-245 (*Roman, Oliver*).

1596 **Baroni, Raphaël** La tension narrative: suspense, curiosité et surprise. P 2007, Seuil 442 pp. Diss. Lausanne 2005.

1597 **Finlay, Timothy D.** The birth report genre in the Hebrew Bible. FAT
      2/12: 2005 ⇒21,1511. ᴿThLZ 132 (2007) 784-786 (*Krispenz, Jutta*).
1598 *Gülich, Elisabeth* Mündliches Erzählen: narrative und szenische Re-
      konstruktion. ᶠHARDMEIER, C. ABIG 28: 2007 ⇒62. 35-62.
1599 *Lam, Jason T.S.* The blueprint of Paul RICOEUR's theology of biblical
      intertextuality. ThLi 30 (2007) 107-121. Eng. Abstract 122s. **C.**
1600 *Lichtert, Claude* Le personnage secondaire anonyme dans le récit
      biblique: essai. Regards croisés sur la bible. 2007 ⇒875. 355-364.
1601 **Resseguie, James L.** Narrative criticism of the New Testament: an
      introduction. 2005 ⇒21,1518. ᴿAThR 89 (2007) 518-519 (*Pace,
      Bradley*).
1602 *Ska, Jean-L.* 'Historien' ou 'antiquaire'–*historian* or *antiquarian*?.
      Regards croisés sur la bible. LeDiv: 2007 ⇒875. 405-415.
1603 *Smith, Mark S.* Biblical narrative between Ugaritic and Akkadian lit-
      erature: part I: Ugarit and the Hebrew Bible: consideration of com-
      parative research. RB 114 (2007) 5-29;
1604 part 2: Mesopotamian impact on biblical narrative. RB 114 (2007)
      189-207.
1605 *Sonnet, Jean-P.* A la croisée des mondes: aspects narratifs et théolo-
      giques du point de vue dans la Bible hébraïque. Regards croisés sur
      la bible. LeDiv: 2007 ⇒875. 75-100;
1606 Du midrash à RASHI et à l'exégèse narrative contemporaine: continui-
      té de la lecture juive. NRTh 129 (2007) 17-34.
1607 **Tannen, Deborah** Talking voices: repetition, dialogue, and imagery
      in conversational discourse. Studies in interactional sociolinguistics
      25: C ²2007, CUP x; 233 pp. 978-0-521-86890-7. Bibl.
1608 **Yamasaki, Gary** Watching a biblical narrative: point of view in bib-
      lical exegesis. L 2007, Clark vii; 230 pp. $130. 978-0-567-02695-8.
      Bibl. 212-216.

B3.1 *Interpretatio ecclesiastica* **Bible and Church**

1609 **Armstrong, Dave** A biblical defense of catholicism. 2003 ⇒21,
      1527. ᴿSdT 19 (2007) 206-207 (*De Chirico, Leonardo*).
1610 *Baker, W.R.; Kissling, P.J.; Jackson, T.S.* Coming full circle: biblical
      scholarship in christian churches. Stone-Campbell Journal 10/2
      (2007) 165-191.
1611 *Barbati, Giuseppe* Riflessioni sulla parola di Dio. Vivar(C) 15
      (2007) 297-302.
1612 *Baumer, Iso* Hans Urs VON BALTHASAR und die kirchliche Bücher-
      zensur: am Beispiel der "betrachtenden Auslegung des Johannes-
      Evangeliums" von Adrienne von Speyr (1947-49). ZKTh 129 (2007)
      207-235.
1613 *Bausenhart, Guido* Ein (bislang) unfruchtbar gebliebener Text: Lu-
      men gentium 18,1. ᶠBRÄNDLE, W. 2007 ⇒18. 19-30.
1614 *Beaude, Pierre-Marie* Exégètes et théologiens: du conflit à la respon-
      sabilité de sujets lecteurs. RSR 95 (2007) 337-354.
1615 *Birmelé, André* La déclaration commune luthérienne-catholiqe à
      propos de la doctrine de la justification. EfMex 25 (2007) 307-326.
1616 *Bittasi, Stefano* Ascoltare–testimoniare–annunciare la parola: un pro-
      cesso teologicamente dinamico. RdT 48 (2007) 883-896.

1617 *Brown, Peter D.* Catholic biblical scholarship. HPR 107/4 (2007) 6-15.

1618 *Caballero, José Antonio* Pensamiento griego y pensamiento bíblico: a propósito del discurso del Papa BENEDICTO XVI en Ratisbona. Alpha Omega 10 (2007) 399-422.

1619 *Cavalcanti, Tereza M.P.* A leitura popular da bíblia e a V Conferência do CELAM. AtT 11/1 (2007) 76-103.

1620 *De Luca, Gesualdo* Bibbia e catechismo della chiesa cattolica. Vivar(C) 15 (2007) 247-262.

1621 *Decock, Paul B.* The bible in the life of the church in the South African context. ^{F}MONSENGWO PASINYA, L. 2007 ⇒110. 27-37.

1622 *Dios Larrú, Juan de* El lógos del agápe: a propósito de la encíclica Deus caritas est. AnVal 33/65 (2007) 11-26.

1623 *Dodaro, Robert* "Deus caritas est" nell'esegesi agostiniana della Prima Johannis. Lat. 73/2 (2007) 333-355.

1624 *Dulles, Avery* The church and the kingdom: a study of their relationship in scripture, tradition, and evangelization. L&S 3 (2007) 23-38.

1625 **Ehrman, Bart D.** Misquoting Jesus: the story behind who changed the bible and why. 2005 ⇒21,1547. ^{R}PaRe 3/6 (2007) 92-94 (*Wansbrough, Henry*).

1626 *Elengabeka, Elvis* Emblèmes bibliques des synodes africains. AETSC 12/20 (2007) 87-94.

1627 **Ferrari, Pier Luigi** La Dei Verbum. Interpretare la Bibbia oggi 1,1: 2005 ⇒21,1550; 22,1504. ^{R}Asp. 54 (2007) 101-103 (*Di Palma, Gaetano*); CoTh 77/3 (2007) 211-216 (*Skrobisz, Mirosław J.*).

1628 **Fontana, Michele** La parola di Dio nella chiesa: fondazione trinitaria della sua efficacia. Verbum 3: Soveria Mannelli (CZ) 2007, Rubbettino 260 pp.

1629 *Gallo, Luis A.* Die Bibel im Leben und in der Pastoral der Kirche in Lateinamerika. ^{F}WAHL, O. Bibel konkret 3: 2007 ⇒160. 55-76.

1630 *Goan, Seán* God's word in faith development. DoLi 57/3 (2007) 36-45.

1631 *González Cruz, Manuel* La fórmula luterana simul iustus et peccator, en la Declaración común de la Justificación (1999) y en la discusión teológica actual. EfMex 25 (2007) 381-411.

1632 **Green, Joel B.** Seized by truth: reading the bible as scripture. Nv. 2007, Abingdon 185 pp. $23.50. 978-06870-23554. Bibl.

1633 *Hahn, Scott W.* The hermeneutic of faith: Pope BENEDICT XVI on scripture, liturgy, and church. IncW 1 (2007) 415-440.

1634 *Harezga, Stansislaw* Formula "Bóg jest miłościa" w 1 J 4,8.16 i jej recepcja w pierwszej encyklice Benedykta XVI. CoTh 77/3 (2007) 63-79.

1635 *Harrington, Daniel J.* Reading scripture: the New Testament in light of Vatican II. Catholic Woman [Arlington, VA] 33/5 (2007) 6-7.

1636 *Hasitschka, Martin* Der Begriff der "Katholizität" und seine Verwurzelung im vielfältigen Christuszeugnis des Neuen Testaments. Katholizität: Konfessionalismus oder Weltweite?: Beiträge der ökumenischen Forschungsprojektgruppe an der Katholisch-Theologischen Fakultät Innsbruck. ^{E}**Hell, Silvia** Innsbruck 2007, Tyrolia. 9-15.

1637 *Heldt, Petra* Protestant perspectives after 40 years: a critical assessment of Nostra Aetate. Nostra aetate. 2007 ⇒940. 163-173.

1638 *Hensell, E.* The bible and the church. RfR 66/1 (2007) 90-93.

1639 *Johnson, L.T.; Tushnet, E.* Homosexuality & the church. Commonweal 134/12 (2007) 14-21.

1640 *Junco Garza, Carlos* Puntos controvertidos en la elaboración de la Dei Verbum. EfMex 25 Ed.Spec. 1 (2007) 49-66.

1641 *Kempe, R.J.* Why I am not a biblical counsellor. LTJ 41 (2007) 134-146.

1642 *Klaiber, Walter* Versuch einer Zusammenfassung. Die Bibel im Leben der Kirche. 2007 ⇒1643. 229-231.

1643 ^E**Klaiber, Walter; Thönissen, Wolfgang** Die Bibel im Leben der Kirche. Pd 2007, Bonifatius 245 pp. €23. 978-3-89710-373-3.

1644 *Kozyra, Józef* Die Christustitel in der Apokalypse als führender Gedanke der Adhortatio *Ecclesia in Europa*. Ethos and exegesis. 2007 ⇒464. 193-204.

1645 **Laplanche, François** La crise de l'origine: la science catholique des évangiles et l'histoire au XXe siècle. 2006 ⇒22,1514. ^REeV 117/171 (2007) 9-13 (*Ramond, Sophie*); ZKTh 129 (2007) 111-115 (*Neufeld, Karl H.*); ThLZ 132 (2007) 29-30 (*Riaud, Jean*); NRTh 129 (2007) 149-150 (*Joassart, B.*); RHPhR 87 (2007) 219-220 (*Grappe, C.*); MSR 64/2 (2007) 91-92 (*Breuvart, Jean-Marie*); TS 68 (2007) 449-450 (*Talar, C.J.T.*); RHR 224 (2007) 515-518 (*Moulinet, Daniel*).

1646 *Legrand, L.* The forthcoming Synod on the Word of God: a few reflections on the Lineamenta. ITS 44 (2007) 365-376.

1647 *Lehmann, Karl* Die Bedeutung von Bibel und Bibelwissenschaft für Kirche und Gesellschaft. Aufgabe und Durchführung. WUNT 205: 2007 ⇒783. 335-345.

1648 *Lopasso, Vincenzo* La parola nella bibbia. Vivar(C) 15 (2007) 145-155.

1649 *Loza Vera, José* La Constitución Dei Verbum y la Pontificia Comisión Bíblica en la vida de la Iglesia;

1650 *Mancilla Sánchez, Juan Manuel* La trascendencia de la Dei Verbum en la vida de la Iglesia. EfMex 25 Ed.Spec. 1 (2007) 67-91/43-48.

1651 *Marconcini, Benito* Storia dell'interpretazione della bibbia nella chiesa cattolica: principali fasi. RAMi 32/1 (2007) 5-39.

1652 *Massonnet, Jean* Ecriture et communauté. Accueil de la torah. 2007 ⇒853. 59-88.

1653 *Mazzillo, Giovanni* La parola di Dio all'origine della chiesa come popolo di Dio. Vivar(C) 15 (2007) 191-212.

1654 *Mazzinghi, Luca* Parola di Dio e vita della chiesa. RivBib 55 (2007) 401-429.

1655 *Nault, François* L'écriture, arme de la théologie?. RSR 95 (2007) 355-372.

1656 *Pawlikowski, John T.* Nostra Aetate: its continuing challenges. Mar. 69 (2007) 387-415.

1657 **Pelikan, Jaroslav** À qui appartient la bible?: le livre des livres à travers les âges. ^T*Canal, Denis-Armand* 2005 ⇒21,1595; 22,1526. ^RETR 82 (2007) 272-274 (*Gounelle, Rémi*);

1658 Whose bible is it?: a history of the scriptures through the ages. 2005 ⇒21,1596. ^RBS 164 (2007) 365-367 (*Horrell, J. Scott*).

1659 *Pellitero, R.* La fuerza del testimonio cristiano. ScrTh 39 (2007) 367-402.

1660 **Pock, Johann** Gemeinden zwischen Idealisierung und Planungszwang: biblische Gemeindetheologien. 2006 ⇒22,1529. ^RThPQ 155 (2007) 427-429 (*Hofer, Peter*).

1661 *Pöhl, Rudolf* "Komm und spiel mit mir!": Dei verbum und homo ludens begegnen sich. VSVD 48/1 (2007) 81-100.

1662 *Puig i Tàrrech, Armand* La *Dei Verbum*, quaranta anys després. RCatT 32 (2007) 169-175.

1663 *Reiser, Marius* Bibel und Kirche: eine Antwort an Ulrich Luz. Bibelkritik. WUNT 217: 2007 <1999> ⇒294. 39-61.

1664 **Scaramuzzi, Francesco** L'indispensabilità della 'viva tradizione di tutta la chiesa' (DV 12,3) nell'interpretazione della scrittura. ^D*Aparicio Valls, Maria Carmen* R 2007, 277 pp. Extr. Diss. Gregoriana; Bibl. 217-264.

1665 **Scardilli, Pietro D.** I nuclei ecclesiologici nella costituzione liturgica del Vaticano II. TGr.T 153: R 2007, E.P.U.G. 413 pp. €32. 978-88-7839-103-1.

1666 **Schelkens, Karim** 'Deus multifariam multisque modis locutus est...': de redactie van het preconciliaire schema 'De fontibus revelationis': een theologisch onderzoek met bijzondere aandacht voor de belgische bijdrage. ^D*Lamberigts, Mathijs* 2007, 2 vols; xlvi; 267 pp. Diss. Leuven: Katholieke Univ.

1667 *Secondin, Bruno* Parola e chiesa: la parola convoca e costruisce la comunità. CoSe 61/3 (2007) 73-81 [1 Kgs 19,4].

1668 *Silva Retamales, Santiago* La 'palabra de Dios' en la V conferencia de Aparecida. Medellín 33 (2007) 377-415.

1669 *Skrobisz, Mirosław J.* Lo Spirito e le norme dell'interpretazione della sacra scrittura nella chiesa secondo le catechesi di GIOVANNI PAOLO II. CoTh 77 Spec. (2007) 61-88.

1670 *Söding, Thomas* Aufbruch zu neuen Ufern: Bibel und Bibelwissenschaft in der katholischen Kirche bis zum Zweiten Vatikanischen Konzil und darüber hinaus. Geist im Buchstaben?. QD 225: 2007 ⇒ 520. 11-34;

1671 Aufklärung über Jesus: das Jesus-Buch des Papstes und das Programm seines Pontifikates. HerKorr 61 (2007) 281-285.

1672 *Stramare, Tarcisio* Metodi biblici tra il sì e il ma: quale nuova metodologia?. PATH 6 (2007) 305-333;

1673 Pluralismo di metodi e di approccio: ricchezza o confusione?. BeO 49 (2007) 121-128.

1674 *Swetnam, James* Reflections on the pastoral use of scripture in the catholic church in the context of contemporary exegesis. BDV 82/83 (2007) 33-34.

1675 *Tietz, Christiane* Kanon und Kirche. Kanonhermeneutik. Theologie interdisziplinär 1: 2007 ⇒454. 99-119.

1676 *Vázquez Allegue, Jaime* La novedad bíblica en la "Deus Caritas est". EstTrin 41 (2007) 379-403.

1677 *Vicent, Rafael* Dio rivela se stesso: chiede giustizia nei fatti e misericordia nel cuore. ^FBENEDETTO XVI. 2007 ⇒14. 224-234.

1678 *Werbick, Jürgen* Die Kirche: Biotope christlichen Glaubens: eine kritische Positionsbestimmung vier Jahrzehnte nach Abschluss des II. Vatikanischen Konzils. Im Wandel. 2007 ⇒574. 17-32.

1679 **Witherup, Ronald D.** Scripture: Dei Verbum. Rediscovering Vatican II: NY 2007, Paulist xvi; 160 pp. $16.

1680 *Wodka, Andrzej* Tratti biblici del Dio-Agape nell'enciclica *Deus caritas est*. StMor 45 (2007) 47-72.

1681 *Xiande, M. Hu* Ten years of small bible-study groups. Tripod [Hong Kong] 27/144 (2007) 35-40.

B3.2 *Homiletica*—The Bible in preaching

1682 **Aaron, Charles L., Jr.** Preaching Hosea, Amos, & Micah. 2005
⇒21,1619. [R]AUSS 45 (2007) 263 (*Mulzac, Kenneth*).
1683 *Allen, Ronald J.* Philippians 2:1-11. Interp. 61 (2007) 72-74.
1684 **Allen, Ronald J.; Williamson, Clark M.** Preaching the Old Testament: a lectionary commentary. LVL 2007, Westminster xxi; 309 pp.
$30. 978-06642-30685.
1685 **Amherdt, François-X.** Prêcher l'Ancien Testament aujourd'hui.
2006 ⇒22,1554. [R]RHPhR 87 (2007) 122-123 (*Parmentier, E.*).
1686 *Baars, Arie* Christusprediking vanuit het Oude Testament. ThRef 50
(2007) 242-266.
1687 *Barth, Karl* On the sinking of the Titanic. PSB 28 (2007) 210-216
[Ps 103,15-17].
1688 *Berg, Shane* Body language. PSB 28/1 (2007) 7-13 [Prov 12,15-19].
1689 *Bibb, Wade* Preaching in ordinary time: the extraordinary subjects of
Jesus' realm. RExp 104 (2007) 297-323.
1690 **Blank, Ireneusz** Przemienienie Pańskie (Mt 17,1-9; Mk 9,2-10; Łk
9,28-36) w polskim przepowiadaniu posoborowym: studium biblijno-
homiletyczne. [D]*Glowa, W.* 2007, 255 pp. Diss. Lublin [RTL 39,635].
1691 *Blevins, Carolyn D.* Under my wings: Jesus' motherly love Matthew
23:37-39. RExp 104 (2007) 365-374.
1692 *Boenzi, Joseph* Parole che illuminano il nostro cammino spirituale: la
bibbia, guida dei predicatori secondo FRANCESCO di Sales. Celebrare
e annunciare. 2007 ⇒539. 42-54.
1693 *Braun, Reiner* "Was willst du, dass ich für dich tun soll?": Predigt
über Lk 18,31-43. ThBeitr 38 (2007) 1-4.
1694 *Brisson, Carson* Luke 14:25-27. Interp. 61 (2007) 310-312.
1695 *Carter Florence, Anna* A prodigal preaching story and bored-to-
death youth. ThTo 64 (2007) 233-243 [Acts 20,7-12].
1696 *Christensen, Richard* Colossians 1:15-28. Interp. 61 (2007) 318-320.
1697 *Clark-King, Ellen* Sermon on Luke 12:49-56. ET 118 (2007) 501-2.
1698 **Cosgrove, Charles H.; Edgerton, W. Dow** In other words: incarna-
tional translation for preaching. GR 2007, Eerdmans 244 pp. $16.
978-0-8028-4037-0. Bibl. 226-230 [BiTod 46,336–Dianne Bergant].
1699 *Craven, Toni* Habakkuk 1:1-11. Interp. 61 (2007) 418-420.
1700 *Dahlgrün, Corinna* Von Auferstehung und Gericht predigen. "... und
das Leben der zukünftigen Welt". 2007 ⇒557. 77-89.
1701 *Davis, Ellen F.* Wondrous depth: preaching the Old Testament. 2005
⇒21,1632; 22,1580. [R]Theol. 110 (2007) 315-316 (*Rodd, C.S.*).
1702 *Day, Dan* A fresh reading of Jesus' last words Matthew 28:16-20.
RExp 104 (2007) 375-384.
1703 *Deeg, Alexander* Phantasie und Akribie: Haggada und Halacha im
Judentum und die christliche Predigt. PTh 96 (2007) 144-159.
1704 **Deeg, Alexander** Predigt und Derascha: homiletische Textlektüre in
Dialog mit dem Judentum. APTLH 48: 2006 ⇒22,1586. [R]LuThK 31
(2007) 254-255 (*Stolle, Volker*).
1705 *Deeg, Alexander* Skripturalität und Metaskriptualität: über Heilige
Schrift, Leselust und Kanzelrede. EvTh 67 (2007) 5-17.
1706 *Eibach, Ulrich* Das Kreuz provoziert: Predigt zu 1. Korinther 1,18-
25. ThBeitr 38 (2007) 57-62.

1707 *Eswine, Z.W.* Creation and sermon: the role of general revelation in biblical preaching. Presbyterion 33/1 (2007) 1-11.

1708 *Fabry, Heinz-Josef* Neue Aufmerksamkeit für die Septuaginta: Einführung in das Thema der Tagung. Im Brennpunkt 3. BWANT 174: 2007 ⇒384. 9-26.

1709 *Fischer, Yvonne* Lernen von einem Schwächling: Predigt über 2. Korinther 4,3-6, Predigttext am 6. Januar 2008. JK 68/4 (2007) 68-70.

1710 ᴱ**Fleer, David; Bland, Dave** Preaching the Sermon on the Mount: the world it imagines. St. Louis 2007, Chalice xii; 177 pp. $20. 978-08272-30040 [BiTod 45,332—Donald Senior].

1711 *Forster, Regula; Michel, Paul* Übergangsloser Wechsel von Allegorese zu Allegorie: Johannes TAULERs Predigt zu Mt 20,1-16. Significatio. 2007 ⇒424. 191-212.

1712 *Fowl, Stephen* John 6:25-35. Interp. 61 (2007) 314-316.

1713 *Gloer, W. Hulitt* Ambassadors of reconciliation. Paul's genius in applying the gospel in a multi-cultural world: 2 Corinthians 5:14-21. RExp 104 (2007) 589-601.

1714 *Gorringe, Tim* Sermon on Luke 12:32-40. ET 118 (2007) 497-498.

1715 *Gounelle, Rémi* Difficultés de la prédication et responsabilité du prédicateur dans l'antiquité. PosLuth 55/1 (2007) 1-22.

1716 **Greidanus, Sidney** Preaching Christ from Genesis: foundations for expository sermons. GR 2007, Eerdmans xviii; 518 pp. $30. 978-08-028-25865.

1717 *Greiner, Albert* "Ceux qui sèment dans les larmes moissonnent en chantant": Jérémie 23,2: Psaume 126,5-6. PosLuth 55/1 (2007) 77-80.

1718 *Hedahl, S.K.* The bible and the pulpit: presence and context. Seminary Ridge Review [Gettysburg, PA] 10/1 (2007) 38-51.

1719 *Hiendl, David* "Die Kirche im Sturm": eine Abschiedspredigt. Löscht den Geist. 2007 ⇒366. 153-157.

1720 *Howard, R.R.* Assessing lectionary-helps resources. Encounter 68/4 (2007) 33-47.

1721 *Jacobson, Karl N.; Jacobson, Rolf A.* The one who will be born: preaching Isaiah's promises in a Harry Potter culture. WaW 27 (2007) 426-435.

1722 *Jacobson, Rolf A.* Psalm 36:5-11. Interp. 61 (2007) 64-66.

1723 *Janse van Rensburg, J.* Prediking uit die Ou Testament. AcTh(B) 27 (2007) 105-127.

1724 **Kaiser, Walter C., Jr.** The majesty of God in the Old Testament: a guide to preaching and teaching. GR 2007, Academic 176 pp. $17. 978-0-8010-3244-8. Bibl. [BiTod 46,197–Dianne Bergant];

1725 Preaching and teaching from the Old Testament: a guide for the church. 2003 ⇒19,1477... 21,1659. ᴿRExp 104 (2007) 179-180 (*Mariottini, Claude F.*).

1726 *Kappes, Bernd* Betend handeln: Predigt zu Kolosser 4,2-4, gehalten am 21. Mai 2006 in Marburg. JK 68/2 (2007) 64-66.

1727 *Kasparick, Siegfried* Predigt zu Mt 7,21-23. "... und das Leben der zukünftigen Welt". 2007 ⇒557. 152-156.

1728 *Kerr, Fergus* Sermon on Colossians 3:1-11. ET 118 (2007) 495-496.

1729 *Leutzsch, Martin* Die Trennung von Macht und Geld: Matthäus 10,1-15: Predigttext am 10. Juni 2007. JK 68/2 (2007) 61-63.

1730 *Lichtenberger, Hermann* Predigt über Genesis 22,1-19. Opfere deinen Sohn!. 2007 ⇒442. 313-320.

1731   *Lienhard, Marc* Persévérer dans l'oecuménisme: prédication sur Romains 15,5-7.13. PosLuth 55/2 (2007) 125-129.
1732   *Lüllau, Edgar* Jesus, der Befreiungstheologe: Predigt über Johannes 8,31b-32. ZThG 12 (2007) 294-297.
1733   *MacPherson, Duncan* Preaching the word. ScrB 37 (2007) 66-76.
1734   **McGuire, Brendan** Seeds for the soul: Sunday homilies for Cycle A. Dublin 2007, Columba 144 pp. €10.
1735   *McKinnish Bridges, Linda* Preaching the parables of Jesus in Matthew's gospel in ordinary time: the extraordinary tales of God's world. RExp 104 (2007) 325-362.
1736   *Mosconi, Franco* Cosa ne abbiamo fatto della parola?: attuare la speranza con uno stile di vita santo (1 Pietro 1,13-21). Qol(I) 125 (2007) 13-15.
1737   **O'Day, Gail; Hackett, Charles** Preaching the Revised Common Lectionary: a guide. Nv 2007, Abingdon 161 pp. $17. 978-06876-46-241.
1738   **Old, Hughes O.** The reading and preaching of the scriptures in the worship of the christian church, 6: the modern age. GR 2007, Eerdmans xxii; 997 pp. $50. 0-8028-31397.
1739   **Pereira, Vincent S.** Challenged by the scriptures. Mumbai 2007, Pauline 288 pp. Rs 130.
1740   *Phelps, Stephen H.* Acts 16:16-40. Interp. 61 (2007) 206-208.
1741   *Powery, Luke A.* Death threat: 1 Corinthians 11:17-34a. PSB 28 (2007) 244-250.
1742   *Qubti, Shadia* Ezekiel 37: "Can these bones live?: God, only you know". RExp 104 (2007) 659-665.
1743   *Ramsey, Janet L.* "Once in royal David's city": David's story in preaching and pastoral care. WaW 27 (2007) 444-450.
1744   *Redditt, Paul L.* John 19:38-42. Interp. 61 (2007) 68-70.
1745   *Roberts, Kathryn L.* Exodus 20:1-6. Interp. 61 (2007) 60-62.
1746   *Rogness, Michael* Proclaiming the gospel on Mars Hill. WaW 27 (2007) 274-294.
1747   *Ross, Art* Luke 15:1-10. Interp. 61 (2007) 422-424.
1748   **Rutledge, Fleming** Not ashamed of the gospel: sermons from Paul's letter to the Romans. GR 2007, Eerdmans 421 pp. $19. 978-08028-27371.
1749   *Satterlee, Craig A.* Amos 8:1-12. Interp. 61 (2007) 202-204.
1750   *Schifferdecker, Kathryn* "And also many animals": biblical resources for preaching about creation. WaW 27/2 (2007) 210-223.
1751   *Schreiner, Thomas R.* Sermon: loving one another fulfills the law (Romans 13:8-10). Southern Baptist Convention 11/3 (2007) 104-9.
1752   *Sheeley, Steven M.* The exercise of Jesus' royal power: Lent through Trinity Sunday. RExp 104 (2007) 269-296.
1753   *Siker, Jeffrey S.* Revelation 1:4-9. Interp. 61 (2007) 210-213.
1754   **Smend, Rudolf** Wohltuendes Durcheinander: biblische Predigten. Stu 2007, Radius 178 pp. 978-3-87173-379-6.
1755   *Spiegel, Pirmin* Und alle wurden satt ... eine Predigt zu Geld, Gnade und Mt 14,13-21. Diak. 38 (2007) 56-59.
1756   *Steffensky, Fulbert* Freigeister mit heiligen Texten: der Weg des Wortes Gottes–biblisch, spirituell, politisch. JK 68/3 (2007) 44-50.
1757   *Stegemann, Wolfgang* Israel und die Völker: Apostelgeschichte 16,9-15: Predigttext am 27. Januar 2008. JK 68/4 (2007) 65-67.

1758 *Storrar, William* The grateful life: "I am grateful to Christ Jesus our Lord..." 1 Timothy 1:12-17, Psalm 50:7-15, Luke's gospel 17:11-19. PSB 28 (2007) 331-336.

1759 *Stricklen, T.L.* Encounter 68/4 (2007) 33-47.

1760 *Strübind, Kim* Der Doppelgänger: Predigt zum Sonntag "Jubilate" über 2. Korinther 4,7.16-18. ZThG 12 (2007) 298-303.

1761 **Sunukjian, Donald R.** Invitation to biblical preaching: proclaiming truth with clarity and relevance. GR 2007, Kregel 375 pp. $30.

1762 *Thomas, Harvey* Forgiveness and reconciliation: John 13:31-35. RExp 104 (2007) 651-657.

1763 *Tipton, Vaughn C.* The gospel of Matthew and the value of the liturgical year. RExp 104 (2007) 213-242.

1764 *Van Parys, Michel* De l'Horeb au Thabor: le Christ transfiguré dans les homélies byzantines. Irén. 80 (2007) 235-265 [Mt 17,1-9; Mk 9,2-9].

1765 *Vinson, Richard B.* "King of the Jews": kingship and anti-kingship rhetoric in Matthew's birth, baptism, and transfiguration narratives. RExp 104 (2007) 243-268.

1766 *Voigt, Christof* Die Dekonstruktion des Turm(bau)s zu Babel: eine Predigt über Genesis 11,1-9 im Geiste DERRIDAS. ThFPr 33/1-2 (2007) 98-107.

1767 *Vos, C.J.A.* A language of hope from a homiletical perspective. VeE 28/1 (2007) 325-344 [Ps 42-43; 84].

1768 *Wagner, J. Ross* Rejoice in the Lord!. PSB 28/1 (2007) 1-6 [Ps 131].

1769 *Wagner-Rau, Ulrike* Beharrlich im Gebet: Predigt über Kol 4,2-4 am Sonntag Rogate, 21.05.06., Universitätskirche Marburg. [F]BLUMENTHAL, S. von. Ästhetik–Theologie–Liturgik 45: 2007 ⇒16. 195-199.

1770 *Weaver, Dorothy J.* 2 Thessalonians 3:6-15. Interp. 61 (2007) 426-8.

1771 *Weise, Uwe* Behutsames Lesen, Auslegen und Predigen: ein exegetisch-homiletischer Selbstversuch anhand von Jes 6,1-11. [F]HARDMEIER, C. ABIG 28: 2007 ⇒62. 382-399.

1772 *Wells, Bruce* Deuteronomy 30:6-14. Interp. 61 (2007) 198-200.

1773 *Werner, Mechthild* Steh auf und iss: Predigt über 1. Könige 19,1-13a im Schlussgottesdienst des Kirchentags in Köln. JK 68/3 (2007) 67-68.

1774 **Wright, N.T.** Christians at the cross: finding hope in the passion, death, and resurrection of Jesus. Ijamsville, MD 2007, Word among Us xvi; 79 pp. $11 [BiTod 46,417–Donald Senior].

1775 *Zabka, Andreas Peter* 60 Jahre Kriegsende: Predigt über 2. Korinther 5,19-21. ZThG 12 (2007) 304-308.

1776 *Zeihe-Münstermann, Brigitta* Jakob träumt von Gottes Segen: Predigt zu Genesis 28,10-19a. ThBeitr 38 (2007) 174-177.

1777 *Zoltán Adorjáni, Dezsö* "... macht euch ein neues Herz und einen neuen Geist": Predigt im Gottesdienst in Seevetal, 16. Januar 2006. LKW 54 (2007) 17-22.

B3.3 Inerrantia, inspiratio

1778 *Artola Arbiza, Antonio M.* Fenomenología de la inspiración bíblica: la irrupción del soplo inspirador. RTLi 41/1 (2007) 7-48;

1779 La inspiración en el sentimiento y la volición del autor sagrado. RTLi 41 (2007) 317-352.

1780 *Askani, Hans-Christoph* Ecriture et parole. CEv 141 (2007) 75-85.
1781 *Atkinson, Joseph C.* Inerrancy as a hermeneutic for catholic exegesis. IncW 1 (2007) 395-413.
1782 *Beale, Gregory K.* A surrejoinder to Peter Enns's response to G.K. Beale's JETS review article of his book, "Inspiration and incarnation". Southern Baptist Convention 11/1 (2007) 16-36;
1783 A surrejoinder to Peter Enns. Themelios 32/3 (2007) 14-25.
1784 *Blanchard, Yves-M.* 'Toute écriture est inspirée' (2 Tm 3,16): les problématiques de la canonisation et de l'inspiration avec leurs enjeux respectifs. La réception. 2007 <2005> ⇒529. 15-35.
1785 **Blomberg, Craig L.** Making sense of the New Testament: three crucial questions. 2004 ⇒20,1566; 21,1719. [R]BS 164 (2007) 500-501 (*Burer, Michael H.; Perry, Samuel L.*).
1786 *Brettler, Marc Z.* Biblical authority: a Jewish pluralistic view;
1787 *Brown, Michael J.* Hearing the master's voice. Engaging biblical authority. 2007 ⇒391. 1-9/10-17.
1788 **Bruckmann, Florian** Die Schrift als Zeuge der Gottesrede: Studien zu LYOTARD, DERRIDA und AUGUSTINUS. [D]*Böttigheimer, Christoph* 2007, Diss.-Habil. Eichstätt-Ingolstadt [ThRv 104/1,xiv].
1789 *Burk, Denny R.* Is inerrancy sufficient?: a plea to biblical scholars concerning the authority and sufficiency of scripture;
1790 *Bush, Luther R.* Understanding biblical inerrancy. SWJT 50 (2007) 76-91/20-55.
1791 *Cannon, Katie G.* The biblical mainstay of liberation;
1792 *Cardoza-Orlandi, Carlos F.* 'Lámpara es a mis pies tu palabra': biblical authority at the crossroads. Engaging biblical authority. 2007 ⇒ 391. 18-26/27-35.
1793 **Cline, Eric H.** From Eden to exile: unraveling mysteries of the bible. Wsh 2007, National Geographic xv; 239 pp. $17. 978-1-4262-0084-7. Bibl.
1794 **Cooling, Margaret; Cooling, Trevor; Pattison, Stephen** Using the bible in christian ministry. L 2007, Darton L. & T. 159 pp. £13. 978-02325-26813.
1795 *Davis, Ellen F.* The soil that is scripture. Engaging biblical authority. 2007 ⇒391. 36-44.
1796 *Díaz, Edgar* His word in human words: the nature and effect of biblical inspiration. IncW 1 (2007) 501-518.
1797 **Enns, Peter** Inspiration and incarnation: evangelicals and the problem of the Old Testament. 2005 ⇒21,1722; 22,1678. [R]RBLit (2007) 243-244 (*Green, Joel*).
1798 *Enns, Peter* Response to Greg Beale. Themelios 32/3 (2007) 5-13.
1799 *Fretheim, Terence E.* The authority of the bible and the imaging of God. Engaging biblical authority. 2007 ⇒391. 45-52.
1800 *Gisel, Pierre* Lire théologiquement et spirituellement les Écritures: une contrepoint à l'article de Jean-Louis Chrétien "Se laisser lire avec autorité par les Saintes Écritures". La réception. 2007 <2005> ⇒529. 255-267.
1801 *Grass, Tim* Scripture alone: 'is the bible all we need?'. Evangel 25 (2007) 66-68.
1802 **Hutchinson, Robert** The politically incorrect guide to the bible. Wsh 2007, Regnery 262 pp. 978-1-59698-520-9. Bibl.
1803 **Jenkins, Allan K.; Preston, Patrick** Biblical scholarship and the church: a sixteenth-century crisis of authority. Aldershot 2007, Ashgate xiii; 325 pp. £50. 978-07546-37035. Bibl. 301-314.

1804 *Jenson, Robert W.* On the authorities of scripture;
1805 *Johnson, Luke T.* The bible's authority for and in the church;
1806 *Jones, Serene* Inhabiting scripture, dreaming bible. Engaging biblical authority. 2007 ⇒391. 53-61/62-72/73-80.
1807 *Klein, Ralph W.* No easy answers. CThMi 34 (2007) 325-337.
1808 *Kranz, Dirk K.* Abriss zur patristischen Inspirationslehre der Heiligen Schrift (I-II). Alpha Omega 10 (2007) 245-283, 355-386.
1809 *Kremers, Helmut* Nicht vom Himmel gefallen: die Bibel als heilige Schrift: Erläuterungen für Nichttheologen. zeitzeichen 8/4 (2007) 39-41.
1810 *Lancaster, Sarah H.* Authority and narrative;
1811 *Lapsley, Jacqueline E.* Alternative worlds: reading the bible as scripture. Engaging biblical authority. 2007 ⇒391. 81-89/90-97.
1812 *Largen, K.J.* Biblical authority in light of religious pluralism;
1813 *Larson, D.* A flight of faithful imagination?: one Lutheran christian's suggestions for conversation on the written world of God. Seminary Ridge Review [Gettysburg, PA] 10/1 (2007) 60-76/5-23.
1814 *Lüning, Peter* Die Geschichtlichkeit der Wahrheit: Überlegungen zum Schriftverständnis in der katholischen Theologie. Die Bibel im Leben der Kirche. 2007 ⇒1643. 19-46.
1815 **Malley, Brian** How the bible works: an anthropological study of evangelical biblicism. 2004 ⇒20,1587; 21,1736. ᴿJPsT 35/1 (2007) 86-87 (*Schumm, Walter R.*).
1816 *Matera, Frank J.* Biblical authority and the scandal of the incarnation. Engaging biblical authority. 2007 ⇒391. 98-105.
1817 *McBride, S. Dean, Jr.* The charter of christian faith and practice. Engaging biblical authority. 2007 ⇒391. 106-112.
1818 **McGowan, A.T.B.** The divine spiration of scripture: challenging evangelical perspectives. Leicester 2007, Apollos 229 pp. £15. 978-18447-42202.
1819 *Novak, David* Jews, christians, and biblical authority. Contesting texts. 2007 ⇒840. 29-45.
1820 *Ochs, Peter* The bible's wounded authority. Engaging biblical authority. 2007 ⇒391. 113-121.
1821 *Patterson, Paige* The issue is truth. SWJT 50 (2007) 57-74.
1822 **Satta, Ronald F.** The sacred text: biblical authority in nineteenth-century America. Eugene, OR 2007, Pickwick 116 pp. $16.
1823 *Schäfer-Lichtenberger, Christa* Autorität, Macht und Herrschaft–die biblischen Gestalten von Mose, Josua, David und Salomo als idealtypische Konkretionen: Definition der Begrifflichkeit. WuD 29 (2007) 189-206.
1824 *Schwienhorst-Schönberger, Ludger* Was heißt heute, die Bibel sei inspiriertes Wort Gottes?. Geist im Buchstaben?. QD 225: 2007 ⇒520. 35-50.
1825 *Senn, Prisca* Der schreibende Mensch und heilige Schriften. Zeitschrift für Religionsunterricht und Lebenskunde 36/2 (2007) 12-15.
1826 *Simon, Richard* (1638-1712) Lettre à M. l'abbé Pirot sur l'inspiration des livres sacrés. La réception. 2007 ⇒529. 197-251. Avant-propos *Pierre Gibert* 195-196.
1827 *Sonnet, Jean-Pierre* De Moïse et du narrateur: pour une pensée narrative de l'inspiration. La réception. 2007 <2005> ⇒529. 93-110.
1828 **Sproul, R.C.** Scripture alone: the evangelical doctrine. 2005 ⇒21, 1743. ᴿSBET 25/1 (2007) 93-94 (*Hulse, Erroll*).

1829　*Stevens, M.* The world of the bible: excavating texts and contexts. Seminary Ridge Review [Gettysburg, PA] 10/1 (2007) 52-59 [1 Sam 1-2].

1830　*Theobald, Christoph* La réception des Écritures inspirées. La réception. 2007 <2005> ⇒529. 269-298;

1831　La scrittura, anima della teologia: a proposito del rilievo letterario e storico del libro ispirato e delle sue implicazioni metodologiche. Teol(Br) 32 (2007) 392-398.

1832　*Van den Belt, Henk* "... die gesproken heeft door de profeten": de Schrift in de context van de pneumatologie. ThRef 50 (2007) 346-60.

1833　*Van Midden, Piet; Van Vessem, Lonneke* Wat is er nieuw onder de zon?. ITBT 15/8 (2007) 7-9.

1834　*Verhey, Allen* Authority and the practice of reading scripture. Engaging biblical authority. 2007 ⇒391. 122-131.

1835　**Whitlock, Jonathan** Schrift und Inspiration: Studien zur Vorstellung von inspirierter Schrift und inspirierter Schriftauslegung im antiken Judentum und in den paulinischen Briefen. WMANT 98: 2002 ⇒18, 1510...21,1749. [R]Neotest. 41 (2007) 258-264 (*Stenschke, Christoph*).

1836　*Wilde, Clare* Is there room for corruption in the 'books' of God?. The bible in Arab christianity. 2007 ⇒882. 225-240.

1837　**Wright, Nicholas Thomas** The last word: beyond the bible wars to a new understanding of the authority of scripture. 2005 ⇒21,1750. [R]JISt 19/1-2 (2007) 212-214 (*Brown, Terrence N.*); BS 164 (2007) 243-245 (*Horrell, J. Scott*).

1838　*Yang, Seung Ai* The word of creative love, peace, and justice. Engaging biblical authority. 2007 ⇒391. 132-140.

1839　*Zia, Mark* The ABCs of biblical inerrancy. HPR 107/6 (2007) 28-31.

1840　**Zimmer, Siegfried** Schadet die Bibelwissenschaft dem Glauben?: Klärung eines Konflikts. Gö 2007, Vandenhoeck & R. 203 pp. €19. 90. 978-35255-73068. [R]ThLZ 132 (2007) 1192-93 (*Schröter, Jens*).

B3.4 Traditio

1841　*Cimosa, Mario* Testo biblico e dinamismo della tradizione a partire dalla *Dei Verbum*. [F]BENEDETTO XVI. 2007 ⇒14. 193-206.

1842　*Lassave, Pierre* Les écrivains de la "Bible: nouvelle traduction". Problèmes d'histoire des religions 17 (2007) 173-181.

1843　*Smit, Peter-Ben* The Old Catholic view on scripture and tradition: a short study of a theological organism. IKZ 97/2 (2007) 106-123.

1844　*Stavrou, Michel* Ecriture et tradition dans une perspective orthodoxe. CEv 141 (2007) 85-96.

1845　*Toloni, Giancarlo* 'I nostri padri ci hanno raccontato,': l'arte della narrativa nella comunicazione della fede. Quaderni Teologici del Seminario di Brescia 17 (2007) 109-132.

1846　**Williams, D.H.** Evangelicals and tradition: the formative influence of the early church. Evangelical Ressourcement: 2005 ⇒21,1758; 22, 1721. [R]SBET 25/1 (2007) 95-95 (*McDonald, Bruce A.*).

1847　[E]**Williams, D.H.** Tradition, scripture, and interpretation: a sourcebook of the ancient church. 2006 ⇒22,1722. [R]Faith & Mission 24/2 (2007) 98-99 (*Liederbach, Mark*); TrinJ 28 (2007) 327-328 (*Armstrong, Jonathan J.*); RBLit (2007)* (*Williams, H.H. Drake*).

1848 *Witherington, Ben* Sacred texts in an oral culture: how did they function?. BArR 33/6 (2007) 28, 82.

B3.5 Canon

1849 *Alexander, Loveday* Canon and exegesis in the medical schools of antiquity. Canon of scripture. 2007 ⇒352. 115-153.
1850 *Alexander, Philip S.* The formation of the biblical canon in rabbinic Judaism. Canon of scripture. 2007 ⇒352. 57-80.
1851 **Allert, Craig D.** A high view of scripture?: the authority of the bible and the formation of the New Testament canon. GR 2007, Baker 208 pp. $19. 9780-8010-27789. Bibl. 189-192.
1852 *Ballhorn, Egbert* Das historische und das kanonische Paradigma in der Exegese: ein Essay. Der Bibelkanon. 2007 ⇒360. 9-30.
1853 *Barthel, Jörg* Die kanonhermeneutische Debatte seit Gerhard VON RAD: Anmerkungen zu neueren Entwürfen. Kanonhermeneutik. Theologie interdisziplinär 1: 2007 ⇒454. 1-26.
1854 *Barton, John* Canon and Old Testament interpretation <1999>;
1855 Canonical approaches ancient and modern <2003>;
1856 Old Testament or Hebrew Bible? <1996>;
1857 Unity and diversity in the biblical canon <2003>. The OT: canon, literature and theology. 2007 ⇒183. 31-42/43-51/83-89/53-66.
1858 *Behrens, Achim* Kanon: das ganze Alte Testament ist mehr als die Summe seiner Teile. KuD 53 (2007) 274-297.
1859 *Boadt, Lawrence* The canon of the bible. BiTod 45 (2007) 137-142.
1860 **Bock, Darrell L.** The missing gospels: unearthing the truth behind alternative christianities. Nv 2006, Nelson xxvi; 230 pp. $22;
1861 Die verschwiegenen Evangelien: Gnosis oder apostolisches Christentum: muss die Geschichte des frühen Christentums neu geschrieben werden?. Gießen 2007, Brunnen 301 pp. €20.
1862 *Bogaert, Pierre-Maurice* Les compléments deutérocanoniques dans la bible: une "intertestament" canonique. RTL 38 (2007) 473-487.
1863 **Bokedal, Tomas** The scriptures and the Lord: formation and significance of the christian biblical canon. 2005 ⇒21,1764. [R]JThS 58 (2007) 619-622 (*Barton, John*); RBLit (2007) 483-486 (*Nicklas, Tobias*).
1864 *Boumis, Panagiotis J.* The canons of the church concerning the canon of the holy scripture. Theol(A) 78 (2007) 545-602.
1865 *Brooke, George J.* 'Canon' in the light of the Qumran scrolls. Canon of scripture. 2007 ⇒352. 81-98.
1866 *Carr, David M.* The rise of torah. Pentateuch as torah. 2007 ⇒839. 39-56.
1867 **Carr, David M.** Writing on the tablet of the heart: origins of scripture and literature. 2005 ⇒21,2015; 22,1729. [R]Gr. 88 (2007) 192-194 (*Calduch-Benages, Nuria*); DSD 14 (2007) 288-289 (*Lange, Armin*); ThLZ 132 (2007) 1197-1200 (*Schorch, Stefan*); JANER 7 (2007) 219-237 (*Van Seters, John*); RBLit (2007)* (*Kelber, Werner*).
1868 *Checchi González, Tania* De Babel y el Sinaí: en torno a la ley, la traducción y la escucha. Revista de Filosofia [México] 39/4 (2007) 87-103 [Gen 11,1-9].
1869 *Cothenet, E.* Le canon des écritures et les apocryphes. EeV 172 (2007) 13-18.

1870　*Davies, Philip R.* How to get into the canon and stay there or: the philosophy of an acquisitive society. Canon of scripture. 2007 ⇒352. 11-25.

1871　*Dorival, Gilles* Has the category of 'deuterocanonical books' a Jewish origin?. Books of the Maccabees. JSJ.S 118: 2007 ⇒895. 1-10.

1872　**Dungan, David L.** CONSTANTINE's bible: politics and the making of the New Testament. Ment. *Eusebius of Caesarea* Mp 2007, Fortress xii; 224 pp. $17. 0-8006-3790-9. Bibl. 159-214. ᴿCBQ 69 (2007) 822-824 (*Burns, J. Patout*); RBLit (2007)* (*Racine, Jean-François; Anderson, Garwood P.*).

1873　**Dunn, James D.G.** Unity and diversity in the New Testament: an inquiry into the character of earliest christianity. ³2006 <1976, 1990> ⇒22,1734. ᴿAThR 89 (2007) 501-502 (*Robertson, C.K.*).

1874　*Dvorak, James D.* John H. Elliott's social-scientific criticism. TrinJ 28 (2007) 251-278.

1875　*Ebel, Eva* Sammlung und Ausschluss: die Entstehung des neutestamentlichen Kanons. Ref. 56/3 (2007) 172-178.

1876　*Eckstein, Hans-Joachim* Die implizite Kanonhermeneutik des Neuen Testaments. Kanonhermeneutik. 2007 ⇒454. 47-68.

1877　*Grätz, Sebastian* The second temple and the legal status of the torah: the hermeneutics of the torah in the books of Ruth and Ezra. Pentateuch as torah. 2007 ⇒839. 237-269 [Ruth 2,10-12; Ezra 9-10].

1878　**Green, Michael** Die verbotenen Bücher: wie das Neue Testament entstand–Mythos und Wahrheit. Wu 2007, Brockhaus 190 pp. €13. 978-34172-49897.

1879　*Heckel, Theo K.* Wann ist eine christliche Schrift "kanonisch"?: der biblische Kanon. WUB 45 (2007) 41-45.

1880　ᴱ**Helmer, Christine; Landmesser, Christof** One scripture or many?: canon from biblical, theological, and philosophical perspectives. 2004 ⇒20,361...22,1743. ᴿDSD 14 (2007) 385-7 (*Berthelot, Katell*).

1881　*Hengel, Martin* Die vier Evangelien und das eine Evangelium von Jesus Christus. Jesus und die Evangelien. WUNT 211: 2007 <2001> ⇒ 247. 664-682.

1882　*Herms, Eilert* Die Heilige Schrift als Kanon im "kanon tes paradoseos". Kanonhermeneutik. 2007 ⇒454. 69-98.

1883　*Hieke, Thomas* "Biblische Texte als Texte der Bibel auslegen"–dargestellt am Beispiel von Offb 22,6-21 und anderen kanonrelevanten Texten. Der Bibelkanon. 2007 ⇒360. 331-345.

1884　*Janowski, Bernd* Die kontrastive Einheit der Schrift: zur Hermeneutik des biblischen Kanons. Kanonhermeneutik. Theologie interdisziplinär 1: 2007 ⇒454. 27-46.

1885　*Kaestli, Jean-Daniel* La formation et la structure du canon biblique: que peut apporter l'étude de la Septante?. Canon of scripture. 2007 ⇒352. 99-113.

1886　*Knoppers, Gary N.; Harvey, Paul B., Jr.* The pentateuch in ancient Mediterranean context: the publication of local lawcodes. Pentateuch as torah. 2007 ⇒839. 105-141.

1887　*Koester, Helmut* Writings and the Spirit: authority and politics in ancient christianity. Paul & his world. 2007 <1991> ⇒257. 207-223.

1888　*Kratz, Reinhard G.* Temple and torah: reflections on the legal status of the pentateuch between Elephantine and Qumran. Pentateuch as torah. 2007 ⇒839. 77-103.

1889 *Lange, Armin* "Nobody dared to add to them, to take from them, or to make changes" (Josephus, *Ag. Ap.* 1.42): the textual standardization of Jewish scriptures in light of the Dead Sea scrolls. ^FGARCÍA MARTÍ-NEZ, F. JSJ.S 122: 2007 ⇒46. 105-126.

1890 *Lash, Ephrem* The canon of scripture in the Orthodox Church. Canon of scripture. 2007 ⇒352. 217-232.

1891 *Le Boulluec, Alain* Le problème de l'extension du canon des écritures aux premiers siècles. La réception. 2007 <2004> ⇒529. 113-160.

1892 **Levinson, Bernard M.** L'herméneutique de l'innovation: canon et exégèse dans l'Israël biblique. ^T*Sénéchal, Vincent; Sonnet, Jean-Pierre* Le livre et le rouleau 24: 2006 ⇒22,1746. ^RNRTh 129 (2007) 148-9 (*Ska, Jean-Louis*); Theoforum 38 (2007) 83-4 (*Laberge, Léo*); RB 114 (2007) 299-300 (*Sénéchal, Vincent*); RBLit (2007)* (*Vogels, Walter*); RTL 38 (2007) 67-77 (*Wénin, André*) {Dt 5,6-21; 7,10-11).

1893 *Maier, Johann* Entstehung der Bibel. Kulturgeschichte der Bibel. 2007 ⇒435. 149-180.

1894 *Marguerat, Daniel* Des 'canons' avant le canon?. Canon of scripture. 2007 ⇒352. 155-168.

1895 **McDonald, Lee M.** The biblical canon: its origin, transmission, and authority. Peabody, MASS ³2007, Hendrickson xli; 546 pp. £17. 97-8-1-56563-925-6. Bibl. 475-521. ^RGr. 88 (2007) 650-1 (*Hercsik, Donath*); Theoforum 38 (2007) 244-46 (*Vogels, Walter*); RBLit (2007)* (*Chapman, David*); TC.JBTC* 12 (2007) 3 pp (*Hieke, Thomas*).

1896 *Moenikes, Ansgar* Die jüdische Bibel und das Christentum. FrRu 14 (2007) 173-184.

1897 *Neuwirth, Angelika* Jüdischer Kanon, arabisch gelesen: Mahmud Darwishs palästinensisches Transkript der biblischen Bücher Genesis, Exodus und Hohes Lied. Nachleben der Religionen: kulturwissenschaftliche Untersuchungen zur Dialektik der Säkularisierung. ^E**Treml, Martin; Weidner, Daniel** Trajekte: Mü 2007, Fink [280 pp] 37705-43696. 155-176.

1898 *Niebuhr, Karl-Wilhelm* Die Gestalt des neutestamentlichen Kanons: Anregungen zur Theologie des Neuen Testaments. Der Bibelkanon. 2007 ⇒360. 95-109.

1899 **Nienhuis, David R.** Not by Paul alone: the formation of the Catholic Epistle collection and the christian canon. Waco, Texas 2007, Baylor Univ. Pr. xviii; 264 pp. $40. 978-1-932792-71-3. Foreword *Francis Watson*; Bibl. 239-258.

1900 *Norelli, Enrico* La notion de 'mémoire' nous aide-t-elle à mieux comprendre la formation du canon du Nouveau Testament?. Canon of scripture. 2007 ⇒352. 169-206.

1901 *Oesch, Josef M.* Schrift und Bibel. BIBEL+ORIENT. 2007 ⇒659. 92-93.

1902 *Osiek, Carolyn* Why do we have four gospels?. BiTod 45 (2007) 155-159.

1903 *Peckham, John C.* The canon and biblical authority: a critical comparison of two models of canonicity. TrinJ 28 (2007) 229-249.

1904 *Peršič, Alessio* Le tre (o quattro) *Apocalissi* della primitiva chiesa di Aquileia. Apocalisse. 2007 ⇒431. 39-71.

1905 **Peters, F.E.** The voice, the word, the books: the sacred scriptures of the Jews, Christians and Muslims. Princeton, NJ 2007, Princeton Univ. Pr. 292 pp. $30. 978-069113-1122. ^RAmerica 197/16 (2007) 24-26 (*Ryan, Patrick J.*).

1906 **Pérez Fernández, Miguel; Trebolle Barrera, Julio** Historia de la
      biblia. M 2006, Trotta 348 pp. ⇒22,1753. 84-8164-683-0. Excurso
      de *José Manuel Sánchez Caro*; 1 CD-Rom. [R]CDios 220 (2007) 491-
      492 (*Gutiérrez, J.*).
1907 *Polaski, Donald C.* What mean these stones?: inscriptions, textuality
      and power in Persia and Yehud. Approaching Yehud. SBL.Semeia
      Studies 50: 2007 ⇒376. 37-48.
1908 *Pury, Albert de* Il canone dell'Antico Testamento. Guida di lettura
      all'AT. 2007 ⇒506. 13-32;
1909 The ketubim, a canon within the biblical canon. Canon of scripture.
      2007 ⇒352. 41-56.
1910 *Robinson, Bernard P.* Which Old Testament?. DR 125 (2007) 243-
      266.
1911 *Römer, Thomas* La mort de Moïse (*Deut*34) et las naissance de la
      première partie du canon biblique. Canon of scripture. 2007 ⇒352.
      27-39.
1912 **Schniedewind, William M.** Comment la bible est devenue un livre:
      la révolution de l'écriture et du texte dans l'ancien Israël. [T]*Monta-
      brut, Maurice & Simone* 2006 ⇒22,1758. [R]BLE 108 (2007) 327-328
      (*Debergé, Pierre*); CEv 140 (2007) 70 (*Ferry, Joëlle*);
1913 How the bible became a book: the textualization of ancient Israel.
      2004 ⇒20,1654... 22,1757. [R]JANER 7 (2007) 87-108 (*Van Seters,
      John*); PHScr II, 326-337 ⇒373 (*Carr, David M.*); PHScr II, 339-
      347 (*Eskenazi, Tamara C.*).
1914 *Schröter, Jens* 'Die Kirche besitzt vier Evangelien, die Häresie vie-
      le': die Entstehung des Neuen Testaments im Kontext der frühchrist-
      lichen Geschichte und Literatur <2005>;
1915 Jesus und der Kanon: die frühe Jesusüberlieferung im Kontext der
      Entstehung des neutestamentlichen Kanons. Von Jesus zum NT.
      WUNT 204: 2007 <2005> ⇒312. 331-340/271-295.
1916 *Schweitzer, Friedrich* Der biblische Kanon im Religionsunterricht:
      religionspädagogische Rezeption und Rezeptionsmöglichkeiten der
      Kanonhermeneutik. Kanonhermeneutik. 2007 ⇒454. 121-135.
1917 *Schwienhorst-Schönberger, Ludger* Jednota namiesto jednoznač-
      nosti. SBSl (2007) 11-20. Germ. orig. ⇒19,1670. **Slovak**.
1918 *Sesboué, Bernard* La canonisation des écritures et la reconnaisance
      de leur inspiration: une approche historico-théologique. La réception.
      2007 <2004> ⇒529. 37-73.
1919 **Söding, Thomas** Einheit der Heiligen Schrift?: zur Theologie des
      biblischen Kanons. QD 211: 2005 ⇒21,1803; 22,1764. [R]ThLZ 132
      (2007) 889-894 (*Wilckens, Ulrich*); SNTU.A 32 (2007) 279-281
      (*Hintermaier, Johann*).
1920 *Steins, Georg* Der Kanon ist der erste Kontext: oder: zurück an den
      Anfang!. BiKi 62 (2007) 116-121;
1921 Kanonisch-intertextuelle Bibellektüre–my way. Intertextualität.
      Sprache & Kultur: 2007 ⇒447. 55-68.
1922 *Stordalen, Terje* The canonization of ancient Hebrew and Confucian
      literature. JSOT 32 (2007) 3-22.
1923 *Taschner, Johannes* Kanonische Bibelauslegung–Spiel ohne Gren-
      zen?. Der Bibelkanon. 2007 ⇒360. 31-44.
1924 **Theißen, Gerd** Die Entstehung des Neuen Testaments als literaturge-
      schichtliches Problem. Schriften der Philosophisch-historischen Klas-

se der Heidelberger Akademie der Wissenschaften 40: Heid 2007, Winter 371 pp. €48. 978-3-8253-5323-0.

1925 *Theißen, Gerd* Les quatre phases de la naissance du Noveau Testament: esquisse d'une histoire de la première littérature chrétienne. RHPhR 87 (2007) 19-53.

1926 *Trebolle Barrera, Julio C.* Canonical reception of the deuterocanonical and apocryphal books in christianity. ᶠGARCÍA MARTÍNEZ, F. JSJ.S 122: 2007 ⇒46. 587-603.

1927 *Trobisch, D.* Who published the christian bible?. CSER Review [Amherst, NY] 2/1 (2007) 29-32.

1928 *Ulrich, Eugene* What the Dead Sea scrolls have taught us about the canon. BiTod 45 (2007) 148-154.

1929 *Utzschneider, Helmut* Was ist alttestamentliche Literatur?: Kanon, Quelle und literarische Ästhetik als LesArts alttestamentlicher Literatur. Gottes Vorstellung. BWANT 175: 2007 <2006> ⇒336. 83-100.

1930 *Welker, Michael* Kommunikatives, kollektives, kulturelles und kanonisches Gedächtnis. JBTh 22 (2007) 321-331.

B4.1 *Interpretatio humanistica* **The Bible—man; health, toil, age**

1931 *Ahiamadu, Amadi* Assessing female inheritance of land in Nigeria with the Zelophehad narratives (Numbers 27:1-11). Scriptura 96 (2007) 299-309.

1932 *Antolí, M.* Igualdad hombre-mujer en la biblia. EsVe 37 (2007) 123-143.

1933 *Avalos, Hector* Introducing sensory criticism in biblical studies: audiocentricity and visiocentricity. This abled body. Semeia Studies 55: 2007 ⇒356. 47-59;

1934 Redemption, rejectionism, and historicism as emerging approaches to disability studies. PRSt 34/1 (2007) 91-100.

1935 *Barclay, John M.G.* There is neither old nor young?: early christianity and ancient ideologies of age. NTS 53 (2007) 225-241.

1936 **Borghi, Ernesto** Donna e uomo, feminina e maschio, moglie e marito: per interpretare la vita secondo la bibbia. Padova 2007, Messagero 176 pp.

1937 *Bosetti, Elena* La profezia non invecchia: un percorso nella bibbia. CoSe 56/9 (2007) 35-43.

1938 *Botella Cubells, V.* 'Tú eres ese hombre': reflexiones teológicas sobre la identidad personal a la luz de la escritura. EsVe 37 (2007) 285-302.

1939 *Bövingloh, Diethilde* Leben und glauben im Hospiz. Im Wandel. 2007 ⇒574. 220-231.

1940 *Brueggemann, Walter* Alien witness. CCen 124/5 (2007) 28-32.

1941 *Buschmann, Gerd* Bibel und Popkultur. JRPäd 23 (2007) 104-112.

1942 *Coyle, Suzanne M.* The bible, pastoral care, and conversational practices. ᴹMETZGER, B.: NTMon 20: 2007 ⇒105. 3-13.

1943 *Dhanaraj, D.* The bible and the state: the church and the Indian scenario. BTF 39/1 (2007) 142-160.

1944 *Egger, Moni* Männer, Arbeit und das täglich Brot: eine Identitätssuche entlang der biblischen Urgeschichte Gen 1-9. Fama 23 (2007) 5.

1945 *Filippi, Laura* Il malato e la malattia nella tradizione biblica e rabbinica. AnStR 8 (2007) 437-441.

1946   **Froidure, Michel** Vieillir avec la bible: quarante-cinq ans de vérifi-
cation évangélique. Epiphanie: P 2007, Cerf 270 pp. €18. 978-2204-
0-78580.

1947   *Gabriel, Karl, al.*, Bibelverständnis und Bibelumgang in sozialen Mi-
lieus in Deutschland: Ergebnisse aus einem DFG-Projekt. JRPäd 23
(2007) 87-103.

1948   **Garland, David E.; Garland, Diana S.** Flawed families of the bible:
how God's grace works through imperfect relationships. GR 2007,
Brazos 235 pp. $20. 978-1-58743-155-5. Bibl. 231-235. ᴿRBLit
(2007)* (*Hood, Jason B.*).

1949   *Gianto, Agustinus* Le malattie infettive nella sacra scrittura. Dolenti-
um Hominum 64 (2007) 51-55.

1950   **Gibert, Pierre** L'inconnue du commencement. Couleur des idées: P
2007, Seuil 236 pp. €19. 978-20204-97977.

1951   **Good, D.** Jesus' family values. NY 2006, Church 159 pp. $15. 978-
15962-70275. ᴿSewanee Theological Review 50 (2007) 565-570
(*Edwards, O.C.*).

1952   *Gubler, Marie-Louise* Die kostbare Perle Humor. Diak. 38 (2007)
229-232.

1953   *Gutmann, Hans-Martin* Der Garten der Verschiedenen: kulturge-
schichtliche und theologische Notizen. "Schau an der schönen Gärten
Zier". Jabboq 7: 2007 ⇒415. 216-228.

1954   *Häusl, Maria* Die Zeit der Schwangerschaft. ᶠRICHTER, W. ATSAT
83: 2007 ⇒132. 69-85.

1955   *Helseth, Paul K.* Christ-centered, bible-based, and second-rate?:
"right reason" as the aesthetic foundation of christian education.
WThJ 69 (2007) 383-401.

1956   *Hentrich, Thomas* Masculinity and disability in the bible. This abled
body. Semeia Studies 55: 2007 ⇒356. 73-87.

1957   *Jahnke, Timo* Altern und Alte in der Gemeinde: wie wir den Heraus-
forderungen des 21. Jahrhunderts begegnen können: biblische
Grundlagen und praktisch-theologische Handlungsausblicke. JETh
21 (2007) 195-218.

1958   *Kohler-Spiegel, Helga* Wider das Vergessen–wider das Verstummen:
Erfahrungen mit der Bibel. JRPäd 23 (2007) 19-25.

1959   *Lamberty-Zielinski, Hedwig* Körperpflege von Frauen: Bibelarbeit
Schritt-für-Schritt zu Körperpflege im Alten Israel. Frauenkörper.
FrauenBibelArbeit 18: 2007 ⇒378. 28-34.

1960   *Lees, Janet* Enabling the body;

1961   *Mitchell, David; Snyder, Sharon* 'Jesus thrown everything off bal-
ance': disability and redemption in biblical literature. This abled
body. Semeia Studies 55: 2007 ⇒356. 161-171/173-183.

1962   *Noltensmeier, Gerrit* "Geh aus mein Herz und suche Leid"?: von
Friedhof und Totenacker. "Schau an der schönen Gärten Zier". Jab-
boq 7: 2007 ⇒415. 229-241.

1963   *Obermayer-Pietsch, Barbara* Krankheit, Heilung, Wunder–aus medi-
zinischer Perspektive. ᶠTRUMMER, P. 2007 ⇒153. 261-280.

1964   *Schroer, Silvia* Die Chancen der biblischen Menschenbilder für heu-
tige Frauen: Körperwahrnehmung in der Bibel. Frauenkörper. Frau-
enBibelArbeit 18: 2007 ⇒378. 8-14.

1965   *Sutter Rehmann, Luzia* Angst und Angstbewältigung in der Bibel.
Diak. 38 (2007) 413-418.

1966 *Theißen, Gerd* Furcht und Freude in der Bibel: emotionale Ambivalenz im Lichte der Religionspsychologie. NedThT 61 (2007) 123-47.
1967 **Vanhoomissen, Guy** Maladies et guérison: que dit la bible?. ConBib 48: Bru 2007, Lumen V. 80 pp. €10. 978-28732-43111.
1968 *Veijola, Timo* Depression als menschliche und biblische Erfahrung. Offenbarung und Anfechtung. BThSt 89: 2007 ⇒338. 158-190.
1969 *Wehrle, Josef* Humor im Alten Testament. [F]WAHL, O. Bibel konkret 3: 2007 ⇒160. 41-54.
1970 *Witherup, R.D.* What the bible says about growing old. St. Anthony Messenger [Cincinnati] 115/2 (2007) 34-38.

B4.2 *Femina, familia*; **Woman in the Bible** [⇒B4.1; H8.8s]

1971 **Bellis, Alice O.** Helpmates, harlots, and heroes: women's stories in the Hebrew Bible. LVL [2]2007 <1994>, Westminster xii; 306 pp. $20. 978-0-664-23028-9. Bibl. 247-304.
1972 *Bird, Phyllis A.* Notes on gender and religious ritual in ancient Israel. [F]CHANEY, M. 2007 ⇒25. 221-233.
1973 **Bodi, Daniel; Donnet-Guez, Brigitte** The Michal affair: from Zimri-Lim to the rabbis. HBM 3: 2005 ⇒21,1836; 22,1791. [R]BiCT 3/2 (2007)* (*Miscall, Peter D.*).
1974 *Bons-Storm, Riet* Muren van verbeelding en muren van beton: dochters van Sara en Hagar in Israël en de Bezette Gebieden. ITBT 15/3 (2007) 22-24.
1975 **Chittister, Joan D.** La amistad femenina: la tradición oculta de la biblia. Sdr 2007, Sal Terrae 111 pp. 978-84293-16889. [R]Revista católica 107/1 (2007) 175-176 (*Parkes N., Manuel A.*).
1976 **Doucet, Lyn H.; Hebert, Robin** When wisdom speaks: experiences with biblical women. NY 2007, Crossroad 190 pp. 978082-4525705.
1977 **Focant, Camille; Wénin, André** Vives, femmes de la bible. Le livre et le rouleau 29: Bru 2007, Lessius 152 pp. €18.
1978 *Frattallone, Raimondo* Luce della bibbia sull'identità della donna. [F]VERNET, J. 2007 ⇒158. 119-161.
1979 *Gillmayr-Bucher, Susanne* 'She came to test him with hard questions': foreign women and their view on Israel. BiblInterp 15 (2007) 135-150 [Josh 2; 1 Kgs 10].
1980 *Harvey, Graham* Huldah's scroll: a pagan reading. Patriarchs, prophets. 2007 ⇒453. 85-100 [2 Kgs 22-23].
1981 **Kaplan, Kalman J.; Schwartz, Matthew B.** The fruit of her hands– a psychology of biblical woman. GR 2007, Eerdmans 197 pp. $15. 978-08028-17723. Bibl. 190-193.
1982 **Kersken, Sabine** Kleidung und Schmuck von Frauen im Alten Testament. [D]*Zwickel, Wolfgang* 2007, Diss. Mainz [ThRv 104/1,ix].
1983 **Klein, Lillian R.** From Deborah to Esther: sexual politics in the Hebrew Bible. 2003 ⇒19,1733. [R]PHScr II, 523-25 ⇒373 (*Stone, Ken*).
1984 **Lapsley, Jacqueline E.** Whispering the word: hearing women's stories in the Old Testament. 2005 ⇒21,1848; 22,1810. [R]HBT 29 (2007) 231-232 (*Ahn, John*).
1985 **Lerner, Anne L.** Eternally Eve: images of Eve in the Hebrew Bible, midrash, and modern Jewish poetry. Waltham, Mass. 2007, Brandeis Univ. Pr. xiii; 238 pp. 978-1-584-65553-4/732.

1986 **McKinlay, Judith E.** Reframing her: biblical women in postcolonial focus. 2004 ⇒20,1720... 22,1812. ᴿThLZ 132 (2007) 776-777 (*Alkier, Stefan*); RBLit (2007)* (*Davis, Valerie B.*).

1987 **Meyers, Carol** Households and holiness: the religious culture of Israelite women. 2005 ⇒21,1852; 22,1813. ᴿPaRe 3/2 (2007) 86-87 (*Robinson, Bernard*); PHScr II, 493-494 ⇒373 (*White, Ellen*).

1988 *Mondrian, Marlene E.* Mythological Eve: progenitor of mankind and prototype of women. OTEs 20 (2007) 170-184.

1989 *Müllner, Ilse* Bad Women: Isebel, Atalja, die Macht und das Böse. Hat das Böse ein Geschlecht?. 2007 ⇒607. 151-161.

1990 *Okoye, James C.* Sarah and Hagar: Genesis 16 and 21. JSOT 32 (2007) 163-175.

1991 **Pruin, Dagmar** Geschichten und Geschichte: Isebel als literarische und historische Gestalt. OBO 222: 2006 ⇒22,1818. ᴿThLZ 132 (2007) 1307-1309 (*Beck, Martin*).

1992 *Pruin, Dagmar* What is in a text?–searching for Jezebel. Ahab Agonistes. LHBOTS 421: 2007 ⇒820. 208-235.

1993 *Rogers, Sarah* Sarah: villain or patriarchal pawn?. Patriarchs, prophets. 2007 ⇒453. 69-84.

1994 *Sakenfeld, Katharine D.* Postcolonial perspectives on premonarchic women. ᶠCHANEY, M. 2007 ⇒25. 188-199.

1995 **Schneider, Tammi J.** Sarah: mother of nations. 2004 ⇒20,1733... 22,1824. ᴿPHScr II, 519-521 ⇒373 (*White, Ellen*).

1996 *Strickert, Fred* Rachel on the way: a model of faith in times of transition. CThMi 34 (2007) 444-452.

1997 **Strickert, Fred** Rachel weeping: Jews, Christians, and Muslims at the fortress tomb. ColMn 2007, Liturgical 174 pp. $19. 978-08146-59878. Bibl. 149-157 [BiTod 46,198–Dianne Bergant].

1998 *Taneti, James E.* Miriam in liberative memory and primal imagination. BiBh 33/3 (2007) 29-39.

1999 ᴱ**Taylor, Marion A.; Weir, Heather** Let her speak for herself: nineteenth-century women writing on women in Genesis. 2006 ⇒22, 1830. ᴿJJS 58 (2007) 354-355 (*Guest, Deryn*); BiCT 3/3 (2007)* (*Heard, R. Christopher*).

2000 *Tollington, Janet E.* God, women and children. God of Israel. UCOP 64: 2007 ⇒818. 127-138.

2001 *Trabacchin, Gianni* La donna biblica: modello di virtù che riscatta Eva. CoSe 61/6 (2007) 49-55.

2002 **Tuchman, Shera A.; Rapoport, Sandra E.** The passions of the matriarchs. 2004 ⇒20,1738. ᴿRBLit (2007)* (*Freedman, Amelia D.*).

2003 *White, Ellen* Michal the misinterpreted. JSOT 31 (2007) 451-464.

2004 **Yee, Gale A.** Poor banished children of Eve: woman as evil in the Hebrew Bible. 2003 ⇒19,1759... 22,1832. ᴿPHScr II, 610-613 ⇒373 (*Schneider, Tammi*).

2005 *Yee, Gale A.* Women in ancient Israel and the Hebrew Bible: apples and oranges. Women in ancient Israel. 2007 ⇒344. 1-14.

B4.4 *Exegesis litteraria*—**The Bible itself as literature**

2006 *Barton, John* Historical criticism and literary interpretation: is there any common ground? <1995>;

2007 Reading the bible as literature: two questions for biblical critics <1987>;

2008 What is a book?: modern exegesis and the literary conventions of ancient Israel <1998>. The OT: canon, literature and theology. MSSOTS: 2007 ⇒183. 127-136/109-125/137-147.

2009 *Bautch, Richard* Intertextuality in the Persian period. Approaching Yehud. SBL.Semeia Studies 50: 2007 ⇒376. 25-35.

2010 *Benjamin, M.H.* The tacit agenda of a literary approach to the bible. Prooftexts 27/2 (2007) 254-274.

2011 *Bodner, Keith* Response–beyond formalism: genre and the analysis of biblical texts. Bakhtin and genre theory. 2007 ⇒778. 175-186.

2012 *Buss, Martin J.* Dialogue in and among genres. Bakhtin and genre theory. SBL.Semeia Studies 63: 2007 ⇒778. 9-18.

2013 *Cancik-Kirschbaum, Eva* Text–Situation–Format: die materielle Gegenwart des Textes. Was ist ein Text?. 2007 ⇒980. 155-168.

2014 *Cohen, Jonathan* Is the bible a Jewish book?: on the literary character of biblical narrative in the thought of Franz ROSENZWEIG and Leo STRAUSS. JR 87 (2007) 592-632.

2015 *Diem, Werner* 'Paronomasie': eine Begriffsverwirrung. ZDMG 157/2 (2007) 299-351.

2016 *Droesser, Gerhard* Wahrnehmungskunst und Kunstwahrnehmung: zur Funktion der (Selbst)Erzählung für die Praxis. BilderStreit. 2007 ⇒578. 307-324.

2017 *Dronsch, Kristina* Text und Intertextualität: Versuch einer Verhältnisbestimmung auf interdisziplinärer Grundlage. Intertextualität. Sprache & Kultur: 2007 ⇒447. 26-39.

2018 *Edelman, Diana* The 'empty land' as a motif in city laments. Ancient and modern scriptural historiography. 2007 ⇒389. 127-149.

2019 *Gibert, Pierre* Esiste la tradizione orale?. Mondo della Bibbia 18/4 (2007) 32-35.

2020 **Hardmeier, Christof** Textwelten der Bibel entdecken: Grundlagen und Verfahren einer textpragmatischen Literaturwissenschaft der Bibel. Textpragmatische Studien zur Hebräischen Bibel 1/1: 2003 ⇒ 19,1771; 20,1250. [R]ThR 72 (2007) 493-495 (*Köhlmoos, Melanie*).

2021 *Holland, Glenn S.* Playing to the groundlings: SHAKESPEARE performance criticism and performance criticism of biblical texts. Neotest. 41 (2007) 317-340.

2022 *Kawashima, R.S.* Comparative literature and biblical studies: the case of allusion. Prooftexts 27/2 (2007) 324-344.

2023 *La Fuente, Alfonso de* Los símbolos bíblicos y su presencia en la catequesis. TeCa 101-102 (2007) <1996> 145-168.

2024 *Latré, Guido* Lectures culturelles de la bible dans les pays de langue anglaise. RTL 38 (2007) 352-372.

2025 *Lähnemann, Johannes* Interreligiöse Zugänge zur Bibel. JRPäd 23 (2007) 70-83.

2026 *Le Guern, Michel* Métaphore et image. LV(L) 56/3 (2007) 17-24.

2027 **Livingstone, Neil** Picturing the gospel: tapping the power of the bible's imagery. DG 2007, InterVarsity 181 pp. 978-0-8308-3370-2.

2028 *Marais, Kobus* Is this story possible?: exploring possible worlds theory. OTEs 20 (2007) 158-169.

2029 *Meurer, Thomas* Die Wiederentdeckung der Bibel als Buch: zum gegenwärtigen Paradigmenwechsel in der Erforschung des Alten Testaments. JRPäd 23 (2007) 29-37.

2030 *Mitchell, Christine* Power, *eros*, and biblical genres. Bakhtin and genre theory. SBL.Semeia Studies 63: 2007 ⇒778. 31-42.

2031 *Morenz, Ludwig D.* Wie die Schrift zu Text wurde: ein komplexer medialer, mentalitäts- und sozialgeschichtlicher Prozeß. Was ist ein Text?. BZAW 362: 2007 ⇒980. 18-48.
[E]**Müller, P.** Geschichten...ein Kleid der Wirklichkeit 2007 ⇒615.

2032 **Naef, Eleonore** Die heilsame Dimension des Bibliodramas: eine theologischer Deutungsversuch und ein Vergleich mit dem Psychodrama. [D]*Karrer, L.* 2007, Diss. Fribourg [RTL 39,601].

2033 *Newsom, Carol A.* Spying out the land: a report from genology. BAKHTIN and genre theory. 2007 <2005> ⇒778. 19-30.

2034 **Niditch, Susan** Oral world and written word: ancient Israelite literature. 1996 ⇒12,896... 17,1350. [R]RBLit (2007)* (*Kelber, Werner*).

2035 *Ostmeyer, Karl-H.* "Alles auf die 26"–Zahlen deuten in Kunst und Theologie. [F]BLUMENTHAL, S. von. 2007 ⇒16. 157-167.

2036 *Otto, Eckart* Tora als Schlüssel literarischer Vernetzungen im Kanon der Hebräischen Bibel: Überlegungen zur Einführung. Tora in der Hebräischen Bibel. ZAR.B 7: 2007 ⇒347. 1-6.

2037 *Pénicaud, Anne* Repenser la lecture?: enjeux d'une approche énonciative des textes. Regards croisés sur la bible. 2007 ⇒875. 267-285.

2038 **Pyper, Hugh S.** An unsuitable book: the bible as scandalous text. The bible in the modern world 7: 2005 ⇒21,1894; 22,1858. [R]BiCT 3/2 (2007)* (*Aichele, George*); CBQ 69 (2007) 559-560 (*Mobley, Gregory*); RBLit (2007) 532-537 (*Thelle, Rannfrid*).

2039 *Reiser, Marius* Biblische Metaphorik und Symbolik <2003>;
2040 Biblische und nachbiblische Allegorese <2003>;
2041 Wahrheit und literarische Arten der biblischen Erzählung <2005>. Bibelkritik . WUNT 217: 2007 ⇒294. 79-98/99-118/355-371.

2042 *Robbins, Vernon K.* Response–using BAKHTIN's *Lexicon dialogicae* to interpret canon, apocalyptic, New Testament, and Toni Morrison. Bakhtin and genre theory. 2007 ⇒778. 187-203.

2043 *Schmid, Konrad* Methodische Probleme und historische Entwürfe einer Literaturgeschichte des Alten Testaments. [F]HARDMEIER, C. ABIG 28: 2007 ⇒62. 340-366.

2044 **Schmitz, T.A.** Modern literary theory and ancient texts: an introduction. Oxf 2007, Blackwell x; 241 pp. £50/$89; £18/$30. 978-14051-53751/44.

2045 *Seidl, Theodor* Der Infinitivus absolutus in Paronomasie zum Verbum finitum: Fälle–Formationen–Funktionen–Fragen. [F]RICHTER, W. ATSAT 83: 2007 ⇒132. 265-281 [1 Sam 20].

2046 *Steiner, Richard C. Muqdam u-me'uḥar* and *muqaddam wa-mu'aḥḥar*: on the history of some Hebrew and Arabic terms for *hysteron proteron* and *anastrophe*. JNES 66 (2007) 33-45.

2047 **Strawn, Brent A.** What is stronger than a lion?: leonine image and metaphor in the Hebrew Bible and the ancient Near East. OBO 212: 2005 ⇒21,1899; 22,1860. [R]BiOr 64 (2007) 692-4 (*Hulster, Izaak J. de*).

2048 *Travers, Michael E.* The use of figures of speech in the bible. BS 164 (2007) 277-290.

2049 *Utzschneider, Helmut* Ist das Drama eine universale Gattung?: Erwägungen zu "dramatischen" Texten in der alttestamentlichen Prophetie, der attischen Tragödie und im ägyptischen Kultspiel. Gottes Vorstellung. BWANT 175: 2007 <2006> ⇒336. 269-298.

2050 *Weitzman, S.* Before and after *The art of biblical narrative.* Prooftexts 27/2 (2007) 191-210.

2051 *Werner, Hans-J.* "Da euer Geist nur von den Sinnen leiht, um dem Verstand es dann zu überreichen": die Bedeutung von Bildern und Gleichnissen für die Philosophie. Geschichten. Hodos 5: 2007 ⇒615. 51-70.

2052 *Williamson, Hugh G.M.* Once upon a time...?. [F]AULD, G. VT.S 113: 2007 ⇒5. 517-528 [2 Sam 12,1; 1 Kgs 21,1; Esth 2,5; Job 1,1; Cant 8,11].

B4.5 Influxus biblicus in litteraturam profanam, *generalia*

2053 *Bauer, Dieter* Ein "revolutionäres Stück"?: die "Neue Passion Mettmach". BiHe 43/171 (2007) 26-27.

2054 **Biggs, Frederick M.** Sources of Anglo-Saxon literary culture: the apocrypha. Instrumenta Anglistica Medievalia 1: Kalamazoo, MI 2007, Medieval Institute Publications xx; 117 pp. $12. 978-15804-41193.

2055 *Bozzetto-Ditto, Lucienne* Deux livrets d'opera, deux figures de Jean-Baptiste: MASSENET: "Hérodiade", STRAUSS: "Salomé". Graphè 16 (2007) 165-182.

2056 **Callahan, Allen D.** The talking book: African Americans and the bible. 2006 ⇒22,1871. [R]ChH 76 (2007) 453-454 (*Evans, Curtis J.*).

2057 **Cavill, Paul; Ward, Heather,** *al.,* The christian tradition in English literature: poetry, plays and shorter prose. GR 2007, Zondervan 512 pp. £15/$25. 03102-55155.

2058 *Christianson, Eric S.* The big sleep: strategic ambiguity in Judges 4-5 and in classic film noir. BiblInterp 15 (2007) 519-548.

2059 **Collins, Christopher** Homeland mythology: biblical narratives in American culture. University Park, PA 2007, Pennsylvania State University Pr. xxiii; 263 pp. 978-0-271-02993-1. Bibl. 249-256.

2060 *Estes, Heide* Abraham and the Northmen in *Genesis A*: Alfredian translations and ninth-century politics. MeH 33 (2007) 1-13 [Gen 14].

2061 [E]**Exum, J. Cheryl** The bible in film–the bible and film. 2006 ⇒22, 1874. [R]BiCT 3/1 (2007)* (*Carden, Michael*).

2062 **Frye, Northrop** Der große Code: die Bibel und Literatur. [T]*Seyffert, P.*; [E]*Tschuggnall, P.* Salzburg 2007, Mueller-Speiser 271 pp. €29. 978-39025-37058.

2063 **Gellner, Christoph** Schriftsteller lesen die Bibel: die Heilige Schrift in der Literatur des 20. Jahrhunderts. 2004 ⇒20,1779. [R]ThRv 103 (2007) 27-29 (*Langenhorst, Georg*); ThLZ 132 (2007) 560-561 (*Dörken-Kucharz, Thomas*).

2064 **Grimaldi, Nicolas** Le livre de Judas. 2006 ⇒22,1880. [R]EeV 117/ 167 (2007) 7-8 (*Maldamé, Jean-Michel*); REJ 166 (2007) 383-386 (*Méchoulan, Henry*).

2065 *Höttges, Bärbel* "In the beginning was the sound": Toni Morrison's intertextual bible reading. Intertextualität. 2007 ⇒447. 161-174.

2066 *Jeffrey, D.L.* The pearl of great wisdom. Touchstone [Ch] 20/8 (2007) 25-30.

2067 *Kartun-Blum, Ruth* Political mothers: women's voice and the Binding of Isaac in Israeli poetry. Opfere deinen Sohn!. 2007⇒442. 93-108 [Gen 22].

2068   *Kelber, Werner H.* Orality and biblical studies: a review essay. RBLit (2007) 1-24.

2069   *Kleiman, Irit* The life and times of Judas Iscariot: form and function. MeH 33 (2007) 15-40.

2070   **Kling, David W.** The bible in history: how the texts have shaped the times. 2004 ⇒20,1787; 21,1927. [R]HeyJ 48 (2007) 792-793 (*Sullivan, John*);

2071   Oxf 2006, OUP xii; 389 pp. £14. 978-01953-10214.

2072   [E]**Knight, Alan E.** Les mystères de la procession de Lille, 4: le Nouveau Testament. Genève 2007, Droz 608 pp.

2073   [E]**Knight, Mark; Woodman, Thomas** Biblical religion and the novel. 2006 ⇒22,427. [R]HeyJ 48 (2007) 807-808 (*Chennells, Anthony*).

2074   *Leneman, Helen* Re-visioning a biblical story through libretto and music: Debora e Jaele by Ildebrando Pizzetti. BiblInterp 15 (2007) 428-463 [Judg 4-5].

2075   *Magnus, Laurie* The legacy in modern literature. Early and later Jewish influence. Analecta Gorgiana 38: 2007 <1927> ⇒392. 45-70.

2076   *McGrail, Peter* Eroticism, death and redemption: the operatic construct of the biblical femme fatale. BiblInterp 15 (2007) 405-427.

2077   *Meillet, Antoine* Influence of the Hebrew Bible on European languages. Early and later Jewish influence. Analecta Gorgiana 38: 2007 <1927> ⇒392. 33-42.

2078   Nach uns die Sintflut: biblische Redensarten mit Karikaturen von Pater Polykarp Uehlein OSB. Stu 2007, Kathol. Bibelwerk 128 pp. €9.90. 978-34602-70121. 57 ill.

2079   **Nortel, Jean-Pierre** Que faut-it de plus?: ballades spirituelles à travers la bible. P 2007, Renaissance 264 pp. €18.

2080   *Paduano, Guido* Isacco e Iphigenia nel teatro francese. Letteratura cristiana. Letture patristiche 11: 2007 ⇒934. 317-340 [Gen 22,1-19].

2081   **Paul, André** La bible et l'occident: de la bibliothèque d'Alexandrie à la culture européenne. P 2007, Bayard 412 pp. €28. 9782227350274.

2082   *Spica, Anne-E.* Les paraphrases et les citations bibliques dans les romans en langue française au XVIIᵉ siècle: enjeux intertextuels. Regards croisés sur la bible. LeDiv: 2007 ⇒875. 287-301.

2083   *Staley, Lynn* Susanna and English communities. Tr. 62 (2007) 25-58 [Dan 13].

2084   *Steinmeier, Anne* Ein Bild von Bedeutung–modernes Theater und Bibel. JRPäd 23 (2007) 113-122.

2085   *Swindell, Anthony* Latecomers: four novelists rewrite the bible. BiblInterp 15 (2007) 395-404.

2086   **Washof, Wolfram** Die Bibel auf der Bühne: Exempelfiguren und protestantische Theologie im lateinischen und deutschen Bibeldrama der Reformationszeit. [D]*Meier-Staubach, Christel* Symbolische Kommunikation und gesellschaftliche Wertesysteme 14: Münst 2007, Rhema 536 pp. 978-39304-54631. 19 ill.; Diss.

2087   **Wright, Terry R.** The genesis of fiction: modern novelists as biblical interpreters. Aldershot 2007, Ashgate xii; 188 pp. $100. [R]BiCT 3/3 (2007)* (*Walsh, Richard*).

B4.6   *Singuli auctores*—**Bible influence on individual authors**

2088   ABRAVANEL J: *Guidi, Angela* La sagesse de Salomon et le savoir philosophique: matériaux pour une nouvelle interprétation des Dialogues d'amour de LÉON l'Hébreu. RSPhTh 91 (2007) 241-264.

2089 ALTIZER T: *Price, Daniel* God turns a blind eye: terrifying angels before the apocalypse. Ment. *Rilke, R.* JLT 21 (2007) 362-380.

2090 AŔAK'EL S: ᵀ**Stone, Michael E.** Adamgirk': the Adam book of Aŕak'el of Siwnik'. Oxf 2007, OUP xi; 335 pp. £55. 978-01992-0477-9. [Gen 2-3].

2091 AUSTEN J: *Overstreet, Deanna* The gospel according to Jane. ThTo 63 (2007) 477-481.

2092 BALZAC H DE: **Baron, Anne-Marie** Balzac et la bible: une herméneutique du romanesque. P 2007, Champion 367 pp.

2093 BLAKE W: **Rowland, Christopher** 'Wheels within wheels': William Blake and the Ezekiel's merkabah in text and image. Milwaukee 2007, Marquette Univ. Pr. 43 pp. $15. Père Marquette lecture 2007 [Ezek 1];

2094 *Rowland, Christopher* Ezekiel's Merkavah in the work of William Blake and christian art. The book of Ezekiel. 2007 ⇒835. 183-200 [Ezek 1].

2095 CHRISTINE DE P: **Birk, Bonnie A.** Christine de Pizan and biblical wisdom: a feminist-theological point of view. 2005 ⇒21,1952. ᴿSpec. 82 (2007) 683-685 (*Reno, Christine M.*).

2096 COLÓN C: *León Azcárate, Juan Luis de* El 'Libro de las profecías' (1504) de Cristóbal Colón: la biblia y el descubrimiento de América. RelCult 53 (2007) 361-406.

2097 DANTE: **Cardellino, Lodovico** Dante e la bibbia. Bornato in Franciacorta 2007, Sardini 224 pp;

2098 *Fasoli, Maria G.* Maria nella *Commedia* di Dante. Letteratura cristiana. Letture patristiche 11: 2007 ⇒934. 463-469;

2099 *Franke, William* The rhetorical-theological presence of Romans in Dante: a comparison of methods in philosophical perspective;

2100 *Hawkins, Peter S.* DANTE, St. Paul, and the letter to the Romans. Medieval readings of Romans. 2007 ⇒394. 142-152/115-131.

2101 DOSTOEVSKIJ F: *Ghini, Giuseppe* Giobbe *vs* Ivan Karamazov. Letteratura cristiana. Letture patristiche 11: 2007 ⇒934. 349-358.

2102 DRACONTIUS: *Speyer, Wolfgang* Das Leben im Garten Eden nach Dracontius. Frühes Christentum. WUNT 213: 2007 <2002> ⇒320. 271-280 {Genesis}02 - 03.

2103 FLAUBERT G: *Godo, Emmanuel* "Pour qu'il croisse, il faut que je diminue": le Iaokanann de Gustave Flaubert. Graphè 16 (2007) 127-37.

2104 FRAUENLOB: **Newman, Barbara** Frauenlob's Song of Songs: a medieval German poet and his masterpiece. 2006 ⇒22,1923. ᴿGGA 259 (2007) 158-165 (*Wachinger, Burghart*).

2105 FRIED E: **Gojny, Tanja** Biblische Spuren in der Lyrik Erich Frieds: zum intertextuellen Wechselspiel von Bibel und Literatur. 2004 ⇒ 20,1810. ᴿThLZ 132 (2007) 1356-1358 (*Hübner, Hans*).

2106 FRISCH M: *Riedel, Wolfgang* Ich bin nicht der der ich bin: anthropologisches Bildnisverbot bei Max Frisch (Stiller)–mit einem Nachsatz zu BRECHTs *Über das Anfertigen von Bildnissen.* BilderStreit. 2007 ⇒ 578. 271-295.

2107 GOETHE J VON: *Anderegg, Johannes* Hiob und Goethes Faust. Buch Hiob. AThANT 88: 2007 ⇒857. 395-409.

2108 GOETHE J VON; HOFMANNSTHAL H VON: *Greiner, Bernhard* Die Stellvertretung im Opfer: Figurationen ihres Entwurfs und ihrer Rücknahme: Iphigenie (Euripides/Goethe) und Elektra (Hofmannsthal). Opfere deinen Sohn!. 2007 ⇒442. 155-169 [Gen 22].

2109 HAFT L: *Van de Peppel, Peter* Mij weet de ziende: over de psalmbe-werkingen van Lloyd Haft. Theologisch debat 4/4 (2007) 35-43.

2110 HEIDEGGER M: **Sommer, Christian** Heidegger, ARISTOTE, LUTHER: les sources aristotéliciennes et néo-testamentaires d'*Etre et Temps*. 2005 ⇒21,1971. ᴿFilTeo 21/1 (2007) 208-212 (*Ruoppo, Anna Pia*).

2111 HEINE H: *Bodenheimer, Alfred* Heines Hiob. Buch Hiob. AThANT 88: 2007 ⇒857. 411-419.

2112 HOCHHUTH R: *Freiman-Morris, Sarah* Faust and Job in Rolf Hoch-huth's The deputy. JLT 21 (2007) 214-226.

2113 HROTSVITA G: *Bertini, Ferruccio* Maria nell'opera di Rosvita. Letteratura cristiana. Letture patristiche 11: 2007 ⇒934. 455-462.

2114 KAFKA F: *Nayhauss, Hans C. von* Kafka-Texte als Gleichnisse?. Ge-schichten. Hodos 5: 2007 ⇒615. 133-147.

2115 KIERKEGAARD S: *Danta, Chris* The poetics of distance: Kierke-gaard's Abraham. JLT 21 (2007) 160-177 [Gen 22];

2116 *Mjaaland, Marius T.* Funderinger over Abrahams offer: fundamen-talisme, mysterium og teleologisk suspensjon i Kierkegaards "Frygt of baeven". NTT 108 (2007) 116-143 [Gen 22,1-19].

2117 LA TOUR DU PIN P DE: *Renaud-Chamska, Isabelle* Genèse et créa-tion poétique dans l'oeuvre de Patrice de La Tour du Pin. Com(F) 32/ 4 (2007) 49-61.

2118 MANKELL H: *Koch, Anne* Literatur und Religion als Medien einer Sozialethik und -kritik: ein religionswissenschaftlicher Vergleich der christlichen "Apokalypse" mit Henning Mankells Krimi "Brandmau-er". ZRGG 59 (2007) 155-174.

2119 MILTON J: *Albinati, Edoardo Paradiso*: Milton in scena. Letteratura cristiana. Letture patristiche 11: 2007 ⇒934. 423-427.

2120 MINUCIUS F: *Schubert, Christoph* Biblische Spuren bei Minucius Fe-lix. Frühchristentum und Kultur. 2007 ⇒623. 237-248.

2121 MORRISON T: *Maddison, Bula* Liberation story or apocalypse?: read-ing biblical allusion and Bakhtin theory in Toni Morrison's *Beloved*. Bakhtin and genre theory. 2007 ⇒778. 161-174;

2122 BiCT 3/2 (2007)*.

2123 NERSĒS Š: *Drost-Abgarjan, Armenuhi* Eine poetische Auslegung des *Hexaemeron* aus dem christlichen Orient. HBO 43 (2007) 21-47 [Gen 1-2].

2124 OZ A: *Feldman, Yael S.* On the cusp of christianity: virgin sacrifice in Pseudo-Philo and Amos Oz. JQR 97 (2007) 379-415 [Gen 22; Judg 11].

2125 PRUDENTIUS: *Conybeare, Catherine* Sanctum, lector, percense volu-men: snakes, readers, and the whole text in Prudentius's *Hamartige-nia*. The early christian book. 2007 ⇒604. 225-240;

2126 *Palla, Roberto* Il paradiso perduto nelle opere di Prudenzio. Lettera-tura cristiana. Letture patristiche 11: 2007 ⇒934. 409-419.

2127 ROMANUS M: ᵀ**Trombi, Ugo** Romano il Melode: Kontakia 1. CTePa 197.1: R 2007, Città N. 312 pp. 978-88-311-8197-6. Introd. *Viviana Mangogna*.

2128 SCHWARTZ R: *Moberly, R.W.L.* Is monotheism bad for you?: some reflections on God, the bible, and life in the light of Regina Schwartz's *The curse of Cain*. God of Israel. 2007 ⇒818. 94-112.

2129 SHAKESPEARE W: *Schwartz, Regina M.* The mass and the theatre: sacrifice and murder in *Othello*. Perspectives on the passion. LNTS 381: 2007 ⇒457. 166-190;

2130 *Vogel, Dan* Balaam, SHAKESPEARE, Shylock. JBQ 35 (2007) 231-241 [Num 22-24].

2131 THURMAIR M: *Hastetter, Michaela C.* "Wo ich Dunkel sage, da ist von dir nur Licht": Marie Luise Thurmairs Paraphrase des Psalms 139–Kirchenlieddichtung oder Kompromisslyrik?. GuL 80 (2007) 109-121.

2132 TOURNIER M: *Bouloumie, Arlette* Le mythe des rois mages dans *Gaspard, Melchior et Balthazar,* de Michel Tournier. L'étranger dans la bible. LeDiv 213: 2007 ⇒504. 427-440.

2133 WEIL S: *Devaux, André-A.* Pour une approche du 'Prologue' de Simone Weil. L'étranger dans la bible. LeDiv 213: 2007 ⇒504. 441-455 [Un amour sans frontières: prologue de Simone Weil].

2134 WIESEL E: *Oberhänsli-Widmer, Gabrielle* Elie Wiesel: der Prozess von Schamgorod. KuI 22 (2007) 171-180.

B4.7 *Interpretatio* materialistica, psychiatrica

2135 **Arènes, Jacques; Gibert, Pierre** Le psychanalyste et le bibliste: la solitude, Dieu et nous. P 2007, Bayard 216 pp. €19. 9782227473973.

2136 *Boer, Roland* The actuality of Karl Kautsky: on materialist reconstructions of ancient Israel and early christianity. BiCT 3/3 (2007)*;

2137 Twenty-five years of Marxist biblical criticism. CuBR 5/3 (2007) 298-321.

2138 *Cuvillier, Élian* Bible et psychanalyse: quelques éléments de réflexion. ETR 82 (2007) 159-177.

2139 *Day, James M.* Personal development. Jesus and psychology. 2007 ⇒543. 116-136.

2140 **Duigou, Daniel** Naître à soi-même: les évangiles à la lumière de la psychanalyse. P 2007, Renaissance 237 pp. €17. 978-27509-02681.

2141 **Edinger, Edward** Rencontre avec le soi: un commentaire, selon la psychologie de C.G. JUNG, des *Illustrations du livre de Job* de William Blake. [T]*Bacchetta, Monique; Forlen, Annette* Ville d'Avray 2007, Fontaine de Pierre 116 pp. 978-29027-07560.

2142 *Fisher, Paul* God on steroids: apocalypticism as the medicine of melancholy metaphysicians. [M]METZGER, B. 2007 ⇒105. 149-165.

2143 *Gaztambide, Daniel J.* Psychoneuroimmunology and the historical Jesus: using the science of mind and body as a lens to inquire on the nature of the healing miracles. [M]METZGER, B. 2007 ⇒105. 166-184.

2144 *Glas, Gerrit* Searching for the dynamic 'within': concluding remarks on 'Psychological concepts and personalities'. Hearing visions. 2007 ⇒817. 295-310.

2145 *Greggo, Stephen P.* Biblical metaphors for corrective emotional relationships in group work. JPsT 35/2 (2007) 153-162.

2146 *Inselmann, Anke* Affektdarstellung und Affektwandel in der Parabel vom Vater und seinen beiden Söhnen: eine textpsychologische Exegese von Lk 15,11-32. Erkennen und Erleben. 2007 ⇒579. 271-299.

2147 [E]**Kille, D. Andrew; Rollins, Wayne G.** Psychological insight into the bible: texts and readings. GR 2007, Eerdmans xix; 291 pp. $28. 978-0-8028-4155-1. Foreword *Walter Wink.*

2148 *Klosinski, Gunther* Abrahams Infantizidversuch: psychodynamische und interpretative Annäherungen aus der Sicht eines Kinder- und Jugendpsychiaters. Opfere deinen Sohn!. 2007 ⇒442. 185-195 [Gen 22].

2149 *Leung Lai, Barbara M.* Uncovering the Isaian personality: wishful thinking or viable task?. ^MMETZGER, B. 2007 ⇒105. 82-100.

2150 *Lotufo, Zenon* Bible and obedience: to whom?. ^MMETZGER, B. NTMon 20: 2007 ⇒105. 58-81.

2151 *Luschin, Raimund M.* Die Ursprungserfahrung von Freiheit und Befreiung im Dekalog, wie sie auch im Heilungsgeschehen der personalen Psychotherapie Johanna Herzog-Dürcks erlebt werden kann. Gottes Wort. Bibel und Ethik 1: 2007 ⇒537. 72-86 [Exod 20,1-17].

2152 *Merenlahti, Petri* So who really needs therapy?: on psychological exegesis and its subject. SEÅ 72 (2007) 7-30.

2153 **Nabati, M.** Ces interdits qui nous libèrent: la bible sur le divan. Chemins de l'Harmonie: P 2007, Dervy 323 pp. €17. 978-28445-45145.

2154 *Pfeifer, Samuel* Biblical themes in psychiatric practice: implications for psychopathology and psychotherapy. Hearing visions. 2007 ⇒ 817. 267-277.

2155 *Rashkow, Ilona* Psychology and the bible: what hath FREUD wrought?. SEÅ 72 (2007) 31-48.

2156 *Rollins, Wayne G.* The bible and psychology: new directions in biblical scholarship. Hearing visions. 2007 ⇒817. 279-293.

2157 *Sandler, Willibald* Hat Gott dem Menschen eine Falle gestellt?: Theologie des Sündenfalls und Sündenfall der Theologie. ZKTh 129 (2007) 437-458 [Gen 1-3].

2158 *Specht, Herbert* Kränkungen durch den Vater–wie können Söhne damit umgehen?: die Söhne Jakobs und ihr Vater. Deutsches Pfarrerblatt 107 (2007) 20-22 [Gen 37-50].

2159 *Syreeni, Kari* A feminine gospel?: Jungian and Freudian perspectives on gender in the gospel of John. ^MMETZGER, B. NTMon 20: 2007 ⇒ 105. 185-200.

2160 *Tan, Siang-Yang* Use of prayer and scripture in cognitive-behavioral therapy. JPsC 26/2 (2007) 101-111.

2161 *Van Praag, Herman M.* Psychiatry and religion: an unconsummated marriage. Hearing visions. 2007 ⇒817. 9-19.

2162 *Vollenweider, Samuel* Außergewöhnliche Bewusstseinszustände und die urchristliche Religion: eine alternative Stimme zur psychologischen Exegese. Erkennen und Erleben. 2007 ⇒579. 73-90.

2163 *Walker, Donald F.; Lewis Quagliana, Heather* Integrating scripture with parent training in behavioral interventions. JPsC 26/2 (2007) 122-131.

B5 Methodus exegeticus

2164 *Agourides, Savvas* The application of new methods to the study of the holy scriptures. DBM 25/1 (2007) 19-32. **G.**

2165 **Aletti, Jean-Noël,** *al.,* Lessico ragionato dell'esegesi biblica. 2006 ⇒ 22,1970. ^RHum(B) 62/1 (2007) 202-205 (*Menestrina, Giovanni*);

2166 Vocabulaire raisonné de l'exégèse biblique. 2005 ⇒21,2003; 22, 1969. ^REstTrin 41 (2007) 419-421 (*Vázquez Allegue, Jaime*); EstB 65 (2007) 203-204 (*Granados, Carlos*); RB 114 (2007) 143-144 (*Devillers, Luc*); TC.JBTC 12 (2007)* (*Schöpflin, Karin*).

2167 ^E**Ballhorn, Egbert; Steins, Georg** Der Bibelkanon in der Bibelauslegung: Methodenreflexionen und Beispielexegesen. Stu 2007, Kohlhammer 347 pp. €32. 978-3-17-019109-9.

2168 *Barton, John* The final form of the text <1999> = ET 110,147-151;

2169 Intertextuality and the 'final form' of the text <1998>;

2170 Thinking about reader-response criticism <2002>. The OT: canon, literature & theology. MSSOTS: 2007 ⇒183. 185-91/181-4/193-99.

2171 *Becking, Bob* No more grapes from the vineyard?: a plea for a historical-critical approach in the study of the Old Testament. From David to Gedaliah. ÖBO 228: 2007 <2000> ⇒185. 35-51.

2172 *Berges, Ulrich* Synchronie und Diachronie: zur Methodenvielfalt in der Exegese. BiKi 62 (2007) 249-252.

2173 **Boer, Roland** *Symposia*: dialogues concerning the history of biblical interpretation. GR 2007, Eerdmans xi; 154 pp. £10/$25. 18455-31027. Bibl. 143-146.

2174 *Byrskog, Samuel* A century with the Sitz im Leben: from form-critical setting to gospel community and beyond. ZNW 98 (2007) 1-27.

Carr, D. Writing on the tablet of the heart 2005 ⇒1867.

2175 **Collins, John J.** The bible after Babel: historical criticism in a postmodern age. 2005 ⇒21,2018; 22,1980. ^RRRT 14/1 (2007) 9-11 (*Yamada, Frank M.*); TJT 23/1 (2007) 62-63 (*Hawkin, David J.*); Bib. 88 (2007) 445-449 (*Reventlow, Henning Graf*); HebStud 48 (2007) 343-345 (*Anderson, Matthew R.*); CBQ 69 (2007) 770-771 (*Dempsey, Carol J.*); HBT 29 (2007) 227-228 (*Ahn, John*).

2176 *Di Giulio, Marco* Pragmatics as a theoretical framework for interpreting Ancient Hebrew texts: an appraisal. materia giudaica 12 (2007) 51-61.

2177 **Donfried, Karl P.** Who owns the bible?: toward the recovery of a christian hermeneutic. 2006 ⇒22,1985. ^RCBQ 69 (2007) 355-356 (*Thurston, Bonnie*); RBLit (2007)* (*Kirk, J.R. Daniel*).

2178 *Dreyfus, F.* Exégesis en la Sorbona, exégesis en la iglesia. Biblia y ciencia de la fe. 2007 <1975> ⇒436. 67-113.

2179 *Dunn, Matthew W.I.* Raymond BROWN and the *sensus plenior* interpretation of the bible. SR 36 (2007) 531-551.

2180 *Dupont, A; Schelkens, K.* Scopuli vitandi: la controversia sobre exégesis histórico-crítica entre el *Lateranum* y el *Biblicum* (1960-1961). Mayéutica 33 (2007) 367-397.

2181 **Erickson, Richard J.** A beginner's guide to New Testament exegesis: taking the fear out of critical method. 2005 ⇒21,2023; 22,1989. ^RBS 164 (2007) 374-375 (*Fantin, Joseph D.*).

2182 *Gerhardsson, Birger* "Performance criticism"—en ny exegetisk disciplin?. SEÅ 72 (2007) 95-108.

2183 **Grelot, Pierre** The language of symbolism: biblical theology, semantics, and exegesis. ^T*Smith, Christopher R.* 2006 ⇒22,1995. ^RBiCT 3/2 (2007)* (*Aichele, George*); CBQ 69 (2007) 147-148 (*Graham, Helen R.*); RBLit (2007) 541-544 (*Koester, Craig R.*).

2184 *Groenewald, Alphonso* Old Testament exegesis: reflections on methodology. HTS 63 (2007) 1017-1031;

2185 Changing paradigms: Old Testament scholarship between synchrony and diachrony. South African perspectives. LHBOTS 463: 2007 ⇒ 469. 108-123.

2186 *Guardini, Romano* Sagrada escritura y ciencia de la fe. Biblia y ciencia de la fe. 2007 <1928> ⇒436. 17-66.
2187 **Güttgemanns, Erhardt** Candid questions concerning gospel form criticism: a methodological sketch of the fundamental problematics of form and redaction criticism. [T]*Doty, William G.* 1979 ⇒60,5653; 62,4325. [R]RBLit (2007)* (*Kelber, Werner H.*).
2188 *Harvey, V.A.* Religious belief and the logic of historical inquiry. CSER Review [Amherst, NY] 2/1 (2007) 43-47.
2189 **Hayes, John H.; Holladay, Carl R.** Biblical exegesis: a beginner's handbook. LVL [3]2007 <1982>, Westminster xi; 236 pp. $25. 978-0-664-22775-3.
2190 *Heckl, Raik* Der biblische Kanon–Glaubenszeugnis der Generationen des Anfangs: Überlegungen zur theologischen Bedeutung der historisch-kritischen Exegese. KuD 53 (2007) 145-157.
2191 *Hoppe, Rudolf* "Keine Prophetie ist Sache eigenwilliger Schriftauslegung" (2 Petr 1, 20b): zur Begründung, Zielsetzung und zum Ertrag der historisch-kritischen Exegese. Geist im Buchstaben?. QD 225: 2007 ⇒520. 51-67.
2192 *Jonker, Louis* Reading the pentateuch with both eyes open: on reading biblical texts multidimensionally. South African perspectives. LHBOTS 463: 2007 ⇒469. 90-107.
2193 **Kennedy, George A.** Nuovo Testamento e critica retorica. [E]*Zoroddu, Donatella* StBi 151: 2006 ⇒22,2006. [R]CivCatt 158/4 (2007) 415-416 (*Scaiola, D.*).
2194 *Köhlmoos, Melanie* Drei neue Bücher zur Methodik alttestamentlicher Exegese. ThR 72 (2007) 493-500.
2195 *Kraft, Robert A.* Para-mania: beside, before and beyond bible studies. JBL 126 (2007) 5-27.
2196 *Lawrence, Louise J.* Being 'hefted': reflections on place, stories and contextual bible study. ET 118 (2007) 530-535.
2197 **Leonardi, Giovanni** Per saper fare esegesi nella chiesa: guida per animatori biblici e 'ministri della parola' (DV 23) con CD multimediale a colori allegato. Coll. Bibbia: Leumann (TO) [2]2007, Elledici 360 pp. €25. 978-88-01-03502-5. [R]MF 106-107 (2006-2007) 561-562 (*Scaglioni, Germano*);
2198 2006 ⇒22,2012. [R]Comp. 52 (2007) 337-340 (*Moreno, Abdón*).
2199 *Lombaard, Christo* Old Testament between diachrony and synchrony: two reasons for favouring the former. South African perspectives. LHBOTS 463: 2007 ⇒469. 61-70.
2200 *Mercier, Philippe* Méthodes juives d'exégèse employées dans le Nouveau Testament. Accueil de la torah. 2007 ⇒853. 45-58.
2201 **Meynet, Roland** Traité de rhétorique biblique. Rhétorique sémitique 4: P 2007, Lethielleux 717 pp. €29. 978-22836-12507. Bibl. 665-682. [R]Gr. 88 (2007) 926-927.
2202 **Montague, George T.** Understanding the bible: a basic introduction to biblical interpretation. NY 2007, Paulist viii; 274 pp. $20. 978-08-091-43443.
2203 *Nathan, Emmanuel* Truth and prejudice: a theological reflection on biblical exegesis. Ment. *Gadamer, H.* EThL 83 (2007) 281-318.
2204 *Omerzu, Heike* Neuere Methoden und Einsichten der neutestamentlichen Wissenschaft. JRPäd 23 (2007) 38-50.
2205 *Parisi, Serafino* Considerazioni sulla necessità dell'interpretazione scientifica della bibbia. Vivar(C) 15 (2007) 213-225.

2206 *Reiser, Marius* Allegorese und Metaphorik: Vorüberlegungen zu einer Erneuerung der Väterhermeneutik <2003>;

2207 Hat die spirituelle Exegese eine eigene Methode? <2004>. Bibelkritik und Auslegung der Heiligen Schrift. WUNT 217: 2007 ⇒294. 119-152/373-388.

2208 *Resendiz Ramírez, Rafael* El método pragmalingüistico en la exégesis posmoderna. Qol 44 (2007) 43-71.

2209 *Stefaniw, Blossom* Reading revelation?: allegorical exegesis in late antique Alexandria. RHR 224 (2007) 231-251.

2210 ᴱSweeney, **Marvin; Ben Zvi, Ehud** The changing face of form criticism for the twenty-first century. 2003 ⇒19,420... 21,2065. ᴿPHScr II, 547-551 ⇒373 (*Gitay, Yehoshua*).

2211 *Theissen, Gerd* Protestantische Exegese: Plädoyer für einen neuen vierfachen Schriftsinn. Sacra Scripta [Cluj-Napoca, Romania] 5/2 (2007) 164-191.

2212 *Tkacz, Catherine B.* Typology today. NBl 88 (2007) 564-580.

2213 *Turiot, Cécile* Lectures figuratives de la bible. CEv 139 (2007) 3-57.

2214 *Utzschneider, Helmut* Die 'theologische Ästhetik' als Herausforderung an die Exegese: Anstiftung zu einem interdisziplinären Gespräch <2003>;

2215 Text–Leser–Autor: Bestandsaufnahme und Prolegomena zu einer Theorie der Exegese <1999>. Gottes Vorstellung. BWANT 175: 2007 ⇒336. 301-315/69-82.

2216 *Van Aarde, Andries G.* Inleiding tot die sosiaal-wetenskaplike kritiese eksegese van Nuwe-Testamentiese tekste: die metodolgiese aanloop in die navorsingsgeskiedenis. HTS 63 (2007) 49-79;

2217 Die sosiaal-wetenskaplike kritiese eksegese van Nuwe-Testamentiese tekste: 'n kritiese oorsig van die eerste resultate;

2218 Sosiaal-wetenskaplike kritiese eksegese van Nuwe-Testamentiese tekste–'n voortgaande debat sonder einde. HTS 63 (2007) 515-542/1119-1147.

2219 **Van Seters, John** The edited bible: the curious history of the "editor" in biblical criticism. 2006 ⇒22,2038. ᴿThLZ 132 (2007) 791-793 (*Schmidt, Ludwig*); JJS 58 (2007) 333-334 (*Williamson, H.G.M.*); CBQ 69 (2007) 341-342 (*Carr, David M.*); JThS 58 (2007) 557-559 (*Morgan, Teresa*); RBLit (2007)* (*Otto, Eckart*).

2220 *Vanhoye, Albert* Exégesis bíblica y teología: la cuestión de los métodos. Biblia y ciencia de la fe. 2007 <1997> ⇒436. 114-128.

2221 *Villiers, Gerda de* Methodology and exegesis: the tools–and what they are designed for. South African perspectives. LHBOTS 463: 2007 ⇒469. 54-60.

2222 *Wacker, Marie-Theres, al.*, Biblical criticism. Religion past and present, 2. 2007 ⇒1067. 58-64.

2223 *Yee, Gale A.* Modern methods of biblical interpretation. Women in ancient Israel. 2007 ⇒344. 15-28.

2224 *Zevini, Giorgio* Esegesi storico-critica ed esegesi spirituale delle sacre scritture nel contesto della fede. ᶠBENEDETTO XVI. 2007 ⇒14. 235-256.

2225 *Zimmermann, Ruben* Formen und Gattungen als Medien der Jesus-Erinnerung: zur Rückgewinnung der Diachronie in der Formgeschichte des Neuen Testaments. JBTh 22 (2007) 131-167.

III. Critica Textus, Versiones

D1 Textual Criticism

2226 **Barton, John** The nature of biblical criticism. LVL 2007, Westminster x; 206 pp. $25. 978-06642-25872. Bibl. 191-201.

2227 *Chiesa, Bruno* La tradizione testuale della bibbia. Mondo della Bibbia 18/4 (2007) 42-45.

2228 **Doyle, Kathleen; McKendrick, Scot** Bible manuscripts: 1400 years of scribes and scripture. L 2007, British Library 160 pp. £20/$35. 978-07123-49222.

2229 *Ehlich, Konrad* Textualität und Schriftlichkeit. Was ist ein Text?. BZAW 362: 2007 ⇒980. 3-17.

2230 *Fischer, Georg, al.*, Biblical manuscripts. Religion past and present, 2. 2007 ⇒1067. 65-70.

2231 ᴱ**Hurtado, Larry W.** The Freer biblical manuscripts: fresh studies of an American treasure trove. SBL.Text-Critical studies 6: 2006 ⇒22, 419. ᴿCBQ 69 (2007) 863-865 (*Witherington, Ben, III*); RBLit (2007)* (*Hernández, Juan, Jr.*).

2232 **Hurtado, Larry W.** The earliest christian artifacts: manuscripts and christian origins. 2006 ⇒22,2050. ᴿVJTR 71 (2007) 159, 139 (*Gispert-Sauch, G.*); ScrB 37 (2007) 94-96 (*Boxall, Ian*); TS 68 (2007) 925-927 (*Racine, Jean-F.*); CTJ 42 (2007) 377-380 (*Deppe, Dean*); RBLit (2007)* (*McGrath, James F.; Verheyden, Joseph*).

2233 **Jongkind, Dirk** Scribal habits of Codex Sinaiticus. Text and studies 5: Piscataway 2007, Gorgias 323 pp. $102. 978-15933-34222. ᴰ*Head, Peter M.*; Diss. Cambridge; Bibl. 305-312.

2234 *Kraus, Thomas J.* 'Parchment or papyrus'?: some remarks about the significance of writing material when assessing manuscripts. Ad fontes. 2007 <2003> ⇒260. 13-24.

2235 *Mantovani, Matteo* Manoscritti ed edizioni a stampa della bibbia. Mondo della Bibbia 18/4 (2007) 46-51.

2236 *Mejía, Jorge Card.* Las biblias completas: un panorama histórico, 1. Teol. 44/1 (2007) 77-104.

2237 *Mueller, Paul R.* Textual criticism and early modern natural philosophy: the case of Marin MERSENNE (1588-1648). The word and the world. 2007 ⇒460. 78-90.

2238 **Parker, David C.** The living text of the gospels. 1997 ⇒13,1273... 18,1823. ᴿRBLit (2007)* (*Kelber, Werner H.*).

2239 **Royé, S.M.** The inner cohesion between the bible and the fathers in Byzantine tradition: towards a codico-liturgical approach to the Byzantine biblical and patristic manuscripts. ᴰ*Houtman, C.* 2007, Diss. PTHU.

2240 ᴱ**Schneider, Ulrich** Codex Sinaiticus: Geschichte und Erschließung der Sinai-Bibel. Lp 2007, Universitätsverlag 48 pp. €9.80. 978-8658-3-1828. Num. ill.

2241 *Shanks, Hershel* Who owns the Codex Sinaiticus?: how the monks at Mt. Sinai got conned. BArR 33/6 (2007) 33-43, 80.

2242 **Vanheiden, Karl-Heinz** Näher am Original?: der Streit um den richtigen Urtext der Bibel. Wu 2007, Brockhaus 142 pp. €7.90.

2243 **Wegner, Paul D.** A student's guide to textual criticism of the bible: its history, methods & results. 2006 ⇒22,2055. ᴿKerux 22/2 (2007) 62-66 (*Dennison, James T., Jr.*); CBQ 69 (2007) 137-138 (*Cox, Claude E.*).

D2.1 *Biblia Hebraica* Hebrew text

2244 *Albrektson, Bertil* Masoretic or mixed: on choosing a textual basis for a translation of the Hebrew Bible. Textus 23 (2007) 33-49.
2245 *Barr, George* Prolegomena to scalometric analysis of the Hebrew Bible. JSOT 31 (2007) 379-409.
2246 *Berthelot, Katell* Les titres des livres bibliques: le témoignage de la bibliothèque de Qumrân. ᶠGARCÍA MARTÍNEZ, F. 2007 ⇒46. 127-40.
2247 *Breuer, M.* On the Babylonian system of accentuation; **H.**
2248 *Dotan, A.* The emergence of the Palestinian graphemic system. ᶠBAR-ASHER, M., 1. 2007 ⇒8. 109-114/128-139. **H.**
2249 *Drettas, G.* The translation (Targum) of the Septuagint. History of ancient Greek. 2007 ⇒669. 887-896.
2250 **Dukan, Michèle** La Bible hébraïque: les codices copiés en Orient et dans la zone séfarade avant 1280. 2006 ⇒22,2060. ᴿSef. 67 (2007) 484-486 (*Ortega Monasterio, Maria T.*).
2251 ᴱ**Ellenberger, Yaffa; Weil, Rachel** Termes massorétiques, prosodie hébraïque et autres études: appendices à la grammaire hébraïque. 2005 ⇒21,2089. ᴿBiOr 64 (2007) 701-703 (*Schenker, Adrian*); LASBF 57 (2007) 742-743 (*Pazzini, Massimo*); ZDMG 157 (2007) 229-232 (*Gass, Erasmus*).
2252 **Fernández Marcos, Natalio; Spottorno Díaz-Caro, María V.; Cañas Reíllo, José M.** Índice griego-hebreo del texto antioqueno en los libros históricos, I-II. TECC 75: 2005 ⇒21,2091s. ᴿJThS 58 (2007) 579-580 (*Dines, Jennifer*).
2253 *Goswell, Gregory* What's in a name?: book titles in the torah and former prophets. Pacifica 20 (2007) 262-277.
2254 *Hendel, Russell J.* Biblical formatting: visual and virtual. JBQ 35 (2007) 17-27.
2255 *Himbaza, Innocent; Schenker, Adrian* Du texte à la théologie: synthèse et perspectives. Un carrefour. OBO 233: 2007 ⇒515. 131-142.
2256 *Himmelfarb, Lea* The identity of the first Masoretes. Sef. 67 (2007) 37-50;
2257 The status of biblical accentuation in the *Daʿat Mikra* commentary on the torah. BetM 52/1 (2007) 103-116. **H.**
2258 *Huehnergard, J. Qatīl* and *qetīl* nouns in Biblical Hebrew. ᶠBAR-ASHER, M., 1. 2007 ⇒8. *3-*45.
2259 **Kim, Jong-Hoon** Studien zu den hebräischen und griechischen Textformen der Samuel- und Königsbücher anhand von 2Sam 15,1-19,9. ᴰ*Kreuzer, Siegfried* 2007, Diss. Bethel [ThLZ 133,890].
2260 *Korpel, Marjo C.A.* Paragraphing in a Tibero-Palestinian manuscript of the Prophets and Writings. Method in unit delimitation. Pericope 6: 2007 ⇒841. 1-34.
2261 *Maier, Johann* Bezeugung der Bibel. Kulturgeschichte der Bibel. Ment. *Philo, A.; Josephus, F.* 2007 ⇒435. 181-211.
2262 *Marcus, David* Double catchwords in the Leningrad Codex. TC. JBCT* 12 (2007) 110 pp.

2263   **Martín Contreras, Elvira** Apéndices masoréticos : Códice M1 de la
       Universidad Complutense de Madrid. TECC 72: 2004 ⇒20,1936.
       RHebStud 48 (2007) 393-395 (*Sweeney, Marvin A.*).

2264   *Martone, Corrado* Qumran readings in agreement with the Septua-
       gint against the Masoretic Text, part two: Joshua–Judges. FGARCÍA
       MARTÍNEZ, F. JSJ.S 122: 2007 ⇒46. 141-145.

2265   E**McCarthy, Carmel** Biblia Hebraica Quinta, 5: אלה הדברים: Deuter-
       onomy. Stu 2007, Deutsche Bibelgesellschaft 190*; 104; xxxii pp.
       €49. 978-3-438-05265-0. Bibl. 171*-190*.

2266   The parallel bible: Hebrew-English Old Testament. E**Dotan, Aron**
       2003 ⇒19,1971. RPHScr II, 676-678 ⇒373 (*Moyer, Clinton*).

2267   *Perani, Mauro* Ancora sul manoscritto Mosca, Guenzburg 786, copi-
       ato da Osea Finzi a Crevalcore nel 1505. materia giudaica 12 (2007)
       251-256.

2268   *Qimron, E.* The nature of pausal forms. FBAR-ASHER, M., 1. 2007
       ⇒8. 92-106. **H.**

2269   *Schenker, Adrian* Storia del testo dell'Antico Testamento. Guida.
       2007 ⇒506. 33-40;

2270   Der Ursprung des Massoretischen Textes im Licht der literarischen
       Varianten im Bibeltext. Textus 23 (2007) 51-67.

2271   *Segal, Michael* The text of the Hebrew Bible in light of the Dead Sea
       scrolls. materia giudaica 12 (2007) 5-20.

2272   *Souris, G.; Nigdelis, P.* The parallel use of Greek and Latin in the
       Greco-Roman world. History of ancient Greek. 2007 ⇒669. 897-
       902.

2273   *Steiner, R.C.* Variation, simplifying assumptions, and the history of
       spirantization in Aramaic and Hebrew. FBAR-ASHER, M., 1. 2007
       ⇒8. *52-*65.

2274   **Tahan, Ilana** Hebrew manuscripts: the power of script and image. L
       2007, British Library 160 pp. $35. 978-07123-49215.

2275   *Talshir, Zipora* Synchronic and diachronic approaches in the study of
       the Hebrew Bible: text criticism within the frame of biblical philol-
       ogy. Textus 23 (2007) 1-32.

2276   *Trebolle Barrera, Julio C.* Kings (MT/LXX) and Chronicles: the
       double and triple textual tradition. FAULD, G. VT.S 113: 2007 ⇒5.
       483-501.

2277   **Van der Toorn, Karel** Scribal culture and the making of the Hebrew
       Bible. CM 2007, Harvard Univ. Pr. x; 401 pp. $35. 978-0-674-0243-
       7-3. Bibl. 367-392.

2278   *Vargon, Shmuel; Zipor, Moshe A.* Samuel David LUZZATTO'S stance
       toward the punctuation of the Masoretic Text. Textus 23 (2007) *49-
       *73. **H.**

2279   *Watson, Wilfred G.E.* Unit delimitation in the Old Testament: an ap-
       praisal. Method in unit delimitation. Pericope 6: 2007 ⇒841. 162-84.

2280   E**Weil, Gérard E.** Massorah Gedolah: iuxta codicem Leningraden-
       sem B19a, 1: catalogi. 2001 <1971> ⇒17,1582; 18,1859. Biblia
       Hebraica Stuttgartensia, pars altera: masora magna. ROLZ 102 (2007)
       706-710 (*Schorch, Stefan*).

2281   *Zer, Rafael I. (Singer)* A riddle and its resolution in the Song of Mo-
       ses in the Aleppo Codex. Textus 23 (2007) *43-*48 [Deut 32]. **H.**

D2.2 Targum

2282 *Alexander, Philip S.* From poetry to historiography: the image of the Hasmoneans in *Targum Canticles* and the question of the targum's provenance and date. Ancient and modern scriptural historiography. BEThL 207: 2007 ⇒389. 231-254.

2283 *Azualos, Yaʿakov* 'One angel does not run two errands' (Bereishit Rabbah 50:2)–a discussion on limitations of angelic power in Aramaic translations of the torah. BetM 52/2 (2007) 95-111. **H**.

2284 *Bernstein, M.J.* Oaths and vows in the pentateuchal targumim: semantics and exegesis. [F]BAR-ASHER, M., 2. 2007 ⇒9. *20-*41.

2285 Bibliography of the Aramaic Bible. AramSt 5 (2007) 141-9, 263-71.

2286 **Brady, Christian M.M.** The rabbinic targum of Lamentations: vindicating God. Studies in the Aramaic interpretation of Scripture 3: 2003 ⇒19,1986... 22,2077. [R]RBLit (2007)* *(Wesselius, Jan-Wim)*.

2287 *Burns, Joshua E.* A Jewish Neo-Aramaic translation of Genesis recorded in Mosul, Iraq, ca. 1841 (Ms. Syr. 7, Houghton Library, Harvard University). AramSt 5 (2007) 47-74.

2288 **Clem, Eldon** Targum Neofiti (English). 2006, Oaktree Software ⇒22,2082. Accordance Bible Software, Version 1.1. [R]AramSt 5 (2007) 151-158 *(Flesher, Paul V.M.)*;

2289 Targum Onkelos and Jonathan (English). 2006, Oaktree Software ⇒22,2081. Accordance Bible Software, Version 2.0. [R]AramSt 5 (2007) 158-161 *(Flesher, Paul V.M.)*.

2290 *Díez Merino, Luis* Interpretación targúmica del Salmo 49;

2291 *Dodi, Amos* עיונים בבעיות מורפו-סינטקטיות בתרגום אונקלוס ובתרגום יונתן לנביאים. [F]RIBERA FLORIT, J. 2007 ⇒131. 85-103/105-117.

2292 **Dray, Carol A.** Translation and interpretation in the targum to the books of Kings. Studies in the Aramaic interpretation of Scripture 5: 2006 ⇒22,2085. [R]JSJ 38 (2007) 371-372 *(Van Staalduine-Sulman, Eveline)*; BiTr 58 (2007) 154-156 *(Novick, Tzvi)*; Maarav 14/2 (2007) 99-102 *(Strawn, Brent A.)*.

2293 **Edwards, Timothy M.** Exegesis in the Targum of the Psalms: the old, the new, and the rewritten. Gorgias dissertations 28; Biblical Studies 1: Piscataway (N.J.) 2007, Gorgias xvii; 288 pp. $102. 978-1-59333-432-1. Bibl. 261-278.

2294 *Everson, David L.* A brief comparison of targumic and midrashic angelological traditions. AramSt 5 (2007) 75-91.

2295 *Giralt-López, Elisabet* Els grans temes doctrinals del Targum de Jonàs. [F]RIBERA FLORIT, J. 2007 ⇒131. 147-158.

2296 *Gordon, Robert P.* When prophets emote: prophetic first-person statements in Targum Jonathan. [F]RIBERA FLORIT, J. 2007 ⇒131. 159-168.

2297 *Hayward, Charles T.R.* Targum, Biblia Hebraica Quinta, and Jewish bible interpretation. AramSt 5 (2007) 93-110.

2298 *Kusmirek, Anna* Targum do Ksiegi Ezechiela. CoTh 77/4 (2007) 139-155. **P**.

2299 *Kuty, Renaud J.* Genitive constructions in Targum Jonathan to Samuel. AramSt 5 (2007) 111-131.

2300 *Lier, G.E.* Another look at the role of priests and rabbis after the destruction of the second temple. JSem 16 (2007) 87-112;

2301   Was Targum Onquelos compiled for use in the *beth din*?. JSem 16 (2007) 150-179.
2302   *Morrison, Craig E.* The Aramaic versions of the bible and their exegesis. Ethos and exegesis. 2007 ⇒464. 127-147.
2303   **Mortensen, Beverly P.** The priesthood in Targum Pseudo-Jonathan: renewing the profession. Studies in the Aramaic interpretation of Scripture 4: 2006 ⇒22,2104. ᴿJSJ 38 (2007) 411-413 (*Kasher, Rimon*); EstB 65 (2007) 386-388 (*Pérez Fernández, Miguel*).
2304   **Naumann, Paul** Targum–Brücke zwischen den Testamenten 1. Targum-Synopse ausgewählter Texte aus den palästinischen Pentateuch-Targumen. BKG 34: 1991 ⇒7,1525; 9,1561. ᴿThR 72 (2007) 87-89 (*Tilly, Michael*).
2305   *Novick, Tzvi* Metaphorical law in Pseudo-Jonathan and the case for targumic midrash. JJS 58 (2007) 79-90.
2306   *Odasso, Giovanni* Le scritture nei targumim. RstB 19/2 (2007) 83-103.
2307   *Ribera-Florit, Josep* El targum de Abdías. ᶠGARCÍA MARTÍNEZ, F. JSJ.S 122: 2007 ⇒46. 713-727.
2308   **Shepherd, David** Targum and translation: a reconsideration of the Qumran Aramaic version of Job. SSN 45: 2004 ⇒20,1968... 22, 2107. ᴿJThS 58 (2007) 162-164 (*Hempel, Charlotte*); PHScr II, 545-547 ⇒373 (*Duhaime, Jean*).
2309   *Tal, A.* The *targumim* as sourcces of medieval Aramaic literature. ᶠBAR-ASHER, M., 1. 2007 ⇒8. 162-187. **H**.

D3.1   *Textus graecus*—Greek NT

2310   **Baldwin, Clinton** The so-called mixed text: an examination of the non-Alexandrian and non-Byzantine text-type in the Catholic Epistles. ᴰ*Warren, William* 2007, Diss. Andrews [AUSS 45,260].
2311   *Botha, Johannes E.* New Testament textual criticism is dead!: long live New Testament textual criticism!. HTS 63 (2007) 561-573.
2312   **Brodie, Thomas** The birthing of the New Testament: the intertextual development of the New Testament writings. 2004 ⇒20,1975... 22, 2113. ᴿEThL 83 (2007) 213-217 (*Friedrichsen, T.A.*).
2313   *Charlesworth, S.D.* T.C. SKEAT, P 64+67 and P 4, and the problem of fibre orientation in codicological reconstruction. NTS 53 (2007) 582-604.
2314   **Comfort, Philip** Encountering the manuscripts: an introduction to New Testament paleography and textual criticism. 2005 ⇒21,2141; 22,2117. ᴿCTJ 42 (2007) 377-380 (*Deppe, Dean*).
2315   **Ehrman, Bart** Studies in the textual criticism of the New Testament. 2006 ⇒22,212. ᴿThLZ 132 (2007) 417-418 (*Nicklas, Tobias*); JThS 58 (2007) 673-675 (*Parker, D.C.*); RBLit (2007)* (*Elliott, J.K.*).
2316   *Ehrman, Bart D.* Textual traditions compared: the New Testament and the Apostolic Fathers;
2317   *Elliott, J. Keith* Absent witnesses?: the critical apparatus to the Greek New Testament and the Apostolic Fathers. The reception of the NT. 2007 ⇒441. 9-27/47-58;
2318   Supplement II to J.K. Elliott, A bibliography of Greek New Testament manuscripts. NT 49 (2007) 370-401.

2319 *Epp, Eldon J.* Are early New Testament manuscripts truly abundant?. ^FHURTADO, L. & SEGAL, A.. 2007 ⇒71. 77-117;

2320 It's all about variants: a variant-conscious approach to New Testament textual criticism. HThR 100 (2007) 275-308.

2321 *Hengel, Martin* Die Evangelienüberschriften. Jesus und die Evangelien. WUNT 211: 2007 <1984> ⇒247. 526-567.

2322 **Hort, F.J.A.; Westcott, B.F.** The Greek New Testament: with comparative apparatus showing variations from the Nestle-Aland and Robinson-Pierpoint editions with Greek dictionary. Peabody, Mass. 2007, Hendrickson xxviii; 893 pp. $35. 978-1-56563-674-3. Foreword *Eldon J. Epp.*

2323 *Hurtado, L.W.* The 'meta-data' of earliest christian manuscripts. ^FWILSON, S. 2007 ⇒169. 149-163.

2324 ^E**Jaroš, Karl**, *al.*, Das Neue Testament nach den ältesten griechischen Handschriften. 2006 ⇒22,2146. ^RNeotest. 41 (2007) 238-239 (*Steyn, Gert J.*); EstB 65 (2007) 403-405 (*Sen, Felipe*).

2325 **Jones, Timothy P.** Misquoting truth: a guide to the fallacies of Bart Ehrman's Misquoting Jesus. DG 2007, IVP 176 pp. 978-08308-3447-1. Bibl.

2326 *Koester, Helmut* The text of the synoptic gospels in the second century. From Jesus to the gospels. 2007 <1989> ⇒256. 39-53.

2327 *Kraus, Thomas J. Ad fontes*–the benefit of the consultation of original manuscripts as for instance P.VINDOB.G 31974 <2001>;

2328 'Why am I doing what I do?': introducing my work on manuscripts and ordering the essays according to topics and approach. Ad fontes. 2007 ⇒260. 25-45/1-12.

2329 *Lakmann, Marie-L.* Papyrus Bodmer XIV-XV (P⁷⁵): neue Fragmente. MH 64/1 (2007) 22-41.

2330 **Loubser, J.A.** Oral and manuscript culture in the bible: studies on the media texture of the New Testament. Stellenbosch 2007, Sun 205 pp.

2331 ^E**Newman, Barclay M.** The UBS Greek New Testament: a reader's edition. Stu 2007, Deutsche Bibelgesellschaft x; 704 pp. $38. 15985-62851.

2332 *Parker, David* Textual criticism and theology. ET 118 (2007) 583-9.

2333 *Petersen, William L.* Textual traditions examined: what the text of the Apostolic Fathers tells us about the text of the New Testament in the second century. The reception of the NT. 2007 ⇒441. 29-46.

2334 *Porter, Stanley E.* The influence of unit delimitation on reading and use of Greek manuscripts. Method in unit delimitation. Pericope 6: 2007 ⇒841. 44-60.

2335 *Robinson, James M.* Textual criticism, Q, and the gospel of Thomas. ^MMETZGER, B. NTMon 19: 2007 ⇒105. 9-22.

2336 *Szesnat, Holger* 'Some witnesses have...': the representation of the New Testament text in English bible versions. TC.JBCT* 12 (2007) 18 pp.

2337 *Wasserman, Tommy* Fönster mot handskriftsvärlden. SvTK 83 (2007) 75-84;

2338 Some bibliographic notes on Greek New Testament manuscripts. NT 49 (2007) 291-295.

2339 **Williams, Peter J.** Early Syriac translation technique and the textual criticism of the Greek gospels. Texts and Studies 3.2: 2004 ⇒20, 1999... 22,2176. ^RBS 164 (2007) 247-249 (*Taylor, Richard A.*).

D3.2 *Versiones graecae*—**VT, Septuaginta etc.**

2340 *Aejmelaeus, Anneli* Levels of interpretation: tracing the trail of the Septuagint translators <2005> ⇒176. 295-312;

2341 *Participium coniunctum* as a criterion of translation technique <1980> ⇒176. 1-10;

2342 The significance of clause connectors in the syntactical and translation-technical study of the Septuagint <1986> ⇒176. 43-57;

2343 Translating a translation: problems of modern 'daughter versions' of the Septuagint <2001> ⇒176. 241-263;

2344 Translation-technique and the intention of the translator<1989> ⇒ 176. 59-69;

2345 Übersetzung als Schlüssel zum Original <1992> ⇒176. 143-156;

2346 Übersetzungstechnik und theologische Interpretation: zur Methodik der Septuaginta-Forschung <2001> ⇒176. 223-239;

2347 Von Sprache zur Theologie: methodologische Überlegungen zur Theologie der Septuaginta <2004> ⇒176. 265-293;

2348 What can we know about the Hebrew *Vorlage* of the Septuagint? <1987> ⇒176. 71-106;

2349 What we talk about when we talk about translation technique <1998>. On the trail of the Septuagint translators. CBET 50: 2007 ⇒ 176. 205-222.

2350 *Barker, Don* The *nomina sacra* in P. Lond. Lit. 207. CHL 122 (2007) 93-100.

2351 *Bickerman, Elias J.* The dating of PSEUDO-ARISTEAS;

2352 The Septuagint as a translation;

2353 Some notes on the transmission of the Septuagint;

2354 Two legal interpretations of the Septuagint [Gen 34,12; Exod 22,4; 22,16]. Studies in Jewish and Christian history. AGJU 68/1-2: 2007 ⇒190. 108-133/163-194/134-162/195-217.
        ᴱ**Böhler, D.**, *al.*, Im Brennpunkt: die Septuaginta, 3 2007 ⇒384.

2355 *Burke, David G.* The first versions: the Septuagint, the Targums, and the Latin. History of bible translation. History of Bible translation 1: 2007 ⇒489. 59-89.

2356 *Capron, Laurent* La tradition liturgique du *Benedicite* déjà in *P.Louvre* inv. E 7332. CHL 122 (2007) 141-151.

2357 *De Troyer, Kristin* The Leviticus and Joshua codex from the Schoyen collection: a closer look at the text divisions. Method in unit delimitation. Pericope 6: 2007 ⇒841. 35-43.

2358 **De Troyer, Kristin** Die Septuaginta und die Endgestalt des Alten Testaments: Untersuchungen zur Entstehungsgeschichte alttestamentlicher Texte. ᵀ*Robinson, Gesine S.* UTB S (Small-Format) 2599: 2005 ⇒21,2192; 22,2185. ᴿBZ 51 (2007) 309-311 (*Ego, Beate*); OLZ 102 (2007) 73-75 (*Fischer, Georg*).

2359 **Dines, Jennifer M.** The Septuagint. ᴱ*Knibb, Michael A.* 2004 ⇒20, 2009...22,2187. ᴿAlpha Omega 10/1 (2007) 139-40 (*Kranz, Dirk K.*).

2360 *Dogniez, Cécile, al.,* Bible translations. Religion past and present, 2. 2007 ⇒1067. 39-57.

2361 *Fernández Marcos, Natalio* Las traducciones en la antigüedad. Sef. 67 (2007) 263-282.
        Fernández Marcos, N., *al.,* Índice griego-hebreo del texto antioqueno en los libros históricos, I-II. 2005 ⇒2252.

2362 **Field, Frederick** Frederick FIELD'S Prolegomena to ORIGENIS Hexaplorum quae supersunt. ^T*Norton, Gerard J.* CRB 62: 2005 ⇒21, 2200. ^RJThS 58 (2007) 273-275 (*Elliott, J.K.*).

2363 *Gera, Deborah L.* Translating Hebrew poetry into Greek poetry: the case of Exodus 15. BIOSCS 40 (2007) 107-120.

2364 *Gerber, Albrecht* Gustav Adolf DEISSMANN, die Heidelberger Papyri und ein Durchbruch in griechischer Philologie. CHL 122 (2007) 369-383.

2365 *Grabbe, Lester* The terminology of government in the Septuagint–in comparison with Hebrew, Aramaic, and other languages. Jewish perspectives. 2007 ⇒624. 225-237.

2366 **Harl, Marguerite** La bible en Sorbonne ou la revanche d'ÉRASME. 2004 ⇒20,2016... 22,2195. ^RREJ 166 (2007) 311-316 (*Couteau, Elisabeth*).

2367 *Honigman, Sylvie* The narrative function of the king and the library in the *Letter of Aristeas*. Jewish perspectives. 2007 ⇒624. 128-146.

2368 **Honigman, Sylvie** The Septuagint and Homeric scholarship in Alexandria: a study in the narrative of the Letter of Aristeas. 2003 ⇒19, 2058; 21,2210. ^RSCI 26 (2007) 238-241 (*Wasserstein, David J.*).

2369 *Joosten, Jan* Language as symptom: linguistic clues to the social background of the seventy. Textus 23 (2007) 69-80.

2370 ^E**Joosten, Jan; Le Moigne, Philippe** L'apport de la Septante aux études sur l'antiquité. LeDiv 203: 2005 ⇒21,764; 22,2199. ^RJSJ 38 (2007) 120-121 (*Van der Louw, Theo*); RSR 95 (2007) 602 (*Berthelot, Katell*).

2371 ^E**Joosten, Jan; Tomson, Peter J.** Voces biblicae: Septuagint Greek and its significance for the New Testament. CBET 49: Lv 2007, Peeters viii; 183 pp. €39. 978-90429-19150.

2372 *Kauhanen, Tuukka* Traces of the proto-Lucianic text. BIOSCS 40 (2007) 75-87.

2373 *Kraus, Wolfgang* Die Septuaginta als Brückenschlag zwischen Altem und Neuem Testament?: Dtn 32 (Odae 2) als Fallbeispiel. Im Brennpunkt, 3. Ment. *Justinus, M.* BWANT 174: 2007 ⇒384. 266-290.

2374 *Kreuzer, Siegfried* Die Septuaginta im Kontext alexandrinischer Kultur und Bildung. Im Brennpunkt, 3. 2007 ⇒384. 28-56.

2375 ^E**Kreuzer, Siegfried; Lesch, Jürgen P.** Im Brennpunkt: die Septuaginta, 2. BWANT 161: 2004 ⇒20,2000; 22,2207. ^RBZ 51 (2007) 286-289 (*Deines, Roland*).

2376 **Léonas, Alexis** Recherches sur le langage de la Septante. Ment. *Theodorus M* OBO 211: 2005 ⇒21,2215; 22,2208. ^RRHPhR 87 (2007) 217-218 (*Joosten, J.*);

2377 L'aube des traducteurs: de l'hébreu au grec: traducteurs et lecteurs de la bible des Septante (IIIe s. av. J.-C.-IVe s. apr. J.-C.). Initiations bibliques: P 2007, Cerf 239 pp. €29. 978-220408-0354. Bibl. ^RBrot. 165/1 (2007) 87-88 (*Silva, Isidro Ribeiro da*); Contacts 59 (2007) 371-380 (*Ruffieux, Noël*); Ist. 52 (2007) 421-422 (*Videl, Françoise*).

2378 **McLay, Tim** The use of the Septuagint in New Testament research. 2003 ⇒19,2066... 22,2210. ^RAlpha Omega 10/1 (2007) 123-130 (*Kranz, Dirk K.*).

2379 **Muraoka, Takamitsu** A Greek-English lexicon of the Septuagint: chiefly of the pentateuch and twelve prophets. 2002 ⇒18,1944... 22, 2212. ^RAUSS 45 (2007) 277-278 (*Gurtner, Daniel M.*).

2380   **O'Connell, Séamus** From most ancient sources: the nature and text-
critical use of the Greek Old Testament text of the Complutensian
Polyglot Bible. OBO 215: 2006 ⇒22,2215. ᴿJThS 58 (2007) 166-
168 *(Elliott, J.K.)*; RBLit (2007)* *(Aejmelaeus, Anneli).*

2381   *Passoni Dell'Acqua, Anna* La versione dei LXX: 'un dono antico
sempre nuovo'. Mondo della Bibbia 18/4 (2007) 36-41.

2382   *Pearce, Sarah* Translating for Ptolemy: patriotism and politics in the
Greek pentateuch?. Jewish perspectives. 2007 ⇒624. 165-189.

2383   *Pierri, Rosario* Esempi di dativo assoluto nei Settanta. LASBF 57
(2007) 377-379.

2384   ᴱ**Pietersma, Albert; Wright, Benjamin G.** A new English transla-
tion of the Septuagint and the other Greek translations traditionally
included under that title: [NETS]. NY 2007, OUP xx; 1027 pp. $30.
978-0-19-528975-6.

2385   **Polak, Frank; Marquis, Galen** A classified index of the minuses of
the Septuagint: v.1: Introduction; v.2: The Pentateuch. 2002 ⇒18,
1947. ᴿBIOSCS 40 (2007) 153-155 *(Hiebert, Robert J.V.).*

2386   *Quezada del Río, Javier* Traducción al español de la biblia de los Se-
tenta. Qol 43 (2007) 79-85.

2387   ᴱ**Rahlfs, Alfred** Verzeichnis der griechischen Handschriften des Al-
ten Testaments, 1,1 ᴱ*Fraenkel, Detlef* Septuaginta, Vetus Testamen-
tum Graecum, Supplementum 1,1: 2004 ⇒20,2037; 22,2222. ᴿOLZ
102 (2007) 718-720 *(Kreuzer, Siegfried).*

2388   *Rajak, Tessa* The king and the translation: power and culture in Pto-
lemaic Alexandria. Henoch 29 (2007) 241-258.

2389   *Rösel, Martin* Der Brief des Aristeas an Philokrates, der Tempel in
Leontopolis und die Bedeutung der Religionsgeschichte Israels in
hellenistischer Zeit. ᶠWILLI-PLEIN, I. 2007 ⇒168. 327-344;

2390   Nomothesie. Im Brennpunkt, 3. BWANT 174: 2007 ⇒384. 132-150.

2391   *Schenker, Adrian* Pourquoi le judaïsme s'est-il désintéressé de la
Septante au début de notre ère?: en même temps d'une des raisons
pour lesquelles la Septante fut négligée dans la critique rédactionelle
vétérotestamentaire moderne. Les dernières rédactions du penta-
teuque. BEThL 203: 2007 ⇒874. 255-268;

2392   Wurde die Tora wegen ihrer einzigartigen Weisheit auf Griechisch
übersetzt?: die Bedeutung der Tora für die Nationen in Dt 4:6-8 als
Ursache der Septuaginta. FZPhTh 54 (2007) 327-347.

2393   *Steyn, Gert J.* Attempting a first translation of the Septuagint psalms
into Afrikaans: problems and challenges. IDSK 41 (2007) 457-478.

2394   **Tilly, Michael** Einführung in die Septuaginta. 2005 ⇒21,2228; 22,
2231. ᴿAlpha Omega 10/1 (2007) *(Kranz, Dirk K.).*

2395   *Tov, Emanuel* Biblical exegesis of Hebrew roots in the Septuagint?.
ᶠDIMANT, D. 2007 ⇒34. 289-308;

2396   Biliteral exegesis of Hebrew roots in the Septuagint?. ᶠAULD, G. VT.
S 113: 2007 ⇒5. 459-482;

2397   The LXX and the Deuteronomists. Textus 23 (2007) 145-171.

2398   *Utzschneider, Helmut* Auf Augenhöhe mit dem Text: Überlegungen
zum wissenschaftlichen Standort einer Übersetzung der Septuaginta
ins Deutsche. Gottes Vorstellung. 2007 <2001> ⇒336. 134-169.

2399   *Van der Kooij, Arie* The Greek bible and Jewish concepts of royal
priesthood and priestly monarchy. Jewish perspectives. 2007 ⇒624.
255-264;

2400 Ideas about afterlife in the Septuagint. Lebendige Hoffnung. ABIG 24: 2007 ⇒845. 87-102;
2401 The Septuagint of the pentateuch and Ptolemaic rule. Pentateuch as torah. 2007 ⇒839. 289-300.
2402 **Van der Louw, Theo A.W.** Transformations in the Septuagint: towards an interaction of Septuagint studies and translation studies. ^D*Van der Kooij, Arie* CBET 47: Lv 2007, Peeters xviii; 404 pp. €42. 978-90429-18887. Diss. Leiden.
2403 **Veltri, Giuseppe** Libraries, translations, and "canonic" texts: the Septuagint, Aquila and Ben Sira in the Jewish and Christian traditions. JSJ.S 109: 2006 ⇒22,2236. ^RSCI 26 (2007) 241-243 (*Ilan, Tal*); ThLZ 132 (2007) 921-4 (*Dafni, Evangelia G.*); RBLit (2007)* (*Beentjes, Pancratius*); RasIsr 73/3 (2007) 113-117 (*Capelli, Piero*).
2404 *Veltri, Giuseppe* On some Greek loanwords in Aquila's translation of the bible according to rabbinic midrash. HBO 42 (2006) 481-487.
2405 **Wahl, Otto** Die Sacra-Parallela-Zitate: aus den Büchern Josua, Richter, 1/2 Samuel, 3/4 Könige sowie 1/2 Chronik. MSU 29; AAWG.PH 255: 2004 ⇒20,2046. ^RRBLit (2007)* (*Auld, A. Graeme*).
2406 **Wasserstein, Abraham; Wasserstein, David J.** The legend of the Septuagint: from classical antiquity to today. 2006 ⇒22,2237. ^RScrB 37/1 (2007) 32-34 (*O'Loughlin, Thomas*); CBQ 69 (2007) 802-804 (*Gentry, Peter J.*); RBLit (2007)* (*Mason, John*).

D4 Versiones orientales

2407 Biblia Peshitta en español: traducción de los antiguos manuscritos arameos. Nv 2007, Broadman & H. xx; 1471 pp. $32. 978-97041-00001. Instituto Cultural Álef y Tau, A.C.
2408 *Blau, Joshua* ¿Se conservan restos de traducciones árabes de la biblia de época preislámica?. CCO 4 (2007) 359-364.
2409 *Feder, Frank* Koptische Übersetzungen des Alten und Neuen Testamentes im 4. Jahrhundert. HBO 44 (2007) 65-93.
2410 *Liljeström, Marketta* Looking for fragments of the Syrohexapla: the Song of Hannah in Barberiniani Orientali 2 as a test case. BIOSCS 40 (2007) 49-61 [1 Sam 2].
2411 *Outtier, Bernard* Un nouveau témoin géorgien de l'Ancien Testament avec des notes marginales hexaplaires (4 Rois). ^FKAESTLI, J. & JU-NOD, E. 2007 ⇒82. 271-275.
2412 **Proverbio, Delio V.** In margine alla versione osmanlı dei vangeli veicolata dal MS. Vat. Turco 59. Miscellanea Bibliothecae Apostolicae Vaticanae XIV. StT 443 Città del Vaticano 2007, Biblioteca Apostolica Vaticana 411-430 978-88210-08306.
2413 *Rhodes, Erroll* Secondary versions: Arabic to Old Slavonic. History of bible translation. 2007 ⇒489. 91-103.
2414 ^E**Schüssler, Karlheinz** Das sahidische Alte und Neue Testament: vollständiges Verzeichnis mit Standorten, sa 586-620. Biblia Coptica 4/1: Wsb 2007, Harrassowitz vii; 177 pp. €59. 978-34470-57813.
2415 *Van Rooy, Harry F.* Translation technique and translating a translation, with special reference to Ezekiel 8-11. AramSt 5 (2007) 225-38.
2416 *Wilkinson, Robert J.* Immanuel Tremellius' 1569 edition of the Syriac New Testament. JEH 58 (2007) 9-25;

2417	**Wilkinson, Robert J.** The Kabbalistic scholars of the Antwerp Polyglot Bible. Studies in the history of Christian traditions 138: Lei 2007, Brill xi; 141 pp. €79. 978-90-04-16251-8. Bibl. 123-136;

2418	Orientalism, Aramaic and kabbalah in the catholic reformation: the first printing of the Syriac New Testament. Studies in the History of Christian Traditions 137: Lei 2007, Brill xvi; 224 pp. €99. 978-9004-1-62501. Bibl. 193-216.

D5.0 Versiones latinae

2419	AVL 50. [E]**Gryson, R.; Steimer, B.** VL, Bericht des Instituts 39: 2006 ⇒22,2271. [R]ThLZ 132 (2007) 956-958 (*Haendler, Gert*).

2420	AVL 52. [E]**Gryson, R.; Steimer, B.** 41. Forschungsbericht des Instituts: FrB 2007, Herder 39 pp.

2421	*Bianchi, Enzo* Se ne proibì la lettura, oggi è un bestseller: dall'500 al Vaticano II. vita pastorale 95/11 (2007) 80-82.

2422	**Bräm, Andreas** Neapolitanische Bilderbibeln des Trecento: Anjou-Buchmalerei von Robert dem Weisen bis zu Johanna I, 1: Bilderbibeln, Buchmaler und Auftraggeber; 2: Abbildungen. Wsb 2007, Reichert 488 pp. €248.

2423	*Ganz, David* The Vatican Vergil and the Jerome page in the first bible of Charles the Bald. Under the influence. 2007 ⇒976. 45-50, 204-205.

2424	L'Evangéliare d'Echternach Ms. 9428 Bibliothèque royale de Belgique de Bruxelles. Luzern 2007, Faksimile 370 pp. 978-38567-211-21. Commentaire **Anton von Euw** [Scr. 62,41*s–I. Siede].

2425	*Magrini, S.* Production and use of Latin bible manuscripts in Italy during the thirteenth and fourteenth centuries. Manuscripta [Turnhout] 51/2 (2007) 209-257.

2426	*Marone, P.* OTTATO e la revisione del testo biblico dell'Afra. RivBib 55 (2007) 335-344.

2427	*Migsch, Herbert* Der modale Pseudokonsekutivsatz in der Vulgata: ein Beitrag zur Syntax des Vulgata-Lateins. BN 132 (2007) 71-85.

2428	*Morreale, Margherita* De los sustitutos de la Vulgata en el s. XVI: la biblia de Santes PAGNINO enmendada por Benito ARIAS MONTANO. Sef. 67 (2007) 229-236.

2429	[E]**Nestle, E.; Aland, B.** Novum Testamentum Latine. Stu 2007 <2005>, Deutsche Bibelgesellschaft xv; 678 pp. £22. 34380-53004.

2430	*Préville, Agnès de* La bibbia di san Luigi. Mondo della Bibbia 18/4 (2007) 28-31.

2431	**Rizzi, Giovanni** Edizioni della bibbia nel contesto di Propaganda Fide: uno studio sulle edizioni della bibbia presso la Biblioteca della Pontificia Università Urbaniana. 2006 ⇒22,2297. [R]Mar. 69 (2007) 626-627 (*Peretto, Elio M.*).

2432	**Schmid, Ulrich** Unum ex quattuor: eine Geschichte der lateinischen Tatianüberlieferung. VL.AGLB 37: 2005 ⇒21,2281; 22,2298. [R]ThR 72 (2007) 231-233 (*Greschat, Katharina*); Scr. 60 (2007) 240*-242* (*Hamblenne, P.*); JThS 58 (2007) 227-229 (*Petersen, William L.*).

2433	**Shepard, Dorothy M.** Introducing the Lambeth Bible: a study of texts and imagery. Turnhout 2007, Brepols 320 pp. €105. 978-2503-5-15113.

2434 *Togni, Nadia* La Bibbia atlantica di Dubrovnik (ms. Dubrovnik, Dominikanski Samostan, 58*sub vitro*). SeT 5 (2007) 341-393.
2435 *Van Banning, Joop* Reflections upon the chapter divisions of Stephan LANGTON. Method in unit delimitation. 2007 ⇒841. 141-161.
2436 **Wolter-von dem Knesebeck, Harald** Das Mainzer Evangeliar: strahlende Bilder–Worte in Gold. Rg 2007, Schnell & S. 196 pp. €29.90. 978-37954-19554. Num. ill.

D6 Versiones modernae .1 *romanicae*, romance

2437 **Alves, Herculano** A bíblia de Joao Ferreira Annes D'Almeida. 2005 ⇒21,2286. [R]HumTeo 28 (2007) 209-211 (*Carvalho, José C.*).
2438 Ancien Testament interlinéaire hébreu-français. Villiers-le-Bel 2007, Société biblique française xiii; 2780; liii pp. €95. 978-28530-07108.
2439 *Bedriñán, Claudio* Valoración de la palabra de Dios: ¿otra biblia en español?. Soleriana [Montevideo] 28 (2007) 163-182.
2440 *Betori, Giuseppe* Mons. Betori: ecco la nuova revisione della traduzione della bibbia. [E]*Brunelli, Gianfranco* Il Regno 52 (2007) 657-659.
2441 Biblia sagrada. Brasília [6]2007, CNBB 1563 pp. Trad. da CNBB, com introduções e notas.
2442 [E]**Casanellas i Bassols, Pere** Biblia del segle XIV, 3: Èxode; Levitic. Corpus Biblicum Catalanicum 1: Barc 2004, Abadia de Montserrat cxl; 248 + 248* pp. 84841-56427. Transcripció *Jame Riera i Sans*; Introd. *Armand Puig i Tàrrech*.
2443 [T]**Cerni, Ricardo** Antiguo Testamento interlineal Hebreo-Español, 4: Libros proféticos. Barc 2002, Clie 876 pp. 978-84826-73028.
2444 [E]**Cignoni, Mario** Vangelio de Sancto Johanni: antica versione italiana del secolo XIII. R 2005, Società Biblica Britannica e Forestiera 92 pp. €12. Collab. *Giovanna Frosoni*; Pres. *Lino Leonardi*.
2445 Corpus Biblicum Catalanicum, 38: Lo Nou Testament. [T]**Prat, Josep M.** Barc 2007, Associació Bíblica de Catalunya cxc; 434 pp. [R]AST 78-79 (2005-2006) 642-644 (*Ferrer, Joan*).
2446 *De Zan, Renato* Occorre inventare "l'italiano biblico". vita pastorale 95/11 (2007) 76-77.
2447 *Delgado, Mariano* Die spanischen Bibelübersetzungen in der Frühen Neuzeit. SZRKG 101 (2007) 209-224.
2448 [T]**Féghali, Paul; Aoukar, Antoine** Ancien Testament hébreu, interlinéaire hébreu-arabe. Baabda, Lebanon 2007, Université Antonine 1378 pp.
2449 [E]**Gambino, Francesca** I vangeli in antico veneziano, ms. Marciano it. I 3. Medioevo e Rinascimento Veneto 2: R 2007, Antenore 446 pp. €58. 88845-55823.
2450 *Gibert, Pierre* La bibbia di Castellione. Mondo della Bibbia 18/4 (2007) 52-55.
2451 **Lassave, Pierre** Bible: la traduction des alliances: enquête sur un événement littéraire. 2005 ⇒21,2301; 22,2317. La Bible des écrivains. [R]Annales 62 (2007) 949-952 (*Fabre, Gérard*).
2452 [ET]**Sánchez Manzano, M. Asunción** Benito Arias MONTANO: prefacios a la Biblia Regia de Felipe II: estudio introductorio, edición traducción y notas. Humanistas Españoles 32: 2006 ⇒22,2319. [R]CDios 220 (2007) 829-830 (*Gutiérrez, J.*).

2453 *Tábet, Michelangelo* Seguiamo l'esempio di san GIROLAMO: dall'e-braico alle lingue volgari. vita pastorale 95/11 (2007) 78-79.

2454 *Winedt, Marlon* "Honor your father and mother" or "honor your mother and father?": a case study in Creole bible translation. BiTr 58 (2007) 57-64 [Exod 20,12; Deut 5,16].

D6.2 *Versiones anglicae*—English Bible Translations

2455 ᵀ**Bittleston, Kalmia** The four gospels: a translation in verse. E 2007, Floris 588 pp. 978-0-86315-570-3.

2456 ᴱ**Brown, Michelle P.** The Holkham bible picture book: a fascimile. L 2007, British Library iv; 91 pp. $125.

2457 *Cadwallader, Alan* The politics of translation of the Revised Version: evidence from the newly discovered notebooks of Brooke Foss WESTCOTT. JThS 58 (2007) 415-439.

2458 *Capps, D.; Carlin, N.S.* The homosexual tendencies of King James: should this matter to bible readers today?. PastPsy 55 (2007) 667-99.

2459 **Daniell, David** The bible in English: its history and influence. 2003 ⇒19,2147...21,2311. ᴿJR 87/1 (2007) 151-52 (*Blacketer, Raymond*).

2460 **Dove, Mary** The first English bible: the text and context of the Wycliffite versions. Cambridge Studies in Medieval Literature 66: C 2007, CUP xvi; 313 pp. $99. 978-0-521-88028-2. Bibl. 267-280.

2461 *Ellingworth, Paul* From Martin LUTHER to the Revised English Version. History of Bible translation. 2007 ⇒489. 105-139.

2462 *Gary, H.G.* The greatest story ever sold. U.S. Catholic [Chicago] 72/9 (2007) 12-16.

2463 The Geneva Bible. Fascimile of the 1560 edition; introd. *Lloyd E. Berry* Peabody 2007, Hendrickson 28-1232 pp.

2464 *Herrmann, Klaus* Translating cultures and texts in Reform Judaism: the Philippson Bible. JSQ 14 2007, 164-197.

2465 The Inclusive Bible: the first egalitarian translation. Lanham, MD 2007, Rowman & L. 799 pp. $40. Priests for Equality [BiTod 47,284 –Dianne Bergant].

2466 **Jackson, Donald** The Saint John's Bible: an introduction. ColMn 2007, Liturgical 32 pp. $10.

2467 **Katz, David S.** God's last words: reading the English Bible from the Reformation to fundamentalism. 2004 ⇒20,2119; 21,2316. ᴿProEc 16/1 (2007) 110-113 (*Work, Telford*).

2468 *Kuykendall, Michael A.S.* Worrell's New Testament: a landmark Bap-tist-Pentecostal bible translation from the early twentieth century. Pneuma 29 (2007) 254-280.

2469 *McMahon, Christopher* Image and narrative: reflections on the theo-logical significance of the Saint John's Bible. ABenR 58 (2007) 29-39.

2470 *Sheeley, Steven M.* Baptists and bible translation: toward a deeper understanding. BHHe 42/2 (2007) 8-18.

2471 **Sheeley, Steven M.** Narrative asides in Luke-Acts. JSNT.S 72: 1992 ⇒8,5290... 11/1,3593. ᴿThR 72 (2007) 388-389 (*Schröter, Jens*).

2472 **Sink, Susan** The art of The Saint John's Bible: a reader's guide to Pentateuch, Psalms, Gospels, and Acts. ColMn 2007, Liturgical 126 pp. $15. 9780-81469-0628 [BiTod 45,335—Donald Senior].

2473 **Sink, Susan** The Saint John's Bible: an introduction. ColMn 2007,` Saint John's Bible 32 pp. $10. 9780-81469-1007. Design by *Monica Bokinski.*

2474 [E]**Stein, David E.S.** The contemporary torah: a gender-sensitive adaptation of the JPS translation. 2006 ⇒22,2341. [R]BiCT 3/3 (2007)* (*Eubank, Nathan*).

2475 *Trafton, J.* The bible in brush & stroke. ChristToday 51/9 (2007) 58-64, 66.

2476 [E]**Wansbrough, Henry** The CTS new catholic bible. L 2007, Catholic Truth Society 2264 pp. £15. 978-18608-24678.

2477 *Winters, Bradford* The Saint John's Bible and the Word made flesh. Image 53 (2007) 57-67.

2478 **Withers, Benjamin C.** The illustrated Old English hexateuch, Cotton Claudius B.iv: the frontier of seeing and reading in Anglo-Saxon England. L 2007, British Library xvi; 432 pp. £45. 978-08020-9104-8. 115 ill.; CD-ROM; Bibl. 399-419.

D6.3 *Versiones germanicae*—Deutsche Bibelübersetzungen

2479 Anhang: Stellungnahme des Rates der EKD: die Qualität der Bibelübersetzung hängt an der Treue zum Text. Bibel in gerechter Sprache?. 2007 ⇒407. 131-133.

2480 [E]**Bail, Ulrike,** *al.*, Bibel in gerechter Sprache: die Texte auf CD-ROM. Gü 2007, Gü. 978-3-579-05501-5

2481 *Barth, Hans-Martin* Sieben Thesen zur Bibel in gerechter Sprache. Deutsches Pfarrerblatt 107 (2007) 384.

2482 *Barth, Hermann; Kähler, Christoph* Den biblischen Text übersetzen heißt: ihm dienen: warum die "Bibel in gerechter Sprache" auf Abwege geraten ist. Bibel in gerechter Sprache?. 2007 <2006> ⇒407. 121-130.

2483 **Bechtoldt, Hans-Joachim** Jüdische deutsche Bibelübersetzungen vom ausgehenden 18. bis zum Beginn des 20. Jahrhunderts. 2005 ⇒21,2332; 22,2342. [R]ThLZ 132 (2007) 407-409 (*Kirn, Hans-Martin*); JAOS 127 (2007) 547-548 (*Levenson, Alan T.*).

2484 [R]Bibel in gerechter Sprache. [E]**Bail, Ulrike,** *al.*, 2006 ⇒22,2344. [R]HerKorr 61/1 (2007) 20-25 (*Schwienhorst-Schönberger, Ludger*); ThR 72 (2007) 97-111 (*Köhlmoos, Melanie*); ActBib 44/1 (2007) 44-46 (*Fàbrega, Valentí*); ITBT 15/7 (2007) 30-31 (*Drewes, Barend*); ThPQ 155 (2007) 195-7 (*Eder, Sigrid*); KuI 22/1 (2007) 3-20 (*Stegemann, Ekkehard & Wolfgang*) & 21-33 (*Langer, Gerhard*) & 132-44 (*Plietzsch, Susanne*); JETh 21 (2007) 7-24 (*Slenczka, Reinhard*) & 25-30 (*Dalferth, Ingolf*); Ref. 56/3 (2007) 179-186 (*Bäumlin, Klaus*);

2485 Gü [3]2007 <2006>, Gü 2400 pp. 978-3-579-05500-8.

2486 *Bohle, Evamaria* Der Widerstand fremder Erfahrung: der Streit um die "Bibel in gerechter Sprache" tut der Kirche gut. zeitzeichen 8/9 · (2007) 55-57.

2487 *Bornkamm, Karin* Mangelnde Urteilskraft: die "Bibel in gerechter Sprache". Der Teufel. 2007 ⇒433. 225-239;

2488 Vermisst: der Menschensohn: die "Bibel in gerechter Sprache": theologisch zweifelhaft, sprachlich missglückt. zeitzeichen 8/4 (2007) 15-19.

2489   *Crüsemann, Frank* Jenseits der Gemütlichkeit: allein die Schrift!: eine Erwiderung auf Karin Bornkamms Kritik an der "Bibel in gerechter Sprache". zeitzeichen 8/5 (2007) 39-41.

2490   *Dalferth, Ingolf U.* Gott ist meine Gärtnerin. Bibel in gerechter Sprache?. 2007 <2006> ⇒407. 113-119.

2491   *Dieckmann, Detlef* Den biblischen Text heute zur Sprache bringen: ein Einblick in die Übersetzungswerkstatt der "Bibel in gerechter Sprache" anhand ihrer vier Kriterien. Deutsches Pfarrerblatt 107 (2007) 347-352.

2492   *Dreyer, Martin* Die Volxbibel: Hintergründe, Konzept und Umsetzungsvorschläge für den Gebrauch im Religionsunterricht. Zeitschrift für Religionsunterricht und Lebenskunde 36/2 (2007) 22-25.

2493   *Fischer, Irmtraud* Die "Bibel in gerechter Sprache"–eine notwendige Stimme im Konzert der deutschen Bibelübersetzungen. Der Teufel. 2007 ⇒433. 65-79.

2494   ᴱ**Frey, Matthias** Das Bibel-Übersetzungs-Paket: Gute-Nachricht-Bibel, Luther-Bibel, Menge-Bibel jeweils mit Lemma-Suche. Stu 2006, Dt. Bibelges. CD-Rom. 978-3-438-02057-4.

2495   *Gössmann, Elisabeth* Anfang der Weisheit: die weibliche Tradition der Bibelauslegung und die "Bibel in gerechter Sprache". Der Teufel. 2007 ⇒433. 43-46.

2496   *Groß, Walter* "Bibel in gerechter Sprache"–in richtiger und angemessener Sprache?. Der Teufel. 2007 ⇒433. 105-108.

2497   *HaCohen, Ran* A christian bible for Jewish children. JSQ 14 (2007) 198-206.

2498   *Herren, Matthias* Streit mit Feministinnen: Nach 23-jähriger Arbeit ist eine neue Version der Zürcher Bibel erschienen. zeitzeichen 8/8 (2007) 16-17.

2499   *Hohn, Andreas* Das "fromme" Buch der Jungen: die neue Gute Nachricht: oder: erzählt uns etwas ganz Neues, das der Zukunft standhalten kann, so wie die alten Texte. Zeitschrift für Religionsunterricht und Lebenskunde 36/2 (2007) 28-30.

2500   *Keel, Othmar* Wie männlich ist der Gott der Bibel?: Überlegungen zu einer unerledigten Frage. Der Teufel blieb männlich. 2007 ⇒433. 87-92.

2501   *Kittel, Gisela* Können wir so beten?: zur "Bibel in gerechter Sprache" und zur Handreichung "Beim Wort genommen" der EKiR. Deutsches Pfarrerblatt 107 (2007) 364-366, 370.

2502   *Köhlmoos, Melanie* Frauen und Kinder zuerst?: gerechte Sprache und Bibellektüre aus weiblicher Perspektive. Der Teufel. 2007 ⇒433. 93-103;

2503   "Freiheit und Befreiung": die "Bibel in gerechter Sprache". Bibel in gerechter Sprache?. 2007 ⇒407. 31-45;

2504   'Ich lege das heute so aus': die 'Bibel in gerechter Sprache'. ThR 72 (2007) 97-111;

2505   "Was schadet der Kirche unsere Übersetzung?": Perspektiven für die Debatte um die "Bibel in gerechter Sprache". Deutsches Pfarrerblatt 107 (2007) 352-355.

2506   *Körtner, Ulrich* Bibel oder Nicht-Bibel: das ist hier die Frage!: zur Kritik der "Bibel in gerechter Sprache". Amt und Gemeinde 58/3/4 (2007) 68-70;

2507   Nur quasi dasselbe mit anderen Worten?: zur Kritik der "Bibel in gerechter Sprache". Der Teufel. 2007 ⇒433. 241-249.

2508 *Krobath, Evi* Gottes Name in der Bibel in gerechter Sprache. Der Apfel 84 (2007) 12-13.

2509 [E]**Kuhlmann, Helga** Die Bibel–übersetzt in gerechte Sprache?: Grundlagen einer neuen Übersetzung. 2005 ⇒21,423; 22,2351. [R]BZ 51 (2007) 266-270 (*Hahn, Ferdinand*).

2510 *Langer, Gerhard* Besser als ihr Ruf!: das Alte Testament in der "Bibel in gerechter Sprache". Der Teufel. 2007 ⇒433. 183-197.

2511 *Lichtenberger, Hermann* Bibel in gerechter Sprache?. Der Teufel. 2007 ⇒433. 145-152.

2512 *Lindemann, Andreas* "Was sollen wir nun sagen?": exegetische Anmerkungen zur "Bibel in gerechter Sprache". Bibel in gerechter Sprache?. 2007 ⇒407. 59-88.

2513 **Mandoki, Leslie** Musik-Bibel. Gü 2007, Gü 21,9 Stunden. 978-357-90-76133. CD-Audio; 7 Hörbücher im Schuber (24 CDs).

2514 *Moltmann-Wendel, Elisabeth* Die "Bibel in gerechter Sprache" und die Frauentraditionen. Der Teufel. 2007 ⇒433. 35-41.

2515 *Morgenstern, Matthias* Die Bibel in gerechter Sprache–ein Mißverständnis im jüdisch-christlichen Dialog. Der Teufel. 2007 ⇒433. 199-221;

2516 Kultische Destabilisierung. Bibel in gerechter Sprache?. 2007 ⇒407. 47-58.

2517 Das Newe Testament Deutzsch, Vuittemberg. Lp 2005, Edition Leipzig 444 pp. 33610-06058. Faksimilenachdruck der Jubiläumsausgabe von 1972 der Übersetzung Martin Luthers des Neuen Testaments von 1522; Begleittext von *Ingetraut Ludolphy.*

2518 *Noormann, Rolf* Eine weitere Bibel "in heutigem Deutsch". JK 68/4 (2007) 28-32.

2519 **Palmer, Nigel F.** Bibelübersetzung und Heilsgeschichte: Studien zur Freiburger Perikopenhandschrift von 1462 und zu den deutschsprachigen Lektionaren des 15. Jahrhunderts; mit einem Anhang: Deutschsprachige Handschriften, Inkunabeln und Frühdrucke aus Freiburger Bibliotheksbesitz bis ca. 1600. Wolfgang Stammler Gastprofessur für Germanische Philologie Vorträge 9: B 2007, De Gruyter 252 pp. 978-31101-91516. Bibl. Palmer 1973-2007: 227-235.

2520 *Poser, Ruth* Blicke zurück nach vorn: Tagung der Übersetzerinnen und Übersetzer der Bibel in gerechter Sprache. JK 68/4 (2007) 39.

2521 *Rödiger, Kerstin* Wagnis–Chance–Herausforderung: Historisches zur Bibelübersetzung. Fama 23/4 (2007) 14-15.

2522 *Rüsen-Weinhold, Ulrich* Auf der Suche nach Worten-zur Frage nach einer gerechten Übersetzung. [F]HAACKER, K. ABIG 27: 2007 ⇒57. 375-388.

2523 *Schäfer, Peter* Arnold Goldberg's bible translation. JSQ 14 (2007) 207-228.

2524 *Schöpsdau, Walter* Ist eine Übersetzung mit "Diskussionscharakter" noch eine Übersetzung?: zur "Bibel in gerechter Sprache". MdKI 58/1 (2007) 9-12.

2525 Die Schrift, verdeutscht von Martin BUBER gemeinsam mit Franz ROSENZWEIG: mit Bildern von Marc Chagall. Gü 2007, Gü 1126 pp. €132.10. 978-35790-64482.

2526 *Schröter, Jens* Ideologie und Freiheit: die "Bibel in gerechter Sprache" und die Grundlagen einer Bibelübersetzung. ZThK 104 (2007) 142-171;

2527 Kritische Anmerkungen zur "Bibel in gerechter Sprache". Der Teu-
      fel. 2007 ⇒433. 137-143;
2528 Übersetzung und Interpretation: Bemerkungen zur "Bibel in gerech-
      ter Sprache". Bibel in gerechter Sprache?. 2007 ⇒407. 99-111.
2529 *Schüngel-Straumann, Helen* Bibel in gerechter Sprache. Der Teufel.
      2007 ⇒433. 13-33.
2530 *Schwerdtfeger, Erich* Die Bibel in gerechter Sprache: ideologiekriti-
      sche Anmerkung zur Bibelübersetzung. ReHe 69 (2007) 25-29.
2531 *Schwienhorst-Schönberger, Ludger* Auslegung statt Übersetzung?:
      eine Kritik der "Bibel in gerechter Sprache". HerKorr 61 (2007) 20-
      25;
2532 Bibel in gerechter Sprache: Kritik eines umstrittenen Projekts. BiKi
      62 (2007) 46-53;
2533 = Der Teufel. 2007 ⇒433. 49-61;
2534 Dem Ursprungssinn verpflichtet: zur Revision der "Zürcher Bibel".
      HerKorr 61 (2007) 566-571.
2535 **Sigg-Suter, Ursula; Straub, Esther; Wäffler-Boveland, Angela**
      "... und ihr werdet mir Söhne und Töchter sein".:. die neue Zürcher
      Bibel feministisch gelesen. Z 2007, TVZ 159 pp. 978-3290-17399-9.
2536 *Slenczka, Reinhard* Die Anbetung der Weiblichkeit Gottes und das
      Bilderverbot: eine dogmatische Beurteilung der "Bibel in gerechter
      Sprache". Deutsches Pfarrerblatt 107 (2007) 356-363 [Exod 20,4-6].
2537 *Söding, Thomas* Wort Gottes in gerechter Sprache?: eine neue Bibel
      auf dem Prüfstand. Bibel in gerechter Sprache?. 2007 ⇒407. 89-97;
2538 Christ in der Gegenwart 59/8 (2007) 61-62.
2539 *Staubli, Thomas* Kon Version: Bibel in gerechter Sprache–eine kriti-
      sche Würdigung. Der Teufel. 2007 ⇒433. 81-85.
2540 *Stegemann, Wolfgang; Stegemann, Ekkehard W.* Nicht schlecht ver-
      handelt!: Anmerkungen zur Bibel in gerechter Sprache. Der Teufel.
      2007 ⇒433. 115-136.
2541 *Sutter Rehmann, Luzia* Landnahme: Reflexionen einer Übersetzerin
      der Bibel in gerechter Sprache. Fama 23/4 (2007) 7-8.
2542 *Thiel, Christiane* Aha-Erlebnisse: ein Gespräch mit sechs jungen
      Menschen, die seit einiger Zeit mit der Bibel in gerechter Sprache im
      Kontext meiner Arbeit als Stadtjugendpfarrerin in Leipzig in Berüh-
      rung gekommen sind. JK 68/4 (2007) 33.
2543 *Urban, Hans Jörg* Die Einheitsübersetzung: darf sie an der Ekklesio-
      logie scheitern?: ein Zwischenruf. Cath(M) 61 (2007) 222-229.
2544 *Wacker, Marie-Theres* Die "Bibel in gerechter Sprache": Vorstellung
      und Würdigung eines Projekts. BiKi 62 (2007) 54-59.
2545 *Wilckens, Ulrich* Theologisches Gutachten zur "Bibel in gerechter
      Sprache". ThBeitr 38 (2007) 135-151;
2546 = Der Teufel blieb männlich. 2007 ⇒433. 153-179.
2547 *Willi-Plein, Ina* Votum zur "Bibel in gerechter Sprache". Der Teufel
      blieb männlich. 2007 ⇒433. 109-112.
2548 Zürcher Bibel. Z 2007, Verlag d. Zürcher Bibel beim Theol. Verl.
      1340; 434; 165 pp [2031 S. in getr. Zählung]. 978-3-85995-241-6.
      RRef. 56/3 (2007) 168-171 (*Schwagmeier, Peter*).

D6.4 **Versiones variae**

2549 *Aroga Bessong, Dieudonné P.; Kenmogne, Michel* Bible translation
      in Africa: a post-missionary approach. History of bible translation.
      History of Bible translation 1: 2007 ⇒489. 351-385.

2550 Biblia: slovenský ekumenický preklad s deuterokánonickými knihami. Banská Bystrica 2007, Slovenská biblická spolocnost 273 pp. 978-80-85486-45-2.
2551 *Blumczynski, Piotr* The gospel in slang: with special reference to the contemporary Polish context. BiTr 58 (2007) 19-30.
2552 ^E**Buitenwerf, Rieuwerd; Van Henten, Jan W.; De Jong-Van den Berg, Nelleke** Ambacht en wetenschap: elf wetenschappers over Die Nieuwe Bijbelvertaling. 2006 ⇒22,2363. ^RStr. 74 (2007) 279-280 (*Beentjes, Panc*).
2553 *Chhetri, Chitra B.* Translating the Hebrew oath formula: a Nepali perspective. BiTr 58 (2007) 64-75.
2554 ^E**Den Hollander, August; Kwakkel, Erik; Scheepsma, Wybren** Middelnederlandse bijbelvertalingen. Middeleeuwse Studies en Bronnen 102: Hilversum 2007, Verloren 207 pp. €25. 978-90655-09-642.
2555 *Doron, David* Lexical and exegetical similarities and differences in North African Judaeo-Arabic *šurūḥ* on Genesis. JSSt 52 (2007) 113-135.
2556 *Dziadosz, Dariusz* La bibbia del millennio come l'evento religioso e il frutto dei biblisti polacchi. Ethos and exegesis. 2007 ⇒464. 88-103.
2557 *François, Wim* De Leuvense theologen over de bijbel in de volkstaal: de discussie tussen 1546 en 1564. TTh 47 (2007) 340-362.
2558 *Grant, Jamie A.* Szczesliwy, kto ...: Czesław Miłosz's translation of the Psalms. CBQ 69 (2007) 457-472.
2559 *Hill, Harriet* The effects of using local and non-local terms in mother-tongue Scripture. Miss. 35 (2007) 383-396.
2560 *Jezierska, Ewa J.* Polish translations of the bible and inclusive language: characteristics of the Polish biblical style and inclusive language. Ethos and exegesis. 2007 ⇒464. 104-110.
2561 *Kiedzik, Mirosław Polish ecumenical translation of the New Testament from original languages*–main assumptions and changes in translation and their foundations. Ethos and exegesis. 2007 ⇒464. 111-118.
2562 *Krašovec, Jože* Beseda v prevodu: revizija ali novi prevod Svetega pisma [The word in translation: revision or a new translation of the bible]. Bogoslovni Vestnik 67 (2007) 315-342. **S.**
2563 *Kwok, Pui-lan* The bible and colonialism in the global context. ThLi 30 (2007) 213-237.
2564 *Lewis, C.* Scrambling for bibles. ChristToday 51/8 (2007) 46-47.
2565 *Lombaard, Susan; Naudé, Jacobus A.* The translation of biblical texts into South African sign language. Southern African Linguistics and Applied Language Studies 25/2 (2007) 141-152.
2566 *Lujić, Božo* Lingvističke teorije prevođenja i novi hrvatski prijevod biblije [Linguistic theories of translating and the new Croatian translation of the bible]. BoSm 77 (2007) 59-102. **Croatian.**
2567 *Malcolm, Noel* Comenius, Boyle, Oldenburg, and the translation of the bible into Turkish. Church History and Religious Culture 87/3 (2007) 327-362.
2568 *Menzies, Robert* Anti-charismatic bias in the Chinese Union version of the bible. Pneuma 29 (2007) 86-101.
2569 *Mojola, Aloo O.* Bible translation in Africa. History of bible translation. History of Bible translation 1: 2007 ⇒489. 141-162.

2570   *Panczová, Helena* Technika prekaldu z biblickej gréčtiny: problém hebrejizmov. SBSl (2007) 89-95. **Slovak**.

2571   *Peels, Hendrik G.L.* Rondom de NBV. ThRef 50 (2007) 285-291.

2572   *Petterson, C.* Kap farvel til umanarssuaq': bibel- og menneskesyn i Paul Egedes fortale til oversaettelsen af det Ny Testamente til grønlandsk. DTT 70 (2007) 103-115.

2573   *Qing-Xiong, Zhang* Traduction de la bible en chinois et déploiement du Dao au sein de l'espace linguistique chinois. RICP 103 (2007) 153-168.

2574   *Shijiang, J.B. Zhang* The promotion of the bible in contemporary China and evangelization. Tripod [Hong Kong] 27/144 (2007) 20-34.

2575   *Soesilo, Daud* Bible translation in Asia-Pacific and the Americas. History of bible translation. 2007 ⇒489. 163-181;

2576   The Lord's Prayer in Malagasy and in Maanyan. BiTr 58 (2007) 95-101.

2577   ᴱ**Spronk, Klaas**, *al.*, De bijbel vertaald: de kunst van het kiezen bij het vertalen van Bijbelse geschriften. Zoetermeer 2007, Meinema 458 pp. €45. 078-90211-41466.

2578   *Thornley, A.* Redisovering scripture translation in Fiji. PJT 37 (2007) 23-37.

2579   **Timm, Erika** Historische jiddische Semantik: die Bibelübersetzungssprache als Faktor der Auseinanderentwicklung des jiddischen und des deutschen Wortschatzes. 2005 ⇒21,2379. ᴿSCJ 38 (2007) 561-3 (*Frakes, Jerold C.*); REJ 166 (2007) 556-560 (*Baumgarten, Jean*).

2580   Tiskovna konferenca ob izidu faksimilov najstarejših slovenskih prevodov Svetega pisma in ob pripravi kongresa IOSOT [Press conference in connection with the publication of a fascimile edition of the oldest Slovenian translations of the bible and with the preparation of the IOSOT Congress]. Bogoslovni Vestnik 67 (2007) 133-148. **S**.

2581   The translation of the bible into Hebrew: Avraham Ahuvia. Even-Yehuda 2007, RAM Bible [BetM 54/1,126].

2582   *Višaticki, Karlo* Šarićev prijevod Svetog pisma i njegova izdanja (I. dio) [The Šarić translation of the holy bible and its publication (part I)]. Obnovljeni Život 62 (2007) 333-344. **Croatian**.

2583   *Zovkic, Mato* Usporedba Šariceve i Zagrebacke Biblje. BoSm 77 (2007) 665-677. **Croatian**.

2584   *Zwiep, Arie W.* De bijbel vertaald. Theologisch debat 4/3 (2007) 63-64.

D7   *Problema vertentis*—**Bible translation techniques**

2585   *Adrian, William* Is bible translation 'imperialist'?: challenging another anti-christian bias in the academy. Christian Higher Education 6 (2007) 289-297.

2586   *Åsberg, Christer* The translator and the untranslatable: a case of horror vacui. BiTr 58 (2007) 1-11 [Gen 15,2; Judg 5,8; Job 19,26; Ps 141,6].

2587   *Balliu, Christian* La traduction, s'enseigne-t-elle ou s'apprend-elle?. RICP 102 (2007) 29-34.

2588   *Batnitzky, Leora* Franz ROSENZWEIG on translation and exile. JSQ 14 (2007) 131-143.

2589 *Brock, S.* Translation in antiquity. History of ancient Greek. 2007 ⇒ 669. 873-886.

2590 *Butting, Klara* Mit der Bibel ins Gespräch kommen. JK 68/4 (2007) 1-4.

2591 *Crüsemann, Marlene; Standhartinger, Angela* Der Gottesname im Neuen Testament. JK 68/4 (2007) 16-21.

2592 *Döring, Gundula* Vergnügen mit der "Weißgekleideten". JK 68/4 (2007) 12-13.

2593 *Ellingworth, Paul* Translation techniques in modern Bible translations. History of bible translation. Ment. *Erasmus; Luther* History of Bible translation 1: 2007 ⇒489. 307-334;

2594 Who are "they" in the synoptic gospels?: what is the problem?. BiTr 58 (2007) 110-123.

2595 **Faiq, Said** Trans-lated: translation and cultural manipulation. Lanham (MD) 2007, University Press of America xi; 72 pp. 978-0-7618-3748-0.

2596 **Fee, Gordon; Strauss, Mark L.** How to choose a translation for all its worth. How to read the bible...: GR 2007, Zondervan 176 pp. $13.

2597 *Fragnito, Gigliola* Per una geografia delle traduzioni bibliche nell' Europa cattolica (sedicesimo e diciasettesimo secolo). ᴹNEVEU, B. HEMM 90: 2007 ⇒115. 51-77.

2598 *Fricke, Michael* Die "Volxbibel": Denkanstoß nicht nur für Jugendliche. Deutsches Pfarrerblatt 107 (2007) 384-385.

2599 *Fritsch-Oppermann, Sybille C.* Kein Ort nirgends: Heimat ist, wo man mich versteht. Evangelische Aspekte 17/3 (2007) 13-16.

2600 *Gignac, Alain* Traduction et expérience de lecture: réflexions théologiques sur leur signification en christianisme. Théologiques 15/2 (2007) 67-88.

2601 *Gile, Daniel* A la recherche de la complémentarité de la traduction et l'interprétation en cours de formation à travers des modules théorico-méthodologiques. RICP 102 (2007) 59-72.

2602 *Gillies, Andrew* Motivation dans l'enseignement de l'interprétation de conférence (I.d.C.). RICP 102 (2007) 125-129.

2603 *Gormezano, Nathalie* Didactique de la traduction et pédagogie par compétences. RICP 102 (2007) 117-120.

2604 **Gouadec, Daniel** Translation as a profession. Benjamins translation library.EST 73: Amst 2007, Benjamins xii; 396 pp. 978-90-272-168-1-6. Bibl.

2605 *Gouadec, Daniel* Voies de recherche et applications en didactique de la traduction. RICP 102 (2007) 121-124.

2606 *Gueunier, Nicole* La bible: pourquoi tant de traductions?. Théophilyon 12/1 (2007) 69-88.

2607 *Gutmann, Hans-Martin* Die öffentliche Debatte. JK 68/4 (2007) 5-12.

2608 *Hartlieb, Elisabeth* Zum Vorwurf der Bekenntniswidrigkeit. JK 68/4 (2007) 14-15.

2609 *Hermanson, Eric A.* Get it right from the start!: preparing successful selections. BiTr 58 (2007) 85-92.

2610 *Hui-juan, Ma* Exploring the differences between Jin Di's translation theory and Eugene A. Nida's translation theory. Babel 53/2 (2007) 98-111.

2611 *Janssen, Jan* Zwischen Rechtmachen und Gerechtwerden: zur liturgischen Verwendung neuer Übersetzungen. JK 68/4 (2007) 34.

2612 *Jobes, Karen H.* Relevance theory and the translation of scripture. JETS 50 (2007) 773-797.
2613 *Kaufmann, Francine* Traditions et principes de la traduction biblique dans l'antiquité juive. Théologiques 15/2 (2007) 15-45.
2614 *Kockaert, Hendrik J.; Steurs, Frieda* Didactiques et traduction: la Lessius Hogeschool à la recherche d'une didactique pertinente de la traduction: les formations et les métiers d'aujourd'hui;
2615 *Ladmiral, Jean-René* Didactiques de la traduction. RICP 102 (2007) 99-115/3-28.
2616 *Moltmann-Wendel, Elisabeth;Butting, Klara* Ein Streitgespräch. JK 68/4 (2007) 40-42.
2617 *Noss, Philip* Whom do translators address?: implicit or explicit instruction in parallel references. BiTr 58 (2007) 189-191;
2618 A history of bible translation: introduction and overview. History of bible translation. 2007 ⇒489. 1-25.
2619 *Nouss, Alexis* De la possibilité aléatoire mais promise d'une critique des traductions bibliques. Théologiques 15/2 (2007) 46-66.
2620 *Oldenhage, Tania* Harte Arbeit: vom Bibellesen in Zeiten der Übersetzungsdebatten. Fama 23/4 (2007) 9-10.
2621 *Pattemore, Stephen* Framing Nida: the relevance of translation theory in the United Bible Societies. History of Bible translation. History of Bible translation 1: 2007 ⇒489. 217-263;
2622 A Note on double names in Kings and Chronicles. BiTr 58 (2007) 202-205.
2623 *Pergnier, Maurice* Enseignement de la traduction et enseignement par la traduction. RICP 102 (2007) 89-92.
2624 **Price, James D.** A theory for bible translation: an optimal equivalence model. Lewiston 2007, Mellen xiii; 371 pp. 978-0-7734-5205-3. Bibl. 339-346.
2625 *Pym, Anthony* On the historical epistemologies of bible translating. A history of bible translation. 2007 ⇒489. 195-215.
2626 *Reichert, Klaus* What is translating?: the endless task as reflected in examples from the bible. JSQ 14 (2007) 120-130.
2627 *Reiterer, Friedrich V.* Bibelübersetzung: Wiedergabe oder Deutung?. "Alle Weisheit stammt vom Herrn...". 2007 ⇒295. 151-181.
2628 *Rosenwald, Lawrence* Between two worlds: Martin BUBER's 'The how and why of our bible translation'. JSQ 14 (2007) 144-151.
2629 *Sánchez-Cetina, Edesio* Word of God, word of the people: translating the bible in post-missionary times. History of bible translation. History of Bible translation 1: 2007 ⇒489. 387-408.
2630 *Schmidt, Günter R.* Zwischen Text und Leser vermitteln: zur Adressatenadäquatheit von Bibelübersetzunge. Deutsches Pfarrerblatt 107 (2007) 371-375.
2631 *Schottroff, Luise; Wengst, Klaus* Sind "die Zwölf" zwölf Männer?. JK 68/4 (2007) 22-24.
2632 **Seidman, Naomi** Faithful renderings: Jewish-Christian difference and the politics of translation. 2006 ⇒22,2400. ᴿJJS 58 (2007) 352-353 (*Conway-Jones, Ann*).
2633 *Stein, David E.S.* God's name in a gender-sensitive Jewish translation. BiTr 58 (2007) 105-110.
2634 *Sysling, Harry* Translation techniques in the ancient bible translation: Septuagint and Targum. History of bible translation. 2007 ⇒489. 279-303.

2635 *Tarrés i Picas, Montserrat* La traduction, s'enseigne-t-elle ou s'apprend-elle?. RICP 102 (2007) 35-42.
2636 *Van Klinken-Rijneveld, Liesbeth* On the purpose of section headings: a functional approach. BiTr 58 (2007) 191-200.
2637 *Van Steenbergen, Gerrit J.* Worldview analysis: an exegetical tool for bible translation (part 1). BiTr 58 (2007) 30-40;
2638 (Part 2: a case study). BiTr 58 (2007) 128-147.
2639 *Vandaele, Sylvie* Modes de conceptualisation, processus de traduction et cohérence. RICP 102 (2007) 93-97.
2640 *Wilczek, Piotr* Translating and interpreting the bible for non-biblical scholarship: dilemmas of a dilettante. Ethos and exegesis. 2007 ⇒ 464. 82-87.
2641 *Zaixi, Tan; Shao, Lu* Translation and the relativity of cultural identities. Neohelicon 34/1 (2007) 197-216.

D8 *Concordantiae, lexica specialia*—Specialized dictionaries, synopses

2642 **Aland, Kurt; Vargas-Machuca, A.** Sinopsis de los cuatro evangelios, con los lugares paralelos de los evangelios apócrifos y de los padres apostólicos: edición bilingüe greco-española. M 2007, Sociedad Bíblica de España 1192 pp. €60. 978-84808-31543 [ResB 60,71s].
2643 **Hatch, Edwin; Redpath, Henry A.** A concordance to the Septuagint: and the other Greek versions of the OT. ²1998 ⇒14,1522; 16, 1757. ᴿCoTh 77/2 (2007) 203-208 (*Strzałkowska, Barbara*).
2644 **Lund, Jerome A.** The Old Syriac Gospel of the Distinct Evangelists: a key-word-in-context concordance. 2004 ⇒20,2213; 22,2407. ᴿCBQ 69 (2007) 155 (*Adler, William*).
2645 **Militarev, Alexander; Kogan, Leonid,** *al.*, Semitic etymological dictionary, vol. 1: anatomy of man and animals. AOAT 278/1: 2000 ⇒16,1760... 20,2214. ᴿBiOr 64 (2007) 332-335 (*Stol, M.*)

IV. Exegesis generalis VT vel cum NT

D9 Commentaries on the whole Bible or OT

2646 ᴱ**Attridge, Harold W.** The HarperCollins study bible fully revised and updated: including apocryphal deuterocanonical books with concordance. SF 2006, HarperSanFrancisco lxvi; 2204 pp. $40. 00612-28400. ᴿRBLit (2007) 566-570 (*Friedrichsen, Timothy*).
2647 *Barton, John* On biblical commentaries. The OT: canon, literature and theology. MSSOTS: 2007 <1997> ⇒183. 201-210.
2648 **Delitzsch, F.; Keil, C.F.** Commentary on the Old Testament. 2006 <1996> ⇒22,2416. CD-ROM. ᴿCart. 23 (2007) 507-508 (*Sanz Valdivieso, R.*).
2649 ᴱ**Franke, John R.** Giosuè Giudici Rut 1-2 Samuele: la bibbia commentata dai padri, AT 3. ᵀ*Spuntarelli, Chiara* R 2007, Città Nuova 499 pp. 978-88311-93825. Bibl. 461-473.

2650 *Goswell, Gregory* What's in a name?: book titles in the Torah and
Former Prophets. Pacifica 20 (2007) 262-277.
2651 ᴱ**Levoratti, Armando J.** Comentario bíblico latinoamericano: Anti-
guo Testamento, vol. II: libros proféticos y sapienciales. Estella
2007, Verbo Divino 976 pp. €60. 978-84816-97209.
2652 **Ravasi, Gianfranco** Il racconto della bibbia. Mi 2006, Periodici San
Paolo 10 vols.
2653 Zondervan TNIV study bible: Today's New International Version.
GR 2006, Zondervan 2496 pp.

V. Libri historici VT

E1.1 Pentateuchus, Torah *Textus, commentarii*

2654 **Askénazi, Léon** Leçons sur la thora: notes sur la paracha. Spirituali-
tés vivantes 227: P 2007, Michel 453 pp. €9.50. 978-22621-78268.
2655 **Cazeaux, Jacques** La contre-épopée du désert: essai sur Exode-Lévi-
tique-Nombres. LeDiv 218: P 2007, Cerf 637 pp. €49. 978-22040-
84581.
2656 **Friedman, Richard E.** The bible with sources revealed: a new view
into the five books of Moses. 2003 ⇒19,2257; 22,2420. ᴿRBLit
(2007) 120-124 (*Levin, Christoph*).
2657 ᴱ**Klingbeil, Gerald A.** Inicios, paradigmas y fundamentos: estudios
teológicos y exegéticos en el pentateuco. 2004 ⇒20,378; 21,2450.
ᴿPHScr II, 567-569 ⇒373 (*Santos, Carluci dos*).
2658 *Monferrer Sala, Juan P.* A Nestorian Arabic pentateuch used in east-
ern islamic lands. The bible in arab Christianity. 2007 ⇒882. 351-68.
2659 *Penkower, Jordan S.* The text of the pentateuch in the Masoretic co-
dices written by early Ashkenazi sages in the 10th-12th centuries.
Shnaton 17 (2007) 279-308. **H.**
2660 ᴱ**Plaut, W. Gunther** The torah: a modern commentary. ᴱ*Stein, David
E.S.* NY 2006 <1981>, Union for Reform Judaism 1604 pp.

E1.2 *Pentateuchus* Introductio: Fontes JEDP

2661 *Achenbach, Reinhard* Der Pentateuch, seine theokratischen Bearbei-
tungen und Josua-2 Könige. Les dernières rédactions du pentateuque.
BEThL 203: 2007 ⇒874. 225-253.
2662 **Arneth, Martin** Durch Adams Fall ist ganz verderbt ...: Studien zur
Entstehung der alttestamentlichen Urgeschichte. ᴰ*Otto, Eckart*
FRLANT 217: Gö 2007, Vandenhoeck & R. 268 pp. €65. 978-3525-
5-30801. Diss.-Habil. München; Bibl. 237-263. ᴿRBLit (2007)*
(*Schmid, Konrad*).
2663 **Aurelius, Erik** Zukunft jenseits des Gerichts: eine redaktionsge-
schichtliche Studie zum Enneateuch. BZAW 319: 2003 ⇒19,2271...
21,2464. ᴿThZ 63 (2007) 98-99 (*Wißmann, Felipe B.*).
2664 **Baden, Joel S.** Rethinking the supposed JE document. 2007, Diss.
Harvard [HThR 100,506].

2665 *Blum, Erhard* Pentateuch–Hexateuch–Enneateuch?: oder: woran erkennt man ein literarisches Werk in der Hebräischen Bibel. Dernières rédactions du pentateuque. BEThL 203: 2007 ⇒874. 67-97.

2666 *Briend, Jacques* Continue revisioni: alle origini del testo biblico. Mondo della Bibbia 18/4 (2007) 4-9.

2667 **Campbell, Antony; O'Brien, Mark** Rethinking the pentateuch: prolegomena to the theology of ancient Israel. 2005 ⇒21,2467; 22,2429. ᴿJHScr 7 (2007)* = PHScr IV,464-466 ⇒22,593 (*Beal, Lissa M.*).

2668 *Coote, Robert B.* The Davidic date of J. ᶠCHANEY, M. 2007 ⇒25. 324-343.

2669 **Douglas, Mary** Jacob's tears: the priestly work of reconciliation. 2004 ⇒20,2255; 21,2471. ᴿJHScr 7 (2007)* = PHScr IV,471-474 ⇒22,593 (*Lee, Bernon*); JThS 58 (2007) 150-153 (*Lipton, Diana*).

2670 *Gericke, Jaco W.* Synchrony, diachrony and reality: the anti-realist ontological implications of theological pluralism in the pentateuch. South African perspectives. LHBOTS 463: 2007 ⇒469. 152-167.

2671 **Gmirkin, Russell E.** Berossus and Genesis, Manetho and Exodus: Hellenistic histories and the date of the pentateuch. LHBOTS 433: 2006 ⇒22,2435. ᴿRB 114 (2007) 615-621 (*Nodet, Etienne*); CBQ 69 (2007) 773-774 (*Hillmer, Mark*).

2672 **Graupner, Axel** Der Elohist: Gegenwart und Wirksamkeit des transzendenten Gottes in der Geschichte. WMANT 97: 2002 ⇒18,2203... 21,2480. ᴿOrthFor 21/1-2 (2007) 287-289 (*Dafni, Evangelia G.*).

2673 *Guillaume, Philippe* Tracing the origin of the sabbatical calendar in the Priestly narrative (Genesis 1 to Joshua 5). PHScr II. 2007 <2005> ⇒373. 243-259.

2674 *Hagedorn, Anselm C.* Taking the pentateuch to the twenty-first century. ET 119 (2007) 53-58.

2675 *Houk, Cornelius B.* Response concerning Genesis and statistics. JSOT 32 (2007) 61-67.

2676 **Knohl, Israel** The sanctuary of silence: the priestly Torah and the holiness school. WL 2007, Eisenbrauns x; 246 pp. 978-15750-61313.

2677 *Koorevaar, Hendrik J.* Eine strukturelle Theologie von Exodus–Levitikus–Numeri: Durchdringen ins heilige Herz der Tora. Themenbuch. BWM 15: 2007 ⇒461. 87-131.

2678 **Kratz, Reinhard G.** The composition of the narrative books of the Old Testament. ᵀ*Bowden, John* 2005 ⇒21,2484. ᴿHeyJ 48 (2007) 278-279 (*Hill, Robert C.*); Theol. 110 (2007) 126-127 (*Ross, C.S.*).

2679 *Krüger, Thomas* Anmerkungen zur Frage nach den Redaktionen der grossen Erzählwerke im Alten Testament. Les dernières rédactions du pentateuque. BEThL 203: 2007 ⇒874. 47-66.

2680 *Levin, Christoph* The Yahwist: the earliest editor in the pentateuch. JBL 126 (2007) 209-230.

2681 *Lockwood, Peter* Can we say farewell to the Yahwist for good?. LTJ 41 (2007) 110-122.

2682 *Milgrom, Jacob* The case for the pre-exilic and exilic provenance of the books of Exodus, Leviticus and Numbers. ᶠWENHAM, G. LHBOTS 461: 2007 ⇒164. 48-56.

2683 **Moenikes, Ansgar** Tora ohne Mose: zur Vorgeschichte der Mose-Tora. BBB 149: 2004 ⇒20,2274; 21,2490. ᴿRB 114 (2007) 633-535 (*Loza, J.*).

2684 *Nihan, Christophe* L'écrit sacerdotale entre mythe et histoire. Ancient and modern scriptural historiography. BEThL 207: 2007 ⇒389. 151-190;

2685   The torah between Samaria and Judah: Shechem and Gerizim in Deuteronomy and Joshua. Pentateuch as torah. 2007 ⇒839. 187-223 [Deut 27; Josh 24].

2686   *Nihan, Christophe L.; Römer, Thomas* Il dibattito attuale sulla formazione del pentateuco. Guida di lettura all'AT. 2007 ⇒506. 75-99.

2687   *Otto, Eckart* A hidden truth behind the text or the truth of the text: at a turning point in biblical scholarship two hundred years after DE WETTE's *Dissertatio critico-exegetica*. South African perspectives. LHBOTS 463: 2007 ⇒469. 19-28;

2688   The pivotal meaning of pentateuch research for a history of Israelite and Jewish religion and society. South African perspectives. LHBOTS 463: 2007 ⇒469. 29-53.

2689   *Pury, Albert de* P[G] as the absolute beginning. Les dernières rédactions du pentateuque. BEThL 203: 2007 ⇒874. 99-128.

2690   *Römer, Thomas* La construction du pentaeuque, de l'hexateuque et de l'ennéateuque: investigations préliminaires sur la formation des grands ensembles littéraires de la Bible hébraïque. Les dernières rédactions du pentateuque. BEThL 203: 2007 ⇒874. 9-34;

2691   La formazione del penteteuco: storia della ricerca. Guida di lettura all'AT. 2007 ⇒506. 59-74.

2692   *Scalabrini, Patrizio R.* Antico Testamento: il pentateuco. Orientamenti bibliografici 29 (2007) 5-7.

2693   *Schmid, Konrad* Une grande historiographie allant de Genèse à 2 Rois a-t-elle un jour existé?. Les dernières rédactions du pentateuque. BEThL 203: 2007 ⇒874. 35-45.

2694   **Sicre Díaz, José Luis** El pentateuco: introducción y textos selectos. Andamios Maior: BA 2007, San Benito 256 pp. 98711-77038.

2695   *Ska, Jean-L.* From history writing to library building: the end of history and the birth of the book. Pentateuch as torah. 2007 ⇒839. 145-169 [Exod 24,3-8].

2696   **Ska, Jean-Louis** Introduction to reading the pentateuch. [T]*Dominique, Pascale* 2006 ⇒22,2458. [R]RExp 104 (2007) 815-817 (*Eddinger, Terry W.*).

2697   **Sklar, Jay** Sin, impurity, sacrifice, atonement: the priestly conceptions. HBM 2: 2005 ⇒21,2497; 22,2459. [R]TrinJ 28/1 (2007) 147-148 (*Babcock, Bryan C.*); CBQ 69 (2007) 798-799 (*Patrick, Dale*).

2698   *Spangenberg, Izak J.J.* Will synchronic research into the pentateuch keep the scientific study of the Old Testament alive in the RSA?. South African perspectives. LHBOTS 463: 2007 ⇒469. 138-151.

2699   *Van Seters, John* Author or redactor?. JHScr 7 (2007)* = PHScr 4, 221-242.

2700   *Watts, James W.* The torah as the rhetoric of priesthood. Pentateuch as torah. 2007 ⇒839. 319-331.

2701   **Wright, Richard M.** Linguistic evidence for the pre-exilic date of the Yahwistic source. LHBOTS 419; JSOT.S 419: 2005 ⇒21,2502; 22,2465. [R]HebStud 48 (2007) 365-366 (*Hendel, Ronald*).

2702   *Wynn, Kerry H.* The normative hermeneutic and interpretations of disability within the Yahwistic narratives. This abled body. Semeia Studies 55: 2007 ⇒356. 91-101.

E1.3 *Pentateuchus*, **themata**

2703 *Hayward, Robert* Observations on idols in Septuagint pentateuch. Idolatry. 2007 ⇒763. 40-57

2704 *Mirguet, Françoise* "Raconter Dieu" dans le pentateuque: médiations syntaxiques et narratives. RTL 38 (2007) 488-517

2705 **Mirguet, Françoise** La représentation du divin dans les récits du pentateuque: médiations syntaxiques et narratives. [D]*Wénin, André* 2007, 444 pp. Diss. Louvain-la-Neuve

2706 *Moskala, Jiří* The concept and notion of the church in the pentateuch. [F]PFANDL, G. 2007 ⇒122. 3-22

2707 *Northcote, Jeremy* The lifespans of the patriarchs: schematic orderings in the chrono-genealogy. VT 57 (2007) 243-257

2708 **Rao, Chilkuri V.** Let the mother bird go... preservation motif in pentateuch. Delhi 2007, ISPCK xx; 112 pp.

E1.4 **Genesis**; *textus, commentarii*

2709 **Berrigan, Daniel** Genesis: fair beginnings, then foul. 2006 ⇒22, 2478. [R]RBLit (2007)* (*Clanton, Dan W., Jr.*).

2710 **Brayford, Susan** Genesis. [E]*Porter, Stanley E.; Hess, Richard S.; Jarick, John* Septuagint Commentary: Lei 2007, Brill ix; 468 pp. €169. 978-90041-55527. Bibl. 453-458.

2711 **Cazeaux, Jacques** Le partage de minuit: essai sur la Genèse. LeDiv 208: 2006 ⇒22,2480. [R]RBLit (2007)* (*Pyper, Hugh S.*).

2712 [T]**Dadon, Abigail H.** Genesi-Bereshit (Khumash). 2006 ⇒22,2482. [R]RVS 61 (2007) 357-360 (*Fornara, Roberto*).

2713 [E]*Di Filippo, Claudia* Anche Dio ha i suoi guai... Paolo De Benedetti e Maurizio Abbà a colloquio con la 'Genesi'. Acme 60 (2007) 339-365.

2714 **Dillmann, Christian** Die Genesis erklärt. Gorgias occasional historical commentaries 1: Piscataway (N.J.) 2007, Gorgias xx; 457 pp. 978-1-59333-676-9.

2715 **Duarte Castillo, Raúl; Loza Vera, José** Introducción al pentateuco: Génesis. Biblioteca Bíblica Básica 3: Estella 2007, Verbo Divino 367 pp. €12.90. 978-84816-92426. [R]Qol 44 (2007) 107-108 (*Morales Cueto, Claudia*).

2716 **Ebach, Jürgen** Genesis 37-50. HThK.AT: FrB 2007, Herder 729 pp. €100. 978-34512-68038.

2717 *García Martínez, Florentino* The Genesis of Alexandria, the rabbis and Qumran. Qumranica minora II. StTDJ 64: 2007 <2005> ⇒231. 241-259.

2718 **Jacob, Benno** The first book of the bible: Genesis. [ET]**Jacob, Ernest I.; Jacob, Walter** Jersey City 2007, KTAV xxii; 358 pp. $49.50. 978-08812-59605. Abridged; Bibl. Benno Jacob 350-358.

2719 **Kass, Leon R.** The beginning of wisdom: reading Genesis. 2003 ⇒ 19,2322; 22,2486. [R]RBLit (2007)* (*Mullen, E. Theodore, Jr.*); Theology and sexuality 14/1 (2007) 63-77 (*Woolwine, David*).

2720 **Krauss, Heinrich; Küchler, Max** As origens: um estudo de Gênesis 1-11. [T]*Valério, Paulo F.* Cultura bíblica: São Paulo 2007, Paulinas 254 pp. 978-85356-20269.

2721 **Loza, José** Génesis 12-50. Comentarios a la nueva Bíblia de Jerusalén: Bilbao 2007, Desclée de B. 230 pp. 978-84330-21847.
2722 *Prestel, Peter* Die Übersetzung der Genesis im Rahmen des Projektes LXX.Deutsch: ein kurzer Bericht. WuD 29 (2007) 21-27.
2723 **Ruppert, Lothar** Genesis: ein kritischer und theologischer Kommentar, 3: 25,19-36,43. FzB 106: 2005 ⇒21,2529; 22,2492. ᴿFrRu 14 (2007) 225-226 (*Oberforcher, Robert*); RSR 95 (2007) 570-571 (*Artus, Olivier*); RivBib 55 (2007) 475-480 (*Prato, Gian Luigi*).
2724 **Schorch, Stefan** Die Vokale des Gesetzes: die samaritanische Lesetradition als Textzeugin der Tora, 1: Genesis. BZAW 339: 2004 ⇒ 20,2326; 21,2530. ᴿJSSt 52 (2007) 152-153 (*Kartveit, Magnar*).
2725 **Souzenelle, Annick de** Alliance de feu I, une lecture chrétienne du texte hébreu de la Genèse. Spiritualités: P 2007 <1995>, Michel 781 pp.
2726 **Thayse, André** La Genèse autrement: rêves, roueries... et réconciliation. Religions et Spiritualité: P 2007, L'Harmattan 320 pp. €27. 978-22960-28012.
2727 *Uehlinger, Christoph* Genesi 1-11. Guida di lettura all'AT. 2007 ⇒506. 101-119.

E1.5 *Genesis*, topics

2728 *Abusch, Tzvi* Biblical accounts of prehistory. ᶠGELLER, S. 2007 ⇒ 47. 1-17.
2729 *Armenteros Cruz, Víctor* La naturaleza de Dios en las expresiones הייך ,כביכול y רבון הולמים de Tanjuma Buber a Génesis. DavarLogos 6 (2007) 157-173.
2730 **Deselaers, Paul; Sattler, Dorothea** Gottes Wege gehen: die Botschaft von Abraham und Sara. Bibel Leben: FrB 2007, Herder 144 pp. €9.90. 978-34512-92996.
2731 *Gur-Klein, Thalia* Sexual hospitality in the Hebrew Bible: patriarchal lineage or matriarchal rebellion?. Patriarchs, prophets. 2007 ⇒453. 157-182.
2732 **Jacobs, Mignon R.** Gender, power, and persuasion: the Genesis narratives and contemporary portraits. GR 2007, Baker 272 pp. $22. 978-08010-27062 [BiTod 45,388—Dianne Bergant].
2733 **Kaminski, Carol M.** From Noah to Israel: realization of the primaeval blessing after the Flood. JSOT.S 413: 2004 ⇒20,2333... 22, 2496. ᴿBS 164 (2007) 369-370 (*Chisholm, Robert B., Jr.*).
2734 *Niesiolowski-Spanò, Łukasz* Primeval history in the Persian period?. SJOT 21 (2007) 106-126 [Gen 1-11].
2735 *Peklaj, Marijan* Odzivanje ijudi na Božjo besedo v pentatevhu [People's reaction to God's word in the pentateuch]. Bogoslovni Vestnik 67 (2007) 355-363. S.
2736 *Rothstein, David* "And Jacob came (in)to (בוא + אל)....": spousal relationships and the use of a recurring syntagm in Genesis and Jubilees. Henoch 29 (2007) 91-103.
2737 *Schmitz, Barbara* "Ihr werdet wie Gott, erkennend Gutes und Böses" (Gen 3, 5): 'Gut' und 'Böse'—Grenzziehungen in der Urgeschichte (Gen 1-9). An der Grenze. 2007 ⇒587. 13-41.
2738 *Vogels, Walter* Non-violence–violence–violence limitée (Gn 1-11). Violence, justice et paix. 2007 ⇒891. 41-77 {Genesis}01 - 11.

2739 *Wénin, André* Les personnages secondaires dans le récit biblique: l'exemple de Genèse 12-50. Regards croisés sur la bible. LeDiv: 2007 ⇒875. 341-354.

E1.6 **Creatio**, *Genesis 1s*

2740 *Bartholomew, Craig G.* The theology of place in Genesis 1-3. [F]WENHAM, G. LHBOTS 461: 2007 ⇒164. 173-195.

2741 **Beauchamp, Paul** Création et séparation: étude exégétique du chapitre premier de la Genèse. LeDiv 201: 2005 <1969> ⇒21,2553. [R]CBQ 69 (2007) 110-111 (*Laffey, Alice L.*).

2742 *Beauchamp, Paul* In principio Dio parla o i sette giorni della creazione. Testamento biblico. 2007 <1986> ⇒184. 11-25.

2743 *Bergant, Dianne* The earth is the Lord's (Ps 24:1). Listening 42/3 (2007) 24-32.

2744 **Bonhoeffer, Dietrich** Création et chute: exégèse théologique de Genèse 1 à 3. [T]*Revet, Roland* 2006 ⇒22,2502. [R]EeV 170 (2007) 24 (*Roure, David*).

2745 *Camilleri, Sylvain Bereshit*: éléments pour une phénoménologie génétique biblique. RSR 95 (2007) 393-416.

2746 *Cazelais, Serge* La masculoféminité d'Adam: quelques témoins textuels et exégèses chrétiennes anciennes de Gen. 1,27. RB 114 (2007) 174-188.

2747 *Cole, H. Ross* Genesis 1:14: translation notes. AUSS 45/1 (2007) 63-67.

2748 **Deselaers, Paul; Sattler, Dorothea** Sia fatta la luce!: il messaggio dei testi biblici della creazione. Itinerari biblici: Brescia 2007, Queriniana 122 pp. €10.50. 978-88399-2907-5.

2749 *Flusser, David* "In the image of the likeness of his form". Judaism of the second temple period, 1. 2007 ⇒224. 50-60 [Gen 1,26-27].

2750 **Fretheim, Terence E.** God and world in the Old Testament: a relational theology of creation. 2005 ⇒21,2560; 22,2511. [R]TJT 23 (2007) 189-190 (*Irwin, William H.*); CBQ 69 (2007) 115-116 (*Simkins, Ronald A.*).

2751 *Friedrich, Marcus A.* Geburtshelfer oder Erzeuger: das Meer in der Bibel–himmelweit von Gott entfernt, unbändig und gewaltig. zeitzeichen 8/8 (2007) 31-34.

2752 *Gordon, Robert P.* The week that made the world: reflections on the first pages of the bible. [F]WENHAM, G. LHBOTS 461: 2007 ⇒164. 228-241.

2753 **Gunkel, Hermann** Creation and chaos in the primeval era and the eschaton: a religio-historical study of Genesis 1 and Revelation 12. [T]*Whitney, K. William, Jr.* 2006 ⇒22,2512. [R]RBLit (2007)* (*Villiers, Pieter G.R. de*).

2754 **Jennings, William H.** Storms over Genesis: biblical background in America's wars of religion. Mp 2007, Fortress xxiii; 149 pp. $17. 08006-62113. Bibl. 121-143 [ThD 53,167–W. Charles Heiser].

2755 **Kehl, Medard** Und Gott sah, dass es gut war: eine Theologie der Schöpfung. 2006 ⇒22,2518. [R]StBob 2 (2007) 187-199 (*Poznánski, Witold*); StZ 225 (2007) 287-288 (*Beinert, Wolfgang*).

2756 *Kister, Menahem Tohu wa-Bohu*, primordial elements and *creatio ex nihilo*. JSQ 14 (2007) 229-256 [Gen 1,2].

2757 *Kroeze, Jan H.* A computer-assisted exploration of the semantic role frameworks in Genesis 1:1-2:3. JNSL 33/1 (2007) 55-76.

2758 *Launay, Marc Buhot de* Genèse d'Eve: le premier nom propre. FV 106/5 (2007) 44-59 [Gen 2,18-25].

2759 *Leppore, Luciano* Dentro il costato di Adamo: alla ricerca dello strato originario di Gen 2,4b-25. BeO 49 (2007) 129-162.

2760 *Link, Christian* Die Erde als Garten und die Gärten der Erde. "Schau an der schönen Gärten Zier". Jabboq 7: 2007 ⇒415. 84-111.

2761 **Löning, Karl; Zenger, Erich** In principio Dio creò: teologie bibliche della creazione. 2006 ⇒22,2523. ᴿRSEc 25/1 (2007) 131-132 (*Morandini, Simone*).

2762 *Luciani, Didier* Genèse 2,4: théorie documentaire ou analyse narrative?. NRTh 129 (2007) 279-284.

2763 **Middleton, J. Richard** The liberating image: the *Imago Dei* in Genesis 1. 2005 ⇒21,2571; 22,2536. ᴿThTo 64 (2007) 365-366 (*Moberly, R.W.L.*); TJT 23/1 (2007) 71-72 (*Irwin, Brian P.*); CTJ 42 (2007) 405-407 (*Brueggemann, Dale A.*) [Gen 1,26-28].

2764 *Moreira, Gilvander* Gênesis 1 a 3: re-criação. Convergência 42 (2007) 237-256.

2765 *Popović, Anto* Pocetak opisa stvaranja u Knjizi Postanka 1,1-2: exegetsko-teološka i sintaksna analiza Post 1,1-2. BoSm 77 (2007) 627-664. **Croatian**.

2766 *Schellenberg, Annette* "Und ganz wie der Mensch es nennt...": Beobachtungen zu Gen 2,19f. ᶠJENNI, E. AOAT 336: 2007 ⇒76. 291-308 {Genesis}02,19-20.

2767 *Spangenberg, I.J.J.* Can a major religion change?: reading Genesis 1-3 in the twenty-first century. VeE 28 (2007) 259-279.

2768 *Stipp, Hermann-Josef* Anfang und Ende: nochmals zur Syntax von Gen 1,1. ZAH 17-20 (2007) 188-196:

2769 *Wagner, Andreas* Die Gottebenbildlichkeitsvorstellung der Priesterschrift zwischen Theomorphismus und Anthropomorphismus. ᶠJENNI, E. AOAT 336: 2007 ⇒76. 344-363 [Gen 1,26-31].

2770 *Waschke, Ernst-Joachim* Der Mensch 'aus Staub' und 'Gottes Ebenbild'–Anmerkungen zu unterschiedlichen anthropologischen Perspektiven. HBO 42 (2006) 489-505 [Gen 1,26; 2,7].

2771 **Watson, Rebecca** Chaos uncreated: a reassessment of the theme of "chaos" in the Hebrew Bible. BZAW 341: 2005 ⇒21,2589. ᴿThLZ 132 (2007) 422-425 (*Weber, Beat*).

2772 **Wénin, André** Il sabato nella bibbia. StBi 52: 2006 ⇒22,2530. ᴿEstTrin 41/1 (2007) 173-174 (*Miguel, José Maria de*) [Gen 2,1-3];

2773 Le sabbat dans la bible. ConBib 38: 2005 ⇒21,2591. ᴿRB 114 (2007) 635-636 (*Loza, J.*).

E1.7 *Genesis 1s*: **Bible and myth** [⇒M3.8]

2774 **Angel, Andrew R.** Chaos and the Son of Man: the Hebrew Chaoskampf tradition in the period 515 BCE to 200 CE. LSTS 60: 2006 ⇒ 22,2540. ᴿJJS 58 (2007) 338-339 (*Collins, John J.*).

2775 *Causse, Jean-Daniel* Le mythe: un langage des origines. Mythes. LiBi 150: 2007 ⇒397. 171-182.

2776 *Collins, John J.* Cosmology: time and history. Ancient religions. 2007 ⇒601. 59-70.

2777 **Faivre, Daniel** Mythes de la Genèse, genèse des mythes. Religions et spiritualités: P 2007, L'Harmattan 281 pp. €24.50. 9782296-034204.

2778 *Gahlin, Lucia* Creation myths. Egyptian world. 2007 ⇒747. 296-309.

2779 *Gous, Ignatius G.P.* Meaning–intelligently designed: keeping the bible in (a modern) mind. OTEs 20 (2007) 34-52 [Gen 1].

2780 **Gregory A.** Ancient Greek cosmogony. L 2007, Duckworth xii; 314 pp. £50. 978-07156-34776.

2781 *Hartenstein, Friedhelm* Die Welt als Bild und als Erzählung: zur Intermedialität altorientalischer und biblischer Weltkonzeptionen. FHARDMEIER, C.. ABIG 28: 2007 ⇒62. 63-88.

2782 **Keel, Othmar; Schroer, Silvia** Schöpfung: Biblische Theologien im Kontext altorientalischer Religionen. 2002 ⇒18,2332... 22,2546. RThLZ 132 (2007) 285-287 (*Ebach, Jürgen*).

2783 *Luft, Ulrich H.* Schöpfung des Menschen in zwei Stufen. Proceedings Ninth Congress, 2. OLA 150: 2007 ⇒992. 1187-1196.

2784 *Nocquet, Dany* Le langage mythique de l'Ancien Testament: un langage théologique incontournable. Mythes grecs, mythes bibliques. LiBi 150: 2007 ⇒397. 83-113.

2785 *Sparks, Kenton L.* Enuma Elish and priestly mimesis: elite emulation in nascent Judaism. JBL 126 (2007) 625-648 [Gen 1; Lev 16].

2786 ET**Talon, Philippe** The standard Babylonian creation myth: Enuma Elish. SAA Cuneiform texts 4: 2006 ⇒22,2550. RCBQ 69 (2007) 800-2 (*Moore, Michael*); JAOS 127 (2007) 371-73 (*Pearce, Laurie*).

2787 **Tsumura, David T.** Creation and destruction: a reappraisal of the chaoskampf theory in the Old Testament. ²2005 <1989> ⇒21,2604; 22,2551. RBBR 17 (2007) 164-165 (*Sprinkle, Joe M.*); OLZ 102 (2007) 47-47 (*Schmitt, Rüdiger*); BiOr 64 (2007) 690-692 (*Spronk, Klaas*); CBQ 69 (2007) 344-345 (*Clifford, Richard J.*); RBLit (2007) 104-107 (*Bauks, Michaela*).

2788 *Vaz, Armindo Dos Santos* No princípio da bíblia está o mito: a espiritualidade dos mitos de criação. Did(L) 37 (2007) 45-73.

E1.8 *Gen 1s, Jos 10,13...*: **The Bible, the Church and science**

2789 *Bateman, P.W.; Ellis, J.M.* Is intelligent design science, and does it matter?. VeE 28/1 (2007) 1-18.

2790 *Bothwell, Laura E.* Genesis meets the big bang and evolution, absent design. CrossCur 57/1 (2007) 10-17.

2791 *Edwards, Karen L.* Days of the locust: natural history, politics, and the English Bible. The word and the world. 2007 ⇒460. 234-252.

2792 *George, Marie I.* ET meets Jesus Christ: a hostile encounter between science and religion?. Logos 10/2 (2007) 69-94.

2793 **Harrison, Peter** The fall of man and the foundations of science. C 2007, CUP xii; 300 pp. $95.

2794 *Håkansson, Håkan* TYCHO the prophet: history, astrology and the Apocalypse in early modern science;

2795 *Kelter, Irving A.* Reading the book of God as the book of nature: the case of the Louvain humanist Cornelius VALERIUS (1512-78);

2796 *Killeen, Kevin* Duckweed and the word of God: seminal principles and creation in Thomas BROWNE. The word and the world. 2007 ⇒ 460. 137-156/174-187/215-233.

2797 **Küng, Hans** The beginning of all things: science and religion. [T]*Bowden, John* GR 2007, Eerdmans xiv; 220 pp. $22. 978-08028-07632.
2798 [E]**Lerner, Michel-Pierre** Tommaso CAMPANELLA: Apologia pro GALILEO. [T]*Ernst, Germana* 2006 ⇒22,2573. [R]RSF 62 (2007) 616-620 (*Di Liso, Saverio*); SapDom 60 (2007) 97-98 (*Miele, Michele*).
2799 **Maldamé, Jean-Michel** Création et providence: bible, science et philosophie. Initiations: 2006 ⇒22,2576. [R]RThom 115 (2007) 500-502 (*Antoniotti, Louise-Marie*).
2800 **McCalla, Arthur** The creationist debate: the encounter between the bible and the historical mind. 2006 ⇒22,2578. [R]ThLZ 132 (2007) 1378-1379 (*Schwarz, Hans*).
2801 [E]**McMullin, Ernan** The church and GALILEO. 2005 ⇒21,2622; 22, 2579. [R]JRH 31 (2007) 207-208 (*Gascoigne, John*).
2802 *Noort, Ed* Joshua and Copernicus: Josh 10:12-15 and the history of reception. [F]GARCÍA MARTÍNEZ, F. JSJ.S 122: 2007 ⇒46. 387-401.
2803 *Prato, Gian Luigi* La cosmologia tra scienze e scrittura. Il Regno 52 (2007) 775-783.
2804 *Remmert, Volker R.* 'Whether the stars are innumerable for us?': astronomy and biblical exegesis in the Society of Jesus around 1600. The word and the world. 2007 ⇒460. 157-173.
2805 *Sawday, Jonathan* The fortunes of Babel: technology, history, and Genesis 11:1-9. The word and the world. 2007 ⇒460. 191-214.
2806 **Schmitz-Moormann, Karl; Salmon, James F.** Teología de la creación de un mundo en evolución. [T]*Pérez, Noemi* 2005 ⇒21,2625. [R]Pens. 63 (2007) 838-841 (*Sequeiros, L.*).
2807 **Schroeder, Joy A.** Dinah's lament: the biblical legacy of sexual violence in christian interpretation. Theology and the Sciences: Mp 2007, Fortress 325 pp. $35. 978-08006-38436 [Gen 34].
2808 *Schwarz, Hans* Naturwissenschaft und theologische Auslegungen der Bibel. Glaube und Denken 20 (2007) 89-102.
2809 **Shea, William R.; Artigas, Mariano** GALILEO in Rome: the rise and fall of a troublesome genius. 2006 ⇒22,2587. [R]Physis 44 (2007) 301-305 (*Bascelli, Tiziana*).
2810 *Van Dyk, Peet J.* So-called intelligent design in nature: a discussion with Richard Dawkins. OTEs 20 (2007) 847-859.
2811 **Witham, Larry A.** Where DARWIN meets the bible: creationists and evolutionists in America. 2002 ⇒18,2370... 21,2628. [R]ASSR 52/138 (2007) 250-251 (*Teyssier, Roman*).

E1.9 *Peccatum originale,* **the sin of Eden**, *Genesis 2-3*

2812 *Artus, Olivier* Le récit de Gn 2,4b-3,24: l'oeuvre d'un '*Antiquarian historian*'?. Regards croisés sur la bible. LeDiv: 2007 ⇒875. 395-404.
2813 **Besançon, Maria** Le péché originel et la vocation d'Adam, l'homme sacerdotal. P 2007, Parole et S. 294 pp. €19. 978-28457-35804.
2814 **Bründl, Jürgen** Das Böse in Person: der Teufel in der christlichen Theologie. ThGl 97 (2007) 475-490.
2815 **Byers, George D.** Genesis 2,4-3,24: two generations in one day. [D]*Agius, J.* R 2007, n.p. vii; 292 pp. Diss. Angelicum; Bibl. 265-292.
2816 *Crüsemann, Frank & Marlene* Die Gegenwart des Verlorenen: zur Interpretation der biblischen Vorstellungen vom "Paradies". "Schau an der schönen Gärten Zier". Jabboq 7: 2007 ⇒415. 25-68.

2817 *Deiana, Giovanni* Il male diffuso per contaminazione e per influsso demoniaco: strategie apotropaiche di difesa. RstB 19/1 (2007) 75-100.

2818 *Den Dulk, Maarten* Boom van kennis: over de kennis van goed en kwaad. ITBT 15/1 (2007) 24-27.

2819 *Dolansky, Shawna* A goddess in the garden?: the fall of Eve. Milk and honey. 2007 ⇒474. 3-21.

2820 **Domning, Daryl P.; Hellwig, Monika K.** Original selfishness. 2006 ⇒22,2598. ^RDR 125 (2007) 147-150 (*Jackson, Thomas*).

2821 *Dorey, Pieter J.* The garden narrative (Gen 2:4b-3:25)–perspectives on gender equality. OTEs 20 (2007) 641-652.

2822 *Ebach, Jürgen* Im Garten der Sinne: pardes und PaRDeS–das Paradies und der vierfache Schriftsinn. "Schau an der schönen Gärten Zier ...". Jabboq 7: 2007 ⇒415. 242-285.

2823 **Fesko, J.V.** Last things first: unlocking Genesis 1-3 with the Christ of eschatology. Fearn, Ross-shire 2007, Mentor 222 pp. £12. 978-18-455-02294.

2824 *Frankenstein, Ruben* 'Ihr werdet wie Gott, erkennend Gut und Böse!': jüdische Gedanken zum Sündenfall. FrRu 14/1 (2007) 14-17.

2825 **Froebe, Dieter** Eva, Verbündete Gottes bei der Humanisierung des Mannes: eine andere Lesart der Erzählung vom Garten in Eden. Glauben und Leben 41: B 2007, LIT 198 pp.

2826 *Gitay, Yehoshua* On the foundation of human partnership and the faculty of speech: a thematic and rhetorical study of Genesis 2-3. OTEs 20 (2007) 689-702.

2827 **Guevara Llaguno, M. Junkal** Esplendor en la diáspora: la historia de José (Gn 37-50) y sus relecturas en la literatura bíblica y parabíblica. Biblioteca Midrásica 29: 2006 ⇒22,2784. ^RSalTer 95 (2007) 803-804 (*Sanz Giménez-Rico, Enrique*).

2828 **Harrison, Peter** The fall of man and the foundations of science. C 2007, CUP xii; 300 pp. $95.

2829 **Kelly, Henry** Satan: a biography. 2006 ⇒22,2609. ^RScrB 37 (2007) 98-100 (*Edwards, Stephen*); JThS 58 (2007) 681-686 (*Murdoch, Iris*); RBLit (2007)* (*West, Jim*).

2830 **Kübel, Paul** Metamorphosen der Paradieserzählung. OBO 231: FrS 2007, Academic x; 238 pp. 978-3-7278-1605-5. Bibl. 217-233.

2831 **LaCocque, André** The trial of innocence: Adam, Eve, and the Yahwist. 2006 ⇒22,2612. ^RCBQ 69 (2007) 788-789 (*Vogels, Walter A.*).

2832 **Mettinger, Tryggve N.D.** The Eden narrative: a literary and religio-historical study of Genesis 2-3. WL 2007, Eisenbrauns xvii; 165 pp. $29.50. 978-1-57506-141-2. Bibl. ^RUF 39 (2007) 938-940 (*Dietrich, Manfried*).

2833 *Nabergoj, Irena A.* Hermenevtika v razmerju do splošnega in specifičnega pomena motiva preizkušnje [Hermeneutics in relation to general and specific meanings of the motif of temptation]. Bogoslovni Vestnik 67 (2007) 343-354. S.

2834 *Otto, Eckart* Die Urmenschen im Paradies: vom Ursprung des Bösen und der Freiheit des Menschen. Tora in der Hebräischen Bibel. ZAR. B 7: 2007 ⇒347. 122-133.

2835 *Page, Sydney H.T.* Satan: God's servant. JETS 50 (2007) 449-465 {1 Chr 21,1; Job 1,6-2,10].

2836 *Poythress, Vern Sheridan* The presence of God qualifying our notions of grammatical-historical interpretation: Genesis 3:15 as a test case. JETS 50 (2007) 87-103.

2837 *Ramelli, Ilaria* La "colpa antecedente" come ermeneutica del male in sede storico-religiosa e nei testi biblici. RstB 19/1 (2007) 11-64.
2838 *Rigazzi, Luigi* E Dio disse... un commento a Genesi. Qol(I) 126 (2007) 13-15.
2839 *Roland, Evelyne; Rolin, Patrice* Genèse 3,8-24: sortir d'Eden, punition ou promotion?. LeD 71 (2007) 3-14.
2840 **Scafi, Alessandro** Mapping paradise: a history of heaven on earth. 2006 ⇒22,2622. ᴿFirst Things 170 (2007) 26-30 (*Jacobs, Alan*); Spec. 82 (2007) 762-763 (*Livingston, Michael*);
2841 Il paradiso in terra: mappe del giardino dell'Eden. Mi 2007, Mondadori xiv; 414 pp.
2842 *Schüngel-Straumann, Helen* Antike Weichenstellungen für eine gender-ungleiche Rezeption des sog. Sündenfalls (Gen 3). Hat das Böse ein Geschlecht?. 2007 ⇒607. 162-169 [Sir 25,24].
2843 **Tisot, Henri** Eve la femme: l'injustice de tous les temps: la plus flagrante erreur judiciaire!. P 2007, Cerf 259 pp. €15. 9782204-083720.
2844 *Villiers, Gerda de* Why on earth?: Genesis 2-3 and the snake. OTEs 20 (2007) 632-640.
2845 *Vogels, Walter* The tree(s) in the middle of the garden (Gn 2:9; 3:3). ScEs 59/2-3 (2007) 129-142.
2846 **Wajeman, Lise** La parole d'Adam, le corps d'Eve: le péché originel au XVIᵉ siècle. Genève 2006, Droz 279 pp.
2847 **Wénin, André** D'Adam à Abraham ou les errances de l'humain: lecture de Genèse 1,1-12,4. LiBi 148: P 2007, Cerf 254 pp. €19. 978-2204-08181-8. ᴿBLE 108 (2007) 339-340 (*Debergé, Pierre*); LV(L) 275 (2007) 111-113 (*Longueira, Olivier*); RSR 95 (2007) 568-570 (*Artus, Olivier*); SR 36 (2007) 635-637 (*Lavoie, Jean-Jacques*).

E2.1 **Cain and Abel**; *gigantes, longaevi; Genesis 4s*

2848 *Alcock, Anthony* Genesis 6,2. BN 134 (2007) 23.
2849 *Desnitsky, A.S.* Sons of God: humans or spirits: a history of exegesis of Genesis 6:2. VDI 262 (2007) 184-199. **R.**
2850 *Moberly, R.W.L.* The mark of Cain-revealed at last?. HThR 100 (2007) 11-28 [Gen 4,15].
2851 *Volgger, David* Die "Opfer" in Gen 1-11. LASBF 57 (2007) 9-27 [Gen 4,3-5; 8,20-21].
2852 **Wright, Archie T.** The origin of evil spirits: the reception of Genesis 6,1-4 in early Jewish literature. WUNT 2/198: 2005 ⇒21,2664; 22, 2633. ᴿFaith & Mission 24/3 (2007) 68-70 (*Owens, Mark D.*); RdQ 23 (2007) 269-270 (*Rey, Jean-Sébastien*); RBLit (2007) 135-138 (*Macaskill, Grant*).

E2.2 *Diluvium,* **the Flood**; *Gilgameš (Atraḥasis)*; **Genesis 6...**

2853 *Arneth, Martin* Die noachitischen Gebote (Genesis 9,1-7). Tora in der Hebräischen Bibel. ZAR.B 7: 2007 ⇒347. 7-25.
2854 *Baumgart, Norbert C.* Topthema des Alten Orients: Sintfluterzählungen in Mesopotamien und Israel;
2855 Gab es wirklich eine Sintflut?: historische und naturwissenschaftliche Erklärungsversuche. BiHe 43/170 (2007) 14-15/17-18.

2856 *Cavigneaux, A.* Les oiseaux de l'arche. AuOr 25 (2007) 319-320.

2857 *Crüsemann, Frank* Texte mit Widersprüchen: Beobachtungen zu ihrem Selbstverständnis am Beispiel der Flutgeschichte. Was ist ein Text?. BZAW 362: 2007 ⇒980. 197-206 [Gen 6-9].

2858 *Dressler, Bernhard* Gegen "einerlei Zunge": Gedanken zum Turmbau zu Babel (Gen 11,1-9). ᶠBRÄNDLE, W. 2007 ⇒18. 107-111.

2859 *Drost-Abgarjan, Armenuhi* ...und am siebzehnten Tage des siebenten Monats ließ sich der Kasten nieder auf das Gebirge Ararat' (Gen 8, 4): die vielen Berge der einen Arche. HBO 42 (2006) 83-92.

2860 *Ernst, Hanspeter* Verschlägt uns die Flut die Sprache?: Annäherungen an die Sintfluterzählung. BiHe 43/170 (2007) 4-5.

2861 *Gertz, Jan Christian* Noah und die Propheten: Rezeption und Reformulierung eines altorientalischen Mythos. DVfLG 81 (2007) 503-522 [Gen 6-9].

2862 *Guibal, Francis* Babel, malédiction ou bénédiction?. Etudes 151 (2007) 51-61 [Gen 11,1-9].

2863 *Guillaume, Philippe; Najm, S.* Jubilee calendar rescued from the Flood narrative. PHScr II. 2007 <2004> ⇒373. 1-11.

2864 *Hiebert, Theodore* The tower of Babel and the origin of the world's cultures. JBL 126 (2007) 29-58 [Gen 11,1-9].

2865 *Inowlocki, Sabrina* Un 'mélange de langues' dans la tour de Babel?: le choix du terme σύγχυσις pour traduire la 'confusion' des langues (Genèse 11:1-9). Revue de Philosophie ancienne 25/1 (2007) 61-79.

2866 *Janowski, Bernd* Schöpferische Erinnerung: zum "Gedenken Gottes" in der biblischen Fluterzählung. JBTh 22 (2007) 63-89 [Gen 6,5-9,29];

2867 Das Zeichen des Bundes: Gen 9,8-17 als Schlussstein der priesterlichen Erzählung. ᶠHOSSFELD, F. SBS 211: 2007 ⇒69. 113-121.

2868 *Mason, Steven D.* Another flood?: Genesis 9 and Isaiah's broken eternal covenant. JSOT 32 (2007) 177-198.

2869 *Penley, Paul T.* A historical reading of Genesis 11:1-9: the Sumerian demise and dispersion under the Ur III dynasty. JETS 50 (2007) 693-714.

2870 *Rendsburg, Gary A.* The biblical flood story in the light of the Gilgameš flood account. Gilgameš. ANESt.S 21: 2007 ⇒986. 115-127 [Gen 6-9].

2871 *Saporetti, Claudio* Il diluvio. Geo-Archeologia 2 (2007) 83-93.

2872 *Stanton, R. Todd* Asking questions of the divine announcements in the flood stories from ancient Mesopotamia and Israel. Gilgameš. ANESt.S 21: 2007 ⇒986. 147-172 [Gen 6-9].

2873 *Wellmann, Bettina* Von einem Schöpfergott, dem alles leid tut: die Sintflutgeschichte (Teil 1);

2874 Zwischen Gewalttat und Gottesbund: die Erde vor und nach der Flut: die Sintflutgeschichte (Teil 2);

2875 Vom Kommen und Gehen der Flut: die Sintflutgeschichte (Teil 3). BiHe 43/170 (2007) 6-9/10-12/13 [Gen 6,5-9,17].

2876 *Yanko-Hombach, Valentina* Late quaternary history of the Black Sea: an overview with respect to the Noah's Flood hypothesis. The Black Sea. 2007 ⇒1045. 5-20.

2877 **Zajac, Ewa** Potop w tradycji biblijnej oraz literaturze judaizmu okresu Drugiej Swiatyni. Studia Biblica Lublinensia 1: Lublin 2007, KUL 295 pp. 978-83-7363-606-4. Bibl. 243-260 [Gen 6-9]. **P.**

2878   *Ziemer, Benjamin* Gott steht zu seinem Wort: die Bedeutung von
       הקים ברית in Gen 6,18 und der Ort der Sintflut in der Endkomposition
       des Pentateuch. HBO 42 (2006) 507-539.

2879   *Altes, Liesbeth K.* Gilgamesh and the power of narration. JAOS 127
       (2007) 183-193.
2880   **D'Agostino, Franco** Gilgamesh o la conquista de la inmortalidad. M
       2007, Trotta 223 pp.
2881   **Damrosch, David** The buried book: the loss and rediscovery of the
       great Epic of Gilgamesh. NY 2007, Henry Holt xi; 315 pp. 978-0-80-
       50-8029-2. Bibl.
2882   *Davenport, Tracy* An anti-imperialist twist to 'the Gilgameš epic'.
       Gilgameš. ANESt.S 21: 2007 ⇒986. 1-23.
2883   *Dickson, Keith* Looking at the other in *Gilgamesh*. JAOS 127 (2007)
       171-182.
2884   *Forest, Jean-D.* L'Epopée de Gilgameš, ses origines et sa postérité;
2885   L'Epopée de Gilgameš et la Genèse. Gilgameš. ANESt.S 21: 2007 ⇒
       986. 25-36/91-105;
2886   **George, Andrew R.** The Babylonian Gilgamesh Epic: introduction,
       critical edition and cuneiform texts. 2003 ⇒19,2511... 22,2639.
       RBiOr 64 (2007) 402-406 (*Groneberg, Brigitte*).
2887   *George, Andrew R.* The civilizing of Ea-Enkidu: an unusual tablet of
       the Babylonian Gilgameš epic. RA 101 (2007) 59-80;
2888   The Epic of Gilgameš: thoughts on genre and meaning. Gilgameš.
       ANESt.S 21: 2007 ⇒986. 37-65;
2889   The Gilgameš epic at Ugarit. AuOr 25 (2007) 237-254;
2890   Gilgamesh and the literary traditions of ancient Mesopotamia. Baby-
       lonian world. 2007 ⇒716. 447-459.
2891   *Hurowitz, Victor A.B.* Finding new life in old words: word play in the
       Gilgameš epic. Gilgameš. ANESt.S 21: 2007 ⇒986. 67-78.
2892   *Jackson, David R.* Demonising Gilgameš. Gilgameš. ANESt.S 21:
       2007 ⇒986. 107-114.
2893   *Keetman, J.* König Gilgameš reitet auf seinen Untertanen: Gilgameš,
       Enkidu und die Unterwelt politisch gelesen. BiOr 64 (2007) 5-31.
2894   *Minunno, Giuseppe* Gilgameš e la testa di Huwawa. StEeL 24 (2007)
       17-20.
2895   *Nakamura, Mitsuo* Ein bisher unbekanntes Fragment der hurritischen
       Fassung des Gilgameš-Epos. FKOŠAK, S. 2007 ⇒90. 557-559.
2896   *Shields, Martin A.* To seek but not to find: old meanings for Qohelet
       and Gilgameš. Gilgameš. 2007 ⇒986.129-146 [Qoh 2,11].
2897   *Streck, Michael P.* Beiträge zum akkadischen Gilgameš-Epos. Or. 76
       (2007) 404-423.
2898   *Young, Ian M.* Textual stability in Gilgamesh and the Dead Sea
       scrolls. Gilgameš. ANESt.S 21: 2007 ⇒986. 173-184.

E2.3 **Patriarchae, Abraham**; *Genesis 12s*

2899   *Almeida, Fabio P.M. de* O início da narrative de Abrão: exegese à
       luz de América Latina de Gênesis 12,1-4a. RCT 15/61 (2007) 83-
       102.

2900 *Blum, Erhard, al.*, Abraham. Religion past & present, 1. 2007 ⇒ 1066. 11-15.
2901 *Byamungu, Gosbert T.M.* Retrieving Abraham's human experience of "El-Eljon": interfaith implications of faith in the God of creation. ABQ 26/3 (2007) 261-283.
2902 **Deselaers, Paul; Sattler, Dorothea** Gottes Wege gehen: die Botschaft von Abraham und Sara. bibel leben: FrB 2007, Herder 155 pp. 978-3-451-29299-6.
2903 **Draï, Raphaël** Abraham ou la recréation du monde. P 2007, Fayard 590 pp.
2904 **Flury-Schölch, André** Abrahams Segen und die Völker: synchrone und diachrone Untersuchungen zu Gen 12,1-3 unter besonderer Berücksichtigung der intertextuellen Beziehungen zu Gen 18; 22; 26; 28; Sir 44; Jer 4 und Ps 72. FzB 115: Wü 2007, Echter xii; 376 pp. €36. 978-3-429-02738-4. Bibl. 335-372.
2905 *Frenschkowski, Marco* Das früheste Zeugnis einer abrahamischen Ökumene: zum antiken interreligiösen Abrahamkult von Mamre. Sacra Scripta [Cluj-Napoca, Romania] 5 (2007) 117-129.
2906 **Fretheim, Terence E.** Abraham: trials of family and faith. Studies on Personalities of the Old Testament: Columbia 2007, Univ. of South Carolina Pr. xviii; 262 pp. $45. 978-15700-36941. Bibl. 219-232.
2907 *Gitay, Yehoshua* The promise: the winding road: Genesis 13-14 in light of a theory of narrative studies. OTEs 20 (2007) 352-364.
2908 **Groote, Lukas de** De stethoscoop op Abraham (Gen 11-23). Veenendaal 2007, Lukas de Groote. €15. LAdeGroote@casema.nl.
2909 *Hamilton, James M.* The seed of the woman and the blessing of Abraham. TynB 58/2 (2007) 253-273 [Gen 3,14-19; 12,1-3].
2910 **Kugel, James L.** The ladder of Jacob: ancient interpretations of the biblical story of Jacob and his children. 2006 ⇒22,2752. ᴿJSJ 38 (2007) 125-126 (*Van Ruiten, Jacques*); VeE 28/1 (2007) 372-373 (*Cronjé, S.I.*); Jud. 63 (2007) 74-75 (*Ego, Beate*).
2911 *Mundele Ngengi, Albert* La sagesse d'Abraham en Gn 13,8-9. ᶠMONSENGWO PASINYA, L.. 2007 ⇒110. 41-51.
2912 *Novick, Ricky* Abraham and Balaam: a biblical contrast. JBQ 35 (2007) 28-33 [Num 22-24].
2913 **Pangle, Thomas L.** Political philosophy and the God of Abraham. 2003 ⇒19,2565. ᴿREJ 166 (2007) 381-82 (*Rothschild, Jean-Pierre*).
2914 *Pury, Albert de* Genesi 12-36. Guida di lettura all'AT. 2007 ⇒506. 121-140.
2915 *Römer, Thomas* L'histoire des patriarches et la légende de Moïse: une double origine?. Comment la bible saisit-elle l'histoire?. LeDiv 215: 2007 ⇒802. 155-196.
2916 *Spronk, Klaas* Met Abraham aan je zijde: het al dan niet gerechtvaardigde beroep op de vader aller gelovigen. ITBT 15/2 (2007) 4-6.
2917 **Théate, Serge** Le cycle narratif d'Abraham-Isaac: étude narrative, exégétique et théologique de Genèse 12-26. ᴰ*Artus, Olivier* 2006, Diss. Institut catholique de Paris;
2918 Itinéraire aux sources de la foi: Abraham et Isaac. ConBib 47: Bru 2007, Lumen V. 80 pp. €10. 867-28732-43104.
2919 *Thomas, David* Abraham in Islamic tradition. ScrB 37/1 (2007) 12-20.
2920 *Williams, Guy J.* Abraham in christian tradition. ScrB 37/1 (2007) 1-11.

2921 *Yudkowsky, Rachel* Chaos or chiasm: the structure of Abraham's life. JBQ 35 (2007) 109-114.
2922 *Zimmermann, Ruben* Abraham–Integrationsfigur im interreligiösen Dialog?: biblische Grundlagen und Wirkungen im Judentum, Christentum und Islam. KuD 53 (2007) 160-188.

E2.4 Melchisedech: *Genesis 14*

2923 *Agius, Joseph* Melchisedek. Dizionario... sangue di Cristo. 2007 ⇒ 1137. 872-881.
2924 *García Martínez, Florentino* The traditions about Melchizedek in the Dead Sea scrolls. Qumranica minora II. StTDJ 64: 2007 <2000> ⇒ 231. 95-108.
2925 *Jeauneau, Édouard A.* La figure de Melchisédech chez MAXIME le Confesseur. "Tendenda vela". 2007 <2000> ⇒⇒253. 243-253.
2926 **Ziemer, Benjamin** Abram—Abraham: kompositionsgeschichtliche Untersuchungen zu Genesis 14, 15 und 17. BZAW 350: 2005 ⇒21, 2731; 22,2694. ᴿThLZ 132 (2007) 310-311 (*Ego, Beate*).

E2.5 The Covenant (alliance, Bund): *Foedus, Genesis 15...*

2927 *Álvarez Valdés, Ariel* ¿Qué pecado cometieron los Sodomitas?. Qol 45 (2007) 59-67 [Gen 19].
2928 *Barrick, William D.* New Covenant Theology and the Old Testament covenants. MSJ 18 (2007) 165-180.
2929 *Bickerman, Elias J.* 'Cutting a covenant'. Studies in Jewish and Christian history. AGJU 68/1-2: 2007 ⇒190. 1-31.
2930 *Boschi, Bernardo G.* Alleanza nell'AT. Dizionario... sangue di Cristo. 2007 ⇒1137. 45-56.
2931 *Caron, Gérald* Le péché de Sodome: exégèse et herméneutique. Theoforum 38 (2007) 17-40 [Gen 18-19].
2932 *Cook, Joan E.* Mothers and wives, sons and sacrifices: a reading of Genesis 21-22. ProcGLM 27 (2007) 1-17.
2933 *Fidler, Ruth* Genesis xv: sequence and unity. VT 57 (2007) 145-161.
2934 *Himbaza, Innocent* I racconti dell'Antico Testamento e l'omosessualità. L'omosessualità nella bibbia. 2007 ⇒417. 9-39 [Gen 19,1-29; Judg 19,11-25; 1 Sam 18,1-5];
2935 Les récits de l'Ancien Testament et l'homosexualité. Clarifications. 2007 ⇒416. 11-48 [Gen 19,1-29; Judg 19,11-25; 1 Sam 18,1-5].
2936 **Lavery, Karen D.** Abraham's diaologue with God over the destruction of Sodom: chapters in the history of the interpretation of Genesis 18. 2007, Diss. Harvard [HThR 100,509] [Gen 18,16-33].
2937 *Lings, K. Renato* Culture clash in Sodom: patriarchal tales of heroes, villains, and manipulation. Patriarchs, prophets. 2007 ⇒453. 183-207 [Gen 18-19; Judg 19-20].
2938 *Minj, Sudhir K.* 'Ishmael–I will bless him' (Gen. 17,20). Sevartham 32 (2007) 109-124.
2939 *Niehaus, Jeffrey J.* An argument against theologically constructed covenants. JETS 50 (2007) 259-273.
2940 *Oeming, Manfred* "Siehe, deine Zeit war gekommen, die Zeit der Liebe" (Ez 16,8): die "Psychologie" der Liebe als sachlicher Kern der Bundestheologie im Alten Testament;

2941   *Otto, Eckart* Welcher Bund ist ewig?: die Bundestheologie priesterlicher Schriftgelehrter im Pentateuch und in der Tradentenprophetie im Jeremiabuch. ^FHOSSFELD, F. SBS 211: 2007 ⇒69. 151-160/161-169.

2942   *Pinker, Aron* On the meaning of *rbh qšt* in Gen 21:20. RB 114 (2007) 321-332.

2943   **Serafini, Filippo** L'alleanza levitica: studio della *berît* di Dio con i sacerdoti leviti nell'Antico Testamento. 2006 ⇒22,2714. ^RRivBib 55 (2007) 489-492 (*Paximadi, G.*); EstB 65 (2007) 392-394 (*Granados, Carlos*).

2944   *Tosato, Angelo* Circoncisione. Dizionario... sangue di Cristo. 2007 ⇒1137. 277-285.

2945   *Weimar, Peter* Zwischen Verheißung und Verpflichtung: der Abrahambund im Rahmen des priesterschriftlichen Werkes. ^FHOSSFELD, F. SBS 211: 2007 ⇒69. 261-269 [Gen 17].

2946   **Weinfeld, Moshe** Normative and sectarian Judaism in the second temple period. LSTS 54: 2005 ⇒21,2732; 22,2719. ^RJSJ 38 (2007) 441-443 (*Falk, Daniel K.*).

2947   **Williamson, Paul R.** Sealed with an oath: covenant in God's unfolding purpose. New studies in biblical theology 23: Leicester 2007, Apollos 242 pp. $23. 978-0-8308-2624-7. Bibl. 211-226.

E2.6 The ʿAqedâ, Isaac, Genesis 22...

2948   *Bauks, Michaela* The theological implications of child sacrifice in and beyond the biblical context in relation to Genesis 22 and Judges II [sic]. Human sacrifice. SHR 112: 2007 ⇒926. 65-86.

2949   *Benyoetz, Elazar* Keine Macht beherrscht die Ohnmacht: eine ungebundene Lesung um Abraham und seinen Gott. Opfere deinen Sohn!. 2007 ⇒442. 109-134 [Gen 22].

2950   **Boehm, Omri** The binding of Isaac: a religious model of disobedience. LHBOTS 468: L 2007, Clark xi; 145 pp. 978-05670-26132. [Gen 22,1-19].

2951   *Bompiani, Brian A.* Is Genesis 24 a problem for source criticism?. BS 164 (2007) 403-415.

2952   *Dabhi, James B.* The characterization of Abraham in Gn 22:1-19. BiBh 33/4 (2007) 3-41.

2953   *Deuser, Hermann* "Und hier hast du übrigens einen Widder": Genesis 22 in aufgeklärter Distanz und religionsphilosophischer Metakritik. Opfere deinen Sohn!. 2007 ⇒442. 1-17.

2954   *Fischer, Zoltan* Sacrificing Isaac: a new interpretation. JBQ 35 (2007) 173-178 [Gen 22,1-19]

2955   *Fretheim, Terence E.* The binding of Isaac and the abuse of children (Genesis 22). LTJ 41 (2007) 84-92.

2956   *Görg, Manfred* "Gott will es"-nicht!: zur biblischen Rede von einer gottgewollten Gewalt. US 62/4 (2007) 330-337 [Gen 22,1-19].

2957   *Naumann, Thomas* Die Preisgabe Isaaks: Genesis 22 im Kontext der biblischen Abraham-Sara-Erzählung. Opfere deinen Sohn!. 2007 ⇒442. 19-50.

2958   *Oellers, Norbert* Abraham in der deutschen Literatur des 20. Jahrhunderts: Else Lasker-Schüler, Franz Kafka, Nelly Sachs. Opfere deinen Sohn!. 2007 ⇒442. 171-183 [Gen 22,1-19].

2959 **Petrosino, Silvano** Le sacrifice suspendu: correspondance avec J.
    Rolland. La nuit surveillée: P 2007, Cerf 117 pp. €28. 978-22040-84-
    260. ^T*Guibal, F.* [Gen 22,1-19].
2960 **Powell, Larry; Self, William R.** Holy murder: Abraham, Isaac, and
    the rhetoric of sacrifice. Lanham 2007, University Press of America
    vi; 196 pp. 978-0-7618-3578-3. Bibl. 185-191 [Gen 22,1-19].
2961 *Roberts, Christopher* KIERKEGAARD's "Fear and trembling," the sac-
    rifice of Isaac, and the critique of christendom. Human sacrifice.
    SHR 112: 2007 ⇒926. 259-276 [Gen 22,1-19].
2962 *Ruff, Wilfried* Abrahams Versuchung:Verstehensansätze für ein ethi-
    sches Dilemma. MThZ 58 (2007) 69-82 [Gen 22,1-19].
2963 *Samuel, John* Biblical understanding of pluralism and its missiologi-
    cal implications: the story of the sacrifice of Isaac as a test case. BiBh
    33/1 (2007) 5-23 [Gen 22,1-19]
2964 *Schweizer, Harald* "Isaaks Opferung" (Gen 22)–Ergänzungen. BN
    134 (2007) 25-44.
2965 **Teugels, Lieve M.** Bible and midrash: the story of 'The wooing of
    Rebekah' (Gen. 24). CBET 35: 2004 ⇒20,2567... 22,2741. ^RJSJ 38
    (2007) 431-433 (*Schlüter, Margarete*); RBLit (2007) 132-135
    (*Green, Deborah*).
2966 *Veijola, Timo* Das Opfer des Abraham–Paradigma des Glaubens aus
    dem nachexilischen Zeitalter. Offenbarung und Anfechtung. BThSt
    89: 2007 <1988> ⇒338. 88-133 [Gen 22,1-19].

E2.7 **Jacob** and Esau: ladder dream; *Jacob, somnium, Gen 25...*

2967 *Báez, Silvio José* Le notti di Giacobbe alla luce di San GIOVANNI
    della Croce. JRVS 61 (2007) 11-25.
2968 *Fleming, Erin E.* "She went to inquire of the Lord": independent divi-
    nation in Genesis 25:22. USQR 60/3-4 (2007) 1-10.
2969 *Geoghegan, Jeffrey C.* Jacob's bargain with God (Genesis 28:20-22)
    and its implications for the documentary hypothesis. Milk and honey.
    2007 ⇒474. 23-36.
2970 **Klein, Renate A.** Jakob: wie Gott auf krummen Linien gerade
    schreibt. Biblische Gestalten 17: Lp 2007, Evangelische 220 pp. 978-
    3-374-02445-2. Bibl. 212-218.
2971 *Martínez Delgado, José* Fragmento de un glosario judeo-árabe del li-
    bro de Génesis. CCO 4 (2007) 55-71 [Gen 24,66-26,20].
2972 **McKenzie, Vashti M.** Swapping housewives: Rachel and Jacob and
    Leah. Cleveland 2007, Pilgrim xviii; 142 pp. $17.
2973 **Nentel, Jochen** Die Jakobserzählungen und die Theorien zur Entste-
    hung des Pentateuch. ^D*Levin, Christoph* 2007, Diss.-Habil. Erlangen-
    Nürnberg [ThLZ 132,1265].
2974 *Rastoin, Marc* Suis-je à la place de Dieu, moi?: note sur Gn 30,2 et
    50,19 et l'intention théologique de la Genèse. RB 114 (2007) 333-47.
2975 *Schindler, Pesach* Esau and Jacob revisited: demon versus *tzadik?.*
    JBQ 35 (2007) 153-160.

E2.8 **Jacob's wrestling, the Angels**: *Gen 31-36 & 38*

2976 *Agyenta, Alfred* When recociliation means more than the 're-
    membering' of former enemies: the problem of the conclusion to the

Jacob-Esau story from a narrative perspective (Gen 33,1-17). EThL 83 (2007) 123-134.

2977 **Bader, Mary Anna** Sexual violation in the Hebrew Bible: a multi-methodological study of Genesis 34 and 2 Samuel 13. Studies in Biblical literature 87: 2006 ⇒22,2761. ^RNBl 88 (2007) 117-120 (*Tkacz, Catherine Brown*).

2978 *Carmichael, Calum M.* Breach of promise, suspected adultery and sacred vocation in Genesis xxxviii and Numbers v 11-vi 21. ZAR 13 (2007) 102-119.

2979 *Cates, Lilian; Penner, Todd* Textually violating Dinah: literary readings, colonizing interpretations, and the pleasure of the text. BiCT 3/3 (2007)* [Gen 34].

2980 *Clark, Ronald R.* The silence in Dinah's cry. RestQ 49/3 (2007) 143-158 [Gen 34].

2981 *Cohen, Jeffrey M.* Patriarchal history: action and reaction. JBQ 35 (2007) 161-165.

2982 *Conrad, Burkhard* Leben aus der Gottesbegegnung: eine Betrachtung zu Genesis 32,23-33. EuA 83 (2007) 162-177.

2983 *Fentress-Williams, Judy* Location, location, location: Tamar in the Joseph cycle. Bakhtin and genre theory. SBL.Semeia Studies 63: 2007 ⇒778. 59-68 [Gen 38];

2984 BiCT 3/2 2007*.

2985 **Hilbrands, Walter** Heilige oder Hure?: Die Rezeptionsgeschichte von Juda und Tamar (Genesis 38) von der Antike bis zur Reformationszeit. ^D*Houtman, Cornelis* CBET 48: Lv 2007, Peeters xii; 315 pp. €44. Diss. Kampen.

2986 *Hoop, Raymond de* A patriarchal sin reconsidered: Reuben's act (Gen 35:22) retold or: rewritten bible as finding a scapegoat. OTEs 20 (2007) 616-631.

2987 *Jelonek, Tomasz* Walka Jakuba z aniołem [Jacob wrestling with the angel]. Życie Duchowe 50 (2007) 23-29 [Gen 32,24-32]. **P**.

2988 *Kabasele, André* Tamar abusée et vengée: quelle justice dans la violence?. Violence, justice et paix. 2007 ⇒891. 79-112 [Gen 38].

2989 *Klein, Renate* Dina: von der Bedeutung einer ges(ch)ichtslosen biblischen Gestalt. konfluenzen 7 (2007) 38-54 [Gen 34].

2990 *Kranenborg, Reender* Kleine fenomenologie van de engel. ITBT 15/3 (2007) 4-6.

2991 *Ottesen Søvik, Elise* "... og han krenket henne". Ung teologi 40/3 (2007) 49-57 [Gen 34,02].

2992 **Parry, Robin A.** Old Testament story and Christian ethics: the rape of Dinah as a case study. 2004 ⇒21,2786; 22,2773. ^RRBLit (2007) 128-131 (*Shemesh, Yael*) [Gen 34].

2993 **Proverbio, Cecilia** La figura dell'angelo nella civiltà paleocristiana. Ricerche de archeologia e antichità cristiane: Assisi 2007, Tau 160 pp. 88874-72696.

2994 *Schmutzer, Andrew J.* "All those going out of the gate of his city": have the translations got it yet?. BBR 17 (2007) 37-52 [Gen 34,24].

2995 *Shemesh, Yael* Rape is rape is rape: the story of Dinah and Shechem (Genesis 34). ZAW 119 (2007) 2-21.

2996 *Szwarc, Urszula* Teologia tekstu Rdz 32, 25-32 w swietle jego literackiej struktury. Roczniki Teologiczne 54/1 (2007) 23-38 [Gen 32,25-32]. **P**.

2997 **Tuschling, Ruth M.M.** Angels and orthodoxy: a study in their development in Syria and Palestine from the Qumran Texts to EPHREM the Syrian. Ment. *Origenes* STAC 40: Tü 2007, Mohr S. xi; 271 pp. €59. 978-31614-91795. Diss. Cambridge.

2998 *Utzschneider, Helmut* Das hermeneutische Problem der Uneindeutigkeit biblischer Texte–dargestellt an Text und Rezeption der Erzählung von Jakob am Jabbok (Gen 32,23-33). Gottes Vorstellung. BWANT 175: 2007 <1988> ⇒336. 17-32.

2999 *Weimar, Peter* "Und er nannte seinen Namen Perez" (Gen 38,29): Erwägungen zu Komposition und literarischer Gestalt von Gen 38 (Teil 1). BZ 51 (2007) 193-215.

3000 *Zalewski, Ulrich* Jakobs Kampf am Jabbok (Gen 32,23-33)–eine kontextabhängige Einheit?. [F]HENTSCHEL, G. EThSt 90: 2007 ⇒65. 299-322.

E2.9 **Joseph**; Jacob's blessings; *Genesis 37; 39-50*

3001 *Ahuis, Ferdinand* Die Träume in der nachpriesterschriftlichen Josefsgeschichte. [F]WILLI-PLEIN, I. 2007 ⇒168. 1-20.

3002 *Alexander, T. Desmond* The regal dimension of the תולדות־יעקב: recovering the literary context of Genesis 37-50. [F]WENHAM, G. LHBOTS 461: 2007 ⇒164. 196-212.

3003 *Ebach, Jürgen* "... wir träumen schon aus der Deutung": Thomas Mann, der Panama-Hut und die unmögliche Möglichkeit des Verstehens: literarisch-hermeneutische Notizen zu Gen 40,5 und 8. [F]HARDMEIER, C. ABIG 28: 2007 ⇒62. 306-321.

3004 *Evans, Trevor* The court function of the interpreter in Genesis 42.23 and early Greek papyri. Jewish perspectives. 2007 ⇒624. 238-252.

3005 **Fieger, Michael; Hodel-Hoenes, Sigrid** Der Einzug in Ägypten: ein Beitrag zur alttestamentlichen Josefsgeschichte. Das Alte Testament im Dialog 1: Bern 2007, Lang 444 pp. €61.40. 978-30391-14375. 29 ill.

3006 *Fried, Lisbeth S.* Why did Joseph shave?. BArR 33/4 (2007) 36-41, 74 [Gen 41,14].

3007 *Guevara Llaguno, Junkal* La soledad en la historia de José: condena y oportunidad. SalTer 95 (2007) 483-493.

3008 **Krauss, Heinrich; Küchler, Max** Erzählungen der Bibel I-III: das Buch Genesis in literarischer Perspektive. 2003-2005 ⇒21,2800; 22, 2672. [R]StZ 225 (2007) 70-71 (*Vonach, Andreas*).

3009 *Nießen, Christina* Der verborgene Handlungsträger–die Rede von Gott in der Josefsgeschichte. [F]HENTSCHEL, G. 2007 ⇒65. 323-357.

3010 *Patterson, Richard D.* Joseph in Pharao's court. BS 164 (2007) 148-164.

3011 *Pröbstle, Martin* 'Lion of Judah': the blessing on Judah in Genesis 49:8-12. [F]PFANDL, G. 2007 ⇒122. 23-49.

3012 *Shapiro, Jay; Spring, Chaim* The enigma of the Joseph narrative. JBQ 35 (2007) 260-268.

3013 *Sherman, Miriam* Do not interpretations belong to God?: a narrative assessment of Genesis 40 as it elucidates the persona of Joseph. Milk and honey. 2007 ⇒474. 37-49.

3014 *Steymans, Hans U.* The blessings in Genesis 49 and Deuteronomy 33: awareness of intertextuality. South African perspectives. LHBOTS 463: 2007 ⇒469. 71-89.

3015 *Sutskover, Talia* The semantic fields of seeing and oral communication in the Joseph narrative. JNSL 33/2 (2007) 33-50.

3016 *Uehlinger, Christoph* Genesi 37-50. Guida di lettura all'AT. 2007 ⇒ 506. 141-155.

3017 **Wénin, André** Giuseppe o l'invenzione della fratellanza: lettura narrativa e antropologica della Genesi, IV: Gen 37-50. ᵀ*Di Pede, E.* Testi e commenti: Bo 2007, EDB €28;

3018 La historia de José (Génesis 37-50). 2006 ⇒22,2799. ᴿSalTer 95 (2007) 269-270 (*Sanz Giménez-Rico, Enrique*);

3019 Joseph ou l'invention de la fraternité: lecture narrative et anthropologique de Genèse 37-50. Le livre et le rouleau 21: 2005 ⇒21,2815; 22,2798. ᴿRTL 38 (2007) 96-98 (*Joosten, J.*).

3020 **Wilson, Lindsay** Joseph wise and otherwise: the intersection of wisdom and covenant in Genesis 37-50. Eugene, Ore. 2007, Wipf & S. 339 pp. $37. 978-18422-71407.

E3.1 **Exodus event and theme**; *textus, commentarii*

3021 **Andiñach, Pablo R.** El libro del Éxodo. Biblioteca de estudios bíblicos 119: S 2006, Sígueme 496 pp. 84-301-1606-0. Bibl. 483-491.

3022 *Álvarez Paulino, Miguel A.* Hacia una nueva lectura del libro de Exodo. Isidorianum 16/2 (2007) 159-183.

3023 *Bieberstein, Klaus* Geschichte und Geschichten vom Auszug aus Ägypten–fiktional und wahr zugleich. BiKi 62 (2007) 210-214.

3024 *Bühlmann, Walter* Die literarische Komposition und theologischen Anliegen des Exodusbuches: das Buch Exodus im Überblick;

3025 *Deponti, Luisa* Migration in der Welt heute: Wanderbewegungen als Herausforderung für die globalisierte Welt. BiKi 62 (2007) 238-240/247-248.

3026 *DeSilva, David A.* Five papyrus fragments of Greek Exodus. BIOSCS 40 (2007) 1-29.

3027 **Dohmen, Christoph** Exodus 19-40. HThK.AT: 2004 ⇒20,2631... 22,2807. ᴿBib. 88 (2007) 120-124 (*Dozeman, Thomas B.*).

3028 *Dohmen, Christoph* Leben im Aufbruch: Exodus: einem zentralen biblischen Motiv auf der Spur. BiKi 62 (2007) 206-209.

3029 **Edayadiyil, George** Exodus event: its historical kernel. From Exodus and beyond 1: Bangalore 2007, Asian Trading xvii; 156 pp. 81-7086-4291. Bibl. 131-46. ᴿJDh 32 (2007) 311-14 (*Gurukkal, Rajan*).

3030 **Fretheim, Terence E.** Esodo. ᴱ*Franzosi, Teresa* Strumenti–Commentari 19: 2004 ⇒20,2634. ᴿEccl(R) 21/1 (2007) 126-128 (*Peña Hurtado, Bernadita*).

3031 **García López, Félix** Exodo. Coment. a la Nueva Biblia de Jerusalén: 2006 ⇒22,2810. ᴿEstJos 61 (2007) 147-148 (*Llamas, Román*).

3032 **Gire, Pierre** Maître ECKHART et la métaphysique de l'Exode. 2006 ⇒22,2812. ᴿRHE 102 (2007) 666-667 (*Counet, Jean-Michel*); RHE 102 (2007) 1038-1041 (*Beyer de Ryke, Benoît*).

3033 *Hagens, Graham* Exodus and settlement: a two sojourn hypothesis. SR 36 (2007) 85-105.

3034 *Hieke, Thomas* Ein Bekannter stellt sich vor ...: das Buch Exodus als vielfältige Quelle biblischer Rede von Gott. BiKi 62 (2007) 221-226.

3035 *Hoffmeier, James K.* The archaeological context of the Exodus: out of Egypt. BArR 33/1 (2007) 30-41, 77;

3036   What is the biblical date for the exodus?: a response to Bryant Wood.
       JETS 50 (2007) 225-247.
3037   **Langston, Scott M.** Exodus through the centuries. Blackwell Bible
       Commentaries: 2006 ⇒22,2815. [R]BiCT 3/3 (2007)* (*Miscall, Peter
       D.*); JThS 58 (2007) 565-567 (*Nicholson, Ernest*).
3038   *Litke, Joel* Was the Egyptian experience necessary?. JBQ 35 (2007)
       198-201.
3039   *Macchi, Jean-Daniel* Esodo. Guida di lettura all'AT. 2007 ⇒506.
       157-168.
3040   **Meyers, Carol L.** Exodus. New Cambridge Bible Commentary:
       2005 ⇒21,2833; 22,2817. [R]RRT 14 (2007) 184-185 (*Moberly, Wal-
       ter*); OLZ 102 (2007) 486-488 (*Kellenberger, Edgar*); RB 114
       (2007) 134-135 (*Loza Vera, J.*); CBQ 69 (2007) 335-336 (*Miscall,
       Peter D.*).
3041   *Rybicki, Adam* Droga Izraelitów do Ziemi Obiecanej jako obraz
       zycia duchowego w interpretacji niektórych Ojców Kościola (cz. II).
       Roczniki Teologiczne 54/5 (2007) 95-113. **P.**
3042   *Utzschneider, Helmut* Gottes langer Atem: Erzählung, Fakt und Fikti-
       on in Ex 1-14 (15). BiKi 62 (2007) 215-220;
3043   Die Renaissance der alttestamentlichen Literaturwissenschaft und das
       Buch Exodus: Überlegungen zu Hermeneutik und Geschichte der
       Forschung. Gottes Vorstellung. 2007 <1994> ⇒336. 48-68.
3044   **Van 't Veld, B.** Exodus deel I. PredOT: Kampen 2007, Kok 332 pp.
       €9.90. 97890-435-13944. Up to Exod 13,16 [Streven 74,1031–Panc
       Beentjes].
3045   *Wood, Bryant G.* The biblical date for the exodus is 1446 BC.: a re-
       sponse to James Hoffmeier. JETS 50 (2007) 249-258.

E3.2 Moyses—Pharaoh, Goshen—*Exodus 1...*

3046   *Bloch, R.* Moses and Greek myth in Hellenistic Judaism. La construc-
       tion de la figure de Moïse. 2007 ⇒873. 195-208.
3047   *Bohlen, Reinhold* Mose ... in christlicher Sicht. Hirschberg 60 (2007)
       427-431.
3048   *Borgeaud, P.* Moïse, son âne et les Typhoniens: esquisse pour une re-
       mise en perspective. La construction de la figure de Moïse. 2007 ⇒
       873. 121-130.
3049   *Bosman, Hendrik* Remembering Moses as a model of Israelite and
       early Jewish identity. Scriptura 96 (2007) 326-333.
3050   **Britt, Brian M.** Rewriting Moses: the narrative eclipse of the text.
       JSOT.S 402: 2004 ⇒20,2657... 22,2830. [R]BiCT 3/1 (2007)* (*Sneed,
       Mark*); ZAR 13 (2007) 413-415 (*Otto, Eckart*).
3051   *Brooke, G.J.* Moses in the Dead Sea scrolls: looking at Mount Nebo
       from Qumran. La Construction de la figure de Moïse. 2007 ⇒873.
       209-221.
3052   *Clifford, Hywel* Moses as philosopher-sage in PHILO. Moses. BZAW
       372: 2007 ⇒821. 151-167.
3053   **Cohen, Norman J.** Moses and the journey to leadership: timeless
       lessons of effective management from the bible and today's leaders.
       Woodstock, VT 2007, Jewish Lights xi; 212 pp. 978-15802-32272.
       Bibl. 211-212.

3054 *Crossley, J.G.* Moses and pagan monotheism. La construction de la figure de Moïse. 2007 ⇒873. 263-279.

3055 *Duke, Robert* Moses' Hebrew name: the evidence of the *Vision of Amram*. DSD 14 (2007) 34-48 [Exod 2,10].

3056 *Edelman, D.* Taking the torah out of Moses?: Moses' claim to fame before he became the quintessential law-giver. La construction de la figure de Moïse. 2007 ⇒873. 13-42.

3057 **Gerhards, Meik** Die Aussetzungsgeschichte des Mose: literatur- und traditionsgeschichtliche Untersuchungen zu einem Schlüsseltext des nichtpriesterschriftlichen Tetrateuch. WMANT 109: 2006 ⇒22, 2839. ᴿZAW 119 (2007) 292 (*Gertz, Jan C.*); ZAR 13 (2007) 427-428 (*Arneth, Martin*); RBLit (2007)* (*Otto, Eckart*) [Exod 1,8-2,10].

3058 *Gorringe, Tim* Three texts about Moses: Numbers 12, 16 and 20. ET 118 (2007) 177-179.

3059 *Harris, Mark J.* How did Moses part the Red Sea?: science as salvation in the Exodus tradition. Moses. BZAW 372: 2007 ⇒821. 5-31.

3060 *Herweg, Rachel* Mosche ... in jüdischer Sicht. Hirschberg 60 (2007) 424-427.

3061 *Hoffmeier, James K.* Rameses of the Exodus narratives is the 13th century B.C. royal Ramesside residence. TrinJ 28 (2007) 281-289 [Exod 1,11].

3062 *Homan, Michael M.* The good book and the bad movies: Moses and the failure of biblical cinema. Milk and honey. 2007 ⇒474. 87-112.

3063 *Hymes, David C.* Heroic leadership in the wilderness (part 2). AJPS 10/1 (2007) 3-21.

3064 *Jobsen, Aarnoud* Een overlevingsverhaal als persiflage. ITBT 15/8 (2007) 20-22 [Exod 2,1-10].

3065 *Kaestli, J.-D.* Moïse et les institutions juives chez Hécatée d'Abdère. La construction de la figure de Moïse. 2007 ⇒873. 131-143.

3066 *Müller, Rabeya* Musa ... in islamischer Sicht. Hirschberg 60 (2007) 431-434.

ᴱ**Otto, E.** Mosè, Egitto e Antico Testamento 2006⇒858.

3067 **Otto, Eckart** Mose: Geschichte und Legende. 2004 ⇒21,2857. ᴿOLZ 102 (2007) 36-43 (*Schmitt, Hans-Christoph*);

3068 Mosè: storia e leggenda. ᵀ*Danna, Carlo* Brescia 2007, Queriniana 167 pp. €12.50. 978-88-399-2957-0. Bibl. 147-150.

3069 *Römer, Thomas* La construction d'une 'Vie de Moïse' dans la bible hébraïque et chez quelques auteurs hellénistiques. Ancient and modern scriptural historiography. BEThL 207: 2007 ⇒389. 109-125;

3070 Les guerres de Moïse. La construction de la figure de Moïse. 2007 ⇒ 873. 169-193;

3071 L'histoire des patriarches et la légende de Moïse: une double origine?. Comment la bible saisit-elle l'histoire?. LeDiv 215: 2007 ⇒ 802. 155-196.

3072 *Rückl, J.* Israel's alliance with the enemies of Egypt in Exodus 1,10. La construction de la figure de Moïse. 2007 ⇒873. 157-167.

3073 *Schnocks, Johannes* Mose im Psalter. Moses. BZAW 372: 2007 ⇒ 821. 79-88 [Ps 77,21; 90,1; 99,6; 103,7; 105,26; 106,16-32].

3074 *Spencer, Michael D.* Moses as mystic. StSp(N) 17 (2007) 127-146.

3075 *Thoma, Clemens* Menschwerdung des Mose. ᶠKɪRCHSCHLÄGER, W. 2007 ⇒85. 269-278.

3076 *Tuckett, Christopher M.* Moses in gnostic writings;

3077 *Van der Kooij, Arie* Moses and the Septuagint of the Pentateuch. Moses. BZAW 372: 2007 ⇒821. 227-240/89-98.
3078 **Widmer, Michael** Moses, God, and the dynamics of intercessory prayer: a study of Exodus 32-34 and Numbers 13-14. FAT 2/8: 2004 ⇒20,2670... 22,2856. ᴿBiOr 64 (2007) 206-209 (*Achenbach, Reinhard*); JSSt 52 (2007) 380-382 (*Werline, Rodney A.*); ALW 49 (2007) 389-390 (*Schenker, Adrian*).
3079 **Winslow, Karen S.** Early Jewish and christian memories of Moses' wives–exogamist marriage and ethnic identity. 2005 ⇒21,2863. ᴿRBLit (2007)* (*Freedman, Amelia D.*).
3080 *Zamagni, C.* EUSÈBE de Césarée et les traditions extra-canoniques sur Moïse en Ethiopie. La construction de la figure de Moïse. 2007. ⇒873. 145-155.

E3.3 **Nomen divinum, Tetragrammaton**; *Exodus 3,14...Plagues*

3081 **Alfeyev, H.** Le nom grand et glorieux: la vénération du nom de Dieu et la prière de Jésus dans la tradition orthodoxe. ᵀ*Jounievy, Claire; Louf, André; Simiakov, Hiéronime A.* P 2007, Cerf 328 pp. ᴿContacts 59 (2007) 384-391 (*Nivière, Antoine*).
3082 **Assmann, Jan** Die Mosaische Unterscheidung: oder der Preis des Monotheismus. 2003 ⇒19,2731; 20,2674. ᴿThPh 82 (2007) 605-607 (*Hübenthal, S.*); SaThZ 8 (2004) 199-202 (*Halbmayr, Alois*);
3083 Le prix du monothéisme. ᵀ*Bernardi, Laure* Coll. historique: P 2007, L'Aubier 220 pp. €22. 978-27007-23625. ᴿRHPhR 87 (2007) 496-497 (*Dean, J.*).
3084 *Bahar, Shlomo* "And Pharaoh said, Behold, the people of the land now are many" (Exod. 5:5). BN 133 (2007) 5-8.
3085 *Blumenthal, Fred* The circumcision performed by Zipporah. JBQ 35 (2007) 255-259 [Exod 4,24-26].
3086 *Clements, Ronald E.* Monotheism and the God of many names. God of Israel. UCOP 64: 2007 ⇒818. 47-59.
3087 *Davies, Graham I.* The exegesis of the divine name in Exodus. God of Israel. 2007 ⇒818. 139-156 [Exod 3,13-15; 6,2-8; 34,5-8].
3088 *Fischer, Georg* Gottes Offenbarung am Dornbusch und die Berufung des Mose (Ex 3-4). BiKi 62 (2007) 227-231.
3089 *Gericke, Jaco W.* The quest for a philosophical YHWH (Part 3): Towards a philosophy of Old Testament religion. OTEs 20 (2007) 669-688.
3090 *Gilbert, Paul* 'Je suis celui qui est': Dieu, du buisson ardent aux aventures de la raison. Bible et philosophie. 2007 ⇒481. 21-51 [Exod 3,14].
3091 **Gorospe, Athena E.** Narrative and identity: an ethical reading of Exodus 4. Ment. *Ricoeur, Paul* BiblInterp 86: Lei 2007, Brill xvi; 380 pp. 978-90-04-15855-9.
3092 *Hays, Christopher B.* 'Lest ye perish in the way': ritual and kinship in Exodus 4:24-26. HebStud 48 (2007) 39-54.
3093 *Hunziker, Andreas* Einübung in die mosaische Unterscheidung. Ref. 56/1 (2007) 11-19.
3094 **Kellenberger, Edgar** Die Verstockung Pharaos: exegetische und auslegungsgeschichtliche Untersuchung zu Exodus 1-15. BWANT

171: 2006 ⇒22,2872. ᴿEstAg 42 (2007) 179-180 (*Mielgo, C.*); CBQ 69 (2007) 329-330 (*Hieke, Thomas*).

3095 *Koch, Klaus* Jahwäs Übersiedlung vom Wüstenberg nach Kanaan: zur Herkunft von Israels Gottesverständnis. ᶠKOCH, K. FRLANT 216: 2007 <1998> ⇒89. 171-209.

3096 *Kumar, Raj* Listen to the Spirit: take off your shoes. VJTR 71 (2007) 672-678 [Exod 3].

3097 **Lemaire, André** The birth of monotheism: the rise and disappearance of Yahwism. Wsh 2007, Biblical Archaeology Society 160 pp. $25. 978-18803-17990. ᴿUF 38 (2006) 822-823 (*Loretz, Oswald*).

3098 *Lemmelijn, Bénédicte* Free and yet faithful: on the translation technique of LXX Exod 7:14-11:10. JNSL 33/1 (2007) 1-32;

3099 Not fact, yet true: historicity versus theology in the 'plague narrative' (Ex 7-11). OTEs 20 (2007) 395-417.

3100 *Losev, Aleksej Fedorovic* L'onomatodoxie. Ist. 52 (2007) 361-374.

3101 *O'Kennedy, Danie F.* The use of the epithet צבאות יהוה in Haggai, Zechariah and Malachi. JNSL 33/1 (2007) 77-99;

3102 Is dit mootlik om die goddelike naam צבאות יהוה in Afrikaans te vertaal?. OTEs 20 (2007) 185-200.

3103 **Pfeiffer, Henrik** Jahwes Kommen von Süden: Jdc 5; Hab 3; Dtn 33 und Ps 68 in ihrem literatur- und theologiegeschichtlichen Umfeld. FRLANT 211: 2005 ⇒21,2881. ᴿRBLit (2007)* (*Beyerle, Stefan*).

3104 **Rösel, Martin** Adonaj–warum Gott 'Herr' genannt wird. FAT 29: 2000 ⇒16,2244... 21,2883. ᴿALW 49 (2007) 380-382 (*Schenker, Adrian*).

3105 *Rösel, Martin* The reading and translation of the divine name in the Masoretic tradition and the Greek pentateuch. JSOT 31 (2007) 411-428.

3106 *Sanz Giménez-Rico, Enrique* Ante Dios y junto a Dios: la mediación de Moisés y Doña Sabiduría. SalTer 95 (2007) 385-395 [Prov 8,22-31].

3107 *Schmid, Konrad* Der biblische Monotheismus. Ref. 56/1 (2007) 4-10.

3108 *Schmitt, Hans-C.* Mose, der Exodus und der Monotheismus: ein Gespräch mit Jan ASSMANN. Monotheismus als religiöses und kulturelles Problem: zwei Abschiedsvorlesungen der Erlanger Theologischen Fakultät. **Schmitt, Hans-C.; Sparn, Walter** Erlangen 2007, Universitätsbibliothek Erlangen-Nürnberg. 7-28. 978-39303-57840.

3109 *Schneider, Thomas* The first documented occurence [!] of the god Yahweh? (Book of the Dead Princeton 'Roll 5'). JANER 7 (2007) 113-120.

3110 *Sigurvinsson, Jón Á.* Die literarischen und situativen Kontexte des Gottesnamens *Jah*: einige Beobachtungen zur Pragmatik eines Namens. ᶠRICHTER, W. ATSAT 83: 2007 ⇒132. 283-295.

ᴱ**Van Kooten, G.** Revelation of...name YHWH 2006 ⇒889.

3111 *Zevit, Ziony* The first Hallelujah. Milk & honey. 2007 ⇒474. 157-64.

E3.4 *Pascha, sanguis, sacrificium*: **Passover, blood, sacrifice**, *Ex 11...*

3112 *Ballhorn, Egbert* Mose der Psalmist: das Siegeslied am Schilfmeer (Ex 15) und seine Kontextbedeutung für das Exodusbuch. Der Bibelkanon. 2007 ⇒360. 130-151.

3113 *Contegiacomo, Luigi* Antico Testamento. Dizionario... sangue di Cristo. 2007 ⇒1137. 88-95.
3114 *Ercolana, Isolina* Espiazione nell'AT. Dizionario... sangue di Cristo. 2007 ⇒1137. 490-494.
3115 *Garuti, Paolo* Consacrazione nel sangue. Dizionario... sangue di Cristo. 2007 ⇒1137. 361-369.
3116 [E]**Georgoudi, Stella; Koch Piettre, Renée; Schmidt, Francis** La cuisine et l'autel: les sacrifices en questions dans les sociétés de la Méditerranée ancienne. BEHE.R 124: 2005 ⇒21,539; 22,2902. [R]RTL 38 (2007) 276-278 (*Haquin, A.*); RBLit (2007)* (*Borgeaud, Philippe*); AnCl 76 (2007) 406-407 (*Pirenne Delforge, Vinciane*); Kernos 20 (2007) 387-399 (*Ekroth, Gunnel*).
3117 *Geyer, John B.* Where and what?. [F]WYATT, N. AOAT 299: 2007 ⇒ 174. 95-111 [Exod 17,8].
3118 **Gilders, William K.** Blood ritual in the Hebrew Bible: meaning and power. 2004 ⇒20,2712... 22,2903. [R]JThS 58 (2007) 569-571 (*Houston, Walter J.*); PHScr II, 510-512 ⇒373 (*Wagenaar, Jan A.*).
3119 *Graupner, Axel* "Ihr sollt mir ein Königreich von Priestern und ein heiliges Volk sein": Erwägungen zur Funktion von Ex 19,3b-8 innerhalb der Sinaiperikope. Moses. BZAW 372: 2007 ⇒821. 33-49.
3120 *Herrmann, Wolfram* Das Bekenntnis von Ex 14,31. BN 132 (2007) 5-12 [Exod 14,30-31; 15,1].
3121 **Janzen, David** The social meanings of sacrifice in the Hebrew Bible: a study of four writings. BZAW 344: 2004 ⇒20,2714. [R]TS 68 (2007) 917-919 (*Ryan, Stephen D.*).
3122 **Kweti Bopeyi, David** 'Qui est comme toi, Yhwh?': place et fonction théologique d'Ex 15,1-21. [D]*Agius, J.* R 2007, Diss. Angelicum [RTL 39,601].
3123 *Leutzsch, Martin* Mirjams Lied am Schilfmeer–zum Verhältnis von Gewaltverarbeitung und Freude im Kontext der Schilfmeererzählung. Musik, Tanz und Gott. SBS 207: 2007 ⇒429. 41-54 [Exod 15,21].
3124 **Marx, Alfred** Les systèmes sacrificiels de l'Ancien Testament: formes et fonctions du culte sacrificiel à Yhwh. VT.S 105: 2005 ⇒ 21,2905; 22,2909. [R]NRTh 129 (2007) 150-151 (*Luciani, D.*); RBLit (2007) 117-120 (*Watts, James W.*).
3125 *Miller, Robert D.* Crossing the sea: a re-assessment of the source criticism of the Exodus. ZAR 13 (2007) 187-193 [Exod 12-15].
3126 *Moberly, R.W.L.* On learning spiritual disciplines: a reading of Exodus 16. [F]WENHAM, G. LHBOTS 461: 2007 ⇒164. 213-227.
3127 **Ngo Dinh Si, Paul** Le sacrifice de communion dans l'écriture sainte: étude exégétique d'un des sacrifices de la religion d'Israël. P 2007, L'Harmattan 226 pp. €20. 978-22960-43992.
3128 *Nocquet, Dany* Exode 19,1-9: 'sur des ailes d'aigle'. LeD 73/3 (2007) 3-13.
3129 *Nodet, Étienne* Pâque, azymes et théorie documentaire. RB 114 (2007) 499-534 [Deut 16,1-17; Ezra 6,19-22].
3130 *Noort, Ed* Child sacrifice in ancient Israel: the status questionis. The strange world of human sacrifice. 2007 ⇒908. 103-125.
3131 *Pongratz-Leisten, Beate* Ritual killing and sacrifice in the ancient Near East. Human sacrifice. SHR 112: 2007 ⇒926. 3-33.
3132 *Romerowski, Sylvain* Opfer und Versöhnung im Alten Testament. Themenbuch. BWM 15: 2007 ⇒461. 309-331 [Lev 1-7].

3133 **Russell, Brian D.** The Song of the Sea: the date of composition and influence of Exodus 15:1-21. Studies in biblical literature 101: NY 2007, Lang xiii; 215 pp. 978-0-8204-8809-7. Bibl. 201-215.

3134 *Schmidt, Ludwig* Die Priesterschrift in Exodus 16. ZAW 119 (2007) 483-498.

3135 *Shreckhise, Robert L.* The rhetoric of the expressions in the song by the sea (Exodus 15,1-18). SJOT 21 (2007) 201-217.

3136 *Stabryła, Wojciech M.* Bóg sławny w świętości: teologia Pieśni Mojżesza (Wj 15,1b-19.21) [Dieu célèbre dans la sainteté: théologie du Chant de Moïse (Ex 15,1b-19.21)]. AtK 149 (2007) 43-54. **P.**;

3137 Bóg straszliwy w czynach: teologia Pieśni Mojżesza (Wj 15,1b-19.21), cz. 2 [Dieu cruel dans les actes: théologie du Chant de Moïse (Ex 15,1b-19.21), partie 2]. AtK 149 (2007) 312-322. **P.**

3138 *Steins, Georg* Den anstößigen Text vom Durchzug durchs Schilfmeer (Ex 14) neu lesen: oder: wie der Bibelkanon uns Gottes Rettung nahe bringt. BiKi 62 (2007) 232-237.

E3.5 **Decalogus**, *Ex 20=Dt 5; Ex 21ss*; **Ancient Near Eastern Law**

3139 **Aaron, David H.** Etched in stone: the emergence of the Decalogue. 2006 ⇒22,2921. [R]ScrB 37/1 (2007) 38-40 (*Corley, Jeremy*); CBQ 69 (2007) 537-538 (*Morrow, William*); JHScr 7 (2007)* = PHScr IV,504-506 (*Hobbs, T.R.*).

3140 [E]**Braaten, Carl E.**; **Seitz, Christopher R.** I am the Lord your God: christian reflections on the ten commandments. 2005 ⇒21,816; 22,2925. [R]CTJ 42 (2007) 165-166 (*Kok, Joel E.*); RRT 14 (2007) 175-177 (*Lohr, David*); ThLZ 132 (2007) 697-699 (*Gräb-Schmidt, Elisabeth*).

3141 **Di Sante, Carmine** Decalogo: le dieci parole: commandamento e libertà. Assisi 2007, Cittadella 148 pp.

3142 *García Grimaldos, Modesto* El camino del decálogo. RelCult 53 (2007) 591-604.

3143 **Himbaza, Innocent** Le décalogue et l'histoire du texte: études des formes textuelles du décalogue et leurs implications dans l'histoire du texte de l'Ancien Testament. OBO 207: 2004 ⇒20,2737... 22,2928. [R]BiOr 64 (2007) 695-697 (*Ausloos, Hans*).

3144 *Jacobs, James M.* The precepts of the Decalogue and the problem of self-evidence. Ment. *Aquinas* IPQ 47 (2007) 399-415.

3145 *Kessler, Rainer* Die zehn Gebote–das Eingangsportal in die Tora (2. Mose 20,1-17): Predigttext am 7. Oktober 2007. JK 68/3 (2007) 64-66.

3146 **Köckert, Matthias** Die Zehn Gebote. Beck'sche Reihe 2430: Mü 2007, Beck 128 pp. €8. 34065-36304. Bibl. 126-127.

3147 *Lang, Bernhard* Dialog über den Dekalog: menschliche Schuld und göttliche Strafe nach Auffassung der Zehn Gebote. ThPQ 155 (2007) 339-345.

3148 **Markl, Dominik** Der Dekalog als Verfassung des Gottesvolkes: die Brennpunkte einer Rechtshermeneutik des Pentateuch in Ex 19-24 und Dtn 5. [D]*Fischer, Georg* Herders biblische Studien 49: FrB 2007, Herder x; 346 pp. €55. 978-34512-94754. Diss. Innsbruck; Bibl. 296-336. [R]RSR 95 (2007) 574-6 (*Artus, Olivier*); RivBib 55 (2007) 480-483 (*Paganini, Simone*); ZAR 13 (2007) 277-283 (*Otto, Eckart*).

3149 **Sivan, Hagith** Between woman, man and God: a new interpretation of the ten commandments. JSOT.S 401: 2004 ⇒20,2753; 22,2934. [R]JThS 58 (2007) 567-569 (*Phillips, Anthony*).

3150 *Tonelli, Debora* Modelli di democrazia: la riabilitazione del decalogo (Es 20,2-17). AnStR 8 (2007) 387-404.

3151 *Diamond, James A.* The first word: the face of an ethical encounter. The ten commandments. 2007 ⇒535. 3-15 Resp. *Calvin P. Van Reken* 16-21 [Exod 20,2-3].

3152 *Laderman, Shulamit* Biblical controversy: a clash between two divinely inspired messages. Iconoclasm. 2007 ⇒633. 143-156 [Exod 20,2-3; 25,8-9].

3153 *Seidl, Theodor* Kunstverbot oder Kultverbot?: zum Verständnis des alttestamentlichen Bilderverbots. BilderStreit. 2007 ⇒578. 29-45 [Exod 20,2-5].

3154 *Anderlini, Gianpaolo* La seconda delle Dieci Parole. Qol(I) 125 (2007) 6-12 [Exod 20,3].

3155 *Polish, Daniel* The second word: no other gods. Ten commandments. 2007 ⇒535. 23-39 Resp. *Leanne Van Dyk* 40-45 [Exod 20,4-6].

3156 *Van Veldhuizen, Piet* Goddelijke ijver en naijver in Exodus 20:5-6. ITBT 15/6 (2007) 4-6.

3157 *Soulen, R. Kendall* The third word: the blessing of God's name. The ten commandments. 2007 ⇒535. 47-61 Resp. *Rochelle L. Millen* 62-67 [Exod 20,7].

3158 *Deurloo, Karel* De heiliging van de zevende dag. ITBT 14/4 (2007) 15-17 [Exod 20,8].

3159 *Fetterman, John J.* The third commandment: remember to keep holy the sabbath. BiTod 45 (2007) 45-50 [Exod 20,8-11].

3160 *Novak, David* The fourth word: the sabbath day. The ten commandments. 2007 ⇒535. 69-79 Resp. *Marguerite Shuster* 80-85 [Exod 20,8-11].

3161 *Osiek, Carolyn* The fourth commandment: a call to fidelity. BiTod 45 (2007) 105-110 [Exod 20,12].

3162 *Sherwin, Byron L.* The fifth word: honoring parents. The ten commandments. 2007 ⇒535. 87-99 Resp. *Anathea E. Portier-Young* 100-111 [Exod 20,12].

3163 **Bailey, Wilma A.** "You shall not kill" or "You shall not murder"?: the assault on a biblical text. 2005 ⇒21,2944; 22,2946. [R]RB 114 (2007) 135-136 (*Loza Vera, J.*) [Exod 20,13].

3164 *Bailey, Wilma A.* The fifth commandment: you shall not kill. BiTod 45 (2007) 173-178 [Exod 20,13].

3165 *Roth, John K.* The sixth word: what have you done?. The ten commandments. 2007 ⇒535. 113-126 Resp. *Roger Brooks* 127-131; *Jean Bethke Elshtain* 132-134 [Exod 20,13].

3166 *Braaten, Carl E.* The seventh word: sexuality and marriage. The ten commandments. 2007 ⇒535. 135-147 Resp. *Elliot N. Dorff* 148-156 [Exod 20,14].

3167 *Tambasco, Anthony J.* The sixth commandment: protecting life and love. BiTod 45 (2007) 242-247 [Exod 20,14].

3168 *Bergant, Dianne* Right of ownership: biblical reflections on the eighth commandment. BiTod 45 (2007) 373-377 [Exod 20,15].

3169 *Janecko, Benedict* The seventh commandment: 'you shall not steal'. BiTod 45 (2007) 310-314 [Exod 20,15].

3170 *Verhey, Allen* The eighth word: CALVIN and the 'stewardship of love'. The ten commandments. 2007 ⇒535. 157-174 Resp. *Sue Ann Wasserman* 175-178 [Exod 20,15].

3171 *Volf, Miroslav; Tonstad, Linn* The ninth word: bearing true witness. The ten commandments. 2007 ⇒535. 179-198 Resp. *David Patterson* 194-198 [Exod 20,16].

3172 **Reno, R.R.** The tenth word: God or mammon. The ten commandments. 2007 ⇒535. 199-211 Resp. *Shalom Carmy* 212-217 [Exod 20,17].

3173 *Van Wieringen, Willien* Wie is hier nou jaloers?: over de positie van de vrouw in het tiende gebod. ITBT 14/6 (2007) 7-9 [Exod 20,17].

3174 **Anderson, Cheryl B.** Women, ideology, and violence: critical theory and the construction of gender in the book of the covenant and the Deuteronomic law. JSOT.S 394: 2004 ⇒20,2784... 22,2949. [R]JHScr 7 (2007)* = PHScr IV,489-491 (*Brenner, Athalya*); RBLit (2007) 138-141 (*Biezeveld, Kune*).

3175 *Clines, David J.A.* Being a man in the book of the covenant. [F]WENHAM, G. LHBOTS 461: 2007 ⇒164. 3-9.

3176 *Van Seters, John* Revision in the study of the covenant code and a response to my critics. SJOT 21 (2007) 5-28.

3177 *Malul, Meir* What is the relationship between piercing a slave's ear (Ex. 21:6) and circumcising him within the Passover sacrifice (Ex.12:43-50)?. ZAR 13 (2007) 135-158.

3178 *Wright, David P.* Homicide, talion, vengeance, and psycho-economic satisfaction in the covenant code. Religion and violence. 2007 ⇒770. 57-78 [Exod 20,23-23,19].

3179 *Johnstone, William* Exodus 20.24b: linchpin of pentateuchal criticism or just a further link between the decalogue and the book of the covenant?. [F]AULD, G. VT.S 113: 2007 ⇒5. 207-222.

3180 *Wright, David P.* The laws of Hammurabi and the covenant code: a response to Bruce Wells. Maarav 13 (2007) 211-260 [Exod 21].

3181 *Van Seters, John* Law of the Hebrew slave: a continuing debate. ZAW 119 (2007) 169-183 [Exod 21,2-11; Lev 25,39-43; Deut 15,12-18].

3182 *Baker, David L.* Concubines and conjugal rights: ענה in Exodus 21:10 and Deuteronomy 21:14. ZAR 13 (2007) 87-101.

3183 *Lehmann, Klaus-Peter* 'Auge um Auge, Zahn um Zahn'. FrRu 14 (2007) 277-280 [Exod 21,22-25];

3184 Dialog 68 (2007) 29-32.

3185 *Bartor, Assnat* The representation of speech in the casuistic laws of the Pentateuch: the phenomenon of combined discourse. JBL 126 (2007) 231-249 [Exod 21,22-25; 22,24-26; Deut 12,29-31; 13; 15,12-18].

3186 *Henshke, David* 'If the sun has risen on him': a reconsideration;

3187 *Tawil, Hayim ben-Yosef* 'If the sun has risen on him': legal terminology in light of cuneiform texts from Ugarit. Leš. 69 (2007) 391-395/ 31-37 [Exod 22,2]. **H**.

3188 *Tsoi, Jonathan T.P.* 'Knowing the heart of strangers': the OT laws on treating strangers, interpreted with a historical incident. ThLi 30 (2007) 3-16. Eng. Abstract 17 [Exod 22,20-26]. **C**.

3189 *Finsterbusch, Karin* The first-born between sacrifice and redemption in the Hebrew Bible. Human sacrifice. SHR 112: 2007 ⇒926. 87-108 [Exod 22,28-29].

3190 *Baker, David L.* Finders keepers?: lost property in ancient Near East-
ern and biblical law. BBR 17 (2007) 207-214 [Exod 23,4-5; Deut
22,1-4].

3191 **Artus, Olivier** Les lois du pentateuque: points de repère pour une
lecture exégétique et théologique. LeDiv 200: 2005 ⇒21,2967;
22,2973. [R]RB 114 (2007) 631-633 (*Loza, J.*); RCatT 32 (2007) 459-
460 (*Cervera, Jordi*).
3192 *Bertrand, Marianne* L'étranger dans les lois bibliques. L'étranger
dans la bible. LeDiv 213: 2007 ⇒504. 55-84.
3193 **Boecker, Hans Jochen** Orientação para a vida: direito e lei no Anti-
go Testamento. [T]*Ziegler, Erica L.* 2004 ⇒20,2800. [R]PerTeol 39/1
(2007) 136 (*Paul, Claudio*).
3194 *Cervera i Valls, Jordi* Els codis legislatius de l'Antic Testament com
a lleis revelades. RCatT 32 (2007) 261-297.
3195 **Dauvillier, Jean** Le Nouveau Testament et les droits de l'antiquité.
[E]*Bruguière, Marie-Bernadette* Etudes d'histoire du droit 9: 2005 ⇒
21,2972; 22,2979. [R]SDHI 73 (2007) 579-583 (*Dovere, Elio*).
3196 *Gibert, Pierre* Le procès dans la bible. Esprit 337 (2007) 137-146.
3197 **Graf, Friedrich** Moses Vermächtnis: über göttliche und menschliche
Gesetze. 2006 ⇒22,2983. [R]ZKTh 129 (2007) 120-1 (*Markl, Domi-
nik*).
3198 **Günzel, Angelika** Religionsgemeinschaften in Israel: rechtliche
Grundstrukturen des Verhältnisses von Staat und Religion. JusEcc
77: 2006 ⇒22,2985. [R]ThLZ 132 (2007) 1054-56 (*Schröder, Bernd*).
3199 **LeFebvre, Michael** Collections, codes, and Torah: the re-characteri-
zation of Israel's written law. LHBOTS 451: 2006 ⇒22, 2991. [R]ZAR
13 (2007) 337-346 (*Otto, Eckart*).
3200 **Matthews, Victor H.; Benjamin, Don C.** Old Testament Parallels:
laws and stories from the ancient Near East. Mahwah, NJ [3]2006
<1997>, Paulist xv; 430 pp. $23. [R]RBLit (2007)* (*Becker, Uwe*).
3201 *Meinhold, Arndt* Scheidungsrecht bei Frauen im Kontext der jüdi-
schen Militärkolonie von Elephantine im 5. Jh. v. Chr. [F]WILLI-PLEIN,
I.. 2007 ⇒168. 247-259.
3202 *Neumann, H.; Hoffner, H.A.* Richter. RLA 11/5-6. 2007 ⇒1072.
346-354.
3203 **Otto, Eckart** Das Gesetz des Mose. Da:Wiss 2007, 224 pp. €24.90.
978-35342-02713. Bibl. 210-219.
3204 *Otto, Eckart* Die Rechtshermeneutik im Pentateuch und in der Tem-
pelrolle. Tora in der Hebräischen Bibel. 2007 ⇒347. 72-121.
3205 **Rao, Chilkuri V.** Ecological and theological aspects of some animal
laws in the pentateuch. [D]*Willi-Plein, Ina* Delhi 2005, ISCPK xvii;
364 pp. $18/£13. 81721-49115. Diss. Hamburg.
3206 *Schaper, Joachim* The 'publication' of legal texts in ancient Judah.
Pentateuch as torah. 2007 ⇒839. 225-236.
3207 **Wells, Bruce** The law of testimony in the pentateuchal codes. ZAR.B
4: 2004 ⇒20,2825...22,3012. [R]Bib. 88 (2007) 256-9 (*Patrick, Dale*).
3208 *Westbrook, Raymond* Reflections on the law of homicide in the
ancient world. Maarav 13 (2007) 145-74 [Lev 24,17-21; Num 35,31-
33].

3209 *Albayrak, Irfan* Eine altassyrische Urkunde zum anatolischen Boden-
recht. AltOrF 34 (2007) 219-224.

3210 *Allam, Schafik* Persona ficta im Stiftungswesen pharaonischer Zeit. Rechtsgeschichte. Philippika 19: 2007 ⇒1014. 1-29;

3211 Law. Egyptian world. 2007 ⇒747. 263-272.

3212 *David, Arlette* Ancient Egyptian forensic metaphors and categories. ZÄS 134 (2007) 1-14.

3213 *Dombradi, Eva* Das altbabylonische Urteil: Mediation oder res iudicata?: zur Stellung des Keilschriftrechts zwischen Rechtsanthropologie und Rechtsgeschichte. Geistige Erfassen. 2007 ⇒746. 245-279.

3214 **Freydank, Helmut; Feller, Barbara** Mittelassyrische Rechtsurkunden und Verwaltungstexte V. 2004 ⇒20,2832. ᴿBiOr 64 (2007) 677-683 (*Llop, Jaume*).

3215 *Haase, Richard* Näheres zu §176a der hethitischen Rechtssatzung;

3216 Vom Kriminalstrafrecht der Hethiter im Spiegel ihrer Rechtssatzung;

3217 Die Wendung *nas*LÚNÍ.ZU *kisari* und ähnliches in der hethitischen Rechtssatzung. ZAR 13 (2007) 53-55/39-47/48-52.

3218 *Kleber, Kristin* Zum Meineid und zu seiner Bestrafung in Babylonien. ZAR 13 (2007) 23-38.

3219 *Klein, Jacob; Sharlach, Tonia M.* A collection of model court cases from Old Babylonian Nippur (CBS 11324). ZA 97 (2007) 1-25.

3220 *Neumann, Hans* 'Gib mir mein Geld zurück!': zur rechts- und wirtschaftsgeschichtlichen Bedeutung keilschriftlicher Privatarchive des 3. Jahrtausends v. Chr. Das geistige Erfassen. 2007 ⇒746. 281-299;

3221 Einheimische Tradition und interkulturell bedingter Wandel in den babylonischen Rechtsverhältnissen der hellenistischen Zeit. Rechtsgeschichte. Philippika 19: 2007 ⇒1014. 117-134.

3222 *Paulus, Susanne* "Ein Richter wie Šamaš"–zur Rechtsprechung der Kassitenkönige. ZAR 13 (2007) 1-22.

3223 *Rollinger, Robert; Niedermayr, Hermann* Von Assur nach Rom: Dexiosis und 'Staatsvertrag'–zur Geschichte eines rechtssymbolischen Aktes. Rechtsgeschichte. Philippika 19: 2007 ⇒1014. 135-178.

3224 **Tetlow, Elisabeth M.** Women, crime, and punishment in ancient law and society, 2: ancient Greece. 2005 ⇒21,3028. ᴿCBQ 69 (2007) 593-594 (*Lefkowitz, Mary*).

3225 *Thür, Gerhard* Der Reinigungseid im archaischen griechischen Rechtsstreit und seine Parallelen im Alten Orient. Rechtsgeschichte. Philippika 19: 2007 ⇒1014. 179-195.

3226 *Viano, Maurizio* Problemi di datazione di alcuni testi legali di Emar. Kaskal 4 (2007) 245-259.

3227 *Weiler, Ingomar* Hellas und der Orient: Überlegungen zur sozialen Mobilität, zu Wirtschaftskontakten und zur Akkulturation. Rechtsgeschichte. Philippika 19: 2007 ⇒1014. 197-216.

3228 *Wilcke, Claus* Das Recht: Grundlage des sozialen und politischen Diskurses im Alten Orient. Geistige Erfassen. 2007 ⇒746. 209-244.

3229 **Wilcke, Claus** Early ancient Near Eastern law: a history of its beginnings : the early dynastic and Sargonic periods. WL 2007, Eisenbrauns 204 pp. 978-1-57506-132-0. Bibl. 150-160, 179-182.

E3.6 **Cultus,** *Exodus 24-40*

3230 *Aejmelaeus, Anneli* Septuagintal translation techniques–a solution to the problem of the tabernacle account?. On the trail of the Septuagint translators. CBET 50: 2007 <1990> ⇒176. 107-121 [Exod 36-40].

3231   *Dohmen, Christoph* Das Zelt außerhalb des Lagers: Exodus 33,7-11 zwischen Synchronie und Diachronie. Der Bibelkanon. 2007 ⇒360. 152-162.
3232   **Franz, Matthias** Der barmherzige und gnädige Gott: die Gnadenrede vom Sinai (Exodus 34,6-7) und ihre Parallelen im Alten Testament und seiner Umwelt. BWANT 160: 2003 ⇒19,2913; 21,3044. ᴿALW 49 (2007) 379-380 (*Schenker, Adrian*).
3233   *Heckl, Raik* Die Religionsgeschichte als Schlüssel für die Literargeschichte: eine neu gefasste Überlieferungskritik vorgestellt am Beispiel von Ex 32. ThZ 63 (2007) 193-215.
3234   **Konkel, Michael** Sünde und Vergebung: eine Rekonstruktion der Redaktionsgeschichte der hinteren Sinaiperikope (Exodus 32-34) vor dem Hintergrund aktueller Pentateuchmodelle. ᴰ*Hossfeld, Frank-L.* 2007, Diss.-Habil. Bonn [ThRv 104/1,xiv].
3235   *Légasse, Simon* L'arche d'alliance. Laur. 48 (2007) 339-348.
3236   *MacDonald, Nathan* Recasting the golden calf: the imaginative potential of the Old Testament's portrayal of idolatry. Idolatry. 2007 ⇒763. 22-39 [Exod 32].
3237   *Millard, Alan* The tablets in the ark. ᶠWᴇɴʜᴀᴍ, G. LHBOTS 461: 2007 ⇒164. 254-266 [Exod 24].
3238   *Nutkowicz, Hélène* Le veau d'or: de l'impur au sacré. Monstres et monstruosités. Cahiers KUBABA 9: 2007 ⇒726. 251-59 [Exod 32].
3239   **Paximadi, Giorgio** E io dimorerò in mezzo a loro: composizione e interpretazione di Es 25-31. Retorica biblica 8: 2004 ⇒20,2878; 21, 3055. ᴿRivBib 55 (2007) 347-350 (*Giuntoli, Federico*).
3240   *Schatz, Elihu A.* The weight of the ark of the covenant. JBQ 35 (2007) 115-118 [Exod 25,10-22].
3241   *Spencer, Michael D.* Moses as mystic. Studies in Spirituality 17 (2007) 127-146 [Exod 33-34].
3242   **Suh, Myung S.** The tabernacle in the narrative history of Israel from the Exodus to the Conquest. Studies in Biblical Literature 50: 2003 ⇒19,2936; 20,2883. ᴿPHScr II,656-658 ⇒373 (*Homan, Michael*).
3243   *Talstra, Eep* 'I and your people:' syntax and dialogue in Exod 33. JNSL 33/2 (2007) 89-97;
3244   Mose zwischen Sprache und Text: am Beispiel Exodus 33. ᶠHᴀʀᴅMᴇɪᴇʀ, C. ABIG 28: 2007 ⇒62. 291-305.
3245   *Timmer, Daniel* Small lexemes, large semantics: prepositions and theology in the Golden Calf episode (Exodus 32-34). Bib. 88 (2007) 92-99.
3246   *Utzschneider, Helmut* Die Inszenierung des Gestaltlosen: alttestamentliche Gottes- und Kultbilder diesseits und jenseits des Bilderverbots. Gottes Vorstellung. 2007 <2005> ⇒336. 316-327.
3247   *Vicent, Rafael* 'Dimoreranno in capanne perché sappiano...' (Lv 23,42s). ᶠVᴇʀɴᴇᴛ, J. 2007 ⇒158. 262-276.
3248   *Willi-Plein, Ina* Der Sinai als Kristallisationspunkt von Israels Gotteserfahrung und Gottesdienst: eine Lektüre von Ex 19-40. BiKi 62 (2007) 241-246.

E3.7 **Leviticus**, *Jubilee*

3249   **Currid, John D.** A study commentary on Leviticus. 2005 ⇒21,3074. ᴿBS 164 (2007) 113-114 (*Waters, Larry J.*).

3250 **Deiana, Giovanni** Levitico. 2005 ⇒21,3075; 22,3081. ᴿBib. 88 (2007) 422-426 (*Nihan, Christophe*); Anton. 82 (2007) 785-786 (*Nobile, Marco*); CivCatt 158/1 (2007) 92-93 (*Scaiola, D.*).

3251 **Douglas, Mary** L'anthropologue et la bible: lecture du Lévitique. ᵀ*L'Hour, Jean* 2004 ⇒20,2893. ᴿRHR 224 (2007) 111-114 (*Lemardelé, Christophe*).

3252 **Eveson, Philip** The beauty of holiness: the book of Leviticus simply explained. Welwyn: Darlington 2007, Evangelical 416 pp. £11.

3253 **Gane, Roy** Cult and character: purification offerings, Day of Atonement, and theodicy. 2005 ⇒21,3077; 22,3082. ᴿAnton. 82 (2007) 573-575 (*Volgger, David*); BBR 17 (2007) 332-333 (*Sprinkle, Joe M.*); AUSS 45 (2007) 267-272 (*Schwartz, Baruch J.*); CBQ 69 (2007) 116-118 (*Gilders, William K*); JAOS 127 (2007) 203-205 (*Meshel, Naphtali S.*); RBLit (2007) 141-147 (*Sklar, Jay*); RBLit (2007) 124-128 (*Eberhart, Christian A.*).

3254 **Kiuchi, Nobuyoshi** Leviticus. Apollos OT Commentary 3: Nottingham 2007, Apollos 538 pp. $40. 978-1-8447-4177-9. Bibl. 505-512.

3255 **Kunin, Seth D.** We think what we eat: neo-structuralist analysis of Israelite food rules and other cultural and textual practices. JSOT.S 412: 2004 ⇒20,2896; 22,3083. ᴿCBQ 69 (2007) 175-177 (*Seeman, Chris*).

3256 **León Azcárate, J.L. de** Levítico. 2006 ⇒22,3084. ᴿEstTrin 41 (2007) 426-427 (*Vázquez Allegue, Jaime*).

3257 **Luciani, Didier** Sainteté et pardon. BEThL 185A-B: 2005 ⇒21, 3082s. ᴿThRv 103 (2007) 191-2 (*Reventlow, Henning Graf*); RTL 38 (2007) 234-7 (*Marx, Alfred*); RSR 95 (2007) 566-8 (*Artus, Olivier*).

3258 *Marx, Alfred* Les recherches sur le Lévitique et leur impact théologique. RHPhR 87 (2007) 415-433.

3259 *McConville, J.G.* 'Fellow citizens': Israel and humanity in Leviticus. ᶠWENHAM, G. LHBOTS 461: 2007 ⇒164. 10-32.

3260 **Milgrom, Jacob** Leviticus: a book of ritual and ethics. 2004 ⇒20, 2899... 22,3085. ᴿPHScr II, 445-447 ⇒373 (*Gilders, William K.*).

3261 **Nihan, Christophe** From priestly torah to pentateuch: a study in the composition of the book of Leviticus. ᴰ*Römer, Thomas* FAT 2/25: Tü 2007, Mohr S. xviii; 697 pp. €99. 978-31614-92570. Diss. Lausanne; Bibl. 621-660. ᴿRSR 95 (2007) 559-566 (*Artus, Olivier*).

3262 *Otto, Eckart* Das Heiligkeitsgesetz im Narrativ des Pentateuch und die Entstehung der Idee einer mosaisch-mündlichen Tradition neben der schriftlichen Tora des Mose. ZAR 13 (2007) 79-86.

3263 **Rendtorff, Rolf** Leviticus, 1. Teilband: Leviticus 1,1-10,20. 2004 ⇒ 20,2901. ᴿRBLit (2007)* (*Gerstenberger, Erhard S.*).

3264 *Romerowski, Sylvain* Old Testament sacrifices and reconciliation. EurJT 16/1 (2007) 13-24.

3265 **Sacchi, Paolo** Sacro/profano impuro/puro nella bibbia e dintorni. Pellicano rosso 56: Brescia 2007, Morcelliana 270 pp. €16. 978-883-72-21072.

3266 **Schenker, Adrian** Levitico. Guida di lettura all'AT. 2007 ⇒506. 169-178.

3267 **Vasholz, Robert** Leviticus: a mentor commentary. Fearn 2007, Christian Focus 372 pp. $30.

3268 *Vivoli, Rita* Levitico. Dizionario... sangue di Cristo. 2007 ⇒1137. 775-779.

3269 **Wachowski, Johannes** 'Die Leviten lesen': Untersuchungen zur liturgischen Präsenz des Buches Leviticus im Judentum und Christentum: Erwägungen zu einem Torahjahr der Kirche. [D]*Raschzok, Klaus* 2007, Diss. Neuendettelsau [ThRv 104/1,x].

3270 **Watts, James W.** Ritual and rhetoric in Leviticus: from sacrifice to scripture. NY 2007, CUP xviii; 257 pp. $85. 978-05218-71938. Bibl. 219-235.

3271 *Reventlow, Henning* Rituelle Überlieferungen in Lev 1-4 als kanaanäisches Erbe. Studien zu Ritual. BZAW 374: 2007 ⇒937. 291-302.

3272 **Bergen, Wesley J.** Reading ritual: Leviticus in postmodern culture. JSOT.S 417: 2005 ⇒21,3095; 22,3087. [R]BBR 17 (2007) 334-335 (*Sprinkle, Joe M.*); JHScr 7 (2007)* = PHScr IV,483-485 (*Lee, Bernon P.*) [Lev 1-7].

3273 *Pola, Thomas* Der religionsgeschichtliche Hintergrund des Tamidopfers des Hohenpriesters in Lev 6,12-16. [F]HAACKER, K. ABIG 27: 2007 ⇒57. 87-94.

3274 *Ruwe, Andreas* Das Reden und Verstummen Aarons vor Mose: Leviticus 9-10 im Buch Leviticus. [F]HARDMEIER, C. ABIG 28: 2007 ⇒62. 169-196.

3275 *Sénéchal, Vincent* Quand l'exception contredit la règle: points de vue et nouvelle écriture en Lv 10,16-20. Regards croisés sur la bible. LeDiv: 2007 ⇒875. 171-180.

3276 *Hendel, Ronald* Table and altar: the anthropology of food in the priestly torah. [F]CHANEY, M. 2007 ⇒25. 131-148 [Lev 11].

3277 *Kazen, Thomas* Explaining discrepancies in the purity laws on discharges. RB 114 (2007) 348-371 [Lev 12; 15].

3278 *Reventlow, Henning Graf* Krankheit–ein Makel an heiliger Vollkommenheit: das Urteil altisraelitischer Priester in Leviticus 13 in seinem Kontext. Studien zu Ritual. BZAW 374: 2007 ⇒937. 275-290.

3279 *Geyer, John B.* Blood and the nations in ritual and myth. VT 57 (2007) 1-20 [Lev 16; 25,2-9].

3280 *Pinker, Aron* A goat to go to Azazel. JHScr 7 (2007)*= PHScr 4,197-220 [Lev 16,5-26].

3281 **McClenney-Sadler, Madeline G.** Recovering the daughter's nakedness: a formal analysis of Israelite kinship terminology and the internal logic of Leviticus 18. LHBOTS 476: NY 2007, Clark xvi; 132 pp. £55. 978-0-567-02676-7. Bibl. 111-126.

3282 *Rooke, Deborah W.* The bare facts: gender and nakedness in Leviticus 18. A question of sex?. HBM 14: 2007 ⇒872. 20-38.

3283 *Schenker, Adrian* Pourquoi la loi de Moïse interdit-elle la pratique de l'amour homosexuel (Lv 18 et 20)?: raisons et portée d'une règle de vie dans la bible. Clarifications. 2007 ⇒416. 49-73;

3284 Perché la legge di Mosè proibisce la practica dell'amore omosessuale (Lv 18 e 20)?: ragioni e portata di una regola di vita nella bibbia. L'omosessualità nella bibbia. 2007 ⇒417. 41-60.

3285 *Kiuchi, Nobuyoshi* Commanding an impossibility?: reflections on the golden rule in Leviticus 19:18b. [F]WENHAM, G. LHBOTS 461: 2007 ⇒164. 33-47.

3286 **Araujo, Gilvan de** A festa de Sukkot e sua força matriz de 1Rs 8 a Zc 14. [D]*Boschi, B.G.* 2007, Diss. Angelicum [RTL 39,601] [Lev 23].

3287 *Feldman, Louis H.* The case of the blasphemer (Lev. 24:10-16) according to PHILO and JOSEPHUS. Heavenly tablets. JSJ.S 119: 2007 ⇒60. 213-226.

3288 **Bergsma, John S.** The jubilee from Leviticus to Qumran: a history of interpretation. VT.S 115: Lei 2007, Brill xi; 348 pp. €125. 978-90-04-15299-1. Bibl. 305-325 [Lev 25].

3289 *Gerstenberger, Erhard* In der Schuldenfalle: Zwangsvollstreckung?: Insolvenzregelungen in Lev 25 und ihre theologischen Folgen. BiKi 62 (2007) 16-21.

3290 **Lefebvre, Jean-François** Le jubilé biblique: Lv 25–exégèse et théologie. OBO 194: 2003 ⇒19,3004... 21,3104. ^RBiOr 64 (2007) 210-212 (*Joosten, Jan*).

3291 **Meyer, Esias E.** The jubilee in Leviticus 25: a theological ethical interpretation from a South African perspective. Exegese in unserer Zeit 15: B 2005, Lit xii; 308 pp. 3-8258-8805-3.

E3.8 *Numeri*; Numbers, Balaam

3292 *Artus, Olivier* Les dernières rédactions du livre des Nombres et l'unité littéraire du livre. Les dernières rédactions du pentateuque. BEThL 203: 2007⇒874. 129-144

3293 *Douglas, Mary* Reading Numbers after Samuel. ^FAULD, G. VT.S 113: 2007 ⇒5. 139-153.

3294 **Fistill, Ulrich** Israel und das Ostjordanland: Untersuchungen zur Komposition von Num 21,21-36,13 im Hinblick auf die Entstehung des Buches Numeri. ^D*Ska, Jean Louis* ÖBS 30: Fra 2007, Lang 274 pp. €51.50. 36315-58910. Diss. Pont. Ist. Biblico.

3295 *Gajewski, Pawel* Esaïe 2,1-5: une promesse qui bouleverse. LeD 72 (2007) 13-22.

3296 **Hoffmeier, James K.** Ancient Israel in Sinai: the evidence for the authenticity of the wilderness tradition. 2005 ⇒21,3112; 22,3112. ^RJThS 58 (2007) 154-156 (*Mastin, B.A.*).

3297 **Knierim, Rolf P.; Coats, George W.** Numbers. FOTL 4: 2005 ⇒21,3113; 22,3113. ^RCart. 23 (2007) 229-230 (*Álvarez Barredo, M.*); JThS 58 (2007) 571-578 (*Seebass, Horst*).

3298 **Lee, Won W.** Punishment and forgiveness in Israel's migratory campaign. 2003 ⇒19,3012... 22,3114. ^RHBT 29 (2007) 233-234 (*Ahn, John*).

3299 *Römer, Thomas* Numeri. Guida...lettura all'AT. 2007 ⇒506. 179-91;
3300 Israel's sojourn in the wilderness and the construction of the book of Numbers. ^FAULD, G. VT.S 113: 2007 ⇒5. 419-445.

3301 **Seebass, Horst** Numeri: Kapitel 22,2-36,13. BK.AT 4/3: Neuk 2007, Neuk 466 pp. €109. 978-37887-22623.

3302 *Seebass, Horst* Berit im Buch Numeri. ^FHOSSFELD, F. SBS 211: 2007 ⇒69. 219-230.

3303 *Ussishkin, David* The disappearance of two royal burials. BArR 33/6 (2007) 68-70.

3304 *Varo Pineda, Francisco* Las tribus en el campamento de Israel (Nm 2). ^MIBÁÑEZ ARANA, A.. 2007 ⇒72. 297-311.

3305 *Britt, Brian* Male jealousy and the suspected sotah: toward a counter-reading of Numbers 5:11-31. BiCT 3/1 2007*.

3306 *Jeon, Jacyoung* Two laws in the Sotah passage (Num. v 11-31). VT 57 (2007) 181-207.

3307 *Liss, Hanna* Das Problem des eifernden Mannes: Das 'Eifer'-Ordal in der biblischen Überlieferung und in der jüdischen Tradition. [F]HARD-MEIER, C. ABIG 28: 2007 ⇒62. 197-215 [Num 5,11-31].

3308 *Ribet, Elisabetta* Nombres 6,22-27: une bénédiction pour donner naissance. LeD 72 (2007) 3-12.

3309 *Sals, Ulrike* Tanzende Buchstaben-bewegender Sinn. Fama 23/4 (2007) 4-6 [Num 6,22-27].

3310 *Cocco, Francesco* La sonrisa de Dios: los verbos de la bendición de Nm 6,24-26. [M]IBÁÑEZ ARANA, A. 2007 ⇒72. 163-175.

3311 *Kavanagh, Preston* The Jehoiachin code in scripture's priestly benediction. Bib. 88 (2007) 234-244 [Num 6,24-26].

3312 *Sadler, Rodney S.* Representing the Cushite other: the use of Cushite phenotypes in Numbers 12 and Jeremiah 13:23. [F]MEYERS, E. AASOR 60/61: 2007 ⇒106. 127-137.

3313 *Sanz Giménez-Rico, Enrique* El don de una tierra que nunca se vio: ¿un Dios de misericordia en Nm 13-14?. Gr. 88 (2007) 245-272.

3314 *Khan, Pinchas* Moses at the waters of Meribah: a case of transference. JBQ 35 (2007) 85-93 [Num 20].

3315 *Nihan, Christophe* La mort de Moïse (Nb 20,1-13; 20,22-29; 27,12-23) et l'édition finale du livre des Nombres. Les dernières rédactions du pentateuque. BEThL 203: 2007 ⇒874. 145-182.

3316 *Bordreuil, Pierre* L'antidote au venin dans le mythe ougaritique de 'Horon et les serpents' et le serpent d'airain de *Nombres* 21:4-9. [F]WYATT, N. AOAT 299: 2007 ⇒174. 35-38.

3317 *Ausloos, Hans* On an obedient prophet and a fickle god: the narrative of Balaam in Num 22-24. OTEs 20 (2007) 84-104.

3318 *Sals, Ulrike* Bileam–der lächerliche Falschprophet?: eine Widerlegung. Der Bibelkanon. 2007 ⇒360. 163-188 [Num 22-24].

3319 *Steinberg, Paul* Phinehas: hero or vigilante. JBQ 35 (2007) 119-126 [Num 25].

3320 **Thon, Johannes** Pinhas ben Eleasar–der levitische Priester am Ende der Tora: traditions- und literargeschichtliche Untersuchung unter Einbeziehung historisch-geographischer Fragen. ABIG 20: 2006 ⇒ 22,3140. [R]ThLZ 132 (2007) 161-162 (*Achenbach, Reinhard*) [Exod 32; Num 25; Josh 24].

3321 *Grossman, Jonathan* Divine command and human initiative: a literary view on Numbers 25-31. BiblInterp 15 (2007) 54-79.

3322 *Spero, Shubert* Who authorized Israelite settlement east of the Jordan?. JBQ 35 (2007) 11-16 [Num 32].

E3.9 **Liber Deuteronomii**

3323 *Aejmelaeus, Anneli* Die Septuagint des Deuteronomiums. On the trail of the Septuagint translators. 2007 <1995> ⇒176. 157-180.

3324 **Barker, Paul** The triumph of grace in Deuteronomy : faithless Israel, faithful Yahweh in Deuteronomy. Biblical Monographs: 2004 ⇒21, 3135. [R]BBR 17 (2007) 335-336 (*Sprinkle, Joe M.*); CBQ 69 (2007) 109-110 (*Mullen, E. Theodore, Jr.*).

3325 **Brueggemann, Walter** Deuteronomy. Abingdon O.T. commentaries: 2001 ⇒17,2587; 19,3046. [R]ZAR 13 (2007) 415-416 (*Otto, Eckart*).

3326 *Ciampa, Roy E.* Deuteronomy in Galatians and Romans. Deuteronomy in the NT. LNTS 358: 2007 ⇒477. 99-117.

3327 **Currid, John D.** Study commentary on Deuteronomy. Darlington 2006, Evangelical 608 pp.

3328 *DeRouchie, Jason S.* Deuteronomy as didactic poetry?: a critique of D.L. Christensen's view. JAAS 10 (2007) 1-13.

3329 **Finsterbusch, Karin** Weisung für Israel: Studien zu religiösem Lehren und Lernen im Deuteronomium und in seinem Umfeld. FAT 44: 2005 ⇒21,3140. [R]BZ 51 (2007) 109-111 (*Müllner, Ilse*); OLZ 102 (2007) 459-462 (*Grätz, Sebastian*).

3330 *Hadley, Judith M.* The de-deification of deities in Deuteronomy. God of Israel. UCOP 64: 2007 ⇒818. 157-174.

3331 *Häfner, Gerd* Deuteronomy in the Pastoral Epistles. Deuteronomy in the NT. LNTS 358: 2007 ⇒477. 136-151.

3332 *Heller, Roy L.* 'The widow' in Deuteronomy: beneficiary of compassion and co-option. [F]BASSLER, J.. NTMon 22: 2007 ⇒11. 1-11.

3333 **Koch, Christoph** Vertrag, Treueid und Bund–Studien zur Rezeption des altorientalischen Vertragsrechts im Deuteronomium und zur Ausbildung der Bundestheologie im Alten Testament. [D]*Gertz, Christian* 2007, Diss. Heidelberg [ThRv 104/1,viii].

3334 *Labahn, Michael* Deuteronomy in John's gospel;

3335 *Lim, Timothy* Deuteronomy in the Judaism of the second temple period. Deuteronomy in the NT. LNTS 358: 2007 ⇒477. 82-98/6-26.

3336 *Lohfink, Norbert* Ecoute, Israël': commentaires du Deutéronome. [T]*Stoessel, François* CEv 140 (2007) 3-65.

3337 **Loretz, Oswald** L'unicità di Dio: un modello argomentativo orientale per l'"Ascolta, Israele!". [E]*Peri, Chiara* StBi 154: Brescia 2007, Paideia 243 pp. €21.50. 978-88-394-0740-5. Bibl. 197-235.

3338 *McCarthy, Carmel* What's new in BHQ?: reflections on BHQ Deuteronomy. PIBA 30 (2007) 54-69.

3339 [E]**McCarthy, Carmel** Biblia Hebraica Quinta, 5: אלה הדברים: Deuteronomy. Stu 2007, Deutsche Bibelgesellschaft 190*; 104; xxxii pp. €49. 978-3-438-05265-0. Bibl. 171*-190*.

3340 **McConville, James G.** Deuteronomy. Apollos OT commentary 5: 2002 ⇒18,2904; 19,3052. [R]ZAR 13 (2007) 418-420 (*Otto, Eckart*).

3341 *Menken, Maarten J.J.* Deuteronomy in Matthew's gospel;

3342 *Moyise, Steve* Deuteronomy in Mark's gospel. Deuteronomy in the NT. LNTS 358: 2007 ⇒477. 42-62/27-41.

3343 *Nocquet, Dany* Étonnantes variations autour des "destinataires du pays" dans le Deutéronome: significations synchroniques et historiques. ZAW 119 (2007) 341-355.

3344 *O'Dowd, Ryan P.* Memory on the boundary: epistemology in Deuteronomy. The bible and epistemology. 2007 ⇒444. 3-22.

3345 *Otto, Eckart* Altorientalische Kontexte der deuteronomischen Namenstheologie. ZAR 13 (2007) 237-248;

3346 Perspektiven der neueren Deuteronomiumforschung. ZAW 119 (2007) 319-340.

3347 **Otto, Eckart** Das Deuteronomium: politische Theologie und Rechtsreform in Juda und Assyrien. BZAW 284: 1999 ⇒15,2417... 21, 3151. [R]JNES 66 (2007) 205-208 (*Holloway, Steven W.*).

3348 *Rabatel, Alain* L'alternance des "tu" et des "vous" dans le Deutéronome: deux points de vue sur le rapport des fils d'Israël à l'alliance. ETR 82 (2007) 567-593.

3349 [E]**Reggi, Roberto** דברים: Deuteronomio. Traduzione interlineare italiana: Bo 2007, EDB 144 pp. €11.40. 978-88-10-82027-8.

3350 *Rose, Martin* Deuteronomio. Guida. 2007 ⇒506. 193-206.
3351 *Rosner, Brian S.* Deuteronomy in 1 and 2 Corinthians;
3352 *Rusam, Dietrich* Deuteronomy in Luke-Acts. Deuteronomy in the
       NT. LNTS 358: 2007 ⇒477. 118-135/63-81.
3353 *Rüterswörden, Udo* Moses' last day. Moses. 2007 ⇒ 821. 51-59;
3354 Alte und neue Wege in der Deuteronomiumforschung. ThLZ 132
       (2007) 877-889.
3355 **Rüterswörden, Udo** Das Buch Deuteronomium. NSK.AT 4: 2006
       ⇒22,3159. ᴿZAR 13 (2007) 444-445 (*Otto, Eckart*).
3356 *Schaper, Joachim* The living word engraved in stone: the interrela-
       tionship of the oral and the written and the culture of memory in the
       books of Deuteronomy and Joshua. Memory in the bible. WUNT
       212: 2007 ⇒764. 9-23;
3357 Tora als Text im Deuteronomium. Was ist ein Text?. BZAW 362:
       2007 ⇒980. 49-63.
3358 **Schulmeister, Irene** Israels Befreiung aus Ägypten: eine Form- und
       Formeluntersuchng zur Theologie des Deuteronomiums. ᴰ*Braulik,
       Georg* 2007, Diss. Wien [ThRv 104/1,xiii].
3359 ᵀ**Shachter, Jay F.** The commentary of Abraham IBN EZRA on the
       pentateuch, 5: Deuteronomy. 2003 ⇒19,3057; 20,2993. ᴿPHScr II,
       649-651 ⇒373 (*Lockshin, Martin*).
3360 **Spronk, Klaas** Deuteronomium. ACEBT 23: Vught 2007, Skanda-
       lon 155 pp. €21.50. 978-90765-64456.
3361 **Stackert, Jeffrey** Rewriting the Torah: literary revision in Deuteron-
       omy and the holiness legislation. FAT 52: Tü 2007, Mohr S. vi; 273
       pp. €79. 978-3-16-149298-3. Bibl. 227-246 [Lev 17-26].
3362 *Steyn, Gert J.* Deuteronomy in Hebrews. Deuteronomy in the NT.
       LNTS 358: 2007 ⇒477. 152-168.
3363 *Štrba, Blažej* To love the other: Deuteronomy and immigrants. BiTod
       45 (2007) 214-218.
3364 *Taschner, Johannes* Geschichte neu erzählt: eie kanonorientierte Un-
       tersuchung der Mosereden im Deuteronomium. ᴰ*Crüsemann, Frank*
       2007, Diss.-Habil. Bethel [ThLZ 132,1271].
3365 *Tchapé, Jean Bosco* La presa di possesso della terra di Canaan da
       parte di Israele nel libro del *Deuteronomio*. Conc(I) 43 (2007) 231-
       239; Conc(D) 43,163-169; Conc(GB) 2,47-54.
3366 *Tilly, Michael* Deuteronomy in Revelation. Deuteronomy in the NT.
       LNTS 358: 2007⇒477. 169-188.
3367 **Veijola, Timo** Das fünfte Buch Mose: Deuteronomium, Kapitel 1,1-
       16,17. ATD 8/1: 2004 ⇒20,2995... 22,3160. ᴿBib. 88 (2007) 124-
       127 (*McKenzie, Steven L.*); RBLit (2007)* (*Levin, Christoph*).
3368 **Vogt, Peter T.** Deuteronomic theology and the significance of To-
       rah: a reappraisal. 2006 ⇒22,3161. ᴿCBQ 69 (2007) 565-566 (*Nel-
       son, Richard D.*); ZAR 13 (2007) 347-352 (*Otto, Eckart*); RBLit
       (2007)* (*Morrow, William*).

3369 **Sanz Giménez-Rico, Enrique** Un recuerdo que conduce al don: teo-
       logía de Dt 1-11. Biblioteca de Teología Comillas 11: 2004 ⇒20,
       268; 21,3164. ᴿRB 114 (2007) 136-137 (*Loza Vera, J.*).
3370 *Hardmeier, Christof* Die textpragmatische Kohärenz der Tora-Rede
       (Dtn 1-30) im narrativen Rahmen des Deuteronomiums: Texte als
       Artefakte der Kommunikation und Gegenstände der Wissenschaft.
       Was ist ein Text?. BZAW 362: 2007 ⇒980. 207-257.

3371 *Ska, Jean-Louis* Le début et la fin du Deutéronome (Dt 1:5 et 31:1). Textus 23 (2007) 81-96.
3372 *Steinberg, Theodore* Seeing the good of Israel. JBQ 35 (2007) 202-203 [Deut 3,23-28].
3373 *Braulik, Georg* Deuteronomium 4,13 und der Horebbund. [F]HOSS-FELD, F. SBS 211: 2007 ⇒69. 27-36.
3374 *MacDonald, Nathan* Aniconism in the Old Testament. God of Israel. UCOP 64: 2007 ⇒818. 20-34 [Deut 4,15-20].
3375 *Schenker, Adrian* Das Paradox des israelitischen Monotheismus in Dtn 4, 15-20: Israels Gott stiftet Religion und Kultbilder der Völker. [F]KEEL, O. OBO Sonderband: 2007 ⇒83. 511-528.
3376 *Jacobson, Howard* VL Deut. 4:24. RB 114 (2007) 30-31.
3377 **DeRouchie, Jason S.** A call to covenant love: text grammar and literary structure in Deuteronomy 5-11. Gorgias Dissertations, Biblical Studies 30: Piscataway, NJ 2007, Gorgias xxv; 398 pp. $132. 978-19533-36745.
3378 *Köckert, Matthias* Die Entstehung des Bilderverbots. Welt der Götterbilder. BZAW 376: 2007 ⇒823. 272-290 [Deut 5,8].
3379 *Petry, Sven* Das Gottesbild des Bilderverbots. Welt der Götterbilder. BZAW 376: 2007 ⇒823. 257-271 [Deut 5,8].
3380 **Sénéchal, Vincent** L'affaire du Veau (Dt 9,7-10,11): de l'apport de ce récit à la présentation de la justice divine dans le Deutéronome. [D]Artus, Olvier 2007, Diss. Institut catholique de Paris.
3381 *Rüterswörden, Udo* שם in Deuteronomium 12. [F]HOSSFELD, F. SBS 211: 2007 ⇒69. 179-186.
3382 *Varšo, Miroslav* Abomination in the legal code of Deuteronomy: can an abomination motivate?. ZAR 13 (2007) 249-260 [Deut 12-26].
3383 *Rüterswörden, Udo* Zur Syntax, Semantik und Pragmatik von Dt 12,1. [F]JENNI, E. AOAT 336: 2007 ⇒76. 269-278.
3384 *Aejmelaeus, Anneli* Licence to kill?: Deut 13:10 and the prerequisites of textual criticism. On the trail of the Septuagint translators. CBET 50: 2007 <2004> ⇒176. 181-204.
3385 *Leuchter, Mark* "The Levite in your gates": the deuteronomic redefinition of levitical authority. JBL 126 (2007) 417-436 [Deut 16-18; 2 Kgs 23].
3386 *Hieke, Thomas* "Gerechtigkeit, Gerechtigkeit-ihr sollst du nachjagen" (Dtn 16,20): die Sozialutopie des Buches Deuteronomium. rhs 50/4 (2007) 208-217.
3387 *Rofé, Alexander* 'You will not erect a pillar which the Lord your God hates': the effect of this law on the transmission of biblical texts. Textus 23 (2007) *1-*9 [Deut 16,22]. **H**.
3388 *Scheffler, Eben* Criticising political power: the challenge of Deuteronomy 17:14-20. OTEs 20 (2007) 772-785;
3389 Criticism of government: Deuteronomy 17:14-20 between (and beyond) synchrony and diachrony. South African perspectives. LHBOTS 463: 2007 ⇒469. 124-137.
3390 *Vignolo, Roberto* Il Deuteronomio, carta costituzionale e breviario. Presbyteri 41 (2007) 533-539 [Deut 17,14-20].
3391 *Jeffers, Anne* Magic from before the dawn of time: understanding magic in the Old Testament: a shift in paradigm (Deuteronomy 18:9-14 and beyond). A kind of magic. LNTS 306: 2007 ⇒468. 123-132.
3392 *Nihan, C.* 'Un prophète comme Moïse' (*Deutéronome* 18,15): genèse et relectures d'une construction deutéronomiste. La construction de la figure de Moïse. 2007 ⇒873. 43-76 [Deut 18,9-22].

3393 *Matlock, Michael D.* Obeying the first part of the tenth commandment: applications from the levirate marriage law. JSOT 31 (2007) 295-310 [Deut 25,5-10].

3394 *Novick, Tzvi* Amaleq's victims (הנחשלים) in Dtn 25,18. ZAW 119 (2007) 611-615.

3395 *Michel, Andreas* Deuteronomium 26,16-19, ein "ewiger Bund". ^FHOSSFELD, F. SBS 211: 2007 ⇒69. 141-149.

3396 *Richter, Sandra L.* The place of the name in Deuteronomy. VT 57 (2007) 342-366 [Deut 27].

3397 *Van Meegen, Sven* Verkündigung des Wortes Gottes als Verkündigung des Lebens. ^FWAHL, O. Bibel konkret 3: 2007 ⇒160. 29-40 [Deut 30,19-20].

3398 *Leuchter, Mark* Why is the Song of Moses in the book of Deuteronomy?. VT 57 (2007) 295-317 [Deut 32].

3399 *Taschner, Johannes* Das Moselied als Verbindung zwischen Tora und Propheten. Der Bibelkanon. 2007 ⇒360. 189-197 [Deut 32].

3400 *Wyatt, Nicholas* The seventy sons of Athirat, the nations of the world, Deuteronomy 32.6b,8-9, and the myth of the divine. ^FAULD, G. VT.S 113: 2007 ⇒5. 547-556;

3401 Old men or progenitors: a proposal to emend the text of Deuteronomy 32:7 and Proverbs 23:22. StEeL 24 (2007) 33-37.

3402 *Joosten, Jan* A note on the text of Deuteronomy xxxii 8. VT 57 (2007) 548-555.

3403 *Kelly, Brian* Quantitative analysis of the tribal sayings in Deuteronomy 33 and its significance for the poem's overall structure. Milk and honey. 2007 ⇒474. 53-63.

3404 *Philonenko, Marc* L'*Hymnodie secrète* du *Corpus Hermeticum* (13,17) et le Cantique de Moïse (Deutéronome 33). L'hymne antique. 2007 ⇒974. 291-299.

3405 *Schmid, Konrad* Der Pentateuchredaktor: Beobachtungen zum theologischen Profil des Toraschlusses in Dtn 34. Les dernières rédactions du pentateuque. BEThL 203: 2007 ⇒874. 183-197;

3406 The late Persian formation of the Torah: observations on Deuteronomy 34. Judah and the Judeans. 2007 ⇒750. 237-251.

E4.1 *Origo Israelis in Canaan: Deuteronomista*; **Liber Josue**

3407 **Davies, Philip R.** The origins of Biblical Israel. LHBOTS 485: NY 2007, Clark ix; 197 pp. $115/£55. 978-05670-43818. Bibl. 178-188.

3408 *Davies, Philip R.* The origin of Biblical Israel. PHScr II. 2007 <2005> ⇒373. 317-324.

3409 **Dever, William G.** Who were the early Israelites and where did they come from?. 2003 ⇒19,3135... 22,3200. ^RThR 72 (2007) 160-163 (*Zwickel, Wolfgang*); BeO 49 (2007) 237-247 (*Sardini, Davide*).

3410 *Finkelstein, Israel* When and how did the Israelites emerge?. Quest for the historical Israel. Archaeology and Biblical Studies 17: 2007 ⇒421. 73-83.

3411 **Finkelstein, Israel; Silberman, Neil A.** La biblia desenterrada: una nueva visión arqueológica del antiguo Israel y de los orígenes de sus textos sagrados. M 2007, Siglo XXI de España xxvii; 414 pp. 978-84-323-1184-0. Prólogo *Gonzalo Puente Ojea*; Bibl. 383-400.

3412 **Finkelstein, Israel; Silberman, Neil Asher** The bible unearthed: the making of a religion. 2001 ⇒21,3200. ᴿSJOT 21 (2007) 308-314 (*West, James E.*).

3413 *Mazar, Amihai* The Israelite settlement. Quest for the historical Israel. Archaeology and Biblical Studies 17: 2007 ⇒421. 85-98.

3414 **Miller, Robert D.**, II Chieftains of the highland clans: a history of Israel in the 12th and 11th centuries B.C. 2005 ⇒21,3213; 22,3204. ᴿThLZ 132 (2007) 159-161 (*Niemann, Hermann M.*); TrinJ 28/1 (2007) 144-145 (*Aderhold, K. Loren*); BiOr 64 (2007) 212-213 (*Geus, C.H.J. de*).

3415 *Rainey, Anson F.* Whence came the Israelites and their language?. IEJ 57 (2007) 41-64.

3416 *Römer, Thomas* La doppia origine di Israele secondo la bibbia. Mondo della Bibbia 18/3 (2007) 11-14.

3417 *Ska, Jean-Louis* Da quando si può parlare di Israele?. ᴱ*Dutaut, Viviane* Mondo della Bibbia 18/3 (2007) 5-9. Intervista.

3418 **Campbell, Antony F.** Joshua to Chronicles: an introduction. 2004 ⇒ 20,3052; 21,3203. ᴿBBR 17 (2007) 331-332 (*Moore, Michael S.*); PHScr II, 497-499 ⇒373 (*Dutcher-Walls, Patricia*).

3419 *Carrière, Jean-M.* L'historiographie deutéronomiste: une manière d'écrire l'histoire. Comment la bible saisit-elle l'histoire?. LeDiv 215: 2007 ⇒802. 115-154.

3420 *Frolov, Serge* Evil-Merodach and the Deuteronomist: the sociohistorical setting of Dtr in the light of 2 Kgs 25,27-30. Bib. 88 (2007) 174-190.

3421 *Grabbe, Lester L.* Mighty oaks from (genetically manipulated?) acorns grow: 'The chronicle of the kings of Judah' as a source of the deuteronomistic history. ᶠAULD, G. VT.S 113: 2007 ⇒5. 155-173.

3422 *Hoppe, Leslie J.* Did all this really happen?: archaeology, the bible, and history. BiTod 45 (2007) 111-115.

3423 **Kim, Uriah** Decolonizing Josiah: toward a postcolonial reading of the Deuteronomistic History. The Bible in the Modern World 5: 2005 ⇒21,3210; 22,3216. ᴿRevBib 69 (2007) 119-20 (*Albistur, Fernando*); CBQ 69 (2007) 120-122 (*Sweeney, Marvin A.*) [2 Kgs 22-23].

3424 **Lamb, David** Righteous Jehu and his evil heirs: the deuteronomist's negative perspective on dynastic succession. OTM: NY 2007, OUP xv; 304 pp. $110. 978-91992-31478. Bibl. 263-85 [2 Kgs 10,29-36].

3425 *Noll, K.L.* Deuteronomistic history or deuteronomic debate?: (a thought experiment). JSOT 31 (2007) 311-345 [Deut 12].

3426 *Pakkala, Juha* The monotheism of the Deuteronomistic History. SJOT 21 (2007) 159-178.

3427 **Richter, Sandra L.** The Deuteronomistic History and the name theology: le'šakken šmo šam in the bible and the ancient Near East. BZAW 318: 2002 ⇒18,2995; 19,3164. ᴿPHScr II, 595-598 ⇒373 (*Hurowitz, Victor*).

3428 **Römer, Thomas** Dal Deuteronomio ai libri dei Re: introduzione storica, letteraria e sociologica. ᴱ*Garrone, Daniele* T 2007, Claudiana 192 pp. 978-88701-66743;

3429 The so-called Deuteronomistic History: a sociological, historical and literary introduction. 2006 ⇒22,3222. ᴿCBQ 69 (2007) 561-562 (*Person, Raymond F., Jr.*); RBLit (2007) 151-56 (*Van Seters, John*);

3430 L 2007 <2006>, Clark 224 pp. $30. 978-05670-32126. ᴿRSR 95
     (2007) 571-573 (*Artus, Olivier*);
3431 La première histoire d'Israël: l'école deutéronomiste à l'oeuvre.
     ᵀ*Smyth, Françoise* MoBi 56: Genève 2007, Labor et F. 216 pp. €22.
     978-28309-12272.
3432 *Römer, Thomas* La storia deuteronomistica (Deuteronomio-2Re).
     Guida di lettura all'AT. 2007 ⇒506. 211-225.
3433 *Rüterswörden, Udo* Erwägungen zum Abschluss des deuteronomisti-
     schen Geschichtswerks. ᶠHENTSCHEL, G. EThSt 90: 2007 ⇒65. 193-
     203 [2 Kgs 17; 21].
3434 *Schipper, Jeremy* Disabling Israelite leadership: 2 Samuel 6:23 and
     other images of disability in the Deuteronomistic History. This abled
     body. Semeia Studies 55: 2007 ⇒356. 103-113.
3435 **Venema, Geert J.** Reading scripture in the Old Testament: Deuter-
     onomy 9-10; 31 - 2 Kings 22-23–Jeremiah 36–Nehemiah 8. OTS 48:
     2004 ⇒20,3064. ᴿZAR 13 (2007) 284-303 (*Otto, Eckart*).
3436 *Vermeylen, Jacques* L'histoire deutéronomiste et les catégories de
     Momigliano. Regards croisés sur la bible. 2007 ⇒875. 381-394.
     ᴱ**Witte, M.** Die deuteronomistischen Geschichtswerke 2006 ⇒546.

3437 *Albertz, Rainer* Die kanonische Anpassung des Josuabuches: eine
     Neubewertung seiner sogenannten 'priesterschriftlichen Texte'. Les
     dernières rédactions du pentateuque. BEThL 203: 2007 ⇒874. 199-
     216.
3438 *Albertz, Rainer* The canonical alignment of the book of Joshua. Ju-
     dah and the Judeans. 2007 ⇒750. 287-303.
3439 **Boulhol, Pascal** CLAUDE de Turin: un évêque iconoclaste dans l'Oc-
     cident carolingien: étude suivie de l'édition du *Commentaire sur Jo-
     sué*. EAug.Moyen Âge 38: 2002 ⇒18,2999. ᴿRSPhTh 91 (2007)
     546-552 (*Mitalaité, Kristina*).
3440 *Briend, Jacques* Le insidie del libro di Giosuè. Mondo della Bibbia
     18/3 (2007) 16-17.
3441 *Curtis, Adrian H.W.* Joshua: historical mapping. Ancient and modern
     scriptural historiography. BEThL 207: 2007 ⇒389. 99-108.
3442 *Geoghegan, Jeffrey C.* The Levites and the literature of the late-
     seventh century. JHScr 7 (2007)* = PHScr 4,279-292.
3443 *Habel, Norman* La 'sindrome della terra promessa': alcune conside-
     razioni: Giosué, giustizia ed eco-giustizia. Conc(I) 43 (2007) 127-
     137 Conc(GB) 2,101-109; Conc(D) 43,211-219.
3444 *Hawkins, Ralph K.* Propositions for evangelical acceptance of a late-
     date Exodus-Conquest: biblical data and the royal scarabs from Mt.
     Ebal. JETS 50 (2007) 31-46.
3445 *Knauf, Ernst A.* Buchschlüsse in Josua. Les dernières rédactions du
     pentateuque. BEThL 203: 2007 ⇒874. 217-224.
3446 *Pitkänen, Pekka* Memory, witnesses and genocide in the book of Jo-
     shua. ᶠWENHAM, G. LHBOTS 461: 2007 ⇒164. 267-282.
3447 ᴱ**Reggi, Roberto** שפטים יהושע.: Giosuè; Giudici: traduzione interline-
     are in italiano. Traduzione interlineare italiana: Bo 2007, EDB 134
     pp. 978-88-10-82025-4.
3448 *Römer, Thomas* Giosuè. Guida di lettura all'AT. 2007 ⇒506. 227-38.
3449 *Rösel, Hartmut N.* Lässt sich eine nomistische Redaktion im Buch Jo-
     sua feststellen?. ZAW 119 (2007) 184-189.
     Schaper, J. The living word engraved in stone 2007 ⇒3358.

3450 **Sicre Diaz, José L.** Giosuè. R 2004, Borla 411 pp. 88-263-1514-0. Bibl.

3451 **Soggie, Neil A.** Myth, god, and war. Lanham, MD 2007, University Press of America xvii; 179 pp. 978-0-7618-3656-8. Bibl. 133-174.

3452 **Erbes, Johann E.** The Peshitta and the versions: a study of the Peshitta variants in Joshua 1-5 in relation to their equivalents in the ancient versions. AUU.SSU 16: 1999 ⇒15,2513... 17,2649. [R]Hugoye 10 (2007)* (*Morrison, Craig*).

3453 *Creangă, Ovidio* The silenced songs of victory: power, gender and memory in the conquest narrative of Joshua (Joshua 1-12). A question of sex?. HBM 14: 2007 ⇒872. 106-125.

3454 *Thelle, Rannfrid I.* The biblical conquest account and its modern hermeneutical challenges. StTh 61 (2007) 61-81 [Josh 1-12].

3455 *Marcus, David* Prolepsis in the story of Rahab and the spies (Joshua 2). [F]GELLER, S. 2007 ⇒47. 149-162.

3456 *Römer, Thomas; Steiner, Antoinette* Josué 2: de la muraille à l'alliance. LeD 73 (2007) 14-24.

3457 *Winn Leith, Mary Joan* The archaeology of Rahab. BArR 33/4 (2007) 22, 78 [Josh 2; 6].

3458 *Briend, Jacques* Une épopée de fiction: Josué 2.6-12. Comment la bible saisit-elle l'histoire?. LeDiv 215: 2007 ⇒802. 57-71.

3459 *Szamocki, Grzegorz* Opowiadanie o obrzezaniu w Joz 5,2-9: apel deuteronomisty i jego bezposredni adresaci. CoTh 77/3 (2007) 5-26. P.

3460 *Dietrich, Walter* Achans Diebstahl (Jos 7): eine Kriminalgeschichte aus frühpersischer Zeit. [F]WILLI-PLEIN, I. 2007 ⇒168. 57-67.

3461 *Day, John* Gibeon and the Gibeonites in the Old Testament. [F]AULD, G. VT.S 113: 2007 ⇒5. 113-137 [Josh 9-10; 2 Sam 21,1-14].

3462 *Dabhi, James B.* Either choose or lose: synchronic and diachronic reading of Jos 24:1-33. BiBh 33/3 (2007) 40-81.

E4.2 *Liber Judicum*: **Richter, Judges**

3463 **Assis, Eliyahu** Self-interest or communal interest: an ideology of leadership in the Gideon, Abimelech and Jephthah narratives (Judg. 6-12). VT.S 106: 2005 ⇒21,3251. [R]RBLit (2007)* (*Amit, Yairah*); PHScr II, 449-451 ⇒373 (*Oeste, Gord*).

3464 *Bowman, Richard G.* Narrative criticism: human purpose in conflict with divine presence. Judges and method. 2007 <1995> ⇒548. 19-45.

3465 *Chisholm, Robert B., Jr.* Yahweh versus the Canaanite gods: polemic in Judges and 1 Samuel 1-7. BS 164 (2007) 165-180.

3467 *Exum, J. Cheryl* Feminist criticism: whose interests are being served?. Judges and method. 2007 <1995> ⇒548. 65-89.

3468 *Frolov, Serge* Fire, smoke, and Judah in Judges: a response to Gregory Wong. SJOT 21 (2007) 127-138.

3469 **Gass, Erasmus** Die Ortsnamen des Richterbuchs in historischer und redaktioneller Perspektive. ADPV 35: 2005 ⇒21,3255; 22,3251. [R]JAOS 127 (2007) 221-223 (*Rainey, A.F.*).

3470 *Gilmour, Garth* Religion in Israel in the period of the Judges. BAIAS 25 (2007) 205.

3471 *Groß, Walter* Der Gottesbund im Richterbuch–eine Problemanzeige. [F]HOSSFELD, F. SBS 211: 2007 ⇒69. 95-102.

3472 **Guillaume, Philippe** Waiting for Josiah: the Judges. JSOT.S 385: 2004 ⇒20,3095... 22,3253. [R]JNES 66 (2007) 224-226 (*Conklin, Blane W.*); PHScr II, 575-577 ⇒373 (*Dion, Marie-F.*).

3473 **Gunn, David M.** Judges. Blackwell Bible Commentaries: 2005 ⇒ 21,3257; 22,3254. [R]SJÖT 21 (2007) 301-302 (*Lemche, Niels P.*).

3474 *Jobling, David* Structuralist criticism: the text's world of meaning. Judges and method. 2007 <1995> ⇒548. 90-114.

3475 **Jost, Renate** Gender, Sexualität und Macht in der Anthropologie des Richterbuches. BWANT 164: 2006 ⇒22,3255. [R]JEGTFF 15 (2007) 249-250 (*Bail, Ulrike*).

3476 *Kim, Uriah Y.* Postcolonial criticism: who is the other in the book of Judges?. Judges and method. 2007 ⇒548. 161-182.

3477 *Lanoir, Corinne* Giudici. Guida di lettura all'AT. 2007 ⇒506. 239-250.

3478 *Le Roux, Magdel* Power, sexual status, and religion in the 'promised land'. OTEs 20 (2007) 742-755.

3479 **Matthews, Victor H.** Judges and Ruth. 2004 ⇒20,3099; 21,3263. [R]OLZ 102 (2007) 155-158 (*Scherer, Andreas*); PHScr II, 560-562 ⇒373 (*Beal, Lissa M.W.*).

3480 **Mobley, Gregory** The empty men: the heroic tradition of ancient Israel. 2005 ⇒21,3265; 22,3258. [R]CTJ 42 (2007) 149-151 (*Williams, Michael J.*); NRTh 129 (2007) 151-153 (*Ska, Jean-Louis*); ThLZ 132 (2007) 517-518 (*Bartelmus, Rüdiger*); EstB 65 (2007) 384-386 (*Sicre, José Luis*).

3481 [E]**Reggi, Roberto** שפטים .יהושע: Giosuè; Giudici: traduzione interlineare in italiano. Traduzione interlineare italiana: Bo 2007, EDB 134 pp. 978-88-10-82025-4.

3482 **Ryan, Roger** Judges. Readings: Shf 2007, Sheffield Phoenix 221 pp.

3483 **Wong, Gregory T.K.** Compositional strategy of the book of Judges: an inductive, rhetorical study. VT.S 111: 2006 ⇒22,3261. [R]RBLit (2007)* (*Spronk, Klaas*).

3484 *Yee, Gale A.* Introduction. Judges and method. 2007 <1995> ⇒548. 1-18.

3485 **Rake, Mareike** 'Juda wird aufsteigen!'–Untersuchungen zum ersten Kapitel der Richterbuches. BZAW 367: 2006 ⇒22,3262. [R]RHPhR 87 (2007) 207-209 (*Joosten, J.*); RBLit (2007)* (*Levin, Christoph*).

3486 *Nelson, Richard D.* What is Achsah doing in Judges?. [F]BASSLER, J. NTMon 22: 2007 ⇒11. 12-22 [Judg 1,10-15].

3487 *Fewell, Danna N.* Deconstructive criticism: Achsah and the (e)razed city of writing. Judges and method. 2007 <1995> ⇒548. 115-137 [Judg 1,11-15].

3488 **Scherer, Andreas** Überlieferungen von Religion und Krieg: exegetische und religionsgeschichtliche Untersuchungen zu Richter 3-8 und verwandten Texten. WMANT 105: 2005 ⇒21,3269; 22,3264. [R]RBLit (2007) 158-162 (*Becker, Uwe*).

3489 *Assis, Elie* "The hand of a woman": Deborah and Yael (Judges 4). PHScr II. 2007 <2005> ⇒373. 363-369.

3490 **Eder, Sigrid** Machtverhältnisse: eine feministisch-narratologische Analyse von Ri 4. [D]*Fischer, Irmtraud* 2007, Diss. Graz [ThRv 104/1,vii].

3491 *Tsang, Sam* Violence and gender: the Ugaritic 'violent female' tradition and the story of Deborah in Judges 4. SiChSt 4 (2007) 95-108.

3492 *Gillmayr-Bucher, Susanne* Rollenspiele–Debora und die Richter. ^FHENTSCHEL, G. EThSt 90: 2007 ⇒65. 179-192 [Judg 4-5].

3493 *Wong, Gregory T.K.* Song of Deborah as polemic. Bib. 88 (2007) 1-22 [Judg 5].

3494 *Sharon, Diane M.* Choreography of an intertextual allusion to rape in Judges 5:24-27. ^FGELLER, S. 2007 ⇒47. 249-269.

3495 *Martin, Lee Roy* The intrusive prophet: the narrative function of the nameless prophet in Judges 6. JSem 16 (2007) 113-140.

3496 *Castelbajac, Isabelle de* Le cycle de Gédéon ou la condamnation du refus de la royauté. VT 57 (2007) 145-161 [Judg 6-8].

3497 *Wong, Gregory T.K.* Gideon: a new Moses?. ^FAULD, G. VT.S 113: 2007 ⇒5. 529-545 [Judg 6-8].

3498 *Mathieu, Yvan* Le cycle de Gédéon: pivot dans la trame du livre des Juges?. Theoforum 38 (2007) 153-184 [Judg 6,1-8,32].

3499 *Shalom-Guy, Hava* 'The second bull': an exegetical difficulty in the story of Gideon's opposition to Baal worship (Judg 6:25-32). BetM 52/2 (2007) 5-21. **H.**;

3500 The story of the ephod and the episode of the Golden Calf. Shnaton 17 (2007) 21-41 [Exod 32; Judg 8,24-27].

3501 *Steinberg, Naomi* Social-scientific criticism: Judges 9 and issues of kinship. Judges and method. 2007 <1995> ⇒548. 46-64.

3502 *Stone, Ken* Gender criticism: the un-manning of Abimelech. Judges and method. 2007 <1995> ⇒548. 183-201 [Judg 9].

3503 *Nelson, Richard D.* Ideology, geography, and the list of minor judges. JSOT 31 (2007) 347-364 [Judg 10,1-5; 12,7-15].

3504 *Scherer, Andreas* Die "kleinen" Richter und ihre Funktion. ZAW 119 (2007) 190-200 [Judg 10,1-5; 12,7-15; 1 Sam 7,15-17; 25,1].

3505 **Sjöberg, Mikael** Wrestling with textual violence: the Jephthah narrative in antiquity and modernity. 2006 ⇒22,3277. ^RRBLit (2007)* *(Bartelmus, Rüdiger)* [Judg 10,6-12,7].

3506 *Bauks, Michaela* Traditionsgeschichtliche Erwägungen zur Namenlosigkeit von Jiftachs Tochter (Ri 11,29-40).LecDif 8/1 (2007) 20 pp;

3507 La fille sans nom, la fille de Jephté. "Dieu parle". Histoire du texte biblique 7: 2007 ⇒556. 109-122 [Judg 11,29-40].

3508 *Gunn, David M.* Cultural criticism: viewing the sacrifice of Jephthah's daughter. Judges and method. 2007 <1995> ⇒548. 202-236 [Judg 11,29-40].

3509 **Houtman, Cornelis; Spronk, Klaas** Jefta und seine Tochter: Rezeptionsgeschichtliche Studien zu Richter 11,29-40. ATM 21: Müns 2007, LIT xi; 194 pp. €34.90. 978-38258-08464.

3510 *Hunt, Margaret* Who is culpable?: the last days of Jephthah's daughter (Judges 11:29-40). LTJ 41 (2007) 93-102.

3511 *Groß, Walter* Jiftachs Rolle in der Erzählung von seinem Gelübde: Elemente der Rezeptions- und Auslegungsgeschichte. ^FJENNI, E. AOAT 336: 2007 ⇒76. 60-92 [Judg 11,30-39].

3512 *Kunz-Lübcke, Andreas* Interkulturell lesen!: die Geschichte von Jiftach und seiner Tochter in Jdc 11,30-40 in textsemantischer Perspektive. Was ist ein Text?. 2007 ⇒980. 258-283 [Judg 11,30-40].

3513 *Bakon, Shimon* Samson: a tragedy in three acts. JBQ 35 (2007) 34-40 [Judg 13-16].

3514 **Galpaz-Feller, Pnina** Samson: the hero and the man: the story of Samson (Judges 13-16). Bible in history 7: 2006 ⇒22,3285. ᴿOLZ 102 (2007) 462-465 (*Gillmayr-Bucher, S.*); TC.JBTC* 12 (2007) 2 pp (*Van der Zee-Hanssen, Lara*).

3515 *Gass, Erasmus* Simson und die Philister: historische und archäologische Rückfragen. RB 114 (2007) 372-402 [Judg 13-16].

3516 *Houtman, Cornelis* Van Messias en verzetsheld tot zelfmoordterrorist: de metamorfosen van Simson in de literatuur. KeTh 58 (2007) 197-211 [Judg 13-16].

3517 **Houtman, Cornelis; Spronk, Klaas** Ein Held des Glaubens?: rezeptionsgeschichtliche Studien zu den Simson-Erzählungen. CBET 39: 2004 ⇒20,3123; 22,3287. ᴿThZ 63 (2007) 97-98 (*Kellenberger, Edgar*); ThRv 103 (2007) 189-191 (*Görg, Manfred*) [Judg 13-16].

3518 **Van Wieringen, Willien** Delila en de anderen: een syntactisch georiënteerd bijbels-theologisch onderzoek naar de rol van de vrouwen in de Simsoncyclus (Richteren 13-16). ACEBT.S 7: Vught 2007, Skandalon 500 pp. €39.50. 978-9076-564296. Diss. Tilburg; ᴰ*Beentjes, Pancratius*. ᴿITBT 14/6 (2007) 32-33 (*Van Midden, Piet*).

3519 **Vogels, Walter** Samson: sexe, violence et religion: Juges 13-16. 2006 ⇒22,3291. ᴿCEv 140 (2007) 70-71 (*Noël, Damien*).

3520 *Herr, Bertram* Das Geheimnis des Rätsels: "Rätsel" als biblisch-theologische Grösse (inklusive eines Forschungsberichts zu Ri 14,14.18). ᶠHENTSCHEL, G. EThSt 90: 2007 ⇒65. 165-178.

3521 *Yee, Gale A.* Ideological criticism: Judges 17-21 and the dismembered body. Judges and method. 2007 <1995> ⇒548. 138-160.

3522 *Avioz, Michael* The role and significance of Jebus in Judges 19. BZ 51 (2007) 249-256.

3523 *Lefebvre, Philippe* Les temps de la-chair-avec-Dieu: l'exemple de la concubine de Guibéa (Juges 19). FZPhTh 54 (2007) 5-15.

3524 *Ng, Andrew H.* Revisiting Judges 19: a Gothic perspective. JSOT 32 (2007) 199-215.

3525 *Stipp, Hermann-Josef* Richter 19–ein frühes Beispiel schriftgestützter politischer Propaganda in Israel. ᶠHENTSCHEL, G. EThSt 90: 2007 ⇒ 65. 127-164.

3526 *Lawrie, D.G.* Figuring it and figuring it out: the historical imagination at work in and on Judges 19-21. Scriptura 96 (2007) 425-440.

3527 *Williams, Jenni* Tough texts: reading the parts we'd rather not. Anvil 24/1 (2007) 31-40 [Judg 19-21].

3528 *Gnuse, Robert* Abducted wives: a Hellenistic narrative in Judges 21?. Ment. *Livius; Plutarchus* SJOT 21 (2007) 228-240 [2 Sam 21-23].

E4.3 **Liber Ruth**, '*V Rotuli*', the Five Scrolls

3529 *Aschkenasy, Nehama* Reading Ruth through a Bakhtinian lens: the carnivalesque in a biblical tale. JBL 126 (2007) 437-453.

3530 **Bengtsson, Per Å.** Translation techniques in two Syro-Arabic versions of Ruth. Studia orientalia lundensia n.s. 3: 2003 ⇒19,3241... 21,3306. ᴿOLZ 102 (2007) 701-705 (*Waltisberg, Michael*).

3531 *Berman, Joshua* Ancient hermeneutics and the legal structure of the book of Ruth. ZAW 119 (2007) 22-38 [Deut 24,15-25,10].

3532 *Béré, Paul* Auditor *in fabula*–la bible dans son contexte oral: le cas du livre de Ruth. ᶠMONSENGWO PASINYA, L. 2007 ⇒110. 295-306.

3533 *Braune-Krickau, Barbara; Forster, Regula; Michel, Paul* Die schimmernden Funken der Allegorien: das Buch Ruth in der 'Aurora' des PETRUS RIGA. Significatio. 2007 ⇒424. 1-10.

3534 **Chisholm, Robert B.** A workbook for intermediate Hebrew: grammar, exegesis, and commentary on Jonah and Ruth. 2006⇒22,3302. ᴿRBLit (2007)* (*Fischer, Stefan*).

3535 *Costa Hölzl, Luísa* Aus dem Buch Rut: heutige Gehversuche durch eine alte Geschichte. Hirschberg 60 (2007) 646-649.

3536 *Dennison, James T., Jr.* Narrative art and biblical theology in the book of Ruth. Kerux 22/1 (2007) 3-16.

3537 *Fischer, Irmtraud* Rut: der Mensch lebt nicht vom Brot allein, sondern ebenso vom Gottes Wort (Dtn 8,3). Frauen gestalten Diakonie, 1. 2007 ⇒552. 69-79.

3538 **Imbach, Josef** Nur wer den Aufbruch wagt ... Jona, Rut, Tobit. Dü 2007, Patmos 144 pp. 978-3-491-70408-4.

3539 **LaCocque, André** Ruth: a continental commentary. 2004 ⇒20,3148 ... 22,3311. ᴿPHScr II, 495-497 ⇒373 (*Beal, Lissa M.W.*);

3540 Le livre de Ruth. CAT 17: 2004 ⇒20,3147... 22,3310. ᴿEstTrin 41 (2007) 427-429 (*Vázquez Allegue, Jaime*); RBLit (2004)* (*Nielsen, Kirsten*).

3541 *Lanoir, Corinne* Rut. Guida. 2007 ⇒506. 485-490.

3542 **Leneman, Helen** The performed bible: the story of Ruth in opera and oratorio. The Bible in the modern world 11: Shf 2007, Sheffield Phoenix xii; 261 pp. Bibl. 250-254.

3543 *Lim, Timothy H.* The book of Ruth and its literary voice. ᶠAULD, G. VT.S 113: 2007 ⇒5. 261-282.

3544 *Maggi, Lidia* Una lettura 'identitaria' del libro di Rut. Studi Fatti Ricerche 120 (2007) 3-6.

Matthews, V. Judges and Ruth. 2004 ⇒3481.

3545 **Moscow, Miriam** L'alliance au quotidien: une lecture du livre de Ruth à la lumière de la fête juive de la Pentecôte. ConBib 46: Bru 2007, Lumen V. 79 pp. €10. 978-28732-43058.

3546 *Reiss, Moshe* Ruth and Naomi: foremothers of David. JBQ 35 (2007) 192-197.

3547 **Scaiola, Donatella** Rut, Giudita, Ester. Dabar: 2006 ⇒22,3322. ᴿRivista di science religiose 21/1 (2007) 167-168 (*Pinto, Sebastiano*); CivCatt 158/3 (2007) 93-95 (*Simone, M.*).

3548 *Siquans, Agnethe* Erwählte in der Fremde. Rut, Ester und JHWH. PzB 16 (2007) 1-24.

3549 *Stadler, Judith H.* Die Figur der Noomi-Mara im Buch Rut. LecDif 8/2 (2007) 1-29.

3550 *Stassen, Stéfan* Traumatised women and men in discourse with Orpah as role model. OTEs 20 (2007) 215-235.

3551 **Vance, Donald R.** A Hebrew reader for Ruth. 2003 ⇒19,3260... 22, 3326. ᴿPHScr II, 668-670 ⇒373 (*Sharp, Carolyn J.*).

3552 **Wilch, John R.** Ruth. Saint Louis 2006, Concordia 418 pp. $43.

3553 *Yee, Gale A.* The book of Ruth: an Asian American reading. Women in ancient Israel. 2007 ⇒344. 29-45.

3554 *Smith, Mark S.* "Your people shall be my people": family and covenant in Ruth 1:16-17. CBQ 69 (2007) 242-258.

3555 *Grossman, Jonathan* "Gleaning among the ears"–"gathering among the sheaves": characterizing the image of the supervising boy (Ruth 2). JBL 126 (2007) 703-716.

E4.4 1-2 Samuel

3556 *Aejmelaeus, Anneli* The Septuagint of 1 Samuel. On the trail of the Septuagint translators. CBET 50: 2007 <1992> ⇒176. 123-141.

3557 **Bar-Efrat, Shimon** Das erste Buch Samuel: ein narratologisch-philologischer Kommentar. [T]*Klein, Johannes* BWANT 176: Stu 2007, Kohlhammer 379 pp. €48. 978-3-17-019965-1.

3558 **Campbell, Antony F.** 2 Samuel. FOTL 8: 2005 ⇒21,3337; 22,3337. [R]ThLZ 132 (2007) 416-417 (*Kessler, Rainer*).

3559 **Dietrich, Walter** Samuel. BK.AT 8/1/4: Neuk 2007, Neuk 241-320 pp. 978-37887-22326.

3560 *Dietrich, Walter* Samuel–ein Prophet. Sacra Scripta [Cluj-Napoca, Romania] 5 (2007) 11-26.

3561 *Jensen, Hans J.L.* An 'Oedipus pattern' in the Old Testament?. Ment. *Girard, R* Religion 37/1 (2007) 39-52.

3562 *Kessler, Rainer* Chronologie und Erzählung im 1. Samuelbuch. [F]HENTSCHEL, G. EThSt 90: 2007 ⇒65. 111-125.

3563 **Kessler, Rainer** Samuel: Priester und Richter, Königsmacher und Prophet. Biblische Gestalten 18: Lp 2007, Evangelische 268 pp. 978-3-374-02578-7. Bibl. 260-268.

3564 *Klein, Johannes* Samuel, Gad und Natan: ein Vergleich. Sacra Scripta [Cluj-Napoca, Romania] 5 (2007) 27-36.

3565 **Lefebvre, Philippe** Livres de Samuel et récits de résurrection: le messie ressuscité "selon les écritures". LeDiv 196: 2004 ⇒20,3172... 22,3341. [R]NRTh 129 (2007) 469-470 (*Radermakers, J.*).

3566 *Nihan, Christophe L.; Nocquet, Dany* 1-2 Samuele. Guida. 2007 ⇒ 506. 251-273.

3567 **Tsumura, David T.** The first book of Samuel. NIC: GR 2007, Eerdmans xxii; 698 pp. $50. 978-0-8028-2359-5. Bibl. 81-99. [R]JHScr 7 (2007)* = PHScr IV,544-546 (*McKenzie, Steven L.*); RBLit (2007)* (*Klein, Ralph W.*).

3568 *Kepper, Martina* Hannah und Anna: zur unterschiedlichen Rolle der Mutter des Samuel in 1Sam 1 (MT) und 1Reg 1 (LXX). [F]BLUMEN-THAL, S. von: Ästhetik-Theologie-Liturgik 45: 2007 ⇒16. 87-95.

3569 **Hutzli, Jürg** Die Erzählung von Hanna und Samuel: textkritische und literarische Analyse von 1. Samuel 1-2 unter Berücksichtigung des Kontextes. [D]*Dietrich, W.* AThANT 89: Z 2007, TVZ 296 pp. €44. 978-3-290-17442-2. Bibl. 275-289; Diss. Bern.

3570 *Sanz Giménez-Rico, Enrique* Salvación mediada, creída y esperada (1 Sm 1-12). RivBib 55 (2007) 431-454.

3571 *Steins, Georg* Geschichte, die im Rahmen bleibt: kanonische Beobachtungen an 1 Sam 2 und 2 Sam 22f. Der Bibelkanon. 2007 ⇒360. 198-211.

3572 *Dada, Adekunle O.* Priestcraft in ancient Israel and contemporary Nigerian (African) society: the sons of Eli and Samuel as examplar [sic]. BiBh 33/4 (2007) 67-80 [1 Sam 2,12-17; 8,1-3].

3573 *Lewis, Peter E.* Is there a parallel between 1 Samuel 3 and the sixth chapter of the Egyptian Book of the Dead?. JSOT 31 (2007) 365-76.

E4.5 *1 Sam 7...Initia potestatis regiae*, **Origins of kingship**

3574 *Bodner, Keith* BAKHTIN, Green, and the imagining of King Saul. HBT 29 (2007) 1-7.

3575 **Brooks, Simcha** Shalom Saul and the monarchy: a new look. MSSOTS: 2005 ⇒21,3352. [R]ScrB 37 (2007) 100-101 (*Wansbrough, Henry*); BAIAS 25 (2007) 196-203 (*Sergey, Omer*).

3576 *Diamond, James A.* The biblical monarch as anarchy personified: narrative configuring law. HPolS 2/1 (2007) 20-45 [Deut 17,14-20].

3577 **Dion, Marie-F.** A l'origine du concept d'élection divine. 2006 ⇒22, 3362. [R]SR 36 (2007) 370-71 (*Vogels, Walter*).

3578 **Dziadosz, Dariusz** Monarcha odrzucony przez Boga i lud: proces redakcji biblijnych tradycji o Saulu. 2007, Diss.-Habil. Lublin [RTL 39,600]. **P.**

3579 **Green, Adam** King Saul: the true history of the first messiah. C 2007, Lutterworth 239 pp. $37.50. 978-0-7188-3074-8. Bibl. 229-33.

3580 **Green, Barbara G.** How are the mighty fallen?: a dialogical study of King Saul in 1 Samuel. JSOT.S 365: 2003 ⇒19,3290... 21,3354. [R]HBT 29 (2007) 9-55 (*Birch, Bruce C.; Brueggemann, Walter; Newsom, Carol A.; Auld, Graeme; Green, Barbara*).

3581 **Hamilton, Mark W.** The body royal: the social poetics of kingship in ancient Israel. BiblInterp 78: 2005 ⇒21,3355; 22,3366. [R]BiCT 3/3 (2007)* (*Kirova, Milena*); Maarav 14/2 (2007) 95-98 (*Bembry, Jason A.*); JHScr 7 (2007)* = PHScr IV,486-488 (*Launderville, Dale*); RBLit (2007) 147-151 (*Saur, Markus*).

3582 *Ignatius, Peter* Ideology and its influence on the production and reception of biblical text: an appraisal of methodology. BiBh 33/3 (2007) 3-28.

3583 *Klement, Herbert H.* Monarchiekritik und Herrscherverheißung: alttestamentlich-theologische Aspekte zur Rolle des Königs in Israel. Themenbuch. BWM 15: 2007 ⇒461. 277-307.

3584 **Müller, Reinhard** Königtum und Gottesherrschaft: Untersuchungen zur alttestamentlichen Monarchiekritik. FAT II/3: 2004 ⇒20,3192... 22,3375. [R]ThLZ 132 (2007) 306-309 (*Dietrich, Walter*).

3585 **Wagner, David** Geist und Tora: Studien zur göttlichen Legitimation und Delegitimation von Herrschaft im Alten Testament anhand der Erzählungen über König Saul. ABIG 15: 2005 ⇒21,3361; 22,3379. [R]ThLZ 132 (2007) 162-165 (*Adam, Klaus-Peter*); JThS 58 (2007) 156-158 (*Hagedorn, Anselm C.*).

3586 *Williams, Peter J.* Is God moral?: on the Saul narratives as tragedy. God of Israel. UCOP 64: 2007 ⇒818. 175-189.

3587 **Vette, Joachim** Samuel und Saul: ein Beitrag zur narrativen Poetik des Samuel-Buches. 2005 ⇒21,3366; 22,3382. [R]Bib. 88 (2007) 567-570 (*Wenin, André*) [1 Sam 8-12].

3588 *Müller, Reinhard* Theologie jenseits der Königsherrschaft. ZThK 104 (2007) 1-24 [Judg 8-9; 1 Sam 8; 10; 12].

3589 *Frolov, Serge* The semiotics of covert action in 1 Samuel 9-10. JSOT 31 (2007) 429-450.

3590 *Ignatius, Peter* Election of Saul as king by lot-casting (1 Sam 10,17-27): revisiting the character of Saul. BiBh 33/2 (2007) 36-58.

3591 *Klein, Renate; Klein, Johannes* כמחריש ויהי (1Sam 10,27): Plädoyer
      für eine neue Diskussion eines alten Problems der alttestamentlichen
      Auslegung. ^FWILLI-PLEIN, I. 2007 ⇒168. 185-192.
3592 *Frolov, Serge* Bedan: a riddle in context. JBL 126 (2007) 164-167 [1
      Sam 12,11].
3593 *Avioz, Michael* Could Saul rule forever?: a new look at 1 Samuel 13:
      13-14. PHScr II. 2007 <2005> ⇒373. 311-316.

E4.6 *1 Sam 16...2 Sam: Accessio Davidis.* **David's Rise**

3594 **Ackerman, Susan** When heroes love: the ambiguity of eros in the
      stories of Gilgamesh and David. 2005 ⇒21,3375; 22,3386. ^RRB 114
      (2007) 292-3 (*Sigrist, M.*); RBLit (2007) 156-158 (*Römer, Thomas*).
3595 **Adam, Klaus-P.** Saul und David in der judäischen Geschichtsschrei-
      bung: Studien zu 1 Samuel 16-2 Samuel 5. FAT 51: Tü 2007, Mohr
      S. xi; 255 pp. €74. 978-3-16-148932-7. Bibl. 219-244.
3596 **Ahuis, Ferdinand** Das "Großreich" Davids und die Rolle der Frau-
      en: eine Untersuchung zur Erzählung von der Nachfolge auf dem
      Thron Davids (2. Sam *10-20; 1. Kön *1-2) und ihrer Trägerinnen-
      gruppe. BThSt 83: Neuk 2007, Neuk xiii; 145 pp. €19.90. 978-3788-
      7-2201-2. Bibl. 119-129.
3597 **Dietrich, Walter** The early monarchy in Israel: the tenth century B.
      C.E. ^T*Vette, Joachim* SBL.Biblical Encyclopedia 3: Atlanta 2007,
      SBL xvi; 378 pp. $48. 978-15898-32633 [ThD 53,164–W. Heiser];
3598 David, der Herrscher mit der Harfe. Biblische Gestalten 14: 2006 ⇒
      22,3390. ^RThLZ 132 (2007) 299-301 (*Waschke, Ernst-Joachim*).
3599 **Finkelstein, Israel; Silberman Neil** David and Solomon: in search
      of the bible's sacred kings and the roots of the western tradition.
      2006 ⇒22,3392. ^RAntiquity 81 (2007) 212-213 (*Whiting, Charlotte*).
3600 *Galil, Gershon* David and Hazael: war, peace, stones and memory.
      PEQ 139 (2007) 79-84.
3601 *Green, Barbara* Experiential learning: the construction of Jonathan in
      the narrative of Saul and David. Bakhtin and genre theory. SBL.Se-
      meia Studies 63: 2007 ⇒778. 43-58;
3602 BiCT 3/2 (2007)* 13 pp.
3603 **Halpern, Baruch** David's secret demons: messiah, murderer, traitor,
      king. 2001 ⇒17,2791...21,3380. ^RRExp 104 (2007) 387-389 (*Brisco,
      Brian C.*).
3604 *Heacock, Anthony* Wrongly framed?: the 'David and Jonathan narra-
      tive' and the writing of biblical homosexuality. BiCT 3/2 (2007)*.
3605 *Henry, Caleb* Joab: a biblical critique of machiavellian tactics. WThJ
      69 (2007) 327-343.
3606 *Kessler, Rainer* David musicus: zur Genealogie eines Bildes. Musik,
      Tanz. SBS 207: 2007 ⇒429. 77-99.
3607 *Kucová, Lydie* Obeisance in the biblical stories of David. ^FAULD, G.
      VT.S 113: 2007 ⇒5. 241-260.
3608 *Mazar, Amihai* The search for David and Solomon: an archaeological
      perspective. Quest for the historical Israel. Archaeology and Biblical
      Studies 17: 2007 ⇒421. 117-139.
3609 **Nardelli, Jean-F.** Homosexuality and liminality in the *Gilgameš* and
      Samuel. ClByM 64: Amst 2007, Hakkert xiv; 106 pp. 978-90256-12-
      269/06381.

3610 **Oswald, Wolfgang** Nathan der Prophet–eine Untersuchung zu 2Samuel 7, 2Samuel 12 und 1Könige 1 und der in diesen Texten auftretenden prophetischen Gestalt. ^D*Blum, Erhard* 2007, Diss.-Habil. Tübingen [ThLZ 132,1270].

3611 *Pinto, Sebastiano* 'La mia mano non si stenderà su di te': confronto di *status* e potere tra Saul e Davide. Parola e Storia 1 (2007) 23-43.

3612 *Ravid, Dalia* Contemplation of the function of the instances of piercing into David's soul. BetM 52/1 (2007) 56-80. **H.**

3613 **Rudnig, Thilo A.** Davids Thron: redaktionskritische Studien zur Geschichte von der Thronnachfolge Davids. BZAW 358: 2006 ⇒22, 3403. ^RRBLit (2007)* (*Van Seters, John*).

3614 **Schipper, Jeremy** Disability studies and the Hebrew Bible: figuring Mephibosheth in the David story. LHBOTS 441: L 2007, Clark x; 158 pp. 978-0-567-02782-5. Bibl. 131-147.

3615 *Shanks, Hershel* Could the Edomites have wielded an army to fight David?: the debate goes on. BArR 33/1 (2007) 66-65.

3616 *Wootton, Janet* The monstrosity of David. Patriarchs, prophets. 2007 ⇒453. 110-127.

3617 *Zehnder, Markus* Observations on the relationship between David and Jonathan and the debate on homosexuality. WThJ 69 (2007) 127-174.

3618 *Lieberherr-Marugg, Rahel* Ein böser Geist Gottes (1 Sam 16,14-23). Im Kraftfeld. WerkstattBibel 11: 2007 ⇒513. 65-72.

3619 *Hendel, Ronald* Plural texts and literary criticism: for instance, 1 Samuel 17. Textus 23 (2007) 97-114.

3620 *Kellenberger, Edgar* David als Lehrer der nachexilischen Gemeinde: Überlegungen zu 1 Sam 17,46f. ^FWILLI-PLEIN, I. 2007 ⇒168. 175-183.

3621 *Billington, Clyde E.* Goliath and the exodus giants: how tall were they?. JETS 50 (2007) 489-508 [1 Sam 17,4-7].

3622 *Hays, J. Daniel* The height of Goliath: a response to Clyde Billington. JETS 50 (2007) 509-516 [1 Sam 17,4-7].

3623 *Rabatel, Alain* Points de vue et représentations du divin dans 1 Samuel 17,4-51: le récit de la parole et de l'agir humain dans le combat de David contre Goliath. Regards croisés sur la bible. LeDiv: 2007 ⇒875. 15-55.

3624 **Ramond, Sophie** Leçon de non-violence pour David: une analyse narrative et littéraire de 1 Samuel 24-26. LiBi 146: P 2007, Cerf 236 pp. €22. 978-22040-82631. Postf. de *Jean-P. Sonnet*; Bibl. 223-229.

3625 **Emmerich, Karin** Machtverhältnisse in einer Dreiecksbeziehung: die Erzählung von Abigajil, Nabal und David in 1 Sam 25. ATSAT 84: St. Ottilien 2007, EOS 345 pp. 978-38306-72944. Bibl. 313-327.

3626 *Groote, Lukas de* De dood van een dwaas: 1 Samuel 25. ITBT 14/4 (2007) 28, 30.

3627 **Peetz, Melanie** Abigajil, die Prophetin: mit Klugheit und Schönheit für Gewaltverzicht: eine exegetische Untersuchung zu 1 Sam 25. ^D*Zapff, Burkard M.* FzB 116: Wü 2007, Echter xii; 276 pp. 978-342-90-29623. Diss. Eichstätt-Ingolstadt.

3628 *Firth, David G.* The accession narrative (1 Samuel 27-2 Samuel 1). TynB 58/1 (2007) 61-81.

3629 **Greer, Rowan; Mitchell, Margaret** The 'belly-myther' of Endor: interpretations of 1 Kingdoms 28 in the early church. SBL.WGRW 16: Atlanta 2007, SBL clvii; 189 pp. $40. 978-15898-31209.

3630   *Shemesh, Yael* David in the service of King Achish of Gath: renegade
        to his people or a fifth column in the Philistine army?. VT 57 (2007)
        73-90 [1 Sam 28,16-19].

3631   **Fischer, Alexander A.** Von Hebron nach Jerusalem: eine redaktions-
        geschichtliche Studie zur Erzählung von König David in II Sam 1-5.
        BZAW 335: 2004 ⇒20,3264. ᴿThLZ 132 (2007) 786-88 (*Hentschel,
        Georg*); JThS 58 (2007) 581-584 (*Kratz, Reinhard G.*).

3632   *Mozan, Zvi* Praise or surprise (2 Sam 1:19 הצבי ישראל על במותיך חלל):
        another explanation of David's lament. BetM 52/2 (2007) 22-40. **H.**

3633   **Costacurta, Bruna** Lo scettro e la spada: Davide diventa re (2Sam
        2-12). CSB 53: 2006 ⇒22,3421. ᴿRivBib 55 (2007) 484-486 (*Ver-
        meylen, Jacques*).

3634   *Bodner, Keith* Crime scene investigation: a text-critical mystery and
        the strange death of Ishbosheth. JHScr 7 (2007)* = PHScr 4,369-389
        [2 Sam 4].

3635   **Rezetko, Robert** Source and revision in the narratives of David's
        transfer of the ark: text, language, and story in 2 Samuel 6 and 1
        Chronicles 13, 15-16. LHBOTS 470: L 2007, Clark xiv, 418 pp.
        $180. 978-05670-26125. Bibl. 350-388.

3636   *Haase, Ingrid M.* Uzzah's rebellion. PHScr II. 2007 <2004> ⇒373.
        25-49 [2 Sam 6,6-8].

3637   *Shvartz, Sharon* Why was Michal punished?: the narrative efface-
        ment of Michal in the Hebrew Bible. BetM 52/1 (2007) 81-102 [2
        Sam 6,20-23].

3638   **Avioz, Michael** Nathan's oracle (2 Samuel 7) and its interpreters. Bi-
        ble in history 5: 2005 ⇒21,3412; 22,3426. ᴿOLZ 102 (2007) 292-
        297 (*Pietsch, Michael*); RBLit (2007)* (*Rückl, Jan*).

3639   **Pietsch, Michael** "Dieser ist der Sproß Davids...": Studien zur Re-
        zeptionsgeschichte der Nathanverheißung im alttestamentlichen, zwi-
        schentestamentlichen und neutestamentlichen Schrifttum. WMANT
        100: 2003 ⇒19,3374... 22,3427. ᴿRBLit (2007)* (*Dietrich, Walter*)
        [2 Sam 7].

3640   *Marinelli, Ciro* Salvatore Dio garante del futuro della discendenza
        davidica: analisi narrativa e critica testuale in dialogo in 2Sam 7,1-
        17. Lat. 73 (2007) 405-435.

3641   **Cohen, Joel** David and Bathsheba: through Nathan's eyes. Mahwah
        (NJ) 2007, HiddenSpring xiv; 113 pp. 978-15876-80410 [2 Sam 11-
        12].

3642   **Käser, Andreas** Literaturwissenschaftliche Interpretation und histo-
        rische Exegese: Fallbeispiel 2. Samuel 11 und 12. ᴰ*Blum, Erhard*
        2007, Diss. Tübingen [ThLZ 133,889].

3643   *Upchurch, Cackie* David, Nathan, and the crisis of repentance. BiTod
        45 (2007) 75-79 [2 Sam 11-12].

3644   *Schwantes, Milton* Uma parábola sobre a injustiça–exegese sociocrí-
        tica de 2 Samuel 12.1-4. EstRel 21 (2007) 183-194.

3645   *Schipper, Jeremy* Did David overinterpret Nathan's parable in 2 Sam
        12:1-6?. JBL 126 (2007) 383-391.

3646   *Dietrich, Walter* David, Ammon und Abschalom (2 Samuel 13): lite-
        rarische, textliche und historische Erwägungen zu den ambivalenten
        Beziehungen eines Vaters zu seinen Söhnen. Textus 23 (2007) 115-
        143.

3647 *Reuter, Eleonore* "Entrechte mich nicht!"–damit Gewalt nicht das letzte Wort behält: Bibelarbeit zur Vergewaltigung Tamars (2 Sam 13) und zu Psalm 55. Frauenkörper. 2007 ⇒378. 44-53.

3648 *Van Treek Nilsson, Mike D.* Amnón y Tamar (2 S 13,1-22): ensayo de antropología narrativa sobre la violencia. EstB 65 (2007) 3-32.

3649 *Tshidibi Bambila, Donatien* " Monseigneur a la sagesse de l'Ange de Dieu " (2 S 14,20): la sagesse royale mise à l'épreuve. ᶠMONSENGWO PASINYA, L. 2007 ⇒110. 53-62.

3650 *Grossman, Jonathan* The design of the 'dual causality' principle in the narrative of Absalom's rebellion. Bib. 88 (2007) 558-566 [2 Sam 15-17].

3651 *Wénin, André* Marques linguistiques du point de vue dans le récit biblique: l'exemple du mariage de David (1 S 18,17-29). EThL 83 (2007) 319-337.

3652 *Willi-Plein, Ina* Nach deinen Zelten, Israel!: Grammatik, Pragmatik und eine kritische Episode in der Davidshausgeschichte. ZAH 17-20 (2007) 218-229 [2 Sam 20,1].

3653 **Kim, Jin-Soo** Bloodguilt, atonement, and mercy: an exegetical and theological study of 2 Samuel 21:1-14. ᴰ*Peels, H.G.L.* EHS.T 845: Fra 2007, Lang xvi; 302 pp. €55. 978363-1566374. Diss. Apeldoorn.

3654 *Van Kooten, Robert* The lamp will not be extinguished: II Samuel 21: 15-22. Kerux 22/1 (2007) 18-25.

3655 *Aejmelaeus, Anneli* Lost in reconstruction?: on Hebrew and Greek reconstructions in 2 Sam 24. BIOSCS 40 (2007) 89-106.

3656 *Mathys, Hans-P.* Anmerkungen zu 2Sam 24. ᶠWILLI-PLEIN, I. 2007 ⇒168. 229-246 [Gen 14; 1 Kgs 1].

E4.7 *Libri Regum*: **Solomon, Temple: 1 Kings...**

3657 *Angel, Hayyim* Hopping between two opinions: understanding the biblical portrait of Ahab. JBQ 35 (2007) 3-10.

3658 *Arneth, Martin* Hiskia und Josia. Tora in der Hebräischen Bibel. ZAR.B 7: 2007 ⇒347. 275-293.

3659 *Auld, Graeme* Reading Kings on the divided monarchy: what sort of narrative?. Understanding the history. 2007 ⇒545. 337-343.

3660 *Auneau, Joseph* Les livres des Rois. EeV 163 (2007) 17-21;

3661 Les livres des Rois. EeV 164 (2007) 15-23.

3662 *Becking, Bob* Is the book of Kings a Hellenistic book?. From David to Gedaliah. OBO 228: 2007 <2000, 2005> ⇒185. 1-22.

3663 *Davies, P.* Moses in the books of Kings. La construction de la figure de Moïse. 2007 ⇒873. 77-87.

3664 *Den Braber, Marieke* Moeders voor het leven: zonen en moeders in 1 en 2 Koningen. ITBT 15/8 (2007) 17-19.

3665 *Finkelstein, Israel* The two kingdoms: Israel and Judah. Quest for the historical Israel. 2007 ⇒421. 147-157.

3666 *Grabbe, Lester L.* Reflections on the discussion. Good kings. 2007 ⇒434. 339-350;

3667 The kingdom of Israel from Omri to the fall of Samaria: if we only had the bible.... Ahab Agonistes. LHBOTS 421: 2007 ⇒820. 54-99.

3668 **Hens-Piazza, Gina** 1-2 Kings. Abingdon OT Comm.: 2006 ⇒22, 3448. ᴿCBQ 69 (2007) 548-549 (*Miscall, Peter D.*); RBLit (2007)* (*Klein, Ralph W.*).

3669 *Knauf, Ernst A.* Was Omride Israel a sovereign state?. Ahab Agonistes. LHBOTS 421: 2007 ⇒820. 100-103;
3670 1-2 Re. Guida. 2007 ⇒506. 275-283.
3671 *Köhlmoos, Melanie* "Die übrige Geschichte": das "Rahmenwerk" als Grunderzählung der Königebücher. ᶠHARDMEIER, C. ABIG 28: 2007 ⇒62. 216-231.
3672 **Leithart, Peter J.** 1 & 2 Kings. Brazos Theological Commentary on the Bible 2: 2006 ⇒22,3451. ᴿTJT 23 (2007) 200-202 (*Beal, Lissa M.W.*); RBLit (2007)* (*McKinion, Randall L.*).
3673 *Mazar, Amihai* The divided monarchy: comments on some archaeological issues. Quest for the historical Israel. Archaeology and Biblical Studies 17: 2007 ⇒421. 159-179.
3674 **Moore, Michael S.** Faith under pressure: a study of biblical leaders in conflict. 2003 ⇒19,3412. ᴿBBR 17 (2007) 183-185 (*Hiebert, Robert J.V.*).
3675 *Na'aman, Nadav* The contribution of the Suḫu inscriptions to the historical research of the kingdoms of Israel and Judah. JNES 66 (2007) 107-122;
3676 The Northern Kingdom in the late tenth-ninth centuries BCE. Understanding the history. PBA 143: 2007 ⇒545. 399-418.
3677 *Niemann, Hermann M.* "Wagen Israels und sein(e) Lenker" (2 Kön 2, 12): Neue Erwägungen zur Militär- und Wirtschaftspolitik der Omriden. ᶠHENTSCHEL, G. EThSt 90: 2007 ⇒65. 15-35.
3678 *Noll, K.L.* Is the book of Kings deuteronomistic?: and is it a history?. SJOT 21 (2007) 49-72.
3679 *Pietsch, Michael* Von Königen und Königtümern: eine Untersuchung zur Textgeschichte der Königsbücher. ZAW 119 (2007) 39-58.
3680 *Ray, John* Love poems, schooldays and the alphabet that never was: Egyptian influences on the Hebrew monarchy. BAIAS 25 (2007) 206-207.
3681 *Rendsburg, Gary A.* No stelae, no queens: two issues concerning the kings of Israel and Judah. ᶠMEYERS, E. AASOR 60/61: 2007 ⇒106. 95-107.
3682 **Schenker, Adrian** Älteste Textgeschichte der Königsbücher: die hebräische Vorlage der ursprünglichen Septuaginta als älteste Textform der Königsbücher. OBO 199: 2004 ⇒20,3297... 22,3454. ᴿThLZ 132 (2007) 636-638 (*Kreuzer, Siegfried*).
3683 *Schmid, Hartmut* Könige–Struktur und Theologie. Themenbuch. BWM 15: 2007 ⇒461. 133-152.
3684 *Schniedewind, William M.* La tesi di una scrittura in epoca monarchica. Mondo della Bibbia 18/4 (2007) 12-17.
3685 *Stavrakopoulou, Francesca* The blackballing of Manasseh. Good kings. 2007 ⇒434. 248-263.
3686 **Sweeney, Marvin** 1 and 2 Kings: a commentary. OTL: LVL 2007, Westminster xxxii; 476 pp. $50. 978-06642-20846.
3687 *Sweeney, Marvin A.* King Manasseh of Judah and the problem of theodicy in the Deuteronomistic history. Good kings. 2007 ⇒434. 264-278.
3688 **Tetley, M. Christine** The reconstructed chronology of the divided kingdom. 2005 ⇒21,3441; 22,3458. ᴿVT 57 (2007) 574-575 (*McFall, Leslie*); AUSS 45 (2007) 278-283 (*Young, Rodger C.*); PHScr II, 452-454 ⇒373 (*McKenzie, Steven L.*).

3689 *Tov, Emanuel* 3 Kingdoms compared with similar rewritten compositions. [F]GARCÍA MARTÍNEZ, F. JSJ.S 122: 2007 ⇒46. 345-366.
3690 **Walsh, Jerome T.** Ahab: the construction of a king. 2006 ⇒22, 3460. [R]JHScr 7 (2007)* = PHScr IV,515-517 (*Bodner, Keith*); RBLit (2007)* (*Klein, Ralph W.*).
3691 *Warburton, David A.* The importance of the archaeology of the seventh century. Good kings. 2007 ⇒434. 317-335.

3692 *Arnold, Bill T.* Nebuchadnezzar and Solomon: parallel lives illuminate history. BArR 33/1 (2007) 48-54, 76.
3693 *Finkelstein, Israel* King Solomon's golden age: history or myth?. Quest for the historical Israel. Archaeology and Biblical Studies 17: 2007 ⇒421. 107-116.
3694 *Koulagna, Jean* L'image de Salomon dans l'historiographie deutéronomiste: à propos de la place de 1 Rois 1-2. RHPhR 87 2007, 289-300.
3695 *Meinhold, Arndt* Zur kosmologischen Dimension des davidischen Königs (am Beispiel Salomos als Tempelbauer und Affenimporteur). [F]HENTSCHEL, G. EThSt 90: 2007 ⇒65. 37-54 [Ps 72].
3696 *Puel, Hugues* L'histoire de Salomon. VS 87 (2007) 7-12.
3697 **Seibert, Eric A.** Subversive scribes and the Solomonic narrative: a rereading of 1 Kings 1-11. LHBOTS 436: 2006 ⇒22,3472. [R]JHScr 7 (2007)* = PHScr IV,528-530 (*Hamilton, Mark W.*).
3698 **Van Keulen, Percy S.F.** Two versions of the Solomon narrative: an inquiry into the relationship between MT 1 Kgs. 2-11 and LXX 3 Reg. 2-11. VT.S 104: 2005 ⇒21,3489; 22,3473. [R]RBLit (2007)* (*Talshir, Zipora*).

3699 *Barkay, Gabriel* Is a piece of Herod's temple in St. Paul's cathedral?. BArR 33/6 (2007) 62-66.
3700 **Beale, Gregory K.** The temple and the church's mission: a biblical theology of the dwelling place of God. 2004 ⇒20,3317... 22,3475. [R]AUSS 45 (2007) 264-266 (*Reynolds, Edwin*).
3701 *Bickerman, Elias* The warning inscriptions of Herod's temple. Studies in Jewish & Christian history. AGJU 68/1-2: 2007 ⇒190. 483-96;
3702 The altars of gentiles: a note on the Jewish 'ius sacrum'. Studies in Jewish and Christian history. AGJU 68/1-2: 2007 ⇒190. 596-617.
3703 *Bieberstein, Klaus* Die Geschichte der Klagemauer. WUB 44 (2007) 15.
3704 *Boer, Roland T.* The sacred economy of ancient "Israel". SJOT 21 (2007) 29-48.
3705 *Elior, Rachel* On the changing significance of the sacred. [F]HURTADO, L. & SEGAL, A. 2007 ⇒71. 277-301.
3706 *Fine, Steven* "When I went to Rome... there I saw the menorah...": the Jerusalem temple implements during the second century C.E.;
3707 *Fritz, Volkmar* Zum Standort des Tempels. [F]MEYERS, E. AASOR 60/61: 2007 ⇒106. 169-180/163-168.
3708 *Goodman, Martin* The temple in first-century CE Judaism. Judaism in the Roman world. AJEC 66: 2007 <2005> ⇒236. 47-58.
3709 **Hamblin, William J.; Seely, David** Salomos Tempel: Mythos und Geschichte des Tempelberges in Jerusalem. Da:Wiss 2007, 224 pp.
3710 *Kaiser, Helga* Originalstufen des Tempels?. WUB 44 (2007) 18;

3711   Die Erforschung des Tempels ist noch lange nicht abgeschlossen: Bauschutt vom ehemaligen Tempelplatz wird durchgesiebt. WUB 44 (2007) 17.

3712   *Keerankeri, George* Listen to the Spirit: the Temple. VJTR 71 (2007) 439-446.

3713   **Klawans, Jonathan** Purity, sacrifice, and the temple: symbolism and supersessionism in the study of ancient Judaism. 2006 ⇒22,3491. RThRv 103 (2007) 115-117 (*Reventlow, Henning Graf*); HebStud 48 (2007) 367-370 (*Kulp, Joshua*); RB 114 (2007) 279-281 (*Tatum, Gregory*); CBQ 69 (2007) 784-785 (*Gilders, William K.*); RBLit (2007) 251-254 (*Tuzlak, Ayse*).

3714   *Knibb, Michael A.* Temple and cult in the Apocrypha and Pseudepigrapha: future perspectives. FGARCÍA MARTÍNEZ, F. JSJ.S 122: 2007 ⇒46. 509-527.

3715   *Kühnel, Bianca* Abrahams Opfer als Chiffre des Tempels: ein kunstgeschichtlicher Beitrag zur jüdisch-christlichen Polemik. Opfere deinen Sohn!. 2007 ⇒442. 73-91 [Gen 22].

3716   *Liwak, R.* '...um die Halle des Lebenshauses wieder einzurichten': der Ägypter Udjahorresnet und seine Bedeutung für das Verständnis des perserzeitlichen Juda. FWILLI, T. 2007 ⇒167. 71-86.

3717   *Murphy-O'Connor, Jérome, al.*, Sui passi di Gesù, 2: Gerusalemme: il tempio. Il Mondo della Bibbia 18/1 (2007) 5-13;

3718   Das Herz Jerusalems zur Zeit Jesu: auf der Suche nach den Spuren des Tempels. WUB 44 (2007) 12-15.

3719   *Parente, Fausto* Παρέδωκεν αὐτὸν αὐτοῖς ἵνα σταυρωθῇ: Jn. 19.16 and the christian interpretation of the destruction of the temple of Jerusalem in 70 A.D. At. 95/1 (2007) 349-376.

3720   **Pitkänen, Pekka** Central sanctuary and the centralization of worship in ancient Israel: from the settlement to the building of Solomon's temple. Gorgias Dissertations, Near Eastern Studies 5: 2003 ⇒19, 3432... 21,3483. RZAR 13 (2007) 437-440 (*Otto, Eckart*).

3721   *Rölver, Olaf* Jesus im "Haus seines Vaters": der Tempel in den Evangelien. WUB 44 (2007) 20-23.

3722   *Römer, Thomas* Y avait-il une statue de Yhwh dans le premier temple de Jérusalem?: enquêtes littéraires à travers la Bible hébraïque. Asdiwal 2 (2007) 40-59.

3723   *Rudnig, Thilo A.* "Ist denn Jahwe nicht auf dem Zion?" (Jer 8,19): Gottes Gegenwart im Heiligtum. ZThK 104 (2007) 267-286.

3724   **Shanks, Hershel** Jerusalem's Temple Mount: from Solomon to the Golden Dome. NY 2007, Continuum ix; 206 pp. 978-0-8264-2884-4.

3725   **Stevens, Marty E.** Temples, tithes, and taxes: the temple and the economic life of ancient Israel. 2006 ⇒22,3502. RJAOS 127 (2007) 202-203 (*Snell, Daniel C.*); RBLit (2007)* (*Edelman, Diana*).

3726   *Trebolle, Julio* Se oye la voz de un silencio divino': el culto del templo de Jerusalén. Religión y silencio. 'Ilu.M 19: 2007 ⇒564. 223-38.

3727   **Wright, John W.** "Those doing the work for the service in the house of the Lord": 1 Chronicles 23:6-24:31 and the sociohistorical context of the temple of Yahweh in Jerusalem in the late Persian/early Hellenistic period. Judah and the Judeans. 2007 ⇒750. 361-384.

3728   *Abadie, Philippe* Le songe de Gabaon 1 R 3,1-15; 2 Ch 1,1-18. Regards croisés sur la bible. LeDiv: 2007 ⇒875. 143-155.

3729 *Bantu, Jean-Claude* Salomon, le type du roi sage: analyse narrative de 1 R 3,16-28. ^FMONSENGWO PASINYA, L. 2007 ⇒110. 63-75.

3730 *Ipsen, Avaren E.* Solomon and the two prostitutes. BiCT 3/1 (2007)* [1 Kgs 3,16-28].

3731 *Hartenstein, F.* Sonnengott und Wettergott in Jerusalem?: religions-geschichtliche Beobachtungen zum Tempelweihspruch Salomos im Masoretischen Text und in der LXX (1Kön 8,12f/3Reg 8,53). ^FWILLI, T. 2007,⇒167. 53-70.

3732 *LeMarquand, Grant* Wisdom in the story of Solomon and the Queen of Sheba: the interpretation of 1 Kings 10 and 2 Chronicles 9 in Ethiopian tradition. ^FMONSENGWO PASINYA, L. 2007 ⇒110. 263-275.

3733 *Fellman, Jack* The Solomon and Sheba story in Ethiopia. JBQ 35 (2007) 60-61 [1 Kgs 10,1-13].

3734 *Sweeney, Marvin A.* A reassessment of the Masoretic and Septuagint versions of the Jeroboam narratives in 1 Kings/3 Kingdoms 11-14. JSJ 38 (2007) 165-195.

3735 *Lemaire, A.* אב 'père' ou 'maison paternelle' en 1 Rois 15,19a?. ^FBAR-ASHER, M., 1. 2007 ⇒8. *46-*51.

3736 *Branch, Robin Gallaher* Zimri: slave or official?: the strange story of Israel's week-long, suicide king (1 Kings 16:8-20). JSem 16 (2007) 378-391.

E4.8 *1 Regum 17-22: Elias*, **Elijah**

3737 **Albertz, Rainer** Elia: ein feuriger Kämpfer für Gott. Biblische Gestalten 13: 2006 ⇒22,3532. ^RBZ 51 (2007) 111-115 (*Baumgart, Norbert C.*); ThLZ 132 (2007) 297-299 (*Beck, Martin*); OLZ 102 (2007) 161-166 (*Seebass, H.*).

3738 **Beck, Martin** Elia und die Monolatrie: ein Beitrag zur religionsgeschichtlichen Rückfrage nach dem vorschriftprophetischen Jahwe-Glauben. BZAW 281: 1999 ⇒15,2737... 21,3497. ^RZKTh 129 (2007) 130-131 (*Vonach, Andreas*).

3739 *Janse, Sam* "Een profeet als een vuur": zelotische en antizelotische interpretaties van de profeet Elia. ThRef 50 (2007) 38-56.

3740 *Pichon, Christophe* La figure de l'étranger dans le cycle d'Elie. L'étranger dans la bible. LeDiv 213: 2007 ⇒504. 85-101.

3741 **Russo, Roberto** Elia, profeta della passione, compassione e amicizia. Perugia 2007, Graphe 118 pp.

3742 **Berwanger, Monika** Wer bist du, Elija?: die Vielfalt des Prophetenbildes in den Kompositionen von 1 Kön 17-18: eine Textstudie. ^D*Seidl, Theodor* 2007, Diss. Würzburg [ThRv 104/1,xiv].

3743 **Hugo, Philippe** Les deux visages d'Élie: Texte massorétique et Septante dans l'histoire la plus ancienne du texte de 1 Rois 17-18. OBO 217: 2006 ⇒22,3539. ^RRBLit (2007) 233-236 (*Auld, Graeme*).

3744 *Pagliara, Cosimo* Elia: un profeta sotto il controllo della parola: 1Re 17,1-24. RdT 48 (2007) 359-381.

3745 *Coomber, Matthew J.M.* Exegetical notes on 1 Kings 17:8-16: the widow of Zarephath. ET 118 (2007) 389-390.

3746 *Oancea, Constantin* Die Witwe und Israel: die Totenerweckungsszene (1 Kön 17,17-24) als Präludium für die Karmelerzählung (1

Kön 18,20-24). Sacra Scripta [Cluj-Napoca, Romania] 5 (2007) 130-141.

3747 *Finsterbusch, Karin* Gottes Stimme leisen Schweigens: zur Gottes-vorstellung von I Reg 19 mit Blick auf die Elia-Einheiten im RU. Bibel nach Plan?. 2007 ⇒422. 15-31.

3748 *Schöttler, Heinz-G.* Monopolverlust und Gotteskrise: eine absichts-volle und gegenwartsbezogene Auslegung von 1 Kön 19. Löscht den Geist. 2007 ⇒366. 116-149.

3749 *Lacasse, Nathalie* Élie, le prophète qui voulait mourir. Scriptura(M) 9/1 (2007) 69-78 [1 Kgs 19,1-21].

3750 *Thiel, Winfried* "Es ist genug!": Untersuchungen zu I Reg 19,4b. ZAW 119 (2007) 201-216.

3751 *Becking, Bob* Elijah at Mount Horeb: reading 1 Kings 19:9-18. From David to Gedaliah. OBO 228: 2007 ⇒185. 23-34.

3752 *Nielsen, Kirsten* Construction of meaningful contexts: on war, lions, dogs, birds and a vineyard. SJOT 21 (2007) 218-227 [1 Kgs 20-22].

3753 *Baumgart, Norbert C.* "Wer betört Ahab?": Täuschung und Selbst-täuschung in der Erzählung 1 Kön 22,1-38. ᶠHENTSCHEL, G. EThSt 90: 2007 ⇒65. 73-95.

3754 *Kee, Min Suc* The heavenly council and its type-scene. JSOT 31 (2007) 259-273 [1 Kgs 22,19-23; Job 1-2; Ps 82].

E4.9 **2 Reg 1**... *Elisaeus, Elisha*... Ezechias, Josias

3755 *Dutcher-Walls, Patricia* Queen mothers and royal politics of the sev-enth century BCE. ᶠCHANEY, M. 2007 ⇒25. 209-220.

3756 *Merecz, Robert J.* Assyrian-Israelite dynamics: on the circumstances leading to Jehu's elevation to the throne. Roczniki Teologiczne 54/1 (2007) 5-21. **P**.

3757 *Grabbe, Lester L.* The kingdom of Judah from Sennacherib's inva-sion to the fall of Jerusalem: if we had only the bible .... Good kings. 2007 ⇒434. 78-122 [2 Kgs 21-25].

3758 *Silva, Cássio Murilo D. da* A careca de Eliseu, os moleques e as ur-sas. PerTeol 39 (2007) 379-386 [2 Kgs 2,23-25].

3759 *Long, Jesse C. Jr.* Elisha's deceptive prophecy in 2 Kings 3: a response to Raymond Westbrook. JBL 126 (2007) 168-171.

3760 *Naᵓaman, Nadav* Royal inscriptions versus prophetic story: Mesha's rebellion according to biblical and Moabite historiography. Ahab Agonistes. LHBOTS 421: 2007 ⇒820. 145-183 [2 Kgs 3].

3761 *Aucker, W. Brian* A prophet in king's clothes: kingly and divine re-presentation in 2 Kings 4 and 5. ᶠAULD, G. VT.S 113: 2007 ⇒5. 1-25.

3762 *Becking, Bob* 'Touch for health...': magic in 2 Kings 4:31-37 with a remark about the history of Yahwism. From David to Gedaliah. OBO 228: 2007 <1996> ⇒185. 66-87.

3763 *Brueggemann, Walter* 2 Kings 5: two evangelists and a saved sub-ject. Miss. 35 (2007) 263-272.

3764 *Effa, Allan L.* Prophet, kings, servants, and lepers: a missiological reading of an ancient drama. Miss. 35 (2007) 305-313 [2 Kgs 5].

3765 *Berlyn, Patricia* The rebellion of Jehu. JBQ 35 (2007) 211-221 [2 Kgs 9-10].

3766 **Wray Beal, Lissa M.** The Deuteronomist's prophet: narrative control of approval and disapproval in the story of Jehu (2 Kings 9 and 10). LHBOTS 478: NY 2007, Clark ix; 216 pp. £65. 978-0-567-02657-6. Bibl. 197-206.

3767 *Karner, Gerhard* "Lege deine Hand an den Bogen": zum Verständnis von 2 Kön 13,16. OTEs 20 (2007) 365-386.

3768 *Levin, Christoph* Der neue Altar unter Ahas von Juda. [F]HENTSCHEL, G. EThSt 90: 2007 ⇒65. 55-72 [2 Kgs 16,10-18].

3769 *Knoppers, Gary* Cutheans or children of Jacob?: the issue of Samaritan origins in 2 Kings 17. [F]AULD, G. VT.S 113: 2007 ⇒5. 223-239.

3770 *Becking, Bob* From Exodus to exile: 2 Kings 17:7-20 in the context of its co-text <2000>;

3771 From apostasy to destruction–2 Kings 17:21-23: a Josianic view on the fall of Samaria <1997>. From David to Gedaliah. OBO 228: 2007 ⇒185. 88-103/104-122.

3772 *Höffken, Peter* Sanherib als Gestalt der Überlieferung: Überlegungen im Hinblick auf 2 Kön 18f. und Jes 36f.. Ment. *Herodotus* BN 133 (2007) 23-40 [2 Chr 32,1-23].

3773 **Van Peursen, Willem T.; Talstra, Eep** Computer-assisted analysis of parallel texts in the bible: the case of 2 Kings xviii-xix and its parallels in Isaiah and Chronicles. VT 57 (2007) 45-72.

3774 *Becking, Bob* Chronology: a skeleton without flesh?: Sennacherib's campaign as a case study. From David to Gedaliah. OBO 228: 2007 <2003> ⇒185. 123-146 [2 Kgs 18-20].

3775 **Bostock, David** A portrayal of trust: the theme of faith in the Hezekiah narratives. 2006 ⇒22,3564. [R]CBQ 69 (2007) 315-316 (*Gnuse, Robert*); RBLit (2007)* (*Hagelia, Hallvard*) [2 Kgs 18-20].

3776 *Miano, David* What happened in the fourteenth year of Hezekiah?: a historical analysis of 2 Kings 18-20 in the light of new textual considerations. Milk and honey. 2007 ⇒474. 113-132.

3777 *Chalupa, Petr* Elemente der narrativen Analyse in der Erzählung von Hiskijas Erkrankung und Genesung (2 Kön 20,1-11). [F]HENTSCHEL, G. EThSt 90: 2007 ⇒65. 97-109.

3778 *Van Dorp, Jaap* The prayer of Isaiah and the sundial of Ahaz (2 Kgs 20:11). Psalms and prayers. OTS 55: 2007 ⇒766. 253-265.

3779 **Stavrakopoulou, Francesca** King Manasseh and child sacrifice: biblical distortions of historical realities. BZAW 338: 2004 ⇒20,3382. [R]OLZ 102 (2007) 166-171 (*Thiel, Winfried*) [2 Kgs 21].

3780 *Ben Zvi, Ehud* Josiah and the prophetic books: some observations. Good kings. 2007 ⇒434. 47-64 [2 Kgs 22-23].

3781 *Davies, Philip R.* Josiah and the law book. Good kings. 2007 ⇒434. 65-77 [2 Kgs 22-23].

3782 *Hardmeier, Christof* King Josiah in the climax of the Deuteronomic history (2 Kings 22-23) and the pre-Deuteronomic document of a cult reform at the place of residence (23.4-15): criticism of sources, reconstruction of literary pre-stages and the theology of history in 2 Kings 22-23. Good kings. 2007 ⇒434. 123-163.

3783 *Henige, David* Found but not lost: a skeptical note on the document discovery in the temple under Josiah. JHScr 7 2007* = PHScr 4,1-20 [2 Kgs 22-23].

3784 *Koch, Klaus* Gefüge und Herkunft des Berichts über die Kultreformen des Königs Josia: zugleich ein Beitrag zur Bestimmung hebräi-

scher "Tempora". ^FKOCH, K. FRLANT 216: 2007 <1992> ⇒89. 72-
85 [2 Kgs 22-23].

3785 *Na'aman, Nadav* Josiah and the kingdom of Judah. Good kings. 2007
⇒434. 189-247 [2 Kgs 22-23].

3786 *Uehlinger, Christoph* Was there a cult reform under King Josiah?:
the case for a well-grounded minimum. Good kings. 2007 ⇒434.
279-316 [2 Kgs 22-23].

3787 *Willi-Plein, Ina* Lehrbuch oder Gesetzestext?: zum Verständnis von
II Kön 22,8. ^FJENNI, E. AOAT 336: 2007 ⇒76. 405-416.

3788 *Monroe, Lauren A.S.* A 'holiness' substratum in the deuteronomistic
account of Josiah's reform. JHScr 7 2007* = PHScr 4,293-307 [2
Kgs 23].

3789 *Schenker, Adrian* Wer war gegen die Reform Joschijas?: neue histo-
rische Daten aus der Textgeschichte zu einem viel besprochenen
Text: 2 Kön 23,1-3. ^FKIRCHSCHLÄGER, W. 2007 ⇒85. 247-254.

3790 *Arneth, Martin* Die antiassyrische Reform Josias von Juda: Überle-
gungen zur Komposition und Intention von 2 Reg 23,4-15. Tora in
der Hebräischen Bibel. ZAR.B 7: 2007 ⇒347. 246-274.

3791 *Nicholson, Ernest* Josiah and the priests of the high places (II Reg
23,8a.9). ZAW 119 (2007) 499-513.

3792 *Avioz, Michael* Josiah's death in the book of Kings: a new solution to
an old theological conundrum. EThL 83 (2007) 359-366 [2 Kgs 23,
29; 2 Chr 35,19-24].

3793 *Timm, Stefan* Wird Nebukadnezar entlastet?: zu 2Kön 24,18-25,21.
^FWILLI-PLEIN, I. 2007 ⇒168. 359-389.

3794 *Becking, Bob* Gedaliah and Baalis in history and as tradition: remarks
on 2 Kings 25:22-26, Jeremiah 40:7-41:15, and two Ammonite seal-
inscriptions. From David to Gedaliah. OBO 228: 2007 <1993, 1997,
1999> ⇒185. 147-173.

3795 *Weinberg, Joel* Gedaliah, the son of Ahikam in Mizpah: his status
and role, supporters and opponents. ZAW 119 (2007) 356-368 [2
Kgs 25,22-26].

3796 *Becking, Bob* Jehoiachin's amnesty, salvation for Israel?: notes on 2
Kings 25:27-30. From David to Gedaliah. OBO 228: 2007 <1990>
⇒185. 174-189 'thoroughly revised'.

3797 *Clements, Ronald E.* A royal privilege: dining in the presence of the
great king (2 Kings 25.27-30). ^FAULD, G. VT.S 113: 2007 ⇒5. 49-
66.

E5.2 *Chronicorum libri*—**The books of Chronicles**

3798 *Abadie, Philippe* 1-2 Cronache. Guida. 2007 ⇒506. 551-559.

3799 **Bae, Hee-Sook** Vereinte Suche nach JHWH–die hiskianische und
josianische Reform in der Chronik. BZAW 355: 2005 ⇒21,3552;
22,3574. ^RThLZ 132 (2007) 1304-1305 (*Schipper, Bernd U.*).

3800 *Beentjes, Pancratius C.* Psalms and prayers in the book of Chroni-
cles. Psalms and prayers. OTS 55: 2007 ⇒766. 9-44.

3801 *Ben Zvi, Ehud* Who knew what?: the construction of the monarchic
past in Chronicles and implications for the intellectual setting of
Chronicles. Judah and the Judeans. 2007 ⇒750. 349-360;

3802 The house of Omri/Ahab in Chronicles. Ahab Agonistes. LHBOTS
421: 2007 ⇒820. 41-53.

3803   *Brooke, George J.* The books of Chronicles and the scrolls from Qumran. [F]AULD, G. VT.S 113: 2007 ⇒5. 35-48.

3804   **Dirksen, Peter B.** 1 Chronicles. 2005 ⇒21,3554. [R]JHScr 7 (2007)* = PHScr IV,510-512 (*Mitchell, Christine*).

3805   *Endres, John C.* The spiritual vision of Chronicles: wholehearted, joy-filled worship of God. CBQ 69 (2007) 1-21.

3806   **Jarick, John** 1 Chronicles. Readings: Shf [2]2007 <2002>, Sheffield Academic viii; 183 pp. €22.50. 978-19050-48885/92. Bibl. 170-171;

3807   2 Chronicles. Readings: Shf [2]2007, Sheffield Academic viii; 207 pp. €22.50. 978-19050-48977. Bibl. 197-198.

3808   *Jonker, Louis* Reforming history: the hermeneutical significance of the books of Chronicles. VT 57 (2007) 21-44;

3809   Refocusing the battle accounts of the kings: identity formation in the books of Chronicles. [F]HARDMEIER, C. ABIG 28: 2007 ⇒62. 245-74.

3810   **Kalimi, Isaac** The reshaping of ancient Israelite history in Chronicles. 2005 ⇒21,3561; 22,3591. [R]RivBib 55 (2007) 215-219 (*Balzaretti, Claudio*); PHScr II, 490-492 ⇒373 (*Ristau, Ken*);

3811   An ancient Israelite historian: studies in the Chronicler, his time, place and setting. SSN 46: 2005 ⇒21,3562; 22,3590. [R]PHScr II, 488-490 ⇒373 (*Evans, Paul*).

3812   **Kelso, Julie** O mother, where art thou?: an Irigarayan reading of the book of Chronicles. L 2007, Equinox xv; 247 pp. $30. 978-1-84553-323-6/43. Bibl. 235-241.

3813   **Klein, Ralph W.** 1 Chronicles: a commentary. Hermeneia: 2006 ⇒ 22,3593. [R]Bijdr. 68 (2007) 229-230 (*Beentjes, P.C.*); RSR 95 (2007) 593-594 (*Abadie, Philippe*); RBLit (2007)* (*Galil, Gershon*).

3814   **Knoppers, Gary** 1 Chronicles 1-9, 10-29. AncB 12-13: 2004 ⇒20, 3400...22,3594. [R]JSSt 52 (2007) 384-5 (*Frydrych, Tomas*); PHScr II, 375-9 ⇒373 (*Mitchell, Christine*); PHScr II, 381-7 (*Baltzer, Klaus*); PHScr II, 389-403 (*Ben Zvi, Ehud*); PHScr II, 405-411 (*Schweitzer, Steven J.*); PHScr II, 413-419 [Resp. 421-435] (*Wright, John W.*).

3815   **McKenzie, Steven** 1-2 Chronicles. Abingdon OT Comm.: 2004 ⇒ 20,3403; 22,3597. [R]CBQ 69 (2007) 124-5 (*Wright, John W.*); PHScr II,381-7 ⇒373 (*Baltzer, Klaus*); PHScr II,389-403 (*Ben Zvi, Ehud*); PHScr II, 405-411 (*Schweitzer, Steven J.*); PHScr II, 413-419 [Resp. 437-441] (*Wright, John W.*); PHScr II, 555-557 (*Ristau, Ken*).

3816   *Polish, Frank* Spontaneous spoken language and formal discourse in the book of Chronicles. [F]JAPHET, S. 2007 ⇒74. 395-414.

3817   *Rezetko, Robert* 'Late' common nouns in the book of Chronicles. [F]AULD, G. VT.S 113: 2007 ⇒5. 379-417.

3818   **Schweitzer, Steven** Reading utopia in Chronicles. LHBOTS 442: L 2007, Clark xi; 205 pp. $130. 0-567-02792-9. Diss. Notre Dame; Bibl. 176-189.

3819   *Schweitzer, Steven J.* Exploring the utopian space of Chronicles: some spatial anomalies. Constructions of space 1. LHBOTS 481: 2007, ⇒377. 141-156.

3820   *Steinberg, Julius* Die Chronik—eine 'Theologie' des Alten Testaments. Themenbuch. BWM 15: 2007 ⇒461. 173-196.

3821   *Van Seters, John* The 'shared text' of Samuel-Kings and Chronicles re-examined. [F]AULD, G. VT.S 113: 2007 ⇒5. 503-515.

3822   *Willi, Thomas* Die Chronik-(k)ein Buch wie andere: die biblischen Chronikbücher als Exempel alttestamentlicher Literaturwerdung. [F]HARDMEIER, C. ABIG 28: 2007 ⇒62. 275-288.

3823   *Tábet, Miguel Ángel* La preminenza a Giuda, la primogenitura a Giuseppe (1Cr 5,1b-2). RivBib 55 (2007) 273-296.
3824   *Gardner, Anne E.* 1 Chronicles 8:28-32; 9:35-38: complementary or contrasting genealogies?. ABR 55 (2007) 13-28.
3825   **Willi, Thomas** 'Jüdische Studien und christliche Theologie': Abschiedsvorlesung Prof..Dr. Thomas Willi 13. Juli 2007. Greifswald 2007, Ernst Moritz Arndt Universität Greifswald 34 pp. 978-38600-62968 [1 Chr 9].
3826   *Willi, Thomas* Innovation aus Tradition: die chronistischen Bürgerlisten Israels 1Chr 1-9 im Focus von 1Chr 9. [F]WILLI-PLEIN, I. 2007 ⇒ 168. 405-418.
3827   *Tan, Nancy* The Chronicler's 'Obed-Edom': a foreigner and/or a Levite?. JSOT 32 (2007) 217-230 [2 Sam 6,10; 1 Chr 15-16].
3828   *Willi, Thomas* Gibt es in der Chronik eine "Dynastie Davids"?: ein Beitrag zur Semantik von בית. [F]JENNI, E. AOAT 336: 2007 ⇒76. 393-404 [1 Chr 17].
3829   *Steins, Georg* Sinaibund und Wochenfest: ein neuer Blick auf 2 Chronik 14-16. [F]HOSSFELD, F. SBS 211: 2007 ⇒69. 239-248.
3830   *Kelso, Julie* The transgression of Maacah in 2 Chronicles 15:16: a simple case of idolatry or the threatening poesis of maternal 'speech'?. BiCT 3/3 (2007)*.
3831   *Meinhold, A.* Ärzte kontra JHWHs Heilungsmonopol?: 2 Chr 16,12b im Licht der frühjüdischen Heilungskonzeptionen von Sirach 38,1-15 und Tobit. [F]WILLI, T. 2007 ⇒167. 103-118.
3832   *McKenzie, Steven L.* The trouble with King Jehoshaphat. [F]AULD, G. VT.S 113: 2007 ⇒5. 299-314 [2 Chr 17-20].
3833   *Jackson, Bernard S.* Law in the ninth century: Jehoshaphat's 'judicial reform'. Understanding the history. PBA 143: 2007 ⇒545. 369-397 [2 Chr 19,5-11].
3834   *Welten, Peter* Kriegsbericht und Friedenserwartung: spätnachexilische Schriftauslegung am Beispiel von 2Chr 20. [F]WILLI-PLEIN, I. 2007 ⇒168. 392-404.
3835   *Eitan, Amir* A hidden name midrash in Chronicles?. BN 134 (2007) 45-47 [2 Chr 28,24].
3836   *Jonker, Louis* The exile as Sabbath rest: the Chronicler's interpretation of the exile. OTEs 20 (2007) 703-719 [Lev 26,34-35; 26,43; 2 Chr 36,20-21].

3837   *Newman, Judith H.* The form and settings of the Prayer of Manasseh. Development of penitential prayer. 2007 ⇒777. 105-125 [⇒K1.1].

E5.4   *Esdrae libri*—Ezra, Nehemiah

3838   *Abadie, Philippe* Esdra-Neemia. Guida di lettura all'AT. 2007 ⇒506. 541-550.
3839   **Allen, Leslie C.; Laniak, Timothy S.** Ezra, Nehemiah, Esther. NIBC.OT 9: 2003 ⇒19,3553; 20,3427. [R]PHScr II, 653-655 ⇒373 (*Harvey, Charles D.*).
3840   *Angel, Hayyim* The literary significance of the name lists in Ezra-Nehemiah. JBQ 35 (2007) 143-152.

3841 *Bickerman, Elias J.* The generation of Ezra and Nehemiah. Studies in Jewish and Christian history. AGJU 68/1-2: 2007 ⇒190. 975-999.

3842 *Hagedorn, Anselm C.* Local law in an imperial context: the role of torah in the (imagined) Persian period. Pentateuch as torah. 2007 ⇒ 839. 57-76.

3843 **Hieke, Thomas** Die Bücher Esra und Nehemia. 2005 ⇒21,3588. ᴿOLZ 102 (2007) 304-308 (*Grätz, Sebastian*).

3844 *Joachimsen, Kristin* Jakten pa historiske kilder og litteraere konvensjoner i Esra- og Nehemja-bøkene. NTT 108 (2007) 261-278.

3845 *Klingbeil, Gerald A.* "Not so happily ever after...": cross-cultural marriages in the time of Ezra-Nehemiah. Maarav 14 (2007) 39-75.

3846 **Levering, Matthew** Ezra and Nehemiah. Theological Commentary on the Bible: Ada, MI 2007, Brazos 236 pp. $30. 978-15874-31616. Bibl. 215-216 [BiTod 46,197–Dianne Bergant].

3847 **Min, Kyung-jin** The levitical authorship of Ezra-Nehemiah. JSOT.S 409: 2004 ⇒20,3437...22,3623. ᴿBib. 88 (2007) 431-34 (*Schweitzer, Steven*); CBQ 69 (2007) 792-93 (*Carvalho, Corrine L.*).

3848 *Snyman, Gerrie* Collective memory and coloniality of being as a hermeneutical framework: a partialised reading of Ezra-Nehemiah. OTEs 20 (2007) 53-83.

3849 *Usue, E.O.* Restoration or desperation in Ezra and Nehemiah?: implications for Africa. OTEs 20 (2007) 830-846.

3850 *Williamson, H.G.M.* The torah and history in presentations of restoration in Ezra-Nehemiah. ᶠWENHAM, G. LHBOTS 461: 2007 ⇒164. 156-170.

3851 *Wright, Jacob L.* A new model for the composition of Ezra-Nehemiah. Judah and the Judeans. 2007 ⇒750. 333-348.

3852 *Gauger, Jörg-Dieter* Antiochus III. und Artaxerxes: der Fremdherrscher als Wohltäter. Ment. *Josephus, F.* JSJ 38 (2007) 196-225.

3853 *Bickerman, Elias J.* The edict of Cyrus in Ezra. Studies in Jewish and Christian history. AGJU 68/1-2: 2007 ⇒190. 71-107 [Ezra 1,2-4].

3854 *Schmid, Konrad* The Persian imperial authorization as a historical problem and as a biblical construct: a plea for distinctions in the current debate. Pentateuch as torah. 2007 ⇒839. 23-38 [Ezra 1,2-4].

3855 *Steiner, Richard* Why Bishlam (Ezra 4:7) cannot rest "in peace": on the Aramaic and Hebrew sound changes that conspired to blot out the remembrance of Bel-Shalam the archivist. JBL 126 (2007) 392-401.

3856 *Berman, Joshua A.* The narratological purpose of Aramaic prose in Ezra 4.8-6.18. AramSt 5 (2007) 165-191.

3857 *Zadok, Ran* Two terms in Ezra. AramSt 5 (2007) 255-261 [Ezra 4,9.13].

3858 **Pakkala, Juha** Ezra the scribe: the development of Ezra 7-10 and Nehemia 8. BZAW 347: 2004 ⇒20,3454; 22,3635. ᴿJThS 58 (2007) 584-589 (*Williamson, H.G.M.*).

3859 *Janzen, David* Scholars, witches, ideologues, and what the text said: Ezra 9-10 and its interpretation. Approaching Yehud. SBL.Semeia Studies 50: 2007 ⇒376. 49-69.

3860 *Japhet, Sara* The expulsion of the foreign women (Ezra 9-10): the legal basis, precedents, and consequences for the definition of Jewish identity. ᶠWILLI-PLEIN, I. 2007 ⇒168. 141-161.

3861 *Knoppers, Gary N.* Nehemiah and Sanballat: the enemy without or within?. Judah and the Judeans. 2007 ⇒750. 305-331.
3862 **Wright, Jacob L.** Rebuilding identity: the Nehemiah-Memoir and its earliest readers. BZAW 348: 2005 ⇒21,3615; 22,3646. ᴿBib. 88 (2007) 434-437 (*Williamson, H.G.M.*); CBQ 69 (2007) 568-570 (*Ben Zvi, Ehud*); JHScr 7 (2007)* = PHScr IV,323-7 ⇒22,593 (*Knoppers, Gary N.; Fulton, Deirdre; Carr, David M.; Klein, Ralph W.*).

3863 *Talstra, Eep* The discourse of praying: reading Nehemiah 1. Psalms and prayers. OTS 55: 2007 ⇒766. 219-236.
3864 *Neumann-Gorsolke, Ute* Warum die Mauer in Jerusalem wieder aufgebaut werden musste: Überlegungen zur Exposition des Nehemiabuches Neh 1,1-4. ᶠWILLI-PLEIN, I. 2007 ⇒168. 261-286.
3865 *Pesse, Pierre-Hilaire D.* Le leadership transformationnel de Néhémie face aux inégalités sociales en Judée (Ne 5,1-19). Scriptura(M) 9/2 (2007) 105-125.
3866 *Wright, Jacob L.* Writing the restoration: compositional agenda and the role of Ezra in Nehemiah 8. JHScr 7 2007* = PHScr 4,265-277.
3867 *Frevel, Christian* "Mein Bund mit ihm war das Leben und der Friede": Priesterbund und Mischehenfrage. ᶠHOSSFELD, F. SBS 211: 2007 ⇒69. 85-93 [Num 25; Neh 13,29].

3868 *Böhler, Dieter* "Treu und schön" oder nur "treu"?: Sprachästhetik in den Esrabüchern. Im Brennpunkt, 3. BWANT 174: 2007 ⇒384. 97-105.
3869 *García Martínez, Florentino* Traditions common to 4 Ezra and the Dead Sea scrolls. Qumranica minora I. StTDJ 63: 2007 <1991>, ⇒230. 153-167.
3870 **Hanhart, Robert** Text und Textgeschichte des 2. Esrabuches. MSU 25; AAWG.PH 253: 2003 ⇒19,3584. ᴿThLZ 132 (2007) 769-772 (*VanderKam, James C.*).
3871 *Japhet, Sara* The portrayal of the restoration period in 1 Esdras. ᶠDIMANT, D. 2007 ⇒34. 109-128.
3872 *Martin Hogan, Karina* The meanings of *tôrâ* in 4 Ezra. JSJ 38 (2007) 530-552.
3873 *Moo, Jonathan* A messiah whom the many do not know?: rereading 4 Ezra 5:67. JThS 58 (2007) 525-536.
3874 *Najman, Hindy* How should we contextualize Pseudepigrapha?: imitation and emulation in *4 Ezra*. ᶠGARCÍA MARTÍNEZ, F. JSJ.S 122: 2007 ⇒46. 529-536.
3875 *Sandoval, Timothy J.* The strength of woman and truth: the tale of the three bodyguards and Ezra's prayer in First Esdras. JJS 58 (2007) 211-227.
3876 *Stone, Michael E.* The city in 4 Ezra. JBL 126 (2007) 402-407.

E5.5 Libri Tobiae, Judith, Esther

3877 **Otzen, Benedikt** Tobit and Judith. 2002 ⇒18,3394...21,3639. ᴿBBR 17 (2007) 339-341 (*Moore, Michael S.*).
Scaiola, D. Rut, Giudita, Ester. Dabar: 2006 ⇒3547.

ᴱ**Bredin, M.** Studies in the book of Tobit 2006 ⇒387.

3878 **Gillini, Gilberto; Zattoni, Mariateresa; Michelini, Giulio** La lotta tra il demone e l'angelo: Tobia e Sara diventano coppia. Parola di Dio 57: CinB 2007, San Paolo 185 pp. 978-88-215-6013-2.
Imbach, J. Nur wer den Aufbruch wagt . 2007 ⇒3538.

3879 **Kasole Ka-Mungu, Benjamin** Des ténèbres à la lumière: la guérison dans le livre de Tobit: étude exégétique. *DEngel, Helmut* 2007, Diss. St. Georgen [ThRv 104/1,vi].

3880 *Knauf, Ernst A.* Tobia. Guida. 2007 ⇒506. 591-596.

3881 **Novick, Tzvi** Biblicized narrative: on Tobit and Genesis 22. JBL 126 (2007) 755-764 [Tobit 6].

3882 *Toloni, Giancarlo* Echi omerici nel libro di Tobia?. Sef. 67 (2007) 5-36.

3883 *E*Wagner, Christian J.** Polyglotte Tobit-Synopse: griechisch-lateinisch-syrisch-hebräisch-aramäisch: mit einem Index zu den Tobit-Fragmenten vom Toten Meer. MSU 28; AAWG.PH 3,258: 2003 ⇒19,3621; 22,3683. *R*RBLit (2007)* (*De Troyer, Kristin*).

3884 *Wojciechowski, Michał* Assyrian diaspora as background of the book of Tobit. CoTh 77 Spec. (2007) 5-19.
*E*Xeravits, G., al.*, The book of Tobit 2005 ⇒894.

3885 **Birnbaum, Elisabeth** Ein starkes und bestendiges weib mit namen Judith: das Judithbuch in Wien im 17. und 18. Jahrhundert in Exegese, Predigt, Musik, Theater und Bildender Kunst. *DWeigl, Michael* 2007, 358 pp. Diss. Wien [RTL 39,600].

3886 **Börner-Klein, Dagmar** Gefährdete Braut und schöne Witwe: hebräische Judit-Geschichten. Wsb 2007, Marnix ix; 508 pp. €20/FS35.40. 978-38653-91506.

3887 **Doré, Daniel** O livro de Judite ou a guerra da fé. *TCharpentier, Rogério* Cadernos Biblicos 98: Fátima 2007, Difusora Biblica 56 pp.

3888 *Flesher, LeAnn S.* The use of female imagery and lamentation in the book of Judith: penitential prayer or petition for obligatory action?. Development of penitential prayer. 2007 ⇒777. 83-104 [Jdt 9,2-14].

3889 **Kobelt-Groch, Marion** Judith macht Geschichte: zur Rezeption einer mythischen Gestalt vom 16. bis 19. Jahrhundert. 2005 ⇒21,3660. *R*JEGTFF 15 (2007) 266-268 (*Neis, Helene*).

3890 *Lesacher, Erhard* Judit und Holofernes: religiös motivierte Gewalt?. CPB 120/1 (2007) 14-17.

3891 *Nihan, Christophe L.* Giuditta. Guida di lettura all'AT. 2007 ⇒506. 577-589.

3892 *Schmitz, Barbara* Die Juditfigur als Modell diakonischen Handelns. Frauen gestalten Diakonie, 1. 2007 ⇒552. 81-92.

Allen, L, *al.*, Ezra, Nehemiah, Esther 2003 ⇒3839.

3893 *Anaya Luengo, Raúl* La teología del libro de Ester. ResB 56 (2007) 41-51.

3894 *Asurmendi Ruiz, Jesús M.* La construction d'Haman dans le livre d'Esther. *FGARCÍA MARTÍNEZ, F.* JSJ.S 122: 2007 ⇒46. 421-431.

3895 **Bechtel, Carol M.** Esther. Interpretation: 2002 ⇒18,3374...20,3503. *R*RExp 104 (2007) 813-814 (*Tillman, William M., Jr.*).

3896 **Berlin, Adele** Esther: the traditional Hebrew text with new JPS translation. The JPS Bible Commentary: 2001 ⇒17,3042... 19,3633. *R*ITBT 15/1 (2007) 10-12 (*Van Veldhuizen, Piet*).

3897 *Bickerman, Elias* The colophon of the Greek book of Esther;

3898 Notes on the Greek book of Esther. Studies in Jewish and Christian history. AGJU 68/1-2: 2007 ⇒190. 218-237/238-265.

3899 *Campos Santiago, Jesús* Ambiente socio-cultural del libro de Ester. ResB 56 (2007) 5-12.

3900 **Candido, Dionisio** I testi del libro di Ester: il caso dell'introitus TM 1,1-22–LXX A1-17; 1,1-22—Ta A1,18; 1,1-21. AnBib 160: 2005 ⇒ 21,3675; 22,3708. ᴿCBQ 69 (2007) 111-113 (*Laberge, Léo*).

3901 **Dalley, Stephanie** Esther's revenge at Susa: from Sennacherib to Ahasuerus. Oxf 2007, OUP xvi; 262 pp. £50. 978-01992-16635. 57 ill.; Bibl. 227-248.

3902 **Day, Linda** Esther. 2005 ⇒21,3680; 22,3711. ᴿOLZ 102 (2007) 153-155 (*Ego, Beate*); HBT 29 (2007) 235-236 (*Parker, Julie F.*).

3903 *Ego, Beate* Die Gewaltthematik im Esterbuch: exegetische und didaktische Überlegungen. Bibel nach Plan?. 2007 ⇒422. 54-74.

3904 **Fox, Michael V.** Character and ideology in the book of Esther. ²2001 <1991> ⇒17,3047; 19,3649. ᴿSJOT 21 (2007) 154-155 (*West, Jim*).

3905 *Gómez Acebo, Isabel* Los personajes femeninos en el libro de Ester. ResB 56 (2007) 33-40.

3906 ᴱᵀ**Gómez Aranda, Mariano** Dos comentarios de Abraham IBN EZRA al libro de Ester: edición crítica, traducción y estudio introductorio. Serie A, literatura hispano-hebrea 9: M 2007, Consejo Superior de Investigaciones Científicas, Instituto de Filología cxxviii; 193, 70 pp. €36. 978-84-00-08563-6.

3907 *Hacham, Noah* 3 Maccabees and Esther: parallels, intertextuality, and diaspora identity. JBL 126 (2007) 765-785.

3908 ᴱ**Haelewyck, Jean-C.** VL 7/2-3. Hester: fascicule 2-3: Est 1-2,7; 2,7-4,7. 2006 ⇒22,3717s. ᴿREAug 53 (2007) 183-184 (*Milhau, Marc*).

3909 **Horowitz, Elliott** Reckless rites: Purim and the legacy of Jewish violence. 2006 ⇒22,3720. ᴿJR 87 (2007) 466-467 (*Frankfurter, David*).

3910 *Hubbard, Robert L.* Vashti, Amestris and Esther 1,9. Ment. *Herodotus* ZAW 119 (2007) 259-271.

3911 **Kahana, Hanna** Esther: juxtaposition of the Septuagint translation with the Hebrew text. CBET 40: 2005 ⇒21,3687; 22,3721. ᴿJThS 58 (2007) 590-592 (*Jobes, Karen H.*); BIOSCS 40 (2007) 150-153 (*Versijs, Petra*).

3912 *Kot, Anna* Gatunek literacki Ksiegi Estery: przyczynek do tematu. CoTh 77/3 (2007) 27-42. **P**.

3913 *Macchi, Jean-D.* Ester;

3914 Ester greco. Guida di lettura all'AT. 2007 ⇒506. 523-529/567-570;

3915 Le livre d'Esther: écrire une histoire perse comme un Grec. Comment la bible saisit-elle l'histoire?. LeDiv 215: 2007 ⇒802. 197-226;

3916 Les textes d'Esther et les tendances du Judaïsme entre les 3e et 1er siècles avant J.-Chr. Un carrefour. OBO 233: 2007 ⇒515. 75-92.

3917 *Moreen, Vera B.* Queen Esther in Judeo-Persian garb: Jewish, Muslim, or Persian representations?. StIr 36/2 (2007) 227-250.

3918 *Pérez Fernández, Miguel* La fiesta judía de Purim;

3919 *Ruiz López, Demetria* El libro de Ester, desde el punto de vista literario. ResB 56 (2007) 13-16/17-32.

3920 *Sjoer, Nico* Ester, een landkaart. ITBT 15/1 (2007) 13-14.

3921 *Spijkerboer, Anne Marijke* 'Kom ik om, dan kom ik om'. Ment. *Rembrandt* ITBT 15/1 (2007) 15. Ester volgens Rembrandt.

3922 *Van den Eynde, Ine* Ester, en vrouw uit duizenden: een 'schoonheidswedstrijd' in twijfel getrokken. ITBT 15/1 (2007) 4-6.

3923 **Vialle, Catherine** Une analyse narrative comparée d'Esther TM et LXX: regard sur deux récits d'une même histoire. ^D*Wénin, André* 2007, 502 pp. Diss. Louvain [RTL 39,153ss].

3924 *Yebra Rovira, Carmen* La figura de Ester: plasmación y transmisión. ResB 56 (2007) 53-60.

E5.8 *Machabaeorum libri*, 1-2[3-4] Maccabees

3925 *Abadie, Philippe* 1-2 Maccabei. Guida. 2007 ⇒506. 597-607.

3926 *Baslez, Marie-F.* The origin of the martyrdom images: from the book of Maccabees to the first christians. Books of the Maccabees. JSJ.S 118: 2007 ⇒895. 113-130;

3927 I fratelli Maccabei: guerra coloniale ed evento fondatore. Mondo della Bibbia 18/3 (2007) 33-37.

3928 *Berlejung, Angelika* Der Aufstand des Gottesheeres: Bürgerkrieg–Befreiungskrieg–Expansionskrieg in den ersten beiden Makkabäerbüchern. WUB 43 (2007) 8-11.

3929 *Berthelot, Kartell* The biblical conquest of the promised land and the Hasmonaean wars according to 1 and 2 Maccabees. Books of the Maccabees. JSJ.S 118: 2007⇒895. 45-60.

3930 *Bickerman, Elias J.* A question of authenticity: the Jewish privileges. Studies in Jewish and Christian history. AGJU 68/1-2: 2007 ⇒190. 295-314.

3931 *Bringmann, Klaus* Elias BICKERMANN und der 'Gott der Makkabäer'. Trumah 17 (2007) 1-18.

3932 *Dobbeler, Stephanie von* I segreti di una vittoria: arte militare e identità religiosa. Mondo della Bibbia 18/3 (2007) 45-49

3933 Das Erbe der Makkabäerkirche: biblische Heilige vereint mit christlichen Tugenden. WUB 43 (2007) 32-33.

3934 *Kampen, John* The books of the Maccabees and sectarianism in second temple Judaism. Books of the Maccabees. JSJ.S 118: 2007 ⇒ 895. 11-30.

3935 *Lichtenberger, Hermann* History-writing and history-telling in First and Second Maccabees. Memory in the bible. WUNT 212: 2007 ⇒ 764. 95-110.

3936 *Nodet, Etienne* I farisei sono gli eredi dei Maccabei. ^E*Laurant, Sophie* Mondo della Bibbia 18/3 (2007) 38-41 Intervista.

3937 **Nodet, Étienne** La crise maccabéenne: historiographie juive et traditions bibliques. Josèphe et son temps 6: 2005 ⇒21,3708; 22,3737. ^RJSJ 38 (2007) 138-139 (*Van Henten, Jan W.*); RevSR 81 (2007) 420-422 (*Vinel, Françoise*); Sal. 69 (2007) 590-591 (*Vicent, Rafael*); Bib. 88 (2007) 590-593 (*Sievers, Joseph*); StPat 54 (2007) 639-642 (*Lorenzin, Tiziano*); CBQ 69 (2007) 127-129 (*Gruen, Erich S.*).

3938 *Tilly, Michael* Libri controversi. Mondo della Bibbia 18/3 (2007) 42-43. 1-4 Macc.;

3939 Die umstrittenen Bücher: die kanonische Wertung der Makkabäerbücher im Judentum und in den christlichen Kirchen. WUB 43 (2007) 54-56.

3940 *Tomes, Roger* Heroism in 1 and 2 Maccabees. BiblInterp 15 (2007) 171-199.

3941 *Van Henten, Jan W.* Royal ideology: 1 and 2 Maccabees and Egypt. Jewish perspectives. 2007 ⇒624. 265-282.

3942 *Wojciechowski, Michał* Moral teaching of 1 and 2 Maccabees. PJBR
      6 (2007) 65-75.
      ^E**Xeravits, G.** The book of Maccabees 2007 ⇒893.
3943 **Ziadé, Raphaëlle** Les martyrs Maccabées: de l'histoire juive au culte
      chrétien: les homélies de GRÉGOIRE de Nazianze et de Jean CHRY-
      SOSTOME. SVigChr 80: Lei 2007, Brill x; 392 pp. €139/$188. 90-04-
      15384-5. Bibl. 351-379.
3944 *Zsengellér, József* Maccabees and temple propaganda. Books of the
      Maccabees. JSJ.S 118: 2007 ⇒895. 181-195.

3945 *Dobbeler, Stephanie von* Militärisches Geschick und geistige Stärke:
      das Geheimnis eines Sieges. WUB 43 (2007) 26-31.
3946 *Hieke, Thomas* The role of "scripture" in the last words of Mattathias
      (1Macc 2:49-70). Books of the Maccabees. JSJ.S 118: 2007 ⇒895.
      61-74.
3947 *Melloni, Georg P.* Die historischen Wurzeln des (Ur-)Christentums:
      das Religionsedikt und die Religionsverfolgung unter Antiochus IV.
      Epiphanes. WUB 43 (2007) 12-18.
3948 *Pastor, Jack* The famine in 1 Maccabees: history or apology?;
3949 *Reiterer, Friedrich V.* Die Vergangenheit als Basis für die Zukunft:
      Mattatias' Lehre für seine Söhne aus der Geschichte in 1 Makk 2:52-
      60. Books of the Maccabees. JSJ.S 118: 2007 ⇒895. 31-43/75-100.

3950 *Berlejung, Angelika* Kämpfer, Opfer und Zeugen Gottes: zur Theolo-
      gie des Martyriums in 2 Makk 6-7. WUB 43 (2007) 21-24.
3951 *Bickerman, Elias J.* Heliodorus in the temple in Jerusalem;
3952 A Jewish festal letter of 124 B.C.E. (2 Macc 1:1-9);
3953 The Maccabees of MALALAS. Studies in Jewish and Christian history.
      AGJU 68/1-2: 2007 ⇒190. 432-464/408-431/465-482 [2 Macc 7].
3954 *Bolyki, János* 'As soon as the signal was given' (2 Macc 4:14): gym-
      nasia in the service of Hellenism;
3955 *Ego, Beate* God's justice: the 'measure for measure' principle in 2
      Maccabees. Books of the Maccabees. 2007 ⇒895. 131-139/141-154.
3956 *Hieke, Thomas* Gott wird uns auferwecken!: die große Hoffnung in 2
      Makk 7. WUB 43 (2007) 48-49.
3957 *Lange, Armin* 2 Maccabees 2:13-15: library or canon?;
3958 *Nicklas, Tobias* Irony in 2 Maccabees. Books of the Maccabees.
      JSJ.S 118: 2007 ⇒895. 155-167/101-111;
3959 Verbindung zu den Toten: gegenseitige Fürbitte-auch über den Tod
      hinaus. WUB 43 (2007) 50-51 [2 Macc 12].
3960 *Parker, Victor L.* The letters in II Maccabees: reflexions on the
      book's composition. ZAW 119 (2007) 386-402 [2 Macc 1-2; 9; 11].
3961 **Pizzolato, Luigi F.; Somenzi, Chiara** I sete fratelli Maccabei nella
      chiesa antica d'Occidente. SPMed 25: 2005 ⇒21,3723; 22,3747.
      ^RVigChr 61 (2007) 111-112 (*Den Boeft, J.*) [2 Macc 7].
3962 *Schorch, Stefan* The libraries in 2 Maccabees 2:13-15, and the torah
      as a public document in second century BC Judaism. Books of the
      Maccabees. JSJ.S 118: 2007 ⇒895. 169-180.
3963 *Schwartz, Daniel R.* Why did Antiochus have to fall (II Maccabees
      9:7)?. Heavenly tablets. JSJ.S 119: 2007 ⇒60. 257-265.
3964 *Smargiasse, Marcelo E.C.* Cavaleiros angélicos em 2 Macabeus: uma
      leitura introdutória. RTel 67/64 (2007) 13-23.

3965 *Wacker, Marie-Theres* Die Mutter der Sieben: Schmerzensfrau und Philosophin. WUB 43 (2007) 35-36 [2 Macc 7].

3966 *Zocca, Elena* Il modello dei sette fratelli "Maccabei" nella più antica agiografia latina. sanctorum 4 (2007) 101-127 [2 Macc 7].

3967 *Alexander, Philip; Alexander, Loveday* The image of the oriental monarch in the third book of Maccabees. Jewish perspectives. 2007 ⇒624. 92-109.

3968 *Bickerman, Elias J.* The date of Fourth Maccabees. Studies in Jewish and Christian history. AGJU 68/1-2: 2007 ⇒190. 266-271.

3969 *Capponi, Livia* Martyrs and apostates: 3 Maccabees and the temple of Leontopolis. Henoch 29 (2007) 288-306.

3970 **Croy, N. Clayton** 3 Maccabees. 2006 ⇒22,3751. [R]RSR 95 (2007) 604-605 (*Berthelot, Katell*); JThS 58 (2007) 171-172 (*Bartlett, J.R.*).

3971 **deSilva, David A.** 4 Maccabees: introduction and commentary on the Greek text in Codex Sinaiticus. 2006 ⇒22,3755. [R]RSR 95 (2007) 606-8 (*Berthelot, Katell*); CBQ 69 (2007) 771-3 (*Hiebert, Robert*).

3972 *DeSilva, David* Using the master's tools to shore up another's house: a postcolonial analysis of 4 Maccabees. JBL 126 (2007) 99-127.

3973 **Johnson, Sara R.** Historical fictions and Hellenistic Jewish identity: Third Maccabees in its cultural context. 2004 ⇒20,3547; 22,3752. [R]RSR 95 (2007) 605-606 (*Berthelot, Katell*).

3974 *Modrzejewski, Joseph M.* Der antike Kampf der Kulturen. das dritte und vierte Makkabäerbuch–Früchte des Konfliktes. WUB 43 (2007) 57-61;

3975 La diaspora di fronte ai tiranni pagani: 3 e 4 Maccabei nella Settanta. Mondo della Bibbia 18/3 (2007) 51-54.

3976 [ET]**Scarpat, Giuseppe** Quarto libro dei Maccabei. Biblica 9: 2006 ⇒ 22,3757. [R]RivBib 55 (2007) 368-373 (*Prato, Gian Luigi*); CBQ 69 (2007) 562-564 (*Hiebert, Robert J.V.*).

3977 *Weigold, Matthias* The Deluge and the flood of emotions: the use of Flood imagery in 4 Maccabees in its ancient Jewish context. Books of the Maccabees. JSJ.S 118: 2007 ⇒895. 197-210.

VI. Libri didactici VT

E6.1 *Poesis metrica*, Biblical and Semitic versification

3978 *Adam, Katja, al.*, Auswahlbibliographie zum Parallelismus membrorum. Parallelismus membrorum. OBO 224: 2007 ⇒541. 273-295.

3979 *Beyer, Klaus* Kannte das Althebräische feste Metren?. [F]JENNI, E. AOAT 336: 2007 ⇒76. 10-16.

3980 *Corley, Jeremy* Rhyme in the Hebrew prophets and wisdom poetry. BN 132 (2007) 55-69.

3981 **Fokkelman, Johannes P.** Major poems of the Hebrew Bible: at the interface of hermeneutics and structural analysis, 3: the remaining 65 psalms. SSN 43: 2003 ⇒19,3705; 21,3732. [R]PHSc II, 651-653 ⇒ 373 (*Brueggemann, Walter*).

3982 *Gentz, Joachim* Zum Parallelismus in der chinesischen Literatur. Parallelismus membrorum. OBO 224: 2007 ⇒541. 241-269.

3983   *Hobbins, John F.* Regularities in Ancient Hebrew verse: a new descriptive model. ZAW 119 (2007) 564-585.
3984   **Lunn, Nicholas** Word-order variation in Biblical Hebrew poetry: differentiating pragmatic poetics. 2006 ⇒22,3762. [R]JNSL 33/2 (2007) 115-119 (*Van der Merwe, Christo H.J.*).
3985   *Maloney, Les D.* Intertextual links: part of the poetic artistry within the book I acrostic psalms. RestQ 49/1 (2007) 11-21.
3986   *Mark, Martin* Verdichtung und Vernetzung theologischer Aussage: zur textsemiotischen Signifikanz der hebräischen Metrik. Parallelismus membrorum. OBO 224: 2007 ⇒541. 41-103 [Ps 116-118].
3987   *Miller, Cynthia L.* The relation of coordination to verb gapping in biblical poetry. JSOT 32 (2007) 41-60.
3988   *Moers, Gerald* Der Parallelismus (membrorum) als Gegenstand ägyptologischer Forschung. Parallelismus membrorum. OBO 224: 2007 ⇒541. 147-166.
3989   *Noegel, Scott* Geminate ballast and clustering: an unrecognized literary feature in ancient Semitic poetry. PHScr II. 2007 <2004> ⇒373. 153-167 [Ps 74,13-14].
3990   *Nunn, Astrid* Der Parallelismus membrorum in den altorientalischen Bildern. Parallelismus membrorum. OBO 224: 2007 ⇒541. 185-237.
3991   *Seybold, Klaus* Anmerkungen zum Parallelismus membrorum in der hebräischen Poesie. Parallelismus membrorum. 2007 ⇒541. 105-14.
3992   **Seybold, Klaus D.** Poetica dei Salmi. [E]*Astori, Davide* Introduzione allo studio della Bibbia, Suppl. 35: Brescia 2007, Paideia 365 pp. €38.90. 978-88-394-0737-5. Bibl. 337-347.
3993   *Sterk, Jan P.* "All-inclusive" parallelism. BiTr 58 (2007) 92-94 [Isa 18,6].
3994   *Streck, Michael* Der Parallelismus membrorum in den altbabylonischen Hymnen. Parallelismus membrorum. 2007 ⇒541. 167-181.
3995   *Tatu, Silviu* Ancient Hebrew and Ugaritic poetry and modern linguistic tools: an interdisciplinary study. Journal for the Study of Religions and Ideologies 6/17 (2007) 47-68;
3996   Graphic devices used by the editors of ancient and mediaeval manuscripts to mark verse-lines in classical Hebrew poetry. Method. Pericope 6: 2007 ⇒841. 92-140.
3997   **Van der Lugt, Pieter** Cantos and strophes in Biblical Hebrew poetry: with special reference to the first book of the Psalter. OTS 53: 2006 ⇒22,3764. [R]RBLit (2007) 218-221 (*Oesch, Joseph M.*).
3998   *Wagner, Andreas* Der Parallelismus membrorum zwischen poetischer Form und Denkfigur. Parallelismus membrorum. OBO 224: 2007 ⇒541. 1-26.
3999   *Watson, Wifred G.E.* The study of Hebrew poetry: past–present–future. Sacred conjectures. LHBOTS 457: 2007 ⇒833. 124-154.
4000   *Wendland, Ernst R.* Aspects of the principle of 'parallelism' in Hebrew poetry. JNSL 33/1 (2007) 101-124.
4001   *Yona, Shamir* A type of expanded repetition in biblical parallelism. ZAW 119 (2007) 586-601.
4002   **Zurro Rodriguez, Eduardo** Procedimientos iterativos en la poesía ugarítica y hebrea. BibOr 43: 1987 ⇒3,2947... 7,2722. [R]AuOr 25 (2007) 323-325 (*Sanmartín, J.*).

E6.2 **Psalmi, textus**

4003 **Barthélemy, Dominique** Critique textuelle de l'Ancien Testament, tome 4: Psaumes. [E]*Ryan, Stephen D.; Schenker, Adrian* OBO 50/4: 2005 ⇒21,3752; 22,3768. [R]RHPhR 87 (2007) 210-211 (*Heintz, J.-G.*); RivBib 55 (2007) 507-508 (*Nicoletti, Andrea*).

4004 *Bons, Eberhard* Beobachtungen zur Übersetzung und Neubildung von Parallelismen im Septuaginta-Psalter. Parallelismus membrorum. OBO 224: 2007 ⇒541. 117-130;

4005 Die Rede von Gott in den Psalmen (LXX). Im Brennpunkt, 3. BWANT 174: 2007 ⇒384. 182-202.

4006 **Carbajosa Perez, Ignacio** Las características de la versión Siríaca de los Salmos (Sal 90-150 de la Peshitta). AnBib 162: 2006 ⇒22, 3771. [R]CBQ 69 (2007) 769-770 (*Laberge, Léo*); LASBF 57 (2007) 734-736 (*Pazzini, Massimo*).

4007 *Cordes, Ariane; Zenger, Erich* Übersetzungstechniken und Interpretationen im Septuagintapsalter. Im Brennpunkt, 3. BWANT 174: 2007 ⇒384. 106-131.

4008 *Crisci, Edoardo, al.,* Il salterio purpureo Zentralbibliothek Zürich, RP 1. SeT 5 (2007) 31-98.

4009 *Crivello, Fabrizio* Ein Name für das Herrscherbild des Ludwigspsalters. Kunst Chronik 60 (2007) 216-219.

4010 **Emmenegger, Gregor** Der Text des koptischen Psalters aus al-Mudil: ein Beitrag zur Textgeschichte der Septuaginta und zur Textkritik koptischer Bibelhandschriften, mit der kritischen Neuausgabe des Papyrus 37 der British Library London (U) und des Papyrus 39 der Leipziger Universitätsbibliothek (2013). TU 159: B 2007, De Gruyter xxviii; 391 pp. €118. 978-3-11-019948-2. Diss. Freiburg/Br.; Bibl. 371-383.

4011 [E]**Flint, Peter W.; Miller, Patrick D., Jr.** The book of Psalms: composition and reception. VT.S 99; FIOTL 4: 2005 ⇒21,390; 22,3772. [R]R&T 14 (2007) 158-160 (*Maré, L.P.*); VT 57 (2007) 407-408 (*Johnston, P.S.*); OTEs 20 (2007) 877-882 (*Botha, Phil J.*).

4012 [E]**Grunewald, Eckhard; Jürgens, Henning; Luth, Jan** Der Genfer Psalter und seine Rezeption in Deutschland, der Schweiz und den Niederlanden: 16.-18. Jahrhundert. 2004 ⇒20,3577; 22,3774. [R]SCJ 38/1 /2007) 228-229 (*Zuidema, Jason*); ZRGG 59 (2007) 185-187 (*Hasselhoff, Görge K.*); ThR 72 (2007) 233-240 (*Rauhaus, Alfred*).

4013 **Ladouceur, David** The Latin psalter. 2005 ⇒21,3766. [R]Alpha Omega 10/1 (2007) 140-141 (*Kranz, Dirk K.*).

4014 *Pattemore, Stephen W.* How green is your bible?: ecology and the end of the world in translation. BiTr 58 (2007) 75-85.

4015 *Sipilä, Seppo* An orthodox liturgical version versus an interconfessional version of Psalms: a case study. BiTr 58 (2007) 171-179.

4016 [T]**Trebolle Barrera, Julio C.** Libro de los Salmos: himnos y lamentaciones. 2001 ⇒17,3127. [R]RB 114 (2007) 137-138 (*Loza Vera, J.*).

E6.3 **Psalmi, introductio**

4017 *Anaparambil, James* Journeying through the psalms–2: the origin and development of the psalter. Living Word 113 (2007) 115-127.

4018   *Berquist, Jon L.* Psalms, postcolonialism, and the construction of the
       self. Approaching Yehud. 2007 ⇒376. 195-202.
4019   *Dhanaraj, D.* Structural approach to psalm exegesis: Psalms 8 and 54
       as examples. BiBh 33/2 (2007) 18-35 [Ps 8; 54].
4020   **Firth, David; Johnston, Philip** Interpreting the Psalms: issues and
       approaches. 2005 ⇒21,740. ᴿSBET 25/1 (2007) 115-116 (*Brooks, R.
       Jeremy*); Evangel 25 (2007) 87-88 (*McKay, David*); CBQ 69 (2007)
       385-387 (*Hoppe, Leslie J.*).
4021   **Futato, Mark D.** Interpreting the psalms: an exegetical handbook.
       Handbooks for OT Exegesis: GR 2007, Kregel 234 pp. $21. 978-08-
       254-27657. Bibl.
4022   *Gerstenberger, Erhard S.* The psalms: genres, life situations, and the-
       ologies–towards a hermeneutics of social stratification. Diachronic
       and synchronic. LHBOTS 488: 2007 ⇒784. 81-92.
4023   **Hunter, Alastair G.** An introduction to the Psalms. L 2007, Clark
       viii; 158 pp. $20. 978-0567-030283/2973. Bibl. 143-151.
4024   **Mailhiot, Gilles-D.** El libro de los Salmos: rezar a Dios con palabras
       de Dios. ᵀ*Martín-Peralta, Carlos Martín* Sicar: 2005 ⇒21,3786; 22,
       3793. ᴿEstTrin 41/1 (2007) 177-178 (*Miguel, José Maria de*).
4025   *Mielgo Fernández, C.* El salterio como libro: nueva lectura de los
       salmos. EstAg 42 (2007) 417-450.
4026   *Rose, Martin* Salmi. Guida. 2007 ⇒506. 447-462.
4027   *Snyman, S.D.* Kom ons skryf 'n psalm!. AcTh(B) 27/1 (2007) 104-20.
4028   **Stichel, Rainer** Beiträge zur frühen Geschichte des Psalters und zur
       Wirkungsgeschichte der Psalmen. Pd 2007, Schöningh 751 pp. €129.
       90. 978-3506-76386-0. Bibl. 9-20. ᴿALW 49 (2007) 368-369 (*Häuß-
       ling, Angelus A.*).
4029   **Trebolle Barrera, Julio** Libro de los Salmos: religión, poder y sa-
       ber. 2001 ⇒17,3142... 20,3606. ᴿRB 114 (2007) 138-140 (*Loza
       Vera, J.*).
4030   **Vassar, John S.** Recalling a story once told: an intertextual reading
       of the psalter and the pentateuch. Macon, GA 2007, Mercer Univ. Pr.
       x; 155 pp. $45. 978-0-88146-051-3. Bibl. 135-146.
4031   **Vos, Cas J.A.** Theopoetry of the Psalms. ᵀ*Mills, Sandra* 2005 ⇒21,
       3791. ᴿThLZ 132 (2007) 1009-11 (*Gerstenberger, Erhard*); CBQ 69
       (2007) 345-7 (*Nasuti, Harry P.*); RBLit (2007)* (*Fokkelman, Jan*).
4032   *Weber, Beat* Kanonische Psalterexegese und -rezeption: forschungs-
       geschichtliche, hermeneutische und methodologische Bemerkungen.
       Der Bibelkanon. 2007 ⇒360. 85-94.

E6.4 Psalmi, commentarii

4033   **Alter, Robert** The book of Psalms: a translation with commentary.
       NY 2007, Norton 560 pp. $35. 978-03930-62267. Bibl. 517-518.
4034   **Aparicio Rodríguez, Angel** Salmos 42-72. Comentarios a la nueva
       Bíblia de Jerusalén 13B: 2006 ⇒22,3798. ᴿEphMar 57/1 (2007)
       137-138 (*Sancho, Andrés*).
4035   ᵀ**Berlanga Fernández, Immaculada** Juan Crisóstomo: Comentari-
       os a los salmos 1-2. Biblioteca de patrística 69: 2006 ⇒22,3799s.
       ᴿRelCult 53 (2007) 632-633 (*Langa, Pedro*). [Ps 108-117; 119-150].
       ᴱ**Burnett, J.**, *al.*, Diachronic & synchronic: reading the Psalms
       2007 ⇒784.

4036 ^T**Caruso, Antonio** Flavio Magno Aurelio CASSIODORO: Spaccati di vita, 2: I salmi penitenziali. Tradizione e Vita 16: 2006 ⇒22,3803. ^RMar. 69 (2007) 627-628 (*Peretto, Elio M.*);

4037 Spaccati di vita, 3: I salmi delle ascensioni. Tradizione e Vita 17: R 2007, Vivere In 174 pp.

4038 **Clifford, Richard J.** Psalms 73-150. Abingdon OT Comm.: 2003 ⇒ 19,3752... 21,3798. ^RPHScr II, 644-646 ⇒373 (*Power, Bruce A.*).

4039 **Eaton, John** The Psalms: a historical and spiritual commentary. 2005 ⇒19,3753... 22,3804. ^RRBLit (2007)* (*Vassar, John*).

4040 **Gerwing, Famian M.** Öffnet mir die Tore...: die Psalmen erklärt in verständlicher Sprache. Heimbach 2007, Abtei Mariawald 5 vols; 260+180+110+110+210 pp. €11.90+9.90+8.90+8.90+10.90. 978-39-408-72159/66/73/80/97 [Ps. 1-41; 42-72; 73-89; 90-106; 107-150].

4041 **Goldingay, John** Psalms, vol. 2: Psalms 42-89. Baker Comm. on the OT: GR 2007, Baker 744 pp. $45. 978-08010-27048.

4042 ^E**Gori, Franco** Enarrationes in Psalmos 141-150. CSEL 95/5; Sancti Augustini Opera: 2005 ⇒21,3800; 22,3807. ^RAug. 47 (2007) 311-319 (*Alexanderson, Bengt*).

4043 ^{ET}**Hill, Robert C.** THEODORE of Mopsuestia: Commentary on Psalms 1-81. WGRW 5: 2006 ⇒22,3808. ^RLogos [Ottawa] 48 (2007) 136-138 (*Kuc, Danylo*); RBLit (2007) 501-504 (*Zamagni, Claudio*).

4044 **Hossfeld, Frank L.; Zenger, Erich** Die Psalmen, 2: Psalm 51-100. NEB.AT 40: FrB ³2007 <2002> ⇒18,3487; 20,3617. ^RTJT 21 (2005) 243-244 (*Williams,Tyler F.*);

4045 Psalms 2: a commentary on Psalms 51-100. ^T*Maloney, Linda M.* Hermeneia: 2005 ⇒21,3805; 22,3809. ^RInterp. 61 (2007) 218-220 (*Brown, William P.*).

4046 **Lelièvre, André; Maillot, Alphonse** Les psaumes: chants d'amour (1 à 75). Lyon ³2007 <1961, 1972>, Olivétan 542 pp.

4047 **Marti, Kurt** Die Psalmen: Annäherungen. Stu 2004, Radius 454 pp. 38717-32842.

4048 ^E**Müller, Hildegund** Enarrationes in Psalmos 51-100, pars 1: Enarrationes in Psalmos 51-60. CSEL 94/1; Sancti Augustini Opera: 2004 ⇒20,3619. ^RAug. 47 (2007) 299-309 (*Alexanderson, Bengt*).

4049 ^T**Orazzo, Antonio** ILARIO di Poitiers: commento ai salmi/1 (1-91); 2 (118); 3 (119-150). CTePa 185-187: 2005 ⇒21,3810; 22,3811. ^RREAug 53 (2007) 184-186 (*Milhau, Marc*); Lat. 73 (2007) 541-543 (*Amata, Biagio*).

4050 **Strauss, Hans** "... eine kleine Biblia": Exegesen von dreizehn ausgewählten Psalmen Israels. BThSt 56: 2003 ⇒19,3764. ^RRBLit (2007)* (*Prinsloo, Gert T.M.*) [Jonah 2,3-10; Ps 2; 8; 13; 22; 29; 47; 73; 89; 114].

4051 **Terrien, Samuel** The Psalms: strophic structure and theological commentary. 2003 ⇒19,3765... 22,3816. ^RJNES 66 (2007) 210-212 (*Sparks, Kent*); HeyJ 48 (2007) 461-464 (*McNamara, Martin*).

4052 **Vesco, Jean-Luc** Le psautier de David traduit et commenté. LeDiv 210: 2006 ⇒22,3817. ^RVS 771 (2007) 373-375 (*Burnet, Régis*); EeV 117/179 (2007) 22-23 (*Martin de Viviés, Pierre de*); CEv 141 (2007) 137-138 (*Wénin, André*); ThLZ 132 (2007) 928-929 (*Riaud, Jean*); RevSR 81 (2007) 416-418 (*Bons, Eberhard*); RSR 95 (2007) 585-586 (*Abadie, Philippe*); RBLit (2007)* (*Sanders, Paul*).

4053 ^E**Weidmann, Clemens** Enarrationes in Psalmos 1-50, pars IA: Enarrationes in Psalmos 1-32. CSEL 93/1A; Sancti Augustini Opera: 2003 ⇒19,3768. ^RAug. 47 (2007) 179-191 (*Alexanderson, Bengt*).

4054 ^EWesselschmidt, Quentin F. Psalms 51-150. ACCS.OT 8: DG 2007, InterVarsity xxiii; 499 pp. €27.38. 9780-8308-14787. Bibl. 461-480.

E6.5 Psalmi, themata

4055 Alonso Schökel, Luis I salmi della fiducia. 2006 ⇒22,3822. ^RCivCatt 158/1 (2007) 413-414 (*Scaiola, D.*).

4056 *Beauchamp, Paul* Elezione e universalità nella bibbia. Testamento biblico. 2007 <1995> ⇒184. 81-95.

4057 **Bester, Dörte** Körperbilder in den Psalmen: Studien zu Psalm 22 und verwandten Texten. ^D*Janowski, Bernd* FAT 2/24: Tü 2007, Mohr S. xii; 304 pp. €49. 978-3-16-149361-4. Diss. Tübingen; Bibl. 271-293.

4058 *Bledstein, Adrien* David at the cave of Adullam: depression and hypergraphia. ^MMETZGER, B. NTMon 19: 2007 ⇒105. 241-250.

4059 **Brown, William P.** Seeing the Psalms: a theology of metaphor. 2002 ⇒18,3504...22,3831. ^RPHScr II, 658-60 ⇒373 (*Mandolfo, Carleen*).

4060 *Burnett, Joel S.* A plea for David and Zion: the Elohistic psalter as psalm collection for the temple's restoration. Diachronic and synchronic. LHBOTS 488: 2007 ⇒784. 95-113.

4061 ^E**Büttner, F.O.** The illuminated psalter: studies in the content, purpose and placement of its images. 2005 ⇒21,3834. ^RScr. 60 (2007) 153*-154* (*Huglo, M.*).

4062 *Cordes, Ariane* Sans la loi ou contre la loi?: le groupe de mots ΠΑΡΑΝΟΜΙΑ, ΠΑΡΑΝΟΜΟΣ et ΠΑΡΑΝΟΜΕΩ dans le psautier de la Septante. Un carrefour. OBO 233: 2007 ⇒515. 93-111.

4063 *Curtis, Adrian H.W.* "Our father...": an inherited title and its presence (or absence) in the psalms?;

4064 *Day, John* The ark and the cherubim in the psalms. Psalms and prayers. OTS 55: 2007, ⇒766. 45-63/65-77.

4065 **Day, John N.** Crying for justice: what the psalms teach us about mercy and vengeance in an age of terrorism. 2005 ⇒21,3839. ^RRBLit (2007)* (*Seebass, Horst*).

4066 *Ebach, Jürgen* Der Ton macht die Musik: Stimmungen und Tonlagen in den Psalmen und ihrer Lektüre: (un)musikalischer Vortrag in fünf Sätzen. Musik, Tanz. SBS 207: 2007 ⇒429. 11-40.

4067 *Ellington, Scott A.* The reciprocal reshaping of history and experience in the Psalms: interactions with Pentecostal testimony. JPentec 16/1 (2007) 18-31.

4068 **Firth, David G.** Surrendering retribution in the psalms: responses to violence in individual complaints. 2005 ⇒21,3846; 22,3839. ^RThLZ 132 (2007) 1305-1307 (*Weber-Lehnherr, Beat*); CBQ 69 (2007) 114-115 (*Raube, Paul R.*); RBLit (2007) 199-201 (*Russell, Brian D.*).

4069 *Gericke, Jaco W.* Yhwh unlimited: theo-mythology in the psalms and realism vs. non-realism in philosophy of religion. Psalms and mythology. LHBOTS 462: 2007 ⇒451. 38-57.

4070 **Grant, Jamie A.** The king as exemplar: the function of Deuteronomy's kingship law in the shaping of the book of Psalms. 2004 ⇒20, 3651... 22,3843. ^RJSSt 52 (2007) 147-149 (*Gillingham, Susan*).

4071 **Grohmann, Marianne** Fruchtbarkeit und Geburt in den Psalmen. ^D*Pratscher, Wilhelm* FAT 53: Tü 2007, Mohr S. xi; 370 pp. €89. 97-8-3-16-149326-3. Diss.-Habil. Wien; Bibl. 333-349.

4072 **Hilber, John** Cultic prophecy in the Psalms. BZAW 352: 2005 ⇒21, 3856; 22,3896. [R]CBQ 69 (2007) 119-120 (*Saleska, Timothy E.*).

4073 *Hilber, John W.* Cultic prophecy in Asyria and in the Psalms. JAOS 127 (2007) 29-40.

4074 *Hossfeld, Frank-L.* König David im Wallfahrtspsalter. [F]HENTSCHEL, G. EThSt 90: 2007 ⇒65. 219-233.

4075 *Janowski, Bernd* Aus tiefer Not schrei ich zu dir!: Tod und Leben in der Bildersprache der Psalmen. Bibel nach Plan?. 2007 ⇒422. 32-53.

4076 **Klingbeil, Martin** Yahweh fighting from heaven: God as warrior and as God of heaven in the Hebrew Psalter and ancient Near Eastern iconography. OBO 169: 1999 ⇒15,3023... 18,3525. [R]OLZ 102 (2007) 308-313 (*Hossfeld, Frank-Lothar*).

4077 *Klingbeil, Martin G.* 'I will be satisfied with seeing your likeness': image and imagery in the Hebrew psalter. [F]PFANDL, G. 2007 ⇒122. 59-74.

4078 **Leuenberger, Martin** Konzeptionen des Königtums Gottes im Psalter: Untersuchungen zu Komposition und Redaktion der theokratischen Bücher IV-V im Psalter. AThANT 83: 2004 ⇒20,3662; 22,3856. [R]BZ 51 (2007) 118-123 (*Zenger, Erich*); RBLit (2007) 210-212 (*Botha, Philippus J.*).

4079 *Martin, Francis* The word at prayer: epistemology in the psalms. The bible and epistemology. 2007 ⇒444. 43-64.

4080 **Mascarenhas, Theodore** The missionary function of Israel in Psalms 67, 96, and 117. 2005 ⇒21,3872; 22,3857. [R]VJTR 71 (2007) 478-479 (*Shruti, Sr*).

4081 *Mello, Alberto* L'eredità della terra nei salmi sapienziali. [F]VERNET, J. 2007 ⇒158. 79-91.

4082 *Millard, Matthias* Die "Mitte des Psalters": ein möglicher Ansatz einer Theologie der Hebräischen Bibel. Der Bibelkanon. 2007 ⇒360. 252-260 [Ps 78].

4083 *Miller, Patrick D.* "Deinem Namen die Ehre": die Psalmen und die Theologie des Alten Testaments. EvTh 67 (2007) 32-42 [Ps 86].

4084 *Otto, Eckart* Myth and Hebrew ethics in the psalms. Psalms and mythology. LHBOTS 462: 2007 ⇒451. 26-37.

4085 **Parrish, V. Steven** A story of the Psalms: conversation, canon, and congregation. 2003 ⇒19,3815; 20,3677. [R]PHScr II, 635-638 ⇒373 (*Embry, B.J.*).

4086 *Patterson, Richard D.* Singing the new song: an examination of Psalms 33, 96, 98, and 149. BS 164 (2007) 416-434.

4087 **Römer, Thomas** Psaumes interdits: du silence à la violence de Dieu. Poliez-le-Grand 2007, Moulin 94 pp. €14. 978-28846-90247.

4088 **Saur, Markus** Die Königspsalmen: Studien zur Entstehung und Theologie. BZAW 340: 2004 ⇒20,3681... 22,3866. [R]BZ 51 (2007) 299-303 (*Steymans, Hans U.*).

4089 *Schiller, Johannes* Heilung im Gebet?: der Weg von der Klage zum Lob in den Psalmen. [F]TRUMMER, P. 2007 ⇒153. 53-59 [Ps 13; 88].

4090 *Sons, Rolf* Umgang mit Stimmungsschwankungen im Spiegel der Psalmen. ThBeitr 38 (2007) 29-40.

4091 **Süssenbach, Claudia** Der elohistische Psalter: Untersuchungen zu Komposition und Theologie von Ps 42-93. FAT 2/7: 2005 ⇒21, 3907; 22,3870. [R]ThLZ 132 (2007) 926-928 (*Oeming, Manfred*).

4092 **Talamé, María V.** 'Aclamad al Señor con alegría' (Sal 47,2): el tema de la alegría en el salterio. ^{D}*Costacurta, Bruna* 2007, 75 pp. Exc. Diss. Gregoriana; Bibl. 39-69.

4093 **Tomes, Roger** 'I have written to the King, my Lord': secular analogies for the Psalms. HBM 1: 2005 ⇒21,3908; 22,3871. ^{R}JSSt 52 (2007) 382-384 (*Gillingham, Susan*); SJOT 21 (2007) 302-304 (*Lemche, Niels P.*).

4094 *Tucker, W. Dennis, jr.* Is shame a matter of patronage in the communal laments?. JSOT 31 (2007) 465-480 [Ps 44; 74; 79].

4095 **Vos, Christiane de** Klage als Gotteslob aus der Tiefe: der Mensch vor Gott in den individuellen Klagepsalmen. FAT 2/11: 2005 ⇒21, 3912; 22,3873. ^{R}OTEs 20 (2007) 510-511 (*Nel, Philip J.*); RBLit (2007)* (*Grohmann, Marianne*) [Ps 38; 56; 88].

4096 **Wallace, Robert E.** The narrative effect of book IV of the Hebrew psalter. Studies in Biblical literature 112: NY 2007, Lang ix; 132 pp. 1-433-10092-4. Bibl. 115-123.

4097 **Wälchli, Stefan** Gottes Zorn in den Psalmen–eine Studie zur Rede vom Zorn Gottes in den Psalmen im Kontext des Alten Testaments und des Alten Orients. ^{D}*Dietrich, Walter* 2007, Diss.-Habil. Bern.

E6.6 *Psalmi: oratio, liturgia*—Psalms as prayer

4098 *Anaparambil, James* Journeying through Psalms—1: learning to pray Psalms. LivWo 113/1 (2007) 57-62;

4099 The psalms and the liturgy of the hours, 1: distribution of the psalms in the liturgy of the hours. LivWo 113 (2007) 203-217.

4100 ^{E}**Arocena, Félix M.** Psalterium liturgicum, 1-2. 2005 ⇒21,3920s; 22,3880. ^{R}Cart. 23 (2007) 254-255 (*Martínez Fresneda, F.*); Sal. 69 (2007) 775-776 (*Sodi, Manlio*).

4101 **Awad, Magdi R.B.** Untersuchungen zur koptischen Psalmodie: christologische und liturgische Aspekte. Studien zur Orientalischen Kirchengeshichte 41: B 2007, LIT 302 pp. €34.90. 9783825-801649.

4102 *Beauchamp, Paul* La preghiera alla scuola dei salmi. Testamento biblico. 2007 <1978> ⇒184. 27-43.

4103 BENEDIKT XVI; JOHANNES PAUL II Die Psalmen: das Abendgebet der Kirche. 2006 ⇒22,3882. ^{R}Theologisches 37 (2007) 156-157 (*Hauke, Manfred*).

4104 **Bourgeault, Cynthia** Chanting the psalms: a practical guide with instructional CD. 2006 ⇒22,3884. ^{R}AThR 89 (2007) 487-488 (*Doran, Carol*); Spiritual Life 53 (2007) 183-185 (*Shanahan, Daniel*).

4105 *Brown, William P.* The psalms and 'I': the dialogical self and the disappearing psalmist. Diachronic and synchronic. LHBOTS 488: 2007 ⇒784. 26-44.

4106 **Brueggemann, Walter** Praying the psalms: engaging scripture and the life of the spirit. Eugene, OR ^{2}2007 <1980>, Cascade 116 pp. $14.

4107 *Brueggemann, Walter* Psalms as subversive practice of dialogue. Diachronic and synchronic. LHBOTS 488: 2007 ⇒784. 3-25.

4108 *Chinchar, Gerald T.; Colloton, Paul H.; O'Connor, Roc* Praying the Psalms in the light of the paschal mystery. Liturgical ministry 16/1 (2007) 53-59.

4109   *Cortese, Enzo* Una teologia dei salmi storica: storia della fede e della preghiera d'Israele nel salterio. LASBF 57 (2007) 29-81.

4110   **Doglio, Claudio** I salmi del pellegrino: pregare con i canti delle ascensioni. Mi 2007, Centro Ambrosiano 192 pp. €15 [Ps 120-134].

4111   **Eaton, John** Psalms for life: hearing and praying the book of Psalms. LVL 2007, Westminster x; 389 pp. $25. 978-0-281-05844-0.

4112   *Faure, Patrick* 'Des chemins s'ouvrent dans leurs coeurs': étude et méditation des psaumes. Cahiers de l'Ecole Cathédrale 76: P 2007, Parole et S. 188 pp.

4113   ᴱ**Fischer, Ulrich,** *al.,* Lobe den Herrn, meine Seele: alle 150 Psalmen mit Auslegungen. Stu 2003, Kathol. Bibelwerk 395 pp. 37831-2211-2. Zusammengest. von *Johannes Hasselhorn.*

4114   *Gaiser, Frederick* "I come with thanks most grateful": Paul Gerhardt and Psalm 111 on studying God's works. WaW 27 (2007) 325-330;

4115   "I sing to you and praise you" (Psalm 30): Paul Gerhardt and the Psalms. WaW 27/2 (2007) 195-205.

4116   **Gerwing, Famian M.** Psallieret weise!: die Psalmen mit Begleittexten der übrigen Heiligen Schrift. Heimbach 2005, Abtei Mariawald 297 pp.

4117   ᴱ**Hasenmüller, Margret; Russi, Armin** Psalter für den Gottesdienst. Stu 2007, Kathol. Bibelwerk 528 pp. €49.90. 978-34603-20840. Revidierte Fassung im Auftrag der Abtei Scheyern.

4118   **Helberg, Jaap** Die psalms...my gebede: oorwin die spannig met jou medemens, jouself en God. Potchefstroom 2006, Potchefstroomse Teologiese Publikasies 67 pp. ᴿAcTh(B) 27/1 (2007) 161-162 (*Snyman, S.D.*).

4119   **Jaki, Stanley L.** Praying the psalms: a commentary. 2001 ⇒17, 3247. ᴿABenR 58 (2007) 235-236 (*Kardong, Terrence G.*).

4120   **Johnson, Marshall D.** Psalms through the year: spiritual exercises for every day. Mp 2007, Augsburg 391 pp. $15.

4121   *Mandolfo, Carleen* A generic renegade: a dialogic reading of Job and lament psalms. Diachronic and synchronic. LHBOTS 488: 2007 ⇒784. 45-63.

4122   *Marx, Alfred* Formes et fonctions de l'hymne dans la Bible hébraïque. L'hymne antique. 2007 ⇒974. 19-30.

4123   *Mazzi, Rita T.* 'Quanto amo la tua parola!' (Salmo 119). CoSe 61/3 (2007) 38-45.

4124   **Mello, Alberto** I salmi: un libro per pregare. Spiritualità biblica: Magnano (Bi) 2007, Qiqajon 199 pp.

4125   **Merton, Thomas** Orar los salmos. 2005 ⇒21,3959. ᴿEstTrin 41/1 (2007) 178-179 (*Miguel, José Maria de*).

4126   *Müller, Hadwig* "Psalmen der Völker": eine Initiative des Missionswissenschaftlichen Instituts Missio Aachen. AnzSS 116/12 (2007) 34-36.

4127   ᴱ**Orella, Eduardo J.** Orar con los salmos en la depresión. Bilbao 2007, Mensajero 87 pp. Texto oficial litúrgico: *Luis Alonso Schökel.*

4128   **Pavía, Antonio** En el espíritu de los salmos: la oración de Jesucristo y del cristiano. M 2007, San Pablo 630 pp.

4129   **Ravasi, Gianfranco** I salmi: introduzione, testo e commento. Parola di Dio 54: 2006 ⇒22,3907. ᴿEstTrin 41/1 (2007) 175-177 (*Miguel, José Maria de*); CivCatt 158/3 (2007) 209-210 (*Scaiola, D.*).

4130   *Samain, Bernard-Joseph* Guerric d'Igny: Deux lieux du désir: la *lectio divina* et la psalmodie. CCist 69 (2007) 176-181.

4131 *Sanders, Paul* Argumenta ad Deum in the plague prayers of Mursili II and in the book of Psalms. Psalms and prayers. OTS 55: 2007 ⇒ 766. 181-217.

4132 *Sanz Giménez-Rico, Enrique* 'Porque tú estás conmigo': orar con el salmo 23. SalTer 95 (2007) 695-705.

4133 *Simian-Yofre, Horacio* 'Mi tiempo está en tus manos': la esperanza orante en los salmos. ᶠIBÁÑEZ ARANA, A. 2007 ⇒72. 275-296.

4134 **Sire, James W.** Praying the psalms of Jesus. DG 2007, Intervarsity 240 pp. $16. 978-0-83083-508-9. Bibl. 221-222.

4135 *Staley, Lynn* The penitential psalms: conversion and the limits of lordship. JMEMS 37 (2007) 221-269.

4136 *Tomes, Roger* Sing to the Lord a new song. Psalms and prayers. OTS· 55: 2007 ⇒766. 237-252 [Isaiah 42,10; Ps 33; 96; 98; 149].

4137 *Wallace, Howard N.* King and community: joining with David in prayer. Psalms and prayers. OTS 55: 2007 ⇒766. 267-277.

4138 **Wallace, Howard N.** Words to God, word from God: the Psalms in the prayer and preaching of the church. 2005 ⇒21,3965. ᴿPacifica 20 (2007) 96-97 (*Raeburn, Mary*); HeyJ 48 (2007) 464-465 (*Briggs, Richard S.*).

4139 *Wenham, Gordon J.* Prayer and practice in the psalms. Psalms and prayers. OTS 55: 2007 ⇒766. 279-295.

4140 *Wimmer, Joseph F.* Praying the psalms. NewTR 20/3 (2007) 86-88.

4141 **Witvliet, John D.** The biblical psalms in christian worship: a brief introduction and guide to resources. GR 2007, Eerdmans 169 pp. $16. 978-0-8028-0767-0. Bibl. 148-157.

E6.7 *Psalmi: versiculi*—Psalms by number and verse

4142 *Arneth, Martin* Psalm 1: seine Stellung im Psalter und seine Bedeutung für die Komposition der Bergpredigt. Tora in der Hebräischen Bibel. ZAR.B 7: 2007 ⇒347. 294-309.

4143 *Botha, Phil J.* Intertextuality and the interpretation of Psalm 1. Psalms and mythology. LHBOTS 462: 2007 ⇒451. 58-76. ·   .

4144 *Janowski, Bernd* Freude an der Tora: Psalm 1 als Tor zum Psalter. EvTh 67 (2007) 18-31;

4145 Wie ein Baum an Wasserkanälen: Psalm 1 als Tor zum Psalter. ᶠWILLI-PLEIN, I. 2007 ⇒168. 121-140.

4146 *Waltke, Bruce K.* Preface to the psalter: two ways. CRUX 43/3 (2007) 2-9 [Ps 1].

4147 *Weber, Beat* Psalm 1 als Tor zur Tora JHWHs: wie Ps 1 (und Ps 2) den Psalter an den Pentateuch anschließt. SJOT 21 (2007) 179-200.

4148 *Bellinger, W.H., Jr.* Reading from the beginning (again): the shape of book I of the psalter. Diachronic and synchronic. LHBOTS 488: 2007 ⇒784. 114-126 [Ps 1-41].

4149 *García Ureña, Lourdes* Quién es quién: las voces en el Salmo 2. MEAH 56 (2007) 21-43.

4150 *Waltke, Bruce K.* Ask of me, my son: exposition of Psalm 2. CRUX 43/4 (2007) 2-19.

4151 **García Ureña, Lourdes** La metáfora de la gestación y del parto al servicio de la analogía: una lectura de Sl 2,1-7. 2003 ⇒19,3896; 21, 3976. ᴿComp. 52 (2007) 327-334 (*Moreno, Abdón*).

4152 *Usue, Emmanuel O.* Theological-mythological viewpoints on divine sonship in Genesis 6 and Psalm 2. Psalms and mythology. LHBOTS 462: 2007 ⇒451. 77-90 [Ps 2,1-12].

4153 *Weber, Beat* "HERR, wie viele sind geworden meine Bedränger..." (Ps 3, 2a): Psalm 1-3 als Ouvertüre des Psalters unter besonderer Berücksichtigung von Psalm 3 und seinem Präskript. Der Bibelkanon. 2007 ⇒360. 231-251.

4154 *Auffret, Pierre* Il a entendu, YHWH: étude structurelle du Psaume 6. ETR 82 (2007) 595-602.

4155 *Engelen, Jan* Kan een kind de was doen?: aantekeningen bij Psalm 8. ITBT 15/8 (2007) 15-16.

4156 *Gillingham, Susan* Psalm 8 through the looking glass: reception history of a multi-faceted psalm. Diachronic and synchronic. LHBOTS 488: 2007 ⇒784. 167-196.

4157 **Schnieringer, Helmut** Psalm 8: Text–Gestalt–Bedeutung. ÄAT 59: 2004 ⇒20,3772. ᴿALW 49 (2007) 372-373 (*Schenker, Adrian*).

4158 *Van Meegen, Sven* Psalm 8: die Würde des Menschen. Gottes Wort. Bibel und Ethik 1: 2007 ⇒537. 57-71.

4159 **Sager, Dirk** Polyphonie des Elends: Psalm 9/10 im konzeptionellen Diskurs und literarischen Kontext. FAT 2/21: 2006 ⇒22,3931. ᴿRBLit (2007)* (*Vette, Joachim*).

4160 *Almeida, Fabio P.M. de* Em Javé busco refúgio: meditação a partir do Salmo 11. VTeol 15/2 (2007) 91-111.

4161 *McCann, J. Clinton, Jr.* On reading the psalms as christian scripture: Psalms 11-12 as an illustrative case. Diachronic and synchronic. LHBOTS 488: 2007 ⇒784. 129-142.

4162 **Horodecka, Anna** Die existenzielle Entscheidung in Psalm 13. ᴰ*Warzecha, Julian* 2007, 365 pp. Diss. Warsaw, UKSW. **P.**

4163 **Liess, Kathrin** Der Weg des Lebens: Psalm 16 und das Lebens- und Todesverständnis der Individualpsalmen. FAT 2/5: 2004 ⇒20,3777 ... 22,3933. ᴿOLZ 102 (2007) 479-483 (*Leuenberger, Martin*).

4164 *Dewald, Hans* Kognitive Struktur und Funktion von Gottesmetaphern im 18. Psalm. BN 132 (2007) 23-54.

4165 *Arneth, Martin* Psalm 19: Tora oder Messias?. Tora in der Hebräischen Bibel. ZAR.B 7: 2007 ⇒347. 310-339 [Ps 19].

4166 **Bauks, Michaela** Die Feinde des Psalmisten und die Freunde Ijobs: Untersuchungen zur Freund-Klage im Alten Testament am Beispiel von Ps 22. SBS 203: 2004 ⇒20,3784... 22,3941. ᴿThLZ 132 (2007) 157-159 (*Krispenz, Jutta*) [Job 3; 30].

4167 *Bons, Eberhard* Die Septuaginta-Version von Psalm 22. Psalm 22. BThSt 88: 2007 ⇒383. 12-32.

4168 *Lorber, Jean-Luc* Les paraphrases du Psaume 22 au XXe siècle: répons, critiques, chansons et poème. RevSR 81 (2007) 369-389.

4169 *Nielsen, Kirsten* Min Gud, min Gud!: hvorfor har du forladt mig?: om reception og transformation af en gemmeltestamentlig salme. DTT 70 (2007) 38-48 [Ps 22].

4170 *Omerzu, Heike* Die Rezeption von Psalm 22 im Judentum zur Zeit des zweiten Tempels. Psalm 22. BThSt 88: 2007 ⇒383. 33-76.

4171 *Strauß, Hans* Zur Ausgangsexegese von Psalm 22. Psalm 22. BThSt 88: 2007 ⇒383. 1-11.

4172 *Trudinger, Paul* The introductory heading of Psalm 22: a textual-critical observation. DR 125 (2007) 221-222.

4173   *Clines, David J.A.* Psalm 23 and a confluence of methods. SiChSt 4 (2007) 7-37;

4174   Translating Psalm 23. ^FAULD, G. VT.S 113: 2007 ⇒5. 67-80.

4175   *Botha, Phil* The relationship between Psalms 25 and 37. OTEs 20 (2007) 543-566.

4176   *Maher, Michael* Canaanite themes in the service of Israel's faith: Psalm 29. DoLi 57/1 (2007) 49-57.

4177   *Weber, Beat* Psalm 30 als Paradigma für einen heutigen "Kasus der Wiederherstellung": Überlegungen zu einer Schnittstelle zwischen Altem Testament und kirchlichem Handeln im Blick auf eine Theologie und Praxis der Dankbarkeit. JETh 21 (2007) 31-50.

4178   *Hasitzka, Monika; Römer, Cornelia E.* Psalm 30,2-8 in Greek and Coptic: joined ostraca in London and Chicago. APF 53 (2007) 201-3.

4179   *Jacobs, Mignon R.* Sin, silence, suffering, and confession in the conceptual landscape of Psalm 32. ^MMETZGER, B. NTMon 20: 2007 ⇒ 105. 14-34.

4180   *Loretz, Oswald* Das Wort *'dn* 'Wonne' als Metonym für 'Schnee' und 'Regen' in KTU 1.4 V 6-9 und Psalm 36,9. UF 39 (2007) 551-554.

4181   *Stockton, Ian* Discovering the well of life: contexts for Psalm 36.9: Jürgen MOLTMANN and St Andrew's, Roker. Theol. 110 (2007) 180-188.

4182   *Poulsen, Frederik* Strukturen i Salme 42-43. DTT 70 (2007) 303-17.

4183   *Schaper, Joachim* "Wie der Hirsch lechzt nach frischem Wasser...": Studien zu Ps 42/43 in Religionsgeschichte, Theologie und kirchlicher Praxis. BThSt 63: 2004 ⇒20,3805; 22,3959. ^KRBLit (2007)* (*Beyerle, Stefan*).

4184   *DeClaissé-Walford, Nancy L.* Psalm 44: O God, why do you hide your face?. RExp 104 (2007) 745-759.

4185   *Leung Lai, Barbara M.* Psalm 44 and the function of lament and protest. OTEs 20 (2007) 418-431.

4186   *Seybold, K.* Klangformen im 44. Psalm. FS WILLI, T. 2007 ⇒167. 133-144.

4187   *Barbiero, Gianni* 'Il met fin aux guerres jusqu'au bout de la terre': la vision de la paix dans le psaume 46. Violence, justice et paix. 2007 ⇒891. 113-135.

4188   *Seeligmann, Isac L.* Psalm 47. Textus 23 (2007) 211-228.

4189   *Zucker, David J.* Restructuring (private) Psalm 47. JBQ 35 (2007) 166-172.

4190   *Obiorah, Mary J.* "My mouth shall speak wisdom": the voice of wisdom in Psalm 49. ^FMONSENGWO PASINYA, L. 2007 ⇒110. 101-110.

4191   *Spangenberg, Izak J.J.* Constructing a historical context for Psalm 49. OTEs 20 (2007) 201-214.

4192   *Barbiero, Gianni* "Un cuore spezzato e affranto tu, o Dio, non lo disprezzi": peccato dell'uomo e giustizia di Dio nel Sal 51. RstB 19/1 (2007) 157-176.

4193   *Crüsemann, Frank* "Nimm deine heilige Geistkraft nicht von mir": Ps 51,13 und die theologische Aufgabe von Exegese im Spannungsfeld von Religionswissenschaft und theologischer Tradition. ^FHARDMEIER, C. ABIG 28: 2007 ⇒62. 367-381.

4194   *Auffret, Pierre* Tu as couronné l'année de ton bienfait: nouvelle étude structurelle du Psaume 65. OTEs 20 (2007) 307-319.

4195   *Vos, Christiane de; Kwakkel, Gert* Psalm 69: the petitioner's understanding of himself, his god, and his enemies. Psalms and prayers. OTS 55: 2007 ⇒766. 159-179.

4196 *Groenewald, A.* Psalms 69:33-34 in the light of the poor in the psalter as a whole. VeE 28 (2007) 425-441.

4197 *Claassens, L. Juliana M.* Praying from the depths of the deep: remembering the image of God as midwife in Psalm 71. RExp 104 (2007) 761-775.

4198 *Leung Lai, Barbara M.* 'Surely, all are in vain!': Psalm 73 and humanity reaching out to God. ^MMETZGER, B. NTMon 20: 2007 ⇒105. 101-109.

4199 *Basson, Alec* 'Only ruins remain': Psalm 74 as a case of *mundus inversus*. OTEs 20 (2007) 128-137.

4200 *Baumann, Gerlinde* Psalm 74: myth as the source of hope in times of devastation;

4201 *Weber, Beat* 'They saw you, the waters–they trembled' (Psalm 77:17b): the function of mytho-poetic language in the context of Psalm 77. Psalms and mythology. 2007 ⇒451. 91-103/104-125;

4202 Psalm 78 als "Mitte" des Psalters?–ein Versuch. Bib. 88 (2007) 305-325.

4203 *MacLaren, Duncan* The lost language of lament (Psalm 79:1-9). ET 118 (2007) 551-552.

4204 *Arneth, Martin* Erkenntnis Gottes und des Menschen nach Psalm 82 und Genesis 3. ZAR 13 (2007) 304-318.

4205 *Auffret, Pierre* Fais-nous voir, Yhwh, ton amour: nouvelle étude structurelle du Psaume 85. BeO 49 (2007) 65-78.

4206 *Seybold, Klaus* Psalm 85 als sprachliches Kunstwerk. ^FJENNI, E. AOAT 336: 2007 ⇒76. 330-343.

4207 *Zucker, David J.* Restructuring Psalm 85. JBQ 35 (2007) 47-55.

4208 *Edgar, William* Le Psaume 87. RRef 58/4 (2007) 93-96.

4209 *Wahl, Otto* Gottes liberale Einbürgerungspolitik: zur Botschaft von Psalm 87. Gottes Wort. Bibel und Ethik 1: 2007 ⇒537. 87-96.

4210 **Schlegel, Juliane** Psalm 88 als Prüfstein der Exegese. BThSt 72: 2005 ⇒21,4053. ^RRBLit (2007)* (*Vos, Christiane de*).

4211 *Weber, Beat* "JHWH, Gott der Rettung" und das Schreien aus "finsterem Ort": Klangmuster und andere Stilmittel in Psalm 88. OTEs 20 (2007) 471-488.

4212 *Schnocks, Johannes* "Verworfen hast du den Bund mit deinem Knecht" (Ps 89,40): die Diskussion um den Bund in Ps 89 und dem vierten Psalmenbuch. ^FHOSSFELD, F. SBS 211: 2007 ⇒69. 195-202.

4213 *Barbiero, Gianni* Alcune osservazioni sulla conclusione del Salmo 89 (vv. 47-53). Bib. 88 (2007) 536-545.

4214 *Curtis, A.* Moses in the *Psalms*, with special reference to *Psalm* 90. La construction de la figure de Moïse. 2007 ⇒873. 89-99.

4215 *Tucker, W. Dennis Exitus, reditus*, and moral formation in Psalm 90. Diachronic and synchronic. LHBOTS 488: 2007 ⇒784. 143-154.

4216 *Kraus, Thomas J.* Psalm 90 der Septuaginta in apotropäischer Verwendung–erste Anmerkungen und Datenmaterial. CHL 122 (2007) 497-514.

4217 *Steymans, Hans U.* Harry Potter's preservation and Horus' protective power: the semiotic of the Horus-stelae and the semantic of Psalm 91:13. Psalms and mythology. LHBOTS 462: 2007 ⇒451. 126-146.

4218 *Human, Dirk J.* Psalm 93: Yahweh robed in majesty and mightier than the great waters. Psalms and mythology. LHBOTS 462: 2007 ⇒ 451. 147-169.

4219   *Auffret, Pierre* Venez à ses portails!: étude structurelle du psaume 100. ZAW 119 (2007) 236-240.
4220   *Möller, Karl* Reading, singing and praying the law: an exploration of the performative, self-involving, commissive language of Psalm 101. [F]WENHAM, G. LHBOTS 461: 2007 ⇒164. 111-137.
4221   *Fokkelman, Jan* Psalm 103: design, boundaries, and mergers. Psalms and prayers. OTS 55: 2007 ⇒766. 109-118.
4222   *Stek, John H.* Psalm 103: its thematic architecture. [M]METZGER, B. NTMon 19: 2007 ⇒105. 23-38.
4223   *Brettler, Marc Z.* The poet as historian: the plague tradition in Psalm 105. [F]GELLER, S. 2007 ⇒47. 19-28.
4224   **Egwim, Stephen C.**: a contextual and cross-cultural study of Ps 109. [D]*Doyle, Brian* 2007, lxxi; 356 pp. Diss. Leuven.
4225   *Egwim, Stephen* ʻÂnî wᵉ⁻ebyon: ʻpoor and needyʼ or ʻhumble disposi-tionʼ?: an investigation of Ps 109. Sacra Scripta [Cluj-Napoca, Ro-mania] 5 (2007) 142-163.
4226   *Kitz, Anne Marie* Effective smile and effective act: Psalm 109, Num-bers 5, and KUB 26. CBQ 69 (2007) 440-456.
4227   **Merit, John** The Exalted ʻaboveʼ: the significance of the exalted king-priest in Psalm 110. [D]*Juric, S.* 2007, Diss. Angelicum.
4228   **Nordheim, Miriam von** Psalm 110 in Tradition, Redaktion und Re-zeption. *Witte, Markus* 2007, Diss. Frankfurt a.M. [ThRv 104/1,v].
4229   *Schenker, Adrian* Critique textuelle ou littéraire au Ps 110(109), 3: les initiatives de la Septante et de l'édition protomassorétique à la fin du 3e ou au 2e siècle. Un carrefour. OBO 233: 2007 ⇒515. 112-130.
4230   *Zenger, Erich* "Er hat geboten in Ewigkeit seinen Bund": weisheitli-che Bundestheologie in Psalm 111. [F]HOSSFELD, F. SBS 211: 2007 ⇒69. 271-280.
4231   *Berlin, Adele* Myth and meaning in Psalm 114. Diachronic and syn-chronic. LHBOTS 488: 2007 ⇒784. 67-80.
4232   *Mosetto, Francesco* Per una lettura cristiana del salmo 118 (117 LXX). RivBib 55 (2007) 3-24.
4233   **Auffret, Pierre** Mais tu élargiras mon coeur: nouvelle étude structu-relle du psaume 119. BZAW 359: 2006 ⇒22,4001. [R]ThLZ 132 (2007) 511-512 (*Finsterbusch, Karin*).
4234   [T]**Caruso, Antonio** Flavio Magno Aurelio CASSIODORO: Spaccati di vita, 4: Salmo 118: un oceano di profondità. Tradizione e Vita 18: R 2007, Vivere In 182 pp. 88726-32854.
4235   *Clark, David J.* Translating Psalm 119: some practical suggestions. BiTr 58 (2007) 185-189.
4236   *Fansaka Biniama, Bernard* Relecture sapientielle de la Torah dans le Ps 119: herméneutique et inculturation. [F]MONSENGWO PASINYA, L. 2007 ⇒110. 111-121.
4237   *Maré, Leonard P.* Some remarks on Yahweh's protection against mythological powers in Psalm 121. Psalms and mythology. LHBOTS 462: 2007 ⇒451. 170-180.
4238   *Prinsloo, Gert T.M.* Historical reality and mythological metaphor in Psalm 124. Psalms and mythology. 2007 ⇒451. 181-203.
4239   *Giercke, Annett* Eine Zunge voller Jubel–sprachliche Bilder als Emo-tionsträger in Psalm 126. [F]HENTSCHEL, G. EThSt 90: 2007 ⇒65. 377-387.
4240   *Labuschagne, Casper J.* The metaphor of the so-called 'weaned child' in Psalm cxxxi. VT 57 (2007) 114-118 [Ps 131,2].

4241 *Ballhorn, Egbert* Der Davidbund in Ps 132 und im Kontext des Psalters. FHOSSFELD, F. SBS 211: 2007 ⇒69. 11-18.
4242 *Bazak, Jacob* 'Oh, how good and pleasant' (Psalm 133). BetM 52/2 (2007) 80-90.
4243 *Couffignal, Robert* Approches nouvelles du Psaume 137. ZAW 119 (2007) 59-74.
4244 *Rose, Lucas* The poet is always in exile: poetry and mourning in Psalm 137. BiCT 3/3 (2007)* 11 pp.
4245 *Grohmann, Marianne* Jüdische Psalmenexegese als Paradigma kanonischer Intertextualität: dargestellt am Beispiel von Ps 139 und Lev 12,2. Der Bibelkanon. 2007 ⇒360. 62-73.
4246 *Harmon, Steven R.* Theology proper and the proper way to pray: an exposition of Psalm 139. RExp 104/4 (2007) 777-786.
4247 *Trudinger, Paul* An antiphon to a hymn of hate: reflections on Psalm 139. DR 125 (2007) 67-70.
4248 *Wagner, Andreas* Permutatio religionis–Ps. cxxxix und der Wandel der Israelitischen Religion zur Bekenntnisreligion. VT 57 (2007) 91-113.
4249 *Núñez de Castro, Ignacio* 'Tus ojos veían mi embrión': nota sobre la traducción del versicolo 16 del salmo 139. Proyección 54/2 (2007) 113-125.
4250 *Holman, Jan* Are idols hiding in Psalm 139:20?. Psalms and prayers. OTS 55: 2007 ⇒766. 119-128.
4251 *Peels, H.G.L.* Ik haat hen met een volkomen haat (Psalm 139:21-22). NedThT 61 (2007) 1-16.
4252 *Schroer, Silvia* Frauenkörper als architektonische Elemente: zum Hintergrund von Ps 144,12;
4253 *Strawn, Brent A.; LeMon, Joel M.* 'Everything that has breath': animal praise in Psalm 150:6 in the light of ancient Near Eastern iconography. FKEEL, O. OBO Sonderband: 2007 ⇒83. 425-450/451-486.

4254 *Juhás, Peter* Žalm 154: text a jeho kritické skúmanie. SBSl (2007) 35-53. **Slovak**.

E7.1 Job, *textus, commentarii*

4255 **Balentine, Samuel E.** Job. 2006 ⇒22,4021. RCoTh 77/4 (2007) 245-250 (*Strzałkowska, Barbara*); RBLit (2007)* (*Beuken, Willem A.M.*).
4256 **Bernabò, Massimo** Le miniature per i manoscritti greci del libro di Giobbe. 2004 ⇒20,3873. RCCMéd 50 (2007) 177-78 (*Christe, Yves*).
4257 **Gorea, Maria** Job repensé ou trahi?: omissions et raccourcis de la Septante. EtB 56: P 2007, Gabalda 244 pp. €45. 2-85021-179-6. Bibl. 229-244.
4258 ETGómez Aranda, Mariano El comentario de Abraham IBN EZRA al libro de Job. 2004 ⇒20,3875... 22,4025. RREJ 166 (2007) 341-342 (*Rothschild, Jean-Pierre*).
4259 **Janzen, J. Gerald** Giobbe. Strumenti 14: 2003 ⇒19,4022. REccl(R) 21 (2007) 580-581 (*Peña Hurtado, Bernardita*).
4260 *Knauf, Ernst A.; Guillaume, Philippe* Giobbe. Guida di lettura all'AT. 2007 ⇒506. 463-472.
4261 *Lazcano, Rafael* La traducción del libro de Job, de FRAY LUIS de León. RelCult 53 (2007) 283-322.

4262   **Morla Asensio, Victor** Job 1-28. Comentarios a la Nueva Biblia de Jerusalén: Bilbao 2007, Desclée de B. 501 pp. 978-84330-21861.
4263   [E]**Röll, Walter** Die jiddischen Glossen des 14.-16. Jahrhunderts zum Buch 'Hiob' in Handschriftenabdruck und Transkription. 2002 ⇒18, 3728; 20,3881. [R]REJ 166 (2007) 561-563 (*Baumgarten, Jean*).
4264   **Schwienhorst-Schönberger, Ludger** Ein Weg durch das Leid: das Buch Ijob. FrB 2007, Herder 278 pp. 978-3-451-29672-7.
4265   [E]**Seidl, Theodor; Ernst, Stephanie** Das Buch Ijob: Gesamtdeutungen–Einzeltexte–zentrale Themen. ÖBS 31: Fra 2007, Lang 310 pp. €54.70. 978-3-631-56241-3.
4266   [E]**Simonetti, Manlio; Conti, Marco** Job. ACCS.OT 6: 2006 ⇒22, 4028. [R]AThR 89 (2007) 520-522 (*Johnson, Timothy*); RBLit (2007)* (*Branch, Robin G.*).
4267   **Wilson, Gerald H.** Job. NIBC.OT 10: Peabody, Mass. 2007, Hendrickson xiv; 494 pp. $17. 978-15656-32196. [R]Theoforum 38 (2007) 361-363 (*Vogels, Walter*).
4268   *Witte, Markus* The Greek book of Job. Buch Hiob. AThANT 88: 2007 ⇒857. 33-54.

E7.2   *Job: themata*, Topics... *Versiculi*, Verse numbers

4269   *Ahrens, Theodor* Ijob und seine Berater: zu den Bildern dieses Heftes. rhs 50 (2007) 300-305.
4270   *Bittner, Rüdiger* Hiob und Gerechtigkeit. Buch Hiob. AThANT 88: 2007 ⇒857. 455-465.
4271   *Boothe, Brigitte* Die narrative Organisation der Hiob-Erzählung des Alten Testaments und die verdeckte Loyalitätsprobe. Buch Hiob. AThANT 88: 2007 ⇒857. 499-513.
4272   **Cappelletto, Gianni** Giobbe: l'uomo e Dio si incontrano nella sofferenza. 2005 ⇒21,4115. [R]StPat 54 (2007) 685-86 (*Lorenzin, Tiziano*).
4273   *Carnevale, Laura* Note per la ricostruzione di tradizioni giobbiche tra Oriente e Occidente. VetChr 44 (2007) 225-238.
4274   **Chéreau, Georgette** Job et le mystère de Dieu: un chemin d'espérance. 2006 ⇒22,4040. [R]RSR 95 (2007) 588-589 (*Abadie, Philippe*).
4275   *Cimosa, Mario; Bonney, Gillian* Job LXX and the animals: the mystery of God in nature. La cultura scientifico-naturalistica. SEAug 101: 2007 ⇒914. 25-39.
4276   *Dafni, Evangelia G.* βροτός: a favourite word of HOMER in the Septuagint version of Job. VeE 28/1 (2007) 35-65.
4277   *Dell, Katharine J.* Job: sceptics, philosophers and tragedians. Buch Hiob. AThANT 88: 2007 ⇒857. 1-19.
4278   **Eisen, Robert** The book of Job in medieval Jewish philosophy. 2004 ⇒20,3892; 21,4124. [R]JR 87/1 (2007) 136-138 (*Cohen, Mordechai Z.*); Sef. 67 (2007) 244-247 (*Alfonso, E.*).
4279   *Fischer, Georg* Heilendes Gespräch–Beobachtungen zur Kommunikation im Ijobbuch. Buch Ijob. ÖBS 31: 2007 ⇒517. 183-200.
4280   **Fokkelman, Johannes P.** Major poems of the Hebrew Bible: Job 15-42. SSN 47: 2004 ⇒20,3895... 22,4049. [R]JSSt 52 (2007) 149-151 (*Watson, Wilfred G.E.*); Bib. 88 (2007) 266-269 (*Berry, Donald K.*); PHScr II, 456-458 ⇒373 (*Hu, Wesley*).
4281   *Frevel, Christian* Schöpfungsglaube und Menschenwürde im Hiobbuch: Anmerkungen zur Anthropologie der Hiob-Reden. Buch Hiob. AThANT 88: 2007 ⇒857. 467-497.

4282 *Gillmayr-Bucher, Susanne* Rahmen und Bildträger: der mehrschichtige Diskurs in den Prosatexten des Ijobbuchs. Buch Ijob. ÖBS 31: 2007 ⇒517. 139-164.

4283 **Gorea, Maria** Job, ses précurseurs et ses épigones: ou comment faire du nouveau avec de l'ancien. Orient & Méditerranée 1: P 2007, De Boccard 169 pp. €27. 978-2-7018-0219-0. Bibl. 153-169.

4284 *Greenstein, Edward L.* Features of language in the poetry of Job. Buch Hiob. AThANT 88: 2007 ⇒857. 81-96;

4285 'On my skin and in my flesh': personal experience as a source of knowledge in the book of Job. [F]GELLER, S. 2007 ⇒47. 63-77.

4286 **Greschat, Katharina** Die Moralia in Job GREGORs des Großen: ein christologisch-ekklesiologischer Kommentar. STAC 31: 2005 ⇒21, 4129; 22,4052. [R]ThLZ 132 (2007) 185-187 (*Floryszczak, Sillke*); CrSt 28 (2007) 463-466 (*Savigni, Raffaele*).

4287 *Häring, Hermann* Ijob und die Theodizee: systematisch-theologische Perspektiven. rhs 50 (2007) 276-282.

4288 *Heymel, Michael* Ijob–Schutzpatron der Musiker und Leitfigur einer "musikalischen Seelsorge". rhs 50 (2007) 283-290.

4289 *Hoffman, Yair* The book of Job as a trial: a perspective from a comparison to some relevant ancient Near Eastern texts. Buch Hiob. AThANT 88: 2007 ⇒857. 21-31.

4290 **Iwanski, Dariusz A.** The dynamics of Job's intercession. AnBib 161: 2006 ⇒22,4054. [R]CBQ 69 (2007) 326-327 (*Vall, Gregory*).

4291 *Jericke, Detlef* "Wüste" (midbar) im Hiobbuch. Das Buch Hiob. AThANT 88: 2007 ⇒857. 185-196.

4292 *Kaiser, Gerhard* Wo ist der Vater?–Hiob sucht den Vatergott. GuL 80 (2007) 412-422.

4293 **Klinger, Bernhard** Im und durch das Leiden lernen: das Buch Ijob als Drama. [D]*Schwienhorst-Schönberger, Ludger* BBB 155: B 2007, Philo 374 pp. €54. 978-3-86572-636-0. Bibl. 337-369; Diss. Passau.

4294 *Kuśmirek, Anna* Wzór cierpliwości i wytrwałości Hiob w literaturze apokryficznej [Pattern of patience and endurance: Job in the apocryphal literature]. STV 45/1 (2007) 25-38. **P**.

4295 *LaCocque, André* The deconstruction of Job's fundamentalism. JBL 126 (2007) 83-97.

4296 *Langenhorst, Georg* Von der Theodizee zum Trost: Ijob im Unterricht. rhs 50 (2007) 306-313;

4297 "Sein haderndes Wort" (Paul Celan)–Hiob in der Dichtung unserer Zeit. Buch Ijob. ÖBS 31: 2007 ⇒517. 279-306.

4298 *Lévêque, Jean* Souffrance et métamorphose de Job <1977> 53-66;

4299 Tradition et trahison dans les discours des amis <1983> 99-107;

4300 Le thème du juste souffrant en Mésopotamie et la problématique du livre de Job <1997> 37-51;

4301 Le sens de la souffrance d'après le livre de Job <1975> 177-199.

4302 Le mal de Job <2001> 255-275;

4303 La datation du livre de Job <1981> 67-81;

4304 Job ou l'espoir déraciné <1971> 85-98;

4305 Sagesse et paradoxe dans le livre de Job <1995> 235-253;

4306 L'argument de la création dans le livre de Job <1987>. Job ou le drame de la foi. LeDiv 216: 2007 ⇒265. 201-234.

4307 *Loichinger, Alexander* Die Frage nach der Theodizee: Hiobs Anklage und Gottes Antwort. KlBl 87 (2007) 268-270.

4308 *Lundager Jensen, Hans J.* GIRARDs Job-laesning 20 år efter. DTT 70 (2007) 49-63.

4309 **Magdalene, E. Rachel** On the scales of righteousness: Neo-Babylonian trial law and the book of Job. BJSt 348: Providence 2007, Brown University xiv; 365 pp. $60. 978-19306-75445. Bibl. 279-337.

4310 *Magdalene, F. Rachel* The ANE legal origins of impairment as theological disability and the book of Job. PRSt 34/1 (2007) 23-59.

4311 *Mandolfo, Carleen* A generic renegade: a dialogic reading of Job and lament psalms. Diachronic and synchronic. 2007 ⇒784. 45-63.

4312 *Michel, Andreas* Das Gewalthandeln Gottes nach den Ijobreden. Buch Ijob. ÖBS 31: 2007 ⇒517. 201-227.

4313 *Mies, Françoise* Job a-t-il été guéri?. Gr. 88 (2007) 703-728.

4314 **Mies, Françoise** L'espérance de Job. BEThL 193: 2006 ⇒22,4065. ᴿThLZ 132 (2007) 1062-65 (*Witte, Markus*); NRTh 129 (2007) 302-303 (*Radermakers, J.*); RSR 95 (2007) 589-591 (*Abadie, Philippe*).

4315 *Nardi, Carlo* Giobbe: note patristiche e spirituali. RAMi 32/1 (2007) 41-70.

4316 *Newsom, Carol A.* Re-considering Job. CuBR 5/2 (2007) 155-182;

4317 Dramaturgy and the book of Job. Buch Hiob. AThANT 88: 2007 ⇒ 857. 375-393.

4318 **Newsom, Carol A.** The book of Job: a contest of moral imaginations. 2003 ⇒19,4073... 21,4139. ᴿSiChSt 3 (2007) 206-211 (*Ying, Zhang*); SJOT 21 (2007) 299-301 (*West, James E.*).

4319 *Nommik, Urmas* Die Hiobdichtung–ein überregionaler Dialog?: am Beispiel der drei Freunde Hiobs. Studien zu Ritual. BZAW 374: 2007 ⇒937. 241-256.

4320 **Oberhänsli-Widmer, Gabrielle** Hiob in jüdischer Antike und Moderne: die Wirkungsgeschichte Hiobs in der jüdischen Literatur. 2003 ⇒19,4074. ᴿFrRu 14/1 (2007) 44-45 (*Domhardt, Yvonne*).

4321 *Oberhänsli-Widmer, Gabrielle* Ijob–Streiflichter einer jüdischen Lektüre. rhs 50 (2007) 291-299;

4322 Hiobtraditionen im Judentum. Buch Hiob. AThANT 88: 2007 ⇒857. 315-328.

4323 *Oeming, Manfred; Drechsel, Wolfgang* Das Buch Hiob–ein Lehrstück der Seelsorge?: das Hiobbuch in exegetischer und poimenischer Perspektive. Buch Hiob. AThANT 88: 2007 ⇒857. 421-440.

4324 *Perdue, Leo G.* Creation in the dialogues between Job and his opponents. Buch Hiob. AThANT 88: 2007 ⇒857. 197-216.

4325 *Pinker, Aron* Job's perspectives on death. JBQ 35 (2007) 73-84.

4326 **Pyeon, Yohan** You have not spoken what is right about me: intertextuality and the book of Job. Studies in Biblical Literature 45: 2003 ⇒ 19,4079; 21,4145. ᴿPHScr II, 633-635 ⇒373 (*Fisher, Loren*).

4327 **Rohde, Michael** Der Knecht Hiob im Gespräch mit Mose: eine traditions- und redaktionsgeschichtliche Studie zum Hiobbuch. ᴰ*Van Oorschot, Jürgen* ABIG 26: Lp 2007, Evangelische 255 pp. €38. 978-33-740-24759. Diss. Marburg; Bibl. 229-247.

4328 *Schellenberg, Annette* Hiob und Ipuwer: zum Vergleich des alttestamentlichen Hiobbuchs mit ägyptischen Texten im Allgemeinen und den Admonitions im Besonderen. Buch Hiob. 2007 ⇒857. 55-79.

4329 *Schmid, Konrad* Innerbiblische Schriftdiskussion im Hiobbuch. Buch Hiob. AThANT 88: 2007 ⇒857. 241-261.

4330 *Schwienhorst-Schönberger, Ludger* Zwischen Demut und Rebellion: der Ijob der Bibel. rhs 50 (2007) 270-275;

4331 Ijob: vier Modelle der Interpretation. Buch Ijob. Ment. *Gregorius Magnus* ÖBS 31: 2007 ⇒517. 21-37.

4332 *Sedlmeier, Franz* Ijob und die Auseinandersetzungsliteratur im alten Mesopotamien. Buch Ijob. ÖBS 31: 2007 ⇒517. 85-136.

4333 *Seidl, Theodor* "Gedicht von Anfang bis zu Ende" (Herder): zur Einführung. Buch Ijob. ÖBS 31: 2007 ⇒517. 9-18.

4334 *Spero, Moshe H.* The hidden *subject* of Job: mirroring and the anguish of interminable desire. Hearing visions. 2007 ⇒817. 213-66.

4335 **Ticciati, Susannah** Job and the disruption of identity: reading beyond BARTH. 2005 ⇒21,4159. [R]Theol. 110 (2007) 282-283 (*Nimmo, Paul T.*).

4336 *Tronina, Antoni* Miejsce Ksiegi Hioba w kanonie biblijnym. Roczniki Teologiczne 54/1 (2007) 39-48. **P.**

4337 *Tshikendwa Matadi, Ghislain* De l'épreuve à la sagesse: le livre de Job lu par un Africain. [F]MONSENGWO PASINYA, L. 2007 ⇒110. 85-99.

4338 *Uehlinger, Christoph* Das Hiob-Buch im Kontext der altorientalischen Literatur- und Religionsgeschichte. Buch Hiob. AThANT 88: 2007 ⇒857. 97-163.

4339 *Veijola, Timo* Abraham und Hiob: das literarische und theologische Verhältnis von Gen 22 und der Hiob-Novelle. Offenbarung und Anfechtung. BThSt 89: 2007 <2002> ⇒338. 134-157.

4340 *Vermeylen, Jacques* L'énigme des ruines et des villes inhabitées: un ancrage historique au livre de Job?. RivBib 55 (2007) 129-144.

4341 *Volgger, David* Das Buch Ijob als skeptische oder seelsorgliche Literatur?: oder: das Buch Ijob und die wahre Gottesfurcht. Buch Ijob. ÖBS 31: 2007 ⇒517. 39-55.

4342 *Witte, Markus* Die literarische Gattung des Buches Hiob: Robert LOWTH und seine Erben. Sacred conjectures. 2007 ⇒833. 93-123.

4343 *Ying, Zhang* Between tragedy and comedy: a reconsideration on the genre of the book of Job. SiChSt 3 (2007) 123-151. Abstract 124.

4344 *Young, William W., III* The patience of Job: between providence and disaster. Ment. AQUINAS. HeyJ 48 (2007) 593-613.

4345 *Dimant, Devorah* Bible through a prism: the wife of Job and the wife of Tobit. Shnaton 17 (2007) 201-11 [Gen 38,17-20; Tob 2,11-14; Job 1,9; 31,10] **H.**

4346 *Klibengajtis, Tomasz* Hiobs Weib in der Exegese der lateinischen Kirchenväter: ein Beitrag zur patristischen Frauenforschung. ACra 38-39 (2007) 195-229 [Job 2,9].

4347 *Oeming, Manfred* Ijobs Frau (Sitidos)-von der Perserzeit bis heute. Frauen gestalten Diakonie, 1. 2007 ⇒552. 25-41 [Job 2,9].

4348 *Seow, Choon Leong* Job's wife, with due respect. Buch Hiob. AThANT 88: 2007 ⇒857. 351-373 [Job 2,9].

4349 *Tobola, Łukasz* 'Curse God and die'?: a reconsideration of מת in Job 2,9b (MT). Ethos and exegesis. 2007 ⇒464. 148-151 [Job 2,9].

4350 **Ha, Kyung-Taek** Frage und Antwort: Studien zu Hiob 3 im Kontext des Hiob-Buches. Herders biblische Studien 46: 2005 ⇒21,4161. [R]ThLZ 132 (2007) 1061-1062 (*Krüger, Thomas*).

4351 *Pezzoli-Olgiati, Daria* Leben und Tod, Unterwelt und Welt: Strategien der Kontingenzbewältigung in Hiob 3. Buch Hiob. AThANT 88: 2007 ⇒857. 441-454.

4352 *Vette, Joachim* Hiobs Fluch als thematische Klammer. Buch Hiob. AThANT 88: 2007 ⇒857. 231-239 [Job 3,1-10].

4353 *Noegel, Scott B.* Job iii 5 in the light of Mesopotamian demons of time. VT 57 (2007) 556-562.

4354 *Beuken, Willem A.M.* Eliphaz: one among the prophets or ironist spokesman?: the enigma of being a wise man in one's own right (Job 4-5). Buch Hiob. AThANT 88: 2007 ⇒857. 293-313.

4355 *Pinker, Aron* Who is the hungry in Job 5,5a?. HIPHIL 4 (2007)*.

4356 *Kotzé, Zak* Notes on the use of the combination עֵינֶיךָ בִּי in Job 7:8;

4357 Magic and metaphor: an interpretation of Eliphaz' accusation in Job 15:12. OTEs 20 (2007) 736-741/152-157.

4358 *Michel, Andreas* Herausstellungsstrukturen in den Streitreden des Ijob im Vergleich zu den Freunden (Ijob 3-25) im Ausgang von Ijob 16,7-14. ^FRICHTER, W. ATSAT 83: 2007 ⇒132. 123-136.

4359 *Kotzé, Z.* Linguistic relativity and the interpretation of metaphor in the Hebrew Bible: the case of לטשׁ עינים in Job 16:9. OTEs 20 (2007) 387-394.

4360 *Kummerow, David* Job, hopeful or hopeless?: the significance of גם in Job 16:19 and Job's changing conceptions of death. PHScr II. 2007 <2005> ⇒373. 261-288.

4361 *Grenzer, Matthias* Die Armenthematik in Ijob 24. Buch Ijob. ÖBS 31: 2007 ⇒517. 229-278.

4362 **Grenzer, Matthias** Análise poética da sociedade—um estudo de Jó 24. São Paulo 2007, Paulinas 95 pp.

4363 *Kabassele Mukenge, André* La sagesse, où la trouver?: Job 28 dans une herméneutique interculturelle. ^FMONSENGWO PASINYA, L. 2007 ⇒110. 345-357.

4364 *Müllner, Ilse* Der Ort des Verstehens: Ijob 28 als Teil der Erkenntnis-diskussion des Ijobbuchs. Buch Ijob. ÖBS 31: 2007 ⇒517. 57-83.

4365 *Hamilton, Mark* Elite lives: Job 29-31 and traditional authority. JSOT 32 (2007) 69-89.

4366 *Lévêque, Jean* Anamnèse et disculpation: la conscience du juste en Job 29-31. Job ou le drame de la foi. 2007 <1979> ⇒265. 109-129.

4367 *González Zugasti, Joseba* Job 29,7-11: un juez que se dice honrado por sus conciudadanos. ^FIBÁÑEZ ARANA, A. 2007 ⇒72. 237-253.

4368 *Kunz-Lübcke, Andreas* Hiob prozessiert mit Gott-und obsiegt–vorerst (Hiob 31). Buch Hiob. AThANT 88: 2007 ⇒857. 263-291.

4369 *Rechenmacher, Hans* taw und sipr in Ijob 31,35-37. Buch Ijob. ÖBS 31: 2007 ⇒517. 165-180.

4370 **Almendra, Luísa M.** Um debate sobre o conhecimento de Deus: composição de Jb 32-37. ^D*Gilbert, Maurice* Lisboa 2007, Universidade Católica Editor 405 pp. €28.50. 978-972-54-0162-0. Bibl. 389-405. Diss. UCP

4371 *Lévêque, Jean* L'interprétation des discours de YHWH (Job 38,1-42,6). Job ou le drame de la foi. 2007 <1994> ⇒265. 131-155.

4372 *Schwienhorst-Schönberger, Ludger* Die Schrift: das Buch Ijob (101): das Nilpferd. Christ in der Gegenwart 59/1 (2007) 7 [Job 40,15-24];

4373 Die Schrift: das Buch Ijob (102): das Krokodil. Christ in der Gegenwart 59/2 (2007) 15 [Job 40,25-32; 41,1-3];

4374 Die Schrift: das Buch Ijob (103): Todesmeditation. Christ in der Gegenwart 59/3 (2007) 23 [Job 41,4-16];

4375 Die Schrift: das Buch Ijob (104): das Böse bekämpfen?. Christ in der Gegenwart 59/4 (2007) 31 [Job 41,17-26].

4376 *Guillaume, Philippe; Schunck, Michael* Job's intercession: antidote to divine folly. Bib. 88 (2007) 457-472 [Job 42].

4377 *Adeso, Patrick* Sufferings in Job and in an African perspective: exegesis of Job 42:1-6. ^FMONSENGWO PASINYA, L. 2007 ⇒110. 77-83.

4378 *Schwienhorst-Schönberger, Ludger* Die Schrift: das Buch Ijob (105): Ijobs Erkenntnis. Christ in der Gegenwart 59/5 (2007) 39 [42,1-6];

4379 Die Schrift: das Buch Ijob (106): Gott Schauen. Christ in der Gegenwart 59/ (2007) 47 [Job 42,4-6];

4380 Die Schrift: das Buch Ijob (107): vom Glauben zum Schauen. Christ in der Gegenwart 59/7 (2007) 55 [Job 42,5].

4381 *Ho, Edward* Job's anticipation of death in Job 42:6. ProcGLM 27 (2007) 31-45.

4382 *Krüger, Thomas* Did Job repent?. Buch Hiob. AThANT 88: 2007 ⇒857. 217-229 [Job 42,6].

4383 *Lévêque, Jean* L'épilogue du livre de Job: essai d'interprétation. Job ou le drame de la foi. 2007 <1999> ⇒265. 157-173 [Job 42,7-17].

4384 **Nam, Duck-Woo** Talking about God: Job 42:7-9 and the nature of God in the book of Job. Studies in biblical literature 49: 2003 ⇒19, 4134; 20,3954. ^RPHScr II, 630-633 ⇒373 (*Carasik, Michael*).

4385 *Schwienhorst-Schönberger, Ludger* Die Schrift: das Buch Ijob (108): Versöhnung. Christ in der Gegenwart 59/8 (2007) 63 [Job 42,7-9].

4386 **Ngwa, Kenneth N.** The hermeneutics of the "happy" ending in Job 42:7-17. BZAW 354: 2005 ⇒21,4177. ^RCBQ 69 (2007) 125-126 (*Cox, Claude E.*).

4387 *Schwienhorst-Schönberger, Ludger* Die Schrift: das Buch Ijob (109): vielfacher Segen. Christ in der Gegenwart 59/9 (2007) 71 [42,10-11];

4388 Die Schrift: das Buch Ijob (Schluss): Vollendung. Christ in der Gegenwart 59/10 (2007) 79 [Job 42,12-17].

4389 *Fleishman, Joseph* "Their father gave them *nahala* 'an estate' among their brethren" (Job 42:15b): what did Job give his daughters?. ZAR 13 (2007) 120-134;

4390 Shnaton 17 (2007) 89-102. **H.**

E7.3 *Canticum Canticorum*, **Song of Songs, Hohelied**, *textus, comm.*

4391 **Guglielmetti, Rossana** La tradizione manoscritta dei commenti latini al Cantico dei cantici (origini - XII secolo): repertorio dei codici contenenti testi inediti o editi solo nella 'Patrologia Latina'. Millennio Medievale 63: Strumenti e studi 14: F 2006, Sismel lxii; 382 pp. €138. 8884501881. ^RJThS 58 (2007) 736-7 (*Winterbottom, Michael*).

4392 ^{ET}**Barbára, Maria A.** ORIGENE: commentario al Cantico dei cantici. BPat 42: 2005 ⇒21,4179. ^RCivCatt 158/4 (2007) 614-615 (*Cremascoli, G.*); JThS 58 (2007) 275-276 (*Edwards, M.J.*); Adamantius 13 (2007) 287-296 (*Auwers, Jean-M.*).

4393 **Barbiero, Gianni** Cantico dei Cantici: nuova versione, introduzione e commento. I Libri Biblici, Primo Testamento 24: 2004 ⇒20,3955... 22,4109. ^REThL 83 (2007) 481-482 (*Schoors, Antoon*);

4394 'Non svegliate l'amore': una lettura del Cantico dei cantici. La parola e la sua ricchezza 21: Mi 2007, Paoline 128 pp. €11. 978-88315-324-26. Bibl. 125-126.

4395 **Bergant, Dianne** The Song of Songs. Berit Olam: 2001 ⇒17,3435... 20,3956. ^RACR 84 (2007) 374-375 (*Sobb, Joseph*).

4396 *Ceulemans, Reinhart* What can one know about Michael PSELLUS' LXX text?: examining the Psellian Canticles quotations. Byz. 77 (2007) 42-63 [Cant 8,1-2].

4397 [T]**Ervine, Roberta** The blessing of blessings: GREGORY of Narek's commentary on the Song of Songs. CistSS 215: Kalamazoo, MI 2007, Cistercian xi; 220 pp. $22. 978-09790-72155. Bibl. 211-213.

4398 **Exum, J. Cheryl** Song of Songs: a commentary. OTL: 2005 ⇒21, 4187; 22,4116. [R]Interp. 61 (2007) 84-86 (*Middlemas, Jill*); BZ 51 (2007) 306-307 (*Erbele-Küster, Dorothea*); JThS 58 (2007) 592-594 (*Davies, Eryl W.*); RBLit (2007) 202-210 (*Uehlinger, Christoph*).

4399 **Fraisse, Otfried** Moses IBN TIBBONs Kommentar zum Hohelied und sein poetologisch-philosophisches Programm: synoptische Edition, Übersetzung und Analyse. SJ 25: 2004 ⇒20,3959; 21,4190. [R]REJ 166 (2007) 342-343 (*Rothschild, Jean-Pierre*).

4400 [ET]**Guglielmetti, Romana E.** [⇒4391] ALCUINO: Commento al Cantico dei Cantici con i commenti anonimi: Vox ecclesie, Vox antique ecclesie. Millennio Medievale 55: 2004 ⇒20,3962. [R]Francia 34/1 (2007) 296-298 (*Veyrard-Cosme, Christiane*).

4401 **Hess, Richard S.** Song of Songs. Baker Comm. on the OT: Wisdom and Psalms: 2005 ⇒21,4191; 22,4118. [R]OTEs 20 (2007) 252-253 (*Maré, L.P.*); CBQ 69 (2007) 549-550 (*Morrison, Craig E.*).

4402 **Jenson, Robert W.** Song of Songs. 2005 ⇒21,4192; 22,4119. [R]Interp. 61 (2007) 80-82 (*Linafelt, Tod*); HBT 29 (2007) 91-92 (*Ahn, John*).
[E]**Jung-Kaiser, U.** Das Hohelied 2007 ⇒836.

4403 *Jung-Kaiser, Ute* Das Hohelied der Liebe: eine Einführung. Das Hohelied. 2007 ⇒836. 11-26.

4404 **Luzárraga Fradua, Jesús** Cantar de los Cantares: sendas del amor. Nueva Biblia Española: 2005 ⇒21,4194; 22,4121. [R]ActBib 44/1 (2007) 65-66 (*Patuel, J.*); Sef. 67 (2007) 240-242 (*Fernández Tejero, E.*); Bib. 88 (2007) 570-574 (*Lorenzin, Tiziano*).

4405 **Mitchell, Christopher W.** The Song of Songs. 2003 ⇒20,3965... 22,4122. [R]BS 164 (2007) 117-118 (*Allman, James E.*).

4406 **Morla Asensio, Víctor** Poemas de amor y de deseo: Cantar de los Cantares. Estudios Bíblicos 26: 2004 ⇒20,3967; 21,4197. [R]RB 114 (2007) 141-142 (*Loza Vera, J.*).

4407 [ET]**Norris, Richard A., Jr.** The Song of Songs: interpreted by early christian and medieval commentators. The Church's Bible: GR 2007, Eerdmans xxii; 325 pp. $40. 978-08028-25797;

4408 2003 ⇒19,4142... 22,4123. [R]CTJ 42 (2007) 153-155 (*Leemans, Johan*); HeyJ 48 (2007) 620-621 (*Casiday, A.M.C.*).

4409 **Pennington, M. Basil** The Song of Songs: a spiritual commentary. 2004 ⇒20,3969. [R]ABenR 58 (2007) 91-93 (*Howard, Katherine*).

4410 [ET]**Schepers, Kees** Bedudinghe op Cantica Canticorum: vertaling en bewerkig van 'Glossa tripartita super Cantica': 2006 ⇒22,4127. [R]CFr 77 (2007) 406-407 (*Gieben, Servus*).

4411 **Simini, Roberta** Amore divino e amore umano: un commento al Cantico dei Cantici. 2006 ⇒22,4129. [R]Nicolaus 34/1 (2007) 187-190 (*Costa, Biagio*).

4412 **Stoop-van Paridon, P.W.T.** The Song of Songs: a philological analysis of the Hebrew book שִׁיר הַשִּׁירִים. ANESt.S 17 Lv 2007, Peeters xvi; 540 pp. $130. 978-90429-16388.

4413 *Uehlinger, Christoph* Cantico dei cantici. Guida. 2007 ⇒506. 491-502.

4414 ᵀ**Verdeyen, Paul** WILLEM van Saint-Thierry: commentaar op het Hooglied. Bronnen van Spiritualiteit: Averbode 2007, Altiora 154 pp. 978-90317-24666. ᴿCCist 69 (2007) [218] - [219] (*Aerden, Guerric*).

4415 ᴱ**Wright, J. Robert** Proverbs, Ecclesiastes, Song of Solomon. ACCS.OT 9: 2005 ⇒21,4206. ᴿCTJ 42 (2007) 152-153 (*Leemans, Johan*); RBLit (2007)* (*Krispenz, Jutta*);

4416 Proverbi, Qoèlet, Cantico dei cantici. ᴱ*Conti, Marco; Pilara, Gianluca* La Bibbia commentata dai Padri.AT 8: R 2007, Città N. 519 pp. 978-88-311-9383-2.

E7.4 **Canticum**, *themata, versiculi*

4417 Das Hohelied in zeitgenössischen Vertonungen: Preview zu den Uraufführungen am 2.2.2006. Das Hohelied. 2007 ⇒836. 345-366.

4418 Das Hohelied in der zeitgenössischen bildenden Kunst, Photographie und Buchkunst. Das Hohelied. 2007 ⇒836. 367-392.

4419 *Ackermann, Peter* Palestrinas Vertonungen von Texten aus dem Canticum Canticorum. Das Hohelied. 2007 ⇒836. 131-146.

4420 *Bartelmus, Rüdiger* Von jungfräulichen Huris zu "pflückreifen Trauben" (C. Luxenberg) oder: vom myrrhegetränkten Venushügel (Hld 4,6) zur Kirche als Braut Gottes: Überlegungen zur Möglichkeit einer theologischen Lesung des Hohenlieds–ausgehend vom Phänomen der Polyvalenz semitischer Lexeme. ᶠWILLI-PLEIN, I. 2007 ⇒168. 21-41.

4421 *Boer, Roland* Keeping it literal: the economy of the Song of Songs. JHScr 7 (2007)* = PHScr 4,151-167.

4422 *Dezzuto, Carlo* "Quae est ista": alcune letture mariane del Cantico dei Cantici nel XII secolo e le figure teologiche in esse sottese. StMon 49 (2007) 233-266.

4423 *Goebel, Albrecht* Edvard GRIEGs Hohelied-Psalm: Volksliedadaptation oder -transkription?. Das Hohelied. 2007 ⇒836. 219-232.

4424 *Hopkins, Steven P.* Extravagant beholding: love, ideal bodies, and particularity. HR 47 (2007) 1-50.

4425 *Isherwood, Lisa* 'Eat, friends, drink: be drunk with love' [Song of Songs 5:2]–a reflection. Patriarchs, prophets. 2007 ⇒453. 149-156.

4426 *Jung-Kaiser, Ute* Arthur HONEGGERs Cantique des Cantiques (1938): Preview zur Ballettaufführung am 4.12.2006;

4427 "Tristan Isolt, Isolt Tristan": zur Restituierung eines altorientalischen Liebesideals. Das Hohelied. 2007 ⇒836. 261-270/85-114;

4428 Was bedeutet das Hohelied für die Kirchen von heute?;

4429 *Koldau, Linda M.* Das Hohelied von Frauen gelesen, von Frauen vertont: Werke von Chiara Margarita Cozzolani und Violeta Dinescu. Das Hohelied. 2007 ⇒836. 329-343/233-260.

4430 **Lyke, Larry L.** I will espouse you forever: the Song of Songs and the theology of love in the Hebrew Bible. Nv 2007, Abingdon xxi; 142 pp. $18. 978-06876-45749.

4431 ᴱ**Magaz, José M.** El Cantar de los Cantares y el arte: jornada de arte sacro: estudios, versión castellana de FRAY LUIS de León y pinturas de Hortensia Núñez-Ladeveze. Presencia y Diálogo 17: M 2007, San

Damaso 108 pp. 978-84963-18472. ᴿAnVal 33 (2007) 404-405 (*Villota Herrero, Salvador*).

4432 *Malena, Sarah* Spice roots in the Song of Songs. Milk and honey. 2007 ⇒474. 165-184.

4433 **Nahson, Daniel** Amor sensual por el cielo: la exposición del Cantar de los Cantares de FRAY LUIS de León. M 2006, Iberoamericana 455 pp.

4434 *Rainbow, Jesse* The Song of Songs and the Testament of Solomon: Solomon's love poetry and christian magic. HThR 100 (2007) 249-274.

4435 *Rava, Eva Carlota* Il Cantico dei Cantici alla luce di TERESA d'Avila e TERESA di Lisieux: dall'interpretazione allegorica alla realtà umana dell'amore sponsale. Lat. 73 (2007) 437-484.

4436 *Redepenning, Dorothea* Hans Zenders Shir Hashirim. Das Hohelied. 2007 ⇒836. 307-328.

4437 *Reyes Gacitúa, Eva* El perfume del esposo: según GREGORIO de Nisa en el comentario al Cantar de los Cantares. TyV 48 (2007) 207-214.

4438 *Rink, Andreas* Babylonische Sprachverwirrung in Walter Gieselers 'Tetraglossie' zum Hohelied (1971);

4439 *Savenko, Svetlana* Das achte Kapitel von Alexander Knaifel als Versuch einer Deutung des Hohelieds;

4440 *Schulz-Grobert, Jürgen* "Lâ mich wesen dîn"...: das Hohelied, der König Salomon und die mittelhochdeutsche Liebes-Lyrik. Das Hohelied. 2007 ⇒836. 293-305/283-292/69-83.

4441 *Seidl, Theodor* "Ein verschlossener Garten bist du, meine Schwester Braut": zum Metapherngebrauch des Hohenliedes: Bildbereiche–Bildempfänger–Bildbedeutung. Das Hohelied. 2007 ⇒836. 43-55.

4442 *Soltek, Stefan* Das Hohelied: illustrierte Ausgaben des 20. Jahrhunderts aus der Sammlung des Klingspor-Museums;

4443 *Staubli, Thomas* Altorientalische Bildquellen als Schlüssel zur erotischen Metaphorik des Hohenliedes. Das Hohelied. 2007 ⇒836. 393-400/27-42.

4444 *Stone, Michael E.* The interpretation of Song of Songs in 4 Ezra. JSJ 38 (2007) 226-233.

4445 *Thekkekara, Davis* Erotic love in Song of Songs: placing it in the context of Old Testament theology. Jeevadhara 37 (2007) 600-610.

4446 *Uribe Ulloa, Pablo* La 'ley natural' del amor en el Cantar de los Cantares. Theologica 42 (2007) 133-149.

4447 *Vollmann-Profe, Gisela* Mystische Hohelied-Erfahrungen: zur Brautmystik MECHTHILDs von Magdeburg. Hohelied. 2007 ⇒836. 57-68.

4448 *Vries, Sytze de* "Zing van de liefde [Sing von der Liebe]"...: Hohelied-Gesänge eines holländischen Dichterpfarrers;

4449 *Waczkat, Andreas* Das Lied der Lieder in der Musik: ein Auswahlverzeichnis der Vertonungen;

4450 "...den meine Seele liebt": zur Anthropologie der Liebe in Hoheliedvertonungen des 16. und 17. Jahrhunderts. Das Hohelied. 2007 ⇒ 836. 187-197/401-429/147-162.

4451 *Wagner, Andreas* Das Hohe Lied–theologische Implikationen seines literarischen Charakters als Sammlung von Liebesliedern. ZAW 119 (2007) 539-555.

4452 *Puttkammer, Annegret* Schön von Kopf bis Fuß: Bibelarbeit zu Schönheit im Hohen Lied (Hld 4,1-7). Frauenkörper. FrauenBibelArbeit 18: 2007 ⇒378. 22-27.

4453 *Ausloos, Hans; Lemmelijn, Bénédicte* Eine neue Interpretation des Hoheliedes 8,5ab. ZAW 119 (2007) 556-563.

E7.5 *Libri sapientiales*—Wisdom literature

4454 *Adekambi, Moïse* Paroles de sagesse et paroles de révélation dans les cultures d'Ifa. [F]MONSENGWO PASINYA, L. 2007 ⇒110. 333-344.

4455 *Asurmendi Ruiz, Jesús M.* El Cantar, Qohélet y la lectura canónica. [F]IBÁÑEZ ARANA, A.. 2007 ⇒72. 87-101.

4456 *Beaulieu, Paul-A.* The social and intellectual setting of Babylonian wisdom literature. Wisdom literature. 2007 ⇒791. 3-19.

4457 *Byrne, Ryan* The refuge of scribalism in Iron I Palestine. BASOR 345 (2007) 1-31.

4458 *Cox, Claude E.* When Torah embraced wisdom and song: Job 28:28, Ecclesiastes 12:13, and Psalm 1:2. RestQ 49/2 (2007) 65-74.

4459 *Crenshaw, James L.* Beginnings, endings, and life's necessities in biblical wisdom. Wisdom literature. 2007 ⇒791. 93-105.

4460 *Dell, Katharine* God, creation and the contribution of wisdom. God of Israel. UCOP 64: 2007 ⇒818. 60-72.

4461 **Estes, Daniel J.** Handbook on the Wisdom books and Psalms: Job, Psalms, Proverbs, Ecclesiastes, Song of Songs. 2005 ⇒21¦4266.· · [R]CBQ 69 (2007) 542-543 (*Nowell, Irene*).

4462 **Fischer, Irmtraud** Gotteslehrerinnen: weise Frauen und Frau Weisheit im Alten Testament. 2006 ⇒22,4196. [R]JEGTFF 15 (2007) 243-244 (*Butting, Klara*).

4463 **Freuling, Georg** 'Wer eine Grube gräbt...': der Tun-Ergehen-Zusammenhang und sein Wandel in der alttestamentlichen Weisheitsliteratur. WMANT 102: 2004 ⇒20,4012; 21,4268. [R]ThLZ 132 (2007) 304-306 (*Krispenz, Jutta*); RBLit (2007) 215-217 (*Weber, Beat*).

4464 **Gilbert, Maurice** Les cinq livres des Sages: Proverbes—Job—Qohélet—Ben Sira—Sagesse. Lire la Bible 129: 2003 ⇒19,4198; 20,4017. [R]LTP 63 (2007) 425-426 (*Turcotte, Nestor*).

4465 *Grund, Alexandra* 'Des Gerechten gedenkt man zum Segen' (Prov 10,7): Motive der Erinnerungsarbeit in Israel vom sozialen bis zum kulturellen Gedächtnis. Jahrbuch für Biblische Theologie 22 (2007) 41-62 [Ps 102].

4466 *Heyne, Alice* The Teaching of Ptahhotep: the London versions. Current research in Egyptology 2006. 2007 ⇒991. 85-98.

4467 *Hurowitz, Victor A.* An allusion to the Šamaš hymn in Dialogue of pessimism;

4468 The wisdom of Šūpê-amēlī–a deathbed debate between a father and son. Wisdom literature. 2007 ⇒791. 33-36/37-51.

4469 *Iwanski, Dariusz* Speaking about biblical wisdom. CoTh 77. Spec.. · (2007) 51-60.

4470 *Knauf, Ernst A.* Gli ambienti che hanno prodotto la Bibbia ebraica. Guida di lettura all'AT. 2007 ⇒506. 41-51.

4471 *Kotze, Zak* The evil eye as witchcraft technique in the Hebrew Bible. JSem 16 (2007) 141-149.

4472 **Laisney, Vincent** L'enseignement d'Aménémope. StP.SM 19: R 2007, É.P.I.B. xii; 405 pp. $72. 978-88-7653-634-2. Bibl. 277-308 [Prov 22,17-23,11].

4473   *Lévêque, Jean* Le contrepoint théologique apporté par la réflexion
       sapientielle. Job ou le drame de la foi. 2007 <1974> ⇒265. 13-35.
4474   **Müllner, Ilse** Das hörende Herz: Weisheit in der hebräischen Bibel.
       2006 ⇒22,4208. ᴿJEGTFF 15 (2007) 250-252 (*Baumann, Gerlinde*);
       OTEs 20 (2007) 255-256 (*Venter, P.M.*).
4475   *Nommik, Urmas* Beobachtungen zur alttestamentlichen Weisheitslite-
       ratur auf Grund der poetologischen Analyse (Kolometrie). Studien zu
       Ritual. BZAW 374: 2007 ⇒937. 227-239.
4476   *O'Dowd, Ryan* A chord of three strands: epistemology in Job, Prov-
       erbs and Ecclesiastes. The bible & epistemology. 2007 ⇒444. 65-87.
4477   **Perdue, Leo G.** Wisdom literature: a theological history. LVL 2007,
       Westminster xii; 514 pp. $40. 978-06642-29191.
4478   The sword and the stylus: an introduction to wisdom in the age of
       empires. GR 2007, Eerdmans 528 pp. $38.
4479   *Pilarz, Krzysztof* Wychowanie do mądrości w świetle Starego Testa-
       mentu: przegląd majważniejszych pojęć i implikacje pedagogiczne
       [Formation à la sagesse dans la lumière de l'Ancien Testament: revue
       des notions les plus importantes et implications pédagogiques]. AtK
       149 (2007) 83-97. P.
4480   *Pou, Antoni* La recerca de Déu en els escrits sapiencials de la bíblia.
       QVC 225 (2007) 7-25.
4481   *Premstaller, Volkmar* "Nimm dich des Bedürftigen an!" (Sir 29,9):
       weisheitliche Lehren zur Armut. ZKTh 129 (2007) 480-493.
4482   *Sigrist, Marcel* Sagesse mésopotamienne. ᶠMONSENGWO PASINYA,
       L.. 2007 ⇒110. 309-324.
4483   *Steinberg, Julius* Gottes Ordnungen verstehen und leben: eine Theo-
       logie der alttestamentlichen Weisheit. Themenbuch. BWM 15: 2007
       ⇒461. 211-236.
4484   *Van der Toorn, Karel* Why wisdom became a secret: on wisdom as a
       written genre. Wisdom literature. 2007 ⇒791. 21-29.
4485   *Van Leeuwen, Raymond C.* Cosmos, temple, house: building and wis-
       dom in Mesopotamia and Israel. Wisdom literature. SBL.Symposium
       36: 2007 ⇒791. 67-90.
4486   **Wilke, Alexa F.** Kronerben der Weisheit: Gott, König und Frommer
       in der didaktischen Literatur Ägyptens und Israels. FAT 2/20: 2006
       ⇒22,4214. ᴿBZ 51 (2007) 304-306 (*Schipper, Bernd U.*); RBLit
       (2007)* (*Fischer, Stefan*).
4487   *Yona, Shamir* Shared stylistic patterns in the Aramaic proverbs of
       Ahiqar and Hebrew wisdom. ANESt 44 (2007) 29-49.
4488   *Zinn, Katharina* Libraries and archives: the organization of collective
       wisdom in ancient Egypt. Current research in Egyptology 2006. 2007
       ⇒991. 169-176.

E7.6 **Proverbiorum liber**, *themata, versiculi*

4489   *Aitken, James* Poet and critic: royal ideology and the Greek translator
       of Proverbs. Jewish perspectives. 2007 ⇒624. 190-204.
4490   *Buehlmann, Alain* Proverbi. Guida. 2007 ⇒506. 473-483.
4491   **Cimosa, Mario** Proverbi. Mi 2007, Paoline 387 pp. €32. 978-88-
       315-3265-5. Bibl. 358-365 ᴿStPat 54 (2007) 686-688 (*Lorenzin, Tizi-
       ano*); Anton. 82 (2007) 783-784 (*Nobile, Marco*).

4492 **Dell, Katharine J.** The book of Proverbs in social and theological context. 2006 ⇒22,4220. ᴿScrB 37/1 (2007) 41 (*Docherty, Susan*); OLZ 102 (2007) 694-697 (*Maier, Christl M.*); RBLit (2007)* (*Saebø, Magne*).

4493 *Fox, Michael V.* Ethics and wisdom in the book of Proverbs. HebStud 48 (2007) 75-88;

4494 The epistemology of the book of Proverbs. JBL 126 (2007) 669-684.

4495 **Fuhs, Hans F.** Sprichwörter. NEB: Kommentar zum Alten Testament mit der Einheitsübersetzung, Lfg. 35: 2001 ⇒17,3520... 19, 4239. ᴿALW 49 (2007) 375-376 (*Schenker, Adrian*).

4496 *Gilbert, Maurice* Biblical proverbs and African proverbs. Afrika Yetu 12 (2007) 1-12;

4497 Proverbes bibliques et proverbes africaines. ᶠMONSENGWO PASINYA, L.. 2007 ⇒110. 325-332.

4498 *Gosse, Bernard* Le rôle du livre des Proverbes dans la constitution du psautier, en relation avec divers textes bibliques. RB 114 (2007) 403-415 [Ps 2; 7; 26; 110; Prov 17,3].

4499 *Jüngling, Hans-W.* Der Mensch in Schöpfung und Zeit: Gedanken zur Anthropologie der Sprichwörter (LXX). Im Brennpunkt, 3. BWANT 174: 2007 ⇒384. 203-225.

4500 **Kim, Seenam** The coherence of the collections in the book of Proverbs. Eugene, OR 2007, Pickwick xvi; 292 pp. $34.

4501 *Lazaridis, Nikolaos* The religion of Egyptian instructions: divine characters and the language of demotic proverbs. Proceedings Ninth Congress, 2. OLA 150: 2007 ⇒992. 1091-1099;

4502 'It is better to be silent than speak in vain': the challenge of producing proverbs in Demotic and Greek. Current research in Egyptology 2005. 2007 ⇒991. 66-73.

4503 **Lazaridis, Nikolaos** Wisdom in loose form: the language of Egyptian and Greek proverbs in collections of the Hellenistic and Roman periods. Mn.S 287: Lei 2007, Brill 320 pp. €119. 978-90041-60583.

4504 **Longman, Tremper, III** Proverbs. Baker Commentary on the OT: 2006 ⇒22,4232. ᴿFaith & Mission 24/3 (2007) 66-68 (*McDaniel, Chip*); RBLit (2007)* (*Dell, Katharine*).

4505 *Luchsinger, Jürg* "Der Segen des Herrn, der macht reich": Reichtum der Spruchweisheit (Spr 10,1-22,16). JETh 21 (2007) 51-68;

4506 Wirkende Worte werbender Weiser: der Interne Parallelismus in der alttestamentlichen Spruchweisheit. ᶠJENNI, E. AOAT 336: 2007 ⇒76. 196-217.

4507 **Sandoval, Timothy J.** The discourse of wealth and poverty in the book of Proverbs. BiblInterp 77: Lei 2006, Brill xvi; 234 pp. ⇒22,4238. $124. 90-04-14492-7. Bibl. 215-222. ᴿRBLit (2007) 195-199 (*Loader, James*).

4508 ᴱᵀ**Thomson, Robert W.** HAMAM: commentary on the book of Proverbs. Hebrew University Armenian Studies 5: 2005 ⇒21,4332; 22,4241. ᴿOrChr 91 (2007) 292-295 (*Wehrle, Josef*).

4509 *Waard, Jan de* Difference in Vorlage or lexical ignorance: a dilemma in the Old Greek of Proverbs. JSJ 38 (2007) 1-8.

4510 **Waltke, Bruce** The book of Proverbs: chapters 1-15. NICOT: 2004 ⇒20,4067...22,4246. ᴿBib. 88 (2007) 426-431 (*Mazzinghi, Luca*);

4511 The book of Proverbs. NICOT: 2004-2005 ⇒20,4067... 22,4247. ᴿOTEs 20 (2007) 261-263 (*Maré, L.P.*).

ᴱ**Wright, J.** Proverbs, Ecclesiastes, Song of Sol. 2005 ⇒4415;

Proverbi, Qoèlet, Cantico dei cantici 2007 ⇒4416.

4512 *Angel, Andrew* From wild men to wise and wicked women: an investigation into male heterosexuality in second temple interpretation of the ladies wisdom and folly. A question of sex?. Ment. *Philo Alexandrinus* HBM 14: 2007 ⇒872. 145-161 [Prov 1-9; Sir 51,13-21].

4513 *Cooper, Alan* 'The Lord grants wisdom': the world view of Proverbs 1-9. [F]GELLER, S. 2007 ⇒47. 29-43.

4514 *Forti, Tova* The *isha zara* in Proverbs 1-9: allegory and allegorization. HebStud 48 (2007) 89-100.

4515 *Pinto, S.* Il genere letterario nelle istruzioni egizie e nelle istruzioni di Proverbi 1-9. EstB 65 (2007) 427-461;

4516 Proverbi 1-9: sapienza ebraica o greca?. Rivista di science religiose 21 (2007) 207-223.

4517 **Pinto, Sebastiano** "Ascolta figlio": autorità e antropologia dell'insegnamento in Proverbi 1-9. Studia biblica 4: 2006 ⇒22,4250. [R]CBQ 69 (2007) 129-130 (*Cody, Aelred*); CivCatt 158/4 (2007) 514-516 (*Scaiola, D.*); RBLit (2007)* (*Sanders, Paul*).

4518 **Signoretto, Martino** Metafora e didattica in Proverbi 1-9. 2006 ⇒ 22,4251. [R]CTom 134 /2007) 585-586 (*Díaz Sariego, Jesús*); CivCatt 158/4 (2007) 618-619 (*Scaiola, D.*).

4519 **Weeks, Stuart** Instruction and imagery in Proverbs 1-9. Oxf 2007, OUP xii; 260 pp. $95. 978-0-19-929154-0. Bibl. 230-245.

·4520 *Sandoval, Timothy J.* Revisiting the prologue of Proverbs. JBL 126 2007, 455-473 [Prov 1,2-6].

4521 *Schwienhorst-Schönberger, Ludger* "Die den Bund ihres Gottes vergisst": Spr 2,17 und der Dekalog. [F]HOSSFELD, F. SBS 211: 2007 ⇒ 69. 203-210.

4522 *Schipper, Bernd U.* Kosmotheistisches Wissen: Prov 3,19f. und die Weisheit Israels. [F]KEEL, O. OBO Sonderband: 2007 ⇒83. 487-510.

4523 *Marbury, Herbert R.* The strange woman in Persian Yehud: a reading of Proverbs 7. Approaching Yehud. 2007 ⇒376. 167-182.

4524 *Sneed, Mark* 'White trash' wisdom: Proverbs 9 deconstructed. JHScr 7*= PHScr 4,139-149.

4525 *Scoralick, Ruth* "Gerechtigkeit aber rettet vor dem Tode": Beobachtungen zu Spr 10,2. [F]HENTSCHEL, G. EThSt 90: 2007 ⇒65. 359-375.

4526 *Fields, Lee M.* Proverbs 11:30: soul-winning or wise living?. JETS 50 (2007) 517-535.

4527 *Kotze, Zak* A cognitive interpretation of the combination עצה עיניו in Proverbs 16:30. JSem 16 (2007) 471-482.

4528 *Forti, Tova* Conceptual stratification in LXX Prov 26,11: toward identifying the tradents behind the aphorism. ZAW 119 (2007) 241-258 [Sir 4,20-21].

4529 *Gilbert, Maurice* Les conditions du pouvoir: le regard des sages sur la classe dirigeante (Pr 28-29). RTL 38 (2007) 313-335.

4530 **Tavares, Ricardo** Eine königliche Weisheitslehre?: exegetische Analyse von Sprüche 28-29 und Vergleich mit den ägyptischen Lehren Merikaras und Amenemhats. OBO 234: FrS 2007, Academic xii; 306 pp. 978-37278-16154. [D]*Jüngling, Hans-Winfried* Diss. St. Georgen; Bibl. 285-302.

4531 *Gosse, Bernard* L'influence de Proverbes 30,1-14 sur les cantiques bibliques, à travers le psautier. ZAW 119 (2007) 528-538.

4532 *Rico, Christophe* L'énigme aux chemins effacés: Pr 30,18-20. RB 114 (2007) 273-277.

4533 **Brockmöller, Katrin** "Eine Frau der Stärke–wer findet sie?": exegetische Analysen und intertextuelle Lektüren zu Spr 31,10-31. BBB 147: 2004 ⇒20,4079. [R]Bib. 88 (2007) 262-266 (*Wolters, Al*).

4534 *Brockmöller, Katrin* Mit Solidarität und spiritueller Kraft ans Werk: die Frau der Stärke (Spr 31,10-31) als perfekte Diakonin?. Frauen gestalten Diakonie, 1. 2007 ⇒552. 55-67.

4535 **Alster, Bendt** Sumerian proverbs in the Schøyen Collection. Manuscripts in the Schøyen collection Cuneiform Texts 2; Cornell University Studies in Assyriology and Sumerology (CUSAS) 2: Bethesda, MD 2007, CDL xvi; 156 pp. 978-1-934309-01-8.

E7.7 *Ecclesiastes—*Qohelet; *textus, themata, versiculi*

4536 **Anaya Luengo, P.R.** El hombre destinatario de los dones de Dios en el Qohélet. BSal.E 296: S 2007, Univ. Pont. 331 pp. €21. 97884-72-99-7349. Diss. [R]ATG 70 (2007) 314-315 (*Vílchez, José*).

4537 *Buehlmann, Alain* Qoelet. Guida. 2007 ⇒506. 503-510.

4538 **Christianson, Eric S.** Ecclesiastes through the centuries. Oxf 2007, Blackwell xvi; 314 pp. £50/S75; £13/$18. 978-0-631-22529-4/30-3. Bibl. 264-295.

4539 *Crenshaw, James L.* Qoheleth in historical context. Bib. 88 (2007) 285-299;

4540 Qoheleth's quantitative language. [F]SCHOORS, A. OLA 164: 2007 ⇒ 138. 1-22.

4541 **Delkurt, Holger** "Der Mensch ist dem Vieh gleich, das vertilgt wird": Tod und Hoffnung gegen den Tod in Ps 49 und bei Kohelet. BThSt 50: 2005 ⇒21,4376; 22,4269. [R]RBLit (2007) 221-224 (*Van Hecke, Pierre*).

4542 *Den Dulk, Maarten* Portret van Prediker. ITBT 14/6 (2007) 24, 26-27.

4543 [E]**Ettlinger, Gerard H.; Noret, Jacques** PSEUDO-GREGORII Agrigentini seu Pseudo-Gregorii Nysseni commentarius in Ecclesiasten. CChr.SG 56: Turnhout 2007, Brepols lxii; 385 pp. €200. 978-25034-05612.

4544 **Fox, Michael V.** Ecclesiastes. 2004 ⇒20,4095; 21,4379. [R]BS 164 (2007) 370-372 (*Chisholm, Robert B., Jr.*); RBLit (2007)* (*Bolin, Thomas M.*); PHScr II, 604-606 ⇒373 (*Noegel, Scott B.*).

4545 *Garfinkel, Stephen* Qoheleth: the philosopher means business. [F]GELLER, S. 2007 ⇒47. 51-62.

4546 *Greenstein, Edward L.* Sages with a sense of humor: the Babylonian Dialogue between a master and his servant and the book of Qohelet. Wisdom literature. SBL.Symposium 36: 2007 ⇒791. 55-65.

4547 *Gueuret, Agnès* Observations sur Qohéleth. SémBib 127 (2007) 25-39.

4548 *Hurvitz, Avi* The langugage of Qoheleth and its historical setting within Biblical Hebrew. [F]SCHOORS, A. 2007 ⇒138. 23-34.

4549 **Ingram, Doug** Ambiguity in Ecclesiastes. LHBOTS 431: 2006 ⇒22, 4274. [R]CBQ 69 (2007) 777-778 (*Washington, Harold C.*); RBLit (2007)* (*Willmes, Bernd*).

4550 *Isaksson, Bo* The syntax of the narrative discourse in Qoheleth. FSCHOORS, A. OLA 164: 2007 ⇒138. 35-46.
4551 *Jarick, John* The enigma that is Ecclesiastes. LTJ 41 (2007) 103-109.
4552 *Joosten, Jan* The syntax of volitive verbal forms in Qoheleth in historical perspective. FSCHOORS, A. OLA 164: 2007 ⇒138. 47-61.
4553 **Koh, Yee-Von** Royal autobiography in the book of Qoheleth. BZAW 369: 2006 ⇒22,4277. REstÅg 42 (2007) 181-182 (*Mielgo, C.*); RBLit (2007)* (*Fischer, Stefan;*).
4554 *Koosed, Jennifer L.* Qoheleth in love and trouble. Approaching Yehud. SBL.Semeia Studies 50: 2007 ⇒376. 183-193.
4555 **Koosed, Jennifer L.** (Per)Mutations of Qohelet: reading the body in the book. LHBOTS 429: 2006 ⇒22,4279. RCBQ 69 (2007) 333-334 (*Sneed, Mark*).
4556 **Lee, Eunny P.** The vitality of enjoyment in Qohelet's theological rhetoric. BZAW 353: 2005 ⇒21,4385; 22,4281. RThTo 64 (2007) 366-8 (*Dell, Katharine*); CBQ 69 (2007) 122-24 (*Bolin, Thomas M.*).
4557 **Limburg, James** Encountering Ecclesiastes: a book for our times. 2006 ⇒22,4283. RNewTR 20 (2007) 91-92 (*Bergant, Dianne*); RBLit (2007)* (*Warner, David B.*).
4558 **Lohfink, Norbert** Qoheleth: a continental commentary. TMcEvenue, *Sean* Continental commentaries: 2003 ⇒19,4292... 22,4284. RPHScr II, 466-469 ⇒373 (*McLaughlin, John L.*).
4559 *Marcon, Loretta* Il "difensore" di Salomone (Leopardi e Qohélet). StPat 54 (2007) 397-415.
4560 *Mazzinghi, Luca* The verbs מצא 'to find' and בקש 'to search' in the language of Qoheleth: an exegetical study. FSCHOORS, A. OLA 164: 2007 ⇒138. 91-120.
4561 *Middlemas, Jill* Ecclesiastes gone 'sideways'. ET 118 (2007) 216-21.
4562 **Miller, Douglas B.** Symbol and rhetoric in Ecclesiastes: the place of 'Hebel' in Qohelet's work. Academia Biblica 2: 2002 ⇒18,4014... 21,4390. RJNES 66 (2007) 216-221 (*Clemens, D.M.*).
4563 *Noegel, Scott B.* 'Word play' in Qoheleth. JHScr 7 (2007)* = PHScr 4,111-137.
4564 *Nwaoru, Emmanuel O.* Image of the woman of substance in Proverbs 31:10-31 and African context. FMONSENGWO PASINYA, L. 2007 ⇒ 110. 359-375.
4565 **Ogden, Graham S.** Qoheleth. Shf ²2007, Sheffield Phoenix 252 pp. €22.50. 978-1-906055-09-7. Bibl. 241-250.
4566 *Pajares, Victor* Cohélet: la calidad de vida que aporta la fe. Eccl(R) 21 (2007) 253-264.
4567 *Plante, Leo* Qoheleth: the post-modern economist. BiTod 45 (2007) 370-372.
4568 TRobinson, James T.** Samuel IBN TIBBON's commentary on Ecclesiastes: the book of the soul of man. TSMJ 20: Tü 2007, Mohr S. x; 660 pp. €149. 978-31614-90675. Introd. 3-141.
4569 *Rudman, Dominic* The use of *hbl* as an indicator of chaos in Ecclesiastes. FSCHOORS, A. OLA 164: 2007 ⇒138. 121-141.
4570 *Schellenberg, Annette* Qohelet's use of the word ענין: some observations on Qoh 1,13; 2,23.26; 3,10, and 8,16. FSCHOORS, A. OLA 164: 2007 ⇒138. 143-155.
4571 **Schellenberg, Annette** Erkenntnis als Problem: Qohelet und die alttestamentliche Diskussion um das menschliche Erkennen. OBO 188: 2002 ⇒18,4021; 20,4115. RPHScr II, 539-541 ⇒373 (*Perry, T.A.*).

4572 **Schoors, Antoon** The Preacher sought to find pleasing words: a study of the language of Qoheleth, part II: vocabulary. OLA 143: 2004, ⇒20,4118; 22,4297. ᴿOTEs 20 (2007) 257-258 (*Spangenberg, Izak J.J.*); Bib. 88 (2007) 260-262 (*Miller, Douglas B.*); OLZ 102 (2007) 49-53 (*Schwienhorst-Schönberger, Ludger*).

4573 *Schüle, Andreas* Evil from the heart: Qohelet's negative anthropology and its canonical context. ᶠSCHOORS, A. OLA 164: 2007 ⇒138. 157-176.

4574 **Shields, Martin A.** The end of wisdom: a reappraisal of the historical and canonical function of Ecclesiastes. 2006 ⇒22,4299. ᴿThLZ 132 (2007) 1310-1311 (*Schwienhorst-Schönberger, Ludger*); CBQ 69 (2007) 796-798 (*Christianson, Eric*).

4575 *Smelik, Klaas A.D.* God in the book of Qoheleth;

4576 *Van Hecke, Pierre J.P.* The verbs ראה and שמע in the book of Qohelet: a cognitive-semantic perspective. ᶠSCHOORS, A. OLA 164: 2007 ⇒138. 177-181/203-220.

　　ᴱ**Wright, J.** Proverbs, Ecclesiastes, Song of Sol. 2005 ⇒4415; Proverbi, Qoèlet, Cantico dei cantici 2007 ⇒4416.

4577 *Wawa, Roger* "Binso bizali se mpamba": réception de Qo 1,2 en contexte africain. ᶠMONSENGWO PASINYA, L. 2007 ⇒110. 277-293.

4578 *Lavoie, Jean-Jacques* Activité, sagesse et finitude humaine: étude de Qohélet 1,12-18. LTP 63 (2007) 87-111.

4579 *Méthot, Jean-François* Remarques sur la formalisation de Qo 1,18: "Qui augmente la connaissance augmente la souffrance". ScEs 59/1 (2007) 27-33.

4580 *Tremblay, Hervé* Qohélet 1,18: histoire du texte et de son interprétation. ScEs 59/1 (2007) 5-25.

4581 *Wazana, Nili* A case of the evil eye: Qohelet 4:4-8. JBL 126 (2007) 685-702.

4582 *Krüger, Thomas* Meaningful ambiguities in the book of Qoheleth. ᶠSCHOORS, A. OLA 164: 2007 ⇒138. 63-74 [5,7-8; 8,1-9; 10,20].

4583 *Moosbrugger, Mathias* Kohelet und der materielle Reichtum. Koh 5,12-6,12 als eine Konkretisierung seines weisheitlichen Denkens. PzB 16 (2007) 69-86.

4584 *Bronznick, Nachum* כי העשק יהולל חכם ויאבד את לב מתנה (Eccles 7:7). BetM 52/2 (2007) 91-94. **H**.

4585 *Tomson, Peter* 'There is no one who is righteous, not even one': Kohelet 7,20 in Pauline and early Jewish interpretation. ᶠSCHOORS, A. OLA 164: 2007 ⇒138. 183-202 [Sir 25,13].

4586 *Boyle, Brian* 'Let your garments always be white' (Eccl 9:8): time, fate, chance and provident design according to Qoheleth. ABR 55 (2007) 29-40.

4587 *Piotti, Franco* La relazione tra מַדָּע e מֶלֶךְ in Qo 10,20: problemi linguistici ed esegetici. BeO 49 (2007) 79-102.

4588 *Lavoie, Jean-J.* "Laisse aller ton pain sur la surface des eaux": étude de Qohéleth 11,1-2. ᶠSCHOORS, A. OLA 164: 2007 ⇒138. 75-89;

4589 Ambiguïtés et ironie en Qohélet 12,11. Theoforum 38 (2007) 131-51.

E7.8 *Liber Sapientiae*—Wisdom of Solomon

　　ᴱ**Bellia, G.**, *al.*, The book of Wisdom 2005 ⇒768.

4590 **Blischke, Mareike V.** Die Eschatologie in der Sapientia Salomonis. *DSpieckermann, Hermann* FAT 2/26: Tü 2007, Mohr S. xi; 309 pp. €59. 978-3-16-149459-8. Diss. Göttingen; Bibl. 271-292.

4591 *Jankowski, Stanisław; Kujawski, Aleksandrów* Krytyka cywilizacji smierci w Ksiedze Madrosci. CoTh 77/1 (2007) 29-56. **P.**

4592 *Legrand, Thierry* Sapienza di Salomone. Guida. 2007 ⇒506. 609-16.

4593 **Neher, Martin** Wesen und Wirken der Weisheit in der Sapientia Salomonis. BZAW 333: 2004 ⇒20,4156... 22,4317. ᴿJSJ 38 (2007) 132-133 (*Hempel, Charlotte*).

4594 **Niccacci, Alviero** Il libro della Sapienza. Dabar–Logos–Parola: Padova 2007, Messagero 219 pp. €12. 978-88250-17786. Bibl. 214-15.

4595 *Poniży, Bogdan* The book of Wisdom as a witness of a meeting of Semitic and Greek world. Ethos and exegesis. 2007 ⇒464. 119-126.

4596 *Dodson, J.R.* Locked-out lovers: Wisdom of Solomon 1.16 in light of the paraclausithyron motif. JSPE 17 (2007) 21-35.

4597 *Farin, M.; Lagavre, P.* Sagesse et combat spirituel. Christus 215 (2007) 279-284 [Wis 2].

4598 *Dochhorn, Jan* Mit Kain kam der Tod in die Welt: zur Auslegung von SapSal 2,24 in 1 Clem 3,4; 4,1-7, mit einem Seitenblick auf Polykarp, Phil. 7,1 und Theophilus, Ad Autol. II,29,3-4. ZNW 98 (2007) 150-159.

4599 **Leproux, Alexis** Un discours de sagesse: étude exégétique de Sg 7-8. AnBib 167: R 2007, E.P.I.B. 386 pp. €30. 978-88-7653-167-5. Bibl. 333-352.

4600 *Ponizy, Bogdan* Przesłanie Mdr 19, podsumowujacego rozdziału Ksiegi Madrosci. CoTh 77/1 (2007) 5-28 [2 Tim 4,3; Titus 1,9; 2,1-8]. **P.**

E7.9 *Ecclesiasticus, Siracides*; **Wisdom of Jesus Sirach**

4601 **Auwers, Jean-M.** Concordance du Siracide (Grec II et Sacra Parallela). CRB 58: 2005 ⇒21,4458; 22,4322. ᴿRBLit (2007) 231-233 (*Corley, Jeremy*).

4602 **Beentjes, Panc** De wijsheid van Jesus Sirach. Budel 2006, Damon 230 pp. €17.90. 90-55737-321.

4603 *Börner-Klein, Dagmar* Narrative Kritik der rabbinischen Bibelauslegung im Alphabet des Ben Sira. Literatur im Dialog. 2007 ⇒500. 99-125.

4604 *DeSilva, David A.* Jesus and James in the school of Ben Sira:. the impact of an extracanonical sage on the first founders of christianity. ThFPr 33/1-2 (2007) 84-97.

4605 *Egger-Wenzel, Renate* Vom Schlachtopfer zum Hebeopfer der Lippen: Transformation der Opferterminologie von H nach G im Buch Ben Sira. Im Brennpunkt, 3. BWANT 174: 2007 ⇒384. 245-265.

4606 *Elizur, S.* A new Hebrew fragment of Ben Sira [Ecclesiasticus]. Tarb. 76/1-2 (2006-2007) 17-28. **H.**

4607 *Fasce, Silvana* L'esperienza del viaggio nel *Siracide* greco. Itineraria [Firenze] 3-4 (2004-2005) 1-9.

4608 *Flusser, David* "The secret things belong to the Lord" (Deut. 29:29): Ben Sira and the Essenes. Judaism of the second temple period, 1. 2007 ⇒224. 293-298.

4609 **Harrington, Daniel J.** Jesus Ben Sira of Jerusalem: a biblical guide to living wisely. 2005 ⇒21,4470; 22,4339. [R]Gr. 88 (2007) 422-424 (*Calduch Benages, Núria*); CBQ 69 (2007) 118-19 (*Irwin, William*).

4610 *Horbury, William* Deity in Ecclesiasticus. God of Israel. UCOP 64: 2007 ⇒818. 267-292.

4611 *Joosten, J.* Eléments d'araméen occidental dans la version syriaque de Ben Sira. [F]BAR-ASHER, M., 2. 2007 ⇒9. *42-*55.

4612 *Kaiser, Otto* Die Göttliche Vorsehung in der Frühen Stoa und bei Jesus Sirach. Des Menschen Glück. Tria Corda 1: 2007 ⇒254. 65-112;

4613 Determination und Freiheit in der Frühen Stoa und bei Jesus Sirach. Des Menschen Glück. Tria Corda 1: 2007 ⇒254. 1-64.

4614 **Kaiser, Otto** Weisheit für das Leben: das Buch Jesus Sirach. 2005 ⇒21,4471; 22,4340. [R]Gr. 88 (2007) 424-425 (*Calduch Benages, Núria*).

4615 *Klawans, Jonathan* Sadducees, Zadokites, and the Wisdom of Ben Sira. [F]HURTADO, L. & SEGAL, A. 2007 ⇒71. 261-276.

4616 *Legrand, Thierry* Siracide. Guida. 2007 ⇒506. 617-624.

4617 *Lehmhaus, Lennart* "Es ist mancher scharfsinnig, aber ein Schalk, und kann die Sache drehen, wie er es haben will": intertextuelle Kritik rabbinischer Quellenarbeit im Alphabet des Ben Sira. Literatur im Dialog. 2007 ⇒500. 127-163.

4618 *Olney, Dominique* The 'torefaction' of wisdom in Ben Sira. Patriarchs, prophets. 2007 ⇒453. 50-68.

4619 *Rapp, Ursula* Das Wunder ist nur im Lob zu sagen: Versuche zur Wunderrede im Buch Jesus Sirach. [F]TRUMMER, P. 2007 ⇒153. 41-52.

4620 *Reiterer, Friedrich V.* Ben Sira–zur Übersetzungsmethode alter Versionen. ⇒295. 145-149;

4621 Das Verhältnis Ijobs und Ben Siras. ⇒295. 345-375;

4622 Deutung und Wertung des Todes durch Ben Sira. ⇒295. 307-343;

4623 Die immateriellen Ebenen der Schöpfung bei Ben Sira. 185-227;

4624 Die Stellung Ben Siras zur "Arbeit". ⇒295. 229-267;

4625 Markierte und nicht markierte direkte Objekte bei Ben Sira. 123-143;

4626 Review of recent research on the book of Ben Sira (1980-1996). ⇒295. 51-87;

4627 Text und Buch Ben Sira in Tradition und Forschung. ⇒295. 3-49;

4628 The Hebrew of Ben Sira investigated on the basis of his use of *krt*. "Alle Weisheit". BZAW 375: 2007 ⇒295. 91-122.

4629 **Reymond, Eric D.** Innovations in Hebrew poetry: parallelism and the poems of Sirach. Studies in Biblical Literature 9: 2004 ⇒20, 4189; 21,4484. [R]JSSt 52 (2007) 149-151 (*Watson, Wilfred G.E.*).

4630 *Sanders, Jack T.* Concerning Ben Sira and demotic wisdom: a response to Matthew J. Goff. JSJ 38 (2007) 297-306.

4631 **Thiele, Walter** Sirach (Ecclesiasticus): 7-9. Lief.: Sir 16,21-24,47. BVLI 11/2: 1998-2005 ⇒14,3236... 22,4355. [R]JThS 58 (2007) 164-166 (*Elliott, J.K.*).

4632 **Ueberschaer, Frank** Weisheit aus der Begegnung: Bildung nach dem Buch Ben Sira. [D]*Kreuzer, Siegfried* BZAW 379: B 2007, De Gruyter x; 446 pp. €91.59. 978-3-11-020064-5. Diss. Wuppertal; Bibl. 400-430.

4633 **Van Peursen, Willem T.** Language and interpretation in the Syriac text of Ben Sira: a comparative linguistic and literary study. MPIL 16: Lei 2007, Brill xvi; 473 pp. 978-90-04-16394-2. Bibl. 435-455;

4634   The verbal system in the Hebrew text of Ben Sira. 2004 ⇒20,4192...
       22,4357. ᴿStOr 101 (2007) 556-557 (*Hämeen-Anttila, Jaakko*).
4635   **Veltri, Giuseppe** Libraries, translations, and "canonic" texts: the
       Septuagint, Aquila and Ben Sira in the Jewish and Christian tradi-
       tions. JSJ.S 109: 2006 ⇒22,2236. ᴿSCI 26 (2007) 241-3 (*Ilan, Tal*);
       ThLZ 132 (2007) 921-924 (*Dafni, Evangelia G.*); RBLit (2007)*
       (*Beentjes, Pancratius*); RasIsr 73/3 (2007) 113-117 (*Capelli, Piero*).
4636   *Wright, Benjamin* Ben Sira on kings and kingship. Jewish perspec-
       tives. 2007 ⇒624. 76-91;
4637   1 Enoch and Ben Sira: wisdom and apocalypticism in relationship.
       Early Enoch literature. JSJ.S 121: 2007 ⇒381. 159-176.

4638   *Dion, Paul-E.* God and the evil men do according to Ben Sira 15:11-
       18:14. ScEs 59/2-3 (2007) 143-152.
4639   *Marböck, Johannes* Ein ewiger Bund für alle?: Notizen zu Sir 17,11-
       14. ᶠHossfeld, F. SBS 211: 2007 ⇒69. 133-140.
4640   *Pindel, Roman* Der auf dem semantischen Feld basierte Parallelismus
       in Sir. 24,12-17. ACra 38-39 (2007) 313-332. **P**.
4641   *Reiterer, Friedrich V.* Gelungene Freundschaft als tragende Säule ei-
       ner Gesellschaft. "Alle Weisheit stammt vom Herrn...". BZAW 375:
       2007 ⇒295. 269-305 [Sir 25,1-11].
4642   *Noffke, Eric* Man of glory or first sinner?: Adam in the book of Si-
       rach. ZAW 119 (2007) 618-624 [Sir 25,24; 49,16].
4643   *Pudelko, Jolanta J.* Czym jest utrata przyjaciela?: o problemach
       krytyczno-tekstualnych Ksiegi Syracydesa. CoTh 77/3 (2007) 43-62
       [Sir 27,18]. **P**.
4644   **Palmisano, Maria C.** "Salvaci, Dio dell'universo!": studio dell'euco-
       logia di Sir 36H,1-17. AnBib 163: 2006 ⇒22,4378. ᴿCBQ 69 (2007)
       795-796 (*Duggan, Michael W.*).
4645   **Mulder, Otto** Simon the High Priest in Sirach 50. JSJ.S 78: 2003 ⇒
       19,4393; 21,4508. ᴿJSJ 38 (2007) 129-31 (*Calduch-Benages, Nuria*).
4646   *Corley, Jeremy* A numerical structure in Sirach 44:1-50:24. CBQ 69
       (2007) 43-63.
4647   *Fabry, Heinz-Josef* "Wir wollen nun loben Männer von gutem Ruf"
       (Sir 44, 1): der Pinhas-Bund im "Lob der Väter". ᶠHossfeld, F. SBS
       211: 2007 ⇒69. 49-60.
4648   *Marböck, Johannes* Samuel der Prophet: sein Bild im Väterlob Sir
       46,13-20. ᶠHentschel, G. EThSt 90: 2007 ⇒65. 205-217.
4649   *Schnocks, Johannes* Totenerweckung im Väterlob des Sirachbuches?.
       Im Brennpunkt, 3. BWANT 174: 2007 ⇒384. 291-306 [Sir 48,11].
4650   *Sauer, G.* Ben Sira 50–eine Festliturgie?. ᶠWilli, T. 2007 ⇒167.
       119-126.
4651   *Reymond, Eric D.* Sirach 51:13-30 and 11Q5 (=11QPs a) 21.11-22.1.
       RdQ 23 (2007) 207-231.

VII. Libri prophetici VT

E8.1 Prophetismus

4652   *Barton, John* History and rhetoric in the prophets. The OT: canon,
       literature and theology. MSSOTS: 2007 <1990> ⇒183. 247-256.

4653 **Barton, John** Oracles of God. 1986 ⇒2,2577... 6,3687. [R]JHScr 7 (2007)* = PHScr IV,391-431 ⇒22,593 (*Ben Zvi, Ehud; Davies, Philip R.; Kugel, James; Najmann, Hindy*);

4654 L 2007 <1986>, Darton, L. & T. xii; 324 pp. €26.78. 02325-27083. Bibl. 302-310.

4655 **Baumann, Gerlinde** Love and violence: marriage as metaphor for the relationship between YHWH and Israel in the prophetic books. [T]*Maloney, Linda M.* 2003 ⇒19,4406... 22,4399. [R]PHScr II, 646-648 ⇒373 (*Hamilton, Mark W.*).

4656 *Becking, Bob* The prophets as persons. Hearing visions. 2007 ⇒817. 53-63.

4657 *Boadt, Lawrence* Do Jeremiah and Ezekiel share a common view of the exile?. [F]ALLEN, L. LHBOTS 459: 2007 ⇒4. 14-31.

4658 *Boda, Mark J.* Figuring the future: the prophets and messiah. The Messiah. 2007 ⇒551. 35-74.

4659 **Chapman, Cynthia R.** The gendered language of warfare in the Is-raelite-Assyrian encounter. HSM 62: 2004 ⇒20,9197... 22,4404. [R]OLZ 102 (2007) 298-303 (*Baumann, Gerlinde*); CBQ 69 (2007) 318-320 (*Galambush, Julie*).

4660 *Chinitz, Jacob* The prophets of Israel: both universalist and particu-larist. JBQ 35 (2007) 249-254.

4661 *Chirilă, Ioan* The knowledge of God in the thinking of the prophets and its reflection in the New Testament. Sacra Scripta [Cluj-Napoca, Romania] 5 (2007) 37-43.

4662 **Cook, Joan E.** Hear, O heavens, and listen, O Earth: an introduction to the prophets. 2006 ⇒22,4405. [R]RBLit (2007)* (*Hagelia, Hall-vard*).

4663 *Dell'Orto, Giuseppe* Antico Testamento: i profeti. Orientamenti bib-liografici 30 (2007) 5-8.

4664 **Doan, William; Giles, Terry** Prophets, performance, and power: performance criticism of the Hebrew Bible. 2005 ⇒21,4521. [R]CBQ 69 (2007) 320-321 (*Boadt, Lawrence*).

4665 **Elorza Ugarte, Jose L.** Israelgo profetak eta jakintsuak. Bilbao 2003, Deustuko Unibertsitatea 581 pp. 84-7485-920-4.

4666 *Geller, Stephen A.* The prophetic roots of religious violence in west-ern religions. Religion and violence. 2007 ⇒770. 47-56.

4667 **Geyer, John B.** Mythology and lament: studies in the oracles about the nations. 2004 ⇒20,4235; 21,4524. [R]JThS 58 (2007) 158-160 (*Clements, Ronald E.*).

4668 *Glas, Gerrit* Introduction to *prophecy*: theological and psychological aspects. Hearing visions. 2007 ⇒817. 35-40.

4669 *Gorgone, Sandro* I profeti, scomodi protagonisti della vita. Presby-teri 41 (2007) 651-661.

4670 *Hagedorn, Anselm C.* Looking at foreigners in biblical and Greek prophecy. VT 57 (2007) 432-448.

4671 **Hutton, Rodney R.** Fortress introduction to the prophets. 2004 ⇒ 20,4246... 22,4422. [R]HBT 29 (2007) 229-230 (*Ahn, John*) PHScr II, 537-539 ⇒373 (*Evans, Paul*).

4672 **Jensen, Joseph** Ethical dimensions of the prophets. 2006 ⇒22,4423. [R]CBQ 69 (2007) 778-779 (*Hoppe, Leslie J.*); RBLit (2007)* (*Mc-Conville, J. Gordon*).

4673 *Kamionkowsky, S. Tamar* The problem of violence in prophetic liter-ature: definitions as the real problem. Religion and violence. 2007 ⇒ 770. 38-46.

4674 **Korpel, Marjo C.A.** The demarcation of hymns and prayers in the prophets (2). Psalms and prayers. OTS 55: 2007 ⇒766. 141-157 [Isa 12,1-6; Jer 10,23-25].

4675 **Köszeghy, Miklós** Der Streit um Babel in den Büchern Jesaja und Jeremia. ^D*Seybold, Klaus* BWANT 173: Stu 2007, Kohlhammer 194 pp. €34. 978-3-17-019823-4. Diss. Basel; Bibl. 167-191.

4676 **Kratz, Reinhard G.** I profeti di Israele. 2006 ⇒22,4431. ^REE 82 (2007) 617-618 (*Sanz Giménez-Rico, Enrique*).

4677 *Lange, Armin* Greek seers and Israelite-Jewish prophets. VT 57 (2007) 461-482.

4678 **Leclerc, Thomas L.** Introduction to the prophets: their stories, sayings, and scrolls. NY 2007, Paulist xx; 402 pp. $28. 978-08091-449-21. Bibl.

4679 **Lourenço, J. Duarte** História e profecia: o mundo dos profetas bíblicos. Lisboa 2007, Universidade Católica Ed. 320 pp. 978-97254-01729.

4680 *Loza Vera, José* Los profetas y la tradición. AnáMnesis 17/1 (2007) 13-29.

4681 *Malul, Meir* 'Out of the mouth of babes and sucklings you have founded strength...' (Ps 8:3): did children serve as prophetic mediums in biblical times?. JNSL 33/2 (2007) 1-32.

4682 ^E**Marconcini, Benito** Profeti e apocalittici. LOGOS 3: Cascine Vica (TO) ²2007 <1995>, Elledici 552 pp. €36.

4683 **Matthews, Frank J.** 101 questions and answers on the prophets of Israel. NY 2007, Paulist xv; 160 pp. $15. 978-08091-44785. Bibl. 153-160.

4684 **Mazzarolo, Isidoro** O clamor dos profetas ao Deus da justiça e misericórdia. Rio de Janeiro 2007, Mazzarolo 165 pp.

4685 *Melcher, Sarah J.* With whom do the disabled associate?: metaphorical interplay in the latter prophets. This abled body. Semeia Studies 55: 2007 ⇒356. 115-129.

4686 **Mills, Mary E.** Alterity, pain and suffering in Isaiah, Jeremiah and Ezekiel. LHBOTS 479: NY 2007, Clark viii; 174 pp. £65. 978-0-567-702693-4. Bibl. 160-168.

4687 **Moberly, Robert W.L.** Prophecy and discernment. Cambridge studies in christian doctrine 14: 2006 ⇒22,4439. ^RRRT 14 (2007) 186-189 (*Fout, Jason A.*); TS 68 (2007) 687-688 (*Fitzgerald, Paul*); RBLit (2007)* (*Noll, K.L.; Camp, Phillip*).

4688 *Najda, Andrzej Jacek* "Geh!": zur Sendung durch Gott bei den alttestamentlichen Propheten. CoTh 77 Spec. (2007) 21-50.

4689 **Nissinen, Martti** Prophets and prophecy in the ancient Near East. Writings from the ancient world 12: 2003 ⇒19,4464... 22,4443. ^RBiOr 64 (2007) 183-186 (*Jong, Matthijs J. de*).

4690 *Nobile, Marco* Le aporie etiche di fronte al male nella letteratura profetica. RstB 19/1 (2007) 177-187.

4691 *O'Kennedy, D.F.* The metaphor of Yahweh as healer in the prophetic books of the Old Testament. IDSK 41 (2007) <2005> 443-455.

4692 *Oded, Bustenay* 'Declaring the end from the beginning' (Isa 46:10)– redemption after exile. BetM 52/1 (2007) 7-40. H.

4693 **Ott, Katrin** Die prophetischen Analogiehandlungen im Alten Testament. ^D*Kessler, Rainer* 2007, Diss. Marburg [ThLZ 132,1268].

4694 *Pathrapankal, Joseph* History and prophetic involvement: biblical reflections. Enlarging the horizons. 2007 ⇒285. 170-195.

4695 *Pelletier, Anne-M.* Temps et histoire au prisme de l'écriture prophétique. Comment la bible saisit-elle l'histoire?. LeDiv 215: 2007 ⇒ 802. 87-114.

4696 *Pola, Thomas* Ekstase im Alten Testament. Gott fürchten. BThST 59: 2007 <1998> ⇒290. 1-77.

4697 *Rodríguez Fernández, Lidia* Prostitutas ¿cúlticas? en tiempo de los profetas. ResB 54 (2007) 15-24.

4698 The Saint John's Bible, 5: Prophets. ColMn 2007, Liturgical $70. 978-08146-90543. Handwritten and illuminated by *Donald Jackson.* ᴿRBLit (2007)* *(Heider, George C.).*

4699 **Sanz Giménez-Rico, Enrique** Profetas de misericordia: transmisores de una palabra. Teología Comillas 2: M 2007, Univ. Pont. Comillas 221 pp. €15. 84-8468-208-0. ᴿEE 82 (2007) 611-612 *(Ábrego, J.M.).*

4700 *Schmid, Konrad* La formazione dei profeti posteriori (storia della redazione). Guida di lettura all'AT. 2007 ⇒506. 291-300.

4701 **Seitz, Christopher R.** Prophecy and hermeneutics: toward a new introduction to the prophets. Studies in Theological Interpretation: GR 2007, Baker 272 pp. $23. 978-08010-32585. Bibl.

4702 **Sindoni, Paola R.** Etica della consegna e profetismo biblico. R 2007, Studium 204 pp.

4703 *Sindoni, Paola Ricci* La profezia biblica nel tempo dell'incertezza. Studium 103 (2007) 359-369.

4704 **Solà, Teresa** Els profetes intèrprets i agents de la història. NY 2007, Forge 391 pp. 978-84-937082-0-7. Bibl. 13-43.

4705 *Sommer, Benjamin D.* Prophecy as translation: ancient Israelite conceptions of the human factor in prophecy. ᶠGELLER, S. 2007 ⇒47. 271-290.

4706 *Souvatzoglou, Christina* The concept of the holy remnant in the Old Testament prophets. DBM 25/1 (2007) 83-95.

4707 *Spreafico, Ambrogio* Giustizia e carità–i testi profetici. ED 60/1 (2007) 65-80.

4708 *Spronk, Klaas* 'En we noemen hem/haar...': profetische naamgeving. ITBT 15/8 (2007) 4-6.

4709 *Stulman, Louis* Reading the Prophets as meaning–making literature for communities under siege. HBT 29 (2007) 153-175.

4710 *Sweeney, Marvin A.* Dating prophetic texts. HebStud 48 (2007) 55-73.

4711 **Sweeney, Marvin A.** The prophetic literature. 2005 ⇒21,4560; 22, 4456. ᴿTheol. 110 (2007) 280-281 *(Coggins, Richard)*; Cart. 23 (2007) 510 *(Sanz Valdivieso, R.)*; HBT 29 (2007) 98-100 *(Ahn, John)*; RBLit (2007) 162-165 *(Vermeylen, Jacques).*

4712 *Tasker, David* The people of God in prophetic literature. ᶠPFANDL, G. 2007 ⇒122. 75-84.

4713 *Timm, Alberto* El 'simbolismo en miniature' y el principio de 'día por año' en la interpretación profética. Theologika 22 (2007) 2-35.

4714 *Utzschneider, Helmut* Das Drama als literarisches Genre der Schriftprophetie <1999>;

4715 Ist das Drama eine universale Gattung?: Erwägungen zu den 'dramatischen' Texten in der alttestamentlichen Prophetie, der attischen Tragödie und im ägyptischen Kultspiel. Gottes Vorstellung. BWANT 175: 2007 ⇒336. 195-232/269-298.

4716 *Vall, Gregory* An epistemology of faith: the knowledge of God in Israel's prophetic literature. The Bible and epistemology. 2007 ⇒444. 24-42.

4717 *Vârtejanu-Joubert, Madalina* Pourquoi les prophètes ne rient-ils pas?: essai de typologie religieuse au prisme du risible. ASSR 52/139 (2007) 9-26.

4718 *Vermeylen, Jacques* I generi letterari profetici. Guida di lettura all'AT. 2007 ⇒506. 285-290.

4719 **Viberg, Åke** Prophets in action: an analysis of prophetic symbolic acts in the Old Testament. CB.OT 55: Sto 2007, Almqvist & W. 301 pp. 978-91-633-1454-4. Bibl. 273-297.

4720 **Weisman, Zeev** Saviours and prophets–two aspects of biblical charisma. 2003 ⇒21,4566. RZion 72 (2007) 219-224 (*Aḥituv, Shmuel*). **H.**

4721 **Wischnowsky, Marc** Tochter Zion: Aufnahme und Überwindung der Stadtklage in den Prophetenschriften des Alten Testaments. WMANT 89: 2001 ⇒17,3748... 19,4494. ROLZ 102 (2007) 502-504 (*Nömmik, Urmas*).

E8.2 Proto-Isaias, *textus, commentarii*

4722 TAnoz, José San JERÓNIMO: comentario a Isaías (libros I-XII). Obras completas San Jerónimo 6A: M 2007, BAC xvii; 933 pp. €28.12. 978-84-7914-8843. Ed. bilingüe.

4723 **Beuken, Willem A.M.** Isaiah, part 2, vol. 2: Isaiah chapters 28-39. TDoyle, Brian Historical Commentary of the OT: 2000 ⇒16,3772... 19,4500. ROLZ 102 (2007) 158-161 (*Thiel, Winfried*);

4724 Jesaja 13-27. TBerges, Ulrich; Spans, Andrea HThK.AT: FrB 2007, Herder 432 pp. €72. 978-3-451-26835-9.

4725 **Beyer, Bryan** Encountering the book of Isaiah: a historical and theological survey. GR 2007, Academic 303 pp. $25. 978-08010-26454.

4726 **Blenkinsopp, Joseph** Opening the sealed book: interpretations of the book of Isaiah in late antiquity. 2006 ⇒22,4460. RScrB 37 (2007) 101-103 (*Mills, Mary*); JJS 58 (2007) 335-336 (*Coggins, Richard*); ThLZ 132 (2007) 1059-1061 (*Höffken, Peter*); BTB 37 (2007) 187-188 (*Kaminsky, Joel*); TS 68 (2007) 916-917 (*Boadt, Lawrence*); RBLit (2007)* (*Roukema, Riemer*).

4727 **Childs, Brevard S.** Isaia. TGatti, E. 2005 ⇒21,4572. RRivBib 55 (2007) 351-357 (*Simian-Yofre, Horacio*); CivCatt 158/1 (2007) 311-313 (*Scaiola, D.*).

4728 *Dogniez, Cécile* Le traducteur d'Isaïe connaissait-il le texte grec du Dodekapropheton?. Adamantius 13 (2007) 29-37 [Isa 8-9].

4729 **Kizhakkeyil, Sebastian** Isaiah: an exegetical study. 2006 ⇒22,4463. RJJSS 7 (2007) 104-105 (*Athikalam, James*).

4730 EMcKinion, Steven A..La biblia comentada por los padres de la iglesia: AntiguoTestamento 12: Isaías 1-39. EMerino Rodríguez, Manuelo. M 2007, Ciudad N. 368 pp. 978-84-9715-123-8.

4731 **Miscall, Peter D.** Isaiah. Readings: Shf ²2006, Sheffield Phoenix 185 pp. £22.50. 19050-48459. Bibl. 181-184.

4732 **Ramis Darder, Francesc** Isaías 1-39. Comentarios a la Nueva Bíblia de Jerusalén 19A: 2006 ⇒22,4467. REstJos 61 (2007) 148-149 (*Llamas, Román*).

4733 *Vermeylen, Jacques* Isaia. Guida... all'AT. 2007 ⇒506. 301-314.

4734 ETWilken, Robert L. Isaiah: interpreted by early christian and medieval commentators. EChristman, Angela R The Church's Bible: GR 2007, Eerdmans xxviii; 590 pp. $45. 978-08028-25810.

4735 **Williamson, Hugh G.M.** A critical and exegetical commentary on Isaiah 1-27, vol. 1: Isaiah 1-5. ICC: 2006 ⇒22,4476. ᴿThLZ 132 (2007) 1065-1067 (*Beuken, Willem A.M.*).

E8.3 Isaias 1-39, *themata, versiculi*

4736 *Augustin, Regina* Messianismus im Buch Jesaja?!. Chilufim 3 (2007) 5-24.
4737 *Baldacci, Massimo* Isaia. Dizionario...sangue di Cristo. 2007 ⇒1137. 713-717.
4738 *Baloyi, M.E.* The unity of the book Isaiah: neglected evidence (re-)considered. OTEs 20 (2007) 105-127.
4739 **Childs, Brevard** The struggle to understand Isaiah as christian scripture. 2004 ⇒20,4322... 22,4481. ᴿThRv 103 (2007) 30-31 (*Berges, Ulrich*).
4740 *Clements, Ronald E.* The meaning of תורה in Isaiah 1-39. ᶠWᴇɴʜᴀᴍ, G. LHBOTS 461: 2007 ⇒164. 59-72.
4741 *Dever, William G.* Archaeology and the social world of Isaiah. ᶠCʜᴀɴᴇʏ, M. 2007 ⇒25. 82-96.
4742 *Diller, Carmen* Zeltmotivik und Nomadenfiktion im Jesajabuch. ᶠRɪᴄʜᴛᴇʀ, W. ATSAT 83: 2007 ⇒132. 1-21.
4743 **Gudauskienė, Ingrida** Il binomio cieli/terra nell'libro di Isaia: un contributo per l'unità redazionale del testo. ᴰ*Conroy, Charles* R 2007, 92 pp. Exc. Diss. Gregoriana; Bibl. 73-85.
4744 **Heskett, Randall** Messianism within the scriptural scroll of Isaiah. LHBOTS 456: NY 2007, Clark xv; 353 pp. $160. 978-0-567-02922-5. Bibl. 300-327; Diss. Toronto 2001.
4745 **Jong, Matthijs J. de** Isaiah among the ancient Near Eastern prophets: a comparative study of the earliest stages of the Isaiah tradition and the Neo-Assyrian prophecies. ᴰ*Van der Kooij, Arie* VT.S 117: Lei 2007, Brill xii; 522 pp. €119. 978-90-04-16161-0. Diss. Leiden; Bibl. 467-496.
4746 *Labahn, Antje* "Deine Toten werden leben ..." (Jes 26, 19): Sinngebung mittels der Vorstellung individueller Revivikation als Grenzerweiterung im Jesajabuch. Lebendige Hoffnung. 2007 ⇒845. 53-86.
4747 *Mermod-Gilliéron, Sophie; Peter, Christophe* Esaïe (*passim*): Jésus, Ben-Hur, Balthazar et Pasolini. LeD 74 (2007) 44-48.
4748 *Mottard, Paul* L'étranger: de la bible hébraïque à la Septante. L'étranger dans la bible. LeDiv 213: 2007 ⇒504. 103-125.
4749 *Muthunayagom, Daniel J.* Nationalism, imperialism, nations and God in the book of Isaiah: a theological response to the pluralism. BiBh 33/1 (2007) 43-73.
4750 **Van Steenbergen, Gerrit J.** Semantics, world view, and bible translation: an integrated analysis of a selection of Hebrew lexical items referring to negative moral behavior in the book of Isaiah. Stellenbosch 2005, SUN 202 pp ZAR180. 19201-09013. Diss. Stellenbosch.
4751 *Verkindère, Gérard* Isaïe et les nations. L'étranger dans la bible. LeDiv 213: 2007 ⇒504. 103-125.
4752 *Wenthe, Dean O.* The rich monotheism of Isaiah as christological resource. CTQ 71 (2007) 57-70.
4753 *Wilk, Florian* Die Geschichte des Gottesvolkes im Licht jesajanischer Prophetie: neutestamentliche Perspektiven. Josephus und das NT. WUNT 209: 2007 ⇒780. 245-264.

4754 **Gray, Mark** Rhetoric and social justice in Isaiah. LHBOTS 432: 2006 ⇒22,4506. [R]CBQ 69 (2007) 322-323 (*Hostetter, Edwin C.*) [1,16-17; 58,6-10].

4755 *Martens, Elmer A.* Impulses to mission in Isaiah: an intertextual exploration. BBR 17 (2007) 215-239 [2; 42; 49; 52; 55; 61].

4756 *Aster, Shawn Z.* The image of Assyria in Isaiah 2:5-22: the campaign motif reversed. JAOS 127 (2007) 249-278.

4757 **Lemana, Emmanuel** Qu'avez-vous à opprimer mon peuple (Is 3,15): étude linguistique et exégétique d'Isaïe 3,1-4,1. FzB 108: 2005 ⇒21, 4608. [R]RivBib 55 (2007) 220-223 (*Paganini, Simone*); TEuph 34 (2007) 174-7 (*Gosse, B.*); RSR 95 (2007) 578-79 (*Abadie, Philippe*).

4758 *Steingrimsson, Sigurdur Ö.* Literaturwissenschaftliche Beobachtungen zu Jes 4,2-6. [F]RICHTER, W. ATSAT 83: 2007 ⇒132. 297-321.

4759 **Bäckersten, Olof** Isaiah's alleged social critique: a foreign-political reading of passages such Isaiah 5:8-24 and 10:1-4. [D]*Lindström, F.* 2007, x; 243 pp. Diss. Lund.

4760 **Benzi, Guido** Ci è stato dato un figlio: il libro dell'Emmanuele (Is 6,1-9,6): struttura retorica e interpretazione teologica. Biblioteca di teologia dell'evangelizzazione 3: Bo 2007, EDB 363 pp. €36. 978-88-10-45003-1. Bibl. 339-356.

4761 **Wagner, Thomas** Gottes Herrschaft: eine Analyse der Denkschrift (Jes 6,1-9,6). VT.S 108: 2006 ⇒22,4511. [R]ThLZ 132 (2007) 639-640 (*Höffken, Peter*); RBLit (2007)* (*Schmid, Konrad*).

4762 *Bianchi, F.* "Una stirpe santa" (Is 6,13b = Esd 9,2): l'identità di Israele in "Una stirpe santa" (Is 6,13b = Esd 9,2): l'identità di Israele in epoca achemenide ed ellenistica. RivBib 55 (2007) 297-311.

4763 *Becker, Uwe* Der Messias in Jes 7-11: zur "Theopolitik" prophetischer Heilserwartungen. [F]HENTSCHEL, G. 2007 ⇒65. 235-254.

4764 *Davidson, Richard M.* The messianic hope in Isaiah 7:14 and the volume of Immanuel (Isaiah 7-12). [F]PFANDL, G. 2007 ⇒122. 85-96.

4765 *Le Boulluec, Alain* L'identification des locuteurs et des acteurs dans les commentaires anciens du chapitre 8 d'Isaïe selon la Septante;

4766 *Fédou, Michel* La réception d'Isaïe 8-9 dans la littérature patristique des II-III siècles. Adamantius 13 (2007) 38-45/46-51.

4767 *Munnich, Olivier* La traduction grecque d'Isaïe 8-9 et ses liens avec l'exégèse rabbinique. Adamantius 13 (2007) 8-19.

4768 *Van der Kooij, Arie* LXX-Isaiah 8-9 and the issue of fulfilment-interpretation. Adamantius 13 (2007) 20-28.

4769 *Wagner, J. Ross* Identifying "updated" prophecies in Old Greek (OG) Isaiah: Isaiah 8:11-16 as a test case. JBL 126 (2007) 251-269.

4770 *Karrer, Martin* Licht über dem Galiläa der Völker: die Fortschreibung von Jes 9:1-2 in der LXX. Religion, ethnicity. WUNT 210: 2007 ⇒648. 33-53.

4771 *Eulenberger, Klaus* "Ein Zweig aus seiner Wurzel ...": Bibelarbeit über Jesaja 11,1-9. PTh 96 (2007) 514-524.

4772 *Strubel, Regina; Wyss, Vreni* Der Geist Gottes lässt sich nieder auf Ihm (Jes 11,1-9). Im Kraftfeld. 2007 ⇒513. 88-94.

4773 **Shipp, R. Mark** Of dead kings and dirges: myth and meaning in Isaiah 14:4b-21. Academia Biblica 11: 2002 ⇒18,4241... 21,4625. [R]JNES 66 (2007) 213-216 (*Clemens, D.M.*).

4774 **Lavik, Marta H.** A people tall and smooth-skinned: the rhetoric of Isaiah 18. VT.S 112: 2006 ⇒22,4529. [R]RBLit (2007)* (*Tiemeyer, Lena-Sofia*).

4775 *Marlow, Hilary* The lament over the River Nile–Isaiah xix 5-10 in its wider context. VT 57 (2007) 229-242.

4776 *Timm, S.* Neues zu Yamani oder: zur Entstehungszeit von Jes 20. ^FWILLI, T. 2007 ⇒167. 145-162.

4777 **Lessing, Robert R.** Interpreting discontinuity: Isaiah's Tyre oracle. 2004 ⇒20,4362... 22,4530. ^RAUSS 45 (2007) 273-274 (*Mulzac, Kenneth D.*) [Isa 23].

4778 **Barker, William D.** Isaiah 24-27: studies in a cosmic polemic. ^D*Gordon, Robert P.* 2006, Diss. Cambridge [TynB 60,319-320].

4779 **Nitsche, Stefan A.** Jesaja 24-27: ein dramatischer Text. BWANT 166: 2006 ⇒22,4533. ^ROTEs 20 (2007) 519-520 (*Venter, P.M.*); CBQ 69 (2007) 554-555 (*Sweeney, Marvin A.*).

4780 *Williamson, Hugh* The fortified city of Isaiah 25,2 and 27,10. ^FWILLI-PLEIN, I. 2007 ⇒168. 419-426.

4781 **Dekker, Jaap** Zion's rock-solid foundations: an exegetical study of the Zion text in Isaiah 28:16. ^T*Doyle, Brian* OTS 54: Lei 2007, Brill xviii; 411 pp. $188. 978-9004-15665-4. Bibl. 367-389; Diss. Apeldoorn.

4782 *Milchram, Gerhard* Lilith: Erste aller Frauen, furchtbarste aller Frauen, beste aller Frauen. Beste aller Frauen. 2007 ⇒606. 161-166 [Isa 34,12].

4783 *Van den Berg, Evert* Gilgamesj en de tuinen van Jesaja. ITBT 15/3 (2007) 27-30 [Isa 37,22-35].

4784 *Schuman, Nick* De engel, de gekooide vogel en Sanherib. ITBT 15/3 (2007) 11-12 [Isa 37,36].

4785 **Barré, Michael L.** The Lord has saved me: a study of the Psalm of Hezekiah (Isaiah 38:9-20). CBQ.MS 39: 2005 ⇒21,4636; 22,4540. ^RThLZ 132 (2007) 155-157 (*Köhlmoos, Melanie*).

E8.4 **Deutero-Isaias 40-52**: *commentarii, themata, versiculi*

4786 *Berges, Ulrich* Überlegungen zur Bundestheologie in Jes 40-66. ^FHOSSFELD, F. SBS 211: 2007 ⇒69. 19-26.

4787 **Dille, Sarah J.** Mixing metaphors: God as mother and father in Deutero-Isaiah. JSOT.S 398; Gender, Culture, Theory 13: 2004 ⇒20, 4375... 22,4546. ^RHebStud 48 (2007) 373-375 (*Chau, Kevin*); PHScr II, 454-456 ⇒373 (*Mitchell, Mary L.*).

4788 ^E**Elliott, Mark W.** Isaiah 40-66. ACCS.OT XI: DG 2007, InterVarsity xxxi; 349 pp. £29. 9780-8308-14817. Bibl. 315-331.

4789 **Goldingay, John** The message of Isaiah 40-55: a literary-theological commentary. 2005 ⇒21,4641; 22,4550. ^RCBQ 69 (2007) 543-544 (*Polan, Gregory J.*); RBLit (2007) 179-182 (*Vermeylen, Jacques*).

4790 **Hermisson, Hans-J.** Deuterojesaja, 3. Teilbd: Jesaja 49,14-50,1-3. BK.AT 11/12 Neuk 2007, Neuk'er 80 pp. 978-3-7887-21947.

4791 **Kim, Hyun Chul P.** Ambiguity, tension, and multiplicity in Deutero-Isaiah. Studies in Biblical Literature 52: 2003 ⇒19,4579... 22,4556. ^RPHScr II, 521-523 ⇒373 (*Polaski, Don*).

4792 *Koch, Klaus* Monotheismus und politische Theologie bei einem israelitischen Propheten im babylonischen Exil. ^FKOCH, K. FRLANT 216: 2007 <2003> ⇒89. 294-320;

4793 Ugaritic polytheism and Hebrew monotheism in Isaiah 40-55. God of Israel. UCOP 64: 2007 ⇒818. 205-228.

4794 **Lund, Øystein** Way metaphors and way topics in Isaiah 40-55. FAT
      2/28: Tü 2007, Mohr S. xiii; 360 pp. €59. 978-3-16-149087-3. Diss.
      MF Norwegian School of Theology; Bibl. 271-293.
4795 *Martin de Viviés, Pierre de* Le deutéro-Isaïe (1-10). EeV 117/165-
      171, 177-179 (2007) 16-20, 18-24, 15-22, 23-26, 14-22, 17-22, 14-
      18, 15-21, 10-17, 15-20.
4796 *Rosenbaum, Michael* 'You are my servant': ambiguity and Deutero-
      Isaiah. [F]GELLER, S. 2007 ⇒47. 187-216.
4797 *Tiemeyer, Lena S.* Geography and textual allusions: interpreting Isa-
      iah xl-lv and Lamentations as Judahite texts. VT 57 (2007) 367-385.

4798 *Hartenstein, Friedhelm* "... dass erfüllt ist ihr Frondienst" (Jesaja 40,
      2): die Geschichtshermeneutik Deuterojesajas im Licht der Rezeption
      von Jesaja 6 in Jesaja 40,1-11. [F]WILLI-PLEIN, I. 2007 ⇒168. 101-19.
4799 **Ehring, Christina** Die Rückkehr JHWHs: traditions- und religions-
      geschichtliche Untersuchungen zu Jesaja 40,1-11, Jesaja 52,7-10 und
      verwandten Texten. [D]*Hartenstein, Friedhelm* WMANT 116: Neuk
      2007, Neuk xi; 292 pp. €39.90. 978-37887-22586. Diss. Hamburg;
      Bibl. 277-287 [Isa 46,1-4.9-11]
4800 *Martini, Carlo* Il Dio nascosto. ATT 13 (2007) 303-312 [Isa 42-45].
4801 *Cardoso Pereira, Nancy* My people shall be as a tree: forests, labour
      and idols in Isaiah 44. ER 59 (2007) 68-76.
4802 *Höffken, Peter* "Verborgene Schätze": eine Beobachtung zu Jes
      45,3a. Ment. *Josephus* ZAW 119 (2007) 217-220.
4803 *Baumgart, Norbert C.* Ein Gott, der Unheil schafft? Bemerkungen zu
      Jes 45,7. [F]BRÄNDLE, W. 2007 ⇒18. 1-18.
4804 *Becker, Joachim* Zur Deutung von Jes 45,11b. Bib. 88 (2007) 100-9.
4805 *Hutton, Jeremy M.* Isaiah 51:9-11 and the rhetorical appropriation
      and subversion of hostile theologies. JBL 126 (2007) 271-303.
4806 *Gentry, Peter J.* Rethinking the "sure mercies of David" in Isaiah
      55:3. WThJ 69 (2007) 279-304.
4807 *Schniedewind, William M.* The way of the word: textualization in Isa-
      iah 55:6-11. [F]GELLER, S. 2007 ⇒47. 237-248.

E8.5 *Isaiae 53ss. Carmina Servi YHWH*: **Servant Songs**

4808 *Gosse, Bernard* Le "serviteur" Israël-Jacob et le "serviteur" nouveau
      Moïse dans la ligne de la Sagesse et du Psautier, en Isaïe 40ss. BN
      133 (2007) 41-55.
4809 **Tharekadavil, Antony** Servant of Yahweh in Second Isaiah: Isaianic
      servant passages in their literary and historical context. EHS.T 848:
      Fra 2007, Lang viii; 204 pp. FS60. 978-3-631-57079-1. Diss.
      Studium Biblicum Franciscanum, Jerusalem.

4810 *García Fernández, Marta* Is 52,13-53,12: ¿una nueva creación?.
      ScrVict 54 (2007) 5-34.
4811 **Joachimsen, Kristin** Identities in transition: pursuits of Isa. 52:13-
      53:12. 2007, Diss. Oslo.
4812 *Joachimsen, Kristin* Streck's five stories of the Servant in Isaiah lii
      13-liii 12, and beyond. VT 57 (2007) 208-228.
4813 *Gentry, Peter J.* The atonement in Isaiah's Fourth Servant Song (Isa-
      iah 52:13-53:12). Southern Baptist Convention 11/2 (2007) 20-47.

4814 **Hägglund, Fredrik** The making of embrace and exclusion: Isaiah 53 in the light of homecoming after exile. 2007, x; 220 pp. Diss. Lund. [E]**Stuhlmacher, P.**, *al.*, The suffering servant Isaiah 53 2004 ⇒525.

E8.6 [Trito]Isaias 56-66

4815 *Polan, Gregory J.* The new dawning of salvation: the vision of Third Isaiah. BiTod 45 (2007) 341-346.
4816 **Tanureja, Indra** A prophetic response to unfulfilled prophecy: a theological-exegetical study of Isaiah 56-66. [D]*Conroy, Charles* R 2007, 168 pp. Exc. Diss. Gregoriana.
4817 **Zapff, Burkard M.** Jesaja 56-66. NEB.AT 37: 2006 ⇒22,4588. [R]CBQ 69 (2007) 804-805 (*Irwin, William H.*).

4818 *Gärtner, Judith* Erlebte Gottesferne: drei schriftexegetische Antworten (Jes 58,1-12; 59,1-15a; 57,14-21). [F]WILLI-PLEIN, I. 2007 ⇒168. 81-100.
4819 *Leclerc, Thomas L.* Justice and worship in Isaiah 58. BiTod 45 (2007) 347-352.
4820 *Seybold, Klaus* Jes 58,1-12: Fastenpredigt: Bemerkungen zu einem prophetischen Gedicht. [F]WILLI-PLEIN, I. 2007 ⇒168. 345-358.
4821 *Strawn, Brent A.* 'A world under control': Isaiah 60 and the Apadana reliefs from Persepolis. Approaching Yehud. SBL.Semeia Studies 50: 2007 ⇒376. 85-116.
4822 *Nagel, Elizabeth* The vision of hope and glory in Isaiah 60-62: God's light attracts all humanity. BiTod 45 (2007) 353-358.
4823 *Achenbach, Reinhard* König, Priester und Prophet: zur Transformation der Konzepte der Herrschaftslegitimation in Jesaja 61. Tora in der Hebräischen Bibel. ZAR.B 7: 2007 ⇒347. 196-244.
4824 *Gregory, Bradley C.* The postexilic exile in Third Isaiah: Isaiah 61:1-3 in light of second temple hermeneutics. JBL 126 (2007) 475-496.
4825 *Wagner, Volker* Jes 62–der Bericht über eine Gebetserhörung. BZ 51 (2007) 23-43.
4826 *Niskanen, Paul* The lament of Isaiah 63:7-64:11. BiTod 45 (2007) 359-363.
4827 **Stein, Valerie A.** Anti-cultic theology in christian biblical interpretation: a study of Isaiah 66:1-4 and its reception. Studies in Biblical literature 97: NY 2007, Lang vii; 161 pp. 978-0-8204-8618-5. Bibl. 139-151 [R]ZAR 13 (2007) 446-447 (*Otto, Eckart*).

E8.7 Jeremias

4828 **Bambi Kilunga, Godefroid** Les confessions de Jérémie dans le texte massorétique et la Septante. [D]*Schenker, Adrien* 2007, Diss. Fribourg.
4829 **Bezzel, Hannes** Die Konfessionen Jeremias: eine redaktionsgeschichtliche Studie. [D]*Kratz, Reinhard G.* BZAW 378: B 2007, De Gruyter x; 354 pp. €91.59. 978-3-11-020043-0. Diss. Göttingen; Bibl. 303-333.
4830 **Brueggemann, Walter** The theology of the book of Jeremiah. Old Testament Theology: C 2007, CUP xviii; 213 pp. $50/19. 978-0-521-84454-3/60629-5. Bibl. 197-202;

4831   Like fire in the bones: listening for the prophetic word in Jeremiah.
       Miller, Patrick D. 2006 ⇒22,198. ᴿHebStud 48 (2007) 375-377
       (*Dempsey, Carol J.*); CBQ 69 (2007) 610-611 (*Lessing, Reed*).
4832   *Bultmann, Christoph* "Grausamkeit: Kriterien der Kritik religiöser
       Vorstellungen im Jeremiabuch". ᶠHENTSCHEL, G. EThSt 90: 2007 ⇒
       65. 273-298.
4833   *Cajot, Rodel M.* Jeremiah and the false prophets. PhilipSac 42 (2007)
       495-514.
4834   **Dempsey, Carol** Jeremiah, preacher of grace, poet of truth. Inter-
       faces: ColMn 2007, Liturgical 124 pp. $16. 978-08146-59854. Bibl.
       112-114. ᴿJHScr 7 (2007)* = PHScr IV,526-527 (*O'Connor, Kath-
       leen M.*); RBLit (2007)* (*Modine, Mitchel*).
4835   *Domeris, William R.* Jeremiah and the poor. ᶠALLEN, L. LHBOTS
       459: 2007 ⇒4. 45-58.
4836   *Dreston, Albert* Geremia: un uomo in mezzo.... Nuova Umanità 29
       (2007) 477-513.
4837   *Engel, Helmut* Erfahrungen mit der Septuaginta-Fassung des Jeremi-
       abuches im Rahmen des Projektes "Septuaginta Deutsch". Im Brenn-
       punkt, 3. BWANT 174: 2007 ⇒384. 80-96.
4838   **Fischer, Georg** Jeremia 1-25; 26-52. HThK.AT: 2005 ⇒21,4697s.
       ᴿOLZ 102 (2007) 5-12 (*Thiel, Winfried*); ZAR 13 (2007) 353-359
       (*Otto, Eckart*);
4839   Jeremia 26-52. HThK.AT: 2005 ⇒21,4698. ᴿTEuph 34 (2007) 171-
       173 (*Gosse, B.*); JETh 21 (2007) 263-265 (*Klement, Herbert H.*);
4840   Jeremia: der Stand der theologischen Diskussion. Da:Wiss 2007, 191
       pp. €59.90. 978-3-534-16301-4. Bibl. 168-184. ᴿZAR 13 (2007)
       423-427 (*Knobloch, Harald*).
4841   *Fischer, Georg* Partner oder Gegner?: zum Verhältnis von Jesaja und
       Jeremia. ᶠWILLI-PLEIN, I. 2007 ⇒168. 69-79.
4842   *Frevel, Christian* Einer für alle?: Leistung und Schwächen des bibli-
       schen Monotheismus: eine Auseinandersetzung mit Jan Assmann am
       Beispiel des Jeremiabuches. ᶠREINHARDT, H. 2007 ⇒128. 503-524.
4843   *Goldingay, John* Jeremiah and the superpower. ᶠALLEN, L. LHBOTS
       459: 2007 ⇒4. 59-77.
4844   *Gonçalves, Francolino J.* Jérémie le prophète dans le TM et les LXX
       de son livre. ᶠGARCÍA MARTÍNEZ, F. JSJ.S 122: 2007 ⇒46. 367-386.
4845   *Hill, John* The book of Jeremiah (MT) and its early second temple
       background. ᶠALLEN, L. LHBOTS 459: 2007 ⇒4. 153-171.
4846   *Holladay, William L.* Text criticism and beyond: the case of Jere-
       miah. Textus 23 (2007) 173-210.
4847   *Holt, Else* Word of Jeremiah–word of God: structures of authority in
       the book of Jeremiah. ᶠALLEN, L. LHBOTS 459: 2007 ⇒4. 172-189.
4848   **Joo, Samantha** Provocation and punishment: the anger of God in the
       book of Jeremiah and deuteronomistic theology. BZAW 361: 2006
       ⇒22,4621. ᴿCBQ 69 (2007) 551-552 (*Willis, John T.*); RBLit (2007)
       192-195 (*Leuchter, Mark*).
4849   *Lee, Nancy C.* Prophet and singer in the fray: the book of Jeremiah.
       ᶠALLEN, L. LHBOTS 459: 2007 ⇒4. 190-209.
4850   **Leuchter, Mark** Josiah's reform and Jeremiah's scroll: historical
       calamity and prophetic response. HBM 6: 2006 ⇒22,4624. ᴿThLZ
       132 (2007) 925-6 (*Fischer, Georg*); SJOT 21 (2007) 304-5 (*Lemche,
       Niels P.*); CBQ 69 (2007) 552-4 (*Seeman, Chris*); RBLit (2007)*
       (*Sweeney, Marvin*); RBLit (2007) 171-5 (*Noll, K.L.*) [2 Kgs 22-23].

4851 *Levy, Bryna J.* Jeremiah interpreted: a rabbinic analysis of the prophet. Hearing visions. 2007 ⇒817. 65-85.

4852 **Lundbom, Jack R.** Jeremiah 37-52. AncB 21C: 2004 ⇒20,4461... 22,4626. [R]RExp 104 (2007) 672-673 (*Eddinger, Terry W.*); JThS 58 (2007) 599-601 (*McConville, J. Gordon*).

4853 **Mello, Alberto** Le courage de la foi: Jérémie, prophète pour un temps de crise. P 2007, Lethielleux 130 pp. €20.

4854 *Moore, Michael S.* The laments in Jeremiah and 1QH: mapping the metaphorical trajectories. [F]ALLEN, L. 2007 ⇒4. 228-252.

4855 *Nisus, Alain* Connaissance de Dieu et justice sociale chez Jérémie. ThEv(VS) 6/2 (2007) 111-118.

4856 *Noort, Edward* Over zieners, waarzeggers en profeten: Bileam en Jeremia tussen Moab en Israël. KeTh 58 (2007) 33-45.

4857 **Ntaganira, Boniface** L'espérance au coeur des conflits: étude de quelques symboles dans le livre de Jérémie. [D]*Ferry, Joëlle* 2007, Diss. Institut catholique de Paris.

4858 *Otto, Eckart* Scribal scholarship in the formation of Torah and Prophets: a postexilic scribal debate between priestly scholarship and literary prophecy–the example of the book of Jeremiah and its relation to the pentateuch. Pentateuch as torah. 2007 ⇒839. 171-184;

4859 Jeremia und die Tora: ein nachexilischer Diskurs. Tora in der Hebräischen Bibel. ZAR.B 7: 2007 ⇒347. 134-182.

4860 *Palmisano, Maria C.* Beseda življenja pri prerokih: Jeremija, prerok vstajenja [The word of life with the prophets: Jeremiah, prophet of resurrection]. Bogoslovni Vestnik 67 (2007) 365-375. S.

4861 *Perdue, Leo G.* Baruch among the sages. [F]ALLEN, L. LHBOTS 459: 2007 ⇒4. 260-290.

4862 *Rom-Shiloni, Dalit* Law interpretation in Jeremiah: exegetical techniques and ideological intentions. Shnaton 17 (2007) 43-87. **H.**

4863 **Roncace, Mark** Jeremiah, Zedekiah, and the fall of Jerusalem. JSOT.S 423; LHBOTS 423: 2005 ⇒21,4713. [R]CBQ 69 (2007) 131-132 (*Sweeney, Marvin A.*); RBLit (2007)* (*Grabbe, Lester L.*).

4864 *Römer, Thomas* Geremia. Guida...all'AT. 2007 ⇒506. 315-326.

4865 **Schmidt, W.H.** 'Bundesbruch und neuer Bund': Spurensuche nach einem inhaltlichen Zusammenhang innerhalb der Redaktion des Jeremiabuches. [F]WILLI, T. 2007 ⇒167. 127-132.

4866 **Sharp, Carolyn J.** Prophecy and ideology in Jeremiah: struggles for authority in Deutero-Jeremianic prose. 2003 ⇒19,4661; 20,4479. [R]JNES 66 (2007) 226-227 (*Pardee, Dennis*); PHScr II, 625-628 ⇒373 (*Hoffman, Yair*).

4867 *Solà, Teresa* La nit de la fe en Jeremies. RCatT 32 (2007) 19-42.

4868 **Stulman, Louis** Jeremiah. Abingdon OT 2005 ⇒21,4715; 22,4637. [R]BiblInterp 15 (2007) 112-113 = BiblInterp 16 (2008) 90-91 (*Nash, Kathleen*); HBT 29 (2007) 97 (*Dearman, J. Andrew*).

4869 *Grätz, Sebastian* "Einen Propheten wie mich wird dir der Herr, dein Gott, erwecken": der Berufungsbericht Jeremias und seine Rückbindung an das Amt des Mose. Moses. BZAW 372: 2007 ⇒821. 61-77 [Jer 1,1-10; Judg 6].

4870 *Brummitt, Mark* Exegetical notes on Jeremiah 1:4-10. ET 118 (2007) 503.

4871 *Henderson, Joseph M.* Jeremiah 2-10 as a unified literary composition: evidence of dramatic portrayal and narrative progression. [F]ALLEN, L. LHBOTS 459: 2007 ⇒4. 116-152.

4872　*Sanz Giménez-Rico, Enrique* Encontrar a Yahveh sin salir a buscarlo: el comienzo del libro de Jeremías (Jr 2,1-19). EE 82 (2007) 461-490.

4873　*Brummitt, Mark* Exegetical notes on Jeremiah 2:4-13. ET 118 (2007) 544-545.

4874　*Kim, Hyun C.P.* Tsunami, hurricane, and Jeremiah 4:23-28. BTB 37 (2007) 54-61.

4875　*Joosten, Jan* Le discours persuasif dans l'Ancien Testament: jalons pour une analyse de la rhétorique biblique. PosLuth 55/1 (2007) 37-52 [Jer 6,1-9].

4876　*Willi-Plein, Ina* Gotteshaus oder Räuberhöhle–Erwägungen zum Tempelwort des Jeremia. ᶠWILLI, T. 2007 ⇒167. 163-184 [Jer 7,11].

4877　*Lange, Armin* "They burn their sons and daughters: that was no command of mine" (Jer 7:31): child sacrifice in the Hebrew Bible and in the Deuteronomistic Jeremiah redaction. Human sacrifice. SHR 112: 2007 ⇒926. 109-132.

4878　*Schniedewind, William M.* The textualization of torah in Jeremiah 8:8. Was ist ein Text?. BZAW 362: 2007 ⇒980. 93-107.

4879　*Kovelman, A.* Jeremiah 9:22-23 in PHILO and Paul. RRJ 10/2 (2007) 162-175.

4880　*Lundberg, Marilyn J.* The *mis-pi* rituals and incantations and Jeremiah 10:1-16. ᶠALLEN, L. LHBOTS 459: 2007 ⇒4. 210-227.

4881　**Kiss, Jenö** Die Klage Gottes und des Propheten: ihre Rolle in der Komposition und Redaktion von Jer 11-12, 14-15 und 18. WMANT 99: 2003 ⇒19,4678. ᴿRBLit (2007)* (*Biddle, Mark*).

4882　*Peckham, Brian* The passible potter and the contingent clay: a theological study of Jeremiah 18:1-10. JATS 18 (2007) 129-149.

4883　*Stone, Ken* 'You seduced me, you overpowered me, and you prevailed': religious experience and homoerotic sadomasochism in Jeremiah. Patriarchs, prophets. 2007 ⇒453. 101-109 [Jer 20,7-13].

4884　*Wessels, Wilhelm* Josiah the idealized king in the kingship-cycle in the book of Jeremiah. OTEs 20 (2007) 860-876 [Jer 22,15-19].

4885　*Schipper, Jeremy* 'Exile atones for everything': coping with Jeremiah 22.24-30. JSOT 31 (2007) 481-492.

4886　*Sweeney, Marvin A.* Jeremiah's reflection on the Isaian royal promise: Jeremiah 23:1-8 in context. ᶠALLEN, L. LHBOTS 459: 2007 ⇒4. 308-321.

4887　*Pardo Izal, José J.* La reacción ante el profeta como respuesta a la palabra de Dios en Jeremías 26. EE 82/322 (2007) 427-459.

4888　*Westbrook, Raymond* The trial of Jeremiah. ᶠWENHAM, G. LHBOTS 461: 2007 ⇒164. 95-107 [Jer 26].

4889　*Clements, Ronald E.* Prophecy interpreted: intertextuality and theodicy–a case study of Jeremiah 26:16-24;

4890　*Wells, Roy* Dislocations in time and ideology in the reconception of Jeremiah's words: the encounter with Hananiah in the Septuagint *Vorlage* and the Masoretic Text. [Jer 27-28] ᶠALLEN, L. LHBOTS 459: 2007 ⇒4. 32-44/322-350.

4891　*Hoop, Raymond de* Diverging traditions: Jeremiah 27-29 (M, S, D) / 34-36 (G): a proposal for a new text edition. Method. Pericope 6: 2007 ⇒841. 185-214.

4892　*Schenker, Adrian* Est-ce que le livre de Jérémie fut publié dans une édition refondue au 2e siècle?: la multiplicité textuelle peut-elle coexister avec l'edition unique d'un livre biblique?. Un carrefour. OBO 233: 2007 ⇒515. 58-74 [Jer 29,24-28; 32,10-14; 36].

4893   **Becking, Bob** Between fear and freedom: essays on the interpretation
       of Jeremiah 30-31. OTS 51: 2004 ⇒20,4509; 22,4668. ᴿRBLit
       (2007) 188-190 (*Raney, Donald C., II*); PHScr II, 479-481 ⇒373
       (*O'Connor, Kathleen M.*).
4894   **Rata, Tiberius** The covenant motif in Jeremiah's book of comfort:
       textual and intertextual studies of Jeremiah 30-33. Studies in Biblical
       literature 105: NY 2007, Lang xi; 177 pp. $65. 978-0-8204-9508-8.
       Diss. Trinity Evangelical Divinity School; Bibl. 151-167.
4895   *Bellis, Alice O.* Jeremiah 31:22b: an intentionally ambiguous, multi-
       valent riddle-text. ᶠALLEN, L. LHBOTS 459: 2007 ⇒4. 5-13.
4896   **Lopasso, Vincenzo** Dal tempio al cuore: la nuova alleanza in Ger
       31,29-34 e Zc 8,2-8. Catanzaro 2007, La Rondine 117 pp. €15. 978-
       88954-18018.
4897   *Ruzer, Serge* The new covenant, the reinterpretation of scripture and
       collective messiahship. Mapping the NT. 2007 ⇒304. 215-237 [Jer
       31,31-34].
4898   *Schmidt, Werner H.* Der "neue Bund" als Antwort auf Jeremias kriti-
       sche Einsichten. ᶠHOSSFELD, F. 2007 ⇒69. 187-193 [Jer 31,31-34].
4899   **Schenker, Adrian** Das Neue am neuen Bund und das Alte am alten:
       Jer 31 in der hebräischen und griechischen Bibel. FRLANT 212:
       2006 ⇒22,4677. ᴿJSJ 38 (2007) 149-150 (*Sweeney, Marvin A.*);
       RivBib 55 (2007) 486-489 (*Crimella, Matteo*); TC.JBTC 12 (2007)
       2 pp (*Hieke, Thomas*) [Jer 31,31-37].
4900   **Di Pede, Elena** Au-delà du refus: l'espoir: recherches sur la cohé-
       rence narrative de Jr 32-45 (TM). BZAW 357: 2005 ⇒21,4749; 22,
       4682. ᴿRTL 38 (2007) 78-80 (*Vermeylen, J.*).
4901   *Oladimeji, Tunde* The prophecy of Jeremiah in Jeremiah 38:1-13:
       implications for modern day prophets in a corrupt Nigeria. AJBS
       24/1 (2007) 39-59.
4902   *Parker, Tom* Ebed-melech as exemplar. ᶠALLEN, L. LHBOTS 459:
       2007 ⇒4. 253-259 [Jer 38,7-13; 39,15-18].
4903   *Mulzac, Kenneth D.* Is Jeremiah 39:15-18 out of order?. AUSS 45/1
       (2007) 69-72.
4904   *Scalise, Pamela J.* Baruch as first reader: Baruch's lament in the
       structure of the book of Jeremiah. ᶠALLEN, L. LHBOTS 459: 2007
       ⇒4. 291-307 [Jer 45,3].
4905   *Peels, Hendrik G.L.* "You shall certainly drink!": the place and sig-
       nificance of the oracles against the nations in the book of Jeremiah.
       EurJT 16/2 (2007) 81-91 [Jer 46-51].
4906   *Haney, Linda* Yhwh, the God of Israel...and of Edom?: the rela-
       tionships in the oracle to Edom in Jeremiah 49:7-22. ᶠALLEN, L.
       LHBOTS 459: 2007 ⇒4. 78-115.
4907   **Kessler, Martin** Battle of the Gods: the God of Israel versus Marduk
       of Babylon: a literary/theological interpretation of Jeremiah 50-51.
       SSN 42: 2003 ⇒19,4704... 21,4754. ᴿPHScr II, 601-603 ⇒373 (*Pat-
       rick, Dale*).

E8.8 **Lamentations**, *Threni*; **Baruch**; *Ep. Jer.*

4908   ᴱᵀ**Andrée, Alexander** GILBERTUS Universalis, glossa ordinaria in
       Lamentationes Ieremie Prophete: prothemata et liber 1. AUS 52:
       2005 ⇒21,4756. ᴿSpec. 82 (2007) 438-439 (*Zier, Mark*).

4909   *Assis, Elie* The alphabetic acrostic in the book of Lamentations. CBQ
       69 (2007) 710-724.
4910   **Boase, Elizabeth** The fulfilment of doom?: the dialogic interaction
       between the book of Lamentations and the pre-exilic/early exilic pro-
       phetic literature. LHBOTS 437: 2006 ⇒22,4710. ᴿHebStud 48
       (2007) 378-380 (*Cataldo, Jeremiah*); CBQ 69 (2007) 767-769
       (*O'Connor, Kathleen M.*); RBLit (2007)* (*Gregory, Bradley C.*).
4911   *Geiger, Ari In hebraeo habetur*: the Hebrew biblical text in the literal
       commentary of NICHOLAS of Lyra on the book of Lamentations. REJ
       166 (2007) 147-173.
4912   *Kalmanofsky, Amy* Their heart cried out to God: gender and prayer in
       the book of Lamentations. A question of sex?. 2007 ⇒872. 53-65.
4913   *Mandolfo, Carleen* Dialogic form criticism: an intertextual reading of
       Lamentations and psalms of lament. Bakhtin and genre theory.
       SBL.Semeia Studies 63: 2007 ⇒778. 69-90.
4914   **Mandolfo, Carleen** Daughter Zion talks back to the prophets: a
       dialogic theology of the book of Lamentations. SBL.Semeia Studies
       58: Atlanta (Ga.) 2007, SBL ix; 149 pp. $25. 978-1-589-83247-3.
       Bibl. 129-135.
4915   **Morla Asensio, Víctor** Lamentaciones. Nueva Biblia Española–Poe-
       sía: 2004 ⇒20,4538... 22,4712. ᴿRevBib 69 (2007) 241-243
       (*Mendoza, Claudia*); RB 114 (2007) 142-143 (*Loza Vera, J.*).
4916   **Morrow, William S.** Protest against God: the eclipse of a biblical
       tradition. HBM 4: 2006 ⇒22,4713. ᴿRBLit (2007)* (*Crenshaw,
       James L.*).
4917   *Uehlinger, Christoph* Lamentazioni. Guida. 2007 ⇒506. 511-522.
4918   *Wielenga, Bob* The suffering witness: a missiological reading of
       Lamentations. IDS 41 (2007) 69-86.

4919   **Diller, Carmen** Zwischen JHWH-Tag und neuer Hoffnung: eine
       Exegese von Klagelieder 1. ATSAT 82: St. Ottilien 2007, EOS xvii;
       576 pp. 978-38306-73064. Bibl. 541-556 [Isa 47; 54; Nahum 3,1-7].
4920   *Parry, Robin* The ethics of lament: Lamentations 1 as a case study.
       ꟳWENHAM, G. LHBOTS 461: 2007 ⇒164. 138-155.

4921   *Himbaza, Innocent* Baruc. Guida. 2007 ⇒506. 625-630.
4922   *Floyd, Michael H.* Penitential prayer in the second temple period
       from the perspective of Baruch. Development of penitential prayer.
       2007 ⇒777. 51-81 [Bar 1,5-3,8].
4923   *Večko, Terezija S.* There is hope for the scattered people (Bar
       1:15aβ-3:8). Bogoslovni Vestnik 67/1 (2007) 73-97.
4924   *Vos, Cornelis J. de* "You have forsaken the fountain of wisdom": the
       function of law in Baruch 3:9-4:4. ZAR 13 (2007) 176-186.
4925   *Brooke, George J.* The structure of the poem against idolatry in the
       Epistle of Jeremiah (1 Baruch 6). ꟳKAESTLI, J. & JUNOD, E. 2007
       ⇒82. 107-128.
4926   *Himbaza, Innocent* La Lettera di Geremia. Guida di lettura all'AT.
       2007 ⇒506. 631-636.

4927   *Orlov, Andrei* The flooded arboretums: the garden tradtions in the
       Slavonic version of *3 Baruch* and the *Book of giants*. From
       apocalypticism to merkabah mysticism. JSJ.S 114: 2007 <2003>
       289-308.

4928 *Pentiuc, Eugen J.* 'Renewed by blood': Sheol's quest in 2 Baruch 56:6. RB 114 (2007) 535-564.
4929 *Piovanelli, Pierluigi* In praise of "The default position" or reassessing the christian reception of the Jewish pseudepigraphic heritage. NedThT 61 (2007) 233-250 [Jeremiah Apocryphon].
4930 [E]**Sulavik, Athanasius A.** GULIELMI de Luxi: Postilla super Baruch, postilla super Ionam. CChr.CM 219: 2006 ⇒22,4722. [R]AFH 100 (2007) 574-6 (*Solvi, Daniele*); JThS 58 (2007) 743-4 (*Evans, G.R.*).

E8.9 Ezekiel: *textus, commentarii; themata, versiculi*

4931 *Bardski, Krzysztof* Wyrbrane motywy literackie Ksiegi Ezechiela w biblijnej symbolice wczesnego chześcijanstwa. CoTh 77/4 (2007) 157-163. **P.**
4932 [E]**Cook, Stephen L.; Patton, Corrine L.** Ezekiel's hierarchical world: wrestling with a tiered reality. Symposium series 31: 2004 ⇒20,329... 22,4730. [R]ZAR 13 (2007) 420-423 (*Otto, Eckart*); PHScr II, 517-519 ⇒373 (*Launderville, Dale*).
4933 **Greenberg, Moshe** Ezechiel 21-37. HThK.AT: 2005 ⇒13,3712... 22,4738. [R]FrRu 14 (2007) 144-146 (*Thoma, Clemens*).
4934 *Jong, Matthijs J. de* Ezekiel as a literary figure and the quest for the historical prophet. The book of Ezekiel. 2007 ⇒835. 1-16.
  [E]**Jonge, H. de**, *al.*, The book of Ezekiel 2007 ⇒835.
4935 **Joyce, Paul M.** Ezekiel: a commentary. LHBOTS 482: NY 2007, Clark xi; 307 pp. £70. 978-0-567-02685-9. Bibl. 242-283.
4936 *Kunz, Marivete Z.* O conceito de kabod (glória) em Ezequiel. VTeol 15/2 (2007) 29-48.
4937 **Launderville, Dale** Spirit and reason: the embodied character of Ezekiel's symbolic thinking. Waco, Texas 2007, Baylor University Pr. xiv; 418 pp. $40. 978-1-602-58005-3.
4938 *Lyons, Michael A.* Marking innerbiblical allusion in the book of Ezekiel. Bib. 88 (2007) 245-250.
4939 **Manning, Gary T.** Echoes of a prophet: the use of Ezekiel in the gospel of John and in literature of the second temple period. JSNT.S 270: 2004 ⇒20,4575... 22,4754. [R]Neotest. 41 (2007) 241-243 (*Decock, Paul B.*).
4940 *Nihan, Christophe L.* Ezechiele. Guida. 2007 ⇒506. 327-344.
4941 **Odell, Margaret S.** Ezekiel. 2005 ⇒21,4822. [R]ThTo 63 (2007) 504, 506 (*Lapsley, Jacqueline E.*); Interp. 61 (2007) 214-216 (*Darr, Katheryn P.*); RBLit (2007)* (*Lust, Johan*).
4942 *Patmore, Hector M.* The shorter and longer texts of Ezekiel: the implications of the manuscript finds from Masada and Qumran. JSOT 32 (2007) 231-242.
4943 **Premstaller, Volkmar** Fremdvölkersprüche des Ezechielbuches. FzB 104: 2005 ⇒21,4824; 22,4761. [R]OLZ 102 (2007) 488-492 (*Rudnig, Thilo A.*).
4944 *Renz, Thomas* Hesekiel–Aufbau und Theologie. Themenbuch. BWM 15: 2007 ⇒461. 153-171.
4945 *Ruiz, Jean-Pierre* An exile's baggage: toward a postcolonial reading of Ezekiel. Approaching Yehud. SBL.Semeia Studies 50: 2007 ⇒376. 117-135.

4946 *Rumianek, Ryszard* Oredzie Ksiegi Ezechilea. CoTh 77/4 (2007) 9-20. **P.**
4947 *Sedlmeier, Franz* "Sie werden mir zum Volk": zur "Bundesformel" im Ezechielbuch. [F]HOSSFELD, F. SBS 211: 2007 ⇒69. 211-218.
4948 *Simian-Yofre, Horacio; Dus, Ramón A.* Ezequiel. Comentario bíblico. 2007 ⇒2651. 397-471.
4949 **Stiebert, Johanna** The exile and the prophet's wife: historic events and marginal perspectives. 2005 ⇒21,4830; 22,4771. [R]CBQ 69 (2007) 799-800 (*Stenstrup, Kenneth*).

4950 *Seeanner, Tarcisius* Os quatro seres vivos: breve pesquisa sobre o texto de *Ez* 1,4-14 (1). Sapientia Crucis 8/8 (2007) 5-19.
4951 *Van Rooy, Harry* A new proposal for an old crux in Ezek 2:6. JNSL 33/2 (2007) 79-87.
4952 *Deselaers, Paul* Das Wächteramt: Ezechiels Dienst am ewigen Bund. [F]HOSSFELD, F. SBS 211: 2007 ⇒69. 37-42 [Ezek 3,17; 33,7].
4953 *Gross, Carl* Will the real "house of Israel" please stand up!. BiTr 58 (2007) 161-171 [Ezek 4,4-6].
4954 *Day, John N.* Ezekiel and the heart of idolatry. BS 164 (2007) 21-33 [Ezek 8,1-11,25; 34; 36-37].
4955 *Schurte, René* Der Räucherkult von Ez 8,7-13–ein ägyptischer Kult?. [F]KEEL, O. OBO Sonderband: 2007 ⇒83. 403-424.
4956 *Lengruber Lobosco, Ricardo* Ez 11,14-21–graça e escatologia. Estudos bíblicos 94/2 (2007) 21-39.
4957 *Solà, Teresa* Paraula profètica i acció màgica. RCatT 32 (2007) 319-330 [Ezek 13,17-23].
4958 *Bordreuil, Pierre* Noé, Dan(i)el et Job en Ezekiel XIV,14.20 et XXVIII,3: entre Ougarit et Babylonie. Le royaume d'Ougarit. 2007 ⇒1004. 567-578.
4959 *Reuter, Eleonore* Kein Bund für Frauen: Ehebund als eine sexistische Beschreibung der Gottesbeziehung. [F]HOSSFELD, F. SBS 211: 2007 ⇒ 69. 171-177 [Ezek 16,1-43].
4960 *Kamionkowski, S.* Tamar 'In your blood, live' (Ezekiel 16:6): a reconsideration of Meir Malul's adoption formula. [F]GELLER, S. 2007 ⇒47. 103-113.
4961 **Dus, Ramón A.** Las parábolas del reino de Judá: lingüística textual y comunicación (Ez 17; 19 y 21). Estudios Universitarios 1: 2003 ⇒ 19,4771... 22,4783. [R]RivBib 55 (2007) 357-359 (*Nobile, Marco*).
4962 *Dekker, J.* Herschreven heilsgeschiedenis: geschiedschrijving en toekomstverwachting in Ezechiël 20. ThRef 50 (2007) 267-284.
4963 *Sprinkle, Preston* Law and life: Leviticus 18.5 in the literary framework of Ezekiel. JSOT 31 (2007) 275-293 [Ezek 20; 36-37].
4964 *Richter, Hans-F.* Schädliche Gesetze Gottes? (zu Ez 20,25-26). ZAW 119 (2007) 616-617.
4965 *Yona, S.; Gruber, M.I.* The meaning of *masoret* in Ezek. 20:37 and in Rabbinic Hebrew. RRJ 10/2 (2007) 210-220.
4966 *Van der Kooij, Arie* The Septuagint of Ezekiel and the profane leader. The book of Ezekiel and its influence. 2007 ⇒835. 43-52 [Ezek 21,25-27; 21,30-32].
4967 *Chapman, Cynthia R.* Sculpted warriors: sexuality and the sacred in the depiction of warfare in the Assyrian palace reliefs and in Ezekiel 23:14-17. Lectio difficilior 1 (2007)*.

4968 *Strong, John T.* Verb forms of עמם in Ezekiel and Lamentations. Bib. 88 (2007) 546-552 [Ezek 28,3; 31,8; 32,19; Lam 4,1].
4969 *Bunta, Silviu N.* Yhwh's cultic statue after 597/586 B.C.E.: a linguistic and theological reinterpretation of Ezekiel 28:12. CBQ 69 (2007) 222-241.
4970 *Mein, Andrew* Profitable and unprofitable shepherds: economic and theological perspectives on Ezekiel 34. JSOT 31 (2007) 493-504.
4971 *Lust, Johan* Ezekiel's utopian expectations. ^FGARCÍA MARTÍNEZ, F. JSJ.S 122: 2007 ⇒46. 403-419 [Ezek 34-37].
4972 *Toussaint, Stanley D.: Quine, Jay A.* No, not yet: the contingency of God's promised kingdom. BS 164 (2007) 131-147 [Ezek 34-42].
4973 *Konkel, Michael* Bund und Neuschöpfung: Anmerkungen zur Komposition von Ez 36-37. ^FHOSSFELD, F. SBS 211: 2007 ⇒69. 123-32.
4974 *Levison, John R.* The promise of the spirit of life in the book of Ezekiel. ^FHURTADO, L. & SEGAL, A.. 2007 ⇒71. 247-259 [Ezek 36-37].
4975 *Chrostowski, Waldemar* Wizja ozywienia wyschnietych kości (Ez 37,1-14), jako świadectwo asyryjskiej diaspoey Izraelitów. CoTh 77/4 (2007) 21-48.
4976 *Strubel, Regina* Der Geist macht lebendig (Ez 37,1-14). Im Kraftfeld. WerkstattBibel 11: 2007 ⇒513. 80-87.
4977 *Tromp, Johannes* 'Can these bones live?': Ezekiel 37:1-14 and eschatological resurrection. The book of Ezekiel. 2007 ⇒ 835. 61-78.
4978 **Fitzpatrick, Paul E.** The disarmament of God: Ezekiel 38-39 in its mythic context. CBQ.MS 37: 2004 ⇒20,4614... 22,4798. ^RPHScr II, 486-488 ⇒373 (*Lemos, T.M.*).
4979 *Joyce, Paul M.* Ezekiel 40-42: the earliest 'heavenly ascent' narrative?. The book of Ezekiel. 2007 ⇒835. 17-41.

E9.1 Apocalyptica VT

4980 **Beyerle, Stefan** Die Gottesvorstellungen in der antik-jüdischen Apokalyptik. JSJ.S 103: 2005 ⇒21,4868; 22,4810. ^RCBQ 69 (2007) 348-349 (*Henze, Matthias*).
4981 **Buekens, Arthur; Dumortier, Francis** Catastrophes ou révélations?: l'univers des apocalypses. Sens et Foi 6: Bru 2007, Lumen Vitae 184 pp. €18.
4982 **Carey, G.** Ultimate things: an introduction to Jewish and christian apocalyptic literature. 2005 ⇒21,4869. ^RRBLit (2007)* (*DiTommaso, Lorenzo*).
4983 **Efron, Joshua** The origins of christianity and apocalypticism. TA 2004, Hakibbutz Hameuchad 414 pp. ^RRBLit (2007)* (*Schwartz, Joshua*).
4984 *Fabry, Heinz-Josef* Die frühjüdische Apokalyptik: Herkunft–Eigenart–Absicht. Apokalyptik und Qumran. 2007 ⇒927. 63-83.
4985 *García Martínez, Florentino* Is Jewish apocalyptic the mother of christian theology?. Qumranica minora I. StTDJ 63: 2007 <1991> ⇒230. 129-151.
4986 *Hellholm, David, al.,* Apocalypticism. Religion past & present, 1. 2007 ⇒1066. 301-307.
4987 **Münchow, Christoph** Ethik und Eschatologie: ein Beitrag zum Verständnis der frühjüdischen Apokalyptik. 1981 ⇒62,7086... 65,3268. ^RThR 72 (2007) 83-85 (*Tilly, Michael*).

4988   **Nicholas, William C.** I saw the world end: an introduction to the bi-
ble's apocalyptic literature. NY 2007, Paulist xiii; 158 pp. 978-0-
8091-4450-1. Ill.; Bibl. 147-150.

4989   *Preußer, Heinz-P.* Endzeitszenarien in der Literatur: Apokalyptik als
Zivilisationskritik. Apokalyptik und kein Ende?. BTSP 29: 2007
⇒499. 229-252.

4990   *Sacchi, Paolo* Collins, io e l'apocalittica; o anche gli apocrifi?. [F]GAR-
CÍA MARTÍNEZ, F.. JSJ.S 122: 2007 ⇒46. 569-585.

4991   *Schipper, Bernd* Endzeitszenarien im Alten Orient: die Anfänge apo-
kalyptischen Denkens. Apokalyptik...kein Ende?. 2007 ⇒499. 11-30.

4992   *Venter, Pieter M.* Synchrony and diachrony in apocalyptic studies.
South African perspectives. LHBOTS 463: 2007 ⇒469. 185-196.

4993   *Vines, Michael E.* The apocalyptic chronotope. Bakhtin and genre
theory. SBL.Semeia Studies 63: 2007 ⇒778. 109-117.

E9.2 **Daniel**: *textus, commentarii: themata, versiculi*

4994   [E]**Bracht, Katharina; Du Toit, David S.** Die Geschichte der Daniel-
Auslegung in Judentum, Christentum und Islam: Studien zur Kom-
mentierung des Danielbuches in Literatur und Kunst. BZAW 371: B
2007, De Gruyter xi; 394 pp. €98/$132.30. 978-3-11-019301-5. Coll.
Berlin 2006.

4995   **Aranda Pérez, Gonzalo** Daniel. Com. a la nueva Bíblia de Jerusalén
22: 2006 ⇒22,4821. [R]EstJos 61 (2007) 150-151 (*Llamas, Román*).

4996   **Ardon, Calev** The book of Daniel unsealed. Brighton 2007, Book
Guild ix; 235 pp. 1-8462-4150-5.

4997   *Bobzin, Hartmut* Bemerkungen zu Daniel in der islamischen Tradi-
tion. Geschichte der Daniel-Auslegung. 2007 ⇒4994. 167-178.

4998   [T]**Borrelli, Daniela** TEODORETO di Cirro: Commento a Daniele. 2006
⇒22,4822. [R]SMSR 73 (2007) 411-412 (*Zincone, Sergio*).

4999   *Botha, Phil J.* A comparison between the comments on Daniel in the
Syriac commentary on the Diatessaron and the Syriac commentary on
Daniel. Ment. *Ephrem*; *Tatian* APB 18 (2007) 1-13.

5000   *Bracht, Katharina* Logos parainetikos: der Danielkommentar des
HIPPOLYT. Geschichte der Daniel-Auslegung. 2007 ⇒4994. 79-97.

5001   *Dines, Jennifer* The king's good servant?: loyalty, subversion, and
Greek Daniel. Jewish perspectives. 2007 ⇒624. 205-224.

5002   *Gardner, Anne* Daniel: God, humans and earth. Pacifica 20 (2007)
249-261.

5003   **Harman, Allan** A study commentary on Daniel. Darlington 2007,
Evangelical 333 pp. £17.

5004   [ET]**Hill, Robert C.** THEODORET of Cyrus: commentary on Daniel.
2006 ⇒22,4826. [R]RBLit (2007) 498-501 (*McKinion, Randall L.*).

5005   *Himbaza, Innocent* Daniele greco. Guida. 2007 ⇒506. 571-576.

5006   *Kaestli, Jean-D.* Les rapports entre apocalyptique et historiographie:
réflexions à partir du livre de Daniel. Ancient and modern scriptural
historiography. BEThL 207: 2007 ⇒389. 191-201.

5007   **Kizhakkeyil, Sebastian** Apocalypse (Απ οκάλυψις): an exegetical
commentary on Daniel and Revelation. Mumbai 2007, St Pauls 208
pp. Rs110. [R]JJSS 7 (2007) 110-111 (*Athikalam, James*).

5008 **Koch, Klaus** Daniel 1-4. BK.AT 22/1: 2005 ⇒21,4897. ᴿJETh 21
(2007) 265-7 (*Pracht, Jens*); RBLit (2007) 212-15 (*Collins, John J.*).

5009 *Koch, Klaus* Daniel in der Ikonografie des Reformationszeitalters.
Geschichte der Daniel-Auslegung. 2007 ⇒4994. 269-291;

5010 Daniel und Henoch-Apokalyptik im antiken Judentum. Apokalyptik
und kein Ende?. BTSP 29: 2007 ⇒499. 31-50;

5011 Das aramäisch-hebräische Danielbuch: Konfrontation zwischen
Weltmacht und monotheistischer Religonsgemeinschaft in universal-
geschichtlicher Perspektive. Geschichte der Daniel-Auslegung.
BZAW 371: 2007 ⇒4994. 3-27;

5012 Der "Menschensohn" in Daniel. ZAW 119 (2007) 369-385.

5013 *Li, Tarsee* The characterization of God in the Aramaic chapters of
Daniel. ᶠPFANDL, G. 2007 ⇒122. 107-116.

5014 *Mandelbrote, Scott* Isaac NEWTON and the exegesis of the book of
Daniel. Geschichte der Daniel-Auslegung. 2007 ⇒4994. 351-375.

5015 **Niskanen, Paul** The human and the divine in history: HERODOTUS
and the book of Daniel. JSOT.S 396: 2004 ⇒20,4636; 21,4907.
ᴿBib. 88 (2007) 127-130 (*Di Lella, Alexander A.*).

5016 *Petersen, Paul B.* God–the great giver. ᶠPFANDL, G. 2007 ⇒122. 97-
105.

5017 **Richter, Hans-Friedemann** Daniel 2-7: ein Apparat zum aramäi-
schen Text. Semitica et Semitohamitica Berolinensia 8: Aachen
2007, Shaker iv; 175 pp.

5018 *Röcke, Werner* Die Danielprophetie als Reflexionsmodus revolutio-
närer Phantasien im Spätmittelalter. Geschichte der Daniel-Ausle-
gung. BZAW 371: 2007 ⇒4994. 245-267.

5019 **Santoso, Agus** Die Apokalyptik als jüdische Denkbewegung: eine li-
terarkritische Untersuchung zum Danielbuch. ᴰ*Oeming, Manfred*
Marburg 2007, Tectum viii; 312 pp. €29.90. 978-38288-92903. Diss.
Heidelberg [ThLZ 132,1267].

5020 **Stefanovic, Zdravko** Daniel: wisdom to the wise, commentary on
the book of Daniel. Nampa, ID 2007, Pacific 480pp. $55.

5021 *Strohm, Stefan* LUTHERs Vorrede zum Propheten Daniel in seiner
Deutschen Bibel. Geschichte der Daniel-Auslegung. BZAW 371:
2007 ⇒4994. 219-243.

5022 *Taylor, Richard A.* The book of Daniel in the Bible of Edessa.
AramSt 5 (2007) 239-253.

5023 *Tilly, Michael* Die Rezeption des Danielbuches im hellenistischen Ju-
dentum. Geschichte der Daniel-Auslegung. Ment. *Josephus* BZAW
371: 2007 ⇒4994. 33-54.

5024 **Towner, Wayne S.** Daniele. ᴱ*Franzosi, Teresa* Strumenti Commen-
tari 37: T 2007, Claudiana 220 pp. 978-88701-66934. Bibl. 197-200.

5025 *Vermeylen, Jacques* Daniele. Guida. 2007 ⇒506. 531-540.

5026 *Waetjen, Herman C.* Millenarism, God's reign, and Daniel as the bar
enash. ᶠCHANEY, M. 2007 ⇒25. 236-261.

5027 *Wildgruber, Regina* Israels Weisheit und die Könige der Völker: das
Danielbuch (Teil 1). BiLi 80 (2007) 49-54;

5028 Missionare am Hof des fremden Königs: das Danielbuch (Teil 2).
BiLi 80 (2007) 118-123;

5029 (Alb-)Träume von Macht und Ohnmacht: das Danielbuch (Teil 3).
BiLi 80 (2007) 185-191 [Dan 2; 4; 7].

5030 **Kirkpatrick, Shane** Competing for honor: a social-scientific reading
of Daniel 1-6. BiblInterp 74: 2005 ⇒21,4896; 22,4841. ᴿCBQ 69
(2007) 780-781 (*Redditt, Paul L.*).

5031 *Valeta, David* Polyglossia and parody: language in Daniel 1-6. Bakh-
tin and genre theory. SBL.Semeia Studies 63: 2007 ⇒778. 91-108.

5032 *Klingbeil, Gerald A.* 'Rocking the mountain': text, theology, and mis-
sion in Daniel 2. ᶠPFANDL, G. 2007 ⇒122. 117-139.

5033 *McAllister, Ray* Clay in Nebuchadnezzar's dream and the Genesis
creation accounts. JATS 18 (2007) 121-128 [Dan 2,41-43].

5034 *Haag, Ernst* Das Sühnopfer der Gotteszeugen nach dem Asarjagebet
des Buches Daniel. TThZ 116 (2007) 193-220 [Dan 3,24-50].

5035 *Večko, Terezija S.* Beseda, ki je ogenj ne sežge (Dan 3,24-50) [The
word that is not burnt by the fire (Dan 3:24-50)]. Bogoslovni Vestnik
67 (2007) 377-391. S.

5036 *Hays, Christopher B.* Chirps from the dust: the affliction of Nebu-
chadnezzar in Daniel 4:30 in its ancient Near Eastern context. JBL
126 (2007) 305-325.

5037 *Amara, Dalia* The third version of the story of Belshazzar's banquet.
Textus 23 (2007) *11-*41 [Dan 5]. **H.**

5038 *Nel, Marius* Myth and Daniel 7. Psalms and mythology. LHBOTS
462: 2007 ⇒451. 217-230 [Dan 7].

5039 **Settembrini, Marco** Sapienza e storia in Dn 7-12. ᴰ*Gianto, Agusti-
nus* AnBib 169: R 2007, E.P.I.B. 263 pp. €28. 978-88-7653-169-9.
Diss. Pont. Ist. Biblico; Bibl. 219-242.

5040 *Wildgruber, Regina* ... und alle Fragen offen: das Danielbuch (Teil
4). BiLi 80 (2007) 284-290 [Dan 7-12].

5041 *Gardner, A.E.* Decoding Daniel: the case of Dan 7,5. Bib. 88 (2007)
222-233 [Hos 13,5].

5042 *Venter, Pieter M.* Daniel 9: a penitential prayer in apocalyptic garb.
Development of penitential prayer. 2007 ⇒777. 33-49.

5043 *Werline, Rodney A.* Prayer, politics, and social vision in Daniel 9.
Development of penitential prayer. 2007 ⇒777. 17-32.

5044 *Buzzard, A.* Seventy years, seventy 'sevens' of years, and then what?.
JRadRef 14/2 (2007) 3-17 [Dan 9,24-27].

5045 **Swearingen, Marc A.** Tidings out of the northeast: a general histori-
cal survey of Daniel 11. Coldwater, MI 2006, Remnant 272 pp. $15.

5046 *Goffard, Serge* 'Histoire de Susanne': supplément grec au livre de
Daniel. CEv 141 (2007) 8-16.

5047 **Leisering, Christina** Susanna und der Sündenfall der Ältesten: eine
vergleichende Studie zum Frauenbild der Septuaginta- und Theodoti-
onfassung von Dan 13 und ihren intertextuellen Bezügen. ᴰ*Fischer,
Irmtraud* 2007, Diss. Graz [ThRv 104/1,vii].

E9.3 *Prophetae Minores*, **Dōdekaprophetōn...Hosea, Joel**

5048 *Achenbach, Reinhard* Die Tora und die Propheten im 5. und 4. Jh. v.
Chr. Tora in der Hebräischen Bibel. ZAR.B 7: 2007 ⇒347. 26-71.

5049 **Achtemeier, Elizabeth** I dodici profeti, 2: Naum, Abacuc, Sofonia,
Aggeo, Zaccaria, Malachia. Strumenti 31: T 2007, Claudiana 308 pp.
€24.50.

5050 *Bargellini, F.* Il ruolo canonico di Gioele, Abdia e Giona: elementi
per una lettura unitaria dei XII Profeti Minori. RivBib 55 (2007) 145-
163.

5051 *Barton, John* The canonical meaning of the book of the Twelve. The OT: canon, literature and theology. 2007 <1996> ⇒183. 19-29;

5052 The Day of Yahweh in the minor prophets. The OT: canon, literature and theology. MSSOTS: 2007 <2004> ⇒183. 279-288.

5053 **Beck, Martin** Der "Tag YHWH's" im Dodekapropheton. BZAW 356: 2005 ⇒21,4953; 22,4861. RBZ 51 (2007) 115-118 (*Gärtner, Judith*).

5054 *Biddle, Mark E.* Obadiah–Jonah–Micah in canonical context: the nature of prophetic literature and hermeneutics. Interp. 61 (2007) 154-166.

5055 *Boda, Mark J.* Messengers of hope in Haggai-Malachi. JSOT 32 (2007) 113-131.

5056 *Bornand, Rachel* Un "livre des quatre" précurseur des douze petits prophets?. ETR 82 (2007) 549-566.

5057 E**Ferreiro, Alberto** La biblia comentada por los padres de la iglesia: Antiguo Testamento, 16: Los doce profetas. E*Merino Rodríguez, Marcelo* M 2007, Ciudad N. 434 pp. 978-84971-51115. RRET 67 (2007) 547-548 (*Toraño López, Eduardo*); RelCult 53 (2007) 902-903 (*Langa, Pedro*).

5058 *Guillaume, Philippe* A reconsideration of manuscripts classified as scrolls of the Twelve Minor Prophets (XII). JHScr 7 2007* = PHScr 4,445-458.

5059 T**Hill, Robert C.** CYRIL of Alexandria: commentary on the twelve prophets, 1 [Hosea, Joel]. FaCh 115: Wsh 2007, Cath. Univ. of America Pr. x; 317 pp. $40. 978-08132-01153;

5060 THEODORE of Mopsuestia: commentary on the Twelve Prophets. FaCh 103: 2004 ⇒20,4676... 22,4870. RJECS 15 (2007) 118-119 (*McLeod, Frederick G.*).

5061 **Jeremias, Jörg** Die Propheten Joel, Obadja, Jona, Micha. ATD 24,3: Gö 2007, Vandenhoeck & R. x; 232 pp. €42.90. 978-3-525-51242-5. RBN 135 (2007) 107-108 (*Schöpflin, Karin*).

5062 *Lima, Maria de L. Corrêa* ¿Doce profetas o libro de los Doce?. RevBib 69 (2007) 189-213.

5063 **Limburg, James** I dodici profeti, parte prima: Osea, Gioele, Amos, Abdia, Giona, Michea. TFerri, Corrado Strumenti 23: 2005 ⇒21, 4959. REccl(R) 21 (2007) 579-580 (*Caballero, José Antonio*).

5064 *Macchi, Jean-D.* I dodici profeti minori. Guida di lettura all'AT. 2007 ⇒506. 345-348.

5065 **Mannaerts, R.; Otten, M.; Paepen, B.** De twaalf kleine profeten. Antwerpen 2007, Halewijn 176 pp. €14.50. 978-90-8528-0583.

5066 *Nogalski, James D.* Reading the Book of the Twelve theologically. Interp. 61 (2007) 115-122;

5067 Recurring themes in the Book of the Twelve: creating points of contact for a theological reading. Interp. 61 (2007) 125-136.

5068 *O'Brien, Julia M.* Nahum–Habakkuk–Zephaniah: reading the 'former prophets' in the Persian period. Interp. 61 (2007) 168-183.

5069 **Perlitt, Lothar** Die Propheten Nahum, Habakuk, Zephanja. ATD 25/1: 2004 ⇒20,4684... 22,4875. RRBLit (2007) 182-184 (*Hagedorn, Anselm C.*).

5070 *Redditt, Paul* Themes in Haggai–Zechariah–Malachi. Interp. 61 (2007) 184-197.

5071 *Renz, Thomas* Torah in the Minor Prophets. FWENHAM, G. LHBOTS 461: 2007 ⇒164. 73-94.

5072   **Roth, Martin** Israel und die Völker im Zwölfprophetenbuch: eine Untersuchung zu den Büchern Joel, Jona, Micha und Nahum. FRLANT 210: 2005 ⇒21,4969. [R]RBLit (2007)* (*Sweeney, Marvin*).

5073   *Schart, Aaron* The first section of the Book of the Twelve Prophets: Hosea–Joel–Amos. Interp. 61 (2007) 138-152.

5074   **Schwesig, Paul-G.** Die Rolle der Tag-JHWHs-Dichtungen im Dodekapropheton. BZAW 366: 2006 ⇒22,4879. [R]ThLZ 132 (2007) 520-521 (*Beyerle, Stefan*); RBLit (2007)* (*Bornand, Rachel*).

5075   *Sicre Díaz, José L.* La profecía en la época de la restauración. Proyección 54/2 (2007) 293-308 [Isa 60-62].

5076   **Simundson, Daniel J.** Hosea, Joel, Amos, Obadiah, Jonah, Micah. 2005 ⇒21,4971; 22,4881. [R]HBT 29 (2007) 252-253 (*Teal, Stephen*).

5077   *Utzschneider, Helmut* Die Zwölf Propheten im Neuen Testament. Gottes Vorstellung. BWANT 175: 2007 ⇒336. 170-191.

5078   **Willi-Plein, Ina** Haggai, Sacharja, Maleachi. ZBK.AT 24,4: Z 2007, Theol. Verl. 305 pp. €30. 3290-147665.

5079   **Wöhrle, Jakob** Die frühen Sammlungen des Zwölfprophetenbuches: Entstehung und Komposition. BZAW 360: 2006 ⇒22,4883. [R]ZAW 119 (2007) 317-318 (*Rudnig-Zelt, S.*); ThLZ 132 (2007) 518-520 (*Beyerle, Stefan*); ThRv 103 (2007) 291-294 (*Zapff, Burkard M.*); BZ 51 (2007) 294-297 (*Gärtner, Judith*); CBQ 69 (2007) 566-568 (*Moore, Michael S.*); JThS 58 (2007) 601-3 (*Hagedorn, Anselm C.*).

5080   **Ben Zvi, Ehud** Hosea. FOTL 21A/1: 2005 ⇒21,4978; 22,4884. [R]Cart. 23 (2007) 230-231 (*Álvarez Barredo, M.*); RBLit (2007) 165-171 (*Braaten, Laurie J.*).

5081   **Botta, Alejandro F.** Los doce Profetas Menores. 2006 ⇒22,4864. [R]RevBib 69 (2007) 117-118 (*Nápole, Gabriel M.*).

5082   *Dennison, James T., Jr.* Prophetic narrative biography and biblical theology: the prophet Hosea. Kerux 22/2 (2007) 3-14.

5083   **Heintz, Jean-G.; Millot, Lison** Le livre prophétique d'Osée: texto-bibliographie du XXème siècle. 1999 ⇒15,4017. [R]OLZ 102 (2007) 303-304 (*Grünwaldt, Klaus*).

5084   **Keita, Katrin** Gottes Land: exegetische Studien zur Land-Thematik im Hoseabuch in kanonischer Perspektive. [D]*Crüsemann, Frank* Theologische Texte und Studien 13: Hildesheim 2007, Olms 358 pp. €44. 978-34871-35878. Diss. Bethel.

5085   *Pakala, James C.* A librarian's comments on commentaries: 24 (Hosea). Presbyterion 33 (2007) 111-115.

5086   *Römer, Thomas* Osea. Guida. 2007 ⇒506. 349-363.

5087   **Rudnig-Zelt, Susanne** Hoseastudien: redaktionskritische Untersuchungen zur Genese des Hoseabuches. FRLANT 213: 2006 ⇒22, 4892. [R]ThRv 103 (2007) 454-455 (*Rösel, Martin*); RBLit (2007)* (*Bons, Eberhard*).

5088   **Schütte, Wolfgang** Die Adressaten der Hoseaschrift. [D]*Crüsemann, Frank* 2007, 239 pp. Diss. Bethel [ThLZ 132,1272].

5089   **Sevilla Jiménez, C.** El desierto en la profeta Oseas. 2006 ⇒22,4894. [R]SalTer 95 (2007) 533-534 (*Sanz Giménez-Rico, Enrique*).

5090   *Silva, Charles H.* Literary features in the Book of Hosea. BS 164 (2007) 34-48.

5091   **Vielhauer, Roman** Das Werden des Buches Hosea: eine redaktionsgeschichtliche Untersuchung. [D]*Kratz, R.G.* BZAW 349: B 2007, De

Gruyter ix; 272 pp. €69.16. 978-3-11-018242-2. Diss. Göttingen; Bibl. 231-258.

5092 *Frick, Frank S.* The political and ideological interests of female sexual imagery in Hosea 1-3. [F]CHANEY, M. 2007 ⇒25. 200-208.

5093 **Gude, Balthasar** God's love for sinners–a study based on Hosea (chs 1-3). [D]*Agius, J.* 2007, Diss. Angelicum [RTL 39,600].

5094 *Köhlmoos, Melanie* Töchter meines Volkes: Israel und das Problem der Prostitution in exilischer und nachexilischer Zeit. [F]WILLI-PLEIN, I.. 2007 ⇒168. 213-228 [Ezek 16; Hos 1-3].

5095 *Silva, Charles H.* The literary structure of Hosea 1-3. BS 164 (2007) 181-197.

5096 **Kelle, Brad E.** Hosea 2: metaphor and rhetoric in historical perspective. SBL.Academia Biblica 20: 2005 ⇒21,4993; 22,4898. [R]CBQ 69 (2007) 327-329 (*Jones, Barry A.*); JAOS 127 (2007) 388-389 (*Floyd, Michael H.*).

5097 *Kirby, Jacquelyn* Hope and hubris in Hosea. Sewanee Theological Review 50 (2007) 487-494 [2,1-15].

5098 *Mitchell, Matthew W.* Finding the naked woman in Hosea ii 11. VT 57 (2007) 119-123.

5099 *Rosengren, Allan* Knowledge of God according to Hosea the ripper: the interlacing of theology and social ideology in Hosea 2. SJOT 21 (2007) 139-143 [2,18-25].

5100 *Silva, Charles H.* The literary structure of Hosea 4-8. BS 164 (2007) 291-306.

5101 *Utzschneider, Helmut* Situation und Szene: Überlegungen zum Verhältnis historischer und literarischer Deutung prophetischer Texte am Beispiel von Hos 5,8-6,6. Gottes Vorstellung. BWANT 175: 2007 <2002> ⇒336. 233-253.

5102 *Riede, Peter* 'Ich aber war wie eine Motte für Ephraim': Anmerkungen zu Hos 5,12. ZAH 17-20 (2007) 178-187.

5103 *Silva, Charles H.* The literary structure of Hosea 9-14. BS 164 (2007) 435-453. Part four of four parts of "A literary analysis of the book of Hosea".

5104 *Blair, Merryl* 'God is an earthquake': destabilising metaphor in Hosea 11. ABR 55 (2007) 1-12.

5105 *Irsigler, Hubert* Hosea 11 und das Problem der Rückfrage nach der originären Gestalt von Prophetie. [F]RICHTER, W. ATSAT 83: 2007 ⇒ 132. 87-121.

5106 **Chalmers, R. Scott** The struggle of Yahweh and El for Hosea's Israel. HBM 11: Shf 2007, Sheffield Academic x; 274 pp. £50. 978-19050-48403. Bibl. 253-261 [11-13].

5107 **Kakkanattu, Joy P.** God's enduring love in the book of Hosea: a synchronic and diachronic analysis of Hosea 11:1-11. FAT 2/14: 2006 ⇒22,4901. [R]RBLit (2007)* (*Petry, Sven*).

5108 *Linville, James R.* Bugs through the looking glass: the infestation of meaning in Joel. [F]AULD, G. VT.S 113: 2007 ⇒5. 283-298.

5109 *Macchi, Jean-Daniel* Gioele. Guida...all'AT. 2007 ⇒506. 365-370.

5110 **Sobhidanandan, Balakrishnan** The Day of the Lord in the book of Joel: a day of judgment. [D]*Boschi, B.G.* R 2007, Diss. Angelicum.

5111 **Strazicich, John** Joel's use of scripture and the scripture's use of Joel: appropriation and resignification in second temple Judaism and early christianity. BiblInterp 82: Lei 2007, Brill xxv; 441 pp. 978-90-0415-079-9.

5112 *Linville, James R.* Letting the "Bi-word" "rule" in Joel 2:17. PHScr II. 2007 <2004>, ⇒373. 13-24.
5113 *Güttinger, Lisbeth; Schäfer, Brigitte* Die Ausgießung des Geistes über alle (Joël 2,21-3,2). Im Kraftfeld. WerkstattBibel 11: 2007 ⇒513. 30-38.

E9.4 **Amos**

5114 *Berthoud, Pierre* L'alliance, le cadre du message social et politique du prophète Amos. RRef 58/2-3 (2007) 1-40.
5115 **Bulkeley, Tim** Amos: hypertext bible commentary. 2005 ⇒21,5017. ^RBiTr 58 (2007) 205-207 (*Pattemore, Stephen W.*); Maarav 14 (2007) 103-109 (*Kim, Walter*); CBQ 69 (2007) 316-318 (*Linville, James R.*); RBLit (2007) 38-41 (*Ben Zvi, Ehud*).
5116 *Butticaz, Simon* Amos. Guida. 2007 ⇒506. 371-380.
5117 *Carroll R., Mark D.* Pueden los profetas arrojar luz sobre los debates tocante al culto?. DavarLogos 6 (2007) 143-156.
5118 *Glenny, W. Edward* Hebrew misreadings or free translation in the Septuagint of Amos?. VT 57 (2007) 524-547.
5119 **Iroegbu, Adolphus** Let justice roll down like waters!: an exegetical and a pragmatic study of Amos' critique of social injustice and its cruciality to contemporary Nigerian context. ^DBohlen, Reinhold 2007 Diss. Trier [ThRv 104/1,xi].
5120 *Klingbeil, Gerald A.; Klingbeil, Martin G.* The prophetic voice of Amos as a paradigm for christians in the public square. TynB 58/2 (2007) 161-182.

5121 *Barstad, Hans M.* Can prophetic texts be dated?: Amos 1-2 as an example. Ahab Agonistes. LHBOTS 421: 2007 ⇒820. 21-40.
5122 **Steiner, Richard C.** Stockmen from Tekoa, sycomores from Sheba: a study of Amos' occupations. CBQ.MS 36: 2003 ⇒19,4935... 22,4921. ^RJNES 66 (2007) 66-68 (*Zevit, Ziony*) [Amos 1,1; 7,14-15].
5123 *Lundbom, Jack R.* The lion has roared: rhetorical structure in Amos 1:2-3:8. Milk and honey. 2007 ⇒474. 65-75.
5124 *Partlow, Jonathan A.* Amos's use of rhetorical entrapment as a means for climatic [sic] preaching in Amos 1:3-2:16. RestQ 49/1 (2007) 23-32.
5125 *Förg, Florian* Beobachtungen zur Struktur von Amos 2,6-12. BN 132 (2007) 13-21.
5126 *Olanisebe, Samson* The prophetic vocation of Amos in Amos 2:6-16 and its relevance for national development in Nigeria. AJBS 24/1 (2007) 21-38.
5127 *Soler, Miguel S.* Amós 3,1-4,13 y la alianza: institución y teologia. EstB 65 (2007) 33-74.
5128 *Greer, Jonathan S.* A *marzeah* and a *mizraq*: a prophet's mêlée with religious diversity in Amos 6.4-7. JSOT 32 (2007) 243-262.
5129 **Ahuis, Ferdinand** "Ihr habt gehört, dass zu den Alten gesagt ist...": Plädoyer für eine "listener response theory" am Beispiel der Rezep-

tionsgeschichte von Amos 7,10-17 und 1. Könige 13. BThSt 53: 2003 ⇒19,4947. ^RRBLit (2007)* (*Seebass, Horst*).

5130 *Schmidt, Ludwig* Die Amazja-Erzählung (Am 7,10-17) und der historische Amos. ZAW 119 (2007) 221-235.

5131 *Utzschneider, Helmut* Die Amazjaerzählung (Am 7,10-17) zwischen Literatur und Historie. Gottes Vorstellung. BWANT 175: 2007 <1988> ⇒336. 103-119.

5132 *Lewis, Jack P.* "A prophet's son" (Amos 7:14) reconsidered. RestQ 49/4 (2007) 229-240.

5133 *Hadjiev, Tchavdar* "Kill all who are in front" : another suggestion about Amos ix 1. VT 57 (2007) 386-399.

5134 *Paul, Shalom M.* Two cosmographic terms in Amos 9:6. ^FJAPHET, S. 2007 ⇒74. 389-394. **H**.

5135 *Koch, Klaus* Jahwäs wachsame Augen im Geschick der Völker: Erwägungen zu Amos 9,7-10. ^FWILLI-PLEIN, I. 2007 ⇒168. 193-212.

5136 *Lieth, Albrecht von der* Sieben oder Worfeln?: eine neue Deutung von Am 9,9. BN 134 (2007) 49-62.

E9.5 Jonas

5137 *Bickerman, Elias J.* The two mistakes of the prophet Jonah. Studies in Jewish and Christian history. AGJU 68/1-2: 2007 ⇒190. 32-70.

5138 *Blumenthal, Fred* Jonah, the reluctant prophet: prophecy and allegory. JBQ 35 (2007) 103-108.

5139 *Carstens, Pernille* Jonas' bog som laering: at kende forskel på højtr og venstre. DTT 70 (2007) 11-24.

5140 *Chanikuzhy, Jacob* John and Jonah: defining and describing God's love. Jeevadhara 37 (2007) 546-556.

Chisholm, R. Workbook for intermediate Hebrew: grammar, exegesis, and commentary on Jonah and Ruth 2006 ⇒3534.

5141 *Coetzee, Johan* 'n Diere–vriendelike lees van die boek Jona. OTEs 20 (2007) 567-585;

5142 Where humans and animals meet, folly can be sweet–Jonah's bodily experience of containment the major drive behind his conduct. OTEs 20 (2007) 320-332.

5143 *Craghan, John F.* The book of Jonah and the challenge to forgive. BiTod 45 (2007) 80-84.

5144 **Craig, Kenneth M.** A poetics of Jonah: art in the service of ideology. ²1999 <1993> ⇒15,4074. ^RRExp 104 (2007) 670-672 (*Mayfield, Tyler D.*).

5145 *Cross, Frank M.* A homily on the book of Jonah. ^FGELLER, S. 2007 ⇒47. 45-49.

5146 *Desclés, Jean-Pierre; Guilbert, Gaëll* Jonas ou la volonté de dialoguer–première partie. SémBib 126 (2007) 34-63;

5147 Jonas ou la volonté de dialoguer. SémBib 127 (2007) 40-67.

5148 *Dias Marianno, Lília* Umm triangulo amoroso ... ou odioso?: relaçoes de "amor e ódio" entre missao, vocaçao e graça no livro de Jonas. Estudos bíblicos 94/2 (2007) 40-48.

5149 *Fretheim, Terence E.* The exaggerated God of Jonah. WaW 27/2 (2007) 125-134.

5150 **Gerhards, Meik** Studien zum Jonabuch. BThSt 78: 2006 ⇒22,4940. ^RThLZ 132 (2007) 632-634 (*Mell, Ulrich*); OTEs 20 (2007) 239-242 (*Weber, B.*); RBLit (2007)* (*Golka, Friedemann W.*).

5151 *Goldstein, Elizabeth* On the use of the name of God in the book of Jonah. Milk and honey. 2007 ⇒474. 77-83.
5152 *Green, Barbara* Beyond messages: how meaning emerges from our reading of Jonah. WaW 27/2 (2007) 149-156.
5153 **Handy, Lowell K.** Jonah's world: social science and the reading of prophetic story. L 2007, Equinox xvi; 214 pp. $25. 978-1-8455-3123-2/4-9. Bibl. 180-199.
5154 *Hiendl, David* Kirche im Zeichen des Jona: pastoraltheologische Überlegungen zur Jonaerzählung. Löscht den Geist. 2007 ⇒366. 42-52.
5155 *Hunter, Alastair* Inside outside Psalm 55: how Jonah grew out of a psalmist's conceit. Psalms and prayers. 2007 ⇒766. 129-139.
5156 **Imbach, Josef** Nur wer den Aufbruch wagt ... Jona, Rut, Tobit. Dü 2007, Patmos 144 pp. 978-3-491-70408-4.
5157 *Jenson, Philip P.* Interpreting Jonah's God: canon and criticism. God of Israel. UCOP 64: 2007 ⇒818. 229-245.
5158 *Kaiser, Barbara* Five scholars in the underbelly of the "Dag gadol": an aqua-fantasy. WaW 27/2 (2007) 135-148.
5159 *Kim, Hyun C.P.* Jonah read intertextually. JBL 126 (2007) 497-528.
5160 *Knauf, Ernst A.* Giona. Guida di lettura all'AT. 2007 ⇒506. 385-391.
5161 **Lessing, R. Reed** Jonah: a theological exposition of sacred scripture. St. Louis 2007, Concordia 496 pp. $43.
5162 *Limburg, James W.* Marc CHAGALL's Jonah drawings: the bible as picture book. WaW 27/2 (2007) 174-184.
5163 *Ludwig, Frieder* Jonah's mission: intercultural and interreligious perspectives. WaW 27/2 (2007) 185-194.
5164 **Niccacci, Alviero; Tadiello, Roberto; Pazzini, Massimo** Il libro di Giona: analisi del testo ebraico e del racconto. SBFA 65: 2004 ⇒20, 4767; 22,4945. RCBQ 69 (2007) 126-127 (*Duggan, Michael W.*).
5165 **Perry, T. Anthony** The honeymoon is over: Jonah's argument with God. 2006 ⇒22,4949. RTrinJ 28 (2007) 297-298 (*Kim, Hee Suk*); CBQ 69 (2007) 557-558 (*Garber, Zev*); RBLit (2007)* (*Floyd, Michael H.*).
5166 *Scaiola, Donatella* Il profeta chiamato alla conversione: il libro di Giona. RCI 88 (2007) 849-858.
5167 **Scholem, Gershom** Sur Jonas, la lamentation et le judaïsme. TLaunay, Marc de Bible et Philosophie: P 2007, Bayard 96 pp. €13.80. 22274-76702.
     ESulavik, A. GULIELMI de Luxi: Postilla...Ionam 2006 ⇒4930.

5168 *Castillo, Arcadio del* Tarshish in the book of Jonah. RB 114 (2007) 481-498 [1,3].
5169 *Pyper, Hugh S.* Swallowed by a song: Jonah and the Jonah-psalm through the looking-glass. FAULD, G. VT.S 113: 2007 ⇒5. 337-358 [Jonah 2, 2-9; 2 Kgs 14,23-29].
5170 *Dabhi, James B.* Who is this YHWH in Jon 4,1-11?. BiBh 33/2 (2007) 59-96.
5171 *Wessels, W.* A prophetic word to a prophet: Jonah 4:10-11 as reprimand. JSem 16 (2007) 551-569.

E9.6 *Micheas*, **Micah**

5172 **Caero Bustillos, Carmen B.** Der Assertiv im Buch Micha: eine Untersuchung zur sogenannten W^{e}qātal-Form im Buch Micha. ^{D}*Reiterer, Friedrich* 2007, Diss. Salzburg [ThRv 104/1,xi].

5173 *Gruber, Mayer I.* Women's voices in the book of Micah. LecDif 8/1 (2007)*.

5174 *Macchi, Jean-D.* Michea. Guida di lettura all'AT. 2007 ⇒506. 393-8.

5181 *Niccacci, Alviero* Il libro del profeta Michea: testo traduzione composizione senso. LASBF 57 (2007) 83-161.

5182 **Utzschneider, Helmut** Micha. ZBK.AT 24,3: 2005 ⇒21,5075. ^{R}BZ 51 (2007) 297-299 (*Schart, Aaron*); JETh 21 (2007) 267-269 (*Dreytza, Manfred*); RBLit (2007) 184-187 (*Adam, Klaus-Peter*).

5183 **Waltke, Bruce K.** A commentary on Micah. GR 2007, Eerdmans xviii; 490 pp. $32. 978-0-8028-4933-5. ^{R}IncW 1 (2007) 594-598 (*Fernández Nassar, María Auxiliadora*).

5184 *Wessels, W.* Prophets and power: Micah 3:8–a case study. JSem 16 (2007) 570-586.

5185 *Utzschneider, Helmut* Micha und die Zeichen der Zeit: Szenen und Zeiten in Mi 4,8-5,3. Gottes Vorstellung. BWANT 175: 2007 <2004> ⇒336. 254-268.

5186 *Wagner, Volker* Die Rolle Bethlehems in Mi 5,1-5. ZAH 17-20 (2007) 197-217.

5187 *Gruber, Mayer I.* Women's voices in the book of Micah. LecDif 8/1 (2007) 1-12 [7,5-10].

E9.7 *Abdias, Sophonias...*Obadiah, Zephaniah, Nahum

5188 *Macchi, Jean-Daniel* Abdia. Guida. 2007 ⇒506. 381-384.

5189 **Renkema, Johan** Obadiah. ^{T}*Doyle, Brian* 2003 ⇒19,5011. ^{R}PHScr II, 569-571 ⇒373 (*Cook, Stephen L.*).

5190 *Macchi, Jean-Daniel* Sofonia. Guida. 2007 ⇒506. 411-415.

5191 *Pereyra, Rubén* El Día de YHWH en el libro del profeta Sofonías. DavarLogos 6 (2007) 25-34.

5192 **Sweeney, Marvin A.** Zephaniah. Hermeneia: 2003 ⇒19,5018... 22,4973. ^{R}PHScr II, 643-644 ⇒373 (*Watts, John D.W.*).

5193 *Wendland, E.* The drama of Zephania: a literary-structural analysis of a proclamatory prophetic text. JSem 16 (2007) 22-67 [Zeph 2,4].

5194 **Fabry, Heinz J.** Nahum. HThK.AT: 2006 ⇒22,4976. ^{R}RivBib 55 (2007) 359-361 (*Paganini, Simone*).

5195 *Macchi, Jean-D.* Naum. Guida di lettura all'AT. 2007 ⇒506. 399-403.

5196 *O'Brien, Julia M.* The problem of the other(ed) woman in Nahum. ^{F}MEYERS, E. AASOR 60/61: 2007 ⇒106. 109-117.

5197 *Pazzini, Massimo; Pierri, Rosario* Il libro di Naum secondo la versione siriaca (Peshitto). CCO 4 (2007) 119-126.

5198 *Pinker, Aron* On the genesis of Nahum 1:3a. HIPHIL 4 (2007)*;

5199 The hard "sell" in Nah 3:4. PHScr II. 2007 <2004> ⇒373. 143-152.

E9.8 *Habacuc*, **Habakkuk**

5200 **Álvarez Barredo, Miguel** Habacuc un profeta inconformista: perfiles literarios y rasgos teológicos del libro. Publ. del Inst. Teol. Franciscano, Ser. mayor 44: Murcia 2007, Espigas 252 pp. 978-84-8604-2-660. Bibl. 247-252 [R]Rivista di science religiose 21 (2007) 379-381 (*Pinto, Sebastiano*).
5201 *Kim, Jong-Hoon* Intentionale Varianten der Habakukzitate im Pesher Habakuk: rezeptionsästhetisch untersucht. Bib. 88 (2007) 23-37.
5202 *Macchi, Jean-Daniel* Abacuc. Guida. 2007 ⇒506. 405-409.
5203 **O'Neal, Guy M.** Interpreting Habakkuk as scripture: an application of the canonical approach of Brevard S. CHILDS. Studies in biblical literature 9: NY 2007, Lang vii; 187 pp. 0-8204-3997-5. Bibl. 171-7.
5204 *Pazzini, Massimo; Pierri, Rosario* Il libro di Abacuc secondo la versione siriaca (Peshitto). LASBF 57 (2007) 163-170.

5205 *Himbaza, Innocent* Texte Massorétique et Septante en Habaquq 1,5a: réévaluation des témoins textuels en faveur de l'antériorité de la LXX. Un carrefour. OBO 233: 2007 ⇒515. 45-57.
5206 *Cleaver-Bartholomew, David* An additional perspective on Habakkuk 1:7. ProcGLM 27 (2007) 47-52.
5207 *Pinker, Aron* Habakkuk 2.4: an ethical paradigm or a political observation?. JSOT 32 (2007) 91-112.
5208 *Dangl, Oskar* Diachrone Forschung am Buch Habakuk am Beispiel von Hab 2,4-5. PzB 16 (2007) 87-101.
5209 *Fernández Marcos, Natalio* Der Barberini-Text von Hab 3–eine neue Untersuchung. Im Brennpunkt, 3. 2007 ⇒384. 151-180.

E9.9 *Aggaeus*, **Haggai**—*Zacharias*, **Zechariah**—*Malachias*, **Malachi**

5210 [T]**Casevitz, Michel; Dogniez, Cécile; Harl, Marguerite** Les Douze Prophètes: Agée, Zacharie. Bible d'Alexandrie 23/10-11: P 2007, Cerf 388 pp. €49. 978-22040-84406.
5211 *Macchi, Jean-D.* Aggeo. Guida. 2007 ⇒506. 417-421.
5212 **Meadowcroft, Tim** Haggai. 2006 ⇒22,4991. [R]RBLit (2007)* (*Reventlow, Henning Graf*).
5213 *Mitchell, Christine* Temperance, temples and colonies: reading the book of *Haggai* in Saskatoon. SR 36 (2007) 261-277.
5214 *Rothenbusch, Ralf* Serubbabel im Haggai- und im Protosacharja-Buch: Konzepte der Gemeindeleitung im frühnachexilischen Juda. [F]RICHTER, W. ATSAT 83: 2007 ⇒132. 219-264.
5215 *Schenker, Adrian* Gibt es eine graeca veritas für die hebräische Bibel?: die "Siebzig" als Textzeugen im Buch Haggai als Testfall. Im Brennpunkt, 3. BWANT 174: 2007 ⇒384. 57-77

5216 *Assis, Elie* To build or not to build: a dispute between Haggai and his people (Hag 1). ZAW 119 (2007) 514-527;
5217 Composition, rhetoric and theology in Haggai 1:1-11. JHScr 7 2007* = PHScr 4,309-321.
5218 *Rogland, Max* Text and temple in Haggai 2,5. ZAW 119 (2007) 410-415.

5219 *Lux, R.* 'Mir gehört das Silber und mir das Gold'–Spruch JHWH Zebaots' (Hag 2,8): Überlegungen zur Geschichte eines Motivs. [F]WILLI, T. 2007 ⇒167. 87-102.

5220 *Rogland, M.* Haggai 2,17–a new analysis. Bib. 88 (2007) 553-557.

5221 **Curtis, Byron G.** Up the steep and stony road: the book of Zechariah in social location trajectory analysis. SBL Academia Biblica 25: 2006 ⇒22,4994. [R]RBLit (2007)* *(Ben Zvi, Ehud)*.

5222 [T]**Hill, Robert C.** DIDYMUS the Blind: commentary on Zechariah. FaCh 111: 2006 ⇒22,4997. [R]JECS 15 (2007) 426-428 *(Steiger, Peter)*.

5223 *Jenni, Ernst* Temporale Angaben im Sacharjabuch. [F]WILLI-PLEIN, I. 2007 ⇒168. 163-174.

5224 *Sérandour, Arnaud* Zaccaria. Guida. 2007 ⇒506. 423-436.

5225 *Lux, Rüdiger* Bilder in Texten: Bild-anthropologische Aspekte der Nachtgesichte des Sacharja. [F]HARDMEIER, C. ABIG 28: 2007 ⇒62. 322-339. [Zech 1-6].

5226 *Kessler, John* Diaspora and homeland in the early Achaemenid period: community, geography and demography in Zechariah 1-8. Approaching Yehud. SBL.Semeia Studies 50: 2007 ⇒376. 137-166 [Zech 1-8]

5227 **Pola, Thomas** Das Priestertum bei Sacharja: historische und traditionsgeschichtliche Untersuchungen zur frühnachexilischen Herrschererwartung. FAT 35: 2003 ⇒19,5068... 22,5000. [R]ThLZ 132 (2007) 788-790 *(Delkurt, Holger)* [Zech 1-8].

5228 *Segal, Michael* The responsibilities and rewards of Joshua the high priest according to Zechariah 3:7. JBL 126 (2007) 717-734.

5229 *Präckel, Tilmann* Alles wird gut!?: Beobachtungen zu Sacharja 7. [F]WILLI-PLEIN, I. 2007 ⇒168. 309-325.

5230 *Shea, William H.* The Seleucids as cedars, and the Maccabees, messiah, and Herodians as the shepherds in Zechariah 11. [F]PFANDL, G. 2007 ⇒122. 141-163.

5231 *Foster, Robert L.* Shepherds, sticks, and social destabilization: a fresh look at Zechariah 11:4-17. JBL 126 (2007) 735-753.

5232 **Bilic, Niko** Jerusalem und die Völker in Sach 12-14: Text, Kontext und Theologie. [D]*Fischer, Georg* 2007, Diss. Innsbruck.

5233 *Fischer, Irmtraud* Levibund versus Prophetie in der Nachfolge des Mose: die Mittlerkonzepte der Tora bei Maleachi. [F]HOSSFELD, F. SBS 211: 2007 ⇒69. 61-68.

5234 *Himbaza, Innocent* Malachia. Guida...all'AT. 2007 ⇒506. 437-442.

5235 *Kessler, Rainer* Strukturen der Kommunikation in Maleachi. [F]HARDMEIER, C. ABIG 28: 2007 ⇒62. 232-244 [Mal 1,2-5].

5236 *Utzschneider, Helmut* Die Schriftprophetie und die Frage nach dem Ende der Prophetie: Überlegungen anhand von Mal 1,6-2,16. Gottes Vorstellung. BWANT 175: 2007 <1992> ⇒336. 120-133.

5237 *Miller, David M.* The messenger, the Lord, and the coming judgement in the reception history of Malachi 3. NTS 53 (2007) 1-16.

5238 *Lauber, Stephan* Das Buch Maleachi als literarische Fortschreibung von Sacharja?: eine Stichprobe. Bib. 88 (2007) 214-221 [3,13-21].

5239   *Snyman, Fanie* Suffering in post-exilic times–investigating Mal 3:13-24 and Psalm 1. OTEs 20 (2007) 786-797.
5240   *Himbaza, Innocent* La finale de Malachie sur Elie (Ml 3,23-24): son influence sur le livre de Malachie et son impact sur la litterature posterieure. Un carrefour. OBO 233: 2007 ⇒515. 21-44.
5241   *Reeder, Caryn A.* Malachi 3:24 and the eschatological restoration of the "family". CBQ 69 (2007) 695-709.

VIII. NT Exegesis generalis

F1.1 New Testament introduction

5242   **Black, C. Clifton; Smith, D. Moody; Spivey, Robert A.** Anatomy of the New Testament: a guide to its structure and meaning. Upper Saddle River, NJ ⁶2006, Prentice H. xxix; 499 pp. $57.33. 01318-97-039. ᴿRBLit (2007)* (*Trobisch, David; Collins, Matthew*).
5243   ᴱ**Borghi, Ernesto; Petraglio, R.** La fede attraverso l'amore: introduzione alla lettura del Nuovo Testamento. Nuove vie dell'esegesi: 2006 ⇒22,701. ᴿRivBib 55 (2007) 509-510 (*Mela, Roberto*).
5244   **Boxall, Ian** SCM studyguide to New Testament interpretation. Norwich 2007, SCM 217 pp. £15. 9780-334-040484. Bibl.
5245   **Broer, Ingo** Einleitung in das Neue Testament: Studienausgabe. Wü 2006 <1998-2001>, Echter 731 pp. €27.80. 978-34290-28466.
5246   *Cairoli, Marco* Introduzioni al Nuovo Testamento. Orientamenti bibliografici 29 (2007) 8-10.
5247   **Carson, D.A.; Moo, Douglas J.** An introduction to the New Testament. ²2005 <1992> ⇒21,5141. ᴿMissTod 9/1 (2007) 73-74 (*Varickasseril, Jose*); SNTU.A 32 (2007) 274-275 (*Fuchs, Albert*); RBLit (2007) 328-331 (*Heil, John P.*);
5248   Introduction au Nouveau Testament. ᵀ*Paya, Christophe* Cléon d'Andran 2007, Excelsis 784 pp. €40. 978-27550-00481.
5249   **Cousar, Charles B.** An introduction to the New Testament. 2006 ⇒ 22,5030. ᴿRBLit (2007)* (*Carey, Greg*).
5250   **Encinas Martín, Alfredo** El ABC del NuevoTestamento. Entorno al Nuevo Testamento 23: Córdoba 2007, Almendro 208 pp.
5251   **Heckel, Ulrich; Pokorný, Petr** Einleitung in das Neue Testament: seine Literatur und Theologie im Überblick. UTB 2798: Tü 2007, Mohr S. xxix; 795 pp. €39.90. 978-3-16-148011-9.
5252   **Holladay, Carl** A critical introduction to the New Testament: interpreting the message and meaning of Jesus Christ. 2005 ⇒21,5146; 22,5035. ᴿTheol. 110 (2007) 200-201 (*Harvey, A.E.*); RBLit (2007) 301-305 (*Van der Watt, Jan*).
5253   **Kee, Howard C.** The beginnings of christianity: an introduction to the New Testament. 2005 ⇒21,5147. ᴿTheol. 110 (2007) 40-41 (*Bird, Michael*); CBQ 69 (2007) 152-153 (*Carter, Warren*); RBLit (2007)* (*Rothschild, Clare K.*).
5254   **Kelly, Joseph F.** An introduction to the New Testament for catholics. 2006 ⇒22,5036. ᴿRBLit (2007)* (*Judge, Peter J.*).
5255   **La Gioia, Fabio** Comprendere il Nuovo Testamento: itinerario di lettura e interpretazione. R 2007, AdP 252 pp. 978-88-7357-428-6.

5256 **Loader, William** The New Testament with imagination: a fresh approach to its writings and themes. GR 2007, Eerdmans x; 206 pp. $16. 978-08082-27463. Bibl. [BiTod 45,394—Donald Senior].

5257 [E]**Neudorfer, Heinz-W.; Schnabel, Eckhard J.** Das Studium des Neuen Testaments: Einführung in die Methoden der Exegese. TVG: 2006 ⇒22,451. [R]SNTU.A 32 (2007) 276-279 (*Fuchs, Albert*).

5258 **Piñero, Antonio; Peláez del Rosal, Jesús** The study of the New Testament. [T]*Orton, David E.; Ellingworth, Paul* 2003 ⇒19,5134... 21,5150. [R]BiTr 58 (2007) 53-56 (*Wong, Simon*).

5259 **Pistone, Rosario** Il Nuovo Testamento: linee introduttive. N 2006, EDI 256 pp. €15.

5260 **Rolland, Philippe** Et le Verbe s'est fait chair: introduction au Nouveau Testament. 2005 ⇒21,5151. [R]NRTh 129 (2007) 471-472 (*Radermakers, J.*).

5261 **Schnelle, Udo** Einleitung in das Neue Testament. UTB 1830: Gö [6]2007 <1994>, Vandenhoeck & R. 607 pp. €30.90. 978382-5218300.

5262 **Theissen, Gerd** O Novo Testamento. [T]*Pereira, Carlos A.* Petrópolis 2007, Vozes 149 pp.

F1.2 *Origo Evangeliorum*, the origin of the Gospels

5263 **Beaude, Pierre M.** O que é o evangelho?. Fatima 2007, Difusora Bíblica 72 pp.

5264 **Bowersock, Glenn W.** Le mentir-vrai dans l'antiquité: la littérature païenne et les évangiles. [T]*Dauzat, Pierre-E.* P 2007, Bayard 201 pp. €24. 978-22274-72303.

5265 **Burridge, Richard A.** Four gospels, one Jesus?: a symbolic reading. [2]2005 <1994> ⇒21,5163. [R]VJTR 71 (2007) 796-798 (*Gonsalves, Francis*).

5266 **Fischer, G.** Christlich-evangelische Neugründung: die Neugründung der Evangelien in der Naturwissenschaft oder im Raum zur vierten Dimension. Dresden 2007, Gute Hirte 272 pp. €24. 3-933833-143.

5267 *Koester, Helmut* The story of Jesus and the gospels;

5268 From the kerygma-gospel to written gospels. From Jesus to the gospels <1989>. 2007 ⇒256. 235-250/54-71.

5269 *Leinhäupl-Wilke, Andreas* Lebendige Erinnerung: Evangelien als Erzähltexte. BiKi 62 (2007) 142-144;

5270 Erzähltextanalyse der neutestamentlichen Evangelien. BiKi 62 (2007) 180-184.

5271 **Richards, Hubert** The four gospels–an introduction. Great Wakering, UK 2007, McCrimmons 64 pp. £5. 978-08559-76897.

5272 *Riesner, Rainer* Die Rückkehr der Augenzeugen: eine neue Entwicklung in der Evangelienforschung. ThBeitr 38 (2007) 337-352.

5273 *Schröter, Jens* Anfänge der Jesusüberlieferung: überlieferungsgeschichtliche Beobachtungen zu einem Bereich urchristlicher Theologiegeschichte. Von Jesus zum NT. WUNT 204: 2007 <2004> ⇒312. 81-104.

5274 *Smith, J.M.* Genre, sub-genre and questions of audience: a proposed typology for Greco-Roman biography. JGRChJ 4 (2007) 184-216.

5275 **Strauss, Mark** Four portraits–one Jesus: an introduction to Jesus and the gospels. GR 2007, Zondervan 560 pp. $45. 978-03102-26970.

5276 *Swanson, R.W.* What is a gospel?. LTJ 41 (2007) 58-69.

F1.3 **Historicitas**, *chronologia* **Evangeliorum**

5277 **Bauckham, Richard** Jesus and the eyewitnesses. 2006 ⇒22,181.
ᴿScrB 37 (2007) 105-107 (*Lapham, Fred*); RHPhR 87 (2007) 228-
230 (*Grappe, C.*); ThLZ 132 (2007) 1067-1069 (*Baum, Armin D.*);
WThJ 69 (2007) 413-417 (*Kruger, Michael J.*); RB 114 (2007) 621-
630 (*Murphy-O'Connor, Jerome*); RBLit (2007)* (*Tuckett, Christo-
pher*); PJBR 6/2 (2007) 135-159 (*MacAdam, H.I.*).
5278 **Blomberg, Craig L.** The historical reliability of the gospels. DG
²2007, InterVarsity 416 pp. $24. 978-08308-28074. Bibl. 337-393.
5279 **Need, Stephen W.** The gospels today: challenging readings of John,
Mark, Luke and Matthew. Essential Inquiries 2: NY 2007, Cowley
viii; 135 pp. $16. 978-15610-12978. Bibl. 123-128.
5280 **Sturdy, John** Redrawing the boundaries: the date of early christian
literature. ᴱ*Knight, Jonathan*; Ment. *Robinson, John A.T.* L 2007,
Equinox xiii; 164 pp. 978-1-84553-302-1. Bibl. 113-145.

F1.4 *Jesus historicus*—**The human Jesus**

5281 **Adinolfi, Marco** Gesù di Nazaret, ecco l'uomo. Novi Ligure 2007,
Convento Francescano 99 pp. Bibl.
5282 *Amphoux, Christian-Bernard* Le problème de la vie de Jésus. "Dieu
parle". Histoire du texte biblique 7: 2007 ⇒556. 123-144.
5283 *Angelini, Giuseppe* 'In testimonianza per loro': Gesù chiede la testi-
monianza, e la istruisce. RCI 88 (2007) 440-453.
5284 *Arav, Rami* The archaeology of Bethsaida and the historical Jesus
quest. ᶠMEYERS, E. AASOR 60/61: 2007 ⇒106. 317-331.
5285 **Augias, Corrado; Pesce, Mauro** Inchiesta su Gesù: chi era l'uomo
che ha cambiato il mondo?. ¹²2006 ⇒22,5070. ᴿATT 13/1 (2007)
205-213 (*Ghiberti, Giuseppe*); CBQ 69 (2007) 805-707 (*Bernas, Ca-
simir*); RasIsr 73/3 (2007) 117-123 (*De Rossi, Filippo*); StPat 54
(2007) 435-460 (*Barbaglia, Silvio*).
5286 *Álvarez Cineira, David* Los eruditos ante Jesús de Nazaret: ¿inve-
stigación o demagogia?. SalTer 95 (2007) 577-588.
5287 *Álvarez Valdés, Ariel* ¿Dónde nació Jesús?. RF 256 (2007) 305-312.
5288 *Barbaglio, Giuseppe* Gesù e l'uso delle scritture. RstB 19/2 (2007)
127-152.
5289 **Beavis, Mary A.** Jesus and utopia: looking for the kingdom of God
in the Roman world. 2006 ⇒22,5075. ᴿBiCT 3/2 (2007)* (*Jorgen-
sen, Darren*); SR 36 (2007) 592-593 (*Friesen, Michael*); TJT 23
(2007) 183-184 (*Batten, Alicia*); RBLit (2007)* (*Carter, Warren*).
5290 **Berger, Klaus** Gesù. ᴱ*Fabris, Rinaldo*; ᵀ*Bologna, Anna* 2006 ⇒22,
5077. ᴿActBib 44/1 (2007) 73-74 (*Boada, J.*); RTE 11/1 (2007) 293-
296 (*Pieri, Francesco*).
5291 **Biser, Eugen** Der Lebensweg Jesu: eine Meditation. Dü 2007,
Patmos 151 pp. 978-3-491-70406-0.
5292 **Blanton, Ward** Displacing christian origins: philosophy, secularity,
and the New Testament. Religion and Postmodernism: Ch 2007,
Univ. of Chicago 240 pp. $22.50. 978-02260-56906.
5293 **Borg, Markus J.; Wright, N. Tom** Quale Gesù?: due letture. T
2007, Claudiana 319 pp. €25.

5294 **Boyd, Gregory A.; Eddy, Paul R.** The Jesus legend: a case for the historical reliability of the synoptic Jesus tradition. GR 2007, Baker 479 pp. $25. 978-08010-31144. Bibl. [BiTod 46,62–Donald Senior].

5295 **Boyer, Chrystian** Jésus contre le temple?: analyse socio-historique des textes. Héritage et projet 68: 2005 ⇒21,5197; 22,5087. ᴿCBQ 69 (2007) 143-144 (*Racine, Jean-François*).

5296 **Bruce, Frederick F.; Güting, Eberhard** Ausserbiblische Zeugnisse über Jesus und das frühe Christentum: einschliesslich des apokryphen Judasevangeliums. ᵀ*Geitz, J.; Güting, E.; Volkert, J.* TGV Monographien und Studienbücher 366: Giessen ⁵2007, Brunnen 223 pp. €25. 978-3-7655-9366-6.

5297 *Buttrick, David G.* The language of Jesus. ThTo 64 (2007) 423-444.

5298 **Camino, E.** Ven y verás la extraordinaria figura de Jesús. M 2007, Palabra 190 pp.

5299 **Carver, Stephen S.** The ungospel: the life and teachings of the historical Jesus. Eugene, Ore. 2004, Wipf & S. ix; 285 pp. $29. 15924-46809. ᴿRBLit (2007) 350-353 (*Botha, Pieter J.J.*).

5300 *Casey, Maurice* Prophetic identity and conflict in the historic ministry of Jesus. ᶠHURTADO, L. & SEGAL, A.. 2007 ⇒71. 121-134.

5301 **Catchpole, David** Jesus people: the historical Jesus and the beginnings of community. 2006 ⇒22,5093. ᴿRHPhR 87 (2007) 231-232 (*Grappe, C.*); TJT 23 (2007) 187-189 (*Choi, Agnes*).

5302 *Cattaneo, Enrico* Il Nuovo Testamento come "memoria di Gesù". RdT 48 (2007) 617-634.

5303 *Claussen, Carsten* Vom historischen zum erinnerten Jesus: der erinnerte Jesus als neues Paradigma der Jesusforschung. ZNT 10/20 (2007) 2-17.

5304 *Colzani, Gianni* Il volto, i volti e la storia. RCI 88 (2007) 749-765.

5305 *Crossan, John D.* The message of the historical Jesus and contemporary American imperialism. RTE 11 (2007) 395-406;

5306 The relationship between Galilean archaeology and historical Jesus research. ᶠMEYERS, E. AASOR 60/61: 2007 ⇒106. 151-162.

5307 **Crossan, John D.; Reed, Jonathan L.** Em busca de Jesus: debaixo das pedras, atrás dos textos. ᵀ*Maraschin, Jaci* Bíblia e arqueologia: São Paulo 2007, Paulinas 327 pp. 978-85356-20139.

5308 *De Rosa, Giuseppe* Dai vangeli a Gesù. CivCatt 158/24 (2007) 528-540.

5309 **Delhez, Charles** Jésus, qui est-il?... et 62 autres questions. Namur 2007, Fidélité 144 pp. €17.

5310 *Díaz Mateos, Manuel* Jesús, revolución y revelación de lo sagrado. Páginas 32/206 (2007) 52-69.

5311 **Dodd, Charles H.** Il fondatore del cristianesimo. Leumann (TO) ⁷2007, Elledici 199 pp. €12.

5312 *Dugan, J.* Jesus and trust. Priscilla Papers [Mp] 21/4 (2007) 19-27.

5313 **Dunn, James D.G.** Gli albori del cristianesimo, 1: la memoria di Gesù. 2006 ⇒22,5110. ᴿRivBib 55 (2007) 499-504 (*Jossa, Giorgio*);

5314 Jesus remembered. Christianity in the making 1: 2003 ⇒19,5206... 22,5108. ᴿVJTR 71 (2007) 389-390 (*Amaladoss, M.*);

5315 The new perspective on Jesus: what the quest for the historical Jesus missed. 2005 ⇒21,5217; 22,5109. ᴿPerTeol 39 (2007) 281-282 (*Konings, Johan*);

5316 Redescubrir a Jesús de Nazaret: lo que la investigación sobre el Jesús histórico ha olvidado. 2006 ⇒22,5111. ᴿCTom 134 (2007) 435-436

(*Huarte Osácar, Juan*); Cart. 23 (2007) 233-234 (*Martínez Fresne-da, F.*).

5317 *Dunn, James D.G.* Remembering Jesus. ZNT 10/20 (2007) 54-59.;

5318 Remembering Jesus: how the quest of the historical Jesus lost its way. RTE 11 (2007) 433-456;

5319 Social memory and the oral Jesus tradition. Memory in the bible. WUNT 212: 2007 ⇒764. 179-194.

5320 ^E**Dunn, James D.G.; McKnight, Scot** The historical Jesus in recent research. 2005 ⇒21,379; 22,379. ^RThTo 64/1 (2007) 96, 99 (*Johnson, Luke T.*).

5321 *Dunn, James D.G.; Schröter, Jens* Gemeinsames Statement von James D.G. Dunn und Jens Schröter: der "erinnerte" und der "historische" Jesus. ZNT 10/20 (2007) 60-61.

5322 **Duquesne, Jacques** The Messiah: an illustrated biography of Jesus Christ. P 2007, Flammarion 186 pp. 978-2-08-030017-1.

5323 *Durante Mangoni, Maria B.; Garribba, Dario* L'identità messianica di Gesù: un'indagine storiografica. RivBib 55 (2007) 63-70.

5324 **Ebner, Martin** Jesus von Nazaret: was wir von ihm wissen können. Stu 2007, Katholisches Bibelwerk 255 pp. 978-3-460-33178-5.

5325 **Edwards, James R.** Is Jesus the only savior?. 2005 ⇒21,5220; 22,5113. ^RTheol. 110 (2007) 293-294 (*Grumett, David*); Cart. 23 (2007) 522-523 (*Sanz Valdivieso, R.*).

5326 *Erlemann, Kurt* Der erinnerte Jesus als Begründer des Christentums?: Einleitung zur Kontroverse. ZNT 10/20 (2007) 46.

5327 **Evans, Craig A.** El Jesús deformado: como algunos estudiosos modernos tergiversan los evangelios. ^T*Díez Aragón, Ramón A.* Presencia teológica 161: Sdr 2007, Sal Terrae 300 pp. 978-84293-17305.

5328 **Falsini, Rinaldo** Parole come pietre: i detti scandalosi di Gesù. Le àncore: Mi ²2007 <1976>, Ancora 144 pp. €11.

5329 **Fatoohi, Louay** The mystery of the historical Jesus: the Messiah in the Qur'an, the bible and historical sources. Birmngham, UK 2007, Luna Plena 557 pp. £15.49. 978-19063-42012.

5330 **Fernández Eyzaguirre, Samuel** Jesús: los orígenes históricos del cristianismo desde el año 28 al 48 d.C. Santiago 2007, Univ. Católica de Chile 272 pp.

5331 **Fiensy, David A.** Jesus the Galilean: soundings in a first century life. Piscataway, NJ 2007, Gorgias xxi; 270 pp. $89. 978-15933-33133.

5332 **Filgueiras, Tarcisio** Ensaio sobre Jesus: revelando o homem. 2006 ⇒22,5119. ^RPerTeol 39/1 (2007) 132-133 (*Andrade, Aíla L.P. de*).

5333 **Freyne, Seán** Jesus, a Jewish Galilean: a new reading of the Jesus-story. 2004 ⇒20,4941... 22,5125. ^RBiblInterp 15 (2007) 114-115 (*Haas, Peter*).

5334 *Garuti, P.* Gesù di Nazareth al vaglio della storiografia moderna. Memorie scientifiche, giuridiche... [Modena] 10/1 (2007) 173-194.

5335 **Giri, Jacques** Les nouvelles hypothèses sur les origines du christianisme: enquêtes sur les recherches récentes. P 2007, Karthala 310 pp.

5336 *Godzieba, Anthony J.* From "Vita Christi" to "Marginal Jew": the life of Jesus as criterion of reform in pre-critical and post-critical quests. LouvSt 32 (2007) 111-133.

5337 **Gowler, David B.** What are they saying about the Historical Jesus?. NY 2007, Paulist 190 pp $15. 978-08091-44457. ^RIncW 1 (2007) 587-590 (*Bejarano, Walter J.*); RBLit (2007)* (*Marshall, Mary J.*).

5338 *Greeve Davaney, Sheila* The outsideless life: historicism, theology and the quest for Jesus. LouvSt 32 (2007) 81-110.

5339 **Gregg, Brian H.** The historical Jesus and the final judgment sayings in Q. WUNT 2/207: 2006 ⇒22,5129. [R]JThS 58 (2007) 626-628 (*Tuckett, Christopher*); RBLit (2007)* (*Verheyden, Joseph*).

5340 *Gronchi, Maurizio* Conoscenza segreta e storia di Gesù: a cofronto con Il Codice da Vinci e il Vangelo di Giuda. Asp. 54/1 (2007) 69-84.

5341 *Haar, S.* Historical Jesus studies: a fertile or a futile quest?. LTJ 41 (2007) 27-36.

5342 *Häfner, Gerd* Das Ende der Kriterien?: Jesusforschung angesichts der geschichtstheoretischen Diskussion. Historiographie. BThSt 86: 2007 ⇒358. 97-130.

5343 *Hengel, Martin* Jesus and the Zealots <1969> ⇒247. 194-204;

5344 Jesus und die Tora <1978> ⇒247. 352-374;

5345 Jesuszeugnisse außerhalb der Evangelien <2004>, ⇒247. 683-701;

5346 War Jesus Revolutionär? <1970>. Jesus und die Evangelien. WUNT 211: 2007 ⇒247. 217-244.

5347 *Herzog, William R.* Warum die ländliche Bevölkerung Jesus folgte. Sozialgeschichte, 1. 2007 ⇒450. 63-88;

5348 Jesus–God in deeds and words. RTE 11 (2007) 407-431.

5349 **Herzog, William R., II** Prophet and teacher: an introduction to the historical Jesus. 2005 ⇒21,5245; 22,5138. [R]Theol. 110 (2007) 202-204 (*Crossley, James G.*).

5350 *Hodges, Zane C.* The spirit of antichrist: decoupling Jesus from the Christ. Journal of the Grace Evangelical Society 20/39 (2007) 37-46.

5351 **Houlden, J.L.** Jesus: a question of identity. 2006 ⇒22,5140. [R]RBLit (2007)* (*Syreeni, Kari*).

5352 *Houlden, Leslie* What did Jesus do and teach?. Decoding early christianity. 2007 ⇒595. 1-15.

5353 *Hørning Jensen, Morten* Herod Antipas in Galilee: friend or foe of the historical Jesus?. Ment. *Josephus* JSHJ 5 (2007) 7-32.

5354 *Innes MacAdam, Henry* Lectio difficilior. Richard Bauckham and the development of the gospel tradition. PJBR 6 (2007) 135-159.

5355 *Jossa, Giorgio* Da Gesù alla comunità primitiva: Dn 7,13-14 e Sal 110,1. RstB 19/2 (2007) 153-162.

5356 **Jossa, Giorgio** Gesù messia?: un dilemma storico. Frecce 23: 2006 ⇒22,5144. [R]Teol(Br) 32 (2007) 423-425 (*Manzi, Franco*); Henoch 29 (2007) 383-386 (*Garribba, Dario*).

5357 *Karlic, Ivan* Aktualne teme suvremene kristologije. BoSm 77 (2007) 679-694. **Croatian**.

5358 *Kähler, Martin* Der sogenannte historische Jesus und der geschichtliche, biblische Christus (1892). Grundtexte. 2007 ⇒588. 54-59.

5359 *Koester, Helmut* The extracanonical sayings of the Lord as products of the christian community. <1988> ⇒256. 84-99;

5360 The historical Jesus and his sayings ⇒256. 264-284;

5361 The historical Jesus and the cult of the Kyrios. <1995> 225-234;

5362 Jesus the victim. From Jesus to the gospels <1992>. 2007 ⇒256. 199-210.

5363 *Lampe, Peter* Jesu DNS-Spuren in einem Ossuar und in einem Massengrab seine Gebeine?: von medialer Pseudowissenschaft und zuweilen unsachgemäßen Expertenreaktionen. ZNT 10/19 (2007) 72-76.

5364 *Le Donne, Anthony* Theological memory distortion in the Jesus tradi-
      tion: a study in social memory theory. Memory in the bible. WUNT
      212: 2007 ⇒764. 163-177.
5365 **Leloup, Jean-Yves** Judas e Jesus: duas faces de uma única revela-
      ção. ᵀ*Guise, Karin A. de* UNIPAZ: Petrópolis 2007, Vozes 192 pp.
      R$12.
5366 *Léna, M.* Jésus Christ, l'homme sans ressentiment. Christus 216
      (2007) 432-438.
5367 *Lindemann, Andreas* "Wenn Zeit wäre für drei exegetische Bücher":
      Empfehlungen zeitgenössischer neutestamentlicher Literatur. Prakti-
      sche Theologie 42/2 (2007) 123-126.
5368 *Loader, William* Sexuality and the historical Jesus. Jesus from Juda-
      ism. LNTS 352: 2007 ⇒448. 34-48.
5369 *Longenecker, Bruce W.* Good news to the poor: Jesus, Paul, and Jeru-
      salem. Jesus and Paul reconnected. 2007 ⇒523. 37-65 [Mt 11,4-5;
      Acts 20,35].
5370 *Luciani, Rafael* Seguidores y discípulos del reino en la praxis frater-
      na del Jesús histórico: un maestro y muchos hermanos. Iter 18/42-43
      (2007) 161-207.
5371 **Lutzer, Erwin W.** Slandering Jesus. Carol Stream, IL 2007, Tyndale
      House 156 pp. $15.
5372 **Marguerat, Daniel**, *al.*, Jésus, complément d'enquête. MoBi: P
      2007, Bayard 160 pp. €18. 22274-76875.
5373 *Marsh, Clive* Why the quest for Jesus can never only be historical:
      explorations in cultural christology. LouvSt 32 (2007) 164-181.
5374 *Martin, Gerhard M.* Annäherungen an Jesus 2: bibliodramatisch.
      Praktische Theologie 42/2 (2007) 117-122.
5375 *Martin, William J.* Who do men say that I am?. HPR 107/4 (2007)
      51-55.
5376 **Martínez Fresneda, Francisco** Jesús de Nazaret. 2005 ⇒21,5279;
      22,5163. ᴿTS 68 (2007) 175 (*Thiede, John*).
5377 *McGrath, James* Was Jesus illegitimate?: the evidence of his social
      interactions. JSHJ 5 (2007) 81-100.
5378 **Meier, John P.** Un certain juif Jésus: les données de l'histoire, 1-3.
      ᵀ*Degorce, Jean-Bernard; Ehlinger, Charles; Lucas, Noël* 2005 ⇒21,
      5288s; 22,5166. ᴿETR 82 (2007) 274-277 (*Gloor, Daniel A.*); MSR
      64/4 (2007) 61-64 (*Cannuyer, Christian*); EstB 65 (2007) 548-550
      (*Sen, Felipe*);
5379 2-3. ᴿNRTh 129 (2007) 457-8 (*Radermakers, J.*);
5380 3: ᴿChoisir 565 (2007) 36-39 (*Haenni, Dominique*); EeV 117/167
      (2007) 23-24 (*Cothenet, Edouard*);
5381 Un ebreo marginale: ripensare il Gesù storico, 2: mentore, messagio e
      miracoli. ᵀ*Nepi, Antonio; Ferrari, Laura; Gatti, Enzo;* ᴱ*Dalla Vec-*
      chia, Flavio BTCon 120: Brescia ³2007 <2002>, Queriniana 1338
      pp. €99.50. 978-88399-0420-1;
5382 3: compagni e antagonisti. ᵀ*De Santis, Luca; Ferrari, Laura;* ᴱ*Dalla*
      Vecchia, Flavio BTCon 125: Brescia ²2007 <2003>, Queriniana 723
      pp. €65. 978-88399-04256.
5383 *Merrigan, Terrence* Faith in the quest: the relevance of the first and
      third quests to the understanding of the "Christ-event". LouvSt 32
      (2007) 153-163.
5384 *Miller, E.* Who do your books say that I am. ChristToday 51/6 (2007)
      38-41.

5385 *Miquel, Esther* Jesús y las prostitutas. ResB 54 (2007) 35-43 [Mt 21, 31-32].

5386 **Miranda, Americo** I sentimenti di Gesù: i *verba affectuum* dei vangeli nel loro contesto lessicale. CSB 49: 2006 ⇒22,5171. ᴿTeol(M) 32 (2007) 254-255 (*Segalla, Giuseppe*); Sal. 69 (2007) 780 (*Buzzetti, Carlo*); CivCatt 158/4 (2007) 305-306 (*Scaiola, D.*).

5387 **Montes Peral, Luis Á.** Jesús orante: la oración trinitaria de Jesús. 2006 ⇒22,5172. ᴿCTom 134 (2007) 446-447 (*Cos, Julián de*).

5388 **Montserrat Torrents, José** Jesús, el galileo armado: historia laica de Jesús. M 2007, Edaf 202 pp. ᴿRCatT 32 (2007) 463-464 (*Borrell, Agustí*).

5389 *Morrison, Glenn* Walter KASPER's religious quest for Jesus Christ. IThQ 72 (2007) 274-294.

5390 *Mortenson, T.* Jesus, evangelical scholars, and the age of the earth. MSJ 18 (2007) 69-98.

5391 **Murphy-O'Connor, Jerome** Jesus and Paul: parallel lives. ColMn 2007, Liturgical x; 121 pp. $15 [BiTod 45,334—Donald Senior].

5392 *Need, Stephen* Who were the disciples?. Decoding early christianity. 2007 ⇒595. 17-30.

5393 *Neri, Marcello* La *Third quest* sul Gesù storico e la teologia sistematica: alcune glosse sulla questione. RTE 11 (2007) 357-394.

5394 **Neufeld, Thomas R.** Recovering Jesus: the witness of the New Testament. Boston, MA 2007, Beacon 336 pp. £13. 978-1-587-43202-6. Bibl.

5395 **Niemand, Christoph** Jesus und sein Weg zum Kreuz: ein historischrekonstruktives und theologisches Modellbild. Stu 2007, Kohlhammer 544 pp. 978-3-17-019702-2.

5396 *Nisslmüller, Thomas* Jesusbilder: mediale Bedingungen der Erinnerung. ZNT 10/20 (2007) 62-72.

5397 **Nürnberger, Christian** Jesus für Zweifler. Gü 2007, Gü 272 pp. 97-8-3-579-06967-8.

5398 *Okoye, James C.* Jesus and the Jesus Seminar. NewTR 20/2 (2007) 27-37.

5399 **Onuki, Takashi** Jesus: Geschichte und Gegenwart. BThSt 82: 2006 ⇒22,5180. ᴿActBib 44/1 (2007) 67-68 (*Boada, J.*); JETh 21 (2007) 306-309 (*Schnabel, Eckhard*).

5400 **Pagola, José A.** Jesús: approximación histórica. M 2007, PPC 539 pp. ᴿRCatT 32 (2007) 460-462 (*Claustre Solé, Maria*).

5401 *Panhofer, Johannes* Jesus, der Heiland: bibeltheologische und tiefenpsychologische Zugänge zu einer vernachlässigten Dimension des christlichen Glaubens. Jesus. theologische trends 16: 2007⇒782. 187-219.

5402 *Parappally, Jacob* Jesus' way of being human: a challenge to authentic human unfolding through inter-relationships. JPJRS 10/2 (2007) 16-25.

5403 *Pardo, José Javier* Jesús y el perdón: acercamiento bíblico a la reconciliación social. SalTer 95/1 (2007) 5-16.

5404 *Pasierbek, Wit* Jezus jako wychowawca do świętości [Jésus en tant que précepteur à la sainteté]. AtK 149 (2007) 214-226 [Hebr 4,15].

5405 **Pellegrini, Silvia** War Jesus tolerant?: Antworten aus der frühen Jesusüberlieferung. SBS 212: Stu 2007, Kathol. Bibelwerk 133 pp. 97-8-3-460-03124-1. Bibl. 119-130 [Mt 5,38-42; 7,1-2; 13,24-30; 17,24-27; Lk 23,34].

5406   *Penna, Romano* La fede di Gesù e le scritture di Israele. RdT 48
       (2007) 5-17.
5407   ^T**Pezzuoli, Flaminio G.** Gesù nei vangeli. R 2007, Pro Sanctitate 233
       pp. 978-88-73960-91-1.
5408   *Poorthuis, Marcel* De taal die Jezus sprak. ITBT 15/2 (2007) 17-18.
5409   **Porter, J.R.** Jesus Christ: the Jesus of history, the Christ of faith. NY
       2007, OUP 240 pp. $21.50. 150 col. pl. [BiTod 45,335–D. Senior].
5410   *Price, R.M.* Dubious database: second thoughts on the red and pink
       materials of the Jesus Seminar. CSER Review [Amherst, NY] 1/2
       (2007) 19-27.
5411   *Prusak, Bernard P.* Reconsidering the quest boundaries in response
       to N.T. Wright: SCHILLEBEECKX's "Jesus" as dawning third quest?.
       LouvSt 32 (2007) 134-152.
5412   **Puig, Armand** Jesús: una biografía. 2006 ⇒22,5190. ^RTeol. 44/1
       (2007) 205-212 (*Rivas, Luis Heriberto*);
5413   Gesù: la risposta agli enigmi. Guida alla bibbia: CinB 2007, San Pao-
       lo 808 pp. €38. 978-88215-60033. Pref. *A. Riccardi*.
5414   *Radermakers, Jean* Goût d'évangile et quête de Jésus: à propos
       d'ouvrages récents. NRTh 129 (2007) 447-456.
5415   **Reed, Jonathan** El Jesús de Galilea: aportaciones desde la arqueolo-
       gía. ^T*Valiente Malla, Jesús* Biblioteca EstB, minor 7: 2006 ⇒22,
       5197. ^REstB 65 (2007) 207-208 (*Bernabé, Carmen*).
5416   **Robinson, James M.** Jesus und die Suche nach dem ursprünglichen
       Evangelium. Gö 2007, Vandenhoeck & R. 229 pp. €24.90. 978-3-52-
       5-57307-5.
5417   *Robinson, James M.* What Jesus had to say. Jesus: according to the
       earliest witness. 2007 <2002> ⇒301. 141-143;
5418   Methodological prolegomena to the Jesus Project. CSER Review
       [Amherst, NY] 1/2 (2007) 28-31.
5419   **Rojo Martín, Mónica** La sonrisa de Jesús. M 2007, Rialp 130 pp.
5420   **Roloff, Jürgen** Jesus. Beck'sche Reihe 2142: Mü ⁴2007, Beck 126
       pp. 978-3-406-44742-6. 4.
5421   **Roukema, Riemer** Jezus, de gnosis en het dogma. Zoetermeer 2007,
       Meinema 296 pp. €21.50. 978-90211-41688.
5422   **Schlosser, Jacques** Jesús, el profeta de Galilea. 2005 ⇒21,5332.
       ^RSalTer 95 (2007) 273-274 (*Cos, Julián de*).
5423   **Schouten, Jan P.** Jezus als goeroe: het beeld van Jezus Christus
       onder hindoes en christenen in India. 2006 ⇒22,5211. ^RKeTh 58
       (2007) 276-280 (*Bakker, Freek L.*).
5424   *Schröter, Jens* Annäherungen an Jesus 1: exegetisch-historisch.
       Praktische Theologie 42/2 (2007) 111-116;
5425   Der erinnerte Jesus als Begründer des Christentums?: Bemerkungen
       zu James D.G. Dunns Ansatz in der Jesusforschung. ZNT 10/20
       (2007) 47-53.
5426   **Schröter, Jens** Jesus von Nazaret: Jude aus Galiläa, Retter der Welt.
       Biblische Gestalten 15: 2006, ⇒22,5215. ^RThPQ 155 (2007) 201-
       203 (*Niemand, Christoph*); ThRv 103 (2007) 460-462 (*Schreiber,
       Stefan*).
5427   *Schröter, Jens* Von der Historizität der Evangelien: ein Beitrag zur
       gegenwärtigen Diskussion um den historischen Jesus. Von Jesus zum
       NT. WUNT 204: 2007 <2002> ⇒312. 105-146.
5428   **Seccombe, David** The King of God's kingdom: a solution to the puz-
       zle of Jesus. 2002 ⇒20,5026. ^REvangel 25/1 (2007) 23-5 (*Stenschke,
       Christoph*).

5429 *Segalla, Giuseppe* Il mondo affettivo di Gesù e la sua identità perso-
nale. StPat 54 (2007) 89-133.

5430 *Shanks, Hershel* "The tomb of Jesus"–my take: the backlash from
believers is understandable, but why were scholars so outraged?.
BArR 33/4 (2007) 4, 72.

5431 *Siker, Jeffrey S.* Historicizing a radicalized Jesus: case studies in the
"black Christ", the "mestizo Christ", and white critique. BiblInterp 15
(2007) 26-53.

5432 *Smith, Dwight M.* Painting a portrait of Jesus. BArR 33/2 (2007) 24.

5433 **Söding, Thomas** Der Gottessohn aus Nazareth: das Menschsein Jesu
im Neuen Testament. 2006 ⇒22,5217. [R]StPat 54 (2007) 479-482
(*Segalla, Giuseppe*).

5434 *Stegemann, Wolfgang* Jüdischer Kyniker oder galiläischer From-
mer?: Forschen nach dem historischen Jesus heute. HerKorr Spezial
(2007) 6-10.

5435 *Stork, Peter* The drama of Jesus and the non-violent image of God:
Raymund Schwager's approach to the problem of divine violence.
Pacifica 20 (2007) 185-203.

5436 *Strecker, Christian* Der erinnerte Jesus aus kulturwissenschaftlicher
Perspektive. ZNT 10/20 (2007) 18-27.

5437 **Tabor, James D.** La véritable histoire de Jésus: une enquête scienti-
fique et historique sur Jésus et sa lignée. [T]*Cohen, Bernard* P 2007,
Laffont 352 pp. €20. 978-22211-06143. Ill.;

5438 The Jesus dynasty. 2006 ⇒22,5220. [R]RBLit (2007)* (*Peerbolte, Bert
J.L.*).

5439 *Tabor, J.D.* Standing in the shadow of Schweitzer: what can we say
about an apocalyptic Jesus?. CSER Review [Amherst, NY] 2/1
(2007) 8-10.

5440 **Theissen, Gerd; Merz, Annette** Il Gesù storico: un manuale.
BiBi(B) 25: Brescia [2]2007, Queriniana 808 pp. €62.

5441 **Theißen, Gerd** Der Schatten des Galiläers: eine Geschichte über
Jesus und seine Zeit [Hörbuch]. Gü 2007, Gü 2 CD-ROM. 978-3-57-
9-07601-0.

5442 *Theißen, Gerd; Merz, Annette* The delay of the parousia as a test case
for the criterion of coherence. LouvSt 32 (2007) 49-66.

5443 *Tilley, Terrence W.* Remembering the historic Jesus–a new research
program?. TS 68 (2007) 3-35.

5444 **Trudinger, Paul** A good word for Jesus: a heretic's testimony. L
2007, Open Gate 108 pp. £8. 1-871871-646. [R]DR 125 (2007) 307-
308 (*Moore, Sebastian*).

5445 *Tuñí, Oriol* La tercera investigación sobre el Jesús histórico. RF 255
(2007) 117-126.

5446 *Uríbarri, Gabino* Mirar al Jesús real. RF 256 (2007) 123-140.

5447 *Van Belle, Gilbert* The return of John to Jesus research;

5448 *Van Oyen, Geert* What more should we know about Jesus than one
hundred years ago?. LouvSt 32 (2007) 23-48/7-22.

5449 **Vidal, Senén** Jésus el Galileo. 2006 ⇒22,5229. [R]EE 82 (2007) 121-
123 (*Uríbarri, Gabino*); EstB 65 (2007) 381-384 (*Barrado, P.*).

5450 **Walker, Peter** Jesús y su mundo. [T]*García González, María Jesús*
Conocer la Historia: M 2008, San Pablo 192 pp. €10. 84285-30041.

5451 **Witherington, Ben** What have they done with Jesus?: beyond
strange theories and bad history. Oxf 2007, Monarch 342 pp. £10.
978-18542-48473.

5452 **Wörther, Matthias** Betrugssache Jesus: Michael Baigents und andere Verschwörungstheorien auf dem Prüfstand. 2006 ⇒22,5240. [R]Zeitzeichen 8/1 (2007) 63-64 (*Hurth, Elisabeth*); ActBib 44/1 (2007) 88-89.
5453 **Yoder Neufeld, Thomas R.** Recovering Jesus: the witness of the New Testament. GR 2007, Brazos 336 pp. $23. 978-15874-32026.
5454 *Zwiep, Arie W.* Jezus, geweld en politiek?. Theologisch debat 4/1 (2007) 33-36.

5455 "Jesus von Nazareth" kontrovers: Rückfragen an Joseph RATZINGER. Müns 2007, LIT 160 pp. €24. 978-3-8258-0599-9.
5456 [E]**Söding, Thomas** Das Jesus-Buch des Papstes: die Antwort der Neutestamentler. Theologie kontrovers: FrB 2007, Herder 158 pp. €9.90. 978-3-451-29716-8;
5457 Ein Weg zu Jesus: Schlüssel zu einem tieferen Verständnis des Papstbuches. FrB 2007, Herder 110 pp. €7.90. 978-34512-98691.

5458 *Albert, Hans* Josef RATZINGERs Jesusdeutung: kritische Bemerkungen zu einigen Aspekten seiner Untersuchung. "Jesus von Nazareth" kontrovers. 2007 ⇒5455. 129-141.
5459 *Backhaus, Knut* Christus-Ästhetik: der "Jesus" des Papstes zwischen Rekonstruktion und Realpräsenz. Jesus-Buch. Benedictus XVI <M> Theologie kontrovers: 2007 ⇒5456. 20-29.
5460 BENEDETTO XVI Gesù di Nazaret. [E]*Guerrino, Elio; Stampa, Ingrid* Mi 2007, Rizzoli 447 pp. 978-88170-16599. Bibl. 409-21. [R]VP 90/3 (2007) 74-80 (*Guerriero, Elio*); Orientamenti Pastorali (2007/10) 8-29 (*Castellucci, Erio*); Studium 103 (2007) 163-165 (*Ossicini, Adriano*); Sacrum Ministerium 13/2 (2007) 60-69 (*Dal Covolo, Enrico*); CoSe 61/6 (2007) 13-21 (*Amato, Angelo*); Qol(I) 127 (2007) 11-12 (*Sartorio, Marina*); RSEd 45/2 (2007) 62-7 (*Dal Covolo, Enrico*); RTE 11 (2007) 539-546 (*Castellucci, Erio*); Sacrum Ministerium 13/1 (2007) 125-127 (*Tornielli, Andrea*); Sacrum Ministerium 13/2 (2007) 131-133 (*Cassaro, Giuseppe C.M.*); Orientamenti Pastorali (2007/6) 2-9 (*Bonicelli, Gaetano*); ATT 13 (2007) 557-570 (*Segalla, Giuseppe*); Anton. 82 (2007) 415-439 (*Morales Ríos, Jorge H.*); Cultura & libri 160/161 (2007) 105-112 (*Ferrara, Giuliano*); RdT 48 (2007) 591-611 (*Gamberini, Paolo*); Cultura & libri 160/161 (2007) 113-120 (*Ravasi, Gianfranco*); Hum(B) 62 (2007) 818-821 (*Mariani, Milena*); CivCatt 158/12 (2007) 533-7 (*Martini, Carlo M.*).
5461 BENEDICT XVI Jesus of Nazareth: part 1: from the Baptism in the Jordan to the Transfiguration. [T]*Walker, Adrian* L 2007, Bloomsbury xxiv; 374 pp. £15. 978-074759-2785. Bibl. 365-74 [R]PaRe 3/5 (2007) 90-91 & America 196/20 (2007) 22-23 (*O'Collins, Gerald*); Com(US) 34 (2007) 328-334 (*Neusner, Jacob*); Com(US) 34 (2007) 438-453 (*Farkasfalvy, Denis*); IKaZ 36 (2007) 537-548 (*Tück, Jan-Heiner*); EsVe 37 (2007) 413-433 (*Botella Cubells, V.*); Com(US) 34 (2007) 454-474 (*Kereszty, Roch*); First Things 175 (2007) 49-53 (*Hays, R.B.*); Commonweal 134/13 (2007) 20-24 (*Miles, J.*); Commonweal 134/14 (2007) 8-9 (*Steinfels, P.*); BDV 84-85 (2007) 44-46 (*Martini, Carlo M.*); Fourth R 20/6 (2007) 20-22 (*Sawicki, M.*).
5462 BENEDICTO XVI Jesús de Nazaret. M 2007, Esfera de los Libros 450 pp. [R]Seminarios 53 (2007) 409-417 (*Cabiedas Tejero, Juan M.*); Proyección 54/3 (2007) 207-222 (*Béjar Bacas, Serafín*); AnVal 33

(2007) 207-216 (*Blázquez Pérez, Ricardo*); SalTer 95 (2007) 603-608 (*Uríbarri, G.*); AnVal 33 (2007) 291-303 (*Gironés Guillem, Gonzalo*); CTom 134 (2007) 571-582 (*Carballada, Ricardo de Luis*); RTLi 41 (2007) 145-180 (*Hidalgo Díaz, Pedro*); 181-200 (*Sánchez Rojas, Gustavo*); 201-26 (*Paccosi, Giovanni*); 227-34 (*Maraví Petrozzi, Alberto*); 257-66 (*Schönborn, Christoph*); 235-242 (*Chávarry García, Francisco J.*); 243-254 (*García Quesada, Alfredo*).

5463 BENEDIKT XVI Isus iz Nazareta. Split 2007, Verbum 397 pp. [R]BoSm 77 (2007) 905-910 (*Dugandžić, Ivan*). **Croatian**.

5464 BENEDIKT XVI Jesus von Nazareth: erster Teil: von der Taufe im Jordan bis zur Verklärung. FrB 2007, Herder 447 pp. €14. 978-3451-29861-5. [R]ThLZ 132 (2007) 798-800 (*Schröter, Jens*); ThRv 103 (2007) 355-362 (*Schreiber, Stefan*); ThLZ 132 (2007) 800-803 (*Niebuhr, Karl-Wilhelm*); OrthFor 21/1-2 (2007) 289-294 (*Vletsis, Athanasios*); GuL 80 (2007) 378-392 (*Schneider, Michael*); OrthFor 21/1-2 (2007) 294-296 (*Despotis, Athanasios*); ThQ 187 (2007) 157-182 (*Theobald, Michael*); US 62 (2007) 241-255 (*Wenz, Gunther*); HerKorr Spezial (2007) 2-6 (*Söding, Thomas*); BiKi 62 (2007) 185-188 (*Schwienhorst-Schönberger, Ludger*); RCatT 32 (2007) 421-433 (*Cortès, Enric*); BiKi 62 (2007) 189-192 (*Hoppe, Rudolf*); RCatT 32 (2007) 435-458 (*Raurell, Frederic*); FKTh 23 (2007) 231-234 (*Stickelbroeck, Michael*); ThPh 82 (2007) 382-391 (*Löser, Werner*); IKaZ 36 (2007) 399-407 (*Stuhlmacher, Peter*); ZeitZeichen 8/7 (2007) 16-18 (*Stegemann, W.*).

5465 BENEDIKTOS XVI Ἰησοῦς ἀπό Ναζαρέτ, Α΄ Μέρος: Ἀπό τη βάπτιση στον Ιορδάνη έως τη Μεταμόρφωση. [T]*Despotis, Sotirios* Athens 2007, Psuchogios 350 pp. [R]DBM 24 (2006) 278-282 (*Despotes, Soterios*). **G**.

5466 BENEDYKT XVI Jezus z Nazaretu: od chrztu w Jordanie do Przemienienia. [T]*Szymona, W.* Kraków 2007, "M" 303 pp. [R]PrzPow 10 (2007) 89-106 (*Pelicka, Małgorzata*). **P**.

5467 BENOÎT XVI Jésus de Nazareth, 1: du baptême dans le Jourdain à la Transfiguration. P 2007, Flammarion 406 pp. €22.50. [R]Etudes 151 (Sept. 2007) 261-264 (*Sesboüé, Bernard*); Sedes Sapientiae 25/2 (2007) 143-145 (*Pasqua, H.*); CEv 141 (2007) 129-136 (*Marchadour, Alain; Cuvillier, Elian*); LV(L) 275 (2007) 101-109 (*Duquoc, Christian*); Cath(P) 97 (2007) 138-142 (*Meeking, Basil*); Oecumenisme 168 (2007) 34-35 (*Latourelle, Renê*); Telema 131 (2007) 85-88 (*Stanila, Claudia*).

5468 BENTO XVI Jesus de Nazaré, I: do batismo no Jordáo à transfiguração. [T]*Farias, José J.F. de* São Paulo 2007, Planeta 336 pp. 978-857-66-52786.

5469 *Berger, Klaus* KANT sowie ältere protestantische Systematik: Anfragen des Exegeten an BENEDIKT XVI. "Jesus von Nazareth" kontrovers. 2007 ⇒5455. 27-40.

5470 *Ebner, Martin* Jeder Ausleger hat seine blinden Flecken. Das Jesus-Buch. Theologie kontrovers: 2007 ⇒5456. 30-42.

5471 *Franz, Albert* Der Jesus des Papstes: Anmerkungen zu Joseph RATZINGER/BENEDIKT XVI.: Jesus von Nazareth. "Jesus von Nazareth" kontrovers. 2007 ⇒5455. 49-63.

5472 *Frey, Jörg* Historisch-kanonisch-kirchlich: zum Jesusbild Joseph RATZINGERs. Das Jesus-Buch. 2007 ⇒5456. 43-53.

5473 *Gerwing, Manfred* Den Grund des Glaubens zur Sprache bringen: das Jesus-Buch des Papstes aus dogmatischer Perspektive;
5474 *Häring, Hermann* Jesus–logischer gemacht?;
5475 *Helle, Horst J.* Der Gott des Papstes: soziologische Anmerkungen zum Jesus-Buch Joseph RATZINGERs;
5476 *Holl, Adolf* Ins Leere. "Jesus von Nazareth" kontrovers. 2007 ⇒ 5455. 97-107/109-120/143-150/19-23.
5477 *Hoppe, Rudolf* Historische Rückfrage und deutende Erinnerung an Jesus: zum Jesusbuch von Joseph RATZINGER/BENEDIKT XVI.;
5478 *Kampling, Rainer* "Jede Kontroverse um des Himmels willen trägt bleibende Früchte" (Pirke Avot 5,19). Jesus-Buch. Theologie kontrovers: 2007 ⇒5456. 54-65/66-76.
5479 *Knauf, Ernst A.* Rede des auferstandenen Jesus vom Weltgebäude herab, dass Alles ganz Anders sei: aus dem Hebräischen und Aramäischen übersetzt von Ernst Axel Knauf. "Jesus von Nazareth" kontrovers. 2007 ⇒5455. 151-158.
5480 *Kreiml, Josef* Der Glaube an Jesus Christus in der Theologie BENEDIKTs XVI: zum Jesus-Buch des Papstes. KlBl 87 (2007) 213-216.
5481 *Läpple, Alfred* Das Papstbuch "Jesus von Nazareth": Ermutigung zur Schriftlesung. KlBl 87 (2007) 209-212.
5482 **Lüdemann, Gerd** Das Jesusbild des Papstes: über Joseph RATZINGERs kühnen Umgang mit den Quellen. Springe ²2007, Zu Klampen 157 pp. 978-3-86674-010-5.
5483 *März, Claus-P.* Auf der Suche nach dem Jesuanischen;
5484 *Mußner, Franz* Ein Buch der Beziehungen;
5485 *Niebuhr, Karl-W.* Der biblische Jesus Christus: zu Joseph RATZINGERs Jesus-Buch. Jesus-Buch. 2007 ⇒5456. 77-86/87-98/99-109.
5486 *Ohlig, Karl-Heinz* Der Papst schreibt ein theologisches Buch: soll er das?. "Jesus von Nazareth" kontrovers. 2007 ⇒5455. 41-47.
5487 *Plattig, Michael* Spiritualität und kritische Reflexion: "Traut nicht jedem Geist, sondern prüft die Geister, ob sie aus Gott sind!" (1 Joh 4,1). "Jesus von Nazareth" kontrovers. 2007 ⇒5455. 85-96.
5488 Pope BENEDICT XVI to write biography of Jesus. BArR 33/2 (2007) 16.
5489 *Ramfos, Stelios* A hermeneutical note to an exegetical study. DBM 25/1 (2007) 33-37. G.
5490 *Reger, Joachim* Auf dein Wort, Herr, lass uns vertrauen!: Anmerkungen zu Joseph RATZINGERs Jesusbuch. KlBl 87 (2007) 217-220.
5491 *Sänger, Dieter* Rehistorisierung der Christologie?: Anmerkungen zu einem angestrebten Paradigmenwechsel. Das Jesus-Buch. Theologie kontrovers: 2007 ⇒5456. 110-120.
5492 *Schönborn, Christoph* Der Papst auf der Agora: über einen Anspruch, den allein Gott stellen kann. "Jesus von Nazareth" kontrovers. 2007 ⇒5455. 9-17.
5493 *Schröter, Jens* Die Offenbarung der Vernunft Gottes in der Welt: zum Jesusbuch von Joseph RATZINGER. Jesus-Buch. Theologie kontrovers: 2007 ⇒5456. 121-133.
5494 *Schwienhorst-Schönberger, Ludger* Gemäß der Schrift: Altes Testament, Judentum und kanonische Exegese im Jesus-Buch von BENEDIKT XVI. HerKorr Spezial (2007) 10-14.
5495 *Söding, Thomas* Auf der Suche nach dem Antlitz des Herrn: das Jesusbuch des Papstes und seine Theologie des Wortes Gottes. Jesus-Buch. Theologie kontrovers: 2007 ⇒5456. 134-146.

5496   *Standhartinger, Angela* Der Papst und der Rabbi: Anmerkungen zum christlich-jüdischen Dialog im Jesusbuch von BENEDIKT XVI. Jesus-Buch. Theologie kontrovers: 2007 ⇒5456. 147-156.
5497   *Trutwin, Werner* Der Papst und sein Jesus. KatBl 132 (2007) 356-59.
5498   ᴱ**Tück, Jan-H.** Annäherungen an 'Jesus von Nazareth': das Buch des Papstes in der Diskussion. Ostfildern 2007, Matthias-Grünewald 200 pp. 978-37867-26968.
5499   *Tück, Jan-Heiner* Jesus-"das Wort Gottes in Person": zum Disput zwischen Joseph RATZINGER und Jacob NEUSNER. IKaZ 36 (2007) 537-548.
5500   *Zager, Werner* Wer war Jesus wirklich?: die Menschlichkeit Jesu ernst nehmen. Deutsches Pfarrerblatt 107 (2007) 649-651.
5501   *Zenger, Erich* Das Jesus-Buch von BENEDIKT XVI. im Licht des Alten Testaments. Zur Debatte 37/5 (2007) 29-31.

F1.5 *Jesus et Israel*—Jesus the Jew

5502   **Arnal, William E.** The symbolic Jesus: historical scholarship, Judaism and the construction of contemporary identity. 2005 ⇒21,5364. ᴿRBLit (2007)* (*Moreland, Milton*).
5503   *Arnal, William E.* The symbolic Jesus: why it matters that Jesus was Jewish: an interview with William Arnal. Fourth R [Santa Rosa, CA] 20/1; 20/2 (2007) 3-8, 22; 3-8, 18.
5504   *Boccaccini, Gabriele* Gesù ebreo e cristiano: sviluppi e prospettive di ricerca sul Gesù storico in Italia, dall'Ottocento a oggi (with an appendix on works available in translation). Henoch 29 (2007) 105-54.
5505   *Broadhead, Edwin K.* Jesus and the priests of Israel;
5506   *Chilton, Bruce* Mamzerut and Jesus. Jesus from Judaism. LNTS 352: 2007 ⇒448. 125-144/17-33;
5507   In search of Jesus: issues of character. Historical knowledge. 2007 ⇒403. 216-248.
5508   *Cromhout, Markus* What kind of "Judean" was Jesus?. HTS 63 (2007) 575-603.
5509   *Elliott, John H.* Jesus the Israelite was neither a 'Jew' nor a 'christian': on correcting misleading nomenclature. JSHJ 5 (2007) 119-154.
5510   **Fenske, Wolfgang** Wie Jesus zum 'Arier' wurde: Auswirkungen der Entjudaisierung Christi im 19 und zu Beginn des 20. Jahrhunderts. 2005 ⇒21,5378. ᴿThLZ 132 (2007) 1073-1074 (*Deines, Roland*).
5511   **Flusser, David; Notley, R. Steven** The sage from Galilee : rediscovering Jesus' genius. GR ⁴2007, Eerdmans xix; 191 pp. $20. 978-0-80-28-2587-2. Introd. *James H. Charlesworth*; Bibl. 169-176.
5512   **Frankemölle, Hubert** Der Jude Jesus und die Ursprünge des Christentums. TOPOS-plus-Taschenbücher 503: Mainz am Rhein 2003, Matthias-Grünewald-Verlag 112 pp. 3-7867-8503-1.
5513   *Freyne, Sean* Jesus and the 'servant' community in Zion: continuity in context. Jesus from Judaism. LNTS 352: 2007 ⇒448. 109-124.
5514   **Freyne, Sean** Jesús un Galileo judío: una lectura nueva de la historia de Jesús. Estella 2007, Verbo Divino 280 pp.
5515   *Gangale, Giuseppe* Gesù e la torah: un patrimonio spirituale comune ad ebrei e cristiani. RVS 61 (2007) 305-316.
5516   **Hellerman, Joseph H.** Jesus and the people of God: reconfiguring ethnic identity. NTMon 21: Shf 2007, Sheffield Phoenix xii; 381 pp. $95. 978-19060-55219.

5517   **Hengel, Martin; Schwemer, Anna M.** Jesus und das Judentum. Geschichte des frühen Christentums 1: Tü 2007, Mohr S. xxiv; 749 pp. €99. 978-3-16-149359-1.

5518   **Hoffman, Matthew** From rebel to rabbi: reclaiming Jesus and the making of modern Jewish culture. Stanford, CA 2007, Stanford Univ. Pr. 292 pp. $60. 978-0-8047-5371-5.

5519   *Homolka, Walter* Wie gut, dass Jesus Jude war: das Jesus-Bild im Judentum. HerKorr Spezial (2007) 14-18.

5520   **Kelley, Shawn** Racializing Jesus: race, ideology and the formation of modern biblical scholarship. Biblical Limits: 2002 ⇒18,4919; 19, 5346. ᴿKuI 22 (2007) 188-194 (*Gelardini, Gabriella*).

5521   **Montefiore, Massimo** Un ebreo cristiano. R 2007, Viverein 226 pp. €15.

5522   **Neusner, Jacob** Ein Rabbi spricht mit Jesus: ein jüdisch-christlicher Dialog. FrB ²2007 <1997>, Herder 173 pp. €16.90. 978-3451-2958-36. ᴿBiKi 62 (2007) 193 (*Schwienhorst-Schönberger, Ludger*);

5523   Un rabbino parla con Gesù. CinB 2007, Queriniana 161 pp. €13.50.

5524   **Rosen, Moishe** Yechou: ce juif que l'on appelle Jésus. Dialogue: Romanel-sur-Lausanne 2007, Ourania 207 pp. 978-2940335-15-2.

5525   **Testaferri, F.** Ripensare Gesù: l'interpretazione ebraica contemporanea di Gesù. 2006 ⇒22,5265. ᴿLat. 73 (2007) 601-604 (*Sabetta, Antonio*).

5526   **Varo, Francisco** Rabi Jesús de Nazaret. Estudios y Ensayos 78: ²2006 ⇒22,5267. ᴿPerTeol 39/1 (2007) 133-134 (*Konings, Johan*).

F1.6 *Jesus in Ecclesia*—The Church Jesus

5527   *Abesamis, Carlos H.* The essential Jesus. ICSTJ 9 (2007) 16-30.

5528   **Baum, Hermann** Die Verfremdung Jesu und die Begründung kirchlicher Macht. 2006 ⇒22,5270. ᴿActBib 44 (2007) 72-73 (*Boada, J.*).

5529   **Blázquez, R.** Jesús, el evangelio de Dios. M 2007, Edibesa 310 pp.

5530   **Cabestrero, Teófilo** 'Pero la carne es débil', antropología de las tentaciones de Jesús y de nuestras tentaciones. Caminos 74: Bilbao 2007, Desclée de B. 110 pp. ᴿItin. 53/187 (2007) 130-131 (*Figueiredo, Gonçalo*).

5531   **Cabrillo Alday, Salvador** Jesús de Nazaret: su vida a partir de los cuatro evangelios. Estella 2007, Verbo Divino 292 pp. €8. 978-8481-6-97339.

5532   *Grossi, Gabriela* I vangeli cuore e sintesi di tutta la scrittura. CoSe 61/3 (2007) 52-61.

5533   **Haight, Roger** Jesus, symbol of God. 1999 ⇒15,4472... 19,5370. ᴿHorizons 34 (2007) 265-291 (*Clatterbuck, Mark S.*).

5534   *Hasitschka, Martin* Irdischer Jesus und Christus des Glaubens: Notwendigkeit und Grenzen der historischen Leben-Jesu-Forschung. Jesus. theologische trends 16: 2007 ⇒782. 11-28.

5535   **Herrero Serrano, Antonio** Y Dios se rió: bichos, dichos y hechos del evangelio. México 2007, San Pablo 309 pp.

5536   *Lenoir, Frédéric* Le Christ philosophe. P 2007, Plon 305 pp.

5537   *Marucci, Corrado* Gesù storico o Cristo della fede?: un nuovo attacco alla credibilità della fede cristiana. OCP 73 (2007) 451-477.

5538   **Porter, J.R.** Jesus Christ: the Jesus of history, the Christ of faith. NY 2007, OUP 240 pp. $21.50. 150 col. pl. [BiTod 45,335–D. Senior].

5539 *Rast, L.R.* American christianity and its Jesuses. CTQ 71 (2007) 175-194.
5540 *Robinson, James M.* Jesus from Easter to Valentinus (or to the Apostles Creed). Jesus: according to the earliest witness. 2007 <1982> ⇒ 301. 27-63.
5541 **Schnackenburg, Rudolf** Amicizia con Gesù. ᵀ*Colombi, G.* Pellicano Rosso 61: Brescia 2007, Morcelliana 122 pp. €10.50.
5542 *Uríbarri, Gabino* El acceso a Jesus según Benedicto XVI. SalTer 95 (2007) 603-608.
5543 **Vermes, Geza** As várias faces de Jesus. 2006 ⇒22,5276. ᴿREB 265 (2007) 232-236 (*Hoornaert, Eduardo*).

F1.7 *Jesus 'annormalis'*: **to atheists, psychoanalysts, romance...**

5544 **Baigent, Michael** Las cartas privadas de Jesús: ultimas investigaciones y documentos reveladores sobre la muerte de Cristo. M 2007, Mr 381 pp.
5545 **Bessière, Gérard** Jésus selon PROUDHON: la 'messianose' et la naissance du christianisme. Histoire: P 2007, Cerf 484 pp. €47. 978-220-40-80842.
5546 **Bloom, Harold** Jesús y Yahvé: los nombres divinos. 2006 ⇒22, 5284. ᴿRelCult 53 (2007) 655-656 (*Red Vega, Herminio de la*).
5547 *Branca, Paola* Gesù nella letteratura islamica post-coranica. Com(I) 213 (2007) 49-56.
5548 **Brown, Dan** Il codice da Vinci. ᵀ*Valla, R.* 2003 ⇒19,5379... 22,5289. ᴿCredOg 27/3 (2007) 116-131 (*Introvigne, Massimo*).
5549 *Brown, William J.; Keeler, John D.; Lindvall, Terrence R.* Audience responses to *The Passion of the Christ*. Journal of Media and Religion 6/2 (2007) 87-107.
5550 ᴱ**Burns, Paul C.** Jesus in twentieth century literature, art, and movies. L 2007, Continuum x; 241 pp. $36. 08264-2841X.
5551 *Carvalho, Vinicius M. de* O que aprendemos literariamente com "O Código da Vinci" de Dan Brown ou com a literatura?. REB 67 (2007) 461-474.
5552 **Coughlan, John G.** Jesus–ein Psychogramm. Mü 2007, Don Bosco 196 pp. €14.90. 9787-6981-6235.
5553 *Crook, Zeba* Fictionalizing Jesus: story and history in two recent Jesus novels. JSHJ 5 (2007) 33-55.
5554 *Dalla Torre, Paola* Gesù di Nazareth e la Settima Arte: Ermanno Olmi e il canone cristologico. Studium 103 (2007) 403-415.
5555 **Dalla Torre, Paola; Siniscalchi, Claudio** Gesù di Nazareth nella Settimana Arte. R 2007, Studium 128 pp. €13.50. ᴿCivCatt 158/2 (2007) 628-629 (*Fantuzzi, V.*).
5556 **Darlison, Bill** The gospel and the zodiac: the secret truth about Jesus. L 2007, Duckworth O. viii; 279 pp. 978-0-7156-3691-6. Bibl. 258-262.
5557 *De Francesco, Ignazio* Cristo nella moschea: le tradizioni islamiche e la figura di Gesù. Il Regno 52 (2007) 751-755.
5558 **Ehrman, Bart D.** Truth and fiction in *The Da Vinci code*. 2004 ⇒ 20,5078. ᴿBS 164 (2007) 106-107 (*Edwards, John C.*).
5559 *Ellens, J. Harold* Was Jesus delusional?. ᴹMETZGER, B. NTMon 20: 2007 ⇒105. 110-127.

5560 **Evans, Michael** Fads & the media: The Passion & popular culture. 2006 ⇒22,5300. [R]Journal of Media and Religion 6/1 (2007) 85-86 (*Ferré, John P.*).

5561 **Figuera López, Mª Pilar** ¿Acaricio Jesús de Nazaret?. 2006 ⇒22, 5301. [R]RCatT 32 (2007) 465-466 (*Ricart, Ignasi*).

5562 [E]**Garber, Zev** Mel Gibson's *Passion*: the film, the controversy, and its implications. 2006 ⇒22,5302. [R]RBLit (2007)* (*Goodacre, Mark; Finlay, Timothy D.*).

5563 *Gulliford, Liz* Fully human, fully divine?: the cinematic portrayal of Christ. Jesus and psychology. 2007 ⇒543. 27-43.

5564 *Hänggi, Hubert* Wie Hindus Jesu Christus sehen. IKaZ 36 (2007) 184-193; Com(NL) 32,259-268.

5565 *Holderness, Graham* "Half God, half man": Kazantzakis, Scorsese, and The Last Temptation. HThR 100 (2007) 65-96.

5566 *Jakab, Attila* Tudatlanság és szenzációéhség: a Da Vinci-kód és a Júdás evangéliuma mint média-és társadalmi jelenségek. Mérleg 43/2 (2007) 222-230. **Hungarian**.

5567 **Komoszewski, J. Ed; Sawyer, M. James; Wallace, Daniel B.** Reinventing Jesus: what the *Da Vinci code* and other novel speculations don't tell you. 2006 ⇒22,5307. [R]BS 164 (2007) 107-109 (*Fantin, Joseph D.*).

5568 **Kreeft, Peter** The philosophy of Jesus. South Bend, Ind. 2007, St Augustine's vi; 162 pp. $17. [R]HPR 108/3 (2007) 77-79 (*Baker, Kenneth*).

5569 *Langenhorst, Georg* "Niemand wie er!": Jesus in der Literatur des 21. Jahrhunderts. HerKorr Spezial (2007) 49-53.

5570 **Langkau, Thomas** Filmstar Jesus Christus: die neuesten Jesus-Filme als Herausforderung für Theologie und Religionspädagogik. Literatur 19: Müns 2007, LIT 240 pp. €17.90. 978-38258-01960. [R]ComSoc 40/4 (2007) 426-429 (*Hasenberg, Peter*).

5571 *Margarino, Sara* Prospettive per il dialogo: la *Passione* di Gibson nella critica di Rav Laras. Letteratura cristiana. Letture patristiche 11: 2007 ⇒934. 89-97.

5572 *Meggitt, Justin J.* Psychology and the historical Jesus. Jesus and psychology. 2007 ⇒543. 16-26.

5573 *Moses, P.* 'The Passion' redux: what are Gibson's defenders saying now?. Commonweal 134/3 (2007) 15-18.

5574 *Overath, Joseph* Hat Jesus die Jeans erfunden?: vom Unsinn mancher Jesus-Romane. Katholische Bildung 108 (2007) 63-70.

5575 *Pelissero, Alberto* Gesù nello Hinduismo e nel Buddhismo contemporanei. Hum(B) 62 (2007) 551-562.

5576 **Pozzetto, Gabriella** 'Lo cerco dappertutto': Cristo nei film di Pasolini. Maestri di frontiera: Mi 2007, Ancora 176 pp. €13.50.

5577 **Price, Robert M.** Jesus is dead. Cranford, NJ 2007, Atheist xi; 279 pp. $18.

5578 *Ravasi, Gianfranco* Il Gesù degli 'altri': Cristo visto dai non cristiani. VP 90/4 (2007) 70-74.

5579 **Reinhartz, Adele** Jesus of Hollywood. NY 2007, OUP 313 pp. $30. 01951-46964.

5580 **Rice, Anne** Jesus Christus: Rückkehr ins Heilige Land. Ha 2007, Hoffmann & C. 351 pp. €19.95. 978-34554-00427.

5581 *Rubino, Margherita* La passione di Cristo e i limiti del cinematografo. Letteratura cristiana. Letture patristiche 11: 2007 ⇒934. 69-73.

5582 **Salibi, Kamal S.** Who was Jesus?: conspiracy in Jerusalem. L 2007, Tauris 200 pp. 978-18451-13148.

5583 *Sellmann, Matthias* Schmerzensmann der Straßen: Jesus als Superstar der Popkultur. HerKorr Spezial (2007) 61-64.

5584 **Sesboüé, Bernard** El código Da Vinci explicado a sus lectores. ST Breve 57: 2006 ⇒22,5325. ᴿEE 82 (2007) 136-7 (*Castelao, Pedro*).

5585 *Sindawi, Khalid* Jesus and Ḥusayn Ibn 'Ali Ibn 'Abu Ṭalib: a comparative study. ANESt 44 (2007) 50-65.

5586 **Sinoué, Gilbert** Moi, Jésus. P 2007, Albin Michel 296 pp. €20. 978-22261-80902.

5587 **Staley, Jeffrey L.; Walsh, Richard** Jesus, the gospels, and cinematic imagination: a handbook to Jesus on DVD. LVL 2007, Westminster 208 pp. $20. 978-06642-30319.

5588 *Stark, Christine* Holder Knabe im lockigen Haar?: Betrachtungen zum männlichen Filmstar Jesus. Fama 23/2 (2007) 6-7.

5589 *Stimpfle, Alois* Auslegen und verkündigen: zur "Mitte und Norm des Christlichen" zwischen Metaphorik und Mystagogi—anlässlich der Diskussion um M. Gibsons Film "The Passion of Christ". ᴹKᴜss, O. 2007 ⇒92. 132-155.

5590 *Tornielli, Andrea* Il *Vangelo secondo Matteo* di Pasolini e *La passione* di Gibson. Letteratura cristiana. 2007 ⇒934. 83-88.

5591 **Tornielli, Andrea** Zmartwychwstanie: tajemnice, legendy i prawda: od ewangelii do Kodu Leonardo da Vinci. Krákow 2007, eSPe 246 pp. ᴿStBob 3 (2007) 198-201 (*Kalagasidis, Christoforos*). **P.**

5592 *Van de Beek, Abraham* The person of Jesus. Hearing visions. 2007 ⇒817. 169-181.

5593 *Van Os, Bas* Psychological method and the historical Jesus: the contribution of psychobiography. HTS 63 (2007) 327-346;

5594 ᴹMETZGER, B. NTMon 20: 2007 ⇒105. 131-148.

5595 *Vergote, Antoine* Casting a psychological look on Jesus the marginal Jew. Hearing visions. 2007 ⇒817. 133-151.

5596 *Verhagen, Peter J.* Imagining Jesus: to portray or betray?: psycho(-patho)logical aspects of attempts to discuss the historical individual. Hearing visions. 2007 ⇒817. 183-204.

5597 *Watts, Fraser* Approaching the gospels psychologically. Jesus and psychology. 2007 ⇒543. 1-15.

5598 *Zordan, Davide* La retorica religosa nel cinema di consumo: Cecil B. DeMille e l'immagine hollywoodiana di Gesù. AnStR 8 (2007) 197-221.

5599 *Zwick, Reinhold* Von Nazareth in alle Welt: neue Tendenzen im Jesusfilm. HerKorr Spezial (2007) 53-57.

F2.2 *Unitas VT-NT*: **The Unity of OT-NT**

5600 *Amato, Angelo* Gesù 'esegeta' della parola. CoSe 61/3 (2007) 46-51.

5601 *Barton, John* Preparation in history for Christ. The OT: canon, literature and theology. MSSOTS: 2007 <1989> ⇒183. 235-246.

5602 *Berding, Kenneth* An analysis of three views on the New Testament use of the Old Testament. Three views on the NT use of the OT. 2007 ⇒374. 233-243.

5603 *Bock, Darrell L.* Single meaning, Multiple contexts and referents: the New Testament's legitimate, accurate, and multifaceted use of the

Old. Three views on the NT use of the OT. 2007 ⇒374. 105-151.
Resp. *Kaiser, Walter C., Jr.* 152-158; *Enns, Peter* 159-164.

5604 *Carbajosa, Ignacio* El Antiguo Testamento, realidad abierta. Entrar en lo antiguo. 2007 ⇒788. 21-50.

5605 *Chester, Andrew* Resurrection, transformation and christology. Messiah and exaltation. WUNT 207: 2007 <2001> ⇒209. 123-190.

5606 *Childs, Brevard S.* ¿Da el Antiguo Testamento testimonio de Jesucristo?. Biblia y ciencia de la fe. 2007 <1997> ⇒436. 170-183.

5607 *Cova, Gian Domenico* Parabole e paradigmi: la questione della rappresentazione nella bibbia e della bibbia fra Antico e Nuovo Testamento. RTE 11/1 (2007) 11-36.

5608 *De Virgilio, Giuseppe* La concezione del 'testo sacro' nella visione cristiana: prospettive di teologia biblica. Ragione e fede. 2007 ⇒582. 91-109.

5609 *Dirscherl, Erwin* Der biblische Kanon als Herausforderung: die Frage nach der Ganzheit und Einheit der Bibel in der Exegese und ihre Bedeutung für die Systematische Theologie. JRPäd 23 (2007) 51-60.

5610 *Enns, Peter* Fuller meaning, single goal: a christotelic approach to the New Testament use of the Old in its first-century interpretive environment. Three views on the NT use of the OT. 2007 ⇒374 167-217 Resp. *Kaiser, Walter C., Jr.* 218-225; *Bock, Darrell L.* 226-231.

5611 *Gonneaud, Didier* Enjeux dogmatiques de la réception chrétienne des écritures d'Israël. Accueil de la torah. 2007 ⇒853. 33-43.

5612 **Grilli, Massimo** Quale rapporto tra i due Testamenti?: riflessione critica sui modelli ermeneutici classici concernenti l'unità delle scritture. Epifania della Parola 10: Bo 2007, Dehoniane 220 pp. €19. 97-8-88104-02382. [R]EL 121 (2007) 501-503 (*Manzi, Franco*) [2 Cor 3].

5613 **Heine, Ronald** Reading the Old Testament with the ancient church: exploring the formation of early christian thought. Evangelical Ressourcement 4: GR 2007, Baker 204 pp. $19/£11. 978-08010-27772.

5614 *Jourjon, M.* De la considération faite à la sainte écriture par les pères de l'église–florilège. EeV 172 (2007) 7-10.

5615 *Jódar Estrella, Carlos* La relación Antiguo-Nuevo Testamento y la configuración de la biblia como texto. Entrar en lo antiguo. 2007 ⇒788. 69-84.

5616 *Kaiser, Walter C., Jr.* Single meaning, unified referents: accurate and authoritative citations of the Old Testament by the New Testament. Three views on the NT use of the OT. 2007 ⇒374. 45-89. Resp. *Bock, Darrell L.* 90-95; *Enns, Peter* 96-101.

5617 *Keller, Christoph* Die Buchrolle: Frohbotschaft und Drohbotschaft in der Verkündigung der Kirche. [F]WAHL, O. Bibel konkret 3: 2007 ⇒ 160. 104-108.

5618 **Lierman, John** The New Testament Moses: christian perceptions of Moses and Israel in the setting of Jewish religion. WUNT 2/173: 2004 ⇒20,5217; 21,5474. [R]ThLZ 132 (2007) 40-2 (*Sänger, Dieter*).

5619 *Longman, Tremper, III* The Messiah: explorations in the Law and Writings. The Messiah. 2007 ⇒551. 13-34.

5620 *Lunde, Jonathan* An introduction to central questions in the New Testament use of the Old Testament. Three views on the NT use of the OT. 2007 ⇒374. 7-41.

5621 *McConvery, Brendan* HIPPOLYTUS' commentary on the Song of Songs and John 20: intertextual reading in early christianity. IThQ 71 (2007) 211-222.

5622 *Mégier, Elisabeth* Christian historical fulfilments of Old Testament prophecies in Latin commentaries on the book of Isaiah (ca. 400 to ca. 1150). Journal of Medieval Latin 17 (2007) 87-100.

5623 *Moenikes, Ansgar* Zur Bedeutung des Alten Testaments für das Christentum. ThGl 97 (2007) 55-69.

5624 *Nicklas, Tobias* Sintflut-Variationen: Sintflut im Neuen Testament?. BiHe 43 170 (2007) 20-21.

5625 *Paulien, Jon* New Testament use of the Old Testament. [F]PFANDL, G. 2007 ⇒122. 167-188.

5626 *Pérez Fernández, Miguel* Textos fuente y textos contextuales de la narrativa evangélica. [F]GARCÍA MARTÍNEZ, F. JSJ.S 122: 2007 ⇒46. 605-621.

[E]**Porter, S** Hearing the OT in the NT 2006 ⇒866.

5627 *Porter, Stanley E.* Introduction: the Messiah in the Old and New Testaments. The Messiah. 2007 ⇒551. 1-12.

5628 *Powell, Mark A.* Echoes of Jonah in the New Testament. WaW 27/2 (2007) 157-164.

5629 *Reiser, Marius* Drei Präfigurationen Jesu: Jesajas Gottesknecht, PLA-TONs Gerechter und der Gottessohn im Buch der Weisheit. Bibelkritik und Auslegung der Heiligen Schrift. WUNT 217: 2007 <2005> ⇒294. 331-353;

5630 Aufruhr um Isenbiehl oder: was hat Jes 7,14 mit Jesus und Maria zu tun?. Bibelkritik. WUNT 217: 2007 ⇒294. 277-330.

5631 *Ruzer, Serge* Introduction: the New Testament as witness for early Jewish exegesis. Mapping the NT. 2007 ⇒304. 1-9;

5632 Conclusion and perspectives. Mapping the NT. 2007 ⇒304. 239-41.

5633 *Sänger, Dieter* "Von mir hat er geschrieben" (Joh 5,46): zur Funktion und Bedeutung Mose im Neuen Testament <1995>;

5634 Das Alte Testament im Neuen Testament: eine Problemskizze aus westlicher Sicht <2001>;

5635 Tora für die Völker–Weisungen der Liebe: zur Rezeption des Dekalogs im frühen Judentum und Neuen Testament <2001>. Von der Bestimmtheit. 2007 ⇒306. 241-265/302-348/266-301.

5636 *Sánchez Navarro, Luis* La relación Antiguo-Nuevo, clave hermenéutica de la Escritura. Entrar en lo antiguo. 2007 ⇒788. 51-67.

5637 *Snyman, S.D.* Die Ou Testament en/in die kerk van Jesus Christus?. VeE 28 (2007) 244-258.

5638 *Uhlig, Torsten* Zur Bedeutung des Alten Testaments für Christen. Themenbuch. BWM 15: 2007 ⇒461. 55-73.

5639 *Vakayil, Prema* In the beginning was the word (Jn 1:1): retelling the story of the word. ITS 44 (2007) 377-384 [John 1,1-18].

5640 *Work, Telford* Converting God's friends: from Jonah to Jesus. Word and world 27/2 (2007) 165-173.

5641 *Zamagni, Claudio* Un mise en perspective de la lecture christologique ancienne des Écritures juives. Cristianesimi nell'antichità. Spudasmata 117: 2007 ⇒569. 107-129 [Ps 2].

F2.5 *Commentarii*—Commentaries on the whole NT

5642 [E]**Beale, Gregory K.; Carson, Donald.A.** Commentary on the New Testament use of the Old Testament. GR 2007, Baker xxviii; 1239 pp. $55. 978-08010-26935. Bibl.

5643 ^E**Blount, Brian K.**, *al.*, True to our native land: an African American New Testament commentary. Mp 2007, Fortress xx; 566 pp. $29. 978-08006-34216.

5644 ^E**Bray, Gerald** Giacomo, 1-2 Pietro, 1-3 Giovanni, Giuda: la bibbia commentata dai padri, NT 11. ^T*Genovese, Armando* 2005 ⇒21,5489. ^RAsp. 54 (2007) 132-133 (*Longobardo, Luigi*).

5645 ^E**Edwards, Mark J.** Galati, Efesini, Filippesi: la bibbia commentata dai padri, NT 8. ^E*Dell'Osso, Carlo* 2005 ⇒21,5490. ^RCivCatt 158/4 (2007) 623-625 (*Cremascoli, G.*).

5646 ^E**Segovia, Fernando F.; Sugirtharajah, Rasiah S.** A postcolonial commentary on the New Testament writings. The Bible and Postcolonialism 13: L 2007, Clark x; 466 pp. $160. 978-0-567-04563-8.

5647 **Witherington, Ben** Letters and homilies for Jewish Christians: a socio-rhetorical commentary on Hebrews, James and Jude. DG 2007, IVP 656 pp. 978-1-84474-198-4. Bibl.;

5648 Letters and homilies for Hellenized christians, 1: a socio-rhetorical commentary on Titus, 1-2 Timothy and 1-3 John. 2006 ⇒22,5370. ^RRBLit (2007)* (*Collins, Raymond F.*);

5649 Letters to Philemon, the Colossians, and the Ephesians: a socio-rhetorical commentary on the captivity epistles. GR 2007, Eerdmans xii; 382 pp. $38. 978-08028-24882 [ThD 53,194–W. Charles Heiser].

IX. Evangelia

F2.6 **Evangelia Synoptica**: *textus, synopses, commentarii*

5650 **Deiss, Lucien** Synopse des évangiles: Matthieu–Marc–Luc–Jean. P 2007 <1963>, DDB 421 pp. €25. 978-22200-58535.

5651 **Den Hollander, A.A.** Virtuelle Vergangenheit: die Textrekonstruktion einer verlorenen mittelniederländischen Evangelienharmonie: die Handschrift Utrecht Universitätsbibliothek 1009. BEThL 210: Lv 2007, Peeters xi; 168 pp. €58. 978-90429-19891.

5652 **Gourgues, Michel** Marc et Luc: trois livres, un évangile: repères pour la lecture. LeBi 48: Montréal 2007, Médiaspaul 151 pp. €13. 978-28942-07093.

5653 **Nickle, Keith Fullerton** The synoptic gospels: an introduction. 2001 ⇒17,4599; 19,5454. ^RRExp 104 (2007) 673-675 (*Iverson, Kelly R.*).

5654 **Perkins, Pheme** Introduction to the synoptic gospels. GR 2007, Eerdmans xvi; 312 pp. $28. 978-08028-17709.

5655 **Poppi, Angelico** Nuova sinossi dei quattro vangeli: greco-italiano. 2006 ⇒22,5372. ^RStPat 54 (2007) 471-472 (*Broccardo, Carlo*).

F2.7 *Problema synopticum*: **The Synoptic Problem**

5656 *Arnal, William* The Q document. Jewish Christianity reconsidered. 2007 ⇒598. 119-154, 317-321.

5657 *Álvarez Cineira, David* El Documento Q: en busca del grupo perdido. EE 82 (2007) 491-551.

5658 **Babut, Jean-Marc** La Source: présentation et traduction (avec les passages parallèles de Marc). P 2007, Cerf 32 pp. ^{R}Brot. 165 (2007) 404-405 (*Silva, Isidro Ribeiro da*);

5659 A la découverte [recherche?] de la Source: mots et thèmes de la double tradition évangélique. Initiations bibliques: P 2007, Cerf 32; 300 pp. €28. 978-22040-83324.

5660 ^{E}**Black, David; Beck, David** Rethinking the synoptic problem. 2001 ⇒17,4608; 18,5017. ^{R}NT 49 (2007) 197-199 (*Goodacre, Mark*).

5661 **Cromhout, Markus** Jesus and identity: reconstructing Judean ethnicity in Q. ^{D}*Van Aarde, Andries* The Bible in Mediterranean Context: Eugene, OR 2007, Cascade xvi; 390 pp. $44. 978-15563-51037. Diss. Pretoria.

5662 **Derrenbacker, R.A., Jr.** Ancient compositional practices and the synoptic problem. 2005 ⇒21,5505; 22,5378. ^{R}EThL 83 (2007) 217-220 (*Witetschek, S.*); Coll. (2007) 453-454 (*Tercic, Hans*); JThS 58 (2007) 187-190 (*Tuckett, Christopher*).

5663 *Ehling, Kay* Münzen in der Logienquelle. BN 133 (2007) 99-104.

5664 **Fleddermann, Harry** Q: a reconstruction and commentary. Biblical Tools & Studies 1: 2005 ⇒21,5507; 22,5379. ^{R}BTB 37 (2007) 137-8 (*Kloppenborg, John S.*); EThL 83 (2007) 220-222 (*Witetschek, S.*).

5665 **Fuchs, Albert** Spuren von Deuteromarkus V. SNTU 5: Müns 2007, LIT ii; 212 pp. €29.90. 978-3-8258-0560-9.

5666 *Fuchs, Albert* Die Agreements der Blindenheilung: Mk 10,46-52 par Mt 20,29-34/9,27-31 par Lk 18,35-43 ⇒5665. 33-60;

5667 Die nicht endenwollende Verwirrung der Zweiquellentheorie: J.S. Kloppenborg und die Agreements. 2007 ⇒5665. 141-167;

5668 Einführung. Spuren von Deuteromarkus V. 2007 ⇒5665. 1-10;

5669 Mehr als Davids Sohn: Mk 12,35-37a par Mt 22,41-46 par Lk 20,41-44. Spuren von Deuteromarkus V. 2007 ⇒5665. 11-31;

5670 Probleme der Zweiquellentheorie anhand der Perikope vom obersten Gebot: Mk 12,28-34 par Mt 22,34-40 par Lk 10,25-28. Spuren von Deuteromarkus V. 2007 ⇒5665. 61-204;

5671 Verträgt die Zweiquellentheorie keine Kritik?–J.M. Harrington;

5672 Zum Stand der Synoptischen Frage—I. Broer–L. Lybaek–J.D.G. Dunn. SNTU.A 32 (2007) 235-239/169-203;

5673 Zum Stand der Synoptischen Frage–Christoph Heil;

5674 Zum Stand der Synoptischen Frage–Krysztof Bielinski;

5675 Zum Stand der Synoptischen Frage–U. Luz: das Versagen der Alten. SNTU.A 32 (2007) 205-219/221-234/241-253.

5676 *Greene, William V.* Is Mark's gospel offensive?: an inductive analysis of John Hawkins's list for testing the validity of STREETER's fourth head of evidence (part 1). Faith & Mission 24/3 (2007) 15-29.

5677 *Guijarro, Santiago* Cultural memory and group identity in Q. BTB 37 (2007) 90-100.

^{E}**Horsley, Richard A.** Oral performance...in Q. 2006 ⇒449.

5678 **Horsley, Richard A.; Draper, Jonathan A.** Whoever hears you hears me: prophets, performance, and tradition in Q. 1999 ⇒15,4301 ... 20,5298. ^{R}RBLit (2007)* (*Kelber, Werner H.*).

5679 ^{E}**Johnson, Steven R.** Documenta Q: reconstructions of Q through two centuries of gospel research: excerpted, sorted, and evaluated: Q 12:33-34: Storing up treasures in heaven. Lv 2007, Peeters xxxiii; 213 pp. €68. 9789-0429-19495 [Mt 6,19-20; Lk 12,33-34].

5680   *Kloppenborg, John S.* Variation in the reproduction of the double tra-
       dition and an oral Q?. EThL 83 (2007) 53-80.
5681   *Koester, Helmut* The sayings of Q and their image of Jesus <1997>;
5682   The synoptic sayings gospel Q in the early communities of Jesus' fol-
       lowers <2003>. From Jesus to...gospels. 2007 ⇒256. 251-263/72-83.
5683   *Malan, Gert J.* Die Q gemeenskap as een van die grondtipes van die
       kerk in die Nuwe Testament. HTS 63 (2007) 699-715.
5684   **Mosse, Martin** The three gospels: New Testament history intro-
       duced by the synoptic problem. Milton Keynes 2007, Paternoster
       xxxii; 364 pp. £25. 978-18422-75207.
5685   **Mournet, Terence** Oral tradition and literary dependency: variability
       and stability in the synoptic tradition and Q. WUNT 2/195: 2005 ⇒
       21,5528; 22,5402. ᴿBBR 17 (2007) 341-342 (*Gurtner, Daniel M.*).
5686   **Powell, Evan** The myth of the lost gospel. 2006 ⇒22,5405. ᴿRBLit
       (2007)* (*West, James*).
5687   *Robinson, James M.* Jesus' theology in the sayings gospel Q. Jesus:
       according to the earliest witness. 2007 <2003> ⇒301. 119-139;
5688   The critical edition of Q and the study of Jesus. <2001> 1-26;
5689   The image of Jesus in Q. <2001> 161-178;
5690   The Jesus of Q as liberation theologian. <1995> 145-159;
5691   The Q trajectory: between John and Matthew via Jesus. Jesus:
       according to the earliest witness. 2007 <1991> ⇒301. 179-201;
5692   The real Jesus of the sayings gospel Q. <1997> 65-80;
5693   The Son of Man in the sayings gospel Q. <1994> 97-117;
5694   Very goddess and very man: Jesus' better self. Jesus: according to the
       earliest witness. 2007 <1988> ⇒301. 81-95.
5695   *Thyen, Hartwig* Johannes und die Synoptiker: auf der Suche nach
       einem neuen Paradigma zur Beschreibung ihrer Beziehungen anhand
       von Beobachtungen an ihren Passions- und Ostererzählungen. Studi-
       en zum Corpus Iohanneum. 2007 ⇒332. 155-181 [John 18-21].
5696   **Valantasis, Richard** The new Q: a fresh translation with commen-
       tary. 2005 ⇒21,5561. ᴿCBQ 69 (2007) 379-380 (*Kloppenborg, John
       S.*); RBLit (2007)* (*Verheyden, Joseph*); JECS 15 (2007) 419-421
       (*Smith, Daniel A.*).
5697   **Williams, Matthew C.** Two gospels from one: a comprehensive
       text-critical analysis of the synoptic gospels. 2006 ⇒22,5413.
       ᴿTC.JBTC 12 (2007)* 2 pp (*Hernández, Juan, Jr.*).

F2.8 *Synoptica*: **themata**

5698   **Abhilash** Mission as Missio Dei in the synoptics: an exegetical–
       intertextual comparative analysis of Mt 28:16-20; Mk 16:1-8, 14-18;
       Lk 24:44-49. ᴰ*Legrand, Lucien* 2007, Diss. St Peter's, Bangalore.
5699   **Fihavango, George M.D.** Jesus and leadership: analysis of rank, sta-
       tus, power and authority as reflected in the synoptic gospels from a
       perspective of the Evangelical Lutheran Church in Tanzania (ELCT).
       Makumira Publications 16: Neuendettelsau 2007, Erlanger Verlag für
       Mission und Ökumene 348 pp. €20. 978-38721-49039.
5700   **Gathercole, Simon** The preexistent Son: recovering the christologies
       of Matthew, Mark, and Luke. 2006 ⇒22,5418. ᴿSNTU.A 32 (2007)
       258-60 (*Giesen, Heinz*); Kerux 22/3 (2007) 50-52 (*Dennison, James*

T.); TJT 23 (2007) 190-192 (*Donaldson, Terence L.*); RBLit (2007)*
(*Matera, Frank J.*); RBLit (2007) 378-384 (*Dunn, James D.G.*).

5701 *Getcha, Job* La transfiguration du monde. Irén. 80 (2007) 23-35.

5702 *Grabner-Haider, Anton* Lebenswelt der Synoptiker. Kulturgeschichte der Bibel. 2007 ⇒435. 387-401.

5703 *Hengel, Martin* Kerygma oder Geschichte?: zur Problematik einer falschen Alternative in der Synoptikerforschung aufgezeigt an Hand einiger neuer Monographien. Jesus und die Evangelien. WUNT 211: 2007 <1971> ⇒247. 289-305.

5704 *Horsley, Richard A.* Jesus und imperiale Herrschaft–damals und heute: ein Versuch, Jesu Botschaft von der Königsherrschaft Gottes von ihrer politischen Harmlosigkeit zu befreien. BiKi 62 (2007) 89-93.

5705 *Lohse, Eduard* Der Sohn Davids als Helfer und Retter. [F]HAACKER, K. ABIG 27: 2007 ⇒57. 297-304.

5706 *Mugaruka, Richard* Jésus et la violence, dans les évangiles synoptiques: approche historique et théologique. Violence, justice et paix. 2007 ⇒891. 137-200.

5707 *Ostmeyer, Karl-Heinrich* Die Genealogien in den synoptischen Evangelien und in der Vita des JOSEPHUS: wechselseitige Wahrnehmung ihrer Charakteristika, Intentionen und Probleme. Josephus und das NT. WUNT 209: 2007 ⇒780. 451-468 [Mt 1,1-17; Lk 3,23-38].

5708 *Pickup, Martin* Matthew's and Mark's Pharisees. In quest of the historical Pharisees. 2007 ⇒402. 67-112.

5709 **Prostmeier, Ferdinand R.** Breve introduzione ai vangeli sinottici. [T]*Danna, Carlo* Breve: Brescia 2007, Queriniana 165 pp. €14. 978-88399-27941.

5710 **Repschinski, Liborius P.** Die Verarbeitung des jüdischen Gesetzes bei den Synoptikern. [D]*Ebner, Martin* 2007, v; 423 pp. Diss.-Habil. Innsbruck.

5711 **Subramanian, J. Samuel** The synoptic gospels and the psalms as prophecy. [D]*Westerholm, Stephen* LNTS 351: L 2007, Clark xx; 165 pp. £55. 978-0-567-04531-7. Diss. McMaster; Bibl. 132-145.

5712 *Tannehill, Robert C.* Tension in synoptic sayings and stories. The shape of the gospel. 2007 <1980> ⇒328. 3-17;

5713 The gospels and narrative literature. <1995> 99-126;

5714 The pronouncement story and its types. <1981> 19-34;

5715 Types and functions of apophthegms in the synoptic gospels. The shape of the gospel. 2007 <1984> ⇒328. 57-98;

5716 Varieties of synoptic pronouncement stories. The shape of the gospel. 2007 <1981> ⇒328. 35-56.

5717 *Ukachukwu, C. Manus* Jesus, prophet of the Sophia–God of the downtrodden: rereading the Q-wisdom sayings in the context of HIV/AIDS pandemic in Africa. [F]MONSENGWO PASINYA, L. 2007 ⇒ 110. 169-179.

5718 *Van Eck, Ernest* Die huwelik in die eerste-eeuse Mediterreense wêreld, 3: Jesus en die huwelik. HTS 63 (2007) 481-513.

5719 *Venetz, Hermann-Josef* Jesus von Nazaret: Prophet der angebrochenen Gottesherrschaft: grundlegende Reich Gottes-Texte der synoptischen Evangelien. BiKi 62 (2007) 78-84.

5720 *Vithayathil, Paul* A survey of Jesus' reign of God in the synoptics. ThirdM 10/2 (2007) 89-103.

5721 **Wahlen, Clinton** Jesus and the impurity of spirits in the synoptic gospels. WUNT 2/185: 2004 ⇒20,5347... 22,5431. ᴿBBR 17 (2007) 172-173 (*Paige, Terence*).

F3.1 Matthaei evangelium: *textus, commentarii*

5722 **Allison, Dale C.** Studies in Matthew: interpretation past and present. 2005 ⇒21,5587; 22,5433. ᴿThLZ 132 (2007) 932-933 (*Luz, Ulrich*).
5723 *Blomberg, Craig L.* Matthew. Commentary on the NT use of the OT. 2007 ⇒5642. 1-109.
5724 **Bradley, Marshell C.** Matthew: poet, historian, dialectician. Studies in biblical literature 103: NY 2007, Lang xxii; 178 pp. $68. 978-0-8204-8855-4. Bibl. 171-173.
5725 **Canella, Vincenzo; Fausti, Silvano** Alla scuola di Matteo: un vangelo da rileggere, ascoltare, pregare e condividere. Mi 2007, Ancora 592 pp.
5726 *Carlson, R.* Reading and interpreting Matthew from the beginning. CThMi 34 (2007) 434-443.
5727 *Carter, Warren* Die Matthäus-Gemeinschaft. Sozialgeschichte, 1. 2007 ⇒450. 161-188.
5728 **Costa, Giuseppe** Il vangelo della chiesa: introduzione e teologia: lectio su brani scelti del vangelo di Matteo. Laboratori di fede e cultura 4: Messina 2005, Istituto teologico S. Tommaso 191 pp. 88-862-12-40-2. Bibl. 179-184.
5729 **Dal Covolo, Enrico** 'Ecco, io sono con voi tutti i giorni...': per una lettura del vangelo secondo Matteo. R 2007, Lateran Univ. Pr. 43 pp.
5730 ᴱ**Eskhult, Josef** Andreas NORRELIUS' Latin translation of Johan KEMPER's Hebrew Commentary on Matthew. SLatU 32: U 2007, Uppsala Univ. 568 pp. 978-91554-70500. Diss. Uppsala.
5731 **Fiedler, Peter** Das Matthäusevangelium. TKNT 1: 2006 ⇒22,5442. ᴿFrRu 14/1 (2007) 47-49 (*Frankemölle, Hubert*); BZ 51 (2007) 133-135 (*Frankemölle, Hubert*); Cart. 23 (2007) 514-515 (*Sanz Valdivieso, R.*); CBQ 69 (2007) 578-579 (*Repschinski, Boris*).
5732 **France, Richard T.** The gospel of Matthew. NICNT: GR 2007, Eerdmans lxiv; 1169 pp. $60. 9780-8028-25018. Bibl. xxix-lxiv; ᴿKerux 22/3 (2007) 52-54 (*Dennison, James T.*).
5733 **Gamba, Giuseppe G.** Vangelo di san Matteo: la proclamazione del regno dei cieli: la fase della 'semina' (Mt 4,17-13,52). BSRel 195: 2006 ⇒22,5444. ᴿAnnTh 21/1 (2007) 213-215 (*Estrada, B.*); Lat. 73 (2007) 535-536 (*Pulcinelli, Giuseppe*); ATG 70 (2007) 326-327 (*Rodríguez Carmona, Antonio*).
5734 **Giacomoni, Silvia** Dice Matteo: il rabbi che amava, seguiva, interpretava Gesù. Il cammeo 479: Mi 2007, Longanesi 145 pp. 978-88-304-2439-5. Bibl. 149.
5735 **Gibbs, Jeffrey A.** Matthew 1:1-11:1. St. Louis 2006, Concordia 548 pp. $43.
5736 **Grün, Anselm** Gesù maestro di salvezza: il vangelo di Matteo. Commento spirituale ai vangeli: Brescia ²2007, Queriniana 184 pp. €11.
5737 **Harrington, Daniel J.** Il vangelo di Matteo. ᵀ*Vischioni, G.* Sacra Pagina 1: 2005 ⇒21,5602; 22,5446. ᴿEstTrin 41 (2007) 429-431 (*Vázquez Allegue, Jaime*).

5738 **Hauerwas, Stanley** Matthew. 2006 ⇒22,5447. [R]RBLit (2007)* (*Nolland, John*).

5739 *Hensell, E.* A preface to reading Matthew. RfR 66 (2007) 424-428.

5740 **Hindson, Edward; Borland, James** The gospel of Matthew: the King is coming. Chattanooga,TN 2007, AMG 275 pp. $13.59.

5741 **Kilpatrick, G.D.** The origins of the gospel according to St Matthew. Wauconda, IL 2007 <1950>, Bolchazy-Carducci 167 pp. $35. 978-08651-66677.

5742 **Luz, Ulrich** Studies in Matthew. [T]*Selle, Rosemary* 2005 ⇒21,252; 22,5449. [R]Pacifica 20 (2007) 102-104 (*Ferreira, Johan*); Theol. 110 (2007) 201-2 (*Repschinski, Boris*); BTB 37 (2007) 185-186 (*Duling, Dennis C.*); Neotest. 41 (2007) 239-241 (*Wilson, Alistair I.*);

5743 Das Evangelium nach Matthäus: 2. Teilband: Mt 8-17. EKK 1/2: Z 2007, Benziger x; 537 pp. 978-3-7887-2261-4;

5744 Matteo vol. 1. 2006 ⇒22,5450. [R]Protest. 61 (2007) 163-164 (*Noffke, Eric*); CivCatt 158/1 (2007) 620-621 (*Scaiola, D.*);

5745 Matthew 1-7: a commentary. [E]*Koester, Helmut*; [T]*Crouch, James E.* Hermeneia: Mp [2]2007 <1989>, Fortress xxxvii; 432 pp. $75. 97808-0066-0994;

5746 Matthew 21-28: a commentary. [T]*Crouch, James E.*; [E]*Köster, Helmut* Hermeneia: 2005 ⇒21,5615; 22,5451. [R]CBQ 69 (2007) 156-158 (*Viviano, Benedict T.*); RBLit (2007) 362-363 (*Krentz, Edgar*).

5747 **McKenna, Megan** Matthew: the book of mercy. Hyde Park, NY 2007, New City 200 pp. $18.

5748 **Mullins, Michael** The gospel of Matthew: a commentary. Dublin 2007, Columba 664 pp. €25. 978-18560-75916.

5749 **Nolland, John** The gospel of Matthew : a commentary on the Greek text. International Greek Testament Commentary: 2005 ⇒21,5620; 22,5453. [R]ThLZ 132 (2007) 793-795 (*Vahrenhorst, Martin*); JETh 21 (2007) 278-279 (*Schröder, Michael*); JThS 58 (2007) 629-632 (*Verheyden, Joseph*); RBLit (2007)* (*Krentz, Edgar*).

5750 **O'Grady, John F.** The gospel of Matthew: question by question. NY 2007, Paulist xiv; 313 pp. $25. 978-0-8091-4440-2.

5751 **Paul, Dagmar J.** "Untypische" Texte im Matthäusevangelium: Studien zu Charakter, Funktion und Bedeutung einer Textgruppe des matthäischen Sonderguts. NTA 50: 2005 ⇒21,5624; 22,5455. [R]CrSt 28 (2007) 220-221 (*Harrington, Daniel J.*); Bib. 88 (2007) 574-578 (*Claudel, Gérard*); RBLit (2007) 359-362 (*Repschinski, Boris*).

5752 [E]**Rittmueller, J.** Liber questionum in Evangeliis. CChr.SL 108 F; Scriptores Celtigenae 5: 2003 ⇒19,5528... 21,5629. [R]Gn. 79 (2007) 470-471 (*Mattei, Paul*).

5753 *Sim, David C.* The gospel of Matthew, John the elder and the PAPIAS tradition: a response to R.H. Gundry. HTS 63 (2007) 283-299.

5754 [E]**Simonetti, Manlio** Evangelio según san Mateo (14-28). La Biblia comentada por los Padres de la Iglesia....: Nuevo Testamento, 1b: 2006 ⇒22,5461. [R]EstTrin 41/1 (2007) 179-80 (*Miguel, José M. de*).

5755 **Smit, Joop** Het verhaal van Matteüs: sleutelpassages uit zijn evangelie. Zoetermeer 2007, Meinema 136 pp. €14.90. 978-90211-41589.

5756 **Stock, Klemens** La liturgia de la palabra: comentarios a los evangelios dominicales y festivos—Ciclo A (Mateo). Caminos 24: M 2007, San Pablo 439 pp. 978-84285-32068.

5757 *ten Kate, Albert* A la recherche de la parenté textuelle du Codex Schøyen. Actes du huitième congrès. OLA 163: 2007 ⇒989. 591-623 [Mt 24,1-51; 28,1-20].

5758 **Thiede, C.P.; D'Ancona, M.** Testimone oculare di Gesù: il papiro Magdalen rivela una prova sconvolgente sulle origini dei vangeli. Pocket: CasM 2003 <1996>, Piemme 238 pp.

5759 Le trésor du scribe: guide pour une lecture communitaire de l'évangile selon saint Matthieu. Rixensart 2007, Casa de la Biblia 134 + 104 pp. €6. Livre de l'animateur; livre du participant.

5760 *Viviano, Benedict T.* Where was the gospel according to St. Matthew written?. Matthew and his world. 2007 <1979> ⇒339. 9-23.

5761 *Watts, Rikk E.* Mark. Commentary on the NT use of the OT. 2007 ⇒ 5642. 111-249.

5762 **Zuurmond, Rochus** Novum Testamentum Aethiopice: part III: the gospel of Matthew. ÄthF 55: 2001 ⇒17,4727... 21,5636. [R]RBLit (2007)* (*Mason, John*).

F3.2 **Themata** *de Matthaeo*

5763 *Badiola Saenz de Ugarte, José A.* La voluntad de Dios, Padre de Jesús, esencia del discipulado. [F]IBÁÑEZ ARANA, A.. 2007 ⇒72. 103-136.

5764 **Cairoli, Marco** La "poca fede" nel vangelo di Matteo: uno studio esegetico-teologico. AnBib 156: 2005 ⇒21,5652. [R]ThLZ 132 (2007) 1069-1070 (*Viviano, Benedict T.*).

5765 *Campbell, Keith* Matthew's hermeneutic of Psalm 22:1 and Jer. 31:15. Faith & Mission 24/3 (2007) 46-58.

5766 *Carter, W.* Matthew's gospel: an anti-imperial/imperial reading. CThMi 34 (2007) 424-433;

5767 Matthew's gospel: Jewish Christianity, Christian Judaism, or neither?. Jewish christianity. 2007 ⇒598. 155-179, 322-323.

5768 **Chae, Young S.** Jesus as the eschatological Davidic shepherd: studies in the Old Testament, second temple Judaism, and in the gospel of Matthew. WUNT 2/216: 2006 ⇒22,5474. [R]CrSt 28 (2007) 219-220 (*Harrington, Daniel*); Kerux 22/3 (2007) 55-8 (*Dennison, James T.*).

5769 *Cuvillier, Elian* Le personnage de Judas dans l'évangile de Matthieu. Regards croisés sur la bible. LeDiv: 2007 ⇒875. 315-321;

5770 Nourriture et repas dans le premier évangile: approche narrative et psycho-anthropologique. ETR 82 (2007) 193-206.

5771 **Decloux, Simon** El Espíritu Santo vendrá sobre ti: ejercicios de ocho días con San Mateo. Sdr 2007, Sal Terrae 182 pp.

5772 *Foster, Robert L.* Yours, ours, and mine: Jesus' use of the prophetic possessive in the gospel of Matthew. BTB 37 (2007) 3-11.

5773 **Gale, Aaron M.** Redefining ancient borders: the Jewish scribal framework of Matthew's gospel. 2005 ⇒21,5672; 22,5480. [R]RBLit (2007) 364-366 (*Sim, David*).

5774 **Garbe, Gernot** Der Hirte Israels: eine Untersuchung zur Israeltheologie des Matthäusevangeliums. WMANT 106: 2005 ⇒21,5673. [R]ThRv 103 (2007) 121-122 (*Deines, Roland*).

5775 *Gielen, Marlis* Blick zurück nach vorn: die Verflechtung des Geschicks Jesu und Jerusalems in ihrer Bedeutung für die matthäische Gemeinde. BiKi 62 (2007) 152-159.

5776 **Graves, Mike; May, David M.** Preaching Matthew: interpretation and proclamation. St. Louis 2007, Chalice vi; 152 pp. $23. 978-0-82-72-3005-7. Bibl. [BiTod 46,133–Donald Senior].

5777 *Hagner, Donald A.* Holiness and ecclesiology: the church in Matthew. [F]DEASLEY, A. 2007 ⇒30. 40-56.

5778 **Ham, Clay A.** The coming king and the rejected shepherd: Matthew's reading of Zechariah's messianic hope. NTMon 4: 2005 ⇒21, 5677; 22,5482. [R]BiblInterp 15 (2007) 110-111 (*Evans, C.A.*).

5779 *Harrington, D.J.* Problems and opportunities in Matthew's gospel. CThMi 34 (2007) 417-423.

5780 *Konradt, Matthias* Die Deutung der Zerstörung Jerusalems und des Tempels im Matthäusevangelium. Josephus und das NT. WUNT 209: 2007 ⇒780. 195-232.

5781 **Konradt, Matthias** Israel, Kirche und die Völker im Matthäusevangelium. WUNT 215: Tü 2007, Mohr S. ix; 493 pp. €99. 978-3-16-149331-7. Bibl. 407-455.

5782 *Kun-chun, Wong* The emergence of early christianity from its religious and cultural background: the implication of Matthew's interpretation of Jewish law. Jian Dao 27 (2007) 145-154. C.

5783 *Lehtipuu, Outi* "The narrow gate and the hard road": on the concept of the afterlife in the gospel of Matthew. Lebendige Hoffnung. ABIG 24: 2007 ⇒845. 157-175.

5784 *Levine, A.-J.* Matthew and anti-Judaism. CThMi 34 (2007) 409-416.

5785 *Luz, Ulrich* Freude aus der Verheißung des Evangeliums: eine matthäische Perspektive. Deutsches Pfarrerblatt 107 (2007) 459-464.

5786 *Michelini, G.* La struttura del vangelo secondo Matteo: bilancio e prospettive. RivBib 55 (2007) 313-333.

5787 *Moos, Beatrix* "Was in ihr geworden ist, ist vom Heiligen Geist": Bibelarbeit zum Marienbild des Matthäusevangeliums. Maria–Mutter Jesu. FrauenBibelArbeit 19: 2007 ⇒445. 35-43.

5788 *Mukasa, Edoth* A righteousness greater than that of the scribes and pharisees (Mt 5:20): righteousness for the kingdom of God. Hekima Review 37 (2007) 55-66.

5789 *Neville, David J.* Toward a teleology of peace: contesting Matthew's violent eschatology. JSNT 30 (2007) 131-161.

5790 **Novakovic, Lidija** Messiah, the healer of the sick: a study of Jesus as the son of David in the gospel of Matthew. WUNT 2/170: 2003 ⇒ 19,5563... 22,5497. [R]BZ 51 (2007) 135-137 (*Becker, Michael*).

5791 **Palachuvattil, Mathew** "The one who does the will of the father": distinguishing character of disciples according to Matthew: an exegetical theological study. [D]*Grilli, Massimo* TGr.T 154: R 2007, E.P. U.G. 400 pp. 978-88-7839-104-8. Diss. Gregoriana [Mt 6,9-10; 7,21-23; 12,46-50; 18,14; 21,28-32; 26,42].

5792 **Pasala, Solomon** The drama of the 'Messiah' in Matthew 8 and 9: a study from communicative perspective. [D]*Grilli, Massimo* R 2007, 79 pp. Exc. Diss. Gregoriana; Bibl. 47-72.

5793 **Pennington, Jonathan T.** Heaven and earth in the gospel of Matthew. [D]*Bauckham, Richard* NT.S 126: Lei 2007, Brill xv; 399 pp. $185. 978-90-04-16205-1. Diss. Saint Andrews; Bibl. 353-376.

5794 **Scaer, David P.** Discourses in Matthew: Jesus teaches the church. 2004 ⇒20,5438. [R]BTB 37 (2007) 140 (*Sánchez, David A.*); CBQ 69 (2007) 831-833 (*Weaver, Dorothy J.*).

5795 **Schmidt, Josef** Gesetzesfreie Heilsverkündigung im Evangelium nach Matthäus: das Apostelkonzil (Apg 15) als historischer und theologischer Bezugspunkt für die Theologie des Matthäusevangeliums. *DGrilli, Massimo* FzB 113: Wü 2007, Echter 501 pp. 978-3-429-029-19-7. Diss. Rome, Gregoriana; Bibl. 464-480 [Mt 18; 23; Gal 2].

5796 *Senior, Donald P.* The foundation for the christian moral life in the gospel of Matthew. FVANHOYE, A. AnBib 165: 2007 ⇒156. 57-70.

5797 **Shaw, Frances** Discernment of revelation in the gospel of Matthew. Religions and discourse 30: Oxf 2007, Lang 370 pp. 978-3-03-9105-64-9 [Mt 11,25-30].

5798 *Shin, In-Cheol* Matthew's designation of the role of women as indirectly adherent disciples. Neotest. 41 (2007) 399-415.

5799 **Sigal, Philip** The halakhah of Jesus of Nazareth according to the gospel of Matthew. Studies in Biblical Literature 18: Atlanta, GA 2007 <1986>, SBL 262 pp. $30. 978-1-58983-282-4. Bibl. 213-226.

5800 *Steffek, Emmanuelle* Rocher et pierre d'achoppement: la figure ambiguë de Pierre dans l'évangile selon Matthieu. FV 106/4 (2007) 44-58.

5801 **Taylor, Barbara B.** The seeds of heaven: sermons on the gospel of Matthew. 2004 ⇒20,5441. RRExp 104 (2007) 180-2 (*Graves, Mike*).

5802 *Ulrich, Daniel W.* The missional audience of the gospel of Matthew. CBQ 69 (2007) 64-83.

5803 *Van Aarde, Andries G.* Jesus' mission to all of Israel emplotted in Matthew's story. Neotest. 41 (2007) 416-436 [Mt 10,5-6; 28,16-20].

5804 *Varickasseril, J.* Universalism in Matthew's gospel. MissTod 9 (2007) 368-375.

5805 *Viljoen, F.P.* Fulfilment in Matthew. VeE 28/1 (2007) 301-324;

5806 Matthew, the church and anti-semitism. VeE 28 (2007) 698-718.

5807 *Viviano, Benedict T.* Matthew's place in the New Testament canon and in the lectionary of the church year. Matthew and his world. NTOA 61: 2007 ⇒339. 270-289.

5808 *Weren, Wim* De opbouw van Matteüs' evangelie: een nieuw voorstel. TTh 47 (2007) 16-41.

5809 **Westerholm, Stephen** Understanding Matthew: the early christian worldview of the first gospel. 2006 ⇒22,5513. RKerux 22/1 (2007) 57-60 (*Vosteen, J. Peter*); TJT 23 (2007) 208-9 (*Leske, Adrian M.*).

5810 *Williams, Daniel H.* HILARY of Poitiers and justification by faith according to the gospel of Matthew. ProEc 16 (2007) 445-461.

5811 **Willitts, Joel** Matthew's messianic shepherd-king: in search of 'the lost sheep of the house of Israel'. *DBockmuehl, Markus* BZNW 147: B 2007, De Gruyter ix; 270 pp. €100.28. 978-3-11-019343-5. Bibl. 235-256; Diss. Cambridge [Mt 2,6; 9,36; 10,6; 15,24; 26,31].

5812 **Yieh, John Yueh-Han** One teacher: Jesus' teaching role in Matthew's gospel report. BZNW 124: 2004 ⇒20,5447... 22,5514. RCBQ 69 (2007) 382-383 (*Weaver, Dorothy J.*).

5813 *Zangenberg, Jürgen* Pharisees, villages and synagogues: observations on the theological significance of Matthew's geography of Galilee. FHAACKER, K. ABIG 27: 2007 ⇒57. 151-169.

F3.3 *Mt 1s (Lc 1s⇒F7.5) Infantia Jesu*—**Infancy Gospels**

5814 **Boff, Leonardo** Giuseppe di Nazaret uomo giusto, carpentiere. 2006 ⇒22,5517. RSapDom 60 (2007) 352-353 (*Miele, Michele*).

5815 **Borg, Marcus J.; Crossan, John D.** The first Christmas: what the gospels really teach about Jesus' birth. L 2007, SCPK x; 258 pp. £8. 978-02810-60047.

5816 **Cuvillier, Elian** Naissance et enfance d'un Dieu: Jésus Christ dans l'évangile de Matthieu. 2005 ⇒21,5732. [R]Hokhma 91 (2007) 90-91 (*Barthélémy, Marc*).

5817 *Dohmen, Christoph* "Tau aus Himmelshöhn": das Alte Testament im Weihnachtsbild. WUB 46 (2007) 37-41.

5818 *Hieke, Thomas* "Wie es geschrieben steht": weihnachtliche Motive aus dem Alten Testament. WUB 46 (2007) 32-36.

5819 *Keerankeri, George* The birth of the Messiah and his reception: Matthew's infancy story. VJTR 71 (2007) 831-849.

5820 **Koschorke, Martin** Jesus war nie in Bethlehem. Da:Wiss 2007, 140 pp. €19.90. 978-35342-04885.

5821 *Lau, Markus* "Mit der Geburt Jesu Christi war es so ..." (Mt 1,18): den neutestamentlichen Kindheitsgeschichten auf der Spur;

5822 Herrscher, Zensus und Planetenkonjunktionen: kennen die Evangelien das Datum der Geburt Jesu?. WUB 46 (2007) 16-21/20.

5823 **Manns, Frédéric** Que sait-on de Marie et de la nativité?. 2006 ⇒22, 5525. [R]PerTeol 39 (2007) 284-286 (*Taborda, Francisco*);

5824 Trenta domande (e trenta risposte) su Maria e la nascita di Gesù. Mi 2007, Vita e P. 143 pp. €14.

5825 *Perroni, Marinella* L'uso delle Scritture ebraiche in Mt 1-2: prospettive e limiti della ricerca filologica. RstB 19/2 (2007) 105-126.

5826 **Ploner, Maria T.** Die Schriften Israels als Auslegungshorizont der Jesusgeschichte: eine narrative und intertextuelle Analyse von Mt 1-2. [D]*Hasitschka, Martin* 2007, Diss. Innsbruck [ZKTh 129,542].

5827 **Redford, John** Born of a virgin: proving the miracle from the gospels. Staten Island, N.Y. 2007, St. Paul 218 pp. £10. 08543-97310.

5828 *Siat, Jeannine* Les évangiles de l'enfance, canoniques et apocryphes. ConnPE 108 (2007) 10-18.

5829 *Smith, K.S.* Matthew's story. America 197/20 (2007) 19.

5830 **Stuhlmacher, Peter** Die Geburt des Immanuel: die Weihnachtsgeschichten aus dem Lukas- und Matthäusevangelium. 2005 ⇒21,5748. [R]JETh 21 (2007) 323-325 (*Buchegger-Müller, Jürg*); RBLit (2007)* (*Oehler, Markus*).

5831 *Stümke, Volker* Die Jungfrauengeburt als Geheimnis des Glaubens–ethische Anmerkungen. NZSTh 49 (2007) 423-444.

5832 **Vermes, Geza** Die Geburt Jesu: Geschichte und Legende. Darmstadt 2007, Primus 151 pp. €19.90. 3-534-20576-9;

5833 The Nativity: history & legend. NY 2007, Doubleday xv; 172 pp. $18. 978-0385-522410. Bibl. 161-162.

5834 *Viviano, Benedict* The genres of Matthew 1-2: light from 1 Timothy 1:4. Matthew and his world. NTOA 61: 2007 <1990> ⇒339. 24-44.

5835 *Wire, Antoinette C.* Geburtsprophezeiungen–Spiegel der Geschichte von Frauen. Sozialgeschichte, I. 2007 ⇒450. 89-112.

5836 *Boulanger, Ian; Castro-Rebelo, Patrick* Généalogie de Jésus. Scriptura(M) 9/2 (2007) 11-20 [Mt 1,1-17; Lk 3,23-38].

5837 *Fuller, Christopher C.* Matthew's genealogy as eschatological satire: BAKHTIN meets form criticism. Bakhtin and genre theory. SBL.Semeia Studies 63: 2007 ⇒778. 119-132 [Mt 1,1-17].

5838   *Maloney, R.P.* The genealogy of Jesus: shadows and lights in his past. America 197/20 (2007) 20-21 [Mt 1,1-17].
5839   *Varner, William C.* A discourse analysis of Matthew's nativity narrative. TynB 58/2 (2007) 209-228 [Mt 1,18-2,23].
5840   *Giovanoni, Mary J.* Two terrible translations. HPR 107/7 (2007) 54-59 [Mt 1,18-25].
5841   *Stark, Christine* Wie das Kind zur Jungfrau kam: Bibellektüre und Traditionsbildung. Fama 23/4 (2007) 3 [Mt 1,18-25].
5842   *Venetz, Hermann-Josef* Zu Mt 1,18-25: ein Versuch mit homiletischen Hintergedanken. ᶠKIRCHSCHLÄGER, W. 2007 ⇒85. 279-297.
5843   *Viard, Jean-Sébastien* Le rôle de Joseph en Mt 1,18-25: un contre-modèle patriarcal. Scriptura(M) 9/2 (2007) 21-38.
5844   *Compton, R.B.* The Immanuel prophecy in Isaiah 7:14-16 and its use in Matthew 1:23: harmonizing historical context and single meaning. Detroit Baptist Seminary Journal [Allen Park, MI] 12 (2007) 3-15.
5845   *Hengel, Martin; Merkel, Helmut* Die Magier aus dem Osten und die Flucht nach Ägypten (Mt 2) im Rahmen der antiken Religionsgeschichte und der Theologie des Matthäus. Jesus und die Evangelien. WUNT 211: 2007 <1973> ⇒247. 323-351.
5846   *Gerber, Daniel* La construction des Mages en Mt 2,1-12 et le point de vue matthéen. Regards croisés sur la bible. LeDiv: 2007 ⇒875. 305-313.
5847   *Nicklas, Tobias* Die Karriere der Weisen: von den Magiern aus dem Osten zu den Heiligen drei Königen. WUB 46 (2007) 24-27 [Mt 2,1-12];
5848   Ein Stern geht auf ... über Betlehem?: das Bileam-Orakel und der Stern in Matthäus 2,1-12. WUB 46 (2007) 28-31 [Num 24,17].
5849   *Dirani, Francesca* 'Vidimus stellam eius in oriente': le esegesi mediolatine della stella matteana. AnStR 8 (2007) 357-385. [Mt 2,2-10].
5850   *Viviano, Benedict T.* The movement of the star, Matt 2:9 and Num 9:17. Matthew and his world. NTOA 61: 2007 <1996> ⇒339. 45-50.
5851   *Nguyen, Thanh V.* In solidarity with the strangers: the flight into Egypt. BiTod 45 (2007) 219-224 [Mt 2,13-15].
5852   *Marguerat, Daniel* Matthieu 2,13-23: Noël dans le détail. LeD 74 (2007) 4-7.
5853   *Cuvillier, Élian* Jésus enfant, Jesus et les enfants dans le premier évangile: une christologie du "petit". LV.F 62/1 (2007) 19-31 [Mt 18,1-4; 19,13-15].

F3.4 *Mt 3...Baptismus Jesu*, Beginnings of the Public Life

5854   *Baert, Barbara* Le plateau de Jean-Baptiste: l'image du médiateur et du précurseur. Graphè 16 (2007) 91-125.
5855   *Bauer, Dieter* "Schon ist die Axt an die Wurzel der Bäume gelegt ...": wer war Johannes der Täufer?. BiHe 43/169 (2007) 6-8.
5856   *Boda, László* Whether John the Baptist could have been educated at Qumran?–John and Bannus. FolTh 18 (2007) 53-69.
5857   *Frank, Évelyne* Jean-Baptiste le passeur: de Pierre à Emmanuel. Graphè 16 (2007) 183-192.
5858   *Hartmann, Michael* "Ein guter Mensch und Tugendlehrer ...": Johannes der Täufer aus einer frühjüdischen Perspektive. Ment. *Josephus* BiHe 43/169 (2007) 19-20.

5859 *Hoppe, Leslie J.* Where was Jesus baptized?: three alternatives. BiTod 45 (2007) 315-320.

5860 *Koch, Dietrich-Alex* "Du kommst zu mir?": Johannes der Täufer und Jesus von Nazaret. BiHe 43/169 (2007) 9-11.

5861 **Malina, Artur** Chrzest Jezusa w czterech ewangeliach: studium narracji i teologii. Studia i Materialy Wydzialu Teologicznego Universytetu Slaskiego w Katowicach 34: Katowice 2007, Ksiegarnia Sw. Jacka xvi; 411 pp. 978-837030-5710. Diss.-Habil. Lublin; Bibl. 374-403. **P**.

5862 *Mullen, Patrick* Reconsidering life: John the Baptist's wilderness invitation to repentance. BiTod 45 (2007) 85-90.

5863 *Mullier, Sébastien* Le rictus du prophète: Jules Laforgue, ironiste exégète. Graphè 16 (2007) 153-164.

5864 *Patella, Michael* Seers' corner: John the Baptist: the last prophet. BiTod 45 (2007) 365-369.

5865 *Pellegrini, Silvia* "Für wen halten mich die Menschen?": Elija–Johannes der Täufer–Jesus. BiHe 43/169 (2007) 12-14.

5866 **Rothschild, Clarke K.** Baptist traditions and Q. WUNT 190: 2005 ⇒21,5787. [R]ThLZ 132 (2007) 942-944 (*Backhaus, Knut*); JThS 58 (2007) 197-200 (*Tuckett, Christopher*); RBLit (2007) 384-88 (*Kloppenborg, John S.*).

5867 *Stavrou, Michel* Présence et culte du chef du Baptiste en Orient jusqu'en 1204. Contacts 59/218 (2007) 172-187.

5868 *Thorel-Cailleteau, Sylvie* Le moment du Baptiste. Graphè 16 (2007) 139-152.

5869 **Kelhoffer, James A.** The diet of John the Baptist: "locusts and wild honey" in synoptic and patristic interpretation. WUNT 176: 2005 ⇒ 21,5791; 22,5563. [R]BZ 51 (2007) 270-71 (*Backhaus, Knut*) [Mt 3,4].

5870 *Billefod, Yann* La parabole de l'ivraie: la réponse de Jésus à la prédication de Jean-Baptiste?. EstB 65 (2007) 115-30 [Mt 3,12; Lk 3,17].

5871 *Rigato, Maria-Luisa* Riflessioni sulla manifestazione dello Spirito di Dio al battesimo di Gesù (Mt 3,16-17; Mc 1,9-10; Lc 3,22; Gv 1,32). Ricerche teologiche 18/1 (2007) 235-251.

5872 *Rodgers, Peter* IRENAEUS and the text of Matthew 3.16-17. [M]METZGER, B. NTMon 19: 2007 ⇒105. 51-54.

5873 **Briend, Jacques,** *al.*, As tentações de Cristo no deserto. Cadernos Biblicos 97: Fátima 2007, Difusora Biblica 120 pp. [Mt 4,1-11].

5874 *Łukarz, Stanisław* Jezus wobec pokus [Jesus and temptation]. Życie Duchowe 50 (2007) 7-13 [Mt 4,1-11]. **P**.

5875 *Müller, Antônio* Tentações de Cristo e dimensões humanas (1-2). Grande Sinal 61 (2007) 25-35, 169-179 [Mt 4,1-11].

5876 *Valerio, Antonio M.* Le tentazioni di Gesù. Volto dei Volti 10/2 (2007) 88-95 [Mt 4,1-11].

F3.5 Mt 5...Sermon on the Mount [...plain, Lk 6,17]

5877 **Borghi, Ernesto** La giustizia per tutti: lettura esegetico-ermeneutica dal Discorso della montagna. PBT 82: T 2007, Claudiana 218 pp. 978-88-7016-687-3. Pref. *Francesco S. Borrelli*; postfazione *Luigi Bettazzi*; Bibl. 221-233.

5878 *Böckler, Annette* Die Bergpredigt Jesu und das Judentum: ein Gespräch?. BiHe 43/172 (2007) 26-27.
5879 **Clowney, Edmund P.** How Jesus transforms the ten commandments. Phillipsburg, NJ 2007, P&R 162 pp. $13. 978-15963-80363. With *Rebecca C. Jones.*
5880 *Ellingworth, Paul* "Thou" and "you" in the Sermon on the Mount. BiTr 58 (2007) 11-19.
5881 ᴱ**Greenman, Jeffrey P.; Larsen, Timothy; Spencer, Stephen** The Sermon on the Mount through the centuries: from the early church to JOHN PAUL II. GR 2007, Brazos 280 pp. $25. 978-15874-32057.
5882 *Hengel, Martin* Das Ende aller Politik: die Bergpredigt in der aktuellen Diskussion <1981>;
5883 Die Bergpredigt im Widerstreit <1983>;
5884 Leben in der Veränderung: ein Beitrag zum Verständnis der Bergpredigt <1970>. Jesus und die Evangelien. WUNT 211: 2007 ⇒247. 375-390/391-407/205-216.
5885 *Iffen Umoren, Anthony* Jesus greater than a sage: elements of ancient rhetoric and divine wisdom in the Sermon on the Mount (Matt 5-7). ᶠMONSENGWO PASINYA, L. 2007 ⇒110. 125-139.
5886 *Mullooparambil, Sebastian* Jesus' liberative approach to Jewish law and religion. JDh 32 (2007) 257-274.
5887 *Sánchez-Navarro, Luis* The patrocentric structure of the 'Teaching on the Mount'. Ethos and exegesis. 2007 ⇒464. 226-233.
5888 **Talbert, Charles H.** Reading the Sermon on the Mount: character formation and decision making in Matthew 5-7. 2004 ⇒20,5512... 22,5573. ᴿCBQ 69 (2007) 376-377 (*Barta, Karen A.*).
5889 *Vahrenhorst, Martin* Die Bergpredigt als Weisung zur Vollkommenheit: noch ein Versuch, die Struktur und das Thema der Bergpredigt zu finden. ᶠHAACKER, K. ABIG 27: 2007 ⇒57. 115-136.
5890 *Viviano, Benedict T.* The Sermon on the Mount in recent study. Matthew and his world. NTOA 61: 2007 <1997> ⇒339. 51-63.
5891 **Wartenberg-Potter, Bärbel von** Wes Brot ich ess, des Lied ich sing: die Bergpredigt lesen: mit dem Text der "Bibel in gerechter Sprache". FrB 2007, Herder 160 pp. 978-3-451-29238-5.
5892 *Wellmann, Bettina* Das Herz der Verkündigung Jesu: Gestalt und Aufbau der Bergpredigt. BiHe 43/172 (2007) 4-5.

5893 *Ruzer, Serge* Antitheses in Matthew 5: midrashic aspects of exegetical techniques. Mapping the NT. 2007 <2005> ⇒304. 11-34.
5894 **Deines, Roland** Die Gerechtigkeit der Tora im Reich des Messias: Mt 5,13-20 als Schlüsseltext der matthäischen Theologie. WUNT 2/ 177: 2004 ⇒20,5515... 22,5577. ᴿBBR 17 (2007) 174-175 (*Yarbrough, Robert W.*).
5895 *Popkes, Enno E.* Jesu Nachfolger als Lichter der Welt und als Stadt auf dem Berge (Von der Bergstadt): Mt 5,14 (EvThom 32). Kompendium der Gleichnisse Jesu. 2007 ⇒6026. 395-399.
5896 *Brackley, D.* La justicia abundante: notas sobre las antítesis del sermón de la montaña. RLAT 24 (2007) 181-195 [Mt 5,17-48].
5897 *Nicklas, Tobias* "Nicht der kleinste Buchstabe des Gesetzes ...": Jesus und die Tradition Israels: Matthäus 5,17-48. BiHe 43/172 (2007) 8-11.
5898 *Fitzgerald, John T.* Anger, reconciliation, and friendship in Matthew 5:21-26. ᶠHURTADO, L. & SEGAL, A. 2007 ⇒71. 359-370.

5899 *Sänger, Dieter* Schriftauslegung im Horizont der Gottesherrschaft: die Antithesen der Bergpredigt (Mt 5,21-48) und die Verkündigung Jesu. Von der Bestimmtheit. 2007 <1999> ⇒306. 1-32.

5900 *Mattison, William* Jesus' prohibition of anger (Mt 5:22): the person/ sin distinction from AUGUSTINE to AQUINAS. TS 68 (2007) 839-864.

5901 *Labahn, Michael* Forderung zu außergerichtlicher Einigung (Der Gang zum Richter): Q 12,58f. (Mt 5,25f. / Lk 12,58f.). Kompendium der Gleichnisse Jesu. 2007 ⇒6026. 178-184.

5902 *Meier, John P.* Did the historical Jesus prohibit all oaths?: part 1. JSHJ 5 (2007) 175-204 [Mt 5,34-37; James 5,12].

5903 *Chomé, Etienne* Tends l'autre joue: ne rends pas coup pour coup: Mt 5,38-42: non-violence active et tradition. Sortir de la violence: Bru 2007, LumenVitae 259 pp. €18. 978-28732-43364.

5904 **Davis, James F.** Lex talionis in early Judaism and the exhortation of Jesus in Matthew 5.38-42. JSNT.S 281: 2005 ⇒21,5826; 22,5586. ᴿCBQ 69 (2007) 354-355 (*Fisher, Eugene J.*); JThS 58 (2007) 200-206 (*Jackson, Bernard S.*).

5905 *Serenthà, Mario* 'Porgere l'altra guancia': che significa?. RCI 88 (2007) 634-644 [Mt 5,38-42].

5906 **Hochholzer, Martin** Feindes- und Bruderliebe im Widerstreit?: eine vergleichende Studie zur synoptischen und johanneischen Ausprägung des Liebesgebots. ᴰ*Schwankl, Otto* EHS.T 850: Fra 2007, Lang 363 pp. 978-3-631-56307-6. Diss. Passau [Mt 5,38-48; Lk 6,27-36].

5907 *Ruzer, Serge* From "love your neighbour" to "love your enemy". Mapping the NT. 2007 ⇒304. 35-70 [Mt 5,43-48; Lk 6,27-36].

5908 *Tannehill, Robert C.* 'You shall be complete'–if your love includes all (Matthew 5:48). The shape of the gospel. 2007 <2004> ⇒328. 127-131.

5909 *Bieberstein, Sabine* Vom Spenden, Fasten und Beten: Matthäus 6,1-8. BiHe 43/172 (2007) 12-13.

5910 *Wilson, Walter T.* A third form of righteousness: the theme and contribution of Matthew 6.19-7.12 in the Sermon on the Mount. NTS 53 (2007) 303-324.

5911 *Pellegrini, Silvia* Die wahren Schätze im Leben: Matthäus 6,19-34. BiHe 43/172 (2007) 17-20.

5912 *Popkes, Enno E.* Das Auge als Lampe des Körpers (Vom Auge als des Leibes Licht): Q 11,34f. (Mt 06,22f. / Lk 11,34-36 / EvThom 24). Kompendium der Gleichnisse Jesu. 2007 ⇒6026. 139-143.

5913 *Whitters, Mark F.* 'The eye is the lamp of the body': its meaning in the Sermon on the Mount. IThQ 71 (2007) 77-88 [Mt 6,22-23].

5914 *Labahn, Michael* Über die Notwendigkeit ungeteilter Leidenschaft (Vom Doppeldienst): Q 16,13 (Mt 6,24 / Lk 16,13 / EvThom 47,1f.). Kompendium der Gleichnisse Jesu. 2007 ⇒6026. 220-226.

5915 **Diampovisa Mbambi, Delvaux C.** L'interdiction de juger: étude contextuelle de Mt 7,1-6. ᴰ*Berder, Michel* 2007, Diss. Inst. Catholique de Paris.

5916 *Leonhardt-Balzer, Jutta* Die Behebung einer Sehschwäche (Vom Splitter und dem Balken): Q 6,41f. (Mt 7,3-5 / Lk 6,41f. / EvThom 26). Kompendium der Gleichnisse Jesu. 2007 ⇒6026. 76-80.

5917 *Münch, Christian* Perlen vor die Säue (Von der Entweihung des Heiligen): Mt 7,6 (EvThom 93);

5918 *Gerber, Christine* Bitten lohnt sich (Vom bittenden Kind): Q 11,9-13 (Mt 7,7-11 / Lk 11,9-13). Kompendium der Gleichnisse Jesu. 2007 ⇒6026. 400-404/119-125.

5919 *Leinhäupl-Wilke, Andreas* Die Goldene Regel: Mt 7,12. BiHe 43/172 (2007) 21.
5920 *Sim, David C.* Matthew 7.21-23: further evidence of its anti-Pauline perspective. NTS 53 (2007) 325-343.
5921 *Mayordomo, Moisés* "Einstürzende Neubauten" (Hausbau auf Felsen oder Sand): Q 6, 47-49 (Mt 7,24-27 / Lk 6,47-49). Kompendium der Gleichnisse Jesu. 2007 ⇒6026. 92-99.
5922 *Witetschek, Stephan* Propheten auf der Baustelle: zur redaktionellen Gestaltung von Mt 7,24-27. BZ 51 (2007) 44-60 [Lk 6,47-49].

F3.6 **Mt 5,3-11** (Lc 6,20-22) **Beatitudines**; *Divorce*

5923 *Barrot, Leander V.* "Purity of heart": Christ's fundamental demand on a persecuted community, Matthew 5:3-11(12-16). Biblical responses. 2007 ⇒771. 92-106.
5924 *Bruners, Wilhelm* Die Seligpreisungen: für ein Leben ohne Gewalt: Matthäus 5,3-16. BiHe 43/172 (2007) 6-7.
5925 **Finze-Michaelsen, Holger** Das andere Glück: die Seligpreisungen Jesu in der Bergpredigt. 2006 ⇒22,5599. ᴿThRv 103 (2007) 294-296 (*Loffeld, Jan*).
5926 *Hipólito, Isaías* A 'sequência' das bem-aventuranças (Mt 5,3-16) à luz da retórica bíblica. Theologica 42 (2007) 113-132;
5927 Para uma interpretação da 'sequência' das bem-aventuranças (Mt 5,3-16): o intertexto bíblico (I). Theologica 42 (2007) 332-352.
5928 *Macciò, Annalisa* Il volto di Dio nelle Beatitudini del vangelo. Volto dei Volti 10/2 (2007) 101-104.
5929 *Marguerat, Daniel; Schaller, Bettina* Matthieu 5,1-12: ne pas se tromper de bonheur!. LeD 71 (2007) 15-25.
5930 **Paoli, Arturo** Le beatitudini: uno stile di vita. Assisi 2007, Cittadella 140 pp.
5931 **Russo, Raffaele** Le beatitudini: riflessione antropologica e morale. LTN n.s. 2: N 2007, ECS 84 pp. €7.50. 978-88951-59089. Bibl.
5932 *Viviano, Benedict T.* Eight beatitudes from Qumran and Matthew: a new discovery from Cave Four. Matthew and his world. NTOA 61: 2007 <1993> ⇒339. 64-68.

5933 *Zanovello, Luciano* Poveri di spirito. BeO 49 (2007) 193-216 [5,3].
5934 *Mottier, Laurence* Matthieu 5,3-9: Jésus se fait poète pour venir nous réveiller. LeD 74 (2007) 8-13.
5935 *Antista, Aurelio* "Beati i puri di cuore". Horeb 16/2 (2007) 36-42 [5,8].

5936 *Instone-Brewer, David* What God has joined. ChristToday 51/10 (2007) 26-29.
5937 *Schuetze, J.D.* Remarriage revisited: scripture and application. WLQ 104/3 (2007) 198-206.

F3.7 *Mt 6,9-13 (Lc 11,2-4)* **Oratio Jesu**, *Pater Noster*, **Lord's Prayer**; Mt 8

5938 *Baarda, Tjitze* Het onlangs gevonden oudere Aramese "Onze Vader": een voorbeeld van pseudo-wetenschap. KeTh 58 (2007) 154-159.

5939 *Balthazar, P.M.* How anger toward absentee fahers may make it diffi-
cult to call God 'Father'. PastPsy 55 (2007) 543-549.

5940 **Bray, Gerald** Yours is the kingdom. Leicester 2007, IVP 206 pp.
£10. 978-18447-42097.

5941 **Brown, Michael J.** The Lord's prayer through North African eyes: a
window into early christianity. Ment. *Clemens Alexandrinus*; *Tertul-
lian* 2004 ⇒20,5546; 21,5861. ᴿThLZ 132 (2007) 181-182 (*Leuen-
berger-Wenger, Sandra*); JR 87 (2007) 273-74 (*Tilley, Maureen A.*).

5942 **Cipressa, Salvatore** Il Padre nostro, preghiera da vivere. Bo 2007,
EDB 175 pp. €13.80.

5943 **Civelli, Jean** Notre Père, source de toute prière. St-Maurice 2007,
Saint-Augustin 144 pp.

5944 *Cummings, O.F.* The Lord's Prayer: challenge and comfort. Emman-
uel 113/3 (2007) 196-209.

5945 **Dubost, Michel** Prier le Notre Père. P 2007, Desclée de B. 272 pp.

5946 *Ettl, Claudio* Das Vaterunser: um Gottes Willen und des Menschen
Wollen: Matthäus 6,5-15. BiHe 43/172 (2007) 14-15.

5947 *Hagström, Magnus* Fader vår i liturgiskt och magiskt bruk–en text-
kritisk analys av det viktigaste oregistrerade handskriftsmaterialet.
SEÅ 72 (2007) 109-149.

5948 *Koopman, Nico* The Lord's Prayer–an agenda for christian living.
JRTheol 1 (2007) 4-5.

5949 **Lancelot, Jacques** El Padre Nuestro, reflexionado e meditado. Sdr
2007, Sal Terrae 120 pp.

5950 **Lohfink, Gerhard** Das Vaterunser neu ausgelegt. Bad Tölz 2007,
Urfeld 99 pp. €12.90. 978-39328-57324. ᴿOrdKor 48 (2007) 502-
503 (*Gahn, Philipp*).

5951 Commento al "Padre nostro" (1): Padre nostro che sei nei cieli, sia
santificato il tuo nome (Mt 6,9). VitaCon 43/1 (2007) 87-97.

5952 *Menezes, Rui de* The holiness of God: the ground of our holiness.
Jeevadhara 37 (2007) 112-126 [Mt 6,9].

5953 *Talstra, Eep* De heiliging van de naam: bijbelse theologie tussen tra-
ditie en actualiteit. ITBT 14/4 (2007) 8-11 [Mt 6,9];

5954 ITBT 14/5 (2007) 19-21 [Mt 6,9].

5955 *Mlakuzhyil, George* Abba (Papa), our father in heaven (and on earth).
Jeevadhara 37 (2007) 93-111 [Mt 6,9-10].

5956 Commento al "Padre nostro", (2): Venga il tuo regno (Mt 6,10);

5957 Commento al "Padre nostro", (3): Sia fatta la tua volontà, come in
cielo così in terra (Mt 6,10). VitaCon 43 (2007) 205-211/319-327.

5958 *Keerankeri, George* 'Thy kingdom come!': the kingdom of God as
gift and responsibility. Jeevadhara 37 (2007) 127-141 [Mt 6,10].

5959 *Saldanha, Assisi* God's will: a present imperative. Jeevadhara 37
(2007) 142-157 [Mt 6,10].

5960 Commento al "Padre nostro", (4): Dacci oggi il nostro pane quoti-
diano (Mt 6,11). VitaCon 43 (2007) 430-437.

5961 *Legrand, Lucien* Bread for the journey. Jeevadhara 37 (2007) 158-
165 [Mt 6,11].

5962 Commento al "Padre nostro" (5): Rimetti a noi i nostri debiti come
noi li rimettiamo ai nostri debitori (Mt 6,12). VitaCon 43 (2007) 535-
543.

5963 *Krishnan, Mini* The seventh petition–forgiveness. VJTR 71 (2007)
462-464 [Mt 6,12].

5964 *Theckanath, Jacob* Forgiveness the key to a reconciled community: 'and forgive us our debts as we also have forgiven our debtors' (Mt 6:12). Jeevadhara 37 (2007) 166-173.
5965 Commento al "Padre nostro" (6): Non ci indurre in tentazione, ma liberaci dal male (Mt 6,13). VitaCon 43 (2007) 644-653.
5966 *Mulloor, Augustine* In the security of God, the protector and deliverer: challenges from the final petitions of the Lord's Prayer. Jeevadhara 37 (2007) 174-184 [Mt 6,13].

5967 *Gatti, Nicoletta; Ossom-Batsa, George* Malattia e guarigione: Mt 8,1-17: il vangelo interpella la cultura Krobo. ED 60/3 (2007) 61-86.
5968 *Guillet, Stéphane* La guérison pour tous? (Mt 8.17). ThEv(VS) 6/1 (2007) 23-28.
5969 *Hengel, Martin* Nachfolge und Charisma: eine exegetisch-religionsgeschichtliche Studie zu Mt 8,21f. und Jesu Ruf in die Nachfolge. Jesus und die Evangelien. WUNT 211: 2007 <1968> ⇒247. 40-138.
5970 *Manns, Frédéric* "Laissez les morts enterrer leurs morts": rupture ou continuité de Jésus avec le judaïsme?. ᶠVANHOYE, A. AnBib 165: 2007 ⇒156. 25-34 [Mt 8,22; Lk 9,60].
5971 *Boxall, Ian* Reading the synoptic gospels: the case of the Gerasene demoniac. ScrB 37 (2007) 51-65 [Mt 8,28-34].

F4.1 *Mt 9-12: Miracula Jesu*—The Gospel miracles

5972 *Álvarez Valdés, Ariel* ¿Cuál fue el primer milagro que hizo Jesús?. RF 256 (2007) 49-56.
5973 *Berthelot, Katell* Guérison et exorcisme dans les textes de Qumrân et les évangiles. Guérisons du corps. 2007 ⇒906. 135-148.
5974 *Bieritz, Karl-H.* Zeichen und Wunder: praktisch-theologische Annäherungen. Zeichen und Wunder. BTSP 31: 2007 ⇒553. 290-312.
5975 *Cardellino, Ludovico* Fede e miracoli: per credere o per chi crede?. BeO 49 (2007) 217-236.
5976 **Ciardi, F.** Parlaci di Lui: i racconti di Cafarnao. R 2007, Città N. 96 pp. €7.
5977 **Dulaey, Martine** Symboles des évangiles (Iᵉʳ-VIIᵉ siècles): le Christ médecin et thaumaturge. Références 613: P 2007, Livre de poche 320 pp. €8.
5978 *Esterbauer, Reinhold* Vom Wunder der Wirklichkeit zum Wunder der Sprache: Bemerkungen zu einem nicht geläufigen philosophischen Begriff. ᶠTRUMMER, P. 2007 ⇒153. 14-27.
5979 *Evers, Dirk* Was ist ein Wunder?: religionsphilosophische und systematisch-theologische Überlegungen aus evangelischer Sicht. Wunderverständnis. 2007 ⇒423. 9-29;
5980 Wunder und Naturgesetze. Zeichen und Wunder. BTSP 31: 2007 ⇒ 553. 66-87.
5981 *Fitschen, Klaus* Die Deutung von Wundern in der Geschichte des Protestantismus. Wunderverständnis im Wandel. 2007 ⇒423. 87-97.
5982 *Gardocki, Dariusz* Cuda Jezusa jako znaki i dzieła [The miracles of Jesus as signs and works]. StBob 2 (2007) 155-67 [Mk 14,22-25]. **P**.
5983 *Gradl, Hans-Georg* Was ist ein Wunder?: biblische Verstehenshilfen für ein theologisches Sorgenkind. Wunderverständnis. 2007 ⇒423. 31-53.

5984 *Grünschloss, Andreas* "Zeichen" und "Wunder" in religionsge-schichtlicher und religionswissenschaftlicher Sicht;

5985 *Hammer, Almuth* "... als ob es das Tal von Eden gewesen wäre": Zei-chenskepsis und Wunderdeutung in der modernen Literatur;

5986 *Hanisch, Helmut* Wunder und Wundergeschichten aus der Perspekti-ve von Kindern und Jugendlichen: eine empirische Annäherung. Zei-chen und Wunder. BTSP 31: 2007 ⇒553. 203-33/161-184/130-160.

5987 *Hempelmann, Reinhard* Wunder im Kontext pfingstlich-charismati-scher Bewegungen. Wunderverständnis. 2007 ⇒423. 113-127.

5988 *Hengel, Martin; Hengel, Rudolf* Die Heilungen Jesu und medizini-sches Denken. Jesus und die Evangelien. WUNT 211: 2007 <1959> ⇒247. 1-27.

5989 *Hoegen-Rohls, Christina* Im Gespräch mit Gott: neutestamentliche Wundergeschichten auf dem Hintergrund alttestamentlicher Psalmen exegetisch lesen und didaktisch vermitteln. Bibel nach Plan?. 2007 ⇒422. 91-118.

5990 *Holmén, Tom* Jesus and magic: theodicean perspectives to the issue. A kind of magic. LNTS 306: 2007 ⇒468. 43-56 [Lk 18,10-14].

5991 *Jütte, Robert* Wunderheilungen in textlichen und bildlichen Überlie-ferungen. Wunderverständnis. 2007 ⇒423. 73-86.

5992 *Keller, Christoph* Die Heilungswunder Jesu: Gottes Ja zum Leben. Gottes Wort. Bibel und Ethik 1: 2007 ⇒537. 181-189.

5993 *Klein, Hans* Wort und Wunder im Neuen Testament und in der Kir-che heute. konfluenzen 7 (2007) 55-65.

5994 *Kollmann, Bernd* Grundprobleme und Perspektiven der Wunderdi-daktik. ᶠTRUMMER, P. 2007 ⇒153. 227-246.

5995 *Lauria, Costantino* Teologia terapeutica o della guarigione: la guari-gione fra le esigenze morali di Gesù e della prima comunità cristiana. RTM 39 (2007) 219-233.

5996 *Lehmann, Hartmut* Profanes Reden von Wundern im Zeitalter des Nationalismus und der Säkularisierung;

5997 *Maier, Hans* Umgang mit Wundern: Frömmigkeits- und verwaltungs-geschichtliche Anmerkungen. Wunderverständnis. 2007 ⇒423. 99-112/55-64.

5998 *McCabe, J.* In the name of Jesus Christ I command you, you spirit of [name] to depart without doing harm to [name of counselee] or any-one else in this house. ChM 121 1 (2007) 39-60.

5999 *Pernkopf, Elisabeth* Wo die Natur die gewohnte Straße verlässt: zu Wundern in den Naturwissenschaften. Heilungen und Wunder. 2007 ⇒153. 28-40.

6000 *Popp-Baier, Ulrike* "Mir ist alles Wunder...": psychologische Studien zu Wundern und zum Wundern;

6001 *Ritter, Werner H.* Nach-Worte;

6002 *Ritter, Werner H.; Albrecht, Michaela* Wunder–Geschichten vom gelingenden Leben als Aufgabe der Religionspädagogik. Zeichen und Wunder. BTSP 31: 2007 ⇒553. 108-129/313-314/259-289.

6003 *Rusecki, Marian* Kryteria historycznosci cudów Jezusa. Roczniki Teologiczne 54/6 (2007) 317-334. **P.**

6004 *Savage, Sara* Healing encounters: psychological perspectives on Je-sus' healing. Jesus and psychology. 2007 ⇒543. 44-61 [Lk 6,6-11; John 5,2-16].

6005 **Scharfenberg, Roland** Wenn Gott nicht heilt: theologische Schlag-lichter auf ein seelsorgerliches Problem. 2005 ⇒22,5657. ᴿJETh 21 (2007) 352-353 (*Eber, Jochen*).

6006 *Schoberth, Wolfgang* Was Wunder: über den Zauber der Welt und die Leibhaftigkeit des Glaubens. Zeichen und Wunder. BTSP 31: 2007 ⇒553. 53-65.

6007 *Sottong, Ursula; Sottong, Paul* Überprüfung von Wunderheilungen (mit Beispielen aus Lourdes): Mooshauser Gespräche zur kirchlichen Zeitgeschichte, 6. bis 8. Oktober 2006. Wunderverständnis. 2007 ⇒423. 65-71.

6008 *Theißen, Gerd* Die Wunder Jesu: historische, psychologische und theologische Aspekte. Zeichen und Wunder. BTSP 31: 2007 ⇒553. 30-52.
   ᶠTRUMMER, P. Heilungen und Wunder 2007 ⇒153.

6009 *Twelftree, Graham H.* Jesus the exorcist and ancient magic. A kind of magic. LNTS 306: 2007 ⇒468. 57-86.

6010 **Twelftree, Graham H.** In the name of Jesus: exorcism among early christians. GR 2007, Baker 351 pp. £13.69. 978-08010-27451. Bibl. 297-314.

6011 *Pilch, John J.* Flute players, death, and music in the afterlife (Matthew 9:18-19, 23-26). BTB 37 (2007) 12-19.

6012 *Dulaey, Martine* La guérison de l'hémorroïsse (Mt 9,20-22) dans l'interprétation patristique et l'art paléochrétien. RechAug 35 (2007) 99-131.

6013 *Keerankeri, George* Matthew's double-barrelled mission discourse: a discourse on the mission of the Twelve and that of the church. VJTR 71 (2007) 725-741 [Mt 9,36-11,1].

6014 *Zimmermann, Ruben* Folgenreiche Bitte! (Arbeiter für die Ernte): Q 10,2 (Mt 9,37f. / Lk 10,2 / EvThom 73). Kompendium der Gleichnisse Jesu. 2007 ⇒6026. 111-118.

6015 *Willitts, Joel* Matthew's Messianic shepherd-king: in search of "the lost sheep of the house of Israel". HTS 63 (2007) 365-382 [Mt 10,5-6].

6016 *Couto, António* 'De graça recebestes, de graça dai'. Did(L) 37 (2007) 93-105 [Mt 10,8].

6017 *Yee, T.W.* 'The Spirit of your Father': suggestions for a fuller Pentecostal pneumatology with accompanying pastoral implications. AJPS 10/2 (2007) 219-228 [Mt 10,20].

6018 *Kern, Gabi* Größenwahn?! (Vom Schüler und Lehrer): Q 6,40 (Mt 10,24-25a / Lk 6,40 / Joh 13,16; 15,20). Kompendium der Gleichnisse Jesu. 2007 ⇒6026. 68-75.

6019 *Miyoshe, A.* Affliction of division within the family: Micah 7:6 and Matthew 10:35-36. Exegetica [Tokyo] 18 (2007) 1-19. **J.**

6020 **Igboanugo, Francis** 'A prophet's reward': an exegetico-theological study of Matthew 10,40-42 in the light of missionary experiences. ᴰ*Juric, S.* R 2007, Diss. Angelicum [RTL 39,605].

6021 *Viviano, Benedict T.* The least in the kingdom: Matthew 11:11, its parallel in Luke 7:28 (Q) and Daniel 4:14. Matthew and his world. NTOA 61: 2007 <2000> ⇒339. 81-94.

6022 *Paluku, Prosper* 'Le royaume de Dieu souffre la violence, et des violents s'emparent': essai de compréhension et d'interprétation de Mt 11,12//Lc 16,16. Violence, justice et paix. 2007 ⇒891. 263-280.

6023 *Minear, Paul S.* Two secrets, two disclosures. HBT 29 (2007) 75-85 [Mt 11,25-30].

6024 *Viviano, Benedict T.* Revelation in stages (Matt 11:25-30 and Num 12:3,6-8). Matthew and his world. NTOA 61: 2007 ⇒339. 95-101.

6025 *Labahn, Michael* Füllt den Raum aus–es kommt sonst noch schlimmer! (Beelzebulgleichnis): Q 11,24-26 (Mt 12,43-45 / Lk 11,24-26). Kompendium der Gleichnisse Jesu. 2007 ⇒6026. 126-132.

F4.3 Mt 13...*Parabolae Jesu*—The Parables

6026 [E]**Zimmermann, Ruben** Kompendium der Gleichnisse Jesu. Gü 2007, Gü xiv; 1101 pp. €79. 978-3-579-08020-8.

6027 **Banschbach Eggen, Renate** Gleichnis, Allegorie, Metapher: zur Theorie und Praxis der Gleichnisauslegung. TANZ 47: Tü 2007, Francke xii; 312 pp. €64. 978-3-7720-8238-2 [Mk 4,26-29].

6028 **Battaglia, Oscar** Le parabole escatologiche: la speranza che non delude. Assisi 2007, Cittadella 269 pp. €16.50.

6029 [E]**Beutner, Edward F.** Listening to the parables of Jesus. Jesus Seminar Guides 2: Santa Rosa, CA 2007, Polebridge x; 129 pp. $18.

6030 *Burgués, José P.* Las parábolas de Jesús: itinerario de crecimiento para el escolapio. ACal 62/1 (2007) 151-261.

6031 **Eggen, Renate B.** Gleichnis, Allegorie, Metapher: zur Theorie und Praxis der Gleichnisauslegung. TANZ 47: Tü 2007, Francke xii; 312 pp. 978-3-7720-8238-2. Bibl. 305-312.

6032 *Erlemann, Kurt* Die synoptischen Gleichnisse und die johanneischen σημεῖα –ein redaktionskritischer und textpragmatischer Vergleich. [F]HAACKER, K. ABIG 27: 2007 ⇒57. 340-349.

6033 **Getty-Sulivan, Mary A.** Parables of the kingdom: Jesus and the use of parables in the synoptic tradition. ColMn 2007, Liturgical viii; 191 pp. $10. 978-08146-29932. Bibl. 189-91 [BiTod 46,200–D. Senior].

6034 **Greeley, Andrew** Jesus: a meditation on his stories and his relationships with women. NY 2007, Forge 172 pp. $18. 978-0765-3177-66.

6035 *Kern, Gabi* Parabeln in der Logienquelle Q: Einleitung. Kompendium der Gleichnisse Jesu. 2007 ⇒6026. 49-58.

6036 *Kettel, Joachim* Kunst und die kleinen Erzählungen. Geschichten. Hodos 5: 2007 ⇒615. 103-132.

6037 **McKenzie, Alyce M.** The parables for today. For Today: LVL 2007, Westminster 107 pp. $15. 978-06642-29580.

6038 *Müller, Peter* "Da mussten die Leute erst nachdenken": Chancen und Grenzen der Gleichnisdidaktik. Bibel nach Plan?. 2007 ⇒422. 77-90;

6039 Gleichnisse Jesu–exegetisch und religionspädagogisch betrachtet. Geschichten. Hodos 5: 2007 ⇒615. 21-36 [Mk 4,30-32];

6040 Metaphorische Sprache. Geschichten. Hodos 5: 2007 ⇒615. 9-20.

6041 **Münch, Christian** Die Gleichnisse Jesu im Matthäusevangelium: eine Studie zu ihrer Form und Funktion. WMANT 104: 2004 ⇒20, 5619... 22,5687. [R]RBLit (2007) 369-371 (*Zimmermann, Ruben; Gäbel, Georg*).

6042 *Münch, Christian* Parabeln im Matthäusevangelium: Einleitung. Kompendium der Gleichnisse Jesu. 2007 ⇒6026. 385-391.

6043 **Schottroff, Luise** The parables of Jesus. [T]*Maloney, Linda* 2006 ⇒ 22,5691. [R]ThTo 64 (2007) 251, 253 (*Beavis, Mary Ann*); SR 36 (2007) 630-631 (*Kloppenborg, John S.*);

6044 Die Gleichnisse Jesu. 2005 ⇒21,5930. ᴿEvTh 67/1 (2007) 61-64
      (*Kähler, Christoph*);
6045 Le parabole di Gesù. Introduzioni e trattati 32: Brescia 2007, Queri-
      niana 400 pp. €34.
6046 **Schulte, Stefanie** Gleichnisse erleben: der Entwurf einer wirkingsäs-
      thetischen Hermeneutik und Didaktik. ᴰ*Meyer-Blanck, Michael*
      2007, Diss. Bonn [ThLZ 132,1264].
6047 *Scott, B.B.* The seismic shift: a major moment in the history of para-
      ble interpretation. Ment. *Funk, R.* Fourth R [Santa Rosa, CA] 20/6
      (2007) 5-8, 24.
6048 *Zimmermann, Ruben* Die Gleichnisse Jesu: eine Leseanleitung zum
      Kompendium. Kompendium der Gleichnisse Jesu. 2007 ⇒6026. 3-
      46.

6049 **Roloff, Jürgen** Jesu Gleichnisse im Matthäusevangelium: ein Kom-
      mentar zu Mt 13,1-52. ᴱ*Kreller, Helmut; Oechslen, Rainer* BThSt
      73: 2005 ⇒21,5939. ᴿThPh 82 (2007) 281-282 (*Kiessling, K.*);
      RBLit (2007)* (*Kloppenborg, John S.*).
6050 *Gemünden, Petra von* Ausreißen oder wachsen lassen? (Vom Un-
      kraut unter dem Weizen): Mt 13,24-30.36-43 (EvThom 57). Kom-
      pendium der Gleichnisse Jesu. 2007 ⇒6026. 405-419.
6051 *Perdrix, Laurence* Matthieu 13,31-32: petit cadeau deviendra grand.
      LeD 74 (2007) 14-18.
6052 *Ostmeyer, Karl-Heinrich* Gott knetet nicht (Vom Sauerteig): Q
      13,20f. (Mt 13,33 / Lk 13,20f. / EvThom 96);
6053 *Müller, Peter* Die Freude des Findens (Vom Schatz im Acker und
      von der Perle): Mt 13,44.45f. (EvThom 76; 109);
6054 *Münch, Christian* Am Ende wird sortiert (Vom Fischnetz): Mt 13,47-
      50 (EvThom 8);
6055 *Müller, Peter* Neues und Altes aus dem Schatz des Hausherrn (Vom
      rechten Schriftgelehrten): Mt 13,52. Kompendium der Gleichnisse
      Jesu. 2007 ⇒6026. 185-192/420-428/429-434/435-440.
6056 *Calambrogio, L.* Una famiglia comune Mt 13,53-58. Laós 14/1
      (2007) 15-25.
6057 *Cardellino, Lodovico* Il pane di vita: indagine intorno a Mt 14,16;
      Mc 6,37; Lc 9,13. RivBib 55 (2007) 455-473.
6058 *Oberlinner, Lorenz* Können Wunder schief gehen?: zur Petrus-Episo-
      de in der Seewandelgeschichte Mt 14,22-33. ᶠTRUMMER, P. 2007 ⇒
      153. 85-104.
6059 *Gemünden, Petra von* Falsche Herkunft (Vom Ausreißen der Pflan-
      ze): Mt 15,13 (EvThom 40);
6060 *Kern, Gabi* Absturzgefahr (Vom Blinden als Blindenführer): Q 6, 39
      (Mt 15, 14 / Lk 6, 39 / EvThom 34). Kompendium der Gleichnisse
      Jesu. 2007 ⇒6026. 441-444/61-67.
6061 *Souza, Allan E. de* Diga sim na terra do nao: perspectiva da eleiçao
      missao e graça de um Jesus etnocentrico (Mt 15,21-28 e Mc 7,24-
      30). Estudos bíblicos 94/2 (2007) 49-58.
6062 **Usarski, Christa** Jesus und die Kanaanäerin (Matthäus 15,21-28):
      eine predigtgeschichtliche Recherche. PTHe 69: 2005 ⇒21,5953.
      ᴿThLZ 132 (2007) 707-709 (*Lütze, Frank M.*).
6063 *Horowitz, E.* Circumcised dogs from Matthew to MARLOWE. Proof-
      texts 27/3 (2007) 531-545 [Mt 15,26-27].

F4.5 **Mt 16**...*Primatus promissus*—**The promise to Peter**

6064 *Bockmuehl, Markus* Peter's death in Rome?: back to front and upside down. SJTh 60/1 (2007) 1-23.

6065 **Cassidy, Richard J.** Four times Peter: portrayals of Peter in the four gospels and at Philippi. Interfaces: ColMn 2007, Liturgical ix; 154 pp. $16. 978-0-8146-5178-0. Bibl. 142-146. [R]JDh 32 (2007) 315-316 (*Édayadiyil, George*); RBLit (2007)* (*Wiarda, Timothy*).

6066 *Colosimo, Jean-François* La bénédiction de la faillibilité: Pierre selon les pères. LV(L) 56/2 (2007) 45-55.

6067 *Créhalet, Frédéric* L'emergence de la papauté. LV(L) 56/2 (2007) 73-82.

6068 **Di Nardi, Vincenzo** Simon Pietro, pescatore di Galilea. N 2007, LER 151 pp. 978-88-8264-460-8. Bibl.

6069 *Gonneaud, Didier* Pierre et Paul: paradoxes de l'apostolicité. LV(L) 56/2 (2007) 35-43.

6070 **Kasper, Walter** The petrine ministry: catholics and orthodox in dialogue. 2006 ⇒22,5719. [R]Worship 81 (2007) 378-379 (*Fahey, Michael A.*).

6071 *Marguerat, Daniel; Steffek, Emmanuelle* Pierre dans les évangiles: fragile et emblématique. LV(L) 56/2 (2007) 21-31.

6072 *Viviano, Benedict T.* Peter as Jesus' mouth: Matthew 16:13-20 in the light of Exodus 4:10-17 and other models. Matthew and his world. NTOA 61: 2007 <2000> ⇒339. 146-170.

6073 **Hengel, Martin** Der unterschätzte Petrus. 2006 <2007> ⇒22,238. [R]ActBib 44/1 (2007) 16-20 (*Fàbrega, Valentí*); SiChSt (2007/4) 206-210 (*Greve, Anna E.*); CBQ 69 (2007) 581-583 (*Viviano, Benedict T.*); RBLit (2007)* (*Davids, Peter H.*) [Mt 16,17-19].

6074 *Viviano, Benedict T.* Unity and symphonic diversity in the church: the dialectic between John 17:20-23 (Matt: 16:17-19) and Matthew 18:18-20. Matthew and his world. NTOA 61: 2007 ⇒339. 193-219.

6075 *Ådna, Jostein* Jesus' promise for his church that "the gates of Hades will not prevail against it" (Matt 16:18c). TTK 78 (2007) 186-206.

6076 *Getcha, Job* La transfiguration du monde. Irén. 80/1 (2007) 23-35 [Mt 17,1-9].

6077 *Kim, Heerak C.* Placing Matthew 17:1-13 in the genre of the fantastic. CV 49 (2007) 19-30.

6078 *Flusser, David* The half-shekel in the gospels and the Qumran community. Judaism of the second temple period, 1. 2007 ⇒224. 327-333 [Mt 17,24-27; Mk 12,17].

6079 *Tuzlak, Ayse* Coins out of fishes: money, magic, and miracle in the gospel of Matthew. SR 36 (2007) 279-295 [Mt 17,27].

6080 *Cardellino, Lodovico* Mt 18: l'obbligo di assolvere sempre tutti sensa condizioni. BeO 49 (2007) 3-56.

6081 *Farci, Mario* Mt 18: vita comunitaria e unità della chiesa. Theologica & Historica 16 (2007) 13-38.

6082 **Gatti, Nicoletta** ... perchè il "piccolo" diventi "fratello": la pedagogia del dialogo nel cap. 18 di Matteo. TGr.T 146: R 2007, E.P.U.G. 396 pp. 978-88-7839-089-8. Bibl. 325-357.

6083 *Bucur, Bogdan G.* Matt. 18:10 in early christology and pneumatology: a contribution to the study of Matthean Wirkungsgeschichte. NT 49 (2007) 209-231.

6084   *Oveja, Animosa* Neunundneunzig sind nicht genug! (Vom verlorenen Schaf): Q 15,4-5a.7 (Mt 18,12-14 / Lk 15,1-7 / EvThom 107). Kompendium der Gleichnisse Jesu. 2007 ⇒6026. 205-219.

6085   *Barbaglio, Giuseppe* Correzione fraterna e procedimento giudiziale: lettura storico-critica di Mt 18,15-17.18. [F]VANHOYE, A. AnBib 165: 2007 ⇒156. 45-56.

6086   *Roose, Hanna* Das Aufleben der Schuld und das Aufheben des Schuldenerlasses (Vom unbarmherzigen Knecht): Mt 18,23-35. Kompendium der Gleichnisse Jesu. 2007 ⇒6026. 445-460.

6087   *Ruzer, Serge* Negotiating the proper attitude to marriage and divorce. Mapping the NT. 2007 ⇒304. 131-147 [Mt 19; Mk 10].

6088   *Zani, Lorenzo* Il dono di lasciare: Gesù e il giovane ricco (Mt 19,16-29). Presbyteri 41 (2007) 297-301.

F4.8 Mt 20...*Regnum eschatologicum*—Kingdom eschatology

6089   **Wilson, Alistair I.** When will these things happen?: a study of Jesus as judge in Matthew 21-25. 2004 ⇒20,5673... 22,5741. [R]CBQ 69 (2007) 603-604 (*Gibbs, Jeffrey A.*).

6090   *Avemarie, Friedrich* Jedem das Seine?: Allen das Volle! (Von den Arbeitern im Weinberg): Mt 20,1-16. Kompendium der Gleichnisse Jesu. 2007 ⇒6026. 461-472.

6091   **Delville, Jean-Pierre** L'Europe de l'exégèse au XVIe siècle: interprétations de la parabole des ouvriers à la vigne (Mathieu, 20, 1-16). BEThL 174: Lv 2004, Peeters xli; 775 pp. 90429-14416. [R]SCJ 38/1 (2007) 250-51 (*François, Wim*); RHPhR 87 (2007) 475-476 (*Arnold, M.*); Brot. 160 (2005) 289-92 (*Silva, Isidro R. da*); NRTh 128 (2006) 103-104 (*Radermakers, J.*); RTL 37 (2006) 86-89 (*Bedouelle, Guy*); RHE 101 (2006) 822-825 (*Beaude, Pierre-Marie*); CFr 76 (2006) 373-375 (*Marchello, Alfredo*); RBLit (2006)* (*Nicklas, Tobias*).

6092   *John, V.J.* Some insights from the parable of the vineyard labourers (Mt. 20:1-15). CTC bulletin 23/2 (2007) 14-21.

6093   *Ruiz, Jean-Pierre* The bible and people on the move: another look at Matthew's parable of the day laborers. NewTR 20/3 (2007) 15-23 [Mt 20,1-16].

6094   *Sánchez Navarro, Luis* Los obreros de la viña y el seguimiento de Jesús. EstB 65 (2007) 463-481 [Mt 20,1-16].

6095   *Ferreira Valério, P.* Da margem ao caminho: a misericórdia como resposta à exclusão de acordo com Mt 20,29-34. Laur. 48 (2007) 29-52.

6096   *Hübenthal, Sandra* "Wer ist dieser?": Mt 21,1-17 in intertextueller Lektüre. Der Bibelkanon. 2007 ⇒360. 261-277.

6097   **Savarimuthu, Stanislas** A community in search of its identity: Mt 21:28-22:14 in a subaltern perspective. [D]*Verheyden, Joseph* Delhi 2007, ISPCK xvi; 310 pp. $18. 978-81721-49826. Diss. Leuven; Bibl. 271-310.

6098   *Pérez Fernández, Miguel* Un método para el estudio del midrás evangélico en el contexto midrásico judío. [F]RIBERA FLORIT, J. 2007 ⇒131. 169-178 [Mt 21,18-22].

6099   *Gäbel, Georg* Was heißt Gottes Willen tun? (Von den ungleichen Söhnen): Mt 21,28-32. Kompendium der Gleichnisse Jesu. 2007 ⇒6026. 473-478.

6100 *Frolov, Serge* Reclaiming the vineyard: the 'rebellious tenants' story as a political allegory. [F]BASSLER, J. NTMon 22: 2007 ⇒11. 23-35 [Mt 21,33-41].

6101 *Fuhrmann, Justin M.* The use of Psalm 118:22-23 in the parable of the wicked tenants. ProcGLM 27 (2007) 67-81 [Mt 21,33-46].

6102 *Schottroff, Luise* Verheißung für alle Völker (Von der königlichen Hochzeit): Mt 22,1-14. Kompendium der Gleichnisse Jesu. 2007 ⇒ 6026. 479-487.

6103 *Verheyden, Joseph* Evidence of *1 Enoch* 10:4 in Matthew 22:13?. [F]GARCÍA MARTÍNEZ, F. JSJ.S 122: 2007 ⇒46. 449-466.

6104 **Gibbs, Jeffrey A.** Jerusalem and parousia: Jesus' eschatological discourse in Matthew's gospel. St. Louis, Mo. 2001, Concordia 272 pp. 0-570-04288-7 [Mt 24,1-26,2].

6105 *Müller, Peter* Schnell und unausweichlich (Vom Aas und den Geiern): Q 17,37 (Mt 24,28 / Lk 17,37). Kompendium der Gleichnisse Jesu. 2007 ⇒6026. 235-239.

6106 *Hart, John F.* Should pretribulationists reconsider the rapture in Matthew 24:36-44?: part 1 of 3. Journal of the Grace Evangelical Society 20/39 (2007) 47-70.

6107 *Labahn, Michael* Die plötzliche Alternative mitten im Alltag (Mitgenommen oder zurückgelassen): Q 17,34f. (Mt 24,40f. / Lk 17,34f. / EvThom 61,1);

6108 Achtung Menschensohn! (Vom Dieb): Q 12, 39f. (Mt 24, 43f. / Lk 12, 39f. / EvThom 21, 5);

6109 *Gerber, Christine* Es ist stets höchste Zeit (Vom treuen und untreuen Haushalter): Q 12,42-46 (Mt 24,45-51 / Lk 12,42-46);

6110 *Mayordomo, Moisés* Kluge Mädchen kommen überall hin ... (Von den zehn Jungfrauen): Mt 25,1-13. Kompendium der Gleichnisse Jesu. 2007 ⇒6026. 227-234/154-160/161-170/488-503.

6111 **Böhl, Meinrad** Das Christentum und der Geist des Kapitalismus: die Auslegungsgeschichte des biblischen Talentegleichnisses. Menschen und Kulturen 5: Köln 2007, Böhlau 321 pp. 978-3-412-20017-6 [Mt 25,14-30; Lk 19,11-27].

6112 *Etzelmüller, Gregor* Die Bedeutung der Weltgerichtsrede Jesu (Mt 25,31-46) für eine realistische Rede vom Jüngsten Gericht. "... und das Leben. 2007 ⇒557. 90-102.

6113 *Münch, Christian* Der Hirt wird sie scheiden (Von den Schafen und Böcken): Mt 25,32f.. Kompendium der Gleichnisse Jesu. 2007 ⇒ 6026. 504-509.

F5.1 *Redemptio*, **Mt 26**, *Ultima coena*; **The Eucharist** [⇒H7.4]

6114 *Artus, Olivier* L'éclairage de l'Ancien Testament. Les récits fondateurs de l'eucharistie. CEv.S 140 (2007) 4-12.

6115 **Álvarez Tejerina, Ernestina & Pedro** Te ruego que me dispenses: los ausentes del banquete eucarístico. 2006 ⇒22,5755. [R]TyV 48 (2007) 500-501 (*Reyes Gacitúa, Eva*).

6116 *Bieberstein, Sabine* Das letzte Mahl in Jerusalem. WUB 44 (2007) 42-43.

6117 **Bieler, Andrea; Schottroff, Luise** Das Abendmahl: essen, um zu leben. Gü 2007, Gü 293 pp. 978-3-579-08017-8.

6118 **Bieler, Andrea; Schottroff, Luise** The eucharist: bodies, bread and resurrection. Mp 2007, Fortress viii; 248 pp. $22. 978-08006-38672.
6119 **Bradshaw, Paul F.** Eucharistic origins. ACC 80: 2004 ⇒21,6011. RHeyJ 48 (2007) 631-632 (*Taylor, N.H.*); ThRv 103 (2007) 489-491 (*Leonhard, Clemens*).
6120 *Daly-Denton, Margaret M.* Water in the eucharistic cup: a feature of the eucharist in Johannine trajectories through early christianity. IThQ 72 (2007) 356-370 [John 2,1-12; 4; 6; 1 John 5,5-8].
6121 *Ebner, Martin* Identitätsstiftende Kraft und gesellschaftlicher Anspruch des Herrenmahls: Thesen aus exegetischer Sicht. Herrenmahl. QD 221: 2007 ⇒572. 284-291.
6122 **Eichhorn, Albert** The Lord's Supper n the New Testament. TCayzer, Jeffrey R. History of Biblical Studies 1: Atlanta 2007, SBL x; 105 pp. $15. 978-15898-32744. Introd. *Hugo Gressmann.*
6123 *Gabriel, Karl* Herrenmahl und Gruppenidentität heute–Analysen und Konfliktgeschichten. Herrenmahl. QD 221: 2007 ⇒572. 234-253.
6124 *Garuti, Paolo* Alleanza nel sangue. Dizionario... sangue di Cristo. 2007 ⇒1137. 56-64.
6125 *Holmes, Jeremy* Our passover Eucharist. HPR 107/11-12 (2007) 22-29.
6126 **King, Fergus J.** More than a passover: inculturation in the supper narratives of the New Testament. NTSCE 3: Fra 2007, Lang xxvi; 395 pp. 978-3-631-56575-9. Bibl. 333-378.
6127 *Koester, Helmut* The memory of Jesus' death and the worship of the risen Lord. From Jesus to the gospels. 2007 <1998> ⇒256. 211-224.
6128 *König, Alexander* "Lasst die Kinder zu mir kommen": der unmittelbare Zugang von Kindern zur Eucharistie. Gottes Wort. Bibel und Ethik 1: 2007 ⇒537. 190-194 [Mk 10,13-16].
6129 *Leonhard, Clemens* Blessings over wine and bread in Judaism and christian eucharistic prayers: two independent traditions. Jewish and christian liturgy. 2007 ⇒580. 309-326.
6130 *Manns, Frédéric* Encore une fois: la dernière Cène, un repas pascal. Did(L) 37/2 (2007) 27-32.
6131 *Manoussakis, John Panteleimon* The anarchic principle of christian eschatology in the eucharistic tradition of the eastern church. HThR 100 (2007) 29-46.
6132 *Mason, M.W.* Covenant children and covenant meals: biblical evidence for infant communion. ChM 121/2 (2007) 127-138.
6133 **Meiser, Martin** Judas Iskariot: einer von uns. Biblische Gestalten 10: 2004 ⇒20,5706; 22,5774. RThLZ 132 (2007) 42-44 (*Rein, Matthias*).
6134 *Nagy, Agnes A.* Echaristies hérétiques entre végétarisme et cannibalisme: un topos classique dans la littérature chrétienne antique. Cristianesimi. Spudasmata 117: 2007 ⇒569. 17-38.
6135 *Nodet, Étienne* De Josué à Jésus, via Qumrân et le "pain quotidien". RB 114 (2007) 208-236.
6136 *Nüssel, Friederike; Sattler, Dorothea* Ökumenische eucharistische Mahlgemeinschaft: begründet erwünscht–und doch nicht gelebt?. Herrenmahl. QD 221: 2007 ⇒572. 20-38.
6137 *Prosinger, Franz* Zum aktuellen Stand der Diskussion "für viele / für alle". Theologisches 37/3-4 (2007) 123-130 [Mk 10,45; 14,24].
6138 *Rouwhorst, Gerard* The roots of the early christian eucharist: Jewish blessings or Hellenistic symposia?. Jewish and Christian liturgy. 2007 ⇒580. 295-308.

6139 **Smith, Gordon T.** A holy meal. 2005 ⇒21,6051. ᴿFaith & Mission 24/2 (2007) 102-104 (*Church, Keith*).
6140 *Söding, Thomas* Ein Zeichen der Hoffnung–das letzte Abendmahl Jesu und die Eucharistie der Kirche. Ren. 63/3-4 (2007) 39-42.
6141 *Theißen, Gerd* Sakralmahl und sakramentales Geschehen: Abstufungen in der Ritualdynamik des Abendmahls. Herrenmahl und Gruppenidentität. QD 221: 2007 ⇒572. 166-186.
6142 *Velankanni, F.* The eucharist and table fellowship in the New Testament. EAPR 44 (2007) 147-164.
6143 **Witherington, Ben** Making a meal of it: rethinking the theology of the Lord's Supper. Waco, Texas 2007, Baylor University Pr. xi; 160 pp. $20. 978-1-602-58015-2.
6144 *Wolf, Hubert* Von der Folgenlosigkeit der Beschäftigung mit Geschichte in der Theologie?: ein Zwischenruf. Herrenmahl und Gruppenidentität. QD 221: 2007 ⇒572. 230-232.
6145 *Zwick, Reinhold* Das Mahl des Herrn und das Mahl der Sklaven: Identitätsprozesse in Tomás Gutiérrez Aleas Film "La Última Cena". Herrenmahl. QD 221: 2007 ⇒572. 254-277.

6146 *Doherty, Cathal* The language of identity and the doctrine of eucharistic change. IThQ 72 2007, 242-250 [Mt 26,26-28; Mk 14,22-24].
6147 *Dahan, Gilbert* Les commentaires de Mt 26,26-29 au Moyen Âge. Les récits fondateurs de l'eucharistie. CEv.S: 140 (2007) 93-108.
6148 *Hiltbrunner, Otto* "Für viele-für alle": sprachliche Überlegungen. U-na Voce-Korrespondenz 37 (2007) 266-9 [Mt 26,27-28; Mk 14,23].
6149 *Giraudo, Cesare* La formula "pro vobis et pro multis" del racconto istituzionale: la recezione liturgica di un dato scritturistico alla luce delle anafore d'Oriente e d'Occidente. RivLi 94 (2007) 257-284 [Mt 26,28; Mk 14,24; Lk 22,19-20; 1 Cor 11,24].
6150 *Marucci, Corrado* Per molti o per tutti?: sul significato delle parole περί/ὑπὲρ πολλῶν nei Sinottici. RivLi 94 (2007) 285-300 [Mt 26,28; Mk 14,24; Lk 22,20].
6151 *Stein, Hans-J.* "Zur Vergebung der Sünden": Erwägungen zu den israeltheologischen und ekklesiologischen Implikationen des matthäischen Abendmahls. ᶠHAACKER, K. ABIG 27: 2007 ⇒57. 137-150 [Mt 26,28].
6152 *Winkler, Ulrich* "Wer sind die Erwählten?: zu denen gehöre ich bestimmt nicht!": von der Verabschiedung des Zweiten Vatikanums im Pro-multis-Streit um die Eucharistie. SaThZ 11/1 (2007) 89-102 [Mt 26,28; Mk 14,24; Lk 22,14].

F5.3 **Mt 26,30...//*Passio Christi*; Passion narrative**

6153 **Betz, Otto W.** Der Prozess Jesu im Licht jüdischer Quellen. ᴱ*Riesner, Rainer* Biblische Archäologie und Zeitgeschichte 13: Giessen ²2007 <1982>, Brunnen 128 pp. €20. 3-7655-9813-5.
6154 *Bickerman, Elias J.* Utilitas crucis: observations on the accounts of the trial of Jesus in the canonical gospels. Studies in Jewish and Christian history. AGJU 68/1-2: 2007 ⇒190. 726-793.
6155 **Borg, Marcus J.; Crossan, John D.** La última semana de Jesús: el relato día a día de la semana final de Jesús en Jerusalén. ᵀ*Carlos Ot-*

to, Federico de M 2007, PPC 265 pp. [R]Cart. 23 (2007) 518-519 (*Martínez Fresneda, F.*).

6156 **Bovon, François** The last days of Jesus. [T]*Hennessy, Kristin* 2006 ⇒ 22,5791. [R]RBLit (2007) 347-350 (*McCruden, Kevin B.*);

6157 Los últimos días de Jesús: textos y acontecimientos. Presencia teológica 155: Sdr 2007, Sal Terrae 134 pp. 978-84293-16957. [R]EE 82 (2007) 614-615 (*Uríbarri, Gabino*).

6158 **Bösen, Willibald** L'ultimo giorno di Gesù di Nazaret. [E]*Rizzi, Armido* T 2007, Elledici 447 pp. €45.

6159 *Broer, Ingo* The death of Jesus from a historical perspective. Jesus from Judaism. LNTS 352: 2007 ⇒448. 145-168.

6160 **Brown, Raymond** La mort du Messie. [T]*Mignon, Jacques* 2005 ⇒21, 6066; 22,5792. [R]NRTh 129 (2007) 458-460 (*Radermakers, J.*).

6161 *Cabria Ortega, José Luis* El 'testamento' eclesial de Jesús: meditación teológica de las siete palabras de Jesús en la cruz. Lumen 56 (2007) 185-254.

6162 *Cook, M.J.* The betrayal of Judas. Reform Judaism [NY] 36/2 (2007) 40-44, 46.

6163 **Dauzat, Pierre-E.** Judas: de l'évangile à l'Holocauste. 2006 ⇒22, 5793. [R]EeV 117/167 (2007) 6-7 (*Maldamé, Jean-Michel*).

6164 **Delumeau, Jean; Billon, Gérard** Gesù e la sua passione. Padova 2007, Messagero 143 pp. €8.

6165 **Fernández Ramos, Felipe** Pasión de nuestro Señor Jesucristo. S 2007, San Esteban 239 pp.

6166 **Franco Martínez, César Augusto; García Pérez, José Miguel** Pasión de Jesús según san Mateo y descenso a los infiernos. Studia Semitica NT 15: M 2007, Encuentro 243 pp. €20. 978-84-7490-856-5. Bibl. 13-26. [R]LASBF 57 (2007) 743-745 (*Chrupcała, Lesław D.*).

6167 *Fredriksen, Paula* Why was Jesus crucified, but his followers were not?. JSNT 29 (2007) 415-419.

6168 **Greenberg, Gary** The Judas brief: who really killed Jesus?. NY 2007, Continuum ix; 282 pp. $30. 978-08264-89999. Bibl. 273-276.

6169 **Grimaldi, Nicolas** Giuda: l'enigma del male. [T]*Forno, D.* T 2007, SEI xii; 100 pp. €10.

6170 *Gruson, Philippe* Judas im Neuen Testament. WUB 45 (2007) 37.

6171 *Hauerwas, Stanley* Why did Jesus have to die?: an attempt to cross the barrier of age. PSB 28 (2007) 181-190.

6172 *Herzer, Jens* Zwischen Loyalität und Machtstreben: sozialgeschichtliche Aspekte des Pilatusbildes bei JOSEPHUS und im Neuen Testament. Josephus und das NT. WUNT 209: 2007 ⇒780. 429-450.

6173 **Klauck, Hans-J.** Judas, un disciple de Jésus: exégèse et répercussions historiques. [T]*Hoffmann, Joseph* LeDiv 212: 2006 ⇒22,5799. [R]EeV 169 (2007) 23-25 (*Maldamé, Jean-M.*); LTP 63 (2007) 154-156 (*Painchaud, Louis*); Cart. 23 (2007) 234-235 (*Martínez Fresneda, F.*); REJ 166 (2007) 569-571 (*Cillières, Hélène*).

6174 *Kruhöffer, Bettina* Zur Ambivalenz theologischer Begründungen: "Der Fall Judas" (Walter Jens). [F]BRÄNDLE, W. Lüneburger Theologische Beiträge 5: 2007 ⇒18. 147-155.

6175 **Leloup, Jean-Y.** Un homme trahi: le roman de Judas. 2006 ⇒22, 5802. [R]EeV 117/167 (2007) 5-6 (*Maldamé, Jean-Michel*).

6176 **Lémonon, Jean-P.** Ponce Pilate. P [2]2007 <1981>, L'Atelier 301 pp. €23. 978-2-7082-3918-0. Préf. *Maurice Sartre*; Bibl. 267-287. [R]CÉv

142 (2007) 59-60 (*Runacher, Caroline*); Ist. 52 (2007) 422-423 (*Rumšas, Saulius*).

6177 *Léon, Paul* Chrono(photo)graphie de la Passion. SémBib 127 (2007) 4-24.

6178 **Loupan, Victor; Noël, Alain** Inchiesta sulla morte di Gesù. ^T*Zappella, Marco* Guida alla Bibbia 31: CinB 2007, San Paolo 384 pp. €24. 978-88215-57033. Bibl. 377-384. ^RCart. 23 (2007) 516-517 (*Martínez Fresneda, F.*).

6179 *Luz, Ulrich* Textauslegung und Ikonographie: Reflexionen anhand der matthäischen Passionsgeschichte. ZRGG 59 (2007) 102-119.

6180 *Lüdemann, Gerd* Why the church invented Judas's 'betrayal' of Jesus. CSER Review [Amherst, NY] 1/2 (2007) 36-37.

6181 *Maldamé, Jean-Michel* La trahison de Judas: psychologie, histoire et théologie. EeV 166 (2007) 1-13;

6182 A propos de Judas. EeV 167 (2007) 4-8.

6183 *Marcus, Joel* Meggitt on the madness and kingship of Jesus. JSNT 29 (2007) 421-424.

6184 **McKnight, Scot** Jesus and his death: historiography, the historical Jesus, and atonement theory. 2005 ⇒21,6086; 22,5810. ^RBBR 17 (2007) 360-362 (*Strauss, Mark L.*); CBQ 69 (2007) 158-159 (*Perrin, Nicholas*); JThS 58 (2007) 258-260 (*Wedderburn, A.J.M.*); RBLit (2007) 341-343 (*Evans, Craig*).

6185 *Meggitt, Justin J.* The madness of King Jesus: why was Jesus put to death, but his followers were not?. JSNT 29 (2007) 379-413.

6186 *Perotti, Pier A.* Il tradimento di Giuda. BeO 49 (2007) 103-120.

6187 **Reinbold, Wolfgang** Der Prozess Jesu. BTSP 28: 2006 ⇒22,5812. ^RJETh 21 (2007) 289-293 (*Schnabel, Eckhard*).

6188 *Röhrbein-Viehoff, Helmut* Jesus auf den Spuren Davids: vom Abendmahlssaal nach Getsemani. WUB 44 (2007) 44-46.

6189 **Saari, A.M.H.** The many deaths of Judas Iscariot: a meditation on suicide. 2006 ⇒22,5813. ^RScrB 37 (2007) 91-92 (*Turner, Laurence*).

6190 *Schwebel, Horst* Revision des Judasbildes an Hand von Beispielen aus der bildenden Kunst und der Literatur. ^FBLUMENTHAL, S. von. Ästhetik–Theologie–Liturgik 45: 2007 ⇒16. 120-128.

6191 **Sloyan, Gerard S.** Jesus on trial: a study of the gospels. ²2006 <1973> ⇒22,5816. ^RWorship 81/1 (2007) 94-96 (*Donahue, John R.*); BTB 37 (2007) 83-84 (*Sánchez, David A.*).

6192 **Stevan, Sergio** Giuda: il mistero del tradimento: nel buio la luce. Frammenti: Mi 2007, Ancora 96 pp. €10.50. 978-88-514-0423-9.

6193 *Then, Reinhold* Literatur als Bekenntnis: Entstehung und Bedeutung der Passionserzählungen. WUB 44 (2007) 56-57.

6194 *Tidball, Derek J.* Songs of the crucified one: the Psalms and the crucifixion. Southern Baptist Convention 11/2 (2007) 48-61.

6195 **Tomson, Peter J.** Presumed guilty: how the Jews were blamed for the death of Jesus. ^T*Dyk, Janet* 2005 ⇒21,6094. ^RJSJ 38 (2007) 434-435 (*Tilly, Michael*).

6196 **Vermes, Geza** La pasión. ^T*Vilà, Lara* Barc 2007, Ares y M. 205 pp. 978-84843-28803;

6197 La passione. Itinerari biblici: Brescia 2007, Queriniana 128 pp. €10.50. 978-88399-29068. Bibl. 117-118;

6198 Les énigmes de la passion: une histoire qui a changé l'histoire du monde. ^T*Billoteau, Emmanuelle* P 2007, Bayard 162 pp. €19. 978-2227-47577-9.

6199 **Zagrebelsky, G.** Giuda: il tradimento fedele. [E]*Caramore, Gabriella* Uomini e profeti 18: Brescia 2007, Morcelliana 101 pp. €10. 978-88-372-21867.

6200 *Hawkins, Peter S.* He who hesitates is human: literary portrayals of the Gethsemane 'moment'. Perspectives on the passion. LNTS 381: 2007 ⇒457. 30-41 [Mt 26,36-46].

6201 *Vanhoye, Albert* La peur de Jésus. Christ Source de Vie 407 (Août-Septembre) (2007) 4-7 [AcBib 11,379] [Mt 26,36-46].

6202 *Auffret, Pierre* L'arrestation en Mt 26,45-56: étude structurelle. BeO 49 (2007) 163-174.

6203 **Bernard, Jacques** Le blasphème de Jésus. Saint-Maur 2007, Parole et S. 450 pp. 978-2-8457-3554-5. Bibl. 403-419 [Mt 26,63-66].

6204 *Daoust, Francis* Matthieu 27,3-10: un récit historique portant sur le suicide de Judas?. Scriptura(M) 9/1 (2007) 79-98.

6205 *Stabryła, Wojciech* Judasz–sprawiedliwy Starego Testamentu. CoTh 77/1 (2007) 57-68 [Mt 27,3-10]. **P**.

6206 *Berenson Maclean, Jennifer K.* Barabbas, the scapegoat ritual, and the development of the passion narrative. HThR 100 (2007) 309-334 [Mt 27,15-26; Mk 15,6-15; Lk 23,18-25; John 18,39-40].

6207 *Wettlaufer, Ryan D.* A second glance at Matthew 27.24. NTS 53 (2007) 344-358.

6208 **Keller, Zsolt** Der Blutruf (Mt 27,25): eine schweizerische Wirkungs-geschichte 1900-1950. 2006 ⇒22,5831. [R]Jud. 63 (2007) 146-147 (*Battegay, Caspar*).

6209 *Fernández Marcos, Natalio* La parodia del rey Agripa y el escarnio del *Iesus patiens*. [F]GARCÍA MARTÍNEZ, F. Ment. *Philo* JSJ.S 122: 2007 ⇒46. 623-631 [Mt 27,27-31].

6210 **Rigato, Maria-Luisa** Il titolo della croce di Gesù: confronto tra i vangeli e la tavoletta-reliquia della Basilica Eleniana a Roma. TGr.T 100: [2]2005 <2003> ⇒21,6102. [R]RivBib 55 (2007) 243-245 (*Kraus, Thomas J.*) [Mt 27,37].

6211 *Paschke, Boris A.* Nomen est omen: warum der gekreuzigte Jesus wohl auch unter Anspielung auf seinen Namen verspottet wurde. NT 49 (2007) 313-327 [Mt 27,43].

6212 *Forbes, Greg W.* Darkness over all the land: theological imagery in the crucifixion scene. RTR 66 (2007) 83-96 [Mt 27,45].

6213 **Lancuba, Bruno** La morte di Gesù secondo Matteo (27,45-56): ese-gesi e teologia. [D]*Gieniusz, A.* R 2007, Pontificia Università Urbania-na 189 pp. Estr. diss.; Bibl. 126-187.

6214 *Álvarez Valdés, Ariel* ¿Porqué Jesús no quiso tomar vino en la criz?. Qol 43 (2007) 69-77 [Mt 27,48-49].

6215 **Gurtner, Daniel M.** The torn veil: Matthew's exposition of the death of Jesus. MSSNTS 139: C 2007, CUP xxii; 297 pp. $90. 0-521-87064-X. Bibl. 216-268 [Mt 27,51].

6216 **Scaglioni, Germano** E la terra tremò: i prodigi alla morte di Gesù in Matteo 27,51b-53. Studi e ricerche, sez. biblica: 2006 ⇒22,5835. [R]Ter. 58/1 (2007) 179-181 (*De Carlo, Franco*).

6217 *Schwindt, Rainer* Kein Heil ohne Gericht: die Antwort Gottes auf Je-su Tod nach Mt 27,51-54. BN 132 (2007) 87-104.

6218 *Viviano, Benedict T.* A psychology of faith: Matt 27:54 in the light of Exod 14:30-31. Matthew and his world. NTOA 61: 2007 <1997> ⇒339. 229-232.

F5.6 Mt 28//: Resurrectio

6219 *Alsup, J.E.* The hatching of the Easter egg. Insights [Austin, TX] 123/1 (2007) 3-9.

6220 **Arraj, J.** The bodily resurrection of Jesus. Chiloquin, OR 2007, Inner Growth 107 pp. $18. 978-09140-73214.

6221 **Becker, Jürgen** Die Auferstehung Jesu Christi nach dem Neuen Testament: Ostererfahrung und Osterverständnis im Urchristentum. Tü 2007, Mohr S. viii; 307 pp. €59/39. 978-3-16-149426-0/7-7. Bibl. 288-302.

6222 *Bickerman, Elias J.* The empty tomb. Studies in Jewish and Christian history. AGJU 68/1-2: 2007 ⇒190. 712-725.

6223 *Bryan, C.* Did the first christians mean what they said, and did they know what they were talking about?;

6224 So what?;

6225 What exactly was it that the first christians were saying?. Sewanee Theological Review 50 (2007) 247-263/264-278/235-246.

6226 **Castellucci, Erio** Davvero il Signore è risorto. 2005 ⇒21,6116. ᴿRAMi 32/1 (2007) 209-210 (*Pistoia, Francesco*).

6227 *Cuvillier, Élian* La résurrection de Jésus: un mythe?. Mythes grecs, mythes bibliques. LiBi 150: 2007 ⇒397. 115-143.

6228 *Czachnesz, I.* Early christian views on Jesus' resurrection: toward a cognitive psychological interpretation. NedThT 61 (2007) 47-59.

6229 *Dalferth, Ingolf U.* Volles Grab, leerer Glaube?: zum Streit um die Auferweckung des Gekreuzigten (1998). Grundtexte. 2007 ⇒588. 359-366.

6230 *Doghramji, Peter B.* Appearances of the risen Christ: Emmaus, Damascus, Berytus. ThRev 28/2 (2007) 33-39.

6231 *Freyne, Seán* An Easter story: 'the lost tomb of Jesus'. DoLi 57/4 (2007) 2-6.

6232 *García Rivera, J. Manuel* ¡He visto al Señor!. Qol 43 (2007) 49-68.

6233 *Haws, Molly* "Put your finger here": resurrection and the construction of the body. Theology and sexuality 13/2 (2007) 181-194 [John 20,17-27].

6234 *Hays, Richard B.; Kirk, J.R. Daniel* Auferstehung in der neueren amerikanischen Bibelwissenschaft. ZNT 10/19 (2007) 24-34.

6235 *Härle, Wilfried* Doppelte Gefahr: hängt der Auferstehungsglaube davon ab, ob das Grab Jesu leer war?. zeitzeichen 8/4 (2007) 12-14.

6236 *Herrero Mombiela, José M.* Los discípulos vieron a Jesús resucitado, ¿con los ojos de la fe?. TE 51 (2007) 367-374.

6237 **Kehl, Medard** E cosa viene dopo la fine?: sulla fine del mondo e sul compimento finale, sulla reincarnazione e sulla risurrezione. Giornale di teologia 279: 2001 ⇒17,5101. ᴿRdT 48/1 (2007) 151-152 (*Rossetti, Carlo Lorenzo*).

6238 *Knight, C.F.* The Easter experiences: a new light on some old questions. Theol. 110 (2007) 83-91.

6239 *Kudiyiruppil, John* Death and resurrection in the gospels. JJSS 7/1 (2007) 62-71.

6240 **Leclerc, Eloi** 'Id a Galilea' al encuentro del Cristo pascual. 2006 ⇒ 22,5857. ᴿRevista católica 107/1 (2007) 83-84 (*Sayago, Juan M.*).

6241 *Martín-Moreno, Juan Manuel* Los relatos de la resurrección según la exégesis y la teología actual. Manresa 79 (2007) 109-125.

6242 **McGrath, Alister** Resurrection. Truth and the Christian Imagination: Mp 2007, Fortress xii; 87 pp. $15. 978-08006-37033.
6243 *Moingt, Joseph* Despertar a la resurrección. SelTeol 46/1 (2007) 53-60 <Etudes (juin 2005) 771-781.
6244 *Moltmann, Jürgen* The resurrection of Christ and the new earth. CV 49 (2007) 141-149.
6245 **Myre, André** Pour l'avenir du monde: la résurrection revisitée. Montreal 2007, Fides 265 pp. $25. 978-27621-27638.
6246 *Price, R.M.* Brand X Easters. Fourth R [Santa Rosa, CA] 20/6 (2007) 13-15, 18-19, 23.
6247 *Pyysiäinen, Ilkka* The mystery of the stolen body: exploring christian origins. Explaining christian origins. BiblInterp 89: 2007 ⇒609. 57-72.
6248 *Reinmuth, Eckart* Ostern–Ereignis und Erzählung: die jüngste Diskussion und das Matthäusevangelium. ZNT 10/19 (2007) 3-14.
6249 *Seckinger, Stefan* Die Auferstehung Jesu–ein historisches Ereignis?. FKTh 23/3 (2007) 186-193.
6250 **Stewart, Robert B.** The resurrection of Jesus: John Dominic Crossan and N.T. Wright in dialogue. 2006 ⇒22,476. ᴿThTo 64 (2007) 410-413 (*Ellens, J. Harold*).
6251 **Thiede, Carsten P.** The Emmaus mystery: discovering evidence for the risen Christ. 2005 ⇒21,6155. ᴿTheol. 110 (2007) 41-42 (*Need, Stephen W.*).
6252 **Torres Queiruga, Andrés** La risurrezione senza miracolo. ᵀ*Sudati, Ferdinando* 2006 ⇒22,5875. ᴿFilosofia Oggi 30 (2007) 327-330 (*Tugnoli, Claudio*).
6253 *Volp, Ulrich* Gedanken zum Auferstehungsverständnis in der Alten Kirche. ZNT 10/19 (2007) 35-43.
6254 **Wright, Nicholas T.** Risurrezione. ᴱ*Comba, Aldo* 2006 ⇒22,5879. ᴿStPat 54 (2007) 478-479 (*Segalla, Giuseppe*);
6255 The resurrection of the Son of God. Christian origins and the question of God 3: 2003 ⇒19,5890... 22,5878. ᴿSJTh 60 (2007) 458-475 (*Welker, M.*).
6256 *Wright, N.T.* Resurrection and new creation. ChiSt 46 (2007) 270-86.
6257 *Zeller, Dieter* Religionsgeschichtliche Erwägungen zur Auferstehung. ZNT 10/19 (2007) 15-23.

6258 *Grilli, Massimo* Analisi pragmatica del testo biblico. Ethos and exegesis. 2007 ⇒464. 33-45 [Mt 28,16-20].
6259 *Wright, David F.* The great commission and the ministry of the word: reflections historical and contemporary on relations and priorities (Finlayson Memorial Lecture, 2007). SBET 25 (2007) 132-157 [Mt 28,18-20].

F6.1 **Evangelium Marci**—*Textus, commentarii*

6260 *Amphoux, Christian-B.* Codex Vaticanus B: les points diacritiques des marges de Marc. JThS 58 (2007) 440-466.
6261 **Bacq, Philippe; Ribadeau Dumas, Odile** Un goût d'évangile: Marc: un récit en pastorale. 2006 ⇒22,5896. ᴿEeV 117/171 (2007) 20-22 (*Trimaille, Michel*).

6262 **Becker, Eve-M.** Das Markus-Evangelium im Rahmen antiker Historiographie. WUNT 194: 2006 ⇒22,5897. [R]NT 49 (2007) 410-413 (*Baum, A.D.*); HZ 285 (2007) 700-702 (*Alkier, Stefan*); CrSt 28 (2007) 741-744 (*Mutschler, Bernhard*); RBLit (2007) 388-391 (*Gerber, Christine*).

6263 **Boring, M. Eugene** Mark: a commentary. 2006 ⇒22,5898. [R]RBLit (2007)* (*Bock, Darrell L.*).

6264 **Bortolini, José** O evangelho de Marcos: para uma catequese com adultos. 2003 ⇒19,5904. [R]REB 67 (2007) 494-495 (*Guimarães, Almir Ribeiro*).

6265 [E]**Bourguet, Daniel** L'évangile médité par les Pères: Marc. Veillez et priez: Lyon 2007, Olivétan 183 pp. 978-23547-90066.

6266 **Carlson, Stephen C.** The gospel hoax: Morton Smith's invention of Secret Mark. Ment. *Clemens Alexandrinus* 2005 ⇒21,6177; 22, 5902. [R]JThS 58 (2007) 193-195 (*Tuckett, Christopher*); RBLit (2007)* (*Blomberg, Craig*); RRJ 10/1 (2007) 122-8 (*Chilton, Bruce*).

6267 **Casalini, Nello** Introduzione a Marco. 2005 ⇒21,6178. [R]MF 107 (2007) 277-278 (*Uricchio, Francesco*); EstB 65 (2007) 557-559 (*Sánchez Navarro, Luis*);

6268 Lettura di Marco: narrativa, esegetica, teologica. ASBF 67: 2005 ⇒21,6179. [R]MF 107 (2007) 279-280 (*Uricchio, Francesco*); EstB 65 (2007) 557-559 (*Sánchez Navarro, Luis*).

6269 **Collins, Adela Y.** Mark: a commentary. [E]*Attridge, Harold W.* Hermeneia: Mp 2007, Fortress xlvi; 894 pp. $80. 978-0-8006-6078-9. Bibl. 823-841.

6270 **Couture, André; Vouga, François** La présence du royaume: une nouvelle lecture de l'évangile de Marc. 2005 ⇒21,6182. [R]LTP 63 (2007) 128-131 (*Kodar, Jonathan I. von*).

6271 **Crossley, James G.** The date of Mark's gospel: insight from the law in earliest christianity. JSNT.S 266: 2004 ⇒20,5906... 22,5903. [R]Bib. 88 (2007) 131-135 (*Telford, William R.*) [Mk 7,1-23].

6272 **Culpepper, R. Alan** Mark. Macon, GA 2007, Smyth & H. xviii; 622 pp. $60. 978-15731-20777.

6273 **Dal Covolo, Enrico** 'E voi, chi dite che io sia?: il vangelo di Marco: per essere 'discepoli del Maestro?'. Quaderni di pastorale universitaria 1: 2005 ⇒21,6184. [R]Sal. 69 (2007) 369-70 (*Tovar, Mario B.*).

6274 **Delorme, Jean** Parole et récit évangéliques: études sur l'évangile de Marc. [E]*Thériault, Jean-Yves* LeDiv 209: 2006 ⇒22,208. [R]EstB 65 (2007) 559-561 (*Sánchez Navarro, Luis*); CBQ 69 (2007) 819-821 (*Batten, Alicia*);

6275 L'heureuse annonce selon Marc: lecture intégrale du 2e évangile (I). [E]*Thériault, Jean-Yves* LeDiv 219: P 2007, Cerf 574 pp. 978-22040-85830.

6276 **Donahue, John; Harrington, Daniel** Il vangelo di Marco. Sacra pagina 2: 2006 ⇒22,5904. [R]CivCatt 158/2 (2007) 100-1 (*Scaiola, D.*).

6277 [E]**Draper, Jonathan; Foley, John M.; Horsley, Richard** Performing the gospel: orality, memory, and Mark. Ment. *Kelber, Werner* 2006 ⇒22,377. [R]JThS 58 (2007) 638-640 (*Morgan, Teresa*).

6278 **Dschulnigg, Peter** Das Markusevangelium. TKNT 2: Stu 2007, Kohlhammer 429 pp. €35. 978-3-17-019770-1.

6279 *Fusco, Vittorio* Marco. Nascondimento. StBi 153: 2007 <1988> ⇒229. 11-26.

Fusco, V. Nascondimento... vangelo di Marco 2007 ⇒229.

6280 **Galizi, Mario** Evangelio según San Marcos: comentario exegético-espiritual. M 2007, San Pablo 358 pp. [R]EstJos 61 (2007) 154-155 (*Llamas, Román*).

6281 **Greeven, Heinrich; Güting, Eberhard** Textkritik des Markusevangeliums. 2005 ⇒21,6196. [R]ThLZ 132 (2007) 35-37 (*Parker, David*).

6282 *Hengel, Martin* Probleme des Markusevangeliums. Jesus und die Evangelien. WUNT 211: 2007 <1983> ⇒247. 430-477.

6283 **Kealy, Sean P.** A history of the interpretation of the gospel of Mark, 1-2. Lewiston 2007, Mellen 2 vols; 1604 pp. $140+140. 978-0-7734-5117-9 [BiTod 47,69–Donald Senior].

6284 **Kenney, Garrett C.** Mark's gospel: lectures and lessons. Lanham 2007, University Press of America xiv; 117 pp. 0-7618-3709-4. Bibl. 115-117. [R]RBLit (2007)* (*Shepherd, Tom*).

6285 **Kernaghan, Ronald J.** Mark. IVP NT Comm. 2: DG 2007, Inter-Varsity 351 pp. 978-1-84474-186-1. Bibl. 345-351.

6286 **Lavatori, Renzo; Sole, Luciano** Marco, I: interrogativi e sorprese su Gesù. 2005 ⇒21,6202. [R]EfMex 25/1 (2007) 129-130 (*Córdova González, Eduardo*).

6287 **McGowan, James** The gospel of Mark: Christ the Servant. Chattanooga,TN 2007, AMG 247 pp. $13.59.

6288 **Moloney, Francis J.** Mark: storyteller, interpreter, evangelist. 2004 ⇒20,5924... 22,5928. [R]RExp 104 (2007) 389-391 (*Gilliam, Trey*).

6289 **Reuber, Edgar** Handbuch zum Markus-Evangelium: eine Grundlegung für Studium und Beruf für Theologen und Religionspädagogen. Einführungen: Theologie 1: Müns 2007, LIT 424 pp. 978-3-8258-0625-5.

6290 **Rhoads, David** Reading Mark, engaging the gospel. 2004 ⇒20,264; 21,286. [R]TTK 78 (2007) 74-76 (*Holmås, Geir O.*).

6291 *Rius-Camps, Josep* Les variants del text occidental de l'evangeli de Marc (XVII) (Mc 11,1-26). RCatT 32 (2007) 205-226;

6292 (XVIII) (Mc 11,27-12,17). RCatT 32 (2007) 387-419.

6293 **Roskam, Hendrika N.** The purpose of the gospel of Mark in its historical and social context. NT.S 114: 2004 ⇒20,5928... 22,5937. [R]NT 49 (2007) 200-202 (*Iverson, Kelly R.*); ThLZ 132 (2007) 1317-1319 (*Frenschkowski, Marco*).

6294 **Sabin, Marie N.** The gospel according to Mark. New Collegeville Bible Commentary NT 2: 2006 ⇒22,5938. [R]SBSl (2007) 108-110 (*Jáger, Róbert*); RBLit (2007)* (*Botha, Pieter J.J.*).

6295 **Schenke, Ludger** Das Markusevangelium: literarische Eigenart–Text und Kommentierung. 2005 ⇒21,6220. [R]BZ 51 (2007) 271-273 (*Dormeyer, Detlev*); ThLZ 132 (2007) 1206-1208 (*Becker, Eve-Marie*).

6296 [E]**Shepherd, Tom; Van Oyen, Geert** The trial and death of Jesus: essays on the passion narrative in Mark. CBET 45: 2006 ⇒22,473. [R]SNTU.A 32 (2007) 257-258 (*Kowalski, Beate*).

6297 *Urbán, Angel* Bezae Codex Cantabrigiensis (D): intercambios vocálicos en el texto griego de Marcos. CCO 4 (2007) 245-268.

6298 **Van Cangh, Jean-M.; Toumpsin, Alphonse** L'évangile de Marc: un original hébreu?. 2005 ⇒21,6225; 22,5945. [R]POC 57 (2007) 214-215 (*Merceron, R.*); RivBib 55 (2007) 373-378 (*Passoni Dell'Acqua, Anna*); RBLit (2007) 366-368 (*Raquel, Sylvie*).

6299 **Witherington, Ben** The gospel of Mark: a socio-rhetorical commentary. 2001 ⇒17,5160... 21,6231. [R]VJTR 71 (2007) 631-633 (*Valan, C. Antony*).

F6.2 *Evangelium Marci*, **Themata**

6300 *Barrios Tao, Hernando* Seguidores y seguidoras del Maestro de Nazaret: un problema de identidad. Franciscanum 49/1 (2007) 11-26, 149-164.

6301 **Bartolomé, Juan J.** Jesús de Nazaret, formador de discípulos: motivo, meta y metodología de su pedagogía en el evangelio de Marcos. M 2007, CCS 308 pp.

6302 *Bartolomé, Juan J.* Jesús de Nazaret, formador de discípulos: motivo, método y meta de la pedagogía de Jesús según el evangelio de Marcos. Sal. 69 (2007) 453-476.

6303 *Bateman, Herbert W.* Defining the titles "Christ" and "Son of God" in Mark's narrative presentation of Jesus. JETS 50 (2007) 537-559.

6304 *Bendemann, Reinhard von* Christus der Arzt–Krankheitskonzepte in den Therapieerzählungen des Markusevangeliums. ᶠTRUMMER, P. 2007 ⇒153. 105-129.

6305 *Bickerman, Elias J.* The messianic secret and the composition of the gospel of Mark. Studies in Jewish and Christian history. AGJU 68/1-2: 2007 ⇒190. 670-691.

6306 **Bourquin, Yvan** Marc, une théologie de la fragilité: obscure clarté d'une narration. MoBi 55: 2005 ⇒21,6241. ᴿETR 82 (2007) 283-284 (*Cuvillier, Elian*).

6307 *Brower, Kent E.* "We are able": cross-bearing discipleship and the way of the Lord in Mark. HBT 29 (2007) 177-201;

6308 The Holy One and his disciples: holiness and ecclesiology in Mark. ᶠDEASLEY, A. 2007 ⇒30. 57-75.

6309 **Buttrick, David** Speaking conflict: stories of a controversial Jesus. LVL 2007, Westminster xvii; 222 pp. $25. 06642-3089X.

6310 *Byrskog, Samuel* The early church as a narrative fellowship: an exploratory study of the performance of the "chreia". TTK 78 (2007) 207-226.

6311 *Camacho Acosta, Fernando* La *exousia* o autoridad de Jesús en el evangelio de Marcos. Isidorianum 16/2 (2007) 185-196.

6312 **Carbullanca Núñez, César** Análisis del género pescher en el evangelio de Marcos: formas y motivos. Anales de la Facultad de teología 58: Santiago 2007, Pont. Univ. Católica de Chile 492 pp. $180. 006-9-3596. Diss. Comillas, Madrid.

6313 **Carroll, John** The existential Jesus. Berkeley, CA 2007, Counterpoint 274 pp. $16.

6314 *Chance, J. Bradley* The cursing of the temple and the tearing of the veil in the gospel of Mark. BiblInterp 15 (2007) 268-291 [Mk 11,15-19; 15,33-39].

6315 **Decker, Rodney** Temporal deixis of the Greek verb in the gospel of Mark with reference to verbal aspect. 2001 ⇒17,5179; 19,5946. ᴿFgNT 20 (2007) 157-162 (*Muñoz Gallarte, Israel*).

6316 *Dormeyer, Detlev* Parabeln im Markusevangelium: Einleitung. Kompendium der Gleichnisse Jesu. 2007 ⇒6026. 257-261.

6317 **Driggers, Ira B.** Following God through Mark: theological tension in the second gospel. LVL 2007, Westminster x; 148 pp. $25. 978-06642-30951. Bibl. 127-135.

6318 *Driggers, Ira Brent* The politics of divine presence: temple as locus of conflict in the gospel of Mark. BiblInterp 15 (2007) 227-247.

6319 *Dschulnigg, Peter* Frauen im Markusevangelium. ^FKIRCHSCHLÄGER,
      W. 2007 ⇒85. 75-86.
6320 **Fischer, Barry** Il calice nel vangelo di Marco. Dizionario... sangue
      di Cristo. 2007 ⇒1137. 683-693.
6321 **Fischer, Cédric** Les disciples dans l'évangile de Marc: une gram-
      maire théologique. EtB 57: P 2007, Gabalda 231 pp. €40. 2-85021-
      180-X. Bibl. 205-224.
6322 *Fortin, Anne* Des profondeurs de la faim. SémBib 126 (2007) 19-33
      [Mk 6,30-44; 8,1-9; 12,1-12].
6323 *Fricker, Denis; Perego, Giacomo* Il vangelo di Marco e il mare di
      Galilea: un messaggio nascosto. Ricerche teologiche 18/1 (2007)
      221-234.
6324 *Fryar, J.L.* Jesus as leader in Mark's gospel: reflecting on the place
      of transformational leadership in developing leaders of leaders in the
      church today. LTJ 41 (2007) 157-166.
6325 **Fullmer, Paul** Resurrection in Mark's literary historical perspective.
      LNTS 360: L 2007, Clark xiv; 256 pp. $130. 978-0-567-04553-9.
      Bibl. 220-241.
6326 *Fusco, Vittorio* L'economia della rivelazione nel vangelo marciano
      Nascondimento. StBi 153: 2007 <1980> ⇒229. 27-73;
6327 Avversari di Paolo–avversari di Marco: un contatto attraverso la 'cri-
      stologia del *theios anēr*'?: appunti sulla discussione. Nascondimento.
      StBi 153: 2007 <1989> ⇒229. 159-190.
6328 **Gilfillan Upton, Bridget** Hearing Mark's endings: listening to an-
      cient popular texts through speech act theory. BiblInterp 79: 2006
      ⇒22,5989. ^RJSNT 29 (2007) 497-498 (*Jack, Alison*); JThS 58
      (2007) 640-642 (*Hooker, Morner D.*).
6329 *Guijarro Oporto, Santiago* Indicos de una tradición popular sobre Je-
      sús en el evangelio de Marcos. Salm. 54 (2007) 241-265.
6330 *Hedrick, Charles* Realism in western narrative and the gospel of
      Mark: a prolegomenon. JBL 126 (2007) 345-359;
6331 Miracles in Mark: a study in Markan theology and its implications for
      modern religious thought. PRSt 34/3 (2007) 297-313.
6332 *Hengel, Martin* Entstehungszeit und Situation des Markusevangeli-
      ums. Jesus und die Evangelien. WUNT 211: 2007 <1984> ⇒247.
      478-525[Mk 13].
6333 **Humphrey, Hugh M.** From 'Q' to 'secret' Mark: a composition his-
      tory of the earliest narrative theology. 2006 ⇒22,6004. ^RRBLit
      (2007) 371-374 (*Syreeni, Kari*).
6334 **Incigneri, Brian J.** The gospel to the Romans: the setting and rheto-
      ric of Mark's gospel. BiblInterp 65: 2003 ⇒19,5961... 22,6005.
      ^RJThS 58 (2007) 206-214 (*Telford, W.R.*).
6335 **Iverson, Kelly R.** Gentiles in the gospel of Mark: 'even the dogs
      under the table eat the children's crumbs'. LNTS 339: L 2007, Clark
      x; 211 pp. 05670-31314.
6336 **King, Nicholas** The strangest gospel: a study of Mark. 2006, ⇒22,
      6008. ^RScrB 37/1 (2007) 44-45 (*Edmonds, Peter*).
6337 **Kituma, Herman** Greatness through service: an exegetical and theo-
      logical study of Mk 9:33-37. ^D*Marcato, G.* R 2007, Diss. Angelicum.
6338 *Maclean, William R.* The child in the gospel of Mark. Familia [S] 34
      (2007) 81-109.
6339 **Majoros-Steinmetz, Johannes** Elija im Markusevangelium: das
      Markusevangelium im Kontext des Judentums. ^D*Wengst, Klaus* 2007,
      Diss. Bochum [ThRv 104/1,iv].

6340 *Matjaž, Maksimilijan* Die Jünger bei Markus und das Motiv der Furcht. Ethos and exegesis. 2007 ⇒464. 256-263.

6341 *McCruden, K.B.* Mark's countercultural vision. America 196/8 (2007) 18-21.

6342 **Miller, Susan** Women in Mark's gospel. JSNT.S 259: 2004 ⇒20, 5974; 21,6272. ᴿRExp 104 (2007) 161-163 (*Jones, Peter R.*); Neotest. 41 (2007) 455-456 (*Nel, Marius*); JThS 58 (2007) 214-219 (*Telford, W.R.*).

6343 *Morales Ríos, Jorge Humberto* "Le cose viste": tra silenzio proclamazione Mc 1,1; 9,9 e 16,6-7: tre testi in stretto rapporto. Anton. 82 (2007) 209-245.

6344 **Morales Ríos, Jorge H.** El Espíritu Santo en San Marcos: texto y contexto. 2006 ⇒22,6020. ᴿEstB 65 (2007) 398-400 (*Sánchez Navarro, Luis*).

6345 **Patella, Michael** Lord of the cosmos: Mithras, Paul, and the gospel of Mark. 2006 ⇒22,6023. ᴿCBQ 69 (2007) 587-588 (*Wright, J. Edward*); RBLit (2007)* (*Crossley, James G.*).

6346 **Pellegrini, Silvia** Elija–Wegbereiter des Gottessohnes: eine textsemiotische Untersuchung im Markusevangelium. 2000 ⇒16,5143; 18, 5547. ᴿBiKi 62 (2007) 194-195 (*Nicklas, Tobias*).

6347 **Reiprich, Torsten** Das Mariageheimnis: Maria von Nazareth und die Bedeutung familiärer Beziehungen im Markusevangelium. ᴰ*Böttrich, Christfried* 2007, Diss. Greifswald [ThLZ 132,1266].

6348 *Ronde, Leen de* De kleine Jacob van Marcus. ITBT 15/2 (2007) 28-31;

6349 Berg en zee als literaire signalen: berg en zee bij Marcus. ITBT 15/5 (2007) 13-16.

6350 **Samuel, Simon** A postcolonial reading of Mark's story of Jesus. LNTS 340: L 2007, Clark xiii; 191 pp. $156. 978-0-567-03132-7. Bibl. 162-177. ᴿSvTK 83 (2007) 182-183 (*Leander, Hans*).

6351 **Shiner, Whitney** Proclaiming the gospel: first century performance of Mark. 2003 ⇒19,5994; 21,6286. ᴿJThS 58 (2007) 632-638 (*Telford, W.R.*).

6352 *Sleeman, Matthew* Mark, the temple and space: a geographer's response. BiblInterp 15 (2007) 338-349.

6353 **Snow, Robert S.** Daniel's Son of Man in Mark: a redefinition of the earthly temple and the formation of a new temple community. ᴰ*Brower, Kent E.* 2007, Diss. Manchester [TynB 60,305-308].

6354 *Sonnet, Jean-P.* Réflecteurs et/ou catalyseurs du Messie: de la fonction de certains personnages secondaires dans le récit de Marc. Regards croisés sur la bible. LeDiv: 2007 ⇒875. 365-377.

6355 *Söding, Thomas* Lehre in Vollmacht: Jesu Wunder und Gleichnisse im Evangelium der Gottesherrschaft. IKaZ 36 (2007) 3-17.

6356 *Srampickal, Thomas* Jesus' identity in the gospel of Mark. JJSS 7/1 (2007) 98-103;

6357 The messianic secret and its discovery in the gospel of Mark. JJSS 7/2 (2007) 88-100.

6358 *Stewart, Eric* The city in Mark: reflections on a spatial theme. ᶠNEYREY, J. SWBAS n.s. 1: 2007 ⇒116. 202-220.

6359 *Stock, Klemens* Lo Spirito Santo nel vangelo di Marco. StMiss 56 (2007) 1-21;

6360 Jesus und seine Jünger nach Markus. ᶠVANHOYE, A. AnBib 165: 2007 ⇒156. 149-168.

6361 *Strube, Sonja* Die Mutter, die den verrückten Aussteiger-Sohn in die Familie heimholen will: Schritt-für-Schritt-Bibelarbeit zu den Marienerzählungen des Markusevangeliums (Mk 3,20f.31-35 und 6,1-6a). Maria–Mutter Jesu. FrauenBibelArbeit 19: 2007 ⟹445. 17-26.

6362 *Tannehill, Robert C.* The disciples in Mark: the function of a narrative role. The shape of the gospel. 2007 <1977> ⟹328. 135-159;

6363 The gospel of Mark as narrative christology. The shape of the gospel. 2007 <1979> ⟹328. 161-187.

6364 *Venetz, Hermann-Josef* Auf dem Weg nach Galiläa: der Erzählentwurf des ältesten Evangeliums. BiKi 62 (2007) 145-151.

6365 *Villota Herrero, Salvador* Identidad entre el Nazareno y el resucitado en las "palabras de Jesús": búsqueda y conocimiento del Jesús real en Marcos. EstB 65 (2007) 131-145.

6366 *Vincent, John J.* Outworkings: disciple practice today. ET 118 (2007) 326-330.

6367 *Watts, Rikk E.* The Lord's house and David's Lord: the Psalms and Mark's perspective on Jesus and the temple. BiblInterp 15 (2007) 307-322.

6368 **Weihs, Alexander** Die Deutung des Todes Jesu im Markusevangelium. FzB 99: 2003 ⟹19,6004... 22,6048. [R]ThRv 103 (2007) 37-40 (*Röhser, Günter*) [Mk 8,31; 9,31; 10,33-34].

6369 *Wire, Antoinette C.* The God of Jesus in the gospel of Mark. [F]CHANEY, M. 2007 ⟹25. 292-310.

6370 *Zaas, Peter* 'Every signal worth reading': Jesus and Jewish sectarians in Mark. [F]GRANT, R. NT.S 125: 2007 ⟹53. 141-147.

6371 **Zacka, Jimi-P.** Possessions démoniaques et exorcismes dans l'évangile de Marc. [D]*Cuvillier, E.* 2007, 320 pp. Diss. Montpellier.

F6.3 Evangelii Marci versiculi

6372 **Henderson, Suzanne W.** Christology and discipleship in the gospel of Mark. MSSNTS 135: 2006 ⟹22,5999. [R]HeyJ 48 (2007) 625-626 (*Hill, Robert C.*); TS 68 (2007) 685-687 (*Maloney, Elliot C.*).

6373 **Rose, Christian** Theologie als Erzählung im Markusevangelium: eine narratologisch-rezeptionsästhetische Untersuchung zu Mk 1,1-15. [D]*Sänger, Dieter* WUNT 2/236: Tü 2007, Mohr S. xii; 312 pp. €69. 978-31614-95120. Diss. Kiel; Bibl. 268-291.

6374 *Voorwinde, Stephen* The kingdom of God and the ministry of Jesus. VR 72 2007, 59-77 [Mk 1,1-15].

6375 *Pérez Fernández, Miguel* "Confesando sus pecados" (Mc 1,5): textos-fuente y contextuales. EstB 65 (2007) 75-84.

6376 *Hardt, Michael* Kirche: Clubhaus oder Rettungsstation? Mk 1,14-20. Die Bibel im Leben der Kirche. 2007 ⟹1643. 237-240.

6377 *Kosch, Daniel* Die Gottesherrschaft erreicht das Jetzt: eine Annäherung an Mk 1,15 und Lk 11,2 par Mt 6,10. BiKi 62 (2007) 85-88.

6378 *Mörtl, Barbara* Die Heilung der Schwiegermutter (Mk 1, 29-31)– Freude und Ärgernis?. [F]TRUMMER, P. 2007 ⟹153. 130-142.

6379 *Fusco, Vittorio* Il segreto messianico nell'episodio del lebbroso (*Mc*. 1,40-45). Nascondimento. StBi 153: 2007 <1981> ⟹229. 74-122.

6380 *Mathew, Sam P.* Christology for an new world: a re-reading of Mark 2:1-3:6 from an Indian perspective. CTC bulletin 23/2 (2007) 47-64.

6381 *Van't Spijker, Willem* Vergeving en genezing. ThRef 50 (2007) 1-5 [Mk 2,5].

6382 *Loba-Mkole, Jean-Claude* Autorité et sagesse du Fils de l'homme en Mc 2,10.28: approche interculturelle. FMONSENGWO PASINYA, L. 2007 ⇒110. 141-159.

6383 *Guijarro, Santiago* The first disciples of Jesus in Galilee. HTS 63 (2007) 885-908 [Mk 2,13-28].

6384 *Kern, Gabi* Fasten oder feiern?–eine Frage der Zeit (Vom Bräutigam / Die Fastenfrage): Mk 2,18-20 (Mt 9,14f. / Lk 5,33-35 / EvThom 104). Kompendium der Gleichnisse Jesu. 2007 ⇒6026. 265-272.

6385 *Leutzsch, Martin* Was passt und was nicht (Vom alten Mantel und vom neuen Wein): Mk 2,21f. (Mt 9,16f. / Lk 5,36-39 / EvThom 47,3-5). Kompendium der Gleichnisse Jesu. 2007 ⇒6026. 273-277.

6386 *Viviano, Benedict T.* The historical Jesus and the biblical and Pharisaic sabbath (Mark 2:23-28 parr; Luke 13:10-17; 14,1-6; Matt 12:11-12). Matthew and his world. NTOA 61: 2007 ⇒339. 102-133.

6387 *Meier, John P.* Does the Son of man saying in Mark 2,28 come from the historical Jesus?. FVANHOYE, A. AnBib 165: 2007 ⇒156. 71-89.

6388 *Ognibeni, Bruno* Cattura o premura?: una nuova spiegazione di Mc 3,21. EstB 65 (2007) 483-490.

6389 *Ruf, Martin G.* Zoff bei Beelzebuls (Beelzebulgleichnis): Mk 3,22-26 (Q 11,14-20 / Mt 12,22-28 / Lk 11,14-20);

6390 *Merz, Annette* Jesus lernt vom Räuberhauptmann (Das Wort vom Starken): Mk 3,27 (Mt 12,29 / Lk 11,21f. / EvThom 35). Kompendium der Gleichnisse Jesu. 2007 ⇒6026. 278-286/287-296.

6391 *Soeting, Adriaan* Marcus 3:27: het huisraad van de Satan. ITBT 15/3 (2007) 25-26.

6392 *Mizzi, Arielle* Marc 3,31-35: la grande famille (// Matthieu 12,46-50 et Luc 8,19-21). LeD 74/4 (2007) 19-24.

6393 *Gourgues, Michel* "Quiconque fait la volonté de Dieu": l'apport de Mc 3, 35 pour une réflexion sur le pluralisme religieux. FVANHOYE, A. AnBib 165: 2007 ⇒156. 91-110.

6394 *Dronsch, Kristina* Vom Fruchtbringen (Sämann mit Deutung) Mk 4,3-9 (10-12) 13-20 (Mt 13,3-9.18-23 / Lk 8,5-8.11-15 / EvThom 9/ Agr 220). Kompendium...Gleichnisse Jesu. 2007 ⇒6026. 297-312.

6395 *Fusco, Vittorio* L'accord mineur Mt. 13,11a / Lc. 8,10a contre Mc. 4,11a. Nascondimento. StBi 153: 2007 <1982> ⇒229. 123-158.

6396 *Dronsch, Kristina* Lieber eine Leuchte als ein unscheinbares Licht (Die Lampe auf dem Leuchter / Vom Licht auf dem Leuchter): Q 11,33 (Mk 4,21 / Mt 5,15 / Lk 8,16; 11,33 / EvThom 33,2f.);

6397 Aus dem Vollen schöpfen (Vom Maß): Mk 4,24 (Mt 7,2 / Lk 6,38). Kompendium der Gleichnisse Jesu. 2007 ⇒6026. 133-138/313-317.

6398 *Dormeyer, Detlev* Mut zur Selbst-Entlastung (Von der selbständig wachsenden Saat): Mk 4,26-29 (EvThom 21,9f.);

6399 *Gäbel, Georg* Mehr Hoffnung wagen (Vom Senfkorn): Mk 4,30-32 (Q 13,18f. / Mt 13,31f. / Lk 13,18f. / EvThom 20). Kompendium der Gleichnisse Jesu. 2007 ⇒6026. 318-326/327-336.

6400 *Tuckett, Christopher M.* The parable of the mustard seed and the book of Ezekiel. The book of Ezekiel and its influence. 2007 ⇒835. 97-101 [Mk 4,30-32].

6401 *Alves, Ephraim F.* O medo escraviza, mas a fé liberta. Grande Sinal 61/1 (2007) 37-49 [Mk 4,35-41].

6402   *Kucz, Anna* 'Coraggio! I sono! Non avete paura!': due riflessioni sulla paura e sulla tempesta. Ethos and exegesis. 2007 ⇒464. 264-268 [Mk 4,35-41].

6403   *Martin, Aldo* Il senso della fede e le ambivalenze necessarie in Mc 4,35-41. StPat 54 (2007) 513-536.

6404   *Klinghardt, Matthias* Legionsschweine in Gerasa: Lokalkolorit und historischer Hintergrund von Mk 5,1-20. ZNW 98 (2007) 28-48.

6405   *Rajkumar, Peniel J.R.* A Dalithos reading of a Markan exorcism: Mark 5:1-20. ET 118 (2007) 428-435.

6406   *Toensing, Holly J.* 'Living among the tombs': society, mental illness, and self-destruction in Mark 5:1-20. This abled body. Semeia Studies 55: 2007 ⇒356. 131-143.

6407   *Cuvillier, Élian* Le langage mythique dans le Nouveau Testament: approche psycho-anthropologique de trois récits bibliques (Mc 5,1-20; Mc 6,45-52 et parallèles; Ac 2,1-14). Mythes grecs, mythes bibliques. LiBi 150: 2007 ⇒397. 145-170.

6408   *Lau, Markus* Die Legio X Fretensis und der Besessene von Gerasa: Anmerkungen zur Zahlenangabe "ungefähr zweitausend" (Mk 5,13). Bib. 88 (2007) 351-364 [Mk 5,13].

6409   *Bourquin, Yvan; Flichy, Odile* Deux points de vue sur une femme. Regards croisés sur la bible. LeDiv: 2007 ⇒875. 117-130 [Mk 5,25-34; Lk 8,43-48].

6410   *Buetubela Balembo, Paul M.* Quelle sagesse lui a été donnée ? (Mc 6,2): enquête exégétique. FMONSENGWO PASINYA, L. 2007 ⇒110. 161-167.

6411   *Valdés, Ariel V.* Como ocorreu a morte de Joao Batista?. Ment. *Josephus* REB 67 (2007) 675-680 [Mk 6,14-29].

6412   *Ehling, Kay* Warum liess Herodes Antipas Johannes den Täufer verhaften?: oder: wenn ein Prophet politisch gefährlich wird. Klio 89/1 (2007) 137-146 [Mk 6,17-18].

6413   *Hartmann, Michael* "Ich habe deinen Mund geküsst, Jochanaan!": die Erzählung vom Tod des Täufers in Mk 6,17-29 und ihre Rezeption. BiHe 43/169 (2007) 21-23.

6414   *Hengel, Martin* Markus 7,3 πυγμή: die Geschichte einer exegetischen Aporie und der Versuch ihrer Lösung. Jesus und die Evangelien. WUNT 211: 2007 <1969> ⇒247. 177-193.

6415   *Losekam, Claudia* Die rechte Reinheit–eine Herzensangelegenheit (Von Reinheit und Unreinheit): Mk 7,14-23 (Mt 15,16f. / EvThom 14). Kompendium der Gleichnisse Jesu. 2007 ⇒6026. 337-346.

6416   *Elliott, John H.* Envy and the evil eye: more on Mark 7.22 and Mark's 'anatomy of envy'. FNEYREY, J. 2007 ⇒116. 87-105.

6417   *Grappe, Christian* Jésus et la femme syrophénicienne (Mc 7,24-30): un épisode-clé dans le passage à une conception nouvelle du rapport à l'étranger. L'étranger dans la bible. 2007 ⇒504. 167-183.

6418   *Baisas, Bienvenido Q.* From marginalization to inclusion: a renewed re-reading of the Syrophoenician woman of Mark 7:24-31a. Biblical responses. 2007 ⇒771. 62-77.

6419   *Mell, Ulrich* Das Brot der Hunde (Von Kindern und Hunden): Mk 7,27f. (Mt 15,26f.). Kompendium der Gleichnisse Jesu. 2007 ⇒ 6026. 347-351.

6420   *Harlé, Paul* Ephphata (Mc 7,31-37). ETR 82 (2007) 267-270.

6421   *Delorme, Jean* 'Vous ne comprenz pas encore?' (Marc 8,14-21). Revue de l'Université catholique de Lyon 11 (2007) 45-50.

6422 *Hendriks, Wim* Marc 8:26: "ne le dis à personne dans le village". RB 114 (2007) 255-272.

6423 *Günther, Matthias* Simon aus Galiläa: eine lebensstilorientierte Annäherung. EvTh 67 (2007) 172-185 [Mk 8,29-33; 14,54-72].

6424 *Mrakovčić, Božidar* Mk 8,33: obdacivanje napasnika ili poziv na nasljedovanje. EThF 15/1 (2007) 133-154. **Croatian**.

6425 *Henao Mesa, J.A.* El que quiera seguirme, cargue con su cruz. Medellín 33 (2007) 61-76 [Mk 8,34].

6426 *Tannehill, Robert* Reading it whole: the function of Mark 8:34-35 in Mark's story. The shape of the gospel. 2007 <1982> ⇒328. 189-99.

6427 **Stevenson, Kenneth** Rooted in detachment: living the Transfiguration. L 2007, Darton, L. & T. 175 pp. £11. 978-02325-26929 [Mk 9,1-10].

6428 **Wilson, Andrew P.** Transfigured: a Derridean rereading of the Markan Transfiguration. Playing the Texts 13; LNTS 319: NY 2007, Clark xiv; 185 pp. 978-0-567-02601-9. Bibl. 163-177 [Mk 9,2-8].

6429 *Reiser, Marius* Die Verklärung Jesu (Mk 9,2-10)–historisch und symbolisch betrachtet. TThZ 116 (2007) 27-38.

6430 *Giesen, Heinz* Jüngerschaft und Nachfolge angesichts der zweiten Leidens- und Auferstehungsankündigung Jesu (Mk 9,33-50). SNTU. A 32 (2007) 89-113.

6431 *Koester, Helmut* Mark 9:43-47 and QUINTILIAN 8.3.75. From Jesus to the gospels. 2007 <1978> ⇒256. 100-102.

6432 *Sänger, Dieter* Recht und Gerechtigkeit in der Verkündigung Jesu: Erwägungen zu Mk 10,17-22 und 12,28-34. Von der Bestimmtheit. 2007 <1992> ⇒306. 33-48.

6433 *Gargano, Innocenzo* Allora Gesù, fissatolo, lo amò: lectio mistagogica di Mc 10,17-31. Sequela Christi 33/1 (2007) 102-118.

6434 *Witherington, Ben* The martyrdom of the Zebedee brothers. BArR 33 3 (2007) 26 [Mk 10,35-45].

6435 *Wahlen, Clinton* The temple in Mark and contested authority. BiblInterp 15 (2007) 248-267 [Mk 11-12].

6436 *Wenell, Karen J.* Contested temple space and visionary kingdom space in Mark 11-12. BiblInterp 15 (2007) 323-337.

6437 *Chávez, Emilio G.* Interpretación teológica de la acción de Jesús en el templo según el evangelio de Marcos. AnáMnesis 17/2 (2007) 1-65 [Mk 11,15-17].

6438 *Carey, Holly J.* Teachings and tirades: Jesus' temple act and his teachings in Mark 11:15-19. Stone-Campbell Journal 10/1 (2007) 93-105.

6439 *Ford, R.Q.* Jesus' parable of the wicked tenants and America's invasion of Iraq. Fourth R [Santa Rosa, CA] 20/5 (2007) 13-16 [12,1-8].

6440 *Gurucharri Amostegui, Luis* La parábola de los viñadores homicidas en Mc 12,1-12. ScrVict 54 (2007) 237-267.

6441 *Hengel, Martin* Das Gleichnis von den Weingärtnern Mk 12, 1-12 im Lichte der Zenonpapyri und der rabbinischen Gleichnisse. Jesus und die Evangelien. WUNT 211: 2007 <1968> ⇒247. 139-176.

6442 **Kloppenborg, John** The tenants in the vineyard: ideology, economics, and agrarian conflict in Jewish Palestine. WUNT 195: 2006 ⇒ 22,6156. [R]BTB 37 (2007) 38-39 (*Crossan, John D.*); RHPhR 87 (2007) 235-236 (*Grappe, C.*); ThLZ 132 (2007) 1202-1204 (*Erlemann, Kurt*) [Isa 5,1-7; Mt.21,33-46; [Mk 12,1-12; Lk 20,09-19].

6443 *Oldenhage, Tania* Spiralen der Gewalt (Die bösen Winzer): Mk 12,1-12 (Mt 21,33-46 / Lk 20,9-19 / EvThom 65). Kompendium der Gleichnisse Jesu. 2007 ⇒6026. 352-366.

6444 *Van Eck, Ernest* The tenants in the vineyard (GThom 65/Mark 12:1-12): a realistic and social-scientific reading. HTS 63 (2007) 909-936.

6445 **Weihs, Alexander** Jesus und das Schicksal der Propheten: das Winzergleichnis (Mk 12,1-12) im Horizont des Markusevangeliums. 2003 ⇒19,6075; 22,6157. [R]RBLit (2007)* (*Nicklas, Tobias*).

6446 *Pellegrini, Silvia* Kanonische Lektüre des Neuen Testaments: methodologische Anhaltspunkte am Beispiel von Mk 12,13-17 und 1 Tim 2,11-15. Der Bibelkanon. 2007 ⇒360. 278-303.

6447 *Trick, Bradley R.* Death, covenants, and the proof of resurrection in Mark 12:18-27. NT 49 (2007) 233-256.

6448 *Morales Ríos, Jorge H.* Lo Spirito Santo e la conoscenza del mistero di Gesù: alcune riflessioni attorno a Mc 12,35-37. Ethos and exegesis. 2007 ⇒464. 242-255.

6449 *Häkkinen, S.* Two coins too many: reflections on the widow's offering. Fourth R [Santa Rosa, CA] 20/4 (2007) 9-12 [Mk 12,41-44].

6450 *Du Toit, David S.* Die Danielrezeption in Markus 13. Geschichte der Daniel-Auslegung. BZAW 371: (2007) 55-76.

6451 *Lambrecht, Jan* The line of thought in Mark 13,9-13. [F]VANHOYE, A. AnBib 165: 2007 ⇒156. 111-121.

6452 *Dormeyer, Detlev* Wir sind schon wer (Vom grünenden Feigenbaum): Mk 13,28f. (Mt 24,32f. / Lk 21,29-31). Kompendium der Gleichnisse Jesu. 2007 ⇒6026. 367-373.

6453 **Villota Herrero, Salvador** Palabras sin ocaso: función interpretativa de Mc 13, 28-37 en el discurso escatológico de Marcos. 2006 ⇒22, 6173. [R]RET 67 (2007) 545-547 (*Sánchez Navarro, Luis*).

6454 *Dormeyer, Detlev* Seid wachsam (Vom spät heimkehrenden Hausherrn): Mk 13,30-33.34-37 (Lk 12,35-38). Kompendium der Gleichnisse Jesu. 2007 ⇒6026. 374-382.

6455 *Flusser, David* "Not by an angel ...". Judaism of the second temple period, 1. 2007 ⇒224. 61-65 [Mk 13,32].

6456 *Gumerlock, Francis X.* Mark 13:32 and Christ's supposed ignorance: four patristic solutions. TrinJ 28 (2007) 205-213.

6457 *Lambrecht, Jan* Literary craftsmanship in Mark 13:32-37. SNTU.A 32 (2007) 21-35.

6458 *Münch, Christian* Gewinnen oder Verlieren (Von den anvertrauten Geldern): Q 19,12f.15-24.26 (Mk 13,34 / Mt 25,14-30 / Lk 19,12-27). Kompendium der Gleichnisse Jesu. 2007 ⇒6026. 240-254.

F6.8 **Passio secundum Marcum**, 14,1...[⇒F5.3]

6459 **Ahearne-Kroll, Stephen P.** The psalms of lament in Mark's passion: Jesus' Davidic suffering. MSSNTS 142: C 2007, CUP xiv; 239 pp. $95. 978-0-521-88191-3. Bibl. 227-236.

6460 *Borg, M.; Crossan, J. Dominic* Collision course: Jesus' final week. CCen 124/6 (2007) 27-31.

6461 **Herrmann, Florian** Strategien der Todesdarstellung in Mk 14-16: ein literatur-geschichtlicher Vergleich. [D]*Wischmeyer, Oda* 2007, Diss. Erlangen-Nürnberg [ThRv 104/1,v].

6462 *Stare, Mira* Jesus und die Frauen im Passions- und Osterbericht nach dem Markusevangelium. Jesus. theologische trends 16: 2007 ⇒782. 29-53.

6463 *Thurman, Eric* Novel men: masculinity and empire in Mark's gospel and XENOPHON's An Ephesian tale. Mapping gender. BiblInterp 84: 2007 ⇒621. 185-229 [Mk 14-15].

6464 *Sieg, Franciszek* Jezus ustanawia Eucharystię i ogłasza nowe przymierze (Mk 14,22-25) [Jesus institutes the Eucharist and proclaims the new covenant]. StBob 1 (2007) 81-95. **P**.

6465 *Hoping, Helmut* Die Zwölf, ganz Israel und die zukünftige Kirche; zur Diskussion über das Kelchwort: ein Plädoyer für die Übersetzung "für viele". Christ in der Gegenwart 59/5 (2007) 38 [Mk 14,23-24].

6466 *Striet, Magnus* Nur für viele oder doch für alle?: das Problem der Allversöhnung und die Hoffnung der betenden Kirche–zur Diskussion: aus fundamentaltheologischer Sicht. Christ in der Gegenwart 59/4 (2007) 29-30 [Mt 26,28; Mk 14,23-24].

6467 *Gerhards, Albert* Pro multis–für alle oder für viele?;

6468 *Hoping, Helmut* "Für die vielen": der Sinn des Kelchwortes der römischen Messe. Gestorben für wen?. Theologie kontrovers: 2007 ⇒ 524. 55-64/65-79 [Mt 26,28; Mk 14,24].

6469 **Prosinger, Franz** Das Blut des Bundes–vergossen für viele?: zur Übersetzung und Interpretation des hyper pollôn in Mk 14,24. Quaestiones non disputatae 12: Siegburg 2007, Schmitt 133 pp. Geleitwort von *Manfred Hauke*; Bibl. 129-133.

6470 *Söding, Thomas* Für euch–für viele–für alle: für wen feiert die Kirche Eucharistie?;

6471 *Striet, Magnus* Nur für viele oder doch für alle?: das Problem der Allerlösung und die Hoffnung der betenden Kirche;

6472 *Theobald, Michael* "Pro multis"–ist Jesus nicht "für alle" gestorben?: Anmerkungen zu einem römischen Entscheid;

6473 *Tück, Jan-Heiner* Memoriale passionis: die Selbstgabe Jesu Christi 'für alle' als Anstoß zu einer eucharistischen Erinnerungssolidarität. Gestorben für wen?. Theologie kontrovers: 2007 ⇒524. 17-27/81-92/29-54/93-110 [Mt 26,28; Mk 14,24].

6474 *Aune, David E.* 'The spirit is willing, but the flesh is weak' (Mark 14:38b and Matthew 26:41b). ᶠGRANT, R. 2007 ⇒53. 125-139.

6475 *Viviano, Benedict T.* The high priest's servant's ear: Mark 14:47. Matthew and his world. NTOA 61: 2007 <1989> ⇒339. 220-228.

6476 *Collins, Adela Y.* The flight of the naked young man revisited. ᶠVAN-HOYE, A.. AnBib 165: 2007 ⇒156. 123-137 [Mk 14,51-52].

6477 *Bock, Darrell* Blasphemy and the Jewish examination of Jesus. BBR 17 (2007) 53-114 [Mk 14,53-72].

6478 *Pokornÿ, Petr* Spuren einer alten Christologie in der Passionsgeschichte. ᶠHAACKER, K. ABIG 27: 2007 ⇒57. 288-296 [Mk 14,62].

6479 *Kiley, B.* The servant girl in the Markan passion narrative: an alternative feminist reading. LTJ 41 (2007) 48-57 [Mk 14,66-72].

6480 *Moloney, Francis J.* Mark 15,20b-25 in the structure and theology of 15,1-47. ᶠVANHOYE, A. AnBib 165: 2007 ⇒156. 139-147.

6481 *Wells, Paul* The cry of dereliction: the beloved son cursed and condemned. The forgotten Christ. 2007 ⇒566. 93-139 [Mk 15,34].

6482 *Gurtner, Daniel M.* The rending of the veil and Markan christology: "unveiling" the υἱὸς θεοῦ (Mark 15:38-39). BiblInterp 15 (2007) 292-306.

6483 *Álvarez Valdès, Ariel* L'enterrement de Jésus. Choisir 568 (2007) 9-12 [Mk 15,42-47];
6484 ¿Cómo fue el entierro de Jesús?. Theologica 42 (2007) 151-157 [Mk 15,42-47].
6485 *Hartman, Lars* Mark 16:8: the ending of a biography-like narrative and of a gospel. ThLi 30 (2007) 31-47 [Mk 16,1-8].
6486 *Moore, Anne* Enigmatic endings and delayed signs: the ending of Mark's gospel. ᴹMETZGER, B. NTMon 19: 2007 ⇒105. 103-120 [Mk 16,1-8]
6487 **Waterman, Mark M.W.** The empty tomb tradition in Mark: text, history and theological struggles. 2006 ⇒22,6216. ᴿRBLit (2007) 374-378 (*Licona, Michael R.*) [Mk 16,1-8].
6488 *Besancon Spencer, Aída* The denial of the good news and the ending of Mark. BBR 17 (2007) 269-283 [Mk 16,8].
6489 **Croy, N. Clayton** The mutilation of Mark's gospel. 2003 ⇒19,6116; 20,6112. ᴿBTB 37 (2007) 40-41 (*Olson, Ken*) [Mk 16,8]
6490 *Soeting, Adriaan* Waarom het slot van het evangelie naar Marcus ontbreekt. ITBT 14/6 (2007) 18-19 [Mk 16,9-20].

X. Opus Lucanum

F7.1 *Opus Lucanum*—Luke-Acts

Alexander, L. Acts in its ancient literary context 2005 ⇒177.
6491 **Baban, Octavian D.** On the road encounters in Luke-Acts: Hellenistic mimesis and Luke's theology of the way. Paternoster Biblical Monographs: Milton Keynes 2006, Paternoster 332 pp. £25. ᴿRBLit (2007)* (*Brodie, Thomas L.*).
6492 ᴱ**Bartholomew, Craig G.; Green, Joel B.; Thiselton, Anthony C.** Reading Luke: interpretation, reflection, formation. 2005 ⇒21,343; 22,343. ᴿEvangel 25 (2007) 88 (*McKay, David*).
6493 *Bird, Michael* Jesus is the "Messiah of God": messianic proclamation in Luke-Acts. RTR 66 (2007) 69-82;
6494 The unity of Luke-Acts in recent discussion. JSNT 29 (2007) 425-48.
6495 **Borgman, Paul** The way according to Luke: hearing the whole story of Luke-Acts. 2006 ⇒22,6226. ᴿScrB 37/1 (2007) 45-47 (*King, Nicholas*); ThLZ 132 (2007) 640-642 (*Jeska, Joachim*); JThS 58 (2007) 643-645 (*Shellard, Barbara*).
6496 **Bovon, François** Luke the theologian: fifty-five years of research (1950-2005). ²2006 ⇒22,6228. ᴿRBLit (2007)* (*Stenschke, Christoph*).
6497 **Brawley, Robert L.** Centering on God: method and message in Luke-Acts. 1990 ⇒6,5304... 12,4992. ᴿThR 72 (2007) 385-386 (*Schröter, Jens*).
6498 *Cassidy, Richard J.* Saint Luke does not apologize!. BiTod 45 (2007) 17-21.
6499 *Darr, John* 'Vivre pour raconter': point de vue critique et éthique lucanienne. Regards croisés sur la bible. LeDiv: 2007 ⇒875. 57-74.
6500 **Delong, Kindalee** Surprised by God, praise responses in the narrative of Luke-Acts. ᴰSterling, G. 2007, 397 pp. Diss. Notre Dame.

6501 *Duarte Castillo, Raul* San Lucas, primer historiador cristiano. Qol 43 (2007) 41-48.

6502 *Edwards, Laurence L.* Luke's Pharisees: emerging communities. Contesting texts. 2007 ⇒840. 119-135.

6503 *Fernández Ubiña, José* Razones, contradicciones e incógnitas de las persecuciones anticristianas: el testmonio de Lucas-Hechos. Libertad e intolerancia religiosa. 'Ilu.M 18: 2007 ⇒688. 27-60.

6504 **Förster, Niclas** Das gemeinschaftliche Gebet in der Sicht des Lukas. Biblical Tools and Studies 4: Lv 2007, Peeters xiii; 586 pp. €85. 978-90429-19006.

6505 **Fuller, Michael E.** The restoration of Israel: Israel's re-gathering and the fate of the nations in early Jewish literature and Luke-Acts. BZNW 138: 2006 ⇒22,6236. ᴿRBLit (2007)* (*Boring, M. Eugene*).

6506 *Gager, John G.* Where does Luke's anti-Judaism come from?. ASEs 24 (2007) 31-35.

6507 *Gregory, Andrew* The reception of Luke and Acts and the unity of Luke-Acts. JSNT 29 (2007) 459-472.

6508 **Gregory, Andrew** The reception of Luke and Acts in the period before IRENAEUS: looking for Luke in the second century. WUNT 2/ 169: 2003 ⇒19,6134... 22,6238. ᴿThRv 103 (2007) 53-54 (*Uhrig, Christian*); ThR 72 (2007) 344-345 (*Schröter, Jens*).

6509 **Hagene, Sylvia** Zeiten der Wiederherstellung: Studien zur lukanischen Geschichtstheologie als Soteriologie. NTA 42: 2003 ⇒19, 6135... 22,6240. ᴿThR 72 (2007) 414-415 (*Schröter, Jens*) [Acts 3].

6510 *Hahn, S.W.* Christ, kingdom, and creation: Davidic christology and eschatology in Luke-Acts. L&S 3 (2007) 113-138.

6511 *Haudebert, Pierre* Le Samaritain-étranger (Lc 17,18) dans l'oeuvre de Luc. L'étranger dans la bible. LeDiv 213: 2007 ⇒504. 167-183.

6512 *Hinson, E. Glenn* Persistence in prayer in Luke-Acts. RExp 104/4 (2007) 721-736.

6513 **Höhne, David** The Spirit and sonship. ᴰ*Ford, David F.* 2007, Diss. Cambridge [TynB 60,293-294].

6514 *Keener, Craig S.* Why does Luke use tongues as a sign of the Spirit's empowerment?. JPentec 15/2 (2007) 177-184.

6515 **Kezbere, Ilze** Umstrittener Monotheismus: wahre und falsche Apotheose im lukanischen Doppelwerk. NTOA 60: Gö 2007, Vandenhoeck & R. 231 pp. €39.90. 978-35255-39606. Bibl. 211-19. ᴿRBLit (2007)* (*Alexander, Loverday*).

6516 *Kilgallen, John* Luke wrote to Rome–a suggestion. Bib. 88 (2007) 251-255.

6517 *Klein, H.* Lukas, ein Katechet. Sacra Scripta [Cluj-Napoca, Romania] 5 (2007) 207-220.

6518 **Korn, Manfred** Die Geschichte Jesu. WUNT 2/51: 1993 ⇒9,5081; 10,4891. ᴿThR 72 (2007) 392-393 (*Schröter, Jens*).

6519 **Kurz, William** Reading Luke-Acts: dynamics of biblical narrative. 1993 ⇒9,5083...16,5347. ᴿThR 72 (2007) 389-390 (*Schröter, Jens*).

6520 **Lane, Thomas J.** Luke and the gentile mission: gospel anticipates Acts. EHS.T 571: 1996 ⇒12,5006... 14,4836. ᴿThR 72 (2007) 394-395 (*Schröter, Jens*).

6521 **Litwak, Kenneth D.** Echoes of scripture in Luke-Acts: telling the history of God's people intertextually. JSNT.S 282: 2005 ⇒21,6439; 22,6251. ᴿBBR 17 (2007) 345-347 (*Walton, Steve*).

6522 **Löning, Karl** Das Geschichtswerk des Lukas, 1: Israels Hoffnung und Gottes Geheimnisse. UB 455: 1997 ⇒13,5236; 14,4838. ᴿThR 72 (2007) 223-225 (*Schröter, Jens*).

6523 ᴱ**Luomanan, Petri** Luke-Acts. 1991 ⇒7,447; 8,5276. ᴿThR 72 (2007) 323-324 (*Schröter, Jens*).

6524 **Mallen, Peter** The reading and transformation of Isaiah in Luke-Acts. ᴰ*Walton, Steve* LNTS 367: L 2007, Clark xii; 245 pp. £65. 978-0-567-04566-9. Diss. London School of Theology; Bibl. 211-30.

6525 **Miller, John B.F.** Convinced that God has called us: dreams, visions and the perception of God's will in Luke-Acts. BiblInterp 85: Lei 2007, Brill xii; 284 pp. €124/$177. 978-90041-54742.

6526 **Miura, Yuzuru** David in Luke-Acts: his portrayal in the light of early Judaism. WUNT 2/232: Tü 2007, Mohr S. xix; 305 pp. €60. 978-3-16-149253-2. Bibl. 243-265; Diss. Aberdeen.

6527 *Moessner, D.F.* How he was known in the breaking of the bread. Sacra Scripta [Cluj-Napoca, Romania] 5 (2007) 221-238.

6528 **Park, Hyung Dae** Finding herem?: a study of Luke-Acts in the light of herem. LNTS 357: L 2007, Clark xviii; 222 pp. Bibl. 183-204.

6529 **Parsons, Mikeal C.; Pervo, Richard I.** Rethinking the unity of Luke and Acts. 1993 ⇒9,5097... 11/1,3586. ᴿThR 72 (2007) 390-392 (*Schröter, Jens*).

6530 **Rothschild, Clare K.** Luke-Acts and the rhetoric of history: an investigation of early christian historiography. WUNT 2/175: 2004 ⇒ 20,6167; 22,6269. ᴿThR 72 (2007) 415-418 (*Schröter, Jens*).

6531 *Rowe, Christopher Kavin* Literary unity and reception history: reading Luke-Acts as Luke and Acts. JSNT 29 (2007) 449-457.

6532 **Sánchez, Héctor** Das lukanische Geschichtswerk im Spiegel heilsgeschichtlicher Übergänge. PaThSt 29: 2001 ⇒17,5362... 20,6169. ᴿThR 72 (2007) 401-402 (*Schröter, Jens*).

6533 *Schiffner, Kerstin* Lukas liest Exodus: Kanongrenzen überschreitende Beobachtungen. Der Bibelkanon. 2007 ⇒360. 304-313.

6534 *Schröter, Jens* Lukas als Historiograph: das lukanische Doppelwerk und die Entdeckung der christlichen Heilsgeschichte. Von Jesus zum NT. WUNT 204: 2007 <2005> ⇒312. 223-246;

6535 Heil für die Heiden und Israel: zum Zusammenhang von Christologie und Volk Gottes bei Lukas. Von Jesus zum NT. WUNT 204: 2007 <2004> ⇒312. 247-267.

6536 **Sellner, Hans J.** Das Heil Gottes: Studien zur Soteriologie des lukanischen Doppelwerks. ᴰ*Radl, Walter* BZNW 152: B 2007, De Gruyter xiii; 591 pp. €119.63. 978-3-11-019699-3. Diss. Augsburg.

6537 **Shillington, V. George** An introduction to the study of Luke-Acts. L 2007, Clark 154 pp. 978-0-567-03053-5. Bibl. 143-150.

6538 *Simons, R.* Algunos ejemplos de *polyptōton* en Lucas y Hechos. Kairós [Guatemala City] 41 (2007) 43-54.

6539 *Smith, Virginia* Luke: a writer unparalleled. BiTod 45 (2007) 11-16.

6540 **Spaulding, David A.** Where your treasure is, there your heart will be also: narrative, ethics and possessions in Luke-Acts. ᴰ*Henderson, I.* 2007, Diss. McGill [RTL 39,607].

6541 **Spencer, Patrick E.** Rhetorical texture and narrative trajectories of the Lukan Galilean ministry speeches: hermeneutical appropriation by authorial readers of Luke-Acts. LNTS 341: L 2007, Clark xiv; 248 pp. $130. 978-0567-0313-03. Bibl. 206-235.

6542 *Spencer, Patrick E.* The unity of Luke-Acts: a four-bolted hermeneutical hinge. CuBR 5.3 (2007) 341-366.

6543 **Squires, John T.** The plan of God in Luke-Acts. MSSNTS 76: 1993 ⇒9,5107... 11/1,3594. [R]ThR 72 (2007) 409-411 (*Schröter, Jens*).

6544 *Stegman, Thomas D.* The spirit of wisdom and understanding': epistemology in Luke-Acts. The bible and epistemology. 2007 ⇒444. 88-106.

6545 **Sterling, Gregory E.** Historiography and self-definition: JOSEPHUS, Luke-Acts and apologetic historiography. NT.S 64: 1992 ⇒8,5292... 12,5021. [R]ThR 72 (2007) 407-409 (*Schröter, Jens*).

6546 **Stettberger, Herbert** Nichts haben–alles geben?: eine kognitiv-linguistisch orientierte Studie zur Besitzethik im lukanischen Doppelwerk. Herders Biblische Studien 45: 2005 ⇒21,6460. [R]ThLZ 132 (2007) 433-435 (*Schenk, Wolfgang*).

6547 **Talbert, Charles H.** Reading Luke-Acts in its Mediterranean milieu. NT.S 107: 2003 ⇒19,6164... 21,6461. [R]ThR 72 (2007) 318-320 (*Schröter, Jens*).

6548 **Tannehill, Robert C.** The shape of Luke's story: essays on Luke-Acts. 2005 ⇒21,315. [R]BTB 37 (2007) 138-139 (*Kuecker, Aaron*); StPat 54 (2007) 688-689 (*Broccardo, Carlo*).

6549 **Tyson, Joseph B.** MARCION and Luke-Acts: a defining struggle. 2006 ⇒22,6276. [R]JR 87 (2007) 435-436 (*Pervo, Richard I.*).

6550 TYSON, Joseph B. Literary studies in Luke-Acts. [E]**Thompson, Richard P.; Phillips, Thomas E.** 1998 ⇒14,120; 16,5376. [R]ThR 72 (2007) 327-329 (*Schröter, Jens*).

6551 *Varghese, V.* The Holy Spirit and the risen Christ in Lk-Acts. ITS 44 (2007) 245-274.

6552 [E]**Verheyden, Joseph** The unity of Luke-Acts. BEThL 142: 1999 ⇒ 15,5410... 18,609. [R]ThR 72 (2007) 395-401 (*Schröter, Jens*).

6553 *Wilczek, Dieter* Kind und Sklave: zur anarchischen "Globalität" christlichen Glaubens–Versuche über Lukas. Deutsches Pfarrerblatt 107 (2007) 241-246.

F7.3 *Evangelium Lucae*—**Textus, commentarii**

6554 **Bovon, François** Luca, 1: introduzione: commento a 1,1-9,50. [E]*Ianovitz, Oscar* 2005 ⇒21,6470; 22,6281. [R]Asp. 54 (2007) 130 (*Palazzo, Roberto*); RivBib 55 (2007) 495-499 (*De Santis, Massimo*);

6555 Vangelo di Luca, 2: commento a 9,51-19,27. [E]*Ianovitz, O.* Comm. Paideia, NT 3/2: Brescia 2007, Paideia 898 pp. €91.30. 8839407368.

6556 *Calambrogio, Giuseppe* La funzione del San Luca. Laós 14/2 (2007) 5-8.

6557 **Couch, Mal** The gospel of Luke: Christ, the Son of Man. Chattanooga,TN 2007, AMG 246 pp. $13.59.

6558 **Eckey, Wilfried** Das Lukasevangelium–unter Berücksichtigung seiner Parallelen. 2004 ⇒20,6183. [R]Bib. 88 (2007) 578-81 (*O'Toole, Robert F.*);

6559 Neuk [2]2006, Neuk 2 vols; xiv; 180 pp. 978-3-7887-2041-4/3-8. Bibl. 995-1071.

6560 **Edmonds, Peter** Rediscovering Jesus: a pilgrim's guide to the land, the personalities and the language of Luke. Stowmarket (UK) 2007, Mayhew 141 pp. £10. 978-184417-844-5.

6561 ^E**Just, Arthur A., Jr.** La biblia comentada por los padres de la igle-
      sia: Nuevo Testamento, 3: el evangelio según san Lucas. ^E*Merino
      Rodríguez, M.* 2006 ⇒22,6297. ^RRET 67 (2007) 113-114 (*Toraño
      López, Eduardo*); RelCult 53 (2007) 904-905 (*Langa, Pedro*).
6562 **Klein, Hans** Lukasstudien. FRLANT 209: 2005 ⇒21,239. ^RThLZ
      132 (2007) 524-527 (*Böttrich, Christfried*); ThRv 103 (2007) 296-
      297 (*Gradl, Hans-Georg*);
6563 Das Lukasevangelium. KEK 1/3: 2006 ⇒22,6299. ^RThLZ 132
      (2007) 429-431 (*Böttrich, Christfried*); BiKi 62 (2007) 196-197
      (*Nicklas, Tobias*).
6564 **Meynet, Roland** L'évangile de Luc. Rhétorique sémitique 1: 2005 ⇒
      21,6485; 22,6302. ^RRB 114 (2007) 105-112 (*Devillers, Luc*).
6565 **Oosterhuis, Huub; Van Heusden, Alex** Het evangelie van Lukas.
      Vught 2007, Skandalon 244 pp. €22.50. 078-90765-64463.
6566 **Padilla, Alvin** Lucas. Mp 2007, Fortress 190 pp. $15. 978-08066-
      53372.
6567 *Pao, David W.; Schnabel, Eckhard J.* Luke. Commentary on the NT
      use of the OT. 2007 ⇒5642. 251-414.
6568 **Patella, Michael F.** The gospel according to Luke. 2005 ⇒21,6489;
      22,6303. ^RSBSl (2007) 110-111 (*Štrba, Blačej*).

F7.4 *Lucae themata*—**Luke's Gospel, topics**

6569 **Barlet, Louis; Guillermain, Chantal** Le beau Christ de Luc. LiBi:
      2006 ⇒22,6309. ^RBrot. 164/1 (2007) 89-90 (*Silva, Isidro R. da*).
6570 *Beavis, Mary Ann* The dangerous gospel. BiTod 45 (2007) 28-32.
6571 **Bianco, Enzo** Meditare con Luca: materiali per la lectio divina. 2006
      ⇒22,6310. ^RRivista di science religiose 21/1 (2007) 163-164 (*Pinto,
      Sebastiano*).
6572 *Blum, Matthias* Von der Treue und Gnade Gottes: der Evangelist Lu-
      kas als erzählender Theologe. BiKi 62 (2007) 160-166.
6573 *Bosetti, Elena* 'Da lui usciva una forza che guariva tutti': Gesù tera-
      peuta nel vangelo di Luca. Camillianum 7 (2007) 207-222.
6574 *Braun, Thomas* "Ewigkeitssuppe und plötzliche Klarheit": Thomas
      MANNs "Zauberberg" und das Lukasevangelium als Erzählungen der
      Zeit. ^FBLUMENTHAL, S. von. 2007 ⇒16. 96-107.
6575 **Decloux, Simon** El Espíritu Santo vendrá sobre ti: ejercicios de ocho
      días con San Lucas. Sdr 2007, Sal Terrae 190 pp.
6576 *Ebner, Martin* Widerstand gegen den "diskreten Charme der sozialen
      Distanz" im Lukasevangelium. ThPQ 155 (2007) 123-130.
6577 **Farkaš, Pavol** Naratívne umenie evanjelistu Lukáša. Nitra 2007,
      Univ. Komenského v Bratislave 129 pp. 978-80886-96483. ^RSBSl
      (2007) 114-116 (*Bernáthová, Bernadeta*). **Slovak.**
6578 **Holoubek, Joe E.** Letters to Luke: from his fellow physician, Joseph
      of Capernaum. Shreveport, LA 2004, Little Dove xii; 548 pp. $40.
      Bibl.
6579 **Hotze, Gerhard** Jesus als Gast: Studien zu einem christologischen
      Leitmotiv im Lukasevangelium. FzB 111: Wü 2007, Echter 339 pp.
      €36. 978-3-429-02872-5. Bibl. 317-327.
6580 **Kangosa-Kapumba, Guy-A.** Die Bedeutung der Jesaia-Zitate für
      die lukanische Christologie: eine exegetische Untersuchung mit Aus-

blick auf den afrikanischen Kontext. ^D*Häfner, Gerd* 2007, Diss. München [ThRv 104/1,x].

6581 *Krüger, René* Gott oder Mammon?: Wirtschaftstexte im Lukasevangelium. BiKi 62 (2007) 22-29.

6582 **Krüger, René** Gott oder Mammon: das Lukasevangelium und die Ökonomie. Luzern 2007, Exodus 92 pp. €14. 3905-5774. ^RBiKi 62/1 (2007) 61 (*Blum, Matthias*).

6583 **Kwong, Ivan S.C.** The word order of the gospel of Luke: its foregrounded messages. Studies in NT Greek 12; LNTS 298: 2005 ⇒21, 6529. ^RCBQ 69 (2007) 364-365 (*Danove, Paul L.*).

6584 *Leicht, Barbara D.* Maria, die alle Geschlechter selig preisen: Bibelarbeit zum Marienbild des Lukasevangeliums (Lk 1-2; 8,19-21). Maria-Mutter Jesu. FrauenBibelArbeit 19: 2007 ⇒445. 27-34.

6585 *Levine, Amy-Jill* Luke's Pharisees. In quest of the historical Pharisees. 2007 ⇒402. 113-130.

6586 *Loraschi, Celso* O contra-discurso do poder: a relação entre as tentações de Jesus e os anúncios de sua paixão e morte no evangelho de Lucas. Estudos bíblicos 96/4 (2007) 45-51 [Lk 4,1-13; 9,22-26; 9,43-48; 18,31-34].

6587 **Mahali, Faustin** The concept of poverty in Luke in perspective of a Wanji from Tanzania. Makumira Publications 14: Neuendettelsau 2006, Erlanger Verlag für Mission und Ökumene 282 pp. €20. 978-38721-49015.

6588 **Martini, Carlo M.** Gli esercizi ignaziani alla luce del vangelo di Luca. R 2007, AdP 270 pp. 978-88-7357-448-4. Nuova ed.

6589 **Mavungu Khoto, Jean B.** Symbole ou idole: l'argent dans l'évangile de Luc. ^D*Meynet, Roland* 2007, Diss. Gregoriana [RTL 39,606].

6590 *Mendonça, José T.* As declinações do amor–uma curiosidade do texto lucano. Did(L) 37 (2007) 107-14.

6591 *Merz, Annette* Parabeln im Lukasevangelium: Einleitung. Kompendium der Gleichnisse Jesu. 2007 ⇒6026. 513-517.

6592 *Mickiewicz, Franciszek* Namaszczenie Jezusa Duchem Świetym na proroka wg Lk 3,21-22; 4,18; Dz 10,38. CoTh 77/1 (2007) 69-88. **P**.

6593 *Mittmann-Richert, Ulrike* Erinnerung und Heilserkenntnis im Lukasevangelium: ein Beitrag zum neutestamentlichen Verständnis des Abendmahls. Memory in the bible. WUNT 212: 2007 ⇒764. 243-76.

6594 *Moxnes, Halvor* Where is 'following Jesus'?: masculinity and place in Luke's gospel. ^FNEYREY, J. SWBAS n.s. 1: 2007 ⇒116. 155-170.

6595 **Parsons, Mikeal C.** Luke: storyteller, evangelist, interpreter. Peabody, MASS 2007, Hendrickson xxii; 230 pp. $20. 978-1-56563-483-1. Bibl. 193-214. ^RRBLit (2007)* (*Tannehill, Robert C.*).

6596 **Rowe, Christopher Kavin** Early narrative christology: the Lord in the gospel of Luke. BZAW 139: 2006 ⇒22,6338. ^RCBQ 69 (2007) 590-591 (*Brink, Laurie*); RBLit (2007)* (*Green, Joel B.*).

6597 *Sicre Díaz, José L.* El evangelio de Lucas: sus temas teológicos más sobresalientes. Proyección 54/1 (2007) 49-62.

6598 *Thompson, Richard P.* Gathered at the table: holiness and ecclesiology in the gospel of Luke. ^FDEASLEY, A. 2007 ⇒30. 76-94.

6599 **Tijerina, Gabriela** The concept of God's will and Jesus' willingness to die in the gospel of Luke. ^D*Clarke, A.* 2007, Diss. Aberdeen.

F7.5 *Infantia, cantica*—**Magnificat, Benedictus: Luc. 1-3**

6600 *Boyce, James L.* For you today a savior: the Lukan infancy narrative. WaW 27 (2007) 371-380.

6601 *Fischer, B.* Dialogic engagement between the birth stories in Luke 1 and 2 and selected texts from the Hebrew Bible: a Bakhtinian investigation. Scriptura 94 (2007) 128-142.

6602 **Jung, Chang-Wook** The original language of the Lukan infancy narrative. JSNT.S 67: 2004 ⇒20,6224; 22,6349. ᴿJThS 58 (2007) 220-221 (*Williams, P.J.*).

6603 **Neumann, Nils** Er hat Niedrige erhöht: Lukas 1,1-2,40 und die menippeische Literatur der hellenistischen Antike. ᴰ*Klumbies, Paul-Gerhard* 2007, Diss. Kassel [ThLZ 132,1267].

6604 **Wrembek, Christoph** Quirinius, die Steuer und der Stern: warum Weihnachten wirklich in Betlehem war. 2006 ⇒22,6353. ᴿStZ 225 (2007) 716-717 (*Baumert, Norbert*).

6605 *Hengel, Martin* Der Lukasprolog und seine Augenzeugen: die Apostel, Petrus und die Frauen. Memory in the bible. WUNT 212: 2007 ⇒764. 195-242 [Lk 1,1-4].

6606 **O'Fearghail, Fearghus** The introduction to Luke-Acts. AnBib 126: 1991 ⇒7,4486... 12,5080. ᴿThR 72 (2007) 386-388 (*Schröter, Jens*) [Lk 1,1-4].

6607 *Strelan, Rick* A note on ἀσφάλεια (Luke 1.4). JSNT 30 (2007) 163-171.

6608 *Durussel, André* Luc 1,5-25: faire du neuf avec du vieux?. LeD 74 (2007) 25-28.

6609 *Roland, Emmanuel* Luc 1,5-38: un notable de la foi, une jeune femme, un ange divin... et nous?. LeD 74 (2007) 29-33.

6610 *Pereira, Ney Brasil* Cheia de graça, a nao-amada?: ou seja: Lucas 1,28 responde a Oséias 1,6?. REB 67 (2007) 655-666.

6611 *Vicent Cernuda, Antonio* El apresurado viaje de María a Judea (Lc 1, 39) y su inusitado parto en Belén (Lc 2,4-7). EstB 65 (2007) 525-44.

6612 *Auffret, Pierre* Elles me rendront heureuse, toutes les générations: nouvelle étude structurelle du Magnificat. Theoforum 38 (2007) 5-16 [Lk 1,46-55].

6613 *Hieke, Thomas* Ein Psalm, der von der Zuverlässigkeit der Lehre überzeugt: das Magnifikat (Lk 1,46-55) als Brückentext zwischen zwei Geschichten Gottes mit seinem Volk. TThZ 116 (2007) 1-26.

6614 *Ilodigwe, D.C.* Mary and the Magnificat. RfR 66 (2007) 276-282 [Lk 1,46-55].

6615 *Bickerman, Elias J.* John the Baptist in the wilderness. Studies in Jewish and Christian history. 2007 ⇒190. 638-655 [Lk 1,80].

6616 *Weymann, Marianne* Luc 2,1-20: les désirs idylliques et le bouleversement. LeD 74 (2007) 34-38.

6617 **Pesch, Rudolf** Das Weihnachtsevangelium. FrB 2007, Herder 112 pp. €13. 978-3-451-29632-1 [Lk 2,1-27].

6618 *Bailey, K.E.* The manger and the inn: the cultural background of Luke 2:7. BiSp 20/4 (2007) 98-106.

6619 *Blanco Pacheco, Severiano* "No había lugar para ellos" (Lc 2,7): una expresión emblemática de la mariología?. EphMar 57 (2007) 153-71.

6620   *Soeting, Adriaan* Herrie over een herberg: het nachtverblijf in Betle-
        hem. ITBT 15/8 (2007) 23-24 [Lk 2,7].
6621   *Pfalzgraf, Georges* La doxologie Luc 2,14: sa forme première et ses
        variantes. QLP 88/1 (2007) 5-23.
6622   *Karakash, Ion* Luc 2,19: mémoire d'hier et d'à-venir.... LeD 74
        (2007) 39-43.
6623   *Dohmen, Christoph* "Und als der achte Tag erfüllt war ..." (Lk 2,21):
        wider das Vergessen der Beschneidung Jesu. BiLi 80 (2007) 276-79.
6624   *Keiser, Jeffrey* The circumcision of Jesus (Luke 2:21). Scriptura(M)
        9/2 (2007) 39-52.
6625   *Valentini, Alberto* "καθαρισμοῦ αὐτῶν" e "ρομφαία" (Lc 2, 22.35):
        due cruces interpretum. [F]VANHOYE, A. 2007 ⇒156. 169-187.
6626   *Dillon, Richard* Simeon as a Lucan spokesman (Lk 2, 29-35). [F]VAN-
        HOYE, A.. AnBib 165: 2007 ⇒156. 189-217.
6627   **Vakayil, Prema** Women shall prophesy (Joel 2:28): Anna the proph-
        etess (Lk 2:36-38)–a study in Luke's feminist perspective. Bangalore
        2007, Asia Trading xv; 259 pp. 81708-64178.
6628   *Sabuin, Richard A.* The growing of Christ: understanding Luke 2:40,
        52 in the light of the structural pattern of Luke-Acts. JAAS 10 (2007)
        15-25.
6629   **Landesmann, Georg P.** Der zwölfjährige Jesus im Tempel: der Ein-
        fluss theologischer und geistegeschichtlicher Tendenzen sowie ge-
        schichtlicher Ereignisse auf die Darstellung. [D]*Frankl, Karl-Heinz*
        2007, Diss. Wien [ThRv 104/1,xiii] [Lk 2,41-51].
6630   *Lopez Vergara, Juan* Vislumbrando horizontes (Lc 2,41-51a). Qol 43
        (2007) 19-39.
6631   **Reeve, Teresa** Luke 3:1-4:15 and the rite of passage in ancient litera-
        ture: liminality and transformation. [D]*D'Angelo, M.-R.* 2007, 407 pp.
        Diss. Notre Dame [RTL 39,606].
6632   **Mahfouz, Hady** La fonction littéraire et théologique de Lc 3,1-20
        dans Luc-Actes. 2003 ⇒19,6267; 21,6596. [R]EstB 65 (2007) 401-402
        (*Sánchez Navarro, Luis*).
6633   *Bastit, Agnès* Nés des pierres ou semence d'Abraham?: la prédication
        de Jean-Baptiste en Lc 3,8+. Graphè 16 (2007) 61-72.
6634   *Popović, Anto* Jesus and Abraham in the context of Luke's genealogy
        (Luke 3:23-38). Anton. 82/1 (2007) 31-54 [Mt 1,1-17].

F7.6 Evangelium Lucae 4,1...

6635   **Robbins, C. Michael** The testing of Jesus in Q. [D]*Robinson, J.M.*
        Studies in biblical literature 108: NY 2007, Lang xvi; 203 pp. $69.
        978-14331-00352. Diss. Claremont; Bibl. 163-187 [Mt 4; Lk 4].
6636   **Broccardo, Carlo** La fede emarginata: analisi narrativa di Luca 4-9.
        Studi e ricerche: 2006 ⇒22,6381. [R]ThLZ 132 (2007) 642-644
        (*Gradl, Hans-Georg*); RivBib 55 (2007) 230-232 (*Rossé, Gérard*).
6637   *Drouot, Gr.* Le discours inaugural de Jésus à Nazareth: la prophétie
        d'un retournement (Lc 4,16-30). NRTh 129 (2007) 35-44.
6638   *Kühschelm, Roman* "Um zu verkünden ein willkommenes Jahr des
        Herrn": Jesu Antrittsrede Lk 4,16-30. [F]KIRCHSCHLÄGER, W. 2007
        ⇒85. 147-185.
6639   *Pathrapankal, Joseph* The 'Nazareth manifesto' (Luke 4:18-21) in
        the evangelizing mission of Jesus. Enlarging the horizons. 2007 ⇒
        285. 127-146.

6640 *Esch-Wermeling, Elisabeth Kein* Heimvorteil für den Heiler (Vom Arzt): Lk 4,23 (Mk 2,17 / EvThom 31). Kompendium der Gleichnisse Jesu. 2007 ⇒6026. 523-531.

6641 *Raimbault, Christophe* Les récits de la pêche miraculeuse Lc 5,1-11; Jn 21,1-14. Regards croisés sur la bible. 2007 ⇒875. 157-169.

6642 *Calambrogio, Leone* Un inno alla vita in Lc 6. Laós 14/2 (2007) 9-13.

6643 *Zamfir, K.* Who are (the) blessed?: reflections on the relecture of the beatitudes in the New Testament and the Apocrypha. Sacra Scripta [Cluj-Napoca, Romania] 5 (2007) 75-100 [Lk 6,20-23].

6644 *Di Luccio, Pino* The "Son of Man" and the eschatology of the Q beatitudes: the case of Lk 6,22c. EE 82 (2007) 553-570.

6645 *Starnitzke, Dierk* Von den Früchten des Baumes und dem Sprechen des Herzens (Vom Baum und seinen Früchten): Q 6,43-45 (Mt 7,16-20; 12,33-35 / Lk 6,43-45 / EvThom 45). Kompendium der Gleichnisse Jesu. 2007 ⇒6026. 81-91.

6646 *Alegre, X.* El centurión de Cafarnaún (Lc 7,1-10), modelo de cristiano en Lucas el emigrante y el extranjero, paradigmas del creyente en la biblia. RLAT 24 (2007) 123-159.

6647 *Veyron-Maillet, Marie-L.* Polysémie d'un texte: analyses narrative et psycho-anthropologique de Luc 7,11-17. ETR 82 (2007) 179-191.

6648 *Müller, Peter* Vom misslingenden Spiel (Von den spielenden Kindern): Q 7,31-35 (Mt 11,16-19 / Lk 7,31-35). Kompendium der Gleichnisse Jesu. 2007 ⇒6026. 100-110.

6649 *Witetschek, Stephan* The stigma of a glutton and drunkard: Q 7,34 in historical and sociological perspective. EThL 83 (2007) 135-154 [Mt 11,19; Lk 7,34].

6650 **Agwulonu, Augustine** A sinner's encounter with Jesus: a study of Jesus' relevance in Luke 7:36-50 with a contextual application. ᴰ*Kühschelm, Roman* 2007, Diss. Wien [ThRv 104/1,xii].

6651 *Leinhäupl-Wilke, Andreas* Zu Gast bei Lukas: Einblicke in die lukanische Mahlkonzeption am Beispiel von Lk 7,36-50. Herrenmahl und Gruppenidentität. QD 221: 2007 ⇒572. 91-120.

6652 **Mullen, J. Patrick** Dining with Pharisees. 2004 ⇒20,6254... 22, 6402. ᴿRBLit (2007)* (*Maoz, Daniel; Fogg, Julia*) [Lk 7,36-50].

6653 *Roose, Hanna* Vom Rollenwechsel des Gläubigers (Von den zwei ungleichen Schuldnern): Lk 7,41-42a. Kompendium der Gleichnisse Jesu. 2007 ⇒6026. 532-537.

6654 *Bieberstein, Sabine* Engagierte Frauen im Lukasevangelium. Frauen gestalten Diakonie, 1. 2007 ⇒552. 93-110 [Lk 8,1-3].

6655 *Lawrence, L.J.* 'On a cliff's edge': actualizing Luke 8:22-39 in an intentional christian community on the north Devon coast;

6656 *Foster, Paul* Exegetical notes on Luke 9:28-36;

6657 *MacLaren, Duncan* Just the ordinary God (Luke 9:28-36). ET 118 (2007) 111-115/188-189/234-235.

F7.7 *Iter hierosolymitanum—Lc 9,51...*—**Jerusalem journey**

6658 *Hensell, E.* The great journey in Luke's gospel. RfR 66 (2007) 316-319.

6659 **Noël, Filip** The travel narrative in the gospel of Luke: interpretation of Lk 9,51-19,28. CBRA 5: 2004, ⇒20,6257... 22,6410. ᴿThLZ 132

(2007) 938-940 (*Böttrich, Christfried*); RivBib 55 (2007) 380-382 (*Crimella, Matteo*).

6660 *Dochhorn, Jan* Die Verschonung des samaritanischen Dorfes (Lk 9.54-55): eine kritische Reflexion von Elia-Überlieferung im Lukasevangelium und eine frühjüdische Parallele im Testament Abrahams. NTS 53 (2007) 359-378.

6661 **Jaime Murillo, Luis C.** Pobreza y seguimiento de Jesús a la luz de Lucas 9,57-62. ^D*Valentini, Alberto* R 2007, 144 pp. Exc. Diss. Gregoriana; Bibl. 109-140.

6662 *Jonge, Henk Jan de* Sodom in Q 10:12 and Ezekiel 16:48-52. The book of Ezekiel and its influence. 2007 ⇒835. 79-86.

6663 *Viviano, Benedict T.* The return of the seventy (Lk 10,17-20). ^FVANHOYE, A.. AnBib 165: 2007 ⇒156. 219-223.

6664 *Hünermann, Peter* Weisen vorenthalten, Kindern aber mitgeteilt: Gottes Geheimnis als Paradox der Offenbarung und Verborgenheit. Gottes Wort. Bibel und Ethik 1: 2007 ⇒537. 109-119 [Lk 10,21-22].

6665 *Gerhartz, Johannes G.* Um Jesus auf die Probe zu stellen. Pastoralblatt für die Diözesen Aachen etc. 59 (2007) 289-290 [Lk 10,25-37].

6666 *Meneses, Ramiro B. de* Do desvalido ao Samaritano: narrativa exemplar do 'amor ao próximo' pelo Pai das misericórdias (Lc 10, 25-37). EstFr 108 (2007) 135-180 [Lk 10,25-37];

6667 O Bom Samaritano: pela prioridade do outro. Vox scripturae 15/2 (2007) 36-53 [Lk 10,25-37].

6668 *Mineshige, Kiyoshi* Das Gleichnis vom barmherzigen Samariter (Lk 10,25-37): die Perspektive der lukanischen Redaktion. Kwansei-Gakuin-Daigaku 12 (2007) 1-10.

6669 **Saoût, Yves** Le bon Samaritain. Evangiles: P 2007, Bayard 198 pp. €19.90. 978-22274-76394 [Lk 10,25-37].

6670 *Zimmermann, Ruben* Die Etho-Poietik des Samaritergleichnisses (Lk 10,25-37): eine Ethik des Schauens in einer Kultur des Wegschauens. WuD 29 (2007) 51-69.

6671 *Sprinkle, Preston M.* The use of Genesis 42:18 (not Leviticus 18:5) in Luke 10:28: Joseph and the Good Samaritan. BBR 17 (2007) 193-205.

6672 *Keerankeri, George* The parable of the Good Samaritan: the love comandment and the convergence of religions. JPJRS 10/2 (2007) 51-64 [Lk 10,29-37].

6673 *Schubert, Judith* The parable of the Good Samaritan. BiTod 45 (2007) 23-27 [Lk 10,29-37]

6674 *Zimmermann, Ruben* Berührende Liebe (Der barmherzige Samariter): Lk 10,30-35. Kompendium der Gleichnisse Jesu. 2007 ⇒6026. 538-555.

6675 *Fornara, Roberta* L'icona dell'unificazione interiore: chiavi di lettura di Lc 10,38-42. RVS 61 (2007) 141-153.

6676 *Löning, Karl* Jesus als Lehrer nach Lk 10,38-42. Im Wandel. 2007 ⇒ 574. 119-131.

6677 **Quesada Bejar, Francisco J.** La interpretación de Lc 10,38-42 en autores espirituales desde el siglo VI hasta el siglo XII. ^D*Belda, Manuel* R 2007, xix; 321 pp. Diss. Pont. Univ. Sanctae Crucis; Bibl. 307-321.

6678 *LaVerdière, E.* God as father. Emmanuel 113 (2007) 536-543 [Lk 11,2-4].

6679 *Merz, Annette* Freundschaft verpflichtet (Vom bittenden Freund): Lk 11,5-8. Kompendium der Gleichnisse Jesu. 2007 ⇒6026. 556-563.

6680 *Hengel, Martin* Der Finger und die Herrschaft Gottes in Lk 11,20. Jesus und die Evangelien. WUNT 211: 2007 <1997> ⇒247. 644-663.

6681 *Bär, Thomas; Funk, Katharina; Hartmann-Roffler, Verena* Unreine Geister (Lk 11,24-26). Im Kraftfeld. 2007 ⇒513. 73-79.

6682 *Mazurek, Vera* Hemorroíssa: ousadia, coragem e fé. Estudos bíblicos 96/4 (2007) 52-63 [Lk 12,2-5].

6683 *Stegman, Thomas D.* Reading Luke 12:13-34 as an elaboration of a chreia: how HERMOGENES of Tarsus sheds light on Luke's gospel. NT 49 (2007) 328-352.

6684 *Kollmann, Bernd* Das letzte Hemd hat keine Taschen (Vom reichen Kornbauern): Lk 12,16-21 (EvThom 63). Kompendium der Gleichnisse Jesu. 2007 ⇒6026. 564-572.

6685 **Metzger, James A.** Consumption and wealth in Luke's travel narrative. BiblInterp 88: Lei 2007, Brill xiii; 216 pp. $155. 978-90-04-16-261-7 [Lk 12,16-21; 15,11-32; 16,1-13; 16,19-31; 17-18; 19,1-10].

6686 *Heil, Christoph* Vertrauen in die Sorge Gottes (Sorgt euch nicht): Q 12,24.26-28 (Mt 6,26.28-30 / Lk 12,24.26-28 / EvThom 36,1-4 [P.Oxy. 655] / Agr 124). Kompendium der Gleichnisse Jesu. 2007 ⇒ 6026. 144-153.

6687 *Robinson, Peter* Contextual bible study notes (Luke 12:32-40). ET 118 (2007) 499-500.

6688 *Gerber, Christine* Wann aus Sklavinnen und Sklaven Gäste ihres Herren werden (Von den wachenden Knechten): Lk 12,35-38;

6689 *Müller, Peter* Wetterregeln (Von der Beurteilung der Zeit): Q 12,54-56 (Mt 16,2f. / Lk 12,54-56 / EvThom 91). Kompendium der Gleichnisse Jesu. 2007 ⇒6026. 573-578/171-177.

6690 *Mawditt, Robert* Bible study notes on Luke 13:1-9. ET 118 (2007) 236-237.

6691 *Gruber, Margareta* Gerichtskonsequenz oder Gnadenchance? (Der unfruchtbare Feigenbaum): Lk 13,6-9. Kompendium der Gleichnisse Jesu. 2007 ⇒6026. 579-585.

6692 *Keerankeri, George* Healing of a bent woman (Lk 13:10-17): the significance of Jesus' Sabbath healings. VJTR 71 (2007) 7-27.

6693 *Jonas, Dirk* Tretet ein! (Von der verschlossenen Tür): Q 13,24-27 (Mt 7,13f.; 7,22f.; 25,10-12 / Lk 13,24-27). Kompendium der Gleichnisse Jesu. 2007 ⇒6026. 193-199.

6694 *Bénétreau, Samuel* Variations sur le thème de l'hospitalité: Luc 14.1-24: structure et contextes. ThEv(VS) 6/2 (2007) 83-102.

6695 *Popp, Thomas* Ehre und Schande bei Tisch (Von Rangordnung und Auswahl der Gäste): Lk 14,7-11(12-14);

6696 *Schottroff, Luise* Von der Schwierigkeit zu teilen (Das große Abendmahl): Lk 14,12-24 (EvThom 64). Kompendium der Gleichnisse Jesu. 2007, ⇒6026. 586-592/593-603.

6697 *Antonopoulos, Athanasios* The parable of the great dinner (Luke 14:15-24): historical, sociological, literary and theological-interpretative approaches (part A). Theol(A) 78 (2007) 265-284.

6698 *Sellin, Gerhard* Die Kosten der Nachfolge (Das Doppelgleichnis vom Turmbau und vom Krieg): Lk 14,28-32;

6699 *Leonhardt-Balzer, Jutta* Vom Wirken des Salzes (Vom Salz): Q 14,34f. (Mk 9,49f. / Mt 5,13 / Lk 14,34f.). Kompendium der Gleichnisse Jesu. 2007 ⇒6026. 604-609/200-204.

6700 *Lawrence, Louise J.* Contextual bible study (Luke 15:1-10). ET 118 (2007) 549-550.

6701 *Merz, Annette* Lust und Freude des Kehrens (Von der verlorenen Drachme): Lk 15,8-10. Kompendium der Gleichnisse Jesu. 2007 ⇒ 6026. 610-617.

6702 *Clark-King, Ellen* The prodigal son (Luke 15:11-32). ET 118 (2007) 238-239.

6703 *Kunz, Claiton A.* A parábolas dos filhos perdidos. VTeol 15/2 (2007) 49-62 [Lk 15,11-32].

6704 **Luneau, René** Il figlio prodigo. 2006 ⇒22,6441. ^RStPat 54 (2007) 689-690 (*Broccardo, Carlo*) [Lk 15,11-32].

6705 **Nouwen, Henri** Die treugkeer van de verlore seun: 'n ware verhaal oor tuiskoms. ^T*Villiers, Pieter de* Wellington 2007, Lux Verbi 224 pp. R110. 978-07963-06173 [Lk 15,11-32]

6706 *Ostmeyer, Karl-H.* Dabeisein ist alles (Der verlorene Sohn): Lk 15,11-32. Kompendium der Gleichnisse Jesu. 2007 ⇒6026. 618-633.

6707 *Pereira, Denis G.* The prodigal son: a twist in the tale (pun intended). VJTR 71 (2007) 435-438 [Lk 15,11-32].

6708 *Punt, Jeremy* The prodigal son and "blade runner": fathers and sons, and animosity. JTSA 128 (2007) 86-103 [Lk 15,11-32].

6709 *Reinmuth, Eckart* Der beschuldigte Verwalter (Vom ungetreuen Haushalter): Lk 16,1-8. Kompendium der Gleichnisse Jesu. 2007 ⇒ 6026. 634-646.

6710 *Mahfouz, Hady* Lc 16,1-31: annonce, écoute et biens matériels. Revue Théologique de Kaslik [Kaslik, Lebanon] 1 (2007) 27-51.

6711 *Vos, C. de* Social-scientific interpretation and the Lukan divorce saying (Luke 16:18). LTJ 41 (2007) 37-47.

6712 **Lehtipuu, Outi** The afterlife imagery in Luke's story of the rich man and Lazarus. NT.S 123: Lei 2007, Brill xii; 361 pp. €109. 90-04-153-01-2. Bibl. 305-329 [Lk 16,19-31].

6713 *Leonhardt-Balzer, Jutta* Wie kommt ein Reicher in Abrahams Schoß? (Vom reichen Mann und armen Lazarus): Lk 16,19-31. Kompendium der Gleichnisse Jesu. 2007 ⇒6026. 647-660.

6714 *Mgaya, G.L.* Identifying the poor Lazzarus and the rich man in our time (Luke 16:19-31). African Theological Journal [Usa River, Tanzania] 30/2 (2007) 54-75.

6715 *Nelavala, Surekha* The rich man and Lazarus (Luke 16:19-31). ET 118 (2007) 553-554.

6716 *Vos, Craig S. de* The meaning of the 'good news to the poor' in Luke's gospel: the parable of Lazarus and the rich-man as a test case. ^FNEYREY, J.. SWBAS n.s. 1: 2007 ⇒116. 67-86 [Lk 16,19-31]

6717 *Braun, Thomas* "Dinner for one" oder vom Sklavenlohn (Vom Knechtslohn): Lk 17,7-10. Kompendium der Gleichnisse Jesu. 2007 ⇒6026. 661-666.

6718 *Merz, Annette* How a woman who fought back and demanded her rights became an importunate widow: the transformations of a parable of Jesus. Jesus from Judaism. LNTS 352: 2007 ⇒448. 49-86 [Lk 18,1-8].

6719 *Penny, Donald N.* Persistence in prayer. Luke 18:1-8. RExp 104 (2007) 737-744.

6720 *Friedrichsen, Timothy A.* A judge, a widow, and the Kingdom of God: re-reading a parable of Jesus (Luke 18,2-5). SNTU.A 32 (2007) 37-65.

6721   *Combes, Alain* Le pharisien et le publicain. ThEv(VS) 6/2 (2007) 127-135 [Lk 18,9-14].
6722   *Doran, Robert* The pharisee and the tax collector: an agonistic story. CBQ 69 (2007) 259-270 [Lk 18,9-14].
6723   *Pesonen, Anni* The pharisee and the tax-collector within the psyche. ᴹMETZGER, B. NTMon 20: 2007 ⇒105. 42-57 [Lk 18,9-14]
6724   *Popp, Thomas* Werbung in eigener Sache (Vom Pharisäer und Zöllner): Lk 18,9-14. Kompendium der Gleichnisse Jesu. 2007 ⇒6026. 681-695.
6725   **Diengdoh, Brigida** Zacchaeus (Lk 19:1-10) and Barnabas (Acts 4:36-37): a comparative analysis. ᴰ*Garuti, P.* 2007, Diss. Angelicum.
6726   *Rohrbaugh, Richard L.* Zacchaeus: defender of the honor of Jesus. ᶠCHANEY, M. 2007 ⇒25. 279-291 [Lk 19,1-10].
6727   *Schwindt, Rainer* Die Gegenwart als messianische Zeit: die Geschichte vom Zöllner Zachäus in Lk 19,1-10. TThZ 116 (2007) 39-60.
6728   *Schultz, Brian* Jesus as Archelaus in the parable of the pounds (Lk. 19:11-27). NT 49 (2007) 105-127 [Mt 25,14-30].
6729   **Dowling, Elizabeth V.** Taking away the the pound: women, theology and the parable of the pounds in the gospel of Luke. LNTS 324: NY 2007, Clark xi; 252 pp. $156. 978-0-567-04364-1. Bibl. 216-237. [Lk 19,11-28].
6730   *Mawditt, Robert* Bible study notes on Luke 19:28-40. ET 118 (2007) 284-286.
6731   *Butticaz, Simon* Luc 19,29-40: de l'acclamation joyeuse au cri des pierres. LeD 73 (2007) 25-35.

F7.8 **Passio**—Lc 22...

6732   **Gargano, Innocenzo** 'Lectio divina' sui vangeli della Passione, 3: Passione di Gesù secondo Luca. Conversazioni bibliche: Bo 2007, EDB 144 pp. €11.50. 978-88-10-70997-9.
6733   *Harrington, W.* Death and resurrection in Luke. Scripture in Church 146 (2007) 123-128.
6734   *Rusam, Dietrich* Die Passionsgeschichte des Lukas als Kontextualisierung von Psalm 22. Psalm 22. BThSt 88: 2007 ⇒383. 77-110.
6735   **Scaer, Peter J.** The Lukan passion and the praiseworthy death. NTMon 10: 2005 ⇒21,6686; 22,6481. ᴿBTB 37 (2007) 191 (*Williams, Ritva H.*).
6736   *Scheffler, Eben* The meaning of Jesus' death: the letter to the Hebrews and Luke's gospel compared. APB 18 (2007) 145-165.

6737   *Eubank, N.* BAKHTIN and Lukan politics: a carnivalesque reading of the Last Supper in the third gospel. JGRChJ 4 (2007) 32-54 [Lk 22,14-38].
6738   *Winter, Martin* Präsent trotz Trennung: das Abschiedsmahl Jesu (Lk 22,14-38) als Vermächtnisrede und Symposion. WuD 29 (2007) 71-99.
6739   **Koottala, Moly** Farewell discourse: a foreshadow and an invitation to perseverance in trials: an exegetico-theological study on Luke 22:21-38. ᴰ*Garuti, P.* 2007, Diss. Angelicum [RTL 39,605].

6740 *Smit, Peter-Ben* Problematic parallels: a note on some proposed literary parallels to the imagery of Lk. 22:30. Ment. *Hesiod* ; *Plinius, Junior* BN 133 (2007) 57-61 [Mt 19,28; Rev 3,20-21].

6741 *Resch, Laurentius* Was den Menschen leben lässt: "Ich aber habe für dich gebetet" Lukas 22. EuA 83 (2007) 67-69.

6742 **Clivaz, Claire** L'ange et la sueur de sang (Luc 22,43-44): ou comment on pourrait bien encore écrire l'histoire. Lausanne 2007, n.p. 537 pp. Diss. Lausanne.

6743 *De Santis, Massimo* La consegna di Gesù: analisi letteraria e teologica di Lc 22,47-53. RivBib 55 (2007) 41-62.

6744 *Polidori, Valerio* L'episodio di Simone di Cirene in Lc 23: un nuovo orientamento esegetico. BeO 49 (2007) 57-63.

6745 *Vignolo, Roberto* Alla scuola dei ladroni (Lc 23,32-43). VitaCon 43 (2007) 133-144.

6746 *Resch, Laurentius* Hingabe bis zum äußersten: Jesu Gebet am Kreuz: Lukas 23. EuA 83 (2007) 309-312.

6747 **Blum, Matthias** "...denn sie wissen nicht, was sie tun": zur Rezeption der Fürbitte Jesu am Kreuz (Lk 23,34a) in der antiken jüdisch-christlichen Kontroverse. NTA 46: 2004 ⇒20,6311; 21,6697. [R]FrRu 14 (2007) 138-140 (*Kinzig, Wolfram*).

6748 *Grasso, Santi* La narrazione sulla risurrezione di Gesù: criteriologia della fede ecclesiologica post-pasquale (Lc 24). RTE 11/1 (2007) 175-198.

6749 *Thompson Prince, Deborah* The 'ghost' of Jesus: Luke 24 in light of ancient narratives of post-mortem apparitions. JSNT 29 (2007) 287-301.

6750 *Riesner, Rainer* Wo lag das neutestamentliche Emmaus (Lukas 24,13)?. ZAC 11 (2007) 201-220.

6751 **Smith, David** Moving towards Emmaus: hope in a time of uncertainty. L 2007, SPCK x; 118 pp. 978-0-281-05909-6. Bibl. 112-114 [Lk 24,13-25].

6752 **Chenu, Bruno** Los discípulos de Emaús. [T]*Ballester, Carolina* 2006 ⇒22,6504. [R]TyV 48 (2007) 114 (*Reyes Gacitúa, Eva*) [Lk 24,13-35].

6753 *Gregur, Josip* Der Emmausgang (Lk 24) als liturgischer Brennpunkt kirchlicher Selbstvollzüge. Gottes Wort. Bibel und Ethik 1: 2007 ⇒ 537. 141-149.

6754 *Menges, Thomas* Licht-Fährte und Emmaus-Weg. KatBl 132/2 (2007) 105-112 [Lk 24,13-35].

6755 **Pavía, Antonio** Los discípulos de Emaús. M 2007, Paulinas 207 pp. [R]Seminarios 53 (2007) 556-557 (*Morata, Alonso*) [Lk 24,13-35].

6756 *Wolter, Michael* Prophet oder Messias?: einige Anmerkungen zu den Christologien von Lk 24,19-27. [F]HAACKER, K. ABIG 27: 2007 ⇒57. 170-184.

6757 *Zwilling, Anne-L.; Legrand, Thierry* Luc 24,36-53: 'Quand j'étais encore avec vous...'. LeD 71 (2007) 26-36.

6758 *Clivaz, Claire* 'Incroyants de joie' (Lc 24,41): point de vue, histoire et poétique. Regards croisés sur la bible. LeDiv: 2007 ⇒875. 183-95.

6759 *Klumbies, Paul-G.* Himmelfahrt und Apotheose Jesu in Lk 24,50-53. Klio 89/1 (2007) 147-160.

F8.1 *Actus Apostolorum*, **Acts**—*text, commentary, topics*

6760 *Alexander, Loveday C.A.* Marathon or Jericho?: reading Acts in dialogue with biblical and Greek historiography. Ancient and modern scriptural historiography. BEThL 207: 2007 ⇒389. 283-310.

6761 *Amsler, Frédéric* Points de vue sur les origines: les Actes des apôtres et Pseudo-Clément, *Reconnaissances* I,27-71. Regards croisés sur la bible. LeDiv: 2007 ⇒875. 205-220.

6762 *Backhaus, Knut* Lukas der Maler: die Apostelgeschichte als intentionale Geschichte der christlichen Erstepoche. Historiographie. BThSt 86: 2007 ⇒358. 30-66;

6763 Mose und der Mos Maiorum: das Alter des Judentums als Argument für die Attraktivität des Christentums in der Apostelgeschichte. Josephus und das NT. WUNT 209: 2007 ⇒780. 401-428.

6764 *Balch, David L.* Acts of the Apostles. Religion past & present, 1. 2007 ⇒1066. 43-46.

6765 **Barbi, Augusto** Atti degli Apostoli (capitoli 15-28). Dabar: Padova 2007, Messagero 480 pp. €16.50. 978-88250-13801.

6766 **Barrett, Charles** A critical and exegetical commentary on the Acts of the Apostles, 2: introd. & comment. on Acts XV-XXVIII. ICC: 1998 ⇒14,5082...17,5532. ᴿThR 72 (2007) 211-14 (*Schröter, Jens*).

6767 ᴱ**Bauckham, Richard** The book of Acts in its Palestinian setting. 1995 ⇒11/1,3784...14,5083. ᴿThR 72 (2007) 301-5 (*Schröter, Jens*).

6768 *Baum, Armin D.* Autobiografische Wir- und Er-Stellen in den neutestamentlichen Geschichtsbüchern im Kontext der antiken Literaturgeschichte. Bib. 88 (2007) 473-495.

6769 **Betori, Giuseppe** Affidati alla parola: ricerche sull'opera di Luca. 2003 ⇒19,6123; 20,6125. ᴿThR 72 (2007) 320-321 (*Schröter, Jens*).

6770 **Bock, Darrell** Acts. Baker Exegetical Comm. on the NT: GR 2007, Baker xx; 848 pp. $50. 978-0-8010-2668-3.

6771 **Boismard, Marie-É.; Lamouille, Arnaud** Le texte occidental des Actes des Apôtres. Synthèse 17: 1984 ⇒65,4597... 6,5467. ᴿThR 72 (2007) 334-336 (*Schröter, Jens*).

6772 **Bonnah, George K.A.** The Holy Spirit: a narrative factor in the Acts of the Apostles. SBB 58: Stu 2007, Kath. Bibelwerk 222 pp. €49.90. 978-3-460-00581-5.

6773 **Bregantini, GianCarlo M.** Volti e luoghi di una chiesa giovane: gli Atti degli apostoli. ᴱ*Giacobbo, G.* Meditare: Leumann 2007, Elledici 166 pp. €7. Racconti di *B. Ferrero.*

6774 *Bunine, Alexis* La réception des premiers païens dans l'église: le témoignage des Actes. BLE 108 (2007) 259-288 [Acts 11-15].

6775 **Cabra, Pier G.** Il libro degli Atti degli Apostoli. Lectio Divina per la vita quotidiana 12: Brescia 2007, Queriniana 376 pp. €18.50. ᴿVitaCon 43 (2007) 441-442 (*Rossi, Giuseppe*); Apoll. 80 (2007) 865-867 (*Pardilla, Ángel*).

6776 **Campbell, William S.** The 'we' passages in the Acts of the Apostles: the narrator as narrative character. SBL.Studies in Biblical Literature 14: Atlanta 2007, SBL xii; 150 pp. $20. 978-15898-32053. Diss. Princeton Theol. Sem. [ThD 53,159–W. Charles Heiser].

6777 **Casalegno, Alberto** Ler os Atos des Apóstolos: estudo da teologia lucana da missão. 2005 ⇒21,6731. ᴿPerTeol 39/1 (2007) 131-132 (*Andrade, Aíla L.P. de*).

6778   **Chance, J. Bradley** Acts. Macon, GA 2007, Smyth & H. xxiv; 562 pp. $60. 978-15731-20807.

6779   **Csernai, Balász** Die Fremdwahrnehmung des Christentums im Spiegel der Gerichtszenen der Apostelgeschichte. [D]*Backhaus, Knut* 2007, Diss. München [ThRv 104/1,x].

6780   **Czachesz, István** Commission narratives: a comparative study of the canonical and apocryphal Acts. SECA 8: Lv 2007, Peeters xii; 322 pp. €40. 978-90429-18450. Bibl. 275-300.

6781   **Dormeyer, Detlev; Galindo, Florencio** Die Apostelgeschichte: ein Kommentar für die Praxis. 2003 ⇒19,6394; 21,6737. [R]ThR 72 (2007) 227-228 (*Schröter, Jens*);

6782   Comentario a los Hechos de los Apóstoles: modelo de nueva evangelización. Estella 2007, Verbo Divino 680 pp.

6783   **Dunn, James D.G.** The Acts of the Apostles. 1996 ⇒12,5188. [R]ThR 72 (2007) 222-223 (*Schröter, Jens*).

6784   **Dupont, Jacques** Nouvelles études sur les Actes des Apôtres. LeDiv 118: 1984 ⇒65,184... 11/1,3789. [R]ThR 72 (2007) 316-318 (*Schröter, Jens*).

6785   **Eckey, Wilfried** Die Apostelgeschichte: der Weg des Evangeliums von Jerusalem nach Rom, 1-2. 2000 ⇒16,5568; 17,5539. [R]ThR 72 (2007) 214-216 (*Schröter, Jens*).

6786   **Finger, Reta H.** Of widows and meals: communal meals in the book of Acts. GR 2007, Eerdmans x; 326 pp. $28. 978-0-8028-3053-1. Bibl. 287-310 [BiTod 45,331—Donald Senior] [Acts 2; 6].

6787   **Fitzmyer, Joseph A.** The Acts of the Apostles. AncB 31: 1998 ⇒14, 5086... 20,6340. [R]ThR 72 (2007) 208-209 (*Schröter, Jens*).

6788   [F]**FLANDERS, Henry J.** With steadfast purpose: essays on Acts. [E]**Keathley, Naymond H.** 1990 ⇒6,47*; 8,5479. [R]ThR 72 (2007) 322-323 (*Schröter, Jens*).

6789   **Foss, Michael W.** From members to disciples: leadership lessons from the book of Acts. Nv 2007, Abingdon 100 pp. 0-687-46730-6.

6790   [E]**Gallagher, Robert L.; Hertig, Paul** Mission in Acts: ancient narratives in contemporary context. ASMS 34: 2004 ⇒20,354; 22,6527. [R]Pacifica 20 (2007) 108-110 (*Waldie, Kevin*).

6791   **Gasque, W. Ward** A history of the interpretation of the Acts of the Apostles. 1989 <1975> ⇒5,5225. [R]ThR 72 (2007) 183-84 (*Schröter, Jens*).

6792   [E]**Gill, David W.J.; Gempf, Conrad** The book of Acts in its first-century setting, 2; the book of Acts in its Graeco-Roman setting. 1994 ⇒10,5064... 12,5191. [R]ThR 72 (2007) 296-298 (*Schröter, Jens*).

6793   **González, J.L.** Hechos. 2006 ⇒22,6528. [R]EstB 65 (2007) 561-563 (*Abbott, Marcos*).

6794   **Hamm, Dennis** The Acts of the Apostles. New Collegeville Bible Commentary: 2005 ⇒21,6753. [R]RBLit (2007)* (*Walton, Steve*).

6795   **Hemer, Colin** The book of Acts in the setting of Hellenistic history. [E]**Gempf, Conrad H.** WUNT 49: 1987 ⇒5,5231... 10,5064. [R]ThR 72 (2007) 404-406 (*Schröter, Jens*).

6796   **Henning, Richard G.** 'Teaching about the Lord Jesus Christ': the christological content of the speeches of Peter and Paul in the Acts of the Apostles. [D]*De Santis, L.* R 2007, Diss. Angelicum [RTL 39,604].

6797   **Ijatuyi-Morphé, Randee O.** Community and self-definition in the book of Acts. Bethesda 2004, Academica 408 pp. 19309-01682. Diss. Trinity Evangelical Divinity School 1995.

6798 **Innocenti, Ennio; Ramelli, Ilaria** Gesù a Roma. ³2006 ⇒22,6534.
ᴿCivCatt 158/3 (2007) 333-334 (*Esposito, G.*).

6799 **Jervell, Jacob S.** Die Apostelgeschichte. KEK 3: 1998 ⇒14,5087...
17,5559. ᴿThR 72 (2007) 205-208 (*Schröter, Jens*).

6800 **Johnson, Luke T.** The Acts of the Apostles. Sacra Pagina 5: 1992 ⇒
8,5483... 19,6412. ᴿThR 72 (2007) 200-202 (*Schröter, Jens*);

6801 ColMn ²2006 <1992>, Liturgical xvi; 570 pp. $35. 978-08146-5968-
7. ᴿTC.JBTC 12 (2007)* 2 pp (*Nicklas, Tobias*);

6802 Atti degli Apostoli. Sacra Pagina 5: Leumann (TO) 2007, Elledici
xii; 483 pp. €39. 978-88010-27600. ᴿStPat 54 (2007) 476-477 (*Broc-
cardo, Carlo*).

6803 *Kizhakkeyil, Sebastian* The Acts of the Apostles as the religious his-
tory of the apostolic church. JJSS 7/2 (2007) 33-53.

6804 **Kliesch, Klaus** Apostelgeschichte. SKK.NT 5: 1986 ⇒2,4032... 7,
4618. ᴿThR 72 (2007) 217-218 (*Schröter, Jens*).

6805 **Levinskaya, Irina** The book of Acts in its first-century setting, 5:.
the book of Acts in its diaspora setting. 1996 ⇒12,5197... 20,6362.
ᴿThR 72 (2007) 305-307 (*Schröter, Jens*).

6806 **Lucci, Laila** Testimoni del Risorto: percorsi di pneumatologia lucana
a partire dal libro degli Atti. Verucchio (Rn) 2007, Pazzini 133 pp. 8-
8-89198-77-X. Bibl. 131-133 ᴿCultura & Libri 158-159 (2007) 117-
119 (*Barbieri, Gilberto*).

6807 **Lüdemann, Gerd** Das frühe Christentum nach den Traditionen der
Apostelgeschichte: ein Kommentar. 1987 ⇒3,5103... 7,4622. ᴿThR
72 (2007) 193-196 (*Schröter, Jens*).

6808 *Malick, D.E.* The contribution of Codex Bezae Cantabrigiensis to an
understanding of women in the book of Acts. JGRChJ 4 (2007) 158-
183.

6809 **Marguerat, Daniel** La première histoire du christianisme: les Actes
des Apôtres. LeDiv 180: ²2003 <1999> ⇒19,6425; 22,6540. ᴿThR
72 (2007) 411-413 (*Schröter, Jens*);

6810 Les Actes des Apôtres (1-12). CNT(N) 5a: Genève 2007, Labor et F.
446 pp. €52. 978-2-8309-1229-6. ᴿCEv 141 (2007) 143 (*Debergé,
Pierre*); BCLF 696 (2007) 14-16.

6811 *Marshall, I. Howard* Holiness in the book of Acts. ᶠDEASLEY, A.
2007 ⇒30. 114-128;

6812 Acts. Commentary on the NT use of the OT. 2007 ⇒5642. 513-606.

6813 ᴱ**Marshall, I. Howard; Peterson, David** Witness to the gospel: the
theology of Acts. 1998 ⇒14,5126... 16,5607. ᴿThR 72 (2007) 307-
314 (*Schröter, Jens*).

6814 *Mooren, T.* 'Und segelten dicht an Zypern vorbei' (Apg 27,4): Noti-
zen im Bannkreis der Apostelgeschichte. Laur. 48 (2007) 225-254.

6815 **Mussner, Franz** Apostelgeschichte. NEB 5: 1984 ⇒1,5087; 2,4035.
ᴿThR 72 (2007) 216-217 (*Schröter, Jens*).

6816 ᴱ**Nicklas, Tobias; Tilly, Michael** The book of Acts as church his-
tory. BZNW 120: 2003 ⇒19,388; 21,6772. ᴿThR 72 (2007) 342-344
(*Schröter, Jens*).

6817 *Oegema, Gerbern S.* 'The coming of the Righteous One' in Acts and
1 Enoch. Enoch. 2007 ⇒775. 250-259.

6818 **Öhler, Markus** Barnabas: der Mann in der Mitte. 2005 ⇒21,6774;
22,6548. ᴿThLZ 132 (2007) 1313-1314 (*Rein, Matthias*).

6819 **Pelikan, Jaroslav J.** Acts. 2005 ⇒21,6776; 22,6551. ᴿRRT 14
(2007) 191-192 (*Bury, Benjamin*); ProEc 16 (2007) 14-17 (*Behr, J.*);

ProEc 16 (2007) 18-25 (*Daley, Brian E.*); ProEc 16 (2007) 26-32 (*Rowe, C.K.; Hays, R.B.*).

6820 *Penner, Todd; Vander Stichele, Caroline* Script(ur)ing gender in Acts: the past and present power of imperium. Mapping gender in ancient religious discourses. BiblInterp 84: 2007 ⇒621. 231-266;

6821 Le territoire corinthien: point de vue et poétique dans les Actes des apôtres. Regards croisés sur la bible. LeDiv: 2007 ⇒875. 197-204.

6822 **Pervo, Richard I.** Profit with delight: the literary genre of the Acts of the Apostles. 1987 ⇒3,5108... 9,5299*. ᴿThR 72 (2007) 403-404 (*Schröter, Jens*);

6823 Dating Acts: between the evangelists and the Apologists. 2006 ⇒22, 6557. ᴿCBQ 69 (2007) 827-828 (*Tannehill, Robert C.*).

6824 **Pesch, Rudolf** Die Apostelgeschichte, 1-2. EKK 5/1-2: 1986 ⇒2, 4037... 7,4631. ᴿThR 72 (2007) 191-193 (*Schröter, Jens*). ᴱ**Phillips, T.** Acts and ethics 2005 ⇒497.

6825 **Pilch, John J.** Visions and healing in the Acts of the Apostles: how the early believers experienced God. 2004 ⇒20,6376; 21,6781. ᴿCBQ 69 (2007) 163-164 (*Spencer, F. Scott*).

6826 ᶠPLÜMACHER, Eckhard Die Apostelgeschichte und die hellenistische Geschichtsschreibung. ᴱ**Breytenbach, Cilliers; Schröter, Jens** 2004 ⇒20,111; 22,130. ᴿThR 72 (2007) 331-333 (*Schröter, Jens*).

6827 *Porter, Stanley E.* Magic in the book of Acts. A kind of magic. LNTS 306: 2007 ⇒468. 107-121.

6828 **Raphael, V.** Globalizing *koinōnia* through sharing: from Acts 2:42-47 to Acts 11:27-30. ᴰ*Legrand, Lucien* 2007, Diss. St Peter's, Bangalore.

6829 **Read-Heimerdinger, Jenny** The Bezan text of Acts: a contribution of discourse analysis to textual criticism. JSNT.S 236: 2002 ⇒ 18,6003... 22,6561. ᴿThR 72 (2007) 337-341 (*Schröter, Jens*).

6830 *Read-Heimerdinger, Jenny; Rius-Camps, Josep* The variant readings of the Western Text of the Acts of the Apostles (XIX) (Acts 13:13-43). FgNT 20 (2006) 127-146.

6831 **Rius-Camps, Josep; Read-Heimerdinger, Jenny** The message of Acts in Codex Bezae 2: Acts 6.1-12.25: from Judaea and Samaria to the church in Antioch. LNTS: 2006 ⇒22,6566. ᴿRCatT 32 (2007) 229-231 (*Borrell, Agustí*); RBLit (2007)* (*Caldwell, Jacob M.*);

6832 3: Acts 13.1-18.23: the ends of the earth first and second phases of the mission to the gentiles. LNTS 302; JSNT.S 365: L 2007, Clark 416 pp. £65/$104. 0-5670-32485.

6833 **Robinson, Anthony B.; Wall, Robert B.** Called to be church: the book of Acts for a new day. 2006 ⇒22,6567. ᴿMiss. 35 (2007) 106-107 (*Kuhn, Wagner*); RBLit (2007)* (*Clark, Ronald*).

6834 **Schille, Gottfried** Die Apostelgeschichte des Lukas. ThHK 5: 1983 ⇒64,5033... 5,5248. ᴿThR 72 (2007) 187-190 (*Schröter, Jens*).

6835 *Schmidt, Karl M.* Bekehrung zur Zerstreuung: Paulus und der äthiopische Eunuch im Kontext der lukanischen Diasporatheologie. Bib. 88 (2007) 191-213 [Acts 8];

6836 Abkehr von der Rückkehr: Aufbau und Theologie der Apostelgeschichte im Kontext des lukanischen Diasporaverständnisses. NTS 53 (2007) 406-424.

6837 **Scholl, Norbert** Lukas und seine Apostelgeschichte: die Verbreitung des Glaubens. Da:Wiss 2007, 143 pp. €24.90. 978-3-534-20753-4.

6838   *Schröter, Jens* Actaforschung seit 1982, I: Forschungsgeschichte und Kommentare. ThR 72 (2007) 179-230;
6839   II: Sammelbände: Text- und Rezeptionsgeschichte. ThR 72 (2007) 293-345;
6840   III: die Apostelgeschichte als Geschichtswerk. ThR 72 (2007) 383-419;
6841   Die Apostelgeschichte und die Entstehung des neutestamentlichen Kanons: Beobachtungen zur Kanonisierung der Apostelgeschichte und ihrer Bedeutung als kanonischer Schrift. Von Jesus zum NT. WUNT 204: 2007 <2003> ⇒312. 297-329.
6842   **Shiell, William D.** Reading Acts: the lector and the early christian audience. BiblInterp 70: 2004 ⇒20,6390. ᴿRBLit (2007)* (*Verbrugge, Verlyn D.*).
6843   **Shipp, Blake** Paul the reluctant witness: power and weakness in Luke's portrayal. 2005 ⇒21,6792. ᴿRBLit (2007)* (*Dupertuis, Ruben*).
6844   *Smith, D.E.* Fall meeting 2006: report on the Acts Seminar. Fourth R [Santa Rosa, CA] 20/1 (2007) 21-22;
6845   Spring meeting 2007: report from the Acts Seminar. Fourth R [Santa Rosa, CA] 20/3 (2007) 11-14.
6846   **Spencer, F. Scott** Acts. 1997 ⇒13,5538... 16,5583. ᴿThR 72 (2007) 225-226 (*Schröter, Jens*);
6847   Journeying through Acts: a literary-cultural reading. 2004 ⇒20,6392; 21,6795. ᴿCTJ 42 (2007) 381-382 (*Stanglin, Keith D.*).
6848   *Steffek, Emmanuelle* Comment on refait l'histoire: la figure de Pierre entre histoire et hagiographie (Actes des apôtres et *Actes de Pierre*). Ancient and modern scriptural historiography. 2007 ⇒389. 333-342.
6849   **Strange, W.A.** The problem of the text of Acts. MSSNTS 71: 1992 ⇒8,5503... 11/1,3824. ᴿThR 72 (2007) 336-337 (*Schröter, Jens*).
6850   **Strelan, Rick** Strange Acts: studies in the cultural world of the Acts of the Apostles. BZNW 126: 2004 ⇒20,6393. ᴿCBQ 69 (2007) 168-170 (*Klutz, Todd E.*).
6851   **Tannehill, Robert C.** The narrative unity of Luke-Acts, 2: the Acts of the Apostles. 1990 ⇒6,5499... 10,5090. ᴿThR 72 (2007) 196-200 (*Schröter, Jens*).
6852   *Thompson, Alan J.* The unity of the church in Acts in its literary setting. TynB 58/1 (2007) 155-159.
6853   **Thompson, Richard P.** Keeping the church in its place: the church as narrative character in Acts. 2006 ⇒22,6575. ᴿRBLit (2007)* (*Walton, Steve*).
6854   *Tyson, Joseph B.* Showing and telling: issues of authority and leadership in Acts. ᶠBASSLER, J. NTMon 22: 2007 ⇒11. 66-77;
6855   Implications of a late date for Acts. Forum 1/1 (2007) 41-63.
6856   **Varickasseril, José** Prayer and ministry: a harmonious spirituality of contemplation and action in the Acts of the Apostles. Studies in spirituality 1: Shillong 2007, Vendrame Institute 400 pp. 81-85408-00-37. Bibl. 380-400.
6857   *Warrington, K.* A response to James Shelton concerning Jesus and healing: yesterday and today. JPentec 15/2 (2007) 185-193.
6858   **Weiser, Alfons** Die Apostelgeschichte. 1989 <1984-85> ⇒64,5157; 1,5097; 4,5260. ᴿThR 72 (2007) 190-191 (*Schröter, Jens*).
6859   **Williams, David J.** Acts. NIBC 5: 1990 ⇒7,4643. ᴿThR 72 (2007) 220-221 (*Schröter, Jens*).

6860 ^E**Winter, Bruce W.; Clarke, Andrew D.** The book of Acts in its first century setting 1: the book of Acts in its ancient literary setting. 1993 ⇒9,5310... 13,5548. ^RThR 72 (2007) 293-296 (*Schröter, Jens*).
6861 **Witherington, Ben, III** The Acts of the Apostles: a socio-rhetorical commentary. 1998 ⇒14,5097... 17,5594. ^RThR 72 (2007) 209-211 (*Schröter, Jens*).
6862 ^E**Witherington, Ben, III** History, literature and society in the book of Acts. 1996 ⇒12,5223... 15,5654. ^RThR 72 (2007) 324-327 (*Schröter, Jens*).
6863 **Zmijewski, Josef** Die Apostelgeschichte. RNT: 1994 ⇒10,5095; 12,5228. ^RThR 72 (2007) 202-205 (*Schröter, Jens*);
6864 Atti degli Apostoli. Il Nuovo Testamento commentato: 2006 ⇒22, 6586. ^RCivCatt 158/3 (2007) 100-101 (*Scaiola, D.*).

F8.3 *Ecclesia primaeva Actuum*—Die Urgemeinde

6865 *Aune, David E.* Christian beginnings and cognitive dissonance theory. ^FNEYREY, J. SWBAS n.s. 1: 2007 ⇒116. 11-47.
6866 *Baslez, Marie-Françoise* Communautés sans communautarisme: les premiers chrétiens dans la cité. Études 407 (2007) 629-639.
6867 *Bovon, François* Des noms et des nombres dans le christianisme primitif. ETR 82 (2007) 337-360.
6868 **Efron, Joshua** Formation of the primary christian church. TA 2006, Hameuchad 472 pp. ^RRBLit (2007)* (*Schwartz, Joshua*). **H.**
6869 *Grabner-Haider, Anton* Christliche Lehre und Lebensform. Kulturgeschichte der Bibel. 2007 ⇒435. 351-368.
6870 *Hill, Craig C.* The Jerusalem church. Jewish Christianity reconsidered. 2007 ⇒598. 39-56, 310-311.
6871 *Horsley, Richard A.* Die Jesusbewegungen und die Erneuerung Israels. Sozialgeschichte, 1. 2007 ⇒450. 37-62.
6872 *Karrer, Martin; Cremer, Oliver* Vereinsgeschichtliche Impulse im ersten Christentum. ^FHAACKER, K. ABIG 27: 2007 ⇒57. 33-52.
6873 *Levieils, Xavier* Identité juive et foi chrétienne: la place de l'étranger dans le peuple de Dieu (Ier-IVe siècles). L'étranger dans la bible. LeDiv 213: 2007 ⇒504. 205-245.
6874 *Michaud, Jean-Paul* Les premières communautés chretiennes: diversité et unité. ScEs 59/2-3 (2007) 153-172.
6875 **Penn, Michael P.** Kissing christians: ritual and community in the late ancient church. 2005 ⇒21,6821. ^RJThS 58 (2007) 266-268 (*Stewart-Sykes, Alistair*).
6876 *Robbins, Vernon K.* Conceptual blending and early christian imagination. Explaining christian origins. BiblInterp 89: 2007 ⇒609. 161-195 [Col 1,15-20; 2 Pet 1,5-8].
6877 *Tensek, Tomislav Z.* "Ekklesía i pólis": politika u ranokršcanskoj misli. BoSm 77 (2007) 391-417. **Croatian.**
6878 *Theißen, Gerd* Urchristliche Gemeinden und antike Vereine: Sozialdynamik im Urchristentum durch Widersprüche zwischen Selbstverständnis und Sozialstruktur. ^FNEYREY, J. SWBAS n.s. 1: 2007 ⇒ 116. 221-247.
6879 **Theißen, Gerd** Erleben und Verhalten der ersten Christen: eine Psychologie des Urchristentums. Gü 2007, Gü 619 pp. €40. 978-3-579-08014-7.

F8.5 **Ascensio, Pentecostes; ministerium Petri**—*Act 1...*

6880 *Kapic, Kelly M.; Vander Lugt, Wesley* The ascension of Jesus and the descent of the Holy Spirit in patristic perspective: a theological reading. EvQ 79 (2007) 23-34.
6881 *Morrison, Hector* The Ascension of Jesus and the gift of the Holy Spirit. Evangel 25 (2007) 36-38.
6882 *Sleeman, Matthew* The Ascension and heavenly ministry of Christ. The forgotten Christ. 2007 ⇒566. 140-190.
6883 *Wilson, Alistair* Christ ascended for us–'The Ascension: what is it and why does it matter?'. Evangel 25 (2007) 48-51.

6884 *Ohly, Lukas* Kontrast-Harmonie–ein Beitrag zur Theologie der Himmelfahrt Christi. NZSTh 49 (2007) 484-498 [Lk 24; Acts 1].
6885 *Grant, Jamie* Singing the cover versions: Psalms, reinterpretation and biblical theology in Acts 1-4. SBET 25 (2007) 27-49.
6886 *Ganske, Jan Pierre* "Ihr werdet meine Zeugen sein": der Christ in der Jugendarbeit–Zeuge Jesu Christi: Überlegungen zu Apg 1,1-1,8. Gottes Wort. Bibel und Ethik 1: 2007 ⇒537. 195-202.
6887 *Farahian, Edmond* Le message spirituel du premier discours de Pierre en Ac 1,15-26. StMiss 56 (2007) 23-45.
6888 **Zwiep, Arie W.** Judas and the choice of Matthias: a study on context and concern of Acts 1:15-26. WUNT 2/187: 2004 ⇒20,6464. ᴿThLZ 132 (2007) 173-174 (*Reinbold, Wolfgang*); BBR 17 (2007) 342-344 (*Oropeza, B.J.*); RBLit (2007) 411-414 (*Alexander, Loveday*).
6889 *Clarey, Ricardo* Cristo no fue abandonado en el infierno ni su carne conoció la corrupción: Sal 16,8-11 en el primer discurso de Pedro. IncW 1 (2007) 543-556 [Acts 2,24-33].
6890 *Miura, Y.* David as prophet: the use of Ps 15 (LXX) in Acts 2:25-31. Exegetica [Tokyo] 18 (2007) 21-46. **J.**
6891 *Rowe, Christopher Kavin* Acts 2.36 and the continuity of Lukan christology. NTS 53 (2007) 37-56.
6892 *Wade, Martha* Beware of multiple Gods–a note on Acts 3.13. BiTr 58 (2007) 200-202.
6893 **Lennartsson, Göran** Refreshing & restoration: two eschatological motifs in Acts 3:19-21. ᴰ*Übelacker, W.* Lund 2007, Centre for Theology and Religious Studies xiv; 331 pp. 978919-7489768. Diss. Lund.
6894 *Kraus, Thomas J.* 'Uneducated, 'ignorant', or even 'illiterate'?: aspects and background for an understanding of ἀγράμματοι (and ἰδιῶται) in Acts 4.13. Ad fontes. 2007 <1999> ⇒260. 149-170.
6895 *Taylor, Nicholas* Stephen in history and tradition. ScrB 37/1 (2007) 21-29 [Acts 6-7].
6896 *Bovon, François; Bouvier, Bertrand* La Révélation d'Etienne ou l'Invention des reliques d'Etienne, le saint premier martyr (Sinaiticus Graecus 493). ᶠKAESTLI, J. & JUNOD, E. 2007 ⇒82. 79-105 [Acts 6,8-7,60].
6897 *Butticaz, S.; Marguerat, D.* La figure de Moïse en *Actes* 7: entre la christologie et l'exil. La construction de la figure de Moïse. 2007 ⇒ 873. 223-247.
6898 *Kim, Ju-Won* Explicit quotations from Genesis within the context of Stephen's speech in Acts. Neotest. 41 (2007) 341-360 [Acts 7].

6899 *Chibici-Revneanu, Nicole* Ein himmlischer Stehplatz: die Haltung Jesu in der Stephanusvision (Apg 7.55-56) und ihre Bedeutung. NTS 53 (2007) 459-488.

6900 *Kiss, Enikő* Simon Magus und seine Gnosis. Studia Aegyptiaca 18. 2007 ⇒995. 195-206 [Acts 8,4-25].

6901 **Ferreiro, Alberto** Simon Magus in patristic, medieval and early modern traditions. Studies in the history of christian traditions 125: 2005 ⇒21,6867. [R]TS 68 (2007) 179-180 (*Dunn, Geoffrey D.*); ThLZ 132 (2007) 182-183 (*Busch, Peter*) [Acts 8,9-24].

6902 *Schwemer, Anna M.* Erinnerung und Legende: die Berufung des Paulus und ihre Darstellung in der Apostelgeschichte. Memory in the bible. WUNT 212: 2007 ⇒764. 277-298 [Acts 9; 22; 26].

6903 *Erichsen-Wendt, Friederike* Tabita: zur Symbolik der Kleider in Apg 9,39. Frauen gestalten Diakonie, 1. 2007 ⇒552. 111-123.

6904 *Amjad-Ali, Charles* A tale of two conversions: the mighty are brought down and the lowly are reluctant. [F]SUGIRTHARAJAH, R. 2007 ⇒148. 55-69 [Acts 10].

6905 *Sosa, C.R.* Pureza e impureza en la narrativa de Pedro, Cornelio y el Espíritu Santo en Hechos 10. Kairós [Guatemala City] 41 (2007) 55-78.

6906 *Kieffer, René* La rencontre de Pierre et Corneille dans les Actes des apôtres. L'étranger dans la bible. LeDiv 213: 2007 ⇒504. 195-204 [Acts 10,1-11,18].

6907 *Spitaler, Peter* 'Doubting' in Acts 10:20?. FgNT 20 (2007) 81-93.

6908 *Bunine, Alexis* Où, quand et comment les premiers païens sont-ils entrés dans l'église?: essai de reconstitution historique. BLE 108 (2007) 455-482 [Acts 11; Gal 2,1].

6909 **Mena Salas, Enrique** 'También a los griegos' (Hch 11,20): factores del inicio de la misión a los gentiles en Antioquia de Siria. Plenitudo Temporis 9: S 2007, Univ. Pont. 435 pp. €28. 97884-7299-7356. Bibl. 342-385. [R]TyV 48 (2007) 303-304 (*García Huidobro, Tomás*).

6910 *Bickerman, Elias J.* The name of christians. Studies in Jewish and Christian history. AGJU 68/1-2: 2007 ⇒190. 794-808 [Acts 11,26].

F8.7 **Act 13...***Itinera Pauli*; **Paul's journeys**

6911 **Emériau, J.** Guide des voyages de saint Paul. P 2007, DDB 295 pp. €25. 978-22200-58429.

6912 **Flichy, Odile** La figure de Paul dans les Actes des Apôtres: un phénomène de réception de la tradition paulinienne à la fin du 1er siècle. [D]*Marguerat, D.* LeDiv 214: P 2007, Cerf 370 pp. €38. 22040-82440. Diss. Lausanne. [R]CEv 140 (2007) 75-76 (*Debergé, Pierre*); Brot. 165/1 (2007) 88-90 (*Silva, Isidro Ribeiro da*); BLE 108 (2007) 348-350 (*Debergé, Pierre*); Bib. 88 (2007) 270-273 (*Aletti, Jean-Noël*);

6913 Luc, Paul et les Actes des Apôtres: l'histoire d'un héritage. Connaître la bible 49: Bru 2007, Lumen Vitae 80 pp. €10. 978-28732-43272.

6914 *Hvalvik, Reidar* Paul as a Jewish believer–according to the book of Acts. Jewish believers in Jesus. 2007 ⇒519. 121-153.

6915 *Patella, Michael* Seers' corner: Paul's headquarters. BiTod 45 (2007) 299-303.

6916 **Rapske, Brian** The book of Acts in its first-century setting 3: the book of Acts and Paul in Roman custody. 1994 ⇒10,5191... 20, 6504. [R]ThR 72 (2007) 299-301 (*Schröter, Jens*).

6917 *Wall, Robert W.* Reading Paul with Acts: the canonical shaping of a holy church. ^FDEASLEY, A.. 2007 ⇒30. 129-147.

6918 *García, N. Esaú* El discurso de Antioquía de Pisidia en los Hechos de los Apóstoles (Hch 13,16-52). Mayéutica 33/75 (2007) 109-169.

6919 *Bittasi, Stefano* Annuncio del vangelo e 'segni dei tempi': suggestioni dagli Atti degli Apostoli. RCI 88 (2007) 466-475 [Acts 13,44-52; 16,6-10].

6920 *Siffer, Nathalie* L'annonce du vrai Dieu dans les discours missionnaires aux païens: Actes 14,15-17 et 17,22-31. RevSR 81 (2007) 523-544.

6921 *Fontana, Raniero* Universalismo noachide e religión (osservazioni a margine di Atti 15). EstB 65 (2007) 147-157.

6922 *Janse, Sam* Jeruzalem en Antiochië: wat stond er op het spel in Handelingen 15 en Galaten 2?. ITBT 15/2 (2007) 7-9.

6923 *Kilgallen, John J.* Peter's argument in Acts 15. ^FVANHOYE, A. AnBib 165: 2007 ⇒156. 233-247.

6924 **Neubrand, Maria** Israel, die Völker und die Kirche: eine exegetische Studie zu Apg 15. SBB 55: 2006 ⇒22,6646. ^RThQ 187 (2007) 150-152 (*Feneberg, Rupert*).

6925 *Chilton, Bruce* Paul and the Pharisees. In quest of the historical Pharisees. 2007 ⇒402. 149-173 [Acts 15,1-5].

6926 *Miller, R.J.* Adam and Edom: the costs and benefits of monotheism. Fourth R [Santa Rosa, CA] 20/3 (2007) 8-10, 20 [Acts 15,16-17].

6927 *Deines, Roland* Das Aposteldekret–Halacha für Heidenchristen oder christliche Rücksichtnahme auf jüdische Tabus?. Jewish identity. AJEC 71: 2007 ⇒577. 323-395 [Acts 15,19-29; 16,4; 21,25].

6928 *Brenk, Frederick E.* The exorcism at Philippoi in Acts 16.11-40: divine possession or diabolic inspiration? <2000[2002]>;

6929 Mixed monotheism?: the Areopagos speech of Paul. [Acts 17,16-34]. With unperfumed voice. 2007 ⇒200. 495-513/470-494.

6930 *Sánchez Cañizares, Javier* Filosofía griega y revelación cristiana: la recepción patrística del discurso del Areópago. ScrTh 39 (2007) 185-201 [Acts 17,16-34].

6931 **Sánchez Cañizares, Javier** La revelación de Dios en la creación: las referencias patrísticas a Hch 17,16-34. Diss., Ser. Theologica 19: 2006 ⇒22,6654. ^RBurg. 48/1 (2007) 301-302 (*Diego Sánchez, Manuel*); RET 67 (2007) 543-545 (*Caballero, Juan Luis*).

6932 *Cifrak, Mario* Pavlov govor u Ateni (Dj 17,22-31): stjecište evanđelja i helenizma [Paul's speech in Athens (Acts 17:22-31): the confluence of the gospel and Hellenism]. BoSm 77 (2007) 103-119. **Croatian**.

6933 *Yarnell, Malcolm B.* Shall we "build bridges" or "pull down strongholds"?. SWJT 49 (2007) 200-219 [Acts 17,22-31].

6934 *Taylor, Justin* The altar to an unknown god at Athens (Acts 17,23). ^FVANHOYE, A. AnBib 165: 2007 ⇒156. 249-259.

6935 *Dschulnigg, Peter* Priska und Aquila–ein missionarisches Ehepar im Neuen Testament. ^FREINHARDT, H. 2007 ⇒128. 493-501 [Acts 18].

6936 *Gielen, Marlis* Paulus–Gefangener in Ephesus? Teil 2. BN 133 (2007) 63-77 [Acts 19].

6937 **Shauf, Scott** Theology as history, history as theology: Paul in Ephesus in Acts 19. BZNW 133: 2005 ⇒21,6904; 22,6663. ^RTS 68

(2007) 684-685 (*Dillon, Richard J.*); CBQ 69 (2007) 166-167 (*Pervo, Richard I.*).
6938 *Grassi, J.A.* Mary as matrix in Luke's reponse to worship of Artemis/ Diana, the moon mother goddess (Acts 19:21-41). EphMar 57 (2007) 17-27.
6939 **Aubert, Bernard** The shepherd-flock motif in the Miletus discourse (Acts 20:17-38) against its historical background. 2007, Diss. Westminster Theol. Sem. [WThJ 69,403s].
6940 **Skinner, Matthew L.** Locating Paul: places of custody as narrative settings in Acts 21-28. Academia Biblica 13: 2003 ⇒19,6566... 21,6908. ᴿJSNT 29 (2007) 373-375 (*Walton, Steve*).
6941 *Chilton, Bruce; Neusner, Jacob* Paul and Gamaliel. Historical knowledge. 2007 ⇒403. 329-373 [Acts 22,3].
6942 *Brenk, Frederick E.* The 'notorious' Felix, procurator of Judaea, and his many wives (Acts 23-24). With unperfumed voice. 2007 <2001> ⇒200. 514-521.
6943 *Pichler, Josef* Am Ende gerettet und heil–Apg 27 und Lk 22,51. ᶠTRUMMER, P. 2007 ⇒153. 179-202.
6944 **Reynier, Chantal** Paul de Tarse en Méditerranée: recherches autour de la navigation dans l'antiquité (Ac 27-28,16). LeDiv 206: 2006 ⇒ 22,6674. ᴿREJ 166 (2007) 324-325 (*Cillières, Hélène*); Gr. 88 (2007) 425-426 (*Farahian, Edmond*); CBQ 69 (2007) 164-165 (*Heil, John P.*); RBLit (2007)* (*Mainville, Odette*).
6945 *Weissenrieder, Annette* 'Er ist ein Gott!' (Apg 28,6): Paulus, ein christlicher Asklepios?. An Leib und Seele gesund. BThZ.B 24: 2007 ⇒929. 79-101.
6946 *Mermod-Gilliéron, Sophie* Actes 28,16-31: et après?. LeD 73 (2007) 36-48.

XI. Johannes

G1.1 *Corpus johanneum*: **John and his community**

6947 *Bennema, Cornelis* Christ, the Spirit and the knowledge of God: a study in Johannine epistemology. The bible and epistemology. 2007 ⇒444. 107-133.
6948 *Díaz Rodelas, J.M.* La filiación divina en los escritos joánicos. EsVe 37 (2007) 85-100.
6949 *Frick, Peter* Johannine soteriology and Aristotelian philosophy: a hermeneutical suggestion on reading John 3,16 and 1 John 4,9. Bib. 88 (2007) 414-421.
6950 *Grabner-Haider, Anton; Woschitz, Karl M.* Lebenswelt des Johannes. Kulturgeschichte der Bibel. 2007 ⇒435. 413-432.
6951 *Hakola, Raimo* The Johannine community as Jewish Christians?: some problems in current scholarly consensus. Jewish Christianity reconsidered. 2007 ⇒598. 181-201, 323-326.
6952 **Heckel, Ulrich** Hirtenamt und Herrschaftskritik: die urchristlichen Ämter aus johanneischer Sicht. BThSt 65: 2004 ⇒20,6543. ᴿBZ 51 (2007) 275-276 (*Kügler, Joachim*).

6953 **Hill, Charles E.** The Johannine corpus in the early church. 2004 ⇒ 20,6544... 22,6687. ᴿJEH 58 (2007) 104-108 (*Carleton Paget, James*);

6954 2006 ⇒22,6688. ᴿASEs 24 (2007) 249-251 (*Calzolaio, Francesco*).

6955 *Hirschberg, Peter* Jewish believers in Asia Minor according to the book of Revelation and the gospel of John. Jewish believers in Jesus. 2007 ⇒519. 217-238.

6956 *Jonge, Marinus de* The gospel and the epistles of John read against the background of the history of the Johannine communities;

6957 *Just, Felix* Combining key methodologies in Johannine studies. What we have heard. 2007 ⇒528. 127-144/355-358.

6958 *Koester, Helmut* The story of the Johannine tradition. From Jesus to the gospels. 2007 <1992> ⇒256. 134-147.

6959 *Martyn, J. Louis* The Johannine community among Jewish and other early christian communities. What we have heard. 2007 ⇒528. 183-190.

6960 **Mazzeo, Michele** Vangelo e lettere di Giovanni: introduzionne, esegesi e teologia. Mi 2007, Paoline 460 pp. €32.

6961 *Morgen, Michèle* Le (fils) monogène dans les écrits johanniques: évolution des traditions et élaboration rédactionnelle. NTS 53 (2007) 165-183 [John 1,14; 1,18; 3,16-18; 1 John 4,9].

6962 Bulletin johannique. RSR 95 (2007) 281-310.

6963 **Pastorelli, David** Le Paraclet dans le corpus johannique. BZNW 142: 2006 ⇒22,6699. ᴿRBLit (2007)* (*Frey, Jörg*).

6964 **Popkes, Enno E.** Die Theologie der Liebe Gottes in den johanneischen Schriften. WUNT 2/197: 2005 ⇒21,6943. ᴿProtest. 61 (2007) 53-54 (*Noffke, Eric*); Gr. 88 (2007) 875-877 (*Beutler, Johannes*); StPat 54 (2007) 692-694 (*Segalla, Giuseppe*).

6965 *Ronning, John L.* The Targum of Isaiah and the Johannine literature. WThJ 69 (2007) 247-278.

6966 *Simoens, Yves* Paix et violence dans le corpus johannique. Violence, justice et paix. 2007 ⇒891. 235-261.

6967 **Thomas, John C.** The spirit of the New Testament. 2005 ⇒21,6947; 22,6706. ᴿCBQ 69 (2007) 838-840 (*Payne, Leah L.*).

6968 **Thyen, Hartwig** Studien zum Corpus Iohanneum. WUNT 214: Tü 2007, Mohr S. viii; 734 pp. €149. 978-3-16-149115-3.

6969 **Van der Watt, Jan G.** Introduction to the Johannine gospel and letters. Clark Biblical Studies: L 2007, Clark x; 151 pp. £15. 978-0-56-7-03037-5/45843.

6970 *Van der Merwe, Dirk G.* The identification and examination of the elements that caused a schism in the Johannine community at the end of the first century CE. HTS 63 (2007) 1149-1169.

6971 **Wcisło, Józef** Historiozbawczy wymiar modlitwy w świetle tradycji Janowej. ᴰ*Witczyk, H.* 2007, 348 pp. Diss. Lublin [RTL 39,607].

6972 **Witmer, Stephen E.** Taught by God: divine instruction in early christianity. ᴰ*Stanton, Graham N.* 2007, Diss. Cambridge [TynB 58,313-316].

G1.2 **Evangelium Johannis**: *textus, commentarii*

6973 **Adinolfi, Marco** Vangelo secondo Giovanni: una lettura orante. Novi Ligure 2007, Convento Francescano 169 pp.

6974 *Alcázar, Luis del* In Evangelium Joannis (Sequitur). ATG 70 (2007) 141-237.
6975 **Barrett, Charles K.** El evangelio según san Juan. [T]*Mínguez, Dionisio* 2003 ⇒19,6601; 20,6558. [R]EE 82 (2007) 615-617 (*Muñoz Léon, Domingo*).
6976 **Edwards, Mark** John. Blackwell Bible Commentaries: 2004 ⇒20, 6560... 22,6708. [R]ASEs 24 (2007) 531-534 (*Nicklas, Tobias*).
6977 [E]**Elowski, Joel C.** John 11-21. ACCS.NT 4b: DG 2007, InterVarsity xvii; 462 pp. €28. 9780-8308-10994. Bibl. 431-449.
6978 **Ghezzi, Enrico** Come abbiamo ascoltato Giovanni: studio esegetico-pastorale sul quarto vangelo. 2006 ⇒22,6711. [R]MF 106-107 (2006-2007) 559-561 (*Uricchio, Francesco*); CivCatt 158/4 (2007) 204-205 (*Scaiola, D.*).
6979 *Horrell, David G.* What should a commentator aim to do, for whom, and why?: introduction to a discussion focused on Andrew Lincoln's commentary on the gospel of John. JSNT 29 (2007) 303-304.
6980 [T]**Karris, Robert J.** St. BONAVENTURE: commentary on the gospel of John. Works of St Bonaventure 11: Saint Bonaventure, NY 2007, Franciscan Institute vi; 1110 pp. $70.
6981 **Keener, Craig S.** The gospel of John, a commentary. 2003 ⇒19, 6608... 22,6715. [R]SvTK 83 (2007) 45-46 (*Eriksson, LarsOlov*); RB 114 (2007) 113-122 (*Devillers, Luc*).
6982 *Köstenberger, Andreas J.* John. Commentary on the NT use of the OT. 2007 ⇒5642. 415-512.
6983 **Kruse, Colin G.** The gospel according to John. TNTC: 2003 ⇒19, 6609... 22,6717. [R]CBQ 69 (2007) 363-364 (*Conway, Colleen M.*).
6984 **Lewis, Scott M.** The gospel according to John and the Johannine letters. 2005 ⇒21,6961; 22,6718. [R]SBSI (2007) 111-112 (*Tiňo, Jozef*).
6985 **Léon-Dufour, Xavier** Lettura dell'evangelo secondo Giovanni. CinB 2007, San Paolo 1296 pp. €75.
6986 *Lincoln, Andrew T.* From writing to reception: reflections on commentating on the fourth gospel. JSNT 29 (2007) 353-372.
6987 **Lincoln, Andrew T.** The gospel according to Saint John. Black's N.T. Comm. 4: 2005 ⇒21,6962; 22,6719. [R]CTJ 42 (2007) 147-149 (*Brouwer, Wayne*); JSNT 29 (2007) 333-342 (*Reinhartz, Adele*); JSNT 29 (2007) 343-351 (*North, Wendy E.S.*); BBR 17 (2007) 344-5 (*Hamilton, James M., Jr.*); JThS 58 (2007) 653-5 (*Edwards, Ruth*).
6988 **MacArthur, John** John 1-12. MacArthur NT Comm.: 2006 ⇒22, 6722. [R]Faith & Mission 24/3 (2007) 70-73 (*Winstead, Melton*).
6989 *MacDonald, Margaret Y.* The art of commentary writing: reflections from experience. JSNT 29 (2007) 313-321.
6990 **Moloney, Francis J.** The gospel of John. Sacra Pagina 4: 1998 ⇒14, 5273... 18,6145. [R]ACR 84 (2007) 250-252 (*Kenney, Mark*);
6991 The gospel of John: text and context. BiblInterp 72: 2005 ⇒21,6964; 22,6724. [R]JThS 58 (2007) 647-650 (*Shellard, Barbara*); RBLit (2007) 395-400 (*Anderson, Paul*);
6992 Il vangelo di Giovanni. Sacra Pagina 4: Leumann (TO) 2007, LDC 524 pp. €44. 978-88-01-02061-8. Bibl.
6993 [E]**Mullen, Roderic L.** The gospel according to John in the Byzantine tradition. Stu 2007, Deutsche Bibelgesellschaft l; 273 pp. €50. 978-34380-51325.
6994 **Neyrey, Jerome H.** The gospel of John. New Cambridge Bible Comm.: C 2007, CUP xix; 353 pp. £40. 978-0-521-53521-2. [R]HBT

29 (2007) 239-240 (*Peppard, Michael*); RBLit (2007)* (*Coloe, Mary L.; Van der Merwe, Dirk*).

6995 **Nielsen, Helge K.** Kommentar til Johannesevangeliet. Dansk kommentar til Det nye Testamente 4: Århus 2007, Århus Universitetsforlag 678 pp. DKK398. 978-87793-41982.

6996 *Nolland, John* The purpose and value of commentaries. JSNT 29 (2007) 305-311.

6997 **Pazdan, Mary M.** Becoming God's beloved in the company of friends: a spirituality of the fourth gospel. Eugene, OR 2007, Cascade viii; 125 pp. $17.

6998 [T]**Philippe, M.-D.** Thomas d'AQUIN: commentaire sur l'évangile de saint Jean, 2: la passion, la mort et la résurrection du Christ. 2006 ⇒ 22,6730. [R]RICP 103 (2007) 171-173 (*Berceville, Gilles*).

6999 *Riches, John* Why write a reception-historical commentary?. JSNT 29 (2007) 323-332.

7000 *Römer, Cornelia E.* Christliche Texte IX (2005-2007). APF 53 (2007) 250-255 [John 1,21-28; 1,33-44; 19,17-18; 19,25-26; 21,11-14; 21,22-24].

7001 [E]**Schmid, U.; Elliott, W.J.; Parker, David C.** The New Testament in Greek. The gospel according to St. John, 2: the majuscules. NTTS 37: 4 Lei 2007, Brill x; 558; 32 pp. €177. 978-90041-63133.

7002 **Sublon, Roland** Vous scrutez les écrits?: ils témoignent pour moi: lecture suivie de l'évangile selon saint Jean. P 2007, Cerf 193 pp. €20. 978-22040-83423.

7003 *Thyen, Hartwig* ὃ γέγονεν: Satzende von 1,3 oder Satzeröffnung von 1,4?. Studien zum Corpus Iohanneum. WUNT 214: 2007 ⇒332. 411-417.

7004 **Zumstein, Jean** L'évangile selon saint Jean (13-21). Comm. du NT 4b: Genève 2007, Labor et F. 323 pp. €42. 978-2-8309-1118-3. [R]RThPh 139 (2007) 280-281 (*Butticaz, Simon*).

G1.3 **Introductio** *in Evangelium Johannis*

7005 *Anderson, Paul N.* Prologue: critical views of John, Jesus, and history;

7006 Getting a "sense of the meeting": assessments and convergences. John, Jesus, and history, 1. 2007 ⇒753. 1-6/285-289.

7007 *Ashton, John* Second thoughts on the fourth gospel;

7008 *Beutler, Johannes* In search of a new synthesis;

7009 *Brodie, Thomas* Three revolutions, a funeral, and glimmers of a challenging dawn. What we have heard. 2007 ⇒528. 1-18/23-34/63-81.

7010 **Brown, Raymond E.** Introduzione al vangelo di Giovanni. [E]*Moloney, Francis J.* Brescia 2007, Queriniana 389 pp. €32. 978-88399-01095. Bibl. 29-37. [R]Teol(Br) 32 (2007) 420-423 (*Doglio, Claudio*).

7011 *Busse, Ulrich; Cebulj, Christian* Wissenswertes über Johannes. KatBl 132 (2007) 320-322.

7012 *Carson, D.A.* The challenge of the balkanization of Johannine studies. John, Jesus. SBL.Symposium 44: 2007 ⇒753. 133-159;

7013 Reflections upon a Johannine pilgrimage. What we have heard. 2007 ⇒528. 87-104.

7014 **Carter, Warren** John: storyteller, interpreter, evangelist. 2006 ⇒22, 6736. [R]TJT 23 (2007) 186-187 (*Hawkin, David J.*).

7015 **Casalegno, Alberto** "Perche contemplino la mia gloria" (Gv 17,24): introduzione alla teologia del vangelo di Giovanni. Intellectus fidei 7: 2006 ⇒22,6737. [R]CBQ 69 (2007) 573-574 (*Bode, Edward L.*); CivCatt 158/4 (2007) 87-88 (*Scaiola, D.*).

7016 *Cebulj, Christian* Mit Johannes auf Identitätssuche. KatBl 132 (2007) 346-353.

7017 *Claussen, Carsten* Johannine exegesis in transition: Johannes Beutler's search for a new synthesis;

7018 *Conway, Colleen* Ideologies past and present. What we have heard. 2007 ⇒528. 35-38/277-280;

7019 New historicism and the historical Jesus in John: friends or foes?. John, Jesus, and history, 1. 2007 ⇒753. 199-215.

7020 **Costa, Giuseppe** Il vangelo della festa: introduzione e teologia: lectio su brani scelti del vangelo di Giovanni. Laboratori di fede e cultura 2: Messina 2004, Istituto teologico S. Tommaso 156 pp. 88-86212-45-3. Bibl. 147-152.

7021 *Culpepper, Richard A.* Pursuing the elusive. What we have heard. 2007 ⇒528. 109-121.

7022 **Gench, Frances T.** Encounters with Jesus: studies in the gospel of John. LVL 2007, Westminster 170 pp. $17. 978-06642-30067. Bibl.

7023 *Hwang, Won-Ha; Van der Watt, Jan G.* The identity of the recipients of the fourth gospel in the light of the purpose of the gospel. HTS 63 (2007) 683-698.

7024 **Keefer, Kyle** The branches of the gospel of John: the reception of the fourth gospel in the early church. LNTS 332: 2006 ⇒22,6743. [R]StPat 54 (2007) 258-261 (*Segalla, Giuseppe*); ScrB 37 (2007) 107-109 (*Mills, Mary*).

7025 *Keener, Craig S.* Genre, sources, and history. What we have heard. 2007 ⇒528. 321-323.

7026 **Kittredge, Cynthia B.** Conversations with scripture: the gospel of John. Harrisburg, PA 2007, Morehouse xviii; 117 pp. $13. 978-0819-2-22497 [ThD 53,171–W. Charles Heiser].

7027 *Koester, Helmut* History and cult in the gospel of John and in IGNA-TIUS of Antioch <1965>;

7028 The history-of-religions school, gnosis, and the gospel of John. From Jesus to the gospels. 2007 <1986> ⇒256. 122-133/105-121.

7029 *Köstenberger, Andreas J.* Progress and regress in recent Johannine scholarship: reflections upon the road ahead. What we have heard. 2007 ⇒528. 105-107.

7030 **Kysar, Robert** John, the maverick gospel. LVL [3]2007, Westminster ix; 190 pp. £14. 978-0-664-23056-2. Bibl. 187-190.

7031 **Matson, Mark A.** Current approaches to the priority of John. Evangel 25/1 (2007) 4-14.

7032 'Mirarán al que traspasaron': evangelio de Juan. Palabra-Misión 8: 2006 ⇒22,6747. [R]Iter 42-43 (2007) 411-414 (*Frades, Eduardo*).

7033 *Powell, Mark A.* The de-johannification of Jesus: the twentieth century and beyond. John, Jesus. 2007 ⇒753. 121-132.

7034 *Rensberger, David* Is history history?. What we have heard. 2007 ⇒ 528. 179-182.

7035 *Segalla, Giuseppe* L'orizzonte attuale della teologia giovannea. StPat 54 (2007) 593-608.

7036 *Segovia, Fernando F.* Johannine studies and the geopolitical: reflections upon absence and irruption. What we have heard. 2007 ⇒528. 281-306.

7037   *Verheyden, Jack* The de-johannification of Jesus: the revisionist con-
       tribution of some nineteenth-century German scholarship. John,
       Jesus. SBL.Symposium 44: 2007 ⇒753. 109-120.
7038   **Waetjen, Herman C.** The gospel of the beloved disciple: a work in
       two editions. 2005 ⇒21,6999; 22,6755. ᴿCBQ 69 (2007) 380-382
       (*Keefer, Kyle*).
7039   *Wahlde, Urban C. von* The road ahead: three aspects of Johannine
       scholarship. What we have heard. 2007 ⇒528. 343-353.
7040   *Williams, Catrin H.* Inspecting an aerial photograph of John's en-
       gagement with sources. What we have heard. 2007 ⇒528. 83-85.

G1.4   *Themata de evangelio Johannis*—**John's Gospel, topics**

7041   *Alejandrino, Miriam R.* The poor and marginalized in the gospel of
       John: then and now. Biblical responses. 2007 ⇒771. 50-61.
7042   **Anderson, Paul N.** The fourth gospel and the quest for Jesus. LNTS
       321: 2006 ⇒22,6760. ᴿRBLit (2007)* (*Klink, Edward W., III*).
7043   *Anderson, Paul N.* BAKHTIN's dialogism and the corrective rhetoric
       of the Johannine misunderstanding dialogue: exposing seven crises in
       the Johannine situation. Bakhtin and genre theory. SBL.Semeia Stud-
       ies 63: 2007 ⇒778. 133-159;
7044   The Johannine conception of authentic faith as a response to the
       divine initiative. What we have heard. 2007 ⇒528. 257-260;
7045   Why this study is needed, and why it is needed now. John, Jesus.
       SBL.Symposium 44: 2007 ⇒753. 13-70.
7046   **Ashton, John** Understanding the fourth gospel. Oxf ²2007 <1991>,
       Clarendon xx; 585 pp. £65. 978-0-19-929761-0. Bibl. 530-553.
7047   *Barus, Armand* The structure of the fourth gospel. AJTh 21/1 (2007)
       96-111.
7048   *Bass, Christopher D.* A Johannine perspective of the human respon-
       sibility to preserve in the faith through the use of μένω and other
       related motifs. WThJ 69 (2007) 305-325.
7049   *Bauckham, Richard* Historiographical characteristics of the gospel of
       John. NTS 53 (2007) 17-36;
7050   The holiness of Jesus and his disciples in the gospel of John. ᶠDEAS-
       LEY, A. 2007 ⇒30. 95-113;
7051   The testimony of the beloved disciple: narrative history and theology
       in the gospel of John. GR 2007, Baker 313 pp. $30. 978-0-8010-
       3485-5 [BiTod 46,199–Donald Senior].
7052   **Bertini, Daniele** BULTMANN, Giovanni e la demitizzazione. Veruc-
       chio 2007, Pazzini 57 pp.
7053   *Beutler, Johannes* Mose und die Schrift Israels im Johannesevangeli-
       um: Zusammenhänge und Unterschiede. Hirschberg 60 (2007) 435-6.
7054   *Bieringer, Reimund* 'Greater than our hearts' (1 John 3:20): the Spirit
       in the gospel of John. BiTod 45 (2007) 305-309;
7055   Das Lamm Gottes, das die Sünde der Welt hinwegnimmt (Joh 1,29):
       eine kontextorientierte und redaktionsgeschichtliche Untersuchung
       auf dem Hintergrund der Passatradition als Deutung des Todes Jesu
       im Johannesevangelium. The death of Jesus. BEThL 200: 2007
       ⇒533. 199-232 {John}01,29.
7056   ᴱ**Bieringer, Reimund; Pollefeyt, D.; Vandecasteele-Vanneuville,**
       F. Anti-Judaism and the fourth gospel. 2001 ⇒17,5747... 21,7008.
       ᴿRSR 95 (2007) 282-285 (*Morgen, Michèle*).

7057 **Binni, Walther** La chiesa nel quarto vangelo. CSB 50: 2006 ⇒22, 6775. ^RAlpha Omega 10/1 (2007) 133-39 (*Caballero, José Antonio*); ATT 13 (2007) 579-587 (*Marenco, Mariarita*).

7058 **Blaine, Bradford B.** Peter in the gospel of John: the making of an authentic disciple. SBL.Academia Biblica 27: Lei 2007, Brill xi; 224 pp. €89. 978-90-04-15732-3. Bibl. 197-212.

7059 *Blanchard, Yves-Marie* La figure du Précurseur dans l'évangile de Jean et les commentaires patristiques. Contacts 59 (2007) 119-138.

7060 *Bond, Helen K.* Discarding the seamless robe: the high priesthood of Jesus in John's gospel. ^FHURTADO, L. & SEGAL, A.. 2007 ⇒71. 183-194.

7061 *Bro Larsen, Kasper* Genkendelsesscenen i Johannesevangeliet. DTT 70 (2007) 318-336.

7062 **Buch-Hansen, Gitte** It is the spirit that makes alive (6:63): a Stoic understanding of pneûma in John. 2007, Diss. Copenhagen.

7063 **Caba, José** Teología joanea: salvación ofrecida por Dios y acogida por el hombre. BAC.Estudios y ensayo, teología 103: M 2007, BAC xxi; 285 pp. 978-84-7914-900-0. Bibl. xvii-xvi.

7064 *Callahan, Allen D.* Das Johannesevangelium als Quelle einer Sozialgeschichte. Sozialgeschichte, 1. 2007 ⇒450. 189-204.

7065 **Campbell, Joan C.** Kinship relations in the gospel of John. CBQ.MS 42: Wsh 2007, Catholic Biblical Association of America xiv; 246 pp. $12. 0-915170-418. Bibl. 205-29. ^RITS 44 (2007) 441-444 (*Legrand, Lucien*).

7066 *Carter, P.* A 'displaced grudge': anti-Judaism, the gospel of John, and the historical-critical method. CSER Review [Amherst, NY] 2/1 (2007) 33-39.

7067 *Chakkuvarackal, T. Johnson* 'Prayer' in the fourth gospel. MissTod 9 (2007) 264-270.

7068 **Chennattu, Rekha M.** Johannine discipleship as a covenant relationship. 2006 ⇒22,6788. ^RSBET 25/1 (2007) 110-111 (*Wheaton, Gerry*); BTB 37 (2007) 36-37 (*Bredin, Mark*); StPat 54 (2007) 257-258 (*Segalla, Giuseppe*); ThLZ 132 (2007) 425-427 (*Schlund, ·Chris-.tine*); RSR 95 (2007) 286-287 (*Morgen, Michèle*); CBQ 69 (2007) 575-576 (*Schneiders, Sandra M*).

7069 **Chibici-Revneanu, Nicole-M.** Die Herrlichkeit des Verherrlichten: das Verständnis der δόξα im Johannesevangelium. ^D*Böttrich, Christfried* WUNT 2/231: Tü 2007, Mohr S. xii; 747 pp. €99. 978-31614-92969. Diss. Greifswald; Bibl. 641-684.

7070 *Clark, David J.* A discourse marker in John: ἀμὴν ἀμὴν λέγω ὑμῖν/σοι. BiTr 58 (2007) 123-128.

7071 *Coloe, Mary L.* "The end is where we start from": afterlife in the fourth gospel. Lebendige Hoffnung. ABIG 24: 2007 ⇒845. 177-199;

7072 The beyond beckons. What we have heard. 2007 ⇒ 528. 211-213.

7073 **Coloe, Mary L.** Dwelling in the household of God: Johannine ecclesiology and spirituality. ColMn 2007, Liturgical xii; 226 pp. $27. 97-8-08146-59885. Bibl. 203-215.

7074 **Daise, Michael A.** Feasts in John: Jewish festivals and Jesus' "hour" in the fourth gospel. WUNT 2/229: Tü 2007, Mohr S. xi; 222 pp. €50. 978-3-16-149018-7. Bibl. 177-193 [John 6,4].

7075 **Dinh M. Tien, Anthony** The will of God and human responses in the fourth gospel: the Johannine way to understand the doctrine of election. ^D*Marcato, G.* 2007, Diss. Angelicum [RTL 39,604].

7076   **Dumm, Demetrius R.** A mystical portrait of Jesus: new perspectives on John's gospel. 2001 ⇒17,5794... 21,7028. ᴿPerTeol 39 (2007) 432-433 (*Konings, Johan*).

7077   *Eckstein, Hans-Joachim* Das Johannesevangelium als Erinnerung an die Zukunft der Vergangenheit: gegenwärtiges Erinnern und modalisierte Zeit. Memory in the bible. WUNT 212: 2007 ⇒764. 299-319.

7078   *Esler, Philip F.* From Ioudaioi to children of God: the development of a non-ethnic group identity in the gospel of John. ᶠNEYREY, J. SWBAS n.s. 1: 2007 ⇒116. 106-137.

7079   *Fabbri, Marco V.* Prologo e scopo del vangelo secondo Giovanni. AnnTh 21/2 (2007) 253-278 [John 1,1-51; 20,30-31].

7080   **Fenske, Wolfgang** Der Lieblingsjünger: das Geheimnis um Johannes. Biblische Gestalten 16: Lp 2007, Evangelische 274 pp. 978-3-374-02444-5. Bibl. 265-274.

7081   **Fernando, G. Charles A.** The relationship between law and love in the gospel of John: a detailed scientific research on the concepts of law and love in the fourth gospel and their relationship to each other. EHS.T 772: 2004 ⇒20,6639. ᴿRSR 95 (2007) 289-290 (*Morgen, Michèle*).

7082   *Fortna, Robert T.* The gospel of John and the signs gospel. What we have heard. 2007 ⇒528. 149-158.

7083   **Fuglseth, Kåre** Johannine sectarianism in perspective. NT.S 118: 2005 ⇒21,7033; 22,6806. ᴿBTB 37 (2007) 78-79 (*Ahearne-Kroll, Patricia*).

7084   **García Moreno, Antonio** Temas teológicos del evangelio de San Juan, 1: la creación. M 2007, Rialp 185 pp. 978-84-321-3648-1.

7085   Jesús el nazareno, el rey de los judíos: estudio de cristología joánica. Pamplona 2007, EUNSA 477 pp. 78-84313-24483. Bibl. 411-437.

7086   ᵀ**Garzón Bosque, Isabel** Juan CRISÓSTOMO: Homilías sobre el evangelio de San Juan, 3 [61-88]. ᴱ*Marcelo, Merin* 2001 ⇒17,5811. ᴿRevAg 48 (2007) 224-225 (*Langa, Pedro*).

7087   **Gourgues, Michel** En esprit et en vérité: pistes d'exploration de l'*évangile de Jean*. 2003 ⇒19,6689. ᴿRSR 95 (2007) 292-293 (*Morgen, Michèle*).

7088   *Gruber, Margareta* Der Quelle zu trinken geben: eine intratextuelle Lektüre von Joh 4,1-42; 7,37-39 und 19, 28-37, verbunden mit einer methodologischen Überlegung zum Modell-Leser. Der Bibelkanon. 2007 ⇒360. 314-330.

7089   *Gundry, Robert H.* New wine in old wineskins: bursting traditional interpretations in John's gospel (part 1) [John 1,4; 1,51; 7,37-39];

7090   (part two) [John 9,4; 11,26; 19,30]. BBR 17 (2007) 115-30, 285-296.

7091   *Guyette, F.W.* Sacramentality in the fourth gospel: conflicting interpretations. Ecclesiology [London] 3/2 (2007) 235-250.

7092   **Hakola, Raimo** Identity matters: John, the Jews and Jewishness. NT. S 118: 2005 ⇒21,7046. ᴿJThS 58 (2007) 650-653 (*North, Wendy*); RBLit (2007) 404-407 (*Coloe, Mary L.*).

7093   *Hakola, Raimo; Reinhartz, Adele* John's Pharisees. In quest of the historical Pharisees. 2007 ⇒402. 131-147.

7094   *Hamilton, James M.* The influence of Isaiah on the gospel of John. Perichoresis 5/2 (2007) 139-162.

7095   **Harrington, Wilfrid** John, spiritual theologian: the Jesus of John. Dublin 2007 <1999>, Columba 103 pp. €12. 978-18560-75947.

7096 *Harstine, Stan* To what end, methodology?. What we have heard. 2007 ⇒528. 123-125.

7097 **Hartenstein, Judith** Charakterisierung im Dialog: die Darstellung von Maria Magdalena, Petrus, Thomas und der Mutter Jesu im Kontext anderer frühchristlicher Traditionen. NTOA 64: Gö 2007, Vandenhoeck & R. 347 pp. €59.90. 978-3-525-53987-3. Bibl. 315-331.

7098 *Hengel, Martin* Die Schriftauslegung des 4. Evangeliums auf dem Hintergrund der urchristlichen Exegese. Jesus und die Evangelien. WUNT 211: 2007 <1989> ⇒247. 601-643;

7099 Reich Christi, Reich Gottes und Weltreich im Johannesevangelium. Jesus und die Evangelien. WUNT 211: 2007 <1991> ⇒247. 408-29.

7100 **Hoskins, Paul M.** Jesus as the fulfillment of the temple in the gospel of John. ᴰ*Carson, D.A.* Paternoster Biblical Monographs: Milton Keynes 2006, Paternoster xvi; 265 pp. £20. Diss. Trinity Evangelical Divinity School.

7101 *Hurtado, Larry W.* Remembering and revelation: the historic and glorified Jesus in the gospel of John. ᶠHURTADO, L. & SEGAL, A. 2007 ⇒71. 195-213.

7102 *Jansen, Alois* Die Stunde Jesu–die Stunde der Kirche: Anmerkungen zur Theologie des Johannesevangeliums. Pastoralblatt für die Diözesen Aachen, Berlin, Essen etc. 59 (2007) 101-105.

7103 *Joubert, J.* Johannine metaphors/symbols linked to the Paraclete-Spirit and their theological implications. AcTh(B) 27/1 (2007) 83-103.

7104 *Judge, Peter J.* The Leuven hypothesis in C/catholic perspective. What we have heard. 2007 ⇒528. 339-342.

7105 *Just, Felix* Epilogue: where do we go from here?. John, Jesus, and history, 1. SBL.Symposium 44: 2007 ⇒753. 291-293.

7106 *Kanagaraj, J.J.* Uniqueness of Christ in John's christology. Dharma Deepika [Chennai, India] 11/26 (2007) 24-31.

7107 **Kierspel, Lars** The Jews and the world in the fourth gospel: parallelism, function, and context. WUNT 2/220: 2006 ⇒22,6830. ᴿAcTh(B) 27/1 (2007) 158-161 (*Stenschke, Christoph*); JETh 21 (2007) 300-302 (*Stenschke, Christoph*); FgNT 20 (2007) 150-152 (*Stenschke, Christoph*); RBLit (2007)* (*Reinhartz, Adele*).

7108 *Kirchschlaeger, Peter G.* The combination of a literary and a historical approach to the gospel of John. What we have heard. 2007 ⇒528. 145-148.

7109 **Klink, Edward W., III** The sheep of the fold: the audience and origin of the gospel of John. ᴰ*Bauckham, Richard* MSSNTS 141: C 2007, CUP xvi; 316 pp. £50. 978-0-521-87582-0. Diss. St Andrews; Bibl. 257-307.

7110 *Koch, Stefan* αἱ μαρτυροῦσαι περὶ ἐμοῦ (Joh 5,39): zur Funktion der Psalterzitate im vierten Evangelium;

7111 *Koester, Craig R.* Why was the messiah crucified?: a study of God, Jesus, Satan, and human agency in Johannine theology. Death of Jesus. BEThL 200: 2007 ⇒533. 421-429/163-180;

7112 Es ist Zeit, dem Licht zu folgen (Wandel bei Tag und Nacht): Joh 11,9f. (Joh 8,12 / 9,4f. / 12,35f.). Kompendium der Gleichnisse Jesu. 2007 ⇒6026. 793-803.

7113 *Kowalski, Beate* Anticipations of Jesus' death in the gospel of John. The death of Jesus. BEThL 200: 2007 ⇒533. 591-608.

7114   **Kumlehn, Martina** Geöffnete Augen—gedeutete Zeichen: historisch-systematische und erzähltheoretisch-hermeneutische Studien zur Rezeption und Didaktik des Johannesevangeliums in der modernen Religionspädagogik. ^D*Meyer-Blanck, Michael* Praktische Theologie im Wissenschaftsdiskurs 1: B 2007, De Gruyter 419 pp. €98. 1865-1658. Diss.-Habil. Bonn.

7115   *Kügler, Joachim* "Meine Königsherrschaft ist nicht von dieser Welt!" (Joh 18,36): zur Veränderung der Gottesreich-Botschaft im Johannesevangelium. BiKi 62 (2007) 94-97;

7116   Der geliebte Jünger bezeugt die "Zeichen" des Sohnes: Erzählung von der Fleischwerdung des Wortes und Wortwerdung des Fleisches. BiKi 62 (2007) 167-174.

7117   *Kysar, Robert* The dehistoricizing of the gospel of John. John, Jesus. SBL.Symposium 44: 2007 ⇒753. 75-101.

7118   **Kysar, Robert** Voyages with John: charting the fourth gospel. 2005 ⇒21,7065; 22,6837. ^RThGl 97 (2007) 117-118 (*Kowalski, Beate*); RBLit (2007) 392-394 (*Thatcher, Tom*).

7119   *Kysar, Robert* What's the meaning of this?: reflections upon a life and career. What we have heard. 2007 ⇒528. 163-177.

7120   **Le Minh Thong, Joseph** Aimer et haïr dans l'évangile de Jean. ^D*Lemonon, J.P.* 2007, Diss. Lyon [RTL 39,605].

7121   **Leinhäupl-Wilke, Andreas** Rettendes Wissen im Johannesevangelium: ein Zugang über die narrativen Rahmenteile (Joh 1,19-2,12.20,1-21,25). NTA 45: 2003 ⇒19,6716... 22,6842. ^RBZ 51 (2007) 137-139 (*Blum, Matthias*); RB 113 (2007) 309-310 (*Devillers, Luc*).

7122   **Lightner, Robert P.** Portraits of Jesus in the gospel of John. Eugene, OR 2007, Wipf & S. 194 pp. $23.

7123   **Lincoln, Andrew T.** Truth on trial: the lawsuit motif in the fourth gospel. 2000 ⇒16,5875; 17,5842. ^RJThS 58 (2007) 221-226 (*Smith, D. Moody*).

7124   *Lincoln, Andrew T.* "We know that his testimony is true": Johannine truth claims and historicity. John, Jesus, and history, 1. SBL.Symposium 44: 2007 ⇒753. 179-197.

7125   **Ling, Timothy J.M.** The Judaean poor and the fourth gospel. MSSNTS 136: 2006 ⇒22,6846. ^RScrB 37/1 (2007) 47-48 (*Wansbrough, Henry*); StPat 54 (2007) 474-476 (*Segalla, Giuseppe*); RBLit (2007)* (*Malina, Bruce J.*).

7126   *Loader, William R.G.* What is "finished"?: revisiting tensions in the structure of Johannine christology. Death of Jesus. BEThL 200: 2007 ⇒533. 457-467.

7127   *Lopez Rosas, Ricardo* Discipulado en el evangelio de San Juan. Qol 44, 45 (2007) 25-42, 35-45.

7128   **Louth, Andrew** The origins of the christian mystical tradition: from PLATO to DENYS. Oxf ²2007, OUP xvi; 228 pp. 978-0-19-929140-3.

7129   *Lozada, Francisco* Toward an interdisciplinary approach to Johannine studies. What we have heard. 2007 ⇒528. 307-309.

7130   **Makambu, Mulopo A.** L'esprit-pneuma dans l'évangile de Jean: approche historico-religeuse et exégétique. FzB 114: Wü 2007, Echter x; 360 pp. €36. 978-3-429-02615-8. Diss. Würzburg; Bibl. 320-345.

7131   *Manns, Frédéric* Traditions sacerdotales dans le quatrième évangile. LASBF 57 (2007) 215-28 [John 1,29; 1,39; 4,24; 11,49-52; 17,17-9].

7132   **Marchadour, Alain** Les personnages dans l'évangile de Jean: miroir pour une christologie narrative. LiBi 139: 2004 ⇒20,6690... 22, 6848. ^RCDios 220 (2007) 249-250 (*Gutiérrez, J.*);

7133 I personaggi del vangelo di Giovanni: specchio per una cristologia narrativa. Bo 2007, Dehoniane 215 pp. €19. 978-8810-221303 [4; 9].

7134 *Matjaž, Maksimilijan* Ode besede k osebi: relacijski vidik Janezove kristologije [From the word to the person: the relational aspect of John's christology]. Bogoslovni Vestnik 67 (2007) 393-405. S.

7135 **Mlakuzhyil, George** Abundant life in the gospel of John. Delhi [2]2007, ISPCK xii; 376 pp. 978-81-7214-956-5. Bibl. 374-376.

7136 *Moloney, Francis J.* Into narrative and beyond. What we have heard. 2007 ⇒528. 195-210.

7137 *Munima Mashie, Godefroid* Jean-Baptiste dans le quatrième évangile: une figure entre les deux Testaments. Graphè 16 (2007) 27-42.

7138 *Muñoz León, Domingo* El pentateuco en San Juan. Entrar en lo antiguo. 2007 ⇒788. 107-166.

7139 *Neyrey, Jerome H.* Encomium versus vituperation: contrasting portraits of Jesus in the fourth gospel. JBL 126 (2007) 529-552;

7140 Role and status in the fourth gospel: cutting through confusion. [F]BASSLER, J. NTMon 22: 2007 ⇒11. 36-65.

7141 *Nielsen, Jesper T.* Der Tod Jesu in der kognitiven Dimension des Johannesevangeliums. The death of Jesus. BEThL 200: 2007 ⇒533. 481-493.

7142 *Nobilio, Fabien* The implied definition of the prophet and its Middle Platonic trajectory in the gospel of John. Neotest. 41 (2007) 131-156.

7143 *Noratto Gutiérrez, José A.* Discípulos y apóstoles en el cuarto evangelio: una aproximación lingüístico-semántica desde los textos del Nuevo Testamento. Franciscanum 49/1 (2007) 27-42.

7144 *North, Wendy E.* Why should historical criticism continue to have a place in Johannine studies?. What we have heard. 2007 ⇒528. 19-21.

7145 **Obielosi, Dominic C.** Servant of God in John. [D]*Beutler, Johannes* 2007, 146 pp. Extr. Diss. Gregoriana; Bibl. 124-141.

7146 *Paddison, Angus* The nature of preaching and the gospel of John. ET 118 (2007) 267-272;

7147 Engaging scripture: incarnation and the gospel of John. SJTh 60 (2007) 144-160.

7148 *Painter, John* Memory holds the key: the transformation of memory in the interface of history and theology in John. John, Jesus, and history, 1. SBL.Symposium 44: 2007 ⇒753. 229-245;

7149 The signs of the messiah and the quest for eternal life. What we have heard. 2007 ⇒528. 233-256.

7150 *Palmer, Sydney* "Repetitions & variations in the fourth gospel" (Catholic Univ. of Leuven, Nov. 2006). Henoch 29 (2007) 195-199.

7151 **Pesch, Rudolf** L'évangile n'est pas antisémite: saint Jean soumis à l'examen. [T]*Lanfranchi-Veyret, Christiane; Veyret, Gabriel R.* P 2007, DDB 220 pp. €21. 978-2-220-05748-4. Bibl.;

7152 Antisemitismo nella bibbia?: indagine sul vangelo di Giovanni. [T]*Faggioli, Massimo* Brescia 2007, Queriniana 161 pp. €13.50. 978-8839-9-08285.

7153 *Popp, Thomas* Das Kreuz mit den Sakramenten: Ritual und Repetition im Vierten Evangelium. The death of Jesus. BEThL 200: 2007 ⇒533. 507-527 [John 3; 6; 19,34].

7154 **Ramos Pérez, Fernando** Ver a Jesús y sus signos, y creer en él. estudio exegético-teológico de la relación "ver y creer" en el evangelio según san Juan. AnGr 292: 2004 ⇒20,6717; 21,7125. [R]EfMex 73 (2007) 125-126 (*Piedad Sánchez, Jorge*).

7155   **Redford, John** Bad, mad or God?: proving the divinity of Christ from St John's gospel. 2004 ⇒20,6720; 22,6868. [R]HPR 107/5 (2007) 76-77 (*Baker, Kenneth*).

7156   *Reinhartz, Adele* Reading history in the fourth gospel. What we have heard. 2007 ⇒528. 191-194.

7157   **Reinhartz, Adele** Freundschaft mit dem Geliebten Jünger: eine jüdische Lektüre des Johannesevangeliums. [T]*Kobel, Esther* 2005 ⇒21, 7131; 22,6871. [R]JEGTFF 15 (2007) 253-255 (*Rehmann, Luzia S.*).

7158   *Reiser, Marius* Christus im Johannesevangelium. GuL 80 (2007) 423-435.

7159   **Richey, Lance B.** Roman imperial ideology and the gospel of John. CBQ.MS 43: Wsh 2007, Catholic Biblical Association of America xxii; 228 pp. $13. 0-915170-43-4. Diss. Marquette; Bibl. 190-212.

7160   **Rigato, Maria-Luisa** Giovanni: l'enigma il presbitero il culto il tempio la cristologia. Testi e commenti: Bo 2007, Dehoniane 352 pp. €33.90. 978-88-10-20608-9 [John 4-5; 11].

7161   *Roose, Hanna* "Vielleicht ein Bote von Gott": das Johannesevangelium im RU: didaktische Chancen und Probleme. Bibel nach Plan?. 2007 ⇒422. 119-132.

7162   **Rotondo, Arianna** Dialogo d'amore: le figure femminili del vangelo giovanneo. R 2007, OCD 143 pp. €10.

7163   **Rotsaert, Mark** Leven in overfloed: bidden met het Johannesevangelie. Averbode 2007, Altiora 160 pp. 978-90317-24635.

7164   *Ruschmann, Susanne* Zwischen Mutterliebe und Glaubensnachfolge: Bibelarbeit zum Marienbild des Johannesevangeliums. Maria-Mutter Jesu. FrauenBibelArbeit 19: 2007 ⇒445. 44-51.

7165   **Salier, Willis H.** The rhetorical impact of the semeia in the gospel of John. WUNT 2/186: 2004 ⇒20,6728; 21,7140. [R]CDios 220 (2007) 248-249 (*Gutiérrez, J.*).

7166   *Sánchez Navarro, Luis* Agápe en el evangelio de Juan. ScrTh 39 (2007) 171-184.

7167   *Schapdick, Stefan* Religious authority re-evaluated: the character of Moses in the fourth gospel. Moses in biblical and extra-biblical traditions. BZAW 372: 2007 ⇒821. 181-209.

7168   *Schlund, Christine* Schutz und Bewahrung als ein soteriologisches Motiv des Johannesevangeliums. Death of Jesus. BEThL 200: 2007 ⇒533. 529-536.

7169   **Schlund, Christine** 'Kein Knochen soll gebrochen werden': Studien zu Bedeutung und Funktion des Pesachfests in Texten des frühen Judentums und im Johannesevangelium. Ment. *Melito Sardis* WMANT 107: 2005 ⇒21,7143; 22,6880. [R]RBLit (2007) 257-260 (*Koester, Craig R.*) [1 Cor 5,7].

7170   *Schneider, Michael* Intertextualität und neutestamentliche Textanalyse: Entdeckungen in der Passio secundum Johannem J.S. BACHs. Intertextualität. Sprache & Kultur: 2007 ⇒447. 95-109.

7171   *Schneiders, Sandra M.* Remaining in his word: from faith to faith by way of the text. What we have heard. 2007 ⇒528. 261-276.

7172   *Sevrin, Jean-Marie* L'ombre de la croix, ou les anticipations de la mort de Jésus dans le quatrième évangile. Death of Jesus. BEThL 200: 2007 ⇒533. 259-270.

7173 *Simon, László T.* El habla del *Lógos* entre la autoridad de las escrituras y la normatividad de lo escrito: el cuarto evangelio y el fenómeno del escribir. RevBib 69 (2007) 5-29, 135-173.

7174 *Smit, Peter-Ben* Cana-to-Cana or Galilee-to-Galilee: a note on the structure of the gospel of John. ZNW 98 (2007) 143-149.

7175 *Smith, Dwight M.* The problem of history in John. What we have heard. 2007 ⇒528. 311-320;

7176 John: a source for Jesus research?. John, Jesus, and history, 1. SBL. Symposium 44: 2007 ⇒753. 165-178.

7177 *Söding, Thomas* Einsatz des Lebens: ein Motiv johanneischer Soteriologie. The death of Jesus. BEThL 200: 2007 ⇒533. 363-384.

7178 **Straub, Esther** Kritische Theologie ohne ein Wort vom Kreuz: zum Verhältnis von Joh 1-12 und 13-20. FRLANT 203: 2003 ⇒19,6773 ... 22,6887. ^RRBLit (2007)* (*Lincoln, Andrew T.*).

7179 **Stuckey, Tom** Beyond the box: mission challenges from John's gospel. 2005 ⇒21,7154. ^RSBET 25 (2007) 231-232 (*Kirk, David*).

7180 *Tang Nielsen, Jesper* Moderne tider i Johannesevangeliets eskatologi. DTT 70 (2007) 139-163.

7181 *Tanzer, Sarah J.* The problematic portrayal of 'the Jews' and Judaism in the gospel of John: implications for Jewish-christian relations. Contesting texts. 2007 ⇒840. 103-118.

7182 *Tasmuth, R.* Authority, authorship, and apostolicity as a part of the Johannine question: the role of PAPIAS in the search for the authoritative author of the gospel of John. ConJ 33 (2007) 26-42.

7183 *Thatcher, Tom* John's memory theater: the fourth gospel and ancient mnemo-rhetoric. CBQ 69 (2007) 487-505;

7184 The fourth gospel in first-century media culture. What we have heard. 2007 ⇒528. 159-162.

7185 **Thatcher, Tom** Why John wrote a gospel: Jesus, memory, history. 2006 ⇒22,6888. ^RTrinJ 28/1 (2007) 149-150 (*Leary, Michael*).

7186 *Thate, Michael J.* Conditionality in John's gospel: a critique and examination of time and reality as classically conceived in conditional constructions. JETS 50 (2007) 561-572.

7187 *Theobald, Michael* "Erinnert euch der Worte, die ich euch gesagt habe ..." (Joh 15,20): "Erinnerungsarbeit" im Johannesevangelium. JBTh 22 (2007) 105-130.

7188 *Thompson, Marianne M.* Jesus 'the one who sees God'. ^FHURTADO, L. & SEGAL, A.. 2007 ⇒71. 215-226;

7189 The "spiritual gospel": how John the theologian writes history. John, Jesus. SBL.Symposium 44: 2007 ⇒753. 103-107.

7190 *Thyen, Hartwig* Das Heil kommt von den Juden <1980> 111-133;

7191 Das Johannesevangelium als literarisches Werk <1990> 351-369;

7192 '...denn wir lieben die Brüder' (1 Joh 3,14) <1976> 83-96;

7193 Der Heilige Geist als παράκλητος. ⇒332. 663-688;

7194 Der Jünger, den Jesus liebte. ⇒332. 603-622;

7195 Die johanneische Eschatologie. ⇒332. 512-527;

7196 Entwicklungen innerhalb der johanneischen Theologie und Kirche im Spiegel von Joh 21 und der Lieblingsjüngertexte des Evangeliums <1977> ⇒332. 42-82;

7197 Erwägungen zu Jesu Prädikationen als ἴσος τῷ θεῷ, θεός und υἱὸς τοῦ θεοῦ. ⇒332. 692-696;

7198 Ich bin das Licht der Welt: das Ich- und Ich-Bin-Sagen Jesu im Johannesevangelium. <1992> ⇒332. 213-251;

7199   Joh 9,22; 12,42 u. 16,2: ἀποσυνάγωγον ποιεῖν und ἀποσυνάγωγος
       γενεσθαι. ⇒332. 561-577;
7200   Liegt dem Johannesevangelium eine Semeia-Quelle zugrunde?.
       ⇒332. 443-452;
7201   Prädestination der einen zum Heil und der anderen zum Verderben?;
7202   Über den johanneischen Gebrauch von Ἰουδαῖος und Ἰουδαῖοι. 508-
       511/651-662;
7203   Über die Mißverständnisse im Johannesevangelium. 689-691;
7204   Über die Wendung ὁ υἱὸς τοῦ ἀνθρώπου im Johannesevangelium;
7205   Zum metaphorischen Charakter der Ich-Bin-Worte Jesu. 453-461/
       528-538;
7206   κόσμος und ὁ ἄρχων τοῦ κόσμου (τούτου). 501-507;
7207   σημεῖον, σημεῖα und σημαίνεν sowie ἔργον, ἔργα und ἐργάζομαι.
       Studien zum Corpus Iohanneum. WUNT 214: 2007 ⇒332. 697-700.
7208   *Van Belle, Gilbert* Tradition, exegetical formation, and the Leuven
       hypothesis. What we have heard. 2007 ⇒528. 325-337;
7209   *Van Belle, Gilbert; Palmer, Sydney* John's literary unity and the prob-
       lem of historicity. John, Jesus, and history, 1. SBL.Symposium 44:
       2007 ⇒753. 217-228.
7210   **Vanier, Jean** Acceder al misterio de Jesús: a través del evangelio de
       Juan. ᵀ*Díez Aragón, Ramón A.* El Pozo de Siquem 170: 2005 ⇒21,
       7168. ᴿSalTer 95/1 (2007) 101-102 (*Gómez-Límon, Ángeles*).
7211   **Varghese, Johns** The imagery of love in the gospel of John. ᴰ*Beut-
       ler, Johannes* 2007, Diss. Gregoriana [RTL 39,607].
7212   *Viviano, Benedict T.* John's use of Matthew: beyond tweaking. Mat-
       thew and his world. NTOA 61: 2007 <2004> ⇒339. 245-269.
7213   **Voorwinde, Stephen** Jesus' emotions in the fourth gospel: human or
       divine?. LNTS 284: 2005 ⇒21,7176; 22,6901. ᴿTeol(Br) 32 (2007)
       104-106 (*Segalla, Giuseppe*); BTB 37 (2007) 188-189 (*Konstan,
       David*).
7214   *Vouga, François* Erinnerung an Jesus im Johannesevangelium. ZNT
       10/20 (2007) 28-37.
7215   *Weidemann, Hans-U.* Der Gekreuzigte als Quelle des Geistes. The
       death of Jesus. BEThL 200: 2007 ⇒533. 567-579.
7216   *Wynn, Kerry H.* Johannine healings and the otherness of disability.
       PRSt 34/1 (2007) 61-75 [John 4,46-54; 5,1-18; 9].
7217   *Zevini, Giorgio* Gesù, vita vera per l'uomo nel vangelo di Giovanni.
       ᶠVERNET, J. 2007 ⇒158. 220-238.
7218   *Zimmermann, Ruben* Wirksame Bilder im Johannesevangelium: ein
       Lernfeld für eine praktisch-theologische Bibelhermeneutik. Prakti-
       sche Theologie 42/2 (2007) 107-110.
7219   **Zimmermann, Ruben** Christologie der Bilder im Johannesevangeli-
       um: die Christopoetik des vierten Evangeliums unter besonderer Be-
       rücksichtigung von Joh 10. WUNT 171: 2004 ⇒20,6753... 22,6911.
       ᴿThLZ 132 (2007) 803-805 (*Hirsch-Luipold, Rainer*); RSR 95
       (2007) 303-305 (*Morgen, Michèle*).
7220   *Zimmermann, Ruben* Parabeln im Johannesevangelium: Einleitung.
       Kompendium der Gleichnisse Jesu. 2007 ⇒6026. 699-708.
7221   **Zingg, Edith** Das Reden von Gott als "Vater" im Johannes-Evangeli-
       um. 2006 ⇒22,6912. ᴿThLZ 132 (2007) 435-437 (*Back, Frances*).

G1.5 Johannis Prologus 1,1...

7222 *Binni, W.* Parallelismi tra Gv 1,1 e Gen 1,1. RivBib 55 (2007) 165-190.

7223 *Kachouh, Hikmat* The Arabic version of the gospels: a case study of John 1.1 and 1.18. The bible in Arab christianity. The History of Christian-Muslim relations 6: 2007 ⇒882. 9-36.

7224 **Nutu, Ela** Incarnate word, inscribed flesh: John's prologue and the postmodern. Bible and its modern interpreters 6: Shf 2007, Sheffield Phoenix vii; 199 pp. $85. 978-1-905048-25-0. Bibl. 184-193.

7225 **Phillips, Peter M.** The prologue of the fourth gospel: a sequential reading. LNTS 294: 2006 ⇒22,6922. [R]CBQ 69 (2007) 368-369 (*Kealy, Séan P.*).

7226 *Strange, J.* Genesis 1 og aegyptisk skabelsesteologi. DTT 70 (2007) 3-10 [John 1,1-18].

7227 *Thyen, Hartwig* Über die Versuche, eine Vorlage des Johannesprologs zu rekonstruieren. Studien zum Corpus Iohanneum. WUNT 214: 2007 ⇒332. 372-410.

7228 *Vouga, François* Die Bedeutung der Dichtung in der neutestamentlichen Theologie (Joh 1,1-18). [F]HAACKER, K. ABIG 27: 2007 ⇒57. 13-29.

7229 *Lee, Dorothy* The prologue and Jesus' final prayer. What we have heard. 2007 ⇒528. 229-231 [John 1,1-18; 17].

7230 *O'Grady, John F.* The prologue and chapter 17 of the gospel of John. What we have heard. 2007 ⇒528. 215-228.

7231 *La Potterie, Ignace de* 'Sangui' (Gv 1,13). Dizionario... sangue di Cristo. 2007 ⇒1137. 1210-1214.

7232 *Thyen, Hartwig* Das textkritische Problem von Joh 1,13. Studien zum Corpus Iohanneum. WUNT 214: 2007 ⇒332. 418-424.

7233 **Uhrig, Christian** 'Und das Wort ist Fleisch geworden': zur Rezeption von Joh 1,14a und zur Theologie der Fleischwerdung in der griechischen vornizänischen Patristik. MBTh 63: 2004 ⇒20,6767... 22,6924. [R]ZKTh 129 (2007) 138-140 (*Lies, Lothar*).

7234 *Morgen, Michèle* Eloge et célébration du Logos: étude des versets en 'nous' dans le prologue du quatrième évangile (Jn 1,14-18). L'hymne antique. 2007 ⇒974. 31-49.

7235 *Thyen, Hartwig* Erwägungen zu der Wendung χάριν ἀντὶ χάριτος. Studien zum Corpus Iohanneum. 2007 ⇒332. 425-428 [John 1,16].

7236 *Fansaka Biniama, Bernard* Moïse et Jésus: du canon apodictique au canon vérité: le transfert du pôle herméneutique de la torah en Jn 1,17. AETSC 12/20 (2007) 151-186.

7237 *Coloe, Mary L.* The Johannine pentecost: John 1:19-2:12. ABR 55 (2007) 41-56.

7238 *Gourgues, Michel* "Mort pour nos péchés selon les Écritures": que reste-t-il chez Jean du Credo des origines?: Jn 1,29, chaînon unique de continuité. The death of Jesus. 2007 ⇒533. 181-197 [1 Cor 15].

7239 *Menken, Maarten J. J.* "The lamb of God" (John 1,29) in the light of 1 John 3,4-7. The death of Jesus. BEThL 200: 2007 ⇒533. 581-590.

7240 *Flink, Timo* New variant reading of John 1:34. AUSS 45/2 (2007) 191-193.

7241 *Montgomery, David A.* Directives in the New Testament: a case study of John 1:38. JETS 50 (2007) 275-288.

7242 *Cormier, Gilles; Cormier, Véronique* 'Il y eut des noces à Cana, en
       Galilée' (Jn 2,1). Carmel(T) 124 (2007) 62-77 [John 2,1-11].
7243 *Derrett, John Duncan M.* The first miracle resurrected. ET 118
       (2007) 174-176 [John 2,1-11].
7244 *Hengel, Martin* Der "dionysische" Messias: zur Auslegung des Wein-
       wunders in Kana (Joh 2,1-11). Jesus und die Evangelien. WUNT
       211: 2007 <1987> ⇒247. 568-600.
7245 *Manicardi, Ermenegildo* Cana: simbolismo del vino (Gv 2,1-11). Di-
       zionario... sangue di Cristo. 2007 ⇒1137. 175-181.
7246 *Mareček, Petr* Il miracolo alle nozze di Cana: l'inizio dei segni di
       Gesù (Gv 2,1-11). Ethos and exegesis. 2007 ⇒464. 234-241.
7247 *Occhialini, Umberto* L'enigma di Cana e il significato mariologico.
       ConAss 9/2 (2007) 55-84 [John 2,1-11].
7248 *Zumstein, Jean* Die Bibel als literarisches Kunstwerk–gezeigt am
       Beispiel der Hochzeit zu Kana (Joh 2,1-11). Geist im Buchstaben?.
       QD 225: 2007 ⇒520. 68-82.
7249 *Fredriksen, Paula* The historical Jesus, the scene in the temple, and
       the gospel of John. John, Jesus. SBL.Symposium 44: 2007 ⇒753.
       249-276 [John 2,13-20].
7250 *Powell, Mark A.* On deal-breakers and disturbances. John, Jesus, and
       history, 1. SBL.Symposium 44: 2007 ⇒753. 277-82 [John 2,13-20].
7251 *Hübenthal, Sandra* Wie kommen Schafe und Rinder in den Tempel?:
       die 'Tempelaktion' (Joh 2,13-22) in kanonisch-intertextueller Lektüre.
       Intertextualität. Sprache & Kultur: 2007 ⇒447. 69-81.
7252 *Popkes, Enno E.* Jesus als der neue Tempel: Joh 2,19. Kompendium
       der Gleichnisse Jesu. 2007 ⇒6026. 711-718.

G1.6 Jn 3ss... Nicodemus, Samaritana

7253 *Büttner, Gerhard; Roose, Hanna* Nikodemus–eine "graue" Gestalt in
       der dualistischen Welt des Johannes. KatBl 132 (2007) 323-327
       [John 3].
7254 *Zini, Raffaello* Praticare la verità: Gesù e Nicodemo. Qol(I) 126
       (2007) 16-17 [John 3].
7255 *Grappe, Christian* Les nuits de Nicodème (Jn 3,1-21; 19,39) à la lu-
       mière de la symbolique baptismale et pascale du quatrième évangile.
       RHPhR 87 (2007) 267-288.
7256 *Popp, Thomas* Das Entscheidende kommt von oben (Geburt von
       oben): Joh 3,3-7 (Agr 53). Kompendium der Gleichnisse Jesu. 2007
       ⇒6026. 719-724.
7257 *Thyen, Hartwig* ὕδατος καί in Joh 3,5. Studien zum Corpus Iohanne-
       um. WUNT 214: 2007 ⇒332. 462-466.
7258 *Popp, Thomas* Wissen, woher der Wind weht (Der wehende Wind):
       Joh 3,8. Kompendium der Gleichnisse Jesu. 2007 ⇒6026. 725-730.
7259 *Reynolds, Benjamin E.* The testimony of Jesus and the Spirit: the
       "we" of John 3:11 in its literary context. Neotest. 41 (2007) 157-172.
7260 *Ellens, J. Harold* The ascending and descending son of man: Jesus in
       John 3.13. ᴹMETZGER, B. NTMon 19: 2007 ⇒105. 140-150.
7261 *Loiseau, Anne-Françoise* Traditions évangéliques et herméneutique
       juive: le serpent d'airain de Jean ne repose-t-il pas sur une guéma-
       trie?. EThL 83 (2007) 155-163 [John 3,14-15].

7262 *Popkes, Enno E.* The love of God for the world and the handing over ('Dahingabe') of his son: comments on the tradition-historical background and the theological function of John 3,16 in the overall context of Johannine theology. Death of Jesus. 2007 ⇒533. 609-623.

7263 *Thyen, Hartwig* Ainon bei Salim als Taufort des Johannes (Joh 3,23). Studien zum Corpus Iohanneum. WUNT 214: 2007 ⇒332. 467-478.

7264 *Chennattu, Rekha* Les femmes dans la mission de l'Église: interprétation de Jean 4. BLE 108 (2007) 381-396.

7265 [E]**Jonker, Louis**, *al.*, Through the eyes of another: intercultural reading of the bible. 2005 ⇒21,7224. [R]ER 59 (2007) 409-410 (*Scott, Martin*) [John 4].

7266 *Nelavala, Surekha* Jesus asks the Samaritan woman for a drink: a Dalit feminist reading of John 4. LecDif 8/1 (2007)* 25 pp.

7267 *Thyen, Hartwig* Eine ältere Quelle im Hintergrund von Joh 4?. Studien zum Corpus Iohanneum. WUNT 214: 2007 ⇒332. 479-482.

7268 **Irudaya, Raj** Mission to the marginalized: a subaltern, feminist and interreligious reading of John 4:1-42. Bangalore 2007, Asian Trading xvi; 332 pp. 81-7086-405-4. Bibl. 278-328.

7269 *Mathews, John* Pluralism and mission implications in St. John's gospel: an investigation of Jesus with the Samaritan woman (Jn 4,1-42). BiBh 33/1 (2007) 74-86.

7270 *Irudaya, Raj* The Samaritan woman in India. VJTR 71 (2007) 667-671 [John 4,4-42].

7271 *Koester, R. Craig* Wasser ist nicht gleich Wasser (Vom lebendigen Wasser): Joh 4,13f. (Joh 7,37f. / Agr 58). Kompendium der Gleichnisse Jesu. 2007 ⇒6026. 731-736.

7272 **Thettayil, Benny** In spirit and truth: an exegetical study of John 4:19-26 and a theological investigation of the replacement theme in the fourth gospel. CBET 46: Lv 2007, Peeters xxi; 521 pp. €41. 978-90-429-1887-0. Bibl. 483-521.

7273 *Zimmermann, Ruben* Geteilte Arbeit–doppelte Freude! (Von der nahen Ernte): Joh 4,35-38. Kompendium der Gleichnisse Jesu. 2007 ⇒ 6026. 737-744.

7274 *Corley, Jeremy* The dishonoured prophet in John 4,44: John the Baptist foreshadowing Jesus. Death of Jesus. 2007 ⇒533. 625-634.

7275 *Borgen, Peder* The scriptures and the words and works of Jesus. What we have heard. 2007 ⇒528. 39-58 [John 5-6].

7276 *Broer, Ingo* Die Heilung des Gelähmten am Teich Bethesda (Joh 5,1-9a) und ihre Nachgeschichte im vierten Evangelium (Joh 5, 9b-16). [F]TRUMMER, P. 2007 ⇒153. 143-161.

7277 *Culas, Lawrence J.* Work as a mission theme in John 5:17. LivWo 113 (2007) 185-192.

7278 *Van der Watt, Jan G.* The father shows the son everything: the imagery of education in John 5:19-23. APB 18 (2007) 263-276;

7279 Der Meisterschüler Gottes (Von der Lehre des Sohnes): Joh 5,19-23 (vgl. Q 10,22 / Mt 11,27 / Lk 10,22 / Joh 8,35). Kompendium der Gleichnisse Jesu. 2007 ⇒6026. 745-754.

G1.7 Panis Vitae—*Jn 6*...

7280 *Attinger, Daniel* Le jugement surprenant: Jean 7-12. Ḥokhma 91 (2007) 19-42.

7281   **Nicolaci, Marida** Egli diceva loro il padre: i discorsi con i giudei a Gerusalemme in Giovanni 5-12. Studia biblica 6: R 2007, Città Nuova 476 pp. €32. 978-88311-36303. Bibl. 419-440.

7282   **Hylen, Susan** Allusion and meaning in John 6. BZNW 137: 2005 ⇒ 21,7242. ᴿRSR 95 (2007) 293-295 (*Morgen, Michèle*).

7283   *Kim, Stephen S.* The christological and eschatological significance of Jesus' passover signs in John 6. BS 164 (2007) 307-322.

7284   *Labahn, Michael* Living word(s) and the bread of life. What we have heard. 2007 ⇒528. 59-62.

7285   **Mackay, Ian D.** John's relationship with Mark: an analysis of John 6 in the light of Mark 6-8. WUNT 2/182: 2004 ⇒20,6816; 21,7244. ᴿThLZ 132 (2007) 935-938 (*Labahn, Michael*); RSR 95 (2007) 296-297 (*Morgen, Michèle*).

7286   *Mitternacht, Dieter* Knowledge-making and myth-making in John 6: a narrative-psychological reading. SEÅ 72 (2007) 49-74.

7287   **Stare, Mira** Durch ihn leben: die Lebensthematik in Joh 6. NTA 49: 2004 ⇒20,6818... 22,6980. ᴿPzB 16 (2007) 67-68 (*Pichler, Josef*); BZ 51 (2007) 273-274 (*Theobald, Michael*) {John}06.

7288   *Beutler, Johannes* Joh 6 als christliche "relecture" des Pascharahmens im Johannesevangelium. ᶠKɪʀᴄʜsᴄʜʟÄɢᴇʀ, W. 2007 ⇒85. 43-58 [John 21].

7289   *Kobia, Samuel* What's in a miracle?: feeding the five thousand. ER 59 (2007) 533-536 [John 6,1-15].

7290   *Van der Watt, Jan G.* Ein himmlisches Gericht (Vom Brot des Lebens): Joh 6,32-40.48-51. Kompendium der Gleichnisse Jesu. 2007 ⇒6026. 755-767;

7291   I am the bread of life: imagery in John 6:32-51. AcTh(B) 27/2 (2007) 186-204.

7292   *Thyen, Hartwig* Über die Versuche, die sogenannte 'eucharistische Rede' (Joh 6,51c-58) als redaktionelle Interpolation auszuscheiden;

7293   Joh 6,66 und das Schisma unter den Jüngern. Studien zum Corpus Iohanneum. WUNT 214: 2007 ⇒332. 539-547/548-553.

7294   *Anderson, Paul N.* 'You have the words of eternal life!': is Peter presented as returning the keys of the kingdom to Jesus in John 6:68?. Neotest. 41 (2007) 1-36 [Mt 16,17-19].

7295   **Devillers, Luc** La fête de l'Envoyé: la section johannique de la Fête des Tentes (Jean 7,1-10,21) et la christologie. ÉtB 49: 2002 ⇒18, 6376... 21,7254. ᴿPSB 28 (2007) 226-228 (*Charlesworth, James H.*);

7296   La saga de Siloé: Jésus et la fête des Tentes (Jean 7,1-10,21). LiBi 143: 2005 ⇒21,7255; 22,6993. ᴿCDios 220 (2007) 251-251 (*Gutiérrez, J.*); Ang. 84/1 (2007) 217-218 (*Marcato, Giorgio*); Gr. 88 (2007) 194-196 (*López, Javier*); Sal. 69 (2007) 778-779 (*Vicent, Rafael*); EstB 65 (2007) 394-396 (*Moreno, Antonio*).

7297   *Kraus, Thomas J.* John 7:15b: 'knowing letters' and (il)literacy. Ad fontes. TENTS 3: 2007 ⇒260. 171-183.

7298   *Camarero, Lorenzo* Dos ejemplos de formulación cristológica derásica: el enviado de Dios y la fuente de agua viva (Jn 7,28-29.37-39). EstB 65 (2007) 85-114.

7299   *Kotecki, Dariusz* Ksiega Ezechiela w Ewangelii według św. Jana na przykładzie obrazu Dobrego Pasterza (J10) oraz "strumieni wody zycia" (J 7,37-39). CoTh 77/4 (2007) 49-77 [Ezek 34-37; 47,1-12; John 7,37-39; 10]. **P.**

7300 *Bopp, Karl* Das befreiende Potential biblischer Glaubensnormen: Jesus und die Ehebrecherin (Joh 7,53-8,11) als Symbolgeschichte. Gottes Wort. Bibel und Ethik 1: 2007 ⇒537. 168-180.

7301 *Machado, Alzira G.* Violência contra a mulher: uma hermêneutica de João 7,53-8,11. Estudos bíblicos 96/4 (2007) 30-44.

7302 *Rius-Camps, Josep* The pericope of the adulteress reconsidered: the nomadic misfortunes of a bold pericope. NTS 53 (2007) 379-405 [John 7,53-8,11].

7303 *Thyen, Hartwig* Die Erzählung von Jesus und der Ehebrecherin (Joh 7,53-8,11). Studien zum Corpus Iohanneum. WUNT 214: 2007 <2000> ⇒332. 306-322.

7304 *Zingg, Edith* Die Frau, die in der Mitte stand (Joh 7,53-8,11): ein Drama mit mehreren Perspektiven. F KIRCHSCHLÄGER, W. 2007 ⇒85. 319-336.

7305 *Albrecht, Wilhelm* Urzeichen: Licht. KatBl 132 (2007) 354-355 [John 8,12].

7306 *Koester, Helmut* Gnostic sayings and controversy traditions in John 8:12-59. From Jesus to the gospels. 2007 <1990> ⇒256. 184-196.

7307 *Caragounis, Chrys C.* What did Jesus mean by τὴν ἀρχὴν in John 8:25?. NT 49 (2007) 129-147.

7308 *Wendel, Ulrich* Wer hat den Teufel zum Vater?: ein Versuch über Joh 8,44. JETh 21 (2007) 127-139.

7309 *Wróbel, Mirosław S.* Anti-Judaism and Jn 8:44?. Ethos and exegesis. 2007 ⇒464. 152-170.

7310 *Thyen, Hartwig* Joh 8,48f: die Ἰουδαῖοι werfen Jesus vor, er sei ein dämonisch besessener Samaritaner: Indiz für eine besondere Nähe unseres Evangelisten zu samaritanischer Theologie?. Studien zum Corpus Iohanneum. WUNT 214: 2007 ⇒332. 554-560.

7311 *Lumbreras Artigas, Bernardino* Agua que ilumina. Revista Aragonesa de Teología 13/2 (2007) 19-36 [John 9].

7312 *Neubauer, Ulrike* "Ich bin der gute Hirte". KatBl 132 (2007) 341-345 [John 10].

7313 *Thyen, Hartwig* Johannes 10 im Kontext des vierten Evangeliums. Studien zum Corpus Iohanneum. 2007 <1991> ⇒332. 134-154;

7314 Zu den zahllosen Versuchen, die vermeintlichen Aporien der Hirtenrede von Joh 10 auf literarkritischen Wegen zu beseitigen. Studien zum Corpus Iohanneum. 2007 ⇒332. 578-590.

7315 *Kowalski, Beate* Ruf in die Nachfolge (Vom Hirt und den Schafen): Joh 10,1-5. Kompendium...Gleichnisse Jesu. 2007 ⇒6026. 768-780.

7316 **Wiesheu, Anette** Die Hirtenrede des Johannesevangeliums: Wandlungen in der Interpretation eines biblischen Textes im Mittelalter (6.-12. Jahrhundert). QFG 24: Pd 2007, Schöningh vi; 327 pp. €48. 978-35067-57111 [John 10,1-14].

7317 *Neyrey, Jerome H.* "I am the door" (John 10:7, 9): Jesus the broker in the fourth gospel. CBQ 69 (2007) 271-291.

7318 *Popp, Thomas* Die Tür ist offen (Die Tür): Joh 10,7-10 (vgl. Agr 51);

7319 *Mahr, Dominik* Wem liegen die Schafe am Herzen?! (Hirte und Lohnknecht): Joh 10,12f. Kompendium der Gleichnisse Jesu. 2007 ⇒6026. 781-787/788-792.

7320 *Veerkamp, Ton* Der Abschied des Messias: eine Auslegung des Johannesevangeliums; 2. Teil: Johannes 10,22-21,25. TeKo 30/1-3 (2007) 1-152.

7321 **Romero Pérez, Francisco J.** Manifestación de Jesús en la fiesta de la dedicación (Jn 10,22-39): aportación del método derásico a la cristología de Juan. M 2007, n.p. 274 pp. Bibl. 225-266.

7322 **Silva, Luís H.** da 'Io e il Padre siamo una cosa sola': studio esegetico di Gv 10,22-39. ᴰ*Beutler, Johannes* 2007, Diss. Pont. Ist. Biblico [AcBib 11/3,333ss].

7323 **Tomaszewski, Tomasz** Jezus Chrystus wypełnieniem historiozbawczej roli świątyni: studium egzegetyczno-teologiczne J 10,22-39. ᴰ*Witczyk, H.* 2007, Diss. Lublin [RTL 39,607]. **P.**

7324 **Esler, Philip F.; Piper, Ronald A.** Lazarus, Mary and Martha: a social-scientific and theological reading of John. 2006 ⇒22,7015. ᴿBTB 37 (2007) 190-191 (*Tovey, Derek*); RBLit (2007)* (*Van der Watt, Jan G.*) [John 11].

7325 *Labahn, Michael* Bedeutung und Frucht des Todes Jesu im Spiegel des johanneischen Erzählaufbaus. The death of Jesus. BEThL 200: 2007 ⇒533. 431-456 [John 11-12].

7326 *Thyen, Hartwig* Die Erzählung von den bethanischen Geschwistern (Joh 11,1-12,9) als Palimpsest über synoptischen Texten. Studien zum Corpus Iohanneum. WUNT 214: 2007 <1992> ⇒332. 182-212.

7327 **Dennis, John A.** Jesus' death and the gathering of true Israel: the Johannine appropriation of restoration theology in the light of John 11.47-52. WUNT 2/217: 2006 ⇒22,7020. ᴿRHPhR 87 (2007) 238-239 (*Grappe, C.*); RBLit (2007)* (*Coloe, Mary L.*).

7328 *Van de Sandt, Huub* The purpose of Jesus' death: John 11,51-52 in the perspective of Did 9,4. Death of Jesus. 2007 ⇒533. 635-645.

7329 *Neyrey, Jerome H.* In conclusion... John 12 as a rhetorical *peroratio*. BTB 37 (2007) 101-113.

7330 *Gruber, Margareta* Die Zumutung der Gegenseitigkeit: zur johanneischen Deutung des Todes Jesu anhand einer pragmatisch-intratextuellen Lektüre der Salbungsgeschichte Joh 12,1-8. The death of Jesus. BEThL 200: 2007 ⇒533. 647-660.

7331 *Lang, Manfred* Die Salbung Jesu in Bethanien: Rhema und Thema. The death of Jesus. BEThL 200: 2007 ⇒533. 661-676 [John 12,1-8].

7332 *Miller, Susan* Exegetical notes on John 12:1-8: the anointing of Jesus. ET 118 (2007) 240-241.

7333 *Pathrapankal, Joseph* Jews and Greeks (John 12:20-28): a semiotic study on religious identity. Enlarging the horizons. 2007 ⇒285. 82-103.

7334 **Lee, Hye Ja (Induk Maria)** "Signore, vogliamo vedere Gesù": la conclusione dell'attività pubblica di Gesù secondo Gv 12,30-36. TGr.T 124: 2005 ⇒21,7286. ᴿCBQ 69 (2007) 153-154 (*Laffey, Alice L.*); CivCatt 158/1 (2007) 520-521 (*Scaiola, D.*).

7335 *Zimmermann, Ruben* Das Leben aus dem Tod (Vom sterbenden Weizenkorn): Joh 12,24. Kompendium der Gleichnisse Jesu. 2007 ⇒ 6026. 804-816.

7336 *Léon-Dufour, Xavier* À propos de Jean 12,27-28. ᶠVANHOYE, A. AnBib 165: 2007 ⇒156. 225-231.

7337 *Dennis, John* The "lifting up of the Son of Man" and the dethroning of the "ruler of this world": Jesus' death as the defeat of the devil in John 12,31-32. Death of Jesus. BEThL 200: 2007 ⇒533. 677-691.

G1.8 Jn 13... Sermo sacerdotalis et Passio

7338 *Boer, Martinus C. de* Johannine history and Johannine theology: the death of Jesus as the exaltation and the glorification of the Son of Man. Death of Jesus. BEThL 200: 2007 ⇒533. 293-326.

7339 *Coloe, Mary L.* The Nazarene king: Pilate's title as the key to John's crucifixion. Death of Jesus. BEThL 200: 2007 ⇒533. 839-848.

7340 *Gagne, Armand J.* An examination and possible explanation of John's dating of the crucifixion. The death of Jesus. BEThL 200: 2007 ⇒ 533. 411-420.

7341 *Labahn, Michael* "Verlassen" oder "Vollendet": Ps 22 in der "Johannespassion" zwischen Intratextualität und Intertextualität. Psalm 22. BThSt 88: 2007 ⇒383. 111-153.

7342 *Painter, John* The death of Jesus in John: a discussion of the tradition, history, and theology of John;

7343 *Senior, Donald* The death of Jesus as sign: a fundamental Johannine ethic. Death of Jesus. BEThL 200: 2007 ⇒533. 327-361/271-291.

7344 *Thyen, Hartwig* Niemand hat größere Liebe als die, daß er sein Leben hingibt für seine Freunde (Joh 15,13): das johanneische Verständnis des Kreuzestodes Jesu. Studien zum Corpus Iohanneum. WUNT 214: 2007 <1979> ⇒332. 97-110.

7345 *Wahlde, Urban C. von* The interpretation of the death of Jesus in John against the background of first-century Jewish eschatological expectations. Death of Jesus. BEThL 200: 2007 ⇒533. 555-565.

7346 **Schleritt, Frank** Der vorjohanneische Passionsbericht: eine historisch-kritische und theologische Untersuchung zu Joh 2,13-22, 11,47-14,31 und 18,1-20,29. BZNW 154: B 2007, De Gruyter xix; 650 pp. €138. 978-3-11-019698-6. Bibl. 589-638.

7347 *Ziccardi, C. Anthony* The themes of the Passion in John's gospel. ChiSt 46 (2007) 249-260.

7348 *Thyen, Hartwig* Joh 13,1ff als Objekt literarkritischer Analysen;

7349 Johannes 13 und die 'Kirchliche Redaktion' des vierten Evangeliums <1971>. Studien zum Corpus Iohanneum. 2007 ⇒332. 591-4/29-41.

7350 *Zumstein, Jean* L'interprétation de la mort de Jésus dans les discours d'adieu. Death of Jesus. 2007 ⇒533. 95-119 [John 13-16].

7351 *Castellano Cervera, Jesús* El sabor eucarístico de los sermones de la Última Cena en el evangelio de san Juan. Revista católica 107/1 (2007) 7-22 [John 13-17].

7352 *Koester, Helmut* The farewell discourses of the gospel of John: their trajectory in the first and second centuries. From Jesus to the gospels. 2007 <1990> ⇒256. 174-183 [John 13-17].

7353 **Parsenios, George L.** Departure and consolation: the Johannine farewell discourses in light of Greco-Roman literature. NT.S 117: 2005 ⇒21,7299; 22,7035. [R]RBLit (2007) 400-404 (*Van der Watt, Jan*) [John 13-17]

7354 *Syreeni, Kari* Partial weaning: approaching the psychological enigma of John 13-17. SEÅ 72 (2007) 173-192 [John 13-17]

7355 *Curzel, Chiara* 'Li amò sino alla fine': il compimento dell'amore come chiave di lettura della pasqua di Gesù nel vangelo secondo Giovanni. AnStR 8 (2007) 271-303 [John 13,1].

7356   *Gibson, David* The Johannine footwashing and the death of Jesus: a dialogue with scholarship. SBET 25 (2007) 50-60 [John 13,1-11].

7357   *Kunz, Claiton A.* Um estudo da açao parabólica do lava-pés (Joao 13). Vox scripturae 15/1 (2007) 7-22 [John 13,1-20].

7358   *Zumstein, Jean* Le processus johannique de la relecture à l'exemple de Jean 13,1-20. Regards croisés sur la bible. 2007 ⇒875. 325-338.

7359   *Thyen, Hartwig* εἰ μὴ τοὺς πόδας (Joh 13,10): die Wirkungsgeschichte einer frühen Glosse. Studien zum Corpus Iohanneum. WUNT 214: 2007 ⇒332. 595-602.

7360   *Tolmie, Donald F.* Jesus, Judas en 'n stukkie brood: die betekenis van 'n gebaar in Johannes 13:26. VeE 28 (2007) 662-681.

7361   **Kellum, L. Scott** The unity of the farewell discourse: the literary integrity of John 13:31-16:33. JSNT.S 256: 2004 ⇒20,6875... 22, 7040. ᴿCDios 220 (2007) 493-495 (*Gutiérrez, J.*).

7362   **Kluska, Branisław** Uczeń ikoną Chrystusa: studium egzegetyczno-teologiczne: mowy pożegnalnej J, 13,31-16,33. ᴰ*Witczyk, H.* 2007, Diss. Lublin [RTL 39,605]. **P.**

7363   *Ensor, Peter W.* The glorification of the Son of Man: an analysis of John 13:31-32. TynB 58/2 (2007) 229-252.

7364   *Thyen, Hartwig* Das Neue Gebot Jesu, einander zu lieben (Joh 13,34f), im Streit der Auslegungen. Studien zum Corpus Iohanneum. WUNT 214: 2007 ⇒332. 623-630.

7365   *Hulstrom, John; Ball, Helen; Jones, Russell* Contextual bible study notes on John 14:8-18 (25-27): gospel reading for Pentecost. ET 118 (2007) 347-348.

7366   *Philippe, Marie-D.* Commentaire de l'évangile de saint Jean: "Nul ne va au Père que par moi": le dernier enseignement de Jésus–l'annonce de l'envoi du Paraclet. Aletheia 31 (2007) 183-205 [John 14].

7367   *Sheridan, Ruth* The Paraclete and Jesus in the Johannine farewell discourse. Pacifica 20 (2007) 125-141 [John 14-16].

7368   *Stare, Mira* Platz und Gemeinschaft für alle (Die Wohnungen im Vaterhaus): Joh 14,1-4. Kompendium der Gleichnisse Jesu. 2007 ⇒ 6026. 817-827.

7369   *Grant, Jamie* Christ ascended for us–'I have gone to prepare a place for you'. Evangel 25 (2007) 39-42 [John 14,1-14].

7370   *Thyen, Hartwig* Johannes 14,2-4 im Streit der Auslegungen;
7371   Joh 14,6 und ein Absolutheitsanspruch des Christentums?. Studien zum Corpus Iohanneum. WUNT 214: 2007 ⇒332. 631-634/635-637.

7372   *Wilson, Alistair I.* Send your truth: Psalms 42 and 43 as the background to Jesus' self-description as "truth" in John 14:6. Neotest. 41 (2007) 220-234.

7373   *Medina L., D.A.* Jesús es maestro, camino, verdad y vida. Medellín 33 (2007) 91-104 [John 14,16].

7374   *Zumstein, Jean* Die Deutung der Ostererfahrung in den Abschiedsreden des Johannesevangeliums. ZThK 104 (2007) 117-141 [John 14,18-26; 16,16-22].

7375   *Paddison, Angus* Exegetical notes on John 14:23-29. ET 118 (2007) 342-343.

7376   *Thyen, Hartwig* Joh 14,28: "Der Vater ist größer als ich": Indiz einer subordinatianischen Christologie?. Studien zum Corpus Iohanneum. WUNT 214: 2007 ⇒332. 638-643.

7377   *Philippe, Marie-Dominique* Commentaire de l'Evangile de saint Jean: le regard du Christ sur le mystère de l'Eglise (Jn 15). Aletheia 32 (2007) 103-125.

7378 *Thyen, Hartwig* Joh 15-17 sekundäre Einschübe?. Studien zum Corpus Iohanneum. WUNT 214: 2007 ⇒332. 644-650.

7379 *Poplutz, Uta* Eine fruchtbare Allianz (Weinstock, Winzer und Reben): Joh 15,1-8 (vgl. Agr 61). Kompendium der Gleichnisse Jesu. 2007 ⇒6026. 828-839.

7380 *Giurisato, Giorgio* Gv 16,16-33: analisi retorico-letteraria, struttura e messaggio. LASBF 57 (2007) 171-214.

7381 *Hartenstein, Judith* Aus Schmerz wird Freude (Die gebärende Frau): Joh 16,21f.. Kompendium der Gleichnisse Jesu. 2007 ⇒6026. 840-7.

7382 **Caba, José** Cristo ora al Padre: estudio exegético-teológico de Jn 17. BAC 665: M 2007, BAC xl; 821 pp. 978-84-7914-876-4. Bibl. xxv-xxxviii ᴿGr. 88 (2007) 920-921 AnVal 33 (2007) 182-186 (*Chica Arellano, Fernando*); ATG 70 (2007) 319-320 (*Contreras Molinas, Francisco*).

7383 *López Barrio, Mario* Juan 17: una expresión de deseos. Gr. 88 (2007) 49-65.

7384 *Maritz, Petrus* Some time in John: tensions between the hour and eternity in John 17. Neotest. 41 (2007) 112-130;

7385 The glorious and horrific death of Jesus in John 17: repetition and variation of imagery related to John's portrayal of the crucifixion. Death of Jesus. BEThL 200: 2007 ⇒533. 693-710.

7386 *Philippe, Marie-Dominique* La prière du Fils bien-aime. Aletheia 32 (2007) 21-27 [John 17].

7387 *Anderson, Paul N.* Aspects of interfluentiality between John and the synoptics: John 18-19 as a case study. The death of Jesus. BEThL 200: 2007 ⇒533. 711-728.

7388 *Brankaer, Johanna* Le temps de la fin: Jn 18-19 à la lumière de la pensée de H. Blumenberg. The death of Jesus. BEThL 200: 2007 ⇒ 533. 729-737.

7389 *Büchner, Frauke* Die Johannespassion und die Schuldfrage. KatBl 132 (2007) 328-335 [John 18-19].

7390 *Frey, Jörg* Edler Tod–wirksamer Tod–stellvertretender Tod–heil-schaffender Tod: zur narrativen und theologischen Deutung des Todes Jesu im Johannesevangelium. The death of Jesus. BEThL 200: 2007 ⇒533. 65-94 [John 18-19].

7391 **La Potterie, Ignace de** La pasión de Jesús según san Juan: texto y espíritu. Estudios y Ensayos: M 2007, BAC 151 pp. 978-84791-488-50 [John 18-19].

7392 *Piper, Ronald A.* The characterisation of Pilate and the death of Jesus in the fourth gospel;

7393 *Van Belle, Gilbert* The death of Jesus and the literary unity of the fourth gospel. Death of Jesus. BEThL 200: 2007 ⇒533. 121-162/3-64 [John 18-19].

7394 **Scrima, André** Passion et résurrection selon saint Jean. ᴱ*Vasiliu, Anca* Québec 2007, Sigier 148 pp. 978-28912-95055 [John 18-21].

7395 *Karakolis, Christos* "Across the Kidron brook, where there was a garden" (John 18,1): two Old Testament allusions and the theme of the heavenly king in the Johannine passion narrative. The death of Jesus. BEThL 200: 2007 ⇒533. 751-760.

7396 *Mwamba Munene, Samuel* La passion de Jésus, une négation de la violence et un appel à la paix: une lecture narrative de Jn 18,1 à 20,10. Violence, justice et paix. 2007 ⇒891. 281-300.

7397 *Mardaga, Hellen* The meaning and function of the threefold repetition ἐγώ εἰμι in Jn 18,5-6.8: the fulfilment of Jesus' protecting love on the eve of his death;

7398 *Scheffler, Eben* Jesus' non-violence at his arrest: the synoptics and John's gospel compared [Mt 26,47-56; Mk 14,43-52; Lk 22,47-53; John 18,1-12];

7399 *Pichler, Josef* Setzt die Johannespassion Matthäus voraus? [Mt 26,52; 27,19; John 18,11; 19,13]. Death of Jesus. BEThL 200: 2007 ⇒533. 761-768/739-749/495-505.

7400 *Poplutz, Uta* Das Drama der Passion: eine Analyse der Prozesserzählung Joh 18,28-19,16a unter Berücksichtigung dramentheoretischer Gesichtspunkte. The death of Jesus. 2007 ⇒533. 769-782.

7401 *Lambrecht, Jan* Johannes 18,33-38 en 19,25-37 in de Nieuwe Bijbelvertaling. Death of Jesus. BEThL 200: 2007 ⇒533. 783-793.

7402 ᴱ**Torno, Armando** Ponzio Pilato: che cos'è la verità?. Mi 2007, Bompiani 96 pp. €9 [John 18,38].

7403 *Verhelst, Nele* The Johannine use of πάλιν in John 18,40;

7404 *Witetschek, Stephan* Ein Räuber: Barabbas im Johannesevangelium [John 18,40]. The death of Jesus. 2007 ⇒533. 795-803/805-815.

7405 *Thyen, Hartwig* Überlegungen zu Prozeß und Kreuzigung Jesu nach Johannes 19. Studien zum Corpus Iohanneum. WUNT 214: 2007 <2005> ⇒332. 323-350.

7406 *Verheyden, Joseph* I. de la Potterie on John 19,13;

7407 *Devillers, Luc* La croix de Jésus et les 'Ιουδαῖοι (Jn 19,16): crux interpretum ou clé sotériologique?. Death of Jesus. BEThL 200: 2007 ⇒533. 817-837/385-407.

7408 *Marcheselli, Maurizio* Nápis na kríži a jánovská komunita (Jn 19,19-22). SBSl (2007) 75-88. **Slovak**.

7409 *Koperski, Veronica* The mother of Jesus and Mary Magdalen: looking back and forward from the foot of the cross in John 19,25-27. Death of Jesus. BEThL 200: 2007 ⇒533. 849-858.

7410 *Schinella, Ignazio* Traduzione/interpretazione di Gv 19,25-27 nella pietà popolare. Vivar(C) 15 (2007) 285-294;

7411 RivLi 94 (2007) 301-310.

7412 *La Potterie, Ignace de* Sangue e acqua (Gv 19,34). Dizionario... sangue di Cristo. 2007 ⇒1137. 1194-1202.

7413 *Mardaga, Hellen* The use and meaning of ἐκεῖνος in Jn 19,35. FgNT 20 (2007) 67-80.

7414 *Mirguet, Françoise* Voir la mort de Jésus: quand le "voir" se fait récit. Death of Jesus. BEThL 200: 2007 ⇒533. 469-479 [John 19,35].

7415 *La Potterie, Ignace de* Oblatività (Gv 19,37). Dizionario... sangue di Cristo. 2007 ⇒1137. 973-983.

7416 *Brug, J.F.* John 19:39–a mixture of myrrh and aloes. WLQ 104/1 (2007) 52-54.

7417 *Zangenberg, Jürgen* "Buried according to the customs of the Jews": John 19,40 in its material and literary context. The death of Jesus. BEThL 200: 2007 ⇒533. 873-900.

7418 **Most, Glenn W.** Der Finger in der Wunde: die Geschichte des ungläubigen Thomas. Mü 2007, Beck 314 pp. €26.90. 978-3-406-5561-9-7 [John 20].

7419 *Schneiders, Sandra M.* Toucher Jésus le Ressuscité: Marie de Magdala et Thomas le Jumeau en Jean 20. Théologiques 15/2 (2007) 163-192.

7420 *Togneri, Silvia* Caminhos da leitura popular da bíblia: desvelando, conhecendo e restaurando a imagem de Maria Madalena: estudos de Jo 20,1.11-18. Estudos bíblicos 96/4 (2007) 24-29.

7421 **Taschl-Erber, Andrea** Maria von Magdala–erste Apostolin? Joh 20,1-18: Tradition und Relecture. [D]*Kühschelm, R.* Herders biblische Studien 51: FrB 2007, Herder 691 pp. €70. 978-3-451-29660-4. Diss. Wien; Bibl. 653-673.

7422 *Van den Eynde, Sabine* Love, strong as death?: an inter- and intratextual perspective on John 20,1-18. Death of Jesus. BEThL 200: 2007 ⇒533. 901-912.

7423 *Frettlöh, Magdalene L.* Christus als Gärtner: biblisch- und systematisch-theologische, ikonographische und literarische Notizen zu einer messianischen Aufgabe. "Schau an der schönen Gärten Zier". Jabboq 7: 2007 ⇒415. 161-203 [John 20,11-17].

7424 *Baert, Barbara; Kusters, Liesbet* The twilight zone of the "Noli me tangere": contributions to the history of the motif in Western Europe (ca. 400-ca. 1000). LouvSt 32 (2007) 255-303 [John 20,17].

7425 *Demasure, Karlijn* "Noli me tangere": a contribution to the reading of Jn 20:17 based on a number of philosophical reflections on touch. LouvSt 32 (2007) 304-329.

7426 *Lambrecht, Jan* A note on John 20,23b. EThL 83 (2007) 165-168.

7427 *Fagin, G.M.* A doubter gives lessons in faith. America 197/15 (2007) 22-23 [John 20,24-29].

7428 *Judge, Peter J.* John 20,24-29: more than doubt, beyond rebuke. Death of Jesus. BEThL 200: 2007 ⇒533. 913-930.

7429 *Klein, Nikolaus* Glauben und berühren. Orien. 71 (2007) 97-99 [John 20,24-29].

7430 *Most, Glenn W.* Doubting Thomas. 2005 ⇒21,7333; 22,7087. [R]JR 87/1 (2007) 95-96 (*Duff, Paul*); ThLZ 132 (2007) 44-46 (*Nagel, Titus*); HeyJ 48 (2007) 627-9 (*Hagedorn, Anselm C.*) [John 20,24-29].

7431 *Schramm, Tim* "Selig, die nicht sehen und doch glauben": die Figur des Thomas im Neuen Testament. BiHe 43/171 (2007) 17-18 [John 20,24-29].

7432 *Gruber, Margareta* Berührendes Sehen: zur Legitimation der Zeichenforderung des Thomas (Joh 20,24-31). BZ 51 (2007) 61-83.

7433 *Pamplaniyil, Joseph T.* τύπον τῶν ἥλων... (Jn 20,25): Johannine double entendre of Jesus' wounds. Death of Jesus. 2007 ⇒533. 931-944.

7434 *Beutler, Johannes* Un nuovo approccio a Gv 21. RTE 11 (2007) 527-532.

7435 *Thyen, Hartwig* Noch einmal: Johannes 21 und 'der Jünger den Jesus liebte'. Studien zum Corpus Iohanneum. WUNT 214: 2007 <1995> ⇒332. 252-293.

7436 **Marcheselli, Maurizio** "Avete qualcosa da mangiare?": un pasto, il risorto, la comunità. 2006 ⇒22,7094. [R]StPat 54 (2007) 690-692 (*Segalla, Giuseppe*); RTE 11 (2007) 527-532 (*Beutler, Johannes*); RTE 11 (2007) 533-538 (*Manicardi, Ermenegildo*); RBLit (2007)* (*Ramelli, Ilaria*) [John 21; 1,19-2,12].

7437 *Labahn, Michael* Fischen nach Bedeutung–Sinnstiftung im Wechsel literarischer Kontexte: der wunderbare Fischfang in Johannes 21 zwischen Inter- und Intratextualität. SNTU.A 32 (2007) 115-140 [Lk 5,1-11; 24,13-35; John 21,1-14].

7438 *Paddison, Angus* Exegetical notes: John 21:1-19. ET 118 (2007) 292-293.

7439 *Thyen, Hartwig* Predigtmeditation über Johannes 21,15-19. Studien zum Corpus Iohanneum. WUNT 214: 2007 <1995> ⇒332. 294-305.
7440 *Wells, S.* A friend like Peter. CCen 124/3 (2007) 24-25, 27-30 [John 21,15-19].

G2.1 Epistulae Johannis

7441 *Carson, D.A.* 1-3 John. Commentary on the NT use of the OT. 2007 ⇒5642. 1063-1067.
7442 **Culy, Martin M.** 1,2,3 John: a handbook on the Greek text. 2004 ⇒ 20,6922. ᴿRBLit (2007)* (*Van der Watt, Jan*).
7443 **Lewis, Scott M.** The gospel according to John and the Johannine letters. 2005 ⇒21,6961; 22,6718. ᴿSBSI (2007) 111-112 (*Tiňo, Jozef*).
7444 **MacArthur, John** 1-3 John. MacArthur NT Comm.: Ch 2007, Moody 286 pp. $27.
7445 **Morgen, Michèle** Les épîtres de Jean. Commentaire biblique: NT 19: 2005 ⇒21,7345; 22,7104. ᴿRTL 38 (2007) 100-1 (*Kiessel, M.-E.*); ETR 82 (2007) 288-9 (*Cuvillier, Elian*); Sal. 69 (2007) 780-781 (*Vicent, Rafael*); EstB 65 (2007) 204-207 (*Sánchez Navarro, Luis*).
7446 *Pakala, James C.* A librarian's comments on commentaries: 23: 1 John, 2 John, 3 John. Presbyterion 33/1 (2007) 44-48.
7447 **Smalley, Stephen S.** 1, 2, 3 John. WBC 51: Waco ²2007 <1984>, Word xxxi; 376 pp. 978-1-4185-1424-2.

7448 *Amici, Roberto* L'epifania dell'ágapé e la visibilità di Dio nella Prima Lettera di Giovanni. ED 60/1 (2007) 117-134.
7449 *Anderson, Paul N.* Antichristic errors: flawed interpretations regarding the Johannine antichrist;
7450 Antichristic crises: proselytization back into Jewish religious certainty–the threat of schismatic abandonment. ᴹMETZGER, B. NTMon 19: 2007 ⇒105. 196-216/217-240.
7451 *Botha, Johannes E.* Speech act theory and biblical interpretation. Neotest. 41 (2007) 274-294 [John 4,16].
7452 *Do, Toan J.* Jesus' death as hilasmos according to 1 John. Death of Jesus. BEThL 200: 2007 ⇒533. 537-553.
7453 **Kalogerake, Despoina M.** The concept of sinlessness and sinfulness in the first letter of John. Thessalonika 2007, Christianike Elpis 349 pp. ᴿDBM 25/1 (2007) 128-132 (*Krstic, Darko*). **G.**
7454 *Manzi, Franco* Comandamento dell'amore e vero volto di Dio in una lettera canonica della bibbia (I). ScC 135 (2007) 719-749.
7455 *Nardi, Carlo* Attorno alla *Prima Lettera di s. Giovanni*: anche s. GI-ROLAMO con una storia. RAMi 2 (2007) 273-282.
7456 *Snodderly, B.; Van derMerwe, Dirk G.* Status degradation in First John: social scientific and literary perspectives. APB 18 (2007) 179-213.
7457 *Wendland, Ernst* The rhetoric of reassurance in First John: "dear children" versus the "antichrists". Neotest. 41 (2007) 173-219.

7458 *Van der Merwe, Dirk G.* "Experiencing fellowship with God" according to 1 John 1:5-2:28: dealing with the change in social behaviour. APB 18 (2007) 231-262.

7459 *La Potterie, Ignace de* Espiazione in 1 Gv 1,7. Dizionario... sangue di Cristo. 2007 ⇒1137. 482-489.
7460 *Byron, John* Slaughter, fratricide and sacrilege: Cain and Abel traditions in 1 John 3. Bib. 88 (2007) 526-535.
7461 *Jung, Chang Wook* Main thrust of the sentence(s) in 1 John 3:19-20: encouragement or warning?. Neotest. 41 (2007) 97-111.
7462 *Wyss, Vreni; Zürn, Peter* Prüft die Geister! (1 Joh 4,1-13). Im Kraftfeld. WerkstattBibel 11: 2007 ⇒513. 56-64.

7463 *Fierro Nuño, Gabriel* Hospitalidad y rechazo: acercamiento a 3 Jn desde la antropologia cultural. Qol 45 (2007) 45-57.
7464 **Lorencin, Igor** Hospitality versus patronage: an investigation of social dynamics in the third epistle of John. ᴰ*Johnston, Robert M.* 2007, Diss. Andrews [AUSS 45,261].

G2.3 *Apocalypsis Johannis*—Revelation: text, commentaries

7465 ᴱ**Antunes, Júlio da C.; Lamelas, Isidro P.** APRÍNGIO: comentário ao Apocalipse. Philokalia 8: Lisboa 2007, Alacalá 390 pp.
7466 **Balthasar, Hans U. von** Il libro dell'Agnello: sulla rivelazione di Giovanni. Già e non ancora: Mi 2007, Jaka 122 pp. Pref. *Elio Guerriero*.
7467 **Bauckham, Richard** La théologie de l'Apocalypse. ᵀ*Lassus, Alain-M. de* 2006 ⇒22,7134. ᴿRThom 107 (2007) 152-154 (*Bonino, Serge-Thomas*); RSR 95 (2007) 306-307 (*Morgen, Michèle*); Brot. 165 (2007) 403-404 (*Silva, Isidro Ribeiro da*).
7468 *Beale, G.K.; McDonough, Sean M.* Revelation. Commentary on the NT use of the OT. 2007 ⇒5642. 1081-1161.
7469 **Biguzzi, Giancarlo** Gli splendori di Patmos: commento breve all'Apocalisse. La parola e la sua richezza 22: Mi 2007, Paoline 207 pp. €18. 978-88315-33317.
7470 **Boxall, Ian** The Revelation of St. John. BNTC 18: 2006 ⇒22,7137. ᴿAThR 89 (2007) 114-5, 117 (*Dunkly, James*); RBLit (2007)* (*Barr, David L.*).
7471 **Braaten, Mark** Come, Lord Jesus: a study of Revelation. ColMn 2007, Liturgical viii; 157 pp. $15. 0-8146-3172-X.
7472 **Campbell, Gordon** L'Apocalypse de Jean: une lecture thématique. Théologie biblique: Cléon d'Andran 2007, Excelsis 558 pp. €38. 97-8-27550-00443.
7473 **Cory, Catherine** The book of Revelation. 2006 ⇒22,7139. ᴿRBLit (2007)* (*Villiers, Pieter G.R. de*).
7474 **De Petris, Alfonso** Riletture dell'Apocalisse. F 2007, Olschki 184 pp.
7475 *Doglio, Claudio* L'Apocalisse di Giovanni. Orientamenti bibliografici 29 (2007) 11-17.
7476 **Fallon, Michael** The Apocalypse: a call to embrace the love that is stronger than death: an [introductory] commentary. 2005 [1990], ⇒21,7382. ᴿVJTR 71 (2007) 149-151 (*Gispert-Sauch, G.*).
7477 ᴱ**Geretti, Alessio** Apocalisse: l'ultima rivelazione. Mi 2007, Skira 222 pp. 978-88-6130-263-1. Catalogo della Mostra tenuta a Illegio nel 2007; Bibl. 217-222.

7478 *Grabner-Haider, Anton; Woschitz, Karl M.* Lebenswelt der Johannesapokalypse. Kulturgeschichte der Bibel. 2007 ⇒435. 433-441.

7479 *Hellholm, David; Frankfurter, David* Apocalypse. Religion past & present, 1. 2007 ⇒1066. 297-299.

7480 **Hernández, Juan** Scribal habits and theological influences in the Apocalypse: the singular readings of Sinaiticus, Alexandrinus, and Ephraem. WUNT 2/218: 2006 ⇒22,7146. ᴿEThL 83 (2007) 499-502 (*Labahn, M.*).

7481 **Kizhakkeyil, Sebastian** Apocalypse (Αποκάλυψις): an exegetical commentary on Daniel and Revelation. Mumbai 2007, St Pauls 208 pp. Rs110. ᴿJJSS 7 (2007) 110-111 (*Athikalam, James*).

7482 **Kovacs, Judith; Rowland, Christopher** Revelation: the Apocalypse of Jesus Christ. 2004 ⇒20,6961... 22,7147. ᴿHeyJ 48 (2007) 117-19 (*McNamara, Martin*); ASEs 24 (2007) 525-531 (*Nicklas, Tobias*).

7483 **Leloup, Jean-Y.** Apocalipse: clamores da revelação. ᵀ*Cruz, Marta G. da* Unipaz: 2003 ⇒19,6995. ᴿREB 67 (2007) 739-740 (*Melo, Antonio A. de*).

7484 **Lupieri, Edmondo F.** A commentary on the Apocalypse of John. ᵀ*Kamesar, Adam; Johnson, Maria P.* 2006 ⇒22,7149. ᴿScrB 37 (2007) 114-115 (*McDonald, Patricia M.*); RBLit (2007)* (*Koester, Craig R.*).

7485 **Muñoz León, Domingo** Apocalipsis. Com Nueva Biblia de Jerusalén: Bilbao 2007, De Brouwer 178 pp. 978-84-3302-1342. ᴿStudium 47 (2007) 326-327 (*López, L.*); Itin(L) 53 (2007) 260-261 (*Neves, Joaquim C. das*).

7486 **Smalley, Stephen S.** The Revelation to John: a commentary on the Greek text of the Apocalypse. 2005 ⇒21,7397; 22,7155. ᴿBS 164 (2007) 378-380 (*Hoehner, Harold W.*); BTB 37 (2007) 184-185 (*deSilva, David A.*).

7487 ᵀ**Thomson, Robert W.** NERSES of Lambron: Commentary on the Revelation of Saint John. Hebrew University Armenian Studies 9: Lv 2007, Peeters xii; 225 pp. 978-90429-18665.

7488 *Whiteley, Iwan M.* An explanation for the anacolutha in the book of Revelation. FgNT 20 (2007) 33-50.

7489 **Witherington, Ben, III** Revelation. 2003 ⇒19,7007... 21,7401. ᴿHeyJ 48 (2007) 115-117 (*McNamara, Martin*).

7490 **Witulski, Thomas** Die Johannesoffenbarung und Kaiser Hadrian: Studien zur Datierung der neutestamentlichen Apokalypse. FRLANT 221: Gö 2007, Vandenhoeck & R. 415 pp. €89. 978-3-525-53085-6. 2. Teil Diss.-Habil. Münster; Bibl. 367-415.

G2.4 *Apocalypsis, themata*—Revelation, topics

7491 **Andrei, Osvalda** Rileggere 'Roma' nell'Apocalisse: una riflessione sul rapporto 'testo-contesto'. Lavori in corso 8: Arezzo 2007, n.p. 52 pp.

7492 *Bartlema, Ruud* Ich sage dir: alles wird neu: Diaserie von Ruud Bartlema zur Offenbarung des Johannes. JK 68/2 (2007) 35-38.

7493 *Beale, G.K.* Worthy is the Lamb: the divine identity of Jesus Christ in the book of Revelation. The forgotten Christ. 2007 ⇒566. 232-256.

7494 *Biguzzi, Giancarlo* L'Antico Testamento nell'ordito dell'Apocalisse. RstB 19/2 (2007) 191-213.

7495 *Boxall, Ian K.* Exile, prophet, visionary: Ezekiel's influence on the book of Revelation. The book of Ezekiel. 2007 ⇒835. 147-164.

7496 **Bredin, Mark R.** Jesus, revolutionary of peace: a nonviolent christology in the book of Revelation. 2003 ⇒19,7017; 21,7430. [R]BTB 37 (2007) 186-187 (*Grimsrud, Ted*).

7497 *Calloud, Jean* Je suis l'alpha et l'oméga: l'Apocalypse à la lettre. SémBib 128 (2007) 23-38 [Rev 1,8].

7498 *Decock, Paul* The works of God, of Christ, and of the faithful in the Apocalypse of John. Neotest. 41 (2007) 37-66 [Rev 2,26].

7499 *DeVilliers, Pieter G.* Divine and human love in the Revelation of John. APB 18 (2007) 43-59.

7500 **Doglio, Claudio** Il primogenito dei morti: la risurrezione di Cristo e dei cristiani nell'Apocalisse di Giovanni. RivBib.S 45: 2005 ⇒21, 7444; 22,7191. [R]EstTrin 41 (2007) 431-34 (*Vázquez Allegue, Jaime*).

7501 *Driussi, Giovanni* L'*Apocalisse* nei padri della chiesa;

7502 *Fabris, Rinaldo* L'*Apocalisse* di Giovanni tra esegesi e spiritualità. Apocalisse. 2007 ⇒431. 25-37/13-23.

7503 *Flemming, Dean* 'On earth as it is in heaven': holiness and the people of God in Revelation. [F]DEASLEY, A. 2007 ⇒30. 343-362.

7504 *Frey, Mathilde* The theological concept of the sabbath in the book of Revelation. [F]PFANDL, G. 2007 ⇒122. 223-239.

7505 **Glabach, Wilfried E.** Reclaiming the book of Revelation: a suggestion of new readings in the local church. AmUSt.TR 259: NY 2007, Lang xii; 212 pp. €56.70. 978-1-4331-0054-3. Bibl. 203-206.

7506 **Gruber, Margareta** Blut aus der Kelter und fleischfressende Vögel: Bilder von Zorn und Erlösung in der Offenbarung des Johannes–Probevorlesung div. Veröffentlichungen. [D]Oberlinner, Lorenz 2007, Diss.-Habil. Vallendar [ThRv 104/1,xvi].

7507 **Guerra Suárez, Luis María** El caballo blanco en el Apocalipsis (Ap 6,1-2/9,11-16) y la presencia de Cristo resucitado en la historia: investigación teológico-bíblica. 2004 ⇒20,7001... 22,7197 . [R]EstB 65 (2007) 565-567 (*Sánchez Navarro, Luis*).

7508 *Harrington, Daniel J.* The slain lamb (Rev 5, 6.12; 13, 8) as an image of christian hope. [F]VANHOYE, A. AnBib 165: 2007 ⇒156. 511-519.

7509 *Harris, G.H.* Can Satan raise the dead?: toward a biblical view of the beast's wound. MSJ 18 (2007) 23-41.

7510 *Hasitschka, Martin* Bilder des Lebens in der Offenbarung des Johannes: Überblick und theologische Deutung. Lebendige Hoffnung. ABIG 24: 2007 ⇒845. 265-286.

7511 **Herms, Ronald** An apocalypse for the church and for the world: the narrative function of universal language in the book of Revelation. BZNW 143: 2006 ⇒22,7205. [R]CBQ 69 (2007) 826-827 (*Hogan, Karina M.*).

7512 *Hitchcock, Mark L.* A critique of the preterist view of Revelation and the Jewish War. BS 164 (2007) 89-100.

7513 *Hofheinz, Marco* Der neue Mensch: zur Renaissance der Apokalyptik in der aktuellen biomedizinethischen Debatte. Apokalyptik und kein Ende?. BTSP 29: 2007 ⇒499. 169-189.

7514 **Huber, Konrad** Einer gleich einem Menschensohn: die Christusvisionen in Offb 1,9-20 und Offb 14,14-20 und die Christologie der Johannesoffenbarung. [D]Niemand, Christoph NTA 51: Müns 2007,

Aschendorff viii; 361 pp. €49. 978-3-402-04799-6. Diss.-Habil. Linz; Bibl. 310-340.

7515 **Huber, Lynn R.** Like a bride adorned: reading metaphor in John's Apocalypse. [D]*O'Day, Gail* Emory Studies in Early Christianity: NY 2007, Clark ix; 221 pp. $38. 978-0-567-02674-3. Diss. Emory; Bibl. 191-215.

7516 *Humphrey, Edith M.* On visions, arguments, and naming: the rhetoric of specificity and mystery in the Apocalypse. [F]WILSON, S. 2007 ⇒ 169. 164-178.

7517 *Jakubowski-Tiessen, Manfred* Apocalypse now–Endzeitvorstellungen im Pietismus. Apokalyptik und kein Ende?. BTSP 29: 2007 ⇒499. 93-116.

7518 **Jung, Franz; Kreuzer, Maria C.** Zwischen Schrecken und Trost: Bilder der Apokalypse aus mittelalterlichen Handschriften: Begleit-buch zu einer Ausstellung von Faksimiles aus der Sammlung Ratho-fer in der Bibliothek des Priesterseminars Speyer. 2006 ⇒22,7213. [R]ThPh 82 (2007) 313-315 (*Steinmetz, F.J.*).

7519 **Kaithkottil, Joice** The conversion of the church and the conversion of the world: a biblical theological study of μετανοέω in the book of Revelation. [D]*Vanni, Ugo* R 2007, 201 pp. Exc. Diss. Gregoriana; Bibl. 175-191.

7520 *Koester, Craig R.* The church and its witness in the Apocalypse of John. TTK 78 (2007) 266-282.

7521 **Kowalski, Beate** Die Rezeption des Propheten Ezechiel in der Of-fenbarung des Johannes. SBB 52: 2004 ⇒20,7011... 22,7220. [R]EThL 83 (2007) 225-227 (*Hauspie, K.*).

7522 *Köhler, Kristell* Wer bin ich?: Macht und Mächte in der Offenbarung des Johannes. Ren. 63/3-4 (2007) 4-11.

7523 *Leaney, Gareth* Paradise lost?: recapturing a biblical doctrine of the new creation. Evangel 25 (2007) 62-66.

7524 *Linke, Waldemar* Księga Ezechiela w Apokalipsie według św. Jana. CoTh 77/4 (2007) 79-101. **P.**

7525 *Manzi, Franco* Il grande drago fu precipato sulla terra: vittoria di Cristo e della chiesa su Satana nell'Apocalisse. ScC 135 (2007) 209-235.

7526 **Marino, Marcello** Custodire la parola: il verbo τηρεῖν nell'Apocalis-se alla luce della tradizione giovannea. SRivBib 40: 2003 ⇒19,7063 ... 21,7496. [R]CDios 220 (2007) 252-253 (*Gutiérrez, J.*).

7527 *Marshall, John W.* John's Jewish (Christian?) apocalypse. Jewish christianity. 2007 ⇒598. 233-256, 328-331.

7528 *Maurer, Ernstpeter* Zwei Reiche: Apokalyptik in biblisch-theologi-scher Perspektive. Apokalyptik und kein Ende?. BTSP 29: 2007 ⇒ 499. 131-150.

7529 **Mayo, Philip L.** 'Those who call themselves Jews': the church and Judaism in the Apocalypse of John. PTMS 60: 2006 ⇒22,7230. [R]CBQ 69 (2007) 583-584 (*Frilingos, Chris*); RBLit (2007) 462-464 (*Barr, David L.*).

7530 *McGinn, Bernard* The emergence of the spiritual reading of the Apocalypse in the third century. [F]GRANT, R. NT.S 125: 2007 ⇒53. 251-272.

7531 **Mennekes, Friedhelm** Apocalypsis: Gerhard Trieb: Dürervariatio-nen. Köln 2007, Wienand 167 pp. €38. [R]StZ 225 (2007) 501-503 (*Meyer zu Schlochtern, Josef*).

7532 *Mußner, Franz* Transzendentale Satanologie (Antichristologie): Impulse Karl RAHNERs und der Johannesapokalypse. [F]VANHOYE, A. AnBib 165: 2007 ⇒156. 569-581.

7533 *Nagel, Alexander-K.* "Siehe, ich mache alles neu?": Apokalyptik und sozialer Wandel. Apokalyptik und kein Ende?. BTSP 29: 2007 ⇒ 499. 253-272.

7534 *Nardin, Martine* L'Apocalypse revisitée. NRTh 129 (2007) 371-387.

7535 **O'Callaghan, Paul** The christological assimilation of the Apocalypse: an essay on fundamental eschatology. 2004 ⇒20,7031. [R]PATH 6 (2007) 477-480 (*Tremblay, Julie*); JThS 58 (2007) 252-254 (*Jones, Ivor H.*).

7536 *Olmo Veros, Rafael del* La actualidad del Apocalipsis. RelCult 53 (2007) 803-832.

7537 **Pedroli, Luca** Dal fidanzamento alla nuzialità escatologica: la dimensione antropologica del rapporto crescente tra Cristo e la chiesa nell'Apocalisse. [D]*Vanni, Ugo* Assisi 2007, Cittadella 501 pp. €21. 97-8-88-308-0895-9. Diss. Rome, Gregoriana; Pres. *Ugo Vanni*; Bibl. 457-488.

7538 **Peters, Olutola K.** The mandate of the church in the Apocalypse of John. Studies in Biblical literature 77: 2005 ⇒21,7522; 22,7243. [R]Henoch 29 (2007) 400-402 (*Arcari, Luca*).

7539 *Poucouta, Paulin* La sagesse dans l'Apocalypse Johannique. [F]MONSENGWO PASINYA, L. 2007 ⇒110. 241-260.

7540 **Price, Robert M.** The paperback Apocalypse: how the christian church was left behind. Amherst, NY 2007, Prometheus 390 pp. 978-1-59102-583-2. Bibl. 361-370.

7541 **Prigent, Pierre** Commentary on the Apocalypse of St. John. [T]*Pradels, Wendy* 2004 ⇒20,6964. [R]Faith & Mission 24/2 (2007) 81-83 (*Bandy, Alan*).

7542 *Rice, George E.* Thematic structure of the book of Revelation. [F]PFANDL, G. 2007 ⇒122. 209-221.

7543 *Rossing, Barbara R.* Apocalyptic violence and politics: end-times fiction for Jews and christians. Contesting texts. 2007 ⇒840. 67-77.

7544 *Sänger, Dieter* "Amen, komm, Herr Jesus!" (Apk 22, 20): Anmerkungen zur Christologie der Johannes-Apokalypse in kanonischer Perspektive. Von der Bestimmtheit. 2007 <2005> ⇒306. 349-370 [Mt 1].

7545 **Siemieniec, Tomasz** Rola 'Zasiadającego na tronie' w dziejach świata i ludzi: studium z teologii Apokalipsy św. Jana. [D]*Witczyk, H.* <dir> 2007, 326 pp. Diss. Lublin [RTL 39,606].

7546 *Skaggs, Rebecca; Doyle, Thomas* Violence in the Apocalypse of John. CuBR 5.2 (2007) 220-234.

7547 *Stobbe, Heinz-G.* Bibelhermeneutik und politische Geschichte: eine kurze Auseinandersetzung mit der apokalyptischen Schriftauslegung christlicher Fundamentalisten. Apokalyptik und kein Ende?. BTSP 29: 2007 ⇒499. 191-206.

7548 [T]**Suggit, John** OECUMENIUS: commentary on the Apocalypse. FaCh 112: 2006 ⇒22,7256. [R]RBLit (2007)* (*Villiers, Pieter G.R. de*).

7549 *Talbert, Charles H.* Divine assistance and enablement of human faithfulness in the Revelation to John viewed within its apocalyptic context. [F]VANHOYE, A. AnBib 165: 2007 ⇒156. 551-567.

7550 **Tavo, Felise** Woman, mother and bride: an exegetical investigation into the 'ecclesial' notions of the Apocalypse. Biblical Tools and Studies 3: Lv 2007, Peeters xvii; 432 pp. €78. 978-90429-18146.

7551 **Thót, Franz** Der himmlische Kult: Wirklichkeitskonstruktion und Sinnbildung in der Johannesoffenbarung. ABIG 22: 2006 ⇒22,7260. ᴿRHPhR 87 (2007) 327-328 (*Grappe, C.*).
7552 **Tonstad, Sigve K.** Saving God's reputation: the theological function of *Pistis Iesou* in the cosmic narratives of Revelation. ᴰ*Longenecker, Bruce W.* LNTS 337: L 2006, Clark xvi; 232 pp. $140. 05670-44947. Diss. St. Andrews.
7553 **Toribio Cuadrado, José Fernando** Apocalipsis: estética y teología. SubBi 31: R 2007, E.P.I.B. 333 pp. €32. 978-88-7653-636-6. Bibl. 283-314 [Rev 1; 22,21].
7554 **Tripaldi, Daniele** Lo spirito e la memoria: esperienza 'profetica' e ricordo di Gesù nell'*Apocalisse di Giovanni*. ᴰ*Pesce, Mauro* 2007, 197 pp. Diss. Bologna.
7555 *Vanni, Ugo* La radice cristologica e antropologica della morale nell'-Apocalisse. ᶠVANHOYE, A. AnBib 165: 2007 ⇒156. 521-549;
7556 Apocalisse. Dizionario... sangue di Cristo. 2007 ⇒1137. 95-102.
7557 **Wilson, Mark** Charts on the book of Revelation: literary, historical, and theological perspectives. GR 2007, Kregel 134 pp. $22.

G2.5 *Apocalypsis*, **Revelation 1,1**...

7558 *Becker, Eve-Marie* "Patmos": en nøgle til fortolkningen af Johannes' abenbaring. DTT 70 (2007) 260-275 [Rev 1,9].
7559 *Rainbow, Jesse* Male μαστοὶ in Revelation 1.13. JSNT 30 (2007) 249-253.
7560 *Fortin, D.* Ellen White's interpretation and use of the seven letters of Revelation. JATS 18 (2007) 202-222 [Rev 2-3].
7561 *Szczur, Piotr* Kościoł pierwotny wobec Nikolaitów. Roczniki Teologiczne 54/4 (2007) 41-64 [Rev 2,6]. **P.**
7562 *Witulski, Thomas* Die ψῆφον λευκήν Apk 2,17–Versuch einer neuen Deutung. SNTU.A 32 (2007) 5-20.
7563 *MacLeod, David J.* The adoration of God the creator: an exposition of Revelation 4. BS 164 (2007) 198-218.
7564 **Morton, Russell S.** One upon the throne and the lamb: a tradition historical / theological analysis of Revelation 4-5. Studies in biblical literature 110: New York, NY 2007, Lang xviii; 241 pp. 978-1-433-10071-0. Bibl. 205-226.
7565 *Strawn, Brent A.* Why does the lion disappear in Revelation 5?: leonine imagery in early Jewish and christian literatures. JSPE 17 (2007) 37-74.
7566 *MacLeod, David J.* The lion who is a lamb: an exposition of Revelation 5:1-7. BS 164 (2007) 323-340.
7567 *Gieschen, Charles A* The lamb (not the man) on the divine throne. ᶠHURTADO, L. & SEGAL, A. 2007 ⇒71. 227-243 [Rev 5,5-14].
7568 *MacLeod, David J.* The adoration of God the redeemer: an exposition of Revelation 5:8-14. BS 164 (2007) 454-471. Part three of three parts of "Worship in heaven".
7569 *Cangemi Trolla, Barbara* L'assenza della tribù di Dan nell'Apocalisse canonica (7,5-8) alla luce delle tradizioni sul patriarca Dan e sui suoi discendenti. Cristianesimi. Spudasmata 117: 2007 ⇒569. 39-58.
7570 *Villiers, Pieter G.R. de* The eschatological celebration of salvation and the prophetic announcement of judgment: the message of Revelation 8:1-6 in the light of its composition. Neotest. 41 (2007) 67-96.

7571 **Siew, Antoninus K.W.** The war between the two beasts and the two witnesses: a chiastic reading of Revelation 11.1-14,5. LNTS 283: 2006 ⇒22,7295. ^RRBLit (2007) 458-462 (*Villiers, Pieter G.R. de*).

7572 *Hitchcock, Mark L.* A critique of the preterist view of the temple in Revelation 11:1-2. BS 164 (2007) 219-236.

7573 *Arcari, Luca* La "donna avvolta nel sole" di Apoc 12,1ss.: spia identificativa per alcune concezioni messianiche espresse dal veggente di Patmos. Mar. 69 (2007) 17-122.

7574 *Ben-Daniel, John* Towards the mystical interpretation of Revelation 12. RB 114 (2007) 594-614.

7575 *Billon, Gérard* Le signe du dragon: jeux des points de vue en Ap 12. Regards croisés sur la bible. LeDiv: 2007 ⇒875. 105-116.

7576 *Hecht, Anneliese* "Sagt an, wer ist doch diese, die hoch am Himmel geht?" Bibelarbeit zur himmlischen Frau in Offb 12, 1-17, die auf Maria bezogen wird. Maria–Mutter Jesu. 2007 ⇒445. 58-64.

7577 *Schreiber, Stefan* Die Sternenfrau und ihre Kinder (Offb 12): zur Wiederentdeckung eines Mythos. NTS 53 (2007) 436-457.

7578 *Shin, E.C.* The conqueror motif in chapters 12-13: a heavenly and an earthly perspective in the book of Revelation. VeE 28 (2007) 207-23.

7579 *Kovar, Johannes* Die Gebote in Offenbarung 12,17. ^FPFANDL, G. 2007 ⇒122. 241-263.

7580 *Duplantier, Jean-Pierre* Les deux bêtes et l'agneau égorgé: Apocalypse 13. SémBib 128 (2007) 39-55.

7581 *Hitchcock, Mark L.* A critique of the preterist view of Revelation 13 and NERO. BS 164 (2007) 341-356.

7582 **Kirchmayr, Karl** Berechnung der Zahl des Tieres (Apk 13,18): eine Denksportaufgabe aus der Bibel. Diomedes 4: Salzburg 2007, Altertumswissenschaft Universität 31 pp. 1813-6915.

7583 *Williams, Peter J.* P 115 and the number of the beast. TynB 58/1 (2007) 151-153 [Rev 13,18].

7584 *Żywica, Zdzisław* L'agnello ritto sul Monte Sion (studio esegetico Ap 14,1-3). Ethos and exegesis. 2007 ⇒464. 182-192.

7585 *Müller, Ekkehardt* The beast of Revelation 17: a suggestion. JAAS 10 (2007) 27-50, 153-176.

7586 *Van Kooten, George H.* The year of the four emperors and the Revelation of John: the 'pro-Neronian' emperors Otho and Vitellius, and the images and colossus of NERO in Rome. JSNT 30 (2007) 205-248 [Rev 17].

7587 *Frilingos, Chris* Wearing it well: gender at work in the shadow of empire. Mapping gender. BiblInterp 84: 2007 ⇒621. 333-349 [Rev 17-18].

7588 *Hitchcock, Mark L.* A critique of the preterist view of Revelation 17:9-11 and NERO. BS 164 (2007) 472-485.

7589 *Carvalho, José C.* Esperança e resistência em tempos de desencanto: estudo exegético-teológico da simbologia babilónica de Ap 18. Did(L) 37 (2007) 203-215.

7590 *Perry, Peter S.* Critiquing the excess of empire: a synkrisis of John of Patmos and DIO of Prusa. JSNT 29 (2007) 473-496 [Rev 18].

7591 **Bauer, Thomas J.** Das tausendjährige Messiasreich der Johannesoffenbarung: eine literarische Studie zu Offb 19,11-21,8. ^D*Prostmeier, Ferdinand R.* BZNW 148: B 2007, De Gruyter xi; 442 pp. €98. 978-3-11-019550-7. Diss. Giessen; Bibl. 398-435.

G2.7 **Millenniarismus**, *Apc 20...*

7592 *Hodges, Zane C.* Law and grace in the millennial kingdom. Journal of the Grace Evangelical Society 20/38 (2007) 31-38.
    ᴱMcGhee, G., *al.*, War in heaven...apocalyptic 2005 ⇒612.
7593 **Riddlebarger, Kim** A case of amillennialism: understanding the end times. 2003 ⇒21,7612. ᴿBS 164 (2007) 242-243 (*Witmer, John A.*).
7594 *Sparn, Walter* Chiliastische Hoffnungen und apokalyptische Ängste: das abendländische Erbe im neuen Jahrtausend. Apokalyptik und kein Ende?. BTSP 29: 2007 ⇒499. 201-228.
7595 *Rosetti, C. Lorenzo* Millennio e prima risurrezione: Ap 20:1-6 e il destino eschatologico dei santi: un'ipotesi esegetica e suo significato teologico. Gr. 88 (2007) 273-290, 473-489.
7596 *Buitenwerf, Rieuwerd* The Gog and Magog tradition in Revelation 20:8. The book of Ezekiel and its influence. 2007 ⇒835. 165-181.
7597 **Mathewson, David** A new heaven and a new earth: the meaning and function of the Old Testament in Revelation 21.1-22.5. JSNT.S 238: 2003 ⇒19,7138... 22,7324. ᴿBBR 17 (2007) 351-355 (*Beale, G.K.*).
7598 **Müller-Fieberg, Rita** Das "neue Jerusalem"...eine Auslegung von Offb 21,1-22,5. BBB 144: 2003 ⇒19,7141; 21,7621. ᴿThGl 97 (2007) 118-120 (*Kowalski, Beate*).
7599 *Suber Williams, Marvin* Early christian formation as a paradigm of liberation: studying the role of δοῦλος in Revelation 21.1-22.5. ᴹMETZGER, B. NTMon 19: 2007 ⇒105. 264-286
7600 **Álvarez Valdés, Ariel** La nueva Jerusalén: ¿ciudad celeste o ciudad terrestre?: estudio exegético y teológico de Ap 21,1-8. Associación Bíblica Española 42: Estella 2006, Verbo Divino 404 pp. Abbrev. Diss. Salamanca 2004. ᴿRBLit (2007)* (*Raquel, Sylvie*).
7601 *Waweru, Humphry* Postcolonial and contrapuntal reading of Revelation 22:1-5. ChM 121/1 (2007) 23-38.
7602 **Hieke, Thomas; Nicklas, Tobias** "Die Worte der Prophetie dieses Buches": Offenbarung 22,6-21 als Schlussstein der christlichen Bibel Alten und Neuen Testaments gelesen. BThSt 62: 2003 ⇒19,7146... 21,7627. ᴿRBLit (2007)* (*Kowalski, Beate*).

XII. Paulus

G3.1 **Pauli biographia**

7603 *Beaude, Pierre-Marie* La conversion de saint Paul. LV(L) 61/4 (2007) 33-43.
7604 ᴱ**Becker, Eve-Marie; Pilhofer, Peter** Biographie und Persönlichkeit des Paulus. WUNT 187: 2005 ⇒21,349; 22,7329. ᴿTThZ 116 (2007) 88-89 (*Eckert, Jost*); TJT 23 (2007) 184-186 (*Baker, Murray*); JThS 58 (2007) 658-660 (*Räisänen, Heikki*); RBLit (2007)* (*Röhser, Günter*).
7605 **Bermejo, Luis M.** Paul: missionary, mystic, martyr. Anand, Gujarat 2007, Gujarat Shatiya xii; 332 pp. Rs165/$15. 978-81893-17317. ᴿVJTR 71 (2007) 857-859 (*Shobhita*).

7606 **Caiazza, Pietro** San Paolo e la Spagna: un viaggio in oriente?. Schola salernitana, Studi e testi 12: Salerno 2007, Laveglia 158 pp. 978-8-8-88773-66-7.

7607 **Cassidy, Richard J.** Paul in chains: Roman imprisonment and the letters of St. Paul. 2001 ⇒17,6260... 19,7153. [R]VJTR 71 (2007) 633-635 (*D'Souza, Gretta*).

7608 **Chilton, Bruce** Rabbi Paul: an intellectual biography. 2004 ⇒20, 7108... 22,7332. [R]AsbJ 62/2 (2007) 123-124 (*Walker, Dale F.*).

7609 **Dreyfus, P.** Pablo de Tarso: ciudadano del imperio. M 2007, Palabra 485 pp.

7610 *Du Toit, Andrie* A tale of two cities: 'Tarsus or Jerusalem' revisited. Focusing on Paul. BZNW 151: 2007 <2000> ⇒216. 3-33.

7611 **Dunn, James D.G.** The new perspective on Paul: collected essays. WUNT 185: 2005 ⇒21,7638; 22,7335. [R]RBLit (2007)* (*Ehrensperger, Kathy*).

7612 *Goodman, Martin* The persecution of Paul by diaspora Jews. Judaism in the Roman world. AJEC 66: 2007 <2005> ⇒236. 145-152.

7613 **Hooker, Morna D.** Paul: a short introduction. 2003 ⇒19,7159. [R]HeyJ 48 (2007) 282-283 (*McNamara, Martin*).

7614 *Koperski, Veronica* Paul and his Jewish heritage. BiTod 45 (2007) 273-278.

7615 **McRay, John** Paul: his life and teaching. GR 2007, Baker 479 pp. 0-8010-3239-3.

7616 **Murphy-O'Connor, Jerome** Paul: his story. 2004 ⇒20,7123... 22, 7340. [R]Theol. 110 (2007) 42-43 (*Thompson, Michael B.*);

7617 Jesus and Paul: parallel lives. ColMn 2007, Liturgical x; 121 pp. $15;

7618 Paolo: un uomo inquieto, un apostolo insuperabile. Mi 2007, San Paolo 320 pp. €22;

7619 Paulo de Tarso: história de um apóstolo. [T]*Marques, Valdir* São Paulo 2007, Loyola 280 pp. 978-85150-33294.

7620 *Pesch, Rudolf* Paulus und die jüdische Identität: "Jeder, der den Götzendienst zurückweist, wird ein Jude genannt" (Meg 13A). [F]VANHOYE, A. AnBib 165: 2007 ⇒156. 387-399.

7621 **Prinz, Alois** Der erste Christ: die Lebensgeschichte des Apostels Paulus. Weinheim 2007, Beltz & Gelberg 248 pp. €18. 978-34078-1-0205.

7622 **Rivas, Luis H.** San Pablo: su vida: sus cartas: su teología. Andamios Maior: BA 2007, San Benito 192 pp. 98710-0723X.

7623 **Roetzel, Calvin J.** Paul–a Jew on the margins. 2003 ⇒19,7171; 20, 7127. [R]RExp 104 (2007) 391-393 (*Goodman, Daniel E.*).

7624 *Saffrey, Henri D.* Paul (Saül), un juif de la diaspora. Ment. *Jerome*. RSPhTh 91 (2007) 313-322.

7625 **Saffrey, Henri-D.** Histoire de l'apôtre Paul, ou faire chrétien le monde. P 2007, Desclée de B. 268 pp. €19. 978-22200-57576.

7626 **Schäfer, Ruth** Paulus bis zum Apostelkonzil: ein Beitrag zur Einleitung in den Galaterbrief, zur Geschichte der Jesusbewegung und zur Pauluschronologie. WUNT 2/179: 2004 ⇒20,7128... 22,7341. [R]BBR 17 (2007) 178-179 (*Schnabel, Eckhard J.*).

7627 **Schnelle, Udo** Apostle Paul: his life and theology. [T]*Boring, M. Eugene* 2005 ⇒21,7656. [R]Dialog 46/1 (2007) 14-18 (*Balch, David L.*); RBLit (2007) 422-427 (*Atkinson, Kenneth*).

7628 **Stourton, Edward** Paul of Tarsus: a visionary life. 2005 ⇒21,7659; 22,7343. [R]RBLit (2007)* (*Anderson, Valérie N.*).

7629   **Tatum, Gregory** New chapters in the life of Paul: the relative chronology of his career. CBQ.MS 41: 2006 ⇒22,7344. ᴿCBQ 69 (2007) 836-837 (*Asher, Jeffrey R.*); RBLit (2007)* (*Becker, Eve-Marie*); ITS 44 (2007) 311-321 (*Legrand, Lucien*).
7630   **Tomkins, Stephen** Paulus und seine Welt. ᵀ*Stein, Gabriele* FrB 2007, Herder 192 pp. €16.90. 978-34512-92682;
7631   Pablo y su mundo. Conocer la historia: M 2007, San Pablo 192 pp. 978-84285-30017.
7632   *Van Bruggen, Jakob* The martyrdom of Paul. Hearing visions. 2007 ⇒817. 105-113.
7633   **Vidal, Senén** Pablo: de Tarso a Roma. Presencia Teológica 158: Sdr 2007, Sal Terrae 255 pp.
7634   **Wick, Peter** Paulus. UTB basics 2858: 2006 ⇒22,7350. ᴿSNTU.A 32 (2007) 269-271 (*Zugmann, M.*); RBLit (2007)* (*Konradt, Matthias*).
7635   ᴱ**Wischmeyer, Oda** Paulus: Leben–Umwelt–Werk–Briefe. UTB 2767: 2006 ⇒22,491. ᴿEThL 83 (2007) 491-494 (*Stenschke, Christoph*); JETh 21 (2007) 317-319 (*Schnabel, Eckhard*).

G3.2 Corpus paulinum; *generalia, technica epistularis*

7636   *Aasgaard, Reidar* Paul as a child: children and childhood in the letters of the apostle. JBL 126 (2007) 129-159.
7637   *Aletti, Jean-Noël* Bulletin paulinien. RSR 95 (2007) 417-442.
7638   *Alinsangan, Gil* Paul, the letter writer. MST Review 9/1 (2007) 1-7.
7639   *Blanton, Ward* Disturbing politics: neo-Paulinism and the scrambling of religious and secular identities. Dialog 46/1 (2007) 3-13.
7640   *Canavan, Rosemary* First century inclusive language. Colloquium 39 1 (2007) 3-15.
7641   ᴱ**Capes, David B.; Reeves, Rodney; Richards, E. Randolph** Rediscovering Paul: an introduction to his world, letters, and theology. DG 2007, InterVarsity 350 pp. £28/15. 978-18447-42424. Bibl. 320-329.
7642   ᴱ**Cericato, Jacinta** 365 dias com a ternura de Paulo. São Paulo 2007, Paulinas 223 pp.
7643   *Chilton, Bruce* Paul's thought and life. Historical knowledge. 2007 ⇒403. 249-277.
7644   *Choat, Malcolm* Epistolary formulae in early Coptic letters. Actes du huitième congrès. OLA 163: 2007 ⇒989. 667-677.
7645   **Crossan, John Dominic; Reed, Jonathan L.** Em busca de Paulo: como o apóstolo de Jesus opôs o reino de Deus ao império romano. ᵀ*Maraschin, Jaci* Bíblia e arqueologia: São Paulo 2007, Paulinas 429 pp. 978-85356-19775.
7646   **Debanné, Marc J.** Enthymemes in the letters of Paul. LNTS 303: 2006 ⇒22,7358. ᴿJThS 58 (2007) 660-663 (*Foster, Paul*).
7647   ᴱ**Dettwiler, Andreas; Kaestli, Jean-Daniel; Marguerat, Daniel L.** Paul, une théologie en construction. MoBi 51: 2004 ⇒20,337... 22,7359. ᴿRSR 95 (2007) 430-431 (*Aletti, Jean-Noël*); Telema 129-130 (2007) 116-118 (*Nsongisa Kimesa, Chantal*).
7648   **Dianzon, Bernadita** Glimpses of Paul and his message. Pasay City 2007, Paulines 201 pp. 978-97159-06272.
7649   *Du Toit, Andrie* Hyperbolical contrasts: a neglected aspect of Paul's style. Focusing on Paul. BZNW 151: 2007 <1986> ⇒216. 35-44;

7650 Vilification as a pragmatic device in early christian epistolography. Focusing on Paul. BZNW 151: 2007 <1994> ⇒216. 45-56.

7651 ^E**Dunn, James D.G.** The Cambridge companion to St. Paul. 2003 ⇒ 19,336... 22,7360. ^RSNTU.A 32 (2007) 263-65 (*Pratscher, Wilhelm*).

7652 **Eckstein, Peter** Gemeinde, Brief und Heilsbotschaft: ein phänomenologischer Vergleich zwischen Paulus und Epikur. Herders Biblische Studien 42: 2004 ⇒20,7146; 22,7361. ^RBZ 51 (2007) 278-280 (*Erler, Michael*).

7653 *Esler, Philip F.* "Remember my fetters": memorialisation of Paul's imprisonment. Explaining christian origins. 2007 ⇒609. 231-258.

7654 **Fabris, Rinaldo; Romanello, Stefano** Introduzione alla lettura di Paolo. 2006 ⇒22,7362. ^RStPat 54 (2007) 694-5 (*Broccardo, Carlo*).

7655 *Frey, Jörg* Paul's Jewish identity. Jewish identity. AJEC 71: 2007 ⇒ 577. 285-321.

7656 **Gorman, Michael J.** Apostle of the crucified Lord: a theological introduction to Paul and his letters. 2004 ⇒20,7150... 22,7371. ^RTJT 23 (2007) 192-193 (*Lewis, Scott M.*).

7657 *Grabner-Haider, Anton* Lebenswelt der Paulusschüler;

7658 Lebenswelt des Paulus. Kulturgeschichte der Bibel. 2007 ⇒435. 381-386/369-380.

7659 *Horn, Friedrich W.* Paulus predigen: exegetische Beobachtungen zu paulinischen Texten in gegenwärtigen Predigthilfen. Praktische Theologie 42/2 (2007) 85-92.

7660 **Horrell, David** An introduction to the study of Paul. ²2006 ⇒22, 7377. ^RRBLit (2007)* (*Stanley, Christopher; Westerholm, Stephen*).

7661 *Jennings, Theodore W., Jr.* Paul and sons: (post-modern) thinkers reading Paul. Reading Romans... philosophers. 2007 ⇒439. 85-114.

7662 *Kelhoffer, James A.* Suppressing anger in early christianity: examples from the Pauline tradition. GRBS 47 (2007) 307-325.

7663 **Klauck, Hans-Josef** Ancient letters and the New Testament: a guide to context and exegesis. 2006 ⇒22,7380. ^RRBLit (2007)* (*Botha, Pieter J.J.*).

7664 'Llamados a la libertad': cartas de Pablo. Palabra-Misión 9: 2006 ⇒ 22,7388. ^RIter 42-43 (2007) 411-414 (*Frades, Eduardo*).

7665 **Malina, Bruce J.; Pilch, John J.** Social-science commentary on the letters of Paul. 2006 ⇒22,7390. ^RBTB 37 (2007) 82-83 (*Johnson, Lee A.*); TJT 23/1 (2007) 69-71 (*Mitchell, Matthew W.*); RBLit (2007)* (*Verhoef, Eduard; Anderson, Valérie N.*).

7666 ^E**Meeks, Wayne; Fitzgerald, John** The writings of St. Paul: annotated texts, reception and criticism. Norton Critical Editions: NY ²2007 <1972>, Norton xxxv; 710 pp. $18.25. 978-03939-72801.

7667 ^T**Miller, Ron** The sacred writings of Paul: annotated & explained. Woodstock, VT 2007, Skylight Paths xlvii; 171 pp. 978-1-594-7321-3-3. Bibl.

7668 **Need, Stephen W.** Paul today: challenging readings of Acts and the epistles. Essential Inquiries 1: NY 2007, Cowley viii; 153 pp. $16. 978-15610-12961; Bibl. 141-146.

7669 **Polaski, Sandra H.** A feminist introduction to Paul. 2005 ⇒21, 7694; 22,7395. ^RBiCT 3/2 (2007)* (*Townsley, Gillian*).

7670 ^E**Porter, Stanley E.** The Pauline canon. Pauline Studies 1: 2004 ⇒ 20,420... 22,461. ^RFgNT 20 (2007) 152-155 (*Stenschke, Christoph*).

7671 **Richards, E. Randolph** Paul and first-century letter writing: secretaries, composition and collection. 2004 ⇒20,7168; 21,7699. ^RRBLit (2007)* (*Gruen, William*).

7672 ᴱ**Scilironi, C.** San Paolo e la filosofia del novecento. Sem. Univ. di Padova 2004 ⇒20,723; 21,7700. ᴿStPat 54 (2007) 246-248 (*De Carolis, Francesco*).

7673 **Scott, Ian W.** Implicit epistemology in the letters of Paul: story, experience and the spirit. WUNT 2/205: 2006 ⇒22,7398. ᴿThLZ 132 (2007) 945-946 (*Alkier, Stefan*); RSR 95 (2007) 438-439 (*Aletti, Jean-Noël*).

7674 **Suhl, Alfred** Die Briefe des Paulus: eine Einführung. SBS 205: Stu 2007, Kathol. Bibelwerk 272 pp + 1 CD-ROM. 978-3-460-03054-1. Bibl. 257-266.

7675 **Tiwald, Markus** Hebräer von Hebräern (Phil 3,5): Paulus auf dem Hintergrund frühjüdischer Argumentation und biblischer Interpretation. ᴰ*Kühschelm, Roman* 2007, Diss.-Habil. Wien [ThRv 104/1,xvi].

7676 **Vouga, François** Yo, Pablo: las confesiones del apóstol. Servidores y Testigos 105: Sdr 2007, Sal Terrae 262 pp. 978-84293-16800.

7677 **Wilder, Terry L.** Pseudonymity, the New Testament, and deception: an inquiry into intention and reception. 2004 ⇒20,7180; 22,7408. ᴿThLZ 132 (2007) 1208-1210 (*Baum, Armin D.*).

7678 **Witherup, Ronald D.** Saint Paul: called to conversion. Cincinnati 2007, St. Anthony Messenger 129 pp. $13.

7679 **Zhao, Yanxia** Father and son in Confucianism and christianity: a comparative study of Xunzi and Paul. Portland, OR 2007, Sussex A. xiii; 245 pp. $67.50. 978-18451-91610 [ThD 53,196–W.C. Heiser].

7680 **Zuntz, Günther** The text of the epistles: a disquisition upon the corpus paulinum–the Schweich lectures. Oxf 2004 <1953>, OUP xvii; 295 pp. £60. 01972-58693.

G3.3 Pauli theologia

7681 *Aguilar Chiu, José E.* Justification and the spirit in Paul: is there a relationship?. ᶠVANHOYE, A. AnBib 165: 2007 ⇒156. 357-377.

7682 *Alison, James* Blindsided by God. AThR 89 (2007) 195-212.

7683 *Bachmann, Michael* J.D.G. Dunn und die Neue Paulusperspektive. ThZ 63 (2007) 25-43.

7684 **Balder, Holger** Glauben ist Wissen: Soteriologie bei Paulus und BARTH in der Perspektive der Wissenschaftstheorie von Alfred Schütz. ᴰ*Schoberth, Wolfgang* Neuk 2007, Neuk xvi; 615 pp. €39.90. 978-37887-22135. Diss. Bayreuth.

7685 **Barbaglio, Giuseppe** Gesù di Nazaret e Paolo di Tarso: confronto storico. La Bibbia nella storia 11b: 2006 ⇒22,7420. ᴿRivBib 55 (2007) 237-243 (*Jossa, Giorgio*).

7686 *Barton, Stephen C.* Memory and remembrance in Paul. Memory in the bible. WUNT 212: 2007 ⇒764. 321-339.

7687 **Bassler, Jouette M.** Navigating Paul: an introduction to key theological concepts. LVL 2007, Westminster xii; 139 pp. $20. 978-06642-27418. ᴿCBQ 69 (2007) 809-810 (*Achtemeier, Paul J.*); RBLit (2007)* (*Bryant, Robert A.; Downs, David J.; Campbell, William S.*).

7688 **Beattie, Gillian** Women and marriage in Paul and his early interpreters. JSNT.S 296: 2005 ⇒21,7725. ᴿNeotest. 41 (2007) 444-446 (*Nortjé-Meyer, Lilly*); JThS 58 (2007) 663-665 (*Gooder, Paula*); RBLit (2007)* (*Lieu, Judith*).

7689 **Beck, T. David** The Holy Spirit and the renewal of all things: pneumatology in Paul and Jürgen MOLTMANN. PTMS: Eugene, OR 2007, Pickwick viii; 269 pp. $31. 15563-5102X.

7690 *Belli, Filippo* Por qué usa Pablo las Escrituras de Israel?: esbozo de respuesta. Entrar en lo antiguo. 2007 ⇒788. 85-104 [Rom 9-11].

7691 *Biser, Eugen* War Paulus ein Mystiker?. LebZeug 62/1 (2007) 25-30.

7692 **Brondos, David A.** Paul on the cross: reconstructing the apostle's story of redemption. 2006 ⇒22,7431. [R]RBLit (2007)* (*Carson, D.A.*).

7693 *Brondos, David A.* Paul, LUTHER, and the cross: in *Dialog* with Karl Donfried. Dialog 46/2 (2007) 174-176.

7694 **Burke, Trevor J.** Adopted into God's family: exploring a Pauline metaphor. 2006 ⇒22,7432. [R]RBLit (2007)* (*Coloe, Mary L.*).

7695 *Cadrin, Daniel* La souffrance comme voie d'accès au réel chez Simone WEIL et Paul de Tarse. ScEs 59/1 (2007) 61-70.

7696 *Chester, Andrew* Messianism, mediators and Pauline christology. Messiah and exaltation. WUNT 207: 2007 <1991> ⇒209. 329-396.

7697 **Crossan, John D.; Reed, J.L.** En busca de Pablo: el imperio de Roma y el reino de Dios frente a frente en una nueva vfsión de las palabras y el mundo del apóstol de Jesús. Ágora 20: 2006 ⇒22,7437. [R]CTom 134 (2007) 436-438 (*Huarte Osácar, Juan*).

7698 **De Roo, Jacqueline C.R.** "Works of the law" at Qumran and in Paul. NTMon. 13: Shf 2007, Sheffield Phoenix xiv; 280 pp. $95. 978-1-905048-30-4. Bibl. 246-258.

7699 *Della Torre, Stefano* Appunti di oggi su Paolo di Tarso. Studi Fatti Ricerche 117 (2007) 3-7.

7700 *Díaz Rodelas, Juan M.* Textos paulinos sobre la encarnación. [F]VANHOYE, A. AnBib 165: 2007 ⇒156. 337-355 [Rom 1,3-4; 8,3; 2 Cor 8,9; Gal 4,4; Phil 2,6-11].

7701 *Du Toit, Andrie* The centrality of grace in the theology of Paul. Focusing on Paul. BZNW 151: 2007 <1996> ⇒216. 77-94;

7702 Faith and obedience in Paul. Focusing on Paul. BZNW 151: 2007 <1991> ⇒216. 117-127.

7703 **Dunn, James D.G.** A teologia do apóstolo Paulo. [T]Royer, Edwino Biblioteca de Estudos Bíblicos: 2003 ⇒19,7251; 21,7754. [R]PerTeol 39 (2007) 273-279 (*Marques, Valdir*).

7704 **Elias, Jacob W.** Remember the future: the pastoral theology of Paul the apostle. 2006 ⇒22,7446. [R]CR&T 5/1 (2007) 4-19 (*Rollins, Wayne G.*).

7705 **Fee, Gordon D.** Pauline christology: an exegetical-theological study. Peabody, Mass. 2007, Hendrickson xxxi; 707 pp. $40. 978-1-598-56-035-0. Bibl. 639-665. [R]CBQ 69 (2007) 824-825 (*Swetnam, James*).

7706 **Finkelde, Dominik** Politische Eschatologie nach Paulus: Badiou–Agamben–Žižek–Santner. W 2007, Turia & K. 141 pp. €15. 978-38-513-24815.

7707 *Finlan, S.* Paul's metaphors for Jesus' saving death. Fourth R [Santa Rosa, CA] 20/6 (2007) 9-12, 23.

7708 **Finlan, Stephen** The background and content of Paul's cultic atonement metaphors. Academia Biblica 19: 2004 ⇒20,7231; 21,7762. [R]LTP 63 (2007) 183-185 (*Gignac, Alain*).

7709 *Finlan, Stephen* Can we speak of *theosis* in Paul?. Partakers of the divine nature. 2007 ⇒954. 68-80.

7710 *Fletcher, Jeffrey* Monotheism and the veneration and pre-existence of Jesus in Paul's theology. JRadRef 14/1 (2007) 32-45.

7711 *Frick, Peter* The means and mode of salvation: a hermeneutical proposal for clarifying Pauline soteriology. HBT 29 (2007) 203-222.

7712 *Gathercole, S.* What did Paul really mean?. ChristToday 51/8 (2007) 22-28.

7713 **Gaventa, Beverly R.** Our mother Saint Paul. LVL 2007, Westminster xii; 218 pp. $25. 978-06642-31491. Bibl.

7714 *Gorman, Michael J.* 'You shall be cruciform for I am cruciform': Paul's trinitarian reconstruction of holiness. ᶠDEASLEY, A. 2007 ⇒ 30. 148-166.

7715 *Granados, J.M.* La misión del creyente en los procesos de reconciliación social: los sportes de la teología de Pablo. Medellín 33 (2007) 77-90.

7716 *Hafemann, S.J.* Paul's concern for the unity of the church: an embodiment of his new covenant theology. Doon Theological Journal [Dehradun, India] 4/2 (2007) 117-137.

7717 *Hagner, Donald A.* Paul as a Jewish believer–according to his letters. Jewish believers in Jesus. 2007 ⇒519. 96-120.

7718 *Hainz, Josef* Vermittelte Versöhnung?: zu Jens Schröters Buch "Der versöhnte Versöhner: Paulus als Mittler im Heilsvorgang". ᴹKUSS, O. 2007 ⇒9,6151. 207-225.

7719 *Harink, Douglas* Paul and Israel: an apocalyptic reading. ProEc 16 (2007) 359-380.

7720 **Harrison, James R.** Paul's language of grace in its Graeco-Roman context. WUNT 2/172: 2003 ⇒19,7266; 22,7460. ᴿBZ 51 (2007) 141-143 (*Zeller, Dieter*).

7721 **Hays, Richard B.** The conversion of the imagination: Paul as interpreter of Israel's scripture. 2005 ⇒21,223; 22,7462. ᴿEvangel 25/1 (2007) 22-23 (*Mathlin, Teijo*); SNTU.A 32 (2007) 265-267 (*Hintermaier, Johann*); NT 49 (2007) 301-303 (*Rodgers, Peter R.*).

7722 **Häußer, Detlef** Christusbekenntnis und Jesusüberlieferung bei Paulus. WUNT 2/210: 2006 ⇒22,7465. ᴿJETh 21 (2007) 297-300 (*Buchegger-Múller, Jürg*).

7723 *Heckel, Theo K.* Die Identität des Christen bei Paulus. Identität. BTSP 30: 2007 ⇒409. 41-65.

7724 *Hjulstad Junttila, Maria* Memento mori: "for meg er livet Kristus, og døden en vinning" Fil 1,21. Ung teologi 40/2 (2007) 21-27.

7725 **Hodge, Caroline J.** If sons, then heirs: a study of kinship and ethnicity in the letters of Paul. Oxf 2007, OUP viii; 246 pp. $45. 978-0-19-518216-3. Bibl. 209-237.

7726 **Holtz, Gudrun E.** Damit Gott sei alles in allem: Studien zum paulinischen und frühjüdischen Universalismus. ᴰEckstein, Hans-Joachim Ment. *Philo.* BZNW 149: B 2007, De Gruyter xi; 650 pp. €129. 978-3-11-019553-8. Diss.-Habil. Tübingen; Bibl. 569-618.

7727 *Hultgren, A.J.* Flashpoints in interpreting Paul. Dialog 46/2 (2007) 166-169.

7728 *Juncker, Günther H.* "Children of promise": spiritual paternity and patriarch typology in Galatians and Romans. BBR 17 (2007) 131-160 [Rom 9,7-13; Gal 4,21-31].

7729 *Karle, Isolde* Nicht Mann noch Frau: der Apostel Paulus plädierte für eine Auflösung der Geschlechterrollen in der Kirche. zeitzeichen 8/6 (2007) 52-54.

7730 *Keiser, Jeffrey* Crucifying Adam: the mysticism and mystagogy of Paul the Apostle. Arc 35 (2007) 189-210.

7731 **Klein, Günter** Das Problem des Schismas bei Paulus. [E]*Hübner, T.* Dokumente aus Theologie und Kirche 4: Rheinbach 2007, CMZ 192 pp. €19.80. 978-38706-20868. Diss.-Habil 1961.

7732 *Koester, Helmut* Paul's proclamation of God's justice for the nations. Paul & his world. 2007 <2004> ⇒257. 3-14.

7733 *Lampe, Peter* Human sacrifice and Pauline christology. Human sacrifice. SHR 112: 2007 ⇒926. 191-209.

7734 *Leyrer, D.P.* Πίστις Χριστοῦ: faith in or faithfulness of Christ?. WLQ 104/1 (2007) 152-154.

7735 *Longenecker, Bruce* On Israel's God and God's Israel: assessing supersessionism in Paul. JThS 58 (2007) 26-44.

7736 *Löhr, Hermut* Paulus und der Wille zur Tat: Beobachtungen zu einer frühchristlichen Theologie als Anweisung zur Lebenskunst. ZNW 98 (2007) 165-188 [Rom 6-8; Gal 5,13-6,10].

7737 **Lyu, Eun-Geol** Sünde und Rechtfertigung bei Paulus: eine exegetische Untersuchung zum paulinischen Sündenverständnis aus soteriologischer Sicht. [D]*Lampe, Peter* 2007, Diss. Heidelberg.

7738 *Mallofret Lancha, Manuel* La iglesia en las cartas auténticas de Pablo y en algunas tradiciones posteriores. Isidorianum 16/2 (2007) 247-279.

7739 *Matlock, R. Barry* The rhetoric of πίστις in Paul: Galatians 2.16, 3.22, Romans 3.22, and Philippians 3.9. JSNT 30 (2007) 173-203.

7740 *Mben, Loic* Women in Pauline corpus. Hekima Review 37 (2007) 7-20.

7741 *Newman, Carey C.* Christophany as a sign of 'the end'. [F]HURTADO, L. & SEGAL, A. 2007 ⇒71. 155-167.

7742 *Oakes, P.* Moses in Paul. La construction de la figure de Moïse. 2007 ⇒873. 249-261.

7743 *Omerzu, Heike* Paulus als Politiker?: das paulinische Evangelium zwischen Ekklesia und Imperium Romanum. [F]HAACKER, K. ABIG 27: 2007 ⇒57. 267-287.

7744 *Otero Lázaro, Tomás* 'Por fe': reflexión sobre la fe en San Pablo. Burg. 48 (2007) 341-369.

7745 *Owen, Paul L.* The "works of the law" in Romans and Galatians: a new defense of the subjective genitive. JBL 126 (2007) 553-577 [Rom 3,20; 3,28; Gal 2,16; 3,2; 3,5; 3,10].

7746 *Panjikaran, J.G.* The theology of salvation in the epistles of Paul. JJSS 7/2 (2007) 63-73.

7747 *Pascuzzi, Maria* The battle of the gospels: Paul's anti-imperial message and strategies past and present for subverting the empire. PIBA 30 (2007) 34-53.

7748 *Pastor Ramos, Federico* ¿Es la justificación el centro de la antropología soteriológica de Pablo?. [F]VANHOYE, A. AnBib 165: 2007 ⇒ 156. 379-385.

7749 *Penna, Romano* Divenire e natura della chiesa: da Paolo alla tradizione paolina. AnStR 8 (2007) 343-355.

7750 **Philip, Finny** The origins of Pauline pneumatology: the eschatological bestowal of the Spirit upon gentiles in Judaism and in the early development of Paul's theology. WUNT 2/194: 2005 ⇒21,7808; 22,7484. [R]ThLZ 132 (2007) 941-942 (*Horn, Friedrich W.*).

7751 *Piñero, Antonio* On the hellenization of christianity: one example: the salvation of gentiles in Paul. [F]GARCÍA MARTÍNEZ, F. JSJ.S 122: 2007 ⇒46. 667-683.

7752 *Pitta, Antonio* Ermeneutica paolina della scrittura. RstB 19/2 (2007) 163-190.

7753 *Piwowarczyk, Bogdan* Ein großer Bekehrter lenkt den Blick direkt auf Christus: zum Paulus-Jahr 2008, I. Teil. KlBl 87 (2007) , 296-98.

7754 **Plietzsch, Susanne** Kontexte der Freiheit: Konzepte der Befreiung bei Paulus und im rabbinischen Judentum. Judentum und Christentum 16: 2005 ⇒21,7810. [R]ThLZ 132 (2007) 317-318 (*Wengst, Klaus*).

7755 *Ponsot, Hervé* Fils dans le fils: la cause finale de la théologie paulinienne. BLE 108 (2007) 315-326.

7756 **Pulcinelli, Giuseppe** La morte di Gesù come espiazione: la concezione paolina. [D]*Penna, Romano* Studi sulla bibbia e il suo ambiente 11: CinB 2007, San Paolo 463 pp. €32. 978-88-215-5865-8. Diss. Pont. Univ. Lateranense; Bibl. 381-423. [R]Sapienza della Croce 22 (2007) 436-437 (*Maximus a S.R.P.Cp*).

7757 **Reinmuth, Eckart** Paulus: Gott neu denken. Biblische Gestalten 9: 2004 ⇒20,7276... 22,7490. [R]JETh 21 (2007) 309-313 (*Schnabel, Eckhard*).

7758 *Rensperger, David* Spirit, spirituality, and divine presence in Paul;

7759 *Sanders, E.P.* God gave the law to condemn: providence in Paul and JOSEPHUS. [F]BASSLER, J. NTMon 22: 2007 ⇒11. 98-109/78-97.

7760 *Sannino, Daniela* Il motivo della panoplía in Paolo di Tarso. Asp. 54/3-4 (2007) 203-222 [Rom 6,13; 13,12; 2 Cor 6,7; 10,4; Eph 6,11-17; 1 Thess 5,8].

7761 *Sänger, Dieter* Der gekreuzigte Christus–Gottes Kraft und Weisheit (1Kor 1,23f): paulinische theologia crucis im Kontext frühchristlicher interpretatio crucis. Von der Bestimmtheit. 2007 <2000> ⇒306. 71-90.

7762 **Sánchez Bosch, Jordi** Maestro de los pueblos: una teología de Pablo, el apóstol. Estella 2007, Verbo Divino 735 pp. €25.50. 84816-97-285. Bibl. 691-719.

7763 *Schrage, Wolfgang* Schöpfung und Neuschöpfung in Kontinuität und Diskontinuität bei Paulus. Studien zur Theologie im 1. Korintherbrief. BThSt 94: 2007 <2005> ⇒311. 126-150.

7764 *Schröter, Jens* Kirche im Anschluss an Paulus: Aspekte der Paulusrezeption in der Apostelgeschichte und in den Pastoralbriefen. ZNW 98 (2007) 77-104;

7765 Metaphorische Christologie bei Paulus: Überlegungen zum Beitrag eines metapherntheoretischen Zugangs zur Christologie anhand einiger christologischer Metaphern in den Paulusbriefen. Von Jesus zum NT. WUNT 204: 2007 <2003> ⇒312. 203-222.

7766 **Scornaienchi, Lorenzo** Der Mensch zwischen Konstruktivität und Destruktivität: eine Studie über σῶμά und σὰρξ bei Paulus. [D]*Theißen, Gerd* 2007, Diss. Heidelberg [ThLZ 132,1267].

7767 *Semel, Lawrence* Paul, the covenant theologian. Ment. *Gaffin, Richard* Kerux 22/2 (2007) 18-52.

7768 **Smith, Barry D.** What must I do to be saved?: Paul parts company with his Jewish heritage. NTMon 17: Shf 2007, Sheffield Phoenix xiii; 285 pp. $90. 978-1-905048-82-3. Bibl. 240-258.

7769 *Stefani, Piero* Appunti di oggi su Paolo di Tarso: una voce cristiana. Studi Fatti Ricerche 118 (2007) 3-5.

7770 *Stegemann, Ekkehard W.* Wird εὐαγγέλιον bei Paulus auch als nomen actionis gebraucht?. ThZ 63 (2007) 1-24.

7771 *Streete, Gail P.C.* Response: are women interested?. LexTQ 42/1 (2007) 51-58.

7772 *Sumney, Jerry L.* Paul and Christ–believing Jews whom he opposes. Jewish Christianity reconsidered. 2007 ⇒598. 57-80, 311-313.

7773 *Sywulka, P.* La respuesta salvífica al evangelio según la teología paulina. Kairós [Guatemala City] 40 (2007) 77-88.

7774 *Tannehill, Robert C.* Participation in Christ: a central theme in Pauline soteriology. The shape of the gospel. 2007 ⇒328. 223-237.

7775 **Taubes, Jacob** The political theology of Paul. [E]*Assmann, Aleida; Assmann, Jan* 2004 ⇒20,7296. [R]HPolS 2/2 (2007) 232-241 (*Schmidt, Christoph*).

7776 *Theißen, Gerd* The new perspective on Paul and its limits: some psychological considerations. PSB 28/1 (2007) 64-85.

7777 *Tonstad, Sigve* The revisionary potential of "Abba! Father!" in the letters of Paul. AUSS 45/1 (2007) 5-18.

7778 **Ulrichs, Karl F.** Christusglaube: Studien zum Syntagma πίστις Χριστοῦ und zum paulinischen Verständnis von Glaube und Rechtfertigung. WUNT 2/227: Tü 2007, Mohr S. xi; 311 pp. €64. 978-3-16-149216-7. Bibl. 255-287. [R]ThLZ 132 (2007) 1319-1321 (*Bergmeier, Roland*) [Phil 3,9; 1 Thess 1,3].

7779 **Vahrenhorst, Martin** Studien zur kultischen Begrifflichkeit in den paulinischen Briefen und ihren religionsgeschichtlichen Kontexten. [D]*Karrer, Martin* 2007, Diss.-Habil. Wuppertal [ThLZ 132,1271].

7780 **VanLandingham, Chris** Judgment & justification in early Judaism and the Apostle Paul. 2006 ⇒22,7504. [R]AUSS 45 (2007) 283-286 (*Long, Philip J.*); RBLit (2007)* (*Carson, D.A.*).

7781 *Vanni, Ugo* Paolo apostolo: realtà, simbolo, teologia. Dizionario... sangue di Cristo. 2007 ⇒1137. 995-1005.

7782 **Vickers, Brian** Jesus' blood and righteousness: Paul's theology of imputation. 2006 ⇒22,7507. [R]TrinJ 28 (2007) 314-316 (*Fesko, J.V.*).

7783 *Vouga, François* Evangile, spiritualité et politique. Cahiers de spiritualité ignatienne 31/119 (2007) 33-43.

7784 **Waters, Guy** The end of Deuteronomy in the epistles of Paul. WUNT 2/221: 2006 ⇒22,7510. [R]RBLit (2007)* (*Litwak, Kenneth D.*) [Deut 34].

7785 **Watson, Francis** Paul and the hermeneutics of faith. 2004 ⇒20, 7303... 22,7511. [R]Dialog 46/1 (2007) 17-23 (*Balch, David L.*); JR 87/1 (2007) 90-91 (*Roetzel, Calvin J.*); ProEc 16 (2007) 126-140 (*Hays, Richard B.; Watson, Francis*); HeyJ 48 (2007) 469-470 (*Turner, Geoffrey*);

7786 Paul, Judaism, and the gentiles: beyond the new perspective. GR [2]2007 <1986>, Eerdmans 416 pp. $32. 978-08028-40202. Bibl. 370-387.

7787 **Westerholm, Stephen** Perspectives old and new on Paul: the "Lutheran" Paul and his critics. 2004 ⇒20,7307... 22,7515. [R]ThLZ 132 (2007) 170-173 (*Sänger, Dieter*).

7788 *Wiarda, Timothy* What God knows when the spirit intercedes. BBR 17 (2007) 297-311 [Rom 8,26-27].

7789 *Wilk, Florian* Die paulinische Rede von "Christus" als Beitrag zu einer biblischen Theologie. Bibel nach Plan?. 2007 ⇒422. 133-151.

7790 *Wolter, Michael* Geist und Leib: Aspekte paulinischer Anthropologie. ᶠHÄRLE, W. MThSt 100: 2007 ⇒64. 33-40.
7791 *Wong, Teresa* 'God sent forth his own son': a study of Paul's christology of the cross in Galatians 4:4 and Romans 8.3. SiChSt 4 (2007) 167-189.
7792 **Wright, Nicholas T.** Paul: in fresh perspective. 2005 ⇒21,7856; 22, 7519. ᴿTheol. 110 (2007) 204-205 (*Sagovsky, Nicholas*); CBQ 69 (2007) 606-607 (*Mount, Christopher*).
7793 *Zoppi, Matteo* NIETZSCHE e il cristianesimo: dall'ortodossia evangelica al "Dysangelium" di Paolo. Lat. 73 (2007) 485-519.
7794 *Zweck, D.* Wright or wrong?: a perspective on the new perspective on Paul. LTJ 41 (2007) 16-26.

G3.4 *Pauli stylus et modus operandi*—**Paul's image**

7795 *Den Dulk, Maarten* De dubbele loyaliteit van Paulus. ITBT 15/7 (2007) 4-7.
7796 *Hotam, Y.* Berdichevsky's *Saul and Paul*: a Jewish political theology. Modern Jewish Studies [Oxf] 6/1 (2007) 51-68.
7797 *Segal, Alan F.* Paul's religious experience in the eyes of Jewish scholars. ᶠHURTADO, L. & SEGAL, A. 2007 ⇒71. 321-343.
7798 **Walsh, Richard** Finding St. Paul in film. 2005 ⇒21,7859. ᴿThTo 64/1 (2007) 124-126 (*Drury, Amanda*).

G3.5 **Apostolus Gentium** [⇒G4.6, Israel et Lex/Jews & Law]

7799 **Campbell, William S.** Paul and the creation of christian identity. LNTS 322: 2006 ⇒22,7530. ᴿSvTK 83 (2007) 181-182 (*Holmberg, Bengt*); CBQ 69 (2007) 812-813 (*Matera, Frank J.*).
7800 **Christiansen, Hauke** Missionieren wie Paulus?: Roland Allens Paulusrezeption als Kritik der neuzeitlichen Missionsbewegung. ᴰ*Balz, Heinrich* 2007, Diss. Humboldt [ThRv 104/1,iii].
7801 **Das, A. Andrew** Paul and the Jews. Library of Pauline Studies: 2003 ⇒19,7334... 21,7863. ᴿThLZ 132 (2007) 316-317 (*Habermann, Jürgen*).
7802 *Gonneaud, Didier* Pierre et Paul: paradoxes de l'apostolicité. LV(L) 56/2 (2007) 35-43.
7803 *Hvalvik, Reidar* Named Jewish believers connected with the Pauline mission. Jewish believers in Jesus. 2007 ⇒519. 154-178.
7804 *Lopez, Davina C.* Before your very eyes: Roman imperial ideology, gender constructs and Paul's inter-nationalism. Mapping gender. BiblInterp 84: 2007 ⇒621. 115-162.
7805 *Miller, James C.* The Jewish context of Paul's gentile mission. TynB 58/1 (2007) 101-115.
7806 *Öhler, Markus* Die Erwählung der Heiden und ihrer Apostel. PzB 16 (2007) 25-42.
7807 *Ruiz, Delio* El apóstol Pablo y la ofrenda de los gentiles: primera parte. RevBib 69 (2007) 215-239 [Rom 1,1-17; Gal 1,11-17].
7808 *Sänger, Dieter* Pagane Bildungsinstitutionen und die Kommunikation des Evangeliums: Erwägungen zu einem Aspekt der paulinischen Verkündigung. Von der Bestimmtheit. 2007 <2005> ⇒306. 213-240.

7809 *Schnabel, Eckhard J.* Paul's urban strategies: Jerusalem to Crete. Stone-Campbell Journal 10/2 (2007) 231-260.

7810 **Schütz, John H.** Paul and the anatomy of apostolic authority. NTLi: LVL 2007 <1975>, Westminster xxvi; 307 pp. $40. 978-06642-281-25. New introd. by *Wayne A. Meeks.*

7811 *Srampickal, Thomas* The secret of Paul's missionary success. ThirdM 10/2 (2007) 41-66.

7812 **Vorholt, Robert** Der Dienst der Versöhnung: Studien zur Apostolatstheologie bei Paulus. [D]*Dschulnigg, Peter* 2007 Diss. Bochum.

7813 *Wright, N.T.* Paul as preacher: the Gospel then and now. IThQ 72 (2007) 131-146.

G3.6 *Pauli fundamentum* philosophicum [⇒G4.3] *et* morale

7814 *Adeyemi, Femi* Paul's "positive" statements about the Mosaic law. BS 164 (2007) 49-58.

7815 **Blischke, Folker** Die Begründung und die Durchsetzung der Ethik bei Paulus. [D]*Schnelle, Udo* ABG 25: Lp 2007, Evangelische 515 pp. €58. 978-33740-24742. Diss.; Bibl. 470-515.

7816 **Bosman, Philip** Conscience in PHILO and Paul: a conceptual history of the Synoida word group. WUNT 2/166: 2003 ⇒19,7352... 22, 7545. [R]BZ 51 (2007) 139-141 (*Kammler, Hans-Christian*).

7817 *Brenk, Frederick E. Deum...comitari*: rhetoric and progress in virtue in SENECA and Paul. With unperfumed voice. 2007 <2001> ⇒200. 441-469;

7818 'We are of his race': Paul and the philosophy of his time. With unperfumed voice. 2007 ⇒200. 402-440.

7819 *Chia, Samuel* The role of eschatology in Paul's ethics. SiChSt 3 (2007) 37-59.

7820 **Cullinan, Michael** Victor Paul Furnish's theology of ethics in Saint Paul: an ethic of transforming grace. [D]*Kennedy, Terence* Tesi Accademia Alfonsiana 3: R 2007, Editiones Academiae Alfonsianae 406 pp. €22. 978-88901-97444. Diss. Alfonsiana; Bibl. 343-377.

7821 *Du Toit, Andrie* Paul, homosexuality and christian ethics. Focusing on Paul. BZNW 151: 2007 <2003> ⇒216. 281-295 [Rom 1,26-27; 1 Cor 6,9].

7822 **Ellis, J. Edward** Paul and ancient views of sexual desire: Paul's sexual ethics in 1 Thessalonians 4, 1 Corinthians 7 and Romans 1. LNTS 354: L 2007, Clark xiii; 191 pp. $130. 978-0-567-045538-6. Bibl. 171-186.

7823 **Fenske, Wolfgang** Die Argumentation des Paulus in ethischen Herausforderungen. 2004 ⇒21,7885. [R]OrdKor 48 (2007) 253-254 (*Giesen, Heinz*).

7824 *Gil Arbiol, Carlos* Pablo y los 'comportamientos sexuales inadecuados' (porneia). ResB 54 (2007) 55-62.

7825 *Hays, Richard B.* Paul's hermeneutics and the question of truth. Ment. *Watson, Francis* ProEc 16 (2007) 126-133.

7826 *Healy, Mary* Knowledge of the mystery: a study of Pauline epistemology. The bible and epistemology. 2007 ⇒444. 134-158.

7827 **Horrell, David G.** Solidarity and difference: a contemporary reading of Paul's ethics. 2005 ⇒21,7891; 22,7551. [R]Theol. 110 (2007) 129-

131 (*Hooker, Morna D.*); JThS 58 (2007) 248-252 (*Harvey, A.E.*); RBLit (2007) 430-434 (*Furnish, Victor P.*).

7828 **Lewis, John G.** Looking for life: the role of 'theo-ethical' reasoning in Paul's religion. 2005 ⇒21,7893. RBib. 88 (2007) 277-280 (*Romanello, Stefano*); CBQ 69 (2007) 365-367 (*Roetzel, Calvin J.*); JThS 58 (2007) 245-247 (*Rosner, Brian S.*).

7829 **Mayordomo, Moisés** Argumentiert Paulus logisch?: eine Analyse vor dem Hintergrund antiker Logik. WUNT 188: 2005 ⇒21,7895; 22,7553. RTJT 23 (2007) 202-203 (*Henderson, Ian H.*); RBLit (2007)* (*Nicklas, Tobias*).

7830 **Munzinger, André** Discerning the spirits: theological and ethical hermeneutics in Paul. D*Turner, Max* MSSNTS 140: C 2007, CUP xv; 239 pp. $95. 978-0-521-87594-3. Diss. Brunel; Bibl. 197-221.

7831 *Paschke, Boris A.* Ambiguity in Paul's references to Greco-Roman sexual ethics. EThL 83 (2007) 169-192 [1 Cor 5,1; 1 Thess 4,5].

7832 *Rodríguez Luño, Ángel* Introduzione allo studio della morale di San Paolo. ABenR 58 (2007) 417-450 (= AnnTh 21/2 (2007) 35 pp).

7833 *Strijdom, Johan* On social justice: comparing Paul with PLATO, ARIS-TOTLE and the Stoics. HTS 63 (2007) 19-48.

7834 *Togarasei, L.* The conversion of Paul as a proto-type of conversion in African christianity. SMT 95/2 (2007) 111-122.

7835 **Vegge, Tor** Paulus und das antike Schulwesen: Schule und Bildung des Paulus. BZNW 134: 2006 ⇒22,7558. RRHPhR 87 (2007) 323-324 (*Grappe, C.*); Neotest. 41 (2007) 253-257 (*Stenschke, Christoph*); Lat. 73 (2007) 537-538 (*Penna, Romano*).

7836 *Wagner, Kristina* Das interaktive Gewissen bei Paulus. Erkennen und Erleben. 2007 ⇒579. 301-318.

7837 *Watson, Francis* Response to Richard Hays. ProEc 16 (2007) 134-140.

G3.7 *Pauli* communitates *et* spiritualitas

7838 *Abasciano, Brian J.* Diamonds in the rough: a reply to Christopher Stanley concerning the reader competency of Paul's original audiences. NT 49 (2007) 153-183.

7839 **Copan, Victor A.** Saint Paul as spiritual director: an analysis of the imitation of Paul with implications and applications to the practice of spiritual direction. D*Heine, Susanne* Biblical Monographs: Milton Keynes 2007, Paternoster xxvi; 296 pp. £20. Diss. Wien.

7840 **Cosgrove, Charles H.; Yeo, Khiok-Khng; Weiss, Herold** Cross-cultural Paul: journeys to others, journeys to ourselves. 2005 ⇒21, 7905; 22,7568. RRRT 14/1 (2007) 11-13 (*Barram, Michael*); TJT 23/1 (2007) 63-65 (*Black, Steve D.*); ThLZ 132 (2007) 1071 (*Strecker, Christian*).

7841 **Crossan, John D.; Reed, Jonathan** In search of Paul: how Jesus' apostle opposed Rome's empire with God's kingdom. 2005 ⇒21, 7906. RTheol. 110 (2007) 285-287 (*Dunn, James D.G.*).

7842 *DeYoung, Curtiss P.* The power of reconciliation: from the Apostle Paul to Malcolm X. CrossCur 57/2 (2007) 203-208.

7843 *Diefenbach, Manfred* Der Gemeindegründer Paulus: ein Blick auf sein Wirken in den senatorischen Provinzen. FKIRCHSCHLÄGER, W. 2007 ⇒85. 59-73.

7844 *Du Toit, Andrie* Encountering grace: towards understanding the essence of Paul's Damascus experience. Focusing on Paul. BZNW 151: 2007 <1996> ⇒216. 57-75 [1 Cor 15; Gal 1,11-2,21];

7845 'In Christ', 'in the Spirit' and related prepositional phrases: their relevance for a discussion on Pauline mysticism. Focusing on Paul. BZNW 151: 2007 <2000> ⇒216. 129-145.

7846 **Ehrensperger, Kathy** Paul and the dynamics of power: communication and interaction in the early Christ-movement. LNTS 325: L 2007, Clark xiv; 235 pp. $140/£70. 978-05670-43740. Bibl. 201-25.

7847 *Filipič, Mirjana* Pavlov zgled oznanjevanja Kristusa [Paul's example of preaching Christ]. Bogoslovni Vestnik 67 (2007) 407-416 [2 Cor 4,7-10; Gal 1,13-17; Phil 3,3-11]. S.

7848 **Howard, James M.** Paul, the community, and progressive sanctification: an exploration into community-based transformation within Pauline theology. Studies in Biblical literature 90: NY 2007, Lang xv; 218 pp. $70. 978-0-8204-7928-6. Bibl. 18-205.

7849 *Hvalvik, Reidar* "The churches of the saints": Paul's concern for unity in his references to the christian communitities. TTK 78 (2007) 227-247.

7850 **Jervis, L. Ann** At the heart of the gospel: suffering in the earliest christian message. GR 2007, Eerdmans xiv; 149 pp. $14. 978-08028-39930. Bibl. [BiTod 45,332—Donald Senior].

7851 **Konradt, Matthias** Gericht und Gemeinde: eine Studie zur Bedeutung und Funktion von Gerichtsaussagen im Rahmen der paulinischen Ekklesiologie und Ethik im 1 Thess und 1 Kor. BZNW 117: 2003 ⇒19,7388...22,7575. ᴿBZ 51 (2007) 145-8 (*Popkes, Enno E.*).

7852 **Lehmeier, Karin** Oikos und Oikonomia: antike Konzepte der Haushaltsführung und der Bau der Gemeinde bei Paulus. MThSt 92: 2006 ⇒22,7577. ᴿJETh 21 (2007) 276-277 (*Baumert, Manfred*).

7853 *Luna, M.* Reflections on organizational patterns among Pauline congregations. JATS 18 (2007) 2-14.

7854 **Meech, John L.** Paul in Israel's story: self and community at the cross. 2006 ⇒22,7580. ᴿRBLit (2007)* (*Reasoner, Mark*).

7855 **Militello, Cettina; Murphy-O'Connor, Jerome; Rigato, Maria Luisa** Paolo e le donne. 2006 ⇒22,7581. ᴿRBLit (2007)* (*Ramelli, Ilaria*).

7856 **Plummer, Robert L.** Paul's understanding of the church's mission: did the apostle Paul expect early christian communities to evangelize?. 2006 ⇒22,7586. ᴿCBQ 69 (2007) 828-829 (*Crook, Zeba A.*); Missionalia 35/1 (2007) 133-136 (*Stenschke, Christoph*).

7857 *Riesner, Rainer* What does archaeology teach us about early house churches?. TTK 78 (2007) 159-185.

7858 **Stettler, Hanna C.** Heiligung bei Paulus. ᴰ*Stuhlmacher, Peter* 2007, Diss.-Habil. Tübingen [ThLZ 133,889].

7859 *Tájrá, H.W.M.* Spiritual, human, and psychological dimensions of St. Paul's martyrdom. Hearing visions. 2007 ⇒817. 115-124.

7860 **Thompson, James W.** Pastoral ministry according to Paul: a biblical vision. 2006 ⇒22,7589. ᴿTJT 23 (2007) 231-233 (*Powery, Luke A.*).

7861 *Turner, G.* Spiritual identification with Christ: Jon Sobrino, the CDF and St Paul. NBl 88 (2007) 539-548.

7862 *Villalón Villalón, David* Pablo de Tarso, el padre de la comunidad: autoridad apostólica y modelo paterno-filial. Familia [S] 34 (2007) 43-79.

7863 **Winter, Bruce** Roman wives, Roman widows: the appearance of new women and the Pauline communities. 2003 ⇒19,7400... 22,7591. ᴿScrB 37 (2007) 93-94 (*Boxall, Ian*).

G3.8 *Pauli receptio*, history of research; *Details*

7864 **Holzbrecher, Frank** Paulus und der historische Jesus: Darstellung und Analyse der bisherigen Forschungsgeschichte. TANZ 48: Tü 2007, Francke x; 200 pp. €49. 978-3-7720-8242-9. Bibl. 187-198.
7865 *Lohse, Eduard* Die Theologie des Apostels Paulus–aufs neue betrachtet: zu einigen jüngst vorgelegten gelehrten Abhandlungen. Rechenschaft vom Evangelium. 2007 <2004> ⇒268. 194-212.
7866 *Merk, Otto* Adolf JÜLICHER als Paulusforscher–anläßlich seines 150. Geburtstages. JAWG (2007) 149-164.
7867 *Vahanian, Gabriel* Résurrection et acculturation de la foi: la nouvelle vague d'études pauliniennes. FV 106/4 (2007) 7-92.

7868 *Koester, Helmut* Hero worship: Philostratos's *Heroikos* and Paul's tomb in Philippi. Paul & his world. 2007 <2001> ⇒257. 86-90.

G4.1 **Ad Romanos** *Textus, commentarii*

7869 **Agamben, Giorgio** The time that remains: a commentary on the letter to the Romans. ᵀ*Dailey, Patricia* 2005 ⇒21,7935. ᴿSiChSt 3 (2007) 9-36 (*Boer, Roland*).
7870 **Barth, Karl** A shorter commentary on Romans. ᴱ*Michielin, Maico M.*; ᵀ*Van Daalen, D.H.* Aldershot 2007, Ashgate xxvi; 119 pp. $90. 978-0-7546-5757-6.
7871 ᴱ**Busch, Eberhard**, *al.*, CALVIN-Studienausgabe, Band 5.2: der Brief an die Römer: ein Kommentar. Neuk 2007, Neuk 376-778 pp. 978-3-7887-2175-6.
7872 ᴱ**Campbell, William S.; Hawkins, Peter S.; Schildgen, Brenda D.** Medieval readings of Romans. NY 2007, Clark 241 pp. $49. 978-0-567-02706-1. Bibl. 213-229.
7873 **Cobb, John B.; Lull, David J.** Romans. 2005 ⇒21,7936. ᴿRBLit (2007)* (*Dunnill, John*).
7874 *Du Toit, Andrie* 'God's beloved in Rome' (Rom 1:7): the genesis and socio-economic situation of the first generation christian community in Rome. Focusing on Paul. 2007 <1998> ⇒216. 179-202;
7875 The ecclesiastical situation of the first generation Roman christians. Focusing on Paul. BZNW 151: 2007 <1997> ⇒216. 203-218.
7876 **Finger, Reta H.** Roman house churches for today. GR 2007, Eerdmans xiii; 207 pp. $15 [BiTod 46,200–Donald Senior].
7877 ᴱ**Gaca, Kathy L.; Welborn, Laurence L.** Early patristic readings of Romans. Romans through history and cultures: 2005 ⇒21,393. ᴿRBLit (2007)* (*Tomson, Peter*).
7878 ᴱ**Greenman, Jeffrey P.; Larsen, Timothy** Reading Romans through the centuries: from the early church to Karl BARTH. 2005 ⇒21,400; 22,409. ᴿTJT 23/1 (2007) 68-69 (*Trites, Allison A.*); RBLit (2007)* (*Elliott, Mark*).

7879 **Grieb, A. Katherine** The story of Romans: a narrative defense of God's righteousness. 2002 ⇒18,6913... 21,7940. ᴿSJTh 60/1 (2007) 111-113 (*Mackenzie, Edward*).

7880 **Haacker, Klaus** Der Brief des Paulus an die Römer. ThHK 6: ³2006 ⇒22,7616. ᴿThBeitr 38 (2007) 300-302 (*Stenschke, Christoph*).

7881 **Jewett, Robert** Romans: a commentary. ᴱ*Epp, Eldon J.* Mp 2007, Fortress lxx; 1140 pp. $90. 0-8006-6084-6. Asst. *Roy D. Kotansky*; Bibl. xxxv-lxx. ᴿRBLit (2007)* (*Dunn, James; Horn, Friedrich*).

7882 **Keck, Leander E.** Romans. 2005 ⇒21,7942; 22,7620. ᴿTJT 23 (2007) 195-197 (*Jervis, L. Ann*).
   Lohse, E. Rechenschaft vom Evangelium 2007 ⇒268.
   ᴱ**Odell-Scott, D.** Reading Romans 2007 ⇒490.

7883 **Reasoner, Mark** Romans in full circle: a history of interpretation. 2005 ⇒21,7952; 22,7628. ᴿDialog 46/1 (2007) 78-79 (*Aageson, James W.*); SR 36 (2007) 188-189 (*Dunn, Matthew W.I.*).

7884 *Schnelle, Udo* The letter to the Romans: Colloquium Biblicum Lovaniense LVI (2007). EThL 83 (2007) 551-561.

7885 *Seifrid, Mark A.* Romans. Commentary on the NT use of the OT. 2007 ⇒5642. 607-694.

7886 **Tosolini, Fabrizio** The letter to the Romans and St. Paul's grace and apostleship. 2005 ⇒21,7956. ᴿRivBib 55 (2007) 235-237 (*Romanello, Stefano*); RSR 95 (2007) 426-427 (*Aletti, Jean-Noël*).

7887 **Witherington, Ben, III** Paul's letter to the Romans. 2004 ⇒20,7433 ... 22,7631. ᴿSiChSt 3 (2007) 201-205 (*Hsieh, Luke*).
   ᴱ**Yeo, K.** Navigating Romans 2004 ⇒549.

G4.2 *Ad Romans: themata*, topics

7888 **Adam, Jens** Paulus und die Versöhnung Aller: eine Studie zum paulinischen Heilsuniversalismus nach dem Römerbrief. ᴰ*Eckstein, Hans-Joachim* 2007, Diss. Tübingen [ThLZ 133,889].

7889 *Bassler, Jouette* Interpretative choices: a response to Cobb and Lull. Reading Romans... philosophers. 2007 ⇒439. 41-47.

7890 **Bekken, Per J.** The word is near you: a study of Deuteronomy 30:12-14 in Paul's letter to the Romans in Jewish context. BZNW 144: B 2007, De Gruyter xiii; 294 pp. €82.24. 978-3-11-019341-1. Bibl. 231-262 [Rom 10,4-17].

7891 *Cobb, John B., Jr.* A process theologian looks at Romans;

7892 *Cobb, John B., Jr.; Lull, David J.* Response to Jouette Bassler and David Odell-Scott. Reading Romans... philosophers. 2007 ⇒439. 27-31/63-82.

7893 **Das, A. Andrew** Solving the Romans debate. Mp 2007, Fortress xii; 324 pp. $24. 978-08006-38603. Bibl. 269-298. ᴿHBT 29 (2007) 237-238 (*Kim, Johann*); RBLit (2007)* (*Downs, David J.*).

7894 *Du Toit, Andrie* Forensic metaphors in Romans and their soteriological significance <2005>;

7895 Die Kirche als doxologische Gemeinschaft im Römerbrief <1993>;

7896 Shaping a christian lifestyle in the Roman capital <2006>. Focusing on Paul. BZNW 151: 2007 ⇒216. 249-280/297-307/371-403.

7897 *Dunn, James D.G.* Paul's letter to Rome: reason and rationale. ᶠHAACKER, K. ABIG 27: 2007 ⇒57. 185-200.

7898 *Ehrensperger, Kathy* Reading Romans 'in the face of the other': LE-VINAS, the Jewish philosopher, meets Paul, the Jewish apostle. Reading Romans... philosophers. 2007 ⇒439. 115-154.

7899 **Esler, Philip F.** Conflict and identity in Romans. 2003 ⇒19,7434... 22,7639. ᴿTJT 23/1 (2007) 65-66 (*Fox, Kenneth A.*).

7900 **Flebbe, Jochen** Solus Deus: Untersuchungen zur paulinischen Rede von Gott im Römerbrief. ᴰ*Wolter, Michael* 2007, Diss. Bonn.

7901 *Gignac, Alain* Taubes, Badiou, Agamben: contemporary reception of Paul by non-christian philosophers. Reading Romans... philosophers. 2007 ⇒439. 155-211.

7902 *Jewett, Robert* Wrath and violence in Paul's first and last letters: reflections on the implications of divine impartiality. ꟳBASSLER, J. NTMon 22: 2007 ⇒11. 122-133 [1 Thess 1,10].

7903 *Karris, Robert J.* Paul's Jewish heritage in Romans. BiTod 45 (2007) 291-296.

7904 *Lohse, Eduard* Das Evangelium für Juden und Griechen: Erwägungen zur Theologie des Römerbriefes <2001> 1-19;

7905 Der Römerbrief des Apostels Paulus und die Anfänge der römischen Christenheit <2003> 97-109;

7906 Doppelte Prädestination bei Paulus? <2001> 43-53;

7907 Doxologien im Römerbrief des Apostels Paulus <2006> 20-28;

7908 Herrenworte im Römerbrief <2006> 80-87;

7909 Theologische Ethik im Römerbrief des Apostels Paulus <2004>. Rechenschaft vom Evangelium. BZNW 150: 2007 ⇒268. 54-79.

7910 *Lull, David J.* Exegesis and philosophical theology. Reading Romans ... philosophers. 2007 ⇒439. 33-40.

7911 *Merkle, Benjamin L.* Is Romans really the greatest letter ever written?. Southern Baptist Convention 11/3 (2007) 18-32.

7912 *Moo, Douglas J.* Paul's universalizing hermeneutic in Romans. Southern Baptist Convention 11/3 (2007) 62-90.

7913 *Mora, César* Justicia y justificación en san Pablo: relación entre las ideas y la personalidad del apóstol. EfMex 25 (2007) 413-433.

7914 *Oakes, Peter* Made holy by the Holy Spirit: holiness and ecclesiology in Romans. ꟳDEASLEY, A. 2007 ⇒30. 167-183.

7915 *Odell-Scott, David W.* One with another. Reading Romans... philosophers. 2007 ⇒439. 49-62.

7916 *Penna, Romano* La casa/famiglia sullo sfondo della lettera ai Romani. EstB 65 (2007) 159-175.

7917 *Polhill, John B.* The setting of Romans in the ministry of Paul;

7918 *Seifrid, Mark A.* The gospel as the revelation of mystery: the witness of the scriptures to Christ in Romans. Southern Baptist Convention 11/3 (2007) 4-16/92-103.

7919 *Sigurdson, Ola* Reading Žižek reading Paul: Pauline interventions in radical philosophy. Reading Romans... philosophers. 2007 ⇒439. 213-245.

7920 *Sprinkle, Preston* The afterlife in Romans: understanding Paul's glory motif in light of the Apocalypse of Moses and 2 Baruch. Lebendige Hoffnung. ABIG 24: 2007 ⇒845. 201-233.

7921 **Tobin, Thomas H.** Paul's rhetoric in its contexts: the argument of Romans. 2004 ⇒20,7466; 21,7990. ᴿAThR 89 (2007) 165-166 (*Boone, Thomas J.*); ThLZ 132 (2007) 650-52 (*Horn, Friedrich W.*).

7922 **Wagner, J. Ross** Heralds of the good news: Isaiah and Paul "in concert" in the letter to the Romans. NT.S 101: 2002 ⇒18,6956... 22, 7650. ᴿCBQ 69 (2007) 600-601 (*Getty, Mary A.*).

7923 *Wan, Sze-kar* Poised between grace and moral responsibility: T.C. Chao's interrogation of the ethics of Romans. SiChSt 4 (2007) 39-68.
7924 **Westerholm, Stephen** Understanding Paul: the early christian worldview of the letter to the Romans. [2]2004 <1997> ⇒20,7469. [R]Evangel 25/1 (2007) 25-26 (*Oakes, Peter*).

G4.3 *Naturalis cognitio Dei*, Rom 1-4

7925 **Ochsenmeier, Erwin** Mal, souffrance et justice de Dieu selon Romains 1-3: étude exégétique et théologique. [D]*Blocher, Henri* BZNW 155: B 2007, De Gruyter xii; 392 pp. €110.28. 978-3-11-019696-2. Diss. Fac. Libre de Théol. Evangélique de Vaux-sur-Seine; Sum. in TynB 59/1,153-155; Bibl. 336-363.
7926 *Yarbrough, Robert W.* The theology of Romans in future tense. Southern Baptist Convention 11/3 (2007) 46-60.
7927 *Du Toit, Andrie* Persuasion in Romans 1:1-17. Focusing on Paul. BZNW 151: 2007 <1989> ⇒216. 219-237.
7928 **Lee, Eung Bong** Das Verständnis der Funktion des Präskripts im Römerbrief. [D]*Lindemann, Andreas* 2007, Diss. Bethel [Rom 1,1-17].
7929 *Buscemi, Alfio M.* Romani 1,3-4: una rilettura filologica. [F]VANHOYE, A. AnBib 165: 2007 ⇒156. 263-275.
7930 *Du Toit, Andrie* Romans 1:3-4 and the gospel tradition: a reassessment of the phrase κατὰ πνεῦμα ἁγιωσύνης. Focusing on Paul. BZNW 151: 2007 <1992> ⇒216. 239-247.
7931 *Ochsenmeier, Erwin* Romans 1,11-12: a clue to the purpose of Romans?. EThL 83 (2007) 395-406.
7932 **Heliso, Desta** Pistis and the righteous one: a study of Romans 1:17 against the background of scripture and second temple Jewish literature. WUNT 2/235: Tü 2007, Mohr S. xiv; 292 pp. €59. 978-3-16-149511-3.
7933 **Spitaler, Peter** Universale Sünde von Juden und Heiden?: eine Untersuchung zu Römer 1,18-3,20. FzB 109: 2006 ⇒22,7662. [R]VeE 28/1 (2007) 373-376 (*Du Toit, Andrie*).
7934 *Edart, Jean-B.* Le Nouveau Testament et l'homosexualité. Clarifications. 2007 ⇒416. 75-122 [Rom 1,18-32; 1 Cor 9-10];
7935 Il Nuovo Testamento e l'omosessualità. L'omosessualità nella bibbia. 2007 ⇒417. 61-108 [Rom 1,18-32; 1 Cor 9-10].
7936 *Punt, Jeremy* Romans 1:18-32 amidst the gay-debate: interpretative options. HTS 63 (2007) 965-982.
7937 *Van Kooten, George H.* Pagan and Jewish monotheism according to VARRO, PLUTARCH, and St Paul: the aniconic, monotheistic beginnings of Rome's pagan cult–Romans 1:19-25 in a Roman context. [F]GARCÍA MARTÍNEZ, F. JSJ.S 122: 2007 ⇒46. 633-651.
7938 *Caneday, Ardel B.* "They exchanged the glory of God for the likeness of an image": idolatrous Adam and Israel as representatives in Paul's letter to the Romans. Southern Baptist Convention 11/3 (2007) 34-45 [Rom 1,21-25].
7939 *Zeller, Dieter* Gottes Gerechtigkeit und die Sühne im Blut Christi: neuerlicher Versuch zu Röm 3,21-26. [M]KUSS, O. 2007 ⇒92. 57-69.
7940 *Leyrer, D.P.* Romans 3:25 'through faith in his blood'. WLQ 104 (2007) 207-209.

7941   **Basta, Pasquale** Abramo in Romani 4: l'analogia dell'agire divino
       nella ricerca esegetica di Paolo. ^{D}*Aletti, Jean-Noël* AnBib 168: R
       2007, E.P.I.B. 316 pp. €25. 978-88-7653-168-2. Diss. Pont. Ist. Bib-
       lico; Bibl. 269-294.
7942   **Schliesser, Benjamin** Abraham's faith in Romans 4: Paul's concept
       of faith in light of the history of reception of Genesis 15:6. WUNT 2/
       224: Tü 2007, Mohr S. xiii; 521 pp. €79. 978-3-16-149197-9. Bibl.
       431-480.
7943   **López Sojo, Dagoberto** Abraham, padre de todos nosotros ... análi-
       sis estilístico-argumentativo de Rm 4,1-25: Abraham, paradigma de
       fe monoteísta. CRB 64: 2005 ⇒21,8020. ^{R}RivBib 55 (2007) 382-384
       (*Lorusso, Giacomo*).
7944   *Du Toit, Andrie* Gesetzesgerechtigkeit und Glaubensgerechtigkeit in
       Röm 4:13-25: im Gespräch mit E.P. Sanders. Focusing on Paul.
       BZNW 151: 2007 <1988> ⇒216. 309-318.

G4.4   *Redemptio cosmica*: **Rom 5-8**

7945   *Wider, David* Zur paulinischen Rede vom Frieden im Röm 5,1-11.
       Kwansei-Gakuin-Daigaku 12 (2007) 11-22.
7946   *Bormann, Lukas* Sündigen und Sterben: der Beitrag von Röm 5,12
       zur Theodizeefrage. ^{F}BRÄNDLE, W. 2007 ⇒18. 65-77.
7947   *Kirk, J.R. Daniel* Reconsidering δικαίωμα in Romans 5:16. JBL 126
       (2007) 787-792.
7948   *Du Toit, Andrie* Dikaiosyne in Röm 6; Beobachtungen zur ethischen
       Dimension der paulinischen Gerechtigkeitsauffassung. Focusing on
       Paul. BZNW 151: 2007 <1979> ⇒216. 319-350.
7949   **Karakolis, Christos** Sin–baptism–grace (Rom 6:1-14): a contribu-
       tion to Pauline soteriology. 2002 ⇒21,8028. ^{R}EThL 83 (2007) 498-
       499 (*Lambrecht, Jan*).
7950   *Janssen, Claudia* Hat die Sünde ein Geschlecht?: Anfragen an das
       paulinische Sündenverständnis in Röm 7. Hat das Böse ein Ge-
       schlecht?. 2007 ⇒607. 100-108.
7951   **Lichtenberger, Hermann** Das Ich Adams und das Ich der Mensch-
       heit: Studien zum Menschenbild in Römer 7. WUNT 164: 2004 ⇒
       20,7505. ^{R}BZ 51 (2007) 143-145 (*Schreiber, Stefan*); ThLZ 132
       (2007) 647-649 (*Niebuhr, Karl-Wilhelm*).
7952   *Wasserman, Emma* The death of the soul in Romans 7: revisiting
       Paul's anthropology in light of hellenistic moral psychology. JBL 126
       (2007) 793-816.
7953   *Anderson, Valérie N.* Tools for a Kierkegaardian reading of Paul: can
       KIERKEGAARD help us to understand the role of the law in Romans
       7:7-12?. Reading Romans... philosophers. 2007 ⇒439. 247-276.
7954   *Chang, Hae-Kyung* The christian life in a dialectical tension?: Ro-
       mans 7:7-25 reconsidered. NT 49 (2007) 256-280.
7955   *Chow, Simon* Who is the 'I'? in Romans 7:7-25. ThLi 30 (2007) 19-
       29 Eng. Abstract 30. **C**.
7956   *Philonenko, Marc* Romains 7,23, une glose qoumrânisante sur Job
       40,32 (Septante) et trois textes qoumrâniens. RHPhR 87 (2007) 257-
       265.
7957   *Bertone, John A.* "The law of the Spirit": experience of the Spirit and
       displacement of the law in Romans 8:1-16. Studies in Biblical litera-
       ture 86: 2005 ⇒21,8038; 22,7704. ^{R}RBLit (2007)* (*Rabens, Volker*).

7958 **Christoph, Monika** Pneuma und das neue Sein der Glaubenden: Studien zur Semantik und Pragmatik der Rede von Pneuma in Röm 8. ^D*Frey, Jörg* EHS.T 813: Fra 2005, Lang 360 pp. $63. Diss. München. ^RRBLit (2007)* *(Rabens, Volker)*.

7959 **Moreno García, Abdón** Del Espíritu a la alteridad: una antropología paulina, de Rom 8 a Flp 2. Collectanea Scientifica Compostellana 25: Santiago de Compostela 2007, Instituto Teologico Compostelano 505 pp. 84-934852-8-4. Bibl. 439-483.

7960 *Thomas, Sheralee N.* κτίσις in Romans 8:18-23 in light of ancient Greek and Roman environmental concerns: a suggestion. JAAS 10 (2007) 135-152.

7961 *Gaventa, Beverly* Interpreting the death of Jesus apocalyptically: reconsidering Romans 8:32. Jesus and Paul reconnected. 2007 ⇒523. 125-145.

G4.6 *Israel et Lex*; **The Law and the Jews**, *Rom 9-11*

L'exégèse patristique de Romains 9-11 2007 ⇒806.

7962 *Anderson, Valérie N.* Une relecture paulinienne de l'histoire d'Israël (Rm 9-11). Ancient and modern scriptural historiography. BEThL 207: 2007 ⇒389. 269-281.

7963 *Baudin, Frédéric* Israël et l'église: épître aux Romains 9-11. ThEv(VS) 6 (2007) 181-201.

7964 *Begasse de Dhaem, Amaury* Israël et les nations: la miséricorde dans l'histoire: l'exégèse ambrosienne de Rm 9-11. L'exégèse patristique de Romains 9-11. 2007 ⇒806. 47-66.

7965 **Bell, Richard H.** The irrevocable call of God: an inquiry into Paul's theology of Israel. WUNT 184: 2005 ⇒21,8048; 22,7718. ^RTrinJ 28/1 (2007) 150-1 [cf. TrinJ 27 (2006) 323-4] *(Brown, Paul J.)*; RSR 95 (2007) 435-437 *(Aletti, Jean-Noël)* [Gal 3-4; 1 Thess 2,13-16].

7966 *Belli, Filippo* Perché Paolo usa le scritture d'Israele?: l'esempio di Romani 9-11. X simposio paolino. Turchia 21: 2007 ⇒860. 21-35.

7967 *Capes, David B.* Pauline exegesis and the incarnate Christ. ^FHURTADO, L. & SEGAL, A. 2007 ⇒71. 135-153 [Rom 9,30-10,13].

7968 *Dulaey, Martine* Rm 9-11: le mystère du plan divin selon l'AMBROSIASTER. L'exégèse patristique de Romains 9-11. 2007 ⇒806. 29-46.

7969 *Fédou, Michel* Le drame d'Israël et des nations: un mystère caché: lecture de Rm 9-11 par ORIGÈNE. L'exégèse patristique de Romains 9-11. 2007 ⇒806. 13-28.

7970 *Frankemölle, Hubert* "Bund/Bünde" im Römerbrief: traditionsgeschichtlich begründete Erwägungen zur Logik von Röm 9-11. ^FHOSSFELD, F. SBS 211: 2007 ⇒69. 69-84.

7971 **Grindheim, Sigurd** The crux of election: Paul's critique of the Jewish confidence in the election of Israel. WUNT 2/202: 2005 ⇒21, 8054; 22,7723. ^RRSR 95 (2007) 437-438 *(Aletti, Jean-Noël)*; NT 49 (2007) 296-300 *(Stenschke, Christoph)*; RBLit (2007)* *(Hardin, Justin K.)*.

7972 **Jennings, Theodore W.** Reading DERRIDA/thinking Paul: on justice. 2006 ⇒22,7725. ^RJR 87 (2007) 637-638 *(Sheppard, Christian)*.

7973 *Lohse, Eduard* Gottes Gnadenwahl und das Geschick Israels. Exegetische Studien zum Römerbrief. BZNW 150: 2007 ⇒268. 29-42.

7974 *Oropeza, B.J.* Paul and theodicy: intertextual thoughts on God's justice and faithfulness to Israel in Romans 9-11. NTS 53 (2007) 57-80.

7975 *Penna, Romano* Resto d'Israele e innesto dei gentili: la fede cristologica come modificazione del concetto di alleanza in Rm 9-11. ᶠVANHOYE, A. AnBib 165: 2007 ⇒156. 277-299;

7976 Paolo e Israele: riflessioni in margine all'argomentazione di Rm 9-11. X simposio paolino. 2007 ⇒860. 7-20.

7977 *Theissen, Gerd* The new perspective on Paul and its limits: some psychological considerations. PSB 28 (2007) 64-85.

7978 **Abasciano, Brian J.** Paul's use of the Old Testament in Romans 9.1-9. JSNT.S 301; LNTS 301: 2005 ⇒21,8059; 22,7736. ᴿCBQ 69 (2007) 139-140 (*Evans, Craig A.*).

7979 *Le Boulluec, Alain* Enjeux trinitaires chez les pères cappadociens: l'exégèse de Rm 9,5b. L'exégèse patristique de Romains 9-11. 2007⇒806. 67-81.

7980 *Giesen, Heinz* Christus–Ende oder Ziel des Gesetzes (Röm 10, 4)?: zu Röm 9,30-10,13. ᴹKUSS, O. 2007 ⇒92. 156-191.

7981 *Bachmann, Michael* Christus, "das Ende des Gesetzes, des Dekalogs und des Liebesgebots"?. ThZ 63 (2007) 171-174 [Rom 10,4].

7982 *Krobath, Evi* Christus-Ende des Gesetzes?: der missverstandene und missverständliche Paulus. Dialog 67 (2007) 13-15 [Rom 10,4].

7983 *Wehr, Lothar* "Nahe ist dir das Wort"–die paulinische Schriftinterpretation vor dem Hintergrund frühjüdischer Parallelen am Beispiel von Röm 10,5-10. ᴹKUSS, O. 2007 ⇒92. 192-206.

7984 *Lindemann, Andreas* Paulus und Elia: zur Argumentation in Röm 11,1-12. ᶠHAACKER, K. ABIG 27: 2007 ⇒57. 201-218.

7985 *Schwindt, Rainer* Mehr Wurzel als Stamm und Krone: zur Bildrede vom Ölbaum in Röm 11,16-24. Bib. 88 (2007) 64-91.

7986 *Rastoin, Marc* Une bien éntrange greffe (Rm 11,17): correspondances rabbiniques d'une expression paulinienne. RB 114 (2007) 73-79 [Gen 12,3].

7987 *Hogeterp, Albert L.A.* The mystery of Israel's salvation: a re-reading of Romans 11:25-32 in light of the Dead Sea scrolls. ᶠGARCÍA MARTÍNEZ, F. JSJ.S 122: 2007 ⇒46. 653-666.

7988 *Matand Bulembat, Jean-Bosco* "Ô profondeur de la sagesse de Dieu!" (Rm 11,33): ô profondeur de la richesse d'une doxologie. ᶠMONSENGWO PASINYA, L. 2007 ⇒110. 181-200.

G4.8 **Rom 12...**

7989 **Peng, Kuo-We** Hate the evil, hold fast to the good: structuring Romans 12.1-15.1. LNTS 300: 2006 ⇒22,7759. ᴿCBQ 69 (2007) 160-162 (*Miller, James C.*).

7990 *Villota Herrero, S.* Rm 12,1-2: la vida cristiana como transformación y culto al Dios vivo. EsVe 37 (2007) 101-122:

7991 *Snyder, Graydon F.* The two thirteens: Romans and Revelation. ᶠGRANT, R. NT.S 125: 2007 ⇒53. 177-197 [Rom 13; Rev 13].

7992 *Álvarez Cineira, David* Pablo, el antisistema. EstAg 42 (2007) 293-334 [Rom 13,1-7].

7993 *Debergé, Pierre* Romains 13,1-7: de la soumission requise à la désobéissance possible?. BLE 108 (2007) 289-314 [Rom 13,1-7].

7994 *Martínez, A.E.* The immigration controversy and Romans 13:1-7. Apuntes [Dallas] 27/4 (2007) 124-144.
7995 *Monera, A.T.* Engaging with *Wirkungsgeschichte*: Romans 13:1-7 as a case study. Prajñā Vihāra [Bangkok] 8/2 (2007) 100-133.
7996 *Schmocker Steiner, Katharina* Röm 13,1-7: fügt euch ein in Gottes Ordnung. FKIRCHSCHLÄGER, W. 2007 ⇒85. 255-268.
7997 *Du Toit, Andrie* Text-critical issues in Romans 14-16. Focusing on Paul. BZNW 151: 2007 <1997> ⇒216. 351-370.
7998 *Snoeberger, M.A.* Weakness or wisdom?: fundamentalists and Romans 14.1-15.13. Detroit Baptist Seminary Journal [Allen Park, MI] 12 (2007) 29-49.
7999 *Smit, Peter-Ben* A symposium in Rom. 14:17?: a note on Paul's terminology. NT 49 (2007) 40-53.
8000 *Peterman, Gerald W.* Social reciprocity and Gentile debt to Jews in Romans 15:26-27. JETS 50 (2007) 735-746.
8001 *Bieringer, Reimund* Women and leadership in Romans 16: the leading roles of Phoebe, Prisca, and Junia in early christianity. EAPR 44 (2007) 221-237, 316-336.
8002 *Lohse, Eduard* Apostolische Ermahnung in Röm 16,17-20. Rechenschaft vom Evangelium. BZNT 150: 2007 <2003> ⇒268. 88-96.
8003 *Dochhorn, Jan* Paulus und die polyglotte Schriftgelehrsamkeit seiner Zeit: eine Studie zu den exegetischen Hintergründen von Röm 16,20a. ZNW 98 (2007) 189-212.

G5.1 Epistulae ad Corinthios I (vel I-II), *textus, commentarii*

8004 EAdams, Edward; Horrell, David G. Christianity at Corinth: the quest for the Pauline church. 2004 ⇒20,306... 22,7785. RBTB 37 (2007) 79-80 (*Crook, Zeba A.*).
8005 Arzt-Grabner, Peter, *al.*, 1. Korinter. PKNT 2: 2006 ⇒22,7786. RThLZ 132 (2007) 1186-1189 (*Niebuhr, Karl-Wilhelm*); RBLit (2007) 439-442 (*Verheyden, Joseph*).
8006 Baumert, Norbert Der erste Korintherbrief: Beiheft zu Sorgen des Seelsorgers. Paulus neu gelesen: Wü 2007, Echter 54 pp. 978-3-429-02894-7;
8007 Sorgen des Seelsorgers: Übersetzung und Auslegung des ersten Korintherbriefes. Paulus neu gelesen: Wü 2007, Echter 448 pp. €16.80. 978-3-429-02893-0. Bibl. 438-440.
8008 Beardslee, William A. 1 Corinthians. ELull, David J. St. Louis, Mo. 2007, Chalice x; 169 pp. 978-0-8272-0530-7. Rev. ed.
8009 *Ciampa, Roy E.; Rosner, Brian S.* I Corinthians. Commentary on the NT use of the OT. 2007 ⇒5642. 695-752.
8010 Collins, Raymond F. First Corinthians. Sacra Pagina 7: 1999 ⇒15, 6705... 21,8079. RScrB 37 (2007) 112-113 (*Docherty, Susan*).
8011 Dray, Stephen; Dowling, Robin Discovering 1 Corinthians. Leicester 2005, Crossway 192 pp.
8012 Keener, Craig S. 1-2 Corinthians. New Cambridge Bible Commentary: 2005 ⇒21,8082; 22,7790. RJThS 58 (2007) 234-236 (*Gooder, Paula*).
8013 TEKovacs, Judith L. 1 Corinthians: interpreted by early christian commentators. The church's bible: 2005 ⇒21,8084; 22,7792. RJThS 58 (2007) 656-658 (*Thiselton, Anthony C.*).

8014 **Merklein, Helmut; Gielen, Marlis** Der erste Brief an die Korinther, 2-3. ÖTBK 7/2-3: 2000-2005 ⇒16,6685... 22,7794. ᴿThRv 103 (2007) 195-198 (*Lindemann, Andreas*).

8015 **Schnabel, Eckhard J.** Der erste Brief des Paulus an die Korinther. 2006 ⇒22,7798. ᴿThRv 103 (2007) 381-385 (*Oberlinner, Lorenz*); JETh 21 (2007) 282-284 (*White, Joel*).

8016 ᴱ**Schowalter, Daniel N.; Friesen, Steven J.** Urban religion in Roman Corinth: interdisciplinary approaches. HThS 53: 2005 ⇒21, 8093; 22,7799. ᴿREA 109 (2007) 402-3 (*Haack, Marie-Laurence*); RBLit (2007)* (*Reed, Jonathan*).

8017 **Schrage, Wolfgang** Der 1. Brief an die Korinther: 1 Kor 1,1-6,11. 1991 <2004> ⇒7,5386... 10,5847. ᴿRBLit (2007)* (*Elliott, Mark*).
    Schrage, W. Studien z. Theologie im 1. Kor. 2007 ⇒311.

8018 ᴱ**Swanson, Reuben J.** New Testament Greek manuscripts: 1 Corinthians. 2003 ⇒19,7567; 22,7800. ᴿTrinJ 28 (2007) 300-302 (*Hutchison, David*); RBLit (2007) 554-557 (*Zamagni, Claudio*);

8019 **Thiselton, Anthony C.** First Corinthians: a shorter exegetical and pastoral commentary. 2006 ⇒22,7801. ᴿScrB 37 (2007) 110-112 (*Docherty, Susan*); DR 125 (2007) 228-229 (*Brumwell, Anselm*); Neotest. 41 (2007) 461-463 (*Bruce, P.F.*); CBQ 69 (2007) 837-838 (*Morton, Russell*); RBLit (2007)* (*Williams, H.H. Drake, III*).

G5.2 *1 & 1-2 ad Corinthios*—themata, topics

8020 **Ackerman, David A.** Lo, I tell you a mystery: cross, resurrection, and paraenesis in the rhetoric of 1 Corinthians. PTMS 52: 2006 ⇒ 22,7803. ᴿCBQ 69 (2007) 140-141 (*Asher, Jeffrey R.*).

8021 *Albl, Martin* 'For whenever I am weak, then I am strong': disability in Paul's epistles. This abled body. Semeia Studies 55: 2007 ⇒356. 145-158 [Gal 4,13-14].

8022 *Branick, Vincent* Paul's Jewish background in his Corinthian correspondence. BiTod 45 (2007) 279-284.

8023 **Coutsoumpos, Panayotis** Community, conflict, and the eucharist in Roman Corinth: the social setting of Paul's letter. 2006 ⇒22,7808. ᴿBTB 37 (2007) 81-82 (*Iverson, Kelly R.*).

8024 **Crocker, Cornelia C.** Reading I Corinthians in the twenty-first century. 2004 ⇒20,7580...22,7809. ᴿJThS 58 (2007) 230-32 (*Thiselton, Anthony C.*).

8025 *Dunderberg, Ismo* Body metaphors in 1 Corinthians and in the *Interpretation of Knowledge* (NHC XI,1). Actes du huitième congrès. OLA 163: 2007 ⇒989. 833-847.

8026 **Ebel, Eva** Die Attraktivität früher christlicher Gemeinden: die Gemeinde von Korinth im Spiegel griechisch-römischer Vereine. WUNT 2/178: 2004 ⇒20,7583... 22,7812. ᴿThLZ 132 (2007) 522-524 (*Schnelle, Udo*).

8027 **Hall, David R.** The unity of the Corinthian correspondence. JSNT.S 251: 2003 ⇒19,7583.. 22,7816. ᴿJR 87 (2007) 268-269 (*Duff, Paul*).

8028 **Heil, John P.** The rhetorical role of Scripture in 1 Corinthians. 2005 ⇒21,8109. ᴿCBQ 69 (2007) 357-358 (*Watson, Duane F.*).

8029 **Hogeterp, Albert L.A.** Paul and God's temple: a historical interpretation of cultic imagery in the Corinthian correspondence. 2006 ⇒22, 7817. ᴿRSR 95 (2007) 439-440 (*Aletti, Jean-Noël*).

8030 *Koester, Helmut* Wisdom and folly in Corinth. Paul & his world. 2007 <1961> ⇒257. 80-85 [Review of U. Wilckens, Weisheit und Torheit (1959)].

8031 *Kosch, Daniel* "Es geht um einen Ausgleich" (2 Kor 8,13): Impulse zum Thema "Kirche und Geld" aus den Korintherbriefen. BiKi 62 (2007) 30-36.

8032 *Kritzer, Ruth E.* 1 Corinthians in the light of documentary papyri. CHL 122 (2007) 515-522.

8033 **Nguyen, Viet H.T.** Paul and his contemporaries as social critics of the Roman persona: a study of 1 Corinthians, EPICTETUS and VALERIUS MAXIMUS. ᴰ*Clarke, A.* 2007, Diss. Aberdeen.

8034 *Pickett, Ray* Konflikte in Korinth. Sozialgeschichte, I. 2007 ⇒450. 133-160.

8035 *Reis, D.* Flip-flop?: John CHRYSOSTOM's polytropic Paul. JGRChJ 4 (2007) 9-31.

8036 *Repole, Renato* Eschatology and ethics in the first letter of Paul to the Corinthians: two illustrative texts. Biblical responses. 2007 ⇒771. 78-91 [1 Cor 6,1-20].

8037 *Sandnes, Karl Olav* "Ekklesia" at Corinth: between private and public. TTK 78 (2007) 248-265.

8038 *Schmidt, Karl M.* Identitätswahrung durch Ausgrenzung: Exkommunikation und Reintegration am Beispiel der korinthischen Gemeinde. An der Grenze. 2007 ⇒587. 43-67.

8039 *Schrage, Wolfgang* Der 1. Korintherbrief als Paradigma paulinischer Ethik. <2004> ⇒311. 82-101;

8040 Die Bedeutung der 'Schriften' im 1. Korintherbrief. <2002> 1-31;

8041 Einheit und Vielfalt der Kirche im 1. Korintherbrief. 32-81;

8042 Paulinische Eschatologie im 1. Korintherbrief. Studien zur Theologie im 1. Korintherbrief. BThSt 94: 2007 ⇒311. 151-208.

8043 *Tannehill, Robert C.* Paul as liberator and oppressor: evaluating diverse views of 1 Corinthians. The shape of the gospel. 2007 <2004> ⇒328. 203-222.

8044 *Winter, Bruce M.* Carnal conduct and sanctification in 1 Corinthians. ᶠDEASLEY, A. 2007 ⇒30. 184-200.

8045 *Zimmermann, Ruben* Jenseits von Indikativ und Imperativ: Entwurf einer "impliziten Ethik" des Paulus am Beispiel des 1. Korintherbriefs. Ment. *Bultmann, R.* ThLZ 132 (2007) 259-284.

G5.3 **1 Cor 1-7**: *sapientia crucis... abusus matrimonii*

8046 *Dupont, Jacques* Reflexiones de San Pablo para una iglesia dividida. RevBib 69 (2007) <1980> 175-188.

8047 *Herzer, Jens* Jakobus, Paulus und Hiob: die Intertextualität der Weisheit. Buch Hiob. AThANT 88: 2007 ⇒857. 329-350.

8048 *Lévêque, Jean* Sagesse et dessin de Dieu. NRTh 129 (2007) 189-211 {[Rom 11,33-36; 1 Cor 1-2; Eph 1,1-14; Col 1,15-20].

8049 **Strüder, Christof W.** Paulus und die Gesinnung Christi: Identität und Entscheidungsfindung aus der Mitte von 1 Kor 1-4. BEThL 190: 2005 ⇒21,8125. ᴿRivBib 55 (2007) 232-235 (*Bianchini, Francesco*); RSR 95 (2007) 428-429 (*Aletti, Jean-Noël*); Bib. 88 (2007) 438-440 (*Lambrecht, Jan*).

8050 *Togarasei, L.* Being a church in a world of disunity: reflections from First Corinthians 1-4. Scriptura 94 (2007) 65-72.

8051 **Welborn, Laurence L.** Paul, the fool of Christ: a study of 1 Corinthians 1-4 in the comic-philosophic tradition. JSNT.S 293: 2005 ⇒ 21,8126; 22,7832. [R]RBLit (2007)* (*Morton, Russell*).

8052 **Clarke, Andrew D.** Secular and christian leadership in Corinth: a socio-historical and exegetical study of 1 Corinthians 1-6. Paternoster Biblical Monographs: Milton Keynes 2006 <1993>, Paternoster 188 pp. $30. [R]RBLit (2007)* (*Spaeth, Barbette S.*).

8053 **Kammler, Hans-Christian** Kreuz und Weisheit: eine exegetische Untersuchung zu 1 Kor 1,10-3,4. WUNT 159: 2003 ⇒19,7609... 22, 7833. [R]RBLit (2007)* (*Williams, H.H. Drake, III*).

8054 *Schmalenberger, J.L.* Pastoring Chloe's people: pathology and ministry strategies for conflicted congregations. ThLi 30 (2007) 49-63 [1 Cor 1,10-17].

8055 *Ebner, Martin* Das Wort vom Kreuz: neutestamentliche Deutungen des Sterbens Jesu (1). Christ in der Gegenwart 59/13 (2007) 101-102 [1 Cor 1,18-25].

8056 *Sänger, Dieter* Die δυνατοί in 1Kor 1,26. Von der Bestimmtheit. 2007 <1985> ⇒306. 91-98.

8057 *Umoh, Camillus* God's foolishness and the paradox of christian vocation: reading 1 Cor 1:26-31 from an African context. [F]MONSENGWO PASINYA, L. 2007 ⇒110. 201-213.

8058 *Collu, Mario F.* La visione del Signore della gloria (1 Cor 2,8). LSDC 22 (2007) 211-224.

8059 *Horn, Friedrich W.* Paulus und der herodianische Tempel. NTS 53 (2007) 184-203 [Rom 15,16; 1 Cor 3,16; 6,19; 2 Cor 6,16].

8060 *Hertig, Paul* Fool's gold: Paul's inverted approach to church hierarchy (1 Corinthians 4), with emerging church implications. Miss. 35 (2007) 287-303.

8061 *Nguyen, V. Henry T.* The identification of Paul's spectacle of death metaphor in 1 Corinthians 4.9. NTS 53 (2007) 489-501.

8062 *Ivarsson, Fredrik* Vice lists and deviant masculinity: the rhetorical function of 1 Corinthians 5:10-11 and 6:9-10. Mapping gender. BiblInterp 84: 2007 ⇒621. 163-184.

8063 *Romaniuk, Kazimierz* 'Którzy są na zewnątrz [...] którzy są wewnątrz' (1Kor 5,12n) [Ceux qui sont dehors [...] ceux qui sont dedans' (1Cor 5,12s)]. AtK 149 (2007) 112-116. **P.**

8064 *Robertson, Charles K.* Courtroom drama: a Pauline alternative for conflict management. AThR 89 (2007) 589-610 [1 Cor 6,1-11].

8065 *Mitchell, Alan C.* Friends do not wrong friends: friendship and justice in 1 Corinthians 6.8. [F]BASSLER, J. NTMon 22: 2007 ⇒11. 134-144.

8066 *López, René A.* Does the vice list in 1 Corinthians 6:9-10 describe believers or unbelievers?. BS 164 (2007) 59-73.

8067 *Schrage, Wolfgang* Zur neueren Interpretation von 1. Korinther 7. Studien zur Theologie im 1. Korintherbrief. BThSt 94: 2007 <2003> ⇒311. 102-125.

8068 **Shabani, Louay** Santificazione e il valore salvifico del matrimonio: studio esegetico-teologico di 1Cor 7,12-16 ed Ef 5,25-33. [D]*Brodeur, Scott* 2007, 321 pp. Diss. Gregoriana [RTL 39,606].

G5.4 *Idolothyta... Eucharistia*: **1 Cor 8-11**

8069   **Carson, D.A.** A model of christian maturity: an exposition of 2 Corinthians 10-13. GR 2007 <1984>, Baker 192 pp. $15.

8070   **Gäckle, Volker** Die Starken und die Schwachen in Korinth und Rom. zur Herkunft und Funktion der Antithese in 1Kor 8,1-11,1 und Röm 14,1-15,13. WUNT 2/200: 2005 ⇒21,8150; 22,7852. ᴿBib. 88 (2007) 582-585 (*Reasoner, Mark*); RHPhR 86 (2006) 437-438 (*Grappe, C.*).

8071   *Gould, Graham* How did the early christians worship?. Decoding early christianity. 2007 ⇒595. 93-108.

8072   *Horrell, David G.* Idol-food, idolatry and ethics in Paul. Idolatry. 2007 ⇒763. 120-140.

8073   *Jefferson, L.M.* The pagan feast and the sacramental feast: the implication of idol food consumption in Paul's Corinth. Sewanee Theological Review 51/1 (2007) 22-47.

8074   *Klausnitzer, Wolfgang* Die Eucharistie als Sakrament der Einheit: Anmerkungen zu einem strittigen Thema aus der Sicht des Paulus. ᶠHIEROLD, A. KStT 53: 2007 ⇒66. 547-571.

8075   **Phua, Richard L.-S.** Idolatry and authority: a study of 1 Corinthians 8.1-11.1 in the light of the Jewish diaspora. LNTS 299: 2005 ⇒21, 8152. ᴿCBQ 69 (2007) 162-163 (*Horrell, David G.*).

8076   *Theobald, Michael* Leib und Blut Christi: Erwägungen zu Herkunft, Funktion und Bedeutung des sogenannten "Einsetzungsberichts". Herrenmahl. QD 221: 2007 ⇒572. 121-165.

8077   *Watson, Francis* 'I received from the Lord...': Paul, Jesus, and the Last Supper. Jesus and Paul reconnected. 2007 ⇒523. 103-124.

8078   *Willis, Wendell L.* 1 Corinthians 8-10-a retrospective after twenty-five years. RestQ 49/2 (2007) 103-112.

8079   **Coutsoumpos, Panayotis** Paul and the Lord's Supper: a socio-historical investigation. Studies in Biblical literature 84: 2005 ⇒21, 8159; 22,7856. ᴿTeol(IBr) 32 (2007) 92-95 (*Mazza, Enrico*); RSR 95 (2007) 417-418 (*Aletti, Jean-Noël*) [1 Cor 8,10-20].

8080   **Butarbutar, Robinson** Paul and conflict resolution: an exegetical study of Paul's apostolic paradigm in 1 Corinthians 9: then and now. Milton Keynes 2007, Paternoster xviii; 275 pp. £20. 978-18422-731-59. Diss. Singápore; Bibl. 241-263.

8081   *Sangbako Djima, Sébastien* Arrière-fond grec de 1 Co 9,1-8: l'apôtre Paul aux prises avec la sagesse grecque. ᶠMONSENGWO PASINYA, L. 2007 ⇒110. 215 -232.

8082   *Harnisch, Wolfgang* Der paulinische Lohn (1 Kor 9,1-23). ZThK 104 (2007) 25-43.

8083   *Bredenkamp, D.S.M.* 1 Korintiërs 9:24-27–kerklike leierskap vra 'n besondere vorm van selfbeheersing. VeE 28/1 (2007) 19-34.

8084   *Mody, Rohintan* "The case of the missing thousand": Paul's use of the Old Testament in 1 Corinthians 10:8: a new proposal. ChM 121/1 (2007) 61-79 [Num 25,9].

8085   *Söding, Thomas* "Wenn ihr zum Mahl zusammenkommt, ..." (1 Kor 11,33): Zeit und Raum der Eucharistie im Neuen Testament. HID 61 (2007) 99-110.

8086   *Massey, Preston T.* The meaning of κατακαλύπτω and κατὰ κεφαλῆς
       ἔχων in 1 Corinthians 11.2-16. NTS 53 (2007) 502-523.
8087   *Nothhaas, Johannes R.* Die Stellung der Frau in der Kirche nach 1.
       Kor. 11,2-16. LuthBei 12/2 (2007) 81-102.
8088   **Økland, Jorunn** Women in their place: Paul and the Corinthian dis-
       course of gender and sanctuary space. JSNT.S 269: 2004 ⇒20,7667
       ... 22,7864. ᴿJR 87 (2007) 265-266 (*Huizenga, Annette B.*); JThS 58
       (2007) 236-239 (*Thiselton, Anthony C.*) [1 Cor 11,2-16; 14,33-36].
8089   *Panier, Louis* Le pain et la coupe: parole donnée pour un temps d'ab-
       sence: une lecture de 1 Co 11,17-34. SémBib 126 (2007) 4-18.
8090   *Schmälzle, Udo Fr.* Das Herrenmahl: Ort des Gerichts (1 Kor 11,29):
       ein Zwischenruf. Herrenmahl. QD 221: 2007 ⇒572. 278-282.

G5.5 1 Cor 12s... Glossolalia, charismata

8091   **Aguilar Chiu, José E.** 1 Cor 12-14 literary structure and theology.
       AnBib 166: R 2007, E.P.I.B. 378 pp. €43. 978-88-7653-166-8. Bibl.
       337-349.
8092   *Calderón, C.* ¿Qué eran las lenguas en el pensamiento del apóstol
       Pablo? (primera de dos partes). Kairós [Guatemala City] 41 (2007)
       79-99.
8093   *Lémonon, J.-P.* Charismes et édification de la communauté. Spiritus
       186 (2007) 25-34.
8094   *Luz, U.* Stages of early christian prophetism. Sacra Scripta [Cluj-Na-
       poca, Romania] 5 (2007) 45-62.
8095   **Nasrallah, Laura** An ecstasy of folly: prophecy and authority in
       early christianity. HThS 52: 2004 ⇒20,7680. ᴿCBQ 69 (2007) 367-
       368 (*Tilley, Maureen A.*).
8096   *Rossing, Barbara R.* Propheten, prophetische Bewegungen und die
       Stimmen von Frauen. Sozialgeschichte, 1. 2007 ⇒450. 293-321.
8097   **Tibbs, Clint** Religious experience of the *Pneuma*: communication
       with the spirit world in 1 Corinthians 12 and 14. WUNT 2/230: Tü
       2007, Mohr S. xxii; 368 pp. €69. 978-3-16-149357-7. Bibl. 321-338.

8098   *Annen, Franz* Der eine Leib und die vielen Glieder: 1 Kor 12 und das
       Amtsverständnis in der Kirche heute. ꟳKIRCHSCHLÄGER, W. 2007 ⇒
       85. 23-41.
8099   *Hecht, Anneliese* Gemeinde als Leib Christi–ein Leib ohne Zwiespalt
       mit viel Wertschätzung: Bibelarbeit zu 1 Kor 12. Frauenkörper. Frau-
       enBibelArbeit 18: 2007 ⇒378. 61-69.
8100   **Lee, Michelle V.** Paul, the Stoics, and the body of Christ. MSSNTS
       137: 2006 ⇒22,7879. ᴿTrinJ 28 (2007) 302-304 (*Schnabel, Eckhard
       J.*); RBLit (2007)* (*Wright, Richard A.*) [1 Cor 12].
8101   *Roest, Henk de* Ecclesiologie of ideologie?: een kritische lezing van
       1 Korintiërs 12 als "Leitbild" voor een christelijke geloofsgemeen-
       schap. KeTh 58 (2007) 46-61.
8102   *Okambawa, Wilfrid* Le message de sagesse comme don de l'Esprit (1
       Co 12,8). ꟳMONSENGWO PASINYA, L. 2007 ⇒110. 233-239.
8103   *Jung, Chang-Wook* Translation of double negatives in 1 Corinthians
       12.15-16. BiTr 58 (2007) 147-152.
8104   *Redalié, Yann* L'*agapé* o la via esagerata (1Cor 13): in ricordo di don
       Paolo Serra Zanetti. RTE 11 (2007) 515-525.

8105 *Bauer, Johannes B.* Corpus suum tradere (Dan 3,28 [95]; 2Makk 7,37; 1Kor 13,3). NT 49 (2007) 149-151.

8106 **Choi, Sung B.** Geist und christliche Existenz: das Glossolalieverständnis des Paulus im Ersten Korintherbrief (1 Kor 14). *DLindemann, Andreas* <dir> WMANT 115: Neuk 2007, Neuk x; 239 pp. €34.90. 978-3-7887-2207-4. Diss. Bethel; Bibl. 212-235.

8107 *Nothhaas, Johannes R.* 1. Kor 14,34–Teil einer Interpolation?. FKTh 23/2 (2007) 123-137.

8108 *Kraft, Ila B.* The interlocutor speaks: diatribal patterns in 1 Corinthians 14.34-35. FBASSLER, J. NTMon 22: 2007 ⇒11. 145-157.

G5.6 **Resurrectio**; *1 Cor 15...*[⇒F5.6]

8109 *Baker, Lynne R.* Persons and the metaphysics of resurrection. RelSt 43 (2007) 333-348.

8110 *Du Toit, Andrie* Primitive christian belief in the resurrection of Jesus in the light of Pauline resurrection and appearance terminology. Focusing on Paul. BZNW 151: 2007 <1989> ⇒216. 95-116.

8111 *Franklin, R.* 'Life after life after death': is Wright right about the afterlife?. Theol. 110 (2007) 118-125.

8112 **Garcilazo, Albert V.** The Corinthian dissenters and the Stoics. Studies in biblical literature 106: NY 2007, Lang xiv; 251 pp. €55.30. 0-8204-9521-2. Bibl. 229-239.

8113 *Janssen, Claudia* Von Auferstehung singen: der Tod wird schon im Leben besiegt, nicht erst im Sterben. zeitzeichen 8/4 (2007) 8-11.

8114 *Janssen, Claudia; Reuter, Eleonore* "Anders ist die Schönheit der Körper ...": Bibelarbeit zum Aufstehen ins Leben Gottes (1 Kor 15,42-44). Frauenkörper. FrauenBibelArbeit 18: 2007 ⇒378. 70-76.

8115 *Kaufman, John* Sjelens udødelighet eller legemets oppstandelse?: forestillinger om livet etter døden i antikken og oldkirken. Ung teologi 40/2 (2007) 29-39.

8116 *Perkins, Pheme* Resurrection and christology: are they related?. FHURTADO, L. & SEGAL, A. 2007 ⇒71. 67-75.

8117 **Sobanaraj, S.** Diversity in Paul's eschatology: Paul's view on the parousia and bodily resurrection. DLegrand, Lucien Delhi 2007, ISCPK xviii; 474 pp. Rs500. Diss. Senate of Serampore, West Bengal 2004. RITS 44 (2007) 444-451 (*Saldanha, Assisi*).

8118 *Sonnemans, Heino* Der Leib und die Auferstehung der Toten. ThG 50 (2007) 263-272.

8119 *Williams, M.* Since Christ has been raised from the dead. Presbyterion 33/2 (2007) 65-71.

8120 *Kister, Menahem* "In Adam": 1 Cor 15:21-22; 12:27 in their Jewish setting. FGARCÍA MARTÍNEZ, F. JSJ.S 122: 2007 ⇒46. 685-690.

8121 *Hammes, Axel; Schlimbach, Guido* Eingefrorene Unsterblichkeit oder leibliche Auferstehung?: zu einer Installation von Gregor Schneider und der christlichen Hoffnung nach 1 Kor 15. Pastoralblatt für die Diözesen Aachen, Berlin, Essen etc. 59 (2007) 120-126.

8122 **Janssen, Claudia** Anders ist die Schönheit der Körper: Paulus und die Auferstehung in 1 Kor 15. 2005 ⇒21,8204; 22,7895. RZKTh 129 (2007) 243-244 (*Stare, Mira*); JEGTFF 15 (2007) 246-248 (*Rehmann, Luzia S.*).

8123 *Perrin, Nicholas* On raising Osiris in 1 Corinthians 15. TynB 58/1 (2007) 117-128.
8124 *Cocchini, Francesca* Le 'fatiche' di Paolo (*1Cor* 15,10) nella più antica interpretazione cristiana. X simposio paolino. Ment. *Irenaeus* Turchia 21: 2007 ⇒860. 197-204.
8125 *Jones, Russell; Ball, Helen; Maitland, Eileen* Contextual bible study notes on 1 Corinthians 15:12-20. ET 118 (2007) 186-187.
8126 *Marcus, Joel* The last enemy: 1 Corinthians 15:19-26, John 20:1-18. ET 118 (2007) 287-288.
8127 **Hull, Michael** Baptism on account of the dead (1 Cor 15:29). 2005 ⇒21,8210; 22,7901. [R]CBQ 69 (2007) 150-1 (*Witherup, Ronald D.*).
8128 *Zeller, Dieter* Gibt es religionsgeschichtliche Parallelen zur Taufe für die Toten (1Kor 15,29)?. ZNW 98 (2007) 68-76.
8129 *Walker, William O., Jr.* 1 Corinthians 15:29-34 as a non-Pauline interpolation. CBQ 69 (2007) 84-103.
8130 *Gaffin, Richard B., Jr.* The last Adam, the life-giving spirit. The forgotten Christ. 2007 ⇒566. 191-231 [1 Cor 15,44-49].

G5.9 Secunda epistula ad Corinthios

8131 *Adewuya, J. Ayodeji* The people of God in a pluralistic society: holiness in 2 Corinthians. [F]DEASLEY, A.. 2007 ⇒30. 201-218.
8132 *Balla, Peter* 2 Corinthians. Commentary on the NT use of the OT. 2007 ⇒5642. 753-783.
8133 **Beevers, Brad** Paul's exemplary confidence in 2 Corinthians 1:12-4:6. 2007, Diss. Westminster Theol. Sem. [WThJ 69,405].
8134 **Blanton, Thomas R., IV** Constructing a new covenant: discursive strategies in the Damascus Document and Second Corinthians. [D]*Klauck, Hans-Josef* WUNT 2/233: Tü 2007, Mohr S. x; 271 pp. €54. 978-3-16-149207-5. Diss. Chicago; Bibl. 239-252.
8135 **Harris, Murray J.** The second epistle to the Corinthians: a commentary on the Greek text. NIGTC: 2005 ⇒21,8216; 22,7913. [R]Pacifica 20 (2007) 100-102 (*Wall, Lynne*); ThLZ 132 (2007) 933-935 (*Wilk, Florian*); RSR 95 (2007) 421-422 (*Aletti, Jean-Noël*); Faith & Mission 24/3 (2007) 73-74 (*Owens, Mark D.*); JThS 58 (2007) 232-234 (*Gooder, Paula*); RBLit (2007) 416-419 (*Williams, H.H. Drake, III*).
8136 **Hughes, R. Kent** 2 Corinthians: power in weakness. 2006 ⇒22, 7914. [R]Faith & Mission 24/3 (2007) 74-76 (*Winstead, Melton*).
8137 *Jonas, Dirk* Paulus: diakonischer Narr oder närrischer "Diakon"?. WuD 29 (2007) 239-250.
8138 **Lambrecht, Jan** Second Corinthians. Sacra Pagina 8: ColMn [2]2006 <1999>, Liturgical xiii; 256 pp. $30. 978-08146-59717. [R]TC.JBTC 12 (2007)* 2 pp (*Nicklas, Tobias*).
8139 *Lampe, Peter* Gewaltige Worte werden gewalttätig: Verbalkrieg aus der Ferne im Zweiten Korintherbrief als Kompensation kraftlosen persönlichen Auftretens?. Erkennen u. Erleben. 2007 ⇒579. 231-46.
8140 **Lorusso, Giacomo** La seconda lettera ai Corinzi: introduzione, versione, commento. Scritti delle origini cristiane 8: Bo 2007, Dehoniane 367 pp. €30. 978-88-10-20625-6.
8141 *O'Collins, Gerald* The God of all comfort. PaRe 3/2 (2007) 10-15.
8142 **Pitta, Antonio** La seconda lettera ai Corinzi. Commenti biblici: 2006 ⇒22,7919. [R]RSR 95 (2007) 422-423 (*Aletti, Jean-Noël*); CivCatt 158/2 (2007) 406-407 (*Scaiola, D.*).

8143 **Roetzel, Calvin J.** 2 Corinthians. Nv 2007, Abingdon 189 pp. $21. 978-0-687-05677-4. Bibl. 159-163.

8144 ᴱ**Swanson, Reuben J.** New Testament Greek manuscripts: 1 & 2 Corinthians. 2003-2005 ⇒19,7567... 22,7800. ᴿNT 49 (2007) 97-99 (*Elliott, J.K.*);

8145 2 Corinthians. 2005 ⇒21,8227. ᴿTrinJ 28 (2007) 300-302 (*Hutchison, David*); RBLit (2007)* (*Bird, Michael F.*).

8146 **Thrall, Margaret E.** Seconda lettera ai Corinti, vol. 1: introduzione; commento ai capp. 1-7. ᴱ*Zoroddu, E.*; *Nuzzo, M.* Commentario Paideia 8.1: Brescia 2007, Paideia 520 pp. €52.40. 978-88394-07344.

8147 *Beevers, Brad* Paul's exemplary confidence in 2 Corinthians 1:12-4:6. WThJ (2007) 405.

8148 *Hock, Andreas* Christ is the parade: a comparative study of the triumphal procession in 2 Cor 2,14 and Col 2,15. Bib. 88 (2007) 110-119.

8149 *Baldanza, Giuseppe* ὀσμή e εὐωδία in 2Cor 2,14-17: quale interpretazione?. Laur. 48 (2007) 477-501.

8150 *Schäfer, Brigitte* Gottes Geist verwandelt (2 Kor 3,17-18). Im Kraftfeld. WerkstattBibel 11: 2007 ⇒513. 39-46.

8151 *Stegman, Thomas D.* Ἐπίστευσα, διὸ ἐλάλησα (2 Corinthians 4:13): Paul's christological reading of Psalm 115:1a LXX. CBQ 69 (2007) 725-745.

8152 **Lindgård, Fredrik** Paul's line of thought in 2 Corinthians 4:16-5:10. WUNT 2/189: 2005 ⇒21,8236; 22,7934. ᴿBBR 17 (2007) 176-177 (*Seifrid, Mark A.*).

8153 **Vogel, Manuel** Commentatio mortis: 2Kor 5,1-10 auf dem Hintergrund antiker ars moriendi. FRLANT 214: 2006 ⇒22,7935. ᴿThLZ 132 (2007) 946-8 (*Heckel, Theo*); RBLit (2007)* (*Nicklas, Tobias*).

8154 *Bieringer, Reimund* Reconciliation with God and a wide-open heart for Paul: the meaning of the christian theology and practice of reconciliation according to 2 Corinthians 5:11-7:4. PIBA 30 (2007) 15-33.

8155 **Gignilliat, Mark S.** Paul and Isaiah's servants: Paul's theological reading of Isaiah 40-66 in 2 Corinthians 5:14-6:10. LNTS 330: 2007, Clark xi; 198 pp. $129.25. 0-567-04483-1. Bibl. 162-190.

8156 *Schröter, Jens* Gottes Versöhnungstat und das Wirken des Paulus: Gestaltwerdung des Evangeliums nach 2 Kor 5,18-21. ᴹKuss, O. 2007 ⇒92. 87-107.

8157 *Hayes, Elizabeth R.* The influence of Ezekiel 37 on 2 Corinthians 6:14-7:1. The book of Ezekiel and its influence. 2007 ⇒835. 123-36.

8158 *Hollander, Harm W.* 'A letter written on tablets of human hearts': Ezekiel's influence on 2 Corinthians 6:14-7:1. The book of Ezekiel and its influence. 2007 ⇒835. 103-121.

8159 *Roetzel, Calvin J.* A rhetoric of 'violence': mere metaphor or virtual reality?: 2 Corinthians 10.1-6 and 11.1-15. ᶠBASSLER, J. NTMon 22: 2007 ⇒11. 158-169.

8160 *Lambrecht, Jan* Paul's foolish discourse: a reply to A. Pitta. EThL 83 (2007) 407-411 [2 Cor 11,1-12,18].

8161 *Kurek-Chomycz, Dominika A.* Sincerity and chastity for Christ: a textual problem in 2 Cor. 11:3 reconsidered. NT 49 (2007) 54-84.

8162 *Pitta, Antonio* Gesù, lo spirito e il vangelo (2 Cor 11,4): semplice variazione stilistica o climax relazionale?. ᶠVANHOYE, A. AnBib 165: 2007 ⇒156. 301-313.

G6.1 **Ad Galatas**

8163 **Asano, Atsuhiro** Community-identity construction in Galatians: exegetical, social-anthropological and socio-historical studies. JSNT.S 285: 2005 ⇒21,8253; 22,7951. ᴿCBQ 69 (2007) 141-142 (*Hodge, Caroline J.*).

8164 *Boer, Martin de* 'Onderworpen aan de elementen van de wereld': Paulus en het einde van religie. ITBT 15/2 (2007) 13-16.

8165 *Burnet, Régis* Les ambiguités du 'nous' dans l'épître aux Galates. Regards croisés sur la bible. LeDiv: 2007 ⇒875. 467-476.

8166 **Buscemi, Alfio M.** Lettera ai Galati: commentario esegetico. ASBF 63: 2004 ⇒20,7740; 22,7955. ᴿRSR 95 (2007) 420-421 (*Aletti, Jean-Noël*); Theoforum 38 (2007) 365-367 (*Laberge, Léo*).

8167 *Callan, Terrance* The style of Galatians. Bib. 88 (2007) 496-516.

8168 ᵀ**Cooper, Stephen A.** Marius VICTORINUS' Commentary on Galatians. 2005 ⇒21,8257; 22,7957. ᴿLTP 63 (2007) 156-158 (*Cazelais, Serge*); JR 87 (2007) 436-437 (*Reasoner, Mark*).

8169 *Du Toit, Andrie* Alienation and re-identification as pragmatic strategies in Galatians. Focusing on Paul. BZNW 151: 2007 <1992> ⇒ 216. 149-169.

8170 *Dupont-Roc, Roselyne* Paul, envoyé par Jésus Christ et par Dieu Père. Spiritus 186 (2007) 35-44.

8171 **Edwards, Mark J.** Galatians, Ephesians, Philippians. ACCS.NT 8: ²2005 <1999> ⇒21,8262. ᴿLTP 63 (2007) 125-126 (*Cazelais, Serge*).

8172 **Fee, Gordon D.** Galatians. Pentecostal Comm.: Blandford Forum, Dorset 2007, Deo ix; 262 pp. £27. 978-19056-79027. Bibl. 257.

8173 *Fee, Gordon D.* Paul's use of locative ἐν in Galatians: on text and meaning in Galatians 1.6; 1.16; 2.20; 3.11-12, and 3.26. ᶠBASSLER, J. NTMon 22: 2007 ⇒11. 170-185.

8174 *Herbert, T.* Theological reflection according to Paul. Journal of Adult Theological Education 4/2 (2007) 195-208.

8175 *Hietanen, M.* The argumentation in Galatians. Exploring new rhetorical approaches to Galatians. AcTh(B).S 9: 2007 ⇒884. 99-120.

8176 **Hietanen, Mika** Paul's argumentation in Galatians: a pragma-dialectical analysis. LNTS 344: L 2007, Clark xiv; 217 pp. $156. 97-8-0-567-03127-3. Bibl. 199-211.

8177 **Kwon, Yon-G.** Eschatology in Galatians: rethinking Paul's response to the crisis in Galatia. WUNT 2/183: 2004 ⇒20,7749. ᴿRSR 95 (2007) 424-426 (*Aletti, Jean-Noël*); ThLZ 132 (2007) 1075-1076 (*Broer, Ingo*).

8178 *Martin, Troy W.* Circumcision in Galatia and the holiness of God's ecclesiae. ᶠDEASLEY, A. 2007 ⇒30. 219-237.

8179 **Matera, Frank J.** Galatians. Sacra Pagina 9: ColMn ²2007 <1992>, Liturgical xiii; 263 pp. $30. Bibl. updated 253-263.

8180 **Meiser, Martin** Galater. Novum Testamentum Patristicum 9: Gö 2007, Vandenhoeck & R. 373 pp. €89. 978-35255-39880.

8181 *Mitternacht, Dieter* A structure of persuasion in Galatians: epistolary and rhetorical appeal in an aural setting. Exploring new rhetorical approaches. 2007 ⇒884. 53-98;

8182 Wahrnehmungen und Bewältigungen einer Krisensituation: ein Beitrag zur psychologischen Analyse des Galaterbriefs. Erkennen. 2007 ⇒579. 157-182.

8183 ^{ET}**Raspanti, Giacomo** S. HIERONYMI presbyteri ... Commentarii in Epistulam Pauli apostoli ad Galatas. CChr.SL 77A: 2006 ⇒22,7966. ^RSMSR 73 (2007) 418-421 (*Zincone, Sergio*); Orpheus 28 (2007) 329-332 (*Corsaro, Francesco*); JThS 58 (2007) 298-300 (*Winterbottom, Michael*).

8184 *Sänger, Dieter* "Das Gesetz ist unser παιδαγωγός geworden bis zu Christus (Gal 3, 24): zum Verständnis des Gesetzes im Galaterbrief. Von der Bestimmtheit. 2007 <2006> ⇒306. 158-184;

8185 "Vergeblich bemüht" (Gal 4, 11)?: zur paulinischen Argumentationsstrategie im Galaterbrief. Von der Bestimmtheit. 2007 <2000> ⇒ 306. 107-129.

8186 *Schröter, Jens* Die Einheit des Evangeliums: Erwägungen zur christologischen Kontroverse des Galaterbriefes und ihrem theologiegeschichtlichen Hintergrund <2004>;

8187 Die Universalisierung des Gesetzes im Galaterbrief: ein Beitrag zum Gesetzesverständnis des Paulus. Von Jesus zum NT. WUNT 204: 2007 <2000> ⇒312. 147-169/171-201.

8188 *Silva, Moisés* Galatians. Commentary on the NT use of the OT. 2007 ⇒5642. 785-812.

8189 *Swart, Gerhard J.* Reconstructing rhetorical strategies from the text of Galatians–syntax-based discourse analysis as a monitoring device. Exploring new rhetorical approaches to Galatians. AcTh(B).S 9: 2007 ⇒884. 162-173.

8190 **Tolmie, D. François** Persuading the Galatians: a text-centred rhetorical analysis of a Pauline letter. WUNT 2/190: 2005 ⇒21,8284. ^RBBR 17 (2007) 347-348 (*Gombis, Timothy G.*); Bib. 88 (2007) 273-277 (*Pitta, Antonio*).

8191 *Tolmie, Donald F.* The rhetorical analysis of the letter to the Galatians: 1995-2005. Exploring new rhetorical approaches to Galatians. AcTh(B).S 9: 2007 ⇒884. 1-28.

8192 **Ukwuegbu, Bernard O.** The emergence of christian identity in Paul's letter to the Galatians. Arbeiten zur Interkulturalität 4: 2003 ⇒ 19,7739; 20,7764. ^RTS 68 (2007) 919-921 (*Udoh, Fabian E.*).

8193 *Vanhoye, Albert* La fede nella lettera di Paolo ai Galati. RTLu 12 (2007) 123-138.

8194 *Verster, P.* The implications of non-authentic questions in Galatians. Exploring new rhetorical approaches. 2007 ⇒884. 142-161;

8195 *Vos, Johan S.* De functie van de wet in de brief van Paulus aan de Galaten. ITBT 15/2 (2007) 10-12;

8196 Paul and sophistic rhetoric: a perspective on his argumentation in the letter to the Galatians. Exploring new rhetorical approaches to Galatians. AcTh(B).S 9: 2007 ⇒884. 29-52.

8197 *Wander, Bernd* Die sogenannten "Gegner" im Galaterbrief. ^FHAACKER, K. ABIG 27: 2007 ⇒57. 53-70.

8198 **Wiley, Tatha** Paul and the Gentile women: reframing Galatians. 2005 ⇒21,8286; 22,7971. ^REvangel 25/1 (2007) 25 (*Edwards, Ruth B.*).

8199 *Doutre, Jean* Εὐαγγελίζεσθαι en Ga 1: une perspective sémiotique. Regards croisés sur la bible. LeDiv: 2007 ⇒875. 439-453.

8200 *Gignac, Alain* Intrigue, temporalité et spatialité en Ga 1-2: comment la mise en récit fait-elle théologie?. Regards croisés sur la bible. LeDiv: 2007 ⇒875. 419-438.

8201 *Dillmann, Rainer* Seine Briefe sind schwer und stark (vgl. 2 Kor 10, 10): Leserlenkung im Präskript des Galaterbriefs und Römerbriefs–ein Vergleich. ^MKUSS, O. 2007 ⇒92. 111-31 [Rom 1,1-7; Gal 1,1-5].

8202 *Armitage, David J.* An exploration of conditional clause exegesis with reference to Galatians 1,8-9. Bib. 88 (2007) 365-392.

8203 *Reynier, Chantal* Les indices du point de vue en Ga 1,11-2,21: recherche et questionnement. Regards croisés sur la bible. LeDiv: 2007 ⇒875. 131-139.

8204 *Elengabeka, Elvis* Paul en mission: fidélité à l'Esprit et confiance à l'institution. Spiritus 187 (2007) 155-164 [Gal 1,11-24].

8205 *Gombis, Timothy G.* The 'transgressor' and the 'curse of the law': the logic of Paul's argument in Galatians 2-3. NTS 53 (2007) 81-93.

8206 *Yarbrough, Larry* Paul, the pillars, and the poor among the saints. ^FBASSLER, J. NTMon 22: 2007 ⇒11. 110-121 [Gal 2,1-10].

8207 **Zeigan, Holger** Aposteltreffen in Jerusalem: eine forschungsgeschichtliche Studie zu Galater 2,1-10. 2005 ⇒21,8297; 22,7982. ^RThRv 103 (2007) 198 (*Jürgens, Burkhard*); Irén. (2007) 495-496.

8208 **Gonzaga, Waldecir** "A verdade do evangelho" (GL 2,5.14) e a autoridade na igreja: Gl 2,1-21 na exegese do Vaticano II até os nossos dias: história, balanço e novas perspectivas. ^D*Vanni, Ugo* TGr.T 145: R 2007, E.P.U.G. 499 pp. 978-88-7839-085-0.

8209 *Viviano, Benedict T.* The sins of Peter and Paul's correction: Gal 2:11-14 as an ecumenical problem. Matthew and his world. NTOA 61: 2007 ⇒339. 171-192.

8210 **Mendoza Magallón, Pedro** "Estar crucificado juntamente con Cristo": el nuevo status del creyente en Cristo: estudio exegético-teológico de Gal 2,15-21 y Roma 6.5-11. TGr.T 122: 2005 ⇒21,8302; 22, 7983. ^RCBQ 69 (2007) 159-160 (*Fiore, Benjamin*).

8211 *Hunn, Debbie* ἐὰν μὴ in Galatians 2:16: a look at Greek literature. NT 49 (2007) 281-290.

8212 *Scott, Ian W.* Common ground?: the role of Galatians 2.16 in Paul's argument. NTS 53 (2007) 425-435.

8213 *Dianzon, Bernardita* "In Christ": incorporation of the marginalized gentiles into the covenant community. Biblical responses. 2007 ⇒ 771. 1-21 [Gal 3].

8214 *Oegema, Gerbern S.* 'Biblical interpretation in Paul' in cultural context. ^MMETZGER, B. NTMon 19: 2007 ⇒105. 171-186 [Gal 3,6-14].

8215 *Dupont-Roc, Roselyne* Galates 3,6-22: Abraham et sa descendance: tous fils dans le Fils: une transformation radicale du 'point de vue'. Regards croisés sur la bible. LeDiv: 2007 ⇒875. 455-465.

8216 *Bachmann, Michael* Zur Argumentation von Galater 3.10-12. NTS 53 (2007) 524-544.

8217 *Grindheim, Sigurd* Apostate turned prophet: Paul's prophetic self-understanding and prophetic hermeneutic with special reference to Galatians 3.10-12. NTS 53 (2007) 545-565.

8218 **Onwuka, Peter C.** The law, redemption and freedom in Christ: an exegetical-theological study of Galatians 3,10-14 and Romans 7,1-6. ^D*Brodeur, Scott* TGr.T 156: R 2007, E.P.U.G. 374 pp. 978-88-7839-111-6. Diss. Gregoriana.

8219 *Metzenthin, Christian* Abraham in der Damaskusschrift und im Galaterbrief: vergleichende Überlegungen zur Schriftauslegung. BN 134 (2007) 79-103 [2 Cor 3,16-17; Gal 3,16].

8220 *Punt, J.* Subverting Sarah in the New Testament: Galatians 4 and 1 Peter 3. Scriptura 95 (2007) 453-468.

8221 *Boer, Martinus C. de* The meaning of the phrase τὰ στοιχεῖα τοῦ κόσμου in Galatians. NTS 53 (2007) 204-224 [Gal 4,3].

8222 *Tsang, S.* "Abba" revisited: merging the horizons of history and rhetoric through the new rhetorical structure for metaphors. Exploring new rhetorical approaches. AcTh(B).S 9: 2007 ⇒884. 121-141 [Gal 4,6];

8223 Aramaic-speaking gentiles?: 'abba' metaphors as spiritual experience of the Jesus tradition. CGST Journal [Hong Kong] 42 (2007) 113-133 [Gal 4,6].

8224 **Eastman, Susan** Recovering Paul's mother tongue: language and theology in Galatians. GR 2007, Eerdmans xiv; 206 pp. $25. 978-08-028-31651 [Gal 4,12-5,1].

8225 *Söding, Thomas* "Sie ist unsere Mutter": die Allegorie über Sara und Hagar (Gal 4,21-31) in der Einheitsübersetzung und bei Paulus. ᶠHOSSFELD, F. SBS 211: 2007 ⇒69. 231-237.

8226 *Maier, Christl M.* Psalm 87 as a reappraisal of the Zion tradition and its reception in Galatians 4:26. CBQ 69 (2007) 473-486.

8227 **Schewe, Susanne** Die Galater zurückgewinnen: paulinische Strategien in Galater 5 und 6. FRLANT 208: 2005 ⇒21,8323; 22,8002. ᴿThLZ 132 (2007) 432 (*Lührmann, Dieter*).

8228 *Barrett, Charles K.* The interpretation of Galatians 5,11. ᶠVANHOYE, A. AnBib 165: 2007 ⇒156. 315-321.

8229 *Padgett, Alan G.* "Walk in the Spirit": preaching for spiritual growth (Gal. 5:13-6:2). WaW 27 (2007) 342-345.

8230 **Wilson, Todd A.** The curse of the law and the crisis in Galatia: reassessing the purpose of Galatians. WUNT 2/225: Tü 2007, Mohr S. xi; 174 pp. €44. 978-3-16-149254-9. Bibl. 145-160 [Gal 5,13-6,10].

8231 *Allemann, Christophe; Menu, Blaise* Galates 5,13-26: vivre, c'est une vue de l'Esprit!. LeD 71 (2007) 37-48.

8232 *Longenecker, Richard N.* Vivez par l'Esprit: commentaire de Galates 5,16-18. Ḥokhma 91 (2007) <1990> 81-85. Cf. Galatians (WBC; Dallas 1990) 244-246.

8233 *Udoette, Donatus* Paul and the 'works of the flesh' in Gal 5:19-21: implications for contemporary christians. BiBh 33/3 (2007) 82-100.

8234 *Davis, Basil S.* SEVERIANUS of Gabala and Galatians 6:6-10. CBQ 69 (2007) 292-301.

8235 *Korteweg, Theo* Exegetische notities. KeTh 58 (2007) 212-222 [Gal 6,10; Phil 3,20].

8236 *Du Toit, Andrie* Galatians 6:13: a possible solution to an old exegetical problem. Focusing on Paul. BZNW 151: 2007 <1994> ⇒216. 171-175.

8237 *Sänger, Dieter* Bekennendes Amen: zur rhetorischen und pragmatischen Funktion von Gal 6,18. Von der Bestimmtheit. 2007 <2004> ⇒306. 130-157.

G6.2 Ad Ephesios

8238 *Clark, David J.* Discourse structure in Ephesians, with some implications for translators. BiTr 58 (2007) 41-53.

Edwards, M. Galatians, Ephesians...2005 <1999> ⇒8171.

8239 *Foster, Robert L.* Exploring the limits of grace: the theological and rhetorical force of χάρις in Ephesians. ^FBASSLER, J. NTMon 22: 2007 ⇒11. 186-193.

8240 **Heil, John P.** Ephesians: empowerment to walk in love for the unity of all in Christ. Studies in Biblical Literature 13: Atlanta 2007, SBL xii; 357 pp. $40. 978-15898-32671. Bibl. 319-336.

8241 *Komolafe, Sunday B.B.* Christ, church, and the cosmos: a missiological reading of Paul's epistle to the Ephesians. Miss. 35 (2007) 273-286.

8242 *Lyons, George* Church and holiness in Ephesians. ^FDEASLEY, A. 2007 ⇒30. 238-256.

8243 **Martin, Aldo** La tipologia adamica nella lettera agli Efesini. AnBib 159: 2005 ⇒21,8337; 22,8019. ^RTeol(Br) 32 (2007) 98-100 (*Romanello, Stefano*).

8244 *Matthews, B.J.* Christian maturity in Ephesians and Colossians: distinctly masculine or gender-relativized in Christ?. LexTQ 42/1 (2007) 1-17.

8245 ^T**Mondin, Battista** Lettera agli Efesini; lettera ai Filippesi; lettera ai Colossesi. S. TOMMASO d'AQUINO, Commento al Corpus Paulinum 4: Bo 2007, Studio Domenicano 755 pp. €140. 97888-7094-567-7.

8246 **Rantzow, Sophie** Christus victor temporis: Zeitkonzeptionen im Epheserbrief. ^D*Bendemann, Reinhard von* 2007, Diss. Kiel [ThRv 104/1,ix].

8247 **Sánchez Bosch, Jordi** Efesi i Colossencs: dues cartes de Pau?. CStP 89: Barc 2007, Fac. de Teologia de Catalunya 252 pp. 978-84935-14488.

8248 **Talbert, Charles H.** Ephesians and Colossians. Paideia Comm. on the NT: GR 2007, Baker xix; 296 pp. $25. 978-0-8010-3128-1. Ill.; Bibl. 249-269.

8249 *Thielman, Frank S.* Ephesians. Commentary on the NT use of the OT. 2007 ⇒5642. 813-833.

8250 **Witetschek, Stephan** Ephesische Enthüllungen: frühe Christen in einer antiken Großstadt. ^D*Häfner, Gerd* 2007, Diss. München. ^E**Wolter, M.** Ethik als angewandte Ekkelesiologie 2005 ⇒547.

8251 **Yee, Tet-L.N.** Jews, gentiles and ethnic reconciliation: Paul's Jewish identity and Ephesians. MSSNTS 130: 2005 ⇒21,8352; 22,8025. ^RJAAR 75 (2007) 427-429 (*Callan, Terrance*).

8252 *Kangas, R.* The eternal purpose of God as revealed in Ephesians 1. Affirmation & Critique [Anaheim, CA] 12/1 (2007) 3-17.

8253 *Suh, Robert H.* The use of Ezekiel 37 in Ephesians 2. JETS 50 (2007) 715-733.

8254 *Matand, Jean B.* Passion et mort du Christ, source de paix et de réconciliation entre les peuples: analyse littéraire de Ep 2,11-22. Violence, justice et paix. 2007 ⇒891. 201-234.

8255 *Klein, H.* Auf dem Grund der Apostel und Propheten: Bemerkungen zu Epheserbrief 2,20. Sacra Scripta [Cluj-Napoca, Romania] 5 (2007) 63-74.

8256 *Tron, Claudio* Ephésiens 3,14-21: l'église dans l'univers de Dieu. LeD 72 (2007) 23-32.

8257 *Foster, Robert L.* "A temple in the Lord filled to the fullness of God": context and intertextuality (Eph. 3:19). NT 49 (2007) 85-96.

8258 *Beauchamp, Lance T.* The old and new man in Ephesians 4:17-24. Faith & Mission 24/3 (2007) 30-45.

8259 *Collins, C.J.* Ephesians 5:18: what does πληροῦσθε ἐν πνεύματι mean?. Presbyterion 33/1 (2007) 12-30.

8260 *Heil, John P.* Ephesians 5:18b: "But be filled in the Spirit". CBQ 69 (2007) 506-516.

8261 *Walden, W.* Ephesians 5:21 in translation. JBMW 12/1 (2007) 10-13.

8262 *Botha, Annelie; Dreyer, Yolanda* Demistifikasie van die metafoor "die kerk as bruid". HTS 63 (2007) 1239-1274 [Eph 5,21-33].

8263 *Setyawan, Yusak Budi* "Be subject to your husband as your are to the Lord" in Ephesians 5:21-33-illuminated by an Indonesian (Javanese). AJTh 21/1 (2007) 50-68.

8264 *Alcácer Orts, J.M.* La dimensión nupcial de la persona humana como reflejo de la imagen de Dios, en los textos del Génesis y de la carta a los Efesios. EsVe 37 (2007) 19-84 [Eph 5,22-33].

8265 *Kułaczkowski, Jerzy* Aspekty miłości męża do żony w świetle listu do Efezjan 5,25-30 [Aspects d'amour du mari vers sa femme à la lumière d'Ef 5,25-30]. AtK 148/2 (2007) 305-314. **P**.

8266 *Muddiman, John* The so-called bridal bath at Ezekiel 16:9 and Ephesians 5:26. The book of Ezekiel & its influence. 2007 ⇒835. 137-45.

8267 *Wenkel, David H.* The "breastplate of righteousness" in Ephesians 6:14–imputation or virtue?. TynB 58/2 (2007) 275-287.

G6.3 Ad Philippenses

8268 **Aletti, Jean-Noël** Saint Paul épître aux Philippiens. EtB 55: 2005 ⇒ 21,8380; 22,8046. [R]EeV 164 (2007) 24-25 (*Bony, Paul*).

8269 **Bianchi, Enzo** Para mi vivir es Cristo. M 2007, Paulinas 128 pp. [R]Seminarios 53 (2007) 557-558 (*Montsalve, Domingo*);

8270 Vivre, c'est le Christ: la lettre aux Philippiens. P 2007, Mediaspaul 151 pp.

8271 *Bloomquist, L. Gregory* Subverted by joy: sufering and joy in Paul's letter to the Philippians. Interp. 61 (2007) 270-282.

8272 **Eckey, Wilfried** Die Briefe des Paulus an die Philipper und an Philemon. 2006 ⇒22,8051. [R]RBLit (2007) 427-29 (*Witetschek, Stephan*).

Edwards, M. Galatians...Philippians 2005 ⇒8171.

8273 *Fitzgerald, John* Christian friendship: John, Paul, and the Philippians. Interp. 61 (2007) 284-296.

8274 *Grieb, A. Katherine* Philippians and the politics of God. Interp. 61 (2007) 256-269.

8275 *Koester, Helmut* Paul and Philippi: the evidence from early christian literature. Paul & his world. 2007 <1998> ⇒257. 70-79.

8276 *Kraftchick, Steven* Abstracting Paul's theology: extending reflections on 'death' in Philippians. [F]BASSLER, J. 2007 ⇒11. 194-211.

8277 *Marchal, Joseph A.* Expecting a hymn, encountering an argument: introducing the rhetoric of Philippians and Pauline interpretation. Interp. 61 (2007) 245-255.

8278 **Marchal, Joseph A.** Hierarchy, unity, and imitation: a feminist rhetorical analysis of power dynamics in Paul's letter to the Philippians. SBL.Academia Biblica 24: 2006 ⇒22,8062. [R]RBLit (2007) 437-439 (*Bird, Jennifer*).

[T]**Mondin, B**. Lettera...ai Filippesi. S. TOMMASO 2007 ⇒8245.

8279   *Moreno García, Abdón* Introducción literaria a la Carta a los Filipen-
       ses. ResB 53 (2007) 5-9.
8280   *Silva, Moisés* Philippians. Commentary on the NT use of the OT.
       2007 ⇒5642. 835-839.
8281   **Smith, James A.** Marks of an apostle: deconstruction, Philippians,
       and problematizing Pauline theology. SBL.Semeia Studies 53: 2005
       ⇒21,8393; 22,8067. [R]RBLit (2007) 414-416 (*Marchal, Joseph*).
8282   *Snyman, Andreas H.* A·new perspective on Paul's rhetorical strategy
       in Philippians. APB 18 (2007) 214-230.
8283   **Sumney, Jerry L.** Philippians: a Greek student's intermediate reader.
       Peabody, MASS 2007, Hendrickson xxiv; 161 pp. $15. 978-1-56563-
       991-1. Bibl. 153-157.
8284   *Thompson, James W.* Preaching to Philippians. Interp. 61 (2007)
       298-309.
8285   **Thurston, Bonnie B.; Ryan, Judith M.** Philippians and Philemon.
       Sacra Pagina 10: 2005 ⇒21,8395; 22,8069. [R]BS 164 (2007) 377-378
       (*Fantin, Joseph D.*); CBQ 69 (2007) 170-171 (*Vining, Peggy A.*).
8286   *Wagner, J. Ross* Working out salvation: holiness and community in
       Philippians. [F]DEASLEY, A. 2007 ⇒30. 257-274.
8287   **Ware, James Patrick** The mission of the church in Paul's letter to
       the Philippians in the context of ancient Judaism. NT.S 120: 2005 ⇒
       21,8396. [R]RBLit (2007)* (*Seland, Torrey*).

8288   *Leitzke, Samuel* Análise exegética de Filipenses 1.1-6. Vox scripturae
       15/1 (2007) 23-55.
8289   *Pascual Galán, Rafael* La acción de gracias en Filipenses (1,3-11).
       ResB 53 (2007) 11-18.
8290   *Tatum, Gregory T.* πεπληρωμένοι. RB 114 (2007) 451-453 [Phil
       1,7-11; 4,14-19].
8291   *Rico, Christophe* Une métaphore financière de l'épître aux Philippi-
       ens: πεπληρωμένοι καρπὸν δικαιοσύνης (Ph 1,11). RB 114 (2007)
       447-451.
8292   **Park, M. Sydney** Submission within the Godhead and the church in
       the epistle to the Philippians: an exegetical and theological examina-
       tion of the concept of submission in Philippians 2 and 3. LNTS 361:
       L 2007, Clark xii; 207 pp. $156. 978-0-567-04551-5. Diss. Aber-
       deen; Bibl. 187-197.
8293   *Moreno García, Abdón* Vivid entre vosotros lo que sois en Cristo: la
       tarea brota del don (Flp 2,5). ResB 53 (2007) 19-28.
8294   *Rodgers, Peter R.* A textual commentary on Philippians 2.5-11.
       [M]METZGER, B. NTMon 19: 2007 ⇒105. 187-195.
8295   *Jiménez González, Agustín* Por la comunión y humildad a la divini-
       dad y filiación (Flp 2,5-18). ResB 53 (2007) 29-38.
8296   *Lambrecht, Jan* Paul's reasoning in Philippians 2,6-8. EThL 83
       (2007) 413-418.
8297   *Cousar, Charles* The function of the Christ-hymn (2.6-11) in Philip-
       pians. [F]BASSLER, J. NTMon 22: 2007 ⇒11. 212-220.
8298   **Hellerman, Joseph H.** Reconstructing honor in Roman Philippi:
       Carmen Christi as cursus pudorum. MSSNTS 132: 2005 ⇒21,8404;
       22,8080. [R]CBQ 69 (2007) 580-581 (*Fowl, Stephen*); JThS 58 (2007)
       240-42 (*Oakes, Peter*); RBLit (2007)* (*Lamoreaux, Jason*) [2,6-11].
8299   *Taranzano, Adrián* Ante el misterio del sufrimiento: un acercamiento
       a partir del himno cristológico de la carta a los filipenses. Soleriana
       [Montevideo] 28 (2007) 227-275 [Phil 2,6-11].

8300 *Aletti, Jean-Noël* List do Filipian 3 jako wzorcowy model chrystologii św. Pawła. Jezus jako Syn Boży. 2007 ⇒414. 101-17 [Phil 3]. **P**.
8301 **Bianchini, Francesco** L'elogio di sé in Cristo: l'utilizzo della periautologhia nel contesto di Filippesi 3,1-4,1. AnBib 164: 2006 ⇒22, 8084. [R]EstB 65 (2007) 563-565 (*Caballero, Juan L.*); RTE 12 (2008) 183-186 (*Delcorno, Pietro*).
8302 *Harrington, Daniel J.* Did Paul disavow Judaism?: a closer look at Philippians 3:2-11. BiTod 45 (2007) 285-290.
8303 *Cabello, Pedro* El don de haber sido alcanzado por Cristo (Flp 3,4-14). ResB 53 (2007) 39-47.
8304 *Stahlhoefer, Alexander B.* Análise exegética de Filipenses 3.12-16. Vox scripturae 15/2 (2007) 7-35.
8305 *Granados, Carlos* La cruz que salva (Flp 3,17-21). ResB 53 (2007) 49-58.
8306 *Schinkel, Dirk* "Unsere Bürgerschaft befindet sich im Himmel" (Phil 3,20)–ein biblisches Motiv und seine Entwicklung im frühen Christentum. BN 133 (2007) 79-97.
8307 *Snyman, A.H.* Philippians 4:1-9 from a rhetorical perspective. VeE 28 (2007) 224-243;
8308 Philippians 4:10-23 from a rhetorical perspective. AcTh(B) 27/2 (2007) 168-185.

G6.4 Ad Colossenses

8309 *Aletti, Jean-Noël* La *dispositio* de Colossiens: enjeux exégétiques et théologiques. [F]VANHOYE, A. AnBib 165: 2007 ⇒156. 323-336.
8310 *Beale, G.K.* Colossians. Commentary on the NT use of the OT. 2007 ⇒5642. 841-870.
8311 **Ibrahim, Najib** Gesù Cristo signore dell'universo: la dimensione cristologica della lettera ai Colossesi. SBFA 70: J 2007, Franciscan 240 pp. 978-88-6240-0008. Bibl. 209-222.
8312 *Joy, C.I.D.* Colossians, Paul and empire: a postcolonial reconstruction. BTF 39/2 (2007) 89-101.
8313 **Maisch, Ingrid** Der Brief an die Gemeinde in Kolossä. Theologischer Komm. zum NT 12: 2003 ⇒19,7866; 21,8415. [R]CoTh 77/1 (2007) 202-206 (*Załęski, Jan*).
 [T]**Mondin, B**. Lettera... ai Colossesi. S. TOMMASO 2007 ⇒8245.
 Sánchez Bosch, J. Efesi i Colossencs 2007 ⇒8247.
 Talbert, C. Ephesians and Colossians. 2007 ⇒8248.
8314 **Thompson, Marianne M.** Colossians and Philemon. Two Horizons NT Comm.: 2005 ⇒21,8418; 22,8105. [R]SNTU.A 32 (2007) 261-262 (*Giesen, Heinz*); CBQ 69 (2007) 596-98 (*MacDonald, Margaret Y.*).
8315 **Walsh, Brian J.; Keesmaat, Sylvia C.** Colossians remixed: subverting the empire. 2004 ⇒20,7852... 22,8106. [R]RBLit (2007) 419-422 (*Standhartinger, Angela*).
8316 *Watts Henderson, Suzanne* God's fullness in bodily form: Christ and church in Colossians. ET 118 (2007) 169-173.
8317 **Wilson, Robert M.** A critical and exegetical commentary on Colossians and Philemon. 2005 ⇒21,8420. [R]CBQ 69 (2007) 604-606 (*Heil, John P.*).

8318   **Gordley, Matthew E.** The Colossian hymn in context: an exegesis in
        light of Jewish and Greco-Roman hymnic and epistolary conventions.
        [D]*Aune, D.* WUNT 2/228: Tü 2007, Mohr S. ix; 295 pp. €59. 978-3-
        16-149255-6. Diss. Notre Dame; Bibl. 271-280 [Col 1,15-20].
8319   **Pizzuto, Vincent** A cosmic leap of faith: an authorial, structural, and
        theological investigation of the cosmic christology in Col. 1:15-20.
        CBET 41: 2006 ⇒22,8111. [R]RBLit (2007)* (*Gordley, Matthew E.*).
8320   *Bing, Charles C.* The warning in Colossians 1:21-23. BS 164 (2007)
        74-88.
8321   *Arcidiacono, Cristina* Colossiens 1,24-2,3: un mystère dévoilé. LeD
        72 (2007) 33-44.
8322   *Buscemi, Alfio M.* Una rilettura filologica di Colossesi 2,23. LASBF
        57 (2007) 229-252.
8323   **Rosner, Brian S.** Greed as idolatry: the origin and meaning of a Pau-
        line metaphor. GR 2007, Eerdmans xiv; 214 pp. $22. 978-08028-33-
        747. Bibl. 180-200 [Eph 5,5; Col 3,5].
8324   *Yamauchi, E.* The Scythians–who were they? and why did Paul
        include them in Colossians 3:11?. Priscilla Papers [Mp] 21/4 (2007)
        13-18.
8325   *MacDonald, Margaret Y.* Slavery, sexuality and house churches: a
        reassessment of Colossians 3.18-4.1 in light of new research on the
        Roman family. NTS 53 (2007) 94-113.
8326   *Murphy-O'Connor, Jerome* The greeters in Col 4:10-14 and Phlm
        23-24. RB 114 (2007) 416-426.

G6.6 Ad Thessalonicenses

[E]**Breytenbach, C.,** *al.,* Frühchristliches Thessaloniki 2007 ⇒388.
8327   **Furnish, Victor P.** 1 Thessalonians, 2 Thessalonians. Abingdon NT
        Comm.: Nv 2007, Abingdon 204 pp. $20. 978-06870-57436. Bibl.
        185-98
8328   *Koester, Helmut* Apostle and church in the letters to the Thessaloni-
        ans. Paul & his world. 2007 <1980> ⇒257. 24-32;
8329   Archaeology and Paul in Thessalonike. Paul & his world. 2007
        <1994> ⇒257. 38-54;
8330   Archäologie und Paulus in Thessalonike. Frühchristliches Thessalo-
        niki. STAC 44: 2007 <1994> ⇒388. 2-9.
8331   **Nicholl, Colin R.** From hope to despair in Thessalonica: situating 1
        and 2 Thessalonians. MSSNTS 126: 2004 ⇒20,7861; 21,8434.
        [R]HeyJ 48 (2007) 621-622 (*Turner, Geoffrey*).
8332   *Schreiber, Stefan* Früher Paulus mit Spätfolgen: eine Bilanz zur neu-
        esten Thessalonicherbrief-Forschung. ThRv 103 (2007) 267-284.
8333   *Weima, Jeffrey A.D.* 1-2 Thessalonians. Commentary on the NT use
        of the OT. 2007 ⇒5642. 871-889.
8334   **Witherington, Ben, III** 1 and 2 Thessalonians: a socio-rhetorical
        commentary. 2006 ⇒22,8119. [R]ScrB 37 (2007) 113-114 (*King,
        Nicholas*); CBQ 69 (2007) 840-841 (*Donfried, Karl P.*); RBLit
        (2007)* (*Fairchild, Mark R.*); RBLit (2007) 434-437 (*Blomberg,
        Craig L.*).

8335   *Furnish, Victor P.* Faith, love, and hope: First Thessalonians as a the-
        ological document. [F]BASSLER, J. NTMon 22: 2007 ⇒11. 221-231.

8336 **Gargano, Innocenzo** Prima Tessalonicesi. 2006 ⇒22,8121. ᴿAsp. 54 (2007) 131 (*Del Prete, Pasquale*).

8337 *Johnson, Andy* The sanctification of the imagination in 1 Thessalonians. ᶠDEASLEY, A. 2007 ⇒30. 275-292.

8338 *Koester, Helmut* First Thessalonians: an experiment in christian writing. Paul & his world. 2007 <1979> ⇒257. 15-23;

8339 The text of 1 Thessalonians. Paul & his world. 2007 <1985> ⇒257. 33-37.

8340 **Paddison, Angus** Theological hermeneutics and 1 Thessalonians. Ment. *Aquinas* MSSNTS 133: 2005 ⇒21,8442. ᴿInterp. 61 (2007) 434-436 (*Johnson, Andy*).

8341 **Vidal, Senén** El primer escrito cristiano: texto bilingüe y comentario de 1 Tesalonicenses. 2006 ⇒22,8127. ᴿThX 57 (2007) 337-9 (*Espíndola, Luis G.*).

8342 *Bammer, Andreas* Erwählung inmitten einer multikulturellen Gemeindesituation: zum papyrologischen Befund von ἐκλογή in 1Thess 1,4. PzB 16 (2007) 103-118.

8343 *Moreno García, Abdón* La pasión del apóstol por el evangelio como madre y padre (1Tes 2,1-12). EstTrin 41 (2007) 543-580.

8344 *Buchhold, Jacques* 1 Thessaloniciens 2.13-16. ThEv(VS) 6 (2007) 229-240.

8345 *Still, Todd D.* Interpretive ambiguities and scholarly proclivities in Pauline studies: a treatment of three texts from 1 Thessalonians 4 as a test case. CuBR 5/2 (2007) 207-219.

8346 *Verhoef, Eduard* 1 Thessalonians 4:1-8: the Thessalonians should live a holy life. HTS 63 (2007) 347-363.

8347 *Johnson, E. Elizabeth* A modest proposal in context. ᶠBASSLER, J. NTMon 22: 2007 ⇒11. 232-245 [1 Thess 4,4].

8348 *Zell, P.E.* First Thessalonians 4:4: 'that each of you should learn to acquire a wife in a way that is holy and honorable'. WLQ 104/1 (2007) 58-61.

8349 *Theobald, Michael* "Gottes-Gelehrtheit" (1 Thess 4,9; Joh 6,45)–Kennzeichen des Neuen Bundes?. ᶠHOSSFELD, F. SBS 211: 2007 ⇒ 69. 249-260.

8350 *Green, E.* La muerte y el poder del imperio–1 Tesalonicenses 4:13-18. Kairós [Guatemala City] 40 (2007) 9-26.

8351 *Schreiber, Stefan* Eine neue Jenseitshoffnung in Thessaloniki und ihre Probleme (1 Thess 4,13-18). Bib. 88 (2007) 326-350.

8352 *Van Houwelingen, Pieter H.* The great reunion: the meaning and significance of the "word of the Lord" in 1 Thessalonians 4:13-18. CTJ 42/2 (2007) 308-324.

8353 *Green, E.* La *pax romana* y el día del Señor–1 Tesalonicenses 5:1-11. Kairós [Guatemala City] 41 (2007) 9-27.

8354 *Konstan, David; Ramelli, Ilaria* The syntax of ἐν Χριστῷ in 1 Thessalonians 4:16. JBL 126 (2007) 579-593.

8355 *Karrer, Martin* Der Zweite Thessalonicherbrief und Gottes Widersacher. HBT 29 (2007) 101-131.

8356 *Koester, Helmut* From Paul's eschatology to the apocalyptic scheme of 2 Thessalonians. Paul & his world. 2007 <1990> ⇒257. 55-69.

8357 **Roh, Taeseong** Der zweite Thessalonicherbrief als Erneuerung apokalyptischer Zeitdeutung. NTOA 62; StUNT 62: Gö 2007, Vandenhoeck & R. 140 pp. €49. 978-3-525-53963-7. Bibl. 131-136.

8358   **Metzger, Paul** Katechon: II Thess 2,1-12 im Horizont apokalypti-
schen Denkens. BZNW 135: 2005 ⇒21,8459; 22,8145. ᴿETR 82
(2007) 126-129 (*Redalié, Yann*).
8359   *Tonstad, Sigve K.* The restrainer removed: a truly alarming thought
(2 Thess 2:1-12). HBT 29 (2007) 133-151.
8360   *Mußner, Franz* Die "aufhaltende" Macht von 2 Thess 2,6f. ᴹKuss,
O. 2007 ⇒92. 226-234.

G7.0 Epistulae pastorales

8361   **Aageson, James W.** Paul, the pastoral epistles and the early church.
Library of Pauline studies: Peabody, MA 2007, Hendrickson xv; 235
pp. $25. 978-15985-60411 [ThD 53,149–W. Charles Heiser].
8362   **Amici, Roberto** "Tutto ciò che Dio ha creato è buono" (1Tm 4,4): il
rapporto con le realtà terrene nelle Lettere Pastorali. SRivBib 48: Bo
2007, Dehoniane 231 pp. €22. 978-88-10-30236-1.
8363   ᵀ**Baer, Chrysostom** Saint THOMAS Aquinas: Commentaries on St.
Paul's epistles to Timothy, Titus, and Philemon. South Bend, IN
2007, St. Augustine's xi; 222 pp. $60. 978-15873-11291. Pref.
Joseph Perry [ThD 53,261–W. Charles Heiser].
8364   *Casalini, Nello* Corpus pastorale–corpus constitutionale (la costituzi-
one della chiesa nelle Pastorali). LASBF 57 (2007) 253-315.
8365   **Donelson, Lewis R.** Pseudepigraphy and ethical argument in the Pas-
toral Epistles. HUTh 22: Tü 2006, Mohr S. viii; 222 pp. €25. 31614-
90827.
8366   **Fiore, Benjamin** The Pastoral Epistles: First Timothy, Second Timo-
thy, Titus. ᴱ*Harrington, Daniel J.* Sacra pagina 12: ColMn 2007,
Liturgical xxi; 253 pp. $40. 978-0-8146-5814-7.
8367   **Glaser, Timo** Paulus als Briefroman erzählt: Gattungskritische Un-
tersuchung zu den Pastoralbriefen auf dem Hintergrund des antiken
Briefromans unter besonderer Berücksichtigung der AISCHINES-, EU-
RIPIDES- sowie der SOKRATES/Sokratikerbriefe. ᴰ*Standhartinger, An-
gela* 2007, Diss. Marburg [ThLZ 133,886].
8368   *Grabner-Haider, Anton* Lebenswelt der Pastoralbriefe. Kulturge-
schichte der Bibel. 2007 ⇒435. 403-406.
8369   *Häfner, Gerd* Der Corpus Pastorale als literarisches Konstrukt. ThQ
187 (2007) 258-273.
8370   *Häfner, Gerd, al.,* Die Schrift: die Pastoralbriefe. 13 installments in:
Christ in der Gegenwart 59 (2007).
8371   *Herzer, Jens* "Das Geheimnis der Frömmigkeit" (1 Tim 3,16):
Sprache und Stil der Pastoralbriefe im Kontext hellenistisch-römi-
scher Popularphilosophie–eine methodische Problemanzeige. ThQ
187 (2007) 309-329.
8372   **Iovino, Paolo** Lettere a Timoteo; lettera a Tito. I libri biblici, NT 15:
2005 ⇒21,8472; 22,8158. ᴿRTE 11/1 (2007) 295-296 (*Montuschi,
Lea*); StPat 54 (2007) 696-697 (*Lorenzin, Tiziano*).
8373   **Keegan, Terence** First and Second Timothy, Titus, Philemon. 2006
⇒22,8159. ᴿRBLit (2007)* (*Marshall, I. Howard*).
8374   *Merz, Annette* Amore Pauli: das Corpus Pastorale und das Ringen um
die Interpretationshoheit bezüglich des paulinischen Erbes. ThQ 187
(2007) 274-294.

8375 **Merz, Annette** Die fiktive Selbstauslegung des Paulus: intertextuelle Studien zur Intention und Rezeption der Pastoralbriefe. NTOA 52; StUNT 52: 2004 ⇒20,7887... 22,8163. [R]BZ 51 (2007) 281-282 (*Schmidt, Karl M.*); Bib. 88 (2007) 135-139 (*Redalié, Yann*).

8376 *Oberlinner, Lorenz* Gemeindeordnung und rechte Lehre: zur Fortschreibung der paulinischen Ekklesiologie in den Pastoralbriefen. ThQ 187 (2007) 295-308.

8377 **Orsatti, M.** Lettere pastorali: 1-2 Timoteo, Tito. Dabar: Padova 2007, EMP 204 pp. €12.

8378 *Paschke, Boris A.* The cura morum of the Roman censors as historical background for the bishop and deacon lists of the Pastoral Epistles. ZNW 98 (2007) 105-119 [1 Tim 3,1-13; Titus 1,5-9].

8379 **Ray, Charles** The books of First and Second Timothy, Titus, and Philemon: goals of godliness. Twenty-first Century Biblical Comm.: Chattanooga 2007, AMG 256 pp. $20.

8380 *Theobald, Michael* Paulus gegen Paulus?: der Streit um die Pastoralbriefe. ThQ 187 (2007) 253-257.

8381 *Towner, Philip H.* 1-2 Timothy and Titus. Commentary on the NT use of the OT. 2007 ⇒5642. 891-918. On p. 918 a note on Philemon.

8382 **Towner, Philip H.** The letters to Timothy and Titus. NICNT: 2006 ⇒22,8172. [R]BBR 17 (2007) 349-350 (*Davids, Peter H.*); CBQ 69 (2007) 598-599 (*Bassler, Jouette M.*); RBLit (2007) 442-444 (*Collins, Raymond F.*).

8383 **Van Neste, Ray** Cohesion and structure in the Pastoral Epistles. JSNT.S 280: 2004 ⇒20,7893; 21,8482. [R]JThS 58 (2007) 242-245 (*Towner, Philip H.*).

8384 **Wieland, George M.** The significance of salvation: a study of salvation language in the Pastoral Epistles. 2006 ⇒22,8173. [R]TrinJ 28 (2007) 304-305 (*Hyde, Michelle C.*).

G7.2 1-2 ad Timotheum, ad Titum

8385 **Krause, Deborah** 1 Timothy. 2004 ⇒20,7897. [R]RBLit (2007)* (*Standhartinger, Angela*).

8386 *Manzi, Franco* O Timoteo, custodisci il desposito!': cronaca del XIX Colloquium paulinum. ScC 135 (2007) 185-197.

8387 **Oberlinner, Lorenz** Le lettere pastorali: la prima lettera a Timoteo. [T]Ronchi, Franco CTNT 11,2.1: 1999 ⇒15,7095; 16,7075. [R]Teol(Br) 32 (2007) 101-104 (*Manzi, Franco*).

8388 **Quinn, Jerome D.; Wacker, William C.** The first and second letters to Timothy. 2000 ⇒16,7073... 19,7935. [R]SJTh 60/1 (2007) 107-109 (*Campbell, Alastair*).

8389 **Tamez, Elsa** Struggles for power in early christianity: a study of the first letter to Timothy. [T]Kinsler, Gloria Mkn 2007, Orbis xxv; 163 pp. 978-1-57075-708-2. Bibl. 151-154.

8390 *Upton, B.G.* Can stepmothers be saved?: another look at 1 Timothy 2.8-15. Feminist Theology 15/2 (2007) 175-185.

8391 *Bénétreau, Samuel* Bonnes feuilles du commentaire sur les épîtres pastorales. ThEv(VS) 6/1 (2007) 39-49 [1 Tim 2,11-15].

8392 **Kroeger, Richard & Catherine** Lehrverbot für Frauen?: was Paulus wirklich meinte: eine Auseinandersetzung mit 1. Timotheus 2,11-15.

[T]*Uhder, Jens; Uhder, Kerstin* 2004 ⇒20,7904. [R]ZKTh 129 (2007) 242-243 (*Stare, Mira*).

8393 *Nelson, P.G.* Inscription to a high priestess at Ephesus. JBMW 12/1 (2007) 14-15 [1 Tim 2,11-15].

8394 *Beattie, Gillian A.* The fall of Eve: 1 Timothy 2,14 as a canonical example of biblical interpretation. Canon of scripture. 2007 ⇒352. 207-216.

8395 *Waters, Kenneth L.* Revisiting virtues as children: 1 Timothy 2:15 as centerpiece for an egalitarian soteriology. LexTQ 42/1 (2007) 37-49.

8396 *Gourgues, Michel* "Colonne et socle de la vérité": note sur l'interprétation de 1 Timothée 3,15. ScEs 59/2-3 (2007) 173-180.

8397 *Arichea, Daniel C.* Translating hymnic materials: theology and translation in 1 Timothy 3.16. BiTr 58 (2007) 179-185.

8398 *Pietersen, Lloyd K.* Women as gossips and busybodies?: another look at 1 Timothy 5:13. LexTQ 42/1 (2007) 19-35.

8399 **Weiser, Alfons** Der zweite Brief an Timotheus. EKK 16/1: 2003 ⇒ 19,7944; 20,7907. [R]RBLit (2007)* (*Collins, Raymond F.*).

8400 *Tromp, Johannes* Jannes and Jambres (2 Timothy 3,8-9). Moses. BZAW 372: 2007 ⇒821. 211-226.

8401 *Gerber, Christine* Antijudaismus und Apologetik: eine Lektüre des Titusbriefes vor dem Hintergrund der *Apologie Contra Apionem* des Flavius JOSEPHUS. Josephus und das NT. 2007 ⇒780. 335-363.

8402 *Gray, Patrick* The liar paradox and the letter to Titus. CBQ 69 (2007) 302-314 [Titus 1,12].

G7.3 Ad Philemonem

[T]**Baer, C.** Saint THOMAS: Comm...Philemon 2007 ⇒8363.

8403 *Chapman, Mark D.* The shortest book in the Bible. ET 118 (2007) 546-548.

Eckey, W. Die Briefe des Paulus...an Philemon 2006 ⇒8272.

8404 *Fiore, Benjamin* Christian kinship in the paraenesis of Philemon. [F]BASSLER, J. NTMon 22: 2007 ⇒11. 246-252.

8405 *Killingray, Margaret* The bible, slavery and Onesimus. Anvil 24/2 (2007) 85-96.

8406 *Nordling, John G.* The gospel in Philemon. CTQ 71 (2007) 71-83.

8407 **Reinmuth, Eckart** Der Brief des Paulus an Philemon. ThHK 11/2: 2006 ⇒22,8204. [R]BBR 17 (2007) 348-349 (*Yarbrough, Robert W.*); JETh 21 (2007) 280-281 (*White, Joel*).

8408 *Rizzo, Francesco* Dalla schiavitù alienante alla libertà creativa e dalla dignità umana alla fraternità cristiana: note di un economista sulla Lettera a Filemone. Laós 14/2 (2007) 15-37.

Thompson, M. Colossians and Philemon 2005 ⇒8314.

Thurston, B. Philippians and Philemon 2005 ⇒8285.

8409 **Wengst, Klaus** Der Brief an Philemon. TKNT 16: 2005 ⇒21,8514. [R]ThLZ 132 (2007) 948-949 (*Kumitz-Brennecke, Christopher*); CoTh 77/1 (2007) 207-209 (*Załęski, Jan*).

Wilson, R. A...commentary on Col. & Philemon 2005 ⇒8317.

8410 *Kraus, Thomas J.* An obligation from contract law in Philemon 19: characteristic style and juridical background. Ad fontes. 2007 <2001> ⇒260. 207-230.

G8 Epistula ad Hebraeos

8411 ᴱ**Bateman, Herbert W.** Four views on the warning pasages in Hebrews. GR 2007, Kregel 480 pp. $30.

8412 *Burgos Núñez, Miguel de* Sacerdocio radicalmente nuevo Cristo, y su sacerdocio 'profético' y misericordioso en la carta a los Hebreos. Isidorianum 16/1 (2007) 9-38.

8413 *Due, Noel* Christ ascended for us–'Jesus our ascended high priest'. Evangel 25 (2007) 54-58.

8414 *Ellens, J. Harold* "The epistle to the Hebrews and christian theology" (Univ. of St Andrews, July 2006). Henoch 29 (2007) 185-186.

8415 *Fuhrmann, Sebastian* Failures forgotten: the soteriology in Hebrews revisited in the light of its quotation of Jeremiah 38:31-34 [LXX]. Neotest. 41 (2007) 295-316.

8416 **Fuhrmann, Sebastian** Vergeben und Vergessen: Christologie und Neuer Bund im Hebräerbrief. WMANT 113: Neuk 2007, Neuk xii; 284 pp. 978-3-7887-2190-9. Bibl. 254-272.

8417 *Garuti, Paolo* Espiazione. Dizionario... sangue di Cristo. 2007 ⇒ 1137. 474-481.

8418 **Gäbel, Georg** Die Kulttheologie des Hebräerbriefes: eine exegetisch-religionsgeschichtliche Studie. WUNT 2/212: 2006 ⇒22,8215. ᴿRBLit (2007)* (*Gelardini, Gabriella*).

8419 **Gelardini, Gabriella** 'Verhärtet eure Herzen nicht': der Hebräer, eine Synagogenhomilie zu Tischa be-Aw. BiblInterp 83: Lei 2007, Brill 470 pp. €156. 978-90041-54063. Diss. Basel.

8420 ᴱ**Gelardini, Gabriella** Hebrews: contemporary methods–new insights. BiblInterp 75: 2005 ⇒21,395; 22,403. ᴿBiCT 3/2 (2007)* (*Petterson, Christina*).

8421 *Grabner-Haider, Anton* Hebräerbrief und Katholische Briefe. Kulturgeschichte der Bibel. 2007 ⇒435. 407-412.

8422 *Grech, Prosper* Why was Hebrews written?. ᶠVᴀɴʜᴏʏᴇ, A. AnBib 165: 2007 ⇒156. 463-469.

8423 *Guthrie, George H.* Hebrews. Commentary on the NT use of the OT. 2007 ⇒5642. 919-995.

8424 **Harrington, Daniel J.** The letter to the Hebrews. 2006 ⇒22,8220. ᴿRBLit (2007)* (*Karrer, Martin*).

8425 ᴱ**Heen, Erik M.; Krey, Philip D.W.** Hebrews. ACCS.NT 10: 2005 ⇒21,8543; 22,8221. ᴿRBLit (2007) 449-452 (*Guthrie, George H.*).

8426 **Inje, Paul** Christ's sacrifice in the letter to the Hebrews and in Gandhian thought. ᴰ*Müller, Gerhard L.* 2007, Diss. München.

8427 **Johnson, Luke T.** Hebrews: a commentary. 2006 ⇒22,8223. ᴿCBQ 69 (2007) 358-360 (*Attridge, Harold W.*); HBT 29 (2007) 93-94 (*Dearman, J. Andrew*); RBLit (2007) 455-457 (*Koester, Craig R.*).

8428 *Joslin, Barry C.* Can Hebrews be structured?: an assessment of eight approaches. CuBR 6/1 (2007) 99-129;

8429 Christ bore the sins of many: substitution and the atonement in Hebrews. Southern Baptist Convention 11/2 (2007) 74-103.

8430 *Lefler, N.* The Melchizedek traditions in the letter to the Hebrews: reading through the eyes of an inspired Jewish-Christian author. ProEc 16 (2007) 73-89.

8431 **Lewicki, Tomasz** "Weist nicht ab den Sprechenden!": Wort Gottes und Paraklese im Hebräerbrief. PaThSt 41: 2004 ⇒20,7944... 22,8227. ᴿRBLit (2007) 444-445 (*Attridge, Harold W.*).

8432 **Lincoln, Andrew T.** Hebrews: a guide. 2006 ⇒22,8228. ᴿRBLit (2007)* (*Karrer, Martin*).

8433 *Mackie, Scott D.* Confession of the Son of God in Hebrews. NTS 53 (2007) 114-129.

8434 **Mackie, Scott D.** Eschatology and exhortation in the epistle to the Hebrews. WUNT 2/223: Tü 2007, Mohr S. xi; 284 pp. €54. 978-3-16-149215-0. Bibl. 233-256.

8435 *Manzi, Franco* "Di me sta scritto nel rotolo del libro": lettura cristologica dell'Antico Testamento nell'epistola agli Ebrei. ᶠVANHOYE, A. AnBib 165: 2007 ⇒156. 495-508.

8436 **Manzi, Franco** Carta a los hebreos. Comentarios a la Nueva Biblia de Jerusalén: 2005 ⇒21,8557. ᴿEstTrin 41/1 (2007) 180-182 (*Miguel, José Maria de*).

8437 *März, Claus-Peter* Beobachtungen zur differenzierten Rezeption der "Schrift" im Hebräerbrief. ᶠHENTSCHEL, G. EThSt 90: 2007 ⇒65. 389-403.

8438 **Mitchell, Alan C.** Hebrews. ᴱ*Harrington, Daniel J.* Sacra pagina 13; Michael Glazier: ColMn 2007, Liturgical xx; 357 pp. $40. 978-0-81-46-5815-4. Bibl.

8439 *Müller, Ekkehardt* Jesus and the covenant in Hebrews. ᶠPFANDL, G. 2007 ⇒122. 189-208.

8440 *Nyende, Peter* Hebrew's [sic] christology and its contemporary apprehension in Africa. Neotest. 41 (2007) 361-381.

8441 *Orlov, Andrei* The heir of righteousness and the king of righteousness: the priestly noachic polemics in 2 Enoch and the Epistle to the Hebrews. JThS 58 (2007) 45-65.

8442 *Petterson, Christina* The land is mine: place and dislocation in the letter to the Hebrews. SiChSt 4 (2007) 69-93.

8443 **Phillips, Richard D.** Hebrews. Reformed Expository Commentary: Phillipsburg, NJ 2006, P&R xvi; 656 pp. $35. 08755-27841.

8444 **Rascher, Angela** Schriftauslegung und Christologie im Hebräerbrief. ᴰ*Lampe, P.* BZNW 153: B 2007, De Gruyter xii; 261 pp. €84. 978-3-11-019697-9. Diss. Heidelberg; Bibl. 223-254.

8445 *Reasoner, Mark* Divine sons: Aeneas and Jesus in Hebrews. ᶠGRANT, R. NT.S 125: 2007 ⇒53. 149-175.

8446 *Sanborn, Scott F.* The book of Hebrews: the unique legal aspect of the Mosaic covenant grounded in the covenant of grace. Kerux 22/1 (2007) 28-36.

8447 *Scheffler, Eben* The meaning of Jesus' death: the letter to the Hebrews and Luke's gospel compared. APB 18 (2007) 145-165.

8448 **Schenck, Kenneth L.** Cosmology and eschatology in Hebrews: the settings of the sacrifice. MSSNTS 143: C 2007, CUP xi; 220 pp. $95. 978-0-521-88323-8. Bibl. 199-209.

8449 *Selvaggio, Anthony T.* Preaching advice from the 'Sermon' to the Hebrews. Themelios 32/2 (2007) 33-45.

8450 *Still, Todd D.* Christos as pistos: the faith(fulness) of Jesus in the epistle to the Hebrews. CBQ 69 (2007) 746-755.

8451 **Svendsen, Stefan N.** Allegory transformed: the appropriation of Philonic hermeneutics in the Letter to the Hebrews. 2007, Diss. Copenhagen.

8452 *Thiessen, Matthew* Hebrews and the end of the Exodus. NT 49 (2007) 353-369 [Ps 95].

8453 *Thomas, Gordon J.* The perfection of Christ and the perfecting of believers in Hebrews. [F]DEASLEY, A. 2007 ⇒30. 293-310.

8454 *Thompson, James W.* ἐφάπαξ: the one and the many in Hebrews. NTS 53 (2007) 566-581.

8455 *Übelacker, Walter* Die Alternative Leben oder Tod in der Konzeption des Hebräerbriefs. Lebendige Hoffnung. ABIG 24: 2007 ⇒845. 235-263.

8456 **Vanhoye, Albert** Gesù Cristo il mediatore nella lettera agli Ebrei. [T]*Manzi, Franco* Assisi 2007, Citadella 272 pp. 978-88-308-0880-5;

8457 Structure and message of the epistle to the Hebrews. [T]*Swetnam, James H.* SubBi 12: 1989 ⇒5,6395... 9,6418. [R]TC.JBTC 12 (2007)* 3 pp (*Vranic, Vasilije*).

8458 *Vanhoye, Albert* Sacerdozio di Cristo nel NT;

8459 Sangue di Cristo (nella lettera agli Ebrei);

8460 Sangue e Spirito. Dizionario... sangue di Cristo. 2007 ⇒1137. 1138-1145/1175-1182/1202-1209.

8461 *Wenkel, David H.* Gezerah shawah as analogy in the epistle to the Hebrews. BTB 37 (2007) 62-68.

8462 **Westfall, Cynthia L.** A discourse analysis of the letter to the Hebrews. LNTS 297: 2005 ⇒21,8590. [R]Bib. 88 (2007) 440-444 (*Swetnam, James*); RBLit (2007)* (*Gelardini, Gabriella*).

8463 *Wilckens, Ulrich* Zur Hohepriesterlehre des Hebräerbriefs. [F]VANHOYE, A.. AnBib 165: 2007 ⇒156. 471-493.

8464 *Witulski, Thomas* Zur Frage des Verhältnisses der Dimensionen von Raum und Zeit in der Konzeption der Eschatologie des Hebräerbriefes. BZ 51 (2007) 161-192.

8465 *Zwiep, Arie W.* 'Niet aan angelen onderworpen...': de rol van engelen in de brief aan de Hebreeën. ITBT 15/3 (2007) 13-16.

8466 *Swinson, L. Timothy* "Wind" and "fire" in Hebrews 1:7: a reflection upon the use of Psalm 104 (103). TrinJ 28 (2007) 215-228 [Heb 1,5-14].

8467 *Swetnam, James* Ἐξ ἑνός in Hebrews 2,11. Bib. 88 (2007) 517-525.

8468 *Allen, David L.* More than just numbers: Deuteronomic influence in Hebrews 3:7-4:11. TynB 58/1 (2007) 129-149.

8469 *Swetnam, James* A close reading of Hebrews 3,7-4,11 and *Logos* Christ in Hebrews 4,12. MTh 58 (2007) 43-51.

8470 **Urso, Filippo** La sofferenza educatrice nella lettera agli Ebrei. CSB 55: Bo 2007, EDB 216 pp. €19. 978-88-10-41006-6. Pref. Card. *Albert Vanhoye*; Bibl. 211-212 [Heb 5,1-10; 12,4-11].

8471 *Kurianal, James* Christ, having been perfected through suffering declared High Priest (Heb 5,7-10). ETJ 11 (2007) 5-22.

8472 *Manzi, Franco* 'Tale è il sommo sacerdote che ci conveniva...': il compimento del sacerdozio in Cristo secondo *Ebrei* 7. Notitiae 100 (2007) 435-448.

8473 *Batten, J.* The purpose of God in Hebrews 7 through 12. Affirmation & Critique [Anaheim, CA] 12/1 (2007) 84-89.

8474 *Zesati Estrada, Carlos* El sacrificio de Cristo, eficaz y definitivo (Heb 8-9). [F]VANHOYE, A. AnBib 165: 2007 ⇒156. 403-419.

8475 **Telscher, Guido** Opfer aus Barmherzigkeit: Hebr 9,11-28 im Kontext biblischer Sühnetheologie. [D]*Oberlinner, L.* FzB 112: Wü 2007, Echter 315 pp. €36. 978-3-429-02891-6. Diss. Freiburg/Br.; Bibl. 297-309.

8476 *Kiuchi, N.* Creation of a body: Psalms 40:7-9 and Hebrews 10:5-7.
      Exegetica [Tokyo] 18 (2007) 47-72. **J.**
8477 *Klappert, Bertold* Hoffender Glaube, kommender Christus und die
      neue Welt Gottes (Hebräer 11,1-12,3). [F]HAACKER, K. ABIG 27:
      2007 ⇒57. 219-266.
8478 *Swetnam, James* A fresh look at Hebrews 11:11-12. IncW 1 (2007)
      441-454.
8479 *Urso, Filippo* "Tenendo fisso lo sguardo su Gesù": appello alla per-
      severanza per i credenti nella prova (Eb 12,1-3). [F]VANHOYE, A.
      AnBib 165: 2007 ⇒156. 421-442.
8480 **Son, Kiwoong** Zion symbolism in Hebrews: Hebrews 12:18-24 as a
      hermeneutical key to the epistle. 2005 ⇒21,8616. [R]CBQ 69 (2007)   ·
      167-168 (*Gray, Patrick*); RBLit (2007) 452-455 (*Karrer, Martin*).
8481 *Bosetti, Elena* Il pastore, quello grande: risonanze e funzione conclu-
      siva di Eb 13,20-21. [F]VANHOYE, A. AnBib 165: 2007 ⇒156. 443-61.

                          G9.1 **1 Petri** (vel I-II)

8482 *Assaël, Jacqueline* Typologie de la vie et de la mort dans la Première
      Épître de Pierre. PosLuth 55 (2007) 297-318.
8483 *Bauman-Martin, Betsy* Speaking Jewish: postcolonial aliens and
      strangers in First Peter. Reading First Peter. LNTS 364: 2007 ⇒
      8484. 144-177.
8484 [E]**Bauman-Martin, Betsy; Webb, Robert L.** Reading First Peter
      with new eyes: methodological reassessments of the letter of First
      Peter. LNTS 364: L 2007, Clark viii; 212 pp. £70. 978-0-567-04562-
      1. Bibl. 179-200.
8485 *Bockmuehl, Markus* Peter between Jesus and Paul: the 'third quest'
      and the 'new perspective' on the first disciple. Jesus and Paul recon-
      nected. 2007 ⇒523. 67-102.
8486 *Boring, M. Eugene* Narrative dynamics in First Peter: the function of
      narrative world. Reading First Peter. LNTS 364: 2007 ⇒8484. 7-40.
8487 *Carson, D.A.* I Peter. Commentary on the NT use of the OT. 2007 ⇒
      5642. 1015-1045.   ·
8488 *Combet-Galland, Corina* Susciter des pierres vivantes, un destin pour
      Pierre. FV 106/4 (2007) 59-79.
8489 'Come piedras vivas': otras cartas. Palabra-Misión 10: 2006 ⇒22,
      8268. [R]Iter 42-43 (2007) 411-414 (*Frades, Eduardo*).
8490 **Crocetti, Giuseppe** Prima lettera di Pietro. Bibbia e spiritualità 28:
      Bo 2007, Dehoniane 186 pp. 978-88-10-21119-9. Bibl. 175-179.
8491 *Crossley, Gareth* Facing opposition from inside and outside the
      church. Perichoresis 5/2 (2007) 187-205.
8492 **Elliott, John H.** Conflict, community, and honor: 1 Peter in social-
      scientific perspective. Eugene, OR 2007, Cascade xii; 94 pp. $14.
8493 **Fagbemi, Stephen A.A.** Who are the elect in 1 Peter?: a study in
      biblical exegesis and its application to the Anglican Church of Nige-
      ria. Studies in biblical literature 104: NY 2007, Lang xvi; 285 pp.
      978-0-8204-9503-3. Bibl. 265-281.
8494 **Feldmeier, Reinhard** Der erste Brief des Petrus. ThHK.NT 15/1:
      2005 ⇒21,8635. [R]JETh 21 (2007) 274-276 (*Schröder, Michael*).
8495 *Frattalone, Raimondo* Vita morale nella 1 Pt. Dizionario... sangue di
      Cristo. 2007 ⇒1137. 1473-1482.

8496 *Grappe, Christian* Pierre dans l'histoire et la littérature des deux premiers siècles. FV 106/4 (2007) 7-18.

8497 *Green, Joel B.* Living as exiles: the church in the diaspora in 1 Peter. [F]DEASLEY, A. 2007 ⇒30. 311-.

8498 **Green, Joel B.** 1 Peter. New Horizons NT Comm.: GR 2007, Eerdmans xiv; 331 pp. $20. 978-38028-25537. Bibl. 289-311.

8499 **Hartin, Patrick J.** James, First Peter, Jude, Second Peter. 2006 ⇒ 22,8281. [R]RBLit (2007)* (*Niebuhr, Karl-Wilhelm*).

8500 *Hoppe, Rudolf* Bundestheologie im Ersten Petrusbrief?. [F]HOSSFELD, F. SBS 211: 2007 ⇒69. 103-112.

8501 *Horrell, David G.* Leiden als Diskriminierung und Martyrium: (Selbst-)Stigmatisierung und soziale Identität am Beispiel des ersten Petrusbriefes. Erkennen und Erleben. 2007 ⇒579. 119-132;

8502 Between conformity and resistance: beyond the Balch-Elliott debate towards a postcolonial reading of First Peter. Reading First Peter. LNTS 364: 2007 ⇒8484. 111-143.

8503 **Howe, Bonnie** Because you bear this name: conceptual metaphor and the moral meaning of 1 Peter. BiblInterp 81: 2006 ⇒22,8282. [R]RBLit (2007)* (*Elliott, John H.*).

8504 **Jobes, Karen H.** 1 Peter. 2005 ⇒21,8637; 22,8283. [R]NT 49 (2007) 414-416 (*Rodgers, Peter R.*); RBLit (2007) 445-448 (*Elliott, John*).

8505 *Manzi, Franco* Lo stile della testimonianza cristiana nella prima lettera di Pietro. RTLu 12 (2007) 497-509.

8506 *Martin, Troy W.* The rehabilitation of a rhetorical step-child: First Peter and classical rhetorical criticism. Reading First Peter. LNTS 364: 2007 ⇒8484. 41-71.

8507 **Mbuvi, Andrew M.** Temple, exile and identity in 1 Peter. LNTS 345: L 2007, Clark xv; 175 pp. Bibl. 143-161.

8508 *Müller, Christoph G.* Diaspora-Herausforderung und Chance. Anmerkungen zum Glaubensprofil der Adressaten des 1. Petrusbriefs. SNTU.A 32 (2007) 67-88.

8509 *Perkins, P.; Schlumpf, H.* The Peter principle: what the impetuous apostle can teach today's catholics. U.S. Catholic [Chicago] 72/9 (2007) 24-28.

8510 *Puig i Tàrrech, Armand* L'identità dei destinatari nella prima lettera di Pietro. X simposio paolino. Turchia 21: 2007 ⇒860. 37-59.

8511 *Rasco, Emilio* Pietro apostolo. Dizionario... sangue di Cristo. 2007 ⇒1137. 1041-1048.

8512 **Schmidt, Karl M**. Mahnung und Erinnerung im Maskenspiel: Epistolographie, Rhetorik und Narrativik der pseudepigraphen Petrusbriefe. 2003 ⇒19,8033. [R]BZ 51 (2007) 149-151 (*Klumbies, Paul-G.*).

8513 *Seland, Torrey* 'Conduct yourselves honorably among the gentiles' (1 Peter 2:12): acculturation and assimilation in 1 Peter;

8514 Paroikos kai parepidemos: proselyte characterizations in 1 Peter?;

8515 The making of 1 Peter in light of ancient Graeco-Roman letterwriting and distribution. Strangers in the light. BiblInterp 76: 2005 ⇒21,301. 147-189/39-78/9-37.

8516 **Thomas, Kenneth J.; Thomas, Margaret O.** Structure and orality in 1 Peter: a guide for translators. UBS Mon. 10: 2006 ⇒22,8296. [R]CBQ 69 (2007) 594-596 (*Elliott, John H.*).

8517 *Webb, Robert L.* Intertexture and rhetorical strategy in First Peter's apocalyptic discourse: a study in sociorhetorical interpretation. Reading First Peter. LNTS 364: 2007 ⇒8484. 72-110.

8518 **Witherington, Ben, III** Letters and homilies for Hellenized christians, 2: a socio-rhetorical commentary on 1-2 Peter. DG 2007, IVP 432 pp. $32 [BiTod 47,145—Donald Senior].

8519 *Mazzarolo, Isidoro* Pode existir a graça no sofrimento injusto?: leitura profético-política de 1 Pd 2,18-19. Estudos bíblicos 94/2 (2007) 73-80.

8520 *Williams, Jocelyn A.* A case study in intertextuality: the place of Isaiah in the "stone" sayings of 1 Peter 2. RTR 66 (2007) 37-55.

8521 *DuToit, Marietjie* The expression λογικὸν ἄδολον γάλα as the key to 1 Peter 2:1-3. HTS 63 (2007) 221-229.

8522 *Seland, Torrey* The 'common priesthood' of PHILO and 1 Peter: a Philonic reading of 1 Peter 2:5 & 9;

8523 The moderate life of the christian paroikoi: a Philonic reading of 1 Peter 2:11. Strangers in the light. 2005 ⇒21,301. 79-115/117-145.

8524 *Vouga, François* Textproduktion durch Zitation: ist der Erste Petrusbrief der Autor der Gottesknechtslieder (1 Petr 2,21-25)?. Was ist ein Text?. BZAW 362: 2007 ⇒980. 353-364.

8525 *Dinkler, M.B.* Sarah's submission: Peter's analogy in 1 Peter 3:5-6. Priscilla Papers [Mp] 21/3 (2007) 9-15.

8526 *Ghiberti, Giuseppe* 'Colui che è pronto a giudicare i vivi e i morti' (1 Pt 4,5). X simposio paolino. Turchia 21: 2007 ⇒860. 61-78.

8527 *Horrell, David G.* The label Χριστιανός: 1 Peter 4:16 and the formation of christian identity. JBL 126 (2007) 361-381.

G9.2 2 Petri

8528 *Carson, D.A.* 2 Peter. Commentary on the NT use of the OT. 2007 ⇒ 5642. 1047-1061.

8529 **Davids, Peter H.** The letters of 2 Peter and Jude. 2006 ⇒22,8312. [R]CBQ 69 (2007) 816-818 (*Vining, Peggy A.*); RBLit (2007)* (*Sweeney, James P.; Wallace, Daniel B.*).

8530 **Marconi, Gilberto** Lettera di Giuda; seconda lettera di Pietro. Scritti delle origini cristiane 19: 2005 ⇒21,8662. [R]Gr. 88 (2007) 196-197 (*Bosetti, Elena*); Ang. 84 (2007) 467-468 (*Marcato, Giorgio*).

8531 *Reese, Ruth A.* Holiness and ecclesiology in Jude and 2 Peter. [F]DEAS-LEY, A. 2007 ⇒30. 326-342.

8532 **Reese, Ruth A.** 2 Peter and Jude. Two Horizons NT Comm.: GR 2007, Eerdmans x; 234 pp. $20. 978-38028-25704. Bibl. 221-228.

8533 **Riedl, Hermann J.** Anamnese und Apostolizität: der Zweite Petrusbrief. 2005 ⇒21,8663. [R]ThLZ 132 (2007) 1315-7 (*Janßen, Martina*).

8534 **Scognamiglio, Edoardo** Il ritorno del Signore: lectio divina sulla seconda lettera di Pietro. Scrutare le scritture: Mi 2007, Paoline 256 pp. €12.

8535 *Starr, James* Does 2 Peter 1:4 speak of deification?. Partakers of the divine nature. 2007 ⇒954. 81-92.

8536 *Norelli, Enrico* Pierre, le visionnaire: la réception de l'épisode de la transfiguration en 2 Pierre et dans l'"Apocalypse de Pierre". FV 106/4 (2007) 19-43 [Mt 17,1-9; 2 Pet 1,16-21].

8537 **Blumenthal, Christian** "Es wird aber kommen der Tag des Herrn": eine textkritische Studie zu 2Petr 3,10. BBB 154: B 2007, Philo 162 pp. €39.80. 978-3-86572-574-0. Bibl. 148-162.

G9.4 **Epistula Jacobi**..data on both apostles James

8538 [E]**Kloppenborg, John S.; Webb, Robert L.** Reading James with new eyes: methodological reassessments of the letter of James. LNTS 342: L 2007, Clark viii; 197 pp. $17. 0-567-03125-X. Bibl. 169-184.

8539 **Aymer, Margaret P.** First pure, then peaceable: Frederick Douglass, darkness and the epistle of James. LNTS 379: L 2007, Clark xii; 148 pp. £60. 978-0-567-03307-9. Bibl. 134-142.

8540 *Baker, W.R.* Who's your daddy?: gendered birth images in the soteriology of the epistle of James. EvQ 79 (2007) 195-207.

8541 *Batten, Alicia* Ideological strategies in the letter of James. Reading James. LNTS 342: 2007 ⇒8538. 6-26.

8542 *Bauckham, Richard* Traditions about the tomb of James the brother of Jesus. [F]KAESTLI, J. & JUNOD, E. 2007 ⇒82. 61-77;

8543 James and the Jerusalem community. Jewish believers in Jesus. 2007 ⇒519. 55-95.

8544 *Carson, D.A.* James. Commentary on the NT use of the OT. 2007 ⇒ 5642. 997-1013.

8545 *Chilton, Bruce* James, Jesus' brother, and history. Historical knowledge. 2007 ⇒403. 278-301.

8546 *Drigsdahl, T.N.* '... men jeres ja skal vaere et ja, og jeres nej skal vaere et nej' (Jak 5,12): Jakobs brev som pratisk teologi. DTT 70 (2007) 337-355.

8547 **Eisenman, Robert H.** Giacomo, il fratello di Gesù: dai rotoli di Qumran le rivoluzionarie scoperte sulla chiesa delle origini e il Gesù storico. CasM 2007, Piemme 623 pp. 978-88-384-8941-9.

8548 *Hartin, Patrick J.* The religious context of the letter of James. Jewish Christianity reconsidered. 2007 ⇒598. 203-231, 326-328.

8549 **Johnson, Luke T.** Brother of Jesus, friend of God: studies in the letter of James. 2004 ⇒20,217... 22,8331. [R]Horizons 34/1 (2007) 118-9 (*Boisclair, Regina A.*); HBT 29 (2007) 243-245 (*Branch, Robin G.*).

8550 *Kloppenborg, John S.* Diaspora discourse: the construction of ethos in James. NTS 53 (2007) 242-270;

8551 Judaeans or Judaean christians in James?. [F]WILSON, S. 2007 ⇒169. 113-135;

8552 The emulation of the Jesus tradition in the letter of James. Reading James. LNTS 342: 2007 ⇒8538. 121-150.

8553 *Koester, Helmut; Baltzer, Klaus* The designation of James as ὠβλίας. Paul & his world. 2007 <1955> ⇒257. 266.

8554 **Kot, Tomasz** La lettre de Jacques: la foi, chemin de la vie. [T]*Meynet, Roland* 2006 ⇒22,8333. [R]ETR 82 (2007) 287-288 (*Cuvillier, Elian*).

8555 **Krüger, René** Der Jakobusbrief als prophetische Kritik der Reichen: eine exegetische Untersuchung aus lateinamerikanischer Perspektive. 2005 ⇒21,8694. [R]ThLZ 132 (2007) 169-170 (*Ahrens, Matthias*); BiKi 62/1 (2007) 62 (*Körner, Christoph*).

8556 *Lockett, Darian* 'Unstained by the world': purity and pollution as an indicator of cultural interaction in the letter of James;

8557 *Mitchell, Margaret M.* The letter of James as a document of paulinism?. Reading James. LNTS 342: 2007 ⇒8538. 49-74/75-98.

8558 *Myllykoski, Matti* James the Just in history and tradition: perspectives of past and present scholarship (part II). CuBR 6/1 (2007) 11-98.

8559   **Neri, Umberto** Mettendo in pratica la parola troverai la felicità: catechesi biblica sulla lettera di Giacomo. Sussidi biblici 97: Reggio Emilia 2007, San Lorenzo 113 pp. 88-8071-1792.
8560   *Van Wieringen, Willien* Jacobus in Santiago: een leven na de bijbel. ITBT 14/5 (2007) 17-18.
8561   *Wachob, Wesley H.* The languages of 'household' and 'kingdom' in the letter of James: a socio-rhetorical study;
8562   *Watson, Duane F.* An assessment of the rhetoric and rhetorical analysis of the letter of James. Reading James. LNTS 342: 2007 ⇒8538. 151-168/99-120.

8563   *Viviano, Benedict T.* The perfect law of freedom: James 1:25 and the law. Matthew and his world. 2007 <2000> ⇒339. 233-244.
8564   *Coker, K. Jason* Nativism in James 2.14-26: a post-colonial reading. Reading James. LNTS 342: 2007 ⇒8538. 27-48.
8565   *Van de Sandt, Huub* James 4,1-4 in the light of the Jewish two ways tradition 3,1-6. Bib. 88 (2007) 38-63.
8566   *Beltrán Flores, Agustín* Riquezas podridas ¿para qué servirán?: Santiago 5,1-6. Qol 45 (2007) 83-97.

G9.6 Epistula Judae

8567   *Carson, D.A.* Jude. Commentary on the NT use of the OT. 2007 ⇒ 5642. 1069-1079.
        Davids, P. The letters of 2 Peter and Jude. 2006 ⇒8529.
8568   *Flink, Timo* Reconsidering the text of Jude 5, 13, 15 and 18. FgNT 20 (2007) 95-125.
        Marconi, G. Lettera di Giuda... 2005 ⇒8530.
8569   *Muddiman, John* The Assumption of Moses and the Epistle of Jude. Moses. BZAW 372: 2007 ⇒821. 169-180.
        Reese, R. Holiness and ecclesiology in Jude... 2007 ⇒8531.
        Reese, R. 2 Peter and Jude 2007 ⇒8532.
8570   **Wasserman, Tommy** The epistle of Jude: its text and transmission. CB.NT 43: 2006 ⇒22,8358. RTS 68 (2007) 683-684 (*Kieffer, Rene*); CBQ 69 (2007) 601-602 (*Callan, Terrance*).

XIII. Theologia Biblica

H1.1 Biblical Theology [OT] God

8571   *Aitken, James K.* The God of the pre-Maccabees: designations of the divine in the early Hellenistic period. God of Israel. UCOP 64: 2007 ⇒818. 246-266.
8572   **Alexandre, Jean** Exils: un Dieu qui nous appelle à trop de ruptures. Poliez-le-Grand 2007, Moulin 83 pp. €16.50/FS16.50. 28846-90239.
8573   *Bakon, Shimon* Both are the words of the living God. JBQ 35 (2007) 242-248.
8574   *Binni, Walther* La corporeità di YHWH fra mito e rivelazione. DT(P) 110 (2007) 212-253.

8575 *Brueggemann, Walter* Dialogic thickness in a monologic culture. ThTo 64 (2007) 322-339.

8576 *Castelo, Daniel* A crisis in God-talk?: the bible and theopathy. Theol. 110 (2007) 411-416.

8577 *Chisholm, Robert B., Jr.* Anatomy of an anthropomorphism: does God discover facts?. BS 164 (2007), 3-20 [Gen 18; 22].

8578 **Coulange, Pierre** Dieu, ami des pauvres: étude sur la connivence entre le Très-Haut et les petits. OBO 223: FrS 2007, Academic xvi; 282 pp. €54. 9783727815744. Diss. Fribourg; Bibl. 263-82 [Ps 113].

8579 **Crenshaw, James L.** Defending God: biblical responses to the problem of evil. 2005 ⇒21,8725; 22,8369. ᴿCBQ 69 (2007) 842-843 (*Bergant, Dianne*).

8580 *D'Alario, Vittoria* "Non dire: 'da Dio proviene il mio peccato'" (Sir 15,11ebr): Dio all'origine del male. RstB 19/1 (2007) 109-133.

8581 *De Benedetti, Paolo* 'Dove sei?' hajjeka?: il rapporto tra Dio e l'uomo. Studi Fatti Ricerche 118 (2007) 5-6.

8582 **Döhling, Jan-D.** Der bewegliche Gott: eine Untersuchung des Motivs der Reue Gottes in der Endgestalt der Hebräischen Bibel. ᴰ*Kessler, Rainer* 2007, Diss. Marburg [ThLZ 133,886].

8583 **Drost, André H.** Is God varanderd?: een onderzoek naar de relatie God-Israël in de theologie van Miskotte, Van Ruler en Berkhof. Zoetermeer 2007, Boekencentrum 408 pp. €29.90. 978-902-3922-186. Diss. Vrije Univ.

8584 **Duquoc, Christian** Dieu partagé: le doute et l'histoire. 2006 ⇒22, 8376. ᴿETR 82 (2007) 122-123 (*Nocquet, Dany*).

8585 **Eberhardt, Gönke** JHWH und die Unterwelt: Spuren einer Kompetenzausweitung JHWHs im Alten Testament. ᴰ*Janowski, Bernd* FAT 2/23: Tü 2007, Mohr S. xii; 450 pp. €79. 978-3-16-149306-5. Diss. Tübingen; Bibl. 403-440.

8586 *Ferlisi, Gabriele* Dio ricco di misericordia (Ef 2,4). Presbyteri 41 (2007) 261-272.

8587 **Finsterbusch, Karin** JHWH als Lehrer der Menschen: ein Beitrag zur Gottesvorstellung der Hebräischen Bibel. BThSt 90: Neuk 2007, Neuk x; 179 pp. €24.90. 978-3-7887-2246-3. Bibl. 169-179. ᴿOTEs 20 (2007) 512-514 (*Weber, Beat*) [Ps 25; 94; 119].

8588 **Freedmann, Amelia D.** God as an absent character in Biblical Hebrew narrative: a literary-theoretical study. Studies in Biblical literature 82: 2005 ⇒21,8730; 22,8383. ᴿTheoforum 38 (2007) 90-92 (*Geisterfer, Priscilla*); BiCT 3/1 (2007)* (*Elliott, Scott S.*).

8589 *Gordon, Robert P.* Introducing the God of Israel. God of Israel. UCOP 64: 2007 ⇒818. 3-19.

8590 **Haarmann, Volker** JHWH-Verehrer der Völker: die Hinwendung von Nichtisraeliten zum Gott Israels in alttestamentlichen Überlieferungen. ᴰ*Blum, Erhard* 2007, Diss. Tübingen [ThLZ 132,1271].

8591 *Hartenstein, Friedhelm* Personalität Gottes im Alten Testament. MJTh 19 (2007) 19-46.

8592 *Houston, Walter J.* The character of Yhwh and the ethics of the Old Testament: is *Imitatio Dei* appropriate?. JThS 58 (2007) 1-25 [Exod 34,5-6].

8593 *Janowski, Bernd* "Ein großer König über die ganze Erde" (Ps 47,3): zum Königtum Gottes im Alten Testament. BiKi 62 (2007) 102-108.

8594 *Kohn, Risa L.; Moore, Rebecca* Where is God?: divine presence in the absence of the temple. Milk and honey. 2007 ⇒474. 133-153.

8595 *Kravitz, Kathryn F.* Biblical remedial narratives: the triumph of the trophies. ^FGELLER, S. 2007 ⇒47. 115-128 [Judg 16; 1 Sam 4,1-7,1; 2 Kgs 5,1-19].

8596 *Lipton, Diana* By royal appointment: God's influence on influencing God. God of Israel. UCOP 64: 2007 ⇒818. 73-93.

8597 *Malone, A.S.* The invisibility of God: a survey of a misunderstood phenomenon. EvQ 79 (2007) 311-329.

8598 *Matthiae, Gisela* Gott oder das Krokodil: ein nicht ganz unernster Nachklapp. Hat das Böse ein Geschlecht?. 2007 ⇒607. 219-226.

8599 **McDermott, Gerald R.** God's rivals: why has God allowed different religions?: insights from the bible and the early church. DG 2007, IVP 181 pp. $18. 978-08308-25646.

8600 *Meltzer, Edmund S.* Cosmic and personal: the god of awe and grace in Egyptian texts, the Hebrew Bible, and Rabbinic commentary. ^MMETZGER, B. NTMon 19: 2007 ⇒105. 39-50.

8601 *Miller, Robert* The triumph of grace in the Old Testament. IncW 1 (2007) 455-484.

8602 **Müller, Norbert** Auf den Spuren der Götter: eine Biografie des Monotheismus. Interreligiöse Begegnungen, Studien und Projekte 5: Müns 2007, LIT 129 pp. 978-3-8258-0733-7.

8603 *Paul, Mart-Jan* The identity of the angel of the LORD. HIPHIL 4 2007*.

8604 *Perkins, Larry* "The Lord is a warrior"–"The Lord who shatters wars": Exod 15:3 and Jdt 9:7; 16:2. BIOSCS 40 (2007) 121-138.

8605 **Petry, Sven** Die Entgrenzung JHWHs: Monolatrie, Bilderverbot und Monotheismus im Deuteronomium, in Deuterojesaja und im Ezechielbuch. ^D*Spieckermann, Hermann* FAT 2/27: Tü 2007, Mohr S. ix;, 493 pp. €79. 978-3-16-149451-2. Diss. Göttingen; Bibl. 411-435.

8606 *Ralph, Margaret N.* God's own repentance. BiTod 45 (2007) 69-74.

8607 *Ramos, Felipe F.* Dios y su cortejo angélico. StLeg 48 (2007) 13-62.

8608 *Riess, Richard* Zorn Gottes, List des Teufels und der Aufstand des Menschen: der Mythos vom dunklen Gott und die Bedeutung des Bösen in Bildern der Bibel. PTh 96 (2007) 124-138.

8609 **Roy, Steven C.** How much does God foreknow?: a comprehensive biblical study. 2006 ⇒22,8407. ^RRBLit (2007)* (*Blomberg, Craig*).

8610 *Scaiola, Donatella* Lento all'ira e ricco di misericordia (Salmo 103, 8). ED 60/1 (2007) 81-97.

8611 **Schrage, Wolfgang** Vorsehung Gottes?: zur Rede von der providentia Dei in der Antike und im Neuen Testament. 2005 ⇒21,8770. ^RThLZ 132 (2007) 532-535 (*Röhser, Günter*); RBLit (2007)* (*Labahn, Michael*).

8612 *Sherwin, Simon J.* Old Testament monotheism and Zoroastrian influence. God of Israel. UCOP 64: 2007 ⇒818. 113-124.

8613 **Smith, Mark S.** The memoirs of God: history, memory, and the experience of the divine in ancient Israel. 2004 ⇒20,8166... 22,8410. ^RPHScr II, 461-462 ⇒373 (*White, Ellen*).

8614 *Spieckermann, Hermann* Gott und die Nacht: Beobachtungen im Alten Testament. IKaZ 36 (2007) 434-443.

8615 *Strübind, Kim* Theophanie und Angst: die Begegnung mit dem "Heiligen" in der Bibel. ZThG 12 (2007) 37-58.

8616 *Tandecki, Daniela* Himmlisches Weidwerk: Gott als Jäger und Gejagter im Garten der Natur. ^FBLUMENTHAL, S. von. Ästhetik-Theologie-Liturgik 45: 2007 ⇒16. 129-141.

8617 *Tiemeyer, Lena-S.* The compassionate God of traditional Jewish and christian exegesis. TynB 58/2 (2007) 183-207 [Gen 6,5-7,16; 18,16-33; Exod 32,7-14].

8618 *Van Midden, Piet* De verborgen God: over Mordechai, Ester, Jozef en Daniël. ITBT 15/1 (2007) 7-9.

8619 **Wenz, Gunther** Gott: implizite Voraussetzungen christlicher Theologie. Studium systematische Theologie 4: Gö 2007, Vandenhoeck & R. 320 pp. 978-3-525-56707-4.

8620 *Ziegler, Yael* "So shall God do ...": variations of an oath formula and its literary meaning. JBL 126 (2007) 59-81 [1 Sam 3,17].

8621 *Cobb, John B., Jr.; Griffin, David R.* Prozess-Theologie (1976). Grundtexte. 2007 ⇒588. 307-319.

H1.4 *Femininum in Deo*—God as father and mother

8622 **Keel, Othmar** L'Éternel féminin: une face cachée du Dieu biblique. Genève 2007, Labor et F. 144 pp. €20. 154 ill.

8623 *Spieckermann, Hermann* Gottvater: Religionsgeschichte und Altes Testament. JAWG (2007) 401-406.

8624 **Wright, Christopher J.H.** Knowing God the Father through the Old Testament. Oxf 2007, Monarch 223 pp. £8. 978-08308-25929.

H1.7 **Revelatio**

8625 **Abraham, William J.** Crossing the threshold of divine revelation. GR 2006, Eerdmans xiv; 198 pp. $20.

8626 *Balaguer, Vicente* Biblia, razón y fe. ScrTh 39 (2007) 783-799.

8627 *Bily, Lothar* Lesen im Buch des Herrn: Gedanken zur Schriftwerdung des Gotteswortes. Gottes Wort. 2007 ⇒537. 120-130.

8628 *Destro, Adriana; Pesce, Mauro* La funzione delle 'parole': rivelazioni dopo l'ascensione di Gesù. X simposio paolino. Turchia 21: 2007 ⇒860. 79-94.

8629 *Granados, José* The word springs from the flesh: the mystery of the preaching of the Kingdom. Com(US) 34/1 (2007) 6-37.

8630 *Herms, Eilert* Offenbarung (1985). Grundtexte. 2007 ⇒588. 346-58.

8631 **Humphrey, Edith M.** And I turned to see the voice: the rhetoric of vision in the New Testament. GR 2007, Baker 238 pp. $23. 978-0-8010-3157-1. Bibl. 209-218.

8632 *Kumbu ki Kumbu, Éleuthère* La révélation extra-biblique après Vatican II: implications pour la mission de l'église en Afrique. RTL 38 (2007) 41-66.

8633 *Lorizio, Giuseppe* Teologia della rivelazione e "pensiero rivelativo" a partire dalla Dei Verbum. Lat. 73/1 (2007) 15-38.

8634 **Martin, Francis** Sacred scripture: the disclosure of the word. 2006 ⇒22,8433. [R]IncW 1 (2007) 598-599 (*Brown, Eric T.*).

8635 *Neri, Marcello* Accolta singolarità: la teologia della rivelazione nell'-opera di Christoph Theobald. Il Regno 52/2 (2007) 27-30.

8636 *Neuhaus, Gerd* Das eine Wort Gottes und die Vielfalt seiner geschichtlichen Ausdrucksgestalten. Pastoralblatt für die Diözesen Aachen, Berlin, Essen etc. 59 (2007) 355-361.

8637 *Pannenberg, Wolfhart* Dogmatische Thesen zur Lehre von der Offenbarung (1961). Grundtexte. 2007 ⇒588. 233-245.
8638 *Román Martínez, Carmen* La palabra que da vida: reflexión acerca de la palabra de Dios como espacio teológico y existencial. Proyección 54/4 (2007) 233-249.
8639 *Speyer, Wolfgang* Die Offenbarungsübermittlung und ihre Formen als mythische und geschichtliche Anschauung <2005>;
8640 Gottheit und Mensch, die Eltern des Kunstwerkes: zu einer abendländischen Offenbarungsvorstellung <2004>. Frühes Christentum. WUNT 213: 2007 ⇒320. 75-88/89-101.
8641 *Suess, Paulo* Dalla rivelazione alle rivelazioni. Conc(I) 43/1 (2007) 52-62; Conc(GB) 2007/1,40-48.
8642 *Witaszek, Gabriel* Rivelazione e pace nella bibbia. StMor 45 (2007) 25-41.

H1.8 Theologia fundamentalis

8643 **Bongardt, Michael** Einführung in die Theologie der Offenbarung. 2005 ⇒21,8805; 22,8442. [R]ThPh 82 (2007) 453-455 (*Kehl, M.*).
8644 **Bourgeois, Henri** Je crois à la résurrection du corps. Québec 2007, Fides 313 pp. €27. 978-276-21275-84. [R]ActBib 44/1 (2007) 76-77 (*Casellas, J.*).
8645 **Fabro, Cornelio** Dio, introduzione al problema teologico. Opere complete 10: Segni (RM) 2007, Verbo Incarnato 186 pp. 978-88-89-231-15-9.
8646 **Fischer, Ralph** Macht der Glaube heil?: der christliche Glaube als Heilsmacht im Anschluss an Eugen Biser und Eugen Drewermann. Bamberger Theologische Studien 30: 2006 ⇒22,8444. [R]ActBib 44/1 (2007) 78-80 (*Boada, J.*).
8647 **Hercsik, Donath** Elementi di teologia fondamentale. 2006 ⇒22, 8447. [R]CivCatt 158/1 (2007) 513-514 (*Capizzi, N.*).
8648 **Hofmann, Peter** Die Bibel ist die erste Theologie: ein fundamentaltheologischer Ansatz. 2006 ⇒22,8448. [R]ThLZ 132 (2007) 75-77 (*Peng-Keller, Simon*).
8649 *Neuner, Peter* Fundamentaltheologische Implikationen einer Theologie des Neuen Testaments. Aufgabe und Durchführung. WUNT 205: 2007 ⇒783. 309-317.
8650 **Vanhoozer, Kevin J.** The drama of doctrine: a canonical-linguistic approach to christian theology. 2005 ⇒21,8817. [R]AsbJ 62/1 (2007) 123-126 (*Lancaster, Sarah H.*).

H2.1 Anthropologia theologica—VT & NT

8651 *Abelow, B.* What the history of childhood reveals about New Testament origins and the psychology of christian belief. CSER Review [Amherst, NY] 2/1 (2007) 11-16.
8652 *Acuff, J.* The pre-tribulation rapture: fact or fiction, truth or hoax?. JRadRef 14/1 (2007) 46-67;
8653 The analogy of faith as it pertains to tradition, interpretation, and the perspicuity of scripture. JRadRef 14/2 (2007) 18-30.

8654 *Allolio-Näcke, Lars* Zwischen Person und Kollektiv, Freiheit und Zwang: Beobachtungen zur Identität aus (kultur-)psychologischer Sicht. Identität. BTSP 30: 2007 ⇒409. 236-256.

8655 *Amat, Jacqueline* Songes et visions, catégories littéraires ou expériences spirituelles. ConnPE 108 (2007) 39-48.

8656 *Armenteros Cruz, Víctor M.* "Una sola carne": reflexiones sobre una antropología conyugal. DavarLogos 6 (2007) 93-99 [Gen 1,26-31; 2,18-25; 3].

8657 **Arterbury, Andrew E.** Entertaining angels: early christian hospitality in its Mediterranean setting. NTMon 8: 2005 ⇒21,8822; 22,8458. ^RBTB 37 (2007) 139-140 (*Malina, Bruce J.*); JThS 58 (2007) 678-681 (*Edwards, Ruth B.*).

8658 *Backhaus, Knut* Aufbruch ins Evangelium: Unruhe als urchristliches Existential. IKaZ 36 (2007) 555-566.

8659 *Barbiero, Gianni* Sofferenza dell'uomo ed esilio di Dio. Horeb 16/3 (2007) 60-65 [Ezek 34].

8660 *Barth, Hans Martin* "Wie verstehst du, was du liest?": Professionalität und Spiritualität im Umgang mit der Bibel. Deutsches Pfarrerblatt 107 (2007) 195-200.

8661 *Bartolini, Elena L.* Comunicare e celebrare con il corpo nella cultura biblica e nella tradizione ebraica. VivH 18 (2007) 321-337.

8662 **Basset, Lytta** Holy anger: Jacob, Job, Jesus. GR 2007, Eerdmans 295 pp. $28. 978-08028-62372. Bibl.

8663 **Battaglia, Oscar** Il Dio che sorride: il sorriso nella bibbia. Assisi 2007 <2001>, Cittadella 197 pp.

8664 **Báez, Silvio J.** Quando tutto tace: il silenzio nella bibbia. Orizzonti biblici: Assisi 2007, Cittadella 231 pp. €12.80. 978-88308-08799. Pres. *Pietro Bovati*. ^RStPat 54 (2007) 684-685 (*Lorenzin, Tiziano*); Ter. 58 (2007) 347-352 (*De Carlo, Franco*); RevBib 69 (2007) 244-247 (*Ruiz, Eleuterio R.*).

8665 *Behrens, Achim* Frauen und Männer im Alten Testament: eine Skizze. LuThK 31/2 (2007) 61-104.

8666 *Bérubé, Béatrice* Le suicide dans la bible. Scriptura(M) 9/1 (2007) 57-68.

8667 *Boer, Theo A.* Homoseksuele relaties en de bijbel. KeTh 58 (2007) 119-143.

8668 *Bovati, Pietro* Il fare memoria secondo la prospettiva biblica. La Tenda del Magnificat 1957-2007. Lamezia Terme 2007, 11-19 [AcBib 11/4,373].

8669 **Brin, Gershon A.** The concept of time in the bible and the Dead Sea scrolls. StTDJ 39: 2001 ⇒17,7215... 21,8840. ^RDSD 14 (2007) 376-380 (*Fabry, Heinz-Josef*).

8670 *Burrus, Virginia* Mapping as metamorphosis: initial reflections on gender and ancient religious discourses. Mapping gender. BiblInterp 84: 2007 ⇒621. 1-10.

8671 *Cacciari, Antonio* La vecchiaia nella Bibbia greca. Senectus. Ebraismo e Cristianesimo 3: 2007 ⇒725. 51-78.

8672 **Canfield, John V.** Becoming human: the development of language, self and self-consciousness. Basingstoke, Hampshire 2007, Palgrave M. viii; 186 pp. 978-0-230-55293-7. Bibl. 177-182.

8673 **Carasik, Michael** Theologies of the mind in biblical Israel. Studies in biblical literature 85: 2006 ⇒22,8475. ^RRBLit (2007)* (*Lambert, David*).

8674 *Cardellini, Innocenzo* Introduzione al XIV Convegno di Studi Vete-rotestamentari: "origine e fenomenologia del male: le vie della catarsi veterotestamentaria". RstB 19/1 (2007) 5-9.

8675 *Cioli, Gianni; Fortuna, Agnese Maria* La morte nell'Antico Testamento: appunti di antropologia biblica. RAMi 2 (2007) 245-271.

8676 **Claassens, L. Juliana M.** The God who provides: biblical images of divine nourishment. 2004 ⇒20,8226; 21,8852. [R]PHScr II, 515-517 ⇒373 (*Webster, Jane S.*).

8677 *Craffert, Pieter F.* Neutestamentliche Forschung nach der Revolution in den Neurowissenschaften: ungewöhnliche menschliche Erfahrungen ins Bewusstsein rufen;

8678 *Czachesz, István* Kontraintuitive Ideen im urchristlichen Denken. Erkennen und Erleben. 2007 ⇒579. 91-117/197-208.

8679 **Davidson, Richard M.** Flame of Yahweh: sexuality in the Old Testament. Peabody, MA 2007, Hendrickson 844 pp. $30. 978-15656-38471. Bibl. 659-801. [R]JHScr 7 (2007)* = PHScr IV,520-523 (*Macumber, Heather*).

8680 *Di Palma, Gaetano* Il linguaggio dell'amore: dalla Bibbia ebraica a quella cristiana. Asp. 54/2 (2007) 31-55.

8681 *Dyma, Oliver* "Gottes Angesicht schauen" oder "vor ihm erscheinen" als Wallfahrtsterminologie?. [F]RICHTER, W. ATSAT 83: 2007 ⇒132. 23-36.

8682 **Ellens, J. Harold** Sex in the bible: a new consideration. 2006 ⇒22, 8492. [R]RRT 14/1 (2007) 28-30 (*Burke, Sean D.*); CrossCur 56 (2007) 132-133 (*Chodos, Rafael*).

8683 *Elliott, John H.* Envy, jealousy, and zeal in the bible: sorting out the social differences and theological implications–no envy for Yhwh. [F]CHANEY, M. 2007 ⇒25. 344-363.

8684 **Elliott, Matthew A.** Faithful feelings: rethinking emotion in the New Testament. 2006 ⇒22,8493. [R]TrinJ 28 (2007) 305-306 (*Hyde, Michelle C.*).

8685 *Enders, Markus* Ist der Mensch von Natur aus religiös?: zum Verständnis des Menschen aus der Sicht christlicher Religionsphilosophie. Jahrbuch für Religionsphilosophie 6 (2007) 37-68.

8686 *Ernst, Stephan* Das "christliche Menschenbild": Norm oder Fiktion?. BilderStreit. 2007 ⇒578. 141-168.

8687 **Fernández de Castro, Ch.** El cristianismo desmitificado: estudio de la sexualidad en tiempos de Jesucristo. Barc 2006, Kairós 380 pp.

8688 *Fernández Sangrador, Jorge J.* Paternidad, filiación y Nuevo Testamento. Familia [S] 34 (2007) 5-8.

8689 **Flannery-Dailey, Frances** Dreamers, scribes, and priests: Jewish dreams in the Hellenistic and Roman eras. JSJ.S 90: 2004 ⇒20,8238 ... 22,8501. [R]Bijdr. 68 (2007) 108-111 (*Koet, Bart J.*); PHScr II, 469-473 ⇒373 (*Noegel, Scott B.*).

8690 *Francis, Leslie J.* Psychological types. Jesus and psychology. 2007 ⇒543. 137-154.

8691 **Frevel, C.; Wischmeyer, O.** Che cos'è l'uomo?: prospettive dell'-Antico e del Nuovo Testamento. [T]Marinconz, L. I Temi della Bibbia 11: Bo 2007, EDB 173 pp. €16.50. 978-88102-21136.

8692 *Garrone, Daniele* La vecchiaia nella Bibbia ebraica. Senectus. Ebraismo e Cristianesimo 3: 2007 ⇒725. 17-49.

8693 *Gemünden, Petra von* Affekte und Affektkontrolle im antiken Judentum und Urchristentum. Erkennen und Erleben. 2007 ⇒579. 249-69.

8694 *Gericke, J.W.* Yahwism and projection: an a/theological perspective on polymorphism in the Old Testament. Scriptura 96 (2007) 407-24.

8695 *Gertz, Jan C.* Der zerbrechliche und zugleich königliche Mensch– Anmerkungen zum Menschenbild des Alten Testaments. [F]HÄRLE, W. MThSt 100: 2007 ⇒64. 19-31.

8696 *Guerry, Eve* Controlling human suffering: terminology of divine mercy in ancient Egypt and ancient Israel. Bulletin of the Australian Centre for Egyptology [Sydney] 18 (2007) 109-123.

8697 *Haas, Aloïs M.* Europäische Bildung: antike Paideia und christliche Gottesebenbildlichkeit. Philotheos 7 (2007) 279-290.

8698 *Hess, Ruth* "... männlich und weiblich schuf ER sie"!?: Identitäten im Gender Trouble. Identität. BTSP 30: 2007 ⇒409. 164-188.

8699 *Holladay, William L.* Indications of segmented sleep in the bible. CBQ 69 (2007) 215-221.

8700 **Hutchison, John C.** Thinking right when things go wrong: biblical wisdom for surviving tough times. 2005 ⇒21,8880. [R]JPsT 35/1 (2007) 87-90 (*Strauss, Gary H.*).

8701 *Hünermann, Peter* Jesus Christus, unser Freund: eine Antwort auf die Frage nach der Identität Jesu von Nazazreth. IKaZ 36 (2007) 247-57.

8702 *Johnson, William S.* Empire and order: the gospel and same-gender relationships. BTB 37 (2007) 161-173.

8703 *Kiedzik, Mirosław* Ewangelia pracy—biblijne podstawy etosu pracy [Il vangelo del lavoro—i fondamenti biblici dell'ethos del lavoro]. STV 45/2 (2007) 11-27. **P.**

8704 **Kim, Walter** The language of verbal insults in the Hebrew Bible. 2007, Diss. Harvard [HThR 100,508].

8705 **Klawans, Jonathan** Impurity and sin in ancient Judaism. 2000 ⇒16, 7384... 19,8278. [R]RB 114 (2007) 278-279 (*Tatum, Gregory*).

8706 **Köstenberger, Andreas J.; Jones, David W.** God, marriage, and family: rebuilding the biblical foundation. 2004 ⇒20,8269; 22,8528. [R]BS 164 (2007) 504-506 (*Kreider, Glenn R.*).

8707 *Kruger, Paul A.* Symbolic inversion in death: some examples from the Old Testament and the ancient Near Eastern world. Psalms and mythology. LHBOTS 462: 2007 ⇒451. 204-216.

8708 *Kunstmann, Joachim* Was ich geworden bin–was ich sein könnte: Identität als Grundfrage religiösen Lernens. Identität. BTSP 30: 2007 ⇒409. 213-235.

8709 **Kunz-Lübcke, Andreas** Das Kind in den antiken Kulturen des Mittelmeers: Israel—Ägypten—Griechenland. Neuk 2007, Neuk 259 pp. €24.90. 978-3-7887-2208-1.

8710 *Kurichianil, John* A biblical approach to some aspects of christian leadership and authority. BiBh 33/4 (2007) 42-66.

8711 **Lawrence, Louise J.** Reading with anthropology: exhibiting aspects of New Testament religion. 2005 ⇒21,8892; 22,8531. [R]BTB 37 (2007) 39-40 (*Malina, Bruce J.*); RBLit (2007) 305-309 (*Watson, David*).

8712 *Le Roux, Jurie* Setting the scene: the battle of the signs. South African perspectives. LHBOTS 463: 2007 ⇒469. 1-18.

8713 *Lefebvre, Philippe* Malaise dans la civilisation: réflexions bibliques. Com(F) 32/2 (2007) 33-47.

8714 **Lefebvre, Philippe; Montalembert, Viviane de** Un homme, une femme et Dieu: pour une théologie biblique de l'identité sexuée.

Epiphanie: P 2007, Cerf 468 pp. €26. 22040-74636. [R]LV(L) 275 (2007) 114-116 (*Dockwiller, Philippe*).

8715 *Leiner, Martin* Dem Evangelium die Seele wiedergeben?: grundsätzliche Fragen einer Psychologie des Urchristentums. Erkennen und Erleben. 2007 ⇒579. 29-54.

8716 *Leithart, Peter J.* I don't get it: humour and hermeneutics. SJTh 60 (2007) 412-425.

8717 **Loader, William R.G.** Sexuality and the Jesus tradition. 2005 ⇒21, 8897; 22,8535. [R]ThTo 63 (2007) 512, 516, 518 (*Collins, Raymond F.*); Theol. 110 (2007) 288-289 (*Okland, Jorunn*).

8718 **Malmgren, Lena** Barbed wire + thorns: a christian's reflection on suffering. [T]*Erickson, Richard J.* Peabody, MASS 2007, Hendrickson ix; 222 pp. 978-1-598-56044-2.

8719 *Manzi, Franco* "Dio creò l'uomo a sua immagine": lettura cristiana della Genesi. RTLu 12 (2007) 161-185 [Gen 1,26-27].

8720 *Mazzucco, Clementina* La vecchiaia nel Nuovo Tesamento. Senectus. Ebraismo e Cristianesimo 3: 2007 ⇒725. 143-206.

8721 **McWilliams, Warren** Where is the God of justice?: biblical perspectives on suffering. 2005 ⇒21,8910; 22,8541. [R]AUSS 45 (2007) 154-156 (*Nutt, Derek*).

8722 *Mendonça, José T.* A sexualidade na bíblia: morfologia e trajectórias. Theologica 42 (2007) 237-248.

8723 *Miller, James E.* A response to Robert Gagnon on "The Old Testament and homosexuality". ZAW 119 (2007) 86-89.

8724 *Miquel Pericás, Esther* Actitudes frente a la posesión en los orígenes del cristianismo. Qol 45 (2007) 5-34.

8725 *Muffs, Yochanan* On biblical anthropomorphism. [F]GELLER, S. 2007 ⇒47. 163-168.

8726 *Münk, Hans J.* Philosophisch-ethische Würdekonzepte in biblisch-theologischer Sicht. [F]KIRCHSCHLÄGER, W. 2007 ⇒85. 221-245.

8727 *Navone, John* Scriptures for remembering. BiTod 45 (2007) 167-72.

8728 **Neumann-Gorsolke, Ute** Herrschen in den Grenzen der Schöpfung: ein Beitrag zur alttestamentlichen Anthropologie am Beispiel von Psalm 8, Genesis 1 und verwandten Texten. WMANT 101: 2004 ⇒ 20,8291... 22,8551. [R]RBLit (2007)* (*Krueger, Thomas*).

8729 **Pelletier, A.-M.** Le signe de la femme. Epiphanie: 2006, ⇒22,8558. [R]NRTh 129 (2007) 303-304 (*Radermakers, J.*) [Eph 5,21-23].

8730 *Peri, Chiara* La demonizzazione del nemico: efficacia polivalente di un motivo mitologico. RstB 19/1 (2007) 189-201.

8731 **Philip, Tarja S.** Menstruation and childbirth in the bible: fertility and impurity. Studies in Biblical literature 88: 2006 ⇒22,8561. [R]JEGTFF 15 (2007) 252-253 (*Erbele-Küster, Dorothea*).

8732 *Pola, Thomas* Theodizee im Alten und Neuen Testament: unter besonderer Berücksichtigung von Psalm 73. Gott fürchten. BThST 59: 2007 <1996> ⇒290. 79-149.

8733 *Punt, Jeremy* Sex and gender, and liminality in biblical texts: venturing into postcolonial, queer biblical interpretation. Neotest. 41 (2007) 382-398.

8734 **Raharimanantsoa, Mamy** Mort et espérance selon la Bible Hébraïque. CB.OT 53: 2006 ⇒22,8564. [R]CBQ 69 (2007) 560-561 (*Bernas, Casimir*).

8735 *Reger, Joachim* "Getrennt von mir könnt ihr nichts vollbringen"? (Joh 15,5b): zur Krise des christlichen Menschenbildes. KlBl 87 (2007) 8-11.

8736 **Reinmuth, Eckart** Anthropologie im Neuen Testament. UTB 2768: 2006 ⇒22,8567. ^RThLZ 132 (2007) 529-30 (*Landmesser, Christof*).

8737 *Reuther, Rosemary R.* Love between women: a context for theology. BTB 37 (2007) 153-160.

8738 *Riede, Peter* Noch einmal: was ist "Leben" im Alten Testament?. ZAW 119 (2007) 416-420 [Job 14,7-9].

8739 **Romaldo, Adriana** Gesù abbraccia i bambini: riflessioni teologiche e antropologiche sul gesto dell'abbraccio nella bibbia. Ricerche 1: Siena 2007, Cantagalli 206 pp. €17. 978-88-8272-3552. Bibl. 185-196.

8740 *Roosimaa, Peeter* Magier im Neuen Testament. Studien zu Ritual. BZAW 374: 2007 ⇒937. 315-323.

8741 *Sauer, Hanjo* Der Mensch ist der Weg: zur Relevanz einer biblischen Metapher. ThPQ 155 (2007) 244-255.

8742 ^E**Sauntson, Helen; Kyratzis, Sakis** Language, sexualities and desires: cross-cultural perspectives. Basingstoke, Hampshire 2007, Palgrave M. xii; 248 pp. 978-1-4039-3327-0.

8743 *Schäfer-Bossert, Stefanie* Körper haben–Körper sein–aber wie?: heutige Körperbilder zwischen Körperkult und Entkörperlichung. Frauenkörper. FrauenBibelArbeit 18: 2007 ⇒378. 15-21.

8744 *Schmidt, Uta* "Kleider machen Leute" oder "Gott macht Kleider": Gen 3 und andere Bekleidungsgeschichten. Schlangenbrut 25/99 (2007) 5-8.

8745 **Simian-Yofre, Horacio** Sofferenza dell'uomo e silenzio di Dio: nell'-Antico Testamento e nella letteratura del Vicino Oriente Antico. Studia Biblica 2: 2005 ⇒21,8944; 22,8578. ^RRivBib 55 (2007) 113-115 (*Berges, Ulrich*).

8746 **Simoens, Yves** Il corpo sofferente: dall'uno all'altro Testamento. CSB 54: 2006 ⇒22,8579. ^RCamillianum 7 (2007) 363-374 (*Cappelletto, Maria*) [Ps 66; 102; John 9-10; 19; 1 Cor 15].

8747 *Söding, Thomas* Freundschaft mit Jesus: ein neutestamentliches Motiv. IKaZ 36 (2007) 220-231.

8748 *Schroer, Silvia* Biblische Emotionswelten. KatBl 132/1 (2007) 44-9.

8749 *Stevenson, Beaumont* Turning taboo on its head. Jesus and psychology. 2007 ⇒543. 78-94.

8750 *Steyn, Gert J.* Riglyne vir 'n verantwoordelike Nuwe Testamentiese verstaan in die homoseksualiteitsdebat: deel 1: 'n komplekse saak;

8751 deel 2: Nuwe Testamentiese tekste. VeE 28 (2007) 280-300/622-638 [Rom 1,26-27; 1 Cor 6,9-11; Col 3,5; 1 Thess 4,5; 1 Tim 1,10].

8752 *Stiebert, Johanna* Shame and the body in Psalms and Lamentations of the Hebrew Bible and in thanksgiving hymns from Qumran. OTEs 20 (2007) 798-829.

8753 **Van der Linden, Eewout** De appel van Adam en Eva: liefde en seksualiteit in bijbelse en buitenbijbelse verhalen. 2006 ⇒22,8594. ^RKeTh 58 (2007) 189-190 (*Spronk, Klaas*).

8754 *Veijola, Timo* Depression als menschliche und biblische Erfahrung. Offenbarung und Anfechtung. 2007 ⇒338. 158-190 [Ps 88].

8755 **Vergote, Antoine** Humanité de l'homme, divinité de Dieu. P 2007, Cerf 352 pp.

8756 *Vignolo, Roberto* 'Per te, le tenebre sono come luce!' (Sal 139). Presbyteri 41 (2007) 695-700;

8757 Sulla 'santità ospitale' di Gesù, in termini di teologia biblica. Teol (Br) 32 (2007) 399-407.

8758 *Vivaldelli, Gregorio* 'Quinto giorno...': uomini e animali nella bibbia. CredOg 27/6 (2007) 9-18.
8759 **Vílchez, José** El don de la vida. Biblioteca Manual Desclée 56: Bilbao 2007, Desclée de B. 276 pp. 978-84330-21700.
8760 *Wagner, Andreas* Das synthetische Bedeutungsspektrum hebräischer Körperteilbezeichnungen. BZ 51 (2007) 257-265;
8761 Les différentes dimensions de la vie: quelques réflexions sur la terminologie anthropologique de l'Ancien Testament. RevSR 81 (2007) 391-408.
8762 **Warrington, Keith** Healing and suffering: biblical and pastoral reflections. 2005 ⇒21,8958. ᴿSBET 25/1 (2007) 111-113 (*De la Haye, John R.*).
8763 *Watts, Fraser* Personal transformation: Jesus and psychology. 2007 ⇒543. 62-77 [John 2-11].
8764 *Werner, Gunda* Was ist der Mensch, dass du seiner gedenkst?: ein Plädoyer für das Erzählen in "unweihnachtlichen" Zeiten. Pastoralblatt für die Diözesen Aachen, Berlin, etc. 59 (2007) 343-346 [Ps 8].
8765 *Wilkin, Robert N.* The gospel according to evangelical postmodernism. Journal of the Grace Evangelical Society 20/38 (2007) 3-13.
8766 **Wischmeyer, Oda** Che cos'è l'uomo: prospettive dell'Antico e del Nuovo Testamento. I temi della Bibbia 11: Bo 2007, Dehoniane 173 pp. €16.50. 978-88-10-22113-6.
8767 *Witczyk, Henryk* Il dialogo fra Dio e l'uomo comme oggetto principale dell'esegesi: l'interpretazione antropologico-dialogico. Ethos and exegesis. 2007 ⇒464. 205-216.
8768 **Wright, Nicholas T.** Evil and the justice of God. 2006 ⇒22,8608. ᴿAmerica 196/4 (2007) 30-31 (*Harrington, Daniel J.*); ScrB 37/1 (2007) 31-32 (*Wansbrough, Henry*); RBLit (2007)* (*Carson, D.A.*).
8769 *Zečević, Jure* Biblijski i teološko-duhovni vid rada [The biblical and spiritual-theological aspect of work]. Crkva u Svijetu 42 (2007) 567-588. **Croatian**.

H2.8 œcologia VT & NT—*saecularitas*

8770 *Bergant, Dianne* What's old about New Age?: the bible and ecotheology. NewTR 20/2 (2007) 38-46.
8771 **Binz, Stephen J.** Stewardship of the earth. Threshold Bible Studies: New London, CT 2007, Twenty-third ix; 129 pp. $13.
8772 *Candidi, Marco* L'erudito, il filosofo, il *curiosus*: scienza e natura fra cristiani e pagani. La cultura scientifico-naturalistica. SEAug 101: 2007 ⇒914. 667-675.
8773 *Fisher, G.W.; Van Utt, G.* Science, religious naturalism, and biblical theology: ground for the emergence of sustainable living. Zygon 42 (2007) 929-943.
8774 **Hillel, Daniel** The natural history of the bible: an environmental exploration of the Hebrew scriptures. 2006 ⇒22,8614. ᴿJJS 58 (2007) 339-341 (*Marlow, Hilary*).
8775 *Piccaluga, Giulia* Fondare, catalogare, conoscere: la natura e le sue leggi tra mondo classico e cristianesimo nascente. La cultura scientifico-naturalistica. SEAug 101: 2007,⇒914. 11-23.
8776 **Wagner, Volker** Profanität und Sakralisierung im Alten Testament. BZAW 351: 2005 ⇒21,8985; 22,8617. ᴿThLZ 132 (2007) 929-931 (*Reventlow, Henning Graf*).

H3.1 *Foedus*—**The Covenant**; *the Chosen People, Providence*

8777 *Barton, John* Covenant in Old Testament theology. The OT: canon, literature and theology. MSSOTS: 2007 <2003> ⇒183. 269-278.

8778 *Batut, Jean-Pierre* Fidélité et mémoire d'Israël: à travers les figures d'Abraham et d'Isaac. Com(F) 32/3 (2007) 67-85; Com(I) 214,11-27; Com(US) 34,343-361.

8779 *Bori, Pier Caesare* Dal male radicale alle molteplici forme di redenzione: l'eredità culturale della riflessione veterotestamentaria. RstB 19/1 (2007) 225-233.

8780 **Gräbe, Petrus J.** Der neue Bund in der frühchristlichen Literatur: unter Berücksichtigung der alttestamentlich-jüdischen Voraussetzungen. FzB 96: 2001 ⇒17,7320; 18,7863. ᴿOTEs 20 (2007) 251 (*Riekert, S.J.P.K.*).

8781 *Hafemann, Scott J.* The covenant relationship. Central themes. 2007 ⇒443. 20-65.

8782 **Kaminsky, Joel S.** Yet I loved Jacob: reclaiming the biblical concept of election. Nv 2007, Abingdon 242 pp. $28. 978-06870-25343. Bibl.

8783 **MacCarty, Skip** In granite or ingrained?: what the old and new covenants reveal about the gospel, the law, and the sabbath. Berrien Springs 2007, Andrews University Pr. xv; 327 pp. $20. 978-1-88392-5-57-4.

8784 *Martines, Carmelo* Doctrina y teología del remanente (parte 1);
8785 (parte 2). DavarLogos 6 (2007) 1-23/109-125.

8786 *Peterson, R.A.* The bible's story of election. Presbyterion 33/1 (2007) 31-43.

8787 *Pettegrew, L.D.* The new covenant and new covenant theology. MSJ 18 (2007) 181-199.

8788 *Torres Muñoz, José S.* La 'alianza' como elemento articulador de la propuesta ética de la religión del antiguo Israel. Franciscanum 49/1 (2007) 43-63.

8789 *Veijola, Timo* Das Heilshandeln und Welthandeln Gottes nach dem Zeugnis des Alten Testaments. Offenbarung und Anfechtung. BThSt 89: 2007 <1999> ⇒338. 68-87 [Deut 6,20-25].

H3.5 *Liturgia, spiritualitas VT*—**OT prayer**

8790 *Berg, Werner* Die begrenzten Möglichkeiten der Frau im Gottesdienst des Alten Israel. ᶠREINHARDT, H. 2007 ⇒128. 461-477.

8791 **Brueggemann, Walter** Worship in ancient Israel: an essential guide. 2005 ⇒21,9019; 22,8646. ᴿPHScr II, 443-445 ⇒373 (*Irwin, Brian*).

8792 *Calabro, David* The Lord of hosts and his guests: hospitality on sacred space in Exodus 29 and 1 Samuel 1. ProcGLM 27 (2007) 19-29.

8793 *Davidson, Jo A.* 'Deep breathing'. ᶠPFANDL, G. 2007 ⇒122. 51-58 [1 Sam 1,10-11; 2,1-10].

8794 *Deiana, Giovanni* Kippûr. Dizionario... sangue di Cristo. 2007 ⇒ 1137. 741-748.

8795 *Klement, Herbert H.* Trompeten und Musik im alttestamentlichen Gottesdienst. JETh 21 (2007) 69-81.

8796   **Klingbeil, Gerald** Bridging the gap: ritual and ritual texts in the bible. BBR.S 1: WL 2007, Eisenbrauns xiv; 304 pp. $39.50. 978-15-750-68015. Bibl. 253-286 [R]RBLit (2007)* (*Bergen, Wes*).

8797   [E]**Kugel, James L.** Prayers that cite scripture. 2006 ⇒22,8650. [R]RBLit (2007)* (*Sweeney, Marvin A.*).

8798   *Lemoine, Laurent* Malachie 3,14. VS 87/772 (2007) 391-397.

8799   **McDowell, Markus** Prayers of Jewish women: studies of patterns of prayer in the second temple period. WUNT 2/211: 2006 ⇒22,8652. [R]OLZ 102 (2007) 324-327 (*Böckler, Annette M.*).

8800   *Nadaï, Jean-C. de* La grâce de Caïn. VS 87 (2007) 105-110 [Gen 4].

8801   *Nowell, Irene* Seven gifts of the deuterocanonical books. BiTod 45 (2007) 143-147.

8802   [E]**Secondin, Bruno** Ascoltate e voi vivrete: lectio divina su testi dell'-Antico Testamento. Rotem 6: Padova 2006, Messaggero 237 pp. 88-250-1358-2.

H3:7   *Theologia moralis*—**OT moral theology**

8803   **Barton, John** Understanding Old Testament ethics: approaches and explorations. 2003 ⇒19,167... 21,9031. [R]SJTh 60/1 (2007) 114-115 (*Brueggemann, Walter*); HeyJ 48 (2007) 465-467 (*McNamara, Martin*); PHScr II, 660-662 ⇒373 (*Janzen, Waldemar*).

8804   *Barton, John* Imitation of God in the Old Testament. God of Israel. UCOP 64: 2007 ⇒818. 35-46.

8805   *Becker, Uwe* Eine kleine alttestamentliche Ethik des "Alltäglichen". BThZ 24 (2007) 227-240 [2 Sam 11-12].

8806   **Biddle, Mark E.** Missing the mark: sin and its consequences in biblical theology. 2005 ⇒21,9032. [R]Interp. 61 (2007) 430-432 (*Nelson, Susan L.*).
       [E]**Carroll R., M.**, *al.*, Character ethics & the OT 2006 ⇒395.

8807   *Crüsemann, Frank* Der Traum der Sicherheit bringt Ungeheuer hervor. JK 68/3 (2007) 2-4.

8808   *Cunningham, Harold G.* God's law, "general equity" and the Westminster Confession of Faith. TynB 58/2 (2007) 289-312.

8809   *Dafni, Evangelia G.* Genesis and EURIPIDES: exchange in virtue ethics between Israel and Hellas in the Classical and Hellenistic period. OTEs 20 (2007) 601-615 [Gen 2].

8810   *Fischer, Georg; Markl, Dominik* Armut als globale Herausforderung; Impulse aus der Sicht des Alten Testaments. ZKTh 129 (2007) 459-479.

8811   **Foster, Robert L.** Justice prescribed and personified: toward a biblical theology of justice. [D]*Nelson, R.D.* 2007, 205 pp. Diss. Dallas, Southern Methodist.

8812   *Fuhs, Hans F.* Wertevermittlung in der Familie Alt-Israels. ThGl 97 (2007) 411-428.

8813   *Guevara Llaguno, Miren Junkal* Buscadas, conocidas y condenadas: la prostitución y las prostitutas en los libros históricos y sapienciales. ResB 54 (2007) 7-14.

8814   *Hoppe, Leslie J.* Israel and Egypt: relationships and memory. BiTod 45 (2007) 209-213.

8815   **Hoppe, Leslie J.** There shall be no poor among you: poverty in the bible. 2004 ⇒20,8381... 22,8664. [R]PHScr II, 557-560 ⇒373 (*Moore, Michael S.*).

8816 *Kippley, John F.* The sin of Onan–is it relevant to contraception?. HPR 107/8 (2007) 16-22 [Gen 38,6-11; Deut 25,5-10].

8817 *Koch, Klaus* Ṣädäq und Ma'at: konnektive Gerechtigkeit in Israel und Ägypten?. ^FKOCH, K. FRLANT 216: 2007 <1998> ⇒89. 210-240.

8818 *Lalleman, Hetty* Ethik des Alten Testaments. Themenbuch. BWM 15: 2007 ⇒461. 237-255.

8819 *Lehmann, Klaus-Peter* "Auge um Auge, Zahn um Zahn". FrRu 14/4 (2007) 277-280.

8820 *Mourtzios, Ioannis* Human justice in the Old Testament. DBM 25/2 (2007) 29-39. **G.**

8821 *Otto, Eckart* Law and ethics. Ancient religions. 2007 ⇒601. 84-97.

8822 *Panna, George* The Bihar Dalits and the Old Testament: for a theologically liberative assertion, I, II. VJTR 71 (2007) 271-84, 358-379.

8823 *Paul, Maarten J.* Israëls omgang met vreemdelingen: van ban tot barmhartigheid. ThRef 50 (2007) 361-379.

8824 *Poser, Ruth* Vergelt's Gott?: Überlegungen zur Grenzwertigkeit biblischer Rachetexte. JK 68/2 (2007) 13-15.

8825 **Ratheiser, Gershom M.H.** Mitzvoth ethics and the Jewish Bible: the end of Old Testament theology. ^DNoort, E. LHBOTS 460: NY 2007, Clark xiv; 409 pp. $145. 978-0567-02962-1. Diss.Groningen; Bibl. 356-383. ^RJHScr 7 (2007)* = PHScr IV,517-520 (*Patrick, Dale*).

8826 *Reimer, David J.* Stories of forgiveness: narrative ethics and the Old Testament. ^FAULD, G. VT.S 113: 2007 ⇒5. 359-378 [Gen 32-33; 37-50; 1 Sam 15; 25].

8827 *Robberechts, Édouard* La haine entre frères. FV 106/5 (2007) 32-43.

8828 *Schockenhoff, Eberhard* "... dass ihr Kinder der Freiheit seid": alttestamentliche Perspektiven für ein Ethos der Freiheit. Gottes Wort. Bibel und Ethik 1: 2007 ⇒537. 48-56.

8829 *Thiel, Winfried* Gerechtigkeit als Gemeinschaftsgemäßheit: alttestamentliche Perspektiven. GlLern 22/2 (2007) 110-120.

8830 **Weber, Max** Die Wirtschaftsethik der Weltreligionen: das antike Judentum. ^EOtto, Eckart; Offermann, Julia Max Weber Gesamtausgabe 21/1-2: 2005 ⇒21,9056; 22,8678. ^RThR 72 (2007) 121-124 (*Tyrell, Hartmann*).

8831 *Wehrle, Josef* Kain und Abel: der Mensch im Spannungsfeld zwischen der von Gott geschenkten Freiheit und zwischen der eigenen verantworteten Entscheidung für das Gute oder das Böse. Gottes Wort. Bibel und Ethik 1: 2007 ⇒537. 4-47 [Gen 4,1-16].

8832 *Wiederkehr-Pollack, Gloria* Self-effacement in the bible. JBQ 35 (2007) 179-186.

8833 **Wright, Christopher J.H.** Old Testament ethics for the people of God. 2004 ⇒20,8409... 22,8679. ^RRBLit (2007) 114-117 (*Venter, Pieter M.*).

H3.8 *Bellum et pax VT-NT*—War and peace in the whole Bible

8834 **Abécassis, Armand** Puits de guerre, sources de paix: affrontements monothéistes. 2003 ⇒19,8432; 21,9060. ^RETR 82 (2007) 610-612 (*Couteau, Elisabeth*).

8835 *Aguirre, Rafael* El evangelio de Jesús y la paz. EstTrin 41 (2007) 513-541.

8836 **Angenendt, Arnold** Toleranz und Gewalt: das Christentum zwischen Bibel und Schwert. Münster 2007, Aschendorff 797 pp. €25. 978-3402-002155. [R]ThPQ 155 (2007) 309-311 (*Wagner, Helmut*).

8837 **Baumann, Gerlinde** Gottesbilder der Gewalt im Alten Testament verstehen. 2006 ⇒22,8686. [R]ThLZ 132 (2007) 1194-1197 (*Dietrich, Walter*).

8838 *Beauchamp, Paul* La violenza nella bibbia. Testamento biblico. 2007 <1999> ⇒184. 141-158.

8839 *Bergmann, Claudia* We have seen the enemy, and he is only a "she": the portrayal of warriors as women. CBQ 69 (2007) 651-672.

8840 *Britt, Brian* Death, social conflict, and the barley harvest in the Hebrew Bible. PHScr II. 2007 <2005> ⇒373. 289-309 [Ruth 1; {2 Sam 21].

8841 **Dietrich, Walter; Mayordomo, Moisés**, *al.*, Gewalt und Gewaltüberwindung in der Bibel. 2005 ⇒21,9072; 22,8691. [R]OLZ 102 (2007) 453-459 (*Sedlmeier, Franz*).

8842 *Frankfurter, David* The legacy of sectarian rage: vengeance fantasies in the New Testament. Religion and violence. 2007 ⇒770. 114-128.

8843 *García López, Félix* El don de la paz en el Antiguo Testamento. EstTrin 41 (2007) 487-511.

8844 **Gibert, Pierre** Biblia y violencia: la esperanza de Caín. [T]*Leonetti, M.M.* Temas bíblicos: Bilbao 2007, Mensajero 214 pp. €16. 978-84-271-28552.

8845 *Hoerschelmann, Gabriele* Cain and Abel–where is the end of violence?: looking at the cycle of violence from the perspective of René Girard. ThLi 30 (2007) 95-105.

8846 **Janse, Sam** De tegenstem van Jezus: over geweld in het Nieuwe Testament. Zoetermeer 2006, Boekencentrum 212 pp. €19.50. 978-9023-9-21394. Bijdrage *Gerrit de Kruijf*.

8847 *Keel, Othmar* Müssen die monotheistischen Religionen ihre "Biographien" neu schreiben?. JBTh 22 (2007) 91-104.

8848 *Klement, Herbert H.* Krieg und Frieden im Alten Testament. Themenbuch. BWM 15: 2007 ⇒461. 199-210.

8849 *Krüger, Thomas* 'They shall beat their swords into plowshares': a vision of peace through justice and its background in the Hebrew Bible. War and peace. 2007 ⇒733. 161-171.

8850 *Lage, Francisco* La violencia en el Antiguo Testamento. Moralia 30/113 (2007) 49-77.

8851 **Lang, Bernhard** Abgrenzung oder Öffnung?: Kriegergeist oder Schreibergeist?: zwei Modelle des biblischen Israel. Kultur und Religion in der Begegnung mit dem Fremden. [E]*Piepke, Joachim G.* VMStA 56: Nettetal 2007, Steyler 75-95 978-38050-05449.

8852 **Leiter, David A.** Neglected voices: peace in the Old Testament. Scottdale, PA 2007, Herald 186 pp. $17.

8853 *Marini, Stephen A.* Concluding reflections on religion and violence: conflict, subversion, and sacrifice. Religion and violence. 2007 ⇒ 770. 129-134.

8854 [E]**Matthews, Shelly; Gibson, Leigh E.** Violence in the New Testament. 2005 ⇒21,439; 22,8705. [R]JThS 58 (2007) 260-263 (*Tite, Philip L.*).

8855 *Meyer, Insa* Monotheismus, Christentum und Gewalt: das Christentum als Paradigma für die Überwindung der Gewalt in der Religion. EvTh 67 (2007) 263-276.

8856 **Michel, Andreas** Gott und Gewalt gegen Kinder im Alten Testament. FAT 37: 2003 ⇒19,8472; 21,9087. [R]ETR 82 (2007) 121-122 (*Bauks, Michaela*).

8857 *Morrow, William* Violence and transcendence in the development of biblical religion. BCSBS 66 (2007) 1-22.

8858 *Nelson-Pallmeyer, J.* Another inconvenient truth: violence within the 'sacred texts'. Fourth R [Santa Rosa, CA] 20/1 (2007) 9-15.

8859 *Niditch, Susan* War and reconcilation in the traditions of ancient Israel: historical, literary, and ideological considerations. War and peace. 2007 ⇒733. 141-160.

8860 **Peels, H.G.L.** God en geweld in het Oude Testament. Apeldoorn 2007, Theologische Univ. 115 pp. €8. 978-90-7584-7192.

8861 *Pizzuto, Vincent* Religious terror and the prophetic voice of reason: masking our myths of righteousness. BTB 37 (2007) 47-53.

8862 [E]**Plaisier, A.** Wie het zwaard opneemt: klassiek theologisch licht over een vreeswekkend thema. Utrechtse Cahiers 2: Zoetermeer 2007, Boekencentrum 56 pp. €7.50. 97890-292205-6.

8863 **Randall, Albert B.** Holy Scriptures as justifications for war: fundamentalist interpretations of the Torah, the New Testament, and the Qur'an. Lewiston 2007, Mellen vii; 262 pp. 978-0-7734-5217-6. Bibl. 255-258; Foreword by *Royce P. Jones.*

8864 *Scheffler, Eben* Oorlog in die wêreld van die Ou Testament: verskeie perspektiewe. Scriptura 96 (2007) 486-500.

8865 [E]**Schiffman, Lawrence; Wolowelsky, Joel B.** War and peace in the Jewish tradition. Orthodox Forum: NY 2007, Scharf xxxviii; 552 pp. $35.

8866 **Schlier, Heinrich** Mächte und Gewalten im Neuen Testament. Neue Kriterien 9: Einsiedeln 2007 <1958>, Johannes 86 pp. €12. 978-389-41-13988.

8867 *Stork, Peter* The drama of Jesus and the non-violent image of God: Raymund Schwager's approach to the problem of divine violence. Pacifica 20 (2007) 185-203.

8868 **Swartley, Willard M.** Covenant of peace: the missing peace in New Testament theology and ethics. 2006 ⇒22,8719. [R]BTB 37 (2007) 27-35 (*Neville, David J.*); TJT 23 (2007) 205-206 (*Zerbe, Gordon*); CBQ 69 (2007) 374-376 (*Cassidy, Richard J.*); RBLit (2007)* (*Williams, Joel*).

8869 **Wink, Walter** Jesus and nonviolence: a third way. 2003 ⇒19,8491... 21,9102. [R]MissTod 9 (2007) 169-170 (*Thomas, Joe M.*).

8870 *Zevit, Ziony* The search for violence in Israelite culture and in the bible. Religion and violence. 2007 ⇒770. 16-37.

H4.1 Messianismus

8871 *Aime, Oreste* Il messianismo: pensiero ebraico e teologia cristiana. ATT 13 (2007) 359-381.

8872 *Barton, John* The Messiah in Old Testament theology. The OT: canon, literature theology. 2007 <1998> ⇒183. 257-267.

8873 *Bienenstock, Myriam* Ist der Messianismus eine Eschatologie?: zur Debatte zwischen Cohen und ROSENZWEIG. Der Geschichtsbegriff. Religion in der Moderne 17: 2007 ⇒660. 128-147.

8874 **Bouretz, Pierre** Témoins du futur, philosophie et messianisme. NRF
Essais: 2003 ⇒19,8497; 20,8447. ᴿHTh 46 (2007) 446-457 (*Klein-berg, Ethan*).

8875 *Chester, Andrew* Messiah and torah. Messiah and exaltation.<1998>;

8876 Eschatology and messianic hope. Messiah and exaltation <1992>;

8877 The nature and scope of messianism. Messiah and exaltation. WUNT
207: 2007 ⇒209. 497-536/397-470/191-327.

8878 **Fitzmyer, Joseph A.** The One who is to come. GR 2007, Eerdmans
224 pp. $18. 978-080-28401-34. ᴿAmerica 196/15 (2007) 30-31
(*Harrington, Daniel J.*); VJTR 71 (2007) 548-549 (*Gispert-Sauch,
G.*); LASBF 57 (2007) 745-750 (*Chrupcała, Lesław D.*).

8879 **Ifrah, Lionel** Sion et Albion: juifs et puritains attendent le Messie.
2006 ⇒22,8728. ᴿREJ 166 (2007) 586-587 (*Osier, Jean-Pierre*).

8880 **Kavka, Martin** Jewish messianism and the history of philosophy.
2004 ⇒20,8455; 21,9131. ᴿMoTh 23/1 (2007) 128-130 (*Kaplan,
Gregory*).

8881 **Kinzer, Mark S.** Post-missionary Messianic Judaism: redefining
christian engagement with the Jewish people. 2005 ⇒21,9132. ᴿRRT
14/1 (2007) 36-38 (*Garner, Daniel*); ProEc 16/1 (2007) 105-107
(*Soulen, R. Kendall*).

8882 *Mitchell, D.C.* Messiah ben Joseph: a sacrifice of atonement for
Israel. RRJ 10/1 (2007) 77-94.

8883 **Mowinckel, Sigmund O.P.** He that cometh: the Messiah concept in
the Old Testament and later Judaism. ᵀ*Anderson, G.W.* 2005 <1956>,
⇒21,9137. ᴿJSSt 52 (2007) 429-430 (*Tomes, Roger*).

8884 **Pentiuc, Eugen J.** Jesus the Messiah in the Hebrew Bible. 2006 ⇒
22,8734. ᴿCBQ 69 (2007) 337-8 (*Bobertz, Charles*); JThS 58 (2007)
176-178 (*Moberly, Walter*); RBLit (2007)* (*Steinmann, Andrew*).

8885 *Petersen, Johann W.* Messianische Erwartungen in jüdischer und
christlicher Sicht (1695). Zwischen Bekehrungseifer und Philosemi-
tismus. ᴱ**Vogt, Peter.** Lp 2007, Evangelische. 20-26.

8886 *Poorthuis, Marcel* Messianisme en eindtijdverwachting. ITBT 15/1
(2007) 28-31.

8887 *Reiterer, Friedrich V.* Aspekte der Messianologie der Septuaginta:.
die Rolle der Weisheit bei der Entwicklung messianischer Vorstel-
lungen. Im Brennpunkt, 3. BWANT 174: 2007 ⇒384. 226-244.

8888 *Ruzer, Serge* Who was unhappy with the Davidic messiah?. Mapping
the NT. 2007 <2003> ⇒304. 101-129.

8889 **Schoeman, Roy H.** Das Heil kommt von den Juden: Gottes Plan für
sein Volk. Augsburg 2007, Sankt Ulrich 326 pp. €17.91. 978-3936-
484168.

8890 *Schwarzschild, Steven* On Jewish eschatology. Der Geschichtsbe-
griff. Religion in der Moderne 17: 2007 ⇒660. 12-41.

8891 **Thompson, T.L.** The Messiah myth: the Near Eastern roots of Jesus
and David. 2005 ⇒21,9145. ᴿEstB 65 (2007) 545-548 (*Pfoh, Eman-
uel*).

8892 *Tiňo, Jozef* Historické pozadie poexilových mesiášskych očakávani.
SBSl (2007) 23-34. **Slovak.**

8893 ᴱ**Zetterholm, Magnus** The messiah in early Judaism and christianity.
Mp 2007, Fortress xxviii; 163 pp. $18. 978-08006-21087.

H4.3 *Eschatologia VT*—OT hope of future life

8894 *Blenkinsopp, Joseph* Post-mortem existence in the Old Testament. Lebendige Hoffnung. ABIG 24: 2007 ⇒845. 33-51.
8895 **Briend, Jacques** Avant Jésus, l'espérance. CJJC 93: P 2007, Mame-Desclée 154 pp. €19.
8896 **Fischer, Alexander A.** Tod und Jenseits im alten Orient und Alten Testament. 2005 ⇒21,9151; 22,8750. [R]ThLZ 132 (2007) 283-285 (*Beyerle, Stefan*); JETh 21 (2007) 250-253 (*Hilbrands, Walter*).
8897 **Johnston, Philip S.** Shades of Sheol: death and afterlife in the Old Testament. 2002 ⇒18,7960... 20,8473. [R]PHScr II, 507-510 ⇒373 (*McLaughlin, John L.*).
8898 *Kizhakkeyil, Sebastian* Life after death in the Jewish sacred scripture (OT). JJSS 7/1 (2007) 19-41.
8899 **Levenson, Jon D.** Resurrection and the restoration of Israel. 2006 ⇒ 22,8754. [R]First Things 170 (2007) 31-34 (*Balint, Benjamin*); JAAR 75 (2007) 423-427 (*Bakhos, Carol*); CBQ 69 (2007) 334-335 (*Gnuse, Robert*); RBLit (2007)* (*Cook, Stephen L.*); CCen 124/3 (2007) 31-33 (*Brueggemann, Walter*).
8900 *Pola, Thomas* Hoffen und Hoffnung im Alten Testament. Gott fürchten. BThST 59: 2007 <1997> ⇒290. 151-172.
8901 **Triebel, Lothar** Jenseitshoffnung in Wort und Stein: Nefesch und pyramidales Grabmal als Phänomene antiken jüdischen Bestattungswesens im Kontext der Nachbarkulturen. AGJU 56: 2004 ⇒20,8478; 22,8756. [R]ThR 72 (2007) 266-268 (*Zwickel, Wolfgang*).

H4.5 *Theologia totius VT*—General Old Testament theology

8902 **Anderson, Bernhard W.** Contours of Old Testament theology. 1999 ⇒15,7610... 21,9161. [R]ThZ 63 (2007) 273-276 (*Zehnder, Markus*).
8903 *Bellinger, William H.* A shape for Old Testament theology: a lost cause?. PRSt 34 (2007) 287-295.
8904 *Concepción Checa, José F.* La teología bíblica del Antiguo Testamento: problemática y opciones. [F]IBÁÑEZ ARANA, A. 2007 ⇒72. 177-203.
8905 **Deissler, Alfons** Die Grundbotschaft des Alten Testaments. FrB 2006 <1972, 1995>, Herder 207 pp. €11.90. 34512-89482. Geleitwort *Erich Zenger*.
8906 **Gerstenberger, Erhard S.** Teologie nell'Antico Testamento. 2005 ⇒21,9168; 22,8772. [R]EstTrin 41 (2007) 423-424 (*Vázquez Allegue, Jaime*); Protest. 61 (2007) 48-49 (*Noffke, Eric*); Sal. 69 (2007) 588-589 (*Vicent, Rafael*).
8907 **Goldingay, John** Old Testament theology, 1: Israel's gospel. 2003 ⇒19,8547... 22,8774. [R]TS 68 (2007) 433-434 (*Green, Barbara*); OTEs 20 (2007) 242-247 (*Wessels, W.J.*);
8908 2: Israel's faith. 2006 ⇒22,8775. [R]CBQ 69 (2007) 774-775 (*Gnuse, Robert*).
8909 *Martens, Elmer A.* Old Testament theology since Walter C. Kaiser, Jr. JETS 50 (2007) 673-691.
8910 **Merrill, Eugene H.** Everlasting dominion: a theology of the OT. 2006 ⇒22,8780. [R]WThJ 69 (2007) 411-2 (*Hamilton, James M., Jr.*).

8911 *Otto, Eckart* Eine Theologie der Wundererzählungen im Alten Testament. Zeichen und Wunder. BTSP 31: 2007 ⇒553. 17-29.
8912 **Rendtorff, Rolf** The canonical Hebrew Bible: a theology of the Old Testament. ᵀ*Orton, David E.* Tools for biblical study 7: 2005 ⇒21, 9188; 22,8782. ᴿInterp. 61 (2007) 322-324 (*Miller, Patrick D.*).
8913 *Riecker, Siegbert* Segen für die Völker: Gottes Mission im Alten Testament. Themenbuch. BWM 15: 2007 ⇒461. 257-275.
8914 *Rogerson, J.W.* Towards a communicative theology of the Old Testament. ᶠWENHAM, G. LHBOTS 461: 2007 ⇒164. 283-296.
8915 *Steinberg, Julius* Dimensionen alttestamentlicher Theologie. Themenbuch. BWM 15: 2007 ⇒461. 13-34.
8916 **Steinberg, Julius** Die Ketuvim–ihr Aufbau und ihre Botschaft. BBB 152: 2006 ⇒22,8785. ᴿJETh 21 (2007) 229-237 (*Weber, Beat*).
8917 *Suárez, Carlos Luis* Discipulado en el Antiguo Testamento. Iter 18/42-43 (2007) 45-64.
8918 *Utzschneider, Helmut* "Seht das Wort YHWHs": Vorüberlegungen zu einer ästhetischen Theologie des Alten Testaments. Gottes Vorstellung. BWANT 175: 2007 ⇒336. 328-349.
8919 *Veijola, Timo* Offenbarung als Begegnung: von der Möglichkeit einer Theologie des Alten Testaments. Offenbarung und Anfechtung. BThSt 89: 2007 <1991> ⇒338. 10-33.
8920 **Waltke, Bruce K.** An Old Testament theology: an exegetical, canonical, and thematic approach. GR 2007, Zondervan 1040 pp. $45. 03102-18977. Collab. *Charles Yu*; Bibl. 970-990.

H5.1 *Deus*—NT—God [as Father ⇒H1.4]

8921 **Bachmann, Michael** Göttliche Allmacht und theologische Vorsicht: zu Rezeption, Funktion und Konnotationen des biblisch-frühchristlichen Gottesepithetons Pantokrator. SBS 188: 2002 ⇒18,7996... 21, 9199. ᴿFrRu 14 (2007) 136-138 (*Maisch, Ingrid*).
8922 *Brennecke, Hanns C.* Der Absolutheitsanspruch des Christentums und die religiösen Angebote der Alten Welt. Ecclesia est in re publica. AKG 100: 2007 <1995> ⇒201. 125-144.
8923 *Cooper, M.T.* New Testament astral portents: God's self-disclosure in the heavens. Journal for the Study of Religion, Nature and Culture [L] 1 (2007) 189-209.
8924 *Feldmeier, Reinhard* Gottvater: Religionsgeschichte und Neues Testament. JAWG (2007) 407-412.
8925 *Kreuzer, Johann* "Voll Güt' ist; keiner aber fasset / Allein Gott": Überlegungen zu einer Sentenz HÖLDERLINs. ᶠBRÄNDLE, W. Lüneburger Theologische Beiträge 5: 2007 ⇒18. 135-146.
8926 *Poggemeyer, Joseph* Aspect of knowing God in Rom 1:21 and 1 Cor 1:21. IncW 1 (2007) 485-497.
8927 **Sgubbi, Giorgio** Dio di Gesù Cristo Dio dei filosofi: il cristico e il critico. Nuovi saggi teologici 61: Bo 2004, EDB ⇒20,8513. 88-10-40572-2. ᴿRTE 11 (2007) 603-607 (*Neri, Marcello*).
8928 *Tragan, Pius-Ramon* El Déu de Jesús: reflexions sobre les dades dels evangelis. QVC 225 (2007) 76-95.
8929 **Zimmermann, Christiane** Die Namen des Vaters: Studien zu ausgewählten neutestamentlichen Gottesbezeichnungen vor ihrem frühjüdischen und paganen Sprachhorizont. AJEC 69: Lei 2007, Brill xx; 689 pp. $277. 978-90-04-15812-2. Diss.-Habil. Berlin; Bibl. 617-674.

H5.2 Christologia ipsius NT

8930 *Aguirre Monasterio, Rafael* De Jesús de Nazaret al Hijo de Dios. [F]IBÁÑEZ ARANA, A.. 2007 ⇒72. 17-31.

8931 *Battaglia, Vincenzo* Contemplare i sentimenti di Gesù Cristo. Sapienza della Croce 22 (2007) 297-315.

8932 *Bickerman, Elias J.* The recognition of Christ in the gospels (latens Deus). Studies in Jewish and Christian history. AGJU 68/1-2: 2007 ⇒190. 692-711.

8933 **Biser, Eugen** Gotteskindschaft: die Erhebung zu Gott. Da:Wiss 2007, 298 pp. 978-3-534-19689-0.

8934 *Cerbelaud, Dominique* La compassion de Jésus. La Chair et le Souffle 2/1 (2007) 35-48.

8935 *Chester, Andrew* Christology and transformation. Messiah and exaltation. WUNT 207: 2007 ⇒209. 13-121.

8936 *Collins, Adela Y* '"How on earth did Jesus become a God?": a reply'. [F]HURTADO, L. & SEGAL, A. 2007 ⇒71. 55-66.

8937 *Corona Mary* Sophia-Jesus: a biblical christology. ETJ 11 (2007) 147-169.

8938 *Costadoat, Jorge* La fe de Jesús, fundamento de la fe en Cristo. TyV 48 (2007) 371-397.

8939 *DeConick, April D.* How we talk about christology matters. [F]HURTADO, L. & SEGAL, A.. 2007 ⇒71. 1-23.

8940 *Delio, Ilia* Christology from within. HeyJ 48 (2007) 438-457.

8941 *Ellens, J. Harold* Jesus' self-concept and church christology. [M]METZGER, B. NTMon 20: 2007 ⇒105. 35-41.

8942 *Fletcher-Louis, Crispin H.T.* Jesus as the high priestly messiah: part 2. JSHJ 5 (2007) 57-79.

8943 *Halcewicz-Pleskaczewski, Jakub* Czy Jezus umacnia kościół?: o książkach BENEDYKTA XVI 'Jezus z Nazaretu' i ks. Grzegorz Strzelczyk 'Teraz Jezus', czyli w poszukiwaniu żywej chrystologii [Est-ce que Jésus renforce l'église?: les livres 'Jésus de Nazareth' de Benoît XVI et 'Maintenant Jésus' de Grzegorz Strzelczyk–la recherche d'une vive christologie]. PrzPow 10 (2007) 87-98. **P.**

8944 **Horton, Michael** Lord and servant: a covenant christology. 2005 ⇒ 21,9220; 22,8817. [R]SBET 25/1 (2007) 98-100 (*Macleod, Alasdair*).

8945 **Hurtado, Larry W.** Lord Jesus Christ: devotion to Jesus in earliest christianity. 2003 ⇒19,8590... 22,8819. [R]LTP 63 (2007) 136-138 (*Poirier, Paul-Hubert*).

8946 *Ito, A.* 'The rejected stone' and 'the stumbling stone': Jesus Christ the 'stone'. Exegetica [Tokyo] 18 (2007) 73-89. **J.**

8947 *Kostetskyy, Mikolaj* Ikona Jezusa Chrystusa w ekonomii Objawienia Bozego. Roczniki Teologiczne 54/9 (2007) 23-40. **P.**

8948 *Leiner, Martin* Christus-Glaube und Mythos. Zur Debatte 37/6 (2007) 24-26.

8949 *Lohmann, Friedrich* Der Sohn des Vaters: Adolf VON HARNACKs Christologie. ThZ 63 (2007) 120-147.

8950 [E]**Longenecker, Richard N.** Contours of christology in the New Testament. McMaster New Testament Studies: 2005 ⇒21,775; 22,8823. [R]TS 68 (2007) 173-174 (*McMahon, Christopher*); SBET 25/1 (2007) 117-118 (*Bird, Michael F.*); SR 36 (2007) 180-181 (*Cazelais, Serge*); Theol. 110 (2007) 208-209 (*Downing, F. Gerald*); SNTU.A 32 (2007) 271-273 (*Hintermaier, Johann*); BBR 17 (2007) 372-375 (*Strauss, Mark L.*); CBQ 69 (2007) 629-631 (*Barta, Karen A.*).

8951   **Meeks, Wayne A.** Christ is the question. 2006 ⇒22,8825. [R]RRT 14
       (2007) 181-184 (*Jung, Ken A.*); Worship 81 (2007) 285-287 (*Sloyan,
       Gerard S.*).
8952   *Oakeshott, P.* Are you the Christ? Son of God, Servant of God. FaF
       60/2 (2007) 110-119.
8953   *Sandler, Willibald* "Ihr aber, für wen haltet ihr mich?": das unter-
       scheidend Christliche an Jesus von Nazareth. Jesus. theologische
       trends 16: 2007 ⇒782. 119-153.
8954   *Schönborn, Christoph* The impression of the figure: to know Jesus as
       Christ. L&S 3 (2007) 15-22.
8955   **Schwindt, Rainer** Gesichte der Herrlichkeit: eine exegetisch-tradi-
       tionsgeschichtliche Studie zur paulinischen und johanneischen Chris-
       tologie. Herders biblische Studien 50: FrB 2007, Herder xii; 591 pp.
       978-3-451-29375-7. Bibl. 497- 585.
8956   *Siebenrock, Roman A.* Jesus von Nazareth: das personifizierte Drama
       von Bund und Tora: eine erste Annäherung. Jesus. theologische
       trends 16: 2007 ⇒782. 55-84.
8957   *Stock, Klemens* Conoscenza della persona di Gesù come fine proprio
       dell'esegesi biblica. Ethos and exegesis. 2007 ⇒464. 217-225.
8958   **Tavares, Sinivaldo S.** Jesus: parábola de Deus: cristologia narrativa.
       Petrópolis 2007, Vozes 91 pp. 978-85326-34740.
8959   *Tuñí, Josep O.* Jesús de Natzaret en les cristologies de l'evangeli se-
       gons Joan i en la carta als cristians hebreus. RCatT 32 (2007) 43-65.

H5.3 *Christologia praemoderna*—**Patristic to Reformation**

8960   **Clayton, Paul B.** The christology of THEODORET of Cyrus: Antio-
       chene christology from the Council of Ephesus (431) to the Council
       of Chalcedon (451). Oxf 2007, OUP viii; 355 pp. 978-0-19-814398-
       7. Bibl. 300-324.
8961   **Duquoc, Christian** Gesù, uomo libero. Brescia [4]2007 <1974>, Que-
       riniana 153 pp. €11.50. [R]RdT 48 (2007) 792-93 (*Gamberini, Paolo*).
8962   **Fédou, Michel** La voie du Christ: genèses de la christologie dans le
       contexte religieux de l'antiquité du IIe au début du IVe siècle. CFi
       253: 2006 ⇒22,8846. [R]POC 57 (2007) 217-218 (*Attinger, D.*); RTL
       38 (2007) 413-414 (*Bourgine, B.*); ThLZ 132 (2007) 1079-1081
       (*Mühlenberg, Ekkehard*).
8963   **Grillmeier, Alois** Fragmente zur Christologie: Studien zum altkirch-
       lichen Christusbild. [E]*Hainthaler, Theresia* 1997 ⇒13,7261... 17,
       7537. [R]ThPh 82 (2007) 435-436 (*Louth, A.*);
8964   Jesus der Christus im Glauben der Kirche, 2/3: die Kirchen von Jeru-
       salem und Antiochien. [E]*Hainthaler, Theresia* 2002 ⇒18,8057... 22,
       8847. [R]ThPh 82 (2007) 126-128 (*Louth, A.*); OrChr 91 (2007) 239-
       243 (*Bruns, Peter*).
8965   *Hopkins, Jasper* God's sacrifice of himself as a man: ANSELM of
       Canterbury's *Cur deus homo*. Human sacrifice. SHR 112: 2007 ⇒
       926. 237-257.
8966   *Martínez Camino, Juan Antonio* Jesús de Nazaret, el Cristo en la fe
       de la iglesia: en homenaje al Cardenal Alois Grillmeier. RET 67
       (2007) 437-454.
8967   *Quinlin, Daniel P.* Wulfila's (mis)translation of Philippians 2:6. IGF
       112 (2007) 208-214.

H5.4 *(Commentationes de) Christologia* moderna

8968 **Adams, Marilyn M.** Christ and horrors: the coherence of christology. 2006 ⇒22,8854. [R]AThR 89 (2007) 481-483 (*Stamper, Sally*).

8969 **Amaladoss, Michael** Il volto asiatico di Gesù. Teologia viva 55: Bo 2007, Dehoniane 204 pp. €20. 978-88-10-40968-8;

8970 Jesús asiático. [T]*Bonet, J.V.* Teología 49: Bilbao 2007, Mensajero 249 pp. €20. 978-84271-28941;

8971 Jésus asiatique. [T]*Boutot, A.* P 2007, Renaissance 290 pp. €20;

8972 The Asian Jesus. 2005 ⇒21,9265; 22,8855. [R]StBob 3 (2007) 127-137 (*Kubacki, Zbigniew*).

8973 **Battaglia, Vincenzo** Gesù Cristo luce del mondo: manuale di cristologia. R 2007, Antonianum 481 pp.

8974 *Boff, Leonardo* Il Cristo cosmico è più grande di Gesù di Nazaret?. Conc(I) 43/1 (2007) 74-83; Conc(D) 43/1,49-56; Conc(GB) 2007/1,57-64.

8975 *Böttigheimer, Christoph* Christus, der zweite Adam: zur christlichen Begründung der Menschenwürde als Teilhabe an Jesus Christus. MThZ 58 (2007) 15-26.

8976 *Brinkman, Martien E.* Where is Jesus "at home"?: hermeneutical reflections on the contextual Jesus. JRTheol 1 (2007) 107-119;

8977 Waar is Jezus het meest 'thuis'?: hermeneutische reflecties over de contextuele Jezus. NedThT 61 (2007) 177-197.

8978 **Brinkman, Martien E.** De niet-westerse Jezus: Jezus als bodhisattva, avatara, goeroe, profeet, voorouder en genezer. Zoetermeer 2007, Meinema 372 pp. €24.90. 97890-211-41411. [R]KeTh 58 (2007) 277-280 (*Bakker, Freek L.*).

8979 *Clatterbuck, M.S.* Ancient, postmodern, and prophetic: how Haight's symbol theory (almost) does it all. Horizons 34/2 (2007) 265-291.

8980 *Demers, Bruno* Jésus, "prophète eschatologique" ou "Christ"?: évaluation de l'identification de Jésus comme "prophète eschatologique" chez Edward SCHILLEBEECKX, en regard de la réinterprétation du messianisme juif visée par la confession "Christ". ScEs 59/2-3 (2007) 351-371.

8981 *Essen, Georg* Jesus als Christus heute: die Schwierigkeiten gegenwärtiger christologischer Reflexion. HerKorr Spezial (2007) 23-26.

8982 *Fuchs, Gotthard* Schmerzlich vermisst und sehnsüchtig erhofft: die unterschiedlichen Facetten heutiger Jesusfrömmigkeit. HerKorr Spezial (2007) 27-31.

8983 **Gamberini, Paolo** Questo Gesù (At 2,32): pensare la singolarità di Gesù. Manuali 24: Bo [2]2007 <2005>, Dehoniane 272 pp. €22. 88-10-43009-3. [R]Il Regno 52 (2007) 149 (*Martini, Carlo M.*).

8984 *Garcia-Rivera, Alejandro, al.,* What are the theologians saying about christology?. America 197/7 (2007) 11-20.

8985 **González Faus, José Ignacio** El rostro humano de Dios: de la revolución de Jesús a la divinidad de Jesús. Sdr 2007, Sal Terrae 214 pp.

8986 **Haight, Roger** Jesus, símbolo de Dios. [T]*Piñero, Antonio* M 2007, Trota 592 pp. €40. 978-84816-49406.

8987 **Hick, John** La metáfora de Dios encarnado: cristología para un tiempo pluralista. 2004 ⇒20,8572. [R]Iter 42-43 (2007) 415-418 (*Luciani, Rafael*).

8988   **Kaufman, Gordon** Jesus and creativity. 2006 ⇒22,8865. ᴿTS 68 (2007) 701-703 (*Haight, Roger*).
8989   *Lakeland, P.* Not so heterodox: in defense of Roger Haight. Commonweal 134/2 (2007) 19-22.
8990   ᴱ**Malek, Roman** The Chinese face of Jesus Christ, 3a: modern faces and images of Jesus Christ. Monograph 50/3a: 2005 ⇒21,564; 22,8869. ᴿForum Mission 3 (2007) 231-235 (*Meili, Josef*); Exchange 3 (2007) 322-323 (*Murre-Van den Berg, Heleen*); RHE 102 (2007) 1086-1087 (*Duteil, J.-P.*);
8991   3b: contemporary faces and images of Jesus Christ. Monograph 50/3b: Sankt Augustin 2007, Institut Monumenta Serica xii; 1313-1742 pp. €60. 3-8050-0542-5.
8992   **Marchesi, Giovanni** Jesús de Nazaret, ¿quién eres?: esbozos cristológicos. ᵀ*Maio Segundo, M.T.* M 2007, San Pablo 610 pp. ᴿSalTer 95 (2007) 901-902 (*Uríbarri, Gabino*); CDios 221 (2008) 488-489 (*Díaz, J.*).
8993   **McCready, Douglas** He came down from heaven: the preexistence of Christ and the christian faith. 2005 ⇒21,9280; 22,8871. ᴿBBR 17 (2007) 359-360 (*Davids, Peter H.*); SBET 25 (2007) 241-242 (*Macaskill, Donald C.*); CBQ 69 (2007) 584-586 (*Muller, Earl C.*).
8994   *McDermott, John M.* Jesus alone or Jesus among the gods?: Alberto Cozzi's *Gesù Cristo tra le religioni*. IThQ 72 (2007) 295-300.
8995   *Menke, Karl-Heinz* Inspiration statt Inkarnation: die Christologie der pluralistischen Religionstheologie. IKaZ 36 (2007) 114-137.
8996   **Moingt, Joseph** Dieu qui vient à l'homme II: de l'apparition à la naissance de Dieu, 2: naissance. CFi 257: 2/2 P 2007, Cerf 738 pp. €48. 978-22040-82204. ᴿEtudes 151 (2007) 405-408 (*Hurtado, Manuel*); Telema 129-130 (2007) 121-122 (*Duclaux, Maryvonne*).
8997   *Pawlikowski, John* Christology and the Jewish-Christian dialogue: a personal theological journey. IThQ 72 (2007) 147-167.
8998   **Petriglieri, Ignazio** La definizione dogmatica di Calcedonia nella cristologia italiana contemporanea. TGr.T 144: R 2007, E.P.U.G. 341 pp. 978-88-7839-084-3.
8999   *Reddie, A.G.* Re-imaging Jesus: Jesus as one of us!. EpRe 34/3 (2007) 42-50.
9000   *Renczes, Philipp* Jesus, der Gesalbte, Zentrum der Schöpfung?. RET 67 (2007) 165-183.
9001   **Savagnone, Giuseppe** Processo a Gesù: è ancora ragionevole credere nella divinità di Cristo?. Leumann 2007, Elle Di Ci 190 pp. €10. 978-88010-38897.
9002   **Schönemann, Eva** Bund und Tora: Kategorien einer im christlich-jüdischen Dialog verantworteten Christologie. 2006 ⇒22,8875. ᴿFrRu 14 (2007) 227-228 (*Peuster, Axel*); RBLit (2007)* (*Lieu, Judith*).
9003   **Stinton, Diane B.** Jesus of Africa: voices of contemporary African christology. Faith and cultures: 2004 ⇒20,8590. ᴿHorizons 34/1 (2007) 134-135 (*Moss, Rodney L.*).
9004   *Stubenrauch, Bertram* Christus, die Kenosis Gottes und das Gespräch zwischen den Religionen. IKaZ 36 (2007) 138-151.
9005   *Tremblay, Réal* L'"exode" et ses liens aux pôles protologique et eschatologique: le point de vue de l'*Einführung*. Ment. *Benedictus XVI*. PATH 6 (2007) 95-114.
9006   *Vives Pérez, Pedro Luis* La singularidad de Cristo: claves de comprensión en la cristología contemporánea. RET 67 (2007) 455-488.

9007 *Wandinger, Nikolaus* Wahrer Mensch und wahrer Gott oder: muss man sich Jesus als gespaltene Persönlichkeit denken?. Jesus. Ment. *Rahner, K; Balthasar, Hans U. von* theologische trends 16: 2007 ⇒ 782. 85-118.

9008 *Weß, Paul* Wahrer Mensch vom wahren Gott: eine Antwort auf das Buch "Jesus von Nazareth" Papst BENEDIKTs XVI. "Jesus von Nazareth" kontrovers. 2007 ⇒5455. 65-84.

H5.5 *Spiritus Sanctus: pneumatologia*—The Holy Spirit

9009 **Binz, Stephen J.** The Holy Spirit and spiritual gifts. Threshold Bible Studies: New London, CT 2007, Twenty-third ix; 118 pp. $13.

9010 *Bosqued Ortiz, Daniel* El bautismo del Espíritu Santo: simbolo y realidad. DavarLogos 6 (2007) 35-53.

9011 *Brand, S.J.P.* 'n Pneumatologiese benadering tot die teologie. VeE 28 (2007) 384-411.

9012 *Chiocchetti, Marisa Ruach 'elohim*: 'Spirito di Dio'. Studi Fatti Ricerche 118 (2007) 7-8.

9013 **Cho, Youngmo** Spirit and kingdom in the writings of Luke and Paul: an attempt to reconcile these concepts. 2005 ⇒21,9296. [R]CBQ 69 (2007) 353-354 (*Davids, Peter H.*); RBLit (2007) 480-483 (*Squires, John T.*).

9014 *Fitschen, Klaus* Die Wirksamkeit des Heiligen Geistes nach den Anschauungen der Alten Kirche. LKW 54 (2007) 23-35.

9015 *Gispert-Sauch, G.* Listen to the Spirit: wind. VJTR 71 (2007) 302-5.

9016 **Hamilton, James M., Jr.** God's indwelling presence: the Holy Spirit in the Old and New Testaments. NACSBT 1: 2006 ⇒22,8887. [R]TrinJ 28 (2007) 306-308 (*Malone, Andrew*).

9017 **Romerowski, Sylvain** L'oeuvre du Saint-Esprit dans l'histoire du salut. 2005 ⇒21,9303; 22,8891. [R]SdT 19 (2007) 191-192 (*Guerra, Alberto*).

9018 **Szypula, Wojciech** The Holy Spirit in the eschatological tension of christian life: an exegetico-theological study of 2 Corinthians 5,1-5 and Romans 8,18-27. [D]*Brodeur, Scott* TGr.T 147: R 2007, E.P.U.G. 436 pp. €30. 88-7839-0925. Diss. Gregoriana.

9019 **Wright, Christopher J.H.** Knowing the Holy Spirit through the Old Testament. 2006 ⇒22,8895. [R]RBLit (2007)* (*Robson, James*).

H5.7 *Ssma Trinitas*—The Holy Trinity

9020 *Báez, S.J.* Naturaleza y estructura trinitaria del *kerygma* pascual. Ter. 58 (2007) 153-166.

9021 *Buccellati, Giorgio* Yahweh, the Trinity: the Old Testament catechumenate, 1-2. Com(US) 34 (2007) 38-75, 292-327.

9022 **Dickin, Alan** Pagan trinity, Holy Trinity: the legacy of the Sumerians in western civilization. Lanham 2007, Hamilton ix; 127 pp. 978-0-7-618-3777-0. Ill.; Bibl. 113-116.

9023 **Giles, Kevin N.** Jesus and the Father: modern evangelicals reinvent the doctrine of the Trinity. GR 2006, Zondervan 320 pp. $25. 978-03102-66648. [R]JBMW 12/1 (2007) 32-39 (*Hall, J.*).

9024 **Letham, Robert** The Holy Trinity–in scripture, history, theology and worship. 2004 ⇒20,8623; 22,8901. ᴿTrinJ 28/1 (2007) 169-171 (*Merrick, James R.A.*).

9025 *Lorizio, Giuseppe* La dimensión trinitaria de la revelación: una reflexión teológico-fundamental a 40 años de la Dei Verbum. EstTrin 41 (2007) 285-320 [Mt 11,25-27; Lk 10,21-22].

9026 *Parappally, Jacob* Jesucristo, la palabra de Dios reveladora del Dios trinitario. SelTeol 46 (2007) 197-206 <VJTR 69 (2005) 832-843.

9027 *Regensburger, Helmut* Drei hebräische Jod als christliches Symbol. leqach 7 (2007) 69-72.

9028 *Reid, Barbara E.* What's biblical about... the Trinity?. BiTod 45 (2007) 321-324.

9029 *Robichaux, K.S.* The operation of the incoporate triune God in the life, living, and work of the church as the body of Christ (1). Affirmation & Critique [Anaheim, CA] 12/1 (2007) 41-58.

       ᴱ**Sanders, F.**, *al.*, Jesus in Trinitarian perspective 2007 ⇒508.

9030 **So, Damon W.K.** Jesus' revelation of his Father: a narrative-conceptual study of the Trinity with special reference to Karl BARTH. 2006 ⇒22,8908. ᴿSBET 25/1 (2007) 121-122 (*McDivitt, Heather P.*); TrinJ 28 (2007) 317-318 (*Fuhrmann, Justin M.*).

9031 *Viviani, María Teresa* Iglesias coptas, testimonio silencioso de un dogma trinitario. TyV 48/2-3 (2007) 229-260.

H5.8 *Regnum messianicum, Filius hominis—*
      Messianic kingdom Son of Man

9032 **Barker, Margaret** The hidden tradition of the Kingdom of God. L 2007, SCM xii; 144 pp. £10. 978-02810-58464.

9033 *Beyer, Klaus* Der Menschensohn als Gott der Welt: der Ursprung der hohen Christologie bei Jesus selbst. ᶠTUBACH, J. Studies in oriental religions 56: 2007 ⇒154. 11-19.

9034 *Bizjak, Jurij* La predicazione del regno di Dio. Com(I) 211 (2007) 17-21.

9035 **Casey, Maurice** The solution to the 'Son of Man' problem. LNTS 343: L 2007, Clark xiv; 359 pp. £80. 9780567-030696. Bibl. 321-44.

9036 *Chialà, Sabino* The Son of Man: the evolution of an expression. Enoch. 2007, ⇒775. 153-178.

9037 *Collins, Adela Y.* The secret Son of Man in the Parables of Enoch and the gospel of Mark: a response to Leslie Walck. Enoch. 2007 ⇒775. 338-342 [Mk 8,27-30].

9038 *Donahue, John R.* Jesus and the kingdom of God. America 197/7 (2007) 16-17.

9039 *Hengel, Martin* Augstein und der Menschensohn <1972>;
9040 Ein Blick zurück im Zorn: zur Neubearbeitung von Rudolf Augsteins "Jesus Menschensohn" <2001>. Jesus und die Evangelien. WUNT 211: 2007 ⇒247. 306-315/316-322.

9041 *Kazen, Thomas* The coming Son of Man revisited. JSHJ 5 (2007) 155-174;
9042 Son of Man as kingdom imagery: Jesus between symbol and individual redeemer figure. Jesus from Judaism. LNTS 352: 2007 ⇒448. 87-108.

9043 *Koester, Helmut* Suffering Servant and royal messiah: from Second Isaiah to Paul, Mark, and Matthew. Paul & his world. 2007 <2004> ⇒257. 93-117.

9044 *Kvalbein, Hans* Wem gehört das Reich Gottes?: von der Botschaft Jesu zum Evangelium des Paulus. [F]HAACKER, K. ABIG 27: 2007 ⇒ 57. 97-114.

9045 **Lee, Aquila** From Messiah to preexistent Son: Jesus' self-consciousness and early christian exegesis of Messianic psalms. WUNT 2/192: 2005 ⇒21,9339; 22,8916. [R]Faith & Mission 24/2 (2007) 83-86 (*Köstenberger, Andreas*); Cart. 23 (2007) 520-521 (*Sanz Valdivieso, R.*).

9046 *Pacomio, Luciano* Il regno di Dio: insegnamento biblico. Com(I) 211 (2007) 9-15.

9047 *Schreiber, Stefan* Apokalyptische Variationen über ein Leben nach dem Tod: zu einem Aspekt der Basileia-Verkündigung Jesu. Lebendige Hoffnung. ABIG 24: 2007 ⇒845. 129-156.

9048 **Vanoni, Gottfried; Heininger, Bernhard** Das Reich Gottes: Perspektiven des Alten und Neuen Testaments. Die neue Echter-Bibel, Themen 4: 2002 ⇒18,8159... 21,9348. [R]BiKi 62/1 (2007) 124 (*Hartmann, Michael*).

9049 *Walck, Leslie W.* The Son of Man in the Parables of Enoch and the gospels. Enoch. 2007 ⇒775. 299-337.

9050 *Weder, Hans* Tempo presente a signoria di Dio: la concezione del tempo in Gesù e nel cristianesimo delle origini. StBi 147: 2005 ⇒21, 9349; 22,8925. [R]Sal. 69 (2007) 167-168 (*Pasquato, Ottorino*).

9051 *Work, T.* Messianic showdown. CCen 124/13 (2007) 28-31.

H6.1 *Creatio, sabbatum NT*; The Creation [⇒E1.6]

9052 *Bergey, Ronald* Des méditations sur la pertinence du sabbat chrétien. RRef 58/2-3 (2007) 41-50.

9053 *Clavier, Michèle* Le dimanche, premier et huitième jour. MSR 64/3 (2007) 54-67.

9054 **Cox, Ronald** By the same word: creation and salvation in Hellenistic Judaism and early christianity. Ment. *Philo* BZNW 145: B 2007, De Gruyter xiv; 392 pp. €98/$157. 978-3-11-019342-8. Bibl. 358-371 [John 1,1-18; Col 1,15-20; Heb 1,1-4].

9055 **Mackey, James P.** Christianity and creation: the essence of the christian faith and its future among religions. L 2006, Continuum xix; 403 pp. $56/45.

9056 **Mayer-Haas, Andrea J.** "Geschenk aus Gottes Schatzkammer" (bSchab 10b): Jesus und der Sabbat im Spiegel der neutestamentlichen Schriften. NTA 43: 2003 ⇒19,8734... 21,9357. [R]BZ 51 (2007) 130-132 (*Doering, Lutz*).

9057 **Schönborn, Christoph** L'homme et le Christ à l'image de Dieu: la création de l'homme comme la bonne nouvelle. P 2007, Parole et S. 118 pp.

9058 **Sturcke, Henry** Encountering the rest of God: how Jesus came to personify the sabbath. TVZ Dissertationen: 2005 ⇒21,9362; 22, 8931. [R]RBLit (2007) 278-280 (*Repschinski, Boris*).

9059 **Wirzba, Norman** Living the sabbath: discovering the rhythms of rest and delight. 2006 ⇒22,8932. [R]AUSS 45 (2007) 160 (*Davidson, Jo*).

H6.3 *Fides, veritas in NT*—Faith and truth

9060   *Brox, Norbert* Glauben und Forschen in der Alten Kirche. Frühchristentum und Kultur. 2007 ⇒623. 9-18.
9061   *Flothkötter, Hermann* Glauben ohne Bildung?;
9062   *Hoye, William J.* Der Glaube als zweite Natur. Im Wandel. 2007 ⇒ 574. 164-171/33-45.
9063   **Lohse, Eduard** Freude des Glaubens: die Freude im Neuen Testament. Gö 2007, Vandenhoeck & R. 93 pp. €12.90. 97835256-33755.
9064   *López, René A.* Is faith a gift from God or a human exercise?. BS 164 (2007) 259-276.
9065   **Stam, Cornelis** De aarde trouw: het materiële aspect van het christelijk geloof. Amst 2007, VU 204 pp. €19.50. 978-90865-91541.
9066   *Taylor, J.W.* Encountering truth: a biblical perspective. JATS 18 (2007) 183-201.
9067   *Theißen, Gerd* Kausalattribution und Theodizee: ein Beitrag zur kognitiven Analyse urchristlichen Glaubens. Erkennen und Erleben. 2007 ⇒579. 183-196.

H6.6 *Peccatum NT*—Sin, evil [⇒E1.9]

9068   *Leonhardt-Balzer, Jutta* Gestalten des Bösen im frühen Christentum. Apokalyptik und Qumran. Einblicke 10: 2007 ⇒927. 203-235.
9069   *Lesch, Walter* Über Terror. An der Grenze. 2007 ⇒587. 191-211.
9070   *Sals, Ulrike* Babylon geschlechtert: zur Gestalt des Bösen in der Verdichtung von Stadt und Geschlecht. Hat das Böse ein Geschlecht?. 2007 ⇒607. 69-80.

H7.0 Soteriologia NT

9071   *Acklin Zimmermann, Béatrice* Grenzüberschreitungen: eine Fußnote zur theologischen Formel "gerecht und sündig zugleich". An der Grenze. 2007 ⇒587. 145-169.
9072   *Aletti, Jean-Noël* Zbawienie a głoszenie ewangelii. Jezus jako Syn Boży. 2007 ⇒414. 81-99. **P**.
9073   *Altmann, Walter* Bekehrung, Befreiung und Rechtfertigung (1983). Grundtexte. 2007 ⇒588. 320-328.
9074   *Attridge, Harold W.* Pollution, sin, atonement, salvation. Ancient religions. 2007 ⇒601. 71-83.
9075   **Bell, Richard H.** Deliver us from evil: interpreting the redemption from the power of Satan in New Testament theology. WUNT 216: Tü 2007, Mohr S. xxiii; 439 pp. €99. 978-3-16-149452-9. Bibl. 361-402.
9076   *Brennecke, Hanns C.* Heilen und Heilung in der Alten Kirche. Ecclesia est in re publica. AKG 100: 2007 <1997> ⇒201. 233-257.
9077   **Brondos, David A.** Fortress introduction to salvation and the cross. Ph 2007, Fortress 220 pp. £20. 978-08006-62165.
9078   *Cahill, Lisa S.* Quaestio disputata: the atonement paradigm: does it still have explanatory value?. TS 68 (2007) 418-432.
9079   *Cornelius, Elma M.* The blood of Jesus and the blood of the Lamb: a study of the "taurobolium" and the New Testament. APB 18 (2007) 32-42.

9080 *Fesko, John V.* N.T. Wright on imputation. RTR 66 (2007) 2-22 [Rom 5,12-21; 1 Cor 5,21].

9081 **Finlan, Stephen** Problems with atonement: the origins of, and controversy about, the atonement doctrine. 2005 ⇒21,9393; 22,8961. ᴿTS 68 (2007) 945-946 (*Hefling, Charles*);

9082 Options on atonement in christian thought. ColMn 2007, Liturgical x; 147 pp. $18. 978-0-8146-5986-1. Bibl. 133-138.

9083 **Janowski, Bernd** Ecce homo: Stellvertretung und Lebenshingabe als Themen biblischer Theologie. BThSt 84: Neuk 2007, Neuk 112 pp. €16.90. 978-3-7887-2202-9. Bibl. 91-109.

9084 *Kauffmann, Sophie* Obtenir son salut: quel objet choisir?: la réponse du christianisme. Objets sacrés. 2007 ⇒678. 117-140.

9085 *Küchler, Max* Heil ergehen in Jerusalem. ᶠTRUMMER, P. 2007 ⇒153. 162-178.

9086 **Ladaria, Luis F.** Jesucristo, salvación de todos. M 2007, San Pablo 180 pp. ᴿCart. 23 (2007) 535-536 (*Martínez Fresneda, F.*).

9087 *Leithart, P.J.* Justification as verdict and deliverance: a biblical perspective. ProEc 16 (2007) 56-72.

9088 *Maxwell, D.R.* Justified by works and not by faith alone: reconciling Paul and James. ConJ 33 (2007) 375-378.

9089 **McKnight, Scot** A community called atonement. Living Theology 1: Nv 2007, Abingdon xiii; 177 pp. $17.

9090 **Mulcahy, Eamonn** The cause of our salvation: soteriological causality according to some modern British theologians: 1988-1998. TGr.T 140: R 2007, E.P.U.G. 523 pp. 978-88-7839-080-5.

9091 **Nordhofen, Jacob** Durch das Opfer erlöst?: Die Bedeutung der Rede vom Opfer Jesu Christi in der Bibel und bei René GIRARD. ᴰ*Kessler, Hans*: W 2007, Lit 304 pp. €29.90. 978-38258-16278. Diss. Frankfurt am Main.

9092 **O'Collins, Gerald** Jesus our redeemer: a christian approach to salvation. Oxf 2007, OUP 280 pp. £15.

9093 **Piper, John** The future of justification: a response to N.T. Wright. Wheaton, IL 2007, Crossway 239 pp. $18. 978-1-581-34964-1.

9094 **Rainbow, Paul A.** The way of salvation: the role of christian obedience in justification. 2005 ⇒21,9419; 22,8976. ᴿCBQ 69 (2007) 371-372 (*Yinger, Kent L.*); RBLit (2007)* (*Gombis, Timothy*).

9095 *Schreurs, Nico* Verzoening in bijbelse en huidige crisissituaties. Bijdr. 68 (2007) 123-147.

9096 **Stevenson, Peter K.; Wright, Stephen I.** Preaching the atonement. 2005 ⇒21,9422; 22,8980. ᴿTheol. 110 (2007) 73-74 (*Spence, Alan*).

9097 *Thanner, Nathanael* 'Deus amou tanto o mundo que enviou-nos seu filho come vítima de expiação pellos nossos pecados': para uma compreensão e vivência de expiação Cristâ. Sapientia Crucis 8/8 (2007) 21-125.

9098 *Thielman, Frank S.* The atonement. Central themes. 2007 ⇒443. 102-127.

9099 **Wells, Paul** Cross words: the biblical doctrine of the atonement. 2006 ⇒22,8983. ᴿSdT 19 (2007) 77-78 (*De Chirico, Leonardo*).

9100 **Winling, Raymond** La bonne nouvelle du salut en Jésus-Christ: sotériologie du Nouveau Testament: essai de théologie biblique. Théologies: P 2007, Cerf 527 pp. €44. 978-22040-83379. ᴿCart. 23 (2007) 515-516 (*Martínez Fresneda, F.*).

9101   *Wright, Christopher J.H.* 'Salvation belongs to our God': biblical
       perspectives on salvation. Dharma Deepika [Chennai, India] 11/26
       (2007) 32-41
9102   **Wright, Christopher J.H.** Salvation belongs to our God: celebrating
       the bible's central story. DG 2007, IVP 201 pp. $16. 978-0-8308-33-
       06-1. Bibl.

       H7.2 *Crux, sacrificium*; **The Cross, the nature of sacrifice** [⇒E3.4]

9103   **Baker, Mark D.** Proclaiming the scandal of the cross: contemporary
       images of the atonement. GR 2007, Academic 208 pp. $17. 978-080-
       10-27420.
9104   **Barbaglio, Giuseppe** Dio violento: lettura delle scritture ebraiche e
       christiane. 1991 ⇒7,7744... 9,7970*. ᴿTeol(Br) 32 (2007) 417-432
       (*Manzi, Franco*).
9105   *Contegiacomo, Luigi* Nuovo Testamento. Dizionario... sangue di Cri-
       sto. 2007 ⇒1137. 964-972.
9106   *Cordovilla Pérez, Ángel* El poder de Dios desde la debilidad. SalTer
       95 (2007) 609-623.
9107   *Dattrino, Lorenzo* Simbolo e mistero della croce nei padri della chie-
       sa. LSDC 22 (2007) 145-165.
9108   ᴱ**Dettwiler, Andreas; Zumstein, Jean** Kreuzestheologie im Neuen
       Testament. WUNT 151: 2002 ⇒18,298... 22,8987. ᴿCart. 23 (2007)
       519-520 (*Sanz Valdivieso, R.*).
9109   **Di Sante, Carmine** La passione di Gesù: rivelazione della nonvio-
       lenza. Troina (En) 2007, Città Aperta 286 pp. €16.
9110   *Dunn, James D.G.* When did the understanding of Jesus' death as an
       atoning sacrifice first emerge?. ᶠHURTADO, L. & SEGAL, A. 2007 ⇒
       71. 169-181.
9111   **Durrwell, F. Xavier** La morte del Figlio: il mistero di Gesù e dell'-
       uomo. N 2007, Domenicana 198 pp. €23. ᴿSapienza della Croce 22
       (2007) 435-436 (*Maximus a S.R.P.Cp*).
9112   *Ebner, Martin* Der Antikönig: nackt und erhöht: neutestamentliche
       Deutungen des Sterbens Jesu (2). Christ in der Gegenwart 59/14
       (2007) 109-110.
9113   **Erny, Pierre** Le signe de la croix: histoire, ethnologie et symbolique
       d'un geste 'total'. Culture et cosmologie: P 2007, Harmattan 170 pp.
       €16. ᴿSpiritus 188 (2007) 374-375 (*Manhaeghe, Eric*).
9114   *Finlan, S.* Christian atonement: from metaphor to ideology. Fourth R
       [Santa Rosa, CA] 20/4 (2007) 3-8, 18.
9115   *Gubler, Marie-Louise* Das Kreuz–Ärgernis und Heilszeichen im
       Neuen Testament. Diak. 38 (2007) 98-103.
9116   *Gutmann, Hans-Martin* Gott am Ort des Schreckens: wider den litur-
       gischen Waschzwang: die Rede vom Kreuzestod Jesu als Opfer ist
       unverzichtbar. zeitzeichen 8/11 (2007) 51-53.
9117   **Harrisville, Roy A.** Fracture: the cross as irreconcilable in the lan-
       guage and thought of the biblical writers. 2006 ⇒22,8989. ᴿRRT 14/
       1 (2007) 16-19 (*Tait, Michael*); JThS 58 (2007) 645-647 (*Marshall,
       I. Howard*).
9118   *Hauerwas, Stanley* Why did Jesus have to die?: an attempt to cross
       the barrier of age. PSB 28 (2007) 181-190.

9119 **Heim, S. Mark** Saved from sacrifice: a theology of the cross. 2006 ⇒22,8991. ᴿWorship 81 (2007) 381-382 (*Krieg, Robert A.*); TS 68 (2007) 458-459 (*Robinette, Brian D.*).

9120 **Heyman, George** The power of sacrifice: Roman and christian discourses in conflict. Wsh 2007, Catholic Univ. of America Pr. xxv; 256 pp. $70. 978-0-8132-1489-4. Bibl. 237-252.

9121 *Jörns, Klaus-Peter* Strafe muss nicht sein: warum der Abschied von der Sühneopfertheologie und -liturgie notwendig ist. zeitzeichen 8/10 (2007) 54-56.

9122 *Kasper, Walter* Das Kreuz als Offenbarung der Liebe Gottes. Cath(M) 61/1 (2007) 1-14.

9123 **Madsen, Anna M.** The theology of the cross in historical perspective. Allison Park 2007, Pickwick ix; 269 pp. £13.92/$27. 978-1597-5-28351.

9124 *Marianini, Tommaso* Agenello pasquale. Dizionario... sangue di Cristo. 2007 ⇒1137. 7-19.

9125 **Marshall, I. Howard** Aspects of the atonement : cross and resurrection in the reconciling of God and humanity. L 2007, Paternoster 139 pp. £10. 978-18422-75498.

9126 *Pousseur, Robert* Les représentations de la croix. EeV 117/167 (2007) 9-11.

9127 **Prieur, Jean-Marc** La croix chez les Pères: du IIᵉ au début du IVᵉ siècle. CBiPa 8: 2006 ⇒22,8999. ᴿStPat 54 (2007) 261-263 (*Corsato, Celestino*);

9128 La croix dans la littérature chrètienne des premiers siècles. TC 14: 2006 ⇒22,9000. ᴿStPat 54 (2007) 706-707 (*Corsato, Celestino*).

9129 **Reid, Barbara E.** Taking up the cross: New Testament interpretations through Latina and feminist eyes. Mp 2007, Fortress viii; 263 pp. $16. 978-08006-62080. Bibl. 247-251.

9130 *Roberts, Mostyn* What did Christ accomplish at the cross?: with reference to recent controversies namely "The lost message of Jesus" and the "New perspective on Paul". Perichoresis 5 (2007) 163-185.

9131 *Ruzer, Serge* Crucifixion: the search for a meaning vis-à-vis biblical prophecy: from Luke to Acts. Mapping the NT. 2007 ⇒304. 179-213.

9132 *Schnelle, Udo* Markinische und johanneische Kreuzestheologie. The death of Jesus. BEThL 200: 2007 ⇒533. 233-258.

9133 **Stroumsa, Guy** La fine del sacrificio: le mutazioni religiose della tarda antichità. 2006 ⇒22,9005. ᴿTeol(Br) 32 (2007) 431-432 (*Simonelli, Cristina*).

9134 *Styers, Randall* Slaughter and innocence: the rhetoric of sacrifice in contemporary arguments supporting the death penalty. Human sacrifice. SHR 112: 2007 ⇒926. 321-351.

9135 *Vanhoye, Albert* (Vittima di) Alleanza nel NT. Dizionario... sangue di Cristo. 2007 ⇒1137. 1482-1489.

9136 **Vanhoye, Albert** Dio ha tanto amato il mondo: lectio divina sul 'sacrificio' di Cristo. Scrutate le Scritture 9: Mi 2007, Paoline 105 pp.

9137 *Wills, Lawrence M.* The death of the hero and the violent death of Jesus. Religion and violence. 2007 ⇒770. 79-99.

H7.4 *Sacramenta, gratia*

9138 *Barclay, John M.G.* 'Offensive and uncanny': Jesus and Paul on the caustic grace of God. Jesus and Paul reconnected. 2007 ⇒523. 1-17 [Lk 15,11-32].

9139 *Brech, Helga* Taufe als Verpflichtung. Gottes Wort. Bibel und Ethik 1: 2007 ⇒537. 203-216.

9140 **Brownson, James V.** The promise of baptism: an introduction to baptism in scripture and the Reformed tradition. GR 2007, Eerdmans 223 pp. $16. 978-08028-33075.

9141 *Cunningham, W. Patrick* Baptism: the divine fulfillment of the covenant. HPR 107/5 (2007) 60-64 [Mt 3,13-17].

9142 *Descamps, Albert* El bautismo, fundamento de la unidad cristiana. RevBib 69 (2007) 31-64.

9143 *Dreyer, Anet E.; Van Aarde, Andries G.* Bybelse modelle van die huwelik: 'n kritiese perspektief. HTS 63 (2007) 625-651.

9144 *Ettl, Claudio* "In Christus hineingetaucht": die Taufe des Johannes und die Taufe der Christen. BiHe 43/169 (2007) 15-16 [Mt 3,11].

9145 *Feulner, Hans-Jürgen* "Ist einer von euch krank?"–die liturgische Feier der Krankensalbung im biblisch-ethischen Kontext. Gottes Wort. Bibel und Ethik 1: 2007 ⇒537. 150-67 [Mk 6,13; Jas 5,14-5].

9146 **Granella, Oriano** Battesimo: acqua e spirito. Parola e immagine 2: Parma 2007, Eteria 192 pp.

9147 **Hunter, David G.** Marriage, celibacy, and heresy in ancient christianity: the jovinianist controversy. L 2007, OUP xix; 316 pp. 978-0-19-927978-4. Bibl. 288-307.

9148 *Knoblach, Michael* "Ihr seid das Salz der Erde": Überlegungen zu einer zeitgemäßen Sakramentenpastoral. Löscht den Geist. 2007 ⇒ 366. 53-66.

9149 *Kranemann, Benedikt* Die Flut und die Taufe: das Sintflutmotiv in der Liturgie. BiHe 43/170 (2007) 24-25.

9150 **Krause, Cyprian** Mysterium und Metapher: Metamorphosen der Sakraments- und Sakraments- und Worttheologie bei Odo Casel und Günter Bader. LWQF 96: Müns 2007, Aschendorff xxx; 617 pp. 97-8-3-402-11260-1. Bibl. 583-60.

9151 *Laplanche, François* La *Logique* de Port-Royal et la transsubstantiation. Récits fondateurs de l'eucharistie. CEv.S: 140 (2007) 117-22.

9152 *Lenchak, Timothy A.* What's biblical about... confession. BiTod 45 (2007) 384-385.

9153 *Medina, M.A.* Poder humanizador de la palabra de Dios: respuesta del hombre. Studium [Madrid] 47 (2007) 203-231.

9154 **Morris, John C.** First comes love?: the changing face of marriage. Cleveland, OH 2007, Pilgrim 128 pp. 9780-8298-17553. Bibl. 126-8.

9155 *Müller, Wolfgang* Was ist ein Sakrament?: eine exegetisch-systematische Annäherung. ^FKIRCHSCHLÄGER, W. 2007 ⇒85. 209-220.

9156 *Negri, José Luiz* A solidariedade humano–crista como manifestaçao da graça. Estudos bíblicos 94/2 (2007) 59-72.

9157 *Noblesse-Rocher, Annie* Jean HUS et la communion sous les deux espèces. Récits fondateurs de l'eucharistie. CEv.S: 140 (2007) 109-11.

9158 **Ognibeni, Bruno** Il matrimonio alla luce del Nuovo Testamento. Lezioni e Dispense 11: Città del Vaticano 2007, Lateran Univ. Pr. 229 pp. €25. 978-88465-05750.

9159 *Riesner, Rainer* Taufkatechese und Jesus-Überlieferung (2Tim 2,11-13; Röm 6,3-11; Jak 1,2-27; 1Petr 1-4; 1Joh 2,7-29; 2Kor 1,15-22). ^FHAACKER, K. ABIG 27: 2007 ⇒57. 305-339.

9160 *Strecker, Christian* Macht–Tod–Leben–Körper: Koordinaten einer Verortung der frühchristlichen Rituale Taufe und Abendmahl. Erkennen und Erleben. 2007 ⇒579. 133-153.

9161 *Tupamahu, E.* Biblical versus sacramental approach: a comparative study of Robert Menzies and Simon Chan's views on baptism in the Holy Spirit. AJPS 10/2 (2007) 246-265.

9162 *Westerholm, Stephen* Law and gospel in Jesus and Paul. Jesus and Paul reconnected. 2007 ⇒523. 19-36 [Mt 19,16-26; Gal 3].

9163 **Witherington, Ben** Troubled waters: the real New Testament theology of baptism. Waco, Texas 2007, Baylor University Pr. 153 pp. 978-1-60258-004-6.

9164 *Wright, N.T.* Biblical foundations for sacramental theology;

9165 Sacraments of the new creation. ChiSt 46 (2007) 287-306/307-327.

H7.6 Ecclesiologia, Theologia missionis, laici—The Church

9166 *Balz, Heinrich* Mission, Reformation und der Anfang des Glaubens. Ment. *Luther, M.* ZMiss 33 (2007) 26-42.

9167 *Barram, Michael* The bible, mission, and social location: toward a missional hermeneutic. Interp. 61 (2007) 42-58.

9168 *Deeg, Alexander* Leben auf der Grenze: die Externität christlicher Identität und die Sprachgestalt kirchlicher Gottesrede. Identität. BTSP 30: 2007 ⇒409. 277-300.

9169 **Gehring, Roger W.** House church and mission: the importance of household structures in early christianity. 2004 ⇒20,8754... 22,9049. ^RTheoforum 38 (2007) 98-100 (*Laberge, Léo*); JThS 58 (2007) 666-671 (*Campbell, Alastair R.*).

9170 *Gispert-Sauch, G.* Listen to the Spirit: the church is where we meet. VJTR 71 (2007) 787-790.

9171 *Graulich, Markus* "Wie sollen sie hören, wenn niemand verkündet?": der Verkündigungsdienst im Recht der Kirche. ^FWAHL, O. Bibel konkret 3: 2007 ⇒160. 5-28.

9172 *Guijarro Oporto, Santiago* La iglesia, comuinidad de discipulos de Jesús. Qol 43 (2007) 3-18.

9173 *Hardt, Michael* Die Heilige Schrift im Leben der Gemeinden. Die Bibel im Leben der Kirche. 2007 ⇒1643. 147-156.

9174 *Hose, Burkhard* Kirche der Reichen?: ein neutestamentlicher Denkanstoß. BiKi 62 (2007) 42-45.

9175 **Insero, Walter** La chiesa è "missionaria per sua natura" (Ag 2): origine e contenuto dell'affermazione conciliare e la sua recezione nel dopo concilio. Documenta missionalia 32: R 2007, E.P.U.G. 545 pp. 978-88-7839-087-4.

9176 *Karrer, Martin* Begegnung und Widerspruch: der eine Gott und die Religionen in der frühchristlichen Mission. Religionen unterwegs 13/4 (2007) 9-15 [Acts 19].

9177 *Koziel, Bernd E.* Ist außen so gut wie innen?: von den Grenzen der Kirche und des kirchlichen Auftrags. Löscht den Geist. 2007 ⇒366. 102-115.

9178 *Küng, Hans* Das eine Licht und die vielen Lichter. "Jesus von Nazareth" kontrovers. 2007 ⇒5455. 121-126.
9179 *Martens, Elmer A.* The people of God. Central themes. 2007 ⇒443. 225-253.
9180 **Minear, Paul S.** Images of the church in the New Testament. NT Library: 2004 <1960> ⇒20,8773. [R]Theol. 110 (2007) 43-44 (*Downing, F. Gerald*); Kerux 22/1 (2007) 50-56 (*Sanborn, Scott*).
9181 *O'Brien, Maureen R.* A meal on the shore: John 21 as a resource for theological reflection in ministry. NewTR 20/3 (2007) 68-77.
9182 **Okoye, James C.** Israel and the nations: a mission theology of the Old Testament. ASMS 39: 2006 ⇒22,9061. [R]HBT 29 (2007) 225-226 (*Jones, Arun W.*).
9183 *Roest, H. de* Stollen, kristalliseren of verdampen?: de collectieve identiteit van christelijke geloofsgemeenschappen in een tijd van individuali-sering en pluralisering. VeE 28 (2007) 412-424.
9184 *Santos, Manoel A.; Pereira, M. Edson* A esponsalidade de Cristo com a igreja, 1ª parte: o Antiguo Testamento. Teocomunicaçâo 37 (2007) 447-469.
9185 *Sänger, Dieter* Heiden–Juden–Christen: Erwägungen zu einem Aspekt frühchristlicher Missionsgeschichte. Von der Bestimmtheit. 2007 <1998> ⇒306. 185-212.
9186 *Schirrmacher, Thomas* Biblische Texte und Themen zur Mission: Pfingsten—Missio Dei pur. em 23 (2007) 61-63.
9187 **Schnabel, Eckhard J.** Urchristliche Mission. 2002 ⇒18,8339; 19, 8912. [R]ThLZ 132 (2007) 542-546 (*Kvalbein, Hans*);
9188 Early christian mission, 1: Jesus and the Twelve; 2: Paul and the early church. 2004 ⇒20,8788. [R]ThLZ 132 (2007) 542-546 (*Kvalbein, Hans*); BBR 17 (2007) 357-359 (*Köstenberger, Andreas J.*); Themelios 32/2 (2007) 62-74 (*Blomberg, Craig*).
9189 *Scholz, Stefan* Christliche Identität im Plural: ein neutestamentlicher Vergleich gemeindlicher Selbstverständnisse. Identität. BTSP 30: 2007 ⇒409. 66-94.
9190 **Skreslet, Stanley H.** Picturing christian witness: New Testament images of disciples in mission. 2006 ⇒22,9076. [R]StWC 13 (2007) 96-97 (*Foster, Paul*); RBLit (2007) 316-9 (*Van der Merwe, Dirk G.*).
9191 **Söding, Thomas** Jesus und die Kirche: was sagt das Neue Testament?. FrB 2007, Herder 318 pp. €24.90. 978-3-451-29099-2.
9192 *Stenschke, Christoph* Wesen und Antwort neutestamentlicher Gemeinden in der multikulturellen Gesellschaft des ersten Jahrhunderts nach Christus. JETh 21 (2007) 83-125.
9193 **Tillard, Jean-Marie R.** Carne della chiesa, carne di Cristo: alle sorgenti dell'ecclesiologia di comunione. Liturgia e vita: 2006 ⇒22, 9082. [R]StPat 54 (2007) 464-467 (*Tura, Ermanno R.*).
9194 *Vanhoye, Albert* Fondamenti biblici degli *Orientamenti per una pastorale degli Zingari*. People on the Move 39/103 (2007) 33-42;
9195 Sacerdozio dei fedeli. Dizionario... sangue di Cristo. 2007 ⇒1137. 1132-1138.
9196 **Wright, Christopher J.H.** The mission of God: unlocking the bible's grand narrative. 2006 ⇒22,9085. [R]Anvil 24 (2007) 245-248, 289-294 (*Wright, Christopher J.H.*); 249-258 (*Ross, Catherine R.*); 259-266 (*MacCoy, Michael J.*); 267-277 (*Dakin, Tim*); 279-288 (*Jensen, Michael P.*).
9197 *Wright, N.T.* Mere mission. ChristToday 51/1 (2007) 38-41.

H7.7 *Oecumenismus*—The ecumenical movement

9198 *Egger, Wilhelm* Wort Gottes für das dritte Jahrtausend: die Bibel im Dialog der Religionen und Kulturen. BiLi 80 (2007) 193-201.
9199 *Ferrario, Fulvio* Il Padre Nostro come preghiera ecumenica. RSEc 25 (2007) 375-386 [Mt 6,9-13].
9200 *Guérinel, Rémy, al.*, Lire la bible en groupe, quels enjeux?. CEv 141 (2007) 101-128.
9201 *Mantovani, Elisa* Il dialogo di Luca 1,26-38 come annuncio di vocazione ad una spiritualità ecumenica. RSEc 25/1 (2007) 73-86, 281-293.
9202 *Parmentier, Elisabeth* Enjeux oecuméniques. CEv 141 (2007) 97-100.
9203 *Thönissen, Wolfgang* Über die Autorität der Heiligen Schrift im ökumenischen Dialog. Die Bibel im Leben der Kirche. 2007 ⇒1643. 205-227.
9204 **Varsalona, Agnese** Il dialogo e i suoi fondamenti: aspetti di antropologia filosofica e teologica secondo Jörg Splett e Walter Kasper. TGr.T 151: R 2007, E.P.U.G. 295 pp. 978-88-7839-098-0.

H7.8 **Amt**—*Ministerium ecclesiasticum*

9205 **Amadi-Azuogu, Adolphus C.** Gender and ministry in early christianity and the church today. Lanham 2007, Univ. Press of America xxx; 241 pp. $37.
9206 *Becker, Eve-Marie* Amt und Autorität im frühesten Christentum–aus evangelischer Sicht. FHAACKER, K. ABIG 27: 2007 ⇒57. 71-86.
9207 *Bilezikian, G.* Church leadership that kills community. Priscilla Papers [Mp] 21/4 (2007) 5-7.
9208 *Cattaneo, Enrico* L'ufficio del lettore nei primi secoli. RivLi 94 (2007) 524-534.
9209 *Fischer, Robert* Wer hat das Delegieren erfunden?: Führungs-Wissen aus der Bibel. KlBl 87 (2007) 121-125.
9210 *Gössmann, Elisabeth* Der Gipfel des Bösen: die Frau im höchsten kirchlichen Amt. Hat das Böse ein Geschlecht?. 2007 ⇒607. 170-78.
9211 *Hasitschka, Martin* "Bei euch aber ist es nicht so" (Mk 10, 43): Merkmale des Leitens in der Kirche aus der Perspektive des Neuen Testaments. Erlöstes Leiten: eine kommunikativ-theologische Intervention. EPanhofer, Johannes; Scharer, Matthias; Siebenrock, Roman Kommunikative Theologie 8: Ostfildern 2007, Matthias-Grünewald. 171-180. 978-37867-26821.
9212 *Hierold, Alfred E.* Gemeinde und Gemeindeleitung im Umbruch der Seelsorgestrukturen. Löscht den Geist. Biblische Perspektiven für Verkündigung und Unterricht 3: 2007 ⇒366. 91-101.
9213 *Karras, Valerie A.* Priestesses or priests' wives: *presbytera* in early christianity. CVTQ 51 (2007) 321-345.
9214 *Kirchschläger, Walter* Nem és életállapot szerinti korlátozás nélkül: az egyházy szolgálatok bibliai megalapozottságáról. Mérleg 43/2 (2007) 150-164. **Hungarian**.
9215 *Klein, Nikolaus; Kirchschläger, Walter* Ohne Einschränkung durch Geschlecht und Lebensstand: zur biblischen Grundlegung kirchlicher Dienste. Orien. 71 (2007) 31-36.

9216 *Lindemann, Andreas* "... zwiefacher Ehre wert": das Amt und die Praxis der Gemeindeleitung im Urchristentum. WuD 29 (2007) 207-226.

9217 [E]**Madigan, K.; Osiek, C.** Mujeres ordenadas en la iglesia primitiva: una historia documentada. Aletheia: 2006 ⇒22,9115. [R]CDios 220 (2007) 495-496 (*Gutiérrez, J.*).

9218 *Manzeschke, Arne* Diakonische Identität. Identität. BTSP 30: (2007) ⇒409. 142-163.

9219 **Ochs, Thomas** Sakramentales Amt in relational-ontologischer Perspektive: biblisch-theologiegeschichtliche Untersuchungen zum Verhältnis von Person und Funktion des ordinierten Amtsträgers. [D]*Faber, Eva M.* 2007, Diss. Freiburg [ThRv 104/1,vi].

9220 *Reid, Barbara E.* What's biblical about... the diaconate?. BiTod 45 (2007) 51-52.

9221 *Vanhoye, Albert* Ministère pastoral et sainteté sacerdotale dans le Nouveau Testament. Prêtres diocésains, quelle sainteté?. **Bataille, S.**, *al.* P 2007, Parole et S. 13-31 [AcBib 11,379].

9222 **Vanhoye, Albert** Kapłaństwo Nowego Przymirza [Il sacerdozio della Nuova Alleanza (1999)]. Pelplin 2007, Bernardinum. 35-109; 133-177 [AcBib 11,378]. **P.**

9223 *Venturi, Gianfranco* Il lettore: tra ministero, istituzione e spiritualitá. RivLi 94 (2007) 535-546.

9224 *Wenz, Gunther* Von Aposteln und apostolischer Nachfolge: historisch-kritische Notizen aus aktuellem ökumenischen Anlass. US 62/1 (2007) 52-72.

9225 **Williams, Ritva H.** Stewards, prophets, keepers of the word: leadership in the early church. 2006 ⇒22,9124. [R]BTB 37 (2007) 189-190 (*Stewart, Eric*); TJT 23 (2007) 209-210 (*Campbell, Joan C.*).

H8.0 **Oratio**, *spiritualitas personalis NT*

9226 **Adam, Peter** Hearing God's words: exploring biblical spirituality. 2004 ⇒20,8828; 22,9128. [R]SdT 19 (2007) 196-198 (*Piccirillo, Alessandro*).

9227 **Aláiz, Atilano** Jesús habla hoy: el evangelio de cada día. 2006 ⇒ 22, 9129. [R]CDios 220 (2007) 521-522 (*Díaz, G.*).

9228 *Augruso, Antonietta* Parola, parole, silenzio: sfide culturali per l'ascolto della parola. CoSe 61/3 (2007) 62-72.

9229 **Barnhart, Bruno** The future of wisdom: toward a rebirth of sapiential christianity. NY 2007, Continuum x; 229 pp. 9780-8264-19323/27670. Bibl. 209-218.

9230 *Beutler, Johannes* Parola di Dio e volto di Cristo. ATT 13 (2007) 40-47.

9231 *Botella Cubells, Vicente* 'Ponerse en el lugar del otro': reflexiones sobre lo esencial en espiritualidad cristiana a la luz de Lc. 10,25-42. TE 51 (2007) 153-172.

9232 B*rink, Egbert* Comment Dieu garde sa promesse: méditation sur Genèse 15. RRef 58/4 (2007) 73-80.

9233 **Brueggemann, Walter** La Bíblia, font de sentit. [T]*Llisterri Boix, Anna* La Gran Biblioteca: Barc 2007, Claret 134 pp.

9234 **Burne, Martin J.** Remember Lot's wife: scriptural reflections on how to lose your life and save it. Lectio Divina: Staten Island, N.Y. 2007, St. Paul xiii; 170 pp. 978-0-8189-1241-2.

9235 *Capotosto, Ciro* Bibbia e 'lectio divina'. Vivar(C) 15 (2007) 239-46.

9236 **Chittister, Joan D.** Los diez mandamientos: leyes del corazón. Sdr 2007, Sal Terrae 168 pp.

9237 **Cocagnac, Maurice** Sacré et secret: méditer pour entrer dans la profondeur des textes. LiBi 131: P 2007, Cerf 240 pp.

9238 **Contreras Molina, Francisco** Leer la biblia como palabra de Dios: claves teológico-pastorales de la lectio divina en la iglesia. Estella 2007, Verbo Divino 480 pp. RPhase 47 (2007) 257-259 (*Llopis, Joan*); CTom 134 /2007) 611-613 (*Martínez, Manuel A.*).

9239 **Cormier, Jay** Daily reflections for Advent and Christmas: waiting in joyful hope 2007-08. ColMn 2007, Liturgical 101 pp. $2.

9240 *Crespo Tarrero, Luis Fernando* Espiritualidad y seguimiento de Jesús. Páginas 32/203 (2007) 6-16.

9241 *Crook, Zeba A.* Constructing a model of ancient prayer. FNEYREY, J. SWBAS n.s. 1: 2007 ⇒116. 48-66.

9242 **Crump, David** Knocking on heaven's door: a New Testament theology of petitionary prayer. 2006 ⇒22,9143. RCBQ 69 (2007) 576-578 (*Kiley, Mark*).

9243 *D'Anna, Jole* Il Nuovo Testamento conosce l'esperienza mistica?. RAMi 2 (2007) 273-282.

9244 Daily bible studies at the week of meetings. ER 59 (2007) 537-540.

9245 **Dal Covolo, Enrico** Lampada ai miei passi: leggere la parola come i nostri padri. Leumann 2007, LDC 240 pp. 88010-38170. Pref. Card. *T. Bertone.*

9246 **Den Heyer, Cees** Het boek der verandering: de bijbel als bron voor een alternatief christendom. 2006 ⇒22,9146. RKeTh 58 (2007) 176 (*Roukema, Riemer*).

9247 **Ekblad, Bob** Reading the bible with the damned. 2005 ⇒21,9605; 22,9152. RThTo 63 (2007) 510, 512 (*Beaudoin, Tom*).

9248 Evangelho de Jesus Cristo–segundo Mateus, Marcos, Lucas e João. Braga 2006, A.O. 382 pp. €3.50.

9249 *Evans, J.* Holy reading: living with a gospel milieu. Spirituality [Dublin] 13 (2007) 269-276.

9250 **Farin, Michel** Le secret messianique. P 2007, CLD 311 pp. €22.

9251 EFiloramo, Giovanni Storia della direzione spirituale, 1: l'età antica. 2006 ⇒22,9154. RRVS 61 (2007) 375-376 (*Fornara, Roberto*).

9252 *Fong, Maria K.H.* Sintonizzarsi con il cuore di Dio attraverso la sua parola. Celebrare e annunciare. 2007 ⇒539. 28-41.

9253 **Gallagher, Timothy M.** An Ignatian introduction to prayer: scriptural reflections according to the spiritual exercises. NY 2007, Crossroad 91 pp. £8.50. 978-08245-24876.

9254 *Gargano, Innocenzo* 'La parola di Dio prima sorgente di ogni spiritualità cristiana' (Vita consecrata 94). CoSe 61/3 (2007) 18-28.

9255 *Gerhartz, Johannes* Brannte uns nicht das Herz in der Brust..Lk 24];

9256 Der eine war ein Pharisäer, der andere ein Zöllner [Lk 18,9-14];

9257 Ich will aufbrechen und zu meinem Vater gehen [Lk 15,11-32];

9258 Herr, du weißt, dass ich dich liebe [John 21,15-19];

9259 Ja, Herr, ich glaube, dass du der Messias bist [John 11,17-29];

9260 Sohn Davids, Jesus, hab' Erbarmen mit mir!. Pastoralblatt für die Diözesen Aachen, Berlin, Essen etc. 59 (2007) [Mark 10,46-52]. 225-226/193-194/161-162/321-322/129-130.

9261 **Glotin, Edouard**, *al.*, La bible du cœur de Jésus: un livre de vie pour les générations du IIIe millénaire. P 2007, Renaissance 766 pp. €35. 978-27509-03060. Préf. card. *Christoph Schönborn.*

9262 **Grün, Anselm** Caminar. M 2007, San Pablo 101 pp;
9263 Os dez manadamentos: orientações para uma vida feliz. ^T*Schneider,*
Vilmar Petrópolis 2007, Vozes 151 pp;
9264 Los diez mandamientos: camino hacia la libertad. Villatuerta 2007, ·
Verbo Divino 180 pp.
9265 *Hensell, E.* The bible for meaning and nourishment. RfR 66 (2007)
205-208.
9266 **Hough, Stephen** The bible as prayer: a handbook for lectio divina.
NY 2007, Paulist 175 pp. $16. 978-08091-45072.
9267 *Humphrey, Edith M.* Listening to God, shaped by the Word. Anvil
24/1 (2007) 11-19 [John 20,11-18; 2 Pet 1].
9268 **Hurtado, Larry** Il Signore Gesù Cristo: la venerazione di Gesù nel
cristianesimo più antico. ^E*Zani, Antonio* Introd. allo studio della bib-
bia 32: Brescia 2007, Paideia 345 pp. €34.80. 88-394-07294.
9269 *Izquierdo, Antonio* Lectio divina: método: (2) meditatio. Eccl(R) 21
(2007) 219-238;
9270 (3) oratio et operatio. Eccl(R) 21 (2007) 539-558.
9271 **Jansen, H.** Vijv stenen, vijf broden: bijbelse spiritualiteit in kern-
woorden. Gorinchem 2007, Narratio 234 pp. €15. 978-90526-38218.
9272 *Jansen, Reiner* Der Mandelzweig: eine geflüsterte Botschaft für die
Zeit nach Ostern. ZMiss 33 (2007) 103-107.
9273 **John de Taizé** Je suis le commencement et la fin: récits bibliques de
création et visions de l'accomplissement. Taizé 2007, Presses de Tai-
zé 190 pp. €11.50. 28504-02326.
9274 *Kille, D. Andrew* Imitating Christ: Jesus as a model in cognitive
learning theory. ^MMETZGER, B. NTMon 19: 2007 ⇒105. 251-263.
9275 *Kommers, J.* De sprakeloosheid overwonnen: meditatieve exegese 1 ·
Corinthe 5. ThRef 50 (2007) 215-219.
9276 ^E**Law, Philip** Praying with the bible. L 2007, SPCK xvi; 142 pp. 97-
8-0-281-05917-1.
9277 *Lenchak, Timothy A.* What's biblical about... kneeling and genuflect-
ing?. BiTod 45 (2007) 254-255.
9278 **Lepori, Mauro-Giuseppe** Simon appelé Pierre: sur les pas d'un
homme à la suite de Dieu. ^T*Ferracci, Marie-Thérèse* P 2007, Parole
et S. 136 pp. €14.
9279 *Lorenzin, Tiziano* 'Ascolta, Israele!': il tema biblico dell'ascolto.
CoSe 61/3 (2007) 29-37.
9280 *Maggioni, Bruno* Il dialogo secondo la parola di Dio. RCI 88 (2007)
185-192.
9281 **Martini, Carlo** Ne nos perdamos en palabras: ejercicios espirituales
con el padrenuestro. Estella 2007, Verbo Divino 173 pp [Mt 6,9-13];
9282 Ne méprisez pas la parole: exercises spirituels avec le Notre Père.
^T*Maire Vigueur, M.A.* P 2007, Bayard 224 pp. €18.50. 978-22274-
76196 [Mt 6,9-13].
9283 **Martín-Moreno, Juan M.** A bíblia, escola de oração. Braga 2007,
A.O. 256 pp.
9284 **Mattam, Zacharias** Not I, but Christ lives in me. ^D*Zevini, Giorgio*
Bangalore 2007, Kristu Jyoti 406 pp. Rs300. Diss. Salesianum,
Rome.
9285 **McCarty, Julie** The pearl of great price: gospel wisdom for christian
marriage. ColMn 2007, Liturgical 90 pp. $2.
9286 *Neuhaus, David M.* A holy family?: a biblical meditation on Jesus'
family in the synoptic gospels. ^FVERNET, J. 2007 ⇒158. 33-55.

9287 **Neyrey, Jerome H.** Give God the glory: ancient prayer and worship in cultural perspective. GR 2007, Eerdmans x; 273 pp. $20/£11. 978-08028-40158. Bibl. 249-262.

9288 **Ostmeyer, Karl-H.** Kommunikation mit Gott und Christus: Sprache und Theologie des Gebets im Neuen Testament. WUNT 197: 2006 ⇒22,9182. [R]JETh 21 (2007) 320-323 (*Gebauer, Roland*).

9289 *Oszajca, Wacław* Bóg powiedział raz, dwa razy usłyszałem (Ps 62,12) [Dieu a parlé une fois, deux fois je l'ai entendu (Ps 62,12)]. PrzPow 1, 3, 4, 5, 6, 7-8, 9, 10, 11, 12 (2007) 76-82, 79-84, 74-78, 72-76, 56-60, 199-210, 85-91, 67-72, 68-73, 78-82. P;

9290 Co biblia mówi na temat kontemplacji [Que dit la bible sur la contemplation?]. PrzPow 1 (2007) 87-99. **P**.

9291 *Papa, Diana* 'Ciascuno viva secondo la grazia ricevuta': lectio divina su 1Pietro 4,10. CoSe 61/7-8 (2007) 137-160.

9292 *Pasqualetti, Fabio; Picca, Juan* Comunicazione e parola di Dio: dalla vita all'ascolto della parola per ritornare alla vita;

9293 *Pastore, Corrado* Esercizi spirituali con la bibbia: allenamento spirituale a ritmo della parola. Celebrare e annunciare. 2007 ⇒539. 88-109/71-87.

9294 *Paya, Christophe* Des brebis et des boucs: surprises, jugement et solidarité: une méditation de Matthieu 25.31-46. ThEv(VS) 6/2 (2007) 103-109.

9295 **Peterson, Eugene H.** Christ plays in ten thousand places: a conversation in spiritual theology. 2005 ⇒21,9652. [R]ProEc 16/1 (2007) 114-116 (*Wilson, Jonathan R.*);

9296 The Jesus way: a conversation on the ways that Jesus is the way. GR 2007, Eerdmans xii; 289 pp. $22.

9297 *Poder, Andres* "Denn siehe, ich will ein Neues schaffen, jetzt wächst es auf, erkennt ihr's denn nicht?" (Jes 43,19a): zur Jahreslosung für 2007. LKW 54 (2007) 11-16.

9298 **Prinz, Julia D.E.** Endangering hunger for God: Johann Baptist Metz and Dorothy Sölle at the interface of bibliical hermeneutic and christian spirituality. FThS 44: B 2007, LIT xxii; 276 pp.

9299 **Reedijk, Wim** Zuiver lezen: de bijbel gelezen op de wijze van de vroegchristelijke woestijnvaders. 2006 ⇒22,9187. [R]KeTh 58 (2007) 179 (*Roukema, Riemer*).

9300 **Renaud, Bernard** 'Proche est ton nom': de la révélation à l'invocation du nom de Dieu. LiBi 149: P 2007, Cerf 188 pp. €18. 978-2204-0-83188.

9301 **Riess, Richard** Die Rückkehr der Taube: biblische Texte begleiten das Leben. Gö 2007, Vandenhoeck & R. 276 pp. 978-3525-61598-0.

9302 **Romaniuk, Kazimierz** Ascetyczna lektura Nowego Testamentu. Poznań 2007, Pallottinum 166 pp. **P**.

9303 **Rönnegård, Per** Threads and images: the use of scripture in *Apophthegmata patrum*. [T]*Olsson, T.* Lund 2007, Centre for Theology and Religious Studies xiii; 224 pp. $33. 978-91974-89751. Diss. Lund.

9304 *Ruiz, Pilar A.* El deseo y la dimensión esponsal en la *lectio divina*. Cist. 59 (2007) 341-354.

9305 *Schäfer, Brigitte* Bibeltheologische Einführung. Im Kraftfeld. WerkstattBibel 11: 2007 ⇒513. 9-22.

9306 *Schultz, Karl* Rediscovering *lectio divina*. BiTod 45 (2007) 237-241;

9307 **Schultz, Karl A.** How to pray with the bible: the ancient prayer form of lectio divina made simple. Huntington (Ind.) 2007, Our Sunday Visitor 157 pp. 978-1-59276-216-3. Bibl. 151-155;

9308 Becoming community: biblical meditations and applications in modern life. Hyde Park, NY 2007, New City 175 pp. $14.
9309 *Schwienhorst-Schönberger, Ludger* Kontemplatives Schriftverständnis: zur Wechselbeziehung von kontemplativer Übung und Schriftverständnis. Studies in Spirituality 17 (2007) 115-125.
9310 *Secondin, B.* Dialogue, contemplation and prophecy: a prayerful reading of the word. BDV 84/85 (2007) 8-11;
9311 'Ora basta, Signore!...: non sono migliore dei miei padri' (1Re 19,4). CoSe 61/4 (2007) 31-38.
9312 **Secondin, Bruno** Lettura orante della Parola: lectio divina sui vangeli di Marco e Luca. Rotem2: Padova 2003, Messaggero 287 pp. 88-250-1298-5. Bibl.
9313 **Secondin, Bruno; Augruso, Antonietta** Alzatevi, non temete: lectio divina sui vangeli di Matteo e Marco. Rotem 11: Padova 2007, Messaggero 271 pp. 978-88-250-1933-9. Bibl.
9314 **Souzenelle, Annick de** Le baiser de Dieu ou l'alliance retrouvée. P 2007, Michel 155 pp. €15. 978-22261-78404.
9315 *Söding, Thomas* Aufgang: biblische Betrachtung im Advent. Christ in der Gegenwart 59/50 (2007) 419;
9316 Immanuel: Biblische Betrachtung zur Weihnachtszeit. Christ in der Gegenwart 59/52 (2007) 434;
9317 Die Heilige Schrift im Christentum. Pastoralblatt für die Diözesen Aachen, Berlin, Essen etc. 59 (2007) 291-298.
9318 *Stadelmann, Luis* Espiritualidade biblica. Convergência 42 (2007) 422-437.
9319 *Stanislas, S.* A christmas meditation on the word-become-flesh (Jn 1:1-18). ITS 44 (2007) 359-363.
9320 *Sundermeier, Theo* Antijudaismus im Johannesevangelium?: eine Meditation zu Johannes 2,13-22. ZMiss 33 (2007) 205-208.
9321 **Terrimoni, Ubaldo** La sapienza del cuore: meditazioni bibliche. Bibbia e spiritualità 29: Bo 2007, EDB 222 pp. €16. 978-88-10-211-21-2.
9322 ^E**Upchurch, Cackie** A year of Sundays: gospel reflections 2008. ColMn 2007, Liturgical 84 pp. $2 [BiTod 45,397—Donald Senior].
9323 *Van den Brink, Gijsbert A.* No more questions?. JRTheol 1 (2007) 129-131 [John 16,23].
9324 **Vanhoye, Albert** Accogliere l'amore che viene da Dio. Bibbia e Preghiera: R 2007, Apostolato della Preghiera 225 pp [AcBib 11,379].
9325 **Varillon, François** A mensagem de Jesus. Braga 2007, A.O. 288 pp;
9326 A Pascoa de Jesus. Braga 2007, A.O. 272 pp.
9327 *Vogt, Peter* Aktuelles Reden Gottes: die Herrnhuter Losungen. Die Bibel im Leben der Kirche. 2007 ⇒1643. 185-198.
9328 *Webster, Brian L.; Beach, David R.* The place of lament in the christian life. BS 164 (2007) 387-402.
9329 *Weismayer, Josef* Christliche Spiritualität als Heilwerden. ^FTRUMMER, P. 2007 ⇒153. 215-226.
9330 **Werline, Rodney A.** Pray like this: understanding prayer in the bible. NY 2007, Clark x; 163 pp. £15. 978-0-567-02633-0.
9331 *Williams, D.T.* Praying through Kenosis. AcTh(B) 27/2 (2007) 221-233.
9332 **Young, Frances** Brokenness & blessing: towards a biblical spirituality. GR 2007, Baker 140 pp. $17. 978-08010-35043. Bibl.

9333 **Zani, Lorenzo** Dalla cena alla croce: la morte libera e obbediente di Gesù. Mi 2007, Àncora 175 pp. €13;
9334 La victoria del amor: meditaciones bíblicas sobre la cruz. [T]*Vázquez, Lourdes* M 2007, San Pablo 205 pp.
9335 *Zevini, Giorgio* Pregare la parola: condizioni per una *lectio divina* fruttuosa. CoSe 61/3 (2007) 82-96.

H8.1 *Spiritualitas publica*: Liturgia, Vita communitatis, Sancti

9336 *Adam, A.K.M.* The way out of no way: modern impediments to post-modern discipleship. WaW 27/3 (2007) 257-264.
9337 [ET]**Ajjoub, Maxime** Livre d'Heures du Sinaï (Sinaiticus graecus 864). SC 486: 2004 ⇒20,8898. [R]REAug 53 (2007) 181-183 (*Desprez, Vincent*).
9338 **Angelini, Giuseppe** Il tempo e il rito alla luce delle scritture. 2006 ⇒22,9210. [R]EstTrin 41/1 (2007) 169-170 (*Miguel, José Maria de*).
9339 *Ballhorn, Egbert* Die Bibel–das performative Buch: das fruchtbare Spannungsfeld von Bibel und Liturgie. BiLi 80 (2007) 243-250.
9340 **Barker, Margaret** Temple themes in christian worship. NY 2007, Clark xi; 286 pp. $110/30. 05670-32760.
9341 *Barton, John* 'The law and the prophets': who are the prophets?. The OT: canon, literature and theology. MSSOTS: 2007 <1984> ⇒183. 5-18.
9342 *Bauer, Wolfgang* Weihnachten: Fest des Zeigens. WUB 46 (2007) 8.
9343 *Blasberg-Kuhnke, Martina* "Geeignet und gut vorbereitet ..."–zur Bedeutung der LektorInnen(schulung) für die Verkündigung biblischer Texte im Gottesdienst. BiLi 80 (2007) 260-263.
9344 *Bonaccorso, Giorgio* La liturgia e la parola tra oralità e scrittura. RivLi 94 (2007) 512-523.
9345 *Bonhoeffer, Dietrich* Nachfolge (1937). Grundtexte. 2007 ⇒588. 150-156.
9346 **Bonhoeffer, Dietrich** De la vie communautaire et Le livre de prières de la bible. Oeuvres de D. Bonhoeffer: Genève 2007, Labor et F. 240 pp. €22. 978-28309-12319.
9347 **Bradshaw, Paul F.** Alle origini del culto cristiano: fonti e metodi per lo studio della liturgia dei primi secoli. Città del Vaticano 2007, Vaticana 284 pp.
9348 *Brandt, Pierre-Yves* Die Bildung einer neuen Identität: Bekehrung und Berufung im Licht der göttlichen Inspiration. Erkennen und Erleben. 2007 ⇒579. 57-72 [Acts 9].
9349 *Braulik, Georg* Verweigert die Westkirche den Heiligen des Alten Testaments den Kult?: Vortrag an der Philosophisch-theologischen Hochschule Sankt Georgen in Frankfurt am 21. Juni 2006. Dialog 68 (2007) 10-20;
9350 Verweigert die Westkirche den Heiligen des Alten Testaments die liturgische Verehrung?. ThPh 82 (2007) 1-20.
9351 **Brändle, Francisco** Biblia en San JUAN de la Cruz. M [2]2007, EDE 203 pp. 978-84706-83329.
9352 *Brueggemann, Walter* A response to Rickie Moore's "The prophet as mentor". JPentec 15/2 (2007) 173-175.
9353 *Brüske, Gunda* Psalmbrücke: Leben zwischen Psalm 95 und Nunc dimittis. Gottesdienst 41/24 (2007) 185-187 [Lk 2,23-30].

9354 ᴱ**Bürki, B.; Klöckener, M.; Lambert, John** Présence et rôle de la bible dans la liturgie. 2006 ⇒22,703. ᴿCuMon 42 (2007) 244-245 (*Marcilla, José*); RTL 38 (2007) 435-437 (*Haquin, A.*); EThL 83 (2007) 534-536 (*Haquin, A.*).

9355 **Caldelari, C.** La bibbia del dì di festa: pensieri famliliari dall'esilio babilonese a Gesù. Shemà: Padova 2007, Messagero 144 pp. €11.90.

9356 **Camille, Alice** God's word is alive. Skokie, IL 2007, ACTA 416 pp. $20. 978-08794-63397. Comment on Sunday lectionary.

9357 *Ciardi, Fabio* Il 'vangelo della vocazione': la 'chiamata' di Andrea e Pietro (*Gv* 1,35-42), paradigma della pastorale vocazionale. Seminarium 47/1 (2007) 81-99.

9358 *Cibien, Carlo* Sussidi per la lettura della parola: il problema dei foglietti e dei lettori. RivLi 94 (2007) 559-563.

9359 *Clapier, Jean* THÉRÈSE de Lisieux et la parole de Dieu: sa petite voie à la lumière de l'écriture sainte. Carmel(T) 124 (2007) 78-90.

9360 *Clerck, Paul de* Les récits fondateurs de l'action de grâces dans la liturgie romaine et ses antécédents;

9361 *Cousin, Hugues* Les récits fondateurs dans le Nouveau Testament. Récits fondateurs de l'eucharistie. CEv.S 140 (2007) 63-74/21-32.

9362 **Crenshaw, James L.** Prophetic conflict: its effect upon Israelite religion. Atlanta 2007, SBL 134 pp. $20. 15898-32973.

9363 *Danieli, Giuseppe* Scritto ieri per i lettori di oggi: la versione ufficiale. vita pastorale 95/11 (2007) 74-75.

9364 **Day, Juliette** The baptismal liturgy of Jerusalem: fourth- and fifth-century evidence from Palestine, Syria and Egypt. Aldershot 2007, Ashgate viii; 157 pp. $100. 978-07546-57514.

9365 *De Zan, Renato* Lettura breve o normale: quale soluzione?. RivLi 94 (2007) 564-568.

9366 *Decrauzat, Rolf* "Da verließen ihn alle–Stopp–und flohen: eine Leseerfahrung in der Fastenzeit. BiHe 43 169 (2007) 26-27 [Mk 14,50].

9367 *Deeg, Alexander* Das neue Lied und die alten Worte: Plädoyer für eine Erneuerung liturgischen Betens aus der Sprache der Bibel. Deutsches Pfarrerblatt 107 (2007) 640-645.

9368 *DiPede, Elena* Vivre ensemble: quelques pistes bibliques de réflexion. ETR 82 (2007) 533-548.

9369 ᴱ**Duval-Arnould, Louis** Liber usuum Ordinis Calesiensis (Vat. Lat. 15200): le coutumier de l'Ordre de Chalais. StT 435: Città del Vaticano 2007, Biblioteca Apostolica Vaticana 345 pp. 97888-2100-81-53. Bibl. 9-17; Testo latino con introd. e apparato critico in francese.

9370 **Farnés, Pedro** A mesa da palavra II: leitura da bíblia no ano litúrgico. ᵀ*Carvalho, Ricardo S. de* Comentários: São Paulo 2007, Paulinas 145 pp.

9371 **Ferraro, Giuseppe** Lo Spirito Santo, Cristo, il Padre nell'esegesi e nella dottrina di San GIOVANNI della Croce. Ripartire dall'essenziale: R 2007, OCD 158 pp. €13.50. 978-88722-93393.

9372 **Förster, Hans** Die Anfänge von Weihnachten und Epiphanias: eine Anfrage an die Entstehungshypothesen. STAC 46: Tü 2007, Mohr S. xii; 342 pp. €79. 978-31614-93997.

9373 *Frades Gaspar,Eduardo* De discípulos de Jesús a maestros en la iglesia: necesidad y condiciones. Iter 18/42-43 (2007) 209-313.

9374 *Fuchs, Guido* Heilige Zeichen, die zu Gott führen: über die vielfältige Verwendung der Bilder in der Liturgie. BilderStreit. 2007 ⇒578. 187-20.

9375 *Fuchs, Ottmar* Die "Heiligenverehrung" als interpersonale Gestalt der Erinnerung. JBTh 22 (2007) 333-359.

9376 *Garmus, Ludovico* Papel de Moisés na libertaçao do povo: vocaçao, graça e missao. Estudos bíblicos 94/2 (2007) 9-20.

9377 *Garzón, Miguel* A. Los profetas y la alegría. Isidorianum 16/2 (2007) 197-215.

9378 **Gianto, Agustinus** Wah... apa itu?: kumpulan ulasan injil [Collected essays on the gospel reading, Year B part 1]. Yogyakarta 2007, Kanisius iv; 206 pp. **Indonesian;**

9379 Dahsyat: kumpulan ulasan injil [Collected essays on the gospel reading, Year A part 2]. Yogyakarta 2007, Kanisius iv; 212 pp. **Indonesian;**

9380 *Giraudo, Cesare* La liturgica della parola come ripresentazione "quasi-sacramentale" dell'assemblea radunata all'eterno presente di Dio che ci parla. RivLi 94 (2007) 491-511.

9381 *Gordon, Robert P.* Standing in the council: when prophets encounter God. God of Israel. UCOP 64: 2007 ⇒818. 190-204.

9382 **Greco, A.** Dalle fasce alle bende per terra. alla sequela di Gesù attraverso i vangeli dell'infanzia e della risurrezione. Intellectus fidei 14: R 2007, Monopoli 254 pp. €15. 88726-32897.

9383 *Greggo, Stephen P.* Biblical metaphors for corrective emotional relationships in group work. JPsT 35 (2007) 153-162.

9384 *Groß, Michael* Klarheit schaffen aus Sehnsucht nach Leben: ein spannender, bewegter und dennoch katholischer Gottesdienst. Löscht den Geist. 2007 ⇒366. 30-41.

9385 *Guijarro Oporto, S.* Listening and witnessing to the word: discipleship in the gospels. BDV 84/85 (2007) 26-34.

9386 *Hahn, S.W.* Canon, culto y alianza: la promesa de una hermenéutica litúrgica. Biblia y ciencia de la fe. 2007 <2006> ⇒436. 184-218.

9387 *Heckel, Ulrich* Segenshandlungen: gottesdienstliche Praxis und biblische Traditionen. Praktische Theologie 42/2 (2007) 100-106.

9388 **Holyhead, Verna A.** With burning hearts: welcoming the word in Year C. 2006 ⇒22,9242. [R]Worship 81 (2007) 377-378 (*Seasoltz, R. Kevin*);

9389 Welcoming the word in Year A: building on rock. ColMn 2007, Liturgical x; 237 pp. $20. 978-08146-18325.

9390 *Ivorra Robla, Adolfo* La multiplicación de los panes en la eucología hispana: estudio de un formulario olvidado. HispSac 59 (2007) 459-467.

9391 *Jeggle-Merz, Birgit* "... er soll darin lesen sein Leben lang" (Dtn 17,19): Lectio divina und Verkündigung des Wortes im Gottesdienst. BiLi 80 (2007) 251-259.

9392 *Joest, Christoph* Übersetzung von Pachoms Katechese "An einen grollenden Mönch". Muséon 120 (2007) 91-129.

9393 [E]**Joppich, Godehard; Sell, Johannes** Biblische Gesänge mit Antwortrufen. Münsterschwarzach 2007, Vier-Türme 127 pp. 978-3878-6-86699.

9394 *Kranemann, Benedikt* Bibel und Liturgie in Wechselbeziehung: eine Perspektivensuche vor historischem Hintergrund. BiLi 80 (2007) 205-217;

9395 Von der Privatmesse zur Gemeinschaftsmesse: Herrenmahl und Gruppenidentität in der 'Liturgischen Bewegung' am Anfang des 20. Jahrhunderts. Herrenmahl und Gruppenidentität. QD 221: 2007 ⇒572. 211-229.

9396 *Lameri, Angelo* Il rinnovato lezionario per la chiesa italiana. RivLi 94 (2007) 923-931.
9397 *Lange, Andrea* Andacht am 23. Februar 2006. Die Bibel im Leben der Kirche. 2007 ⇒1643. 233-235.
9398 *Lashofer, Clemens* "Jetzt hab ich genug!" (1 Kön 19,4)–der Prophet Elija als Vorbild des gottgeweihten Lebens?. Ordensnachrichten 46/3 (2007) 20-33.
9399 *Leuschner, F.W.; De Klerk, B.J.* Die atmosfeer in die erediens deur die loop van die geskiedenis. VeE 28/1 (2007) 66-87.
9400 **Légasse, Simon** Le feste del Signore: i fondamenti biblici della liturgia. Studi e ricerche di liturgia: Bo 2007, EDB 206 pp. 978-88104-16051.
9401 **Lionel, Joseph** Speak O Lord: on the word of God in liturgy. 2006 ⇒22,9254. ᴿITS 44 (2007) 236-238 (*Legrand, Lucien*).
9402 **Llamas Martínez, Román** Biblia en Santa TERESA. M 2007, EDE 254 pp. 978-84706-83336.
9403 *Lucca, Claudia* Tratti profetici dei martiri nella *Passio Mariani et Iacobi* e nella *Passio Montani et Lucii*. Cristianesimi nell'antichità. Spudasmata 117: 2007 ⇒569. 149-173.
9404 *Maria Cecilia del Volto Santo* Esperienza e dottrina di San Paolo in Elisabetta della Trinità. T RVS 61 (2007) 171-186.
9405 *Martínez Ávila, Salvador* Las etapas del discipulado en los evangelios: lectura teológico espiritual. EfMex 25 (2007) 177-195.
9406 *Meyer-Blanck, Michael* Liturgie als Erinnerungsform. JBTh 22 (2007) 361-379.
9407 *Moore, Rick D.* The prophet as mentor: a crucial facet of the biblical presentations of Moses, Elijah, and Isaiah. JPentec 15/2 (2007) 155-172.
9408 *Musso, Emanuele* CATERINA da Siena e l'esegesi delle ultime parole di Cristo. RAMi 2 (2007) 321-336 [Lk 23,34].
9409 *Müller, M.* Den sande gudsdyrkelses oprindelse–en skitse. DTT 70 (2007) 83-92.
9410 **Müllner, I.; Dschulnigg, P.** Feste ebraiche e feste cristiane: prospettive dell'Antico e del Nuovo Testamento. I temi della bibbia 9: 2006 ⇒22,9266. ᴿVetChr 44 (2007) 174-175 (*Nigro, Giovanni*); RivBib 55 (2007) 511-512 (*Mela, Roberto*).
9411 *Neumann, Burkhard* Die Heilige Schrift in der Liturgie der katholischen Kirche. Bibel im Leben der Kirche. 2007 ⇒1643. 127-145.
9412 **O'Loughlin, Thomas** Liturgical resources for Matthew's year: Sundays in ordinary time in year A. Dublin 2007, Columba 332 pp.
9413 *Patterson, Richard D.* Prophetic satire as a vehicle for ethical instruction. JETS 50 (2007) 47-69.
9414 **Pellegrino, Carmel** Oltre la sapienza di parola: Paolo di Tarso e PIO da Pietrelcina: linee didattiche cristiane tra antichità e novità. San Giovanni Rotondo (FG) 2007, Padre Pio da Pietrelcina 350 pp. Bibl. 345-350.
9415 *Pemsel-Maier, Sabine* Wenn Gott ins Leben einbricht: Abraham, Mose, Maria und Paulus auf der Spur. AnzSS 116/12 (2007) 11-14.
9416 *Perkins, Judith* The rhetoric of the maternal body in the *Passion of Perpetua*. Mapping gender. BiblInterp 84: 2007 ⇒621. 313-332.
9417 *Perón, Juan Pablo* Los discípulos de Jesús en los evangelios: el significado del discipulado. Iter 18/42-43 (2007) 65-160.

9418 **Peterson, David** En esprit et en vérité: théologie biblique de l'adoration. Théologie biblique: 2005 ⇒21,9782. ᴿThEv(VS) 6/1 (2007) 69-70 (*Mary, Georges*).

9419 *Pezhumkattil, Abraham* Interpersonal relationship as basic experience & personal pronouns as basic terms in the language of worship. BiBh 33/2 (2007) 3-17.

9420 *Poirot, Eliane* Les liturgies dans les églises byzantines. Les récits fondateurs de l'eucharistie. CEv.S 140 (2007) 75-78.

9421 **Poirot, Eliane** Le glorieux prophète Élie dans la liturgie byzantine. Spiritualité orientale 82: Bégrolles-en-Mauges 2004, Abbaye de Bellefontaine 246 pp.

9422 *Prétot, Patrick* Les saintes écritures et la liturgie: épiphanie d'une présence. CEv 141 (2007) 64-75.

9423 *Rainoldi, Felice* Cantare la parola. RivLi 94 (2007) 569-579.

9424 **Ralph, Margaret** Breaking open the lectionary (Cycle C): lectionary readings in their biblical context for RCIA, faith sharing groups, and lectors. NY 2007, Paulist 229 pp. $20

9425 *Rozenboim, Daniela* The origin of the expectation of Yahweh's day. BetM 52/2 (2007) 61-79. **H**.

9426 *Schenke, Ludger* Szenische und liturgische Lesung der Evangelien als Gesamttext. BiKi 62 (2007) 175-179.

9427 *Schinella, Ignazio* Il valore simbolico-eucaristico dei "sepolcri" del giovedì santo: spunti per l'adorazione. RivLi 94 (2007) 913-922 [John 12,20-32].

9428 *Schöttler, Heinz-Günther* "Eingeladen zum Hochzeitsmahl des Wortes" (AMBROSIUS von Mailand): Überlegungen zur liturgischen Präsenz des Wortes Gottes. BiLi 80 (2007) 217-236.

9429 *Senior, Donald* A spirituality of call: biblical foundations for the christian vocation. . Sequela Christi 33/1 (2007) 119-128.

9430 **Shea, John** The spiritual wisdom of the gospels for christian preachers and teachers: Year C: The relentless widow. 2006 ⇒22,9288. ᴿACR 84 (2007) 372-373 (*Plant, Geoffrey*);

9431 Year A-C. 2004-2006 ⇒20,8980... 22,9288. ᴿSpiritus 7 (2007) 228-231 (*Bergant, Dianne*).

9432 *Söding, Thomas* Für euch-für viele-für alle: für wen feiert die Kirche die Eucharistie?–zur Diskussion: aus bibelwissenschaftlicher Sicht. Christ in der Gegenwart 59/3 (2007) 21-2 [Mt 26,27-8; Mk 14,23-4].

9433 *Stapleton, John M.* Resounding the gospel. ThTo 63 (2007) 482-484.

9434 *Steins, Georg* "Ein Gedächtnis Seiner Wunder": das Wechselspiel von Bibel und Liturgie. BiLi 80 (2007) 203-204;

9435 "Hört dies zu meinem Gedächtnis!": Anamnese als Bibel und Liturgie verbindende Leitkategorie. BiLi 80 (2007) 236-243.

9436 *Swetnam, James* A liturgical approach to scripture and tradition. MTh 58 (2007) 23-30.

9437 *Ten Kate, Albert A.S.* L'origine du Sanctus. EThL 83 (2007) 193-201.

9438 *Terán, Helizandro* Ser discípulo de Jesús y seguirlo en el siglo XXI. Iter 18/42-43 (2007) 315-340.

9439 *Theobald, Michael* "Pro multis"–ist Jesus nicht "für alle" gestorben?. Orien. 71 (2007) 21-24 [Mt 26,28].

9440 **Vanhoye, Albert** Messa, vita offerta. R 2007, ADP 91 pp. 978-88-7357-430-9;

9441 Le letture bibliche delle domeniche, Anno A, Anno B, Anno C. Shanghai 2007 [AcBib 11,379]. **C**.

9442 *Venturi, Gianfranco* La parola celebrata nella liturgia: il luogo privi-
legiato per leggere e interpretare la bibbia. Celebrare e annunciare.
2007 ⇒539. 11-27.

9443 **Verdon, Timothy** La bellezza della parola: l'arte a commento delle
letture festive: anno A. Liturgia: CinB 2007, San Paolo 375 pp. €43.

9444 *Wahle, Stephan* Die Fleischwerdung des Wortes–ein Geheimnis fin-
det zu seinem Fest: Einblicke in die frühe Liturgie des Geburtsfestes
Christi. WUB 46 (2007) 50-53, 55;

9445 Dèr "Gott-Mensch" hat unter den Menschen sein Zelt aufgeschlagen:
hatten die frühchristlichen Konzilien Einfluss auf das Weihnachts-
fest?. WUB 46 (2007) 54;

9446 Reflections on the exploration of Jewish and Christian liturgy from
the viewpoint of a systematic theology of liturgy. Jewish and Chris-
tian liturgy. 2007 ⇒580. 169-184.

9447 *Wallraff, Martin* Unsere Sonne ist nicht eure Sonne: die Entstehung
des Weihnachtsfestes in der Spätantike. WUB 46 (2007) 10-15;

9448 Was hat Weihnachten mit der Wintersonnwende zu tun?. WUB 46
(2007) 14.

9449 *Wildgruber, Regina; Zwingenberger, Uta* "Brannte nicht unser Herz
in uns?": eine Liturgie der Heiligen Schrift–ein Praxisbericht. BiLi
80 (2007) 280-284.

9450 **Zevini, Giorgio** Lectio divina para la vida diaria, 3: Los Salmos y los
Cánticos de Laudes y Visperas: Semana I. Estella 2007, Verbo Divi-
no 415 pp.

9451 *Zevini, Giorgio* Das Wort Gottes im Leben des gläubigen Jüngers.
ᶠWAHL, O. Bibel konkret 3: 2007 ⇒160. 77-103.

9452 *Zimmer, Manfred* Versuch über Anderswelt und Anderszeit als Exe-
geseprinzip. ᶠTUBACH, J. Studies in oriental religions 56: 2007 ⇒
154. 473-480.

9453 *Zink, Sebastian; Heimbach-Steins, Marianne* Häufig übersehen: die
diakonische Dimension der Liturgie: eine Spurensuche in der Feier
des österlichen Triduum. BiLi 80 (2007) 264-275.

9454 **Zweerman, Theodore H.; Van den Goorbergh, Edith A.C.** Saint
FRANCIS of Assis: a guide for our time: his biblical spirituality. ᵀ*Sin-
ninghe Damsté, Maurits* Lv 2007, Peeters 237 pp. €22. 978-90429-
19556.

H8.2 Theologia moralis NT

9455 *Anderson, G.A.* Redeem your sins by the giving of alms: sin, debt,
and the 'treasury of merit' in early Jewish and christian tradition.
L&S 3 (2007) 39-69.

9456 *Angelini, Giuseppe* La testimonianza apostolica e la coscienza. RCI
88 (2007) 822-836.

9457 *Anselm, Reiner* Ethik des politischen Gedenkens. KuI 22 (2007) 64-
72.

9458 *Arnold, Daniel* Regard biblique sur les biens matériels. Ḥokhma 92
(2007) 70-84.

9459 *Barclay, John M.G.* 'Am I not a man and a brother?': the bible and
the British anti-slavery campaign. ET 119 (2007) 3-14.

9460 *Barton, Stephen C.* Food rules, sex rules and the prohibition of idola-
try: what's the connection?. Idolatry. 2007 ⇒763. 141-162.

9461 *Beauchamp, Paul* Un punto di vista biblico sull'etica. Testamento biblico. 2007 <1997> ⇒184. 125-139.

9462 **Bentoglio, G.** Stranieri e pellegrini: icone bibliche per una pedagogia dell'incontro. Mi 2007, Paoline 280 pp.

9463 *Berends, B.* Kingdom ethics. VR 72 (2007) 7-28.

9464 *Berger, Klaus* Das Böse als Thema biblisch-neutestamentlicher Ethik. Das Böse und die Sprachlosigkeit der Theologie. [E]**Berger, Klaus; Niemann, Ulrich; Wagner, Marion** Rg 2007, Pustet 9-33. 978-37917-20647.

9465 *Biguzzi, Giancarlo* Amore universale e amore vicendevole nel Nuovo Testamento. ED 60/1 (2007) 99-115.

9466 *Bittasi, Stefano* "Fate del bene a quelli che vi odiano" (Lc 6,27): le nuove relazioni sociali proposte dal vangelo. RdT 48 (2007) 487-499.

9467 *Bockmuehl, M.* Scripture on the moral life of creatures: in conversation with Hans G. Ulrich. Studies in Christian Ethics 20/2 (2007) 168-178.

9468 *Bovati, Pietro; Casalone, Carlo* Giustizia e sacra scrittura: la prospettiva della teologia biblica. Volare alla giustizia senza schermi: un percorso interdisciplinare oltre l'equità. [E]**Casalone, Carlo; Foglizzo, Paolo** Mi 2007, Vita e Pensiero. 159-183. €15. 978-88343-14814.

9469 **Brock, Brian** Singing the ethos of God: on the place of christian ethics in scripture. GR 2007, Eerdmans xxi; 386 pp. $34. 978-08028-03-795. Bibl. 364-374.

9470 **Burridge, Richard A.** Imitating Jesus: an inclusive approach to New Testament ethics. GR 2007, Eerdmans xxi; 490 pp. $35. 978-08028-44583. Bibl. 410-456.

9471 **Carlotti, Paolo** In servizio della parola: magistero e teologia morale in dialogo. Ieri, oggi, domani 43: R 2007, LAS 189 pp. 88-213-0655-0. Bibl. 183-186.

9472 *Clough, David* Karl BARTH on religious and irreligious idolatry. Idolatry. 2007 ⇒763. 213-227.

9473 **Countryman, L. William** Dirt, greed, and sex: sexual ethics in the New Testament and their implications for today. Mp [2]2007 <1988>, Fortress vi; 349 pp. $18. 978-08006-38481.

9474 *Danaher, William* Towards a paschal theology of restorative justice. AThR 89 (2007) 359-373 [2 Cor 5,14-19].

9475 **Ellis, Marc H.** Reading the torah out loud: a journey of lament and hope. Mp 2007, Fortress xii; 183 pp. $20.

9476 **Fedler, Kyle D.** Exploring christian ethics: biblical foundations for morality. 2006 ⇒22,9325. [R]AThR 89 (2007) 128, 130-131 (*Henderson, Susan D.*).

9477 **Fiala, Andrew G.** What would Jesus really do?: the power and limits of Jesus' moral teachings. Lanham 2007, Rowman & L. xvii; 196 pp. 0-7425-5260-8.

9478 *Fumagalli, Anna* Heute für Gottes Reich leben: aktuelle Gedanken zur Umsetzung der Botschaft Jesu heute. BiKi 62 (2007) 113-115.

9479 *García López, Felix* Raíces bíblicas de los derechos humanos. [F]IBÁÑEZ ARANA, A. 2007 ⇒72. 205-224.

9480 *Ghidelli, Carlo* Siamo servi inutili: un approccio biblico al tema del servizio. Presbyteri 41 (2007) 707-718.

9481 *Goddard, Andrew* Jacques Ellul on idolatry. Idolatry. 2007 ⇒763. 228-245.

9482 *Grilli, Massimo* La pena di morte alla luce del pensiero biblico sulla giustizia. Gr. 88 (2007) 67-91.

9483 *Gutiérrez, Gustavo* Donde está el pobre, está Jesucristo. Ang. 84/3/4 (2007) 539-553 [Mt 25,31-46].

9484 **Hartropp, Andrew** What is economic justice?: biblical and secular perspectives contrasted. Paternoster Theological Monographs: Colorado Springs 2007, Paternoster xiii; 222 pp. $29.

9485 **Hering, James P.** The Colossian and Ephesian Haustafeln in theological context: an analysis of their origins, relationship, and message. AmUSt.TR 260: NY 2007, Lang ix; 285 pp. 978-0-8204-9505-7. Bibl. 267-285 [1 Cor 15; Eph 5,22-6,9; Col 3,18-4,1].

9486 *Heuser, Stefan* Identität und Arbeit: ethische Erkundungen im biblischen Kontext. Identität. BTSP 30: 2007 ⇒409. 189-212.

9487 *Horn, Friedrich W.* Die Nachfolgeethik Jesu und die urchristliche Gemeindeethik: ihre Darstellung innerhalb Ferdinand Hahns Theologie des Neuen Testaments. Aufgabe und Durchführung. WUNT 205: 2007 ⇒783. 287-307.

9488 *Hose, Burkhard* Kirche der Reichen?: ein neutestamentlicher Denkanstoß. Themenhefte Gemeinde 88 (2007) 16-17.

9489 *Jones, David W.* The ethics of taxation: a biblical précis. Faith & Mission 24/2 (2007) 18-25.

9490 *Klaiber, Walter* Globalisierung oder weltweite Verantwortung?: biblische Anmerkungen zur Globalisierungsdebatte. ÖR 56 (2007) 334-342.

9491 *Ko, Ha Fong M.* Quando la scelta diventa difficile: due episodi biblici. RSEd 45/1 (2007) 78-90.

9492 **Kochuthara, Shaji G.** The concept of sexual pleasure in the catholic moral tradition. TGr.T 152: R 2007, E.P.U.G. 514 pp. 978-88-7839-100-0.

9493 *Lash, N.* Performing scripture. CCen 124/25 (2007) 30-35.

9494 *Lehmann, Klaus-Peter* Feindesliebe. Dialog 69 (2007) 30-32.

9495 **Lind, Millard** The sound of sheer silence and the killing state: the death penalty and the bible. Studies in Peace and Scripture 8: Telford, Pa. 2004, Cascadia 188 pp. $19. Introd. *Howard Zehr*. ᴿRBLit (2007)* (*Tatlock, Jason R.*).

9496 *Liu, Qingping* On a paradox of christian love. JRE 35 (2007) 681-694 [Mt 22,35-40; Mk 12,29-31].

9497 *Lob-Hüdepohl, Andreas* Moralische Tugenden im Nährboden des Glaubens. Im Wandel. 2007 ⇒574. 73-88.

9498 *Loughlin, Gerard* Idol bodies. Idolatry. 2007 ⇒763. 267-286 [Rom 1].

9499 *Löhr, Hermut* Gottesdienst im Alltag dieser Welt: ein Beitrag zu einer künftigen "Ethik des Neuen Testaments". BThZ 24 (2007) 241-261.

9500 **Lüdemann, Gerd** Intolerance and the gospel: selected texts from the New Testament. Amherst, NY 2007, Prometheus 281 pp. 978-1-591-02-468-2. Bibl. 261-267.

9501 ᴱ*Mantovani, Piera A.* Dio e il denaro. Mondo della Bibbia 18/2 (2007) 1-31.

9502 *Markl, Dominik* Soziale Gerechtigkeit in der Bibel. Themenhefte Gemeinde 88 (2007) 9-11.

9503 *McElhanon, Kenneth A.* Cognitive linguistics, biblical truth and ethical conduct. JISt 19/1-2 (2007) 119-138.

9504 *Mette, Norbert* "Zwischen uns und euch besteht eine tiefe unüber-
windliche Kluft" (Lk 16,26): befreiende Bibellektüre im Kontext ei-
ner Wohlstandsgesellschaft. JRPäd 23 (2007) 13-18.

9505 **Miquel, Esther** Amigos de esclavos, prostitutas y pecadores: el si-
gnificado sociocultural del marginado moral en las éticas de Jesús y
de los filosóficos cínicos, epicúreos y estoicos: estudio desde la so-
ciología del conocimiento. Asoc. Bíblica Española 47: Estella 2007,
Verbo Divino 403 pp. €24.50. 978-84816-97155.

9506 *Murray, Paul D.* Theology 'under the lash': theology as idolatry-
critique in the work of Nicholas Lash. Idolatry. 2007, ⇒763. 246-66.

9507 **Nouis, Antoine** L'aujourd'hui de la loi: lecture actualisée des dix
commandements et du sermon de la montagne. LiBi: Lyon 2007, Oli-
vétan 248 pp. €24.50. 978-29152-45769 [Mt 5-7].

9508 *O'Donovan, Oliver* Scripture and christian ethics. Anvil 24/1 (2007)
21-29.

9509 *Ogletree, Thomas W.* Two responses to 'On a paradox of christian
love' by Qingping Liu: the essential unity of the love commands:
moving beyond paradox. JRE 35 (2007) 695-711 [Mt 22,35-40; Mk
12,29-31].

9510 *Öhler, Markus* Gütergemeinschaft und Wohltäterschaft: die Jerusale-
mer Urgemeinde und die Frage nach der Gerechtigkeit. GlLern 22/2
(2007) 121-130 [Acts 4-5].

9511 *Paul, Theo* "Wohl dem, der sich des Schwachen annimmt ... zur Zeit
des Unheils wird der Herr ihn retten" (Ps 41,2): Reflexionen über Ar-
mut in unserer Gesellschaft. Pastoralblatt für die Diözesen Aachen,
Berlin, Essen etc. 59 (2007) 176-180.

9512 *Perrot, Etienne* La bible, un traité d'économie?. Choisir 575 (2007)
26-29.

9513 *Petracca, Vincenzo* Lazarus, Zachäus und das Nadelöhr: Geld und
Reichtum in der Bibel. Diak. 38 (2007) 18-23 [Lk 16,19-31; 18,18-
30; 19,1-10].

9514 **Prévost, Jean-P.** Les scandales de la bible. 2006 ⇒22,9368. [R]Theo-
forum 38 (2007) 94-95 (*McEvenue, Sean*).

9515 *Prost, Gilbert R.* An emic-etic model for language and culture: re-
sponse to McElhanon. JISt 19/1-2 (2007) 139-158.

9516 *Richter, Sandra* A biblical theology of creation care. AsbJ 62/1
(2007) 67-76.

9517 **Rogers, Jack** Jesus, the bible, and homosexuality: explode the
myths, heal the church. 2006 ⇒22,9372. [R]BTB 37 (2007) 41-42
(*Sanders, James A.*); JR 87 (2007) 648-649 (*Jordan, Mark D.*).

9518 **Rogerson, John W.** According to the scriptures?: the challenge of
using the bible in social, moral and political questions. Biblical chal-
lenges in the contemporary world: L 2007, Equinox viii; 117 pp. $25.
978-1-84553-128-7. Bibl. 107-109.

9519 *Rowland, Christopher* Living with idols: an exercise in biblical theol-
ogy. Idolatry. 2007 ⇒763. 163-176 [1 Cor 8-10].

9520 *Ruzer, Serge* The double love precept: between pharisees, Jesus and
Qumran covenanters. Mapping the NT. 2007 <2002> ⇒304. 71-99;

9521 The seat of sin and the limbs of torah. Mapping the NT. 2007
<1999> ⇒304. 149-177.

9522 *Sanders, James A.* God's work in the secular world. BTB 37 (2007)
145-152.

9523   *Schramm, Michael* Das gelobte Land der Bibel und der moderne Kapitalismus: vom "garstig breiten Graben" zur "regulativen Idee". BiKi 62 (2007) 37-41.

9524   *Schuh, Hans* Leben über Abgründen–oder: ist die Arche noch seetüchtig?. Gottes Wort. Bibel und Ethik 1: 2007 ⇒537. 97-108.

9525   *Segbers, Franz* Biblische Gerechtigkeit und die Debatte um Verteilungsgerechtigkeit und Befähigungsgerechtigkeit. GlLern 22/2 (2007) 156-167.

9526   **Smith-Christopher, Daniel L.** Jonah, Jesus, and other good coyotes: speaking peace to power in the bible. Nv 2007, Abingdon xxi; 194 pp. 0-687-34383-6. Bibl.

9527   *Starnitzke, Dierk* Gibt es ein Spezifikum christlicher Ethik?: neutestamentliche Überlegungen zu einer diakonischen Theologie helfender Berufe. WuD 29 (2007) 251-265.

9528   *Turner, Max* Human reconciliation in the New Testament with special reference to Philemon, Colossians and Ephesians. EurJT 16/1 (2007) 37-47.

9529   *Vanhoye, Albert* Vita morale. Dizionario... sangue di Cristo. 2007 ⇒ 1137. 1465-1472.

9530   *Wehr, Lothar* Credo und Caritas: zur theologischen Begründung und zur Organisation sozialen Handelns in der frühen Kirche. [F]HIEROLD, A. KStT 53: 2007 ⇒66. 17-29.

9531   *Weizsäcker, Viktor von* "Euthanasia" and experiments on human beings (part I: "Euthanasia") (1947): with an introduction by Udo Benzenhöfer and Wilhelm Rimpau. Human sacrifice. SHR 112: 2007 ⇒926. 277-304.

9532   *Wendel, Ulrich* Gnade und Wahrheit im Leben der Nachfolger Jesu. ZThG 12 (2007) 59-84 [Rom 13,1-7; Titus 2,11-3,2].

9533   *Worthington, Everett L., Jr.* Virtue orientations. Jesus and psychology. 2007 ⇒543. 155-173.

9534   *Zangger, Michael* Wem gebührt Respekt?. Zeitschrift für Religionsunterricht und Lebenskunde 36/4 (2007) 22-24.

H8.4 *NT de reformatione sociali*—**Political action in Scripture**

9535   **Crossan, John D.** God and empire: Jesus against Rome, then and now. NY 2007, HarperCollins 257pp. $23.

9536   **Escudero F., C.** Jesús y el poder religioso: el evangelio y la liberación de los oprimidos. M 2003, Nueva Utopia 271 pp. Pról. *Fernando Camacho.*

9537   **Ezeogu, Ernest M.** Bible and politics: can Nigerian catholics baptize the dirty game of politics. Enugu 2007, Snaap 59 pp.

9538   **Hendricks, Obery M.** The politics of Jesus: rediscovering the true revolutionary nature of Jesus' teachings and how they have been corrupted. NY 2006, Doubleday 384 pp. $15. 978-03855-16655.

9539   *Hengel, Martin* Gewalt und Gewaltlosigkeit: zur "politischen Theologie" in neutestamentlicher Zeit. Jesus und die Evangelien. WUNT 211: 2007 <1971> ⇒247. 245-288.

9540   **Horsley, Richard A.** Jesus and empire: the kingdom of God and the New World disorder. 2003 ⇒19,9287... 21,9905. [R]BiKi 62/1 (2007) 123 (*Hartmann, Michael*).

9541 **Lindberg, Tod** The political teachings of Jesus. NY 2007, Harper-One xiii; 272 pp [BiTod 46,414–Donald Senior].

9542 *Míguez, Néstor O.* Jesús, el pueblo y la presencia política: el imperio des-escatologizante, reclamos populares y tiempos mesiánicos. Conc(E) 322 (2007) 73-81 Conc(I) 43,604-614; Conc(D) 43,431-439; Conc(GB) 4,60-68.

9543 *Van den Toren, B.* The political significance of Jesus: christian involvement for the democratisation of Africa. African Journal of Evangelical Theology [Machakos, Kenya] 26/1 (2007) 65-88.

H8.5 Theologia liberationis latino-americana...

9544 **Boff, Leonardo** Fundamentalismus und Terrorismus. [T]*Schlupp, Walter O.* Gö 2007, Vandenhoeck & R. 85 pp. 978-3-525-56443-1.

9545 **Gardocki, Dariusz** Jezus z Nazaretu–Mesjasz królestwa, Syn Boży i Droga do Ojca: studium analityczno-krytyczne chrystologii Jona SO-BRINO. 2006 ⇒22,9400. [R]StBob (2007/4) 167-170 (*Kubacki, Zbigniew*). **P.**

9546 **Gonzalez, Antonio** The gospel of faith and justice. [T]*Owens, Joseph* 2005 ⇒21,9919. [R]Horizons 34/1 (2007) 140-141 (*Orji, Cyril*).

9547 **Huning, Ralf** Bibelwissenschaft im Dienste popularer Bibellektüre: Bausteine einer Theorie der Bibellektüre aus dem Werk von Carlos MESTERS. SBB 54: 2005 ⇒21,9920. [R]SNTU.A 32 (2007) 281-282 (*Giesen, Heinz*); ThLZ 132 (2007) 414-416 (*Schmeller, Thomas*); BiKi 62 (2007) 67-68 (*Kosch, Daniel*).

9548 **Libânio, Joao B.** Gustavo GUTIÉRREZ. [T]*Gutiérrez Carreras, Rosario* Teólogos del siglo XX 2: 2006 ⇒22,9405. [R]ActBib 44/1 (2007) 32-33 (*Boada, Josep*).

9549 [E]**Rowland, Christopher** The Cambridge companion to liberation theology. C [2]2007, CUP xx; 318 pp.

9550 **Schüepp, Susann** Bibellektüre und Befreiungsprozesse: eine empirisch-theologische Untersuchung mit Frauen in Brasilien. [D]*Kirchschläger, Walter* Exegese in unserer Zeit 16: B 2006, Lit 434 pp. 97-8-38258-89302. Diss. Luzern.

9551 *Silva, Valmor da* Bible and citizenship. Reading other-wise. Semeia Studies 62: 2007 ⇒544. 117-132.

9552 *Sobrino, Jon* Crítica a las democracias actuales y caminos de humanización desde la tradición bíblico-jesuánica. Conc(E) 322 (2007) 579-593; Conc(I) 43,615-631; Conc(D) 43,439-453; Conc(GB) 4,69-82.

H8.6 *Theologiae emergentes*—Theologies of emergent groups

9553 *Ademiluka, Solomon O.* A study of the patriarchal narratives (Gen 12-50) in an African setting. OTEs 20 (2007) 273-282.

9554 *Adewuya, James Ayodeji* Revisiting 1 Corinthians 11.27-34: Paul's discussion of the Lord's supper and African meals. JSNT 30 (2007) 95-112.

9555 *Akoto, Dorothy B.* Hearing scripture in African contexts: a hermeneutic of grafting. OTEs 20 (2007) 283-306.

9556 *Akoto, Dorothy B.E.A.* "What if the woman does not consent to follow me ...?": marriage in Genesis 24 read through the Avatime Kusakorkor lens. Journal of constructive theology 13/2 (2007) 17-42.

9557 *Akper, Godwin I.* Prosperity gospel: a case study of Benue State in North-Central Nigeria. JRTheol 1 (2007) 41-49.

9558 **Anderson, Ray** An emergent theology for emerging churches. 2006 ⇒22,9409. ᴿFaith & Mission 24/3 (2007) 83-87 (*Liederbach, Mark*).

9559 *Anum, Eric Ye ma wo mo!*: African hermeneuts, you have spoken at last: reflections on Semeia 73 (1996). Reading other-wise. Semeia Studies 62: 2007 ⇒544. 7-18.

9560 *Baawobr, Richard K.* Opening a narrative programme: Luke 4.16-30 and the black Bagr narrative. JSNT 30 (2007) 29-53.

9561 **Burton, Keith A.** The blessing of Africa: the bible and African christianity. DG 2007, IVP A. 294 pp. 978-0-8308-2762-6. Bibl.

9562 *Craffert, Pieter F.* New Testament studies–preventing or promoting a humane society?. R&T 14/3-4 (2007) 161-205.

9563 *Dada, Adekunle* Rereading the Naaman story (2 Kings 5:1-7) in the context of stigmatization of people living with HIV and Aids in Africa. OTEs 20 (2007) 586-600.

9564 *Djomhoué, Prisci* Redefining the marriage relationship within the context of the Bamileke of Cameroon: Ephesians 5:21-31 reconsidered. Journal of constructive theology 13/2 (2007) 43-56.

9565 *Ekblad, Bob* Journeying with Moses toward true solidarity: shifting social and narrative locations of the oppressed and their liberators in Exodus 2-3. Reading other-wise. Semeia Studies 62: 2007 ⇒544. 87-102.

9566 *Ekem, John D.K.* A dialogical exegesis of Romans 3.25a. JSNT 30 (2007) 75-93.

9567 **Houngbedji, Roger** L'église-famille en Afrique selon Luc 8,19-21: problèmes de fondements. ᴰ*Schenker, Adrian* 2007, Diss. Fribourg [ThRv 104/1,vii].

9568 *Huhn, Michael* Anbetende Theologie: der Jesus der Indígenas in Lateinamerika. HerKorr Spezial (2007) 35-39.

9569 *Javier, Edgar G.* Memory, presence and prophecy—a historical look at the story of Jesus. ICSTJ 9 (2007) 31-35.

9570 *Jennings, Stephen C.A.* 'Ordinary' reading in 'extraordinary' times: a Jamaican love story. Reading other-wise. Semeia Studies 62: 2007 ⇒ 544. 49-62.

9571 **Kahl, Werner** Jesus als Lebensretter: westafrikanische Bibelinterpretationen und ihre Relevanz für die neutestamentliche Wissenschaft. NTSCE 3: Fra 2007, Lang 532 pp. €68. 978-3-631-55140-0. Diss.-Habil.; Bibl. 455-520.

9572 *Kamuwanga, Liswanisu* Exile and suffering: reading Psalm 77 in African context. OTEs 20 (2007) 720-735.

9573 *Latvus, Kari* The bible in British urban theology: an analysis by a Finnish companion;

9574 *Lees, Janet* Remembering the bible as a critical 'pedagogy of the oppressed'. Reading other-wise. 2007 ⇒544. 133-140/73-85.

9575 *Lewis, Dan* Biblical exegesis in the two-thirds world. ᴹMETZGER, B. NTMon 19: 2007 ⇒105. 67-78.

9576 *Loba-Mkole, Jean-Claude* The New Testament and intercultural exegesis in Africa. JSNT 30 (2007) 7-28.

9577 *Manus, Chris U.* The death of Jesus (Jn 19,28-30): contextual herme-
neutics of life and death in the HIV/AIDS era in Africa. Death of
Jesus. BEThL 200: 2007 ⇒533. 859-872.

9578 *Masenya, Madipoane J.* Seeking security through marriage: Ruth
1:6-18 placed under an African woman's HIV and AIDS lens. Journal
of constructive theology 13/2 (2007) 57-70;

9579 Invisible exiles?: an African-South African woman's reconfiguration
of 'exile' in Jeremiah 21:1-10. OTEs 20 (2007) 756-771.

9580 *Masoga, Mogomme A.* 'Dear God!: give us our daily leftovers and
we will be able to forgive those who trouble our souls': some per-
spectives on conversational biblical hermeneutics and theologies.
Reading other-wise. Semeia Studies 62: 2007 ⇒544. 19-27.

9581 *Matand Bulembat, Jean-Bosco* Head-waiter and bridegroom of the
wedding at Cana: structure and meaning of John 2.1-12. JSNT 30
(2007) 55-73.

9582 *Mbuwayesango, Dora R.* Levirate marriage and HIV and AIDS in
Zimbabwe: the story of Judah and Tamar (Genesis 38). Journal of
constructive theology 13/2 (2007) 5-15.

9583 *Melanchthon, Monica J.* Akkamahadevi and the Samaritan woman:
paradigms of resistance and spirituality. [F]SUGIRTHARAJAH, R. 2007
⇒148. 35-54 [John 4,4-42].

9584 **Moore, Stephen D.** Empire and Apocalypse: postcolonialism and the
New Testament. 2006 ⇒22,9423. [R]ScrB 37 (2007) 103-105 (*Mills,
Mary*).

9585 *Mullings, Lynette J.* Reading black: language and biblical interpreta-
tion in a black British context. [M]METZGER, B. NTMon 19: 2007 ⇒
105. 79-102.

9586 **Ndegwah, David J.** Biblical hermeneutics as a tool for inculturation
in Africa: a case study of the Pökot people of Kenya. [D]*Wijsen, F.J.S.*
Nairobi 2007, Creation xviii; 437 pp. 99660-50469. Diss. Nijmegen.

9587 **Nwaoru, Emmanuel O.** The man of God: in biblical and extra-
biblical traditions. Nsukka 2007, Afro-Orbis xii; 152 pp. 978-049-84-
1-9. Bibl. 138-141.

9588 *Nyende, Peter* Institutional and popular interpretations of the bible in
Africa: towards an integration. ET 119 (2007) 59-66.

9589 **Orevillo-Montenegro, Muriel** The Jesus of Asian women. Women
from the Margins: 2006 ⇒22,9426. [R]TS 68 (2007) 942-44 (*Fletcher,
Jeannine H.*).

9590 **Osei-Bonsu, Joseph.** The inculturation of christianity in Africa: ante-
cedents and guidelines from the New Testament and the early church.
2005 ⇒21,9947. [R]StWC 13 (2007) 99-100 (*Nyirenda, Misheck*).

9591 *Ottermann, Monika* 'How could he ever do that to her?!' or, how the
woman who anointed Jesus became a victim of Luke's redactional
and theological principles. Reading other-wise. Semeia Studies 62:
2007 ⇒544. 103-116 [Lk 7,36-51].

9592 *Ozankom, Claude* Nicht nur Umetikettieren: Herausforderungen ei-
ner Christologie im afrikanischen Verstehenshorizont. HerKorr
Spezial (2007) 44-48.

9593 *Papathanasiou, Thanasis N.* Christ, the ancestor and brother: an
African christology. DBM 25/1 (2007) 59-82. G.

9594 *Punt, Jeremy* Popularising the prophet Isaiah in parliament: the Bible
in post-apartheid, South African public discourse. R&T 14/3-4
(2007) 206-223.

9595 *Rao, Naveen* Reading other-wise. Reading other-wise. Semeia Studies 62: 2007 ⇒544. 141-158.
9596 *Ruiz, Jean-Pierre* Abram and Sarai cross the border: reading Genesis 12:10-20 with people on the move. ᶠSUGIRTHARAJAH, R. 2007 ⇒ 148. 15-34.
9597 **Schouten, Jan P.** Jezus als goeroe: het beeld van Jezus Christus onder hindoes en christenen in India. Budel 2007, Damon 267 pp. €19.90. 978-90557-37826.
9598 *Segatti, Ermis* Alla ricerca di un volto asiatico di Gesù. CredOg 27/2 (2007) 41-61.
9599 *Simopoulos, Nicole* Who was Hagar?: mistress, divorcee, exile, or exploited worker: an analysis of contemporary grassroots readings of Genesis 16 by Caucasian, Latina, and black South African women. Reading other-wise. Semeia Studies 62: 2007 ⇒544. 63-72.
9600 **Speckman, McGlory T.** A biblical vision for Africa's development?. Pietermaritzburg 2007, Cluster 316 pp. 978-18750-53711.
9601 **Stinton, D.B.** Gesù d'Africa: voci di cristologia africana contemporanea. Bo 2007, Missionaria Italiana 414 pp. €20.
9602 *Stinton, Diane B.* Jesus-Immanuel, image of the invisible God: aspects of popular christology in Sub-Saharan Africa. JRTheol 1 (2007) 6-40.
9603 **Sugirtharajah, Rasiah S.** The bible and empire: postcolonial explorations. 2005 ⇒21,9950; 22,9434. ᴿHeyJ 48 (2007) 810-811 (*Klaver, Jan M.I.*); RBLit (2007) 537-541 (*Larson, Jason*).
9604 *Sugirtharajah, R.S.* Tsunami, text and trauma: hermeneutics after the Asian tsunami. BiblInterp 15 (2007) 117-134.
9605 *Waweru, Humphry* Postcolonial and contrapuntal reading of Revelation 22:1-5. Part 2. ChM 121/2 (2007) 139-162.
9606 *West, Gerald* The bible and the female body in Ibandla lamaNazaretha: Isaiah Shembe and Jephtha's daughter. OTEs 20 (2007) 489-509 [Judg 11];
9607 (Ac)claiming the (extra)ordinary African 'reader' of the bible. Reading other-wise. Semeia Studies 62: 2007 ⇒544. 29-47.
9608 *Yorke, Gosnell* Hearing the politics of peace in Ephesians: a proposal from an African postcolonial perspective. JSNT 30 (2007) 113-127.

H8.7 *Mariologia*—The mother of Jesus in the NT

9609 *Anderson, G.A.* Mary in the Old Testament. ProEc 16 (2007) 33-55.
9610 *Balthazar, P.M.* The mother-child relationship as an archetype for the relationship between the Virgin Mary and humanity in the gospels and the book of Revelation. PastPsy 55 (2007) 537-542.
9611 **Bartolomé, Juan J.** Beata colei che ha creduto (Lc 1,45): il pellegrinaggio di fede di Maria. Leumann 2007, Elledici 110 pp. 88010-371-28.
9612 **Borgeaud, Philippe** Mother of the gods: from Cybele to the Virgin Mary. ᵀ*Hochroth, Lysa* 2004 ⇒20,9126; 21,9954. ᴿHenoch 29 (2007) 391-392 (*Keating, Daniel*).
9613 *Borsch, Frederick H.* Mary and scripture: a response to Mary: grace and hope in Christ: an agreed statement of the Anglican-Roman Catholic International Commission. AThR 89 (2007) 375-399.

9614 ^E**Boss, Sarah J.** Mary: the complete resource. L 2007, Continuum xi; 600 pp. 978-0-86012-341-5.

9615 *Candido, Dionisio* Maria persona relazionale alla luce della bibbia. Theotokos 15 (2007) 359-372.

9616 *Cignelli, Lino* Il rapporto Maria-Giovanni evangelista nell'esegesi patristica (alle origini della devozione mariana). ^FVERNET, J. 2007 ⇒ 158. 310-336.

9617 **De Fiores, Stefano** Maria: novissimo dizionario, 1-2. 2006 ⇒22, 9453. ^RStPat 54 (2007) 270-272 (*Corsato, Celestino*); ATT 13/1 (2007) 274-277 (*Casale, Umberto*); Theotokos 15 (2007) 557-558 (*Langella, Alfonso*).

9618 *Díez Merino, L.* Lazos familiares de María en el Nuevo Testamento. EstMar 73 (2007) 13-45.

9619 *Downing, F.G.* Mary: between minimal history and maximal myth. Theol. 110 (2007) 163-170.

9620 *Eltrop, Bettina* Maria ist gefragt: ein Interview heutiger Frauen mit der Frau aus Nazaret. Maria-Mutter Jesu. FrauenBibelArbeit 19: 2007 ⇒445. 52-57.

9621 *George, Timothy* Evangelicals and the Mother of God. First Things 170 (2007) 20-25.

9622 **Glavich, Mary K.** The catholic companion to Mary. Skokie, IL 2007, ACTA 128 pp. $10 [BiTod 46,57—Dianne Bergant].

9623 *Hecht, Anneliese* "Unter deinen Schutz und Schirm fliehen wir, heilige Gottesmutter": Marienverehrung-Entwicklungslinien vom Neuen Testament bis in die Gegenwart;

9624 Liturgischer Marienkalender;

9625 *Lange, Günter* Arbeit Mariens am "roten Faden": ein Motiv aus der Marienkunst. Maria–Mutter Jesu. 2007 ⇒445. 8-16/74-76/93-95.

9626 *Largo Domínguez, Pablo* María y la Iglesia bajo la palabra de Dios. EphMar 57 (2007) 443-455.

9627 **Maggioni, Corrado** Il vangelo di Maria. Bo 2007, Immacolata 100 pp. €8. ^RMiles Immacolatae 43 (2007) 796-98 (*Galignano, Corrado*).

9628 **Masini, Mario** Maria di Nazaret nel conflitto delle interpretazioni. 2005 ⇒21,9977. ^RTheotokos 15/1 (2007) 325-327 (*Farina, Marcella*); Nicolaus 34 (2007) 177-178 (*Schirone, Salvatore*);

9629 I silenzi di Maria di Nazaret. 2005 ⇒21,9978; 22,9460. ^RTheotokos 15/1 (2007) 327-328 (*Farina, Marcella*);

9630 Maria di Nazaret: storia, mito, simbolo, interpretazioni. I volti di Maria di Nazaret 2: 2005 ⇒21,9979. ^RMiles Immaculatae 43/1 (2007) 368-373 (*Galignano, Chiara*).

9631 **McKnight, Scot** The real Mary: why evangelical christians can embrace the mother of Jesus. L 2007, SPCK 178 pp. £11.

9632 *Neidhart, Ludwig* Die "Brüder Jesu": hatte Maria mehrere Kinder oder lebte sie stets jungfräulich?. Theologisches 37/11-12 (2007) 393-404 [Mk 6,3].

9633 *Pratscher, Wilhelm* Maria in der frühchristlichen Literatur. Amt und Gemeinde 58/5/6 (2007) 82-92.

9634 **Ravasi, Gianfranco** I volti di Maria nella bibbia: trentun 'icone' bibliche. CinB 2007, San Paolo 320 pp. €38.

9635 **Rochi, E.** Las casas de María: la acogida en lo cotidiano. M 2007, Paulinas 140 pp. ^RSeminarios 53 (2007) 555-556 (*Morata, Alonso*).

9636 *Rodríguez Carmona, A.* ¿Silencio exegético en torno a María?: la postura de la exégesis ante la figura de María. EphMar 57 (2007) 173-184.

9637 *Rosik, Mariusz* Lo sfondo biblico del titolo 'Maria Regina'. Ethos and exegesis. 2007 ⇒464. 171-181;
9638 'A tu derecha está la reina' (Sal 45,10): ¿habla la biblia de María Reina?. EphMar 57 (2007) 7-16.
9639 **Saporetti, Claudio** Fonti di una fonte: per una o mille considerazioni sulla Madre di Gesù. R 2007, Herder 143 pp. 88-7156-086-8.
9640 **Serra, Aristide** La donna dell'alleanza: prefigurazioni di Maria nell'Antico Testamento. Bibliotheca Berica 9; Maria nella tradizione biblica 1: 2006 ⇒22,9466. ᴿMiles Immaculatae 43/1 (2007) 395-397 (*Fabiano, Pamela*); Theotokos 15 (2007) 561-63 (*Farina, Marcella*).
9641 *Theuer, Gabriele* Die Mutter Gottes und das Erbe der Muttergottheiten der Antike: Gruppenstunde zur Entwicklung der Marienverehrung in der Tradition der Muttergöttinnen. Maria–Mutter Jesu. FrauenBibelArbeit 19: 2007 ⇒445. 65-73.
9642 *Valentini, Alberto* Maria persona in relazione sullo sfondo e nel contesto della storia salvifica. Theotokos 15 (2007) 373-377.
9643 **Valentini, Alberto** Maria secondo le scritture: figlia di Sion e madre del Signore. Teologia e spiritualità mariana: Bo 2007, EDB 500 pp. €40. 978-88108-06296. Bibl. 441-471.

H8.8 *Feminae NT*—Women in the NT and church history

9644 *Bernabé, Carmen* La transformación de María Magdalena: la iconografía como reflejo y propuesta social. ResB 54 (2007) 63-68.
ᴱ**Bernabé Ubieta, C.** Mujeres con autoridad 2007 ⇒375.
9645 *Bieringer, Reimund* Mary of Magdala and Jesus of Nazareth: a special relationship in the light of John 20:17. PIBA 30 (2007) 1-14.
9646 *Bieringer, Reimund; VandenHove, Isabelle* Mary Magdalene in the four gospels. LouvSt 32 (2007) 186-254.
9647 **Biernath, Andrea** Missverstandene Gleichheit: die Frau in der frühen Kirche zwischen Charisma und Amt. 2005 ⇒21,9999. ᴿJECS 15 (2007) 421-422 (*Armstrong, Jonathan J.*).
9648 **Bochet, Marc** Salomé: du voilé au dévoilé: métamorphoses littéraires et artistiques d'une figure biblique. Figures bibliques 1: P 2007, Cerf 143 pp. €20. 978-2204-082617.
9649 **Boer, Esther de** The Mary Magdalene cover-up: the sources behind the myth. ᵀ*Bowden, John* L 2007, Clark x; 213 pp. £13. 978-0-567-03182-2. Bibl. 207-211.
9650 **Brock, Ann G.** Mary Magdalene, the first apostle: the struggle for authority. HThS 51: 2003 ⇒19,9368... 21,10002. ᴿCBQ 69 (2007) 810-812 (*Seim, Turid K.*).
9651 **Calduch Benages, Nuria** Il profumo del vangelo: Gesù incontra le donne. La Parola e la sua ricchezza 11: Mi 2007, Paoline 150 pp. €14. 978-88-315-3179-5. Bibl. 139-148.
9652 *Chilton, Bruce* Mary Magdalene and history. Historical knowledge. 2007 ⇒403. 302-328.
9653 **Chilton, Bruce** Mary Magdalene: a biography. 2006 ⇒22,9485. ᴿBijdr. 68 (2007) 87-104 (*Sandiyagu, Virginia R.*).
9654 *Cohick, Lynn H.* Why women followed Jesus: a discussion of female piety. SBET 25 (2007) 172-193.
9655 **Denzey, Nicola** The bone gatherers–the lost world of early christian women. Boston 2007, Beacon xxi; 272pp. $18. 978-08070-13083. Bibl. 261-272.

9656 **Epp, Eldon J.** Junia: the first woman apostle. 2005 ⇒21,10007; 22,9488. ᴿJR 87 (2007) 269-271 (*Rothschild, Clare K.*); SvTK 83 (2007) 44-45 (*Olsson, Birger*); RivBib 55 (2007) 245-249 (*Ramelli, Ilaria*); AUSS 45 (2007) 266-267 (*Liu, Rebekah*); JThS 58 (2007) 665-666 (*Gooder, Paula*) [Rom 16,7].

9657 **Froment-Meurice, H.** Les femmes et Jésus. P 2007, Cerf 129 pp. €12. 978-22040-83430.

9658 *Gironés Guillem, G.* Apuntes teologales sobre María Magdalena. EsVe 37 (2007) 339-345.

       ᴱ**Good, D.** Mariam, the Magdalen, and the mother. 2005 ⇒432.

9659 *Hartenstein, Judith* Mary Magdalene the apostle: a re-interpretation of literary traditions?. LecDif 8/1 (2007)* 11 pp;

9660 Maria Magdalena in literarischer Rezeption. ᶠBLUMENTHAL, S. von. Ästhetik-Theologie-Liturgik 45: 2007 ⇒16. 109-118.

9661 *Hengel, Martin* Maria Magdalena und die Frauen als Zeugen. Jesus und die Evangelien. WUNT 211: 2007 <1963> ⇒247. 28-39.

9662 *Henze, Barbara* Maria Magdalenas Bekehrung und Buße: ihre Instrumentalisierung in katholischer Predigt und Hagiographie um die Wende zum 20. Jahrhundert. An der Grenze. 2007 ⇒587. 83-111.

9663 **Kalas, J. Ellsworth** Strong was her faith: women of the New Testament. Nv 2007, Abingdon 135 pp. 978-0687-64121-5.

9664 *Keener, Craig S.* Women's education and public speech in antiquity. JETS 50 (2007) 747-759.

9665 **Leloup, Jean-Yves** Jesus e Maria Madalena: para os puros, tudo é puro. ᵀ*Teixeira, Guilherme J. de F.* Petrópolis 2007, Vozes 143 pp.

9666 ᴱᵀ**Madigan, Kevin; Osiek, Carolyn A.** Ordained women in the early church: a documentary history. 2005 ⇒21,10022; 22,9499. ᴿOrpheus 28 (2007) 338-346 (*Ramelli, Ilaria*); Henoch 29 (2007) 396-397 (*Keating, Daniel*); JECS 15 (2007) 103-105 (*Power, Kim*).

9667 *Marks, Frederick W.* John the clarifier. HPR 107/10 (2007) 10-17 [Mary Magdalene].

9668 *Menéndez Antuña, Luis* Status desviado: mujeres estigmatizadas en el cristianismo primitivo. EE 82/322 (2007) 571-610.

9669 *Merz, Annette* Phöbe, Diakon(in) der Gemeinde von Kenchreä–eine wichtige Mitstreiterin des Paulus neu entdeckt. Frauen gestalten Diakonie, 1. 2007 ⇒552. 125-140 [Rom 16,1-2].

9670 ᴱ**Miller, Patricia C.** Women in early christianity: translations from Greek texts. 2005 ⇒21,10025; 22,9502. ᴿJECS 15 (2007) 107-108 (*Martin, Elena*).

9671 **Osiek, Carolyn; MacDonald, Margaret Y.** A woman's place: house churches in earliest christianity. 2006 ⇒22,457. ᴿSR 36 (2007) 186-187 (*Morehouse, Nathaniel*); Interp. 61 (2007) 442-444 (*D'Angelo, Mary R.*); TJT 23 (2007) 216-218 (*LaFosse, Mona T.*); RBLit (2007) 509-512 (*Parris, David*).

9672 **Osiek, Carolyn; MacDonald, Margaret Y.; Tulloch, Janet H.** El lugar de la mujer en la iglesia primitiva. S 2007, Sígueme 397 pp. 978-84301-16478.

9673 **Pellistrandi, Christine** Femmes de l'évangile. Cahiers de l'Ecole Cathédrale 80: P 2007, Parole et Silence 132 pp. €14. 978-28457-36-108.

9674 *Pemsel-Maier, Sabine* Frauen in Führung?!: Apostelinnen, Missionarinnen, Gemeindeleiterinnen–Anstöß(ig)e für heute. AnzSS 116/1 (2007) 5-8 [Rom 16,1-16].

9675 **Schaberg, Jane** The resurrection of Mary Magdalene: legends, apocrypha, and the christian Testament. 2002 ⇒18,8750... 21,10030. ᴿCBQ 69 (2007) 372-374 (*D'Angelo, Mary R.*).
9676 *Schneider, H.* Women in early christianity and the institutionalization of charisma. EAPR 44 (2007) 165-186.
9677 **Smith, Susan E.** Women in mission: from the New Testament to today. ASMS 40: Mkn 2007, Orbis xix; 234 pp. $25. 978-15707-57-372.
9678 **Spencer, Franklin S.** Dancing girls, loose ladies, and women of the cloth: the women in Jesus' life. 2004 ⇒20,9182; 22,9515. ᴿRBLit (2007) 353-359 (*Spencer, Patrick E.*).
9679 **Spiegel, Josef F.** Lydia: Purpurhändlerin in Philippi: ein biblischer Frauenroman. Lp 2007, Benno 279 pp. €6.50. 978-37462-20321 [BiKi 64,58s–Blum, Matthias].
9680 *Standhartinger, Angela* Witwen im Neuen Testament. Frauen gestalten Diakonie, 1. 2007 ⇒552. 141-154 [1 Tim 5,3-16].
9681 **Swidler, Leonard** Jesus was a feminist. NY 2007, Sheed & W. x; 277 pp. $20. 78-158051-2183 [BiTod 47,291–Donald Senior].
9682 *Thiermeyer, Abraham Andreas* Das Meterikon: das frühe Christentum und die Frauen. KlBl 87 (2007) 15-17.
9683 **Weiß, Maike; Weiß, Alexander** Giftgefüllte Nattern oder heilige Mütter?: Frauen, Frauenbilder und ihre Rolle in der Verbreitung des Christentums. Antike Kultur und Geschichte 8: 2005 ⇒22,9522. ᴿJETh 21 (2007) 364-365 (*Zimmerling, Peter*).
9684 **Wolanski, Marina de** Marie de Béthanie. P 2007, De Guibert 89 pp.

H8.9 *Theologia feminae*—Feminist theology

9685 *Althaus-Reid, Marcella M.* Searching for a queer sophia-wisdom: the post-colonial Rahab. Patriarchs, prophets. 2007 ⇒453. 128-140.
9686 *Azcuy, Virginia R.* Das weibliche Gesicht der Armut: oder: Theologie vor den sozialen Herausforderungen des Bösen. Hat das Böse ein Geschlecht?. 2007 ⇒607. 89-98.
9687 *Beavis, Mary Ann* Christian origins, egalitarianism, and utopia. JFSR 23/2 (2007) 27-49.
9688 *Berlis, Angela* Historische Konstruktionen der Bösen. Hat das Böse ein Geschlecht?. 2007 ⇒607. 140-150.
9689 **Bundesen, Lynne** The feminine spirit: recapturing the heart of scripture: the women's guide to the bible. SF 2007, Jossey-Bass 201 pp. $18. 978-07879-84953. Bibl. 197-200.
9690 *Bühler, Pierre* Grenzen der gender-spezifischen Grenzziehungen im theologischen Umgang mit dem Bösen?: ein Gespräch mit Ivone Gebara. An der Grenze. 2007 ⇒587. 171-190.
9691 *Chakkalakal, Pauline* Law and religion: a feminist biblical-theological critique. JDh 32 (2007) 241-255.
9692 **Chapman, Cynthia R.** The gendered language of warfare in the Israelite-Assyrian encounter. HSM 62: 2004 ⇒20,9197... 22,4404. ᴿOLZ 102 (2007) 298-303 (*Baumann, Gerlinde*); CBQ 69 (2007) 318-320 (*Galambush, Julie*).
9693 *Christ, Carol P.* The road not taken: the rejection of goddesses in Judaism and christianity. Patriarchs, prophets. 2007 ⇒453. 21-36.

9694 *Enermalm Tsiparis, Agneta* Gates opened, doors closed: the status of women according to the Gospel of Thomas and the first letter to Timothy. SEÅ 72 (2007) 75-94 [1 Tim 2,8-15].

9695 **Fiorenza, Elisabeth S.** The power of the word: scripture and the rhetoric of empire. Mp 2007, Fortress viii; 280 pp. $29. 978-0-8006-3834-4. Bibl. 267-280;

9696 Los caminos de la sabiduría: una introducción a la interpretación feminista de la biblia. [T]*Lozano Gotor, José M.* 2004 ⇒20,9205; 21, 10054. [R]ThX 57 (2007) 339-341 (*Hoyos Camacho, Adriana A.*).

9697 *Gafney, Wil* Hearing the word–translation matters: a fem/womanist exploration of translation theory and practice for proclamation in worship. [M]METZGER, B. NTMon 19: 2007 ⇒105. 55-66.

9698 *Gilfillan Upton, Bridget* Can stepmothers be saved?: another look at 1 Timothy 2.8-15. Feminist Theology 15/2 (2007) 175-185.

9699 *Grenn, Deborah J.* Lilith's fire: examining original sources of power re-defining sacred texts as transformative theological practice. Feminist Theology 16/1 (2007) 36-46.

9700 **Guest, Deryn** When Deborah met Jael: lesbian biblical hermeneutics. 2005 ⇒21,10067; 22,9546. [R]Theol. 110 (2007) 283-284 (*Dell, Katharine J.*).

9701 *Hartlieb, Elisabeth* Vom Feministen Jesus zur Christaphnie: welche Bedeutung hat die Männlichkeit Jesu?. HerKorr Spezial (2007) 31-5.

9702 *Janowski, J. Christine* Das Gewirr des Bösen–böses Gewirr: semantische, strukturelle und symbolische Aspekte "des Bösen" in Zuspitzung auf Genderkonfigurationen. Hat das Böse ein Geschlecht?. 2007 ⇒607. 12-30.

9703 *Janssen, Claudia; Schottroff, Luise* Endlich Streit um die Rechtfertigungslehre. JK 68/4 (2007) 25-27 [Rom 3,19-31].

9704 [E]**Kraemer, Ross S.** Women's religions in the Greco-Roman world: a sourcebook. 2004 ⇒20,9215; 21,10075. [R]AnCl 76 (2007) 407-409 (*Pirenne-Delforge, Vinciane*).

9705 *Kreß, Martina* "So verherrlicht denn Gott in eurem Leib": die "Leibarbeit" der Eutonie als Möglichkeit einer Wahrnehmung. Frauenkörper. FrauenBibelArbeit 18: 2007 ⇒378. 77-81.

9706 *Kuhlmann, Helga* Dualismen im Verhältnis von Gott und dem Bösen–eine gendertheologische Frage?. Hat das Böse ein Geschlecht?. 2007 ⇒607. 31-42.

9707 **Løland, Hanne** Silent or salient gender?: the interpretation of gendered God-language in the Hebrew Bible, exemplified in Isaiah 42, 46, and 49. 2007, Diss. MF Norwegian School of Theology.

9708 *Mantin, Ruth* 'Dealing with a jealous God': letting go of monotheism and 'doing' sacrality. Patriarchs, prophets. 2007 ⇒453. 37-49.

9709 [E]**Moltmann-Wendel, Elisabeth; Kirchhoff, Renate** Christologie im Lebensbezug. 2005 ⇒21,577; 22,9563. [R]JEGTFF 15 (2007) 273-275 (*Kutzer, Mirja*).

9710 *Müllner, Ilse* Dialogische Autorität: feministisch-theologische Überlegungen zur kanonischen Schriftauslegung. Der Bibelkanon. 2007 ⇒360. 74-84.

9711 **Ostriker, Alicia S.** For the love of God: the bible as an open book. New Brunswick, NJ 2007, Rutgers Univ. Pr. xii; 164 pp. 978-0-8135-4200-3. Bibl. 147-164.

9712 *Pohl, Michael* Feministische Interpretationen des zweiten Schöpfungsberichts im Lichte der allgemeinen Feminismuskritik Judith Butlers. LecDif 8/2 (2007)* 1-30.

9713 *Raming, Ida* Wahrheit im Vor-Urteil gegenüber Frauen?: Reflexionen aufgrund von Quellentexten mittelalterlicher Kanonisten/Theologen. Hat das Böse ein Geschlecht?. 2007 ⇒607. 179-185.

9714 **Reheußer, Marion** Feminine Gemeindemetaphorik im Neuen Testament. [D]*Schwankl, Otto* 2007, Diss. Passau [ThRv 104/1,xi].

9715 *Rooke, Deborah W.* Feminist criticism of the Old Testament–why bother?. Feminist Theology 15/2 (2007) 160-174.

9716 *Rountree, Kathryn* Archaeologists and goddess feminists at Çatalhöyük: an experiment in multivocality. JFSR 23/2 (2007) 7-26.

9717 *Ruether, Rosemary R.* Kann ein männlicher Erlöser Frauen erlösen? (1983). Grundtexte. 2007 ⇒588. 329-338.

9718 *Sawyer, Deborah F.* Gender criticism: a new discipline in biblical studies or feminism in disguise. A question of sex?. HBM 14: 2007 ⇒872. 2-19.

9719 *Schmidt, Uta* Die Bibel in Erfahrung bringen: feministische Exegese für ReligionspädagogInnen im 21. Jahrhundert. JRPäd 23 (2007) 61-69.

9720 **Scholz, Susanne** Introducing the women's Hebrew Bible. Introductions in Feminist Theology 13: NY 2007, Clark 142 pp. $30. 978-05670-82572. Bibl. 127-137.

9721 [E]**Schottroff, Luise; Wacker, Marie-T.**, *al.*, Kompendium feministische Bibelauslegung. Gü 2007, Gü xx; 832 pp. €40. 9783579005522.

9722 *Sjöberg, Mikael* Jephthah's daughter as object of desire or feminist icon. BiblInterp 15 (2007) 377-394 [Judg 10,6-12,7].

9723 *Thiem, Annika* No gendered bodies without queer desires: Judith Butler and biblical gender trouble. OTEs 20 (2007) 456-470.

9724 *Tomassone, Letizia* Le regarde des femmes sur la réforme. Réformes. Christianity and history 4: 2007 ⇒561. 97-106.

9725 *Tsokkinen, Anni* BUT I wonder what SHE SAID: some contextual remarks on Elisabeth Schüssler Fiorenza's feminist theology. JEGTFF 15 (2007) 55-70.

9726 *VandenBerg, Mary* Redemptive suffering: Christ's alone. SJTh 60 (2007) 394-411.

9727 *Wacker, Marie-Theres* Mannsbilder der Bibel: Impulse der exegetischen Männerforschung und der masculinity studies für die Bibellektüre von Frauen. Schlangenbrut 25/97 (2007) 36-37.

9728 *Wäffler-Boveland, Angela* Söhne und Töchter: die Zürcher Bibel feministisch gelesen. Fama 23/4 (2007) 12-13.

9729 *Weymann, Marianne* Zwei Frauen und kein Ende: zur Gender-Diskussion um Maria und Martha im Lukasevangelium. Cristianesimi nell'antichità. Spudasmata 117: 2007 ⇒569. 59-81 [Lk 10,38-42].

9730 *Wuckelt, Agnes* Der Gute–die Gute, der Böse–die Böse: eine religionspädagogische Perspektive. Hat das Böse ein Geschlecht?. 2007 ⇒ 607. 198-207.

9731 *Zamfir, Korinna* The quest for the "eternal feminine": an essay on the effective history of Gen 1-3 with respect to the woman. ASEs 24 (2007) 501-522.

H9.0 Eschatologia NT, *spes*, hope

9732 **Adams, Edward** The stars will fall from heaven: cosmic catastrophe in the New Testament and its world. LNTS 347: L 2007, Clark xx; 300 pp. £75. 0-567-08912-6. Bibl. 260-280.

9733 *Beauchamp, Paul* La bibbia, libro di speranza. Testamento biblico. 2007 <1994> ⇒184. 45-58.

9734 *Bedford-Strohm, Heinrich* Auferstehung, Gericht und ewiges Leben: einführende Überlegungen. "... und das Leben. 2007 ⇒557. 7-13.

9735 *Beintker, Michael* Das Leben der zukünftigen Welt. "... und das Leben. 2007 ⇒557. 14-29.

9736 *Brueggemann, Walter* Can we hope?: can hope be divided?. Contesting texts. 2007 ⇒840. 139-163.

9737 **Clark-Soles, Jaime** Death and afterlife in the New Testament. 2006 ⇒22,9593. [R]CBQ 69 (2007) 813-814 (*Gillman, John*).

9738 *Cummings Neville, Robert* Auferstehung. ZNT 10/19 (2007) 46-49.

9739 *Deuser, Hermann* "Auferstehung der Toten–eine individuelle Hoffnung?": eine Einführung zur Kontroverse. ZNT 10/19 (2007) 44.

9740 *Freu, Christel* Les ulcères de Lazare: voilement et dévoilement du corps pauvre chez les chrétiens de l'antiquité tardive. Latomus 66 (2007) 965-986 [Mt 25,31-46].

9741 **Fuchs, Ottmar** Das Jüngste Gericht–Hoffnung auf Gerechtigkeit. Rg 2007, Pustet 284 pp. €19.90. 978-3-7917-2063-0. [R]Orien. 71 (2007) 219-221 (*Kügler, Joachim*).

9742 *Grelot, Pierre* La rétribution individuelle: dossier biblique. RThom 107 (2007) 179-220.

9743 *House, Paul R.* The day of the Lord. Central themes. 2007 ⇒443. 179-224.

9744 **Jose, Biju** Watchful waiting for the day of salvation: an exegetico-theological study of 1 Thessalonians 5,4-11 and Romans 13,11-14. [D]*Brodeur, Scott* R 2007, 137 pp. Exc. Diss. Gregoriana; Bibl. 101-133.

9745 **Kehl, Medard** Und was kommt nach dem Ende?: von Weltuntergang und Vollendung, Wiedergeburt und Auferstehung. 2000 ⇒16,8308. [R]RdT 48/1 (2007) 151-152 (*Rossetti, Carlo L.*).

9746 **Keller, Catherine** God and power: counter-apocalyptic journeys. 2005 ⇒21,10124. [R]SR 36 (2007) 616-618 (*DiTommaso, Lorenzo*).

9747 **Kelly, Anthony** Eschatology and hope. Theology in Global Perspective: 2006 ⇒22,9604. [R]TS 68 (2007) 939-941 (*Doyle, Dominic*).

9748 *Kessler, Hans H.* Wie Auferstehung der Toten denken?. ZNT 10/19 (2007) 50-56.

9749 *Kollmann, Bernd* Zwischen Trost und Drohung–Apokalyptik im Neuen Testament. Apokalyptik und kein Ende?. BTSP 29: 2007 ⇒ 499. 51-73 [Mk 13].

9750 **Koziel, Bernd E.** Apokalyptische Eschatologie als Zentrum der Botschaft Jesu und der frühen Christen?: ein Diskurs zwischen Exegese, Kulturphilosophie und Systematischer Theologie über die bleibende Bedeutung einer neuzeitlichen Denklinie. [D]*Niewiadomski, Józef* Bamberger Theologische Studien 33: Fra 2007, Lang 897 pp. €120. 978-3-631-56735-7. Diss.-Habil. Innsbruck.

9751 *Kügler, Joachim* Letztes Gericht ohne Höllenangst: eine bibeltheologische Auseinandersetzung mit der pastoraltheologischen Gerichtskonzeption von Ottmar Fuchs. Orien. 71/20 (2007) 219-221.

9752 *Lessing, R.* Dying to live: God's judgment of Jonah, Jesus, and the baptized. ConJ 33 (2007) 9-25.

9753 *Lundbom, Jack R.* God in your grace transform the world. CThMi 34 (2007) 278-281.

9754 *Moltmann, Jürgen* The final judgement: sunrise of Christ's liberating justice. AThR 89 (2007) 565-576;
9755 The presence of God's future: the risen Christ. AThR 89 (2007) 577-588;
9756 Sonne der Gerechtigkeit: das Evangelium vom Gericht und der Neuschöpfung aller Dinge. "... und das Leben der zukünftigen Welt". 2007 ⇒557. 30-47.
9757 **Mühling, Markus** Grundinformation Eschatologie: systematische Theologie aus der Perspektive der Hoffnung. UTB.W 2918: Gö 2007, Vandenhoeck & R. 352 pp. 978-38252-2918-4. Bibl. 318-329.
9758 *Naumann, Thomas* "... es wird kein Leid mehr sein": biblische Bilder von Auferstehung und Gericht. "... und das Leben. 2007 ⇒557. 48-64.
9759 *Niebuhr, Karl-W.* Tod und Leben bei JOSEPHUS und im Neuen Testament: Beobachtungen aus wechselseitiger Wahrnehmung. Josephus und das NT. WUNT 209: 2007 ⇒780. 49-70.
9760 *Pezzoli-Oligati, Daria* Jenseitsvorstellungen: schwer zugängliche Welten aus religionswissenschaftlicher Sicht. Lebendige Hoffnung. ABIG 24: 2007 ⇒845. 5-29.
9761 **Pitre, Brant** Jesus, the tribulation, and the end of the exile: restoration eschatology and the origin of the atonement. WUNT 2/204: 2005 ⇒21,10140; 22,9617. [R]ThLZ 132 (2007) 795-797 (*Ådna, Jostein*); CBQ 69 (2007) 369-371 (*Barr, David L.*); JThS 58 (2007) 622-624 (*Court, John M.*); RBLit (2007)* (*Harmon, Matthew S.*).
9762 *Plasger, Georg* Recht und Grenze apokalyptischer Rede: Eschatologie und Apokalyptik in systematisch-theologischer Perspektive. Apokalyptik und kein Ende?. BTSP 29: 2007 ⇒499. 151-167.
9763 *Pretorius, M.* Shaping eschatology within science and theology. VeE 28 (2007) 191-206.
9764 *Raiser, Konrad* Eschatologie und wirtschaftliche Gerechtigkeit: Stimmen aus der Ökumene. "... und das Leben. 2007 ⇒557. 103-108.
9765 *Remenyi, Matthias* Hoffnung, Tod und Auferstehung. ZKTh 129 (2007) 75-96.
9766 *Ringshausen, Gerhard* Zeit und Ewigkeit. [F]BRÄNDLE, W. Lüneburger Theologische Beiträge 5: 2007 ⇒18. 209-219.
9767 **Roose, Hanna** Eschatologische Mitherrschaft: Entwicklungslinien einer urchristlichen Erwartung. NTOA 54: 2004 ⇒20,9266; 21,10142. [R]ThLZ 132 (2007) 1204-1206 (*Frenschkowski, Marco*) [Mt 19,28].
9768 *Rossing, Barbara R.* Prophecy, end-times, and American apocalypse: reclaiming hope for our world. AThR 89 (2007) 549-563.
9769 *Sattler, Dorothea* Versöhnung durch Erinnerung über den Tod hinaus?: zu einigen Aspekten der christlich-ökumenischen Eschatologie. JBTh 22 (2007) 297-320.
9770 **Saward, John** Sweet and blessed country: the christian hope for heaven. 2005 ⇒21,10144. [R]ScrB 37 (2007) 89-91 (*Fortune, Colin*).
9771 **Schinkel, Dirk** Die himmlische Bürgerschaft: Untersuchungen zu einem urchristlichen Sprachmotiv im Spannungsfeld von religiöser Integration und Abgrenzung im 1. und 2. Jahrhundert. FRLANT 220: Gö 2007, Vandenhoeck & R. 224 pp. €69.90. 978-3525-530849. Bibl. 207-224 [Gal 4,21-5,1; Eph 2,19; Phil 3,2-21; Col 3,1-4].
9772 **Segal, Alan F.** Life after death: a history of the afterlife in the religions of the West. 2004 ⇒20,9272... 22,9625. [R]ThLZ 132 (2007) 913-915 (*Hock, Klaus*).

9773 *Soosten, Joachim von* Zeichen, die wir nicht verstehen: Eschatologie und Ethik. "... und das Leben der zukünftigen Welt". 2007 ⇒557. 135-151.

9774 *Sutter Rehmann, Luzia* Die Heilung der Welt: von geöffneten Büchern, der sich öffnenden Erde und dem wägenden Engel im Weltgericht. "... und das Leben. 2007 ⇒557. 65-76.

9775 **Via, Dan O.** Divine justice, divine judgment. Facets: Mp 2007, Fortress 198 pp. $7. 978-08006-38962.

9776 **Wendebourg, Nicola** Der Tag des Herrn: zur Gerichtserwartung im Neuen Testament auf ihrem alttestamentlichen und frühjüdischen Hintergrund. BWANT 96: 2003 ⇒19,9522; 22,9628. ᴿRBLit (2007)* *(Oehler, Markus)*.

9777 *Wilkin, Robert N.* "The day" is the judgment seat of Christ. Journal of the Grace Evangelical Society 20/39 (2007) 3-15.

9778 *Ying, Gao* Gottes Verheißung und die eschatologische Hoffnung. ÖR 56 (2007) 428-448.

H9.5 *Theologia totius [VT-]NT*—General [OT-]NT theology

9779 *Abraham, W.J.* The authority of scripture and the birth of biblical theology. JTh (2007) 3-13.

9780 *Albert, Hans* Joseph RATZINGERs Apologie des Christentums: Bibeldeutung auf der Basis einer spiritualistischen Metaphysik. ZRGG 59 (2007) 14-35.

9781 *Barrett, Charles K.* Historia theologiae genetrix. Aufgabe und Durchführung. WUNT 205: 2007 ⇒783. 205-223.

9782 *Basset, Lytta* Une joie insolite: l'ouverture des entrailles. La Chair et le Souffle 2/1 (2007) 49-63;

9783 Se supprimer ou choisir la vie malgré tout?. La Chair et le Souffle 2/2 (2007) 33-49.

9784 *Beauchamp, Paul* Cumplir las escrituras: un camino de teología bíblica. Biblia y ciencia de la fe. 2007 <1992, 2005> ⇒436. 129-169.

9785 *Becker, Jürgen* Theologiegeschichte des Urchristentums–Theologie des Neuen Testaments–frühchristliche Religionsgeschichte. Aufgabe. WUNT 205: 2007⇒783. 115-133.

9786 **Bultmann, Rudolf** Theology of the New Testament. ᵀ*Grobel, Kendrick* Waco, TX 2007, Baylor Univ. Pr. lxiii; 625 pp. $40. Introd. *Robert Morgan.*

9787 *Buzzetti, Carlo* Tra memoria e promessa: la teologia biblica di Giuseppe Segalla. Sal. 69 (2007) 127-132.

9788 *Ciampa, Roy E.* The history of redemption. Central themes. 2007 ⇒ 443. 254-308.

9789 *Cottin, Jérôme* Le christianisme libérateur de l'image. LV(L) 56/3 (2007) 29-37.

9790 *Dempster, Stephen G.* The servant of the Lord. Central themes. 2007 ⇒443. 128-178.

9791 *Dunn, James D.G.* Not so much 'New Testament theology' as 'New Testament theologizing'. Aufgabe und Durchführung. WUNT 205: 2007 ⇒783. 225-246.

9792 **Elliott, Mark W.** The reality of biblical theology. Religions and Discourse 39: NY 2007, Lang 386 pp. 978-3-03-911356-9. Bibl. 357-75.

9793   **Esler, Philip E.** New Testament theology: communion and commu-
nity. 2005 ⇒21,10162; 22,9636. ᴿMoTh 23/1 (2007) 150-152
(*Adam, A.K.M.*); Theol. 110 (2007) 205-208 (*Freyne, Sean*).

9794   *Felber, Stefan* Typologie als Denkform biblischer Theologie. The-
menbuch. BWM 15: 2007 ⇒461. 35-54.

9795   *Frey, Jörg* Zum Problem der Aufgabe und Durchführung einer Theo-
logie des Neuen Testaments. Aufgabe. 2007 ⇒783. 3-53.

9796   *Goheen, Michael W.* The urgency of reading the bible as one story.
ThTo 64 (2007) 469-483.

9797   *Grogan, Geoffrey* Writing a theological commentary: methodological
and hermeneutical considerations. SBET 25 (2007) 4-26.

9798   *Hahn, Ferdinand* Nachwort. Aufgabe und Durchführung. WUNT
205: 2007 ⇒783. 347-356.

9799   **Hahn, Ferdinand** Theologie des Neuen Testaments, 1: Die Vielfalt
des Neuen Testaments: Theologiegeschichte des Urchristentums; 2:
Die Einheit des Neuen Testaments: thematische Darstellung. ²2005
<2002> ⇒21,10165; 22,9639. ᴿBiKi 62 (2007) 126-127 (*Hoppe,
Rudolf*); RBLit (2007)* (*DuToit, Andrie; Frey, Jörg; Schnelle, Udo*).

9800   *Hempelmann, Heinzpeter* "Erkennen, wie man erkennen soll": zu Ak-
tualität und Relevanz des Erkenntnis-"Begriffs" biblischer Traditio-
nen. Glaube und Denken 20 (2007) 151-176.

9801   *Hoppe, Rudolf* Überlegungen zur Theologie des Neuen Testaments
aus katholischer Sicht. Aufgabe. WUNT 205: 2007 ⇒783. 55-71.

9802   **Janowski, Bernd; Welker, Michael** Biblical theology. Religion past
and present, 2. 2007 ⇒1067. 83-89.

9803   **Joseph, Lazar A.** 'Growth' in Luke-Acts and Captivity Letters: an
exegetical–intertextual–comparative–thematic study. ᴰ*Legrand,
Lucien* 2007, Diss. St Peter's, Bangalore [ITS 44/4].

9804   **Klein, Hans** Zur gesamtbiblischen Theologie: zehn Themen. BThSt
93: Neuk 2007, Neuk viii; 271 pp. €29.90. 978-3-7887-2236-4. Bibl.
249-265.

9805   *Klein, Ralph W.* Promise and fulfillment. Contesting texts. 2007 ⇒
840. 47-63.

9806   *Krötke, Wolf* Erlaubt die 'Einheit' der Theologie des Neuen Testa-
ments eine eindeutige Hoffnung?: eine Frage an Ferdinand Hahn.
Aufgabe und Durchführung. WUNT 205: 2007 ⇒783. 319-333.

9807   **MacDonald, Neil B.** Metaphysics and the God of Israel: systematic
theology of the Old and New Testaments. GR 2007, Baker xxiv; 292
pp. $25. 08010-32431. ᴿRExp 104 (2007) 823-25 (*Biddle, Mark E.*).

9808   **Matera, Frank** New Testament theology: exploring diversity and
unity. LVL 2007, Westminster xxxi; 485 pp. $50. 978-06642-30449.
Bibl. 481-485 [BiTod 45,333—Donald Senior].

9809   **Mead, James** Biblical theology: issues, methods, and themes. LVL
2007, Westminster viii; 328 pp. $30. 9780664-229726. Bibl. 305-23.

9810   **Metzger, Bruce M.** Apostolic letters of faith, hope, and love: Gala-
tians, 1 Peter and 1 John. 2006 ⇒22,9653. ᴿRBLit (2007)* (*Wiarda,
Timothy*).

9811   *Morgan, Robert* Made in Germany: towards an Anglican appropria-
tion of an originally Lutheran genre. Aufgabe und Durchführung.
WUNT 205: 2007 ⇒783. 85-112.

9812   *Räisänen, Heikki* Towards an alternative to New Testament theology:
different 'paths to salvation'. Aufgabe. WUNT 205: 2007 ⇒783. 175-
203.

9813 *Reumann, John* New Testament theology within biblical theology and beyond, for ecclesial and ecumenical uses. Aufgabe und Durchführung. WUNT 205: 2007 ⇒783. 73-84.

9814 *Schlimm, Matthew R.* Different perspectives on divine pathos: an examination of hermeneutics in biblical theology. CBQ 69 (2007) 673-694.

9815 **Schnelle, Udo** Theologie des Neuen Testaments. UTB 2917: Stu 2007, UTB 747 pp. €39.90. 978-3-8252-2917-7.

9816 *Schröter, Jens* Partikularität und Inklusivität im Urchristentum. Von Jesus zum NT. WUNT 204: 2007 <2001> ⇒312. 343-354;

9817 Die Bedeutung des Kanons für eine Theologie des Neuen Testaments: konzeptionelle Überlegungen angesichts der gegenwärtigen Diskussion. Von Jesus zum NT. WUNT 204: 2007 ⇒312. 355-377;

9818 Aufgabe und Durchführung. WUNT 205: 2007 ⇒783. 135-158.

9819 **Scobie, Charles H.H.** The ways of our God: an approach to biblical theology. 2003 ⇒19,9559... 22,9659. ᴿWThJ 69 (2007) 199-203 (*Dempster, Stephen*).

9820 **Segalla, Giuseppe** Teologia biblica del Nuovo Testamento. Logos 8/2: 2006 ⇒22,9660. ᴿThLZ 132 (2007) 320-322 (*Söding, Thomas*); ATT 13/1 (2007) 247-249 (*Ghiberti, Giuseppe*); RdT 48 (2007) 617-634 (*Cattaneo, Enrico*); StPat 54 (2007) 644-647 (*Gagliardi, Mauro*); CBQ 69 (2007) 591-593 (*Bernas, Casimir*).

9821 *Simoens, Y.* Transmettre l'Écriture Sainte. NRTh 129 (2007) 353-70.

9822 *Slenczka, Notger* Systematische Bemerkungen über die Aufgabe und den Ansatz einer Theologie des Neuen Testaments am Beispiel des Entwurfes von Ferdinand Hahn. Aufgabe. WUNT 205: 2007 ⇒783. 275-286.

9823 *Steins, Georg* Kanon und Anamnese: auf dem Weg zu einer neuen biblischen Theologie. Der Bibelkanon. 2007 ⇒360. 110-129.

9824 **Stuhlmacher, Peter** Biblische Theologie des Neuen Testaments, 1: Grundlegung: von Jesus zu Paulus. ³2005 <1992> ⇒21,10198. ᴿThGl 97 (2007) 250-252 (*Zimmermann, Markus*); RBLit (2007)* (*Röhser, Günter*);

9825 2: von der Paulusschule bis zur Johannesoffenbarung. 1999 ⇒15, 8373... 17,8275. ᴿThGl 97 (2007) 250-252 (*Zimmermann, Markus*).

9826 *Thielman, Frank* Setting the record straight: Robert W. Yarbrough's reassessment of the discipline of New Testament theology. BBR 17 (2007) 325-330.

9827 **Vos, Gerhardus** †1949 Teologia biblica: Antico e Nuovo Testamento. 2005 ⇒21,10204. ᴿSdT 19 (2007) 71-73 (*Gajewski, Pawel*).

9828 *Vos, Johan S.* Theologie als Rhetorik. Aufgabe. WUNT 205: 2007 ⇒ 783. 247-271.

9829 *Vouga, François* Die Aufgaben der Theologie des Neuen Testaments: Verstehen als interdisziplinäre Kunst der Interpretation. Aufgabe und Durchführung. WUNT 205: 2007 ⇒783. 159-173.

9830 **Vouga, François** Teologia del Nuovo Testamento. Strumenti, Biblica 30: T 2007, Claudiana 538 pp.

9831 **Wilckens, Ulrich** Theologie des Neuen Testaments, 1: Geschichte der urchristlichen Theologie, Teilbd. 3-4. 2005 ⇒21,10207s. ᴿThLZ 132 (2007) 46-48 (*Hahn, Ferdinand*); JETh 21 (2007) 313-317 (*Buchegger-Müller, Jürg*);

9832 Teilbd. 1-4. 2002-2005 ⇒18,4888...21,10207s. ᴿZKTh 129 (2007) 239-242 (*Oberforcher, Robert*);

9833 Theologie des Neuen Testaments, 2: die Theologie des Neuen Testaments als Grundlage kirchlicher Lehre, Teilband 1: das Fundament. Neuk 2007, Neuk xv; 327 pp. €29.90. 978-3-7887-1908-1.

9834 **Witherington, Ben** The living Word of God: rethinking the theology of the bible. Waco (Tex.) 2007, Baylor University Press xviii; 273 pp. 978-1-602-58017-6. Bibl. 255-263.

XIV. Philologia biblica

J1.1 Hebraica *grammatica*

9835 *Andersen, Francis I.; Forbes, A. Dean* The participle in Biblical Hebrew and the overlap of grammar and lexicon. Milk and honey. 2007 ⇒474. 185-212.

9836 **Arad, Maya** Roots and patterns: Hebrew morpho-syntax. Studies in natural languages and linguistic theory 63: 2005 ⇒21,10210. ᴿLeš. 69 (2007) 203-208 (*Schwarzwald, Ora (Rodrigue)*).

9837 **Arnold, Bill T.; Choi, John H.** A guide to Biblical Hebrew syntax. 2003 ⇒19,9570...21,10211. ᴿPHScr II, 584-86 ⇒373 (*Lee, Bernon*).

9838 *Bar, Tali* On pronouns in Hebrew verbal sentences. ᶠGOLDENBERG, G. AOAT 334: 2007 ⇒51. 257-275.

9839 *Bar-Asher, Moshe* The *qal* passive participle of geminate verbs in Biblical Hebrew. ᶠJAPHET, S. 2007 ⇒74. 251-262. **H.**

9840 *Bartelmus, R.* 'Revitalisierung des Althebräischen' oder: kann man ein Konstrukt neu beleben, indem man ein neues Konstrukt schafft?. ᶠWILLI, T. 2007 ⇒167. 405-422.

9841 *Bender, Claudia* "Darstellung von Sünde" oder "Entsündigung"?: Überlegungen zum sog. privativen Pi'el. ᶠWILLI-PLEIN, I. 2007 ⇒ 168. 43-55.

9842 **Bergman, Nava** The Cambridge Biblical Hebrew workbook: introductory level. 2005 ⇒21,10214; 22,9675. ᴿVT 57 (2007) 258-259 (*Macintosh, A.A.*); JSSt 52 (2007) 376-378 (*McCarthy, Carmel*); RBLit (2007) 82-84 (*Cathey, Joseph*).

9843 *Blau, Joshua* Some morphological problems concerning the infinitive in Biblical Hebrew. ᶠBAR-ASHER, M. 1. 2007 ⇒8. 3-9. **H.**

9844 *Bloch, Yigael* From linguistics to text-criticism and back: *wayyiqṭōl* constructions with long prefixed verbal forms in Biblical Hebrew. HebStud 48 (2007) 141-170.

9845 *Diehl, Johannes F.* Hebräisches Imperfekt mit Waw copulativum: ein Arbeitsbericht. ᶠJENNI, E. AOAT 336: 2007 ⇒76. 23-45.

9846 *Fassberg, Steven E.* The overlap in use between the infinitive construct and the infinitive absolute in Biblical Hebrew. ᶠJAPHET, S. 2007 ⇒74. 427-432. **H.**

9847 *Finkel, Raphael; Stump, Gregory* A default inheritance hierarchy for computing Hebrew verb morphology. Literary and linguistic computing 22 (2007) 117-136.

9848 **Fuller, Russell** Invitation to Biblical Hebrew: a beginning grammar. Invitation to Theological Studies: GR 2006, Kregel 368 pp. $50. 978-08254-26506. ᴿRBLit (2007)* (*Verheij, Arian*).

9849 **Furuli, Rolf J.** A new understanding of the verbal system of Classical Hebrew: an attempt to distinguish between semantic and pragmatic factors. 2006 ⇒22,9688. ᴿHebStud 48 (2007) 359-362 (*Hayes, Elizabeth R.*); RBLit (2007)* (*Kaltner, John*).

9850 *Futato, Mark D.* Beginning Biblical Hebrew. 2003 ⇒19,9591... 22, 9689. ᴿPHScr II, 641-643 ⇒373 (*Lee, Bernon P.*).

9851 *Gabrion, H.* L'hébreu et le sexe des anges:genre et formes de genre dans le système nominal hébraïque. Formation des mots. 2007 ⇒963. 175-184.

9852 *Gaß, Erasmus* Zur Syntax von Gruppennamen im Rahmen einer CsV mit *bānē*. ᶠRICHTER, W. ATSAT 83: 2007 ⇒132. 37-51 [Judg 1,16].

9853 *Geiger, Gregor* Schreibung und Vokalisierung des Partizips im Biblischen Hebräisch. LASBF 57 (2007) 343-376.

9854 *Groß, Walter* Probleme mit dem Infinitiv. ᶠRICHTER, W. ATSAT 83: 2007 ⇒132. 53-68 [Judg 3,23; 7,13];

9855 Parallelismus–Satzgrenzen–Satzteilfolgen in alttestamentlicher Poesie: Jes 5,24–Am 5,11–Ijob 29,7.8. Parallelismus membrorum. OBO 224: 2007 ⇒541. 29-39.

9856 *Gzella, Holger* Verkürzte Zukunftsaussagen im Biblisch-Hebräischen. ZAW 119 (2007) 272-277 [Job 3,3; 3,14; Ps 125,5].

9857 *Halevy, Rivka* The subject co-referential *l*-pronoun in Hebrew. ᶠGOLDENBERG, G. AOAT 334: 2007 ⇒51. 299-321.

9858 *Harlow, J.* Successfully teaching biblical languages online at the seminary level: guiding principles of course design and delivery. Teaching Theology & Religion 10/1 (2007) 13-24.

9859 **Heller, Roy L.** Narrative structure and discourse constellations: an analysis of clause function in Biblical Hebrew prose. Harvard Semitic Studies 55: 2004 ⇒20,9343; 22,9691. ᴿPHScr II, 463-466 ⇒373 (*Rata, Christian G.*) [Gen 37-47; 2 Sam 9-20].

9860 *Hilhorst, Ton* The prestige of Hebrew in the christian world of late antiquity and middle ages. ᶠGARCÍA MARTÍNEZ, F. JSJ.S 122: 2007 ⇒46. 777-802.

9861 *Hittin-Mashiah, Rachel* Syntactic patterns for utterances following particles according to principles of biblical accentuation. Leš. 69 (2007) 221-226. **H.**

9862 *Israel, Felice* Il coortativo e le sue origini storiche. ᶠJENNI, E. AOAT 336: 2007 ⇒76. 108-142.

9863 *Jenni, Ernst* Untersuchungen zur Komparation im hebräischen Alten Testament. ᶠWILLI, T. 2007 ⇒167. 423-436;

9864 Adverbiale Zeitbestimmungen im klassischen Hebräisch. ZAH 17-20 (2007) 92-108.

9865 *Jenni, Hanna* Die sogenannte nota accusativa im biblischen Hebräisch. ᶠJENNI, E. AOAT 336: 2007 ⇒76. 143-184.

9866 **Joüon, Paul; Muraoka, Takamitsu** A grammar of Biblical Hebrew. SubBi 27: 2006 <1991> ⇒22,9697. ᴿHebStud 48 (2007) 345-348 (*Zewi, Tamar*);

9867 R ³2007 <1991, 2006>, Pontificio Istituto Biblico xliv; 772 pp. €40. 978-88765-34980;

9868 Gramática del hebreo bíblico. ᴱ*Pérez Fernández, Miguel* Instrumentos para el estudio de la Biblia 18: Estella 2007, Verbo Divino 928 pp. 978-84816-97223. Bibl. 827-874.

9869 *Kotjatko-Reeb, Jens* Infinitive und Verbalnomen mit ל als Epexegese eines Nomens im Hebräischen am Beispiel von לֶאֱכֹל, לְאָכְלָה, לַאֲכָלָה, לְמַאֲכָל, לַאֲכִילָה. HBO 42 (2006) 547-581 [Gen 6,18].

9870 *Kottsieper, Ingo* "And they did not care to speak Yehudit": on linguistic change in Judah during the late Persian era. Judah and the Judeans. 2007 ⇒750. 95-124 [Neh 13,23-24].

9871 **Malessa, Michael** Untersuchungen zur verbalen Valenz im biblischen Hebräisch. SSN 49: 2006 ⇒22,9703. ᴿJETh 21 (2007) 245-246 (*Siebenthal, Heinrich von*); CBQ 69 (2007) 790-792 (*Cook, John A.*); JThS 58 (2007) 607-610 (*Gzella, Holger*); RBLit (2007) 88-90 (*Van der Merwe, Christo H.J.*).

9872 *Miller, Cynthia L.* The syntax of elliptical comparative constructions. ZAH 17-20 (2007) 136-149.

9873 *Moshavi, Adina* Topicalization in Biblical Hebrew. Leš. 69 (2007) 7-30. **H.**

9874 *Muraoka, Takamitsu* Some remarks on the syntax of double transitive verbs in Biblical Hebrew. ᶠJENNI, E. AOAT 336: 2007 ⇒76. 250-57;

9875 De JOÜON 1923 à Joüon-Muraoka 2006: la gramática del hebreo bíblico en la historia de la lingüística hebrea. MEAH 56 (2007) 7-20.

9876 *Müller, Augustinus R.* Psalm 23,1 und der identifizierende Nominalsatz. ᶠRICHTER, W. ATSAT 83: 2007 ⇒132. 137-153.

9877 *Pat-El, Na'ama* Some notes on the syntax of Biblical Hebrew *zeh*. ZAH 17-20 (2007) 150-158.

9878 *Petersen, Ulrik* Genesis 1:1-3 in graphs: extracting conceptual structures from Biblical Hebrew. HIPHIL 4 (2007) *.

9879 *Pietsch, Michael* Ein Aramaismus im spätbiblischen Hebräisch?: Beobachtungen zum biblisch-hebräischen Verbalsystem in der erzählenden Literatur des zweiten Tempels. ᶠWILLI-PLEIN, I. 2007 ⇒168. 288-307;

9880 Tempus und Syntax: einige Überlegungen zur syntaktischen Funktion der *weqāṭal*-Formen in 2 Kön 23,4-15. ZAH 17-20 (2007) 159-177.

9881 **Pratico, Gary D.; Van Pelt, Miles V.** Graded reader of Biblical Hebrew. 2006 ⇒22,9717. ᴿFaith & Mission 24/3 (2007) 76-77 (*Moseley, Allan*);

9882 Basics of Biblical Hebrew grammar. GR ²2007, Zondervan xiii; 475 pp. 978-0-310-27020-1. CD-ROM.

9883 *Rechenmacher, Hans* Artikelsetzung in Poesie: Beobachtungen zu den Büchern Ijob und Psalmen. ᶠRICHTER, W. ATSAT 83: 2007 ⇒ 132. 199-218.

9884 **Rogland, Max** Alleged non-past uses of qatal in Classical Hebrew. SSN 44: 2003 ⇒19,9623... 22,9720. ᴿPHScr II, 628-630 ⇒373 (*Gianto, Agustinus*).

9885 ᴱᵀ**Rubin, Aaron D.** Samuel David LUZZATTO: Prolegomena to a grammar of the Hebrew language. 2005 ⇒21,10263. ᴿRBLit (2007)* (*Verheij, Arian*).

9886 **Sáenz-Badillos, Ángel** Storia della lingua ebraica. ᴱ*Capelli, Piero* Introd. allo studio della Bibbia, Suppl. 34: Brescia 2007, Paideia 378 pp. €38. 978-88-394-0735-1. Bibl. 227-350.

9887 *Schniedewind, William M.* Prolegomena for the sociolinguistics of classical Hebrew. PHScr II. (2007) <2004> ⇒373. 117-141.

9888 *Shoshany, Ronit* The chronological development of the *segol* accent. Leš. 69 (2007) 87-114. **H.**

9889 *Steiner, Richard C.* On the monophtongization of **ay* to *i* in Phoenician and Northern Hebrew and the preservation of Arabic/dialectal forms in the Masoretic vocalization. Or. 76 (2007) 73-83.

9890 *Stipp, Hermann-J.* Gen 1,1 und asyndetische Relativsätze im Bibel-hebräischen. [F]RICHTER, W. ATSAT 83: 2007 ⇒132. 323-355.

9891 **Valle Rodriguez, Carlos del** Historia de la gramática hebrea en España. 2004 ⇒20,9364. [R]BiOr 64 (2007) 447-51 (*Schippers, Arie*). **Van Peursen, W** The verbal system...of Ben Sira 2004 ⇒4634.

9892 **Verheij, Arian** Grammaire élémentaire de l'hébreu biblique. MoBi 57: Genève 2007, Labor et F. 174 pp. €21. 978-28309-12388.

9893 *Wagner, Andreas* Sprechaktsequenzen und Textkonstitution im Biblischen Hebräisch. Was ist ein Text?. BZAW 362: 2007 ⇒980. 310-333.

9894 **Williams, Ronald J.** Williams' Hebrew syntax. [E]*Beckman, John C.* Toronto [3]2007 <1967, 1976>, University of Toronto Press xvi; 248 pp. £15. 978-0-8020-9429-2. Bibl.

9895 **Williamson, Hugh G.M.** Clave comentada de los ejercicios de "Introducción al hebreo bíblico" de T.O. Lambdin. [T]*Melero Gracia, María L.; González Roura, María N.* Instrumentos para el estudio de la Biblia 11: Estella 2004, Verbo Divino 145 pp. 84-8169-4789.

9896 *Woodhouse, Robert* Refining Hebrew diachronic phonology. JAOS 127 (2007) 199-200.

9897 *Zewi, Tamar* The syntactic function of negative particles in Biblical Hebrew and English bible translations. JNSL 33/2 (2007) 99-113;

9898 Biblical parallels and Biblical Hebrew syntax. ZAH 17-20 (2007) 230-246.

9899 **Zewi, Tamar** Parenthesis in Biblical Hebrew. SStLL 50: Lei 2007, Brill ix; 201 pp. €125. 978-90-04-16243-3. Bibl. 175-183.

J1.2 Lexica et inscriptiones hebraicae; *later Hebrew*

9900 **Aḥituv, Shmuel** HaKetav VeHamiktav: handbook of ancient inscriptions from the land of Israel and the kingdoms beyond the Jordan from the period of the First Commonwealth. Biblical encyclopaedia library 21: [2]2005 <1992> ⇒21,10278; 22,9727. [R]Zion 72 (2007) 225-230 (*Naʾaman, Nadav*). **H.**

9901 *Altman, Rochelle I.* Some notes on inscriptional genres and the Siloam Tunnel inscription. AntOr 5 (2007) 35-88.

9902 **Andersen, Francis I.; Hess, Richard S.** Names in the study of biblical history: David, YHWH names, and the role of personal names. Buried History Monograph 2: Melbourne 2007 <1997>, Australian Institute of Archaeology iv; 20 pp. $19/AUD$25. 978-09803-7404. Bibl. 16-20.

9903 **Arnet, Samuel** Wortschatz der Hebräischen Bibel: zweieinhalbtausend Vokabeln alphabetisch und thematisch geordnet. 2006 ⇒22, 9728. [R]OTEs 20 (2007) 236-237 (*Weber, B.*);

9904 Z 2007 <2006>, TVZ 312 pp. 978-3-290-17374-6.

9905 *Bar-Asher, Moshe* Mishnaic Hebrew and Biblical Hebrew. materia giudaica 12 (2007) 63-71.

9906 *Bartelmus, Rüdiger* Transliteration und Transkription–Religion und Übertragung von Sprache in Schrift (und umgekehrt)–unter besonderer Berücksichtigung der Umschrift von Namen. [F]JENNI, E. AOAT 336: 2007 ⇒76. 1-9.

9907 *Bauer, Y.* Lexical innovations in Babylonian Amoraic Hebrew. Leš. 69 (2007) 51-86. **H.**

9908 *Becking, Bob* Did Jehu write the Tel Dan inscription?. From David to Gedaliah. OBO 228: 2007 <1999> ⇒185. 52-65.

9909 ·**Beit-Arié, Malachi; Sirat, Colette; Glatzer, Mordechai** Codices hebraicis litteris exarati quo tempore scripti fuerunt exhibentes, 4: de 1144 à 1200. Monumenta Palaeographica Medii Aevi: Series Hebraica 5: 2006 ⇒22,9730. [R]CRAI 1 (2007) 229-230 (*Lemaire, André*).

9910 *Breuer, Yochanan* Early and late in Mishnaic Hebrew: temporal expressions change into causal expressions. [F]BAR-ASHER, M., 2. 2007 ⇒9. 62-81. H.;

9911 Innovations in the Hebrew of the Amoraic period. materia giudaica 12 (2007) 83-88.

9912 *Buber, Martin* Die hebräische Sprache und der Kongress für hebräische Kultur. Frühe jüdische Schriften. 2007 <1910> ⇒207. 211-218.

9913 [E]**Clines, David J.A.** The dictionary of Classical Hebrew, 6: ס-פ. Shf 2007, Sheffield Academic 999 pp. $320. 978-19050-48809.

9914 *Cohen, Chaim* Biblical Hebrew philology in the light of research on the new Yeho'ash royal building inscription. New seals. HBM 8: 2007 ⇒721. 222-284;

9915 Masculine nouns with prefixed *t-* in Tannaitic Hebrew. [F]BAR-ASHER, M., 2. 2007 ⇒9. 166-182. H.

9916 *Damry, O.* Nouns with prefixed *mem* in Mishnaic Hebrew: morphological and semantic studies. [F]BAR-ASHER, M., 2. 2007 ⇒9. 129-143. H.

9917 *De Lange, Nicholas* Greek influence on Hebrew. History of ancient Greek. 2007 ⇒669. 805-810.

9918 *De Lange, Nicholas; Olszowy-Schlanger, Judith; Tchernetska, Natalie* An early Hebrew-Greek biblical glossary from the Cairo Genizah. REJ 166 (2007) 91-128.

9919 *Demsky, Aaron* The MPQD ostracon from Tel 'Ira: a new reading. BASOR 345 (2007) 33-38.

9920 **Garbini, Giovanni** Introduzione all'epigrafia semitica. Studi sul Vicino Oriente Antico 4: 2006 ⇒22,9737. [R]CBQ 69 (2007) 321-322 (*Althann, Robert*); OLZ 102 (2007) 330-343 (*Mazzini, Giovanni*).

9921 *Glinert, L.* Minimizers in Second Temple/Mishnaic Hebrew: a syntactic-semantic analysis. [F]BAR-ASHER, M., 2. 2007 ⇒9. 103-128. H.

9922 **Gogel, Sandra L.** A grammar of epigraphic Hebrew. SBL Resources for Biblical Study 23: 1998 ⇒14,8090... 19,9656. [R]JNES 66 (2007) 227-229 (*Davies, G.I.*).

9923 [E]**Grassau, Jörg-M.** Vokabeltrainer 3.0: Hebräisch, Griechisch, Lateinisch: basierend auf den Verzeichnissen von Hans-Peter Stähli, Friedrich Rehkopf, Hans Baumgarten: neu–ganz einfach Audio-Lektionen für MP3-Player und CD-Player erstellen!. Witten 2007, Brockhaus CD-ROM. 978-3-417-36142-1.

9924 *Gzella, Holger* The use of the participle in the Hebrew Bar Kosiba letters in the light of Aramaic. DSD 14 (2007) 90-98;

9925 Elemente systemischen Sprachkontaktes in den hebräischen Bar-Kosiba-Briefen. [F]JENNI, E. AOAT 336: 2007 ⇒76. 93-107.

9926 *Heide, Martin* Ein 27-zeiliges Listenostrakon aus der Sammlung Shlomo Moussaieff. UF 39 (2007) 399-412;

9927 Impressions from a new alphabetic ostracon in the context of (un)-provenanced inscriptions: idiosyncrasy of a genius forger or a master scribe?. New seals. HBM 8: 2007 ⇒721. 148-182.

9928 *Hendel, Ronald S.* Them dry bones. BArR 33/1 (2007) 26, 79 [Jerusalem; Dura-Europos] [Num 6,24-26].

9929 Is this inscription fake?: you decide. BArR 33/5 (2007) 67-69 [Jerusalem].

9930 **Kaddari, Menaḥem Z.** מילון העברית המקראית: אוצר לשון המקרא מאל״פ ועד תי״ו [A dictionary of Biblical Hebrew: Alef-Taw]. 2006 ⇒22, 9742. ᴿLeš. 69 (2007) 161-169 (*Tal, Abraham*).

9931 *Kaddari, M.Z.* Considerations in determining the meaning of a Biblical Hebrew lexical entry. ᶠBAR-ASHER, M., 1. 2007 ⇒8. 81-91. H.

9932 *Kessler-Mesguich, S.* Gilbert Génébrard (1537-1597) et l'hébreu rabbinique. ᶠBAR-ASHER, M., 1. 2007 ⇒8. *101-*116.

9933 *Lehnardt, Andreas* Eine deutsche Geniza–hebräische und aramäische Einbandfragmente in Mainz und Trier. Natur & Geist 23/2 (2007) 25-28.

9934 *Lemaire, André* Le prime iscrizioni ebraiche. Mondo della Bibbia 18/3 (2007) 18-21.

9935 *Mack, H.* The history of a Hebrew manuscript. ᶠBAR-ASHER, M., 2. 2007 ⇒9. 183-203. H.

9936 *Mastin, B.A.* The theophoric elements *yw* and *yhw* in proper names in eighth-century Hebrew inscriptions and the proper names at Kuntillet ʿAjrud. ZAH 17-20 (2007) 109-135.

9937 *Mathys, Hans-P.* "Künstliche" Personennamen im Alten Testament. ᶠJENNI, E. AOAT 336: 2007 ⇒76. 218-249.

9938 *Mishor, M.* Hebrew in the Babylonian incantation bowls. ᶠBAR-ASHER, M., 2. 2007 ⇒9. 204-227. H.

9939 *Morgenstern, M.* The system of independent pronouns at Qumran and the history of Hebrew in the second temple period. ᶠBAR-ASHER, M., 1. 2007 ⇒8. 44-63. H.

9940 *Muchowski, Piotr* Hebräisch am Ende der Ära des Zweiten Tempels: judäische Sprachpolitik im Licht der Schriften vom Toten Meer und der rabbinischen Literatur. WuD 29 (2007) 29-38.

9941 **Mykytiuk, Lawrence J.** Identifying biblical persons in Northwest Semitic inscriptions of 1200-539 B.C.E. SBL.Academia Biblica 12: 2004 ⇒20,9392... 22,9751. ᴿBASOR 345 (2007) 82-83 (*Rollston, Christopher A.*); JSSt 52 (2007) 373-376 (*Rollston, Christopher A.*).

9942 *Nebe, G. Wilhelm* Neologismen im rabbinischen Hebräisch am Beispiel der Bildung des Infinitivus constructus qal der Verben I א, נ, י, ה, ל. HBO 42 (2006) 243-300.

9943 ᴱ**Noy, David; Bloedhorn, Hanswulf** Inscriptiones judaicae orientis, 1-3. TSAJ 99, 101, 102: 2004 ⇒20,9856... 22,10279. ᴿHenoch 29 (2007) 378-383 (*Price, Jonathan*); RBLit (2007)* (*Bloch, René*).

9944 *Person, Raymond F.* Linguistic variation emphasized, linguistic variation denied. ᶠMEYERS, E. AASOR 60/61: 2007 ⇒106. 119-125 [Gen 11,2; Judg 12,5-6; 2 Kgs 18,26-27].

9945 **Renz, Johannes; Röllig, Wolfgang** Handbuch der althebräischen Epigraphie, 2/2: Materialien zur althebräischen Morphologie; Siegel und Gewichte. 2003 ⇒19,9686... 22,9757. ᴿJSSt 52 (2007) 141-143 (*Davies, Graham*).

9946 *Ryzhik, M.* On fluency in speech in Mishnaic Hebrew. ᶠBAR-ASHER, M., 2. 2007 ⇒9. 323-337. H.

9947 *Sanmartín, Joaquín* Aloglotografía, relexificación y la historia de la lengua hebrea. ᶠRIBERA FLORIT, J. 2007 ⇒131. 217-235.

9948 *Sáenz-Badillos, A.* Hebrew among late Jewish writers from Sefarad.
FBAR-ASHER, M., 1. 2007 ⇒8. *132-*159.
9949 *Sharvit, S.* The verbal noun pattern הפעלה in Tannaitic Hebrew.
FBAR-ASHER, M., 2. 2007 ⇒9. 301-322. **H**.
9950 Siloam inscription: return home!. BArR 33/6 (2007) 20.
9951 *Suriano, Matthew* A fresh reading for 'aged wine' in the Samaria
ostraca. PEQ 139 (2007) 27-33.
9952 *Ticht, Agnès* La 'renaissance' de l'hébreu parlé: continuité et rupture.
RANT 4 (2007) 149-157.
9953 *Vegas Montaner, Luis* Sobre la sintaxis verbal en el hebreo de Qum-
ran. FGARCÍA MARTÍNEZ, F. JSJ.S 122: 2007 ⇒46. 325-343.
9954 Wilhelm Gesenius: hebräisches und aramäisches Handwörterbuch
über das Alte Testament, 4: מ-נ. EMeyer, Rudolf; Donner, Herbert B
182007, Springer 767-1094 pp. €180. 978-3-540-68363-6.
9955 *Yahalom, J.* Homonyms in Hebrew and Judeo-Greek. FBAR-ASHER,
M., 2. 2007 ⇒9. 161-165. **H**.
9956 *Zevit, Ziony* Scratched silver and painted walls: can we date biblical ·
texts archaeologically?. HebStud 48 (2007) 23-37.
9957 *Zewi, T.* Nominal clause patterns in the Dead Sea scrolls. FBAR-
ASHER, M., 1. 2007 ⇒8. 64-80. **H**.

J1.3 **Voces** *ordine alphabetico consonantium* **hebraicarum**

9958 *Halayqa, Issam K.H.* Swadesh list (basic vocabulary list) for Ugari-
tic, Phoenician, Biblical Hebrew, Syriac and Classical Arabic. UF 39
(2007) 319-380.

Akkadian

9959 *aḫlamû: Herles, Michael* Zur geographischen Einordnung der
aḫlamû—eine Bestandsaufnahme. AltOrF 34 (2007) 319-341.
9960 *ḫa.na: Ohnishi, Tsuneyuki* 'ḫa.na' in the Mari texts: an examination.
Bulletin of the Society for Near Eastern Studies in Japan 50/1 (2007)
1-19. **J**.

Aramaic

9961 הנס ;אנס *Florentin, M.* An unknown Samaritan Aramaic prayer in the
praise of God. FBAR-ASHER, M., 2. 2007 ⇒9. 417-425. **H**.;
9962 *Talshir, D.* On the relationship between הנס and אנס in Aramaic.
FBAR-ASHER, M., 2. 2007 ⇒9. 408-416. **H**.
9963 על: *Waltisberg, Michael* Zur Semantik von Präpositionen: עַל im Bib-
lisch-Aramäischen. FJENNI, E AOAT 336: 2007 ⇒76. 364-378.

Hebrew

אהב ⇒9983.
9964 או: *Kompaoré, Anne G.* The *qatal* verb form and the conjunction או in
Biblical Hebrew. JNSL 33/1 (2007) 33-53.
9965 אָכֵן: *Garr, W. Randall* אָכֵן. JNSL 33/2 (2007) 65-78.
9966 אלה **Aitken, James K.** The semantics of blessing and cursing in
ancient Hebrew. ANESt.S 23: Lv 2007, Peeters xv; 306 pp. 978-90-
429-1896-2.

9967 אֲשֶׁר: *Holmstedt, Robert D.* The etymologies of Hebrew *ʾašer* and *šeC-*. JNES 66 (2007) 177-191.

9968 בטן: *Brockmöller, Katrin* "Ich segne mein Geschlecht!": Bibelarbeit zur Bedeutung von "Mutterschoß" in der Bibel. Frauenkörper. FrauenBibelArbeit 18:.2007 ⇒378. 35-43.

9969 במה: *Barrick, W. Boyd* Prepositional ambiguity and the semantics of bamah usage: a response to J.A. Emerton. ZAH 17-20 (2007) 11-35.

9970 ברח: *Clines, David* Was there a ברח II 'vex' or ברח III 'wound, bruise, pierce' or ברח IV 'bar' in Classical Hebrew?. ^FJAPHET, S. 2007 ⇒74. 285*-304*.

9971 ברית: **Otte, Marianne** Der Begriff *berit* in der jüngeren alttestamentlichen Forschung. EHS.T 803: 2005 ⇒21,10332. ^ROLZ 102 (2007) 171-174 (*Neef, Heinz-Dieter*).

9972 ברכה: **Leuenberger, Martin** Segen und Segenstheologie im alten Israel. ^D*Schmid, Konrad* 2007 Diss.-Habil. Zürich [ThRv 104/1,xvi]; ⇒9966.

9973 בשר: *Theuer, Gabriele* "Alles Fleisch ist wie Gras!": Bibelarbeit zur Bedeutung von "Fleisch" im Alten Testament. Frauenkörper. FrauenBibelArbeit 18: 2007 ⇒378. 54-60.

9974 גלה: *Gray, David K.H.* A new analysis of a key Hebrew term: the semantics of "Galah" ("to go into exile") TynB 58/1 (2007) 43-59.

9975 דוק: *Talmon, Shemaryahu* Duqah or deveqa: the unique term from the solar calendar of the 'Community of the renewed covenant' reconsidered. ^FDIMANT, D. 2007 ⇒34. 309-322. **H.**

9976 דור: *Hunter, Alastair G.* 'The righteous generation': the use of Dor in Psalms 14 and 24. ^FAULD, G. VT.S 113: 2007 ⇒5. 187-205.

9977 הלא: *Moshavi, Adina* Syntactic evidence for a clausal adverb הלא in Biblical Hebrew JNSL 33/2 (2007) 51-63;

9978 הלא as a discourse marker of justification in Biblical Hebrew. HebStud 48 (2007) 171-186.

9979 הנה: *Van der Merwe, C.H.J.* A cognitive linguistic perspective on הִנֵּה in the pentateuch, Joshua, Judges, and Ruth. HebStud 48 (2007) 101-140.

9980 זכר: *Agius, Joseph* Memoriale nell'At. Dizionario... sangue di Cristo. 2007 ⇒1137. 881-891.

9981 חלל: *Milgrom, Jacob* The desecration of YHWH's name: its parameters and significance. ^FJAPHET, S. 2007 ⇒74. 317*-325*.

9982 חלק: *O'Connor, Michael* Polysemy in the ancient Hebrew lexicon: the case of root-shape חלק. ^FJENNI, E. AOAT 336: 2007 ⇒76. 258-268. חנן; ⇒9983.

9983 חסד: *Kellenberger, Edgar* חסד und sinnverwandte Lexeme im Kontext von Bitte und Aufforderung: ein semantischer Vergleich. ^FJENNI, E. AOAT 336: 2007 ⇒76. 185-195.

9984 חשב: *Ólason, Kristinn* Zur Valenz von Verb G-ḤŠB: zugleich ein Beitrag zum Verständnis von Gen 15,6b. ^FRICHTER, W. ATSAT 83: 2007 ⇒132. 185-198.
   טוב ⇒9983.
   טף ⇒9985.

9985 טף: *O'Connor, M.; Lee, John A.L.* A problem in biblical lexicography: the case of Hebrew *ṭap* and Greek *aposkeuē*. ZAW 119 (2007) 403-409.

9986 ילד: *Brenner, Athalya* Regulating 'sons' and 'daughters' in the Torah and in Proverbs: some preliminary insights. PHScri II (2007) <2005> ⇒373. 217-226. Resp. *Francis Landy* 227-232.

9987   ים: *Mulzer, Martin* Das Meer (*yam[m]*) im Alten Testament. ᶠRICH-
        TER, W. ATSAT 83: 2007 ⇒132. 155-183.
9988   ישראל: **Hayward, C.T.R.** Interpretations of the name Israel in
        ancient Judaism and some early christian writings: from victorious
        athlete to heavenly champion. 2005 ⇒21,10350; 22,9799. ᴿJThS
        58 (2007) 610-614 (*Kessler, Edward*).
9989   לא: **Snyman, F.P.J.** The scope of the negative *lō* in Biblical He-
        brew. Acta Academica.S 3: 2004 ⇒20,9435. ᴿHebStud 48 (2007)
        362-365 (*DeCaen, Vincent*).
9990   לב: *Basson, Alec* Metaphorical explorations of the heart (לבב/לב) in
        the Old Testament: a few remarks. Scriptura 96 (2007) 310-315.
9991   לילית: *Schiffner, Kerstin* Und am Anfang war–Lilith. FrRu 14/1
        (2007) 2-13.
9992   מלך: *Reynolds, Bennie H.* Molek: dead or alive?: the meaning and
        derivation of *mlk* and מלך. Human sacrifice. SHR 112: 2007 ⇒926.
        133-150 [Lev 18,21];
9993   *Seidl, Theodor* Der "Moloch-Opferbrauch" ein "rite de passage"?:
        zur kontroversen Bewertung eines rätselhaften Ritus im Alten
        Testament. OTEs 20 (2007) 432-455.
9994   מן: *Milgrom, Jacob* The preposition מן in the חטאת pericopes. JBL
        126 (2007) 161-163.
9995   מרזח: **Miralles Maciá, Lorena** Marzeah y thíasos: una institución
        convivial en el Oriente Próximo Antiguo y el Mediterráneo. 'Ilu 20:
        M 2007, Public. Univ. Complutense 360 pp. €18. 978-84669-
        30147.
9996   משפט: *Vetter, Dieter* 'Die Wahrheit' ist immer konkret: Recht und
        Gerechtigkeit in der Lehre PLATONs und in der jüdischen Bibel.
        FrRu 14/1 (2007) 26-35.
9997   נחשת: *Pinker, Aron* On the meaning of קשת נחושה. PHScr II (2007)
        <2005> ⇒373. 233-241.
9998   נטף: *Saur, Markus* "... das wäre ein מטיף dieses Volkes!": zum Kau-
        sativstamm von נטף im Alten Testament. ᶠJENNI, E. AOAT 336:
        2007 ⇒76. 279-290 [Ezek 21,2; 21,7; Amos 7,10-17; Mic 2,6-11].
9999   נעל: *Chinitz, Jacob* The role of the shoe in the bible. JBQ 35 (2007)
        41-46.
10000   נשא: *Williamson, H.G.M.* On getting carried away with the infini-
        tive construct of נשא. ᶠJAPHET, S. 2007 ⇒74. 357*-367*.
10001   סלח: *Schüle, Andreas* An der Grenze von Schuld und Vergebung:
        סלח im Alten Testament. ᶠJENNI, E. AOAT 336: 2007 ⇒76. 309-
        329.
10002   סרך: *Conklin, Blane W.* Alleged derivations of the Dead Sea scrolls
        term *serek*. JSSt 52 (2007) 71-77.
10003   עד: *Assmann, Aleida* Vier Grundtypen von Zeugenschaft. ᶠHARD-
        MEIER, C. ABIG 28: 2007 ⇒62. 138-152.
10004   עולם: *Friedman, S.* The transformation of עולם. ᶠBAR-ASHER, M., 2
        2007 ⇒9. 272-285. **H.**;
10005   *Fudeman, Kirsten A.; Gruber, Mayer I.* 'Eternal king / king of the
        world' from the Bronze Age to modern times: a study in lexical
        semantics. REJ 166 (2007) 209-242.
10006   עם: **Ijezie, Luke E.** The interpretation of the Hebrew word עם (peo-
        ple) in Samuel-Kings. ᴰ*Pisano, Stephen* EHS.T 830: Bern 2007,
        Lang 341 pp. 978-303-9111-398. Diss. Gregoriana; Bibl. 305-333.

10007 עמון: *Bar-Asher, Elitzur A.* An explanation of the etymology of the name Ammon in Genesis 19, based on evidence from Nabatean Aramaic and the Safaitic Arabian dialect. ZAH 17-20 (2007) 3-10.

10008 עפלים: *Maeir, Aren M.* A new interpretation of the term עפלים in the light of recent archaeological finds from Philistia. JSOT 32 (2007) 23-40 [1 Sam 5,6; 6,5].

10009 עשת: *Pinker, Aron* The semantic field of עשת in the Hebrew Bible. VT 57 (2007) 386-399.

10010 פילגשים: **Davidovich, Tal** The mystery of the house of royal women: royal *pîlagšîm* as secondary wives in the Old Testament. SSU 23: U 2007, Uppsala Univ. 214 pp. $43.50. Diss. Uppsala. צדק ⇒9983 & 9996.

10011 צמה: *Ceulemans, Reinhart; Crom, Dries de* Greek renderings of the Hebrew lexeme צמה in LXX Canticles and Isaiah. VT 57 (2007) 511-523 [Cant 4,1-3; 6,7; Isa 47,2]. קשה ⇒9997.

10012 רוח: *Kot, Tomasz* Duch w biblii [The Spirit in the bible]. Horyzonty Wychowania 6/11 (2007) 81-90. **P.** רחם ⇒9983.

10013 רעה: **Gan, Jonathan** The metaphor of shepherd in the Hebrew Bible: a historical-literary reading. Lanham 2007 Rowman & L. xii; 135 pp. $24. 978-07618-37541. Bibl. 103-108.

10014 רפאים: *Wyatt, N.* A la recherche des rephaïm perdus. Le royaume d'Ougarit. 2007 ⇒1004. 579-613. ש ⇒9967.

10015 שאול: *Hess, Richard S.* Going down to Sheol: a place name and its West Semitic background. FWENHAM, G. LHBOTS 461: 2007 ⇒ 164. 245-253.

10016 שכינה: **Mukaminega, Jeanine** Le concept de shekhinah et ses bases scripturaires: une anthologie de la trajectoire herméneutique de l'immanence divine. DTomson, Peter J. 2007, 333 pp. Diss. Brussels [RTL 39,601].

10017 שלמים: **Modéus, Martin** Sacrifice and symbol: biblical šelamîm in a ritual perspective. CB.OT 52: 2005 ⇒21,10387; 22,9827. RRH 309 (2007) 687-689 (*Lemardelé, Christophe*); CBQ 69 (2007) 793-795 (*Launderville, Dale*).

10018 שפט: **Mafico, Temba L.J.** Yahweh's emergence as 'judge' among the gods: a study of the Hebrew root špṭ. Lewiston, NY 2007, Mellen ix; 197 pp. $110. 978-07734-55184. Diss. Harvard 1979.

10019 תודה: *Herrmann, Wolfram* תודה: ein Kapitel alttestamentlicher Theologie. ZAW 119 (2007) 90-99.

10020 תורה: *Schreiner, Thomas R.* The commands of God. Central themes. 2007 ⇒443. 66-101.

Phoenician

10021 ʿzrm: *Xella, Paolo* Eshmounazor, *áhoros*?: 'ZRM en phénicien et punique. Or. 76 (2007) 93-99.

Ugaritic

10022 *ảnhb*: *Watson, Wilfred G.E.* Making sense of Ugaritic *ảnhb* and *ġlp*. UF 39 (2007) 669-671;

10023   *bthptt*: A new proposal for Ugaritic *bt ḫptt*. StEeL 24 (2007) 39-43.
10024   *gdlt*: *Olmo Lete, Gregorio del gdlt/dqt:* ¿ganado o pan como materia sacrificial?. AuOr 25 (2007) 169-173.
        dqt ⇒10024.
        ġlp ⇒10022.
10025   *ḫtbn*: *Pardee, Dennis* RS 18.028 et le palais royal d'Ougarit comme acheteur de biens. Syria 84 (2007) 57-68.
10026   *ṣbr; ṣpr*: *Watson, Wilfred G.E.* Notes on Ugaritic *ṣbr* and *ṣpr*. StEeL 24 (2007) 45-49;
10027   *ṭmdl*: Syntax and the meaning of Ugaritic *ṭmdl*. UF 39 (2007) 683-687.

J1.5 *Phoenicia, ugaritica*—Northwest Semitic [⇒T5.4]

10028   **Aartun, Kjell** Studien zur ugaritischen Lexikographie, mit kultur- und religionsgeschichtlichen Parallelen, 2: Beamte, Götternamen, Götterepitheta, Kultbegriffe, Metalle, Tiere, Verbalbegriffe. 2006 ⇒22,9835. [R]UF 39 (2007) 903-909 (*Dietrich, Manfried*).
10029   *Amadasi Guzzo, Maria Giulia* Une lamelle magique à inscription phénicienne. VO 13 (2007) 197-206.
10030   *Apicella, Catherine; Briquel Chatonnet, Françoise* District ou domaine: à propos de deux inscriptions phéniciennes d'époque hellénistique. MUSJ 60 (2007) 155-164.
10031   *Blau, Joshua* Reflections on the linguistic status of two ancient Semitic languages with cultural ties to the bible. Leš. 69 (2007) 215-220 [Ugaritic, Deir ʿAllā]. **H**.
10032   *Bordreuil, Pierre* Les deux propriétaires d'une coupe en bronze inscrite. Or. 76 (2007) 22-23 (Pl. I);
10033   Ugarit and the bible: new data from the house of Urtenu. Ugarit at seventy-five. 2007 ⇒1058. 89-99.
10034   **Bordreuil, Pierre; Pardee, Dennis** Manuel d'Ougaritique. 2004 ⇒ 20,9464... 22,9842. [R]Syria 84 (2007) 323-325 (*Vita, Juan-Pablo*).
10035   *Briquel Chatonnet, Françoise* Première ancre à inscription néopunique. Or. 76 (2007) 24-29 (Pl. II-V).
10036   *Bron, François* À propos de la stèle néopunique de ʿAyn Zakkar (KAI 136). StEeL 24 (2007) 51-52;
10037   La stèle bilingue latine et néo-punique de Henchir Brighita (photo). AuOr 25 (2007) 321. Cf. AuOr 24 (2006) 143s;
10038   L'inscription bilingue latine et néo-punique de Aïn-Youssef. Or. 76 (2007) 30-32 (Pl. VI).
10039   *Criscuolo, Alfredo* Metafore anatomiche: Ugaritico *brlt*. StEeL 24 (2007) 23-31.
10040   *Curtis, Adrian H.W.* The just king: fact or fancy?: some Ugaritic reflections. [F]AULD, G. VT.S 113: 2007 ⇒5. 81-92.
10041   *Demsky, Aaron* Reading Northwest Semitic inscriptions. NEA 70 (2007) 68-74.
10042   *Dietrich, Manfried* Der Einbau einer Öffnung in den Palast Baals: Bemerkungen zu RS 94.2953 und KTU 1.4 VII 14-28. UF 39 (2007) 117-133.
10043   *Dietrich, Manfried; Loretz, Oswald* šmn (arṣ) "wohlriechende(s) Öl/Fett/Salbe (der Erde)" als Metonymie für "Regen": die ugari-

tisch-hebräischen Parallelismen ṭl // šmn, šmn // nbt und das bibli-
sche Binom "Milch und Honig". [F]JENNI, E. 2007 ⇒76. 46-59.

10044 *Duke, Robert* Parchment or papyrus: wiping out false evidence.
SJOT 21 (2007) 144-153.

10045 *Estanyol i Fuentes, Maria J.* Inscripcions feno-púniques a Eivissa.
[F]RIBERA FLORIT, J. 2007 ⇒131. 119-129.

10046 *Ferjaoui, Ahmed* L'onomastique dans les inscriptions néopuniques
de l'Afrique à l'époque romaine. Or. 76 (2007) 33-46.

10047 *Frendo, Anthony, J.* Back to the bare essentials, 'Procopius'
phoenician inscriptions: never lost, not found'–a response. PEQ 139
(2007) 105-107.

10048 *Goldwasser, Orly* Canaanites reading hieroglyphs: Horus is Ha-
thor?–the invention of the alphabet in Sinai. A&L 16 (2007) 121-
160.

10049 *Gzella, Holger* Parallelismus und Asymmetrie in ugaritischen Tex-
ten. Parallelismus membrorum. OBO 224: 2007 ⇒541. 133-146.

10050 *Hamilton, Gordon, al.*, Three recently relocated early West Semitic
alphabetic texts: a photographic essay. Maarav 14 (2007) 27-37.

10051 *Hess, Richard S.* Arrowheads from Iron Age I: personal names and
authenticity. Ugarit at seventy-five. 2007 ⇒1058. 113-129.

10052 *Israel, Felice* Étude [sic] amorrites IV: l'héritage amorrite à Ouga-
rit: entre histoire, onomastique et mythologie. Le royaume d'Ouga-
rit. 2007 ⇒1004. 49-61.

10053 *Jeongyeon, Grace* El's member in KTU 1.23. UF 39 (2007) 617-
627.

10054 *Jongeling, Karel* IPT 10. Or. 76 (2007) 47-52.

10055 *Justel Vicente, Josué Javier* El levirato en Ugarit según el docu-
mento juridico RS 16.144. EstB 65 (2007) 415-425.

10056 *Kratz, Reinhard G.* Geschichten und Geschichte in den nordwestse-
mitischen Inschriften des 1. Jahrtausends v.Chr. Was ist ein Text?.
BZAW 362: 2007 ⇒980. 284-309.

10057 *Lemaire, André* New photographs and *ryt* or *hyt* in the Mesha
Inscription, line 12. IEJ 57 (2007) 204-207;

10058 L'inscription phénico-punique de la lamelle magique de Moraleda
de Zafayona. Or. 76 (2007) 53-56 (Pl. VII);

10059 West Semitic inscriptions and ninth-century BCE ancient Israel.
Understanding the history. PBA 143: 2007 ⇒545. 279-303;

10060 The Mesha stele and the Omri dynasty. Ahab Agonistes. LHBOTS
421: 2007 ⇒820. 135-144.

10061 *Malbran-Labat, Florence; Roche, Carole* Urtēnu Ur-Tešub. Le
royaume d'Ougarit. 2007 ⇒1004. 63-104.

10062 **Molke, Christian** Der Text der Mescha-Stele und die biblische Ge-
schichtsschreibung. Beiträge zur Erforschung der antiken Moabitis
5: 2006 ⇒22,9870. [R]OLZ 102 (2007) 710-712 (*Thiel, Winfried*).

10063 *Mosca, Paul G.* Some grammatical and structural observations on
the trophy inscription from Kition (Cyprus). Maarav 13 (2007)
175-192.

10064 *Natan-Yulzary, Shirly* Characterization and text texture in the
ancient West-Semitic literature from Ugarit. Shnaton 17 (2007)
161-197. **H.**

10065 *Olmo Lete, Gregorio del* Once again on the Ugaritic ritual texts: II.
Pardee's so-called 'monumental blunders'. AuOr 25 (2007) 85-104.

10066   **Olmo Lete, Gregorio del; Sanmartín Ascaso, Joaquín** A dictionary of the Ugaritic language in the alphabetic tradition, 1: ['(a/i/u-k], 2: [l-z]. [T]*Watson, Wilfred G.E.* HO 1/67: 2003 ⇒19,9806... 22, 9877. [R]OLZ 102 (2007) 26-27 *(Oelsner, J.)*;

10067   [2]2004 <2003> ⇒19,9806... 22,9877. [R]BiOr 64 (2007) 527-567 *(Gzella, Holger)*.

10068   *Pardee, Dennis* Defense de la grammaire ougaritique: le cas RS 15.053 addendum: fac-simile et photographies. StÉeL 24 (2007) 21-22;

10069   RS 18.028 et le palais royal d'Ougarit comme acheteur de biens. Syr. 84 (2007) 57-68;

10070   RS 3.367, colonne 'IV': étude épigraphique suivie de quelques remarques philologiques. [F]WYATT, N. 2007 ⇒174. 227-247;

10071   La première tablette du cycle de Ba'lu (RS 3.361 [CTA 1]): mise au point épigraphique. Le royaume d'Ougarit. 2007 ⇒1004. 105-130;

10072   Preliminary presentation of a new Ugaritic song to '*Attartu* (RIH 98/02). Ugarit at seventy-five. 2007 ⇒1058. 27-39;

10073   La tétralogie au sein de la 'science' ougaritienne. Monstres et monstruosités. Cahiers KUBABA 9: 2007 ⇒726. 261-274.

10074   *Pittard, Wayne T.* Just how many monsters did Anat fight (KTU 1.3 III 38-47)?. Ugarit at seventy-five. 2007 ⇒1058. 75-88.

10075   *Rendsburg, Gary A.* ואשב in Mesha Stele, line 12. Maarav 14 (2007) 9-25.

10076   *Sader, Hélène* New Phoenician seal impressions from Beirut. Or. 76 (2007) 57-63 (Pl. VIII-IX).

10077   *Schmitz, Philip C.* Procopius' Phoenician inscriptions: never lost, not found. PEQ 139 (2007) 99-104.

10078   *Schmitz, Philip; Docter, Roald F.; Ben Tahar, Sami* A fifth century BCE graffito from Ghizène (Jerba). Or. 76 (2007) 64-72 (Pl. X-XI).

10079   **Schniedewind, William M.; Hunt, Joel H.** A primer on Ugaritic: language, culture, and literature. C 2007, CUP xvi; 226 pp. $40. 978-0-521-70493-9.

10080   *Tatu, Silviu* The *qāṭal* ‖ *yiqṭōl (yiqṭōl* ‖ *qāṭal*) verbal sequence of couplets in Ugaritic poetry: an investigation applying systemic functional grammar. [F]WYATT, N. AOAT 299: 2007 ⇒174. 267-301.

10081   *Thompson, Thomas L.* Mesha and questions of historicity. SJOT 21 (2007) 241-260;

10082   A testimony of the good king: reading the Mesha stele. Ahab Agonistes. LHBOTS 421: 2007 ⇒820. 236-292.

10083   *Tropper, Josef* 'Anat und ihre Gefangenen (KTU 1.3 II 15-16). [F]WYATT, N. AOAT 299: 2007 ⇒174. 303-308.

10084   *Tsumura, David T.* Revisiting the 'seven' good gods of fertility in Ugarit: is Albright's emendation of KTU 1.23,64 correct?. UF 39 (2007) 629-641.

10085   *Van der Steen, Eveline J.; Smelik, Klaas A.D.* King Mesha and the tribe of Dibon. JSOT 32 (2007) 139-162.

10086   *Vita, Juan-Pablo* Les scribes des textes rituels d'Ougarit. UF 39 (2007) 643-664.

10087   *Watson, Wilfred G.E.* A formulaic curse in Ugaritic. UF 39 (2007) 665-668;

10088   Bathing in the briny: note on KTU 1.4 ii 3-7. UF 39 (2007) 673-81;

10089 Additional botanical items in the Ugaritic texts. AuOr 25 (2007) 129-139.
10090 Whither Goliath?. BArR 33/3 (2007) 12 [Gat] [1 Sam 17].
10091 *Woudhuizen, Fred C.* On the Byblos script. UF 39 (2007) 689-756.
10092 *Wyatt, N.* Making sense of the senseless: correcting scribal errors in Ugaritic. UF 39 (2007) 757-772.
10093 *Xella, Paolo; Zamora, José Á.* The Phoenician data bank: the international project *Corpus inscriptionum phoenicarum necnon punicarum.* UF 39 (2007) 773-790.
10094 *Zamora, José Á.* The inscription from the first year of king Bodashtart of Sidon's reign: CIS I,4. Or. 76 (2007) 100-113;
10095 Les utilisations de l'alphabet lors du II⁰ millénaire av. J.-C. et le développement de l'épigraphie alphabétique: une approche à travers la documentation ougaritique en dehors des tablettes (I). Le royaume d'Ougarit. 2007 ⇒1004. 9-47.

J1.6 Aramaica

10096 *Ahituv, Shmuel, al.,* The inscribed pomegranate from the Israel Museum examined again. IEJ 57 (2007) 87-95.
10097 *Alonso Fontela, Carlos; Alarcón Sáinz, Juan J.* El arameo de las cartas de Bar Kokba. ᶠRIBERA FLORIT, J. 2007 ⇒131. 25-41.
10098 **Athas, George** The Tel Dan inscription: a reappraisal and a new interpretation. JSOT.S 360: 2003 <2005> ⇒19,9823... 22,9891. ᴿBASOR 345 (2007) 63-70 (*Aufrecht, Walter E.*); BS 164 (2007) 249-250 (*Chisholm, Robert B., Jr.*); CSMSJ 2 (2007) 69 (*Brown, Stuart C.*); JHScr 7 (2007)* = PHScr IV,478-482 ⇒22,593 (*Miller, Daniel*).
10099 **Awde, Nicholas; Al-Jeloo, Nicholas; Lamassu, Nineb** Aramaic (Assyrian/Syriac) dictionary & phrasebook: Swadaya-English, Turoyo-English, English-Swadaya-Turoyo. NY 2007, Hippocrene 300 pp. 978-07818-10876.
10100 *Botta, Alejandro F.* The legal function and Egyptian background of the שלית clause: a reevaluation. Maarav 13 (2007) 193-209.
10101 *Breuer, Yochanan* The Babylonian Aramaic in tractate "Karetot" according to MS Oxford. AramSt 5 (2007) 1-45.
10102 *Briquel-Chatonnet, Françoise* De l'Ahiqar araméen à l'Ahiqar syriaque: les voies de transmission d'un roman. ᶠTUBACH, J. Studies in oriental religions 56: 2007 ⇒154. 51-57 [⇒11473].
10103 **Dušek, Jan** Les manuscrits araméens du Wadi Daliyeh et la Samarie vers 450-332 av. J.-C. CHANE 30: Lei 2007, Brill xxvi; 700 pp. €190/$257. 978-90041-61788. Num. pl.; Bibl. 623-638.
10104 *Eshel, Esther* The onomasticon of Mareshah in the Persian and Hellenistic period. Judah and the Judeans. 2007 ⇒750. 145-156;
10105 Two Aramaic ostraca from Mareshah. A time of change. LSTS 65: 2007 ⇒850. 171-178.
10106 *Eshel, Esther; Puech, Emile; Kloner, Amos* Aramaic scribal exercises of the Hellenistic period from Maresha: bowls A and B. BASOR 345 (2007) 39-62.
10107 *Faraj, Ali H.* Aramaico orientale e coppe magiche mesopotamiche: riflessioni e definizioni. Mes. 42 (2007) 269-275.

10108   *Fassberg, S.E.* Collective nouns in Old Aramaic. ^FBAR-ASHER, M., 2. 2007 ⇒9. 426-434.

10109   *Ferrer, Joan* Una carta aramea de l'època neoassíria: l'òstracon d'Assur (*ca.* 650 aC). ^FRIBERA FLORIT, J. 2007 ⇒131. 131-146.

10110   *Fitzmyer, Joseph A.* The meaning of the Aramaic noun כיפא/כפא in the first century and its significance for the interpretation of gospel passages. ^FVANHOYE, A. AnBib 165: 2007 ⇒156. 35-43.

10111   **Gardner, Iain; Lieu, Samuel; Parry, Ken** From Palmyra to Zayton: epigraphy and iconography. Silk Road Studies 10: 2005 ⇒21, 10444. ^RJRAS 17 (2007) 323-325 (*Steinhardt, Nancy S.*).

10112   *Graf, David F.* Jósef Tadeusz MILIK (1922-2006): "Nabataean epigrapher par excellence". PJBR 6 (2007) 123-134.

10113   **Gropp, Douglas M.**, *al.*, Wadi Daliyeh II: the Samaria papyri from Wadi Daliyeh. DJD 28: 2001 ⇒17,8557; 19,9838. ^RTEuph 34 (2007) 173-174 (*Lemaire, André*).

10114   **Gzella, Holger** Tempus, Aspekt und Modalität im Reichsaramäischen. VOK 48: 2004 ⇒20,9506... 22,9903. ^RBiOr 64 (2007) 710-717 (*Muraoka, Takamitsu*).

10115   **Hackl, Ursula; Jenni, Hanna; Schneider, Christoph** Quellen zur Geschichte der Nabatäer: Textsammlung mit Übersetzung und Kommentar. NTOA 51: 2003 ⇒19,9840; 22,9904. ^RJNES 66 (2007) 157-158 (*Fiema, Zbigniew T.*).

10116   *Häberl, Charles G.* The relative pronoun *d-* and the pronominal suffixes in Mandaic. JSSt 52 (2007) 71-77.

10117   *Holm, Tawny L.* The Sheikh Fadl inscription in its literary and historical context. AramSt 5 (2007) 193-224.

10118   **Juusola, Hannu** Linguistic peculiarities in the Aramaic magic bowl texts. StOr 86: 1999 ⇒15,8610... 20,9516. ^ROLZ 102 (2007) 213-216 (*Kwasman, T.*).

10119   *Khan, Geoffrey* Aramaic in the medieval and modern periods. Languages of Iraq. 2007 ⇒1006. 95-113.

10120   *Kottsieper, Ingo* The Tel Dan inscription (*KAI* 310) and the political relations between Aram-Damascus and Israel in the first half of the first millennium BCE. Ahab Agonistes. 2007 ⇒820. 104-134.

10121   Leading scholar lambastes IAA committee. BArR 33/6 (2007) 16.

10122   **Lemaire, André** Nouvelles tablettes araméennes. 2001 ⇒17,8566 ... 20,9520. ^RStEeL 24 (2007) 111-113 (*Scagliarini, Fiorella*).

10123   *Levene, Dan* 'If you appear as a pig': another incantation bowl (Moussaieff 164). JSSt 52 (2007) 59-70.

10124   *Lipiński, Edouard* Silver of Ishtar of Arbela and of Hadad. New seals. HBM 8: 2007 ⇒721. 185-200.

10125   **Lozachmeur, Hélène** La collection Clermont-Ganneau : ostraca, épigraphes sur jarre, étiquettes de bois. MAIBL 35: 2006 ⇒22, 9914. ^RTEuph 34 (2007) 177-183 (*Lemaire, André*).

10126   *Lund, Jerome A.* A non-Peshitta Jeremiah citation by APHRAHAT. AramSt 5 (2007) 133-140 [Jer 31,31-32].

10127   *Millard, Alan* Early Aramaic. Languages of Iraq. 2007 ⇒1006. 85-94.

10128   *Morgenstern, Matthew* The Jewish Babylonian Aramaic magic bowl BM 91767 reconsidered. Muséon 120/1-2 (2007) 5-27.

10129   *Muhs, Brian* Demotic and Aramaic ostraca from early Ptolemaic Edfu, not Thebes. Enchoria 30 (2006-2007) 147-150.

10130 *Mutzafi, Hezy* The sound change *t2 > š in Ṭyare Neo-Aramaic. Muséon 120 (2007) 351-363.

10131 **Müller-Kessler, Christa** Die Zauberschalentexte in der Hilprecht-Sammlung, Jena, und weitere Nippur-Texte anderer Sammlungen. 2005 ⇒21,10476; 22,9920. [R]RBLit (2007)* (*Engle, John*).

10132 *Oelsner, Joachim* Aramäische Beischriften auf neubabylonische Ziegeln. ZDMG 157/2 (2007) 293-298.

10133 *Porten, Bezalel; Yardeni, Ada* The house of Baalrim in the Idumean ostraca. New seals. HBM 8: 2007 ⇒721. 99-147;

10134 Why the unprovenanced Idumean ostraca should be published. New seals. HBM 8: 2007 ⇒721. 73-98;

10135 Makkedah and the storehouse in the Idumean ostraca. A time of change. LSTS 65: 2007 ⇒850. 125-170.

10136 *Rubin, Aaron D.* On the third person preformative l-/n in Aramaic, and an Ethiopian parallel. ANESt 44 (2007) 1-28.

10137 *Sabar, Y.* The translations of Ḥakham ʿAlwan Avidani from Hebrew to Jewish Neo-Aramaic. [F]BAR-ASHER, M., 2. 2007 ⇒9. 435-452.

10138 **Shaked, Shaul** Le satrape de Bactriane et son gouverneur: documents araméens du IVe s. avant notre ère provenant de Bactriane. Persika 4: 2004 ⇒21,10484. [R]VDI 261 (2007) 216-220 (*Koshelenko, G.A.*); AramSt 5 (2007) 159-161 (*Wesselius, Jan-Wim*).

10139 *Shanks, Hershel* Magic incantation bowls: charms to curse, to cure and to celebrate. BArR 33/1 (2007) 62-63, 65.

10140 **Sokoloff, Michael** A dictionary of Jewish Babylonian Aramaic of the Talmudic and Geonic periods. 2002 ⇒18,9143... 21,10486. [R]AramSt 5 (2007) 162-163 (*Wesselius, Jan-Wim*); JSSt 50 (2005) 394-395 (*Beyer, Klaus*); RBLit 7 (2005) 75-78 (*Schorch, Stefan*).

10141 *Suriano, Matthew J.* The Apology of Hazael: a literary and historical analysis of the Tel Dan inscription. JNES 66 (2007) 163-176.

10142 *Wajsberg, E.* The Aramaic dialects in the new dictionary of Jewish Babylonian Aramaic. [F]BAR-ASHER, M., 2. 2007 ⇒9. 393-407.

10143 *Yon, Jean-Baptiste* De l'araméen en grec. MUSJ 60 (2007) 381-429.

10144 *Zehnder, Markus* Die "Aramaisierung" Assyriens als Folge der Expansion des assyrischen Reiches. [F]JENNI, E. AOAT 336: 2007 ⇒ 76. 417-438.

J1.7 Syriaca

10145 **Arayathinal, Thomas** Aramaic (Syriac) grammar, 1-3. Piscataway 2007 <1957-1959>, Gorgias viii; xiv; 457 + viii; xix; 423 + 81+75 pp. $86+86+86. 978-15933-35137/44/6059. Introd. *J.P.M. van der Ploeg* [JJS 69,170s–*Sebastian Brock*].

10146 *Bar-Asher, E.A.* Theorigin and typology of the pattern *qtil li* in Syriac and Babylonian Aramaic. [F]BAR-ASHER, M., 2. 2007 ⇒9. 360-392. **H.**

10147 *Brock, Sebastian; Goldfus, Haim; Kofsky, Aryeh* The Syriac inscriptions at the entrance to Holy Sepulchre, Jerusalem. Aram 19 (2007) 415-438.

10148 *Demaria, Serena* Vorbemerkungen über die westsyrische Legende von Bar Šabbay/Bar Šabba. [F]TUBACH, J. 2007 ⇒154. 117-121.

10149   *Desreumaux, Alain* Trois inscriptions édesséniens du Louvre sur mosaïque. ^FTUBACH, J. 2007 ⇒154. 123-136.

10150   **Kiraz, George A.** The new Syriac primer: an introduction to the Syriac language with a CD. Gorgias Handbooks 9: Piscataway, NJ 2007, Gorgias xxxiii; 369 pp. $72. 978-15933-33256.

10151   ^E**Kiraz, George A.** The searchable and bookmarked Syriac-English dictionary: a searchable PDF of J. Payne Smith's A compendious Syriac dictionary founded upon the Thesaurus Syriacus of R. Payne Smith. Piscataway, NJ 2007, Gorgias $51. 978-15933-37902.

10152   *Meehan, C.* A Palestinian-type lexeme in an Early Syriac manuscript. ^FBAR-ASHER, M., 2. 2007 ⇒9. *56-*61.

10153   *Muraoka, T.* On verb complementation in Classical Syriac. ^FBAR-ASHER, M., 2. 2007 ⇒9. *62-*70.

10154   **Muraoka, Takamitsu** Siríaco clásico: gramática básica con crestomatía. ^T*Colautti, F.* Instrumentos para el estudio de la Biblia: Estella 2006, Verbo Divino 256 pp.

10155   *Río Sánchez, Francisco del* El estudio del arameo siríaco en una comunidad arabizada: códices gramaticales y lexicográficos hallados en la biblioteca maronita de Alepo. AuOr 25 (2007) 105-114.

10156   *Van Rompay, Lucas* Syriac studies: the challenges of the coming decade. Hugoye 10/1 (2007)*.

10157   **Zammit, Martin** 'Enbe men karmo suryoyo: a Syriac chrestomathy. Gorgias Handbooks: Piscataway, NJ 2006, Gorgias xii; 207 pp. $65. 15933-33463.

J1.8 **Akkadica** (sumerica)

10158   *Abdi, Kamyar; Beckman, Gary* An early second-millennium cuneiform archive from Chogha Gavaneh, western Iran. JCS 59 (2007) 39-91.

10159   *Abrahami, Philippe* La sumérologie à ses débuts du déchiffrement à la grammaire d'A. Poebel (1852-1923). Egypte 47 (2007) 27-36.

10160   **Ahmad, Ali Yaseen; Postgate, J. Nicholas** Archives from the domestic wing of the North-West palace at Kalhu/Nimrud. EDUBBA 10: L 2007, NABU xxi; 83 pp. 978-1-89775-10-0.

10161   *Alster, Bendt; Oshima, Takayoshi* Sargonic dinner at Kaneš: the Old Assyrian Sargon legend. Iraq 69 (2007) 1-20.

10162   *Arnaud, Daniel* Documents à contenu 'historique', de l'époque présargonique au VI^E siècle. AuOr 25 (2007) 5-84.

10163   *Bauer, Josef* Mosaiksteinchen zur sumerischen Literatur. Or. 76 (2007) 393-403.

10164   *Beaulieu, Paul-A.* Late Babylonian intellectual life. Babylonian world. 2007 ⇒716. 473-484.

10165   *Black, Jeremy* Sumerian. Languages of Iraq. ^E*Robson, Eleanor* 2007 ⇒1006. 4-30.

10166   *Borger, Rykle* Zu Mittermayers Zeichenliste des sumerischen literarischen Korpus. Or. 76 (2007) 385-392.

10167   *Breyer, Francis* Zur Wiedereinführung des neuassyrischen Lautwertes *tàn* aufgrund der keilschriftlichen Wiedergabe eines meroitischen Pharaonennamens. ^FJENNI, E. AOAT 336: 2007 ⇒76. 17-22.

10168   **Brisch, Nicole M.** Tradition and poetics of innovation: Sumerian court literature of the Larsa dynasty (c. 2003-1763 BCE). AOAT

339: Müns 2007, Ugarit-Verlag xi; 303 pp. 978-39346-28915. Bibl. 271-291.

10169 *Brown, David* Mesopotamian astral science. Babylonian world. 2007 ⇒716. 460-472.

10170 ᴱ**Buckley, Jorum J.** Drower's Folk-tales of Iraq. Piscataway (N.J.) 2007 <1931>, Gorgias 490 pp. $139. Ill.

10171 ᴱ**Cathcart, Kevin** The correspondence of Edward Hincks. Dublin 2007, University College Dublin Pr. xii; 352 pp. €60/£45. 978-190-45-58705.

10172 *Cavigneaux, Antoine* Une crux sargonica et les quatre vents. Or. 76 (2007) 169-173.

10173 *Charpin, Dominique* The writing, sending and reading of letters in the Amorite world. Babylonian world. 2007 ⇒716. 400-417.

10174 **Cohen, Eran** The modal system of Old Babylonian. Harvard Semitic Studies 56: 2005 ⇒21,10513; 22,9964. ᴿOLZ 102 (2007) 280-283 (*Golinets, Viktor*).

10175 Cuneiform tablet confirms biblical name. BArR 33/6 (2007) 18 [Jer 39,3].

10176 ᴱ**Ebeling, Jarle; Cunningham, Graham** Analysing literary Sumerian: corpus-based approaches. L 2007, Equinox xiv; 412 pp. £75/$135. 18455-32295.

10177 *Edzard, Dietz O.* Die altmesopotamischen lexikalischen Listen–verkannte Kunstwerke?. Das geistige Erfassen. 2007 ⇒746. 17-26.

10178 **Edzard, Dietz O.** Sumerian grammar. HO I/71: 2003 ⇒19,9918... 22,9968. ᴿZA 97 (2007) 142-147 (*Jagersma, Bram*).

10179 *Ernst-Pradal, Françoise* Tablettes akkadiennes signées et mains de scribes: complexité des problèmes de paléographie à Ougarit. Le royaume d'Ougarit. 2007 ⇒1004. 131-137.

10180 **Foster, Benjamin R.** Akkadian literature of the late period. Guides to the Mesopotamian textual record 2: Müns 2007, Ugarit-Verlag x; 147 pp. 978-3-934628-70-0. Bibl. 118-139).

10181 **Freedman, Sally M.** If a city is set on a height: the Akkadian omen series Šumma Alu ina Mēlê Šakin, volume 2: tablets 22-40. Occasional Publications of the...Kramer Fund 19: Ph 2006, Kramer Fund 300 pp. 09779-14518.

10182 **Freydank, Helmut; Feller, Barbara** Mittelassyrische Rechtsurkunden und Verwaltungstexte, VIII. Ausgrabungen der Deutschen Orient-Gesellschaft in Assur.E,Inschriften 7: Wsb 2007, Harrassowitz 83 pp. 978-3-447-05678-6. Bibl.

10183 *Galil, Gershon* Israelite exiles in Media: a new look at ND 2443⁺. BetM 52/2 (2007) 41-60 [2 Kgs 17,6] H.

10184 *Geller, M.J.* Akkadian sources of the ninth century. Understanding the history. PBA 143: 2007 ⇒545. 229-241.

10185 *George, Andrew* Babylonian and Assyrian: a history of Akkadian. Languages of Iraq. 2007 ⇒1006. 31-71.

10186 *Goren, Yuval, al.,* Provenance study and re-evaluation of the cuneiform documents from the Egyptian residency at Tel Aphek. Ä&L 16 (2007) 161-171.

10187 **Hackl, Johannes** Der subordinierte Satz in den spätbabylonischen Briefen. AOAT 341: Müns 2007, Ugarit-Verlag xiv; 171 pp. 978-3-934628-96-0. Bibl. 155-162.

10188 **Halloran, John A.** Sumerian lexicon: a dictionary guide to the ancient Sumerian language. 2006 ⇒22,9972. ᴿMes. 42 (2007) 278-279 (*Seminara, Stefano*).

10189   *Hess, Richard S.* Personal names in cuneiform texts from Middle
Bronze Age Palestine. [F]WYATT, N. AOAT 299: 2007 ⇒174. 153-
161.

10190   *Horowitz, Wayne; Oshima, Takayoshi* Hazor 15: a letter fragment
from Hazor. IEJ 57 (2007) 34-40.

10191   **Horowitz, Wayne; Oshima, Takayoshi** Cuneiform in Canaan:
cuneiform sources from the Land of Israel in ancient times. 2006 ⇒
22,9980. [R]Qad. 40 (2007) 58 (*Cogan, Mordechai*); IEJ 57 (2007)
246-248 (*Cogan, Mordechai*); RA 101 (2007) 187-188 (*Charpin,
Dominique*).

10192   *Huber, Peter J.* On the Old Babylonian understanding of grammar:
a reexamination of OBGT VI-X. JCS 59 (2007) 1-17.

10193   **Huehnergard, John** A grammar of Akkadian. HSM 45: [2]2005
<1997> ⇒21,10531. [R]Or. 76 (2007) 441-2 (*Cavigneaux, Antoine*).

10194   [E]**Hunger, Hermann** Astronomical diaries and related texts from
Babylonia, 5: lunar and planetary texts. DÖAW 299: 2001 ⇒17,
8613... 21,10532. [R]JRAS 17/1 (2007) 61-63 (*Robson, Eleanor*).

10195   **Kaneva, Irina T.** Šumerskij Jazyk [Die sumerische Sprache].
Sankt-Peterburg [2]2006 <1996>, Peterburgskoe Vostokovedenie
240 pp. 58580-33028.

10196   *Krebernik, Manfred* Zur Entwicklung des Sprachbewusstseins im
Alten Orient. Das geistige Erfassen. 2007 ⇒746. 39-61.

10197   *Lambert, W.G.* A document from a community of exiles in Babylo-
nia. New seals. HBM 8: 2007 ⇒721. 201-205.

10198   *Livingstone, Alasdair* The Babylonian almanac in the west. Studien
zu Ritual. BZAW 374: 2007 ⇒937. 187-190;

10199   The Babylonian almanac: a text for specialists?. Die Welt der Göt-
terbilder. BZAW 376: 2007 ⇒823. 85-101.

10200   **Luukko, Mikko** Grammatical variation in Neo-Assyrian. SAAS
16: 2004 ⇒20,9588; 22,9990. [R]JSSt 52 (2007) 369-373 (*Worthing-
ton, Martin*).

10201   **Malbran-Labat, Florence** Pratique de la grammaire akkadienne:
exercises et corrigés. Langues et cultures anciennes 6: 2006 ⇒22,
9991. [R]Maarav 13 (2007) 261-268 (*Hasselbach, Rebecca*);

10202   La morphologie akkadienne en tableaux. Langues et cultures anci-
ennes 8: Bru 2007, Safran 80 pp. €28.

10203   *Mayer, Werner R.* Das akkadische Präsens zum Ausdruck der
Nachzeitigkeit in der Vergangenheit. Or. 76 (2007) 117-144.

10204   **Mittermayer, Catherine.** Altbabylonische Zeichenliste der sume-
risch-literarischen Texte. 2006 ⇒22,9995. [R]JAOS 127 (2007) 560-
561 (*Brisch, Nicole*).

10205   **Monaco, Salvatore F.** The Cornell University archaic tablets.
Cornell University studies in Assyriology and Sumerology 1:
Bethesda (Md.) 2007, CDL xiv; 370 pp. 978-1-934309-00-1. Bibl.

10206   *Oelsner, Joachim* Zur Mathematik des alten Mesopotamien. Das
geistige Erfassen. 2007 ⇒746. 301-314.

10207   **Owen, David I.; Mayr, Rudolf H.** The Garšana archives. Cornell
University studies in Assyriology and Sumerology 3: Bethesda
(Md.) 2007, CDL x; 492 pp. 978-1-934309-02-5. Bibl.; Collab.
Alexandra Kleinerman.

10208   [E]**Parpola, Simo; Whiting, Robert M.**, *al.*, Assyrian-English-As-
syrian dictionary. Helsinki 2007, Institute for Asian and African
Studies xvii; 289 pp. $75. 978-95210-13324.

10209 **Pedersén, Olof** Archive und Bibliotheken in Babylon: die Tontafeln der Grabung Robert Koldeweys 1899 - 1917. ADOG 25: 2005 ⇒21,10551. ^RJAOS 127 (2007) 563-566 (*Meinhold, Wiebke*).

10210 **Radner, Karen** Die neuassyrischen Texte aus Tall Seh Hamad. 2002 ⇒19,9942. ^ROLZ 102 (2007) 287-292 (*Minx, Sören*).

10211 *Reiner, Erica* Supplement to_Chicago Assyrian Dictionary T (volume 18). JNES 66 (2007) 47-61.

10212 *Robson, Eleanor* Mathematics, metrology, and professional numeracy. Babylonian world. 2007 ⇒716. 418-431.

10213 ^E**Roth, Martha T.** CAD 12: P: The Assyrian Dictionary of the Oriental Institute of the Univ. of Chicago. 2005 ⇒21,10553. ^RZA 97 (2007) 149-152 (*Streck, Michael P.*).

10214 *Schulze, Wolfgang; Sallaberger, Walther* Grammatische Relationen im Sumerischen. ZA 97 (2007) 163-214.

10215 **Sigrist, M.; Walker, C.B.F.; Zadok, R.** Catalogue of the Babylonian tablets in the British Museum, 3. 2006 ⇒22,10011. ^RBiOr 64 (2007) 674-677 (*Stol, M.*).

10216 **Sigrist, Marcel** Tablets from the Princeton Theological Seminary: UR III period. Occasional Publications of the...Kramer Fund 18: Ph 2005, Kramer Fund vii; 370 pp. 09779-1450X.

10217 *Smith, Eric J.M.* [-ATR] harmony and the vowel inventory of Sumerian. JCS 59 (2007) 19-38.

10218 *Studevent-Hickman, Benjamin* The ninety-degree rotation of the cuneiform script. ^FWINTER, I. CHANE 26: 2007 ⇒171. 485-513.

10219 *Taylor, Jon* Babylonian lists of words and signs. Babylonian world. 2007 ⇒716. 432-446.

10220 ^T**van Dijk, Johannes J.A.; Geller, Markham J.** Ur III incantations from the Frau Professor Hilprecht-Collection, Jena. Texte und Materialien 6: 2003 ⇒19,9964... 22,10017. ^RBiOr 64 (2007) 175-80 (*Bauer, Josef*); PHScr II, 599-601 ⇒373 (*Worthington, Martin*).

10221 *Vita, Juan-P.* Messengers who must live or die: a note on EA 16 and ARM XXVIII 14 [A.2114]. ^FWYATT, N. 2007 ⇒174. 309-311.

10222 *Weiershäuser, Frauke* Beobachtungen zur Entwicklung des Korpus lexikalischer Texte in Assur. Studien zu Ritual. BZAW 374: 2007 ⇒937. 349-365.

10223 *Weippert, Manfred* Azriyau und Azaryau: zur Unterscheidung israelitischer und judäischer theophorer Personennamen in keilschriftlicher Wiedergabe. ^FJENNI, E. AOAT 336: 2007 ⇒76. 379-392.

10224 ^E**Westenholz, Aage; Westenholz, Joan M.G.** Cuneiform inscriptions in the collection of the Bible Lands Museum Jerusalem: the Old Babylonian inscriptions. 2006 ⇒22,10019. ^RBiOr 64 (2007) 408-411 (*Stol, M.*); JAOS 127 (2007) 558-559 (*Seri, Andrea*).

10225 *Westenholz, Joan G.* Notes on the Old Assyrian Sargon legend. Iraq 69 (2007) 21-27.

10226 *Zgoll, Annette* Wort-Bedeutung und Bedeutung des Wortes: von den Leipziger Semitistischen Studien zur modernen Akkadistik. Das geistige Erfassen. 2007 ⇒746. 83-94.

J2.7 Arabica

10227 **Ababneh, Mohammad I.** Neue safaitische Inschriften und deren bildliche Darstellungen. Semitica et Semitohamitica 6: Aachen 2005, Shaker 447 pp. 38322-47025.

10228 **Abuᵓ Shaqra, Faruq** Arabic: an essential grammar. L 2007, Routledge ix; 355 pp. 0-415-41571-3/21.

10229 **Avanzini, Alessandra** Corpus of South Arabian inscriptions I-III: Qatabanic, marginal Qatabanic, Awsanite inscriptions. Pisa 2004, Plus 606 pp. 88849-22631.

10230 ᴱ**Contadini, Anna** Arab painting: text and image in illustrated Arabic manuscripts. HO 1/90: Lei 2007, Brill xi; 272 pp. 978-90-04-15722-4. Bibl. 177-178.

10231 **Frantsouzoff, Serguei** Raybun: Kafas/Na'Man, temple de la déesse Dhat Himyam. Inventaire des inscriptions sudarabiques 6: P 2007, De Boccard 2 vols. €79. 2-87754-185-1. Contrib. d'*Aleksandr Sedov; Jurij Vinogradov*; Bibl. 291-305.

10232 *Fujii, Sumio; Tokunaga, Risa* A brief report on Hismaic inscriptions from Rus Abu Ṯulayḥa in the Jafr basin, southern Jordan. ADAJ 51 (2007) 361-372.

10233 *Harahsheh, Rafeᶜ M.* Survey and documentation of new inscriptions at Ḥarra al-Urduniyya. ADAJ 51 (2007) *51-*53. **A**.

10234 *Monroe, Lauren A.S.* Israelite, Moabite and Sabaean war-*ḥerem* traditions and the forging of national identity: reconsidering the Sabaean text RES 3945 in light of biblical and Moabite evidence. VT 57 (2007) 318-341.

10235 *Naufal, Tony P.* Can the Hebrew Bible be fully understood without Arabic?. ThRev 28/1 (2007) 3-22.

10236 **Sharon, Moshe** Corpus Inscriptionum Arabicarum Palaestinae: addendum: squeezes in the Max van Berchem collection (Palestine, Trans-Jordan, Northern Syria) squeezes 1-84. HO 1/30: Leiden 2007, Brill 978-9004-1578-04. Bibl.

10237 **Stein, Peter** Untersuchungen zur Phonologie und Morphologie des Sabäischen. 2003 ⇒20,9614; 22,10036. ᴿMuséon 120 (2007) 490-494 (*Maraqten, Mohammed*); JSSt 51 (2006) 218-220 (*Knauf, Ernst Axel*); OLZ 101 (2006) 76-84 (*Mazzini, Giovanni*).

10238 *Stein, Peter* Materialien zur sabäischen Dialektologie: das Problem des amiritischen ('haramischen') Dialektes. ZDMG 157/1 (2007) 13-47.

J3.0 Aegyptia

10239 *Ahrens, Alexander* A journey's end–two Egyptian stone vessels with hieroglyphic inscriptions from the royal tomb at Tell Mišrife/ Qaṭna. Ä&L 16 (2007) 15-36.

10240 *Allen, James P.* Literature. Egyptian world. 2007 ⇒747. 388-398.

10241 ᵀ**Allen, James P.** The ancient Egyptian pyramid texts. ᴱ*Der Manuelian, Peter* SBL.Writings from the Ancient World 23: 2005 ⇒21, 10580; 22,10039. ᴿBiOr 64 (2007) 619-623 (*Guilhou, Nadine*); CBQ 69 (2007) 106-107 (*Hollis, Susan T.*): JAOS 127 (2007) 380-381 (*Szpakowska, Kasia*); RBLit (2007) 63-66 (*Volokhine, Youri*).

10242 *Basson, Alec* On metaphorical language in two ancient Egyptian love poems. JSem 16 (2007) 369-377.

10243 *Bomhard, A.S. von* Le livre du ciel: de l'observation astronomique à la mythologie. Proceedings Ninth Congress, 1. OLA 150: 2007 ⇒ 992. 195-205.

10244 **Bouvier, Guillaume.** Les étiquettes de jarres hiératiques de l'Institut d'Égyptologie de Strasbourg. DFIFAO 43: 2003, ⇒19,9990; 22, 10047. Fascicule 5 (Commentaire). ᴿJEA 93 (2007) 276-280 (*Lines, Dan*).

10245 **Burkard, Günter; Thissen, Heinz J.** Einführung in die ägyptische Literaturgeschichte I–Altes und Mittleres Reich. Einführungen und Quellentexte zur Ägyptologie 1: Müns ²2007 <2003>, Lit 264 pp. 3-8258-6132-5.

10246 **Butterweck-Abdelrahim, Kirsten** Untersuchungen zur Ehrung verdienter Beamter. Aegyptiaca Monasteriensia 3: Aachen 2002, Shaker v; 275 pp. 3-8322-0463-6. Bibl.

10247 **Capart, Jean** Io leggo i geroglifici. ᴱ*Roccati, Alessandro*; ᵀ*Soleri, Olimpia* T 2007, Adarte 112 pp. 978-88-89082-07-2.

10248 *Cervelló-Autuori, Josep* A propos du déterminatif du tronc de pyramide dans les textes des pyramides: sémantique et archéologie. Proceedings Ninth Congress, 1. OLA 150: 2007 ⇒992. 303-311.

10249 **Collier, Mark** Dating late XIXth dynasty ostraca. 2004 ⇒20,9626. ᴿBiOr 64 (2007) 147-148 (*Wimmer, S.*).

10250 ᴱ**Collier, Mark; Quirke, Stephen** The UCL Lahun papyri. 2004 ⇒21,10591. ᴿOLZ 102 (2007) 411-414 (*Fischer-Elfert, Hans W.*).

10251 *Collombert, Philippe* Combien y avait-il de hiéroglyphes?. Egypte Afrique & Orient 46 (2007) 15-28.

10252 **Cuvigny, Hélène** Ostraca de Krokodilô: la correspondance militaire et sa circulation, O. Krok. 1-151. FIFAO 51: 2005 ⇒21, 10592. ᴿBiOr 64 (2007) 168-171 (*Bagnall, Roger S.*).

10253 **Darnell, John C.** The inscription of Queen Katimala at Semna: textual evidence for the origins of the Napatan state. 2006 ⇒22, 10049. ᴿBiOr 64 (2007) 377-387 (*Zibelius-Chen, Karola*); Ling-Aeg 15 (2007) 341-347 (*El-Sayed, Rafed*).

10254 **David, Arlette** Syntactic and lexico-semantic aspects of the legal register in Ramesside royal decrees. GOF.Ä 38: 2006 ⇒22,10051. ᴿJAOS 127 (2007) 218-220 (*Jay, Jacqueline E.*).

10255 *De Trafford, Aloisia* The pyramid texts: a contextual approach. Proceedings Ninth Congress, 1. OLA 150: 2007 ⇒992. 429-432.

10256 *Dodson, Aidan Ernest* Sibree: a forgotten pioneer and his milieu. JEA 93 (2007) 247-253.

10257 *Donadoni, Sergio* C'era un uomo di nome Khuenanup. Aeg. 87 (2007) 211-214.

10258 **El-Enany, Khaled** Le petit temple d'Abou Simbel: paléographie. Paléographie hiéroglyphique 3: Le Caire 2007, Institut Français d'Archéologie Orientale vii; 176 pp. 978-2-7247-0474-7.

10259 *Eyre, Christopher J.* The evil stepmother and the rights of a second wife. JEA 93 (2007) 223-243.

10260 *Farouk, Azza* Zwei heliopolitanische Totenstelen und eine Opfertafel aus dem Neuen Reich. MDAI.K 63 (2007) 1-7; Taf. 1-2.

10261 *Farout, Dominique* Le premier déchiffreur l'abbé Barthélemy (1716-1795). Egypte 47 (2007) 11-18.

10262 *Feder, Frank* Die poetische Struktur der Sinuhe-Dichtung. Was ist ein Text?. BZAW 362: 2007 ⇒980. 169-193.

10263 *Fischer-Elfert, Hans-W.* Wort–Vers–Text: Bausteine einer altägyptischen Textologie. Das geistige Erfassen. 2007 ⇒746. 27-38.

10264 *Franke, Detlef* The good shepherd Antef (Stela BM EA 1628). JEA 93 (2007) 149-174.

10265   **Frood, Elizabeth** Biographical texts from Ramessid Egypt.
        EBaines, John Writings from the Ancient World 26: Atlanta 2007,
        SBL xix; 301 pp. $25. 978-15898-32107. Bibl. 273-290.
10266   **Gabolde, Luc** Monuments décorés en bas relief aux noms de
        Thoutmosis II et Hatchepsout à Karnak. 2005 ⇒21,10596. RJAOS
        127 (2007) 73-74 (*Spalinger, Anthony*).
10267   **Gasse, Annie; Rondot, Vincent** Les inscriptions de Séhel. MIFAO
        126: Le Caire 2007, Institut français d'archéologie orientale vii;
        607 pp. 978-27247-04341. Pl.; :Bibl. 407-418.
10268   *Gomaa, Farouk; Abd el-Aziz, Sabry* Die neulich im Mwt-Tempel
        gefundene Stele. MDAI.K 63 (2007) 43-51; Taf. 6-8.
10269   **Grandet, Pierre** Catalogue des ostraca hiératiques non littéraires
        de Deîr el-Médînéh, tome X–nos 10001-10123. 2006 ⇒22,10058.
        RBiOr 64 (2007) 145-147 (*Wimmer, S.*); JEA 93 (2007) 295-298
        (*Demarée, R.J.*); LingAeg 15 (2007) 315-318 (*Müller, Matthias*).
10270   *Guermeur, Ivan* A propos de l'épigraphie ptolémaïque: l'exemple
        du mammisi de Philae. Egypte Afrique & Orient 46 (2007) 29-36.
10271   *Hamza, Khaled Ahmed* Zwei Stelen aus dem Mittleren Reich im
        Louvre. MDAI.K 63 (2007) 53-67; Taf. 9-10.
10272   **Heise, Jens** Erinnern und Gedenken: Aspekte der biographischen
        Inschriften der ägyptischen Spätzeit. OBO 226: FrS 2007, Aca-
        demic 385 pp. €69. 978-3-7278-1578-2. Bibl. 369-379 RBiOr 64
        (2007) 617-619 (*Meulenaere, H.J.A. de*).
10273   **Hoffmann, Friedhelm; Quack, Joachim F.** Anthologie der demo-
        tischen Literatur. Einführungen und Quellentexte zur Ägyptologie
        4: B 2007, Lit xiv; 378 pp. €39.90. 978-38258-07627.
10274   **Hofmann, Beate** Die Königsnovelle. ÄAT 62: 2004 ⇒20,9639.
        ROLZ 102 (2007) 664-672 (*Gnirs, Andrea M.*).
10275   **Hofmann, Tobias** Zur sozialen Bedeutung zweier Begriffe für
        "Diener": *b3k* und *hm* : untersucht an Quellen vom Alten Reich bis
        zur Ramessidenzeit. Aegyptiaca Helvetica 18: Ba 2005, Schwabe
        352 pp. 3-7965-2083-9. Bibl. 344-352; Ill.
10276   *Jansen-Winkeln, Karl* Eine "neue" ramessidische Biographie. ZÄS
        134 (2007) 107-115 Pl. V-XX.
10277   **Jansen-Winkeln, Karl** Inschriften der Spätzeit: Teil I: die 21. Dy-
        nastie. Wsb 2007, Harrassowitz xxxvi; 288 pp. €68. 978-3-447-05-
        359-4;
10278   Teil II: die 22-24. Dynastie. Wsb 2007, Harrassowitz xxxviii; 536
        pp. €98. 978-3447-055826.
10279   *Jenni, Hanna* Diathese und Modus des ägyptischen Pseudoparti-
        zips. ZÄS 134 (2007) 116-133.
10280   *Jiménez-Serrano, Alejandro* Principles of the oldest Egyptian writ-
        ing. LingAeg 15 (2007) 47-66.
10281   *ELepper, Verna M.* 'After Polotsky': new research and trends in
        Egyptian and Coptic linguistics. LingAeg 14: 2006 ⇒22,10065.
        RLingAeg 15 (2007) 329-340 (*Peust, Carsten*).
10282   **Manassa, Colleen** The Great Karnak Inscription of Merneptah.
        Yale Egyptological Studies 5: 2003 ⇒19,10022; 20,9647. RNEA-
        (BA) 70 (2007) 181-182 (*Musacchio, T.*).
10283   *McDonald, Angela* A metaphor for troubled times: the evolution of
        the Seth deity determinative in the First Intermediate Period. ZÄS
        134 (2007) 26-39.

10284 *Meeks, Dimitri* La paléographie hiéroglyphique. une discipline nouvelle. Egypte Afrique & Orient 46 (2007) 3-14.

10285 **Moje, Jan** Untersuchungen zur Hieroglyphischen Paläographie und Klassifizierung der Privatstelen der 19. Dynastie. ÄAT 67: Wsb 2007, Harrassowitz x; 624 pp. €148. 978-3-447-05321-1. Bibl. 595-620.

10286 *Moreno García, Juan C.* A new Old Kingdom inscription from Giza (CGC 57163), and the problem of *sn.ḏt* in Pharaonic third millennium society. JEA 93 (2007) 117-136.

10287 *Morenz, Ludwig D.* Synkretismus oder ideologiegetränktes Wort- und Schriftspiel?: die Verbindung des Gottes Seth mit der Sonnenhieroglyphe bei Per-ib-sen. ZÄS 134 (2007) 151-156 Pl. XXII-XXXIII.

10288 *Morrison, Anne* Designing materials for language self-instruction: a case study of Middle Egyptian. Current research in Egyptology 2005. 2007 ⇒991. 123-137.

10289 **Navrátilová, Hana** The visitor's graffiti of dynasties XVIII and XIX in Abusir and Northern Saqqara. Praha 2007, SET OUT 168 pp. 978-80-86277-58-5. Num. ill.; CD-Rom.

10290 *O'Rourke, Paul F.* The ʿmʿt-woman. ZÄS 134 (2007) 166-172.

10291 **Padrò, Josep** La lengua de Sinuhé: gramática del Egipcio clásico. Barc 2007, Crítica 375 pp. 978-84843-28643. ᴿAuOr 25 (2007) 330-331 (*Roccati, A.*).

10292 *Peust, Carsten* Ellipsis of shared subjects and direct objects from subsequent predictions in earlier Egyptian. JEA 93 (2007) 211-222.

10293 **Quirke, Stephen** Egyptian literature 1800 BC: questions and readings. 2004 ⇒20,9662... 22,10082. ᴿJEA 93 (2007) 271-274 (*Hagen, Fredrik*).

10294 **Ray, J.D.** Demotic papyri and ostraca from Qasr Ibrim. 2005 ⇒21, 10616; 22,10085. ᴿJEA 93 (2007) 280-282 (*Martin, Cary J.*).

10295 *Regulski, Ilona* An early dynastic rock inscription at el-Hosh. JEA 93 (2007) 254-258.

10296 **Rilly, Claude** La langue du royaume de Méroé: un panorama de la plus ancienne culture écrite d'Afrique subsaharienne. BEHE.H 344: P 2007, Champion x; 619 pp. €90. 978-27453-15823. Ill.; Bibl. 575-605 ᴿLingAeg 15 (2007) 365-371 (*Zibelius-Chen, Karola*); CRAI (2007) 732-733 (*Leclant, Jean*).

10297 *Rull Ribó, David* Solar ascension and Osirian raising in the *pyramid texts* concentrating on the study of the determinatives. Proceedings Ninth Congress, 2. OLA 150: 2007 ⇒992. 1645-1656.

10298 *Sabbahy, Lisa K.* Ancient Egyptian queens' names. JSSEA 34 (2007) 149-158.

10299 **Schipper, Bernd U.** Die Erzählung des Wenamun: ein Literaturwerk im Spannungsfeld von Politik, Geschichte und Religion. OBO 209: 2005 ⇒21,10618; 22,10093. ᴿBiOr 64 (2007) 112-118 (*Simon, Henrike*); OLZ 101 (2006) 399-407 (*Schentuleit, Maren*).

10300 **Schneider, Thomas** Contextualising the Tale of the herdsman. ᶠLLOYD, A. AOAT 347: 2007 ⇒98. 309-318.

10301 **Scranton, Laird** Sacred symbols of the Dogon: the key to advanced science in the ancient Egyptian hieroglyphs. Rochester, Vt. 2007, Inner Traditions xiv; 257 pp. 978-1-594-77134-7. Bibl. 248.

10302 *Spalinger, Anthony* Transformations in Egyptian folktales: the royal influence. RdE 58 (2007) 137-156.

10303 **Strudwick, Nigel** Texts from the pyramid age. ^E*Leprohon, Ronald J.* SBL.Writings from the Ancient World 16: 2005 ⇒21,10623. ^RCBQ 69 (2007) 339-341 (*Morschauser, Scott*); JAOS 127 (2007) 381 (*Szpakowska, Kasia*); RBLit (2007) 78-82 (*Volokhine, Youri*).

10304 **Thiers, Christophe** Ptolémée Philadelphe et les prêtres d'Atoum de Tjékou: nouvelle édition commentée de la "Stèle de Pithom" (CGC 22183). Orientalia Monspeliensia 17: Montpellier 2007, Université Paul Valéry vii; 257 pp. 978-2-8426-9786-0. Bibl. 232-257.

10305 **Uljas, Sami** The modal system of earlier Egyptian complement clauses: a study in pragmatics in a dead language. PÄ 26: Lei 2007, Brill ix; 430 pp. $196. 978-90-04-15831-3. Bibl. 363-378.

10306 *Vittmann, Günter* Eine spätzeitliche Schülertafel aus dem Asasif. Ä&L 16 (2007) 187-193.

10307 *Wimmer, Stefan J.; Maeir, Aren M.* The "prince of Safit?": a late Bronze Age hieratic inscription from Tell eş-Şafi/Gath. ZDPV 123 (2007) 37-48.

10308 **Winand, Jean** Temps et aspect en égyptien: une approche sémantique. PÄ 25: 2006 ⇒22,10106. ^RLingAeg 15 (2007) 349-357 (*Stauder-Porchet, Julie*).

J3.4 Coptica

10309 *Aufrère, Sydney H.* Une compariaison du démon à la sangsue chez Chénouté (ms. IFAO copte 1, f° 9v°33-10r°12). "Dieu parle". Histoire du texte biblique 7: 2007 ⇒556. 165-178.

10310 **Aufrère, Sydney H.; Bosson, Nathalie** Guillaume Bonjour, Elementa linguae copticae: grammaire inédite du XVIIe siècle. COr 24: 2005 ⇒21,10628; 22,10108. ^ROCP 73 (2007) 242-246 (*Luisier, Philippe*).

10311 *Boud'hors, Anne* Le tome 8 des Canons de Chénouté, entre rhétorique et réalité. "Dieu parle". Histoire du texte biblique 7: 2007 ⇒ 556. 159-164.

10312 *Choat, Malcolm* The archive of Apa Johannes: notes on a proposed new edition. CHL 122 (2007) 175-183.

10313 **Layton, Bentley** Coptic in 20 lessons: introduction to Sahidic Coptic with exercises & vocabularies. Lv 2007, Peeters viii; 204 pp. €27. 90-429-1810-1. Bibl.

10314 *Lucchesi, Enzo* Identification de P. Vindob. K. 2644;

10315 L'homélie copte d'ÉVODE de Rome en l'honneur des Apôtres: un feuillet nouveau. Or. 76 (2007) 174-175/379-384.

10316 *Papaconstantinou, Arietta* 'They shall speak the Arabic language and take pride in it': reconsidering the fate of Coptic after the Arab conquest. Muséon 120 (2007) 273-299.

10317 *Richter, Tonio S.* Miscellanea magica, III: ein vertauschter Kopf?: Konjekturvorschlag für P. Berlin P 8313 ro, col. II, 19-20. JEA 93 (2007) 259-263.

10318 **Shisha-Halevy, Ariel** Topics in Coptic syntax: structural studies in the Bohairic dialect. OLA 160: Lv 2007, Peeters 763 pp. 978-90-429-1875-7. Bibl. 635-674.

10319 *Westerhoff, Matthias* "[...] die hellenischen Herzen, die unter euch sind"–Schenute und die "Hellenen" in seinem Traktat Contra Origenistas. ^FTUBACH, J. 2007 ⇒154. 87-96.

J3.8 Aethiopica

10320 *Böll, Verena* Die äthiopische Schrift im Spiegel der Religion. [F]TU-
BACH, J. Studies in oriental religions 56: 2007 ⇒154. 251-272

10321 **Fleming, Harold C.** Ongota: a decisive language in African prehis-
tory. ÄthF 64: Wsb 2006, Harrassowitz 214 pp. €78. 34470-51248.

10322 **Procházka, Stephan** Altäthiopische Studiengrammatik. 2004 ⇒
20,9696. [R]OLZ 102 (2007) 119-122 (*Voigt, Rainer*).

J4.0 Anatolica; *Lycian*

10323 **Adiego Lajara, Ignacio-J.** The Carian language. HO 1/86: Lei
2007, Brill xii; 526 pp. 90-04-15281-4. Bibl. 495-507.

10324 *Archi, Alfonso* Transmission of recitative literature by the Hittites.
AltOrF 34 (2007) 185-203.

10325 *Boley, Jacqueline* Il ruolo dell'ittita nella ricerca della logica anti-
ca. SMEA 49 (2007) 59-66.

10326 *Campbell, Dennis R.M.* The Old Hurrian verb. SMEA 49 (2007)
75-92.

10327 *Christiansen, Birgit* Der Blick aus dem Fenster: Bemerkungen zu
einem literarischen Motiv in einigen Texten des hethitischen
Schrifttums und des Alten Testaments [Gen 26,6-11; Prov 7,1-27];

10328 *Cotticelli-Kurras, Paola* Versuch einer Fehlertypologie in der
hethitischen Keilschrift;

10329 *De Martino, Stefano; Giorgieri, Mauro Das Projekt* Literatur
[*Literatur*] zum hurritischen Lexikon. [F]KOŠAK, S. 2007 ⇒90. 143-
152/175-202/247-262.

10330 *Francia, Rita* Osservazioni sulle strategie linguistiche e stilistiche
nelle lettere ittite. VO 13 (2007) 85-100.

10331 **Francia, Rita** Lineamenti di grammatica ittita. Studia Asiana 4:
2005 ⇒21,10657. [R]BiOr 64 (2007) 200-204 (*Simon, Zsolt*).

10332 **Fuscagni, Francesco** Hethitische unveröffentlichte Texte aus den
Jahren 1906-1912 in der Sekundärliteratur. Hethitologie Portal
Mainz.Materialien 6: Wsb 2007, Harrassowitz ix; 202 pp. 978-3-
447-05529-1. Bibl. ix.

10333 *Gilan, Amir* Bread, wine and partridges–a note on the palace anec-
dotes (CTH 8). [F]KOŠAK, S. 2007 ⇒90. 299-304.

10334 *Goedegebuure, Petra M.* 'Let only Neša become populous!', and
more: philological notes on Old Hittite. [F]KOŠAK, S. 2007 ⇒90.
305-312.

10335 **Groddek, Detlev** Texte aus dem Bezirk des grossen Tempels VI.
KBo 54: 2006 ⇒22,10126. [R]OLZ 102 (2007) 283-285 (*Haas, V.*);

10336 Hethitische Texte in Transkription IBoT 4. Dresdner Beiträge zur
Hethitologie 23: Wsb 2007, Harrassowitz xix; 258 pp. €58. 978-3-
447-05613-7. Bibl. xvii-xviii.

10337 *Haas, Volkert; Wegner, Ilse* Beispiele poetischer Techniken im
hurritischen Schrifttum. SMEA 49 (2007) 347-354.

10338 *Hawkins, David* Hurrian. Languages of Iraq. 2007 ⇒1006. 72-84.

10339 Hethitisches Wörterbuch, 3/1: Ḫ/ḫa bis ḫaz: Lief. 17. [E]**Friedrich,
Johannes; Hoffmann, Inge; Kammenhuber, Annelies**, *al.*, Heid
[2]2007, Winter xix; 455-554 pp.

10340 *Hoffner, Harry A., Jr.* Asyndeton in Hittite. ᶠKošAK, S. 2007 ⇒90. 385-399;
10341 On higher numbers in Hittite. SMEA 49 (2007) 377-385.
10342 *Košak, Silvin* Ein Blick in die Bibliothek des Großen Tempels in Hattuša. Das geistige Erfassen. 2007 ⇒746. 111-116.
10343 *Lorenz, Jürgen; Rieken, Elisabeth* 'Auf dem Weg der Stadt Šaššūna...'. ᶠKošAK, S. 2007 ⇒90. 467-486.
10344 *Mazoyer, Michel* Les Šalawaneš et les Damnaššara. Monstres et monstruosités. Cahiers KUBABA 9: 2007 ⇒726. 219-234.
10345 *Mora, Clelia* I testi ittiti di inventario e gli 'archivi' de cretule: alcune osservazioni e riflessioni. ᶠKošAK, S. 2007 ⇒90. 535-550.
10346 *Mouton, Alice* La découverte des Hittites: histoire du déchiffrement du hittite cunéiforme et du louvite hiéroglyphique. Egypte 47 (2007) 19-26.
10347 **Otten, Heinrich; Rüster, Christel** Texte aus der Unterstadt, Texte ohne Herkunftsangabe und Texte aus der Oberstadt. KBo 48: B 2007, Mann xvii; 42 pp. 978-3-7861-2552-5.
10348 **Patri, Sylvain** L'alignement syntaxique dans les langues indo-européennes d'Anatolie. Studien zu den Bogazköy-Texten 49: Wsb 2007, Harrassowitz 231 pp. €48. 978-34470-56120. Bibl. 181-207.
10349 *Popko, Maciej* Althethitisch?: zu den Datierungsfragen in der Hethitologie. ᶠKošAK, S. 2007 ⇒90. 575-581.
10350 **Puhvel, Jaan** Hittite etymological dictionary, 7: words beginning with N. Trends in linguistics, documentation 26: B 2007, De Gruyter ix; 157 pp. 978-31101-95965.
10351 *Richter, Thomas* Ergänzungen zum hurritischen Wörterbuch I. AltOrF 34/1 (2007) 78-115.
10352 *Rikov, Georgi T.; Mihaïlova, Biliana* Notes d'étymologie anatolienne. ᶠKošAK, S. 2007 ⇒90. 587-592.
10353 **Roszkowska-Mutschler, Hanna** Hethitische Texte in Transkription KBo 44. Dresdner Beiträge zur Hethitologie 22: Wsb 2007, Harrassowitz xvii; 257 pp. €58. 978-3-447-05584-0.
10354 **Soysal, Oguz** Hattischer Wortschatz in hethitischer Textüberlieferung. HO I/74: 2004 ⇒20,9719. ᴿBiOr 64 (2007) 193-200 (*Braun, Jan; Taracha, Piotr*).
10355 *Soysal, Oğuz; Süel, Aygül* The Hattian-Hittite foundation rituals from Ortaköy (I): fragments to CTH 725 'Rituel bilingue de consécration d'un temple'. Anatolica 33 (2007) 1-22.
10356 *Trémouille, Marie-C.* Notes sur le fragment à caractère historique KUB 31.45. ᶠKošAK, S. 2007 ⇒90. 681-692.
10357 **Vanséveren, Sylvie** Nisili: manuel de langue hittite, 1. Lettres orientales 10: Lv 2006, Peeters xxxvi; 275 pp. €34. 90429-17970.
10358 **Wegner, Ilse** Hurritisch: eine Einführung. Wsb ²2007 <2000>, Harrassowitz 304 pp. €50.
10359 **Zeilfelder, Susanne** Hittite exercise book. ᵀ*Wagner, Esther-Miriam* Dresdner Beiträge zur Hethitologie 17: 2005 ⇒21,10675; 22, 10144. ᴿBiOr 64 (2007) 685-690 (*Kloekhorst, Alwin*).
10360 *Zorman, Marina* Sprachtabu als Motiv der Verwendung von Glossenkeilen I: Wörter von A bis I. ᶠKošAK, S. 2007 ⇒90. 753-769.

10361 **Neumann, Günter** Glossar des Lykischen. ᴱ*Tischler, Johann* Dresdner Beiträge zur Hethitologie 21: Wsb 2007, Harrassowitz lxxxi; 453 pp. €98. 978-3-447-05481-2. Bibl. xvii-lxvii.

J4.8 Armena; Georgica

10362 *Drost-Abgarjan, Armenuhi* Zur Rezeption des Alexander-Romans in der armenischen Literatur. ^FTUBACH, J. Studies in oriental religions 56: 2007 ⇒154. 137-141.

10363 **Gippert, Jost**, *al.*, The Old Georgian palimpsest, Codex Vindobonensis Georgicus 2, vol. 1. Monumenta Palaeographica Medii Aevi: Turnhout 2007, Brepols xxxv; 308 pp.

J5.1 Graeca grammatica

10364 *Adiego, I.-J.* Greek and Carian;

10365 Greek and Lycian;

10366 Greek and Lydian. History of ancient Greek. 2007 ⇒669. 758-762/ 763-767/768-772.

10367 *Bachvarova, M.R.* Actions and attitudes: understanding Greek (and Latin) verbal paradigms. ClW 100/2 (2007) 123-132.

10368 *Baslez, M.-F.* The bilingualism of the Phoenicians in the ancient Greek world. History of ancient Greek. 2007 ⇒669. 911-923.

10369 **Bernabé, Alberto: Luján, Eugenio R.** Introducción al griego micénico: gramática, selección de textos y glosario. Zaragoza 2006, Prensas Universitarias de Zaragoza 363 pp.

10370 *Brixhe, C.* A modern approach to the ancient Greek dialects;

10371 Greek translations of Lycian ⇒669. 486-499/924-934;

10372 History of the alphabet: some guidelines for avoiding oversimplification. History of ancient Greek. 2007 ⇒669. 277-287;

10373 The Greek of the Roman texts 2007 ⇒669. 903-910;

10374 *Brock, S.* Greek and Syriac 2007 ⇒669. 819-826;

10375 Translation: Greek and Syriac ⇒669. 935-946;

10376 *Bubenik, V.* The rise of Koine ⇒669. 342-345;

10377 The decline of the ancient dialects ⇒669. 482-485;

10378 Eastern koine. History of ancient Greek. 2007 ⇒669. 632-637.

10379 **Campbell, Constantine R.** Verbal aspect, the indicative mood, and narrative: soundings in the Greek of the New Testament. Studies in Biblical Greek 13: Fra 2007, Lang xxi; 285 pp. 978-1-4331-0003-1/239.

10380 **Caragounis, Chrys C.** The development of Greek and the New Testament. WUNT 167: 2004 ⇒20,9734... 22,10158. ^RRCatT 32 (2007) 466-467 (*Ricart, Ignasi*).

10381 *Chadwick, J.* Linear B. History of ancient Greek. 2007 ⇒669. 253-257;

10382 Mycenaean Greek. History of ancient Greek. 2007 ⇒669. 395-404.

10383 *Christol, A.* Greek and Indian languages;

10384 *Coleman, R.G.G.* Greek and Latin. History of ancient Greek. 2007 ⇒669. 836-843/793-799.

10385 **Colvin, Stephen** A historical Greek reader: Mycenaean to the Koiné. Oxf 2007, OUP xx; 301 pp. 978-01992-26597/03. Ill.

10386 *Danove, Paul* Distinguishing goal and locative complements of New Testament verbs of transference. FgNT 20 (2007) 51-66.

10387 *De Lange, N.* Jewish Greek;

10388 *De Simone, C.* Greek and Etruscan. History of ancient Greek. 2007 ⇒669. 638-645/786-791.

10389   **Dickey, Eleanor** Ancient Greek scholarship: a guide to finding, reading, and understanding scholia, commentaries, lexica, and grammatical treatises, from their beginnings to the Byzantine period. Classical Resources 7: NY 2007, OUP xvii; 345 pp. £45/$25. 978-0-19-531292-8/3-5. Bibl. 271-330.

10390   *Dimakis, P.* The vocabulary of legal terms;
10391   *Duhoux, Y.* Linear A.;
10392   *Edwards, M.-J.* The early christian Greek vocabulary. History of ancient Greek. 2007 ⇒669. 1081-1088/229-234/1074-1079.

10393   **Fuß, Barbara** Neutestamentliches Griechisch: ein Lernbuch zu Wortschatz und Formenlehre. URB 2910: Tü 2007, Mohr S. ix; 160 pp. €13.90. 978-31614-91887. ᴿRBLit (2007)* (*Swart, Gerhard J.*).

10394   **George, Coulter H.** Expressions of agency in ancient Greek. 2005 ⇒21,10691. ᴿAnCl 76 (2007) 380-381 (*Bile, Monique*); REA 109 (2007) 311-312 (*Dobias-Lalou, Catherine*).

10395   *Goutas, D.* Greek and Arabic: early contacts. History of ancient Greek. 2007 ⇒669. 844-850.
       ᴱ**Grassau, J.** Vokabeltrainer 3.0:...Griechisch 2007 ⇒9923.

10396   *Grassi, Giulia F.* L'onomastico di Dura-Europos: alcune considerazioni d'insieme. Kaskal 4 (2007) 267-295.

10397   **Grosvenor, Mary; Zerwick, Max** A grammatical analysis of the New Testament. R ⁵2007 <1979>, Gregorian & Biblical Pr. xxxviii; 778 pp. €35. 978-88765-35888.

10398   *Horrocks, G.* The language of HOMER;
10399   Syntax: from Classical Greek to the Koine. History of ancient Greek. 2007 ⇒669. 475-481/618-631.

10400   **Hummel, Pascale** De lingua graeca: histoire de l'histoire de la langue grecque. Bern 2007, Lang xiv; 851 pp. 978-30391-12258.

10401   *Janse, M.* The Greek of the New Testament ⇒669. 646-653;
10402   The classification of the ancient Greek dialects ⇒669. 387-394;
10403   *Katsanis, N.* Greek and Latin: evidence from the modern Greek dialects. History of ancient Greek. 2007 ⇒669. 800-804.

10404   *Kazazis, J.N.* Atticism ⇒669. 1200-1212;
10405   *Kotzia, P.* Philosophical vocabulary. History of ancient Greek. 2007 ⇒669. 1089-1103.

10406   **Kölligan, Daniel** Suppletion und Defektivität im griechischen Verbum. Münchner Forschungen zur historischen Sprachwissenschaft 6: Bremen 2007, Hempen iii; 575 pp.

10407   *Kyrtatas, D.J.* The vocabulary of slavery ⇒669. 1056-1061;
10408   *Lambert, P.-Y.* Greek and the Celtic languages ⇒669. 827-835;
10409   *Lipourlis, D.* Medical vocabulary. History of ancient Greek. 2007 ⇒669. 1104-1115.

10410   **Luschnig, C.A.E** An introduction to ancient Greek: a literary approach. Indianapolis, IN ²2007, Hackett xiv; 374 pp. 978-0-872-20-889-6/90-2.

10411   *Malikouti-Drachman, A.* The phonology of Classical Greek;
10412   *Masson, E.* Greek and Semitic languages: early contacts;
10413   *Matthews, P.H.* The ancient grammarians;
10414   *Méndez Dosuna, J.* The Aeolic dialects. History of ancient Greek. 2007 ⇒669. 524-544/733-737/1193-1199/460-474;
10415   The Doric dialects;

10416 *Missiou, A.* The vocabulary of democracy. History of ancient Greek. 2007 ⇒669. 444-459/1062-1069.

10417 *Monferrer Sala, Juan Pedro* Mutatio nominum: onomástica griega en transcripción árabe. CCO 4 (2007) 73-108.

10418 *Naselli, A.D.* A brief introduction to verbal aspect in New Testament Greek. Detroit Baptist Seminary Journal [Allen Park, MI] 12 (2007) 17-28.

10419 **O'Donnell, Matthew B.** Corpus linguistics and the Greek of the New Testament. NTMon 6: 2005 ⇒21,10707. ᴿRBLit (2007)* (*Elbert, Paul*).

10420 *Panayotou, A.* Ionic and Attic. ⇒669. 405-416.;

10421 Arcado-Cypriot ⇒669. 417-426;

10422 Pamphylian. History of ancient Greek. ⇒669. 426-432;

10423 The position of the Macedonian dialect. ⇒669. 433-443;

10424 Greek and Thracian. ⇒669. 738-744;

10425 *Papanastassiou, G.C.* Morphology: from Classical Greek to the Koine. History of ancient Greek. 2007 ⇒669. 610-617;

10426 General characteristics of the Ancient Greek vocabulary 654-666;

10427 *Papanastassiou, G.C.; Petrounias, E.B.* The morphology of Classical Greek. History of ancient Greek. 2007 ⇒669. 571-589.

10428 *Parker, R.* The vocabulary of religion. History of ancient Greek. 2007 ⇒669. 1070-1073.

10429 ᴱ**Peláez, Jesús** Diccionario Griego-Español del Nuevo Testamento: análisis semántico de los vocablos, 3:ἀνθίστημι–ἀπώλεια. Córdoba 2007, El Almendro 595-994 col.. €49. 978-84800-51095.

10430 *Petrounias, E.B.* The pronunciation of Ancient Greek: evidence and hypotheses. History of ancient Greek. 2007 ⇒669. 545-555;

10431 The pronunciation of Classical Greek ⇒669. 556-570;

10432 Development in pronunciation during the Hellenistic period;

10433 *Philippaki-Warburton, I.* The syntax of Classical Greek. History of ancient Greek. 2007 ⇒669. 599-609/590-598.

10434 *Picirilli, Robert E.* Time and order in the circumstantial participles of Mark and Luke. BBR 17 (2007) 241-259.

10435 *Pierri, Rosario* L'infinito con articolo al genitivo nel Nuovo Testament. LASBF 57 (2007) 381-403.

10436 *Porter, Stanley E.* Time and order in participles in Mark and Luke: a response to Robert Picirilli. BBR 17 (2007) 261-267;

10437 Prolegomena to a syntax of the Greek papyri. CHL 122 (2007) 921-933.

10438 *Porter, Stanley E.; O'Donnell, Matthew B.* Conjunctions, clines and levels of discourse. FgNT 20 (2007) 3-14.

10439 Reading Greek: text and vocabulary. C ²2007, CUP 289 pp. 978-0-521-69851-1.

10440 **Richards, W. Larry** Read New Testament Greek in 30 days (or less). 2006 ⇒22,10185. ᴿNeotest. 41 (2007) 250-251 (*Jordaan, Pierre J.*).

10441 **Robinson, Thomas A.** Mastering New Testament Greek: essential tools for students. Peabody, MA ³2007, Hendrickson 230 pp. $20. 978-1-56563-576-0. ᴿRBLit (2007) 85-88 (*Van Voorst, Robert E.*).

10442 *Sebesta, J.L.* Textbooks in Greek and Latin: 2007 supplementary survey. ClW 100 (2007) 297-302.

10443 *Setatos, M.* Semantic change. History of ancient Greek. 2007 ⇒ 669. 667-676.

10444 *Snoeberger,M.A.* A brief introduction to verbal aspect theory in New Testament Greek. Detroit Baptist Seminary Journal [Allen Park, MI] 12 (2007) 17-28.

10445 **Swetnam, James** Introducción al estudio del griego del Nuevo Testamento, primera parte: morfologia, volumen I: lecciones. Segni (RM) ²2007 <1999>, Verbo Incarnato 557 pp. €48. 978-88892-31-197,

10446 *Thompson, A.* Ancient Greek personal names. History of ancient Greek. 2007 ⇒669. 677-692.

10447 *Tribulato, O.* Greek compounds of the type ἰσόθεος 'equal to a god', ἀξιόλογος 'worthy of note,' ἀπειρομάχας 'ignorant of war,' etc.. Mn. 60 (2007) 527-549.

10448 *Tucker, E.* Greek and Iranian. ⇒669. 773-785;

10449 *Tzitzilis, Ch.* Greek and Illyrian. ⇒669. 745-751;

10450 Greek and Phrygian. History of ancient Greek. 2007 ⇒669. 752-7.

10451 **Vance, Laurence M.** Greek verbs in the New Testament and their principal parts. Pensacola, Fla. 2006, Vance xxii; 214 pp. $15. ᴿRBLit (2007)* (*Henner, Jutta*).

10452 *Veligianni-Terzi, Ch.* The archaic period. History of ancient Greek. 2007 ⇒669. 288-296.

10453 *Voelz, James W.* Participles, part IV. ConJ 33 (2007) 61-62;

10454 Participles, part V. ConJ 33 (2007) 299-301;

10455 Participles, part VI. ConJ 33 (2007) 379-380.

10456 *Voutiras, E.* The introduction of the alphabet. History of ancient Greek. 2007 ⇒669. 266-276.

10457 *Wallace, R.* Using morphophonology in elementary ancient Greek. ClW 100/2 (2007) 133-141.

10458 **Zerwick, Max** Biblical Greek: illustrated by examples. ᵀᴱ*Smith, Joseph* R 2005 <1963>, Gregorian & Biblical xvi; 188 pp. €15. 97-8-88765-35543.

J5.2 *Voces ordine alphabetico consonantium* **graecarum**

10459 ἀγάπη: *Carbone, Sandro* Amore, "agape" ('ahavah) nell'Antico Testamento e nel Nouvo Testamento. ED 60/1 (2007) 49-63;

10460 *Miccoli, Paolo* Eros e agape: la scala di PLATONE e la scala di Giacobbe. Asp. 54/2 (2007) 11-29.

10461 ἅγιος: *Edwards, M.J.* Ἅγιος. History of ancient Greek. 2007, 1141-1145. ⇒669.

10462 Ἀδάμ: **Heither, Theresia; Reemts, Christiana** Biblische Gestalten bei den Kirchenvätern: Adam. Müns 2007, Aschendorff 334 pp. €36. 978-34020-43875.

10463 αἰώνιος; ἀίδιος: **Ramelli, Ilaria; Konstan, David** Terms for eternity: aiônios and aïdios in classical and christian texts. Piscataway, NJ 2007, Gorgias viii; 257 pp. $103.

10464 ἀλήθεια; ἀληθής; ἀληθινός: *Thyen, Hartwig* Über den Gebrauch der Lexeme ἀλήθεια, ἀληθής und ἀληθινός. Studien zum Corpus Iohanneum. WUNT 214: 2007, 434-442. ⇒332.

10465 ἀνάδειξις: *Bickerman, Elias J.* Anadeixis. Studies in Jewish and Christian history. AGJU 68/1-2: 2007, 631-637. ⇒190 [Lk 1,80].

10466 ἀνήρ θεῖος: *Koester, Helmut* The figure of the divine human being. Paul & his world. 2007 <1985>, 118-125. ⇒257.

10467 ἄνθρωπος: *Garnier, Romain* Nouvelles réflexions étymologiques autour du grec ἄνθρωπος. BSLP 102/1 (2007) 131-154.

10468 ἀπαρχή: **White, Joel** Die Erstlingsgabe im Neuen Testament. TANZ 45: Tü 2007, Francke 374 pp. €78 978-3-7720-8210-8. Bibl. 323-359.

10469 ἀποκατάστασις: *Albrecht, Ruth* Ein radikales Plädoyer für die Aufhebung des Bösen: die Apokatastasis-Idee bei Jane Leade. An der Grenze. 2007, 69-81. ⇒587.

10470 διακονεῖν: *Boer, Esther de* Mannen dienen Jezus en vrouwen zorgen voor hen/m: over de betekenis en vertaling van diakonein. ITBT 15/8 (2007) 15-17.

10471 διακονία: **Hentschel, Anni** Diakonia im Neuen Testament: Studien zur Semantik unter besonderer Berücksichtigung der Rolle von Frauen. [D]*Wischmeyer, Oda* WUNT 2/226: Tü 2007, Mohr S. 498 pp. €79. 978-3-16-149086-6. Bibl. 445-472; Diss. Erlangen-Nürnberg 2005. [R]Diak. 38 (2007) 451-452 (*Mette, Norbert*).

10472 διακρίνεσθαι: *Spitaler, Peter* διακρίνεσθαι in Mt. 21:21, Mk. 11:23, Acts 10:20, Rom. 4:20, 14:23, Jas. 1:6, and Jude 22–the "semantic shift" that went unnoticed by patristic authors. NT 49 (2007) 1-39.

10473 εἰκὼν: **Lorenzen, Stefanie** Bilder Gottes: semantische Analysen zu εἰκὼν in der Sapientia Salomonis, bei PHILO und Paulus. [D]*Lampe, Peter* 2007, Diss. Heidelberg [ThLZ 132,1267].

10474 Ἑλληνισμός: *Vassilaki, S.* Ἑλληνισμός. History of ancient Greek. 2007, 1118-1129. ⇒669.

10475 κήρυγμα: *Silva, S.* La proclamación del *kērygma* según el *Nuevo Testamento*. Medellín 33 (2007) 23-59.

10476 κοινωνειν; μετεχειν: **Baumert, Norbert** κοινωνειν und μετεχειν—synonym?: eine umfassende semantische Untersuchung. SBAB 51: 2003 ⇒19,10150; 22,10221 [R]ÖR 56 (2007) 407-408 (*Niebuhr, Karl-Wilhelm*).
     λατρεύω ⇒10490.

10477 μάγοι: *Becker, Michael* Μάγοι–astrologers, ecstatics, deceitful prophets: New Testament understanding in Jewish and pagan context. A kind of magic. LNTS 306: 2007, 87-106. ⇒468.

10478 μαθητής; μιμητής;: *Copan, Victor A.* μαθητής and μιμητής: exploring an entangled relationship. BBR 17 (2007) 313-323.
     μετεχειν ⇒10476.

10479 μονογενής: *Thyen, Hartwig* μονογενής und die frühe Rezeptionsgeschichte des Lexems. Studien zum Corpus Iohanneum. WUNT 214: 2007, 429-433. ⇒332 [John 1,18].

10480 νόμος: *Chester, Andrew* The 'law of Christ' and the 'law of the spirit'. Messiah and exaltation. WUNT 207: 2007, 537-601. ⇒209;

10481 *Koester, Helmut* Natural law (νόμος φύσεως) in Greek thought. Paul & his world. 2007 <1968>, 126-142. ⇒257.

10482 οἰκονομία: **Richter, Gerhard** Oikonomia: der Gebrauch des Wortes Oikonomia im Neuen Testament, bei den Kirchenvätern und in der theologischen Literatur bis ins 20. Jahrhundert. AKG 90: 2005 ⇒21,10758 [R]ThLZ 132 (2007) 196-198 (*Holze, Heinrich*).

10483 ὀργή: *Malina, Bruce J.; Pilch, John J.* The wrath of God: the meaning of ὀργὴ θεοῦ in the New Testament world. [F]NEYREY, J. SWBAS n.s. 1: 2007, 138-154. ⇒116.

10484   ὅτι: *Aejmelaeus, Anneli* OTI *causale* in Septuagintal Greek. On the trail of the LXX translators. 2007 <1983>, 11-29 ⇒176;

10485   OTI *recitativum* in Septuagintal Greek. On the trail of the Septuagint translators. CBET 50: 2007 <1990>, 31-41. ⇒176.

10486   Παράδεισος: *Vassilaki, S.* Παράδεισος. History of ancient Greek. 2007, 1137-1140. ⇒669.

10487   περιτομή: **Livesey, Nina** Circumcision as a malleable symbol: treatments of circumcision in PHILO, Paul, and JUSTIN Martyr. ᴰ*Bassler, J.M.* 2007, Diss. Dallas, Southern Methodist.

10488   πνεῦμα; σάρξ: *Creve, Sam; Janse, Mark; Demoen, Kristoffel* The Pauline key words πνεῦμα and σάρξ and their translation. FgNT 20 (2007) 15-31.

10489   προσεύχομαι: **Vattukulam, Thomas** 'Persevere in prayer': an exegetical theological study of proseuchomai and its cognates in Saint Paul. ᴰ*Garuti, P.* 2007, Diss. Angelicum [RTL 39,607].

10490   προσκυνέω; λατρεύω: *De Zan, Renato* "Adorare, prostrarsi, servire" nel Nuovo Testamento. RivLi 94 (2007) 849-857.

        σάρξ ⇒10488.

10491   ψυχή: *Bremmer, J.N.* Ψυχή. History of ancient Greek. 2007, 1146-1153. ⇒669.

10492   ὥρα: *Remijsen, Sofie* The postal service and the hour as a unit of time in antiquity. Hist. 56 (2007) 127-140.

J5.4 *Papyri et inscriptiones graecae*—Greek epigraphy

10493   *Alpi, Frédéric* À propos d'une inscription greque de la Ḥisma. MUSJ 60 (2007) 335-353.

10494   ᴱ**Arjava, Antti; Buchholz, Matias; Gagos, Traianos** The Petra papyri III. American Center of Oriental Research Publications 5: Amman 2007, American Center of Oriental Research xxii; 218 pp. $100. 978-99578-54324. Ill. + 87 pl. ᴿLASBF 57 (2007) 713-718 (*Hamarneh, Basema*).

10495   **Armoni, C.; Cowey, J.M.S.; Hagedorn, D.** Die griechischen Ostraka der Heidelberger Papyrus-Sammlung. Veröffentlichungen aus der Heidelberger Papyrus-Sammlung 11: Heid 2005, Winter xxiv; 514 pp. €98. 38253-50878.

10496   ᴱ**Armoni, Charikleia**, *al.*, Kölner Papyri (P. Köln), 11. PapyCol 7/11: Pd 2007, Schöningh x; 319 pp. 978-35067-64874. 47 pl.

10497   *Arzt-Grabner, Peter* The international project 'Papyrological commentaries on the New Testament (Papyrologische Kommentare zum Neuen Testament)'–methods, aims, and limits. CHL 122 (2007) 53-57 [Philem 15; 17].

10498   *Bader, Nabil* Inscriptions from Tell Rimah and its area in north eastern Jordan. Syria 84 (2007) 287-294.

10499   **Bagnall, Roger S.; Cribiore, Raffaella** Women's letters from ancient Egypt: 300 BC - AD 800. 2006 ⇒22,10239. ᴿRBLit (2007)* (*Osiek, Carolyn*).

10500   ᴱ**Bastianini, Guido**, *al.*, Commentaria et lexica graeca in papyris reperta (CLGP), pars I: commentaria et lexica in auctores, vol. 1: Aeschines-Bacchylides, Fasc. 1: Aeschines-Alcaeus. Mü 2004, Saur xxxv; 249 pp. 35987-30438.

10501 *Brenk, Frederick E.* The καί σύ stele in the Fitzwilliam Museum, Cambridge. With unperfumed voice. Ment. *Nero* Potsdamer Altertumswissenschaftliche Beiträge 21: 2007 <1999> ⇒200. 396-401.

10502 *Bucking, S.* On the training of documentary scribes in Roman, Byzantine, and early Islamic Egypt: a contextualized assessment of the Greek evidence. ZPE 159 (2007) 229-247.

10503 Bulletin épigraphique. REG 120 (2007) 602-769.

10504 **Canfora, Luciano** The true history of the so-called ARTEMIDORUS papyrus with an interim text. Ekdosis 5: Bari 2007, Pagina 199 pp. €16. 88747-00448. plus 6 'Images'.

10505 **Capasso, M.** Introduzione alla papirologia. 2005 ⇒21,10776. ᴿRivBib 55 (2007) 255-259 (*Passoni Dell'Acqua, Anna*).

10506 ᴱ**Capasso, Mario** Hermae: scholars and scholarship in papyrology. Studi di egittologia e di papirologia 4: Pisa 2007, Giardini 400 pp. ᴿAPF 53 (2007) 204-214 (*Kramer, Johannes*).

10507 ᴱ**Carawan, Edwin** Oxford readings in the Attic orators. Oxf 2007, OUP xxiv; 450 pp. 978-0-19-927993-7. Bibl. 400-430.

10508 ᴱ**Chapa, J.; Hatzilambrou, R.; Parsons, P.J.**, *al.*, The Oxyrhynchus papyri, 71 [nos 4803-4843]. PEES.GR 91: L 2007, Egypt Exploration Society x; 164 pp. £65. 0-85698-174-5. 12 pl.

10509 **Choat, Malcolm** Belief and cult in fourth-century papyri. Turnhout 2006, Brepols xiv; 217 pp. $49.28. 25035-13271. ᴿTC.JBTC 12 (2007)* 4 pp (*Kraus, Thomas J.*).

10510 **Cohen, Nahum** Greek documentary papyri from Egypt in the Berlin Aegyptisches Museum (P. Berl. Cohen). ᴰ*Katzoff, Ranon* ASP 44: Oakville, CT 2007, American Society of Papyrologists xvi; 196 pp. $45. 978-0-9700591-6-1. Diss. Bar Ilan 1994; Bibl. 159-175.

10511 *Cohen, Nahum* New Greek papyri from a cave in Mount Yishai, near Ein-Gedi. CHL 122 (2007) 191-197.

10512 **Demarée, Robert J.** The Bankes late Ramesside papyri. 2006 ⇒ 22,10249. ᴿBiOr 64 (2007) 118-121 (*Fischer-Elfert, Hans-W.*).

10513 *Di Segni, Leah; Gibson, Shimon* Greek inscriptions from Khirbet el-Jiljil and Beit Jimal and the identification of Caphar Gamala. BAIAS 25 (2007) 117-145.

10514 *Dupertuis, Rubén R.* Writing and imitation: Greek education in the Greco-Roman world. Forum 1/1 (2007) 3-29.

10515 **Ercolani, Andrea** OMERO: introduzione allo studio dell'epica greca arcaica. Studi superiori, lettere classiche 515: 2006 ⇒22,10252. ᴿRivBib 55 (2007) 514-515 (*Manini, Filippo*).

10516 *Ettl, Claudio* "Der Retter ist geboren!": eine Inschrift aus Priene spricht die Sprache des Weihnachtsevangeliums. WUB 46 (2007) 22-23.

10517 *Faraone, Christopher A.; Rife, Joseph L.* A Greek curse against a thief from the Koutsongila cemetery at Roman Kenchreai. ZPE 160 (2007) 141-157.

10518 *Feissel, Denis* De TIBÈRE CONSTANTIN à TIBÈRE MAURICE, en relisant la dédicace IGLS V 2125. MUSJ 60 (2007) 319-334.

10519 *Förster, Hans* Christliche Texte in magischer Verwendung: eine Anfrage. CHL 122 (2007) 341-352.

10520 ᴱ**Frandsen, Paul J.; Ryholt, K.** A miscellany of Demotic texts and studies. Carsten Niebuhr Institute Publications 22; Carlsberg Papyri 3: 2000 ⇒16,8819. ᴿBiOr 64 (2007) 623-625 (*Manning, J.G.*).

10521 *Gatier, Pierre-Louis* Decapolitana. Syria 84 (2007) 169-184.

10522 *Gawlikowski, Michel* Odainat et Hérodien, rois des rois. MUSJ 60 (2007) 289-311.

10523 **Getov, Dorotei** A catalogue of Greek liturgical manuscripts in the "Ivan Dujcev Centre for Slavo-Byzantine Studies". OCA 279: R 2007, Pontificio Istituto Orientale 618 pp. 978-88-7210-358-4. Bibl. 15-21.

10524 ᴱ**Gonis, N.**, *al.*, The Oxyrhynchus papyri, 69 [nos 4705-4758]. PEES.GR 89: 2005 ⇒21,10793. ᴿGn. 79 (2007) 310-314 (*Luppe, Wolfgang*).

10525 *Gunderson, Erik* Men of learning: the cult of *paideia* in LUCIAN's *Alexander*. Mapping gender. BiblInterp 84: 2007 ⇒621. 479-510.

10526 **Herrmann, Peter; Wolfgang, Günther; Ehrhardt, Norbert**, *al.*, Inschriften von Milet III: Inschriften n.1020-1580. B 2006, De Gruyter xiv; 337 pp. $170. 978-31101-89667. 45 pl.

10527 *Hirschmann, Vera* Zwischen Menschen und Göttern: die kleinasiatischen Engel. Epigraphica Anatolica 40 (2007) 135-146.

10528 *Houston, G.W.* Grenfell, Hunt, Breccia, and the book collections of Oxyrhynchus. GRBS 47 (2007) 327-359.

10529 *Johnston, Sarah I.* Magic. Ancient religions. 2007 ⇒601. 139-152.

10530 *Karali, M.* The use of the dialects in literature;

10531 *Kazazis, J.N.* Ancient Greek meter. History of ancient Greek. 2007 ⇒669. 974-998/1033-1044.

10532 *Koester, Helmut* Lefkopetra: inscriptions from the sanctuary of the mother of the gods. Paul & his world. 2007 <1974> ⇒257. 177-79.

10533 *Kraus, Thomas J.* P.VINDOB.G 35835 (former 26132A)–notes on the last judgment. <2002> ⇒260. 95-106 [Mt 25,31-46];

10534 (II)literacy in non-literary papyri from Graeco-Roman Egypt: further aspects to the educational ideal in ancient literary sources and modern times. Ad fontes. 2007 <2000> ⇒260. 107-129;

10535 'Slow writers'–βραδέως γράφοντες: what, how much, and how did they write?. Ad fontes. 2007 <1999> ⇒260. 131-147;

10536 The lending of books in the fourth century C.E. P.Oxy. LXIII 4365–a letter on papyrus and the reciprocal lending of literature having become apocryphal. <2001> ⇒260. 185-206;

10537 7Q5–*status quaestionis* and fundamental remarks to qualify the discussion of the papyrus fragment. Ad fontes. 2007 <1999> ⇒260. 231-259 [Mk 6,52-53].

10538 *Makarov, I.A.* Bosporus, Thrace and Chersonesus Taurica in the first quarter of the 1st century AD: a new epigraphic testimony from Chersonesus. VDI 263 (2007) 62-69. **R.**

10539 **McNamee, Kathleen** Annotations in Greek and Latin texts from Egypt. ASP 45: Oakville, Conn. 2007, American Society of Papyrologists xvii; 577 pp. 978-0-9700591-7-8. xxxiii pp of pl.

10540 *Meimaris, Yiannis E.; Mahasneh, Hamzeh M.; Kritikakou-Nikolaropoulou, Kalliope I.* The Greek inscriptions in the Mu'tah University Museum collection. LASBF 57 (2007) 527-562.

10541 ᴱᵀ**Merkelbach, Reinhold; Stauber, Josef** Jenseits des Euphrats: griechische Inschriften: ein epigraphisches Lesebuch. 2005 ⇒21, 10811. ᴿAnCl 76 (2007) 461-462 (*Martin, Alain*).

10542 **Minon, Sophie** Les inscriptions éléennes dialectales (VIᵉ-IIᵉ siècle a.C.): I. textes, II. grammaire et vocabulaire institutionnel. HEMGR 38: Geneva 2007, Droz xlvi; 657 pp. FS80. 978-26000-06927. Ill. ᴿREG 120 (2007) 805-808 (*Lanérès, Nicole*).

10543   *Missiou, A.* Language and education in antiquity. History of ancient Greek. 2007 ⇒669. 1182-1192.
10544   **Morrison, A.D.** The narrator in archaic Greek and Hellenistic poetry. C 2007, CUP xii; 358 pp. £55.
10545   *Papanghelis, Th.* The Hellenistic centuries: language and literature. History of ancient Greek. 2007 ⇒669. 1045-1053.
10546   **Parsons, Peter** City of the sharp-nosed fish: Greek papyri beneath the Egyptian sand reveal a long-lost world. Phoenix 2007, Orion xxviii; 258 pp. £10. ᴿAPF 53 (2007) 220-224 (*Kramer, Johannes*);
10547   City of the sharp-nosed fish: Greek lives in Roman Egypt. L 2007, Weidenfeld & Nicolson xxviii; 258 pp. £20. 978-02976-45887. Bibl. 217-226.
10548   *Peerbolte, Bert J.L.* The *Eighth book of Moses* (PLeid. J. 395): Hellenistic Jewish influence in a pagan magical papyrus. A kind of magic. LNTS 306: 2007 ⇒468. 184-194.
10549   *Polkas, L.* HOMER: epic poetry and its characteristics. History of ancient Greek. 2007 ⇒669. 999-1009.
10550   *Ragia, Efi* The inscription of Didyma (Hieron) and the families of Phokas and Karantinos in western Asia Minor (12th-13th C.). ByZ 100/1 (2007) 133-146.
10551   **Royse, James R.** Scribal habits in early Greek New Testament papyri. NTTSD 36: Lei 2007, Brill xxix; 1052 pp. €265/$393. 90041-61818.
10552   Sammelbuch griechischer Urkunden aus Ägypten 27: Index zu Band XXVI–Teil 1: Abschnitt 1-8. ᴱ**Rupprecht, Hans-A**. Wsb 2007, Harrassowitz 55 pp. €22. 978-3447-055970. Mitarbeit von *Joachim Hengstl*.
10553   *Sartre, Maurice* Un nouveau dux d'Arabie. MUSJ 60 (2007) 313-8.
10554   *Sartre-Fauriat, Annie* Inscriptions inédites pour la Tychè en Syrie du Sud. MUSJ 60 (2007) 269-288.
10555   **Schmitz, Philipp** Die Giessener Zenonpapyri (P. Iand. Zen.). PapyCol 32: Pd 2007, Schöningh xvi; 276 pp. 978-3-506-76431-7. Bibl. xi-xvi.
10556   ᴱᵀ**Searby, Denis M.** The Corpus Parisinum: a critical edition of the Greek text with commentary and English translation: a medieval anthology of Greek texts from the Pre-Socratics to the church fathers, 600 B.C.-700 A.D.. Lewiston 2007, Mellen xiii; 1000 pp. 978-07734-53005 [Scr. 62/1,32*–J. Declerck].
10557   *Setatos, M.* Language and literature. History of ancient Greek. 2007 ⇒669. 964-973.
        ᴹSIJPESTEIJN, P. Papyri in memory of...2007 ⇒142.
10558   *Stoholski, M.* 'Welcome to heaven, please watch your step': the 'Mithras Liturgy' and the Homeric quotations in the Paris Papyrus. Helios 34/1 (2007) 69-95.
10559   **Torallas Tover, Sofía; Worp, Klaas** To the origins of Greek stenography (P. Monts.Roca I). Orientalia Montserratensia 1: Montserrat 2006, Abadia de Montserrat 272 pp. 84841-58470. 29 pl.
10560   *Valakas, K.* The use of language in ancient tragedy;
10561   The use of language in ancient comedy. History of ancient Greek. 2007 ⇒669. 1010-1020/1021-1032.
10562   *Van der Horst, Pieter W.* The great magical papyrus of Paris (PGM IV) and the bible. A kind of magic. 2007 ⇒468. 173-183.

10563 *Virgilio, Biagio* Le esplorazioni in Cilicia e l'epistola regia sulla in-
       disciplina dell'esercito acquartierato a Soli. MUSJ 60 (2007) 165-
       240.
10564 **Watts, Edward J.** City and school in late antique Athens and
       Alexandria. The Transformation of the Classical Heritage 41: 2006
       ⇒22,10291. ᴿJThS 58 (2007) 695-698 (*Ashwin-Siejkowski, Piotr*).
10565 ᴱ**Worthington, Ian** A companion to Greek rhetoric. Malden (MA)
       2007, Blackwell xvi; 618 pp. £85/$150. 9781-4051-15512.

                    J5.5 **Cypro-Minoan**; *Indo-Iranian*

10566 *Duhoux, Y.* Eteocretan. ⇒669. 247-252;
10567 *Karali, M.* The Cypriot syllabary. ⇒669. 239-242;
10568 *Masson, E.* Cypro-minoan scripts. ⇒669. 235-238;
10569 *Masson, O.* Eteocypriot. History of ancient Greek. 2007 ⇒669.
       243-246.

10570 *Tavernier, Jan* On some Elamite signs and sounds. ZDMG 157/2
       (2007) 265-291.
10571 **Tavernier, Jan** Iranica in the Achaemenid period (ca. 550-330
       B.C.): lexicon of Old Iranian proper names and loanwords, attested
       in non-Iranian texts. OLA 158: Lv 2007, Peeters lxiv; 850 pp. 978-
       90-429-1833-7. Bibl. xxvi-lxiv.

                         J6.5 **Latina**

10572 *Aygon, Jean-P.* L'exclamation dans la rhétorique antique. Pallas 75
       (2007) 105-124.
10573 **Caldelli, Maria L.; Cébeillac-Gervasoni, Mireille; Zevi, Fausto**
       Epigraphie latine. Collection U. Histoire: 2006 ⇒22,10300. ᴿAnCl
       76 (2007) 464-465 (*Raepsaet-Charlier, Marie-Thérèse*); RAr
       (2007) 398-399 (*Kayser, François*).
10574 *Cappelletti, S.* Latin inscriptions in Greek characters, Greek
       inscriptions in Latin characters: a study of the Jewish evidence in
       Rome. Bulletin of Judaeo-Greek Studies 39 (2007) 28-34.
10575 *Charlesworth, James H.* The rotas-sator square. ᴹMETZGER, B.
       NTMon 19: 2007 ⇒105. 151-167.
10576 *Cooley, A.E.; Mitchell, S.; Salway, B.* Roman inscriptions 2001-
       2005. JRS 97 (2007) 176-263.
       ᴱ**Dominik, W.**, *al.*, Companion to Roman rhetoric 2007 ⇒681.
10577 **Dorandi, Tiziano** Nell'officina dei classici: come lavoravano gli
       autori antichi. Frecce 45: R 2007, Carocci 179 pp. €18.40. 978-88-
       430-4088-9. Bibl. 141-157.
10578 *Eck, Werner* Latein als Sprache Roms in einer vielsprachigen Welt.
       Rom und Judaea. Tria Corda 2: 2007 ⇒218. 157-200.
10579 *Eck, Werner; Pangerl, Andreas* Eine Konstitution für die Hilfstrup-
       pen von Syria Palaestina vom 6. Februar 158 n. Chr.. ZPE 159
       (2007) 283-290.
10580 *Inowlocki, Sabrina* Une trace de Genèse 11:1-9 dans les *Fabulae*
       attribuées à HYGIN?. Latomus 66 (2007) 342-349.

10581 *Lampe, Peter* Psychologische Einsichten QUINTILIANs in der *Institutio Oratoria.* Erkennen. 2007 ⇒579. 209-230.

10582 Mittellateinisches Wörterbuch, 3/10: evito-eximius. ^E**Antony, Heinz** Mü 2007, Beck 1441-1600 Sp.. 978-3-406-55973-0.

10583 **Spence, Sarah** Figuratively speaking: rhetoric and culture from QUINTILIAN to the Twin Towers. L 2007, Duckworth 144 pp. 0-71-56-3513-1. Bibl. 135-140.

10584 *Speyer, Wolfgang* Die Kenntnis des Trojanischen Krieges im lateinischen Westen. Frühes Christentum. WUNT 213: 2007 <2002> ⇒ 320. 183-200.

10585 *Stevens, B.* Aeolism: Latin as a dialect of Greek. CJud 59/2 (2007) 115-144.

10586 Thesavrus lingvae latinae, X/1, Fasc. XVI: plenesco-pomifer. ^E**Vogt, Ernst,** *al.,* B 2007, De Gruyter 2401-2592 Sp. £49.60/€68/ $101. 978-31101-97884.

J8.1 General philology

10587 ^T**Kennedy, George** ARISTOTLE: on rhetoric: a theory of civic discourse. NY ²2007, OUP xiv; 337 pp. 019-530509-4. Bibl. 321-330.

10588 *Olmo Lete, Gregorio del* The biconsonantal Semitic lexicon: the series /B-X-/. AuOr 25 (2007) 201-235.

J8.2 Comparative grammar

10589 **Bennett, Patrick R.** Comparative Semitic linguistics: a manual. 1998 ⇒14,8135... 19,10281. ^RStEeL 24 (2007) 117-118 (*Fronzaroli, Pelio*).

10590 **Bohas, Georges; Dat, Mihai** Une théorie de l'organisation du lexique des langues sémitiques: matrices et étymons. Langages: Lyon 2007, ENS 235 pp. €24. 978-28478-80762.

10591 **Bybee, Joan L.** Frequency of use and the organization of language. NY 2007, OUP viii; 365 pp. 978-0-19-530156-4/7-1.

10592 *Dobbs-Allsopp, F.W.* (More) On performatives in Semitic. ZAH 17-20 (2007) 36-81.

10593 **Dray, Bruno** Les trésors étymologiques de la bible: comparaisons étymologiques et consonantiques entre l'hébreu et sept langues contemporaines. P 2007, Bibliophane 215 pp. €23. 978-28697-01427.

10594 *Gai, Amikam* Morphological principles and dichotomies of morphological principles in Semitic languages. ZAH 17-20 (2007) 82-91.

10595 **Gray, Louis H.**† Introduction to Semitic comparative linguistics: a basical grammar of the Semitic languages, printed in transcription, with emphasis on Arabic and Hebrew; with a bibliography of literature since 1875 and an index of biblical words. Piscataway (N.J.) 2007 <1934>, Gorgias xvi; 147 pp. 978-1-593-33196-2. Introd. *Peter Daniels*; Bibl. 119-139.

10596 **Haelewyck, Jean-C.** Grammaire comparée des langues sémitiques. 2006 ⇒22,10352. ^ROLZ 102 (2007) 202-6 (*Voigt, Rainer*); Syria 84 (2007) 322-323 (*Pardee, Dennis*); AuOr 25 (2007) 177-179 (*Olmo Lete, Gregorio del*); Maarav 13 (2007) 269-75 (*Kaye, Alan*).

10597   *Hasselbach, Rebecca* Demonstratives in Semitic. JAOS 127 (2007) 1-27.

10598   **Heine, Bernd; Kuteva, Tania** The genesis of grammar: a reconstruction. Studies in the evolution of language 9: Oxf 2007, OUP xvi; 418 pp. 0-19-922777-2. Bibl.

10599   *Huehnergard, John; Pat-El, Na'ama* Some aspects of the cleft in Semitic languges. ᶠGOLDENBERG, G. 2007 ⇒51. 325-342.

10600   *Kienast, Burkhart* Aufgaben der Semitistik. UF 39 (2007) 481-486.

10601   *Neto, Joaquim A.* Um breve estudio entre dois ramos das línguas afro-asiáticas: a Egípcia (camita) e a semita. Hermenêutica 7 (2007) 103-112.

10602   *Ray, J.* Greek, Egyptian, and Coptic. History of ancient Greek. 2007 ⇒669. 811-818.

J8.3 General linguistics

10603   *Aleksandrowicz, Tadeusz* 'Soli Deo honor et gloria'–autour de la pragmatique du texte antique. Ethos and exegesis. 2007 ⇒464. 46-53.

10604   ᴱ**Alvarez-Péreyre, Frank; Baumgarten, Jean** Linguistique des langues juives et linguistique générale. Sciences du langage: 2003 ⇒19,10261; 20,9902. ᴿBSLP 102/2 (2007) 187-192 (*Kirtchuk, Pablo*).

10605   **Bauer, Laurie** The linguistics student's handbook. E 2007, Edinburgh University Press viii; 387 pp. 0-7486-2758-8. Bibl.

10606   **Bowe, Heather J.; Martin, Kylie** Communication across cultures: mutual understanding in a global world. C 2007, CUP xiv; 194 pp. 978-0-52169-557-2. Bibl.

10607   **Chandler, Daniel** Semiotics: the basics. L ²2007, Routledge xviii; 307 pp. 978-04153-63761.

10608   **Clackson, James** Indo-European linguistics: an introduction. C 2007, CUP xxii; 260 pp. 978-0-521-65367-1. Bibl.

10609   **Dessalles, Jean-L.** Why we talk: the evolutionary origins of language. ᵀ*Grieve, James* Studies in the evolution of language 7: Oxf 2007, OUP xi; 384 pp. 0-19-927623-4. Bibl.367-375.

10610   **Harrison, K. David** When languages die: the extinction of the world's languages and the erosion of human knowledge. Oxf 2007, OUP x; 292 pp. 978-0-19-518192-0. Bibl. 263-283.

10611   **Hinzen, Wolfram** An essay on names and truth. Oxf 2007, OUP vi; 244 pp. 978-0-19-922652-8. Bibl. 231-239.

10612   **Huang, Yan** Pragmatics. Oxf 2007, OUP xix; 346 pp. 978-0-19-924368-6. Bibl. 285-311.

10613   **Hurford, James R.** The origins of meaning. Language in the light of evolution 1; Studies in the evolution of language 8: Oxf 2007, OUP xiii; 388 pp. 978-0-19-920785-5. Ill.; Bibl. 335-371.

10614   **Hurford, James R.; Heasley, Brendan; Smith, Michael B.** Semantics: a coursebook. C ²2007, CUP xiii; 350 pp. 978-0521-67187-3.

10615   **Jeffries, Lesley** Textual construction of the female body: a critical discourse approach. Basingstoke, Hampshire 2007, Palgrave Macmillan xiii; 212 pp. 978-0-333-91451-9. Bibl. 202-205.

10616 *Littman, R.J.* Linguistics and the teaching of classical history and culture. ClW 100/2 (2007) 143-150.
10617 **Matthews, Peter H.** The concise Oxford dictionary of linguistics. Oxf²2007, OUP x; 443 pp. 978-0-19-920272-0.
10618 ᴱ**McGilvray, James A.** The Cambridge companion to CHOMSKY. Linguistica Filosofia: C 2005, CUP ix; 335 pp. 05217-80136/431X.
10619 **Morris, Michael** An introduction to the philosophy of language. C 2007, CUP ix; 326 pp. Bibl. 316-322.
10620 **Nunan, David** What-is this thing called language?. Basingstoke 2007, Palgrave M. xv; 232 pp. 978-0-230-0084-72/8-9. Bibl.
10621 *Peeters, Christian* Linguistique historique et théologie: l'origine et la parenté des langues. AnBru 12 (2007) 134-140.
10622 **Riley, Philip** Language, culture and identity: an ethnolinguistic perspective. L 2007, Continuum ix; 265 pp. 0-8264-8629-0. Bibl.
10623 *Roesner, Martina* Logos, logique et "sigétique": le dépassement du langage métaphysique entre les Écritures et la Gnose. Ment. *Heidegger, M.* RSPhTh 91 (2007) 633-649.
10624 ᴱ**Siegwart, Geo; Greimann, Dirk** Truth and speech acts: studies in the philosophy of language. Routledge studies in contemporary philosophy 5: NY 2007, Routledge ix; 398 pp. 978-0-415-40651-2. Bibl.
10625 *Spieß, Constanze* Strategien der Textvernetzung: Isotopien als Konstituenten intertextueller Relationen. Intertextualität. Sprache & Kultur: 2007 ⇒447. 189-210.
10626 **Teubert, Wolfgang; Cermáková, Anna** Corpus linguistics: a short introduction. L 2007, Continuum vi; 153 pp. 0-8264-9480-3. Bibl. 145-150.
10627 *Tofilski, Łukasz* In search of lost meanings: towards a methodology of the pragmatics of ancient texts. Ethos and exegesis. 2007 ⇒464. 21-32.
10628 **Trim, Richard** Metaphor networks: the comparative evolution of figurative language. Basingstoke, Hampshire 2007, Palgrave M. xv; 231 pp. 978-0-2305-0751-7. Bibl.

J8.4 The origin of writing

10629 *Farout, Dominique* Les hiéroglyphes et la naissance de l'alphabet. Egypte Afrique & Orient 46 (2007) 37-48.
10630 **Hamilton, Gordon J.** The origins of the West Semitic alphabet in Egyptian scripts. CBQ.MS 40: 2006 ⇒22,10358. ᴿITS 44 (2007) 341-343 (*Legrand, Lucien*); ATG 70 (2007) 486-493 (*Torres, A.*); CBQ 69 (2007) 546-548 (*Morschauser, Scott*); RBLit (2007)* (*Volokhine, Youri*).
10631 **Herrenschmidt, Clarisse** Les trois écritures: langue, nombre, code. P 2007, Gallimard vii; 510 pp.
10632 *Roccati, Alessandro* The alphabet(s) at a turning point: a view from Egypt. Moving across borders. OLA 159: 2007 ⇒722. 327-335.
10633 **Yardeni, Ada** The book of Hebrew script. 1997 ⇒13,8507... 21,10897. ᴿStEeL 24 (2007) 113-115 (*Scagliarini, Fiorella*).

J9.1 *Analyis linguistica loquelae de Deo*—God talk

10634 *Ott, Konrad* Zur Geltungsdimension religiöser Rede. [F]HARDMEIER,
C. ABIG 28: 2007 ⇒62. 13-34.
10635 *Wieczorek, Stefan* Von der Intertextualität zur Intermedialität: Ten-
denzen der Gegenwartsliteratur am Beispiel von W.G. Sebalds Er-
zählung Dr. Henry Selwyn. Intertextualität. 2007 ⇒447. 149-160.

XV. Postbiblica

K1.1 Pseudepigrapha [=catholicis 'Apocrypha'] *VT generalis*

10636 *Bar-Ilan, M. The words of Gad the Seer*: the author's opponents
and the date of its composition. RRJ 10/1 (2007) 1-10.
10637 **Beech, Timothy** A socio-rhetorical analysis of the development
and function of the Noah-Flood narrative in Sibylline Oracles 1-2.
[D]*Bloomquist, G.* 2007, Diss. Ottawa [RTL 39,600].
10638 *Bickerman, Elias J.* Literary forgeries in classical antiquity; notes
on a recent book. Studies in Jewish and Christian history. AGJU
68/1-2: 2007 ⇒190. 860-878 [Wolfgang Speyer, Die literarische
Fälschung im heidnischen und christlichen Altertum (Mü: Beck
1971) ⇒53,1281].
10639 **Börner-Klein, Dagmar** Das Alphabet des Ben Sira: hebräisch-
deutsche Textausgabe mit einer Interpretation. Wsb 2007, Marix-
verlag xxii; 391 pp. €18. 978-38653-91292.
10640 *Böttrich, C.* Melchisedek Naziraios: Beobachtungen zur apokry-
phen 'Geschichte Melchisedeks' (HistMelch). [F]WILLI, T. 2007 ⇒
167. 17-38.
10641 *Cacitti, Remo* 'E ora piego le ginocchia del cuore': l'epigrafe
dipinta della 'Preghiera di Manasse' a Gerapoli di Frigia. Acme 60
(2007) 71-83 [⇒3837].
10642 *Colpe, C.* Die Christologie der Oden Salomos im Zusammenhang
von Gnosis und Synkretismus. [F]WILLI, T. [E]*Lattke, Michael* 2007 ⇒
167. 39-52.
10643 *Davila, James R.* Is the Prayer of Manasseh a Jewish work?. Heav-
enly tablets. JSJ.S 119: 2007 ⇒60. 75-85 [⇒3837].
10644 **Davila, James R.** The provenance of the pseudepigrapha: Jewish,
christian, or other?. 2005 ⇒21,10905; 22,10367. [K]JSJ 38 (2007)
101-103 (*Jonge, M. de*); EThL 83 (2007) 482-484 (*Ceulemans, R.*);
RBLit (2007)* (*Cook, Johann*).
10645 *Díez Merino, Luis* El cordero de Dios en la literatura intertestamen-
tal. [F]*García Martínez, F.* JSJ.S 122: 2007 ⇒46. 551-568.
10646 *Dorival, Gilles* Le patriarche Héber et la Tour de Babel: un apo-
cryphe disparu?. [F]KAESTLI, J. & JUNOD, E. 2007 ⇒82. 181-201
[Gen 11,16-17].
10647 *Drawnel, Henryk* Edukacja kapłanów w Izraelu w swietle babilons-
kiej tradycji skrybalnej (Ksiega Wizji Lewiego 24; 31-47). Roczni-
ki Teologiczne 54/1 (2007) 49-68. **P**.

10648 *Elgvin, Torleif* Jewish christian editing of the Old Testament pseudepigrapha. Jewish believers in Jesus. 2007 ⇒519. 278-304.

10649 *Estévez López, Elisa* La prostitución en la literatura intertestamentaria. ResB 54 (2007) 25-34.

10650 *Flusser, David* The apocryphal Psalms of David. Judaism of the second temple period, 1. 2007 ⇒224. 258-282.

10651 *Horbury, William* The remembrance of God in the Psalms of Solomon. Memory in the bible. WUNT 212: 2007 ⇒764. 111-128.

10652 *Horst, Rudolf* Intertestamental Jewish literature: echo of the Old Testament and influence on the New Testament. MST Review 9/1 (2007) 30-73.

10653 *Ilan, Tal* Women in the apocrypha and the pseudepigrapha. A question of sex?. HBM 14: 2007 ⇒872. 126-144.

10654 **Kim, Heerak C.** The Jerusalem tradition in the late second temple period: diachronic and synchronic developments surrounding Psalms of Solomon 11. Lanham 2007, University Press of America 168 pp. 978-0-7618-3625-4/61. Bibl. 157-168.

10655 [ET]**Lanfranchi, Pierluigi** L'Exagoge d'Ezéchiel le Tragique: introduction, texte, traduction et commentaire. SVTP 21: 2006 ⇒22, 10374. [R]StPhiloA 19 (2007) 215-218 (*Riaud, Jean*); REJ 166 (2007) 551-553 (*Hadas-Lebel, Mireille*); RSR 95 (2007) 608-609 (*Berthelot, Katell*) [Exod 1-15].

10656 *Lattke, Michael* Die Oden Salomos: Einleitungsfragen und Forschungsgeschichte. ZNW 98 (2007) 277-307.

10657 **Läpple, Alfred** Die geheimen Schriften zur Bibel: Apokryphe Texte des Alten und Neuen Testaments. Mü 2007, Bassermann 272 pp. 978-3-8094-2091-0.

10658 **Loader, William** Enoch, Levi, and Jubilees on sexuality: attitudes towards sexuality in the early Enoch literature, the Aramaic Levi document, and the book of Jubilees. GR 2007, Eerdmans viii; 350 pp. $38. 978-08028-25834. Bibl. 315-337.

10659 **Lorein, Geert W.** The antichrist theme in the intertestamental period. JSPE.S 44: 2003 ⇒19,10332... 22,10378. [R]PHScr II, 543-545 ⇒373 (*Wooden, G. Glenn*).

10660 **Machiela, Daniel** From Enoch to Abram: the text and character of the Genesis Apocryphon (1Q20) in light of related second temple Jewish literature. [D]*VanderKam, J.* 2007, 334 pp. Diss.Notre Dame.

10661 **Nickelsburg, George W.E.** Resurrection, immortality, and eternal life in intertestamental Judaism and early christianity. HThS 56: CM 2007, Harvard Univ. Pr. xxi; 366 pp. $28. 0-674-02378-1.

10662 **Noffke, Eric** Introduzione alla letteratura mediogiudaica precristiana. Strumenti 18: 2004 ⇒20,9946. [R]Protest. 61 (2007) 52-53 (*Martone, Corrado*).

10663 *Orlov, Andrei* Bibliography of the Slavonic pseudepigrapha and related literature;

10664 The face as the heavenly counterpart of the visionary in the Slavonic *Ladder of Jacob* <2004>. From apocalypticism to merkabah mysticism. JSJ.S 114: 2007 ⇒283. 1-99/399-419.

10665 *Reinhartz, Adele* Chaste betrayals: women and men in the Apocryphal novels. Heavenly tablets. JSJ.S 119: 2007 ⇒60. 227-242.

10666 *Rose, Els* Pseudo-Abdias and the problem of apostle apocrypha in the Latin Middle Ages: a literary and liturgical perspective. sanctorum 4 (2007) 129-146.

10667   *Schüngel, Paul* Die Bildlichkeit der 11. Ode Salomos. OCP 73 (2007) 433-450.
10668   *Tait, Michael* The last 'Last Supper': the messianic banquet in the pseudepigrapha. ScrB 37 (2007) 77-86.
10669   **Whitney, K. William** Two strange beasts: Leviathan and Behemoth in second temple and early rabbinic Judaism. HSSt 63: 2006 ⇒22,10396. ᴿOLZ 102 (2007) 519-522 (*Böttrich, C.*).
10670   ᴱ**Wright, Robert** The Psalms of Solomon : a critical edition of the Greek text. Jewish and Christian Texts in Contexts and Related Studies 1: L 2007, Clark xii; 224 pp. $125. 0-567-02643-4. Bibl. 212-223.
10671   *Xeravits, Géza G.* Some remarks on the figure of Elijah in *Lives of the prophets* 21:1-3. ᶠGARCÍA MARTÍNEZ, F. JSJ.S 122: 2007 ⇒46. 499-508.

K1.2 Henoch

10672   *Adler, William* A dead end in the Enoch trajectory: a response to Andrei Orlov. Enoch. 2007 ⇒775. 137-142.
10673   *Arcari, Luca* A symbolic transfiguration of a historical event: the Parthian invasion in JOSEPHUS and the Parables of Enoch. Enoch. 2007 ⇒775. 478-486.
10674   *Assefa, Daniel* Le narrateur de l'*Apocalypse des animaux* 1 Hén 85-90. Regards croisés sur la bible. LeDiv: 2007 ⇒875. 245-253.
10675   *Bautch, Kelley C.* Adamic traditions in the Parables?: a query on 1 Enoch 69:6. Enoch. 2007 ⇒775. 352-360.
10676   *Bedenbender, Andreas* The place of the torah in the early Enoch literature. Early Enoch literature. JSJ.S 121: 2007 ⇒381. 65-79.
10677   *Ben-Dov, Jonathan* Exegetical notes on cosmology in the Parables of Enoch. Enoch. 2007 ⇒775. 143-150.
10678   *Boccaccini, Gabriele* The Enoch Seminar at Camaldoli: re-entering the Parables of Enoch in the study of second temple Judaism and christian origins. Enoch. 2007 ⇒775. 3-16;
10679   Finding a place for the Parables of Enoch within second temple Jewish literature. Enoch. 2007 ⇒775. 263-289.
10680   ᴱ**Boccaccini, Gabriele** Enoch and Qumran origins: new light on a forgotten connection. 2005 ⇒21,921; 22,10405. ᴿLTP 63 (2007) 139-140 (*Johnston, Steve*); Sal. 69 (2007) 568-570 (*Vicent, Rafael*); Cart. 23 (2007) 511-513 (*Sanz Valdivieso, R.*); DSD 14 (2007) 257-260 (*Orlov, Andrei A.*); BiOr 64 (2007) 706-710 (*Van Peursen, Wido*); JThS 58 (2007) 616-619 (*Barker, Margaret*).
        ᴱ**Boccaccini, G.** Enoch & the Messiah Son of Man 2007 ⇒775.
        ᴱ**Boccaccini, G.**, *al.*, The early Enoch literature 2007 ⇒381.
10681   *Boyarin, Daniel* Was the Book of Parables a sectarian document?: a brief brief in support of Pierluigi Piovanelli;
10682   *Charlesworth, James H.* Can we discern the composition date of the Parables of Enoch?. Enoch. 2007 ⇒775. 380-385/450-468.
10683   *Collins, John J.* 'Enochic Judaism' and the sect of the Dead Sea scrolls. Early Enoch literature. JSJ.S 121: 2007 ⇒381. 283-299;
10684   How distinctive was Enochic Judaism?. ᶠDIMANT, D. 2007 ⇒34. *17-*34;

10685 Enoch and the Son of Man: a response to Sabino Chialà and Helge Kvanvig. Enoch. 2007 ⇒775. 216-227.
10686 *Drawnel, Henryk* Moon computation in the Aramaic Astronomical Book. RdQ 23 (2007) 3-41.
10687 *Ehrenkrook, Jason von* The Parables of Enoch and the Messiah Son of Man: a bibliography, 1773-2006;
10688 *Eshel, Hanan* An allusion in the Parables of Enoch to the Acts of Matthias Antigonus in 40 B.C.E.?;
10689 *Fröhlich, Ida* The Parables of Enoch and Qumran literature. Enoch. 2007 ⇒775. 513-539/487-491/343-351.
10690 *García Martínez, Florentino* Conclusion: mapping the threads. Early Enoch literature. JSJ.S 121: 2007 ⇒381. 329-335.
10691 *Gieschen, Charles A.* The name of the Son of Man in the Parables of Enoch. Enoch. 2007 ⇒775. 238-249.
10692 *Giulea, Dragos-A.* The watchers' whispers: ATHENAGORAS's *Legatio* 25,1-3 and the *Book of the Watchers*. VigChr 61 (2007) 258-81.
10693 *Grabbe, Lester L.* The Parables of Enoch in second temple Jewish society. Enoch. 2007 ⇒775. 386-402.
10694 *Hannah, Darrell D.* The Book of Noah, the death of Herod the Great, and the date of the Parables of Enoch;
10695 *Henze, Matthias* The Parables of Enoch in second temple Jewish literature: a response to Gabriele Boccaccini. Enoch. 2007 ⇒775. 469-477/290-298.
10696 *Himmelfarb, Martha* Temple and priests in the book of the watchers, the animal apocalypse, and the apocalypse of weeks;
10697 *Knibb, Michael A.* The book of Enoch or books of Enoch?: the textual evidence for 1 Enoch. Early Enoch literature. JSJ.S 121: 2007 ⇒381. 219-235/21-40;
10698 The structure and composition of the Parables of Enoch. Enoch. 2007 ⇒775. 48-64.
10699 *Koch, Klaus* The astral laws as the basis of time, universal history, and the eschatological turn in the astronomical book and the animal apocalypse of 1 Enoch. Early Enoch literature. JSJ.S 121: 2007 ⇒ 381. 119-137;
10700 Questions regarding the so-called Son of Man in the Parables of Enoch: a response to Sabino Chialà and Helge Kvanvig. Enoch. 2007 ⇒775. 228-237.
10701 *Kvanvig, Helge S.* Cosmic laws and cosmic imblance: wisdom, myth and apocalyptic in early Enochic writings. Early Enoch literature. JSJ.S 121: 2007 ⇒381. 139-158;
10702 The Son of Man in the Parables of Enoch. Enoch. 2007 ⇒775. 179-215.
10703 *Macaskill, Grant* Priestly purity, Mosaic torah and the emergence of Enochic Judaism. Henoch 29 (2007) 67-89.
10704 *Martin de Viviés, Pierre de* L'histoire des veilleurs: un autre regard sur les orignes du mal. Regards croisés sur la bible. LeDiv: 2007 ⇒ 875. 235-243.
10705 *Nickelsburg, George W.E.* Dead Sea scrolls spotlight: the book of Enoch. BArR 33/5 (2007) 64-65;
10706 Enochic wisdom and its relationship to the Mosaic torah. Early Enoch literature. JSJ.S 121: 2007 ⇒381. 81-94;
10707 Discerning the structure(s) of the Enochic Book of Parables. Enoch. 2007 ⇒775. 23-47.

10708 **Olson, Daniel** Enoch: a new translation. 2004 ⇒21,10947. ᴿCBQ 69 (2007) 556-557 (*Reed, Annette Y.*).

10709 *Olson, Daniel C.* An overlooked patristic allusion to the Parables of Enoch?. Enoch. 2007 ⇒775. 492-496.

10710 **Orlov, Andrei A.** The Enoch-Metatron tradition. TSAJ 107: 2005 ⇒21,10950. ᴿRSR 95 (2007) 597-598 (*Berthelot, Katell*).

10711 *Orlov, Andrei* Celestial chormaster: the liturgical role of Enoch-Metatron in *2 Enoch* and the merkabah tradition. <2004> 197-221;

10712 Ex 33 on God's face: a lesson from the Enochic tradition <2000> 313-325;

10713 Melchizedek legend of *2 (Slavonic) Enoch* <2000> 423-439;

10714 Noah's younger brother revisited: anti-Noachic polemics and the date of *2 (Slavonic) Enoch*. <2004> 379-396;

10715 'Noah's younger brother': the anti-Noachic polemics in *2 (Slavonic) Enoch*. <2000> 361-378;

10716 On the polemical nature of *2 (Slavonic) Enoch*: a reply to C. Böttrich. <2003> 239-268;

10717 Overshadowed by Enoch's greatness: 'two tablets' traditions from the *Book of giants* to *Palaea historica*. <2001> ⇒283. 109-131;

10718 Resurrection of Adam's body: the redeeming role of Enoch-Metatron in *2 (Slavonic) Enoch*. 231-236;

10719 The heirs of the Enochic lore: 'men of faith' in *2 Enoch* 35:2 and *Sefer hekhalot* 48D:10. 345-358;

10720 The origin of the name 'Metatron' and the text of *2 (Slavonic) Enoch*. <2000> 223-229;

10721 Secrets of creation in *2 (Slavonic) Enoch*. <2000> 175-195;

10722 Titles of Enoch-Metatron in *2 (Slavonic) Enoch* <1998> 133-148;

10723 'Without measure and without analogy': the tradition of the divine body in *2 (Slavonic) Enoch* <2005>. From apocalypticism to merkabah mysticism. JSJ.S 114: 2007 ⇒283. 149-174;

10724 Roles and titles of the seventh antediluvian hero in the Parables of Enoch: a departure from the traditional pattern?. Enoch. 2007 ⇒ 775. 110-136.

10725 *Peters, Dorothy M.* The tension between Enoch and Noah in the Aramaic Enoch texts at Qumran. Henoch 29 (2007) 11-29.

10726 *Piovanelli, Pierluigi* 'Sitting by the waters of Dan,' or the 'tricky business' of tracing the social profile of the communities that produced the earliest Enochic texts. Early Enoch literature. JSJ.S 121: 2007 ⇒381. 257-281;

10727 'A testimony for the kings and the mighty who possess the earth': the thirst for justice and peace in the Parables of Enoch. Enoch. 2007 ⇒775. 363-379.

10728 **Reed, Annette Y.** Fallen angels and the history of Judaism and Christianity: the reception of Enochic literature. 2005 ⇒21,10952. ᴿRBLit (2007) 228-231 (*Bhayro, Siam*); JECS 15 (2007) 277-278 (*Shaw, Frank*).

10729 *Sacchi, Paolo* The 2005 Camaldoli Seminar on the Parables of Enoch: summary and prospects for future research;

10730 *Stone, Michael E.* Enoch's date in limbo; or, some considerations on David Suter's analysis of the Book of Parables. Enoch. 2007 ⇒ 775. 499-512/444-449.

10731 *Stuckenbruck, Loren T.* The early traditions related to 1 Enoch from the Dead Sea scrolls: an overview and assessment. Early Enoch literature. JSJ.S 121: 2007 ⇒381. 41-63;

10732 The Parables of Enoch according to George Nickelsburg and Michael Knibb: a summary and discussion of some remaining questions. Enoch. 2007 ⇒775. 65-71.

10733 **Stuckenbruck, Loren T.** 1 Enoch 91-108. Commentaries on early Jewish literature: B 2007, De Gruyter xiv; 855 pp. $189. 978-3-11-019119-6.

10734 *Suter, David W.* Temples and the temple in the early Enoch tradition: memory, vision, and expectation. Early Enoch literature. JSJ.S 121: 2007 ⇒381. 195-218;

10735 Enoch in Sheol: updating the dating of the Book of Parables. Enoch. 2007 ⇒775. 415-443.

10736 *Tassin, Claude* Une visite des cieux: 1 Hénoch 14,8-23 en contexte. Regards croisés sur la bible. LeDiv: 2007 ⇒875. 223-233.

10737 *Tigchelaar, Eibert* Wisdom and counter-wisdom in 4QInstruction, mysteries, and 1 Enoch. Early Enoch literature. JSJ.S 121: 2007 ⇒ 381. 177-193;

10738 Remarks on transmission and traditions in the Parables of Enoch: a response to James VanderKam. Enoch. 2007 ⇒775. 100-109.

10739 *Tiller, Patrick* The sociological settings of the components of 1 Enoch. Early Enoch literature. JSJ.S 121: 2007 ⇒381. 237-255.

10740 **Tretti, Cristiana** Enoch e la sapienza celeste: alle origini della mistica ebraica. AISG.Testi e studi 20: F 2007, Giuntina 415 pp. €30. 978-88805-72886.

10741 *VanderKam, James C.* 1 Enoch 73:5-8 and the synchronistic calendar. ᶠGARCÍA MARTÍNEZ, F.. JSJ.S 122: 2007 ⇒46. 433-447;

10742 The Book of Parables within the Enoch tradition;

10743 *Venter, Pieter M.* Spatiality in the second parable of Enoch;

10744 *Wright, Benjamin G.* The structure of the Parables of Enoch: a response to George Nickelsburg and Michael Knibb. Enoch. 2007 ⇒775. 81-99/403-412/72-78;

1 Enoch and Ben Sira 2007 ⇒4637.

K1.3 Testamenta

10745 *Albrile, Ezio Siglia Anuli Salomonis*: mito e leggenda nella tradizione magica su Salomone. Anton. 82/2 (2007) 351-372.

10746 *Arcari, Luca* Gli pseudepigrafi dell'Antico Testamento 'cristianizzati' e la profezia del II secolo: alcune esemplificazioni dal *Testamento di Levi* greco e dall'*Apocalisse di Elia*. Profeti e profezia. 2007 ⇒565. 83-100.

10747 *Bickerman, Elias J.* The date of the Testaments of the twelve patriarchs. Studies in Jewish & Christian history. 2007 ⇒190. 272-294.

10748 **Busch, Peter** Das Testament Salomos. TU 153: 2006 ⇒22,10426. ᴿThLZ 132 (2007) 1077-1079 (*Dochhorn, Jan*).

10749 ᴱᵀ**Greenfield, Jonas C.; Eshel, Esther; Stone, Michael E.** The Aramaic Levi document. SVTP 19: 2004 ⇒20,9977; 22,10432. ᴿThLZ 132 (2007) 411-413 (*Dochhorn, Jan*).

10750 *Hillel, Vered* Naphtali, a Proto-Joseph in the Testaments of the Twelve Patriarchs. JSPE 16 (2007) 171-201.

10751 **Jonge, Marinus de** Pseudepigrapha of the Old Testament as part of christian literature: the case of the Testaments of the Twelve

Patriarchs and the Greek Life of Adam and Eve. SVTP 18: 2003 ⇒
19,10372; 21,10961. ᴿOrChr 91 (2007) 223-225 (*Wehrle, Josef*).

10752   *Kapera, Zdzisław J.* Preliminary information about Józef T. Milik's
unpublished manuscript of "The Testament of Levi". PJBR 6
(2007) 109-112.

10753   **Klutz, Todd E.** Rewriting the Testament of Solomon. LSTS 53:
2005 ⇒21,10962. ᴿThLZ 132 (2007) 772-774 (*Busch, Peter*);
JSPE 17 (2007) 75-78 (*Schwarz, Sarah L.*); CBQ 69 (2007) 361-
362 (*Pastis, Jacqueline Z.*).

10754   *Lesses, Rebecca* Amulets and angels: visionary experience in the
Testament of Job and the Hekhalot literature. Heavenly tablets. JSJ.
S 119: 2007 ⇒60. 49-74.

10755   *Melcarek, Krzysztof* Chrystologiczna oryginalnosc Testamentu Za-
bulona (9, 8). Roczniki Teologiczne 54/1 (2007) 69-81. **P.**

10756   *Schattner-Rieser, U.* J.T. Milik's monograph on the Testament of
Levi and the reconstructed Aramaic text of the Prayer of Levi and
the Vision of Levi's Ascent to Heaven from Qumran Caves 4 and 1.
Qumran Chronicle 15/3-4 (2007) 139-155;

10757   Remarques préliminaires sur le "Testament de Lévi", monographie
inachevée de J. T. Milik et quelques restitutions du document ara-
méen supposé original (4Q213a frag. 1-2). PJBR 6 (2007) 113-121.

10758   *Schwarz, Sarah L.* Reconsidering the Testament of Solomon. JSPE
16 (2007) 203-237.

10759   *Standhartinger, Angela* Das Testament der Eva.ᶠBLUMENTHAL, S.
von. Ästhetik–Theologie–Liturgik 45: 2007 ⇒16. 73-85.

K1.6 Adam, Jubilaea, Asenet

10760   *Bunta, Silviu* One man (φως) in heaven: Adam-Moses polemics in
the Romanian versions of *The Testament of Abraham* and Ezekiel
the Tragedian's *Exagoge*. JSPE 16 (2007) 139-165.

10761   *Roig Lanzillotta, Lautaro* The envy of God in the paradise story
according to the Greek *Life of Adam and Eve.* ᶠGARCÍA MARTÍNEZ,
F.. JSJ.S 122: 2007 ⇒46. 537-550.

10762   **Toepel, Alexander** Die Adam- und Seth-Legenden im syrischen
Buch der Schatzhöhle: eine quellenkritische Untersuchung. CSCO
618; CSCO.sub 119: 2006 ⇒22,10448. ᴿZKTh 129 (2007) 513-
514 (*Neufeld, Karl H.*).

10763   **Tromp, Johannes** The Life of Adam and Eve in Greek: a critical
edition. PVTG 6: 2005 ⇒21,10975; 22,10449. ᴿJThS 58 (2007)
173-176 (*Murdoch, Brian*).

10764   *Ben-Dov, Jonathan* Jubilean chronology and the 364-day year. ᶠDI-
MANT, D. 2007 ⇒34. 49-60.

10765   *Bertalotto, Pierpaolo* IV Enoch Seminar 'Enoch and the Mosaic
torah: the evidence of Jubilees'. RivBib 55 (2007) 387-389.

10766   *Endres, John C.* Prayers in Jubilees. Heavenly tablets. JSJ.S 119:
2007 ⇒60. 31-47.

10767   *Orlov, Andrei* Moses' heavenly counterpart in the *Book of Jubilees*
and the *Exagoge* of Ezekiel the Tragedian. Bib. 88 (2007) 153-173.

10768   **Scott, James M.** On earth as in heaven: the restoration of sacred
time and sacred space in the book of Jubilees. JSJ.S 91: 2005 ⇒21,

10990. ᴿJSJ 38 (2007) 425-430 (*Van Ruiten, Jacques*); RSR 95 (2007) 595-596 (*Berthelot, Katell*).

10769 *Segal, Michael* On the meaning of the expression תורה ותעורה in *Jubilees*. ᶠDIMANT, D. 2007 ⇒34. 323ss.

10770 **Segal, Michael** The book of Jubilees: rewritten bible, redaction, ideology, and theology. JSJ.S 117: Lei 2007, Brill xi; 370 pp. €145/$196. 978-90-04-15057-7. Bibl. 325-344.

10771 *Van Ruiten, Jacques* Between Jacob's death and Moses' birth: the intertextual relationship between Genesis 50:15-Exodus 1:14 and *Jubilees* 46:1-16. ᶠGARCÍA MARTÍNEZ, F. JSJ.S 122: 2007 ⇒46. 467-489.

10772 *VanderKam, James C.* The end of the matter?: Jubilees 50:6-13 and the unity of the book. Heavenly tablets. 2007 ⇒60. 267-284.

10773 *Venter, Pieter M.* Intertextuality in the book of Jubilees. HTS 63 (2007) 463-480.

10774 *Werman, Cana* Jubilees in the Hellenistic context. Heavenly tablets: interpretation, identity and tradition in ancient Judaism. JSJ.S 119: 2007 ⇒60. 133-158.

10775 *Braginskaya, N.V.* 'Joseph and Aseneth': a 'midrash' before midrash and a 'novel' before novel, 2. VDI 260 (2007) 32-75. **R**.

10776 **Fink, Uta B.** Joseph und Aseneth: Revision des griechischen Textes und Edition der zweiten lateinischen Übersetzung. ᴰ*Burchard, Christoph* 2007, Diss. Heidelberg [ThRv 104/1,viii].

K1.7 Apocalypses, ascensiones

10777 *Carlsson, Leif* Identitet och död: himmelsfärder i tidig judendom och kristendom. SvTK 83 (2007) 16-31.

10778 *DiTommaso, Lorenzo* Apocalypses and apocalypticism in antiquity (part I). CuBR 5/2 (2007) 235-286;

10779 Apocalypses and apocalypticism in antiquity (part II). CuBR 5/3 (2007) 367-432.

10780 *García Martínez, Florentino* The end of the world or the transformation of history?: intertestamental apocalyptic. Qumranica minora I. StTDJ 63: 2007 <1994> ⇒230. 169-193.

10781 *Greisiger, Lutz* Ein nubischer Erlöser-König: Kuš in syrischen Apokalypsen des 7. Jahrhunderts. ᶠTUBACH, J. Studies in oriental religions 56: 2007 ⇒154. 189-213.

10782 **Kulik, Alexander** Retroverting Slavonic pseudepigrapha: toward the original of the Apocalypse of Abraham. 2004 ⇒20,10020... 22, 10471. ᴿJSJ 38 (2007) 127-128 (*Van der Tak, Johannes G.*).

10783 *Nickelsburg, George W.E.* History-writing in, and on the basis of, the Jewish apocalyptic literature. Historical knowledge. 2007 ⇒ 403. 79-104.

10784 **Reeves, John C.** Trajectories in Near Eastern apocalyptic: a postrabbinic Jewish apocalypse reader. 2006 ⇒22,10473. ᴿRBLit (2007) 269-271 (*DiTommaso, Lorenzo*).

10785 *Spadaro, Antonio* "Apocalissi": risposte alla bibbia come testo letterario. CivCatt 158/18 (2007) 494-501.

K2.1 **Philo judaeus alexandrinus**

10786   **Badilita, Smaranda** Recherches sur la prophétie chez Philon d'A-
lexandrie. 2007, 353 pp. Diss. Univ. de Paris IV–Sorbonne.

10787   *Berthelot, Katell* Philo of Alexandria and the conquest of Canaan.
JSJ 38 (2007) 39-56;

10788   Zeal for God and divine law in Philo and the Dead Sea scrolls.
StPhiloA 19 (2007) 113-129.

10789   **Berthelot, Katell** L'"humanité de l'autre homme" dans la pensée
juive ancienne. JSJ.S 87: 2004 ⇒20,10030; 22,10476. [R]StPhiloA
19 (2007) 206-209 (*Riaud, Jean*).

10790   *Boyarin, Daniel* Philo, ORIGEN, and the rabbis on divine speech
and interpretation. [F]JOHNSON, D. 2007 ⇒78. 113-129.

10791   **Cohen, Naomi G.** Philo's scriptures: citations from the Prophets
and Writings: evidence for a *Haftarah* Cycle in second temple Ju-
daism. JSJ.S 123: Lei 2007, Brill xviii; 278 pp. €99/$142. 978-900-
41-63126. Bibl. 241-250.

10792   *Collins, John J.* Philo and the Dead Sea scrolls: introduction.
StPhiloA 19 (2007) 81-83.

10793   *D'Angelo, Mary R.* Gender and geopolitics in the work of Philo of
Alexandria: Jewish piety and imperial family values. Mapping gen-
der. BiblInterp 84: 2007 ⇒621. 63-88.

[E]**Deines, R.**, *al.*, Philo und das NT 2004 ⇒799.

10794   *Di Mattei, Steven* Quelques précisions sur la φυσιολογία et l'em-
ploi de φυσικῶς dans la méthode exégétique de Philon d'Alexan-
drie. REJ 166 (2007) 411-439.

10795   *Ebner, Martin* Mahl und Gruppenidentität: Philos Schrift *De Vita
Contemplativa* als Paradigma. Herrenmahl. 2007 ⇒572. 64-90.

10796   *Feldman, Louis H.* Moses the general and the battle against Midian
in Philo. JSQ 14 (2007) 1-17 [Num 31].

10797   **Feldman, Louis H.** "Remember Amalek!": vengeance, zealotry,
and group destruction in the bible according to Philo, Pseudo-Philo,
and JOSEPHUS. MHUC 31: 2004 ⇒20,10043... 22,10490. [R]JThS 58
(2007) 168-171 (*Lyons, William L.*) [Deut 25,17-19];

10798   Philo's portrayal of Moses in the context of ancient Judaism. CJAn
15: ND 2007, Univ. of Notre Dame Pr. xix; 542 pp. $80. 978-0-
268-02900-5. Bibl. 453-471.

10799   *Feldman, Yael S.* On the cusp of christianity: virgin sacrifice in
Pseudo-Philo and Amos Oz. JQR 97 (2007) 379-415.

10800   *Fletcher-Louis, Crispin H.T.* Humanity and the idols of the gods in
Pseudo-Philo's *Biblical Antiquities*. Idolatry. 2007 ⇒763. 58-72.

10801   *Früchtel, Edgar* Philon und die Vorbereitung der christlichen Pai-
deia und Seelenleitung. Frühchristentum. 2007 ⇒623. 19-33.

10802   *García Martínez, Florentino* Divine sonship at Qumran and in
Philo. StPhiloA 19 (2007) 85-99.

10803   *Hadas-Lebel, Mireille* Exclus et inclus chez Philon d'Alexandrie.
L'étranger dans la bible. LeDiv 213: 2007 ⇒504. 305-314.

10804   *Inowlocki, Sabrina* International Conference 'Philon d'Alexandrie:
un penseur à l'intersection des cultures gréco-romaine, orientale,
juive et chrétienne'. StPhiloA 19 (2007) 226-227.

10805   *Kaiser, Otto* Die Schönheit und Harmonie der Welt und das Prob-
lem der Übel und des Bösen. Des Menschen Glück. Tria Corda 1:
2007 ⇒254. 113-167;

10806 'Nur der Weise ist frei...': die Paradoxen der Stoiker in CICEROS 'Paradoxa Stoicorum' und Philos 'Quod omnis probus liber sit'. Des Menschen Glück. Tria Corda 1: 2007 ⇒254. 169-230.

10807 **Keough, Shawn W.J.** Exegesis worthy of God: the developments of biblical interpretation in Alexandria. ^DArgárate, Pablo Ment. Clemens Alexandrinus, Origenes 2007, 250 pp. Diss. Univ. of St Michael's College, Toronto.

10808 Lanfranchi, Pierluigi Reminiscences of Ezekiel's Exagoge in Philo's De vita Mosis. Moses. BZAW 372: 2007 ⇒821. 144-150.

10809 Leonhardt-Balzer, Jutta Jewish worship and universal identity in Philo of Alexandria. Jewish identity. AJEC 71: 2007 ⇒577. 29-53.

10810 Lieber, Andrea Between motherland and fatherland: diaspora, pilgrimage and the spiritualization of sacrifice in Philo of Alexandria. Heavenly tablets. JSJ.S 119: 2007 ⇒60. 193-210.

10811 Martín, José P. Il primo convegno italiano su Filone di Alessandria. Adamantius 13 (2007) 276-281.

10812 Mazzanti, Angela M. Filone di Alessandria. Senectus. Ebraismo e Cristianesimo 3: 2007 ⇒725. 99-109.

10813 Najman, Hindy Philosophical contemplation and revelatory inspiration in ancient Judean traditions. StPhiloA 19 (2007) 101-111.

10814 Niehoff, Maren R. Homeric scholarship and bible exegesis in ancient Alexandria: evidence from Philo's 'quarrelsome' colleagues. Classical Quarterly 57 (2007) 166-182.

10815 Oertelt, Friederike Vom Nutzen der Musik: ein Blick auf die Funktion der musikalischen Ausbildung bei Philo von Alexandria. ^FBLUMENTHAL, S. von. Ästhetik–Theologie 45: 2007 ⇒16. 51-62.

10816 **Pearce, Sarah J.K.** The land of the body: studies in Philo's representation of Egypt. WUNT 208: Tü 2007, Mohr S. xxviii; 365 pp. €109. 978-3-16-149250-1. Bibl. 309-328.

10817 Pearce, Sarah J.K. Philo on the Nile. Jewish identity. AJEC 71: 2007 ⇒577. 137-157.

10818 Pesthy, Monika Pilatus. AAH 47/4 (2007) 387-395.

10819 ^{ET}**Raurell, Frederic** Filó d'Alexandria: "De vita contemplativa". 2006 ⇒22,10503. ^RRCatT 32 (2007) 227-229 (Solà, Teresa).

10820 Runia, David T., al., Philo of Alexandria: an annotated bibliography 2004. StPhiloA 19 (2007) 143-194; Supplement: a provisional bibliography 2005-2007, 195-204.

10821 Saudelli, Lucia La hodos anô kai katô d'HÉRACLITE (Fragment 22 B 60 DK / 33 M) dans le De Aeternitate mundi de Philon d'Alexandrie. StPhiloA 19 (2007) 29-58.

10822 **Schenck, Kenneth** A brief guide to Philo. 2005 ⇒21,11040. ^RStPhiloA 19 (2007) 205-206 (Thompson, James W.).

10823 Stuckenbruck, Loren T. To what extent did Philo's treatment of Enoch and the Giants presuppose a knowledge of the Enochic and other sources preserved in the Dead Sea scrolls?. StPhiloA 19 (2007) 131-142.

10824 Taylor, Joan E. Philo of Alexandria on the Essenes: a case study on the use of classical sources in discussions of the Qumran-Essene hypothesis. StPhiloA 19 (2007) 1-28.

10825 Termini, Cristina La scrittura nei tre grandi commenti di Filone die Alessandria: forme e metodi esegetici. RstB 19/2 (2007) 47-73.

10826 ^T**Van der Horst, Pieter W**. Philo's Flaccus: the first pogrom. 2005 <2003> ⇒21,11044s. ^RRBLit (2007) 224-225 (Bloch, René).

10827 The works of Philo: Greek text with morphology. 2005 ⇒22, 10522. ^RRBLit (2007) 35-38 (Seland, Torrey).

K2.4 *Evangelia apocrypha*—**Apocryphal gospels**

10828 ᴱ**Kraus, Thomas J.; Nicklas, Tobias** Das Evangelium nach Petrus: Text, Kontexte, Intertexte. TU 158: B 2007, De Gruyter viii; 384 pp. €98. 978-3-11-019313-8.

10829 *Cothenet, E.* Evangile de Pierre. EeV 175 (2007) 13-17;
10830 *Crossan, John D.* The Gospel of Peter and the canonical gospels. Evangelium nach Petrus. TU 158: 2007 ⇒10828. 117-134.
10831 *Czachesz, István* The Gospel of Peter and the apocryphal Acts of the Apostles: using cognitive science to reconstruct gospel traditions. Evangelium nach Petrus. TU 158: 2007 ⇒10828. 245-261.
10832 *Foster, Paul* The Gospel of Peter. ET 118 (2007) 318-325;
10833 The disputed early fragments of the so-called Gospel of Peter–once again. NT 49 (2007) 402-406;
10834 The discovery and initial reaction to the so-called Gospel of Peter;
10835 *Hartenstein, Judith* Das Petrusevangelium als Evangelium;
10836 *Hieke, Thomas* Das Petrusevangelium vom Alten Testament her gelesen: gewinnbringende Lektüre eines nicht-kanonischen Textes vom christlichen Kanon her. Das Evangelium nach Petrus. TU 158: 2007 ⇒10828. 9-30/159-181/91-115.
10837 *Jones, F. Stanley* The Gospel of Peter in Pseudo-Clementine Recognitions 1,27-71. Evangelium nach Petrus. 2007 ⇒10828. 237-44.
10838 *Junod, Eric* Comment l'*Evangile de Pierre* s'est trouvé écarté des lectures de l'église dans les années 200. Le mystère apocryphe. EssBib 26: 2007 ⇒10913. 45-48.
10839 *Karmann, Thomas R.* Die Paschahomilie des Mᴇʟɪᴛᴏ von Sardes und das Petrusevangelium;
10840 *Kirk, Alan* Tradition and memory in the Gospel of Peter;
10841 *Kraus, Thomas J.* "Die Sprache des Petrusevangeliums?": methodische Anmerkungen und Vorüberlegungen für eine Analyse von Sprache und Stil. Das Evangelium nach Petrus. TU 158: 2007 ⇒ 10828. 215-235/135-158/61-76.
10842 *Kraus, Thomas J.; Nicklas, Tobias* Das Evangelium nach Petrus: Text, Kontexte, Intertexte: einführende Gedanken. Das Evangelium nach Petrus. TU 158: 2007 ⇒10828. 1-7.
10843 **Kraus, Thomas J.; Nicklas, Tobias** Das Petrusevangelium und die Petrusapokalypse: die griechischen Fragmente mit deutscher und englischer Übersetzung. GCS 11: 2004 ⇒20,10111; 22,10556. ᴿVigChr 61 (2007) 103-105 (*Ehrman, Bart D.*); BZ 51 (2007) 292-293 (*Klauck, Hans-Josef*).
10844 *Leroy, Yannick* L'Évangile de Pierre et la notion d'"hétérodoxie": Sᴇ́ʀᴀᴘɪᴏɴ d'Antiochie, Eᴜsᴇ̀ʙᴇ de Césarée et les autres .... RB 114 (2007) 80-98.
10845 *Lührmann, Dieter* Die Überlieferung des apokryph gewordenen Petrusevangeliums. Evangelium nach Petrus. 2007 ⇒10828. 31-51.
10846 *Meiser, Martin* Das Petrusevangelium und die spätere großkirchliche Literatur. Evangelium nach Petrus. 2007 ⇒10828. 183-196.
10847 *Myllykoski, Matti* Die Kraft des Herrn: Erwägungen zur Christologie des Petrusevangeliums;
10848 *Nicklas, Tobias* Apokryphe Passionstraditionen im Vergleich: Petrusevangelium und Sibyllinische Orakel (Buch VIII);

10849 *Omerzu, Heike* Die Pilatusgestalt im Petrusevangelium: eine erzähl-analytische Annäherung. Das Evangelium nach Petrus. TU 158: 2007 ⇒10828. 301-326/263-279/327-347.

10850 *Penner, Todd; Vander Stichele, Caroline* Bodies and the technology of power: reading the Gospel of Peter under empire;

10851 *Porter, Stanley E.* The Greek of the Gospel of Peter: implications for syntax and discourse study;

10852 *Van Minnen, Peter* The Akhmîm Gospel of Peter. Evangelium nach Petrus. TU 158: 2007 ⇒10828. 349-368/77-90/53-60.

10853 *Verheyden, Joseph* Some reflections on determining the purpose of the "Gospel of Peter". Evangelium nach Petrus. TU 158: 2007 ⇒ 10828. 281-299.

10854 **King, Karen L.; Pagels, Elaine** Das Evangelium des Verräters: Judas und der Kampf um das wahre Christentum. Mü 2007, Beck 205 pp. 978-3-406-57095-7.

10855 **Archer, Jeffrey** The gospel according to Judas by Benjamin Iscariot. L 2007, Macmillan 101 pp. £10. 0-230-52901-1. Contrib. *Francis J. Moloney.* [R]PaRe 3/4 (2007) 83-85 (*O'Collins, Gerald*); ACR 85/1 (2008) 121-122 (*Trainor, Michael*).

10856 *Beentjes, Panc* Het evangelie van Judas: een opvallende poging tot rehabilitatie. Str. 74 (2007) 307-315.

10857 *Biguzzi, Giancarlo* Il vangelo gnostico di Giuda e i vangeli canonici. ED 60/2 (2007) 197-225.

10858 *Bosson, Nathalie* "L'Évangile de Judas: le contexte historique et littéraire d'un nouvel apocryphe" (Paris, Oct. 2006). Henoch 29 (2007) 191-194.

10859 [E]**Brankaer, Johanna; Bethge, Hans-G.** Codex Tchacos: Texte und Analysen. TU 161: B 2007, De Gruyter vi; 485 pp. €128. 978-3-11-019570-5. Bibl. 447-463.

10860 **DeConick, April D.** The thirteenth apostle: what the gospel of Judas really says. L 2007, Clark 190 pp. £15. 08264-99643. Bibl. 183-193;

10861 De dertiende apostel: wat het evangelie van Judas werkelijk zagt. Kampen 2007, Kok 219 pp. €19.90. 978-90435-15085.

10862 **Ehrman, Bart** The lost gospel of Judas Iscariot: a new look at betrayer and betrayed. 2006 ⇒22,10589. [R]America 196/4 (2007) 31-32 (*Perkins, Pheme*).

10863 *Gagné, André* A critical note on the meaning of apophasis in "Gospel of Judas" 33:1. LTP 63 (2007) 377-383.

10864 **García Bazán, Francisco** El evangelio de Judas. M 2006, Trotta 66 pp;

10865 Judas: evangelio y biografia. BA 2007, Sigamos 190 pp.

10866 *Gathercole, Simon* The Gospel of Judas. ET 118 (2007) 209-215.

10867 **Gathercole, Simon J.** The gospel of Judas: rewriting early christianity. NY 2007, OUP vii; 199 pp. $34. 01992-25842. Bibl. 189-93.

10868 *Gounelle, Rémi* L'*Evangile de Judas* ou comment devenir un bon gnostique. Le mystère apocryphe. 2007 ⇒10913. 49-71.

10869 *Grech, Prosper* Cristianesimo o cristianesimi?: il caso del vangelo di Giuda. PATH 6 (2007) 515-525.

10870 *Head, Peter M.* The Gospel of Judas and the Qarara codices: some preliminary observations. TynB 58/1 (2007) 1-23.

10871   **Heath, Gordon L.; Porter, Stanley E.** The lost gospel of Judas:
        separating fact from fiction. GR 2007, Eerdmans viii; 127 pp. $16.
        0-8028-2456-0. Bibl. 121-122. ^RTheoforum 38 (2007) 246-247
        (*Vogels, Walter*).
10872   *Heindl, Andreas* Zur Rezeption der Gestalt des Judas Iskariot im Is-
        lam und im Judentum: ein Versuch der Annäherung an ein heikles
        Thema (Teil II). PzB 16 (2007) 43-66.
10873   *Kaestli, Jean-D.* L'*Evangile de Judas*: quelques réflexions à la
        suite du colloque de Paris. Adamantius 13 (2007) 282-286.
10874   *Kasser, Rodolphe* Un nouvel apocryphe copte devient accessible à
        la science. Actes du huitième congrès. 2007 ⇒989. 501-510.
10875   ^{TE}**Kasser, Rodolphe; Meyer, Marvin W.; Wurst, Gregor** Het
        evangelie van Judas uit de Codex Tchacos. ^T*Goddijn, Servaas* 2006
        ⇒22,10601. ^RKeTh 58 (2007) 78-79 (*Roukema, Riemer*);
10876   The gospel of Judas: from Codex Tchacos. 2006 ⇒22,10599.
        ^RJECS 15 (2007) 110-112 (*Williams, Michael A.*);
10877   L'évangile de Judas du Codex Tchacos. ^T*Bismuth, Daniel* 2006 ⇒
        22,10600. ^RIrén. 79 (2007) 647-649; SR 36 (2007) 175-176 (*Pio-
        vanelli, Pierluigi*).
10878   ^{ET}**Kasser, Rodolphe; Wurst, Gregor** The gospel of Judas, critical
        edition: together with the Letter of Peter to Philip, James, and a
        book of Allogenes from Codex Tchacos. Wsh 2007, National
        Geographic Society 378 pp. $45. 978-42620-1912.
10879   *King, Karen L.* Der Text des Judasevangeliums. Evangelium des
        Verräters. 2007 ⇒10854. 105-172.
10880   **King, Karen L.; Pagels, Elaine** Il vangelo ritrovato di Giuda: alle
        origini del cristianesimo. Mi 2007, Mondadori 166 pp. €17.
10881   *Knigge, Heinz-Dieter* Die Rehabilitierung des Judas: eine histo-
        risch-kritische Beurteilung des "Judasevangeliums". Deutsches
        Pfarrerblatt 107 (2007) 665-667.
10882   *Krans, Jan* Overlevering en verraad: een paar kanttekeningen bij
        het gedoe rond het "Evangelie van Judas". Theologisch debat 4/4
        (2007) 44-49.
10883   ^E*Laurant, Sophie* La verità sul vangelo di Giuda. Mondo della
        Bibbia 18/2 (2007) 32-58.
10884   **Lona, Horacio E.** Judas Iskariot: Legende und Wahrheit: Judas in
        den Evangelien und das Evangelium des Judas. FrB 2007, Herder
        174 pp. €16.90. 978-3-451-29562-1.
10885   **Massie, Alban** L'évangile de Judas décrypté. Que penser de...? 68:
        Namur 2007, Fidélité 88 pp. €8. 978-28735-63585.
10886   **Mazzarolo, Isidoro** Evangelho de Judas: uma farsa anticristã. Rio
        de Janeiro 2007, Mazzarolo 154 pp.
10887   *Meyer, Marvin* Beeinflusst von jüdischen Wurzeln?: zum Judas-
        evangelium: Interview mit Marvin Meyer. WUB 45 (2007) 39-40.
10888   **Meyer, Marvin** Judas: the definitive collection of gospels and leg-
        ends about the infamous apostle of Jesus. NY 2007, HarperOne 181
        pp. $23. 978-00613-48303. Bibl. 173-180.
10889   *Nagel, Peter* Das Evangelium des Judas. ZNW 98 (2007) 213-276.
10890   *Pagels, Elaine; King, Karen L.* Eine Bemerkung zum Schluß;
10891   Die Geheimnisse des Königreichs;
10892   Judas und die Zwölf. Evangelium des Verräters. 2007 ⇒10854.
        100-104/82-99/47-67;
10893   Judas: Verräter oder Lieblingsjünger?;

10894 Opfer und das Leben des Geistes. Evangelium des Verräters. 2007 ⇒10854. 23-46/68-81.

10895 **Pagels, Elaine H.; King, Karen L.** Reading Judas: the gospel of Judas and the shaping of christianity. NY 2007, Viking xxiii; 198 pp. 0-670-03845-8. ^RNew York Times Book Review (June 24, 2007) 18 (*Prothero, S.*).

10896 **Porter, Stanley E.; Heath, Gordon L.** The lost gospel of Judas: separating fact from fiction. GR 2007, Eerdmans viii; 127 pp. $16. 978-08028-24561.

10897 *Pouderon, Bernard* Judas, frère de Jésus?: enquête sur un évangile récemment retrouvé. ConnPE 108 (2007) 2-9.

10898 *Pratscher, Wilhelm* Judas, der wahre Freund Jesu: das Judasevangelium. PzB 16 (2007) 119-135.

10899 **Robinson, James M.** Das Judasgeheimnis: ein Blick hinter die Kulissen. Gö 2007, Vandenhoeck & R. 248 pp. €26.90. 978-3525-54-125-8;

10900 Les secrets de Judas: histoire de l'apôtre incompris et de son évangile. ^T*Antoine, Joseph, al.*, 2006 ⇒22,10624. ^RSR 36 (2007) 177-179 (*Piovanelli, Pierluigi*).

10901 *Scopello, Madeleine* Vom Verräter zum wahren Jünger Jesu: das Evangelium nach Judas. WUB 45 (2007) 32-35.

10902 *Starowieyski, Marek* La figura di Giuda nella letteratura apocrifa. Ang. 84/2 (2007) 265-275.

10903 *Tejedor Andrés, Jesús* Sobre el evangelio de Judas. RelCult 53 (2007) 533-558.

10904 **Van der Vliet, Jacques** Het evangelie van Judas: verrader of bevrijder?. 2006 ⇒22,10632. ^RKeTh 58 (2007) 80-81 (*Roukema, Riemer*).

10905 ^T**Van Oort, J.** Het evangelie van Judas. 2006 ⇒22,10633. ^RKeTh 58 (2007) 79-80 (*Roukema, Riemer*);

10906 Het evangelie van Judas: kleine editie. Kampen 2007, te Have 133 pp. €12.90. 978 90259-57773.

10907 *Van Oort, Johannes* Het evangelie van Judas: inleidende notities over zijn inhoud en betekenis. HTS 63 (2007) 431-443.

10908 *Watts, R.* The Gospel of Judas: a plea for some sanity. Crux 43/2 (2007) 31-34.

10909 **Wright, Tom** Giuda e il vangelo di Gesù: comprendere un antico testo recentemente scoperto e il suo significato contemporaneo. ^T*De Santis, L.* Brescia 2007, Queriniana 139 pp. €11. 978-88399-2858-0. ^RStPat 54 (2007) 461-463 (*Segalla, Giuseppe*);

10910 Jezus en het evangelie van Judas: de ontdekking van een oud manuscript en de betekenis ervan voor vandaag. Zoetermeer 2007, Meinema 113 pp. €12.50. 978-90-435-13944.

10911 *Wurst, Gregor, al.*, The Gospel of Judas. The Gospel of Judas. 2007 ⇒10877. 177-252.

10912 *Wurst, Gregor* Eine Spielart gnostischen Denkens: aktuelle Informationen zum Judasevangelium: Interview mit Gregor Wurst. WUB 45 (2007) 38.

10913 ^E**Kaestli, Jean-Daniel; Marguerat, Daniel** Le mystère apocryphe: introduction à une littérature méconnue. Essais bibliques 26: Genève ²2007 <1995>, Labor et F. 188 pp. €19. 978-28309-12418.

10914   *Aragione, Gabriella* Aspetti ideologici della nozione di plagio nell'antichità classica e cristiana. Cristianesimi nell'antichità. Spudasmata 117: 2007 ⇒569. 1-15.
10915   *Bauer, Dieter* Verborgene Evangelien: Pluralismus in der frühen Kirche. BiHe 43/171 (2007) 6-8.
10916   *Bauer, Johannes B.* Wunder Jesu in den Apokryphen. ᶠTRUMMER, P. 2007 ⇒153. 203-214.
10917   ᴱ**Bernhard, Andrew E.** Other early Christian gospels: a critical edition of the surviving Greek manuscripts. LNTS 315: 2006 ⇒22, 10526. ᴿJThS 58 (2007) 687-689 (*Elliott, J.K.*); TC.JBTC 12 (2007)* 3 pp (*Kraus, Thomas J.*);
10918   L 2007 <2006>, £30. 978-05670-45683.
10919   *Bos, Gerrit K.* Soul, *pneuma* and light in the *Gospel of Philip.* Actes du huitième congrès. OLA 163: 2007 ⇒989. 799-810.
10920   *Boyer, Chrystian* L'enfance apocryphe de Jésus. Scriptura(M) 9/2 (2007) 53-60.
10921   **Brown, Scott G.** Mark's other gospel: rethinking Morton Smith's controversial discovery. SCJud 15: 2005 ⇒21,11059. ᴿSR 36 (2007) 352-353 (*Patterson, Dilys*).
10922   *Cothenet, E.* Actes de Pilate; Evangile de Nicodème. EeV 176 (2007) 12-17;
10923   Le cycle de la Nativité dans les apocryphes. EeV 184 (2007) 1-7.
10924   *D'Anna, Alberto* Tradizioni apocrife e tradizioni agiografiche: fonti e ricerche a confronto. sanctorum 4 (2007) 7-14.
10925   *De Rosa, Giuseppe* Gesù nei vangeli gnostici. CivCatt 158/17 (2007) 363-375;
10926   Che cosa dicono di Gesù i vangeli apocrifi?. CivCatt 158/21 (2007) 227-238.
10927   *Den Hollander, August; Schmid, Ulrich* The Gospel of Barnabas, the Diatessaron, and method. VigChr 61 (2007) 1-20.
10928   ᴱ**Desroussilles, François D.** L'Enfance de Jésus. ᵀ*Voltaire* Petite bibliothèque: P 2007, Payot & R. 148 pp. €6.50. 978-27436-16533.
10929   ᵀ**Dimier-Paupert, Catherine** Livre de l'enfance du Sauveur: une version médiévale de l'évangile de l'enfance du Pseudo-Matthieu, XIIIᵉ siècle. 2006 ⇒22,10536. ᴿEeV 166 (2007) 25-26 (*Cothenet, Edouard*); RevSR 81 (2007) 268 (*Boespflug, François*); RTL 38 (2007) 109-110 (*Haquin, A.*).
10930   *Díaz Marcos, Cipriano* Aproximaciones sensacionalistas, mercado e interés mediático por los evangelios apócrifos. SalTer 95 (2007) 563-575.
10931   **Ehrman, Bart** Les christianismes disparus: la bataille pour les écritures: apocryphes, faux et censures. ᵀ*Bonnet, Jacques* P 2007, Bayard 416 pp. €39. 978-22274-76172. ᴿBLE 108 (2007) 330-331 (*Debergé, Pierre*).
10932   **Elliott, James K.** A synopsis of the apocryphal nativity and infancy narratives. 2006 ⇒22,10541. ᴿThR 72 (2007) 258-260 (*Lührmann, Dieter*); VigChr 61 (2007) 230-231 (*Nicklas, Tobias*); JThS 58 (2007) 689-691 (*Wilson, R.McL.*); RBLit (2007)* (*Kelley, Nicole*).
10933   *Erlemann, Kurt* Auf genaue Prüfung kommt es an (Der gute Geldwechsler): Agr 31. Kompendium der Gleichnisse Jesu. 2007 ⇒ 6026. 951-955;
10934   Halte dir jederzeit das Ende vor Augen! (Der Dieb in der Nacht): Agr 45. Kompendium der Gleichnisse Jesu. 2007 ⇒6026. 956-958.

10935 *Evans, Craig A.* The Jewish christian gospel tradition. Jewish believers in Jesus. 2007 ⇒519. 241-277.

10936 *Fendrich, Herbert* Purpurfaden und Goldenes Tor: apokryphe Überlieferungen in der Kunst. WUB 45 (2007) 55-59.

10937 *Foster, Paul* The Protoevangelium of James;

10938 The Gospel of Philip. ET 118 (2007) 573-582/417-427.

10939 [E]**Geoltrain, Pierre; Kaestli, Jean-Daniel** Écrits apocryphes chrétiens, 2. Bibliothèque de la Pléiade 516: 2005 ⇒21,11080; 22, 10544. [R]VigChr 61 (2007) 70-95 (*Nicklas, Tobias*).

10940 *Gounelle, Rémi* Un enfer vide ou à-demi plein?: le salut des 'saints' dans la recension latine A de l'Evangile de Nicodème. [F]KAESTLI, J. & JUNOD, E. 2007 ⇒82. 203-223;

10941 Pourquoi, selon l'*Evangile de Nicodème*, le Christ est-il descendu aux enfers?. Le mystère apocryphe. 2007 ⇒10913. 95-111.

10942 *Grabner-Haider, Anton* Lebenswelt der apokryphen Schriften. Kulturgeschichte der Bibel. 2007 ⇒435. 457-467.

10943 *Gregory, Andrew* Review article on gnostics and their gospels. EpRe 34/2 (2007) 70-72;

10944 Jewish-christian gospels. ET 118 (2007) 521-529.

10945 **Güting, Eberhard** Außerbiblische Zeugnisse über Jesus und das frühe Christentum: einschließlich des apokryphen Judasevangeliums. Giessen [5]2007, Brunnen 223 pp. €25. 978-37655-93666.

10946 *Hall, Stuart* What is the apocryphal New Testament?. Decoding early christianity. 2007 ⇒595. 47-60.

10947 *Heininger, Bernhard* Von der Lieblingsjüngerin zur Geliebten Jesu?: Maria Magdalena in der apokryphen Literatur des frühen Christentums. WUB 45 (2007) 49-52.

10948 **Izydorczyk, Zbigniew; Wydra, Wiesław** A Gospel of Nicodemus preserved in Poland. CChr.SA.Instrumenta 2; Instruments pour l'étude des langues de l'Orient ancien 6: Turnhout 2007, Brepols 429 pp. €210. 978-25035-26089. 7 ill.

10949 **Jeffery, Peter** The secret gospel of Mark unveiled: imagined rituals of sex, death, and madness in a biblical forgery. NHv 2007, Yale Univ. Pr. xi; 340 pp. $40. 978-0-300-11760-8. Bibl. 257-326 [R]RBLit (2007)* (*Brown, Scott G.*).

10950 *Johnson, Scott F.* Apocrypha and the literary past in late antiquity. [F]CAMERON, A. 2007 ⇒23. 47-66.

10951 *Junod, Eric* Le mystère apocryphe ou les richesses cachées d'une littérature méconnue. Le mystère apocryphe. 2007 ⇒10913. 11-27.

10952 [T]*Kaestli, Jean-D.* Fragment d'une lettre de CLÉMENT d'Alexandrie au sujet de l'*Evangile secret de Marc*;

10953 *Kaestli, Jean-D.* Les écrits apocryphes chrétiens: pour une approche qui valorise leur diversité et leurs attaches bibliques;

10954 L'*Evangile secret de Marc*: une version longue de l'évangile de Marc réservée aux chrétiens avancés dans l'église d'Alexandrie?. Le mystère apocryphe. 2007 ⇒10913. 133-136/29-44/113-131.

10955 **Klauck, Hans-Josef** Los evangelios apócrifos [T]*Blanco Moreno, María del Carmen* Presencia teológica 145: 2006 ⇒22,10554. [R]EE 82 (2007) 123-124 (*Yebra, Carmen*).

10956 *Klauck, Hans-Josef* Nur für Eingeweihte: das geheime Evangelium nach Markus. WUB 45 (2007) 46-47.

10957 *Kloha, Jeffrey J.* Jesus and the Gnostic gospels. CTQ 71 (2007) 121-144.

10958   *Koester, Helmut* Apocryphal and canonical gospels <1980>;
10959   Gospels and gospel traditions in the second century <2005>. From
        Jesus to the gospels. 2007 ⇒256. 3-23/24-38.
10960   *Kraus, Thomas J.* P.Oxy. V 840–Amulet or miniature codex?: prin-
        cipal and additional remarks on two terms. Ad fontes. 2007 <2005>
        ⇒260. 47-67;
10961   P.VINDOB.G 2325: the so-called Fayûm-gospel–re-edition and
        some critical conclusions. Ad fontes. 2007 <2001> ⇒260. 69-94.
10962   **Kruger, Michael** The Gospel of the Savior: an analysis of P. Oxy
        840 and its place in the gospel traditions of early christianity. 2005
        ⇒21,11091; 22,10557. ᴿJThS 58 (2007) 190-2 (*Gregory, Andrew*).
10963   *Leicht, Barbara D.* Evangelien in Fragmenten. WUB 45 (2007) 64;
10964   Ein Sakrament des Brautgemachs?: das Evangelium nach Philippus.
        WUB 45 (2007) 52.
10965   *Linzey, Andrew* Jesus and animals in christian apocryphal literature.
        MoBe 48/1 (2007) 48-59.
10966   *Marguerat, Daniel* Pourquoi lire les apocryphes?. Le mystère apo-
        cryphe. EssBib 26: 2007 ⇒10913. 171-175.
10967   *Martin, Annick* A propos de la lettre attribuée à CLÉMENT d'Ale-
        xandrie sur l'évangile secret de Marc. L'Evangile selon Thomas.
        BCNH.Etudes 8: 2007 ⇒861. 277-300.
10968   *Martín-Moreno, Juan Manuel* El interés por los apócrifos, fenóme-
        no mediático. SalTer 95 (2007) 589-601.
10969   *Merz, Annette* Viele Gemeinden–viele Evangelien: die Vielfalt ur-
        christlicher Schriften im Leben der urchristlichen Gemeinden.
        WUB 45 (2007) 18-23.
10970   **Mimouni, Simon C.** Les fragments évangéliques judéo-chrétiens
        "apocryphisés": recherches et perspectives. CRB 66: 2006 ⇒22,
        10564. ᴿREJ 166 (2007) 571-573 (*Leroy, Yannick*).
10971   *Nagel, Peter* Hebräisch oder aramäisch?: zur Sprache des juden-
        christlichen Nazaräerevangeliums. HBO 42 (2006) 217-242;
10972   Der Kessel des Levi: EvPhil NHCod II, 3: p. 63, 25-30. ᶠTUBACH,
        J. Studies in oriental religions 56: 2007 ⇒154. 215-225.
10973   *Nicklas, Tobias* "Écrits apocryphes chrétiens": ein Sammelband als
        Spiegel eines weiterreichenden Paradigmenwechsels in der Apokry-
        phenforschung. VigChr 61 (2007) 70-95;
10974   Papyrus Egerton 2–the 'unknown gospel'. ET 118 (2007) 261-266.
10975   *Oegema, Gerbern S.* On the place and relevance of non-canonical
        writings in biblical theology: reflections on the status quaestionis.
        ᴹMETZGER, B. NTMon 19: 2007 ⇒105. 121-139.
10976   *Ortkemper, Franz-Josef* Was die Evangelien nicht erzählen: die
        Kindheits- und Ostererzählungen der Apokryphen. WUB 45 (2007)
        10-17.
10977   ᴱ**Pesce, Mauro** Le parole dimenticate di Gesù. 2004 ⇒20,10131...
        22,10572. ᴿREAug 53 (2007) 159-161 (*Bertrand, Daniel A.*).
10978   *Piovanelli, Pierluigi* L'*Évangile secret de Marc* trente-trois ans
        après, entre potentialités exégétiques et difficultés techniques. RB
        114 (2007) 52-72, 237-254;
10979   Le recyclage des textes apocryphes à l'heure de la petite 'mondiali-
        sation' de l'antiquité tardive (ca. 325-451): quelques perspectives
        littéraires et historiques. ᶠKAESTLI, J. & JUNOD, E. 2007 ⇒82. 277-
        295.

10980 *Ramírez Fueyo, Francisco* Introducción a los evangelios apócrifos. SalTer 95 (2007) 549-561.

10981 **Schmid, Herbert** Die Eucharistie ist Jesus: Anfänge einer Theorie des Sakraments im koptischen Philippusevangelium (NHC II 3). SVigChr 88: Lei 2007, Brill €169. 978-90-04-16096-5. Diss. München; Bibl. 505-531.

10982 *Schulz, Charles* Response to Jeffrey Kloha. CTQ 71 (2007) 144-46.

10983 *Scopello, Madeleine* Die Faszination des Bösen: biblische Gestalten–gnostisch umgedeutet. WUB 45 (2007) 36-37.

10984 **Scopello, Madeleine** Les évangiles apocryphes. Petite bibliothèque de spiritualités: P 2007, Plon 118 pp. €13. 978-22592-06112.

10985 *Segalla, Giuseppe* Vangeli canonici e vangeli gnostici: un confronto critico. CredOg 27/3 (2007) 47-68.

10986 ᴱ**Starowieyski, Marek** Apokryfy Nowego Testamentu, 1: ewangelie apokryficzne, 2: apostolowie, 3: listy i apokalipsy chrześcijańskie. Kraków 2001-2007, WAM 5 vols; 960+1371+411 pp. 83-7318-1385, -1395, -9119, 9126, 7097-7898. **P**.

10987 ᴱ**Tuckett, Christopher** The gospel of Mary. Oxford Early Christian Gospel Texts: Oxf 2007, OUP xviii; 226 pp. £65. 978-01992-12132. 12 pl.; Bibl. 207-213.

10988 *Tuckett, Christopher* The Gospel of Mary. ET 118 (2007) 365-371.

10989 *Vannier, Marie-Anne* Les critères proposés par les pères pour distinguer les écrits apocryphes. ConnPE 108 (2007) 20-25.

10990 *Wolfson, Elliot R.* Inscribed in the book of the living: Gospel of Truth and Jewish christology. JSJ 38 (2007) 234-271.

10991 *Zimmermann, Ruben* Parabeln unter den Agrapha: Einleitung. Kompendium der Gleichnisse Jesu. 2007 ⇒6026. 935-938.

K2.7 *Alia apocrypha NT*—Apocryphal acts of apostles

10992 ᴱ**Bremmer, Jan N.; Czachesz, István** The Visio Pauli and the gnostic Apocalypse of Paul. Lv 2007, Peeters xiv; 249 pp. €41. 978-90429-18511. Coll. Budapest 2001.

10993 *Adamik, Tamás* The *Apocalypse of Paul* and fantastic literature. Visio Pauli. 2007 ⇒10992. 144-157.

10994 *Alekseev, Anatoly A.* Who is responsible for the massacre of the innocents (Mt 2,16)?: an Old Slavonic apocryphal tale. Josephus und das NT. WUNT 209: 2007 ⇒780. 513-518 [Mt 2,16].

10995 *Amsler, Frédéric* Les *Actes de Pilippe*: aperçu d'une compétition religieuse en Phrygie. Le mystère apocryphe. EssBib 26: 2007 ⇒ 10913. 155-170.

10996 *Aoun, Marc* "Laïcs" et "séculiers" dans la Didascalia Apostolorum Syriacae: quelques aspects lexico-sémantiques. RevSR 81/1 (2007) 69-78.

10997 *Artés Hernández, José Antonio* Estructura narrativa de los Acta Pauli et Petri Apocrypha. EstB 65 (2007) 491-523.

10998 *Atzori, Martina* Le_*Psalmus responsorius*: une hymne à la Vierge Marie dans le *Codex barcinonensis*. L'hymne antique. 2007 ⇒974. 575-595.

10999   **Baldwin, Matthew C.** Whose Acts of Peter?: text and historical
        context of the *Actus Vercellenses*. WUNT 2/196: 2005 ⇒21,
        11132; 22,10639. [R]RBLit (2007) 493-496 (*Kraus, Thomas J.*).
11000   *Barc, Bernard* Caïn, Abel et Seth dans l'Apocryphon de Jean (BG)
        et dans les Ecritures. L'Evangile selon Thomas. BCNH.Etudes 8:
        2007 ⇒861. 17-42.
11001   [T]**Baun, Jane** Tales from another Byzantium: celestial journey and
        local community in the medieval Greek Apocrypha. C 2007, CUP
        xii; 461 pp. £52.25. 978-05218-23951, Bibl. 425-447 [The Apoca-
        lypse of Anastasia; The Apocalypse of the holy Theotokos].
11002   *Berger, Klaus* Die mörderische Ehefrau: Agr 206. Kompendium
        der Gleichnisse Jesu. 2007 ⇒6026. 975-976.
11003   *Betz, Monika* Die betörenden Worte des fremden Mannes: zur
        Funktion der Paulusbeschreibung in den Theklaakten. NTS 53
        (2007) 130-145.
11004   *Bremmer, Jan N.* Bibliography of the *Visio Pauli* and the Gnostic
        Apocalypse of Paul. Visio Pauli. 2007 ⇒10992. 211-236.
11005   *Calzolari, Valentina* La transmission des textes apocryphes chréti-
        ens ou de l''excès joyeux' de la 'variance': variantes, transforma-
        tions et problèmes d'édition (l'exemple du martyre de Paul Arméni-
        en). [F]KAESTLI, J. & JUNOD, E. 2007 ⇒82. 129-160.
11006   *Carleton Paget, James N.B.* The Epistle of Barnabas and the writ-
        ings that later formed the New Testament. The reception of the NT.
        2007 ⇒441. 229-249.
11007   *Casadei, Monica* Il canone neotestamentario in un documento siro-
        occidentale del IV secolo: la Didascalia di Addai. Cristianesimi.
        Spudasmata 117: 2007 ⇒569. 199-219.
11008   **Claes, Alfons; Claes, Jo; Vincke, Kathy** De Twaalf: apocriefe
        verhalen over de apostelen. 2006 ⇒22,10648. [R]Coll. 37 (2007)
        347-348 (*Mardaga, Hellen*).
11009   *Copeland, Kirsti B.* Thinking with oceans: Muthos, revelation and
        the *Apocalypse of Paul*. Visio Pauli. 2007 ⇒10992. 77-104.
11010   *Cothenet, E.* Les Actes de Paul. EeV 173 (2007) 17-23;
11011   Les Actes de Pierre. EeV 174 (2007) 14-20.
11012   *Czachesz, István* Torture in hell and reality. Visio Pauli. 2007
        ⇒10992. 130-143.
11013   *DiMarco, Francesca* Sante nude, sante travestite, sante prostituite:
        del complesso di Tecla. sanctorum 4 (2007) 63-79.
11014   *Erlemann, Kurt* Von untauglichen Weisen: Agr 166;
11015   Weisheit nur für Weisheitsfreunde! Agr 165. Kompendium der
        Gleichnisse Jesu. 2007 ⇒6026. 972-974/969-971.
11016   *Faivre, Cécile; Faivre, Alexandre* Mise en place et déplacement de
        frontières dans la Didascalie. RevSR 81/1 (2007) 49-68.
11017   *Giannarelli, Elena* Da Tecla a santa Tecla: un caso di nemesi agio-
        grafica. sanctorum 4 (2007) 47-62.
11018   *Grypeou, Emmanouela* The re-written bible in Arabic: the paradise
        story and its exegesis in the Arabic Apocalypse of Peter. The bible
        in Arab christianity. 2007 ⇒882. 113-129.
11019   [T]**Guirau, Joseph; Hamman, A.-G.** Odes de Salomon. Les Pères
        dans la foi 97: P 2007, Migne 108 pp. €14. 978-29085-87562.
11020   *Haines-Eitzen, Kim* Engendering palimpsests: reading the textual
        tradition of the Acts of Paul and Thecla. The early christian book.
        2007 ⇒604. 177-193.

11021 ^T**Harrak, Amir** The Acts of Mar Mari the Apostle. SBL.Writings from the Greco-Roman World 11: 2005 ⇒21,11167; 22,10663. ^RLogos [Ottawa] 48 (2007) 139-142 (*Young, Robin D.*); OrChr 91 (2007) 243-244 (*Rist, Josef*).

11022 *Hartenstein, Judith* Dattelpalme, Weizenkorn und Ähre (Parabeln im apokryphen Jakobusbrief): EpJac NHC I p.7,23-35; 8,10-27; 12,18-31. Kompendium...Gleichnisse Jesu. 2007 ⇒6026. 941-950.

11023 *Hegedus, Tim* Midrash and the Letter of Barnabas. BTB 37 (2007) 20-26.

11024 *Hilhorst, Anthony* The *Apocalypse of Paul*: previous history and afterlife. Visio Pauli. 2007 ⇒10992. 1-22.

11025 *Hogeterp, Albert L.A.* The relation between body and soul in the *Apocalypse of Paul*. Visio Pauli. 2007 ⇒10992. 105-129.

11026 **Holdenried, Anke** The Sibyl and her scribes: manuscripts and interpretation of the Latin Sibylla Tiburtina c. 1050-1500. Church, Faith and Culture in the Medieval West: Aldershot 2006, Ashgate xxvi; 254 pp. £55. 07546-33756.

11027 *Horn, Cornelia B.* The Pseudo-Clementine Homilies and the challenges of the conversion of families. LecDif 8/2 (2007) *35 pp.

11028 ^E**Illert, Martin** Doctrina Addai = Die Abgarlegende; De imagine Edessena = Das Christusbild von Edessa. FC 45: Turnhout 2007, Brepols 372 pp. 978-2-503-52113-8/45.

11029 **Johnson, Scott F.** The life and miracles of Thekla: a literary study. Hellenic studies 13: 2006 ⇒22,10669. ^RJThS 58 (2007) 310-313 (*Daunton-Fear, Andrew*).

11030 *Johnston, Steve* La correspondance apocryphe entre Paul et les Corinthiens: problèmes reliés à l'identification des adversaires. L'Evangile selon Thomas. BCNH.Etudes 8: 2007 ⇒861. 187-230;

11031 Nature de la relation entre les *Actes de Paul* et la correspondance apocryphique entre Paul et les Corinthiens. Actes du huitième congrès. OLA 163: 2007 ⇒989. 481-500.

11032 **Klauck, Hans-J.** Apokryphe Apostelakten. 2005 ⇒21,11175; 22, 10671. ^RZKTh 129 (2007) 238 (*Oberforcher, Robert*).

11033 *Kraus, Thomas J.* Zur näheren Bedeutung der "Götzen(bilder)" in der Apokalypse des Petrus. ASEs 24 (2007) 147-176.

11034 ^{ET}**Lightfoot, J.L.** The Sibylline oracles: with introduction, translation and commentary on the first and second books. Oxf 2007, OUP xxiv; 613 pp. £110. 978-01992-15461.

11035 ^E**Maggioni, Giovanni P.** IACOPO da Varazze: legenda aurea con le miniature del codice Ambrosiano C 240 inf. volume I & II. ^T*Stella, Francesco* F 2007, SISMEL lxxi; 859 pp. 978-88845-02452.

11036 *Mara, Maria G.* I macarismi di Paolo. Aug. 47 (2007) 7-19 [Acta Pauli et Theclae].

11037 *Marguerat, Daniel; Rebell, Walter* Les *Actes de Paul*: un portrait inhabituel de l'apôtre. Mystère apocryphe. 2007 ⇒10913. 137-154.

11038 *Meßner, Reinhard; Lang, Martin* Ethiopian anaphoras: status and tasks in current research via an edition of the Ethiopian Anaphora of the Apostles. Jewish and christian liturgy. 2007 ⇒580. 185-205.

11039 *Metzger, Marcel* Le dimanche, pâques et la résurrection dans les Constitutions apostoliques. RevSR 81 (2007) 213-228.

11040 *Monferrer Sala, Juan Pedro* Marginalia semitica, II: entre la tradición y la lingüística. AuOr 25 (2007) 115-127 [History of Joseph the Carpenter; Syrianisms in the Arabic *Diatessaron*].

11041 **Mueller, Joseph G.** L'Ancien Testament dans l'ecclésiologie des Pères: une lecture des Constitutions apostoliques. IP 41: 2004 ⇒ 20,10169; 22,10683. ᴿLTP 63 (2007) 147-148 (*Johnston, Steve*); ZKTh 129 (2007) 497-500 (*Neufeld, Karl H.*).

11042 *Murray, Michele* Christian identity in the Apostolic Constitutions: some observations. ꟳWɪʟsoɴ, S. 2007 ⇒169. 179-194.

11043 *Nicklas, Tobias* Zaubertränke, sprechende Statuen und eine Gefangenbefreiung: Magie und Wunder in den "Akten des Andreas und Matthias". ASEs 24 (2007) 485-500.

11044 *Norelli, Enrico* L'episodio del "Quo vadis?" tra discorso apocrifo e discorso agiografico. sanctorum 4 (2007) 15-45;

11045 *Quo vadis*?: Pietro: 'atto primo'. Letteratura cristiana. Letture patristiche 11: 2007 ⇒934. 99-111.

11046 *Pesthy, Monika* Earthly tribunal in the fourth heaven (NH V,2 20,5-21,22). Visio Pauli. 2007 ⇒10992.198-210.

11047 ᴱᵀ**Piñero, Antonio; Del Cerro, Gonzalo** Hechos apócrifos de los Apóstoles, 2: Hechos de Pablo y Tomás. 2005 ⇒21,11196. ᴿFgNT 20 (2007) 147-150 (*Roig Lanzillotta, L.*).

11048 *Piovanelli, Pierluigi* The miraculous discovery of the hidden manuscript, or the paratextual function of the prologue to the *Apocalypse of Paul*. Visio Pauli. 2007 ⇒10992. 23-49.

11049 **Plese, Zlatko** Poetics of the gnostic universe: narrative and cosmology in the Apocryphon of John. NHMS 52: 2006 ⇒22,10687. ᴿMHNH 7 (2007) 327-332 (*Brenk, Frederick; Sanzi, E.*).

11050 *Poplutz, Uta* Von der asketischen Praxis (Kampf und Krönung): Agr 149. Kompendium der Gleichnisse Jesu. 2007 ⇒6026. 964-68.

11051 *Pouderon, Bernard* Des *Homélies Clémentines* au_*Faustbuch*: complément d'enquête sur la divulgation des épitomès du roman pseudo-clémentin. ꟳWoroɴoꜰꜰ, M., 1. 2007 ⇒172. 351-363.

11052 *Price, Robert M.* The Apocalypses and Acts of Paul: do they know the Pauline epistles?. Forum 1/1 (2007) 65-95.

11053 *Prinzivalli, Emanuela* Riflessioni conclusive. sanctorum 4 (2007) 147-149.

11054 *Roggema, Barbara* Biblical exegesis and interreligious polemics in the Arabic Apocalypse of Peter—the book of the Rolls. The bible in Arab christianity. 2007 ⇒882. 131-150.

11055 **Roig Lanzillotta, Lautaro** Acta Andreae Apocrypha: a new perspective on the nature, intention and significance of the primitive text. COr 26: Genève 2007, Cramer xvi; 336 pp. FS200/€125. 978-29700-53019. Bibl. 273-291. ᴿAnBoll 125 (2007) 436-438 (*Lequeux, X.*).

11056 *Roig Lanzillotta, Lautaro* The Coptic *Apocalypse of Paul* in Ms Or 7023. Visio Pauli. 2007 ⇒10992. 158-197;

11057 One human being, three early christian anthropologies: an assessment of Acta Andreae's tenor on the basis of its anthropological views. VigChr 61 (2007) 414-444.

11058 *Rose, Els* 'Erant enim sine Deo vero': iconoclash in apocryphal and liturgical apostle traditions of the medieval west. Iconoclasm. 2007 ⇒633. 217-233.

11059 *Rosenstiehl, Jean-M.* Crime et châtiment au quatrième ciel: NH V,2: 20,5-21,21: contribution à l'étude de l'*Apocalypse copte de Paul*. L'Evangile selon Thomas. BCNH.Etudes 8: 2007 ⇒861. 559-583.

11060 *Salotti, Marco Quo vadis*?: sullo schermo. Letteratura cristiana. Letture patristiche 11: 2007 ⇒934. 113-128.

11061 *Schwartz, Saundra* From bedroom to courtroom: the adultery type-scene and the Acts of Andrew. Mapping gender. BiblInterp 84: 2007 ⇒621. 267-311.

11062 *Smyth, Matthieu* L'anaphore de la prétendue "Tradition apostolique" et la prière eucharistique romaine. RevSR 81/1 (2007) 95-118.

11063 *Suermann, Herald* The use of biblical quotations in christian apocalyptic writings of the Umayyad period. The bible in Arab christianity. 2007 ⇒882. 69-90.

11064 El Testamento de Nuestro Señor Jesucristo. Cuadernos Phase 164: Barc 2006, Centre de Pastoral Litúrgica 86 pp.

11065 *Van Oyen, Geert* Die Welt als Brücke: Agr 207 (vgl. Agr 236). Kompendium der Gleichnisse Jesu. 2007 ⇒6026. 977-981.

11066 *Van Ruiten, J.T.A.G.M.* The four rivers of Eden in the *Apocalypse of Paul (Visio Pauli)*: the intertextual relationship of Genesis 2.10-14 and the *Apocalypse of Paul 23*. Visio Pauli. 2007 ⇒10992. 50-76.

11067 *Wehn, Beate* Thekla aus Ikonion. Frauen gestalten Diakonie, 1. 2007 ⇒552. 155-168.

11068 *Zamagni, Claudio* Passion (ou Actes) de Timothée: étude des traditions anciennes et édition de la forme BHG 1487. [F]KAESTLI, J. & JUNOD, E. 2007 ⇒82. 341-375;

11069 Pour une édition critique de la deuxième tradition latine (L2) de l'"Apocalypse de Paul" et des autres traditions 'longues'. AnStR 8 (2007) 405-424.

K3.1 Qumran—*generalia*

11070 [E]**Ariel, Donald T.**, *al.*, The Dead Sea scrolls catalogue. J 2007, Israel Antiquities Authority 162 pp. $35.

11071 [E]**Bar-Asher, Moshe; Dimant, Devorah** Meghillot: studies in the Dead Sea scrolls, 1-4. 2003-2006 ⇒19,1954... 22,589. [R]Leš. 69 (2007) 171-174 (*Fassberg, Stephen*).

11072 *Batsch, Christophe* 'Questions actuelles sur les manuscrits de Qoumrân: introduction, critique textuelle, interprétation, littératures connexes' (Paris, Nov. 2006-June 2007). Henoch 29 (2007) 409-411.

11073 *Clements, Ruth; Sharon, Nadav* The Orion Center bibliography of the Dead Sea scrolls (July-December 2006);

11074 (January-June 2007). RdQ 23 (2007) 109-149;/271-306.

11075 **Clements, Ruth; Sharon, Nadav** The Orion Center bibliography of the Dead Sea Scrolls (2000-2006). StTDJ 71: Lei 2007, Brill x; 328 pp. €119/$170. 978-90-04-16437-6.

11076 Dead Sea scrolls: a short history. BArR 33/3 (2007) 34-37.

11077 Dead Sea scrolls: how they changed my life: Frank Moore Cross, Emanuel Tov, Sidnie White Crawford, Martin Abegg. BArR 33/3 (2007) 38-47, 49-53;

11078 Dead Sea scrolls: how they changed my life: James H. Charlesworth, James C. Vanderkam. BArR 33/5 (2007) 60-66.

11079   **Elledge, Casey D.** The bible and the Dead Sea scrolls. 2005 ⇒21,
        11229; 22,10721. ᴿCBQ 69 (2007) 113-114 (*Segal, Michael*).
11080   *Eshel, Esther; Eshel, Hanan* A preliminary report on seven new
        fragments from Qumran. ᶠDIMANT, D. 2007 ⇒34. 271-278. **H.**
11081   *Fabry, Heinz-Josef* Bekannte Schriften und neue Rätsel: Qumran-
        Jahrestag: 60 Jahre Qumran. WUB 46 (2007) 60-61.
11082   **Fields, Weston W.** The Dead Sea scrolls: a short history. 2006 ⇒
        22,10723. ᴿQumran Chronicle 15/3-4 (2007) 157-174 (*Kapera,
        Zdzisław J.*).
11083   *Flusser, David* Medicine and Qumran. Judaism of the second tem-
        ple period, 1. 2007 ⇒224. 38-39.
11084   **Freedman, David N.; Kuhlken, Pam F.** What are the Dead Sea
        scrolls and why do they matter?. GR 2007, Eerdmans x; 131 pp.
        $10. 978-0-8028-4424-8. Bibl. 129-131.
11085   **Freund, Richard A.** Secrets of the Cave of Letters: rediscovering a
        Dead Sea mystery. 2004 ⇒20,10205; 21,11230. ᴿJJS 58 (2007)
        162-3 (*Brooke, George J.*); DSD 14 (2007) 262-70 (*Eshel, Hanan*).
11086   *García Martínez, F.* Qumrân, 60 ans après la découverte. Qumran
        Chronicle 15/3-4 (2007) 111-138;
11087   Fifty years of research on the Dead Sea scrolls and its impact on
        Jewish studies <1999>;
11088   New perspectives on the study of the Dead Sea scrolls <1998>;
11089   The study of the texts from Qumran: a Groningen perspective.
        Qumranica minora I. 2007 ⇒230. 245-266/267-284/297-310.
11090   **García Martínez, Florentino; Van der Woude, Adam** De rollen
        van de Dode Zee. Kampen ²2007 <1995-6>, Tern Have 987 pp.
        €49.90. 978-90259-57971. Collab. *Mladen Popović*.
11091   **Hirschfeld, Yizhar** Qumran in context: reassessing the archaeolog-
        ical evidence. 2004 ⇒20,10207... 22,10726. ᴿJSJ 38 (2007) 395-
        397 (*Popović, Mladen*); RExp 104 (2007) 159-161 (*Biddle, Mark
        E.*); OLZ 102 (2007) 509-511 (*Dahmen, Ulrich*); BAIAS 25 (2007)
        171-183 (*Taylor, Joan E.*);
11092   Qumran–die ganze Wahrheit: die Funde der Archäologie–neu be-
        wertet. ᵀ*Nicolai, K.H.*; ᴱ*Zangenberg, Jürgen* 2006 ⇒22,10727.
        ᴿThLZ 132 (2007) 146-148 (*Bergmeier, Roland*); BiKi 62/1 (2007)
        66-67 (*Ortkemper, Franz-Josef*); DBM 25/1 (2007) 132-137 (*Des-
        potes, Soterios*).
11093   How the scrolls changed my life: Geza Vermes, Lawrence H.
        Schiffman. BArR 33/4 (2007) 54-59, 61.
11094   **Humbert, J.B.; Villeneuve, E.** L'affaire Qumrān: les découvertes
        de la Mer Morte. Découvertes Gallimard 5, Archéologie: P 2006,
        Gallimard 127 pp.
11095   *Jančovič, Jozef* Šest'desiat pútavých rokov s Kumránskymi zvitka-
        mi. SBSl (2007) 54-74. **Slovak.**
11096   *Kapera, Zdzisław J.* Archeologia Chirbet Qumran: stan publikacji i
        kronika odkryć archeologicznych mad Morzem Martwym (1958-
        2007). Studia Judaica [Kraków] 10/2 (2007) 153-183. **P.**;
11097   A brief report on the conference on 'Qumran between the Old and
        New Testaments', Catholic University of Lublin (October 25-27,
        2007). Qumran Chronicle 15/3-4 (2007) 97-110.
11098   ᴱ**Katzoff, Ranon; Schaps, David** Law in the documents of the
        Judaean Desert. JSJ.S 96: 2005 ⇒21,662; 22,10731. ᴿSCI 26
        (2007) 243-245 (*Rupprecht, Hans-Albert*); DSD 14 (2007) 280-
        283 (*Krauter, Stefan*).

11099 ^E**Kiraz, George A.** Anton Kiraz's Dead Sea scrolls archive. 2005 ⇒21,11237. ^RDSD 14 (2007) 373-375 (*Tov, Emanuel*).

11100 *Magness, Jodi* A response to D. Stacey, "Some archaeological observations on the aqueducts of Qumran". DSD 14 (2007) 244-53;

11101 A final response to Stacey. DSD 14 (2007) 255-256.

11102 **Magness, Jodi** The archaeology of Qumran and the Dead Sea scrolls. 2002 ⇒18,9795...22,10740. ^RBiOr 64 (2007) 703-6 (*Van Peursen, Wido*); PHScr II, 527-530 ⇒373 (*Yribarren, Madelyn*).

11103 *Mrozek, A.; Pilarczyk, K.* Sześćdziesiąt lat badań qumranoznawczych w Polsce. Studia Judaica [Kraków] 10/2 (2007) 185-99. **P.**

11104 *Naudé, Jacobus A.* Stylistic variation in three English translations of the Dead Sea scrolls. AcTh(B) 27/2 (2007) 143-167.

11105 **Newsom, Carol A.** The self as symbolic space: constructing identity and community at Qumran. StTDJ 52: 2004 ⇒20,10224... 22,10742. ^RJSJ 38 (2007) 414-416 (*Grossman, Maxine*); DSD 14 (2007) 270-275 (*Jokiranta, Jutta*); RB 114 (2007) 281-284 (*Klassen, William; Wassen, Cecilia*).

11106 **Paul, André** La biblia antes de la biblia: la gran revelación de los escritos del mar Muerto. Bilbao 2007, Desclée de B. 303 pp.

11107 *Paul, André* Les manuscrits de la mer Morte (2): reconstitution, publication et conservation des textes. EeV 117/181 (2007) 12-18;

11108 (3): le catalogue raisonné de la bibliothèque retrouvée. EeV 117/182 (2007) 10-16;

11109 (4): du bon usage des Esséniens et de Qumrân. EeV 117/183 (2007) 14-20.

11110 **Popović, Mladen** Reading the human body: physiognomics and astrology in the Dead Sea scrolls and Hellenistic-early Roman period Judaism. StTDJ 67: Lei 2007, Brill xx; 346 pp. $129. 978-90-04-15717-0. Bibl. 293-319.

11111 *Puech, Émile* L'ostracon de Khirbet Qumrân (KhQ1996/1) et une vente de terrain à Jéricho, témoin de l'occupation essénienne à Qumrân. ^FGARCÍA MARTÍNEZ, F. JSJ.S 122: 2007 ⇒46. 1-29.

11112 *Reed, Stephen A.* Find-sites of the Dead Sea scrolls. DSD 14 (2007) 199-221.

11113 **Regev, Eyal** Sectarianism in Qumran: a cross-cultural perspective. Religion and Society 45: B 2007, De Gruyter xviii; 438 pp. €98/ $132. 978-31101-93329. Bibl. 391-425.

11114 *Schiffman, Lawrence H.* Are the Dead Sea scrolls historical texts?. Historical knowledge. 2007 ⇒403. 53-78.

11115 **Schuller, Eileen M.** The Dead Sea scrolls: what have we learned 50 years on?. 2006 ⇒22,10749. ^RRBLit (2007)* (*Werrett, Ian*).

11116 *Schultz, Brian* Who lived at Qumran?. BArR 33/5 (2007) 58-59.

11117 *Shanks, Hershel* 60 years with the Dead Sea scrolls. BArR 33/3 (2007) 30-33.

11118 *Stacey, David* Some archaeological observations on the aqueducts of Qumran. DSD 14 (2007) 222-243;

11119 In response to a response. DSD 14 (2007) 254.

11120 *Stökl Ben Ezra, Daniel* Old caves and young caves: a statistical re-evaluation of a Qumran consensus. DSD 14 (2007) 313-333.

11121 *Sukenik, Eleazar L.* Shall I go to Bethlehem?. BArR 33/3 (2007) 74, 76.

11122 *Taylor, Joan E.* Qumran in context: reassessing the archaeological evidence. BAIAS 25 (2007) 171-183.

11123 **Tov, Emanuel** Scribal practices and approaches reflected in the texts found in the Judean desert. StTDJ 54: 2004 ⇒20,10233; 22,10757. ^RDSD 14 (2007) 365-367 (*Parry, Donald W.*); DSD 14 (2007) 368-372 (*Tigchelaar, Eibert J.C.*); CBQ 69 (2007) 134-137 (*Charlesworth, James H.*).

11124 *Tov, Emanuel* The spelling and language of the Qumran scrolls: new findings. ^FJAPHET, S. 2007 ⇒74. 333-351. **H.**

11125 ^E**Tov, Emanuel**, *al.*, The texts from the Judaean desert: indices and introduction to the Discoveries in the Judaean Desert series. DJD 39: 2002 ⇒18,9767...21,11255. ^RThLZ 132 (2007) 777-778 (*Kreuzer, Siegfried*).

11126 **Ullmann-Margalit, Edna** Out of the cave: a philosophical inquiry into the Dead Sea scrolls research. 2006 ⇒22,10759. ^RBASOR 347 (2007) 116-117 (*Crawford, Sidnie W.*).

11127 *Van der Pflicht, Johannes* Radiocarbon dating and the Dead Sea scrolls: a comment on "redating". DSD 14 (2007) 77-89.

11128 **Vaux, Roland de** The excavations of Khirbet Qumran and Ain Feshkha, 1B. ^T*Pfann, Stephen J.*; ^E*Humbert, Jean-Baptiste; Chambon, Alain* NTOA.archaeologica 1B: 2003 ⇒19,10632... 22,10760. ^RIEJ 57 (2007) 120-123 (*Reich, Ronny*).

11129 Who wrote the Dead Sea scrolls?. BArR 33/4 (2007) 52-53.

11130 *Yardeni, Ada* A note on a Qumran scribe. New seals. HBM 8: 2007 ⇒721. 287-298.

K3.4 *Qumran,* libri biblici et parabiblici

11131 *Barry, John D.* Early evidence of subjective interpretation in the *pesharim* of Qumran. Scriptura(M) 9/1 (2007) 119-138.

11132 *Barzilai, Gabriel* Incidental biblical exegesis in the Qumran scrolls and its importance for the study of the second temple period. DSD 14 (2007) 1-24.

11133 *Batsch, Christophe* Melki Ṣedeq n'est pas un ange: une relecture du *pesher* thématique 11Q13 (11QMelchiṣedeq) II. ^FDIMANT, D. 2007 ⇒34. *3-*16.

11134 **Campbell, Jonathan G.** The exegetical texts. CQuS 4: 2004 ⇒20, 10247... 22,10777. ^RJJS 58 (2007) 163-164 (*Pearce, S.J.K.*).

11135 **Charlesworth, James H.** The pesharim and Qumran history: chaos or consensus?. 2002 ⇒18,9831... 22,10779. ^RIEJ 57 (2007) 244-246 (*Nitzan, Bilhan*).

11136 **Cross, Frank M.**, *al.*, Qumran Cave 4, XII: 1-2 Samuel. DJD 17: 2005 ⇒21,11275. ^RThLZ 132 (2007) 778-780 (*Kreuzer, Siegfried*).

11137 **Dahmen, Ulrich** Psalmen- und Psalter-Rezeption im Frühjudentum: Rekonstruktion, Textbestand, Struktur und Pragmatik der Psalmenrolle 11 QPs^a aus Qumran. StTDJ 49: 2003 ⇒19,10647; 21,11276. ^RThRv 103 (2007) 31-35 (*Sedlmeier, Franz*).

11138 *Dahmen, Ulrich* Davidisierung und Messianismus: Messianismus in der Psalmenüberlieferung von Qumran. Apokalyptik und Qumran. 2007 ⇒927. 169-189 [Ps 101; 132; 151].

11139 *Dimant D.* Not 'The Testament of Judah' but 'The words of Benjamin': on the nature of 4Q538. ^FBAR-ASHER, M., 1. 2007 ⇒8. 10-26. **H.**;

11140 Two discourses from the Apocryphon of Joshua and their context (4Q378 3 i-ii). RdQ 23 (2007) 43-61.

11141 **Doudna, Gregory L.** 4Q Pesher Nahum: a critical edition. JSPE.S 35; Copenhagen International Seminar 8: 2001 ⇒17,9089... 20,10250. [R]JThS 58 (2007) 181-183 (*Hempel, Charlotte*); PHScr II, 613-615 ⇒373 (*Kugler, Rob*).

11142 *Elwolde, John F.* The Hodayot's use of the psalter: text-critical contributions (book 1). Psalms and prayers. OTS 55: 2007 ⇒766. 79-108.

11143 *Eshel, Esther* The *Imago Mundi* of the Genesis Apocryphon. Heavenly tablets. JSJ.S 119: 2007 ⇒60. 111-131.

11144 *Eshel, Esther; Eshel, Hanan; Broshi, Magen* A new fragment of XJudges. DSD 14 (2007) 354-358.

11145 **Falk, Daniel K.** Parabiblical texts: strategies for extending the scriptures in the Dead Sea scrolls. LSTS 63; CQuS 8: L 2007, Clark viii; 189 pp. $110. 978-1-841-27242-9. Bibl. 154-173.

11146 *Feldman, Ariel* The reworking of the biblical flood story in 4Q370. Henoch 29 (2007) 31-49;

11147 *Mikra* and *aggada* in 4Q370 (*AdmonFlood*). [F]DIMANT, D. 2007 ⇒ 34. 219-236.

11148 *Fidler, Ruth* Circumcision in 4Q225?: notes on sequential and conceptual shifts. [F]DIMANT, D. 2007 ⇒34. 197-218. **H**.

11149 *Flint, Peter W.* Five surprises in the Qumran Psalms scrolls. [F]GARCÍA MARTÍNEZ, F. JSJ.S 122: 2007 ⇒46. 183-195;

11150 11QPs[b] and the 11QPs[a]-Psalter. Diachronic and synchronic. LHBOTS 488: 2007 ⇒784. 157-166.

11151 *Flusser, David* Pharisees, Sadducees, and Essenes in Pesher Nahum. Judaism of the second temple period, 1. 2007 ⇒224. 214-57.

11152 *García Martínez, Florentino* Was Judas Maccabaeus a wicked priest?: marginal notes on 1QpHab VIII 8-13. Qumranica minora I. StTDJ 63: 2007 <1985> ⇒230. 53-66;

11153 The sacrifice of Isaac in 4Q225. Qumranica minora II. StTDJ 64: 2007 <2002> ⇒231. 131-143 [Gen 22].

11154 *Goldman, Liora* The law of the prophets as reflected in 4Q375. [F]DIMANT, D. 2007 ⇒34. 49-60. **H**.

11155 *Guillaume, Philippe* The unlikely Malachi-Jonah sequence (4QXIIa). JHScr 7 (2007)* = PHScr 4,433-443.

11156 *Hasselbalch, Trine Bjørnung* En retorisk analyse af en "Hodayot"-salme fra Qumran: hvorfor er der to salmister i 1QH a 12,5-13,4?;

11157 *Høgenhaven, J.* Esajas-kommentarerne fra Qumran: struktur, genre og terminologi. DTT 70 (2007) 240-259/64-82.

11158 **Hughes, Julie A.** Scriptural allusions and exegesis in the Hodayot. StTDJ 59: 2006 ⇒22,10796. [R]JSJ 38 (2007) 398-399 (*Harkins, Angela K.*); CBQ 69 (2007) 324-326 (*VanderKam, James C.*).

11159 *Hugo, Philippe; Kottsieper, Ingo; Steudel, Annette* Notes paléographiques sur 4QSam a (4Q51) (le cas de 2 Sam 3). RdQ 23 (2007) 93-108.

11160 **Justnes, Årstein** The time of salvation: an analysis of 4QApocryphon of Daniel at (4Q246), 4QMessianic Apocalypse (4Q521 2), and 4QTime of Righteousness (4Q215a). 2007, Diss. MF Norwegian School of Theology.

11161 *Klostergaard Petersen, Anders* Rewritten bible as a borderline phenomenon–genre, textual strategy, or canonical anachronism?. [F]GARCÍA MARTÍNEZ, F. JSJ.S 122: 2007 ⇒46. 285-306.

11162   *Kratz, Reinhard G.* 'The place which he has chosen': the identification of the cult place of Deut. 12 and Lev. 17 in 4QMMT. [F]DI-MANT, D. 2007 ⇒34. *57-*80.

11163   *Kugel, James* How old is the Aramaic Levi document?. DSD 14 (2007) 291-312.

11164   *Kugler, Robert* 4Q225 2 i 1-2: a possible reconstruction and explanation. JBL 126 (2007) 172-181.

11165   *Kuhn, Karl A.* The "One like a Son of Man" becomes the "Son of God". CBQ 69 (2007) 22-42.

11166   **Lim, Timothy H.** Pesharim. Companion to the Qumran Scrolls 3: 2002 ⇒18,9875; 20,10260. [R]PHScr II, 616-618 ⇒373 (*Porter, Adam L.*).

11167   *Maori, Yeshayahu* Lev. 17:3-4 vs. Deut. 12:15, 20-21: from Qumran to traditional Jewish exegesis. [F]DIMANT, D. 2007 ⇒34. 149-166. **H**.

11168   *Martone, Corrado* Modalità di utilizzazione della scrittura a Qumran. RstB 19/2 (2007) 33-45.

11169   *Miller, John B.F.* 4QLXXLev[a] and Proto-Septuagint studies: reassessing Qumran evidence for the *Urtext* theory. Qumran studies. 2007 ⇒677. 1-28.

11170   *Mizrahi, Noam* A comparison of the list of 'David's compositions' (11QPs[a] 27 2-11) to the characterization of David and Solomon in Kings and Chronicles. [F]DIMANT, D. 2007 ⇒34. 167-196. **H**.

11171   *Morgenstern, Matthew* The Apostrophe to Zion: a philological and structural analysis. DSD 14 (2007) 178-198.

11172   *Nam, Roger S.* How to rewrite torah: the case for proto-sectarian ideology in the reworked pentateuch (4QRP). RdQ 23 (2007) 153-165.

11173   *Nebe, G. Wilhelm* Das Lied von Sarais Schönheit in 1Q20 = Genesis-Apokryphon XX, 2-8 und die Anfänge der aramäischen Poesie. [F]TUBACH, J. Studies in oriental religions 56: 2007 ⇒154. 59-86.

11174   *Nitzan, Bilhah* Are there two historical layers in 1Q Pesher Habakkuk?. Zion 72 (2007) 91-93. Resp. *Hanan Eshel* 94-96. **H**.

11175   *Parchem, Marek* Ksiega Ezechiela w Qumran. CoTh 77/4 (2007) 103-138. **P**.

11176   *Parry, Donald W.* The textual character of the unique readings of 4QSam[a] (4Q51). [F]GARCÍA MARTÍNEZ, F. JSJ.S 122: 2007 ⇒46. 163-182.

11177   *Paul, André* Una composizione tardiva: la testimonianza de Qumrân. Mondo della Bibbia 18/4 (2007) 23-27.

11178   **Paul, André** La bible avant la bible: la grande révélation des manuscrits de la mer Morte. 2005 ⇒21,11289; 22,10808. [R]JSJ 38 (2007) 417-418 (*Dahmen, Ulrich*).

11179   *Rofé, Alexander* A scroll of Samuel or midrash Samuel?: the transfer of the ark to Jerusalem according to 4Q51. [F]DIMANT, D. 2007 ⇒34. 237-244. **H**.

11180   **Rossetti, Marco** Giuseppe negli scritti di Qumran: la figura del patriarca a partire da 4Q372 1. [D]*Sievers, Joseph* Nuova biblioteca di scienze religiose 3: R 2007, LAS 336 pp. €22. 88-213-0647-X. Diss. Pont. Ist. Biblico; Bibl. 289-319.

11181   *Rothstein, David* The book of Proverbs and inner-biblical exegesis at Qumran: the evidence of Proverbs 24,23-29. ZAW 119 (2007) 75-85 [Lev 19,15-19].

11182 *Saley, Richard J.* Greek, Lucianic doublets and 4QSam^a. BIOSCS 40 (2007) 63-73.

11183 *Stuckenbruck, Loren T.* Temporal shifts from text to interpretation: concerning the use of the perfect and imperfect in the *Habakkuk Pesher* (1QpHab). Qumran studies. 2007 ⇒677. 124-149.

11184 *Ulrich, Eugene* A qualitative assessment of the textual profile of 4QSam^a. ^FGARCÍA MARTÍNEZ, F. JSJ.S 122: 2007 ⇒46. 147-161.

11185 *Van der Horst, Pieter W.* Moses' father speaks out. ^FGARCÍA MARTÍNEZ, F. JSJ.S 122: 2007 ⇒46. 491-498 [Exod 2,1; 6,14-25; Num 26,58-59; 1 Chr 5,24-29].

11186 *Werman, Cana* The price of mediation: the role of priests in priestly halakah. ^FDIMANT, D. 2007 ⇒34. 85-108 [Num 19]. **H.**

K3.5 *Qumran*—varii rotuli et fragmenta

11187 *Becker, Michael* Die "messianische Apokalypse" 4Q521 und der Interpretationsrahmen der Taten Jesu. Apokalyptik und Qumran. 2007 ⇒927. 237-303.

11188 *Berg, Shane A.* An elite group within the *Yaḥad*: revisiting 1QS 8-9. Qumran studies. 2007 ⇒677. 161-177.

11189 **Brizemeure, Daniel; Lacoudre, Noël; Puech, Émile** Le Rouleau de Cuivre de la grotte 3 de Qumrân (3Q15): expertise, restauration, épigraphie. StTDJ 55/1-2: 2006 ⇒22,10828. ^RRBLit (2007)* (*Thomas, Samuel*).

11190 ^E**Brooke, George J.; Davies, Philip R.** Copper Scroll studies. JSPE.S 40: 2002 ⇒18,9906... 20,10284. ^RJSSt 52 (2007) 393-394 (*Høgenhaven, Jesper*).

11191 ^E**Charlesworth, James H.** The Dead Sea scrolls: Hebrew, Aramaic, and Greek texts with English translations, 3: Damascus Document II...2006 ⇒22,10830. ^RThLZ 132 (2007) 507-509 (*Bergmeier, Roland*); Sal. 69 (2007) 776-777 (*Vicent, Rafael*); ATG 70 (2007) 481-483 (*Torres, A.*);

11192 The Dead Sea scrolls: Hebrew, Aramaic, and Greek texts with English translations. 1994-2006 ⇒10,9698... 22,10830. ^RSvTK 83 (2007) 139-141 (*Olsson, Birger*).

11193 *Crawford, Sidnie W.* The use of the pentateuch in the *Temple Scroll* and the *Damascus Document* in the second century B.C.E. Pentateuch as torah. 2007 ⇒839. 301-317.

11194 *Daise, Michael A.* The temporal relationship between the covenant renewal rite and the initiation process in 1QS. Qumran studies. 2007 ⇒677. 150-160.

11195 Dead Sea scrolls spotlight: the Temple Scroll. BArR 33/4 (2007) 60-61.

11196 Dead Sea scrolls spotlight: the War Scroll. BArR 33/3 (2007) 48.

11197 *Dimant, Devorah* The volunteers in the Rule of the Community: a biblical notion in sectarian garb. RdQ 23 (2007) 233-245 [Lev 22,21].

11198 **DiTommaso, Lorenzo** The Dead Sea New Jerusalem text: contents and contexts. TSAJ 110: 2005 ⇒21,11312. ^RSal. 69 (2007) 571-73 (*Vicent, Rafael*); Henoch 29 (2007) 156-158 (*Dimant, Devorah*).

11199 *Doudna, Greg* Ostraca KhQ1 and KhQ2 from the cemetery of Qumran: a new edition. PHScr II. (2007) <2004> ⇒373. 59-116.

11200 **Duhaime, Jean** The war texts: 1QM and related manuscripts. CQuS 6: 2004 ⇒20,10293... 22,10842. ᴿDSD 14 (2007) 392-395 (*Abegg, Martin G.*).

11201 *Elgvin, Torleif; Werrett, Ian* 4Q472a in infrared light: latrine manual down the drain. RdQ 23 (2007) 261-268.

11202 *Evans Kapfer, Hilary* The relationship between the Damascus Document and the Community Rule: attitudes toward the temple as a test case. DSD 14 (2007) 152-177.

11203 *Flusser, David* 4QMMT and the benediction against the Minim;
11204 A Qumran fragment and the second blessing of the Amidah;
11205 Apocalyptic elements in the War Scroll. Judaism of the second temple period, 1. 2007 ⇒224. 70-118/66-69/140-158;
11206 The 'Book of the mysteries' and the high holy days liturgy;
11207 The death of the wicked king. Judaism of the second temple period, 1. 2007 ⇒224. 119-139/159-169.

11208 *García Martínez, Florentino* 4QMMT in a Qumran context. Qumranica minora I. StTDJ 63: 2007 <1996> ⇒230. 91-103;
11209 Old texts and modern mirages: the 'I' of two Qumran hymns. Qumranica minora I. StTDJ 63: 2007 <2002> ⇒230. 105-125;
11210 Greek loanwords in the *Copper Scoll*. Qumranica minora II. StTDJ 64: 2007 <2003> ⇒231. 145-170.

11211 *Hahn, Oliver, al.*, Non-destructive investigation of the scroll material: "4QComposition concerning divine providence" (4Q413). DSD 14 (2007) 359-364.

11212 **Harrington, Hannah K**. The purity texts. CQuS 5: 2004 ⇒20, 10303... 22,10851. ᴿDSD 14 (2007) 380-385 (*Doering, Lutz*).

11213 *Herrmann, Randolf* Die Gemeinderegel von Qumran und das antike Vereinswesen. Jewish identity. AJEC 71: 2007 ⇒577. 161-203.

11214 *Holst, S.* Hvis er himmeriget?. DTT 70 (2007) 93-102.

11215 *Høgenhaven, Jesper* The literary character of 4QTanhumim. DSD 14 (2007) 99-123.

11216 **Metso, Sarianna** The Serekh texts. LSTS 62; CQuS 9: NY 2007, Clark xiii; 86 pp. £50/$120. 978-05670-40923.

11217 *Miranda, Valtair* 'Quando a guerra é santa': considerações em torno do sectarismo religioso de Qumran. VTeol 15 (2007) 37-46.

11218 *Novakovic, Lidija* 4Q521: the works of the messiah or the signs of the messianic time?. Qumran studies. 2007 ⇒677. 208-231.

11219 *Otto, Eckart* Die Rechtshermeneutik der Tempelrolle (11QTa). ZAR 13 (2007) 159-175.

11220 *Rietz, Henry W.M.* Identifying compositions and traditions of the Qumran community: the *Songs of the sabbath sacrifice* as a test case. Qumran studies. 2007 ⇒677. 29-52.

11221 **Riska, Magnus** The House of the Lord: a study of the Temple Scroll columns 29:3b-47:18. SESJ 93: Helsinki 2007, Finnish Exegetical Society ii; 197 pp. €32.90. 978-3-525-53989-7. Bibl. 192-197.

11222 *Rothstein, David* The meaning of "a three-days" journey" in 11QTa: the evidence of biblical and post-biblical sources. RB 114 (2007) 32-51 [Deut 12,21];
11223 From metaphor to legal idiom: the depiction of women as "vessels" in antiquity and its implications for 4Q416. ZAR 13 (2007) 55-78.

11224 ᵀ**Sacchi, Paolo** Regola della Comunità. StBi 150: 2006 ⇒22, 10870. ᴿRivBib 55 (2007) 362-367 (*García Martínez, Florentino*); CivCatt 158/1 (2007) 521-523 (*Prato, G.L.*).

11225 *Schultz, Brian* The Kittim of Assyria. RdQ 23 (2007) 63-77 [Num 24,24].
11226 **Shanks, Hershel** The Copper Scroll: and the search for the temple treasure. Wsh 2007, Biblical Archaeology Society xiii; 113 pp. $25. 978-0-9796357-1-7. Bibl. 111-112.
11227 *Strawn, Brent A.* Excerpted 'non-biblical' scrolls at Qumran: background, analogies, function. Qumran studies. 2007 ⇒677. 65-123.
11228 *Strawn, Brent A.; Rietz, Henry W.M.* (More) sectarian terminology in the *Songs of the sabbath sacrifice*: the case of תמימי דרך. Qumran studies. 2007 ⇒677. 53-64.
11229 *Tigchelaar, Eibert* Catalogue of spirits, liturgical manuscript with angelogical content, incantation?: reflections on the character of fragment from Qumran (4Q230 1), with appendix: edition of the fragments of IAA #114. A kind of magic. LNTS 306: 2007 ⇒468. 133-146.
11230 *Tromp, Johannes Damascus document* IV 10-12. ᶠGARCÍA MARTÍNEZ, F. JSJ.S 122: 2007 ⇒46. 225-237.
11231 **Wassen, Cecilia** Women in the Damascus document. Academia biblica 21: 2005 ⇒21,11346; 22,10880. ᴿRBLit (2007) 263-265 (*Dimant, Devorah*).
11232 **Wold, Benjamin G.** Women, men, and angels: the Qumran wisdom document Musar le Mevin and its allusions to Genesis creation traditions. WUNT 2/201: 2005 ⇒21,11352. ᴿJSJ 38 (2007) 448-449 (*Rey, Jean-Sébastien*); BBR 17 (2007) 336-337 (*Abegg, Martin G., Jr.*); Sal. 69 (2007) 582-583 (*Vicent, Rafael*) [Gen 1-3].
11233 *Wold, Benjamin G.* Metaphorical poverty in 'Musar leMevin'. JJS 58 (2007) 140-153.
11234 *Yishay, Rony* Prayers in eschatological war literature from Qumran: 4Q491-4Q496, 1QM. ᶠDIMANT, D. 2007 ⇒34. 129-148. **H.**

K3.6 Qumran et Novum Testamentum

11235 **Brooke, George J.** The Dead Sea scrolls and the New Testament. 2005 ⇒21,194; 22,10888. ᴿTheol. 110 (2007) 131-132 (*Hayward, Robert*);
11236 Qumran and the Jewish Jesus: reading the New Testament in light of the Scrolls. 2005 ⇒21,11364. ᴿDSD 14 (2007) 260-262 (*Lange, Armin*).
11237 *Brooke, George J.* The Dead Sea scrolls and New Testament ecclesiology. ᶠDEASLEY, A. 2007 ⇒30. 1-18.
11238 *Flusser, David* The "flesh-spirit" dualism in the Qumran scrolls and the New Testament;
11239 The Isaiah Pesher and the notion of twelve apostles in the early church [Isa 54,11-12; Mt 16,18; 19,28; Lk 22,30; Eph 2,19; Rev 21,12.14.19-20];
11240 The Jewish origins of the early church's attitude toward the state. Judaism of the second temple period, 1. 2007 ⇒224. 283-292/305-326/299-304.
11241 *Frey, Jörg* Die Bedeutung der Qumrantexte für das Verständnis der Apokalyptik im Frühjudentum und im Urchristentum. Apokalyptik und Qumran. 2007 ⇒927. 11-62.

11242   *Need, Stephen* What was the Qumran sect and did Jesus share their beliefs?. Decoding early christianity. 2007 ⇒595. 79-92.

K3.8 Historia et doctrinae Qumran

11243   *Adler, Yonatan* Identifying sectarian characteristics in the phylacteries from Qumran. RdQ 23 (2007) 79-92.
11244   **Alexander, Philip S.** The mystical texts: Songs of the Sabbath Sacrifice and related manuscripts. LSTS 61; Companion to the Qumran Scrolls 7: 2006 ⇒22,10921. ᴿJJS 58 (2007) 164-166 (*Hempel, Charlotte*); CBQ 69 (2007) 538-540 (*Gruber, Mayer I.*).
11245   *Antonissen, Hugo* Die weisheitliche Terminologie in den Hodayot: ein kontextbezogener Überblick. leqach 7 (2007) 1-15;
11246   Some aspects of *New Jerusalem*. ᶠGARCÍA MARTÍNEZ, F. JSJ.S 122: 2007 ⇒46. 239-255.
11247   *Arnold, Russell C.D.* Repentance and the Qumran covenant ceremony. Development of penitential prayer. 2007 ⇒777. 159-175.
11248   *Atkinson, Kenneth R.* Representations of history in 4Q331 (4QPaphistorical text C), 4Q332 (4QHistorical text D), 4Q333 (4QHistorical text E), and 4Q468E (4QHistorical text F): an annalistic calendar documenting portentous events?. DSD 14 (2007) 125-151.
11249   *Baraniak, Marek* Wybrany spośród wybranych według 4Q534-536. Studia Judaica [Kraków] 10/2 (2007) 201-214. **P**.
11250   *Chalcraft, David J.* Towards a Weberian sociology of the Qumran sects. Sectarianism in early Judaism. 2007 ⇒789. 74-105.
11251   *Chazon, Esther G.* The *Words of the luminaries* and penitential prayer in second temple times. Development of penitential prayer. 2007 ⇒777. 177-186.
11252   *Claussen, Carsten; Davis, Michael T.* The concept of unity at Qumran. Qumran studies. 2007 ⇒677. 232-253.
11253   *Collins, John J.* The nature and aims of the sect known from the Dead Sea scrolls. ᶠGARCÍA MARTÍNEZ, F. JSJ.S 122: 2007 ⇒46. 31-52;
11254   Conceptions of afterlife in the Dead Sea scrolls. Lebendige Hoffnung. ABIG 24: 2007 ⇒845. 103-125;
11255   Sectarian consciousness in the Dead Sea scrolls. Heavenly tablets. JSJ.S 119: 2007 ⇒60. 177-192.
11256   *Dennill, G.B.; Naudé, Jacobus A.* A descriptive analysis of the concepts "purity" and "holiness" within the Qumran community and Hare Krishna movement. JSem 16 (2007) 392-422.
11257   *Dimant, Devorah* The Qumran Aramaic texts and the Qumran community. ᶠGARCÍA MARTÍNEZ, F. JSJ.S 122: 2007 ⇒46. 197-205.
11258   **Dorman, Johanna** The blemished body: deformity and disability in the Qumran scrolls. Groningen 2007, Rijksuniversiteit x; 284 pp. €39.60. ᴿRBLit (2007)* (*Schipper, Jeremy*).
11259   *Elledge, C.D.* The prince of the congregation: Qumran 'messianism' in the context of the *milḥāmâ*. Qumran studies. 2007 ⇒677. 178-207.
11260   *Fabry, Heinz-Josef* Mose, der "Gesalbte JHWHs": messianische Aspekte der Mose-Interpretation in Qumran. Moses. BZAW 372: 2007 ⇒821. 129-142.

11261 *Falk, Daniel K.* Scriptural inspiration for penitential prayer in the Dead Sea scrolls. Development of penitential prayer. 2007 ⇒777. 127-157.

11262 *Flusser, David* A comment on a prayer for the welfare of King Jonathan. Judaism of the second temple period, 1. 2007 ⇒224. 170-4;

11263 A pre-gnostic concept in the Dead Sea scrolls;

11264 The Dead Sea sect and its worldview;

11265 The economic ideology of Qumran. Judaism of the second temple period, 1. 2007 ⇒224. 40-49/1-24/32-37.

11266 *García Martínez, Florentino* Qumran origins and early history: a Groningen hypothesis. <1988> ⇒230. 3-29,

11267 *García Martínez, Florentino; Van der Woude, Adam S.* A 'Groningen' hypothesis of Qumran origins and early history. Qumranica minora I. StTDJ 63: 2007 <1990> ⇒230. 31-52.

11268 *García Martínez, Florentino* The history of the Qumran community in the light of recently available texts. <1998> ⇒230. 67-89;

11269 Apocalypticism in the Dead Sea scrolls. <1998> ⇒230. 195-226;

11270 Iranian influences in Qumran?. Qumranica minora I. StTDJ 63: 2007 <2003> ⇒230. 227-241;

11271 The interpretation of the torah of Ezekiel in the texts from Qumran. Qumranica minora II. StTDJ 64: 2007 <1988> ⇒231. 1-12;

11272 Two messianic figures in the Qumran texts. <1996> ⇒231. 13-32;

11273 Interpretations of the Flood in the Dead Sea scrolls <1998> 33-55;

11274 Man and woman: halakhah based upon Eden in the Dead Sea scrolls. <1999> ⇒231. 57-76 [Gen 2-3];

11275 Priestly functions in a community without temple <1999> 77-93;

11276 Magic in the Dead Sea scrolls. <2002> ⇒231. 109-130;

11277 Wisdom at Qumran: worldly or heavenly? <2003> ⇒231. 171-186;

11278 Invented memory: the 'other' in the Dead Sea scrolls <2004>;

11279 Creation in the Dead Sea scrolls. <2005> ⇒231. 187-218/219-240;

11280 Divine sonship at Qumran: between the Old and New Testament. Qumranica minora II. StTDJ 64: 2007 <2006> ⇒231. 261-283

11281 **Goff, Matthew J.** Discerning wisdom: the sapiential literature of the Dead Sea scrolls. VT.S 116: Lei 2007, Brill xv; 372 pp. €119/$170. 90-04-14749-7. Bibl. 309-336.

11282 *Goodman, Martin* A note on the Qumran sectarians, the Essenes and JOSEPHUS. Judaism in the Roman world. AJEC 66: 2007 <1995> ⇒236. 137-143.

11283 **Hamidovic, David** Les traditions du jubilé à Qumrân. Orients sémitiques: P 2007, Geuthner 458 pp. €38. 978-27053-37792. Préf. d'*André Lemaire.*

11284 *Heger, Paul* The development of Qumran law: Nistarot, Niglot and the issue of "contemporization". RdQ 23 (2007) 167-206.

11285 *Hempel, Charlotte* The sons of Aaron in the Dead Sea scrolls. FGARCÍA MARTÍNEZ, F.. JSJ.S 122: 2007 ⇒46. 207-224.

11286 *Hogeterp, Albert L.A.* The eschatology of the Two Spirits Treatise revisited. RdQ 23 (2007) 247-259.

11287 *Hultgren, Stephen* CD III, 17b-IV, 12a and the origins of the Qumran community. ⇒250. 493-534;

11288 Covenant renewal in the Dead Sea scrolls and Jubilees and its biblical origins. ⇒250. 461-492;

11289 Covenant, law, and the righteousness of God: a study in the Hodayot of Qumran. ⇒250. 409-460;

11290   From the Damascus covenant to the Qumran community: the emer-
gence of the Yaḥad. ⇒250. 233-318;

11291   The biblical and theological foundations of "The new covenant in
the land of Damascus". 2007 ⇒250. 77-140;

11292   The origins and function of Qumran dualism. From the Damascus
covenant. StTDJ 66: 2007 ⇒250. 319-408.

11293   *Ibba, Giovanni* Annotazioni su alcuni temi Enochici a Qumran.
ᶠGARCÍA MARTÍNEZ, F. JSJ.S 122: 2007 ⇒46. 307-323.

11294   **Ibba, Giovanni** Qumran: correnti del pensiero giudaico (III a.C.-I
d.C.). R 2007, Carocci 144 pp. €13.30. 978-88-430-4151-0. Bibl.
121-132.

11295   **Jason, Mark A.** Penitents in the desert: an investigation into the
function of repentance in the Qumran community. ᴰ*Gathercole, S.*
2007, Diss. Aberdeen [RTL 39,605].

11296   *Jokiranta, Jutta* Social identity in the Qumran movement: the case
of the penal code. Explaining christian origins. BiblInterp 89: 2007
⇒609. 277-298.

11297   *Makiello, Phoebe* Was Moses considered to be an angel by those at
Qumran?. Moses. BZAW 372: 2007 ⇒821. 115-127.

11298   **Monti, Ludwig** Una comunità alla fine della storia: messia e mes-
sianismo a Qumran. 2006 ⇒22,10953. ᴿRivBib 55 (2007) 493-494
(*Collins, John J.*); CivCatt 158/2 (2007) 408-410 (*Prato, G.L.*).

11299   *Nitzan, Bilhah* Traditional and atypical motifs in penitential prayers
from Qumran. Development of penitential prayer. 2007 ⇒777.
187-208.

11300   **Oudshoorn, Jacobine G.** The relationship between Roman and
local law in the Babatha and Salome Komaise archives: general
analysis and three case studies on law of succession, guardianship
and marriage. StTDJ 69: Lei 2007, Brill xiv; 456 pp. €142/$199.
978-90-0414974-8. Bibl. 439-447.

11301   *Popović, Mladen* 4QZodiacal physiognomy (4Q186) and physio-
gnomics and astrology in second temple period Judaism. Henoch
29 (2007) 51-66;

11302   Reading the human body and writing in code: physiognomic divina-
tion and astrology in the Dead Sea scrolls. ᶠGARCÍA MARTÍNEZ, F.
JSJ.S 122: 2007 ⇒46. 271-284.

11303   *Regev, Eyal* Atonement and sectarianism in Qumran: defining a
sectarian worldview in moral and halakhic systems. Sectarianism in
early Judaism. 2007 ⇒789. 180-204.

11304   *Rothstein, David* The laws of immolation and second-tithe in
11QTa: a reassessment. DSD 14 (2007) 334-353.

11305   *Shemesh, Aharon* The penal code from Qumran and early midrash.
ᶠDIMANT, D. 2007 ⇒34. 245-270. **H.**

11306   *Steudel, Annette* Der Teufel in den Texten aus Qumran. Apokalyp-
tik und Qumran. 2007 ⇒927. 191-200.

11307   *Stuckenbruck, Loren T.* The teacher of righteousness remembered:
from fragmentary sources to collective memory in the Dead Sea
scrolls. Memory in the bible. WUNT 212: 2007 ⇒764. 75-94.

11308   *Swanson, Dwight* Holiness in the Dead Sea scrolls: the priorities of
faith. ᶠDEASLEY, A. 2007 ⇒30. 19-39.

11309   *Tigchelaar, Eibert* The imaginal context and the visionary of the
Aramaic New Jerusalem. ᶠGARCÍA MARTÍNEZ, F. JSJ.S 122: 2007
⇒46. 257-270.

11310 *Van Peursen, Willem* Who was standing on the mountain?: the portrait of Moses in 4Q377. Moses. BZAW 372: 2007 ⇒821. 99-113.

11311 *VanderKam, James C.* The Pharisees and the Dead Sea scrolls. In quest of the historical Pharisees. 2007 ⇒402. 225-236.

11312 *Vázquez Allegue, Jaime* Memoria colectiva e identidad de grupo en Qumrán. ᶠGARCÍA MARTÍNEZ, F. JSJ.S 122: 2007 ⇒46. 89-104.

11313 *Viviano, Benedict T.* The kingdom of God in the Qumran literature. Matthew and his world. NTOA 61: 2007 <1987> ⇒339. 69-80.

11314 *Wassen, Cecilia; Jokiranta, Jutta* Groups in tension: sectarianism in the *Damascus Document* and the *Community Rule*. Sectarianism in early Judaism. 2007 ⇒789. 205-245.

11315 **Werrett, Ian C.** Ritual purity and the Dead Sea scrolls. StTDJ 72: Lei 2007, Brill ix; 349 pp. $170. 978-9004-156234. Bibl. 311-326.

11316 *Wold, Benjamin* Memory in the Dead Sea scrolls: Exodus, creation and cosmos. Memory in the bible. WUNT 212: 2007 ⇒764. 47-74.

11317 *Wolters, Al* The Messiah in the Qumran documents. The Messiah. 2007 ⇒551. 75-89.

11318 *Xeravits, Géza G.* From the forefathers to the 'angry lion': Qumran and the Hasmonaeans. Books of the Maccabees. JSJ.S 118: 2007 ⇒895. 211-221.

K4.1 Sectae iam extra Qumran notae: Esseni, Zelotae

11319 *Broshi, Magen* Essenes at Qumran?: a rejoinder to Albert Baumgarten. DSD 14 (2007) 25-33.

11320 *Flusser, David* The Essene worldview. Judaism of the second temple period, 1. 2007 ⇒224. 25-31.

11321 *Goodman, Martin* Sadducees and Essenes after 70 CE. Judaism in the Roman world. AJEC 66: 2007 <1994> ⇒236. 153-162.

11322 **Gusella, Laura** Esperienze di communità nel Giudaismo antico: esseni, terapeuti, Qumran. 2003 ⇒19,10829... 21,11429. ᴿAt. 95 (2007) 532-533 (*Castelli, Silvia*).

11323 *Hamidovic, David* A la frontière de l'altérité, le statut de l'étranger-résident (גר) dans les milieux esséniens. L'étranger dans la bible. LeDiv 213: 2007 ⇒504. 261-304.

11324 *Mathew, Reji* 'Sectarians' as dialogue stimulators in a world of religious pluralism: the example of Qumran Essenes. BiBh 33/1 (2007) 5-23.

11325 *Nodet, Étienne* Asidaioi and Essenes. ᶠGARCÍA MARTÍNEZ, F. JSJ.S 122: 2007 ⇒46. 63-87.

11326 *Paul, André* Du bon usage des Esséniens: soixante ans après. Études 406 (2007) 498-507.

K4.3 Samaritani

11327 **Anderson, Robert T.; Giles, Terry** Tradition kept: the literature of the Samaritans. 2005 ⇒21,11433; 22,10982. ᴿBiTr 58 (2007) 152-154 (*Elwolde, John*); PHScr II, 458-460 ⇒373 (*Jassen, Alex*).

11328 *Becking, Bob* Do the earliest Samaritan inscriptions already indicate a parting of the ways?. Judah and the Judeans. 2007 ⇒750. 213-222.

11329 **Chang, Choon S.** The Samaritan origins and identity. Taejon, Korea 2004, PaiChai University Publishers xxxiv; 333 pp. $26. ᴿRBLit (2007)* (*Schorch, Stefan*).

11330 *Magen, Yitzhak* The dating of the first phase of the Samaritan temple on Mount Gerizim in light of the archaeological evidence. Judah and the Judeans. 2007 ⇒750. 157-211.

11331 *Pummer, Reinhard* The Samaritans and their pentateuch. Pentateuch as torah. 2007 ⇒839. 237-269.

11332 *Schorch, Stefan* La formation de la communauté samaritaine au 2e siècle avant J.-Chr. et la culture de lecture du Judaïsme. Un carrefour. OBO 233: 2007 ⇒515. 5-20.

11333 *Tal, Abraham* Torah quotations in Tibåt Mårqe. ᶠRIBERA FLORIT, J. 2007 ⇒131. 237-249.

11334 *Thyen, Hartwig* Genese und Geschichte des Heiligtums auf dem Garizim, sowie des jüdisch-samaritanischen Schismas. Studien zum Corpus Iohanneum. WUNT 214: 2007 ⇒332. 483-500.

11335 *Zangenberg, Jürgen* Berg des Segens, Berg des Streits: Heiden, Juden, Christen und Samaritaner auf dem Garizim. ThZ 63 (2007) 289-309.

K4.5 *Sadoqitae, Qaraitae*–Cairo Genizah; Zadokites, Karaites

11336 **Astren, Fred** Karaite Judaism and historical understanding. 2004 ⇒21,11440. ᴿZion 72 (2007) 237-242 (*Erder, Yoram*).

11337 *Bar-Asher, Moshe* The expressions כיון הצלמים / כיני הצלמים. ᶠDI-MANT, D. 2007 ⇒34. 279-288 [Damascus Document]. **H**.

11338 *Eißler, Friedmann* Bewahrung und Bewährung: das Gebet im karäischen Judentum als Ort der Gottesbegegnung. Religionen unterwegs 13/1 (2007) 15-21.

11339 *Erder, Yoram* The desert and the Teacher of Righteousness: motifs in the Messianic doctrine of the Karaite mourners of Zion. ᶠDI-MANT, D. 2007 ⇒34. 31-48. **H**.

11340 *Eshel, Hanan* The Damascus document's "three nets of Belial": a reference to the Aramaic Levi Document?. Heavenly tablets. JSJ.S 119: 2007 ⇒60. 243-255.

11341 *Fraade, Steven D.* Law, history, and narrative in the Damascus Document. ᶠDIMANT, D. 2007 ⇒34. *35-*56.

11342 *Harviainen, Tapani* Jakob Duvans Katichizis (1890): Dokument eines karaimischen Glaubensbekenntnisses. Jud. 63/4 (2007) 293-305.

11343 *Hultgren, Stephen* The identity of "The new covenant in the land of Damascus": a new literary analysis of CD XIX-XX (part I). From the Damascus covenant. StTDJ 66: 2007 <2004> ⇒250. 5-41;

11344 (part II). From...Damascus covenant. 2007 <2005> ⇒250. 43-76;

11345 The origins of the Damascus covenant. From the Damascus covenant. StTDJ 66: 2007 ⇒250. 141-232.

11346 **Hunt, Alice** Missing priests: the Zadokites in tradition and history. LHBOTS 452: 2006 ⇒22,10995. ᴿJHScr 7 (2007)* = PHScr IV,530-532 (*Porter, Adam L.*); ZAR 13 (2007) 271-276 (*Otto, Eckart*).

11347 *Jefferson, Rebecca* Genizah marriage contracts: contrasting biblical law and halakah with mediaeval practice. A question of sex?. HBM 14: 2007 ⇒872. 162-173.

11348 *Kahn, Geoffrey* The contextual status of words in the early Karaite tradition of Hebrew grammar. [F]BAR-ASHER, M., 1. 2007 ⇒8. *117-*131.

11349 *Kister, Menahem* The development of the early recensions of the Damascus Document. DSD 14 (2007) 61-76.

11350 *Kizilov, Mikhail* Two Piyyutim and a rhetorical essay in the northern (Troki) dialect of the Karaim language by Isaac ben Abraham of Troki. Jüd. 63/1-2 (2007) 64-75.

11351 *Klier, John D.* Karaites in Russia. Jud. 63/4 (2007) 281-292.

11352 *Maman, A.* A Hebrew-Old French glossary to Joshua 10:7-Judges 9:24 according to Geniza Fragments T-S K7.3-5. [F]BAR-ASHER, M., 1. 2007 ⇒8. 220-272. **H.**

11353 **Reif, Stefan C.** A Jewish archive from Old Cairo: the history of Cambridge University's Genizah collection. 2000 ⇒16,9479... 19, 10857. [R]REJ 166 (2007) 330-331 (*Sirat, Colette*).

11354 *Reif, Stefan C.* The meaning of the Cairo Genizah for students of early Jewish and Christian liturgy. Jewish and Christian liturgy. 2007 ⇒580. 43-62.

11355 *Salzer, Dorothea M.* Biblische Anspielungen als Konstitutionsmerkmal jüdischer magischer Texte aus der Kairoer Geniza. Was ist ein Text?. BZAW 362: 2007 ⇒980. 337-352.

K5 Judaismus prior vel totus

11356 *Achenbach, Reinhard* The pentateuch, the prophets, and the torah in the fifth and fourth centuries B.C.E. Judah and the Judeans. 2007 ⇒750. 253-285.

11357 *Albani, Matthias* "Zadokite Judaism", "Enochic Judaism" und Qumran: zur aktuellen Diskussion um G. Boccaccinis "Beyond the Essene hypothesis". Apokalyptik u. Qumran. 2007 ⇒927. 85-101.

11358 *Alexander, Philip S.* Jewish believers in early rabbinic literature (2d to 5th centuries). Jewish believers in Jesus. 2007 ⇒519. 659-709.

11359 *Ameling, Walter* Die jüdische Diaspora Kleinasiens und der 'epigraphic habit'. Jewish identity. AJEC 71: 2007 ⇒577. 253-282.

11360 **André, Paul** In ascolto della Torah: introduzione all'ebraismo. 2006 ⇒22,11006. [R]EE 82 (2007) 119-121 (*Yebra, Carmen*).

11361 *Ariel, Yaakov* Still ransoming the first-born sons?: Pidyon Habben and its survival in the Jewish tradition. Human sacrifice. SHR 112: 2007 ⇒926. 305-319.

11362 *Barclay, John M.G.* Hostility to the Jews as cultural construct: Egyptian, Hellenistic, and early christian paradigms. Josephus und das NT. WUNT 209: 2007 ⇒780. 365-385.

11363 *Bauckham, Richard* The 'Most High' God and the nature of early Jewish monotheism. [F]HURTADO, L. & SEGAL, A.. 2007 ⇒71. 39-53.

11364 *Baumgarten, Albert I.* Information processing in ancient Jewish groups. Sectarianism in early Judaism. 2007 ⇒789. 246-255.

11365 *Berger, David* Maccabees, Zealots and Josephus: the impact of Zionism on Joseph Klausner's History of the Second Temple. [F]FELDMAN, L. AJEC 67: 2007 ⇒40. 15-27.

11366 *Berthelot, Katell* Bulletin de judaïsme ancien. RSR 95 (2007) 595-615;

11367 Jewish views of human sacrifice in the Hellenistic and Roman period. Human sacrifice. Ment. *Philo* SHR 112: 2007 ⇒926. 151-173 [Wisd 11,24].

11368 *Bickerman, Elias J.* The chain of the pharisaic tradition 528-542;
11369 The maxim of Antigonus of Socho. ⇒190. 543-562;
11370 The civic prayer for Jerusalem. ⇒190. 563-584;
11371 Blessing and prayer. ⇒190. 585-595;
11372 The Jewish historian DEMETRIOS. Studies in Jewish and Christian history. AGJU 68/1-2: 2007 ⇒190. 618-630.

11373 *Blenkinsopp, Joseph* The development of Jewish sectarianism from Nehemiah to the Hasidim. Judah and the Judeans. 2007 ⇒750. 385-404.

11374 *Boccaccini, Gabriele* Enochians, urban Essenes, Qumranites: three social groups, one intellectual movement. Early Enoch literature. JSJ.S 121: 2007 ⇒381. 301-327.

11375 *Bordreuil, Pierre; Briquel-Chatonnet, Françoise* Durante l'impero persiano il momento decisivo. Mondo della Bibbia 18/4 (2007) 19-21.

11376 *Böckler, Annette Mirjam* Noach–ein gerechter, aufrichtiger Mann in seinen Zeiten?: zur jüdischen Auslegungstradition von Gen 6,9. BiHe 43 170 (2007) 26-27.

11377 *Buber, Martin* Jüdische Wissenschaft. Frühe jüdische Schriften. 2007 <1901> ⇒207. 148-154.

11378 *Calders i Artís, Tessa* La visió jueva del món a través grans llibres de la literatura hebrea. ᶠRIBERA FLORIT, J. 2007 ⇒131. 55-84.

11379 *Capelli, Piero* Il problema del male: risposte ebraiche dal secondo tempio alla quabbalah. RstB 19/1 (2007) 135-156.

11380 **Capponi, Livia** Il tempio di Leontopoli in Egitto: identità politica e religiosa dei giudei di Onia (c. 150 a.C - 73 d.C.). Pubblicazioni della Facoltà di lettere e filosofia dell'Università di Pavia 118: Pisa 2007, ETS 255 pp. €18. 978-88-467-1943-0. Bibl. 213-232.

11381 **Catto, Stephen K.** Reconstructing the first-century synagogue: a critical analysis of current research. LNTS 363: L 2007, Clark xxi; 226 pp. $130. 978-05670-45614. Diss. Aberdeen; Bibl. 202-222.

11382 *Cavaglion, Alberto* Judaïsme: réforme des autres, notre réforme. Réformes. Christianity and history 4: 2007 ⇒561. 15-35.

11383 *Chalcraft, David J.* Sectarianism in early Judaism: sociological advances?: some critical sociological reflections;

11384 WEBER's treatment of sects in *Ancient Judaism*: the Pharisees and the Essenes. Sectarianism...early Judaism. 2007 ⇒789. 2-23/52-73.

11385 *Chazon, Esther G.* "Gather the dispersed of Judah": seeking a return to the land as a factor in Jewish identity of late antiquity. Heavenly tablets. JSJ.S 119: 2007 ⇒60. 159-175.

11386 **Chepey, Stuart D.** Nazirites in late second temple Judaism. AGJU 60; AJEC 60: 2005 ⇒21,11475; 22,11013. ᴿJSJ 38 (2007) 362-364 (*Zangenberg, Jürgen*).

11387 *Chester, Andrew* Messiah and temple in the Sibylline oracles. Messiah and exaltation. WUNT 207: 2007 <1991> ⇒209. 471-496.

11388 **Cohen, Shaye J.D.** From the Maccabees to the mishnah. LVL ²2006 <1987>, Westminster xiv; 250 pp.

11389 *Cohen, Shaye J.D.* 'Your covenant that you have sealed in our flesh': women, covenant, and circumcision. ᶠFELDMAN, L. Ment. *Josephus* AJEC 67: 2007 ⇒40. 29-42.

11390 **Cohn-Sherbok, Dan** Fifty key Jewish thinkers. L 2007, Routledge xiii; 132 pp. €27. 978-04157-71405.
11391 *Cromhout, Markus* Religion and covenantal praxis in first century Judeanism. HTS 63 (2007) 171-205;
11392 A clash of symbolic universes: Judeanism vs Hellenism. HTS 63 (2007) 1089-1117.
11393 **Cuffari, Anton** Judenfeindschaft in Antike und Altem Testament: terminologische, historische und theologische Untersuchungen. BBB 153: B 2007, Philo 371 pp. €54. 978-3-86572-573-8. Bibl. 352-370.
11394 *Davies, Philip R.* Sect formation in early Judaism. Sectarianism in early Judaism. 2007 ⇒789. 133-155.
11395 **Donaldson, Terence L.** Judaism and the gentiles: Jewish patterns of universalism (to 135 CE). Waco 2007, Baylor Univ. Pr. xvi; 563 pp. $60. 978-16025-80251. Bibl. 515-537.
11396 **Eisenberg, Josy** ABC du judaïsme. Ouvertures: P 2007, Grancher 173 pp.
11397 *Eisenstadt, Shmuel N.* Prophecy and constitutionalism in the political imagery of axial age civilizations. HPolS 2/1 (2007) 1-19.
11398 **Elizur, Shulamit** למה צמנו? מגילת תענית בתרא ורשימות צומות הקרובות לה ['Wherefore have we fasted?': *Megilat Ta'anit Batra* and similar lists of fasts]. Sources for the study of Jewish culture 11: J 2007, World Union of Jewish Studies טו + 342 pp. **H**.
11399 **Elliott, Mark A.** The survivors of Israel: a reconsideration of the theology of pre-christian Judaism. 2000 ⇒16,9505... 20,10412. [R]VJTR 71 (2007) 856-857 (*Valan, C. Antony*).
11400 *Evans, Annette* Jewish angelology and the absence of Ezekiel 1:14 and 10:14 in the Old Greek version of the Septuagint. OTEs 20 (2007) 653-668.
11401 **Evans, Annette** The development of Jewish ideas of angels: Egyptian and Hellenistic connections ca. 600 BCE to ca. 200 CE. 2007, Diss. Stellenbosch.
11402 **Fine, Steven** Art and Judaism in the Greco-Roman world. 2005 ⇒21,11488; 22,11024. [R]ThLZ 132 (2007) 145-146 (*Zangenberg, Jürgen*); JSJ 38 (2007) 384-387 (*Rutgers, Leonard*); BASOR 345 (2007) 88-90 (*Bland, Kalman P.*); OLZ 102 (2007) 504-507 (*Zwickel, Wolfgang*); JAOS 127 (2007) 549-551 (*Friedland, Elise A.*); JThS 58 (2007) 614-616 (*Goldhill, Simon*).
11403 *Flusser, David* The eschatological temple;
11404 The Roman Empire in Hasmonean and Essene eyes. Judaism of the second temple period, 1. 2007 ⇒224. 207-213/175-206.
11405 *Gambetti, Sandra* The Jewish community of Alexandria: the origins. Henoch 29 (2007) 213-240.
11406 **Gerstenberger, Erhard S.** Israel in der Perserzeit: 5. und 4. Jahrhundert v. Chr. Biblische Enzyklopädie 8: 2005 ⇒21,11494; 22,11025. [R]ZKTh 129 (2007) 127-128 (*Premstaller, Volkmar*).
11407 **Gilbert, Martin** The Routledge atlas of Jewish history. L 2006, Routledge 150 pp. €35. 978-04153-99661.
11408 **Goldenberg, Robert** The origins of Judaism: from Canaan to the rise of Islam. C 2007, CUP vi; 299 pp. $70. 978-0-521-60628-8/84453-6. Bibl. 277-282.
11409 *Goodman, Martin* Early Judaism. <2003> ⇒236. 1-19;
11410 Identity and authority in ancient Judaism. <1990> ⇒236. 21-32;

11411   Sacred scripture and 'defiling the hands'. <1990> ⇒236. 69-78;
11412   Texts, scribes and power in Roman Judaea. <1994> ⇒236. 79-90;
11413   Jewish proselytizing in the first century. <1992> ⇒236. 91-116;
11414   The place of the Sadducees in first-century Judaism <2006>;
11415   Jews and Judaism in the Mediterranean diaspora in the late-Roman
         period: the limitations of evidence <2005> 123-135/233-259;
11416   Sacred space in diaspora Judaism. Judaism in the Roman world.
         AJEC 66: 2007 <1996> ⇒236. 219-231.
11417   *Goswell, Gregory* The hermeneutics of the Haftarot. TynB 58/1
         (2007) 83-100.
11418   **Grabbe, Lester L.** A history of the Jews and Judaism in the second
         temple period, 1: Yehud: a history of the Persian province of Judah.
         LSTS 47: 2004 ⇒20,10424; 22,11028. ᴿCBQ 69 (2007) 545-546
         (*Betlyon, John W.*).
11419   *Grabbe, Lester L.* When is a sect a sect–or not?: groups and move-
         ments in the second temple period. Sectarianism in early Judaism.
         2007 ⇒789. 114-132.
11420   *Grabner-Haider, Anton* Jüdische Schriften der Antike. Kulturge-
         schichte der Bibel. 2007 ⇒435. 265-288.
11421   *Graves, Michael* The public reading of Scripture in early Judaism.
         JETS 50 (2007) 467-487.
11422   *Green, William S.* What do we really know about the Pharisees, and
         how do we know it?. In quest of the historical Pharisees. 2007 ⇒
         402. 409-423.
11423   **Grözinger, Karl E.** Jüdisches Denken: Theologie–Philosophie–
         Mystik, 2. Fra 2005, Campus 935 pp. €76.10. 35933-75133.
11424   *Hadas-Lebel, Mireille* Epoque héllénistique et romaine: comment
         'reconstruire' philosophiquement la bible. Anthologie du judaïsme.
         2007 ⇒1144. 96-102.
11425   *Hakola, Raimo* Social identities and group phenomena in second
         temple Judaism. Explaining christian origins. BiblInterp 89: 2007
         ⇒609. 259-276.
11426   *Harland, Philip A.* Familial dimensions of group identity (II):
         "mothers" and "fathers" in associations and synagogues of the
         Greek world. JSJ 38 (2007) 57-79.
11427   **Hayes, Christine E.** The emergence of Judaism. Westport (Conn.)
         2007, Greenwood xxii; 197 pp. 978-0-313-33206-7. Bibl. 175-192.
11428   *Hecht, Dieter* Gesegnet seist Du, die Wohltätigkeit und Gerechtig-
         keit liebt: jüdische Frauen zwischen sozialem und politischem
         Engagement. Beste aller Frauen. 2007 ⇒606. 65-83.
11429   **Heger, Paul** Cult as the catalyst for division: cult disputes as the
         motive for schism in the pre-70 pluralistic environment. StTDJ 65:
         Lei 2007, Brill ix; 423 pp. €149/$194. 978-9004-15166-6. Bibl.
         379-395.
11430   *Heltzer, Michael* The Galgūla family in South Juda and the local
         sanctuaries. Studien zu Ritual. BZAW 374: 2007 ⇒937. 127-131.
11431   *Hengel, Martin* Die ersten nichtchristlichen Leser der Evangelien.
         Jesus und die Evangelien. 2007 <2004> ⇒247. 702-725.
11432   *Herweg, Rachel* Die Rolle der Frau im Judentum: Traditionen und
         Neubesinnung. Hirschberg 60 (2007) 442-445.
11433   **Hezser, Catherine** Jewish slavery in antiquity. 2006 ⇒22,11034.
         ᴿJSJ 38 (2007) 392-394 (*Satlow, Michael L.*); JRS 97 (2007) 286-
         287 (*Williams, Margaret H.*).

11434 **Horowitz, Elliott** Reckless rites: Purim and the legacy of Jewish violence. 2006 ⇒22,3720. ᴿJR 87 (2007) 466-467 (*Frankfurter, David*).

11435 **Horsley, Richard A.** Scribes, visionaries, and the politics of second temple Judea. LVL 2007, Westminster 262 pp. $25. 978-0664-2-29917.

11436 *Hultgren, Stephen* Summary and concluding observations. From the Damascus covenant. StTDJ 66: 2007 ⇒250.. 535-554.

11437 *Instone-Brewer, David* T.R.E.N.T. Traditions of the rabbis from the era of the New Testament, 1: Prayer and agriculture. 2004 ⇒ 20,10432... 22,11119. ᴿRBLit (2007)* (*Bakhos, Carol*).

11438 **Jaffee, Martin S.** Torah in the mouth: writing and oral tradition in Palestinian Judaism, 200 BCE-400 CE. 2001 ⇒17,9294... 20, 10433. ᴿRBLit (2007)* (*Kelber, Werner H.*).

11439 **Jassen, Alex P.** Mediating the divine: prophecy and revelation in the Dead Sea scrolls and second temple Judaism. ᴰ*Schiffman, L.* StTDJ 68: Lei 2007, Brill xv; 443 pp. $195. 978-90-04-15842-9. Diss. New York; Bibl. 389-423.

11440 *Johns, Loren L.* Identity and resistance: the varieties of competing models in early Judaism. Qumran studies. 2007 ⇒677. 254-277.

11441 *Kaswalder, Pietro* La nascita e il significato della sinagoga antica: nota bibliografica. LASBF 57 (2007) 431-491.

11442 ᴱ**Kee, Howard; Cohick, Lynn** Evolution of the synagogue. 1999 ⇒15,543; 16,9521. ᴿThR 72 (2007) 272-273 (*Zwickel, Wolfgang*).

11443 **Kellermann, Ulrich** Das Achtzehn-Bitten-Gebet: jüdischer Glaube in neutestamentlicher Zeit: ein Kommentar. Neuk 2007, Neuk xii; 217 pp. €25. 978-3-7887-2189-3.

11444 *Ketola, Kimmo* A cognitive approach to ritual systems in first-century Judaism. Explaining christian origins. BiblInterp 89: 2007, ⇒609. 95-114.

11445 ᴱ**Klostergaard Petersen, Anders; Hyldahl, Jesper; Fuglseth, Sigvald** Perspektiver på jødisk apologetik. Antikken of Kristendommen 4: K 2007, ANIS 320 pp. Kr279. 978-87745-74125.

11446 *Koch, Klaus* Gegenwart und Zukunft des Reiches Gottes im Alten Testament sowie in hebräischen und aramäischen Texten um die Zeitenwende. Apokalyptik und Qumran. Einblicke 10: 2007 ⇒927. 123-167.

11447 *Kohlbauer-Fritz, Gabriele* Beste aller Frauen: weibliche Dimensionen im Judentum. Beste aller Frauen. 2007 ⇒606. 11-15.

11448 **Koskenniemi, Erkki** The Old Testament miracle-workers in early Judaism. WUNT 2/206: 2005 ⇒21,11520; 22,11044. ᴿRBLit (2007)* (*Noffke, Eric*).

11449 **Kraemer, David C.** Jewish eating and identity through the ages. Routledge advances in sociology 29: NY 2007, Routledge xii; 200 pp. 978-0-415-95797-7. Bibl. 185-191.

11450 *Krauter, Stefan* Die Beteiligung von Nichtjuden am Jerusalemer Tempelkult. Jewish identity. AJEC 71: 2007 ⇒577. 55-74.

11451 *Krygier, Rivon* Veille et sommeil d'Israël: le rite oublié de la veillée pascale dans la tradition juive. REJ 166 (2007) 59-89.

11452 *Lahav, Hagar* The one: God's unity and genderless divinity in Judaism. Feminist Theology 16/1 (2007) 47-60.

11453 *Lanfranchi, Pierluigi* Moses' vision of the divine throne in the *Exagoge* of Ezekiel the Tragedian. The book of Ezekiel. 2007, ⇒835. 53-59.

11454   *Langer, Ruth* Biblical texts in Jewish prayers: their history and function. Jewish and Christian liturgy. Jewish and Christian Perspectives 15: 2007 ⇒580. 63-90.

11455   *Lawrence, Jonathan D.* Many waters–Jewish ritual bathing and christian baptism in India. ProcGLM 27 (2007) 53-65.

11456   **Lawrence, Jonathan D.** Washing in water: trajectories of ritual bathing in the Hebrew Bible and second temple literature. Academia Biblica 23: 2006 ⇒22,11048. [R]JAOS 127 (2007) 551-552 (*Klawans, Jonathan*); RBLit (2007)* (*Watts, James W.*).

11457   *LeMoigne, Philippe* La Vie d'Ézéchiel ou la discrète omniprésence. "Dieu parle". Histoire du texte biblique 7: 2007 ⇒556. 51-72.

11458   *Leuchter, Mark* Zadokites, Deuteronomists, and the exilic debate over scribal authority. JHScr 7 (2007)* = PHScr 4,247-263.

11459   *LiDonnici, Lynn* "According to the Jews": identified (and identifying) 'Jewish' elements in the Greek magical papyri. Heavenly tablets. JSJ.S 119: 2007 ⇒60. 87-108.

11460   **Lightstone, Jack N.** The commerce of the sacred: mediation of the divine among Jews in the Greco-Roman world. 2006 <1984> ⇒22, 11052. [R]JAAR 75 (2007) 421-423 (*Avery-Peck, Alan J.*); HebStud 48 (2007) 383-385 (*Ulmer, Riska*).

11461   *Long, Asphodel* Asherah, the tree of life and the menorah: continuity of a goddess symbol in Judaism?. Patriarchs, prophets. 2007 ⇒ 453. 21.

11462   **Macaskill, Grant** Revealed wisdom and inaugurated eschatology in ancient Judaism and early christianity. [D]*Bauckham, Richard* JSJ. S 115: Lei 2007, Brill 320 pp. €119/$149. 978-90-04-15582-4. Diss. St Andrews; Bibl. 259-283.

11463   *Maccoby, Hyam* Martyrdom: theological and psychological aspects: martyrdom in Judaism. Hearing visions. 2007 ⇒817. 93-104.

11464   *Martone, Corrado* La vecchiaia nel giudaismo intertestamentario. Senectus. Ebraismo e Cristianesimo 3: 2007 ⇒725. 79-98.

11465   *Mason, Steve* Jews, Judaeans, Judaizing, Judaism: problems of categorization in ancient history. JSJ 38 (2007) 457-512.

11466   **Middlemas, Jill A.** The troubles of templeless Judah. 2005 ⇒21, 11528; 22,11054. [R]TEuph 34 (2007) 183-184 (*Gosse, B.*).

11467   **Mimouni, Simon C.** La circoncision dans le monde judéen aux époques grecque et romaine: histoire d'un conflit interne au judaïsme. Coll.REJ 42: Lv 2007, Peeters xvii; 388 pp.

11468   *Mosès, Stéphane* Die Opferung Isaaks in der jüdischen Tradition. Opfere deinen Sohn!. 2007 ⇒442. 51-72 [Gen 22].

11469   **Neusner, Jacob** The emergence of Judaism. 2004 ⇒20,10452. [R]Theol. 110 (2007) 309-310 (*Winer, Mark*);

11470   Parsing the torah–surveying the history, literature, religion and theology of formative Judaism. 2005 ⇒21,11532. [R]RRT 14 (2007) 189-190 (*Bury, Benjamin*).

11471   *Neusner, Jacob* The rabbinic traditions about the Pharisees before 70 CE: an overview. In quest of the historical Pharisees. 2007 ⇒ 402. 297-311.

11472   **Nickelsburg, George W.E.** Jewish literature between the bible and the mishnah. 2005 <1981> ⇒21,11536; 22,11060. [R]JSJ 38 (2007) 136-137 (*Klostergaard Petersen, Anders*); BTB 37 (2007) 81

(*Hagedorn, Anselm C.*) EstB 65 (2007) 379-381 (*Villota Herrero, Salvador*); RBLit (2007) 225-228 (*Pomykala, Kenneth*).

11473 **Niehr, Herbert** Weisheitliche, magische und legendarische Erzählungen: Aramäischer Ahiqar. JSHRZ N.F. 2/2: Gü 2007, Gü viii; 55 pp. 978-3579-052441 [⇒10102].

11474 *Nodet, Étienne* "Die Pharisäer sind die Erben der Makkabäer": ein Gespräch mit Étienne Nodet. WUB 43 (2007) 44-47.

11475 *Noy, David* The Jews of Roman Syria: the synagogues of Dura-Europos and Apamea. ^FMILLAR, F. 2007 ⇒107. 62-80.

11476 **Ochs, Vanessa L.** Inventing Jewish ritual. Ph 2007, Jewish Publication Society xii; 276 pp. 978-0-8276-0834-4. Foreword *Riv-Ellen Prell*.

11477 *Parodi, Marino* Ebraismo: all'inizio c'è la Torah. vita pastorale 95/5 (2007) 72-75.

11478 *Piovanelli, Pierluigi* Was there sectarian behaviour before the flourishing of Jewish sects?: a long-term approach to the history and sociology of second temple sectarianism. Sectarianism in early Judaism. 2007 ⇒789. 156-179.

11479 *Poirier, J.C.* The linguistic situation in Jewish Palestine in late antiquity. JGRChJ 4 (2007) 55-134.

11480 *Porter, Adam* What sort of Jews were the Tobiads?. ^FMEYERS, E. Ment. *Josephus* 2007 ⇒106. 141-150 [2 Macc 3,11].

11481 *Porton, Gary G.* Historical questions and questioning history: can we write a history of Judaism in late antiquity?. Historical knowledge. 2007 ⇒403. 375-404.

11482 **Radday, Yehuda T.** Ein Stück Tora: zum Lernen des Wochenabschnitts, 10. B 2007, Institut Kirche und Judentum 110 pp. Register zu Band 1 bis 10 von *Christoph Goldmann*, Fuldabrück 2008, 100 pp.

11483 *Rand, Michael* Observations on the relationship between JPA poetry and the Hebrew piyyut tradition–the case of the kinot. Jewish and christian liturgy. 2007 ⇒580. 127-144.

11484 *Reed, Annette Y.* Was there science in ancient Judaism?: historical and cross-cultural reflections on 'religion' and 'science'. SR 36 (2007) 461-495.

11485 **Regev, Eyal** The Sadducees and their halakah: religion and society in the second temple period. 2005 ⇒21,11549. ^RHenoch 29 (2007) 397-400 (*VanderKam, James C.*).

11486 *Rey-Flaud, Henri* La religion de la lettre: le judaïsme selon FREUD. ETR 82 (2007) 235-247.

11487 **Roth, Sol** The Jewish idea of ethics and morality: a covenantal perspective. NY 2007, Yeshiva Univ. xvi; 207 pp. $25. 978-0-88125-951-3.

11488 *Sacchi, Paolo* Measuring time among the Jews: the Zadokite priesthood, Enochism, and the lay tendencies of the Maccabean period. Early Enoch literature. JSJ.S 121: 2007 ⇒381. 95-118.

11489 *Schuller, Eileen* Penitential prayer in second temple Judaism: a research survey. Development...penitential prayer. 2007 ⇒777. 1-15.

11490 *Schwartz, Seth* Conversion to Judaism in the second temple period: a functionalist approach. ^FFELDMAN, L. Ment. *Josephus* AJEC 67: 2007 ⇒40. 223-236.

11491 **Segal, Eliezer** In those days, at this time: holiness and history in the Jewish calendar. Calgary 2007, University of Calgary Pr. xv; 324 pp. 978-1-55238-185-4. Bibl.

11492   *Selkin Wise, Carol* Miqwa'ôt and second temple sectarianism.
        [F]MEYERS, E. AASOR 60/61: 2007 ⇒106. 181-200.
11493   *Shatzman, Israel* Jews and gentiles from Judas Maccabaeus to John
        Hyrcanus according to contemporary Jewish sources. [F]FELDMAN,
        L. AJEC 67: 2007 ⇒40. 237-270.
11494   **Shepkaru, Shmuel** Jewish martyrs in the pagan and christian
        worlds. 2005 ⇒21,11565. [R]JAAR 75 (2007) 996-997 (*Castelli,
        Elizabeth A.*); RBLit (2007) 255-257 (*Schwartz, Daniel R.*).
11495   *Shmidman, Avi* Developments within the statutory text of the Birkat
        Ha-Mazon in light of its poetic counterparts. Jewish and christian
        liturgy. 2007 ⇒580. 109-126.
11496   *Silberman, Neil Asher* Jewish and Muslim heritage in Europe: the
        role of archaeology in defending cultural diversity. [F]MEYERS, E.
        AASOR 60/61: 2007 ⇒106. 13-16.
11497   **Sivertsev, Alexei** Households, sects, and the origins of rabbinic
        Judaism. JSJ.S 102: 2005 ⇒21,11566; 22,11081. [R]JSJ 38 (2007)
        151-154 (*Fonrobert, Charlotte E.*); RBLit (2007) 271-274 (*Porton,
        Gary*).
11498   **Soloveitchik, Joseph D.** Days of deliverance: essays on Purim and
        Hanukkah. [E]*Wolowelsky, Joel B.; Ziegler, Reuven; Clark, Eli D.*
        MeOtzar HoRav 8: NY 2007, KTAV xvi; 224 pp. 0-88125-944-6.
11499   **Stern, Elsie R.** From rebuke to consolation: exegesis and theology
        in the liturgical anthology of the Ninth of Av season. Providence,
        RI 2005, Brown Judaic Studies 232 pp. $60. 978-19306-75216.
        [R]RBLit (2007)* (*Liss, Hanna*).
11500   **Stern, Sacha** Time and process in ancient Judaism. 2003, ⇒19,
        10991... 22,11085. [R]Zion 72 (2007) 101-104 (*Eliav, Yaron Z.*).
11501   *Strange, James F.* Archaeology and the pharisees. In quest of the
        historical Pharisees. 2007 ⇒402. 237-251.
11502   *Stratton, Kimberly B.* Curse rhetoric and the violence of identity in
        early Judaism and christianity. [F]WILSON, S. 2007 ⇒169. 18-30.
11503   **Stratton, Kimberly B.** Naming the witch: magic, ideology and ste-
        reotype in the ancient world. [D]*Segal, Alan* NY 2007, Columbia
        Univ. Pr. xviii; 289 pp. $45. 978-02311-38369. Diss. Columbia;
        Bibl. 247-275.
11504   *Stuckenbruck, Loren* Messianic ideas in the apocalyptic and related
        literature of early Judaism. The Messiah. 2007 ⇒551. 90-116.
11505   **Tammaro, Biancamarta** Sviluppi del giudaismo in epoca ellenisti-
        ca: crescita della tradizione biblica ed insorgenza di movimenti set-
        tari: riflessione prospettica su intersezioni tra poteri politici e fede
        religiosa. [D]*Boschi, B.G.* 2007, Diss. Angelicum [RTL 39,603].
11506   *Thoma, Clemens* Gott wohnt mitten unter uns: die Schekhina als
        zentraler jüdischer Glaubensinhalt. FrRu 14 (2007) 82-85.
11507   **Thomas, Samuel** The 'mysteries' of the Qumran community: the
        Raz-concept in second temple Judaism and the Dead Sea scrolls.
        [D]*VanderKam, James* 2007, 253 pp. Diss. Notre Dame.
11508   **Tomasino, Anthony J.** Judaism before Jesus: the events and ideas
        that shaped the NT world. 2003 ⇒19,10996... 21,11580. [R]BS 164
        (2007) 119-120 (*Constable, Thomas L.*); JJS 58 (2007) 345-347
        (*Collins, Matthew A.*).
11509   *Troiani, Lucio* Hellenistic Judaism in the New Testament. Henoch
        29 (2007) 307-326.

11510 *Ulrich, Jörg* Angstmacherei: Beobachtungen zu einem polemischen Einwand gegen das frühe Christentum und zur Auseinandersetzung mit ihm in der apologetischen Literatur. Frühchristentum und Kultur. 2007 ⇒623. 111-126.

11511 **VanderKam, James C.** From Joshua to Caiaphas: high priests after the exile. 2004 ⇒20,10493... 22,11095. [R]JSJ 38 (2007) 439-440 (*Brutti, Maria*); TEuph 34 (2007) 198-200 (*Lemaire, André*); Bib. 88 (2007) 144-147 (*Rooke, Deborah*).

11512 *VanderKam, James C.* Mapping second temple Judaism. Early Enoch literature. JSJ.S 121: 2007 ⇒381. 1-20.

11513 *Vonach, Andreas* Die Vorstellungen eines Hofstaates Gottes im Frühjudentum: Alt- und zwischentestamentliche Bilder. Religionen unterwegs 13/4 (2007) 4-8.

11514 **Vriezen, Theodorus C.; Van der Woude, Adam S.** Ancient Israelite and early Jewish literature. [T]*Doyle, Brian* 2005 ⇒21,1904; 22,1861. [R]ThLZ 132 (2007) 780-782 (*Kaiser, Otto*); CBQ 69 (2007) 347-348 (*Sparks, Kenton L.*).

11515 **Weitzman, Steven** Surviving sacrilege: cultural persistence in Jewish antiquity. 2005 ⇒21,11589; 22,11099. [R]JAOS 127 (2007) 84-85 (*Grossman, Maxine*).

11516 **Wenell, Karen J.** Jesus and land: sacred and social space in second temple Judaism. LNTS 334: L 2007, Clark ix; 168 pp. $156. 978-0-567-03115-0. Bibl. 148-158.

11517 *Werline, Rodney A.* Reflections on penitential prayer: definition and form. Development of penitential prayer. 2007 ⇒777. 209-25.

11518 *Williams, Margaret H.* The use of alternative names by Diaspora Jews in Graeco-Roman antiquity. JSJ 38 (2007) 307-327.

11519 **Wilson, Walter T.** The Sentences of PSEUDO-PHOCYLIDES. 2005 ⇒21,11593. [R]JSJ 38 (2007) 444-447 (*Niebuhr, Karl-Wilhelm*); RSR 95 (2007) 611-612 (*Berthelot, Katell*).

11520 **Woschitz, Karl M.** Parabiblica: Studien zur jüdischen Literatur in der hellenistisch-römischen Epoche. 2005 ⇒21,11598; 22,11102. [R]ZKTh 129 (2007) 116-117 (*Grabner-Heider, Anton*).

11521 *Wright, Benjamin G.* Three Jewish ritual practices in ARISTEAS §§158-160. Heavenly tablets. JSJ.S 119: 2007 ⇒60. 11-29.

K6.0 **Mišna**, *tosepta: Tannaim*

11522 **Alexander, Elizabeth S.** Transmitting Mishnah: the shaping influence of oral tradition. 2006 ⇒22,11106. [R]OLZ 102 (2007) 507-509 (*Lehnardt, Andreas*).

11523 *Avery-Peck, Alan J.* Interpreting legal history in the mishnaic division of agriculture. Historical knowledge. 2007 ⇒403. 175-195.

11524 *Bar-Asher, Moshé* Les formules de bénédiction forgées par les sages (étude préliminaire). REJ 166 (2007) 441-461.

11525 *Batsch, Christophe* La littérature tannaïtique comme source historique pour l'étude du judaïsme du deuxième temple: les questions méthodologiques de Jacob Neusner et de Peter Schäfer. REJ 166 (2007) 1-15.

11526 **Becker, Michael** Wunder und Wundertäter im frührabbinischen Judentum. WUNT 2/144: 2002 ⇒18, 10133...21,11603. [R]OLZ 102 (2007) 319-324 (*Oegema, Gerbern S.*).

11527   *Berger, Michael S.* Taming the beast: rabbinic pacification of second-century Jewish nationalism. Belief and bloodshed. 2007 ⇒639. 47-61.
11528   *Chilton, Bruce; Neusner, Jacob* Paul and Gamaliel. In quest of the historical Pharisees. 2007 ⇒402. 175-223 [Acts 22,3].
11529   *Cohen, M.S.* Drunken teamsters horsing around at river's edge: portraiture and symbolism in Seder Tohorot. CJud 59/2 (2007) 85-99 [1 Macc 2,29-42].
11530   *Crane, J.K.* Jews burying gentiles. RRJ 10/2 (2007) 145-161.
11531   *Flatto, David C.* It's good to be king: the monarch's role in the mishna's political and legal system. HPolS 2/3 (2007) 255-283.
11532   *Gluska, I.* The linguistic [*sic*; read 'semantic'] field of mystery in Mishnaic Hebrew. [F]BAR-ASHER, M., 2. 2007 ⇒9. 88-102. **H**.
11533   *Goldberg, A.* כיני מתניתא ('The Mishnah should be read in the following way'): an interpretative remark or a different reading?. [F]BAR-ASHER, M., 2. 2007 ⇒9. 82-87.
11534   *Goodman, Martin* The function of *minim* in early rabbinic Judaism. Judaism in the Roman world. 2007 <1996> ⇒236. 163-173.
11535   *Gordon, L.* Where ther circle begins: Tractate Eduyyot as an introduction to the mishnah. CJud 59/3 (2007) 49-65.
11536   **Hauptman, Judith** Rereading the mishnah: a new approach to ancient Jewish texts. TSAJ 109: 2005 ⇒21,11611; 22,11118. [R]JSJ 38 (2007) 388-389 (*Ruiz Morell, Olga*); REJ 166 (2007) 325-327 (*Bernasconi, Rocco*); RBLit (2007) 274-278 (*Schwartz, Joshua*); RRJ 10/1 (2007) 129-136 (*Neusner, Jacob*).
11537   *Ilan, Tal* Die Entstehung eines feministischen Kommentars zu Mischna und Babylonischem Talmud: ein Beispiel aus dem Traktat Ta'anit. Literatur im Dialog. 2007 ⇒500. 69-97.
11538   *Kahana, M.* The arrangement of the orders of the mishnah. Tarb. 76/1-2 (2006-2007) 29-40. **H**.
11539   *Kislev, M.E.; Simchoni, O.* A proposed explanation for the replacement of *ḥwtl* by *ḥwtm* in the mishnah. Leš. 69 (2007) 39-50. **H**.
11540   **Krupp, Michael** Einführung in die Mischna. Fra 2007, Verlag der Weltreligionen 223 pp. 978-3-458-71002-8.
11541   *Kulp, Joshua* Organisational patterns in the mishnah in light of their toseftan parallels. JJS 58 (2007) 52-78.
11542   *Lev, S.* How the *'Aylonit* got her sex. AJS Review 31/2 (2007) 297-316.
11543   *Lier, G.E.* Torah events for the Jewish child. JSem 16 (2007) 333-350.
11544   *Lightstone, Jack N.* Urban (re-)organization in Late Roman Palestine and the early rabbinic guild: the tosefta on the city and classification of space. SR 36 (2007) 421-445.
11545   **Neusner, Jacob** Halakhic theology: a sourcebook. 2006 ⇒22, 11132. [R]RRT 14/1 (2007) 127-132 (*Gruber, Mayer I.*);
11546   How the Halakhah unfolds, II: Nazir in the Mishnah, Tosefta, Yerushalmi, and Bavli, part B. Studies in Judaism: Lanham, MD 2007, University Press of America viii; 251-843 pp. 0-7618-36160;
11547   III: Abodah Zarah in the Mishnah, Tosefta, Yerushalmi, and Bavli, part A. Studies in Judaism: Lanham, MD 2007, University Press of America viii; 289 pp. $39. 0-7618-36179;
11548   III, part B. Lanham, MD 2007, University Press of America viii; 843 pp. $50. 0-7618-36187.

11549 ᵀNeusner, Jacob The Tosefta, translated from the Hebrew. 2002 <1977-1986> ⇒21,11618. ᴿREJ 166 (2007) 573-74 (Costa, José).

11550 Neusner, Jacob The halakhic category-formations of normative Judaism: why this, not that in the Mishnah-Tosefta-Yerushalmi-Bavli. RRJ 10/2 (2007) 176-209;

11551 The Pharisaic agenda: laws attributed in the mishnah and the tosefta to pre-70 Pharisees;

11552 The pre-70 Pharisees after 70 and after 140. In quest of the historical Pharisees. 2007 ⇒402. 313-327/329-349.

11553 Noam, Vered The bounds of non-priestly purity: a reassessment. Zion 72 (2007) 127-160. H.

11554 Rosen-Zvi, I. 'Who will uncover the dust from you eyes?': Mishnah Sotah 5 and R. Akiva's midrash. Tarb. 75/1-2 (2005-6) 95-127. H.

11555 Ryzhik, Michael La mishnah nell'edizione Livorno e le tradizioni popolari della lingua della mishnah degli ebrei d'Italia. materia giudaica 12 (2007) 73-82.

11556 Samely, Alexander Rabbinic interpretation of scripture in the mishnah. 2002 ⇒18,10142... 21,11626. ᴿJAOS 127 (2007) 83-84 (Goldberg, Abraham).

11557 Schremer, Adiel Midrash and history: God's power, the Roman Empire, and hopes for redemption in Tannaitic literature. Zion 72 (2007) 5-36. H.

11558 Shemesh, R. ʻʼ בוא בשלים, רבי ותלמודי '–forms of address in the Mishna and Tosefta. ᶠBar-Asher, M., 2. 2007 ⇒9. 286-300. H.

11559 Stefani, Piero Il silenzio della profezia nel giudaismo rabbinico. Profeti e profezia. 2007 ⇒565. 205-212.

11560 Stemberger, Günter Hananiah ben Hezekiah ben Garon, the eighteen decrees and the outbreak of the war against Rome. ᶠGarcía Martínez, F. JSJ.S 122: 2007 ⇒46. 691-703.

11561 Stökl Ben Ezra, Daniel Templisierung: die Rückkehr des Tempels in die jüdische und christliche Liturgie der Spätantike. Rites et croyances. Entretiens 53: 2007 ⇒946. 231-287.

κ6.5 Talmud; midraš

11562 Agus, Aharon R.E. Das Judentum in seiner Entstehung: Grundzüge rabbinisch-biblischer Religiosität. 2001 ⇒17,9381...19,11031. ᴿOLZ 102 (2007) 177-181 (Tönges, Elke).

11563 Arndt, T. Hätten die Völker der Welt gewusst... ein Midrasch-Motiv zur Tempelzerstörung. ᶠWilli, T. 2007 ⇒167. 185-198.

11564 Avemarie, Friedrich Adam, das Kunstwerk Gottes: rabbinische Deutungen der Gottebenbildlichkeit. ᶠBlumenthal, S. von. 2007 ⇒16. 63-72 [Gen 1,26-27].

11565 Ayaso Martínez, José R. Espacios de libertad religiosa en el Judaísmo rabínico clásico. Libertad e intolerancia religiosa. 'Ilu.M 18: 2007 ⇒688. 13-25.

11566 ᴱBakhos, Carol Current trends in the study of midrash. JSJ.S 106: 2006 ⇒22,11147. ᴿJSJ 38 (2007) 342-344 (Teugels, Lieve).

11567 Bakhos, Carol Abraham visits Ishmael: a revisit;

11568 Figuring (out) Esau: the rabbis and their others. JJS 58 (2007) 553-580/250-262 [Gen 25,21-23].

11569 **Basta, Pasquale** Gezerah Shawah. SubBi 26: 2006 ⇒22,11151. [R]REJ 166 (2007) 568-569 (*Rothschild, Jean-Pierre*).

11570 *Bauer, Uwe F.W.* Lernen von den Weisen Israels: die generelle Bedeutung des Talmud Tora für Christen und die spezielle Bedeutung der rabbinischen Hermeneutik für das Lesen des Alten Testaments. WuD 29 (2007) 39-49.

11571 **Becker, Hans-J.** Die grossen rabbinischen Sammelwerke Palästinas: zur literarischen Genese von Talmud Yerushalmi und Midrash Bereshit Rabba. TSAJ 70: 1999 ⇒15,9593... 19,11035. [R]ThR 72 (2007) 89-90 (*Tilly, Michael*).

11572 [E]**Becker, Hans-J.** Avot de-Rabbi Natan: synoptische Edition beider Versionen. TSAJ 116: 2006 ⇒22,11153. [R]JJS 58 (2007) 348-350 (*Hezser, Catherine*).

11573 **Ben Ahron, Zadoq** Alles, was Sie schon immer über den Talmud wissen wollten. 2006 ⇒22,11156. [R]OLZ 102 (2007) 442-443 (*Domhardt, Yvonne*).

11574 *Bernat, David A.* Phinehas' intercessory prayer: a rabbinic and targumic reading of the Baal Peor narrative. JJS 58 (2007) 263-282 [Num 25; Ps 106].

11575 **Bornet, Philippe** Rites et pratiques de l'hospitalité: étude comparée des prescriptions d'hospitalité au sein de discours normatifs du judaïsme rabbinique et du brahmanisme. [D]*Burger, Maya* 2007, Diss. Lausanne.

11576 **Borowitz, Eugene B.** The talmud's theological language-game: a philosophical discourse analysis. 2006 ⇒22,11161. [R]JR 87 (2007) 305-307 (*Novak, David*).

11577 *Boyarin, Daniel* Talmud and 'Fathers of the church': theologies and the making of books. The early christian book. 2007 ⇒604. 69-85.

11578 **Bregman, Marc** The Tanhuma-Yelammedenu literature: studies in the evolution of the versions. 2003 ⇒19,11049; 21,11646. [R]PHScr II, 481-485 ⇒373 (*Kalman, Jason*).

11579 *Buber, Martin* Vor Sonnenaufgang: nach dem jerusalemischen Talmud (Berachoth 2,3). Frühe jüdische Schriften. 2007 <1900> ⇒ 207. 53-54.

11580 *Capelli, Piero* Sull'ira di Dio nella tradizione ebraica. Qol(I) 128-129 (2007) 9-10;

11581 La vecchiaia nella letteratura rabbinica tardoantica. Senectus. Ebraismo e Cristianesimo 3: 2007 ⇒725. 117-139.

11582 **Cherry, Shai** Torah through time: understanding bible commentary from the rabbinic period to modern times. Ph 2007, The Jewish Publ. Soc. xiii; 231 pp. 978-08276-08481. Bibl. 202-13 [Gen 1,26-31; 4; Exod 21,1-6; Lev 25,39-42; Num 16,1-7; 27,1-7; Deut 15,12-17].

11583 *Cohen, B.S.* How many R. Hammunas in the Babylonian talmud?: a study in talmudic chronology. RRJ 10/1 (2007) 95-113.

11584 *Cohen, Daniel E.* Taste and see: a midrash on Genesis 3:6 and 3:12. Patriarchs, prophets. 2007 ⇒453. 141-148.

11585 **Contessa, Andreina; Fontana, Raniero** Noè secondo i rabbini: testi e immagini della tradizione ebraica. Cantanlupa (Torino) 2007, Effatà 128 pp. Pres. *Elena L. Bartolini* [Gen 9].

11586 *Cook, Johann* The origin of the tradition of the יצר הטוב and יצר הרע. JSJ 38 (2007) 80-91.

11587 *Costa, José* Qu'est-ce que le *Hallel*?: l'introduction du *Midrash_ Hallel*. REJ 166 (2007) 17-58 [Ps 113-118].
11588 **Costa, José** L'au-dela et la resurrection dans la litterature rabbinique ancienne. Collection REJ 33: 2004 ⇒20,10542; 22,11171. ᴿJSJ 38 (2007) 366-367 (*Stemberger, Günter*).
11589 *Diamond, J.A.* King David of the sages: rabbinic rehabilitation or ironic parody?. Prooftexts 27/3 (2007) 373-426.
11590 *Dubrau, Alexander* Die Rabbinen und das Vergessen: zur Deutung eines Paradigmas in der Aggada. Trumah 17 (2007) 137-169.
11591 *Edrei, Arye; Mendels, Doron* A split Jewish diaspora: its dramatic consequences. JSPE 16 (2007) 91-137.
11592 *Ehrlich, Uri* The ancestor's prayers for the salvation of Israel in early rabbinic thought. Jewish and Christian liturgy. 2007 ⇒580. 249-256.
11593 *Elman, Yaakov* Who are the kings of east and west in Ber 7a?: Roman religion, Syrian gods and Zoroastrianism in the Babylonian Talmud. ꟳFELDMAN, L. AJEC 67: 2007 ⇒40. 43-80.
11594 *Ernst, Hanspeter* Reich Gottes im rabbinischen Judentum: gegenwärtig in Israel und zukünftig in der Welt. BiKi 62 (2007) 109-112.
11595 ᴱ**Feliks, Yehudah** Talmud Yerushalmi: massekhet Maʿaserot: perush w-beʾur. Ramat-Gan 2005, Bar-Ilan Univ. Pr. 337 pp.
11596 *Fonrobert, C.E.* PLATO in Rabbi Shimeon bar Yohai's cave (B. Shabbat 33b-34a): the talmudic inversion of Plato's politics of philosophy. AJS Review 31/2 (2007) 277-296.
    ᴱ**Fonrobert, C.**, *al.*, Cambridge companion to the talmud 2007 ⇒689.
11597 *Fraade, S.D.* Rabbinic polysemy and pluralism revisited: between praxis and thematization. AJS Review 31/1 (2007) 1-40.
11598 ᵀ**Ginsburg, Eliezer; Weinberger, Yosef** Mishlei: Proverbs: a new translation with a commentary anthologized from talmudic, midrashic, and rabbinic sources, 2: chapters 16-31. ᴱ*Shulman, Yaacov D.* ArtScroll Tanach: NY 2007, Mesorah 288-671 pp. 978-14226-05905.
11599 **Ginzberg, Louis** Les légendes des Juifs. ᴱᵀ*Sed-Rajna, Gabrielle* Patrimoines Judaïsme: 1997-2006 ⇒22,11188. ᴿCEv 142 (2007) 54-56 (*Cousin, Hugues*).
11600 *Girón Blanc, Luis F.* Religión y poder en el Judaísmo rabínico: parábolas de "un rey de este mundo". ꟳGARCÍA MARTÍNEZ, F. JSJ.S 122: 2007 ⇒46. 705-712;
11601 A fragment of *Midrash Qohelet Rabba* from the University of Cambridge. ꟳBAR-ASHER, M., 2. 2007 ⇒9. 144-160. **H**.
11602 *Gordon, J.* Reish Lakish, truth, and meaning in the rabbinic period. CJud 59/3 (2007) 27-35.
11603 ᴱᵀ**Guggenheimer, Heinrich W.** The Jerusalem Talmud: third order: Našim: tractates Gittin and Nazir. SJ 39: B 2007, De Gruyter xiii; 767 pp.
11604 **Hadas-Lebel, Mireille** Jerusalem against Rome. ᵀ*Fréchet, Robyn* 2006 ⇒22,11194. ᴿJud. 63 (2007) 73-74 (*Bloch, René*).
11605 *Haddad, Philippe* Le talmud: de la parole à l'écriture et de l'écriture à la parole. Anthologie du judaïsme. 2007 ⇒1144. 50-59;
11606 L'exégèse rabbinique: le déchiffrement de l'Ecriture. Anthologie du judaïsme. 2007 ⇒1144. 60-65.

11607 *Harris, J.G.* Rabbinic responses to aging. HebStud 48 (2007) 187-194.

11608 **Hayman, A. Peter** Sefer Yeşira. TSAJ 104: 2004 ⇒20,10562; 22, 11199. ᴿThLZ 132 (2007) 150-152 (*Hezser, Catherine*); REJ 166 (2007) 333-335 (*Rothschild, Jean-Pierre*).

11609 *Henshke, D.* 'The Lord brought us forth from Egypt': on the absence of Moses in the Passover haggadah. AJS Review 31/1 (2007) 61-73;

11610 R. Joshua's acceptance of the authority of Rabban Gamaliel II: a study of two versions of the same event. Tarb. 76/1-2 (2006-2007) 80-104. **H.**

11611 **Hirsch, Jean** Regard talmudique sur la tradition chrétienne. P 2007, Connaissances et savoirs 386 pp. 978-27539-01155.

11612 *Hollender, Elisabeth* Parashat 'Asser te'Asser' in Piyyut and Piyyut commentary. Jewish and Christian liturgy. 2007 ⇒580. 91-107 [Deut 14,22-15,18].

11613 ᵀ**Hüttenmeister, Frowald G.** Übersetzung des Talmud Yerushalmi, II/I: Shabbat-Schabbat. Tü 2004, Mohr S. xxxii; 500 pp;

11614 Übersetzumg des Talmud Yerushalmi, t. II/5: Sheqalim-Sheqelsteuer. 1990 ⇒6,a203; 8,a511. ᴿREJ 166 (2007) 575-76 (*Costa, José*).

11615 *Ilan, Tal* Gender difference and the rabbis: Bat Yiftah as human sacrifice. Human sacrifice. 2007 ⇒926. 175-189 [Judg 11,29-40];

11616 The woman as 'other' in rabbinic literature. Jewish identity. AJEC 71: 2007 ⇒577. 77-92.

11617 ᴱ**Ilan, Tal**, *al.*, A feminist commentary on the Babylonian Talmud: introduction and studies. Tü 2007, Mohr S. 324 pp. €79. 978-3161-4-95229.

11618 **Jaffé, Dan** Le judaïsme et l'avènement du christianisme: orthodoxie et hétérodoxie dans la littérature talmudique Ier-IIe siècle. Patrimoines judaïsme: 2005 ⇒21,11677; 22,11210. ᴿETR 82 (2007) 289-291 (*Berthelot, Katell*); Sal. 69 (2007) 575-577 (*Vicent, Rafael*); CEv 142 (2007) 60-61 (*Levieils, Xavier*);

11619 Le talmud et les origines juives du christianisme: Jésus, Paul et les judéo-chrétiens dans la littérature talmudique. Initiations bibliques: P 2007, Cerf 228 pp. €23. 9782-2040-82648. ᴿBLE 108 (2007) 342-344 (*Debergé, Pierre*); Numen 54 (2007) 354-356 (*Schwartz, Daniel*); Ist. 52 (2007) 423-424 (*Nissim, Gabriel M.*).

11620 *Kadari, T.* 'Behold a man skilled at his work': on the origins of the proems which introduce *Song of Songs Rabbah.* Tarb. 75/1-2 (2005-2006) 155-174. **H.**

11621 *Kahn, Pinchas* Balaam is Laban. JBQ 35 (2007) 222-230 [Num 22-24].

11622 **Kalmin, Richard L.** Jewish Babylonia between Persia and Roman Palestine. 2006 ⇒22,11216. ᴿHebStud 48 (2007) 380-383 (*Kulp, Joshua*); RBLit (2007)* (*Grabbe, Lester L.*).

11623 *Kamesar, Adam* I Padri della chiesa e il midrash rabbinico. VetChr 44 (2007) 257-282.

11624 *Kessler, Gwynn* Bodies in motion: preliminary notes on queer theory and rabbinic literature. Mapping gender. BiblInterp 84: 2007 ⇒621. 389-409 [Qoh 1,15; 7,13].

11625 *Kiperwasser, R.* Structure and form in Kohelet Rabbah as evidence of its redaction. JJS 58 (2007) 283-302.

11626 *Kogut, S.* איש האלהים ('The man of God') and מיתת נשיקה ('death by a kiss'): the linguistic basis of the erotic concept of two expressions in midrashic interpretation. ^FBAR-ASHER, M., 1. 2007 ⇒8. 273-283. **H**.

11627 *Kohn, Eli* What did the early rabbis do with the drunken sailor (Gen 9:18-29)?: keeping sober in the eyes of the Amoraim in Genesis Rabbah. OTEs 20 (2007) 138-151.

11628 **Krochmalnik, Daniel** Im Garten der Schrift: wie Juden die Bibel lesen. Augsburg 2006, Sankt Ulrich 176 pp.

11629 *Krygier, R.* Woman, taken out of man...: an aggadic perspective on gender equality. CJud 59/3 (2007) 66-85.

11630 *Landy, Francis* Noah's ark and Mrs. Monkey. BiblInterp 15 (2007) 351-376 [Gen 6-8].

11631 *Lehnardt, Andreas* Massekhet Mezuza–der kleine talmudische Traktat von der Türpfostenkapsel. Jud. 63/1-2 (2007) 46-54;

11632 Ein neues Einbandfragment des Midrasch Tanchuma in der Stadtbibliothek Mainz. Jud. 63/4 (2007) 344-356.

11633 **Leibowitz, Yeshayahou** Les fondements du judaïsme: causeries sur les 'Pirqé Avot' (Aphorismes des Pères) et sur MAÏMONIDE. ^T*Boissière, Yann; Haddad, Gérard* Patrimoines judaïsme: P 2007, Cerf 182 pp. €29. 978-22040-82990. ^RFV 106/5 (2007) 99 (*Millet, Olivier*).

11634 *Lerner, Anne L.* Rib redux: the essentialist Eve. ^FGELLER, S. 2007 ⇒47. 129-147 [Gen 2,21-23].

11635 *Levinson, J.* Enchanting rabbis: contest narratives between rabbis and magicians in rabbinic literature of late antiquity. Tarb. 75/3-4 (2006) 295-328. **H**.

11636 **Levinson, Joshua** The twice-told tale: a poetics of the exegetical narrative in rabbinic midrash. J 2005, Magnes 360 pp. **H**.

11637 *Lightstone, Jack N.* The Pharisees and the Sadducees in the earliest rabbinic documents. In quest of the historical Pharisees. 2007 ⇒ 402. 255-295.

11638 *Malachi, Zvi* 'Nature' in the eyes of the Jewish fathers in the talmudic period. La cultura scientifico-naturalistica. SEAug 101: 2007 ⇒914. 41-47.

11639 *Maoz, Daniel* Haggadic midrash and the hermeneutics of revealment. BTB 37 (2007) 69-77.

11640 *Miller, S.S.* Roman imperialism, Jewish self-definition, and rabbinic society: Belayche's *Judaea-Palaestina*, Schwartz's *Imperialism and Jewish society*, and Boyarin's *Border lines* reconsidered. AJS Review 31/2 (2007) 329-362.

11641 **Miller, Stuart S.** Sages and commoners in late antique 'Erez Israel: a philological inquiry into local traditions in Talmud Yerushalmi. TSAJ 111: 2006 ⇒22,11238. ^RThLZ 132 (2007) 509-511 (*Lehnardt, Andreas*).

11642 *Mimouni, S.C.* Jacob de Kefar Sikhnaya: trajectoire d'un chrétien d'origine judéenne du Ier siècle. ^FBAR-ASHER, M., 2. 2007 ⇒9. *3-*19.

11643 *Miralles Macía, Lorena* La generación de diluvio según la descripción del midrás *Levítico Rabbá*. Sef. 67 (2007) 283-309.

11644 *Moscovitz, Leib* 'Women are (not) trustworthy'–toward the resolution of a talmudic crux. ^FFELDMAN, L. AJEC 67: 2007 ⇒40. 127-140.

11645   *Murray, Michele* The magical female in Graeco-Roman rabbinic
        literature. R&T 14/3-4 (2007) 284-309.
11646   *Naeh, S.* קריינא דאיגרתא: notes on talmudic diplomatics. [F]BAR-
        ASHER, M., 2. 2007 ⇒9. 228-255. H.
11647   *Nayon, Mois* The kiss of Esau. JBQ 35 (2007) 127-131 [Gen 33,4].
11648   [T]**Nelson, W. David** Mekhilta de-Rabbi Shimon Bar Yohai. 2006 ⇒
        22,11242. [R]SvTK 83 (2007) 89-90 (*Zetterholm, Karin*); HebStud
        48 (2007) 401-403 (*Visotzky, Burton L.*).
11649   *Neudecker, Reinhard; Suzawa, K.* 'He puts to death and He brings
        to life': polar opposites in Rabbinic Judaism, Sufism, and Zen Bud-
        dhism. Kiyo 31 (2007) 60-76.
11650   [T]**Neusner, Jacob** The Babylonian talmud: a translation and com-
        mentary. 2005 ⇒21,11720; 22,11258. [R]OLZ 102 (2007) 67-73
        (*Bormann, Lukas*).
11651   **Neusner, Jacob** Amos in talmud and midrash: a source book. Lan-
        ham 2007, Univ. Pr. of America xxi; 122 pp. $25. 07618-35938;
11652   Micah and Joel in talmud and midrash: a sourcebook. Lanham
        2007, University Press of America xxi; 141 pp. 978-07618-3596-7;
11653   Questions and answers: intellectual foundations of Judaism. 2005
        ⇒21,11719; 22,11251. [R]REJ 166 (2007) 567-568 (*Costa, José*);
        RBLit (2007) 249-251 (*Verheij, Arian*);
11654   Rabbinic categories: construction and comparison. 2005 ⇒21,
        11713. [R]RBLit (2007)* (*Verheij, Arian*);
11655   Reading scripture with the rabbis: the five books of Moses. Lanham
        2007, University Press of America xx; 200 pp. 0-7618-3594-6;
11656   The rabbinic utopia. Lanham (MD) 2007, University Press of
        America xvi; 129 pp. 978-0-7618-3883-8.
11657   *Neusner, Jacob* Extra- and non-documentary writing in the rabbinic
        canon of late antiquity: non-documentary writing in Sifra, Sifré to
        Numbers, Sifré to Deuteronomy, Mekhilta attributed to R. Ishmael,
        and Leviticus Rabbah. RRJ 10/1 (2007) 11-76;
11658   Testing the results of Richard Kalmin: a null hypothesis examined
        in the setting of Mishnah and Bavli Tractate Moed Qatan. RRJ 10/2
        (2007) 247-262;
11659   The idea of history in rabbinic Judaism: what kinds of questions did
        the ancient rabbis answer?. Historical knowledge. 2007 ⇒403.
        139-174.
11660   *Nikolsky, Ronit* Gog in two rabbinic narratives. [F]REININK, G. OLA
        170: 2007 ⇒129. 21-40.
11661   *Nissan, Ephraim* A gleaning of concepts from the natural sciences
        held by the Jewish sages of late antiquity, from zoology, to optical
        instrumentation (viewing tubes). La cultura scientifico-naturalistica.
        SEAug 101: 2007 ⇒914. 49-81.
11662   *Oberhänsli-Widmer, Gabrielle* Der böse Trieb als rabbinisches
        Sinnbild des Bösen. Jud. 63/3 (2007) 18-43.
11663   **Pérez Ferreiro, Elvira** Glosas rabínicas y sagrada escritura: trata-
        do de PEDRO de Palencia, O.P., sobre la utilidad de las glosas rabí-
        nicas. 2004 ⇒20,10603. [R]CDios 220 (2007) 245-46 (*Gutiérrez, J.*).
11664   *Plietzsch, Susanne* Midrasch–Verknüpfung von Vers und Deutung.
        Literatur im Dialog. 2007 ⇒500. 41-68.
11665   *Reich, N.* The meaning of *mzmwr' ytm'* [BTG Abodah Zarah 24b].
        Tarb. 76/1-2 (2006-2007) 273-282 [Ps 98].

11666 **Reichman, Ronen** Abduktives Denken und talmudische Argumentation: eine rechtstheoretische Annäherung an eine zentrale Interpretationsfigur im babylonische Talmud. TSAJ 113: 2006 ⇒22, 11269. ᴿThLZ 132 (2007) 295-297 (*Hezser, Catherine*); Jud. 63 (2007) 148-149 (*Morgenstern, Matthias*).

11667 *Rosen-Zvi, I.* The School of R. Ishmael and the origins of the concept of *yeṣer haraʿ*. Tarb. 76/1-2 (2006-2007) 41-79. **H.**

11668 ᴱ**Rubenstein, Jeffrey L.** Creation and composition: the contribution of the Bavli redactors (Stammaim) to the aggada. TSAJ 114: 2005 ⇒21,11632; 22,11278. ᴿRBLit (2007)* (*Sacks, Steven*).

11669 **Sagi, Abraha** The open canon: on the meaning of halakhic discourse. ᵀ*Stein, Batya* Kogod Library of Judaic Studies 4: L 2007, Continuum vi; 232 pp. £17. 978-08264-96706 (pbk.). Bibl. 219-29.

11670 *Salvatierra Ossorio, Aurora* La prostitución en el judaísmo clásico. ResB 54 (2007) 45-52.

11671 **Samely, Alexander** Forms of rabbinic literature and thought: an introduction. Oxf 2007, OUP viii; 279 pp. £50. 978-01992-96736. Bibl. 239-254.

11672 *Sasson, V.R.* Beauty queens and foetal containers: Jewish and Buddhist mothers in the early literatures. JSem 16 (2007) 351-368.

11673 **Schäfer, Peter** Jesus im Talmud. ᵀ*Schäfer, Barbara* Tü 2007, Mohr S. 308 pp. €29. 978-3-16-149462-8;

11674 Jesus in the talmud. Princeton, NJ 2007, Princeton Univ. Pr. 210 pp. £16. 978-06911-29266. Bibl. 191-201. ᴿIncW 1 (2007) 579-582 (*Muñoz, Pablo*); RBLit (2007)* (*Hezser, Catherine*).

11675 **Schofer, Jonathan W.** The making of a sage: a study in rabbinic ethics. 2005 ⇒21,11751; 22,11284. ᴿHebStud 48 (2007) 395-397 (*Kaminsky, Joel S.*).

11676 **Schwartz, Michael D.; Yahalom, Joseph** Avodah: an anthology of ancient poetry for Yom Kippur. 2004 ⇒21,11752. ᴿJSSt 52 (2007) 401-403 (*Reif, Stefan C.*).

11677 **Segal, Eliezer** From sermon to commentary: expounding the bible in talmudic Babylonia. SCJud 17: 2005 ⇒21,11754; 22,11285. ᴿRBLit (2007) 266-268 (*Schwartz, Joshua*).

11678 *Shemesh, Yael* A gender perspective on the daughters of Zelophehad: bible, talmudic midrash, and modern feminist midrash. BiblInterp 15 (2007) 80-109 [Num 26; 36; Josh 17,3-6].

11679 *Simon-Shoshan, M.* The tasks of the translators: the rabbis, the Septuagint, and the cultural politics of translation. Prooftexts 27/1 (2007) 1-39.

11680 The Sol and Evelyn Henkind talmud text databank. 2004, ⇒20, 10623. Version 5 (CD-Rom); http://liebermaninstitute.org/. ᴿJJS 58 (2007) 167-169 (*Stern, Sacha*).

11681 *Spurling, Helen; Grypeou, Emmanouela* Pirke de-Rabbi Eliezer and eastern christian exegesis. CCO 4 (2007) 217-243.

11682 *Starobinski-Safran, Esther* L'étranger dans la littérature rabbinique. L'étranger dans la bible. LeDiv 213: 2007 ⇒504. 343-362.

11683 ᴱ**Steinsaltz, Adin** Talmud Bablì: masseket menaḥot. J 2007, Israel Institute for Talmudic 229 pp.

11684 *Stemberger, G.* 'Wenn du betest, mache dein Gebet nicht zu einer festen Sache (mAv 2,13): zur Bedeutung des Gebets im frühen Rabbinat. ᶠWILLI, T. 2007 ⇒167. 257-272;

11685 Mehrheitsbeschlüsse oder Recht auf eigene Meinung?: zur Entscheidungsfindung im rabbinischen Judentum. Literatur im Dialog. 2007 ⇒500. 19-39.

11686 *Stökl-Ben Ezra, Daniel* Parody and polemics on Pentecost: Talmud Yerushalmi Pesaḥim on Acts 2?. Jewish and Christian liturgy. 2007 ⇒580. 279-293.

11687 ᴱTeugels, L.M.; Ulmer, R. Midrash and context: proceedings of the 2004 and 2005 SBL consultation on midrash. Judaism in context 5: Piscataway NJ 2007, Gorgias 188 pp. $98. 9781593335823.

11688 *Tudela Bort, Juan A.* La espiritualidad ética del judaísmo rabínico según la interpretación de E. LEVINAS (1.ª parte). TE 51 (2007) 231-252.

11689 *Ulmer, Rivka* Methodological considerations in respect to Egyptian cultural icons in rabbinic literature: CLEOPATRA, Isis and Serapis. Henoch 29 (2007) 327-353.

11690 *Van der Horst, Pieter Willem* Jezus in de talmoed: een leesverslag. Ment. *Maier, J.* NedThT 61 (2007) 148-156.

11691 *Verman, Mark* The torah as divine fire. JBQ 35 (2007) 94-102 [Deut 33,2].

11692 Wellmann, Bettina Von David, Königin Ester und Christus: Psalm 22 im Midrasch Tehillim und bei AUGUSTINUS. Herders biblische Studien 47: FrB 2007, Herder 391 pp. 978-3-451-28858-6. Bibl. 376-391.

11693 Wiesel, Elie Personaggi biblici attraverso il midrash. ᵀ*Bajo, Valeria* F 2007, Giuntina 184 pp.

11694 Young, Brad H. Meet the rabbis: rabbinic thought and the teachings of Jesus. Peabody, MA 2007, Hendrickson xxv; 270 pp. $17. 978-15656-34053.

K7.1 Judaismus mediaevalis, *generalia* ⁻

11695 ᴱᵀAbel, Wolfgang von YŪSUF AL-BAṢĪR: Das Buch der Unterscheidung: judäo-arabisch–deutsch. 2005 ⇒21,11776. ᴿJud. 63 (2007) 76-78 (*Schreiner, Stefan*).

11696 *Abulafia, David* Gli ebrei tra Cristianesimo e Islam. Storia d'Europa e del Mediterraneo, 2. 2007 ⇒654. 469-508.

11697 *Balboni, Maria P.* Epifania di una epigrafe [La sepoltura di Donato Donati nel cimitero ebraico di Finale Emilia]. materia giudaica 12 (2007) 277-283.

11698 *Baumgarten, Elisheva* 'Remember that glorious girl': Jephthah's daughter in medieval Jewish culture. JQR 97 (2007) 180-209 [Judg 11,30-40].

11699 Becker, Dan Arabic sources of Isaac Ben Barun's Book of Comparison between the Hebrew and the Arabic languages. 2005 ⇒21, 11777; 22,11318. ᴿJSSt 52 (2007) 397-399 (*Shivtiel, Avihai*).

11700 *Bensussan, Gérard* Philosophie médiévale: à la recherche de la vérité: raison ou autorité?. Anthologie du judaïsme. 2007 ⇒1144. 104-119.

11701 *Burgaretta, Dario* La Ketubbah del fondo SS. Salvatore della Biblioteca Regionale di Messina. materia giudaica 12 (2007) 257-264.

11702 *Cohen, Yosef A.* Notizie rabbiniche sugli ebrei a Imola nel Tardo Medioevo. materia giudaica 12 (2007) 229-239.

11703 *Cohn, Yehudah* Rabbenu Tam's *tefillin*: an ancient tradition or the product of medieval exegesis?. JSQ 14 (2007) 319-327.

11704 *Corriente, Federico* Notes on a basic work for the study of Middle Arabic: J. Blau's "Millon leteqstim arbiyyim yehudim miyyeme habbenayim" (A dictionary of medieval Judaeo-Arabic texts). CCO 4 (2007) 311-355.

11705 *Di Donato, Silvia* La Iggeret ha-peṭirah: alcune considerazioni sulla tradizione ebraica della Risala al-wada' di Avempace. materia giudaica 12 (2007) 161-175.

11706 *Faü, Jean-François* L'image des juifs yéménites a travers certains manuscrits arabes de Dar al-Makhtutat à Sanaa, Yémen. "Dieu parle". Histoire du texte biblique 7: 2007 ⇒556. 179-201.

11707 ^E**Frank, D.H.; Leaman, O.** The Cambridge companion to medieval Jewish philosophy. 2003 ⇒19,11173; 22,11328. ^RJSSt 52 (2007) 164-166 (*Lesser, A.H.*).

11708 *Gesundheit, Shimon* Der Anfang der Tora: Ansätze jüdischer Exegeten des Mittelalters zu einer theologischen Interpretation der Urgeschichte und mögliche Berührungspunkte zur modernen theologischen Forschung. ZAW 119 (2007) 602-610 [Gen 1-11].

11709 *Gómez Aranda, Mariano* La influencia de SAADIÁ Gaón en el comentario de Abraham IBN EZRÁ al libro de Job. Sef. 67 (2007) 51-69.

11710 **Harris, Robert A.** Discerning parallelism: a study in Northern French medieval Jewish biblical exegesis. 2005 ⇒21,11785; 22, 11333. ^RREJ 166 (2007) 463-472 (*Haas, Jair*).

11711 *Hassán, Iacob M.* Una nueva copla sefardí antigua del ciclo de la reina Ester (Purim). ^E*Romero, Elena* Sef. 67 (2007) 415-435.

11712 *Hayman, Peter* The dragon, the *axis mundi*, and *Sefer Yeṣira* §59. ^FWYATT, N. AOAT 299: 2007 ⇒174. 113-140.

11713 *Herzig, Arno* Juden in Deutschland im Mittelalter (800-1350). Die Geschichte der Juden in Deutschland. 2007 ⇒698. 32-49.

11714 **Hollender, Elisabeth** Clavis commentariorum of Hebrew liturgical poetry in manuscript. 2005 ⇒21,11787. ^RScr. 60 (2007) 193*-194* (*Schepper, M. de*); REJ 166 (2007) 577-579 (*Rothschild, Jean-P.*).

11715 **Kallas, Elie** Intimate songs from the ms. Vatican Arabic 366. StT 436: Città del Vaticano 2007, Biblioteca Apostolica Vaticana 95 + 39* pp. 978-88-210-0861-0. Bibl. 89-95.

11716 *Keil, Martha* Unsichtbare Frauen oder: "... was nicht sein darf": jüdische Geschäftsfrauen im Spätmittelalter als Forschungsobjekte. Beste aller Frauen. 2007 ⇒606. 99-107.

11717 **Kogel, Judith** Un commentaire biblique anonyme du treizième siècle, édition et analyse. ^D*Kessler-Mesguich, Sophie* 2007, 417 pp. Diss. Univ. de Paris-III [Add. 18686, British Library, comm. on the historical books] [REJ 167,582-584].

11718 **Kogman-Appel, Katrin** Illuminated haggadot from medieval Spain: biblical imagery and the Passover holiday. 2006 ⇒22, 11337. ^RMeH 33 (2007) 132-134 (*Colker, Marvin L.*).

11719 **Kolatch, Yonatan** Masters of the word: traditional Jewish bible commentary from the eleventh through thirteenth centuries, 2. Jersey City 2007, KTAV xiv; 426 pp. $35. 08812-5939X. ^RRBLit (2007)* (*Jassen, Alex P.*).

11720 *Krasner, Mariuccia* Aspetti politici e rapporti istituzionali comuni tra le comunità ebraiche sarde e quelle siciliane nei secoli XIV e XV: la politica di Martino l'Umano (1396-1410);

11721 *Lacerenza, Giancarlo* Struttura letteraria e dinamiche compositive nel Sefer massa'otdi Binyamin da Tudela;
11722 *Perani, Mauro; Colletta, Claudia* L'epitaffio di Daniel Ben Šelomoh del Monte (m. 1480) da Fermo. materia giudaica 12 (2007) 177-186/89-98/243-250.
11723 *Scheindlin, Raymond P.* The song of the silent dove: the pilgrimage of Judah Halevi. [F]GELLER, S. 2007 ⇒47. 217-235.
11724 *Schumacher, Jutta* Berechja ben Natronajs Fabel vom Fuchs und den Fischen. Jud. 63/1-2 (2007) 103-111.
11725 *Sznol, S.* The Greek glosses of Fitzwilliam Museum MS 364: some notes. Bulletin of Judaeo-Greek Studies 40 (2007) 32-35.
11726 *Töyrylä, Hannu* The concept of time in *Megillat ha-megalleh*. Ment. *Bar Hiyya, Abraham* StOr 101 (2007) 441-460.
11727 *Valls i Pujol, Esperança* Israel no té estrella?: el pensament astrològic de Moixé ben Nakhman, Abraham IBN EZRA i Abraham bar Khiia. [F]RIBERA FLORIT, J. 2007 ⇒131. 267-282.
11728 *Walz, Rainer* The collective suicides in the persecutions of 1096 as sacrificial acts. Human sacrifice. SHR 112: 2007 ⇒926. 213-236.
11729 *Zonta, Mauro* Traduzioni testuali nella filosofia ebraica medievale: recenti scoperte e problemi aperti. materia giudaica 12 (2007) 45-50.

K7.2 Maimonides

11730 [E]**Cantón Alonso, José L.** Maimónides y el pensamiento medieval: VIII centenario de la muerte de Maimónides. Córdoba 2007, Publicaciones de la Univ. de Córdoba 463 pp. 978-84780-18611. Actus del IV Congreso nacional de filosofia medieval, Córdoba, diciembre 2004.
11731 **Diamond, James A.** Converts, heretics, and lepers: Maimonides and the outsider. ND 2007, Univ. of Notre Dame Pr. xiii; 343 pp. $35.
11732 *Friedman, Shamma* Anthropomorphism and its eradication. Iconoclasm. Ment. *Augustinus* 2007 ⇒633. 157-178.
11733 **Harris, Jay M.** Maimonides after 800 years: essays on Maimonides and his influence. CM 2007, Harvard Univ. Pr. 343 pp. $65.
11734 **Hasselhoff, Görge** Dicit Rabbi Moyses: Studien zum Bild von Moses Maimonides im lateinischen Westen vom 13. bis 15. Jahrhundert. 2004 ⇒20,10672; 21,11807. [R]ThRv 103 (2007) 59-62 (*Jansen, Ludger*); FZPhTh 54 (2007) 579-599 (*Anzulewicz, Henryk*).
11735 *Jacobs, Jonathan* ARISTOTLE and Maimonides on virtue and natural law. HPolS 2/1 (2007) 46-77.
11736 **Kellner, Menachem** Maimonides' confrontation with mysticism. 2006 ⇒22,11365. [R]RRT 14 (2007) 253-57 (*Blumenthal, David R.*).
11737 **McCallum, Donald** Maimonides' Guide for the perplexed: silence and salvation. L 2007, Routledge xiii; 183 pp. 978-0-415-42111-9. Bibl. 147-180.
11738 *Ratson, Menachem* Political leadership and the law in Maimonides' thought: flexibility and rigidity. HPolS 2/4 (2007) 377-423.
11739 *Schwarb, Gregor* Die Rezeption Maimonides' in der christlich-arabischen Literatur. Jud. 63/1-2 (2007) 1-45.

11740 **Seeskin, Kenneth** Maimonides on the origin of the world. 2005 ⇒ 22,11373. ᴿSpec. 82 (2007) 236-238 (*Fagenblat, Michael*); JAAR 75 (2007) 736-739 (*Weiss, Roslyn*).

11741 ᴱ**Seeskin, Kenneth** The Cambridge companion to Maimonides. 2005 ⇒21,11814. ᴿIPQ 47 (2007) 483-484 (*Leaman, Oliver*).

11742 ᴱ**Tamer, Georges** The trias of Maimonides: Jewish, Arabic, and ancient culture. SJ 30: 2005 ⇒21,11817. ᴿREJ 166 (2007) 553-556 (*Rothschild, Jean-Pierre*).

11743 *Yardenit Albertini, Francesca* Die religiöse und geschichtliche Gestalt Jesus' von Nazareth im Denken Moses Maimonides'. ZNT 10/20 (2007) 38-45.

11744 *Yuval, Israel J.* Moses redivivus–Maimonides as a 'Helper to the King' Messiah. Zion 72 (2007) 161-188. **H.**

K7.3 Alteri magistri Judaismi mediaevalis

11745 ABARBANEL: *Grossman, Jonathan* Abarbanel's stance towards the existence of ambiguous expressions in the bible. BetM 52/1 (2007) 126-138. **H.**

11746 BARHEBRAEUS: *Borbone, Pier G.* Etnologia ed esegesi biblica: Barhebraeus e i mongoli nel *Magazzino dei misteri*. EVO 30 (2007) 191-202.

11747 ELIEZER B: *Harris, Robert A.* Contextual reading: Rabbi Eliezer of Beaugency's commentary on Jonah. ᶠGELLER, S. 2007 ⇒47. 79-101.

11748 HAYYOUN J: *Zipor, Moshe A.* R. Joseph Hayyoun's commentary on the book of Obadiah: critical edition with an introduction. Shnaton 17 (2007) 309-327. **H.**

11749 IBN EZRA: **Cohen, Joseph; Simon, Uriel** The foundation of reverence and the secret of the torah by Abraham Ibn Ezra: an annotated critical edition. Ramat-Gan ²2007 <2002>, Bar Ilan Univ. Pr. 272 pp. **H.**;

11750 *Gurfinkel, Eli* Ibn Ezra and the identification of the town Kadesh: Rabbi Zecharya's method of settling RAMBAN's criticism of Ibn Ezra. BetM 52/1 (2007) 117-125 [Num 20]. **H.**;

11751 ᴱ**Sáenz-Badillos, Ángel** Abraham ibn 'Ezra': Śafah Běrurah: la lengua escogida. ᵀ*Ruiz González, Enrique* 2004 ⇒21,11831. ᴿJSSt 52 (2007) 399-400 (*Rubin, Aaron*);

11752 *Seidler, Ayelet* Scriptural juxtaposition of commandments in the bible commentary of Abraham Ibn Ezra. Shnaton 17 (2007) 253-277. **H.**;

11753 **Sela, Shlomo** The book of reasons by Abraham Ibn Ezra: a parallel Hebrew-English critical edition of the two versions of the text. Etudes sur le judaïsme médiéval 35: Lei 2007, Brill viii; 398 pp.

11754 KIMḤI D: ᵀ**Berger, Yitzhak** The commentary of Rabbi David Kimhi to Chronicles: a translation with introduction and supercommentary. ᴰ*Leiman, Sid* Brown Judaic Studies 345: Providence, RI 2007, Brown Judaic Studies 318 pp. $45. 978-19306-75476. Diss. Yeshiva.

11755 MÉIRI M: *Touati, Charles* Menahem ha-Méiri commentateur de la aggada. REJ 166 (2007) 543-549.

11756   NAHMANIDES: **Caputo, Nina** Nahmanides in medieval Catalonia: history, community, and messianism. ND 2007, Univ. of Notre Dame Pr. viii; 319 pp. $37.

11757   RASHI: *Banon, D.* L'exégèse de Rachi sur les *te͑amim*. ^FBAR-ASHER, M., 1. 2007 ⇒8. *66-*75;

11758   *Cohen, B.S.* 'May you live to one hundred and twenty': the extraordinary life-span of several Babylonian Amoraim according to Rashi. RRJ 10/2 (2007) 221-235;

11759   *Dahan, Gilbert* La place de Rachi dans l'histoire de l'exégèse biblique et son utilisation dans l'exégèse chrétienne du Moyen Âge. Héritages de Rachi. 2006 ⇒950. 95-115;

11760   *Gamliel, Ch.* The contribution of Rashi's torah commentary to the Hebrew language. ^FBAR-ASHER, M., 1. 2007 ⇒8. 115-127. **H.**;

11761   *Japhet, S.* Rashi's commentary on the Song of Songs: the revolution of the Peshat and its aftermath. ^FWILLI, T. 2007 ⇒167. 199-220;

11762   *Krochmalnik, Daniel* Israel, der Gottesknecht: eine Interpretation nach Raschi. FrRu 14 (2007) 86-93 [Isa 52,13-53,12];

11763   ^E**Krochmalnik, Daniel; Liss, Hanna; Reichman, Ronen** Raschi und sein Erbe: internationale Tagung der Hochschule für jüdische Studien mit der Stadt Worms. Schriften der Hochschule für Jüdische Studien 10: Heid 2007, Winter xi; 241 pp. 978-38253-53964;

11764   *Lawee, Eric* The reception of Rashi's *Commentary on the Torah* in Spain: the case of Adam's mating with the animals. JQR 97 (2007) 33-66;

11765   *Maori, Y.* On the text of Rashi's commentary to the pentateuch as reflected in the pentateuchal comentary of NACHMANIDES. ^FBAR-ASHER, M., 1. 2007 ⇒8. 188-219. **H.**;

11766   *Olszowy-Schlanger, Judith* Rachi en latin: les gloses latines dans un manuscrit du commentaire de Rachi et les études hébraïques parmi les chrétiens dans l'Angleterre médiévale. Héritages de Rachi. 2006 ⇒950. 137-150;

11767   *Viezel, Eran* To whom did Rashi address his bible commentary?. BetM 52/1 (2007) 139-168. **H.**

11768   SAADIA: *Avishur, Y.* Foreign and rare words from the realm of *realia* in the translation of Sa‘adia Ga'on to the pentateuch and their reflexes and replacements in Judeo-Arabic bible translations in the East and West. ^FBAR-ASHER, M., 2. 2007 ⇒9. 227-243. **H.**;

11769   *Caquot, André* La traduction de Saadya Gaon des Psaumes 120-134. ^FBAR-ASHER, M., 1. 2007 ⇒8. *76-*87;

11770   Ratzaby, Y. On Sa‘adya Ga'on's commentary to Isaiah. ^FBAR-ASHER, M., 1. 2007 ⇒8. 284-302. **H.**

11771   SALOMO B. ISAAC: *Viezel, Eran* A medieval Jewish precedent for DE WETTE: the scroll found by Hilkiah in the temple in Pseudo-Rashi's commentary on Chronicles. Shnaton 17 (2007) 103-112 [2 Kgs 22; 2 Chr 34]. **H.**

11772   SAMUEL B. MEIR: *Jacobs, Jonathan* 'Extrapolating one word from another'–Rashbam as an interpreter of the bible on its own terms. Shnaton 17 (2007) 215-231. **H.**;

11773   *Ofer, Yosef* When was Dayaqot–R. Shmuel ben Meir's grammatical treatise–written?. Shnaton 17 (2007) 233-251. **H.**

K7.4 *Qabbalâ, Zohar, Merkabā*—**Jewish mysticism**

11774 *Alba Cecilia, Amparo; Sainz de la Maza, Carlos N.* Pensamiento, cábala y polémica religiosa en el judaísmo hispano-hebreo medieval: aproximación bibliográfica (parte primera). 'Ilu 12 (2007) 279-326.

11775 **Bloom, Maureen** Jewish mysticism and magic: an anthropological perspective. L 2007, Routledge xviii; 231 pp. £70. 978-04154-21126. Bibl. 219-225.

11776 *Boustan, Ra'anan S.* The study of Heikhalot literature: between mystical experience and textual artifact. CuBR 6/1 (2007) 130-160.

11777 **Boustan, Ra'anan S.** From martyr to mystic: rabbinic martyrology and the making of Merkavah mysticism. TSAJ 112: 2005 ⇒21,11840; 22, 11391. ᴿHenoch 29 (2007) 402-404 (*Swartz, Michael D.*).

11778 *Campanini, Saverio* Problemi metodologici e testuali nell'edizione del Sefer ha-Bahir. materia giudaica 12 (2007) 21-43.

11779 ᵀ**Corse, Taylor; Coudert, Allison P.** FRANCISCUS VAN HELMONT: The alphabet of nature. Aries book 3: Lei 2007, Brill xlvi; 213 pp. 978-90-04-15230-4. Bibl. 205-208.

11780 *Daalderop, Karin* Een kabbalist in Amsterdam. Ment. *Luzzatto, Moses* ITBT 15/7 (2007) 18-21.

11781 **Dan, Joseph** Die Kabbala: eine kleine Einführung. ᵀ*Wiese, Christian* Stu 2007, Reclam 156 pp. €5.60. 978-31501-84516;

11782 Kabbalah: a very short introduction. Oxf 2007, OUP xii; 130 pp. £7. 978-01953-27052.

11783 *Dausner, René* Das Erbe jüdischer Mystik bei Jürgen Habermas;

11784 *Ego, Beate* "Er betrachtet und sieht den König der Welt": das Motiv der Gottesschau im Kontext der Himmelsreise in der Hekhalot-Literatur. Dem Geheimnis. 2007 ⇒938. 81-100/13-34.

11785 **Elior, Rachel** Jewish mysticism: the infinite expression of freedom. ᵀ*Millman, Arthur B.; Nave, Yudith* Oxf 2007, Littman L. 207 pp. $39.50. 978-18747-74679. ᴿJud. 63 (2007) 357-360 (*Necker, Gerold*);

11786 The three temples: on the emergence of Jewish mysticism. ᵀ*Louvish, David* 2004 ⇒20,10712; 21,11847. ᴿJR 87/1 (2007) 141-143 (*Lieber, Andrea*).

11787 *Elior, Rachel* Joseph Karo and Israel Baᵓal Shem Tov: mystical metamorphosis–kabbalistic inspiration spiritual internalization. StSp(N) 17 (2007) 267-319.

11788 *Forshaw, Peter J.* Vitriolic reactions: orthodox responses to the alchemical exegesis of Genesis. The word and the world. Ment. *Khunrath, H* 2007 ⇒460. 111-136.

11789 **Frankiel, Tamar** Kabbalah: a brief introduction for christians. 2006 ⇒ 22,11403. ᴿAThR 89 (2007) 503-504 (*Mosher, Lucinda*).

11790 *Gellman, Jerome* Jewish mysticism and morality: kabbalah and its ontological dualities. AfR 9 (2007) 23-35.

11791 *Gibbs, Robert* Conjunction, translation, transliteration. Modern Theology 23 (2007) 279-284.

11792 **Halbertal, Moshe** Concealment and revelation: esotericism in Jewish thought and its philosophical implications. Princeton, NJ 2007, Princeton University Pr. viii; 200 pp. 978-0-691-12571-8. Bibl.

11793   **Hansel, Joëlle** Moïse Hayyim LUZZATTO (1707-1746). 2004 ⇒20, 10718; 22,11409. ᴿSR 36 (2007) 173-174 (*Lavoie, Jean-Jacques*).
11794   *Hayman, A. Peter* The 'original text' of Sefer Yeṣira or the 'earliest recoverable' text?. ᶠAULD, G. VT.S 113: 2007 ⇒5. 175-186.
11795   **Idel, Moshe** La cabbalà in Italia (1280-1510). ᴱ*Lelli, Fabrizio* F 2007, Giuntina 462 pp;
11796   Chaînes enchantées: essai sur la mystique juive. P 2007, Bayard 333 pp. €39. 978-22274-74703;
11797   Sonship and Jewish mysticism. Kogod Library of Judaic Studies 5: NY 2007, Continuum xi; 725 pp. $180/40. 978-08264-96652/69.
11798   **Idel, Moshe; Malka, Victor** I percorsi della cabbalà: conversazioni sulla tradizione mistica ebraica. R 2007, Parola xviii; 294 pp.
11799   **Koch, Katharina** Franz Joseph Molitor und die jüdische Tradition: Studien zu den kabbalistischen Quellen der "Philosophie der Geschichte". 2006 ⇒22,11413. ᴿREJ 166 (2007) 587-590 (*Osier, Jean-Pierre*).
11800   **Langer, Georg** Die Erotik der Kabbala. 2006 <1923, 1989> ⇒22, 11415. ᴿOLZ 102 (2007) 181-184 (*Hezser, Catherine*).
11801   *Lattes, Andrea Yaakov* Il fantastico e l'immaginario nella Šalšelet ha-qabbalah di Ibn Yahia. materia giudaica 12 (2007) 223-228.
11802   *Lesses, Rebecca* "He shall not look at a woman": gender in the Hekhalot literature. Mapping gender. 2007 ⇒621. 351-387.
11803   *Luttikhuizen, Gerard* Monism and dualism in Jewish-mystical and Gnostic ascent texts. ᶠGARCÍA MARTÍNEZ, F. 2007 ⇒46. 749-775.
11804   **Malka, Moshe I.-V.** I percorsi della Cabbalà. R 2007, La parola 294 pp. €19. ᴿAEC 1-2 (2007) 77-78 (*Giovagnoli, Cecilia*).
11805   ᵀ**Matt, Daniel C.** The Zohar, 4. Stanford, CA 2007, Stanford University Press xii; 576 pp. $50. 978-08047-57126. Pritzker ed.; Bibl. 549-562.
11806   ᴱ**Meier, Heinrich; Meier, Wiebke** Gershom Scholem et Leo Strauss: cabale et philosophie, correspondance 1933-1973. ᵀ*Sedeyn, Olivier* 2006 ⇒22,11421. ᴿETR 82 (2007) 294-296 (*Couteau, Elisabeth*).
11807   **Michaelson, Jay** God in your body: kabbalah, mindfulness and embodied spiritual practice. Woodstock, VT 2007, Jewish Lights xviii; 247 pp. 978-1-58023-304-0. Bibl. 231-239.
11808   *Morgenstern, Matthias* Kabbala im Kontext–eine kulturhermeneutische Skizze. Dem Geheimnis. 2007 ⇒938. 35-49.
11809   *Morgensztern, Izy* La kabbale: mystique du judaïsme. Anthologie du judaïsme. 2007 ⇒1144. 66-73.
11810   **Myers, Jody E.** Kabbalah and the spiritual quest: the Kabbalah Center in America. Westport (Conn.) 2007, Praeger xiv; 254 pp. $50. 978-0-275-98940-8. Bibl. 245-250.
11811   *Oberhänsli-Widmer, Gabrielle* Joseph GIKATILLA: das Mysterium, dass Bathscheva David seit den sechs Tagen der Schöpfung vorbestimmt war (Ende 13./ Anfang 14. Jahrhundert). KuI 22 (2007) 73-82.
11812   *Paudice, Aleida* Capsali's Seder Eliyahu Zuta: a messianic work. materia giudaica 12 (2007) 187-193.
11813   *Rutishauser, Christian* Der mystische Messias Sabbatai Zwi. Religionen unterwegs 13/3 (2007) 9-15.
11814   **Samuel, Gabriella** The Kabbalah handbook: a concise encyclopedia of terms and concepts in Jewish mysticism. NY 2007, Tarcher 467 pp. 978-1-5854-2560-0. Bibl.

11815 *Schmidt, Jochen* "Es ist ja zum Glück eine wahrhaft ungeheure Reise": KAFKAs Leidensmystik und die theologische Reflexion negativer Erfahrung. Dem Geheimnis. 2007 ⇒938. 69-79.

11816 **Steinsaltz, Adin** Opening the Tanya: discovering the moral and mystical teachings of a classic work of kabbalah, 3. [T]*Tauber, Yaacov*; [E]*Hanegbi, Meir* SF 2007, Jossey-Bass 384 pp. 978-0-7879-8826-5.

11817 *Veling, Terry A.* Listening to "the voices of the pages" and "combining the letters": spiritual practices of reading and writing. RelEd 102 (2007) 206-222.

11818 **Wolfson, Elliot R.** Aleph, mem, tau: kabbalistic musings on time, truth, and death. 2006 ⇒22,11439. [R]JR 87 (2007) 463-466 (*Tirosh-Samuelson, Hava*).

K7.5 Judaismus saec. 14-18

11819 **Ben Israël, Menasseh** La pierre glorieuse de Nabuchodonosor ou la fin de l'histoire au XVIIe siècle. P 2007, Vrin 191 pp. 978-27116-19207.

11820 *Boccara, Elia* Una famiglia di mercanti ebrei italo-iberici a Tunisia nella seconda metà del XVII secolo: i Lombroso. materia giudaica 12 (2007) 195-210.

11821 **Borodowski, Alfredo F.** Isaac ABRAVANEL on miracles, creation , prophecy, and evil: the tension between medieval Jewish philosophy and biblical commentary. 2003 ⇒19,11234; 20,10736. [R]PHScr II, 534-537 ⇒373 (*Carasik, Michael*).

11822 *Brämer, Andreas* Der lange Weg von der Duldung zur Emanzipation (1650-1871). Geschichte der Juden in Deutschland. 2007 ⇒ 698. 80-97.

11823 *Buber, Martin* Zur Aufklärung. Frühe jüdische Schriften. 2007 <1904>, ⇒207. 126-128.

11824 **Busi, Giulio** L'enigma dell'ebraico nel Rinascimento. T 2007, Aragno 274 pp. €18.

11825 *Collin, Gaëlle; Studemund Halévy, Michael* Un aspect du patrimoine séfarade de Plovdiv: le fonds de livres en Judéo-espagnol de la bibliothèque Ivan Vazov. materia giudaica 12 (2007) 285-290.

11826 *Danieli, Natascia* Il dramma La-yešarim tehillah di Mošeh Ḥayyim LUZZATTO: pluralità di letture. materia giudaica 12 (2007) 129-137.

11827 *Forti, Carla* Una condotta di Vespasiano GONZAGA (1584) e il banco ebraico dei Forti in Sabbioneta. materia giudaica 12 (2007) 265-276.

11828 **Kohen, Elli** History of the Turkish Jews and Sephardim: memories of a past golden age. Lanham 2007, University Press of America 259 pp. 978-0-7618-3600-1/1-8. Bibl. 149-177.

11829 [E]**Ravaglia, Rosa M.** OVADYAH SFORNO: Commento alla Genesi. Linaro (FC) 2007, Valleripa xcix; 311 pp. 978-88904-14107.

11830 *Ravid, Benjamin* Biblical exegesis à la mercantilism and *raison d'état* in seventeenth-century Venice: the *Discorso* of Simone LUZZATTO. [F]GELLER, S. 2007 ⇒47. 169-186.

11831 *Ries, Rotraud* Glikl: der Blick einer jüdischen Frau auf die Gesellschaft der frühen Neuzeit;

11832 Verfolgung, Vertreibung und vorsichtiger Neuanfang (1350-1650). Geschichte der Juden in Deutschland. 2007 ⇒698. 66-71/50-65.

11833   *Schorch, Stefan* Die Auslegung des Danielbuches in der Schrift "Die Quellen der Erlösung" des Don Isaak ABRAVANEL (1437-1508). Geschichte der Daniel-Auslegung. BZAW 371: 2007 ⇒ 4994. 179-197.

11834   ^{ET}**Skalli, Cedric C.** Isaac ABRAVANEL: letters. SJ 40: B 2007, De Gruyter xiv; 191 pp. 978-3-11-019492-0. Bibl. 183-191.

11835   **Socher, Abraham P.** The radical enlightenment of Salomon MAIMON: Judaism, heresy, and philosophy. Stanford, CA 2007, Stanford Univ. Pr. xiii; 248 pp. $55.

11836   **Sutcliffe, Adam** Judaism and enlightenment. 2003 ⇒19,11241... 22,11456. ^RMoTh 23/1 (2007) 135-137 (*Mack, Michael*).

11837   *Willi, Thomas* Aus dem "Machzor Bologna 1540". Jud. 63/1-2 (2007) 55-63.

11838   *Wolff, Eberhard* Ankunft in der Moderne: Aufklärung und Reformjudentum. Geschichte der Juden in Deutschland. 2007 ⇒698. 114-121.

K7.7 Hasidismus et Judaismus saeculi XIX

11839   **Asenjo, Rosa** El Meam loez de Cantar de los Cantares (Šir haširim) de Ḥayim Y. Šakí (Constantinopla, 1899). Fuente clara 6: 2003 ⇒21,11887. ^RSef. 67 (2007) 237-38 (*Berenguer Amador, A.*).

11840   **Barzilai, Shmuel** Musik und Ekstase (Hitlahavut) im Chassidismus. Fra 2007, Lang 240 pp.

11841   **Baumgarten, Jean** La naissance du hassidisme: mystique, rituel et société (XVIIIe-XIXe siècle). 2006 ⇒22,11460. ^RREJ 166 (2007) 355-357 (*Osier, Jean-Pierre*); RHR 224 (2007) 511-513 (*Podselver, Laurence*).

11842   **Elior, Rachel** The mystical origins of Hasidism. 2006 ⇒22,11462. ^RJud. 63 (2007) 360-362 (*Necker, Gerold*).

11843   **Facchini, C.** David CASTELLI: ebraismo e scienze delle religioni tra otto e novecento. Scienza e storia delle religioni 4: 2005 ⇒21, 11890. ^RNRTh 129 (2007) 339-340 (*Clarot, B.*).

11844   **Figeac, Petra** Moritz STEINSCHNEIDER: 1816-1907: Begründer der wissenschaftlichen hebräischen Bibliographie. Jüdische Miniaturen 53: Teetz 2007, Hentrich & H. 64 pp. 978-3-938485-35-4.

11845   *Giuliani, Massimo* KIERKEGAARD nella teologia ebraica del novecento. Hum(B) 62 (2007) 711-722.

11846   **Jacobs, Louis** Their heads in heaven: unfamiliar aspects of Hasidism. 2005 ⇒21,11893. ^RJR 87/1 (2007) 138-140 (*Cosgrove, Elliot*).

11847   *Kozinska-Witt, Hanna* Majer Balaban: GRAETZ und das polnische Judentum: aus Anlass des 120sten Geburtstags des grossen Historikers. Jud. 63/1-2 (2007) 115-122.

11848   *Krüger, Christine G.* "Der heilige Pakt, der unsere Kraft und unser Stolz...": Selbstpositionierungen deutscher und französischer Juden im Spannungsfeld von jüdischer Solidarität und Patriotismus, 1870/71. Jud. 63/1-2 (2007) 76-102.

11849   **Margolin, Ron** The human temple: religious interiorization and the structuring of inner life in early Hasidism. 2005 ⇒21,11896. ^RZion 72 (2007) 243-252 (*Mark, Zvi*).

11850 **Schleicher, Marianne** Intertextuality in the tales of Rabbi Nahman of Bratslav: a close reading of Sippurey Ma'asiyot. SHR 116: Lei 2007, Brill ix; 664 pp. 978-90-04-15890-0. Bibl. 637-642.

11851 *Schramm, Ingrid* Idol der jüdischen Emanzipation: Fanny von Arnstein (1758-1818). Beste aller Frauen. 2007 ⇒606. 43-51.

11852 *Talabardon-Galley, Susanne* Das Gebot sich zu erinnern im Denken chassidischer Meister. JBTh 22 (2007) 171-195.

11853 *White, Rachel* Recovering the past, renewing the present: the Buber-Scholem controversy over Hasidism reinterpreted. JSQ 14 (2007) 364-392.

11854 [T]**Wogue, Lazare** תורה חומשי חמשה: Le pentateuque ou les Cinq livres de Moïse traduit et annoté par le grand rabbin Lazare Wogue. J 2007, Ohr Hamaarav 5 vols; 34; lvi; 539; 568; 554; 618; 595 pp. Reproduction intégrale de l'édition 1860-1869... à l'initiative du grand rabbin Gutman par la famille Hess.

11855 *Wolfson, Elliot R.* Oneiric imagination and mystical annihilation in Habad Hasidism. Arc 35 (2007) 131-157.

K7.8 Judaismus contemporaneus

11856 *Akrap, Domagoi* "Viele Töchter hatten Erfolg": Frauen im Jüdischen Buchwesen. Beste aller Frauen. 2007 ⇒606. 135-143.

11857 *Albig, Jörg-Uwe* Der Strom des Geldes: die Rothschilds. Geschichte der Juden in Deutschland. 2007 ⇒698. 106-113.

11858 *Altmeyer, Stefan; Boschki, Reinhold* "Sich herauslösen aus der Sprache, die hier gilt" (Imre Kertész): Erinnerungslernen unter den Bedingungen öffentlicher Gedenkkultur. JBTh 22 (2007) 381-409.

11859 *Andreatta, Michela* Aspetti della produzione poetica di Ḥananyah Elyaqim Rieti. materia giudaica 12 (2007) 115-128.

11860 *Attinger, Daniel* Un regard chrétien sur *Yom Kippour*. Ḥokhma 91 (2007) 71-80.

11861 *Bajohr, Frank* "Arisierung" und wirtschaftliche Existenzvernichtung in der NS-Zeit;

11862 Bäder-Antisemitismus in Deutschland. Geschichte der Juden in Deutschland. 2007 ⇒698. 224-231/180-187.

11863 **Banon, David** Entrelacs: la lettre et le sens dans l'exégèse juive. La nuit surveillée: P 2007, Cerf 394 pp. €40. 978-22040-85182.

11864 **Barriocanal Gómez, J.-L.; Otero Lázaro, T.; Pérez Herrero, F.** El judaísmo en 50 claves. Burgos 2007, Monte Carmelo 184 pp.

11865 **Benamozegh, Elia** Il Noachismo. 2006 ⇒22,11477. [R]AEC 1-2 (2007) 76-77 (*Giovagnoli, Cecilia*).

11866 **Benyoëtz, Elazar** Die Eselin Bileams und Kohelets Hund. Mü 2007, Hanser 216 pp.

11867 *Berger, Joel* Bioethik im Judentum: Kriterien und ihre Anwendung. Hirschberg 60 (2007) 436-439.

11868 [E]*Blok, Hanna; Blok, Lodewijk* Bibliografie Jodendom 1/2007. ITBT 15/1 (2007) 35-42.

11869 *Böckler, Annette M.* Wir danken für die Zeichen und Wunder ... wie Jüdinnen und Juden Chanukka feiern. WUB 43 (2007) 52-53 [1 Macc 4,56-59].

11870 *Brumlik, Micha* "... ein Funke des römischen Gedankens": Leo Strauss' Kritik an Hermann Cohen und die Identität des US-amerikanischen Judentums. Der Geschichtsbegriff. Religion in der Moderne 17: 2007 ⇒660. 199-212.

11871 *Buber, Martin* An die Prager Freunde <1916> ⇒207. 321-322;
11872 Antworten Martin Bubers auf eine Tendenzrundfrage des Berliner "Vereins Jüdischer Studenten" im Wintersemester 1900/1901. <1901> ⇒207. 69-70;
11873 Argumente. <1916> ⇒207. 290-292;
11874 Asketismus und Libertinismus. <1917> ⇒207. 339-341;
11875 Der Augenblick. <1914> ⇒207. 356-359;
11876 Aus dem Munde der Bibel. <1901> ⇒207. 57-58;
11877 Bergfeuer: zum fünften Congresse. <1901> ⇒207. 84-87;
11878 Die Congresstribüne. <1901> ⇒207. 88-89;
11879 Der Dichter und die Nation: Bialik zu Ehren <1922> ⇒207. 66;
11880 Drei Reden über das Judentum. <1911> ⇒207. 219-256;
11881 Die Entdeckung von Palaestina. <1905> ⇒207. 351-353;
11882 Er und Wir. <1910> ⇒207. 129-133;
11883 Eine Erklärung. <1917> ⇒207. 275;
11884 Die Eroberung Palästinas. <1918> ⇒207. 360-362;
11885 Gegenwartsarbeit. 2007 <1901>⇒207. 71-73.
11886 Ein geistiges Centrum. <1902> ⇒207. 155-165;
11887 Geleitwort [zum Buch Jiskor]. <1918> ⇒207. 345-347;
11888 Das Gestaltende: nach einer Ansprache (1912). <1912> 260-265;
11889 Ein Heldenbuch. <1917> ⇒207. 324-326;
11890 Herzl und die Historie. <1904> ⇒207. 115-125;
11891 J(izchak) L(eib) Perez. <1915> ⇒207. 59-61;
11892 J(izchak) L(eib) Perez–ein Wort zu seinem fünfundzwanzigjährigen Schriftsteller-Jubiläum. <1901> ⇒207. 55-56;
11893 Der Jude: Revue der jüdischen Moderne. <1903> ⇒207. 172-176;
11894 Judenzählung. 2007 <1916> ⇒207. 323;
11895 Die jüdische Bewegung. <1905> ⇒207. 205-208;
11896 Eine Jüdische Hochschule. <1902> ⇒207. 363-391;
11897 Das jüdische Kulturproblem und der Zionismus. <1905> 185-204;
11898 Jüdische Renaissance. <1901> ⇒207. 143-147;
11899 "Kulturarbeit": zu den Delegiertentagen der deutschen und der holländischen Zionisten. <1917> ⇒207. 276-278;
11900 Das Land der Juden: aus einer Rede (1910). <1912> ⇒207. 354-5;
11901 Die Losung. <1916> ⇒207. 286-289;
11902 Ein politischer Faktor. <1917> ⇒207. 336-338;
11903 Die Polnischen und Franz Blei (ein Exempel). <1917> 327-332;
11904 Renaissance und Bewegung. 2007 <1903/1916> ⇒207. 268-274;
11905 Die Schaffenden, das Volk und die Bewegung: einige Bemerkungen. <1902> ⇒207. 166-171;
11906 Eine Section für jüdische Kunst und Wissenschaft. <1901> 74;
11907 Die Tempelweihe. <1915> ⇒207. 279-285;
11908 Theodor Herzl. <1904> ⇒207. 107-114;
11909 Eine unnötige Sorge. <1918> ⇒207. 342-344.
11910 Unser Nationalismus: zum zweiten Jahrgang. <1917> 333-335;
11911 Über Agnon. <1916> ⇒207. 62;
11912 Von jüdischen Dichtern und Erzählern: zwei Bruchstücke aus einem Vortrag über Perez. <1916> ⇒207. 63-65;
11913 Völker, Staaten und Zion. <1916> ⇒207. 293-320;
11914 Wandlung (Aus einer Rede). <1918> ⇒207. 348-349;

11915 Was ist zu tun?: einige Bemerkungen zu den "Antworten der Jugend" (1904). <1904> ⇒207. 177-184;
11916 Der Wägende. <1916> ⇒207. 266-267;
11917 Wege zum Zionismus. <1901> ⇒207. 92-94;
11918 "Wir hoffen, dass es wahr ist". <1901> ⇒207. 90-91;
11919 Ein Wort zum fünften Congreß. <1902> ⇒207. 95-106;
11920 Das Zion der jüdischen Frau: aus einer Ansprache. <1901> 75-81;
11921 Zionismus als Lebensanschauung und als Lebensform: Vortrag gehalten am 2. Mai 1914 im Verein jüdischer Hochschüler Bar Kochba in Prag. <1914> ⇒207. 134-142;
11922 Zu Georg Arndts Gedächtnis. <1909> ⇒207. 209-210.
11923 Die Zukunft. <1912> ⇒207. 257-259;
11924 Zwei Sprüche vom Juden-Mai. Frühe jüdische Schriften. 2007 <1901> ⇒207. 82-83.
11925 *Buchmayr, Friedrich* Stufen der Entfremdung: Franz WERFELs letzte Jahre in Österreich. Chilufim 2 (2007) 51-97.
11926 *Campanini, Saverio* Parva Scholemiana II: rassegna di bibliografia;
11927 *Carandina, Elisa* L'efferatezza di Dolly nel romanzo Dolly City di Orly Castel-Bloom: una prospettiva critica. materia giudaica 12 (2007) 291-311/139-149.
11928 *Claman, R. Takkanot* of Mattityahu ben Yoḥanan and David Ben-Gurion. CJud 59/2 (2007) 68-84 [1 Macc 2,29-42].
11929 **Cohen, Shaye J.D.** Why aren't Jewish women circumcised?: gender and covenant in Judaism. 2005 ⇒21,11958. [R]JIntH 37 (2007) 435-436 (*Langer, Ruth*) [Gen 17].
11930 *Cramer, Ernst* Epilog. Die Geschichte der Juden in Deutschland. 2007 ⇒698. 312-313.
11931 *David, Julia* De la tradition juive à la critique sociale: la "Pensée du retour" chez Léon Chestov, Benjamin Fondane et Benny Lévy. ASSR 52/139 (2007) 27-45.
11932 *Debazi, Elisabeth* Schreiben vom Rand: Else Feldmann: Journalistin und Schriftstellerin (1884-1942). Chilufim 3 (2007) 97-109.
11933 **Di Gualdo, Ariel** Erbe amare: il secolo del Sionismo. Storia e Politica 21: Acireale 2007, Bonnano 323 pp. €29. 978-88779-63321.
11934 *Dolna, Bernhard* Gelehrsamkeit und Zeitgenossenschaft: Leben und Werk von Rabbi Abraham Joshua HESCHEL. HerKorr 61 (2007) 642-646;
11935 Abraham Joshua HESCHEL–Prophet der Prophetie. Jud. 63/3 (2007) 1-17.
11936 **Ehrlich, Uri** The nonverbal language of prayer: a new approach to Jewish liturgy. [T]*Ordan, Dena* TSAJ 105: 2004 ⇒20,10786; 21, 11965. [R]JSJ 38 (2007) 373-375 (*Leonhard, Clemens*).
11937 **Eran, Mordechai; Shavit, Jacob** The Hebrew Bible reborn: from Holy Scripture to the Book of Books: a history of biblical culture and the battles over the bible in modern Judaism. [T]*Naor, Chaya* SJ 38: B 2007, De Gruyter x; 566 pp. €128. 978-3-11-019141-7. Bibl. 541-550.
11938 [E]**Feinberg, Anat** Moderne hebräische Literatur: ein Handbuch. 2005 ⇒21,11968. [R]FrRu 14/1 (2007) 46-47 (*Schumacher, Jutta*).
11939 *Feß, Eike* Marie Frischauf: Kommunistin und Dichterin. Beste aller Frauen. 2007 ⇒606. 109-119.
11940 *Gellman, Y.* Conservative Judaism and biblical criticism. CJud 59/2 (2007) 50-67.

11941   *Gerhards, Albert* Crossing borders: the Kedusha and the Sanctus: a case study of the convergence of Jewish and christian liturgy. Jewish and christian liturgy. 2007 ⇒580. 27-40.

11942   *Golczewski, Frank* Ostjuden in Deutschland. Geschichte der Juden in Deutschland. 2007 ⇒698. 150-169.

11943   *Greenspahn, Frederick E.* Jewish ambivalence towards the bible. HebStud 48 (2007) 7-21.

11944   *Gross, Martine* Les rabbins français et l'homoparentalité: discours et attitudes. ASSR 52/137 (2007) 65-84;

11945   Juif et homosexuel, affiliations identitaires et communalisation. SocComp 54 (2007) 225-238.

11946   **Halivni, David** Breaking the tablets: Jewish theology after the Shoah. ᴱ*Ochs, Peter W.* Lanham 2007, Rowman & L. xxix; 137 pp. $22. 978-0-7425-5221-0. Bibl.

11947   *Hecht, Louise* Jüdische Frauen zwischen Emanzipation und Tradition. Beste aller Frauen. 2007 ⇒606. 145-156.

11948   *Heinsohn, Kirsten* Glossar;

11949   Juden in der Weimarer Republik. Die Geschichte der Juden in Deutschland. 2007 ⇒698. 314-321/170-179.

11950   *Heuberger, Rachel* Die Arche Noah der Erinnerung: jüdische Studien und die Rolle der Bibliographen. Trumah 17 (2007) 19-37.

11951   *Homolka, Walter* Tradition braucht Erneuerung: das liberale Judentum und seine Dynamik. HerKorr 61 (2007) 562-566.

11952   *Horch, Hans O.* Juden in der Literatur: deutschsprachige Literatur jüdischer Autoren von der Mitte des 18. Jahrhunderts bis in die Gegenwart. Die Geschichte der Juden in Deutschland. 2007 ⇒698. 288-299.

11953   *Hödl, Klaus* Avraham B. Yehoshua und die Dimensionen israelischer Identität. Chilufim 3 (2007) 145-154;

11954   Der Platz der allgemeinen Geschichte in jüdische Studien. Trumah 17 (2007) 55-68.

11955   **Jacobson, Simon** Die Weisheit des Rabbi Schneerson: einfache Wahrheiten für eine schwierige Welt. Gü 2007, Gü 366 pp. 978-3-579-06521-2.

11956   **Judson, Daniel; Olitzky, Kerry M.** Jewish holidays: a brief introduction for christians. Woodstock, VT 2007, Jewish Lights xv; 150 pp. 978-1-580-23302-6. Bibl. 149-150.

11957   *Kampling, Rainer* "In der Bibel stehn wir geschrieben": die Bibel der Else Lasker-Schüler. Chilufim 2 (2007) 141-154.

11958   **Kaplan, Edward K.** Spiritual radical: Abraham Joshua HESCHEL in America, 1940-1972. NHv 2007, Yale Univ. Pr. xiv; 530 pp. 97-8-0-300-11540-6. Bibl. 467-495.

11959   **Kepnes, Steven** Jewish liturgical reasoning. NY 2007, OUP xiv; 233 pp. 978-0-19-531381-9. Bibl. 201-216.

11960   *Klein, Nikolaus* A.J. HESCHEL–Zeuge im Glauben. Orien. 71 (2007) 13-14.

11961   *Klenicki, Leon* Jom Kippur: Tag der Vergebung-durch Gott und durch uns. FrRu 14/4 (2007) 272-276.

11962   *Koch, Richard* Für den Sederabend der Pessachnacht 14. Nisan 5706. Jud. 63/1-2 (2007) 137-143.

11963   *Kohler, Noa Sophie* Die religiöse Eigenheit des "jüdischen Hauses" –Grund für Konflikte mit den preußischen Behörden in der frühen Nazizeit. Jud. 63/3 (2007) 44-68.

11964 *Krohn, Wiebke* Ein Platz für Frauen: die Synagoge. Beste aller Frauen. 2007 ⇒606. 23-34.

11965 *Lelli, Fabrizio* Influenze italiane sulla poesia liturgica corfiota. materia giudaica 12 (2007) 99-114.

11966 *Lemberger, Tirza* Frauen und Familie in der Zeit der Schoa. Jud. 63/3 (2007) 69-72.

11967 *Levenson, Jon D.* The world repaired, remade. HDB 35/1 (2007) 76-83.

11968 *Maher, Michael* A break with tradition: ordaining women rabbis. IThQ 72 (2007) 32-60.

11969 **Maher, Michael** Judaism: an introduction to the beliefs and practices of the Jews. Dublin 2007, Columba 191 pp. €13. 18560-75532.

11970 **Maier, Johann** Judentum: Studium Religionen. UTB 2886: Gö 2007, Vandenhoeck & R 235 pp. €16.90. 978-3-8252-2886-6. ᴿStZ 225 (2007) 781-782 (*Rutishauser, Christian M.*);

11971 Judentum–Reader: Studium Religionen. UTB 2912: Gö 2007, Vandenhoeck & R 117 pp. €8.90. 978-38252-29122.

11972 *Mandolfo, Carleen* Psalm 88 and the Holocaust: lament in search of a divine response. BiblInterp 15 (2007) 151-170.

11973 **Masalha, Nur** The bible and Zionism: invented traditions, archaeology and post-colonialism in Palestine-Israel. L 2007, Zed viii; 366 pp. 978-1-84277-760-2/19. Bibl. 336-354.

11974 *Meyer, Beate* Ausgrenzung und Vernichtung der deutschen Juden (1933-1945);

11975 Die erzwungene Mitwirkung der "Reichsvereinigung der Juden in Deutschland" an den Deportationen. Geschichte der Juden in Deutschland. 2007 ⇒698. 196-217/218-223.

11976 ᴱ**Morgan, Michael L.; Gordon, Peter E.** The Cambridge Companion to Modern Jewish Philosophy. C 2007, CUP xxii; 383 pp. £19/$25. 978-05210-12553.

11977 *Morselli, Marco* Israel Zoller. il rabbino che non si è convertito. CrSt 28/2 (2007) 443-450.

11978 *Nachama, Andreas; Nachama, Alexander M.* Liturgie der Rabbiner-Ordination. FrRu 14/2 (2007) 99-103.

11979 **Neusner, Jacob** Judaism in contemporary context: enduring issues and chronic crises. L 2007, Mitchell xiii; 202 pp. 978-0-85303-66-5-4/737-8.

11980 *Nordmann, Sophie* Judaïsme et paganisme chez Cohen, ROSENZWEIG et LEVINAS: un 'geste spéculatif' commun. ArPh 70 (2007) 227-247.

11981 ᴱ**Ochs, Peter W.; Levene, Nancy** Textual reasonings: Jewish philosophy and text study at the end of the twentieth century. 2002 ⇒ 18,2680... 22,11544. ᴿPHScr II, 639-640 ⇒373 (*Jaffee, Martin S.*).

11982 *Otto, Frank* Jud Süß;

11983 *Paucker, Arnold* Jüdischer Widerstand;

11984 *Petersen, Peter* Juden in der Musik Deutschlands. Die Geschichte der Juden in Deutschland. 2007 ⇒698. 98-105/232-237/300-311.

11985 *Prosic, Tamara* Kol Nidre: speaking of the unspoken (of). BiCT 3/1 (2007)*.

11986 *Ravitzky, Aviezer* Dimensionen jüdischer Orthodoxie. Der Geschichtsbegriff. Religion in der Moderne 17: 2007 ⇒660. 213-236.

11987 *Reffet, Michel* Franz WERFELS Verhältnis zum Zionismus. Chilufim 2 (2007) 31-50.

11988   *Reichel, Peter* "Vergangenheitsbewältigung" in Deutschland: Vom Nürnberger Militärtribunal zum Holocaust-Mahnmal. Geschichte der Juden in Deutschland. 2007 ⇒698. 258-271.

11989   *Reinke, Andreas* Jüdisches Krisenbewusstsein in den Jahren der Weimarer Republik. Die Geschichte der Juden in Deutschland. 2007 ⇒698. 188-195.

11990   **Reinke, Andreas** Geschichte der Juden in Deutschland: 1781-1933. Geschichte Kompakt: Da:Wiss 2007, viii; 151 pp. 978-3-534-15445-6.

11991   *Rhein, Valérie* "Das Gebet des Menschen wird nirgends als im Bethause erhört" (bBer 6a): die jüdische Frau in Religionsgesetz und -praxis am Beispiel des Minyans. Jud. 63/4 (2007) 306-343.

11992   *Richarz, Monika* Leben in einem gezeichneten Land: Juden in Deutschland seit 1945. Die Geschichte der Juden in Deutschland. 2007 ⇒698. 238-249.

11993   **Saban, Mario J.** La matriz intelectual de judaísmo y la génesis de Europa. 2005 ⇒21,12020. ^RActBib 44/1 (2007) 57-61 (*Fàbrega, Valentí*).

11994   *Schäfer, Barbara* Einleitung. Frühe jüdische Schriften. 2007 ⇒ 207. 13-50.

11995   *Schmutz, Andreas* Begegnung mit den Reform-Juden in den USA. JK 68/3 (2007) 39-42.

11996   *Schulz, Gudrun* Tino, Prinzessin von Bagdad und Giselheer, der Barbar: Else Lasker-Schüler und Gottfried Benn: sich kreuzende Worte und Dichter am Kreuzweg. Chilufim 2 (2007) 99-140.

11997   *Sieg, Ulrich* Das Judentum im Kaiserreich (1871-1918). Geschichte der Juden in Deutschland. 2007 ⇒698. 122-137.

11998   *Spies, Marion* Surviving and starting life anew: consequences of an exodus. Religion and the arts 11/2 (2007) 257-266.

11999   **Steinberg, Paul** Celebrating the Jewish year: the fall holidays: Rosh Hashanah, Yom Kippur, Sukkot. ^E*Potter, Janet G.* Ph 2007, Jewish Publication Society xvii; 250 pp. 978-0-8276-0842-9;

12000   the winter holidays: Hanukkah, Tu b'Shevat, Purim. ^E*Potter, Janet G.* Ph 2007, Jewish Publication S. xix; 257 pp. 978-08276-08498.

12001   **Stimilli, E.** Jacob TAUBES: sovranità e tempo messianico. 2004 ⇒ 21,12034. ^RNRTh 129 (2007) 343-345 (*Clarot, B.*).

12002   *Studemund Halévy, Michael* Grandezza und Hoheiten: sefardische Gemeinden in Hamburg. Die Geschichte der Juden in Deutschland. 2007 ⇒698. 72-79.

12003   **Telushkin, Joseph** A code of Jewish ethics. 2006 ⇒22,11564. ^RCTJ 42 (2007) 415-418 (*Kok, Joel*).

12004   *Tonnarelli, Roberta* Le confraternite ebraiche anconetane (sec XVII-XX): un inedito caso di filantropia italiana. materia giudaica 12 (2007) 211-220.

12005   *Torggler, Elisabet* Ein "Stück" österreichischer Bildungsgeschichte: der Beitrag jüdischer Frauen. Beste aller Frauen. 2007 ⇒606. 84-93.

12006   Vermächtnis der Überlebenden des Holocaust: moralische und ethische Folgerungen für die Menschheit. FrRu 14/4 (2007) 269-271.

12007   *Weber, Annette* Jüdische Kunst in Deutschland. Die Geschichte der Juden in Deutschland. 2007 ⇒698. 272-287.

12008   *Wessig, Wolfgang* Confessio: ein Porträt des Görlitzer Kulturzionisten Friedrich Andreas (Ascher) Meyer (1888-1978). Chilufim 2 (2007) 11-29;

12009 Der Stern Davids (1949): ein unveröffentlichtes Schauspiel von Paul Mühsam. Chilufim 3 (2007) 85-95.

12010 *Winer, Mark L.* The law of the land and Jewish law: conflict or concurrence?. Periodica de re canonica 96 (2007) 499-523.

12011 *Winklbauer, Andrea* Wien muss der Kunst erobert werden: Bertha Zuckerkandl als Kunstkritikerin um 1900. Beste aller Frauen. 2007 ⇒606. 121-126.

12012 *Wolff, William* Synagoge-Religiöser Ort in säkularer Welt. FrRu 14/3 (2007) 185-190.

12013 *Wyrwa, Ulrich* Das jüdische Berlin der Kaiserzeit. Geschichte der Juden in Deutschland. 2007 ⇒698. 138-149.

12014 **Yerushalmi, Yosef H.** Israel, der unerwartete Staat: Messianismus: Sektiertum und die zionistische Revolution. [T]*Heath, S.; Pachel, A.* 2006 ⇒22,11576. [R]REJ 166 (2007) 593-595 (*Osier, Jean-Pierre*).

K8 *Philosemitismus*—Jewish Christian relations

12015 [E]**Vogt, Peter** Zwischen Bekehrungseifer und Philosemitismus: Texte zur Stellung des Pietismus zum Judentum. Kleine Texte des Pietismus 11: Lp 2007, Evangelische 128 pp. 978-3-374-02456-8.

12016 "Dem Abbild Gottes Würde verleihen": Gemeinsame Erklärung der 19. Tagung des International Catholic-Jewish Liaison Committee (ILC) in Kapstadt, Südafrika (4.-7. November 2006). FrRu 14/2 (2007) 119-122.

12017 *Adunka, Evelyn* Pfarrer Felix Propper (1894-1962): von der Judenmission zum christlich-jüdischen Gespräch. Dialog 66 (2007) 8-13.

12018 **Barcala Muñoz, Andrés** Biblioteca antijudaica de los escritores ecclesiásticos hispanos, vol. 2: s. VI-VII: el reino visigodo de Toledo, 1-2. 2005 ⇒21,12046s. [R]RCatT 32 (2007) 235-39 (*Cortès, E.*).

12019 *Beauchamp, Paul* Essere eredi della bibbia: il trait d'union ebraico-cristiano. Testamento biblico. 2007 <1981> ⇒184. 59-79;

12020 La chiesa e il popolo ebraico. Testamento biblico. 2007 <1964> ⇒ 184. 97-123.

12021 [E]**Becker, Adam H.; Reed, Annette Y.** The ways that never parted: Jews and christians in late antiquity and the early middle ages. Mp 2007, Fortress xiii; 410 pp. $29. 978-08006-62097.

12022 **Beckmann, Klaus** Die fremde Wurzel: Altes Testament und Judentum in der evangelischen Theologie des 19. Jahrhunderts. FKDG 85: 2002 ⇒18,10430... 20,10868. [R]ZNTG 14 (2007) 149-154 (*Capetz, Paul E.*).

12023 **Ben-Toviya, Esther** You called my name: the hidden treasures of your Hebrew heritage. 2006 ⇒22,11589. [R]RRT 14/1 (2007) 82-83 (*Mendoza, Ruben C.*).

12024 **Biale, David** Blood and belief: the circulation of a symbol between Jews and christians. Berkeley 2007, University of California Pr. xiii; 299 pp. $24. 978-0-520-25304-9. Bibl. 261-279.

12025 *Bialer, Uri* Israel and Nostra Aetate: the view from Jerusalem. Nostra aetate. Christianity and history 5: 2007 ⇒940. 63-86.

12026 **Bindemann, Walther** Jünger und Brüder: Studien zum Differenzierungsprozeß von Kirche und Judentum. Bibelstudien 1: 2005 ⇒ 21,12055. [R]RBLit (2007) 280-284 (*Kraus, Wolfgang*).

12027   *Blocher, Henri* Approches théologiques de la Shoah. ThEv(VS) 6 (2007) 163-179.

12028   *Blumell, Lincoln* A Jew in Celsus' *True doctrine*?: an examination of Jewish anti-christian polemic in the second century C.E.. SR 36 (2007) 297-315.

12029   **Blumenkranz, Bernhard** Les auteurs chrétiens latins du Moyen Âge sur les juifs et le judaïsme. Lv·2007 <1963>, Peeters 304 pp. 90429-18780. Préf. *Gilbert Dahan.*

12030   *Boccaccini, Gabriele* Building international scholarship, integrating national schools. Henoch 29 (2007) 3-7.

12031   *Bonfil, Robert* Nostra Aetate: Jewish memory, Jewish history, Jewish vision. Nostra aetate. Christianity and history 5: 2007 ⇒940. 101-107.

12032   *Bongardt, Michael* Am Scheideweg: christlicher Glaube angesichts des Judentums. KuI 22 (2007) 34-49.

12033   *Boschki, Reinhold* Vierte Generation nach Auschwitz: Zugänge zur Erinnerung aus religionspädagogischer Sicht. rhs 50 (2007) 354-362.

12034   *Boyarin, D.* Judaism as a free church: footnotes to John Howard Yoder's *The Jewish-Christian schism revisited.* CrossCur 56/4 (2007) 6-21.

12035   **Boyarin, Daniel** Dying for God: martyrdom and the making of christianity and Judaism. 1999 ⇒15,9806... 19,11347. [R]REJ 166 (2007) 299-302 (*Mimouni, Simon*);

12036   Border lines: the partition of Judaeo-Christianity. 2004 ⇒20,10874 ...22,11598. [R]REJ 166 (2007) 302-303 (*Mimouni, Simon C.*);

12037   Mourir pour Dieu: l'invention du martyre aux origines du judaïsme et du christianisme. 2004 ⇒20,10875. [R]REJ 166 (2007) 299-302 (*Mimouni, Simon*).

12038   **Boys, Mary C.** Has God only one blessing?: Judaism as a source for christian self-understanding. 2000 ⇒16,9832... 18,10439. [R]HeyJ 48 (2007) 651-653 (*Sievers, Joseph*).

12039   **Brandau, Robert** Innerbiblischer Dialog und dialogische Mission: die Judenmission als theologisches Problem. 2006 ⇒22,11603. [R]em 23 (2007) 66-68 (*Eißler, Friedmann*).

12040   *Bremmer, Jan N.* Peregrinus' christian career. [F]GARCÍA MARTÍNEZ, F. JSJ.S 122: 2007 ⇒46. 729-747.

12041   *Brocke, Edna* Was Schüler im christlichen Religionsunterricht vom Judentum wahrnehmen sollten. rhs 50 (2007) 344-353.

12042   *Burkitt, Francis C.* The debt of christianity to Judaism. Early and later Jewish influence. 2007 <1927> ⇒392. 3-30.

12043   *Burns, Joshua* The archaeology of rabbinic literature and the study of Jewish-Christian relations in late antiquity: a methodological evaluation. Religion, ethnicity. WUNT 210: 2007 ⇒648. 403-424.

12044   *Callenberg, Johann Heinrich* "Ein am 26. Februarii 1730. mit einem Juden gehaltenes Gespräch" (1731). Zwischen Bekehrungseifer. Kleine Texte des Pietismus 11: 2007 ⇒12015. 54-60.

12045   *Caponera, Annarita* Papers of the secretariat for Christian unity on Nostra Aetate. Nostra aetate. Christianity and history 5: 2007 ⇒ 940. 55-62.

12046   *Cardellini, Innocenzo* Ebrei e cristiani di fronte agli studi attuali sulla Bibbia ebraica. Lat. 73/1 (2007) 247-253.

12047 *Castellucci, Erio* Le ripercussioni del dialogo ebraico-cristiano sulla teologia cattolica. RTE 11/1 (2007) 37-59.
12048 *Cerbelaud, Dominique* Bulletin d'études juives et judéo-chrétiennes. RSPhTh 91/1 (2007) 145-167;
12049 Thémes de la polémique chrétienne contre le Judaïsme au IIIe siècle: le De montibus Sina et Sion. RSPhTh 91 (2007) 711-729.
12050 *Chanes, Jerome A.* Impact of Nostra Aetate on Catholic and Jewish life in the United States after four decades. Nostra aetate. Christianity and history 5: 2007 ⇒940. 189-197.
12051 **Chilton, Bruce David; Neusner, Jacob** Classical christianity and rabbinic Judaism: comparing theologies. 2004 ⇒20,10885; 22, 11612. [R]CBQ 69 (2007) 351-353 (*Frizzell, Lawrence E.*).
12052 **Cohen, Jeremy** Christ killers: the Jews and the Passion from the bible to the big screen. Oxf 2007, OUP x; 313 pp. $30. 978-0-19-517841-8. Bibl. 281-299.
12053 *Constandse, Coen* Over schuldige theologie en haar ommekeer: "Theologie na Auschwitz" volgens Friedrich-Wilhelm Marquardt. KeTh 58 (2007) 101-118.
12054 *Cunz, Martin* Il popolo d'Israele e noi cristiani di oggi. Qol(I) 127 (2007) 5.
12055 *Cytron, Barry D.* Observing Christmas: a Jewish perspective. WaW 27 (2007) 414-420.
12056 *Dal Ferro, Giuseppe* Il valore dei testi sacri ebraici per i cristiani. RSEc 25/1 (2007) 23-34.
12057 *Dan, Joseph, al.*, Anti-Semitism/Anti-Judaism. Religion past & present, 1. 2007 ⇒1066. 279-289.
12058 **Diprose, Ronald E.** Israël dans le développement de la pensée chrétienne. [T]*Doriath, Antoine* Saône 2004, La Joie de l'Eternel 256 pp. [R]ThEv(VS) 6/1 (2007) 70-75 (*Baecher, Claude*).
12059 *Dohmen, Christoph* "Nicht wegen deines Bundes..." (Ez 16, 61): warum es für Christen keinen Bund mit Gott ohne Israel gibt. [F]HOSSFELD, F. SBS 211: 2007 ⇒69. 43-48.
12060 **Dubois, Marcel-J.** Nostalgie d'Israël. 2006 ⇒22,11619. [R]Sources 33/1 (2007) 46-50 (*Musy, Guy*); CDios 220 (2007) 496-498 (*Gutiérrez, J.*); POC 57 (2007) 237-238 (*Attinger, D.*); RThom 107 (2007) 692-694 (*Galinier-Pallerola, Jean-François*).
12061 *Dujardin, Jean* Evolution des rapports entre Juifs et chrétiens. Accueil de la torah. 2007 ⇒853. 21-32.
12062 **Duméry, Henri** Imagination et religion–éléments de judaïsme–éléments de christianisme. P 2006, Belles Lettres 476 pp. 22514-431-50.
12063 **Dunn, James D.G.** The partings of the ways: between christianity and Judaism and their significance for the character of christianity. 2006 <1991> ⇒22,11620. [R]RBLit (2007)* (*Carrell, Peter*).
12064 **Dupeyron, Catherine** Chrétiens en terre sainte: disparition ou mutation?. P 2007, Michel 283 pp. 978-2-226-18058-2.
12065 **Elihai, Yohanan** [Jean Leroy] Juifs et chrétiens: d'hier à demain. L'Histoire à vif: P [2]2007 <1988>, Cerf 112 pp. Préf. *Mgr. Poulain*; [R]SR 36 (2007) 610-611 (*Lavoie, Jean-Jacques*).
12066 *Ellens, J. Harold* Peace through scholarly collaboration. Henoch 29 (2007) 7-10.
12067 **Elukin, Jonathan** Living together, living apart: rethinking Jewish-Christian relations in the Middle Ages. Princeton 2007, Princeton Univ. Pr. 194 pp. £16. 978-06911-14873.

12068   *Felle, Antonio Enrico* Judaism and christianity in light of epigraphic evidence (3rd-7th cent. CE). Henoch 29 (2007) 354-377.
12069   *Fetko, Filip* Antisemitismus in der Gesellschaft der Ersten Tschechoslowakischen Republik. Chilufim 3 (2007) 45-60.
12070   *Frankemölle, Hubert* "Wo die Wunde war, muß Heilung beginnen:" von der Schwierigkeit des Umgangs mit einer antijüdischen Legende. FrRu 14/4 (2007) 242-246;
12071   Antijudaismus im Neuen Testament. rhs 50 (2007) 363-371.
12072   **Frankemölle, Hubert** Frühjudentum und Urchristentum: Vorgeschichte–Verlauf–Auswirkungen (4. Jahrhundert v. Chr. bis 4. Jahrhundert n. Chr.). 2006 ⇒22,11627. ^RFrRu 14 (2007) 295-297 (*Renker, Alwin*); ThRv 103 (2007) 458-460 (*Volp, Ulrich*).
12073   ^EFrassetto, Michael Christian attitudes toward the Jews in the middle ages: a casebook. NY 2007, Routledge xviii; 222 pp. $110. 978-0-415-97827-9.
12074   *Frymer-Kensky, Tikva, al.*, "Dabru Emet": eine jüdische Stellungnahme zu Christen und Christentum. rhs 50 (2007) 385-387.
12075   **Fumagalli, Pier F.** Roma e Gerusalemme: la chiesa cattolica e il popolo di Israele. Mi 2007, Mondadori 328 pp. €18. 978-8804-53-434-1. Postfazione *Riccardo Di Segni*. ^RStudi Fatti Ricerche 118 (2007) 12-13 (*Nason, Luigi*).
12076   **Glaser, Eliane** Judaism without Jews: philosemitism and christian polemic in early modern England. Basingstoke, Hampshire 2007, Palgrave M. vi; 220 pp. £45. 978-0-230-50774-6. Bibl. 189-213.
12077   *Gloël, Hans-Martin; Özaslan, Hasibe* Abraham und Hagar: Verdrängungsgeschichte der Kinder Abrahams nach Ostern. ZMiss 33 (2007) 200-204.
12078   *Goodman, Martin* Modeling the 'parting of the ways'. Judaism in the Roman world. AJEC 66: 2007 <2003> ⇒236. 175-185.
12079   **Greenberg, Irving** For the sake of heaven and earth: the new encounter between Judaism and christianity. 2004 ⇒20,10916; 22, 11632. ^RJES 42 (2007) 454-457 (*Idinopulos, Thomas A.*).
12080   *Groppe, Elizabeth T.* Holy things from a holy people: Judaism and the christian liturgy. Worship 81 (2007) 386-408.
12081   *Grünberg, Wolfgang* Christentum und Judentum. Geschichte der Juden in Deutschland. 2007 ⇒698. 30-31.
12082   **Harvey, Graham** The true Israel: uses of the names Jew, Hebrew and Israel in ancient Jewish and early Christian literature. AGJU 35: 1996 ⇒12,8659... 14,8966. ^RDSD 14 (2007) 387-392 (*Flint, Peter W.*).
12083   *Häring, Hermann* "Wer Jesus Christus begegnet, begegnet dem Judentum": das Verhältnis BENEDIKTs XVI. zu Israel. ZRGG 59 (2007) 36-60.
12084   ^EHeinz, Hanspeter; Signer, Michael A. Coming together for the sake of God: contributions to Jewish-Christian dialogue from post-Holocaust Germany. ColMn 2007, Liturgical xii; 173 pp. 0-8146-5167-4.
12085   *Henrix, Hans H.* Jakob J. Petuchowski (1925-1991): rabbi, scholar, ecumenist. Jewish and christian liturgy. 2007 ⇒580. 7-26;
12086   Jesus Christus und das Judentum. IKaZ 36 (2007) 159-171;
12087   Jüdische Liturgie und das Studium der christlichen Liturgie: eine Skizze aus römisch-katholischer Sicht. AnBru 12 (2007) 94-114;

12088 Von der Mission ohne Dialog zum Dialog ohne Mission: ein katholischer Werkstattbericht zum Verhältnis von Christentum und Judentum. KuI 22 (2007) 50-63;

12089 Von der Mission ohne Dialog zum Dialog ohne Mission. rhs 50 (2007) 372-378;

12090 Impact and effects in Europe of Nostra Aetate. Nostra aetate. Christianity and history 5: 2007 ⇒940. 109-130.

12091 *Heschel, Susannah.* The German theological tradition. In quest of the historical Pharisees. 2007 ⇒402. 353-273.

12092 *Himmelbauer, Markus* Neue Agenda: Judenmission?: erstmals seit dem Konzil widmet sich eine prominente Publikation der Rückkehr von Juden zum Christentum. Dialog 67 (2007) 27-30.

12093 **Himmelfarb, Milton** Jews and gentiles. [E]*Himmelfarb, Gertrude* NY 2007, Encounter xiv; 273 pp. 978-1-59403-154-0. Bibl. Milton Himmelfarb: 255-261.

12094 *Hochmann von Hochenau, Ernst Christoph* Schreiben an die Juden (1699). Zwischen Bekehrungseifer. 2007 ⇒12015. 27-30.

12095 *Hocken, Peter D.* Toward Jerusalem Council II. JPentec 16/1 (2007) 3-17.

12096 *Horch, Heinrich* Auslegung von Offenbarung 3,7-13 (1693). Zwischen Bekehrungseifer. 2007 ⇒12015. 5-19.

12097 Israel: Staat–Land–Volk: Thesenreihe des Arbeitskreises "Kirche und Judentum" der Evangelischen Kirche der Pfalz. Dialog 68 (2007) 40-48.

12098 *Jacobs, Andrew S.* Dialogical differences: (de-)judaizing Jesus' circumcision. JECS 15 (2007) 291-335.

12099 **Jastrzembski, Volker** Das Ereignis des Verstehens: alttestamentliche Hermeneutik in christlich-jüdischen Dialog. [D]*Liwak, Rüdiger* 2007, Diss. Humboldt.

12100 *Joosten, Jan* La signification de la Torah pour l'église issue des nations. FV 106/5 (2007) 60-73.

12101 **Karabell, Zachary** Peace be upon you: the story of Muslim, christian, and Jewish coexistence. NY 2007, Knopf 343 pp. 978-1-400-04368-2. Bibl. 317-326.

12102 *Kasper, Walter* "Nostra aetate" und die Zukunft des jüdisch-christlichen Dialogs. FrRu 14/2 (2007) 104-118;

12103 Nostra Aetate: a catholic perspective. Nostra aetate. Christianity and history 5: 2007 ⇒940. 203-206.

12104 *Keller, Zsolt* Der Blutruf (Mt 27,25): Skizze einer schweizerischen Wirkungsgeschichte 1900-1950. Chilufim 3 (2007) 61-84.

12105 *Kiesgen, Thomas* Das Emil-Frank-Institut in Wittlich: Juden und dem Judentum begegnen. Hirschberg 60 (2007) 457-459.

12106 *Kohlschein, Franz* Der Vatikan und die Juden: zur Geschichte einer schwierigen Beziehung. KlBl 87 (2007) 92-96.

12107 **Kohn, Risa; Moore, Rebecca** A portable God: the origin of Judaism and christianity. Lanham, MD 2007, Rowman & L. 202 pp.

12108 *Kranemann, Daniela* Die Hostienfrevel- und Blutwunderlegenden: antijüdische Relikte christlicher Frömmigkeit. FrRu 14/4 (2007) 247-259.

12109 **Kuschel, Karl-Josef** Juden, Christen, Muslime: Herkunft und Zukunft. Dü 2007, Patmos 683 pp. €29.90. 978-3-491-72500-3.

12110 *Küttler, Thomas* Das dunkle Jahrzehnt 1935 bis 1945: beklemmende Lektüre einer Leipziger Kirchenakte. leqach 7 (2007) 73-89.

12111   *Laato, Timo* Att göra rättvisa at ett geni: om Hugo Odebergs bok "Fariseism och kristendom". SvTK 83 (2007) 169-174.

12112   *Laepple, Ulrich* Den Juden die Kirche, der Kirche die Juden erklären!: Heinz David Leuner–Judenchrist und Brückenbauer (1906 bis 1977). ThBeitr 38 (2007) 223-238.

12113   *Latorre, Alberto* Le origini di *antisemitismo*: la paradossale difesa dell'ebraismo da parte di un neo-battezzato: Eugenio Zolli. StPat 54 (2007) 609-631.

12114   *Lemaire, Frans C.* Les Juifs dans la liturgie romaine et les Passions luthériennes. AnBru 12 (2007) 57-80.

12115   Liebe also den Herrn, deinen Gott, mit ganzem Herzen ... liebe deinen Nächsten wie dich selbst: Einleitungstext zum italienischen Tag der Vertiefung und des Studiums des Dialogs zwischen Katholiken und Juden am 17. Jänner 2005. Dialog 68 (2007) 25-28.

12116   *Lieber, Laura* "There is none like you among the mute": the theology of "Ein Kamokha Ba-Illemim" in context, with a new edition and translation. Crusades 6 (2007) 15-35.

12117   *Lieberkühn, Samuel* "Darlegung der Methode, welche ich bisher im Umgange mit den Juden gebraucht habe, um ihnen die Lehre von Jesu Christo beyzubringen" (1764);

12118   Hochzeitskantate für David Kirchhoff und Esther Grünbeck (1746). Zwischen Bekehrungseifer.2007 ⇒12015. 80-86/63-65.

12119   *Lindner, Helgo* "Dabru emet-redet Wahrheit": ein neuer Impuls im christlich-jüdischen Dialog. ThBeitr 38 (2007) 289-295.

12120   *Mackinet, Blasius D.* Bericht über einen Besuch bei den Juden in Prag im Januar 1716 (1751). Zwischen Bekehrungseifer. Kleine Texte des Pietismus 11: 2007 ⇒12015. 71-73.

12121   *MacPherson, Duncan* Michael Prior, the bible and anti-Semitism. Holy Land Studies [E] 6/2 (2007) 145-161.

12122   *Maier, Joachim* Gedächtnis des Leidens–Quellen des Lebens. FrRu 14/1 (2007) 36-43.

12123   *Maier, Johann* Von der Leidensgeschichte Jesu zur Leidensgeschichte der Juden: Folgen missbräuchlicher Verwendungen neutestamentlicher Aussagen. Dialog 66 (2007) 14-30.

12124   **Manns, Frédéric** Un père avait deux fils: Judaïsme et christianisme en dialogue. 2004 ⇒20,10971... 22,11682. ᴿETR 82 (2007) 291-294 (*Couteau, Elisabeth*).

12125   *Marquardt, Marten* "Erinnern ist ein ständiges Umarbeiten der Vergangenheit". FrRu 14/4 (2007) 287-290.

12126   *Massini, Alain* Genèse du texte de Leuenberg. FV 106/5 (2007) 74-97.

12127   *McManamon, John M.* Catholic identity and antisemitism in a eulogy for Isabel "The Catholic". JES 42 (2007) 196-216.

12128   *Melloni, Alberto* Nostra Aetate, 1965-2005. Nostra aetate. Christianity and history 5: 2007 ⇒940. 9-20.

12129   **Milavec, Aaron** Salvation is from the Jews (John 4:22): saving grace in Judaism and messianic hope in christianity. ColMn 2007, Liturgical xviii; 201 pp. $24. 978-0-8146-5989-2. Bibl. 183-195.

12130   *Moenikes, Ansgar* Die jüdische Bibel und das Christentum. FrRu 14/3 (2007) 173-184.

12131   *Moore, Russell D.* From the House of Jacob to the Iowa caucuses: the future of Israel in contemporary evangelical political ethics. Southern Baptist Convention 11/4 (2007) 4-21.

12132 **Morfino, Mauro M.** Vivre la parole pour la comprendre: l'enseignement des sages juifs et des Pères de l'église. [T]*Lagarde, Claude* P 2007, Lethielleux 220 pp. €25.

12133 *Morgenstern, Matthias* Mutter-, Schwester- oder Tochterreligion?: religionswissenschaftliche Beobachtungen und Überlegungen zum Verhältnis von Judentum und Christentum. Dialog 67 (2007) 19-26.

12134 *Morselli, Marco* Jules Isaac and the origins of Nostra Aetate. Nostra aetate. Christianity and history 5: 2007 ⇒940. 21-28.

12135 **Morselli, Marco** I passi del Messia: per una teologia ebraica del cristianesimo. Genova 2007, Marietti 150 pp. €15. 978-88211-834-92 [Cf. Id., VM 63/1,31-39.]. [R]RasIsr 73/3 (2007) 150-153 (*Di Cesare, Donatella E.*).

12136 [E]**Mulder, M.C.; Noerdergraaf, A**. Hoop voor Israël. Zoetermeer 2007, Boekencentrum 222 pp. €16.90. 978-90239-21875.

12137 *Neuhaus, David M.* Achievements and challenges in Jewish-Christian dialogue: forty years after *Nostra Aetate*. DR 125 (2007) 111-130.

12138 *Neusner, Jacob* Die Wiederaufnahme des religiösen Streitgesprächs auf der Suche nach theologischer Wahrheit. IKaZ 36 (2007) 293-9;

12139 Mi diálogo con el Papa (Texto del rabino Jacob Neusner publicado el 29 de mayo de 2007). RTLi 41/2 (2007) 267-272;

12140 The Anglo-American theological tradition to 1970;

12141 The debate with E.P. Sanders since 1970. In quest of the historical Pharisees.2007 ⇒402. 375-394/395-405.

12142 *Niesner, Manuela* Deutschsprachige Adversus-Judaeos-Literatur im spätmittelalterlichen Imperium Romanum. Chilufim 3 (2007) 25-43.

12143 **Novak, David** Talking with christians: musings of a Jewish theologian. 2005 ⇒21,269. [R]ThTo 64 (2007) 268, 270, 272 (*Charry, Ellen T.*).

12144 *Oetinger, Friedrich C.* Beschreibung des endzeitlichen Gottesreiches (1759). Zwischen Bckehrungseifer. 2007 ⇒12015. 74-79.

12145 *Olsen, Glenn* Setting boundaries: early medieval reflections on religious toleration and their Jewish roots. HPolS 2/2 (2007) 164-192.

12146 *Parente, Fausto* L'église et le talmud. Les juifs et l'église romaine. 2007 <1996> ⇒284. 233-394.

12147 *Pargament, Kenneth I., al.*, They killed our Lord: the perception of Jews as desecrators of christianity as a predictor of anti-semitism. JSSR 46 (2007) 143-158.

12148 **Päschel, Dietmar** Vatikan und Shoa: die Haltung des Heiligen Stuhls zu den Juden von der Zeit des Nationalsozialismus bis zum Heiligen Jahr 2000. Friedensauer Schriftenreihe: Reihe A, Theologie 9: Fra 2007, Lang 150 pp. 978-3-631-56828-6.

12149 **Peters, Francis** The monotheists: Jews, christians, and muslims in conflict and competition, 1: the peoples of God, 2: the words and will of God. 2003 ⇒19,11465... 22,11699. [R]JR 87 (2007) 307-309 (*Grady, James Allen*);

12150 The children of Abraham: Judaism, christianity, Islam. [2]2004 <1982> ⇒20,10991; 21,12168. [R]RRT 14 (2007) 306-307 (*Mendoza, Ruben C.*).

12151 *Petersen, Johann W.* Auszug aus einer Predigt über Jesaja 6 (1700). Zwischen Bekehrungseifer. 2007 ⇒12015. 31-37.

12152 *Pettit, Peter A.* Christlicher Zionismus aus der Perspektive der christlichen-jüdischen Beziehungen. Dialog 69 (2007) 7-19.
12153 *Pinnock, Sarah K.* Atrocity and ambiguity: recent developments in christian holocaust responses. JAAR 75 (2007) 499-523.
12154 *Pollefeyt, Didier* The church and the Jews: unsolvable paradox or unfinished story?. Nostra aetate. Christianity and history 5: 2007 ⇒ 940. 131-144.
12155 *Poorthuis, Marcel* King Solomon and Psalms 72 and 24 in the debate between Jews and Christians. Jewish and christian liturgy. Ment. *Justinus* 2007 ⇒580. 257-278.
12156 **Popkin, Richard H.** Disputing christianity: the 400-year-old debate over Rabbi Isaac ben Abraham Troki's classic arguments. ᴱ*Park, Peter J.; Popkin, Jeremy D.; Peden, Knox* Amherst (N.Y.) 2007, Humanity 246 pp. 978-1-591-02384-5.
12157 *Prosinger, Franz* Darf man um die Bekehrung der "Juden" beten?. Theologisches 37/11-12 (2007) 413-416.
12158 *Rauchwarter, Barbara* Evi und der jüdisch-christliche Dialog. Ment. *Krobath, E.* Der Apfel 84 (2007) 9-11.
12159 **Recker, Dorothee** Die Wegbereiter der Judenerklärung des Zweiten Vatikanischen Konzils: JOHANNES XXIII., Kardinal BEA und Prälat OESTERREICHER: eine Darstellung ihrer theologischen Entwicklung. Pd 2007, Bonifatius 464 pp. €14. 978-3-89710-369-6.
12160 *Reijnen, Anne Marie* Confessing Jesus as the Christ after the Shoah. AnBru 12 (2007) 115-133.
12161 **Remaud, Michel** L'église au pied du mur: Juifs et chrétiens, du mépris à la reconnaissance. P 2007, Bayard 109 pp. €12.
12162 *Rosen, David* Voneinander lernen: Gedanken aus jüdischer Sicht. Dialog 69 (2007) 20-29;
12163 Jewish and Israeli perspectives 40 years after Vatican II. Nostra aetate. Christianity and history 5: 2007 ⇒940. 175-188.
12164 **Ruderman, David B.** Connecting the covenants: Judaism and the search for christian identity in eighteenth-century England. Jewish Culture and Contexts: Ph 2007, University of Pennsylvania Press viii; 141 pp. $55. 978-0-8122-3991-1. Bibl.
12165 *Ruzer, Serge* Nostra Aetate and the historical quest for the Jewish origins of Christianity. Nostra aetate. Christianity and history 5: 2007 ⇒940. 87-99.
12166 *Sänger, Dieter* "Verflucht ist jeder, der am Holze hängt" (Gal 3,13b): zur Rezeption einer frühen antichristlichen Polemik. Von der Bestimmtheit. 2007 <1994> ⇒306. 99-106.
12167 *Schottroff, Luise; Janssen, Claudia* Wider den Antijudaismus: die "Rechtfertigung allein aus Glauben" richtet sich nicht gegen die Tora. zeitzeichen 8/9 (2007) 52-54.
12168 **Schrenk, Viola** "Seelen Christo zuführen": die Anfänge der preußischen Judenmission. Studien zu Kirche und Israel 24: B 2007, Inst. Kirche und Judentum x; 420 pp. 978-3-923095-36-0.
12169 *Schubert, Kurt* Judenfeindschaft: wie es dazu kam und die Folgen. Dialog 67 (2007) 11-12.
12170 *Schulius, Georg* "Ich seh Israel schon wallen" (1736). Zwischen Bekehrungseifer. 2007 ⇒12015. 61-62.
12171 *Schwarz, Karl W.* Einsichten eines Visionärs: "herausgesagt": Ulrich Trinks erzählt von seinem oft unbequemen Einsatz in Kirche und Gesellschaft. Dialog 68 (2007) 33-39.

12172 *Schwarzbach, Bertram Eugene* Est-ce vraiment "la faute à VOL-
TAIRE"?: à qui doit-on l'adoucissement des attitudes envers les Juifs
au cours du Siècle des Lumières?. FV 106/5 (2007) 7-31.

12173 *Segal, Alan F.* The history boy: the importance of perspective in
the study of early Judaism and christianity. ᶠWILSON, S. 2007 ⇒
169. 217-237.

12174 *Senior, Donald* Understanding the divide between Judaism and
Christianity: what happened centuries ago?: why does it matter
now?. NBl 88/1 (2007) 67-72.

12175 *Shepardson, Christine* Defining the boundaries of orthodoxy: EU-
NOMIUS in the anti-Jewish polemic of his Cappadocian opponents.
ChH 76 (2007) 699-723.

12176 *Smith, Robert O.* Interfaith implications of contemporary christian
Zionism. ABQ 26/3 (2007) 284-297.

12177 *Sosio, Francesca* La parabola dei "tre anelli" nella tradizione lette-
raria e religiosa dell'Occidente medievale. RiSCr 4 (2007) 49-71.

12178 *Spener, Philip J.* "Unmaßgebliche gedancken, wie es mit den jüden
ihrer bekehrung wegen, zu halten seye" (1702). Zwischen Bekeh-
rungseifer. 2007 ⇒12015. 38-50.

12179 **Stemberger, Günter** Juden und Christen im spätantiken Palästina.
Hans-Lietzmann-Vorlesungen 9: B 2007, De Gruyter xii; 73 pp.
€15. 978-3-11-019555-2.

12180 **Stolle, Volker** "Den christlichen Nichtariern nimmt man alles": der
evangelische Pädagoge Karl Mützelfeldt angesichts der NS-Rassen-
politik. Münsteraner judaistische Studien 22: B 2007, LIT 112 pp.
978-3-8258-0901-0.

12181 *Stow, Kenneth R.* Medieval Jews on christianity. RiSCr 4 (2007)
73-100.

12182 *Stransky, Thomas* The genesis of Nostra Aetate: an insider's story.
Nostra aetate. Christianity and history 5: 2007 ⇒940. 29-53.

12183 *Svartvik, Jesper* Att göra rättvisa at inte enbart genier: fem syn-
punkter pa Timo Laatos artikel "Att göra rättvisa at ett geni: om
Hugo Odebergs bok 'Fariseism och kristendom'". SvTK 83 (2007)
175-180.

12184 *Tasini, Giovanni Paolo* Il contributo di LERCARO alla riflessione
conciliare sull'ebraismo. RTE 11/1 (2007) 61-72.

12185 *Tennhardt, Johann* Zwei Bußrufe an die Juden (1708). Zwischen
Bekehrungseifer. 2007 ⇒12015. 51-53.

12186 **Teppler, Yaakov Y.** Birkat haMinim: Jews and christians in con-
flict in the ancient world. TSAJ 120: Tü 2007, Mohr S. x; 413 pp.
€99. 978-3-16-149350-8. Bibl. 377-387.

12187 Theologische Schwerpunkte im christlich-jüdischen Gespräch.
FrRu 14/1 (2007) 18-25.

12188 *Thoma, Clemens* Das zerstörte jüdische Erbe: Auseinandersetzung
und Vergegenwärtigung. FrRu 14/4 (2007) 260-268;

12189 Der christlich-jüdische Dialog aus katholischer und jüdischer Sicht.
ZMR 91 (2007) 59-69.

12190 *Trutwin, Werner* Das Judentum im Religionsunterricht: Rückblick
und Ausblick. rhs 50 (2007) 335-343.

12191 *Van Biema, D.* The Pope's favorite rabbi. Ment. *Neusner, J.* Time
(June 4, 2007) 46-47.

12192 *Velati, Mauro* The debate on *De Judaeis* and ecumenical dialogue.
Nostra aetate. Christianity and history 5: 2007 ⇒940. 145-162.

ᴱ**Veltri, G.**, *al.*, Katholizismus und Judentum 2005 ⇒635.

12193 *Vincenz, Anna de* Christians among Jews in En-Gedi. ᶠMEYERS, E. AASOR 60/61: 2007 ⇒106. 391-396.

12194 *Vogt, Peter* Nachwort des Herausgebers;

12195 Quellen und Stellenkommentar. Zwischen Bekehrungseifer. Kleine Texte des Pietismus 11: 2007 ⇒12015. 118-123/87-117.

12196 *Weinrich, Michael* Glauben Juden, Christen und Muslime an denselben Gott?: systematisch-theologische Annäherungen an eine unzugängliche Frage. EvTh 67 (2007) 246-263.

12197 *Werblowsky, R.J. Zwi* Nostra Aetate: a Jewish perspective. Nostra aetate. Christianity and history 5: 2007 ⇒940. 199-201.

12198 *Wimber Avena, Erica* Interfaith dialogue in our neighborhoods, in our hearts, and in the bible: countering nascent anti-semitism. ABQ 26/3 (2007) 326-345.

12199 *Wischmeyer, Wolfgang* Zwei Lehrer aus Kleinasien. Frühchristentum und Kultur. 2007 ⇒623. 95-109.

12200 **Yuval, Israel** Zwei Völker in deinem Leib: gegenseitige Wahrnehmung von Juden und Christen. Jüdische Religion, Geschichte und Kultur 4: Gö 2007, Vandenhoeck & R. 304 pp. €39.90. 978-35255-69931.

12201 **Zander, Ulrike** Philosemitismus im deutschen Protestantismus nach dem Zweiten Weltkrieg: begriffliche Dilemmata und auszuhaltende Diskurse am Beispiel der Evangelischen Kirche im Rheinland und in Westfalen. Historia profana et ecclesiastica 16: Müns 2007, LIT xi; 441 pp. 978-3-8258-0359-9.

12202 **Zetterholm, Magnus** The formation of christianity in Antioch: a social-scientific approach to the separation between Judaism and christianity. 2003 ⇒19,11521... 22,11751. ᴿBTB 37 (2007) 135-136 (*Harland, Philip A.*).

12203 *Zinzendorf, Nicolaus L. von* Die 29. Homilie über die Wundenlitanei (1747). Zwischen Bekehrungseifer. 2007 ⇒12015. 66-70.

XVI. Religiones parabiblicae

M1.1 Gnosticismus classicus

12204 *Bermejo Rubio, Fernando* La imagen de la risa en los textos gnósticos y sus modelos bíblicos. EstB 65 (2007) 177-202.

12205 **Borella, Jean** Problèmes de gnose. Théôria: P 2007, L'Harmattan 404 pp. €32.

12206 *Filoramo, Giovanni* La gnosi ieri e oggi. CredOg 27/3 (2007) 21-35.

12207 *García Bazán, Francisco* Hermenéutica y liberación entre los gnósticos. Epimeleia 16 (2007) 7-22.

12208 *Gianotto, Claude* Nur zum Schein gekreuzigt?: die gnostische Deutung der Passion Jesu. WUB 45 (2007) 30-31.

12209 *Grossi, Vittorino* Lo gnosticismo e i Padri della chiesa. CredOg 27/3 (2007) 69-80.

12210 *Grypeou, Emmanouela* "Das vollkommene Pascha": gnostische Bibelexegese und Ethik. Orientalia Biblica et Christiana 15: 2005 ⇒21,12222; 22,11760. ᴿThLZ 132 (2007) 911-913 (*Rudolph, Kurt*); OrChr 91 (2007) 234-235 (*Pinggéra, Karl*).

12211 *Hall, Stuart* What was gnosticism?. Decoding early christianity. 2007 ⇒595. 61-77.
12212 *Klauck, Hans-Josef* Erlösung durch Erkenntnis: die antike Strömung der Gnosis. WUB 45 (2007) 25-27.
12213 *Koester, Helmut* The apostolic tradition and the origins of gnosticism. Paul & his world. 2007 <1987> ⇒257. 224-237.
12214 *Körtner, Ulrich H.J.* Die Gnosis und ihre Überwindung in Christentum, Judentum und Islam. Religionen unterwegs 13/1 (2007) 10-14.
12215 *Ladaria, Luis F.* El P. Antonio ORBE: la gnosis y la teología prenicena. RET 67 (2007) 417-436.
12216 *Llamas Martínez, José Antonio* Gnosticismo y antignosticismo: una visión crítica desde la filosofía. StLeg 48 (2007) 317-352.
12217 **Logan, Alastair H.B.** The Gnostics: identifying an early christian cult. 2006 ⇒22,11763. ᴿJThS 58 (2007) 691-693 (*Wilson, R.McL.*); RBLit (2007)* (*Asgeirsson, Jon M.*).
12218 *Magri, Annarita* Le serpent guérisseur et l'origine de la gnose ophite. RHR 224 (2007) 395-434;
12219 Caino, lo gnosticismo e i "testimonia", nel quadro dell'esegesi del II sec. i Perati e i Cainiti. RiSCr 4 (2007) 101-132.
12220 **Mastrocinque, Attilio** From Jewish magic to gnosticism. STAC 24: 2005 ⇒21,12231; 22,11767. ᴿJR 87 (2007) 652-654 (*Kotansky, Roy*).
12221 **Nitoglia, Gurzio** Gnosi e gnosticismo, paganesimo e giudaismo: dalla tradizione primitiva alla fine dei tempi. 2006 ⇒22,11769. ᴿCivCatt 158/2 (2007) 518-519 (*Esposito, G.*).
12222 *Onuki, Takashi* Der Neid in der Gnosis. Erkennen und Erleben. 2007 ⇒579. 321-342.
12223 *Pachniak, Katarzyna* Gnostycyzm muzełmanski w traktacie Kitab Kanz al-Walad al-Hamidiego. Studia antyczne i mediewistyczne 5 [40] (2007) 109-136. P.
12224 **Pearson, Birger A.** Ancient gnosticism: traditions and literature. Mp 2007, Fortress xv; 362 pp. $25. 08006-32588.
12225 *Rasimus, Tuomas* The serpent in gnostic and related texts. L'Evangile selon Thomas. BCNH.Etudes 8: 2007 ⇒861. 417-471.
12226 *Schmidt, Karl Matthias* Jünger von Neo oder Aslan?: die Adaption neutestamentlicher Motive im amerikanischen Spielfilm. MThZ 58 (2007) 318-335.
12227 *Scopello, Madeleine* Les gnostiques et l'étranger. L'étranger dans la bible. LeDiv 213: 2007 ⇒504. 363-381.
12228 **Smith, Carl** No longer Jews: the search for gnostic origins. 2004 ⇒20,11073... 22,11775. ᴿCTJ 42 (2007) 190-191 (*Armstrong, Jonathan J.*).
12229 *Thomassen, Einar* From wisdom to gnosis. L'Evangile selon Thomas. BCNH.Etudes 8: 2007 ⇒861. 585-598.
12230 *Turner, John D.* Sethian gnosticism: a revised literary history. Actes du huitième congrès. OLA 163: 2007 ⇒989. 899-908;
12231 VICTORINUS, *Parmenides* commentaries and the Platonizing Sethian treatises. Platonisms. 2007 ⇒568. 55-96.
12232 *Uro, Risto* Gnostic rituals from a cognitive perspective. Explaining christian origins. BiblInterp 89: 2007 ⇒609. 115-137.
12233 *Wickham, Lionel* Who were the heretics and what did they believe?. Decoding early christianity. 2007 ⇒595. 109-123.

12234   *Woschitz, Karl M.* Lebenswelt der Gnosis. Kulturgeschichte der Bibel. 2007 ⇒435. 443-455.
12235   **Yousif, Ephrem-Isa; Nau, François** La vision de l'homme chez deux philosophes syriaques: BARDESANE (154-222), AHOUDEMMEH (VIème siècle). Peuples et cultures de l'Orient: P 2007, L'Harmattan 68; 42 pp. 978-2296-044067.
12236   *Zuber, Beat* Bibel und Gnosis oder ein Vorschlag, den Gaul vom Kopf her aufzuzäumen. CV 49 (2007) 254-265.

M1.2 **Valentinus**; *Corpus hermeticum*

12237   ᴱMahé, Jean-P.; Poirier, Paul-H. Écrits gnostiques: la bibliothèque de Nag Hammadi. Biliothèque de la Pléiade 538: P 2007, Gallimard 1920 pp. €72.50. 978-20701-13330.

12238   *Cirillo, Luigi* Elchasai: un profeta sconosciuto del giudeo-cristianesimo della Mesopotamia. Profeti e profezia. 2007 ⇒565. 67-82.
12239   *Kaler, Michael* Those sneaky Valentinians. L'Evangile selon Thomas. BCNH.Etudes 8: 2007 ⇒861. 231-250.
12240   *Mahé, Jean-P.* Exposé du mythe valentinien (NH XI,2). Ecrits gnostiques. 2007 ⇒12237. 1501-1533.
12241   *Markschies, Christoph* Valentinianische Gnosis in Alexandrien und Ägypten. Origenes und sein Erbe. 2007 <2004> ⇒272. 155-171.
12242   *Pettipiece, Timothy* The nature of 'true worship': anti-Jewish and anti-Gentile polemic in HERACLEON (Fragments 20-24);
12243   *Pouderon, Bernard* La génération du monde dans le mythe valentinien et la doctrine aristotélicienne de la génération. L'Evangile selon Thomas. BCNH.Etudes 8: 2007 ⇒861. 377-393/395-415.
12244   **Thomassen, Einar** The spiritual seed: the church of the *Valentinians*. NHMS 60: 2005 ⇒21,12248; 22,11780. ᴿSR 36 (2007) 400-402 (*Kaler, Michael*); ThLZ 132 (2007) 546-549 (*Dunderberg, Ismo*); JThS 58 (2007) 264-266 (*Wilson, R.McL.*); LTP 63 (2007) 151-154 (*Mahé, Jean-P.*).

12245   **Ebeling, Florian** The secret history of Hermes Trismegistus: hermeticism from ancient to modern times. ᵀ*Lorton, David* Ithaca 2007, Cornell Univ. Pr. xiii; 158 pp. $30. 978-08014-45460. Foreword *Jan Assmann*.
12246   *Herrero de Jáuregui, Miguel* Orphic ideas of immortality: traditional Greek images and a new eschatological thought. Lebendige Hoffnung. ABIG 24: 2007 ⇒845. 289-313.
12247   **Jáuregui, Herrero de** Tradición órfica y cristianismo antiguo. M 2007, Trotta 413 pp.

M1.5 **Mani**, *dualismus*; **Mandaei**

12248   *Albrile, Ezio* La trasmigrazione del profeta: Manicheismo e mitologie della salvezza. Asp. 54/3-4 (2007) 223-250.
12249   *BeDuhn, Jason* A war of words: intertextuality and the struggle over the legacy of Christ in the *Acta Archelai*. Frontiers of faith. NHMS 61: 2007 ⇒558. 77-102;

12250 Biblical antitheses, Adda, and the *Acts of Archelaus*. Frontiers of faith. NHMS 61: 2007 ⇒558. 131-147.

12251 *BeDuhn, Jason; Mirecki, Paul* Placing the *Acts of Archelaus*. Frontiers of faith. NHMS 61: 2007 ⇒558. 1-22.

12252 *Bennett, Byard* BASILIDES' 'barbarian cosmogony': its nature and function within the *Acta Archelai*. Frontiers of faith. NHMS 61: 2007 ⇒558. 157-166.

12253 *Bermejo Rubio, Fernando* Factores cristianos en el Maniqueísmo: *status questionis (Christiano-Manichaica I)*. RCatT 32 (2007) 67-99;

12254 Lógica dualista, piedad monoteísta: la fisonomía del dualismo maniqueo. 'Ilu 12 (2007) 55-79.

12255 ᴱ**Blois, François de; Sims-Williams, Nicholas** Dictionary of Manichaean texts, 2: texts from Iraq and Iran (texts in Syriac, Arabic, Persian and Zoroastrian Middle Persian). 2006 ⇒22,11788. ᴿJRAS 17 (2007) 466-468 (*Van Bladel, Kevin*).

12256 *Bosson, Nathalie* Peut-on envisager autrement la question d'un "canon manichéen"?. "Dieu parle". 2007 ⇒556. 145-157.

12257 **Buckley, Jorunn J.** The Mandaeans. 2002 ⇒19,11564; 22,11789. ᴿJR 87 (2007) 661-663 (*Rudolph, Kurt*).

12258 *Buckley, Jorunn Jacobsen* Eine andere Sicht der Dinge: die Mandäer. Sozialgeschichte, I. 2007 ⇒450. 113-129.

12259 *Coyle, J. Kevin* Hesitant and ignorant: the portrayal of Mani in the *Acts of Archelaus*;

12260 A clash of portraits: contrasts between Archelaus and Mani in the *Acta Archelai*. Frontiers of faith. 2007 ⇒558. 23-32/67-76.

12261 *Gardner, Iain* Mani's letter to Marcellus: fact and fiction in the *Acta Archelai* revisited. Frontiers of faith. 2007 ⇒558. 33-48.

12262 ᴱ**Gardner, Iain** Kellis literary texts, 2. Dakhleh Oasis project, Mon. 15: Oxf 2007, Oxbow 173 pp. 38 pl.; 1 CD.

12263 *Kaatz, Kevin* The light and the darkness: the two natures, free will, and the scriptural evidence in the *Acta Archelai*. Frontiers of faith. NHMS 61: 2007 ⇒558. 103-118.

12264 **Lupieri, Edmondo F.** The Mandaeans: the last Gnostics. ᵀ*Hindley, Charles* Italian Texts & Studies on Religion & Society: 2002 ⇒ 18,10611... 22,11797. ᴿJR 87/1 (2007) 103-104 (*Hunter, Erica*).

12265 *Mirecki, Paul Acta Archelai* 63.5-6 and *PGM* I.42-195: a rooftop ritual for acquiring an aerial spirit assistant. Frontiers of faith. NHMS 61: 2007 ⇒558. 149-155.

12266 **Pedersen, Nils A.** Demonstrative proof in defence of God: a study of TITUS of Bostra's Contra Manichaeos. NHMS 56: 2004 ⇒20, 11107. ᴿVigChr 61 (2007) 113-115 (*Klein, Wassilios*).

12267 **Petermann, Julius H.** The great treasure or great book, commonly called "The book of Adam," the Mandaeans' work of highest authority = Thesaurus sive Liber Magnus, vulgo "Liber Adami" appellatus opus Mandaeorum summi ponderis. ᴱ*Häberl, Charles* Gorgias Mandaean studies 2: Piscataway (N.J.) 2007, Gorgias 395+138+ii; 373 pp. $268. 978-1-59333-525-0. 2 vols in 3; Facsimile original edition, 1867.

12268 *Pettipiece, Timothy* The faces of the Father: "pentadization" in the Manichaean Kephalaia (chapter 21). VigChr 61 (2007) 470-477;

12269 'Et sicut rex...': competing ideas of kingship in the anti-Manichaean *Acta Archelai*. Frontiers of faith. NHMS 61: 2007 ⇒558. 119-129.

12270	*Sala, Tudor A.* Narrative options in Manichaean eschatology. Frontiers of faith. NHMS 61: 2007 ⇒558. 49-66.
12271	*Smagina, Eugenia* A propos du titre... des psaumes manichéens. Actes du huitième congrès. OLA 163: 2007 ⇒989. 893-897.
12272	*Young, Robin D.* Notes on divesting and vesting in *The Hymn of the Pearl.* ᶠGRANT, R. NT.S 125: 2007 ⇒53. 201-214.

M2.1 **Nag Hammadi**, *generalia*

12273	*García Bazán, Francisco* Les origines de la philosophie chrétienne et les gnostiques: la contribution des écrits de Nag Hammadi. L'Evangile selon Thomas. BCNH.Etudes 8: 2007 ⇒861. 131-155.
12274	*Gianotto, Claudio* Gli scritti di Nag Hammadi e le origini cristiane. CredOg 27/3 (2007) 36-46.
12275	*Koester, Helmut* Dialogue and the tradition of sayings in the gnostic texts of Nag Hammadi. From Jesus to the gospels. 2007 <1979> ⇒256. 148-173.
12276	*Leicht, Barbara D.* Eine gnostische Bibliothek?: der Fund von Nag Hammadi. WUB 45 (2007) 28.
	ᴱ**Mahé, J.**, *al.*, Écrits gnostiques 2007 ⇒12237.
12277	Nag Hammadi Deutsch: Studienausgabe. ᴱ**Schenke, Hans-M.; Bethge, Hans-G.; Kaiser, Ursula U.** B 2007, De Gruyter xxv; 578 pp. €40. 978-31101-81920. Eingeleitet u. übers. von Mitgliedern des Berliner Arbeitskreises für Koptisch-Gnostische Schriften.
12278	*Orlandi,Tito* Nag Hammadi texts and the Coptic literature. L'Evangile selon Thomas. BCNH.Etudes 8: 2007 ⇒861. 323-334.
12279	*Peste, Jonathan* Norea as saviour in gnosticism. Public roles. 2007 ⇒1039. 205-218.
12280	*Rousseau, Philip* The successors of Pachomius and the Nag Hammadi codices: exegetical themes and literary structures. ᶠJOHNSON, D. 2007 ⇒78. 140-157.
12281	*Scopello, Madeleine* Portraits d'anges à Nag Hammadi. Actes du huitième congrès. OLA 163: 2007 ⇒989. 879-891.
12282	*Soto-Hay y García, Fernando* Un texto de PLATÓN en la biblioteca gnóstica de Nag Hammadi. AnáMnesis 17/2 (2007) 67-73.

M2.2 *Evangelium etc. Thomae*—**The Gospel of Thomas**

12283	ᴱ**Asgeirsson, Jon Ma.; DeConick, April D.; Uro, Risto** Thomasine traditions in antiquity. NHMS 59: 2006 ⇒22,11814. ᴿVigChr 61 (2007) 106-110 (*Nicklas, Tobias*).
12284	*Bauer, Dieter* Entdeckung im Wüstensand: der Fund von Nag Hammadi und das Thomasevangelium. BiHe 43/171 (2007) 4-5.
12285	*Berger, Klaus* Die Kleider der Kinder: Agr 123 (EvThom 22; 37,1). Kompendium der Gleichnisse Jesu. 2007 ⇒6026. 959-963.
12286	*Bovon, François* Les sentences propres à Luc dans l'*Evangile selon Thomas.* L'Evangile selon Thomas. 2007 ⇒861. 43-58.
12287	*Coyle, J. Kevin* The Gospel of Thomas in Manichaeism?. L'Evangile selon Thomas. BCNH.Etudes 8: 2007 ⇒861. 75-91.
12288	*Crislip, Andrew* Lion and human in Gospel of Thomas Logion 7. JBL 126 (2007) 595-613.

12289 *DeConick, April D.* The Gospel of Thomas. ET 118 (2007) 469-79.
12290 **DeConick, April D.** Recovering the original gospel of Thomas: a history of the gospel and its growth. LNTS 286: 2005 ⇒21,12317; 22,11819. ᴿBBR 17 (2007) 368-369 (*Perrin, Nicholas*); CBQ 69 (2007) 818-819 (*Davies, Stevan*); RBLit (2007)* (*Noffke, Eric*);
12291 The original gospel of Thomas in translation: with a commentary and new English translation of the complete gospel. LNTS 287: 2006 ⇒22,11820. ᴿRHPhR 87 (2007) 347-348 (*Gounelle, R.*).
12292 *Dubois, Jean-D.* 'Soyez passant', ou l'interprétation du logion 42 de l'*Evangile selon Thomas*. L'Evangile selon Thomas. BCNH. Etudes 8: 2007 ⇒861. 93-105.
12293 *Fieger, Michael* "Werdet Vorübergehende!": das Thomasevangelium und die Welt der Gnosis. BiHe 43/171 (2007) 14-16.
12294 *Förster, Niclas* Die Selbstprüfung des Mörders (Vom Attentäter): EvThom 98. Kompendium der Gleichnisse Jesu. 2007 ⇒6026. 921-926.
12295 *Gianotto, Claudio* Quelques aspects de la polémique anti-juive dans l'*Evangile selon Thomas*. L'Evangile selon Thomas. BCNH. Etudes 8: 2007 ⇒861. 157-173.
12296 *Hartenstein, Judith* Nackt auf fremdem Land (Die Kinder auf dem Feld): EvThom 21,1-4. Kompendium der Gleichnisse Jesu. 2007 ⇒ 6026. 878-882.
12297 *Heil, Christoph* Die Logienquelle Q und das Thomasevangelium: "Spruchevangelien" als besondere Gattung der Jesusüberlieferung. BiHe 43/171 (2007) 21-23.
12298 *Heininger, Bernhard* Das "Königreich des Vaters": zur Rezeption der Basileiaverkündigung Jesu im Thomasevangelium. BiKi 62 (2007) 98-101.
12299 *Kaestli, Jean-D.* L'*Evangile de Thomas*: que peuvent nous apprendre les 'paroles cachées de Jésus'?. Le mystère apocryphe. EssBib 26: 2007 ⇒10913. 73-93.
12300 *Kim, D.W.* What shall we do?: the community rules of Thomas in the 'Fifth Gospel'. Bib. 88 (2007) 393-414.
12301 **Kurikilambatt, James** First voyage of the apostle Thomas to India: ancient christianity in Bharuch and Taxila. 2005 ⇒21,12325. ᴿVJTR 71 (2007) 153-154 (*Gispert-Sauch, G.*).
12302 *Le Boulluec, Alain* De l'*Evangile des Egyptiens* à l'*Evangile selon Thomas* en passant par Jules CASSIEN et CLÉMENT d'Alexandrie. L'Evangile selon Thomas. BCNH.Etudes 8: 2007 ⇒861. 251-275.
12303 *Leicht, Barbara D.* "... und er sagte ihm drei Worte": das Evangelium nach Thomas. WUB 45 (2007) 29.
12304 *Leonhardt-Balzer, Jutta* "The Gospel of Thomas in the context of the history of early christian and late ancient literature and religion" (Eisenach and Jena, Oct. 2006). Henoch 29 (2007) 189-191;
12305 Wer vertreibt den Hund aus der Futterkrippe? (Vom Hund in der Futterkrippe): EvThom 102;
12306 *Losekam, Claudia* Einssein statt Getrenntsein (Zwei auf dem Bett): EvThom 61 (vgl. Q 17,34f.);
12307 Der Löwe im Menschen (Löwe–Mensch–Löwe): EvThom 7. Kompendium der Gleichnisse Jesu. 2007 ⇒6026. 927-931/899-903/863-867.
12308 **Mekkattukulam, Jiphy F.** L'initiation chrétienne selon les *Actes de Thomas*: l'unité liturgique et theéologique du don de l'Onction-

Baptême-Eucharistie: étude historique, liturgique des cinq récits d'initiation chrétienne selon les versions syriaque et grecque des *Actes de Thomas.* [D]*Yousif, Pierre* 2007, Diss. Institut catholique de Paris.

12309   *Molinari, Andrea L.* The parable of the lost sheep and its lost interpretation: a proposal for *Gospel of Thomas* 107 as stage 1 in early christian Jesus trajectory. L'Évangile selon Thomas. BCNH.Etudes 8: 2007 ⇒861. 301-322.

12310   **Myers, Susan E.** Spirit epicleses in the Acts of Thomas: 'Come, hidden mother'. WUNT 2/281: Tü 2007, Mohr S. 290 pp. €55. 97-8-31614-94727.

12311   *Pasquier, Anne; Vouga, François* Le genre littéraire et la structure argumentative de l'*Évangile selon Thomas* et leurs implications christologiques. L'Evangile selon Thomas. 2007 ⇒861. 335-362.

12312   *Patterson, Stephen J.* The parable of the catch of fish: a brief history (on Matthew 13:47-50 and Gospel of Thom 8). L'Evangile selon Thomas. BCNH.Etudes 8: 2007 ⇒861. 363-376.

12313   *Perrin, Nicholas* Recent trends in Gospel of Thomas research (1991-2006): part I, the historical Jesus and the synoptic gospels. CuBR 5/2 (2007) 183-206.

12314   **Perrin, Nicholas** Thomas, the other gospel. LVL 2007, Westminster xii; 160 pp. $20. 978-0-281-05871-6. Bibl. 140-153.

12315   *Petersen, Silke* Die Frau auf dem Weg (Vom Mehlkrug): EvThom 97. Kompendium der Gleichnisse Jesu. 2007 ⇒6026. 916-920.

12316   *Plisch, Uwe-Karsten* "Jesus spricht": historische Jesusüberlieferung im Thomasevangelium?. BiHe 43/171 (2007) 9-11.

12317   **Plisch, Uwe-Karsten** Das Thomasevangelium: Originaltext mit Kommentar. Stu 2007, Deutsche Bibelgesellschaft 299 pp. 978-34-380-51288. [R]RBLit (2007)* (*Dunderberg, Ismo*).

12318   *Popkes, Enno E.* Das Licht in den Bildern: EvThom 83. 909-915;
12319   Parabeln im Thomasevangelium: Einleitung. 851-858;
12320   Vom Lichtmenschen: EvThom 24. 888-892;
12321   Von der Überwindung der Entzweiung: EvThom 11. 873-877;
12322   Das Lamm und der Ort der Ruhe: EvThom 60. 893-898;
12323   Der wählerische Fischer: EvThom 8 (Mt 13,47-50). Kompendium der Gleichnisse Jesu. 2007 ⇒6026. 868-872.

12324   **Popkes, Enno E.** Das Menschenbild des Thomasevangeliums: Untersuchungen zu seiner religionsgeschichtlichen und chronologischen Einordnung. WUNT 206: Tü 2007, Mohr S. xvi; 472 pp. €99. 978-3-16-149265-5. Bibl. 363-438.

12325   *Quarles, Charles L.* The use of the gospel of Thomas in the research on the historical Jesus of John Dominic Crossan. CBQ 69 (2007) 517-536.

12326   *Reger, G.* On the road to India with APOLLONIUS of Tyana and Thomas the Apostle. Mediterranean Historical Review [TA] 22/2 (2007) 257-271.

12327   *Robinson, James M.* A pre-canonical Greek reading in saying 36 of the *Gospel of Thomas.* L'Evangile selon Thomas. BCNH.Etudes 8: 2007 ⇒861. 515-557.

12328   *Schmidt, Karl Matthias* Die Mutter aller Evangelien?: das Thomasevangelium und die Synoptiker. BiHe 43/171 (2007) 12-13.

12329   *Schramm, Tim* Ein Zwillingsbruder Jesu?: die apokryphe Thomasliteratur. BiHe 43/171 (2007) 19-20.

12330 *Sevrin, Jean-M.* Evangile selon Thomas (NH II,2). Ecrits gnostiques. 2007 ⇒12237. 297-332.
12331 *Standhartinger, Angela* Einssein an Gottes Brust (Stillkinder): EvThom 22 (Mk 10,14f. / Mt 18,3 / Lk 18,17);
12332 Vom Aufscheinen (Holz und Stein): EvThom 77,2f. (EvThom 30,3f. / P.Oxy. 1,27-30). Kompendium der Gleichnisse Jesu. 2007 ⇒6026. 883-887/904-908.
12333 *Strickland, Michael* Revising the ancient faith: primitivism, the Gospel·of· Thomas, and christian beginnings. RestQ 49/4 (2007) 217-227.
12334 *Turner, John D.* The Book of Thomas and the Platonic Jesus. L'Evangile selon Thomas. BCNH.Etudes 8: 2007 ⇒861. 599-633.

M2.3 *Singula scripta*—Various titles [⇒K3.4]

12335 *Barc, Bernard* L'Hypostase des archontes (NH II,4). 377-400;
12336 Livre des secrets de Jean (NH II,1; III,1; IV,1; BG 2). 205-295;
12337 *Barry, Catherine* La Sagesse de Jésus-Christ (NH III,4; BG 3);
12338 *Barry, Catherine; Turner, John D.* Zostrien (NH VIII,1). Ecrits gnostiques. 2007 ⇒12237. 615-666/1247-1320.
12339 *Cazelais, Serge* L'âme et ses amants. L'Evangile selon Thomas. BCNH.Etudes 8: 2007 ⇒861. 59-74;
12340 Un exemple d'exégèse gnostique: le modelage d'Adam dans l'*Hypostase des Archontes*. Actes du huitième congrès. OLA 163: 2007 ⇒989. 821-831.
12341 *Charron, Régine* Livre sacré du Grand Esprit invisible (NH III,2; IV,2). Ecrits gnostiques. 2007 ⇒12237. 511-570.
12342 *Claude, Paul* Les trois stèles de Seth (NH VII,5);
12343 *Dubois, Jean-D.* Prière de l'apôtre Paul (NH I,1);
12344 Apocalypse de Pierre (NH VII,3). Ecrits gnostiques. 2007 ⇒ 12237. 1219-1246./1-10/1141-1166.
12345 *Dunderberg, Ismo* Greeks and Jews in the *Tripartite tractate*. L'Evangile selon Thomas. BCNH.Etudes 8: 2007 ⇒861. 107-129.
12346 *Funk, Wolf-P.* Hypsiphroné (NH XI,4);
12347 *Funk, Wolf-P.; Veilleux, Armand* Deux Apocalypses de Jacques (NH V,3 et 4). Ecrits gnostiques. 2007 ⇒12237. 1575-84/725-776.
12348 *García Bazán, Francisco* La exégesis gnóstica de las 'túnicas de carne' en la *Paráfrasis de Sem* (NHC VII 1,5-6) y la embriología de la escuela metódica de medicina. Aug. 47 (2007) 229-243.
12349 *Ghica, Victor* Actes de Pierre et des douze apôtres (NH VI,1). Ecrits gnostiques. 2007 ⇒12237. 807-835.
12350 *Hyldahl, Jesper* The refinement of mind: unique features in gnostic apophaticism. L'Evangile selon Thomas. BCNH.Etudes 8: 2007 ⇒ 861. 175-186 [Allogenes (Codex XI)].
12351 *Janssens, Yvonne; Mahé, Jean-P.* Enseignements de Silvanos (NH VII,4). Ecrits gnostiques. 2007 ⇒12237. 1167-1218.
12352 *Kasser, R.; Luisier, Philippe* P. Bodmer XLIII: un feuillet de Zostrien. Muséon 120 (2007) 251-272.
12353 **King, Karen L.** The Secret Revelation of John. 2006 ⇒22,11856. [R]JR 87/1 (2007) 101-103 (*Turner, John D.*); SR 36 (2007) 384-387 (*Kaler, Michael*).
12354 *Kuntzmann, Raymond* Livre de Thomas (NH II,7);

12355 *Létourneau, Pierre* Dialogue du Sauveur (NH III,5). Ecrits gnos-
       tiques. 2007 ⇒12237. 487-508/667-706.
12356 *Lundhaug, Hugo* Conceptual blending in the *Exegesis on the soul*.
       Explaining christian origins. BiblInterp 89: 2007 ⇒609. 141-160.
12357 *Mahé, Annie; Mahé, Jean-P.* Témoignage véritable (NH IX,3).
       Ecrits gnostiques. 2007 ⇒12237. 1387-1426.
12358 *Mahé, Jean-P.* L'Ogdoade et l'Ennéade (NH VI,6). 935-971;
12359 Extrait du 'Discours parfait' d'Hermès Trismégiste à Asclépius
       (NH VI,8). Ecrits gnostiques. 2007 ⇒12237. 989-1027;
12360 Prière d'action de graces (NH VI,7). 973-988;
12361 *Mahé, Jean-P.; Gianotto, Claudio* Melchisédek (NH IX,1). Ecrits
       gnostiques. 2007 ⇒12237. 1345-1373.
12362 *Ménard, Jacques-E.; Mahé, Jean-P.* Enseignement d'autorité (NH
       VI,3). Ecrits gnostiques. 2007 ⇒12237. 869-895;
12363 Lettre de Pierre à Philippe (NH VIII,2). 1321-1343;
12364 Traité sur la résurrection (NH I,4). 85-108;
12365 *Morard, Françoise* Apocalypse d'Adam (NH V,5). 777-805;
12366 *Painchaud, Louis* Evangile selon Philippe (NH II,3). 333-376;
12367 Ecrit sans titre (NH II,5; XIII,2). 401-465;
12368 Deuxième traité du Grand Seth (NH VII,2). Ecrits gnostiques. 2007
       ⇒12237. 1105-1139.
12369 *Painchaud, Louis; Kaler, Michael* From the *Prayer of the Apostle
       Paul* to the *Three steles of Seth*: Codices I, XI and VII from Nag
       Hammadi viewed as a collection. VigChr 61 (2007) 445-469.
12370 *Painchaud, Louis; Thomassen, Einar* Interprétation de la gnose
       (NH XI,1). Ecrits gnostiques. 2007 ⇒12237. 1469-1499;
12371 Traité tripartite (NH I,5). Ecrits gnostiques. 2007 ⇒12237. 109-
       204.
12372 *Pasquier, Anne* Analyse narrative et intertextuelle d'un passage de
       l'*Hypostase des Archontes* (NH II,4). Actes du huitième congrès.
       OLA 163: 2007 ⇒989. 849-862;
12373 Eugnoste (NH III,3; V,1). 571-613;
12374 Evangile selon Marie (BG 1). 1651-1670;
12375 *Poirier, Paul-H.* Le Tonnerre, Intellect parfait (NH VI,2). 837-867;
12376 Fragments de traités (NH XII,3). 1603-1610;
12377 Sentences de Sextus (NH XII,1). 1585-1602;
12378 La Pensée Première à la triple forme (NH XIII,1). 1611-1650;
12379 *Poirier, Paul-H.; Turner, John D.* Marsanès (NH X). Ecrits gnos-
       tiques. 2007 ⇒12237. 1427-1467.
12380 *Roberge, Michel* La dynamis dans les *Oracles chaldaïques* et la
       Paraphrase de Sem (NH VII,1). L'Evangile selon Thomas. BCNH.
       Etudes 8: 2007 ⇒861. 473-514;
12381 Structure de l'univers et sotériologie dans la *Paraphrase de Sem*
       (NH VII,1). Actes du huitième congrès. 2007 ⇒989. 863-877;
12382 Paraphrase de Sem (NH VII,1). 1029-1103;
12383 Noréa (NH IX,2). Ecrits gnostiques. 2007 ⇒12237. 1375-1385.
12384 *Roberge, Michel; Mahé, Jean-P.; Desjardins, Michel* L'entende-
       ment de notre Grande Puissance (NH VI,4). 897-922;
12385 *Rosenstiehl, Jean-M.; Kaler, Michael* Apocalypse de Paul (NH
       V,2). Ecrits gnostiques. 2007 ⇒12237. 707-723.
12386 *Rouleau, Donald* Epître apocryphe de Jacques (NH I,2). 11-42;
12387 *Roy, Louise* Acte de Pierre (BG 4). 1671-1684;
12388 *Scopello, Madeleine; Turner, John* Allogène (NH XI,3). 1535-74;

12389 *Sevrin, Jean-M.* Exégèse de l'âme (NH II,6). 467-486;
12390 *Thomassen, Einar; Pasquier, Anne* Evangile de la vérité (NH I,3; XII,2). Ecrits gnostiques. 2007 ⇒12237. 43-84.
12391 *Wees, Jennifer* False prophets are false fathers: clairvoyance in the career of Shenoute of Atripe. L'Evangile selon Thomas. 2007 ⇒ 861. 635-652 [On the origin of the world (Codex II)].

M3.2 **Religio comparativa**

12392 *Bickerman, Elias J.* On religious phenomenology. Studies in Jewish and Christian history. 2007 ⇒190. 879-893 [Review of G. van der Leeuw, Phänomenologie der Religion (Tü: Mohr 1933)].
12393 **Crook, Zeba A.** Reconceptualising conversion: patronage, loyalty, and conversion in the religions of the ancient Mediterranean. BZNW 130: 2004 ⇒20,11157; 22,11872. ᴿBTB 37 (2007) 132-134 (*Esler, Philip*).
12394 *Mohn, Jürgen* Heterotopien in der Religionsgeschichte: Anmerkungen zum 'Heiligen Raum' nach Mircea ELIADE. ThZ 63 (2007) 331-357.
12395 *Pezzoli-Olgiati, Daria* From μαγεία to magic: envisaging a problematic concept in the study of religion. A kind of magic. LNTS 306: 2007 ⇒468. 3-19.
12396 *Speyer, Wolfgang* Zur Erfahrung der göttlichen Macht in der Religionsgeschichte des Altertums. <2005>;
12397 Zur Grundstruktur und Geschichte des Gottesgedankens. <2002>;
12398 Der Gott des Universums und die Vierheit <2002>. Frühes Christentum. WUNT 213: 2007 ⇒320. 15-33/35-45/47-59.
12399 **Vogel, Manfred H.** The phenomenon of religion: pagan and biblical religion: some reflections on the bifurcation of the religious phenomenon between the dimension-of-power and the dimension-of-consciousness. Lanham 2007, University Press of America 95 pp. 978-0-7618-3664-3.

M3.5 **Religiones mundi cum christianismo comparatae**

12400 *Bechmann, Ulrike* Abraham und Ibrahim: die Grenzen des Abraham-Paradigmas im interreligiösen Dialog. MThZ 58 (2007) 110-126.
12401 *Schweizer, Ursula* Die heiligen Schriften von vier Weltreligionen: wie die Religionen mit ihren Schriften umgehen. Zeitschrift für Religionsunterricht und Lebenskunde 36/2 (2007) 31-33.

M3.6 *Sectae*—**Cults**

12402 *Althaus, Paul* Theologie der Ordnungen (1934). Grundtexte. 2007 ⇒588. 137-144.
12403 *Angell, S.W.* Opening the scriptures, then and now. Quaker Theology [Fayetteville, NC] 14 (2007) 1-18.
12404 *Barth, Karl* Das Wort Gottes als Aufgabe der Theologie (1922). Grundtexte. 2007 ⇒588. 102-119.

12405   *Bächtold, Hans Ulrich* Geschichte in der Gegenwart–Gegenwart in
        der Geschichte: Heinrich BULLINGER und das Großmünsterstift.
        Heinrich Bullinger, 1. 2007 ⇒910. 119-128.
12406   Das bischöfliche Amt im Rahmen der Apostolizität der Kirche: die
        Erklärung von Lund: Lutherischer Weltbund–eine Kirchengemein-
        schaft. Amt und Gemeinde 58/11-12 (2007) 244-258.
12407   *Bonhoeffer, Dietrich* Widerstand und Ergebung (1944);
12408   *Brunner, Emil* Unser Glaube: eine christliche Unterweisung (1939);
12409   *Bultmann, Rudolf* Welchen Sinn hat es, von Gott zu reden? (1925).
        Grundtexte. 2007 ⇒588. 179-182/157-163/120-129.
12410   *Canale, Fernando L.* The revelation and inspiration of scripture in
        Adventist theology, part 1. AUSS 45/2 (2007) 195-219.
12411   *Castleman, Robbie F.* The last word column: second temple evan-
        gelicalism. Themelios 32/2 (2007) 75-78.
12412   *Ebeling, Gerhard* Das Wesen des christlichen Glaubens (1959);
12413   *Elert, Werner* Gesetz und Evangelium (1948). Grundtexte. 2007 ⇒
        588. 224-232/183-190.
12414   *Gebauer, Roland* Die Autorität der Heiligen Schrift allein: das me-
        thodistische Schriftverständnis;
12415   *Geisser, Christiane* Die Bedeutung der Heiligen Schrift im deut-
        schen Baptismus: Beobachtungen aus dem baptistischen Gemeinde-
        alltag. Die Bibel im Leben der Kirche. 2007 ⇒1643. 85-104/69-83.
12416   *Gogarten, Friedrich* Verhängnis und Hoffnung der Neuzeit (1953);
12417   Zwischen den Zeiten (1921);
12418   *Gollwitzer, Helmut* Revolution als theologisches Problem (1970).
        Grundtexte. 2007 ⇒588. 210-213/97-101/287-291.
12419   **Greer, Rowan A.** Anglican approaches to scripture: from the Ref-
        ormation to the present. 2006 ⇒22,11895. [R]AThR 89 (2007) 134-
        136 (*Sumner, George*).
12420   *Harnack, Adolf von* Das Wesen des Christentums (1899/1900).
        Grundtexte. 2007 ⇒588. 60-72.
12421   *Heen, E.M.* Scriptural theology and the ECLA: challenges and re-
        sources. Seminary Ridge Review [Gettysburg, PA] 10/1 (2007) 24-
        37.
12422   *Heinze, André* Die Bedeutung der Heiligen Schrift im deutschen
        Baptismus: grundlegende Beobachtungen. Die Bibel im Leben der
        Kirche. 2007 ⇒1643. 47-68.
12423   *Herrmann, Wilhelm* Unser Glaube an Gott (1912);
12424   *Hick, John* Verifikation im Jenseits (1963);
12425   *Hirsch, Emanuel* Weltbewusstsein und Glaubensgeheimnis (1967);
12426   *Huber, Wolfgang* Gute Theologie (2004). Grundtexte. 2007 ⇒588.
        82-90/246-251/252-259/367-370.
12427   **Jenkins, Philip** The new faces of christianity: believing the bible in
        the global south. 2006 ⇒22,11900. [R]CTJ 42 (2007) 183-185
        (*Schering, Eric*); Crisis 25/4 (2007) 52-54 (*Birzer, Bradley J.*).
12428   *Jüngel, Eberhard* Die Welt als Möglichkeit und Wirklichkeit
        (1969). Grundtexte. 2007 ⇒588. 276-286.
12429   *Kierkegaard, Søren* Die Krankheit zum Tode (1849);
12430   Furcht und Zittern (1843). Grundtexte. 2007 ⇒588. 39-40/31-38.
12431   *Klaiber, Walter* Einleitende Bemerkungen aus freikirchlicher Sicht.
        Die Bibel im Leben der Kirche. 2007 ⇒1643. 13-17.
12432   Konkordie reformatorischer Kirchen in Europa (1973). Grundtexte.
        2007 ⇒588. 292-299.

12433 *Krüger, Richard* Aktuelles Reden Gottes: Wort und Geist in pente-
kostaler Tradition. Die Bibel im Leben der Kirche. 2007 ⇒1643.
199-203.

12434 *Moltmann, Jürgen* Der Gott der Hoffnung (1967). Grundtexte.
2007 ⇒588. 260-267;

12435 Politische Theologie (1984). Grundtexte. 2007 ⇒588. 339-345.

12436 **Muller, Richard A.; Ward, Rowland S.** Scripture and worship:
biblical interpretation and the directory for worship. Phillipsburg
2007, P&R 181 pp. $18. 978-15963-80721.

12437 *Nel, M.* Pentecostals' reading of the Old Testament. VeE 28 (2007)
524-541.

12438 *Nestler, Erich* Beglaubigung des Evangeliums durch Zeichen und
Wunder: zum Problem der Herstellung intersubjektiver Plausibilität
bei pfingstlichen Heilungsevangelisten. Zeichen und Wunder.
BTSP 31: 2007 ⇒553. 234-258.

12439 *Otto, Rudolf* Das Heilige (1917). Grundtexte. 2007 ⇒588. 91-96.

12440 *Pöhler, Rolf J.* Die Heilige Schrift im Gottesdienst, Bekenntnis und
Auslegungspraxis der Siebenten-Tags-Adventisten. Die Bibel im
Leben der Kirche. 2007 ⇒1643. 157-183.

12441 *Ritschl, Albrecht* Unterricht in der christlichen Religion (1875);

12442 *Ritschl, Ditrich* "Story" als Rohmaterial der Theologie (1976).
Grundtexte. 2007 ⇒588. 41-53/300-306.

12443 *Rogers, Jack* Presbyterean guidelines for biblical interpretation:
their origin and application to homosexuality. BTB 37 (2007) 174-
183.

12444 *Schleiermacher, Friedrich D.E.* Der christliche Glaube, Band 1
(zweite Auflage 1830/31). Grundtexte. 2007 ⇒588. 19-30;

12445 Kurze Darstellung des theologischen Studiums (zweite Auflage
1830). Grundtexte. 2007 ⇒588. 12-18;

12446 Über die Religion (1799). Grundtexte. 2007 ⇒588. 1-11.

12447 *Schuler, Ulrike* Die Autorität der Heiligen Schrift allein: die Not-
wendigkeit der hermeneutischen Reflexion–das "Wesleyanische
Quadrilateral". Bibel im Leben der Kirche. 2007 ⇒1643. 105-126.

12448 *Thompson, J.W.* What is Church of Christ scholarship?. RestQ 49/1
(2007) 33-38.

12449 *Tillich, Paul* Der Mut zum Sein (1952). Grundtexte. 2007 ⇒588.
203-209.

12450 *Tinker, Melvin* The servant solution: the co-ordination of evangel-
ism and social action: the John Wenham Lecture 2006. Themelios
32/2 (2007) 6-32.

12451 *Troeltsch, Ernst* Die Absolutheit des Christentums und die Religi-
onsgeschichte (1902). Grundtexte. 2007 ⇒588. 73-81.

12452 *Warner, Laceye* Situating the word: the significance of christian
space for evangelism. AsbJ 62/1 (2007) 79-94.

12453 *Williams, P.A.* Quakerism and the Jesus Seminar: fitting friends.
Fourth R [Santa Rosa, CA] 20/4 (2007) 13-18.

12454 **Witherington, Ben, III** The problem with evangelical theology:
testing the exegetical foundations of Calvinism, Dispensationalism,
and Wesleyanism. 2005 ⇒21,12395. ᴿBS 164 (2007) 492-493
(*Kreider, Glenn R.*).

12455 **Wolters, Albert M.** Creation regained: biblical basics for a Refor-
mational worldview. ²2005 <1985> ⇒21,12396. ᴿRRT 14/1 (2007)
142-144 (*Fout, Jason A.*).

M3.8 **Mythologia**

12456 *Albrile, Ezio* Nel regno del "drakon". Studi sull'Oriente Cristiano 11/2 (2007) 81-96.

12457 **Beck, Roger** A brief history of ancient astrology. Brief histories of the ancient world: Malden, MA 2007, Blackwell xiii; 159 pp. £15/50. 14051-10740/872. Bibl.; ill. [R]EtCl 74 (2006) 378-379 (*Rey, Sarah*).

12458 *Bickerman, Elias J.* Anonymous gods. Studies in Jewish and Christian history. AGJU 68/2: 2007 ⇒190. 947-960.

12459 **Borgeaud, Philippe** Exercises de mythologie. 2004 ⇒20,11192; 22,11918. [R]RHR 224 (2007) 373-376 (*Dana, Dan*).

12460 **Bottici, Chiara** A philosophy of political myth. C 2007, CUP 294 pp. $84. 05218-76559.

12461 *Brison, Ora* Aggressive goddesses, abusive men: gender role change in Near Eastern mythology. SMEA 49 (2007) 67-74.

12462 *Bultmann, Rudolf* Neues Testament und Mythologie (1941). Grundtexte. 2007 ⇒588. 164-178.

12463 *Causse, Jean-Daniel* Conclusion: le mythe: un langage des origines. Mythes grecs, mythes bibliques. 2007 ⇒397. 171-182;

12464 Quelle fonction attribuer aux mythes?. Mythes. 2007 ⇒397. 13-26.

12465 **Csapo, Eric** Theories of mythology. Ancient Cultures: 2005 ⇒21, 12403. [R]AnCl 76 (2007) 404-405 (*Pirenne-Delforge, Vinciane*).

12466 **Devinney, Margaret; Thury, Eva** Introduction to mythology. 2005 ⇒21,12404. [R]AnCl 76 (2007) 404-406 (*Pirenne-Delforge, Vinciane*).

12467 **Gangloff, Anne** DION Chrysostome et les mythes. Horos: 2006 ⇒ 22,11922. [R]BAGB (2007/2) 196-198 (*Billault, Alain*).

12468 **Girard, René** Miti d'origine. [E]*Antonnello, P.; Fornari, G.*; [T]*Crestani, E.* 2005 ⇒21,12410. [R]Filosofia Oggi 30 (2007) 315-322 (*Tugnoli, Claudio*).

12469 *Graf, Fritz* Myth. Ancient religions. 2007 ⇒601. 45-58.

12470 *Groddek, Detlev* Varia mythologica. [F]KOŠAK, S. 2007 ⇒90. 313-339.

12471 *Groenewald, Alphonso* From myth to theological language;

12472 *Kamuwanga, Liswanisu* Sacral kingship and myth in Africa. Psalms and mythology. LHBOTS 462: 2007 ⇒451. 9-25/231-247.

12473 **Meier, Samuel A.** Granting God a passport: transporting deities across international boundaries. Moving across borders. OLA 159: 2007 ⇒722. 185-208.

12474 **Morales, H.** Classical mythology: a very short introduction. Oxf 2007, OUP xiv; 143 pp. £7. 978-01928-04761. Ill.

12475 **Morford, Mark P.O.; Lenardon, Robert J.** Classical mythology. Oxf [8]2007 <1971>, OUP xx; 820 pp. £24. 01953-08050.

12476 *Perotti, Pier A.* Pastori e prodigi. BeO 49 (2007) 175-192.

12477 **Radke, Gyburg** Die Kindheit des Mythos: die Erfindung der Literaturgeschichte in der Antike. Mü 2007, Beck xii; 366 pp.

12478 *Santis, Andrea de* Götterbilder und Theorie des Bildes in der Antike. Handbuch der Bildtheologie, 1. 2007 ⇒591. 53-80.

12479 *Schutte, Flip* Myth as paradigm to read a text. Psalms and mythology. LHBOTS 462: 2007 ⇒451. 1-8.

12480 **Segal, Robert A.** Myth: a very short introduction. 2004 ⇒20, 11207. [R]ASSR 52/138 (2007) 226-228 (*Van den Kerchove, Anna*).

12481 *Speyer, Wolfgang* Gewalt und Weltbild: zum Verständnis grausamen Tötens im Altertum. <2006>;

12482 Zum magisch-religiösen Inzest im Altertum <2001>. Frühes Christentum. WUNT 213: 2007 ⇒320. 61-74/137-152.

12483 **West, Martin L.** Common elements in Indo-Iranian, Greek and other poetic traditions and mythologies. Indo-European Poetry and Myth: Oxf 2007, OUP xii; 525 pp.

M4.0 Religio romana

12484 *Ames, Cecilia, al.*, Forschungsbericht Römische Religion (2003-2005). AfR 9 (2007) 297-404.

12485 *Assmann, Jan* Monotheism and polytheism. Ancient religions. 2007 ⇒601. 17-31.

12486 **Beard, Mary; North, John; Price, Simon** Religions de Rome. [T]*Cadoux, Jean-Louis; Cadoux, Margaret* 2006 ⇒22,11926. [R]AnCl 76 (2007) 419-422 (*Raepsaet-Charlier, Marie-Thérèse*); RAr (2007) 399-401 (*Turcan, Robert*).

12487 *Bernett, Monika* Der Kaiserkult in Judäa unter herodischer und römischer Herrschaft: zu Herausbildung und Herausforderung neuer Konzepte jüdischer Herrschaftslegitimation. Jewish identity. AJEC 71: 2007 ⇒577. 205-251.

12488 *Brenk, Frederick E.* The Isis campensis of Katja Lembke. Ment. *Domitian* <1999>;

12489 Osirian reflections: second thoughts on the *Isaeum campense* at Rome <2003>. With unperfumed voice. 2007 ⇒200. 371-382/383-395.

12490 **Cadotte, Alain** La romanisation des dieux: l'interpretatio romana en Afrique du Nord sous le Haut-Empire. RGRW 158: Lei 2007, Brill xiv; 750 pp. Bibl. 671-693.

12491 **Calisti, Flavia** Mefitis: dalle madri alla madre: un tema religioso italico e la sua interpretazione romana e cristiana. Chi siamo 41: 2006 ⇒22,11931. [R]SMSR 73 (2007) 409-410 (*Santi, Claudia*).

12492 *Dirven, Lucinda* The emperor's new clothes: a note on Elagabalus' priestly dress. [F]TUBACH, J. 2007 ⇒154. 21-36.

12493 *Fishwick, D.* Numen Augusti. ZPE 160 (2007) 247-255.

12494 **Fishwick, Duncan** The imperial cult in the Latin West: vol. III: provincial cult. RGRW 145-8: 2002-2005 ⇒18,10726... 21,12433. [R]BTB 37 (2007) 37-38 (*Crook, Zeba A.*); AnCl 76 (2007) 422-424 (*Raepsaet-Charlier, Marie-Thérèse*).

12495 *Graf, Fritz* What is ancient Mediterranean religion?. Ancient religions. 2007 ⇒601. 3-15.

12496 **Green, Carin M.C.** Roman religion and the cult of Diana at Aricia. NY 2007, CUP xxx; 347 pp. $75. 978-05218-51589. Ill.

12497 **Guillaumont, François** Le *De diuinatione* de CICÉRON et les théories antiques de la divination. 2006 ⇒22,11936. [R]REA 109 (2007) 767-768 (*Briquel, Dominique*).

12498 **Guittard, C.** Carmen et prophéties à Rome. Recherches sur les Rhétoriques Religieuses 6: Turnhout 2007, Brepols 369 pp. 25035-09549. Bibl.

12499   *Hemelrijk, E.A.* Local empresses: priestesses of the imperial cult in the cities of the Latin west. Phoenix [Toronto] 61/3-4 (2007) 318-349.

12500   *Lozano, F.* Divi Augusti* and *Theoi Sebastoi*: Roman initiatives and Greek answers. Classical Quarterly 57 (2007) 139-152.

12501   **Martini, Maria C.** Le vestali: un sacerdozio funzionale al 'cosmo' romano. CollLat 282: 2004 ⇒21,12446. ^RAnCl 76 (2007) 427-428 (*Mekacher, Nina*).

12502   *Mayer i Olivé, Marc* Sobre "sanctissimus"/"sanctissima" en el lenguaje protocolario imperial. Studi sull'Oriente Cristiano 11/2 (2007) 21-29.

12503   **Prescendi, Francesca** Décrire et comprendre le sacrifice: les réflexions des Romains sur leur propre religion à partir de la littérature antiquaire. Potsdamer Altertumswissenschaftliche Beiträge (PAwB) 19: Stu 2007, Steiner 284 pp. 978-35150-88886.

12504   **Rives, James B.** Religion in the Roman Empire. Blackwell Ancient Religions: Malden, MA 2007, Blackwell x; 237 pp. £50/$82; £18/$33. 978-14051-06559/66. ^REtCl 74 (2006) 350-1 (*Clarot, B.*).

12505   **Rüpke, Jörg** Religion of the Romans. ^{TE}*Gordon, Richard* Malden, MA 2007, Polity xvi; 350 pp. £60/19. 978-07456-30144/51.

12506   ^E**Rüpke, Jörg** Antike Religionsgeschichte in räumlicher Perspektive: Abschlußbericht zum Schwerpunktprogramm 1080 der Deutschen Forschungsgemeinschaft 'Römische Reichsreligion und Provinzreligion'. Tü 2007, Mohr S. viii; 247 pp. €39. 978-31614-937-82. Collab. *F. Fabricius*;
A companion to Roman religion. 2007 ⇒627.

12507   **Scheid, John** An introduction to Roman religion. 2003 ⇒20, 11234. ^RHR 46 (2007) 271-273 (*Rüpke, Jörg*).

12508   *Scheid, John* Les sens des rites: l'exemple romain. Rites et croyances. Entretiens 53: 2007 ⇒946. 39-71.

12509   **Witulski, Thomas** Kaiserkult in Kleinasien: die Entwicklung der kultisch-religiösen Kaiserverehrung in der römischen Provinz Asia von AUGUSTUS bis ANTONINUS PIUS. NTOA 63: Gö 2007, Vandenhoeck & R. 210 pp. €59.90. 978-3-525-53986-6. Bibl. 185-210.

M4.5 **Mithraismus**

12510   **Beck, Roger** The religion of the Mithras cult in the Roman Empire. 2006 ⇒22,11963. ^RRBLit (2007)* (*Bremmer, Jan N.*).

12511   **Betz, Hans D.** The "Mithras Liturgy". STAC 18: 2003 ⇒19,11760 ... 22,11964. ^RSal. 69 (2007) 567-568 (*Vicent, Rafael*).

12512   *Bird, Joanna* Incense in Mithraic ritual: the evidence of the finds. Food for the gods. 2007 ⇒730. 122-134.

M5.1 *Divinitates Graeciae*—**Greek gods and goddesses**

12513   **Bendell, Lisa M.** Economics of religion in the Mycenaean world: resources dedicated to religion in the Mycenaean palace economy. Monographs 67: Oxf 2007, Oxford Univ. School of Archaeology 369 pp. £40/$80. 978-19059-05027. 72 tables.

12514 *Brenk, Frederick E.* Artemis of Ephesos: an avant garde goddess. With unperfumed voice. 2007 <1998> ⇒200. 319-333.

12515 **Burkert, Walter** Religión griega arcaica y clásica. M 2007, Abada 502 pp.

12516 **Carastro, Marcello** La cité des mages: penser la magie en Grèce ancienne. 2006 ⇒22,11979. [R]Kernos 20 (2007) 400-401 (*Graf, Fritz*).

12517 **Connelly, Joan B.** Portrait of a priestess: women and ritual in ancient Greece. Princeton 2007, Princeton Univ. Pr. xv; 415 pp. $39.50. 978-06911-27460.

12518 *Corsini, Eugenio* ESIODO e la bibbia: il proemo della *Teogonia*–il mito delle cinque razze. RstB 19/2 (2007) 7-31.

12519 **Detienne, Marcel** Les dieux d'Orphée. Folio histoire 150: P 2007, Gallimard 240 pp. 20703-41825.

12520 **Eidinow, Esther** Oracles, curses, and risk among the ancient Greeks. Oxf 2007, OUP xii; 516 pp. £80. 01992-77788.

12521 *Gawlinski, Laura* The Athenian calendar of sacrifices: a new fragment from the Athenian agora. Hesp. 76 (2007) 37-55.

12522 *Graninger, Denver* Studies in the cult of Artemis Throsia. ZPE 162 (2007) 151-164.

12523 *Guyomard, Patrick* Le mythe d'Antigone: "je suis de ceux qui aiment et non de ceux qui haïssent". Mythes grecs, mythes bibliques. LiBi 150: 2007 ⇒397. 65-80.

12524 **Himmelmann, Nikolaus** Alltag der Götter. 2003 ⇒21,12498. [R]Gn. 79 (2007) 337-339 (*Fehr, Burkhard*).

12525 *Hollnagel, Dorothea* Schlaf und Heilung: antike Asklepiosheiligtümer und die Praxis der Inkubation. An Leib und Seele gesund. BThZ.B 24: 2007 ⇒929. 68-78.

12526 *Huffmon, Herbert B.* The oracular process: Delphi and the Near East. VT 57 (2007) 449-460.

12527 **Isler-Kerényi, Cornelia** Dionysos in archaic Greece: an understanding through images. [T]*Watson, Wilfred G.E.* RGRW 160: Lei 2007, Brill xx; 291 pp. €139/$188. 90-04-14445-5. Bibl. 255-266.

12528 **Jaillard, Dominique** Configurations d'Hermès: une 'théogonie hermaïque'. Kernos.S 17: Liège 2007, Centre International d'Étude de la Religion Grecque Antique 292 pp. 29600-71702.

12529 *Jossif, Panagiotis; Lorber, Catharine* Laodikai and the goddess Nikephoros. AnCl 76 (2007) 63-88.

12530 **Kantiréa, Maria** Les dieux et les dieux augustes: le culte impérial en Grèce sous les Julio-claudiens et les Flaviens: études épigraphiques et archéologiques. Mélétèmata 50: Athènes 2007, Centre de recherches d l'antiquité grecque et romaine 285 pp. €66. 978-96079-05352. 28 pl.

12531 **Karageorghis, Jacqueline** Kypris, the Aphrodite of Cyprus, ancient sources and archaeological evidence. 2005 ⇒21,14703. [R]RAr (2007) 332-334 (*Pirenne-Delforge, Vinciane*).

12532 *Kelley, Nicole* Deformity and disability in Greece and Rome. This abled body. Semeia Studies 55: 2007 ⇒356. 31-45.

12533 *Kovaleva, I.I.* On the problem of double personifications in Greek mythology. VDI 260 (2007) 118-129. **R.**

12534 **Kowalzig, B.** Singing for the gods: performance of myth and ritual in archaic and classical Greece. Oxf 2007, OUP xviii; 508 pp. £85. 978-01992-19964. Ill.

12535   *Lehoux, D.* Drugs and the Delphic oracle. ClW 101/1 (2007) 41-56.
12536   *Marinatos, Nannó* The Minoan Mother Goddess and her son: reflections on a theocracy and its deities. [F]KEEL, O. OBO Sonderband: 2007 ⇒83. 349-364.
12537   **Mikalson, Jon D.** Ancient Greek religion. 2005 ⇒21,12508. [R]AnCl 76 (2007) 410-411 (*Pirenne-Delforge, Vinciane*).
12538   **Munn, M.** The mother of the gods, Athens, and the tyranny of Asia: a study of sovereignty in ancient religion. 2006 ⇒22,11989. [R]Byz. 77 (2007) 682 (*Groote, M. de*); RBLit (2007)* (*Van den Heever, Gerhard*).
12539   *Muskett, Georgina* Images of Artemis in Mycenaean Greece?. JPHR 21 (2007) 53-68.
12540   **Parker, Robert** Polytheism and society at Athens. 2005 ⇒21, 12511. [R]Kernos 20 (2007) 425-428 (*Pirenne-Delforge, Vinciane*).
12541   [E]**Pàmias, Jordi** ERATOSTHENES: Sternsagen. Bibliotheca classicorum 2: Oberhaid 2007, Utopica 258 pp. 978-3-938083-05-5.
12542   **Pironti, Gabriella** Entre ciel et guerre: figures d'Aphrodite en Grèce ancienne. Kernos.S 18: Liège 2007, Centre International d'Etude de la Religion Grecque Antique 336 pp. €40. 29600-71719. Diss. EPHE 2005.
12543   **Rosenzweig, Rachel** Worshipping Aphrodite: art and cult in classical Athens. 2004 ⇒20,11271; 21,12519. [R]Gn. 79 (2007) 432-435 (*Simon, Erika*).
12544   *Salles, Catherine* "Les Grecs ont-ils cru à leurs mythes?";
12545   *Sauzeau, Pierre* Les Anciens, les mythes et la croyance religieuse. Mythes grecs, mythes bibliques. 2007 ⇒397. 29-43/45-64.
12546   *Schlesier, Renate* Passagen und Sackgassen: zu Geschichte und Gegenwart der Anthropologie der antiken griechischen Religion. Nachleben der Religionen. 2007 ⇒1897. 141-154.
12547   *Selivanova, L.L.* On the source of Delphic inspiration. VDI 261 (2007) 157-173. R.
12548   *Smarczyk, Bernhard* Religion und Herrschaft: der Delisch-Attische Seebund. Saec. 58 (2007) 205-228.
12549   **Thom, Johan C.** CLEANTHES' hymn to Zeus. STAC 33: 2005 ⇒ 21,12527. [R]RBLit (2007)* (*Engberg-Pedersen, Troels*).
12550   **Weiberg, Erika** Thinking the Bronze Age: life and death in early Helladic Greece. Acta Universitatis Upsaliensis, Boreas 29: U 2007, Uppsala University xiv; 404 pp. SEK314. 978-91-554-6782-1. Diss. Uppsala; Bibl. 389-402.
12551   *Weiler, Gabriele* Human sacrifice in Greek culture. Human sacrifice. SHR 112: 2007 ⇒926. 35-64.
12552   [E]**Woodard, R.D.** The Cambridge companion to Greek mythology. NY 2007, CUP xvi; 536 pp. £50/19; $90/30. 978-05218-45205/6-07261. Ill.

M5.2 *Philosophorum critica religionis*—**Greek philosopher religion**

12553   *Alekniene, Tatjana* L'énigme de la 'patrie' dans le traité 1 de PLOTIN: héritage de l'exégèse philonienne?. Ment. *Philo* RechAug 35 (2007) 1-46.
12554   *Brenk, Frederick E.* 'Parlando senza profumi raggiunge con la voce mille anni', PLUTARCO e la sua età. Plutarco e la cultura della sua

età. International Plutarch Society, Sez. Italiana, Collectanea 27: N 2007, International Plutarch Society. 11-38 [Atti del X Convegno plutarcheo, Fisciano–Paestum, 27-29 ottobre 2005];

12555 Two case studies in Paideia. ⇒200. 60-66;

12556 O sweet mystery of the Lives!: the eschatological dimensions of PLUTARCH's biographies. ⇒200. 216-232;

12557 "Isis is a Greek word": PLUTARCH's allegorization of Egyptian religion. <1999> ⇒200. 334-345;

12558 "Speaking with unperfumed word, reaches to a thousand years": PLUTARCH and his age. ⇒200. 17-51;

12559 All for love: the rhetoric of exaggeration in PLUTARCH's *Erotikos*. <2000> ⇒200. 84-99;

12560 Dio on the simple and self-sufficient life. <2000> ⇒200. 279-300;

12561 Finding one's place: eschatology in PLATO's Laws and first century Platonism. <2003> ⇒200. 301-316;

12562 In the image, reflection and reason of Osiris: PLUTARCH and the Egyptian cults. <2000> ⇒200. 144-159;

12563 PLUTARCH. <2005> ⇒200. 52-59;

12564 PLUTARCH's middle-platonic God: about to enter (or remake) the academy. <2006> ⇒200. 121-143;

12565 PLUTARCH, Judaism and Christianity. <1997> ⇒200. 100-120;

12566 Religion under TRAJAN: PLUTARCH's resurrection of Osiris. <2002[2003]> ⇒200. 161-180;

12567 Setting a good *exemplum*: case studies in the *Moralia*, the *Lives* as case studies. ⇒200. 195-215;

12568 Sheer doggedness or love of neigbor?: motives for self-sufficiency in the Cynics and others. <2002-2003> ⇒200. 255-278;

12569 Social and unsocial memory: the liberation of Thebes in PLUTARCH's The daimonion of Sokrates. <2002> ⇒200. 67-83;

12570 The barbarian within Gallic and Galatian heroines in PLUTARCH's *Erotikos*. With unperfumed voice. 2007 <2005> ⇒200. 181-194.

12571 *Brisson, Luc* What is a god according to PLATO?. Platonisms. 2007 ⇒568. 41-52.

12572 *Burkert, Walter* HERODOT über die Namen der Götter: Polytheismus als historisches Problem. Tragica et historica. 2007 ⇒208. 161-172.

12573 *Cooper, E. Jane* Escapism or engagement?: PLOTINUS and feminism. JFSR 23/1 (2007) 73-93.

12574 *Dillon, John* The religion of the last Hellenes. Rites et croyances. Entretiens 53: 2007 ⇒946. 117-147.

12575 **Drozdek, A.** Greek philosophers as theologians: the divine *arche*. Aldershot 2007, Ashgate x; 275 pp. £50/$100. 978-07546-61894.

12576 *Eisele, Wilfried* Jenseitsmythen bei PLATON und PLUTARCH. Lebendige Hoffnung. ABIG 24: 2007 ⇒845. 315-340.

12577 *Giombini, Stefania* Dal dialogo socratico alla dialettica platonica: studi recenti di filosofia greca. Aquinas 50/2 (2007) 807-823.

12578 *Gniffke, Franz* Bilder und Götterstatuen im Neuplatonismus. Handbuch der Bildtheologie, 1. 2007 ⇒591. 81-119.

12579 *Günzler, Claus* PLATONs Höhlengleichnis. Geschichten. Hodos 5: 2007 ⇒615. 71-84.

12580 *Jaillard, D.* PLUTARQUE et la divination: la piété d'un prêtre philosophe. RHR 224 (2007) 149-169.

12581   *Klauck, Hans-Josef* Nature, art, and thought: DIO Chrysostom and the *theologia tripertita*. JR 87 (2007) 333-354.
12582   ^{ET}**Konstan, David; Russell, Donald** HERACLITUS: Homeric problems. SBL.Writings from the Greco-Roman World 14: 2005 ⇒21, 12572; 22,12017. ^RRBLit (2007) 284-287 (*MacDonald, Dennis*).
12583   *Lang, Manfred* "Der Tod geht uns nichts an" (EPIKUR)–"die Seele ist der Ewigkeit würdig" (SENECA): zur epikureischen und stoischen Lesart der (jenseitigen) Welt. Lebendige Hoffnung. ABIG 24: 2007 ⇒845. 341-358.
12584   *Lévy, C.* Chronique de philosophie antique: philosophie romaine: à propos de deux ouvrages récents. BAGB 51/2 (2007) 174-186.
12585   ^{ET}**Luna, Concetta; Segonds, Alain-Philippe** PROCLUS Atheniensis: Commentaire sur le Parménide de PLATON. P 2007, Belles Lettres 2 vols. 978-2-251-00538-6.
12586   *Malherbe, Jean-F.* La spiritualité matérialiste d'Epicure. La Chair et le Souffle 2/2 (2007) 73-94.
12587   ^T**Ramelli, Ilaria** ANNEO Cornuto: compendio di teologia greca. 2003 ⇒19,11835; 21,12587. ^RAt. 95 (2007) 550-551 (*Ferrari, Franco*).
12588   *Rizzerio, Laura* Jésus et SOCRATE. Bible et philosophie. 2007 ⇒ 481. 53-97.
12589   *Sanzi, Ennio* La vittoria sul male nell'interpretatio graeca di un mito egiziano: il De Iside et Osiride di PLUTARCO. RstB 19/1 (2007) 203-223.
12590   *Schmitt, Arbogast* Warum scheitert menschliches Handeln?: Antworten aus griechischer Literatur und Philosophie. ^FBLUMENTHAL, S. von. Ästhetik–Theologie–Liturgik 45: 2007 ⇒16. 13-23.
12591   *Song, Euree* La loi de la nature chez PLOTIN. FZPhTh 54 (2007) 177-188.
12592   *Speyer, Wolfgang* PORPHYRIOS als religiöse Persönlichkeit und als religiöser Denker. Frühes Christentum. WUNT·213: 2007 <2005> ⇒320. 215-232.
12593   *Strange, Steven K.* PROCLUS and the ancients: Platonisms. Proclus 2007 ⇒568. 97-108.

M5.3 *Mysteria eleusinia; Hellenistica*—**Mysteries; Hellenistic cults**

12594   *Auffarth, C.* Zwischen Anpassung und Exotik: 'Mysterien' und 'orientalische Kulte' in der Religion der Antike. VF 52/2 (2007) 19-30.
12595   *Belayche, Nicole* Les dévotions à Isis et Sérapis dans la Judée-Palestine romaine. Nile into Tiber. RGRW 159: 2007 ⇒990. 448-69.
12596   **Bommas, Martin** Heiligtum und Mysterium: Griechenland und seine ägyptischen Gottheiten. Zaberns Bildbände zur Archeologie: 2005 ⇒21,12608. ^RAnCl 76 (2007) 415-418 (*Malaise, Michel*).
12597   ^E**Bonnet, Corinne; Rüpke, Jörg; Scarpi, Paolo** Religions orientales–culti misterici: neue Perspektiven–nouvelles perspectives–prospettive nuove. Stu 2006, Steiner 269 pp. €56. 35150-88717 [Im Rahmen des trilateralen Projektes 'Les religions orientales dans le monde gréco-romain'].
12598   *Bøgh, Brigitte* The Phrygian background of Kybele. Numen 54 (2007) 304-339.

12599 *Brennecke, Hanns C.* Frömmigkeits- und kirchengeschichtliche Aspekte zum Zynkretismus. Ecclesia est in re publica. AKG 100: 2007 <1996> ⇒201. 157-178.

12600 *Bru, Hadrien; Demirer, Ünal* Dionysisme, culte impériale et vie civique à Antioche de Pisidie (deuxième partie). REA 109 (2007) 27-49.

12601 **Busch, Peter** Magie in neutestamentlicher Zeit. FRLANT 218: 2006 ⇒22,12048. ᴿRBLit (2007)* (*Popović, Mladen*).

12602 *Calderón, C.* Los cultos de misterios y su influencia en el cristianismo. Kairós [Guatemala City] 40 (2007) 51-75.

12603 *Engster, Doris* Synkretistische Phänomene bei Gottheiten in antiken Mysterienkulten. Die Welt der Götterbilder. BZAW 376: 2007 ⇒823. 206-236.

12604 ᴱᵀ**Frangoulis, H.** NONNOS de Panopolis: les dionysiaques, 12: chants XXXV-XXXVI. CUFr.G 448: 2006 ⇒22,12053. ᴿREA 109 (2007) 782-784 (*Cusset, Christophe*).

12605 ᴱᵀ**Gerlaud, Bernard** NONNOS de Panopolis: les dionysiaques, 11: chants XXXIII-XXXIV. CUFr Sér. grecque 443: 2005 ⇒21,12616. ᴿREA 109 (2007) 780-782 (*Cusset, Christophe*).

12606 **Graf, Fritz; Johnston, Sarah I.** Ritual texts for the afterlife: Orpheus and the Bacchic gold tablets. L 2007, Routledge x; 246 pp. 978-04154-15514.

12607 *Koester, Helmut* Melikertes at Isthmia: a Roman mystery cult. Paul & his world. 2007 <1990> ⇒257. 180-191.

12608 *Lichtenberger, Achim* Probleme der interpretatio graeca von Gottheiten in der syrischen Dekapolis. Die Welt der Götterbilder. BZAW 376: 2007 ⇒823. 237-254.

12609 **Linssen, Marc J.H.** The cults of Uruk and Babylon: the temple ritual texts as evidence for Hellenistic cult practises [!]. Cuneiform Monographs 25: 2004 ⇒20,11321; 21,12618. ᴿBSOAS 70 (2007) 155-156 (*George, A.R.*); JNES 66 (2007) 145-146 (*Briggs, Robert D.*); OLZ 102 (2007) 424-429 (*Pedersén, Olof*); RBLit (2007)* (*Avalos, Hector*); ZA 96 (2006) 278-279 (*Kessler, Karlheinz*).

12610 *Malaise, Michel* La diffusion des cultes isiaques: un problème de terminologie et de critique. Nile into Tiber. 2007 ⇒990. 19-39.

12611 *Sfameni Gasparro, Giulia* The Hellenistic face of Isis: cosmic and saviour goddess. Nile into Tiber. RGRW 159: 2007 ⇒990. 40-72.

12612 *Speyer, Wolfgang* Zu den antiken Mysterienkulten. Frühes Christentum. WUNT 213: 2007 ⇒320. 103-119.

12613 *Turcan, Robert* Isis gréco-romaine et l'hénothéisme féminin. Nile into Tiber. RGRW 159: 2007 ⇒990. 73-88.

M5.5 Religiones anatolicae

12614 *Alaura, Silvia* Gesten der Verzweiflung in den hethitischen mythologischen Texten. AltOrF 34/1 (2007) 149-153.

12615 *Ankan, Yasemin* An official in Hittite cult: ᴸᵁ*tazzelli-*. KOŠAK, S. 2007 ⇒90. 33-58.

12616 *Archi, Alfonso* The soul has to leave the land of the living. JANER 7 (2007) 169-195.

12617 **Bawanypeck, Daliah** Die Rituale der Auguren. 2005 ⇒21,12635; 22,12071. ᴿSMEA 48 (2006) 307-311 (*Alaura, Silvia*).

12618 *Bawanypeck, Daliah; Görke, Susanne* Einige Bemerkungen zu den hurritischen Sprüchen des Gizija-Rituals. [F]KOŠAK, S. 2007 ⇒90. 59-68.

12619 *Beckman, G.* Religion. B. Bei den Hethitern. RLA 11/5-6. 2007 ⇒ 1072. 333-338;

12620 A Hittite ritual for depression (CTH 432). [F]KOŠAK, S. 2007 ⇒90. ⇒90. 69-81.

12621 *Belayche, Nicole* Rites et 'croyances' dans l'épigraphie religieuse de l'Anatolie impériale. Rites et croyances. 2007 ⇒ 946. 73-115.

12622 **Christiansen, Birgit** Die Ritualtradition der Ambazzi: eine philologische Bearbeitung und entstehungsgeschichtliche Analyse der Ritualtexte CTH 391, CTH 429 und CTH 463. StBT 48: 2006 ⇒ 22,12075. [R]BiOr 64 (2007) 426-428 (*Mouton, Alice*); JAOS 127 (2007) 375-376 (*Beckman, Gary*).

12623 **Ciani, Barbara** La grande dea dell'Anatolia: culto e figura. Settereligioni 17/3: Bo 2007, Studio Domenicano 148 pp. €16. 978-887-09-46789. Diss. Bologna.

12624 *Corti, Carlo* Notes regarding days 12, 13 and 14 of the *nuntarriiašḫaš* festival according to the second outline source. [F]KOŠAK, S. 2007 ⇒90. 163-174;

12625 The so-called 'Theogony' or 'Kingship in heaven': the name of the song. SMEA 49 (2007) 109-121.

12626 *Forlanini, Massimo* The offering list of KBo 4.13 (I 17'-48') to the local gods of the kingdom, known as 'sacrifice list', and the history of the formation of the early Hittite state and its initial growing beyond central Anatolia. SMEA 49 (2007) 259-280.

12627 *Fuscagni, Francesco* Una nuova interpretazione del rituale CTH 423 alla luce di tre nuovi duplicati. Kaskal 4 (2007) 181-219.

12628 *Görke, Susanne* Provenienzangaben in hethitischen Ritualeinleitungen—ein jüngeres Phänomen?. AltOrF 34 (2007) 204-209;

12629 Das Ritual der Aštu (CTH 490) zwischen Tradition und kultureller Neuerung. SMEA 49 (2007) 339-345;

12630 Religious interaction between Ḫattuša and northern Syria. Moving across borders. OLA 159: 2007 ⇒722. 239-248.

12631 *Haas, V.* Verfluchungen im hethitischen Schrifttum und in der Ilias. JANER 7 (2007) 1-6;

12632 Ritual. B. Bei den Hethitern. RLA 11/5-6. 2007 ⇒1072. 430-438;

12633 Beispiele für Intertextualität im hethitischen rituellen Schrifttum. [F]KOŠAK, S. 2007 ⇒90. 341-351.

12634 *Hazenbos, Joost* Der Mensch denkt, Gott lenkt: Betrachtungen zum hethitischen Orakelpersonal. Das geistige Erfassen. 2007 ⇒746. 95-109.

12635 **Hirschmann, Vera-E.** Horrenda secta: Untersuchungen zum frühchristlichen Montanismus und seinen Verbindungen zur paganen Religion Phrygiens. Historia, Einzelschriften 179: 2005 ⇒21, 12642; 22,12080. [R]REA 109 (2007) 391-392 (*Labarre, Guy*).

12636 **Holland, Gary B.; Zorman, Marina** The tale of Zalpa: myth, morality, and coherence in a Hittite narrative. Studia mediterranea, Series Hethaea 6; Studia mediterranea 19: Pavia 2007, Italian Univ. Pr. 150 pp. 978-88-8258-033-9. Bibl. 110-130.

12637 *Hutter, Manfred* Zum Ritual des Zarpiya: Funktion und Einbettung in die religiösen Traditionen Anatoliens. SMEA 49 (2007) 399-406;

12638 *Hutter, Manfred; Hutter-Braunsar, Sylvia* Das junghethitische Gebetsfragment Bo 2002/1 an die Sonnengöttin von Arinna. [F]Košak, S. 2007 ⇒90. 411-421.

12639 *Kapelus, Magdalena* La 'maison (le palais) des ancêtres' et les tombeaux des rois hittites. RANT 4 (2007) 221-229.

12640 *Kassian, Alexei; Yakubovich, Ilya* Muršili II's prayer to Telipinu (CTH 377). [F]Košak, S. 2007 ⇒90. 423-454.

12641 *Lamante, Simona* KUB 49.71(+)[?] KUB 6.4: zwischen Sünde und Königtum. AltOrF 34 (2007) 241-251.

12642 *Mastrocinque, Attilio* The Cilician god Sandas and the Greek Chimaera: features of Near Eastern and Greek mythology concerning the plague. JANER 7 (2007) 197-217.

12643 *Mazoyer, Michel* Inara et Télipinu dans la mythologie hittite. [F]Košak, S. 2007 ⇒90. 507-512;

12644 Aperçu sur deux monstres de la mythologie hittite. Monstres et monstruosités. Cahiers KUBABA 9: 2007 ⇒726. 219-234;

12645 Remarques sur 'la maison du dieu'. RANT 4 (2007) 249-257.

12646 **Mouton, Alice** Rêves hittites: contribution à une histoire et une anthropologie du rêve en Anatolie ancienne. CHANE 28: Lei 2007, Brill xxix; 344 pp. €84/$112. 978-90-04-16024-8. Bibl. 319-331. [R]JHScr 7 (2007)* = PHScr IV,549-553 (*Noegel, Scott*).

12647 *Mouton, Alice* Anatomie animale: le festin carné des dieux d'après les textes hittites III: le traitement des viandes. RA 101 (2007) 81-94;

12648 Au sujet du compte rendu oraculaire hittite KBo 18.142. [F]Košak, S. 2007 ⇒90. 551-555.

12649 **Nakamura, Mitsuo** Das hethitische nuntarriyasha-Fest. 2002 ⇒ 18,10873... 22,12091. [R]ZA 96 (2006) 285-288 (*Miller, Jared L.*).

12650 **Peter, Heike** Götter auf Erden: hethitische Rituale aus Sicht historischer Religionsanthropologie. 2004 ⇒21,12647. [R]HR 47/1 (2007) 104-107 (*Van den Hout, Theo*).

12651 *Polvani, Anna M.* The 'death' of Kamrušepa. [F]Košak, S. 2007 ⇒ 90. 369-574.

12652 *Popko, Maciej* Zur luwischen Komponente in den Religionen Altanatoliens. AltOrF 34/1 (2007) 63-69.

12653 *Raimond, Eric* Hellenization and Lycian cults during the Achaemenid period. Persian responses. 2007 ⇒743. 143-162.

12654 *Raimond, Eric; Vismara, Novella* Les sanctuaires lyciens de Tlôs et de Patara. RANT 4 (2007) 259-282.

12655 *Roos, Johan de* Two new votive texts. [F]Košak, S. 2007 ⇒90. 593-597.

12656 **Roos, Johan de** Hittite votive texts. Publications de l'Institut historique-archéologique néerlandais de Stamboul 109: Lei 2007, Nederlands Instituut voor het Nabije Oosten xii; 314 pp. €42.93. 978-90625-83201.

12657 *Sakuma, Yasuhiko* Neue Kentnisse hethitischer Orakeltexte. [F]Košak, S. 2007 ⇒90. 599-606.

12658 *Stivala, Gabriella* L'apporto della lingua hattica alla tradizione cultuale itttita: due casi di canti strofici. Kaskal 4 (2007) 221-243.

12659 **Strauss, Rita** Reinigungsrituale aus Kizzuwatna: ein Beitrag zur Erforschung hethitischer Ritualtradition und Kulturgeschichte. 2006 ⇒22,12098. [R]BiOr 64 (2007) 420-424 (*Hutter, Manfred*); RA 101 (2007) 189-190 (*Mouton, Alice*).

12660   *Torri, Giulia* Subjet shifting in Hittite magical rituals. [F]Košak, S.
2007 ⇒90. 671-680.
12661   *Tsymbursky, V.L.* The Greek verb ταρχύω 'to bury' and the Asia
Minor myth of the defeated victor god. VDI 260 (2007) 118-29. R.
12662   *Van den Hout, Theo* The prayers in the Haus am Hang. [F]Košak, S.
2007 ⇒90. 401-409.

м6.0 **Religio canaanaea, syra**

12663   **Albright, William F.** Archaeology and the religion of Israel. [5]2006
<1968, 1942> ⇒22,12110. [R]RBLit (2007)* (*Davies, Philip R.*).
12664   **Atwell, James E.** The sources of the Old Testament: a guide to the
religious thought of the Hebrew Bible. 2004 ⇒20,11385... 22,
12112. [R]HeyJ 48 (2007) 110-12 (*Madigan, Patrick*).
12665   *Azize, Joseph J.* Was there regular child sacrifice in Phoenicia and
Carthage?. Gilgameš. ANESt.S 21: 2007 ⇒986. 185-206 [Lev
12,6-8; Lk 2,24].
12666   *Barker, Margaret* What did Josiah reform?. [F]Wyatt, N. AOAT
299: 2007 ⇒174. 11-33.
12667   *Boertien, Jeannette* Asherah and textiles. BN 134 (2007) 63-77.
12668   *Bremmer, Jan* Ritual. Ancient religions. 2007 ⇒601. 32-44 [Lev
16].
12669   *Břeňová, Klára* The cult of Asherah in ancient Israel. ArOr 75
(2007) 153-169.
12670   *Butcher, Kevin* Two Syrian deities. Syria 84 (2007) 277-285.
12671   **Cho, Sang Y.** Lesser deities in the Ugaritic texts and the Hebrew
Bible: a comparative study of their nature and roles. Deities and
Angels of the Ancient World 2: Piscataway (N.J.) 2007, Gorgias
xxvii; 352 pp. $124. 978-15933-38206.
12672   *Collins, John J.* Israel. Ancient religions. 2007 ⇒601. 181-188.
12673   *Curtis, Adrian* The divine abode: Ugaritic descriptions and some
possible Israelite implications. Le royaume d'Ougarit. 2007 ⇒
1004. 295-314;
12674   Encounters with El. [F]Wyatt, N. AOAT 299: 2007 ⇒174.59-72.
12675   **Dever, William G.** Did God have a wife?: archaeology and folk
religion in ancient Israel. 2005 ⇒21,12672; 22,12118. [R]RBLit
(2007)* (*Miller, Patrick D.*).
12676   *Dietrich, Manfried; Loretz, Oswald* Aqhats Ermordung als Mythos
(KTU 1.18 iv 7b-41a). [F]Wyatt, N. 2007 ⇒174. 73-85.
12677   *Elayi, Josette; Lemaire, A.* Bulletin d'information: 1: Syrie–Phéni-
cie–Palestine: deuxième partie: calendrier. TEuph 33 (2007) 105-
117.
12678   *Fawkes, Glynnis; Allan, Robert* Aqhat;
12679   *Feliu, Lluís* Two brides for two gods: the case of Šala and Šalas.
[F]Wyatt, N. AOAT 299: 2007 ⇒174. 361-392/87-93.
12680   **Feliu, Lluís** The god Dagan in Bronze Age Syria. [T]*Watson, Wilfred
G.E.* CHANE 19: 2003 ⇒19,11895; 21,12676. [R]ZA 96 (2006)
270-273 (*Schwemer, Daniel*).
12681   **Frey-Anthes, Henrike** Unheilsmächte und Schutzgenien, Antiwe-
sen und Grenzgänger: Vorstellungen von "Dämonen" im alten Isra-
el. [D]*Koenen, Klaus* OBO 227: FrS 2007, Academic xi; 363 pp.
€77.90. 978-3-525-53027-6. Bibl. 319-349; Diss. Bonn.

12682 *Grabner-Haider, Anton* Herrschaft und Heilsversprechen;
12683 Kultur und Religion. Kulturgeschichte der Bibel. 2007 ⇒435. 93-
       117/23-36.
12684 **Green, Alberto R.W.** The storm-god in the ancient Near East. Bib-
       lical and Judaic Studies 8: 2003 ⇒19,11903... 21,12681. [R]PHScr
       II, 607-610 ⇒373 (*Garfinkle, Steven J.*).
12685 **Gulde, Stefanie U.** Der Tod als Herrscher in Israel und Ugarit.
       [D]*Niehr, Herbert* FAT 2/22: Tü 2007, Mohr S. xiv; 283 pp. €54.
       978-3-16-149214-3. Bibl. 249-276; Diss. Tübingen. [R]TC.JBTC 12
       (2007)* 3 pp (*Hieke, Thomas*) [Ps 49,15; Isa 25,8; 28,15; 28,18;
       Jer 9,20; Hab 2,5].
12686 *Healey, John* From Ṣapānu/Ṣapunu to Kasion: the sacred history of
       a mountain. [F]WYATT, N. AOAT 299: 2007 ⇒174. 141-151.
12687 *Heffelfinger, Katie M.* Like the sitting of a mountain: the signifi-
       cance of metaphor in KTU 1.101's (recto) description of Baʿal. UF
       39 (2007) 381-397.
12688 *Hess, Richard* Aspects of Israelite personal names and pre-exilic
       Israelite religion. New seals. HBM 8: 2007 ⇒721. 301-313.
12689 **Hess, Richard S.** Israelite religions: an archaeological and biblical
       survey. GR 2007, Baker 432 pp. $35. 0-8010-2717-9. Bibl. 353-
       407. [R]UF 39 (2007) 924-925 (*Zwickel, Wolfgang*).
12690 **Huber, I.** Rituale der Seuchen- und Schadensabwehr im Vorderen
       Orient und Griechenland: Formen kollektiver Krisenbewältigung in
       der Antike. Oriens et Occidens 10: 2005 ⇒21,12683. [R]REA 109
       (2007) 810-815 (*Mouton, Alice*).
12691 *Husser, Jean-M.* A-t-il existé un bûcher cultuel de Melqart?.
       [F]WYATT, N. AOAT 299: 2007 ⇒174. 163-175;
12692 Adonis et le chasseur tué: chasse et érotisme dans les mythes ouga-
       ritiques. Le royaume d'Ougarit. 2007 ⇒1004. 545-565.
12693 **Hvidberg-Hansen, Finn O.** 'Arsû and Azîzû: a study of West
       Semitic "Dioscuri" and the gods of dawn and dusk. Historisk-filo-
       sofiske Meddelelser 97: K 2007, Kongelige Danske Videnskaber-
       nes Selskab 117 pp. 978-87-7304-311-0. Bibl. 100-117.
12694 *Janif, Moulay M.* Sacred time in Petra and Nabataea: some per-
       spectives. Aram 19 (2007) 341-361.
12695 *Klein, Fernando* El culto y creencias de los antiguos israelitas.
       VyV 65 (2007) 481-497.
12696 *Klopper, Frances* Iconographic evidence for the worship of heav-
       enly bodies in seventh and sixth century Judah in the light of its
       prohibition in Deuteronomy 4:19. JSem 16 (2007) 211-227;
12697 Iconographical evidence for a theory of astral worship in seventh-
       and sixth-century Judah. South African perspectives. LHBOTS
       463: 2007 ⇒469. 168-184.
12698 *Koch, Klaus* Aschera als Himmelskönigin in Jerusalem. <1998>; .
12699 Der hebräische Gott und die Gotteserfahrungen der Nachbarvölker:
       inklusiver und exklusiver Monotheismus im Alten Testament. Der
       Gott Israels. FRLANT 216: 2007 ⇒89. 42-71/9-41;
12700 Hazzi–Ṣafôn–Kasion: die Geschichte eines Berges und seiner Gott-
       heiten. Der Gott Israels. 2007 <1993> ⇒89. 119-170;
12701 Molek astral. Der Gott Israels. 2007 <1999> ⇒89. 241-262;
12702 Vom Mythos zum Monotheismus im alten Israel <2004>;
12703 Wind und Zeit als Konstituenten des Kosmos in phönikischer
       Mythologie und spätalttestamentlichen Texten <1993>. Der Gott
       Israels. FRLANT 216: 2007 ⇒89. 312-356/86-118.

12704 **Kühn, Dagmar** Totengedenken bei den Nabatäern und im Alten Testament: eine religionsgeschichtliche und exegetische Studie. AOAT 311: 2005 ⇒21,12689. ^RUF 39 (2007) 930-2 (*Schmitt, R.*).

12705 *Lemardelé, Christophe* Être "nazir": du guerrier yahwiste au voeu culturel du judaïsme ancien: origine et transformation d'un rite de cheveux. RHR 224 (2007) 275-288.

12706 *Levine, Baruch A.* Toward an institutional overview of public ritual at Ugarit. Le royaume d'Ougarit. 2007 ⇒1004. 357-380.

12707 *Margalit, Baruch* On Canaanite fertility and debauchery. ^FWYATT, N. AOAT 299: 2007 ⇒174. 177-192.

12708 *Mendes Pinto, Paolo* De dios a Dios: perspectiva prosopográfica y semántica de la génesis del monoteísmo en el espacio de Canáan. 'Ilu 12 (2007) 131-146.

12709 *Muller, Béatrice* Ougarit et la figure divine au Bronze Récent. Le royaume d'Ougarit. 2007 ⇒1004. 501-544.

12710 *Niehr, Herbert* Konfliktgeschichte des Bildes im antiken Syrien-Palästina. Handbuch der Bildtheologie, 1. 2007 ⇒591. 25-52.

12711 **Nocquet, Dany** Le "livret noir de Baal": la polémique contre le dieu Baal dans la Bible hébraïque et l'ancien Israël. 2004 ⇒20, 11432... 22,12140. ^RTEuph 34 (2007) 184-194 (*Sapin, J.*).

12712 **Oggiano, Ida** Dal terreno al divino: archeologia del culto nella Palestina del primo millennio. 2005 ⇒21,12706. ^RSMEA 48 (2006) 336-343 (*Di Paolo, Silvana*).

12713 *Olmo Lete, Gregorio del* El caos y la muerte en la concepción siro-cananea. ^FWYATT, N. AOAT 299: 2007 ⇒174. 219-226.

12714 **Penchansky, David** Twilight of the gods: polytheism in the Hebrew Bible. 2005 ⇒21,12709; 22,12145. ^RLTP 63 (2007) 126-127 (*Johnston, Steve*); ArOr 75 (2007) 108-112 (*Břeňová, Klára*); BiCT 3/2 (2007)* (*Carden, Michael*); RBLit (2007)* (*Noll, K.L.*).

12715 *Sabularse, Rustam C.* Polytheism in ancient Israel: the archaeological evidence. Biblical responses. 2007 ⇒771. 107-120.

12716 **Schmitt, Rüdiger** Magie im Alten Testament. AOAT 313: 2004 ⇒ 20,11439. ^RPHScr II, 501-506 ⇒373 (*Noegel, Scott B.*).

12717 *Schwemer, Daniel* The storm-gods of the ancient Near East: summary, synthesis, recent studies, part I. JANER 7 (2007) 121-168.

12718 *Sérandour, Arnaud* Des dieux et des étoiles à Ougarit et dans la bible. Le royaume d'Ougarit. 2007 ⇒1004. 315-325.

12719 *Shanks, Hershel* The mystery of the Nechushtan: why did king Hezekiah of Judah destroy the bronze serpent that Moses had fashioned to protect the Israelites?. BArR 33/2 (2007) 58-63 [2 Kgs 18,4].

12720 *Singer, Itamar* The origins of the 'Canaanite' myth of Elkunirša and Ašertu reconsidered. ^FKOŠAK, S. 2007 ⇒90. 631-642.

12721 *Smith, Mark S.* Recent study of Israelite religion in light of the Ugaritic texts. Ugarit at seventy-five. 2007 ⇒1058. 1-25.

12722 **Stark, Christine** "Kultprostitution" im Alten Testament?: die Qedeschen der Hebräischen Bibel und das Motiv der Hurerei. OBO 221: 2006 ⇒22,12155. ^ROLZ 102 (2007) 728-730 (*Jost, Renate*); RBLit (2007)* (*Frevel, Christian*).

12723 *Stegemann, Ekkehard W.* Wieder einmal Unbehagen am Monotheismus. Ref. 56/1 (2007) 20-27.

12724 *Tsumura, David T.* The 'Chaoskampf' motif in Ugaritic and Hebrew literatures. Le royaume d'Ougarit. 2007 ⇒1004. 473-499.

12725 *Watson, Wilfred G.E.* Notes on the use of epithets in the Ugaritic mythological texts. [F]WYATT, N. AOAT 299: 2007 ⇒174. 313-334.

12726 *Weeks, Stuart* Man-made gods?: idolatry in the Old Testament. Idolatry. 2007 ⇒763. 7-21.

12727 *Wiggins, Steve A.* Echoes through the millennia: musical journeys to the underworld. [F]WYATT, N. AOAT 299: 2007 ⇒174. 335-350.

12728 **Wiggins, Steve A.** A reassessment of 'Ashera': with further considerations of the goddess. Gorgias Ugaritic Studies 2: Piscataway, NJ 2007 <1993>, Gorgias xiii; 365 pp. $90. 978-15933-37179.

12729 *Wyatt, N.* Word of tree and whisper of stone: El's oracle to King Keret (Kirta), and the problem of the mechanics of its utterance. VT 57 (2007) 483-510;

12730 The religious role of the king in Ugarit. Ugarit at seventy-five. 2007 ⇒1058. 41-74.

12731 *Xella, Paolo* Problèmes méthodologiques dans l'étude de la religion à Ugarit. Le royaume d'Ougarit. 2007 ⇒1004. 451-471.

12732 **Xella, Paolo** Religione e religioni in Siria-Palestina: dall'Antico Bronzo all'epoca romana. R 2007, Carocci 147 pp. 978-88430-42-999.

12733 *Yon, Marguerite* Figures divines. [F]WYATT, N. AOAT 299: 2007 ⇒ 174. 351-360.

12734 **Zevit, Ziony** The religions of ancient Israel: a synthesis of parallactic approaches. 2001 ⇒17,10015... 20,11450. [R]ThR 72 (2007) 178 (*Zwickel, Wolfgang*).

M6.5 Religio aegyptia

12735 *Abd El-Fattah, Ahmed; Georges, Camélia* Le panthéon égyptien gréco-romain à la lumière des fouilles menées dans la zone du delta ouest. Proceedings Ninth Congress, 1. OLA 150: 2007 ⇒992. 21-32.

12736 **Abt, Theodor; Hornung, Erik** Knowledge for the afterlife: the Egyptian Amudat–a quest for immortality. Z 2003, Living Human Heritage 154 pp. 39522-60800.

12737 *Adams, Christina* Shades of meaning: the significance of manifestations of the dead as evidenced in texts from the Old Kingdom to the Coptic period. Current research in Egyptology 2006. 2007 ⇒991. 1-20.

12738 **Assmann, Jan** Mort et au-delà dans l'Egypte ancienne. [T]*Baum, Nathalie* Monaco 2003, Du Rocher 684 pp. €35;

12739 Death and salvation in ancient Egypt. [T]*Lorton, David* 2005 ⇒21, 12731. [R]JAOS 127 (2007) 74-76 (*Morales, Antonio J.*);

12740 Altägyptische Totenliturgien, 2: Totenliturgien und Totensprüche in Grabinschriften des Neuen Reiches. 2005 ⇒21,12730. [R]BiOr 64 (2007) 126-129 (*Goyon, Jean-Claude*).

12741 *Assmann, Jan* Der Schrecken Gottes im Alten Ägypten. [F]HARDMEIER, C. ABIG 28: 2007 ⇒62. 153-165.

12742 *Aufrère, Sydney H.* MANÉTHÔN de Sebennytos et la traduction en grec de l'épistémè sacerdotale de l'Égypte sous le règne de Ptolémée Philadelphe: quelques réflexions. "Dieu parle". Histoire du texte biblique 7: 2007 ⇒556. 13-49.

12743   *Ayad, Mariam F.* Towards a better understanding of the opening of
        the mouth ritual. Proceedings Ninth Congress, 1. OLA 150: 2007
        ⇒992. 109-116;

12744   On the identity and role of the god's wife of Amun in rites of royal
        and divine dominion. JSSEA 34 (2007) 1-13.

12745   **Bianchi, Robert S.** Images of Isis and her cultic shrines reconsid-
        ered: towards an Egyptian understanding of the *interpretatio grae-
        ca*. Nile into Tiber. Religions in the Graeco-Roman World 159:
        2007 ⇒990. 470-505.

12746   **Borghouts, Joris F.** Book of the Dead (39): from shouting to struc-
        ture. Studien zum altägyptischen Totenbuch 10: Wsb 2007, Harras-
        sowitz 110 pp. €40. 978-3-447-05228-3. Bibl. 70-79.

12747   **Bresciani, Edda** La porta dei sogni: interpreti e sognatori nell'Egit-
        to antico. Saggi 867: T 2005, Einaudi x; 190 pp. 88-06-17793-1.
        Ill.; Bibl. 171-175.

12748   **Bricault, Laurent** Atlas de la diffusion des cultes isiaques: (IVe S.
        AV. J.-C. - IVe S. Apr. J.-C.). 2001 ⇒17,10029; 18,10985. ᴿRHR
        224 (2007) 376-379 (*Van den Kerchove, Anna*);

12749   Recueil des inscriptions concernant les cultes isiaques. MAIBL 31:
        2005 ⇒21,12738. ᴿSMSR 73 (2007) 413-415 (*Sanzi, Ennio*);

12750   Isis, dame des flots. Aegyptiaca Leodiensia 7: 2006 ⇒22,12175.
        ᴿCRAI (2007) 685-686 (*Leclant, Jean*).

12751   *Campagno, Marcelo* Crime and punishment in 'the contendings of
        Horus and Seth'. Proceedings Ninth Congress, 1. OLA 150: 2007
        ⇒992. 263-270.

12752   *Ciampini, Emanuele M.* Rigenerazione e trasmissione del potere: la
        statua di Khentimenti nel rituale di Khoiak e i precedenti di una tra-
        dizione dell'Egitto tardo. Aeg. 87 (2007) 257-287.

12753   *Cintron, David A.* Theology in the time of Djoser. JSSEA 34
        (2007) 15-22.

12754   **Corteggianni, Jean-Pierre** L'Egypte ancienne et ses dieux: dicti-
        onnaire illustré. Littérature générale: P 2007, Fayard 588 pp. €48.
        978-22136-27397. Ill. Laïla Ménassa; Bibl. 579-580. ᴿEgypte 47
        (2007) 57 (*Bergerot, Thierry-Louis*).

12756   *De Trafford, Aloisia* The palace façade motif and the pyramid texts
        as cosmic boundaries in Unis's pyramid chambers. CamArchJ 17
        (2007) 271-283.

12757   **Dunand, Françoise; Zivie-Coche, Christiane** Hommes et dieux
        en Egypte, 3000 a.C.-395 p.C.: anthropologie religieuse. P 2006,
        Cybèle 484 pp. €47.

12758   *DuQuesne, T.* Private devotion and public practice: aspects of
        Egyptian art and religion as revealed by the Salakhana stelae.
        ᶠLLOYD, A. AOAT 347: 2007 ⇒98. 57-73.

12759   *Eaton, Katherine* Types of cult-image carried in divine barques and
        the logistics of performing temple ritual in the New Kingdom. ZÄS
        134 (2007) 15-25.

12760   *El-Nowieemy, Magda* Ancient Egyptian religion in APULEIUS' *Me-
        tamorphoses*. Proceedings Ninth Congress, 1. OLA 150: 2007 ⇒
        992. 597-605.

12761   *El-Weshahy, Mofida* Studying representation of the 'flame lake' in
        the Egyptian underworld. Proceedings Ninth Congress, 1. OLA
        150: 2007 ⇒992. 641-652.

12762 *Enmarch, R.* What the ancestors foretold: some references to prediction in Middle Egyptian texts. [F]LLOYD, A. 2007 ⇒ 98. 75-86.

12763 *Frandsen, Paul J.* The menstrual 'taboo' in ancient Egypt. JNES 66 (2007) 81-105.

12764 *Gahlin, Lucia* Private religion. Egyptian world. 2007 ⇒747. 325-339.

12765 **Gasse, Annie** Un papyrus et son scribe: le Livre des morts Vatican, Museo gregoriano egizio 48832. P 2002, Cybele 134 pp. 2-951675-8-4-4. Bibl. 128-130.

12766 *Gee, John* Were Egyptian texts divinely written?. Proceedings Ninth Congress, 1. OLA 150: 2007 ⇒992. 807-813.

12767 *Germond, Philippe* De l'oeil vert d'Horus au pressoir mystique: réflexions autour de la symbolique du vin dans l'Egypte pharaonique. BSÉG 27 (2005-2007) 43-59.

12768 **Gestermann, Louise** Die Überlieferung ausgewählter Texte altägyptischer Totenliteratur ("Sargtexte") in spätzeitlichen Grabanlagen. 2005 ⇒21,12753. [R]BiOr 64 (2007) 129-32 (*Russo, Barbara*).

12769 **Görg, Manfred** Religionen in der Umwelt des Alten Testaments, 3: Ägyptische Religionen: Wurzeln—Wege—Wirkungen. KStTh 4,3: Stu 2007, Kohlhammer 197 pp. €22. 978-3-17-014448-4. Bibl.

12770 **Guermeur, Ivan** Les cultes d'Amon hors de Thèbes. BEHE.R 123: 2005 ⇒21,12758. [R]BiOr 64 (2007) 132-6 (*Meulenaere, H.J.A. de*).

12771 *Haider, Peter* Der ägyptische Hintergrund. Kulturgeschichte der Bibel. 2007 ⇒435. 213-229.

12772 *Hays, Harold M.* The mutability of tradition: the Old Kingdom heritage and Middle Kingdom significance of coffin texts spell 343. JEOL 40 (2006-2007) 43-59.

12773 **Hornung, Erik; Staehelin, Elisabeth** Neue Studien zum Sedfest. Aegyptiaca Helvetica 20: 2006 ⇒22,12200. [R]Egypte Afrique & Orient 46 (2007) 51-52 (*Canivenq, Marion*).

12774 *Ikram, Salima* Afterlife beliefs and burial customs. Egyptian world. 2007 ⇒747. 340-351.

12775 **Jacquet-Gordon, Helen** The graffiti on the Khonsu temple roof at Karnak: a manifestation of personal piety. The Temple of Khonsu 3; UCOIP 123: 2003 ⇒19,12004... 22,12201. [R]JNES 66 (2007) 126-128 (*Cruz-Uribe, Eugene*).

12776 **Kahl, Jochem** "Ra is my Lord": searching for the rise of the Sun God at the dawn of Egyptian history. MENES 1: Wsb 2007, Harrassowitz viii; 81 pp. 978-3-447-05540-6. Bibl. 67-78.

12777 *Kitchen, K.A.* Festivity in Ramesside Thebes and devotion to Amun and his city. [F]LLOYD, A. AOAT 347: 2007 ⇒98. 149-153.

12778 *Knigge Salis, Carsten* Das Lob der Schöpfung in ägyptischen Hymnen des ersten vorchristlichen Jahrtausends: literar- und überlieferungsgeschichtliche Annäherungen. ThZ 63 (2007) 216-236.

12779 *Koenig, Yvan* The image of the foreigner in the magical texts of ancient Egypt. Moving across borders. 2007 ⇒722. 223-238.

12780 *Koester, Helmut* The cult of the Egyptian deities in Asia Minor. Paul & his world. 2007 <1998> ⇒257. 143-159;

12781 Associations of the Egyptian cult in Asia Minor. Paul & his world. 2007 <1999> ⇒257. 160-167.

12782 **Lenzo Marchese, Giuseppina** Manuscrits hiératiques du livre des morts de la troisème periode intermédiaire (Papyrus de Turin CGT 53001-53013). Cahiers de la Société d'Égyptologie 8; Catalogo del

Museo Egizio di Torin 2, Collezioni 11: Genève 2007, Société d'Égyptologie ix; 340 pp. 978-2-940011-10-0. Bibl. 311-333.

12783   **Lieven, Alexandra von** Grundriss des Laufes der Sterne: das soge-nannte Nutbuch. Carlsberg Papyri 8; CNI Publications 31: K 2007, Museum Tusculum Pr. 643 pp. €120. 978-87635-04065. 25 pl.; Diss. Tübingen.

12784   *Lucarelli, Rita* The vignette of ch. 40 of the Book of the Dead. Proceedings Ninth Congress, 2. OLA 150: 2007 ⇒992. 1181-1186.

12785   *Luiselli, Maria M.* Religion und Literatur: Überlegungen zur Funktion der 'persönlichen Frömmigkeit in der Literatur des Mittleren und Neuen Reiches. SAÄK 36 (2007) 157-182.

12786   **Malaise, Michel** Pour une terminologie et une analyse des cultes isiaques. 2005 ⇒21,12776; 22,12212. [R]AnCl 76 (2007) 418-419 (*Van Haeperen, Françoise*); BiOr 64 (2007) 387-392 (*Bricault, Laurent*).

12787   *Manisali, Alexander* Ergänzendes zur Kontinuität der Technik der rituellen Verleumdung als διαβολή in den magischen Papyri aus rö-. mischer Zeit. GöMisz 214 (2007) 85-90.

12788   *Mantellini, Elio* L'ombre pour les anciens Égyptiens;

12789   *Maravelia, Amanda-A.* La loi universelle et le temps selon les Orphiques et selon les Egyptiens;

12790   *Meyer-Dietrich, Erika* Die Aktualität des Rituals in den Sargtexten. Proceedings Ninth Congress, 2. OLA 150: 2007 ⇒992. 1237-1242/ 1242-1250/1277-1285.

12791   *Minas-Nerpel, Martina* A Demotic inscribed icosahedron from Dakhleh Oasis. JEA 93 (2007) 137-148.

12792   *Moro, Caterina* I 'bambini seminati': connotati osiriani di una leggenda ebraica. Aeg. 87 (2007) 347-368.

12793   *Morris, E.F.* Sacred and obscene laughter in *The contendings of Horus and Seth*, in Egyptian inversions of everyday life, and in the context of cultic competition. [F]LLOYD, A. 2007 ⇒98. 197-224.

12794   *Muhlestein, Kerry* Empty threats?: how Egyptians' self-ontology should affect the way we read many texts. JSSEA 34 (2007) 115-130.

12795   **Munro, Irmtraut** Ein Ritualbuch für Goldamulette und Totenbuch des Month-em-hat. Studien zum altägyptischen Totenbuch 7: 2003 ⇒19,12030...22,12226. [R]OLZ 102 (2007) 20-6 (*Bommas, Martin*).

12796   *Murgano, Roberto* The sun and stars double cult in the Old Kingdom. Proceedings Ninth Congress, 2. 2007 ⇒992. 1361-1369.

12797   *Nagy, Adrienn* Meaning behind motif: Bes in the ancient Near East.· GöMisz 215 (2007) 85-89.

12798   *Nuzzolo, Massimiliano* Considerazioni sui alcune cariche sacerdotali della Vdinastia. Aeg. 87 (2007) 215-233;

12799   Sun temples and kingship in the ancient Egyptian kingdom. Proceedings Ninth Congress, 2. OLA 150: 2007 ⇒992. 1401-1410.

12800   *Ockinga, Boyo G.* Morality and ethics. Egyptian world. 2007 ⇒ 747. 252-262.

12801   *Orriols i Llonch, Marc* Divine copulation in the *pyramid texts*: a lexical and cultural approach. Proceedings Ninth Congress, 2. OLA 150: 2007 ⇒992. 1421-1427.

12802   [E]**Pernigotti, Sergio; Zecchi, M.** Il coccodrillo e il cobra: aspetti dell' universo religioso egiziano enl Fayyum e altrove. Bo 2006, La Mandragola 219 pp. Colloq. Bologna aprile 2005.

12803   *Pérez-Accino, José R.; Pérez-Accino, Caridad* Himnos canibales y
         tierras duplicadas: dualidad, tiempo y silencio en la religión egipcia
         antigua. Religión y silencio. 'Ilu.M 19: 2007 ⇒564. 23-41.
12804   *Poo, Mu-Chu* Ritual texts in the Ptolemaic temples: the liturgies of
         libation and beer offering. Proceedings Ninth Congress, 2. OLA
         150: 2007 ⇒992. 1527-1538.
12805   *Preys, René* Le rituel de la fête du 5 Paophi. ZÄS 134 (2007) 40-9.
12806   *Raven, Maarten* Egyptian concepts on the orientation of the human
         body. Proceedings Ninth Congress, 2. 2007 ⇒992. 1567-1573.
12807   *Refai, Hosam* Die Unterweltsfahrt Ramses' III. in Medinet Habu.
         Memnonia 18 (2007) 177-198.
12808   *Robinson, Peter* The ritual landscapes of the Field of Hetep. JSSEA
         34 (2007) 131-148.
12809   *Rosati, Gloria* Stele-tavolette di Sokar: anticipazioni su una ricerca
         in corso. Aeg. 87 (2007) 33-44.
12810   *Rosso, Ana M.* Une nouvelle tentative pour décoder la 'symbologie'
         de l'oeil d'Horus. Proceedings Ninth Congress, 2. OLA 150: 2007
         ⇒992. 1621-1628.
12811   *Sandri, Sandra* Har-pa-chered (Harpokrates): die Genese eines
         göttlichen Kindes. Proceedings Ninth Congress, 2. OLA 150: 2007
         ⇒992. 1685-1694.
12812   **Sandri, Sandra** Har-Pa-Chered (Harpokrates): die Genese eines
         ägyptischen Götterkindes. OLA 151: 2006 ⇒22,12237. [R]BiOr 64
         (2007) 636-640 (*Forgeau, Annie*).
12813   *Schmidt, Heike C.* Gewogen und zu leicht befunden. [F]GUNDLACH,
         R. 2006 ⇒56. 251-258.
12814   *Shupak, Nili* 'He hath subdued the water monster/crocodile': God's
         battle with the sea in Egyptian sources. JEOL 40 (2006-2007) 77-
         89.
12815   *Spalinger, Anthony* Osiris, Re and Cheops. ZÄS 134 (2007) 173-
         184.
12816   *Spieser, Cathie* Le sang et la vie éternelle dans le culte solaire
         amarnien. Proceedings Ninth Congress, 2. 2007 ⇒992. 1719-28.
12817   **Stadler, Martin A.** Isis, das göttliche Kind und die Weltordnung:
         neue religiöse Texte aus dem Fayum nach dem Papyrus Wien D
         12006 recto. 2004 ⇒20,11524; 21,12796. [R]LingAeg 15 (2007)
         359-364 (*Winkler, Andreas*); JANER 7 (2007) 239-245 (*Jasnow,
         Richard*).
12818   *Sugi, Akiko* Iconographic expressions of 'life-giving water' and its
         function in New Kingdom Egypt. Bulletin of the Society for Near
         Eastern Studies in Japan 50/2 (2007) 55-89. **J**.
12819   *Szpakowska, K.* Flesh for fantasy: reflections of women in two an-
         cient Egyptian dream manuals. [F]LLOYD, A. 2007 ⇒98. 393-404.
12820   *Tatomir, Renata* Aspects magiques, physiologiques et psycholo-
         giques concernant l'oeil en Egypte ancienne;
12821   *Tazawa, Keiko* Syro-Palestinian deities in the New Kingdom:
         Reschef, Seth and Baal. Proceedings Ninth Congress, 2. OLA 150:
         2007 ⇒992. 1883-1789/1799-1806.
12822   *Teeter, Emily* Temple cults. Egyptian world. 2007 ⇒747. 310-324.
12823   *Thiers, Christophe* Miszelle. ZÄS 134 (2007) 64-65.
12824   *Van Dijk, Jacobus* Retainer sacrifice in Egypt and in Nubia;
12825   *Velde, Herman te* Human sacrifice in ancient Egypt. The strange
         world of human sacrifice. 2007 ⇒908. 135-155/127-134.

12826 *Vezzani, Irene Miwty*: iconografia e significato di un abitante dell'Aldilà. Aeg. 87 (2007) 235-255.
12827 *Volokhine, Y.* Le Seth des Hyksos et le thème de l'impiété cultuelle. La construction de la figure de Moïse. 2007 ⇒873. 101-119.
12828 *Vuilleumier, Sandrine* Un nouvel ensemble tardif de rituels sur papyrus. Proceedings Ninth Congress, 2. 2007 ⇒992. 1911-1917.
12829 **Wiebach-Koepke, Silvia** Sonnenlauf und kosmische Regeneration: zur Systematik der Lebensprozesse in den Unterweltsbüchern. ÄAT 71: Wsb 2007, Harrassowitz xvi; 254 pp. 978-3447-056885. Bibl. 234-251; CD-Rom ("Materialien des Tabellenwerks und der Schautafeln").
12830 *Zaki, Mey I.* Les déesses dans les tombes de Deir El-Médineh. Proceedings Ninth Congress, 1. OLA 150: 2007 ⇒992. 927-951.

M7.0 **Religio mesopotamica**

12831 *Abusch, Tzvi* Witchcraft literature in Mesopotamia. Babylonian world. 2007 ⇒716. 372-385.
12832 *Ambos, Claus* Ricostruire un tempio per nuocere al re: rituali mesopotamici di fondazione, il loro posto nel culto e il loro impiego come arma politica. Kaskal 4 (2007) 297-314.
12833 **Annus, Amar** The god Ninurta in the mythology and royal ideology of ancient Mesopotamia. SAAS 14: 2002 ⇒18,11051... 22, 12255. ᴿOr. 76 (2007) 284-288 (*Streck, Michael P.*).
12834 *Annus, Amar* The soul's ascent and tauroctony: on Babylonian sediment in the syncretic religious doctrines of late antiquity. Studien zu Ritual. BZAW 374: 2007 ⇒937. 1-53.
12835 *Ataç, Mehmet-Ali* The *melammu* as divine epiphany and usurped entity. ᶠWINTER, I. CHANE 26: 2007 ⇒171. 295-313.
12836 *Barrett, Caitlín E.* Was dust their food and clay their bread?: grave goods, the Mesopotamian afterlife, and the liminal role of Inana/Ishtar. JANER 7 (2007) 7-65.
12837 **Böck, Barbara** Das Handbuch Muššu'u 'Einreibung': eine Serie sumerischer und akkadischer Beschwörungen aus dem 1 Jt. v.Chr. BPOA 3: M 2007, CSIC xlviii; 346 pp. 978-8400-085643. Bibl. 332-340.
12838 **Casaburi, Maria C.** Ume tabuti: "i giorni favorevoli". 2003 ⇒19, 12073. ᴿBiOr 64 (2007) 406-408 (*Schuster-Brandis, Anais*).
12839 *Cavigneaux, Antoine; Donbaz, Veysel* Le mythe du 7.VII: les jours fatidiques et le kippour mésopotamiens. Or. 76 (2007) 293-335.
12840 **Chiodi, Silvia** Offerte "funebri" nella Lagaš presargonica. 1997 ⇒ 13,9644...18,11055. ᴿBiOr 64 (2007) 289-307 (*Jagersma, Bram*).
12841 *Cohen, Yoram* Akkadian omens from Hattuša and Emar: the *šumma immeru* and *šumma ālu* omens. ZA 97 (2007) 233-251.
12842 **Cunningham, Graham** 'Deliver me from evil': Mesopotamian incantations 2500-1500 BC. Studia Pohl. Series maior 17: R 2007, E.P.I.B. 203 pp. 978-88-7653-608-3.
12843 *Dickson, Keith* Enki and Ninhursag: the trickster in paradise. JNES 66 (2007) 1-32.
12844 *Dietrich, Manfried* Enki / Ea und El–die Götter der Künste und Magie. Studien zu Ritual. BZAW 374: 2007 ⇒937. 93-125.

12845 *Fincke, Jeanette C.* Omina, die göttlichen 'Gesetze' der Divination. JEOL 40 (2006-2007) 131-147.

12846 *Freydank, Helmut* 'Honig'-Lieferungen für den Gott Assur. AltOrF 34/1 (2007) 70-77.

12847 *García Recio, Jesús* Hacia el monoteísmo en Mesopotamia. ^FIBÁÑEZ ARANA, A.. 2007 ⇒72. 225-235.

12848 **Geller, Markham J.** Evil demons: canonical *Utukkü Lemnütu* incantations: introduction, cuneiform text, and transliteration with a translation and glossary. State Archives of Assyria Cuneiform Texts, 5: Helsinki 2007, The Neo-Assyrian Text Corpus Project xxii; 310 pp. $75.00. 978-95210-13317.

12849 **Giovino, Mariana** The Assyrian sacred tree: a history of interpretation. OBO 230: FrS 2007, Academic viii; 242 pp. £45. 978-3-72-78-1602-4. Diss. Michigan; Bibl. 203-229. ^RUF 39 (2007) 915-922 (*Herles, M.*).

12850 *Groneberg, Brigitte* The role and function of goddesses in Mesopotamia. Babylonian world. 2007 ⇒716. 319-331.

12851 **Heeßel, Nils P.** Divinatorische Texte I: terrestrische, teratologische, physiognomische und oneiromantische Omina. WVDOG 116: Wsb 2007, Harrassowitz xiii; 201 pp. €48. 978-3-447-05591-9. Bibl. 139-141.

12852 *Katz, Dina* Enki and Ninḫursaĝa, part one: the story of the Dilmun. BiOr 64 (2007) 539-589.

12853 *Krebernik, M.* Richtergott(heiten). RLA 11/5-6. 2007 ⇒1072. 354-361.

12854 **Lambert, Wilfred G.** Babylonian oracle questions. Mesopotamian Civilizations 13: WL 2007, Eisenbrauns xiv; 216 pp. $49.50. 978-15750-61368. 57 pl.; Bibl.

12855 **Lapinkivi, Pirjo** The Sumerian sacred marriage: in the light of comparative evidence. SAAS 15: 2004 ⇒20,11566; 22,12276. ^RJSSt 52 (2007) 137-139 (*Mettinger, Tryggve N.D.*).

12856 *Lenzi, Alan* Dead religion and contemporary perspectives: commending Mesopotamian data to the religious studies classroom. Method and theory in the study of religion 19/1-2 (2007) 121-133.

12857 *Löhnert, Anne* The installation of priests according to Neo-Assyrian documents. SAA Bulletin 16 (2007) 273-286.

12858 ^E**Mander, Pietro** Canti sumerici d'amore e morte: la vicenda della dea Inanna/Ishtar e del dio Dumuzi/Tammuz. 2005 ⇒21,12822; 22,12278. ^RSal. 69 (2007) 772-773 (*Vicent, Rafael*).

12859 *Maul, Stefan M.* Divination culture and the handling of the future. Babylonian world. 2007 ⇒716. 361-372.

12860 **Mittermayer, Catherine** Enmerkara und der Herr von Arata: ein ungleicher Wettstreit. OBO 239: FrS 2006, Academic vi; 386 pp. 978-3-7278-1652-9. Bibl. 322-341; xix pp of pl.

12861 *Noegel, Scott B.* Dismemberment, creation, and ritual: images of divine violence in the ancient Near East. Belief and bloodshed. 2007 ⇒639. 13-27.

12862 **Ornan, Tallay** The triumph of the symbol: pictorial representation of deities in Mesopotamia and the biblical image ban. OBO 213: 2005 ⇒21,12824. ^RThLZ 132 (2007) 1183-86 (*Frevel, Christian*).

12863 *Oshima, Takayoshi* The Babylonian god Marduk. Babylonian world. 2007 ⇒716. 348-360.

12864   *Pezzoli-Olgiati, Daria* Die Gegenwelt des Todes in Bild und Text: ein religionswissenschaftlicher Blick auf mesopotamische Beispiele. ^FKEEL, O. OBO Sonderband: 2007 ⇒83. 379-402.

12865   *Pomponio, Francesco* Brevi cosmogonie e scongiuri nella letteratura babilonese. RstB 19/1 (2007) 65-74.

12866   *Pongratz-Leisten, Beate* Rituelle Strategien zur Definition von Zentrum und Peripherie in der assyrischen Religion. Saec. 58 (2007) 185-204.

12867   ^E**Porter, Barbara N**. Ritual and politics in ancient Mesopotamia. AOS 28: 2005 ⇒21,12829; 22,12287. ^RJANER 7 (2007) 109-111 (*Schwemer, Daniel*).

12868   *Prechel, Doris* Heinrich ZIMMERNs Beiträge zur Kenntnis der babylonischen Religion. Das geistige Erfassen. 2007 ⇒746. 117-124.

12869   **Radner, Karen** Die Macht des Namens: altorientalische Strategien zur Selbsterhaltung. Santag 8: 2005 ⇒21,12830. ^RBiOr 64 (2007) 671-674 (*Stol, M.*); JAOS 127 (2007) 369-371 (*Foster, Benjamin R.*); ZA 96 (2006) 273-276 (*Van de Mieroop, Marc*).

12870   *Römer, W.H.Ph.* Einiges zu den altmesopotamischen Beschwörungstexten in sumerischer Sprache, besonders zu einer ungewöhnlich formulierten Beschwörung gegen die Folgen von Schlangen- und Hundebiss sowie Skorpionenstich. Studien zu Ritual. BZAW 374: 2007 ⇒937. 303-314.

12871   *Sallaberger, W.* Ritual. A. In Mesopotamien. RLA 11/5-6. 2007 ⇒ 1072. 421-430.

12872   *Salmon, Sabrina* Evolution de la religion assyrienne en milieu syrohittite et syro-araméen: syncrétismes religieux et implications politiques. RANT 4 (2007) 283-295.

12873   *Schwemer, Daniel* Witchcraft and war: the ritual fragment Ki 1904-10-9,18 (BM 98989). Iraq 69 (2007) 29-42.

12874   **Schwemer, Daniel** Abwehrzauber und Behexung: Studien zum Schadenzauberglauben im alten Mesopotamien. Wsb 2007, Harrassowitz xix; 330 pp. €58. 978-34470-56403. Bibl. 287-299. ^RUF 39 (2007) 943-945 (*Schmitt, R.*);

12875   Rituale und Beschwörungen gegen Schadenzauber. Keilschriften aus Assur literarischen Inhalts 2; WYDOG 117: Wsb 2007, Harrassowitz 199 pp. €48. 978-34470-55925.

12876   **Vera Chamaza, Galo W**. Die Omnipotenz Assurs: Entwicklungen in der Assur-Theologie unter den Sargoniden Sargon II., Sanherib und Asarhaddon. AOAT 295: 2002 ⇒18,11097... 22,12298. ^RThZ 63 (2007) 99-101 (*Wißmann, Felipe B.*).

12877   *Vos, R.L.* A note on the ritual background of sending the hem and the lock of hair. JEOL 40 (2006-2007) 121-123.

12878   **Walton, John H**. Ancient Near Eastern thought and the Old Testament. 2006 ⇒22,12300. ^RTJT 23 (2007) 206-208 (*Greer, Jonathan S.*); RBLit (2007)* (*Lenzi, Alan*).

12879   *Westenholz, Joan G.* Inanna and Ishtar in the Babylonian world. Babylonian world. 2007 ⇒716. 332-347.

12880   *Wiggermann, Frans A.M.* The four winds and the origins of Pazuzu. Das geistige Erfassen. 2007 ⇒746. 125-165.

12881   **Wilson, James K**. Studia Etanaica: new texts and discussions. AOAT 338: Müns 2007, Ugarit-Verlag 95 pp. 978-3-934628-90-8. Bibl. 93-95.

M7.5 **Religio persiana**

12882 *Daryaee, T.* Indo-European elements in the Zoroastrian apocalyptic tradition. ClB 83/2 (2007) 203-213.

12883 *Kotansky, Roy* The star of the Magi: lore and science in ancient Zoroastrianism, the Greek magical papyri, and "St. Matthew's Gospel". ASEs 24 (2007) 379-421 [Mt 2,1-12].

12884 [E]**Pedersen, Claus V; Vahman, Fereydun** Religious texts in Iranian languages: symposium held in Copenhagen, May 2002. Historisk-filosofiske Meddelelser 98: K 2007, Kongelige Danske Videnskabernes Selskab 416 pp. 978-87-7304-317-2.

12885 *Prenner, Karl* Der persische Hintergrund. Kulturgeschichte der Bibel. 2007 ⇒435. 251-264.

12886 *Rennie, Bryan* Zoroastrianism: the Iranian roots of christianity?. CSRB 36/1 (2007) 3-6.

M8.2 *Muḥammad et asseclae*—**Qurʾan and early diffusion of Islam**

12887 [E]**Amir-Moezi, Mohammad A.** Dictionnaire du Coran. P 2007, Laffont xxxvi; 982 pp. €30. 978-22210-99568.

12888 **Aʿzami, Muhammade M. Al-** The history of the Qurʾanic text, from revelation to compilation: a comparative study with the Old and New Testaments. 2004 ⇒20,11607; 21,12849. [R]MW 97 (2007) 540-542 (*McElwain, Thomas*).

12889 *Barriocanal Gómez, José L.* La biblia y el Corán: la historia de José (Gn 37-50 y Sura XII). [F]IBÁÑEZ ARANA, A. 2007 ⇒72. 137-61.

12890 **Cuypers, Michel** Le festin: une lecture de la sourate "al-Mâ'ida". P 2007, Lethielleux iv; 453 pp. €23. 978-2-283-61251-4. Préf. de *Mohammad Ali Amir-Moezzi*; Bibl. 417-427. [R]NRTh 129 (2007) 642-643 (*Farouki, Nayla*).

12891 *Déclais, Jean-Louis* La table servie: du sacrement au prodige dans le Coran. Les récits fondateurs de l'eucharistie. CEv.S 140 (2007) 88-92.

12892 *Feuvrier, A.; Tabbara, N.* Lectures croisées. Christus 214 (2007) 193-200 [Lk 4,1-13].

12893 **Frederiks, Martha** Bijbelse figuren in de islamische traditie. Zoetermeer 2007, Meinema 140 pp. €14.90. 978-90211-41534.

12894 **Gnilka, Joachim** Bibbia e Corano. 2006 ⇒22,12325. [R]SapDom 60 (2007) 98-100 (*Miele, Michele*).

12895 [T]**Hammad, Ahmad Z.** The gracious Qurʾan: a modern-phrased interpretation in English. Lisle, LA 2007, Lucent 1514 pp. 09787-84901.

12896 *Heindl, Andreas* Zur Rezeption der Gestalt des Judas Iskariot im Islam und im Judentum: ein Versuch der Annäherung an ein heikles Thema (Teil II). PzB 16 (2007) 43-66.

12897 **Klausnitzer, Wolfgang** Jesus und Muhammad: ihr Leben, ihre Botschaft: eine Gegenüberstellung. FrB 2007, Herder 215 pp. €19.90. 978-3-451-29669-7.

12898 *Manousos, A.* A Quaker perspective on the Qurʾan and the bible. Quaker Theology [Fayetteville, NC] 14 (2007) 19-42.

12899 ^E*Mantovani, Matteo* Alle origini dell'islam. Mondo della Bibbia 18/5 (2007) 4-31.

12900 *Martinez Gazquez, Josè* Les traductions latines du Coran dans les relations christiano-musulmanes. "Dieu parle". Histoire du texte biblique 7: 2007 ⇒556. 101-106.

12901 *O'Sullivan, Shaun* Anti-Jewish polemic and early Islam. The bible in Arab christianity. 2007 ⇒882. 49-68.

12902 *Obtel, Ghizlane* Marie comme 'sujet-récepteur-de-la-parole-de-Dieu' dans le Coran. Scriptura(M) 9/2 (2007) 69-87.

12903 *Prenner, Karl* Geboren unter einer Palme: christlich-apokryphe Überlieferungen im Koran. WUB 45 (2007) 61-64.

12904 *Prémare, Alfred-Louis de* Coran et langue arabe: quelques réflexions. "Dieu parle". 2007 ⇒556. 93-100.

12905 *Radscheit, Matthias* Der Koran als Kodex. Welt der Götterbilder. BZAW 376: 2007 ⇒823. 291-323.

12906 ^E**Reeves, John C.** Bible and Qur'an. SBL.Symposium 24: 2003 ⇒ 19,2531; 21,12869. ^RPHScr II, 513-15 ⇒373 (*Mitchell, Christine*).

12907 *Reynolds, Gabriel S.* The Quar'anic Sarah as prototype of Mary. The bible in Arab christianity. 2007 ⇒882. 193-206.

12908 *Schmitz, Bertram* Hagar–ein arabisches Wortspiel im Neuen Testament und seine Folgen für den Islam. ^FTUBACH, J. Studies in oriental religions 56: 2007 ⇒154. 309-315 [Gal 4,25].

12909 *Schreiner, S.* Das Sabbatgebot im Koran: ein Beitrag zum Thema 'Der Koran als Auslegung der Bibel'. ^FWILLI, T. 2007 ⇒167. 333-346 [Exod 20,8-11].

12910 *Tayyara, Abed el-Rahman* Prophethood and kingship in early Islamic historical thought. Islam 84 (2007) 73-102.

12911 *Triebel, Johannes* Das koranische Evangelium: kritische Anmerkungen zur koranischen Darstellung der Person und Botschaft Jesu. ThBeitr 38 (2007) 269-282.

12912 *Vogels, Walter* Abraham in the Qur'an. MST Review 9/1 (2007) 8-29.

12913 **Wimmer, Stefan Jakob; Leimgruber, Stephan** Von Adam bis Muhammad: Bibel und Koran im Vergleich. 2005 ⇒21,12874; 22,12350. ^RICMR 18 (2007) 432-433 (*Tottoli, Roberto*); OrdKor 48 (2007) 370-371 (*Wahl, Otto*); ThRv 103 (2007) 343-345 (*Elsas, Christoph*); ThGl 97 (2007) 244-245 (*Kneer, Markus*).

M8.3 **Islam**, *evolutio recentior*—**later history and practice**

12914 *Aries, Wolf D.* Ahmed Eschatologisch orientierte Verantwortung angesichts von Tod und Gericht aus muslimischer Perspektive. "... und das Leben. 2007 ⇒557. 109-113.

12915 **Daiber, Hans** Bibliography of Islamic philosophy, supplement. HO 1/89: Lei 2007, Brill xii; 426 pp. 90-04-15555-4.

12916 *El-Kaisy Friemuth, Maha* Al-Radd al-Jamil: AL-GHAZALI's or Pseudo-Ghazali's?. The bible in Arab christianity. 2007 ⇒882. 275-294.

12917 *Griffith, Sidney H.* Christians, Muslims and the image of the one God: iconophilia and iconophobia in the world of Islam in Umayyad and early Abbasid times. Welt der Götterbilder. BZAW 376: 2007 ⇒823. 347-380.

12918 *Richter-Bernburg, Lutz* Göttliche gegen menschliche Gerechtigkeit: Abrahams Opferwilligkeit in der islamischen Tradition. Opfere deinen Sohn!. 2007 ⇒442. 243-255 [Gen 22].

12919 ETSmet, Daniel de Les épîtres sacrées des Druzes: Rasaȼ' il al-Hikma, volumes 1 et 2: introduction, édition critique et traduction annotée des traités attribués à Hamza b. 'Aliȼ et Ismaȼ'iȼl at-Tamiȼmiȼ. OLA 168: Lv 2007, Peeters xii; 772 pp. Bibl. 737-755.

12920 Ta'labi, Abu Quisas al-anbiya' oder Ara'is al-magalis: Erzählungen von den Propheten und Gottesmännern. *TBusse, Heribert* 2006 ⇒ 22,12365. RThLZ 132 (2007) 1300-1302 (*Rauschke, Martin*).

12921 *Zaidan, Amir* Wunderverständnis im Islam. FTRUMMER, P. 2007 ⇒ 153. 247-260.

M8.4 Islamic-Christian relations

12922 *Andrade, Gabriel* René GIRARD y el Islam: perspectivas sobre la violencia en la biblia y el Corán. Cart. 23 (2007) 67-98.

12923 Ayoub, Mahmoud A Muslim view of christianity: essays on dialogue. Mkn 2007, Orbis 264 pp. $25.

12924 *Beaumont, Mark* 'Ammār al-Baṣrī on the alleged corruption of the gospels. The bible in Arab christianity. 2007 ⇒882. 241-255.

12925 *Bertaina, David* The development of testimony collections in early christian apologetics with Islam. The bible in Arab christianity. 2007 ⇒882. 151-173.

12926 Brown, Brian A. Noah's other son: bridging the gap between the bible and the Qur'an. NY 2007, Continuum xii; 244 pp. 978-08264-27977. Bibl. 243-244.

12927 Cragg, Kenneth A certain sympathy of scriptures–biblical and quranic. 2004 ⇒20,11634; 21,12851. RMW 97 (2007) 521-524 (*Mosher, Lucinda A.*).

12928 Dardess, George Do we worship the same God?: comparing the bible and the Qur'an. Cincinnati 2006, St. Anthony Messenger 166 pp. $13.

12929 *Demiri, Lejla* Ḥanbalite commentary on the bible: analysis of Najm al-Dīn al-Ṭūfī's (d. 716/1316) *Al-Ta'līq*. The bible in Arab christianity. 2007 ⇒882. 295-313.

12930 *Déclais, Jean-Louis* L'Écriture des uns et des autres. Christus 214 (2007) 185-192.

12931 Ghounem, Mohamed 200+ ways the Quran corrects the bible: how Islam unites Judaism and christianity. Newtown, CT 2004, Multi-National Muslim Committee 214 pp. $13.45.

12932 EGiorgio, Giovanni Ragione e fede: un confronto fra cristianesimo e Islam. Fede e sapere 4: Pescara 2007, Sigraf 149 pp. 978-88-955-66-10-8.

12933 Gnilka, Joachim Die Nazarener und der Koran: eine Spurensuche. FrB 2007, Herder 173 pp. €14.90. 978-34512-96680.

12934 Hamoneau, D.A. Moïse, Jésus, Mohamed: les messages de Dieu à travers la Torah, l'évangile et le Coran. 2003 ⇒21,12883. RTeol(M) 32 (2007) 251-252 (*Rizzardi, Giuseppe*).

12935 EIpgrave, Michael Bearing the word: prophecy in biblical and Qur'anic perspective. NY 2005, Church House 155 pp. $19.

^{R}Muslim World Book Review 25/1 (2004) 17-20 (*Kalin, Ibrahim*); IslChr 30 (2004) 248-250 (*Fitzgerald, Michael L.*).

12936   *Keating, Sandra* The use and translation of scripture in the apologetic writings of Abū Rā'iṭa al-Takrītī. The bible in Arab christianity. 2007 ⇒882. 257-274.

12937   *Löhr, Gebhard* Eschatologie in Islam und Christentum: die Vorstellungen über Tod und Auferstehung in den heiligen Schriften und Traditionen beider Religionen. ZNT 10/19 (2007) 57-71.

12938   *Mutel, J.M.* The bible: classical and contemporary Muslim attitudes and exegesis. ERT 31/3 (2007) 207-220.

12939   **Ruark, Charles S., Jr.** The Koran unveiled: a comparison of the Qur'an and the bible. Cleveland, IN 2006, Derek 528 pp. $25.

12940   **Skali, Faouzi** Gesù nella tradizione sufi. Mi 2007, Paoline 124 pp. €13.

12941   **Smith, Ben J.** Differences: the bible and the Koran. Nv 2002, Cumberland H. 158 pp. $10.

12942   *Thomas, David* The bible and the *kalām*. The bible in Arab christianity. 2007 ⇒882. 175-191.

12943   *Younès, Michel* L'herméneutique scripturaire aux 8e-9e siècles: enjeux pour un dialogue islamo-chrétien. Ment. *John of Damascus.* IslChr 33 (2007) 51-74.

12944   *Zirker, Hans* Hochschätzung und Widerspruch: wie der Islam Jesus sieht. HerKorr Spezial (2007) 18-22.

M8.5 **Religiones Indiae** *et Extremi Orientis*

12945   **Sasson, Vanessa R.** The birth of Moses and the Buddha: a paradigm for the comparative study of religions. HBM 9: Shf 2007, Sheffield Phoenix xiii; 216 pp. $85. 978-1-905048-38-0. Bibl. 190-208 [Exod 2,1-10]

M8.7 *Interactio cum religione orientali*–Christian dialogue with the East

12946   **Alessandrini, Tarcisio** Giappone nuovo e antico: studio fenomenologico sul movimento buddhista Rissho Kosei-Kai: il vero ed il perfezionamento nella condivisione. Interreligious and intercultural investigations 9: R 2007, E.P.U.G. 439 pp. 978-88-7839-090-4.

12947   *Ariarajah, S. Wesley* 'Awakening' to a new approach to the bible. ^{F}SUGIRTHARAJAH, R. 2007 ⇒148. 139-150.

12948   **Bharat, Sandy** Christ across the Ganges: Hindu responses to Jesus. Ropley, Hants. 2007, Hunt 215 pp. $30.

12949 ^{E}**Chareire, Isabelle; Salenson, Christian** Le dialogue des Écritures. L'Autre et les autres 8: Bru 2007, Lessius 314 pp. €26. 978-28729-91709.

12950   *D'Sa, Francis X.* Nicht die Doktrin, der lebendige Christus: warum Jesus Christus Indien fasziniert. HerKorr Spezial (2007) 39-43.

12951   *Lai, Pan-Chiu* Sino-théologie, bible et tradition chrétienne. RICP 103 (2007) 129-151.

12952   **Luz, Ulrich; Michaels, Axel** Encountering Jesus and Buddha: their lives and teachings. 2006 ⇒22,12388. ^{R}RBLit (2007)* (*Migaku, Sato*).

M8.9 **Religiones Africae et Madagascar** [⇒H8.6]

12953 *Nwaoru, Emmanuel* Magic in the ancient world and African culture. A kind of magic. LNTS 306: 2007 ⇒468. 20-40.

XVII. Historia Medii Orientis Biblici

Q1 *Syria prae-Islamica, Canaan* Israel Veteris Testamenti

12954 *Albertz, Rainer* Why a reform like Josiah's must have happened. Good kings. 2007 ⇒434. 27-46 [Dt 12-26].

12955 *Almeida, Fabio P.M. de* Textos na iminência da vida: um levante interdisciplinar do *tel laquis*. RCT 15/58 (2007) 89-103.

12956 **Banks, Diane** Writing the history of Israel. LHBOTS 438: 2006 ⇒ 22,12409. RCBQ 69 (2007) 766-767 (*Gnuse, Robert*); JHScr 7 (2007)* = PHScr IV,535-537 (*Provan, Iain*).

12957 *Barako, Tristan J.* Coexistence and impermeability: Egyptians and Philistines in southern Canaan during the twelfth century BCE. Synchronisation III. DÖAW 37: 2007 ⇒988. 509-516.

12958 *Barstad, Hans M.* The history of ancient Israel: what directions should we take?. Understanding the history. PBA 143: 2007 ⇒545. 25-48.

12959 *Beckman, Gary* Ugarit and inner Syria during the Late Bronze Age. Le royaume d'Ougarit. 2007 ⇒1004. 163-174.

12960 **Bergant, Dianne** Israel's story: part one. 2006 ⇒22,12410. RRBLit (2007)* (*Petry, Sven*);

12961 part two. ColMn 2007, LIturgical 118 pp. $10. 978-08146-30471.

12962 *Christian, Mark A.* Revisiting Levitical authorship: what would Moses think?. ZAR 13 (2007) 194-236.

12963 *Daviau, P.M. Michèle; Dion, Paul E.* Independent and well-connected: the Ammonite territorial kingdom in Iron Age II. Crossing Jordan. 2007 ⇒719. 301-307.

12964 *Davies, Philip* The history of ancient Israel and Judah. ET 119 (2007) 15-21;

12965 Biblical Israel in the ninth century. Understanding the history. PBA 143: 2007 ⇒545. 49-56.

12966 *Deger-Jalkotzy, Sigrid* Section 'Mycenaeans and Philistines in the Levant': introduction. Synchronisation III. 2007 ⇒988. 501-503.

12967 *Denel, Elif* Ceremony and kingship at Carchemish. FWINTER, I. CHANE 26: 2007 ⇒171. 179-204.

12968 **Dever, William G.** What did the biblical writers know and when did they know it?: what archaeology can tell us about the reality of Ancient Israel. 2001 ⇒17,10177... 21,12909. RCSMSJ 2 (2007) 71 (*Brown, Stuart C.*).

12969 **Elayi, J.** 'Abd'Astart/Straton de Sidon: un roi phénicien entre Orient et Occident. TEuph.S 12: 2005 ⇒21,12911. RTEuph 34 (2007) 164-168 (*Heltzer, Michael*).

12970 *Faust, Avraham* Rural settlements, state formation, and "bible and archaeology". NEA 70 (2007) 4-9;

12971 A rejoinder. NEA 70 (2007) 22-25 [To discussion ⇒12970].

12972   *Feldman, Marian H.* Frescoes, exotica, and the reinvention of the northern Levantine kingdoms during the second millennium B.C.E.. Representations of political power. 2007 ⇒687. 39-65.

12973   *Finkelstein, Israel* Patriarchs, Exodus, conquest: fact or fiction?. Quest for the historical Israel. 2007 ⇒421. 41-55;

12974   Is the Philistine paradigm still viable?. Synchronisation III. DÖAW 37: 2007 ⇒988. 517-523;

12975   *Finkelstein, Israel; Piasetzky, Eliazer* Radiocarbon, Iron IIa destructions and the Israel-Aram Damascus conflicts in the 9th century BCE. UF 39 (2007) 261-276.

12976   *Galil, Gershon* The rise and fall of two regional empires. Shnaton 17 (2007) 135-146. **H**.

12977   **Gass, Erasmus** Die Moabiter: Untersuchungen zur Geschichte und Kultur eines ostjordanischen Volkes im 1. Jahrtausend v.Chr. ᴰ*Groß, Walter* 2007, Diss.-Habil. Tübingen [ThRv 104/1,xvi].

12978   *Grabbe, Lester L.* Some recent issues in the study of the history of Israel. Understanding the history. PBA 143: 2007 ⇒545. 57-67.

12979   **Grabbe, Lester L.** Ancient Israel: what do we know and how do we know it?. L 2007, Clark xx; 306 pp. £23. 978-05670-30405/25-46. Bibl. 227-281.

12980   *Grabner-Haider, Anton* Kulturgeschichte Israels. Kulturgeschichte der Bibel. 2007 ⇒435. 37-69.

12981   **Hafthorsson, Sigurdur** A passing power: an examination of the sources for the history of Aram-Damascus in the second half of the ninth century B.C. CB.OT 54: 2006 ⇒22,12428. ᴿRB 114 (2007) 293-294 (*Sigrist, M.*); RBLit (2007) 67-72 (*Sanders, Paul*); ZA 96 (2006) 276-278 (*Radner, Karen*).

12982   **Hayes, John H.; Miller, J. Maxwell** A history of ancient Israel and Judah. ²2006 <1986> ⇒22,12429. ᴿJHScr 7 (2007)* = PHScr IV,547-549 (*Carasik, Michael*); RBLit (2007)* (*Sparks, Kenton*).

12983   *Herzog, Ze'ev* State formation and the Iron Age I-Iron Age IIA transition: remarks on the Faust-Finkelstein debate. NEA 70 (2007) 20-21.

12984   *Jigoulov, Vadim* The Phoenician city states of Tyre and Sidon in ancient Jewish texts. SJOT 21 (2007) 73-105.

12985   *Joffe, Alex* On the case of Faust versus Finkelstein, from a friend of the court. NEA 70 (2007) 16-20.

12986   *Kahn, Dan'el* The kingdom of Arpad (Bit Agusi) and 'All Aram': international relations in northern Syria in the ninth and eighth centuries BCE. ANESt 44 (2007) 66-89.

12987   *Kahn, Dan'el* Judah between Egypt and Babylon in its final years (594-586 BCE). Shnaton 17 (2007) 147-159. **H**.

12988   **Kelle, Brad** Ancient Israel at war 853-586 BC. Essential histories 67: Oxf 2007, Osprey 96 pp. $15. 978-184603-0369. Bibl. 89-91.

12989   *Kitchen, Kenneth A.* Sheba to Gashmu: ancient Arabia as background to the Hebrew Bible. BAIAS 25 (2007) 208-209.

12990   **Kitchen, Kenneth A.** On the reliability of the Old Testament. 2003 ⇒19,12242... 22,12434. ᴿThEv(VS) 6 (2007) 137-150 (*Richelle, Matthieu*); CBQ 69 (2007) 781-784 (*Huddlestun, John R.*).

12991   *Knauf, Ernst A.* The glorious days of Manasseh. Good kings. 2007 ⇒434. 164-188.

12992   *Koch, Klaus* Israel im Orient. ᶠKOCH, K. FRLANT 216: 2007 <1999> ⇒89. 263-293.

12993 *Kunz-Lübcke, Andreas* Auf dem Stein und zwischen den Zeilen: Überlegungen zu einer kontrafaktischen Geschichte Israels am Beispiel von 2 Kön 3 und der Mescha-Inschrift. BZ 51 (2007) 1-22.

12994 *Levine, Baruch A.* The view from Jerusalem: biblical responses to the Babylonian presence. Babylonian world. 2007 ⇒716. 541-561.

12995 **Lipinski, Edouard** The Aramaeans. OLA 100: 2000 ⇒16,10473... 21,12927. ᴿBiOr 64 (2007) 717-720 (*Lemaire, André*).

12996 *Lipschits, Oded* The Babylonian period in Judah: in search of the half full cup. JHScr (2007)*.

12997 **Liverani, Mario** Oltre la bibbia: storia antica di Israele. 2003 ⇒ 19,12245... 21,12928. ᴿMondo della Bibbia 18/4 (2007) 56-57 (*Pouthier, Jean-Luc*);

12998 Israel's history and the history of Israel. ᵀ*Peri, Chiara; Davies, Philip R.* 2005 ⇒21,12930; 22,12440. ᴿRBLit (2007) 25-34 (*Na'aman, Nadav*).

12999 *Mazar, Amihai* The patriarchs, Exodus, and conquest narratives in light of archaeology. Quest for the historical Israel. Archaeology and Biblical Studies 17: 2007 ⇒421. 57-65;

13000 The spade and the text: the interaction between archaeology and Israelite history relating to the tenth-ninth centuries BCE. Understanding the history. PBA 143: 2007 ⇒545. 143-171.

13001 **Mazzinghi, Luca** Histoire d'Israël des origines à la période romaine. ᵀ*Piriou, Yann; Vanhoomissen, Guy* Ecritures 11: Bru 2007, Lumen V. 200 pp. €22. 978-28732-42985. Bibl. 187-191;

13002 Storia d'Israele dalle origini al periodo romano. CSB 56: Bo 2007, EDB 207 pp. €19. 978-88-10-41007-3. Bibl. 199-203.

13003 *Na'aman, Nadav* Borders and districts in descriptions of the conquest of the west in Tiglath-Pileser III's inscriptions and in biblical historiography. SAA Bulletin 16 (2007) 39-61.

13004 *Niesiolowski-Spanò, Lukasz* Early Hebrew states: autochthonous evolution versus foreign influences: a historiographical consideration. PJBR 6 (2007) 55-64.

13005 **Noll, K.L.** Canaan and Israel in antiquity. BiSe 83: 2001 ⇒17, 10207; 19,12256. ᴿOTEs 20 (2007) 521-22 (*Du Toit, Jaqueline S.*).

13006 *Patella, Michael* Seers' corner: land of Edom. BiTod 45 (2007) 233-236.

13007 **Provan, Iain; Long, V. Philips; Longman, Tremper, III** A biblical history of Israel. 2003 ⇒19,12261... 21,12943. ᴿHPR 107/4 (2007) 72-75 (*Harmon, Tom*).

13008 *Rogerson, J.W.* Setting the scene: a brief outline of histories of Israel. Understanding the history. PBA 143: 2007 ⇒545. 3-14.

13009 *Savage, Stephen H.; Falconer, Steven E.; Harrison, Timothy P.* The Early Bronze Age city states of the southern Levant: neither cities nor states. Crossing Jordan. 2007 ⇒719. 285-297.

13010 **Scheiber, Thomas** Lots Enkel: Israels Verhältnis zu Moab und Ammon im Alten Testament. ᴰ*Peels, H.G.L.* Norderstedt 2007, Books on Demand 301 pp. €39. Diss. Apeldoorn. ᴿJETh 21 (2007) 258-260 (*Riebesehl, Klaus*).

13011 **Schepper, Miranda de** "Handbuch der Altertumswissenschaft III. Abteilung/1. Teil/ 3. Band/3. Abschnitt/2. Lieferung: nicht erschienen": wo blieb Albrecht ALTs Kulturgeschichte Syriens und Palästinas?. leqach 7 (2007) 91-105.

13012 **Schwantes, Milton** Sofrimento e esperança no exílio: história e te-
ología do povo de Deus no século VI a.C.. São Paulo 2007, Pauli-
nas 184 pp. 978-85356-19713.
13013 *Sievertsen, Uwe* New research on Middle Bronze Age chronology
of western Syria. Synchronisation III. 2007 ⇒988. 423-430.
13014 *Silberman, Neil Asher* Two archaeologies. NEA 70 (2007) 10-13.
13015 *Ska, Jean-Louis* L'histoire d'Israël de Martin NOTH à nos jours:
problèmes de méthode. Comment la bible saisit-elle l'histoire?.
LeDiv 215: 2007 ⇒802. 17-56.
13016 *Snell, Daniel C.* Syria-Palestine in recent research. Current issues.
2007 ⇒667. 113-149.
13017 *Ussishkin, David* Lachish and the date of the Philistine settlement
in Canaan. Synchronisation III. DÖAW 37: 2007 ⇒988. 601-607.
13018 *Whitelam, Keith W.* Setting the scene: a response to John Rogerson.
Understanding the history. PBA 143: 2007 ⇒545. 15-23.
13019 *Williamson, Hugh G.M.* The history of Israel–or: twos into the one
won't go. ET 119 (2007) 22-26.
13020 *Yamada, Masamichi* Was Zu-Baʻla, son of Šurši, a diviner of the
gods of Emar?. UF 39 (2007) 791-801.
13021 *Yasur-Landau, Assaf* Let's do the time warp again: migration pro-
cesses and the absolute chronology of the Philistine settlement.
Synchronisation III. DÖAW 37: 2007 ⇒988. 609-620.
13022 *Young, Rodger C.* Three verifications of THIELE's date for the
beginning of the divided kingdom. AUSS 45/2 (2007) 163-189.
13023 *Younger, K. Lawson, Jr.* The Late Bronze Age / Iron Age transition
and the origins of the Arameans. Ugarit at seventy-five. 2007 ⇒
1058. 131-174.

Q2 **Historiographia**—*theologia historiae*

13024 *Anderlič, Uroš; Firneis, Maria* First lunar crescents for Babylon in
the 2nd millennium B.C . Synchronisation III. 2007 ⇒988. 157-162.
13025 *Backhaus, Knut* Spielräume der Wahrheit: zur Konstruktivität in
der hellenistisch-reichsrömischen Geschichtsschreibung;
13026 *Backhaus, Knut; Häfner, Gerd* Zwischen Konstruktion und Kon-
trolle: Exegese als historische Gratwanderung. Historiographie.
BThSt 86: 2007 ⇒358. 1-29/131-136.
13027 *Barton, John* Historiography and theodicy in the Old Testament.
^{F}AULD, G. VT.S 113: 2007 ⇒5. 27-33 [2 Kgs 25,27-30].
13028 *Baslez, Marie-F.* Les conditions d'exercice du métier d'historien du
second temple. Comment la bible saisit-elle l'histoire?. LeDiv 215:
2007 ⇒802. 227-251.
13029 **Baslez, Marie-F.** Ecrire l'histoire à l'époque du Nouveau Testa-
ment. CEv.S 142: P 2007, Cerf 112 pp. €11. 0222-9714.
13030 *Beeson, Stuart D.* Historiography: ancient and modern: fact and fic-
tion. Ancient and modern scriptural historiography. BEThL 207:
2007 ⇒389. 3-11.
13031 *Bellia, G.* Il faticoso mestiere dello storico. RivBib 55 (2007) 191-
213.
13032 *Bhayro, Siam* Is it possible to write a history of Ancient Israel?.
BAIAS 25 (2007) 205-206.

13033 **Bichler, Reinhold** Historiographie–Ethnographie–Utopie: gesammelte Schriften, Teil 1: Studien zu HERODOTs Kunst der Historie. ^E*Rollinger, Robert* Philippika 18,1: Wsb 2007, Harrassowitz 274 pp. €48. 978-34470-56168.

13034 *Bienenstock, Myriam* Der Geschichtsbegriff: eine theologische Erfindung?: Einleitung. Der Geschichtsbegriff. 2007 ⇒660. 7-11.

13035 *Bietak, Manfred; Höflmayer, Felix* Introduction: high and low chronology. Synchronisation III. DÖAW 37: 2007 ⇒988. 13-23.

13036 *Blum, Erhard* Historiography or poetry?: the nature of the Hebrew Bible prose tradition. Memory in the bible. WUNT 212: 2007 ⇒ 764. 25-45.

13037 *Boschi, Bernardo G.* Il dibattito sulla storiografia biblica dell'Antico Testamento. ATT 13 (2007) 340-358.

13038 *Bouton, Christophe* Ist die Geschichtsphilosophie eine neue Theodizee?. Der Geschichtsbegriff. 2007 ⇒660. 69-82.

13039 *Brettler, Marc Z.* Method in the application of biblical source material to historical writing (with particular reference to the ninth century BCE). Understanding the history. 2007 ⇒545. 305-336.

13040 *Brooke, George J.* Types of historiography in the Qumran scrolls. Ancient and modern scriptural historiography. 2007 ⇒389. 211-30.

13041 *Chilton, Bruce* The task of history for ancient Israel. Historical knowledge. 2007 ⇒403. 1-31.

13042 ^E**Coogan, Michael** The Oxford history of the biblical world. 1998 ⇒14,326... 18,461. ^RThR 72 (2007) 167-169 (*Zwickel, Wolfgang*).

13043 *Davies, Philip R.* The trouble with Benjamin. ^FAULD, G. VT.S 113: 2007 ⇒5. 93-111;

13044 'Another country'?: biblical texts and the past. Ancient and modern scriptural historiography. BEThL 207: 2007 ⇒389. 13-24.

13045 *Dewald, Carolyn* Does history matter?: meaning-making and the first two Greek historians. Historical knowledge. Ment. HERODOTUS; THUCYDIDES 2007 ⇒403. 32-52.

13046 *Dillery, John* Greek historians of the Near East: Clio's 'other' sons. Companion to Greek... historiography. 2007 ⇒724. 221-230.

13047 *Downing, F. Gerald* Historical explanation in Jewish and christian writers and their contemporaries, around the first century. Ancient and modern scriptural historiography. 2007 ⇒389. 61-78.

13048 **Dreytza, Manfred; Hopp, Traugott** Geschichte als Brücke?: neue Zugänge zum AltenTestament. 2005 ⇒21,12971. ^RJETh 21 (2007) 239-242 (*Möller, Karl*).

13049 *Evans, C. Stephen* Biblical narratives as history: biblical persons as objects of historical faith. Hearing visions. 2007 ⇒817. 21-34.

13050 *Gissel, Jon A.P.* Johannes Steenstrup (1844-1935) and the rhetoric of historiography in Denmark. HIPHIL 4 (2007)*.

13051 *Goetschel, Roland* La signification de l'histoire chez Jehudah Halewi et Franz ROSENZWEIG. Der Geschichtsbegriff. Religion in der Moderne 17: 2007 ⇒660. 148-165.

13052 *Grabbe, Lester L.* What historians would like to know .... NEA 70 (2007) 13-15;

13053 Archaeology and Archaiologias: relating excavations to history in fourth-century B.C.E. Palestine. Judah and the Judeans. 2007 ⇒ 750. 125-135.

13054 *Green, William S.* Different ways of looking at truth. Historical knowledge. 2007 ⇒403. 405-415.

13055   *Gregory, Jeremy* The historian and the history of religion. Ancient and modern scriptural historiography. 2007 ⇒389. 79-95.

13056   *Guillaume, Philippe* New light on the Nebiim from Alexandria: a chronography to replace the deuteronomistic history. PHScr II. 2007 <2004> ⇒373. 169-215 [Sir 44-49].

13057   *Hagens, Graham* Copper futures and Cabul: on 'reconstructing' the monarchic narratives. PEQ 139 (2007) 85-98.

13058   *Häfner, Gerd* Konstruktion und Referenz: Impulse aus der neueren geschichtstheoretischen Diskussion. Historiographie. BThSt 86: 2007 ⇒358. 67-96.

13059   **Hendel, Ronald** Remembering Abraham: culture, memory, and history in the Hebrew Bible. 2005 ⇒21,12978; 22,12482. ^{R}JHScr 7 (2007)* = PHScr IV,523-525 (*Hu, Wesley*).

13060   *Hunt, Alice W.* Response: in the beginning–again. Approaching Yehud. SBL.Semeia Studies 50: 2007 ⇒376. 203-207.

13061   *Janowski, Bernd* Das Doppelgesicht der Zeit: alttestamentliche Variationen zum Thema "Mythos und Geschichte". Zur Debatte 37/6 (2007) 21-24.

13062   *Kajon, Irene* Two models of Jewish philosophy of history: Samuele David LUZZATTO and Elia Benamozegh. Der Geschichtsbegriff. Religion in der Moderne 17: 2007 ⇒660. 166-177.

13063   *Kervégan, Jean-Francois* Die Zweideutigkeit der Säkularisierung: Löwiths "Kritik" der Geschichtsphilosophien. Der Geschichtsbegriff. Religion in der Moderne 17: 2007 ⇒660. 42-50.

13064   *Kitchen, Kenneth A.* Egyptian and related chronologies–look, no sciences, no pots!. Synchronisation III. 2007 ⇒988. 163-171.

13065   *Kofoed, Jens Bruun* The role of faith in historical research: a rejoinder. SJOT 21 (2007) 275-298.

13066   **Kofoed, Jens B.** Text and history: historiography and the study of the biblical text. 2005 ⇒21,12983; 22,12493. ^{R}ThLZ 132 (2007) 515-517 (*Alkier, Stefan*); JETh 21 (2007) 248-250 (*Klement, Herbert H.*); Bib. 88 (2007) 586-590 (*Ska, Jean-Louis*); JSSt 52 (2007) 386-390 (*Edelman, Diana*); BiCT 3/3 (2007)* (*Burt, Sean*); CBQ 69 (2007) 786-788 (*Williams, Tyler F.*).

13067   *Kurz, Gerhard* Eine jüdische Geschichte konstruieren: das Paradigma der Konstruktion und "Die Konstruktion der jüdischen Geschichte" von Heinrich GRAETZ. Der Geschichtsbegriff. Religion in der Moderne 17: 2007 ⇒660. 109-127.

13068   *Leuchter, Mark* "Now there was a [certain] man": compositional chronology in Judges-1 Samuel. CBQ 69 (2007) 429-439.

13069   *Maier, Gerhard* Heilsgeschichte und Geschichte. Themenbuch. BWM 15: 2007 ⇒461. 75-83.

13070   *Manning, Sturt W.* Clarifying the 'high' v. 'low' Aegean/Cypriot chronology for the mid second millennium BC: assessing the evidence, interpretive frameworks, and current state of the debate. Synchronisation III. DÖAW 37: 2007 ⇒988. 101-137.

13071   *Mercier, Philippe* L'événement, rupture et/ou interprétation à partir de l'écriture biblique. Accueil de la torah. 2007 ⇒853. 89-104.

13072   **Middlemas, Jill A.** The templeless age: an introduction to the history, literature, and theology of the 'Exile'. LVL 2007, Westminster x; 174 pp. $25. 978-0-664-23130-9. Bibl. 145-163.

13073   *Mitchell, Christine* 'How lonely sits the city'?: identity and the creation of history. Approaching Yehud. 2007 ⇒376. 71-83.

13074 **Moore, Megan B.** Philosophy and practice in writing a history of ancient Israel. LHBOTS 435: 2006 ⇒22,12504. ^RRBLit (2007)* (*Knauf, Ernst A.*).

13075 **Morley, Neville** Theories, models, and concepts in ancient history. 2004 ⇒20,11731... 22,12505. ^RGn. 79 (2007) 659-660 (*Cohet, Justus*).

13076 *Motzkin, Gabriel* Can there be a secular philosophy of history?. Der Geschichtsbegriff. Religion in der Moderne 17: 2007 ⇒660. 83-97.

13077 **Mouriquand, Jacques** Ancien Testament: quelles vérités historiques?: les bouleversements de la recherche actuelle. Genève 2007, Labor et F. 154 pp.

13078 *Naef, Thomas* L'histoire d'Israël dans les fragments d'EUPOLÈME. Ancient and modern scriptural historiography. 2007 ⇒389. 203-9.

13079 *Nápole, Gabriel M.* 'Lo que nuestros padres nos contaron' (Sal. 78,3). AntOr 5 (2007) 167-182.

13080 *Negel, Joachim* Gedächtnis und Geschichte(n): eine Projektskizze. JBTh 22 (2007) 271-296.

13081 New study abroad program: "Ancient Israel". BArR 33/6 (2007) 18.

13082 *Novák, Mirko* Mittani Empire and the question of absolute chronology: some archaeological considerations. Synchronisation III. DÖAW 37: 2007 ⇒988. 389-401.

13083 *O'Brien, Julia M.* From exile to empire: a response. Approaching Yehud. SBL.Semeia Studies 50: 2007 ⇒376. 209-214.

13084 *Oakes, Peter* Honour, dishonour and legitimation: some factors shaping ancient historical writing. Ancient and modern scriptural historiography. BEThL 207: 2007 ⇒389. 257-268.

13085 *Person, Raymond F.* The deuteronomic history and the books of Chronicles: contemporary competing historiographies. ^FAULD, G. VT.S 113: 2007 ⇒5. 315-336.

13086 *Pfoh, Emanuel* Más allá del círculo hermenéutico: el pasado de Israel entre la teología del Antiguo Testamento y la historia de Palestina. RevBib 69 (2007) 65-82;

13087 De la evocación del pasado: la narrativa bíblica e la historiografía clásica en comparación. AntOr 5 (2007) 113-136.

13088 *Robinson, Chase F.* Early Islamic history: parallels and problems. Understanding the history. PBA 143: 2007 ⇒545. 91-106.

13089 *Samuelson, Norbert* Why study the past?: two ways to do philosophy. Der Geschichtsbegriff. 2007 ⇒660. 237-251.

13090 *Sandler, Shmuel* Toward a theory of world Jewish politics and Jewish foreign policy. HPolS 2/3 (2007) 326-360.

13091 *Schmied-Kowarzik, Wolfdietrich* Geschichtsphilosophie und Theologie. Der Geschichtsbegriff. 2007 ⇒660. 51-68.

13092 *Schröter, Jens* Neutestamentliche Wissenschaft jenseits des Historismus: neuere Entwicklungen in der Geschichtstheorie und ihre Bedeutung für die Exegese urchristlicher Schriften. <2003> 9-22;

13093 Überlegungen zum Verhältnis von Historiographie und Hermeneutik in der neutestamentlichen Wissenschaft. <2002> ⇒312. 23-35;

13094 Konstruktion von Geschichte und die Anfänge des Christentums: Reflexionen zur christlichen Geschichtsdeutung aus neutestamentlicher Perspektive. <2006> ⇒312. 37-54;

13095 Geschichte im Licht von Tod und Auferweckung Jesu Christi: Anmerkungen zum Diskurs über Erinnerung und Geschichte aus frühchristlicher Perspektive <2006>. Von Jesus zum NT. WUNT 204: 2007 ⇒312. 55-77.

13096 *Shanks, Hershel* Set apart from the nations?: studying other ancient cultures can help inform our knowledge of biblical history. BArR 33/2 (2007) 4, 79.

13097 **Sommer, Andreas U.** Sinnstiftung durch Geschichte?: zur Entstehung spekulativ-universalistischer Geschichtsphilosophie zwischen BAYLE und KANT. Schwabe Philosophica 8: Ba 2006, Schwabe 583 pp. 37965-22149. [R]ZAR 13 (2007) 360-372 (*Treiber, Hubert*).

13098 *Sterling, Gregory E.* The Jewish appropriation of Hellenistic historiography. Companion to Greek... historiography. 2007 ⇒724. 231-243.

13099 *Theobald, Christoph* A quelles conditions une théologie 'biblique' de l'histoire est-elle aujourd'hui possible?. Comment la bible saisit-elle l'histoire?. LeDiv 215: 2007 ⇒802. 253-279.

13100 **Timpe, Dieter** Antike Geschichtsschreibung: Studien zur Historiographie. [E]*Uwe, Walter* Da:Wiss 2007, 336 pp. €79.90. 978-35341-93530.

13101 *Vermes, Geza* Historiographical elements in the Qumran writings: a synopsis of the textual evidence. JJS 58 (2007) 121-139.

13102 *Waszek, Norbert* Emil FACKENHEIMs Geschichtsauffassung. Der Geschichtsbegriff. 2007 ⇒660. 178-198.

13103 *Whitelam, Keith W.* The poetics of the history of Israel: shaping Palestinian history. Ancient and modern scriptural historiography. BEThL 207: 2007 ⇒389. 25-45.

13104 *Wiener, Malcolm H.* Times change: the current state of the debate on old world chronology. Synchronisation III. 2007 ⇒988. 25-47.

13105 *Wiseman, T.P.* Classical history: a sketch, with three artifacts. Understanding the history. PBA 143: 2007 ⇒545. 71-89.

13106 *Wood, Bryant G.* Let the evidence speak. BArR 33/2 (2007) 26, 78.

13107 *Yamauchi, Edwin M.* Historic HOMER–did it happen?. BArR 33/2 (2007) 28-37, 76.

13108 *Young, Rodger C.* Inductive and deductive methods as applied to OT chronology. MSJ 18 (2007) 99-116.

13109 **Zangara, Adriana** Voir l'histoire: théories anciennes du récit historique, IIe siècle avant J.-C.-IIe siècle après J.-C. Contextes: P 2007, Vrin 318 pp. 27116-18453. Bibl.

Q3 *Historia Ægypti*—**Egypt**

13110 *Adams, Colin* Irregular levies and the impact of the Roman army in Egypt. The impact of the Roman army. 2007 ⇒960. 281-291.

13111 *Aston, David A.* Kom Rabiʿa, Ezbet Helmi, and Saqqara NK 3507: a study in cross-dating. Synchronisation III. 2007 ⇒988. 207-248.

13112 *Bell, Lanny* Conflict and reconciliation in the ancient Middle East: the clash of Egyptian and Hittite chariots in Syria, and the world's first peace treaty between 'superpowers'. War and peace. 2007 ⇒ 733. 98-120.

13113 *Bennett, Chris* Genealogy and the chronology of the Second Intermediate Period. Ä&L 16 (2007) 231-243.

13114 *Bietak, Manfred* Egypt and the Levant. Egyptian world. 2007 ⇒ 747. 417-448.

13115 **Bingen, Jean** Hellenistic Egypt: monarchy, society, economy, culture. E 2007, Edinburgh UP xx; 303 pp. £60/20. 978-07486-15780/ 97. Introd. *Roger S. Bagnall.*

13116 **Bonnet, Charles; Valbelle, Dominique** Pharaonen aus dem schwarzen Afrika. 2006 ⇒22,12542. ^RArOr 75 (2007) 565-566 *(Břetislav, Vachala).*

13117 *Bowman, Alan K.* Egypt in the Graeco-Roman world: from Ptolemaic kingdom to Roman province. Regime change. PBA 136: 2007 ⇒993. 165-181.

13118 *Brand, Peter J.* Ideological imperatives: irrational factors in Egyptian-Hittite relations under Ramesses II. Moving across borders. OLA 159: 2007 ⇒722. 15-33.

13119 *Broekman, Gerard P.F.* Once again the reign of Takeloth II: another view on the chronology of the mid 22nd dynasty. Ä&L 16 (2007) 245-255.

13120 **Chadwick, Robert** First civilizations: ancient Mesopotamia and ancient Egypt. ²2005 ⇒21,13031. ^RCSMSJ 2 (2007) 70-1 *(Brown, Stuart C.).*

13121 *David, Arlette* Ancient Egyptian forensic metaphors and categories. ZÄS 134 (2007) 1-14.

13122 *David, Rosalie* The temple priesthood. Egyptian world. 2007 ⇒ 747. 105-117.

13123 *Demidchik, A.Y.* Domain of the Heracleopolitan monarchy in ancient Egypt. VDI 261 (2007) 3-18. **R.**

13124 *Dietze-Mager, Gertrud* Der Erwerb römischen Bürgerrechts in Ägypten: Legionare und Veteranen. JJP 37 (2007) 31-123.

13125 *Dodson, Aidan* The monarchy. Egyptian world. 2007 ⇒747. 75-90.

13126 *Exell, Karen; Naunton, Christopher* The administration. Egyptian world. 2007 ⇒747. 91-104.

13127 **Favry, Nathalie** Le nomarque sous le règne de Sésostris Ier. 2004 ⇒20,11770; 21,13033. ^RJEA 93 (2007) 282-285 *(Grajetzki, Wolfram).*

13128 *Flammini, Roxana* Asiáticos occidentales en el Egipto del Reino Medio: evidencias textuales y arqueológicas. RevBib 69 (2007) 83-111.

13129 *Gambetti, Sandra* A brief note on Agrippa I's trip to Alexandria in the summer of 38 CE. JJS 58 (2007) 33-38.

13130 *Goebs, Katja* Kingship. Egyptian world. 2007 ⇒747. 275-295.

13131 **Grajetzki, Wolfram** The Middle Kingdom of ancient Egypt: history, archaeology and society. 2006 ⇒22,12562. ^RBiOr 64 (2007) 136-138 *(Doxey, Denise M.).*

13132 *Groddek, Detlev* Zu den neuen ägyptisch-hethitischen Synchronismen der Nach-Amarna-Zeit. GöMisz 215 (2007) 95-107.

13133 ^E**Hornung, Erik; Krauss, Rolf; Warburton, David A.** Ancient Egyptian chronology. HO 1/83: 2006 ⇒22,628. ^RRBLit (2007)* *(Grimal, Nicolas).*

13134 *Huebner, Sabine R.* 'Brother-sister' marriage in Roman Egypt: a curiosity of humankind or a widespread family strategy?. JRS 97 (2007) 21-49.

13135 *Incordino, Ilaria* The third dynasty: a chronological hypothesis. Proceedings Ninth Congress, 1. OLA 150: 2007 ⇒992. 961-968.

13136 *Jansen-Winkeln, Karl* The relevance of genealogical information for Egyptian chronology. Ä&L 16 (2007) 257-273.

13137   **Jiménez Serrano, Alejandro** Los primeros reyes y la unificación de Egipto. Jaén 2007, Univ. de Jaén 430 pp. 978-84843-93573. 40 ill.

13138   *Kahn, Dan'el* Divided kingdom, co-regency, or sole rule in the kingdom(s) of Egypt-and-Kush?. Ä&L 16 (2007) 275-291;

13139   Judean auxiliaries in Egypt's wars against Kush. JAOS 127 (2007) 507-516.

13140   *Kendall, Timothy* Egypt and Nubia. Egyptian world. 2007 ⇒747. 401-416.

13141   *Kitchen, K.A.* Some thoughts on Egypt, the Aegean and beyond of the 2nd millennium BC. Moving across borders. 2007 ⇒722. 3-14;

13142   The strengths and weaknesses of Egyptian chronology–a reconsideration. Ä&L 16 (2007) 293-308.

13143   *Köthen-Welpot, Sabine* Überlegungen zu den Harimverschwörungen. [F]GUNDLACH, R. 2006 ⇒56. 103-126.

13144   *Kóthay, Katalin A.* Phyles of stone-workers in the phyle system of the Middle Kingdom. ZÄS 134 (2007) 138-150.

13145   *Krauss, Rolf* Die Bubastiden-Finsternis im Licht von 150 Jahren Forschungsgeschichte. MDAI.K 63 (2007) 211-223;

13146   An Egyptian chronology for dynasties XIII to XXV. Synchronisation III. DÖAW 37: 2007 ⇒988. 173-189.

13147   *Lanna, Simone* Nuove osservazioni sul sistema di tassazione nell'-Egitto del periodo tinita. Aeg. 87 (2007) 301-346.

13148   *Larkman, Stephen J.* Human cargo: transportation of western Asiatic people during the 11th and 12th dynasty. JSSEA 34 (2007) 107-114.

13149   *Lebro, Giuseppe* I Libici in Egitto tra la XXI e la XXII dinastia. Aeg. 87 (2007) 289-300.

13150   **Lembke, Katja; Fluck, Cäcilia; Vittmann, Günter** Ägyptens späte Blüte: die Römer am Nil. 2004 ⇒20,11789; 22,12584. [R]ArOr 75 (2007) 247-249 (*Smoláriková, Kvĕta*).

13151   *Lloyd, Alan B.* The Greeks and Egypt: diplomatic relations in the seventh-sixth centuries BC. Moving across borders. OLA 159: 2007 ⇒722. 35-50.

13152   *Luft, Ulrich* Absolute chronology in Egypt in the first quarter of the second millennium BC. Ä&L 16 (2007) 309-316.

13153   **McDermott, Bridget** La guerra en el antiguo Egipto. [T]*Belza, Cecilia* Barc 2006, Crítica 264 pp. 978-84843-27271. Ill.

13154   *Monson, Andrew* Royal land in Ptolemaic Egypt: a demographic model. JESHO 50 (2007) 363-397.

13155   *Morenz, Ludwig D.* Reconsidering Sheshonk's emblematic list and his war in Palestine. Moving across borders. OLA 159: 2007 ⇒ 722. 101-117 [1 Kgs 14,25].

13156   **Muhs, Brian P.** Tax receipts, taxpayers, and taxes in early Ptolemaic Thebes. UCOIP 126: 2005 ⇒21,13047. [R]JESHO 50/1 (2007) 80-82 (*Depauw, Mark*); BiOr 64 (2007) 154-156 (*Vleeming, S.P.*).

13157   *Mumford, G.* Egypto-Levantine relations during the Iron Age to early Persian periods (dynasties late 20 to 26). [F]LLOYD, A. AOAT 347: 2007 ⇒98. 225-288.

13158   *Müller, Vera* Wie gut fixiert ist die Chronologie des Neuen Reiches wirklich?. Ä&L 16 (2007) 203-230.

13159   [E]**Pernigotti, Sergio** Scuola e cultura nell'Egitto del Nuovo Regno. 2005 ⇒21,13053. [R]RivBib 55 (2007) 345-346 (*Laisney, Vincent*); Sal. 69 (2007) 773-774 (*Vicent, Rafael*).

13160 **Polz, Daniel** Der Beginn des Neuen Reiches: zur Vorgeschichte einer Zeitenwende. Sonderschrift Deutsches Archäologisches Institut, Abteilung Kairo 31: B 2007, De Gruyter xvi; 445 pp. 978-3-11-01-9347-3. Bibl. 395-426.

13161 *Quirke, Stephen* The Hyksos in Egypt 1600 BCE: new rulers without an administration. Regime change. PBA 136: 2007 ⇒993. 123-139.

13162 *Raedler, Christine* Die kosmische Dimension pharaonischer Gunst. [F]GUNDLACH, R. 2006 ⇒56. 127-158.

13163 **Redford, Donald B.** The wars in Syria and Palestine of Thutmose III. 2003 ⇒19,12376; 21,13056. [R]ThZ 63 (2007) 101-103 (*Breyer, Francis*); BiOr 64 (2007) 352-355 (*Schipper, B.U.*).

13164 *Roth, Silke* Der Herrscher im Fest: zur rituellen Herrschaftslegitimation des ägyptischen Königs und ihrer Außendarstellung im Rahmen von Festen. [F]GUNDLACH, R. 2006 ⇒56. 205-249.

13165 *Rowland, Joanne M.* Death and the origins of Egypt: mortuary variability as an indicator of socio-political change during the late predynastic to early dynastic period. Proceedings Ninth Congress, 2. OLA 150: 2007 ⇒992. 1629-1643.

13166 *Römer, Malte* Die Aussagekraft der Quellen für das Studium ägyptischer Wirtschaft und Verwaltung, 1. Teil. ZÄS 134 (2007) 66-81.

13167 *Schukraft, Beate* Homosexualität im Alten Ägypten. SAÄK 36 (2007) 297-331.

13168 **Servajean, Frédéric** Djet et Neheh: une histoire du temps égyptien. Orientalia Monspeliensia 18: Montpellier 2007, Université Paul Valéry 142 pp. 978-2-8426-9790-7. Bibl. 125-135.

13169 [E]**Shaw, Ian** The Oxford history of ancient Egypt. Oxf 2003, OUP xiv; 524 pp. 978-0-19-280458-7.

13170 **Silverman, David; Wegner, Jennifer; Wegner, Josef** Akhenaten and Tutankhamun: revolution and restoration. 2006 ⇒22,12612. [R]JAOS 127 (2007) 554-556 (*Kiser-Go, Deanna*).

13171 *Stannish, Steven M.* Evidence for a co-regency between Amunhotep III and Akhenaten in the earlier proclamation of Amarna boundary stelae K, X, and M. JSSEA 34 (2007) 159-162.

13172 *Steel, Louise* Egypt and the Mediterranean world. Egyptian world. 2007 ⇒747. 459-475.

13173 *Stockfisch, Dagmar* Mittani in den Fremdvölkerlisten. [F]GUNDLACH, R. 2006 ⇒56. 259-270.

13174 *Swart, L.* The transition from the 21st to the 22nd dynasty in Thebes as manifested in changes in the wooden funerary stelae of the 22nd dynasty. JSem 16 (2007) 518-538.

13175 *Thijs, Ad* The scenes of the high priest Pinuzem in the temple of Khonsu. ZÄS 134 (2007) 50-63.

13176 **Torallas Tover, Sofía** Identidad lingüística e identidad religiosa en el Egipto grecorromano. 2005 ⇒21,13072. [R]SCI 26 (2007) 246-248 (*Grossman, Eitan*).

13177 **Van de Mieroop, Marc** The eastern Mediterranean in the age of Ramesses II. Oxf 2007, Blackwell xiii; 297 pp. £55/$99.95. 978-14051-60698. 7 maps; 27 fig.; Bibl. 266-284.

13178 **Vinci, Silvia** La nascita dello stato nell'antico Egitto: la dinastia "zero". Imola 2002, La mandragora 125 pp. 88-88108-54-8. Bibl. 113-122; Premessa di *Sergio Pernigotti*.

13179   *Wada, Koichiro* Provincial society and cemetery organization in the New Kingdom. SAÄK 36 (2007) 347-389.
13180   *Walters, Elizabeth* Hierakonpolis women of stature and the legacy from the Near East in Egypt. Moving across borders. OLA 159: 2007 ⇒722. 267-297.
13181   *Weninger, Franz, al.*, The principle of the Bayesian method. Ä&L 16 (2007) 317-324.
13182   *Wiener, Malcolm H:* Egypt & time. Ä&L 16 (2007) 325-339.
13183   *Wilkinson, Toby* Egypt and Mesopotamia. Egyptian world. 2007 ⇒ 747. 449-458.
13184   **Wilkinson, Toby A.H.** Lives of the ancient Egyptians. L 2007, Thames & H. 336 pp. 978-0-500-05148-1. Bibl.
13185   *Wit, Tonny J. de* Ethnicity and state formation in Egypt: ideology and practice. Studia Aegyptiaca 18. 2007 ⇒995. 401-415.
13186   *Xekalaki, Georgia* Egyptian royal women and diplomatic activity during the New Kingdom. Current research in Egyptology 2005. 2007 ⇒991. 163-173.
13187   *Yakutieli, Y.* The relationship between Egypt and Canaan during the Early Bronze Age I as viewed from south-west Canaan. Qad. 134 (2007) 66-74.
13188   *Zakrzewski, Sonia R.* Gender relations and social organisation in predynastic and early dynastic periods. Proceedings Ninth Congress, 2. OLA 150: 2007 ⇒992. 2005-2019.
13189   *Zibelius-Chen, Karola* Die Medja in altägyptischen Quellen. SAÄK 36 (2007) 391-405.

Q4.0 Historia Mesopotamiae

13190   **Arnaud, Daniel** Assurbanipal, roi d'Assyrie. P 2007, Fayard 310 pp.
13191   **Ascalone, Enrico** Mesopotamia: Assyrians, Sumerians, Babylonians. ᵀ*Frongia, Rosanna M.G.* Dictionaries of Civilization 1: Berkeley 2007, Univ. of California Pr. 368 pp. $25. Ill.
13192   *Aster, Shawn Z.* Transmission of Neo-Assyrian claims of empire to Judah in the late eighth century B.C.E. HUCA 78 (2007) 1-44.
13193   ᴱ*Banning, Edward B.* Time and tradition: problems of chronology in the 6th-4th millennia in the Levant and Greater Mesopotamia. Paléorient 33/1 (2007) 3-142.
13194   *Beaulieu, Paul-A.* Nabonidus the mad king: a reconsideration of his steles from Harran and Babylon. Representations of political power. 2007 ⇒687. 137-166.
13195   *Cancik-Kirschbaum, Eva* 'Menschen ohne König...': zur Wahrnehmung des Königtums in sumerischen und akkadischen Texten. Das geistige Erfassen. 2007 ⇒746. 167-190.
    Chadwick, R. First civilizations: Mesopotamia ²2005 ⇒13120.
13196   *Charpin, Dominique* Chroniques bibliographiques 10: économie, société et institutions paléo-babyloniennes: nouvelles sources, nouvelles approches. RA 101 (2007) 147-182.
13197   **Charpin, Dominique; Dietz, Otto E.; Stol, Marten** Mesopotamien: die altbabylonische Zeit. Annäherungen 4; OBO 160/4: 2004 ⇒ 20,11533... 22,12629. ᴿJAOS 127 (2007) 79-81 (*Yoffee, Norman*).

13198   *Collins, Paul* Human and divine attendants at the royal courts of Assyria and the Near East. BAIAS 25 (2007) 208.

13199   *Colonna d'Istria, Laurent; Louis, Philippe* L''étranger' au pays de Sumer à l'époque de la troisième dynastie d'Ur. L'étranger dans la bible. LeDiv 213: 2007 ⇒504. 17-52.

13200   **Crawford, Harriet** Sumer and the Sumerians. C ²2004 <1991>, CUP x; 252 pp. £45/20. 0521-825962/533384.

13201   **Cripps, E.L.** Land tenure and social stratification in ancient Mesopotamia: third millennium Sumer before the Ur III dynasty. BAR international series 1676: Oxf 2007, Archaeopress 197 pp. 978-14073-01136. Bibl. 190-197.

13202   **Dahl, Jacob L.** The ruling family of Ur III Umma: a prosopographical analysis of an elite family in southern Iraq 4000 years ago. Uitgaven van het Nederlands Instituut voor het Nabijie Oosten te Leiden 108: Lei 2007, Nederlands Instituut voor het Nabije Oosten xii; 180 pp. 978-90-6258-319-5. Bibl. 157-165.

13203   *Fales, Frederick Mario* Multilingualism on multiple media in the Neo-Assyrian period: a review of the evidence. SAA Bulletin 16 (2007) 95-122.

13204   **Favaro, Sabrina** Voyages et voyageurs: à l'époque Néo-Assyrienne. SAAS 18: Helsinki 2007, Neo-Assyrian Text Corpus Project xviii; 169 pp. $59. 978-952-10-1329-4. Bibl. 137-157.

13205   *Foster, Benjamin R.* Water under the straw: peace in Mesopotamia. War and peace. 2007 ⇒733. 66-80.

13206   **Galil, Gershon** The lower stratum families in the Neo-Assyrian period. CHANE 27: Lei 2007, Brill xviii; 403 pp. €120. 978-9004-15512-1.

13207   *Galter, Hannes D.* Looking down the Tigris: the interrelations between Assyria and Babylonia. Babylonian world. 2007 ⇒716. 527-540.

13208   *Garfinkle, Steven J.* The Assyrians: a new look at an ancient power. Current issues. 2007 ⇒667. 53-96.

13209   ᵀ**Glassner, Jean-Jacques** Mesopotamian Chronicles. ᴱ*Foster, Benjamin R.* 2004 ⇒20,11844... 22,12637. ᴿJAOS 127 (2007) 81-82 (*Novotny, Jamie*).

13210   *Grayson, A. Kirk* Shalmaneser III and the Levantine states: the "Damascus coalition rebellion". PHScr II. 2007 <2004> ⇒373. 51-58.

13211   *Heinz, Marlies* Sargon of Akkad: rebel and usurper in Kish. Representations of political power. 2007 ⇒687. 67-86.

13212   *Herles, Michael* Assyrische Präsenz an Euphrat und Balīḫ: Grenzkontrolle gegen Feinde des Reiches und nomadische Gruppierungen. UF 39 (2007) 413-449.

13213   *Jahn, Brit* The migration and sedentarization of the Amorites from the point of view of the settled Babylonian population. Representations of political power. 2007 ⇒687. 193-209.

13214   *Jursa, Michael* Die Söhne Kudurrus und die Herkunft der neubabylonischen Dynastie. RA 101 (2007) 125-136.

13215   *Larsen, Mogens T.* Individual and family in Old Assyrian society. JCS 59 (2007) 93-106.

13216   *Livingstone, Alasdair* Ashurbanipal: literate or not?. ZA 97 (2007) 98-118.

13217   *Luukko, Mikko* The administrative roles of the 'chief scribe' and the 'palace scribe' in the Neo-Assyrian period. SAA Bulletin 16 (2007) 227-256.

13218   **Luukko, Mikko; Van Buylaere, Greta** The political correspond-ence of Esarhaddon. State Archives of Assyria 16: 2002 ⇒18, 11395...22,12641. [R]JAOS 127 (2007) 215-16 (*Porter, Barbara N.*).

13219   *Na'aman, Nadav* Sargon II's second palû according to the Khorsabad annals. TelAv 34 (2007) 165-170.

13220   **Nagel, Wolfram; Strommenger, Eva; Eder, Christian** Von Gudea bis Hammurapi: Grundzüge der Kunst und Geschichte in Altvorderasien. 2005 ⇒21,13126. [R]OLZ 102 (2007) 33-36 (*Bleibtreu, Erika*).

13221   *Nemirovsky, Alexandre A.* Babylonian presence on the borders of Egyptian possessions in Asia throughout the Amarna Age. Moving across borders. OLA 159: 2007 ⇒722. 169-181.

13222   *Nissen, Hans J.* Archaeological surveys and Mesopotamian history. [F]ADAMS, R. 2007 ⇒2. 19-28.

13223   *Parpola, Simo* The Neo-Assyrian ruling class. Studien zu Ritual. BZAW 374: 2007 ⇒937. 257-274.

13224   *Ponchia, Simonetta* Communicational procedures and administrative structures in the Neo-Assyrian empire. SAA Bulletin 16 (2007) 123-143.

13225   *Richardson, Seth* The world of Babylonian countrysides. Babylonian world. 2007 ⇒716. 13-38.

13226   *Rubio, Gonzalo* From Sumer to Babylonia: topics in the history of southern Mesopotamia. Current issues. 2007 ⇒667. 5-51.

13227   *Saporetti, Claudio* Ešnunna: una bibliografia (dal 1899-2007). Geo-Archeologia, Numero speciale 1 (2007) 119 pp.

13228   *Sazonov, Vladimir* Vergöttlichung der Könige von Akkade. Studien zu Ritual. BZAW 374: 2007 ⇒937. 325-341.

13229   **Seri, Andrea** Local power in Old Babylonian Mesopotamia. 2005 ⇒21,13139. [R]CSMSJ 2 (2007) 73-74 (*Feuerherm, Karljürgen G.*); JAOS 127 (2007) 212-215 (*Stol, Marten*).

13230   *Sharlach, T.M.* Shulgi-Simti and the representation of women in historical sources. [F]WINTER, I. CHANE 26: 2007 ⇒171. 363-368;

13231   Social change and the transition from the third dynasty of Ur to the Old Babylonian kingdoms c.2112-1595 BCE. Regime change. PBA 136: 2007 ⇒993. 61-72.

13232   *Siddall, Luis R.* The genealogy of Adad-nirari III, the identity of the Ila-kabkabis of the Assyrian king list and the status of the 'legitimitation' hypothesis. Or. 76 (2007) 368-378;

13233   A re-examination of the title ša reši in the neo-Assyrian period. Gilgameš. ANESt.S 21: 2007 ⇒986. 225-240.

13234   *Stein, Gil J.; Özbal, Rana* A tale of two *oikumenai:* variation in the expansionary dynamics of ʿUbaid and Uruk Mesopotamia. [F]ADAMS, R.. 2007 ⇒2. 329-342.

13235   *Teppo, Saana* Agency and the Neo-Assyrian women of the palace. StOr 101 (2007) 381-420;

13236   The role and the duties of the Neo-Assyrian *šakintu* in the light of archival evidence. SAA Bulletin 16 (2007) 257-272.

13237   **Van De Mieroop, Marc** A history of the ancient Near East ca. 3000-323 BC. Blackwell History of the Ancient World 1: Malden [2]2007 <2004>, Blackwell xxii; 341 pp. £19/$35. 9781450149112;

13238 King Hammurabi of Babylon: a biography. 2005 ⇒21,13144; 22, 12678. ᴿOLZ 102 (2007) 27-30 (*Richter, T.*); Gn. 79 (2007) 757-758 (*Klengel, Horst*).

13239 *Vermaak, P.S.* Relations between Babylonia and the Levant during the Kassite period. Babylonian world. 2007 ⇒716. 515-526.

13240 *Walls, Neal H.* The origins of the disabled body: disability in ancient Mesopotamia. This abled body. Semeia Studies 55: 2007 ⇒ 356. 13-30.

13241 *Warburton, David A.* Egypt and Mesopotamia. Babylonian world. 2007 ⇒716. 487-502.

13242 *Weeks, Noel K.* Assyrian imperialism and the walls of Uruk. Gilgameš. ANESt.S 21: 2007 ⇒986. 79-90.

13243 *Younger, K. Lawson, Jr.* Neo-Assyrian and Israelite history in the ninth century: the role of Shalmaneser III. Understanding the history. PBA 143: 2007 ⇒545. 243-277.

13244 *Zettler, Richard L.* Dynastic change and institutional administration in southern Mesopotamia in the later third millennium BCE: evidence from seals and sealing practices. Regime change. PBA 136: 2007 ⇒993. 9-35.

Q4.5 *Historia Persiae*—Iran

13245 *Abraham, Kathleen* An inheritance division among Judeans in Babylonia from the early Persian period (from the Moussaieff tablet collection). New seals. HBM 8: 2007 ⇒721. 206-221.

13246 *Ambar-Armon, Einat; Kloner, Amos* Archaeological evidence of links between the Aegean world and the land of Israel in the Persian period. A time of change. LSTS 65: 2007 ⇒850. 1-22.

13247 **Axworthy, Michael** Empire of the mind: a history of Iran. L 2007, Hurst xvi; 333 pp. £25. 978-18506-587119.

13248 **Briant, Pierre** Darius dans l'ombre d'Alexandre. 2003 ⇒19,12484 ... 21,13153. ᴿREA 109 (2007) 381-383 (*Tremblay, Xavier*).

13249 **Brosius, M.** The Persians: an introduction. Peoples of the ancient world: 2006 ⇒22,12690. ᴿTEuph 34 (2007) 156-159 (*Arx, B. d'*).

13250 **Brown, John P.** Israel and Hellas, 3: the legacy of Iranian imperialism and the individual, with cumulative indexes to vols. I-III. BZAW 299: 2001 ⇒17,10414; 18,11425. ᴿPHScr II, 572-575 ⇒373 (*Berquist, Jon L.*).

13251 *Carter, Elizabeth* Resisting empire: Elam in the first millennium BC. ᶠADAMS, R. 2007 ⇒2. 139-156.

13252 *Ehrenberg, Erica* Persian conquerors, Babylonian captivators. Regime change. PBA 136: 2007 ⇒993. 95-103.

13253 *Eshel, Hanan* The governors of Samaria in the fifth and fourth centuries B.C.E.. Judah and the Judeans. 2007 ⇒750. 223-234.

13254 *Fried, Lisbeth* From xeno-philia to -phobia–Jewish encounters with the other. A time of change. LSTS 65: 2007 ⇒850. 179-204.

13255 **Fried, Lisbeth S.** The priest and the great king: temple-palace relations in the Persian Empire. Biblical and Judaic Studies from the University of California San Diego 10: 2004 ⇒20,11896... 22, 12691. ᴿBiOr 64 (2007) 445-447 (*Lemaire, André*).

13256 **Graef, Katrien de** De la dynastie Simasški au Sukkalmahat: les documents fin PE IIB–début PE III du chantier B à Suse. Ville royale de Suse 9; Mémoires de la Délégation archéologique en Iran 55: Gand 2006, Université de Gand 210 pp. Bibl. 205-10; 74 pp pl.

13257 **Grantovskii, Edvin A.** Ranniaia istoriia iranskikh plemen Perednei Azii. Moskva 2007, Vostochnaia literatura RAN 506 pp. 978-5-02-036327-4. Bibl. 435-458. **R.**

13258 *Gruen, Erich* Persia through the Jewish looking-glass. Jewish perspectives. 2007 ⇒624. 53-75.

13259 *Jursa, Michael* The transition of Babylonia from the Neo-Babylonian Empire to Achaemenid rule. Regime change. PBA 136: 2007 ⇒993. 73-94.

13260 **Klinkott, Hilmar** Der Satrap: ein achaimenidischer Amtsträger und seine Handlungsspielräume. Oikumene, Studien zur antiken Weltgeschichte 1: 2005 ⇒21,13159; 22,12693. [R]GGA 259 (2007) 25-49 (*Koch, Heidemarie*); RBLit (2007)* (*Wright, Jacob L.*).

13261 *Kloner, Amos; Stern, Ian* Idumea in the late Persian period (fourth century B.C.E.). Judah and the Judeans. 2007 ⇒750. 139-144.

13262 *Kuhrt, Amélie* The problem of Achaemenid 'religious policy'. Die Welt der Götterbilder. BZAW 376: 2007 ⇒823. 117-142;

13263 Ancient Near Eastern history: the case of Cyrus the Great. Understanding the history. PBA 143: 2007 ⇒545. 107-127;

13264 Cyrus the Great of Persia: images and realities. Representations of political power. 2007 ⇒687. 169-191;

13265 The Persian empire. Babylonian world. 2007 ⇒716. 562-576.

13266 **Kuhrt, Amélie** The Persian Empire: a corpus of sources from the Achaemenid period. Abingdon 2007, Routledge 2 vols; xxx; 1020 pp. £160. 978-04154-36281. 50 + 95 fig.

13267 *Lenfant, Dominique* Greek historians and Persia. Companion to Greek... historiography. 2007 ⇒724. 200-209.

13268 **Lincoln, Bruce** Religion, empire and torture: the case of Achaemenian Persia, with a postscript on Abu Ghraib. Ch 2007, Univ. of Chicago Pr. 176 pp. $30. 978-0-226-48196-8. Bibl. 143-167.

13269 *Römer, T.* Syrie–Phénicie–Palestine: deuxième partie: Ancien Testament. TEuph 33 (2007) 83-104 l.

13270 *Traina, Giusto* Moïse de Khorène et l'empire sassanide. Des Indo-Grecs aux Sassanides: données pour l'histoire et la géographie historique. [E]**Gyselen, Rika** Bures-sur-Yvette 2007, Groupe pour l'étude de la civilisation du Moyen-Orient. 157-179. 978-29521-3-7614.

[E]**Tuplin, C.** Persian responses 2007 ⇒743.

13271 *Wiesehöfer, Josef* The Achaemenid empire in the fourth century B.C.E.: a period of decline?. Judah and the Judeans. 2007 ⇒750. 11-30;

13272 From Achaemenid imperial order to Sasanian diplomacy: war, peace, and reconciliation in pre-Islamic Iran. War and peace. 2007 ⇒733. 121-140.

Q5 *Historia Anatoliae*—**Asia Minor, Hittites** [⇒T8.2]; *Armenia*

13273 **Barrelet, M.-T.** Problèmes concernant les Hourrites II. 1984 ⇒65, d31... 6,g565. AuOr 25 (2007) 325-327 (*Sanmartín, J.*).

13274 *Bayun, L.S.* Ethno-cultural contacts in ancient Asia Minor: Phrygia, south-eastern Anatolia, northern Mesopotamia. VDI 263 (2007) 156-163. **R.**

13275 *Beal, Richard H.* Making, preserving, and breaking the peace with the Hittite state. War and peace. 2007 ⇒733. 81-97.

13276 *Beckman, Gary* From Ḫattuša to Carchemish: the latest on Hittite history. Current issues. 2007 ⇒667. 97-112.

13277 *Bonatz, Dominik* The divine image of the king: religious representation of political power in the Hittite empire. Representations of political power. 2007 ⇒687. 111-136.

13278 *Börker-Klähn, Jutta* Die Schlacht um Tuu̯anuu̯a als 'Atlante storico'. ᶠKOŠAK, S. 2007 ⇒90. 91-118.

13279 **Brélaz, Cédric** La sécurité publique en Asie Mineure sous le Principat (Iᵉʳ-IIIᵉᵐᵉ s. ap. J.-C.): institutions municipales et institutions impériales. SBA 32: 2005 ⇒21,13168. ᴿREA 109 (2007) 826-829 (*Pont, Anne-Valérie*).

13280 *Bryce, Trevor* The secession of Tarḫuntašša. ᶠKOŠAK, S. 2007 ⇒ 90. 119-129;

13281 A view from Hattusa. Babylonian world. 2007 ⇒716. 503-514.

13282 **Bryce, Trevor R.** The kingdom of the Hittites. 2005 ⇒21,13169. ᴿBSOAS 70 (2007) 151-153 (*Schwemer, Daniel*); BiOr 64 (2007) 417-420 (*Waal, Willemijn*).

13283 *Carruba, Onofrio* Per una ricostruzione delle liste reali etee;

13284 *Collins, Billie J.* The bible, the Hittites, and the construction of the 'other'. ᶠKOŠAK, S. 2007 ⇒90. 131-142/153-161.

13285 **Collins, Billie Jean** The Hittites and their world. SBL.Archaeology and Biblical Studies 7: Atlanta 2007, SBL xvi; 254 pp. $30. 978-15898-32961. Bibl. [ThD 53,161–W. Charles Heiser].

13286 *d'Alfonso, Lorenzo* The treaty between Talmi-Teššub King of Karkemiš and Šuppiluliu̯ama Great King of Ḫatti. ᶠKOŠAK, S. 2007 ⇒ 90. 203-220;

13287 Talmi-šarruma judge?: some thoughts on the jurisdiction of the kings of Aleppo during the Hittite Empire. SMEA 49 (2007) 159-169.

13288 *Devecchi, Elena* A fragment of a treaty with Mukiš. SMEA 49 (2007) 207-216.

13289 *Dodd, Lynn S.* Strategies for future success: remembering the Hittites during the Iron Age. AnSt 57 (2007) 203-216.

13290 *Freu, Jacques* La bataille de Niḫriu̯a, RS 34.165, KBo 4.14 et la correspondance assyro-hittite. ᶠKOŠAK, S. 2007 ⇒90. 271-292.

13291 *Gilan, Amir* How many princes can the land bear?–some thoughts on the Zalpa text. SMEA 49 (2007) 305-318.

13292 *Gromova, Daria* Hittite role in political history of Syria in the Amarna Age reconsidered. UF 39 (2007) 277-309.

13293 **Haas, Volkert** Die. hethitische Literatur: Texte, Stilistik, Motive. 2006 ⇒22,12704. ᴿBiOr 64 (2007) 415-417 (*Archi, Alfonso*) ZA 97 (2007) 314-317 (*De Martino, Stefano*).

13294 *Heinhold-Krahmer, Susanne* Drei Fragmente aus Berichten über die Taten Šuppiluliumas I.?. ᶠKOŠAK, S. 2007 ⇒90. 367-383.

13295 *Houwink ten Cate, Philo H.J.* The Hittite usage of the concepts of 'great kingship', the mutual guarantee of royal succession, the personal unswerving loyalty of the vassal to his lord and the 'chain of command' in vassal treaties from the 13th century B.C.E. Das geistige Erfassen. 2007 ⇒746. 191-207.

13296 *Jasink, Anna M.; Marino, Mauro* The West-Anatolian origins of the Que kingdom dynasty. SMEA 49 (2007) 407-426.

13297   **Klinger, Jörg** Die Hethiter. Beck'sche Reihe 2425: Mü 2007, Beck 128 pp. €7.90. 978-3-406-53625-0.

13298   *Koiv, Mait* Cimmerians in the western Anatolia: a chronological note. Studien zu Ritual. BZAW 374: 2007 ⇒937. 153-170.

13299   *Kuzuoğlu, Remzi* Asur ticaret kolonileri çaği'nda Anadolu kraliçeleri [Anatolian queens during the Assyrian colonies period]. BTTK 71 (2007) 795-809.

13300   *Marazzi, Massimiliano* Gli editti reali hittiti: definizione del genere e delimitazione del corpus. ᶠKošak, S. 2007 ⇒90. 487-502.

13301   *Marizza, Marco* The office of GAL.GEŠTIN in the Hitttite kingdom. Kaskal 4 (2007) 153-180.

13302   **Marizza, Marco** Dignitari ittiti del tempo di Tuthaliya I/II, Arnuwanda I, Tuthaliya III. Eothen 15: F 2007, LoGisma x; 193 pp. 97-8-88-87621-67-9. Bibl. 181-190.

13303   ᴱ**Melchert, H. Craig** The Luwians. HO 1/68: 2003 ⇒19,12514... 22,12709. ᴿJNES 66 (2007) 140-144 (*Yakubovich, Ilya*); ZA 96 (2006) 288-292 (*Hajnal, Ivo*).

13304   ᴱ**Mielke, Dirk P.; Schoop, Ulf-Dietrich; Seeher, Jürgen** Strukturierung und Datierung in der hethitischen Archäologie: Voraussetzungen, Probleme, neue Ansätze. BYZAS 4: Istanbul 2006, Yayıları viii; 368 pp. 975-807-1254. Internationaler Workshop, Istanbul, Nov. 2004.

13305   *Miller, Jared L.* Mursilli II's dictate to Tuppi-Teššub's Syrian antagonists. Kaskal 4 (2007) 121-152;

13306   The kings of Nuḫḫašše and Muršili's *Casus belli*: two new joins to Year 7 of the Annals of *Muršili* II. ᶠKošak, S. 2007 ⇒90. 521-34.

13307   *Nemirovsky, A.A.* Hattusili III's letter to Kadashman-Ellil II (KBO I 10) and some problems of Near Eastern chronology. VDI 262 (2007) 3-27.

13308   **Oberheid, Robert** Emil O. Forrer und die Anfänge der Hethitologie: eine wissenschaftshistorische Biographie. B 2007, De Gruyter xvii; 457 pp. €118. 978-31101-9434. CD-ROM.

13309   **Oettinger, Norbert** Gab es einem Trojanischen Krieg?: zur griechischen und anatolischen Überlieferung. Bayerische Akademie der Wissenschaften. Phil.-hist. Kl. Sitzungsberichte, 2007,4: Mü 2007, Bayerische Akad. der Wissenschaften 28 pp. 978-3-7696-1644-6.

13310   *Pruzsinszky, Regine* Emar and the transition from Hurrian to Hittite power. Representations of political power. 2007 ⇒687. 21-37.

13311   *Salvini, Mirjo* Le royaume d'Ourartou du IXᵉ au VIIᵉ s. av. J.-C. DosArch 321 (2007) 52-56.

13312   **Schweyer, Anne-V.** Les Lyciens et la mort: une étude d'histoire sociale. Varia anatolica 14: 2002 ⇒18,11466... 22,12712. ᴿSyria 84 (2007) 342-344 (*Sachet, Isabelle*).

13313   *Stempel, Roman* Identification of Nibhururiya and the synchronism in the Egyptian and Hittite chronology in the light of newly constructed Hittite text. GöMisz 213 (2007) 97-100.

13314   **Stone, Nira; Stone, Michael** The Armenians: art, culture and religion. Dublin 2007, Chester Beatty Library 95 pp. €30. 978-19048-32379. Ill.

13315   *Strobel, Karl* Der Galater und Galatien: historische Identität und ethnische Tradition im Imperium Romanum. Klio 89/2 (2007) 356-402.

13316 *Taracha, Piotr* More about *Res gestae* in Hittite historiography.
^FKOŠAK, S. 2007 ⇒90. 659-664.
13317 *Topchyan, Aram* Jews in ancient Armenia (1st century BC-5th century AD). Muséon 120 (2007) 435-476.
13318 *Traina, Giusto* Le royaume de la Grande Arménie (IIe s. av.-428. ap. J.-C.). DosArch 321 (2007) 74-77.
13319 **Wittke, Anne-M.** Mušker und Phryger: ein Beitrag zur Geschichte Anatoliens vom 12. bis 7.Jh. v.Chr.. BTAVO.B 99: 2004 ⇒21, 13212. ^RBiOr 64 (2007) 220-226 (*Crielaard, Jan*); WO 37 (2007) 265-267 (*Rollinger, Robert*).
13320 *Wittke, Anne-Maria* Remarks on the early history of Phrygia (twelfth to eighth century B.C.). Anatolian Iron Ages 6. ANESt.S 20: 2007 ⇒1026. 335-347.
13321 *Zimansky, Paul* The Lattimore model and Hatti's Kaska frontier. ^FADAMS, R. 2007 ⇒2. 157-172.

Q6.1 Historia Graeciae classicae

13322 **Blum, Hartmut** Purpur als Statussymbol in der griechischen Welt. 1998 ⇒14,9809. ^RGn. 79 (2007) 180-182 (*Wagner-Hasel, Beate*).
13323 ^E**Bowie, A.M.** HERODOTUS: histories: book VIII. Greek and Latin Classics: C 2007, CUP xvi; 258 pp. £55/19. 978-05215-75713.
13324 *Cartledge, P.* Greeks and 'barbarians'. History of ancient Greek. 2007 ⇒669. 307-313.
13325 **Isaac, Benjamin** The invention of racism in classical antiquity. 2004 ⇒20,11933; 21,13218. ^RJSJ 38 (2007) 118 (*Berthelot, Katell*).
13326 **Konstan, David** The emotions of the ancient Greeks: studies in ARISTOTLE and Greek literature. Robson classical lectures: Toronto 2006, University of Toronto Pr. xvi; 422 pp. 978-08020-91031/55-89. Bibl. 365-409.
13327 **Lefèvre, François** L'Histoire du monde grec antique. Antiquité: P 2007, Livre de Poche 632 pp. ^RCRAI 4 (2007) 1549-51 (*Laronde, André*).
13328 **Mazzarino, Santo** Fra Oriente e Occidente: ricerche di storia greca arcaica. Universale Bollati Boringhieri 529: T 2007, Bollati Boringhieri xx; 468 pp. 978-88339-17641. Bibl.; Intr. *Filippo Cassola*.
13329 **Nielsen, Thomas H.** Olympia and the classical Hellenic city-state culture. Historisk-filosofiske Meddelelser 96: K 2007, Det Kongelige Danske Videnskabernes Selskab 139 pp. 978-87730-43097. Bibl. 108-121.
13330 *Parker, Victor* From Mycenaean times to classical Greece: continuity or discontinuity?. Prudentia 39/1 (2007) 1-49.
13331 *Thomas, R.* Literacy and orality in the classical period;
13332 *Veligianni-Terzi, Ch.* The classical period. History of ancient Greek. 2007 ⇒669. 314-324/297-306.
13333 **Vlassopoulos, K.** Unthinking the Greek polis: ancient Greek history beyond eurocentrism. C 2007, CUP xiv; 288 pp. £55. 978-052-18-77442.
13334 **Zelnick-Abramovitz, R.** Not wholly free: the concept of manumission and the status of manumitted slaves in the ancient Greek world. 2005 ⇒21,13222. ^RAnCl 76 (2007) 521-523 (*Straus, Jean*).

13335   **Zournatzi, A.** Persian rule in Cyprus: source, problems, perspectives. 2005 ⇒21,13223. [R]REA 109 (2007) 376-378 (*Maffre, Frédéric*).

Q6.5 Alexander, Seleucidae; historia Hellenismi

13336   *Allen, J.* EZEKIEL the Tragedian. JSPE 17 (2007) 3-19.
13337   **Aperghis, Gerassimos G.** The Seleukid royal economy: the finances and financial administration of the Seleukid Empire. 2004 ⇒20,11938; 22,12728. [R]HZ 285 (2007) 158-160 (*Mehl, Andreas*).
13338   **Barceló, Pedro** ALEXANDER der Große. Gestalten der Antike: Da: Wiss 2007, 296 pp. €29.90. 30 ill.
13339   **Boiy, Tom** Between high and low: a chronology of the early Hellenistic period. Oikumene 5: Fra 2007, Antike 175 pp. €29.90.
13340   *Brenk, Frederick E.* School and literature: the gymnasia at Athens in the first century A.D. With unperfumed voice. Potsdamer Altertumswissenschaftliche Beiträge 21: 2007 ⇒200. 237-254.
13341   **Brutti, Maria** The development of the high priesthood during the pre-Hasmonean period: history, ideology, theology. JSJ.S 108: 2006 ⇒22,12732. [R]JSJ 38 (2007) 354-355 (*Findlay, James D.*); CBQ 69 (2007) 540-541 (*Chepey, Stuart*).
13342   **Capdetrey, Laurent** Le pouvoir séleucide: territoire, administration, finances d'un royaume hellénistique (312-129 avant J.-C.). Histoire: Rennes 2007, PUR 536 pp.
13343   **Colin, Gérard** ALEXANDRE le Grand. P 2007, Pygmalion 286 pp. €21.50. 978-27564-00419;
13344   ALEXANDRE le Grand, héros chrétien en Ethiopie: histoire d'Alexandre (Zénâ Eskender). Lv 2007, Peeters 157 pp. €21.50. 978-90-429-18900.
13345   *Cotton, Hannah M.; Wörrle, Michael* Seleukos IV to Heliodorus: a new dossier of royal correspondence from Israel. ZPE 159 (2007) 191-205.
13346   **Dahmen, Karsten** The legend of ALEXANDER the Great on Greek and Roman coins. L 2007, Routledge xvi; 179 pp. £60/$110; £20/$36. 978-04153-94512/29.
13347   *Diebner, Bernd J.* Kulturpolitische Globalisierungs-Bestrebungen in der Antike und ihre Bedeutung für die Texte der Bibel. HBO 43 (2007) 9-19.
13348   **Edelmann, Babertt** Religöse Herrschaftslegitimation in der Antike: die religiöse Legitimation orientalisch-ägyptischer und griechisch-hellenistischer Herrscher im Vergleich. Pharos 20: St. Katharinen 2007, Scripta Mercaturae 385 pp. Diss. Regensburg.
13349   *Edwards, Douglas* Constructing kings–from the Ptolemies to the Herodians: the archaeological evidence. Jewish perspectives. 2007 ⇒624. 283-293.
13350   *Eshel, Hanan* Hellenism in the land of Israel from the fifth to the second centuries BCE in light of Semitic epigraphy. A time of change. LSTS 65: 2007 ⇒850. 116-124.
13351   *Fowler, Richard* Kingship and banditry: the Parthian empire and its western subjects. Jewish perspectives. 2007 ⇒624. 147-162.
13352   *Frulla, Giovanni* The language of the Exagoge as an example of cultural exchanges: influences of the Septuagint and of the Masoretic text. Ment. *Ezekiel the Tragedian* Henoch 29 (2007) 259-287.

13353 *Gabrielsen, V.* Brotherhoods of faith and provident planning: the non-public associations of the Greek world. Mediterranean Historical Review [TA] 22/2 (2007) 183-210.

13354 *Gardner, Gregg* Jewish leadership and hellenistic civic benefaction in the second century B.C.E. JBL 126 (2007) 327-343.

13355 **Gehrke, Hans-Joachim** Geschichte des Hellenismus. Oldenbourg Grundriß der Geschichte 1A: Oldenbourg [3]2003, Wissenschaftsverlag 324 pp. 34865-30534. [R]At. 95 (2007) 484-486 (*Franco, Carlo*).

13356 *Grabner-Haider, Antôn* Die griechische Kultur und das Neue Testament. Ment. *Philo*;

13357 Griechische Kultur und die Bibel. Kulturgeschichte der Bibel. 2007 ⇒435. 309-335/119-148.

13358 *Heath, Jane* HOMER or Moses?: a hellenistic perspective on Moses' throne vision in EZEKIEL Tragicus. JJS 58 (2007) 1-18.

13359 *Hoover, Oliver D.* A revised chronology for the late Seleucids at Antioch (121/0-64 BC). Hist. 56 (2007) 280-301.

13360 *Horsley, Richard A.* The political roots of early Judean apocalyptic texts. [F]CHANEY, M. 2007 ⇒25. 262-278.

13361 **Kovelman, Arkady** Between Alexandria and Jerusalem: the dynamic of Jewish and Hellenistic culture. Brill Reference Library of Judaism 21: 2005 ⇒21,13249; 22,12750. [R]AnCl 76 (2007) 518-519 (*Straus, Jean A.*); RRJ 10/2 (2007) 237-246 (*Berchman, R.M.*).

13362 *Kunst, Christiane* The daughters of Medea: enchanting women in the Greco-Hellenistic world. A kind of magic. LNTS 306: 2007 ⇒ 468. 147-159.

13363 *Ladynin, Ivan A.* Two instances of the satrap stela: tokens of the Graeco-Egyptian linguistic and cultural interrelation at the start of the Hellenism?. Moving across borders. OLA 159: 2007 ⇒722. 337-354.

13364 *Lanfranchi, Pierluigi* Moïse l'étranger: l'image du ξένος dans l'*Exagoge* d'EZÉCHIEL le Tragique. L'étranger dans la bible. LeDiv 213: 2007 ⇒504. 249-260.

13365 **Meißner, Burkhard** Hellenismus. Da:Wiss 2007, vii; 150 pp. €14.90. 978-35341-54944.

13366 *Mileta, Christian* Mithridates der Große von Pontus–Gott auf Zeit oder: einmal zur Unsterblichkeit und zurück. Lebendige Hoffnung. ABIG 24: 2007 ⇒845. 359-378.

13367 *Missiou, A.* The Hellenistic period. History of ancient Greek. 2007 ⇒669. 325-341.

13368 *Murray, Oswyn* Philosophy and monarchy in the Hellenistic world. Jewish perspectives. 2007 ⇒624. 13-28.

13369 *Piwowarczyk, P.* Żydzi Egipscy wobec władców ptolemejskich: rekonesans źródłowy. Studia Judaica [Kraków] 10/2 (2007) 215-234. P.

13370 *Rajak, Tessa* The angry tyrant. Jewish perspectives. 2007 ⇒624. 110-127.

13371 *Rappaport, Uriel* Lysias–an outstanding Seleucid politician. [F]FELDMAN, L. AJEC 67: 2007 ⇒40. 169-175.

13372 *Rowlandson, Jane* The character of Ptolemaic aristocracy: problems of definition and evidence. Jewish perspectives. 2007 ⇒624. 29-49.

13373 *Speyer, Wolfgang* Hellenistisch-römische Voraussetzungen der Verbreitung des Christentums. Frühes Christentum. WUNT 213: 2007 <2001> ⇒320. 233-258.

13374   **Stavrianopoulou, Eftychia** 'Gruppenbild mit Dame': Untersu-
chungen zur rechtlichen und sozialen Stellung der Frau auf den
Kykladen im Hellenismus und in der römischen Kaiserzeit. 2006 ⇒
22,12761. ᴿHZ 285 (2007) 160-162 (*Günther, Linda-Marie*).
13375   **Thomas, Carol** ALEXANDER the Great in his world. Malden, MA
2007, Blackwell xii; 254 pp. £60/$75; £20/$30. 978-06312-32452.
13376   ᴱWeber, **Gregor** Kulturgeschichte des Hellenismus: von ALEXAN-
DER dem Großen bis KLEOPATRA. Stu 2007, Klett-Cotta 504 pp.
€34.50.
13377   *Zambrini, Andrea* The historians of ALEXANDER the Great. Com-
panion to Greek... historiography. 2007 ⇒724. 210-220.

Q7 Josephus Flavius

13378   ᵀ*Afinogenov, D.Y.* Josephus Flavius: De vita sua. VDI 260 (2007)
272-283. Introd. & comm.: *L.V. Semenchenko*. R.;
13379   VDI 261 (2007) 235-251.
13380   *Alexandre, Monique* Le rapport aux étrangers dans le judaïsme se-
lon Flavius Josèphe. L'étranger dans la bible. LeDiv 213: 2007 ⇒
504. 315-342.
13381   *Atkinson, Kenneth* Noble deaths at Gamla and Masada?: a critical
assessment of Josephus' accounts of Jewish resistance in light of
archaeological discoveries;
13382   *Aviam, Mordechai* The archaeological illumination of Josephus'
narrative of the battles at Yodefat and Gamla. Making history.
JSJ.S 110: 2007 ⇒1051. 349-371/372-384.
13383   **Banon, Patrick** Flavius Josèphe: un juif dans l'empire romain. P
2007, Renaissance 430 pp. €23.
13384   *Barclay, J.G.M.* Who's the toughest of them all?: Jews, Spartans
and Roman torturers in Josephus' Against Apion. Ramus [Bendigo
North, Australia] 36/1 (2007) 39-50;
13385   Memory politics: Josephus on Jews in the memory of the Greeks.
Memory in the bible. WUNT 212: 2007 ⇒764. 129-141;
13386   Constructing Judean identity after 70 CE: a study of Josephus's
Against Apion. ᶠWILSON, S. 2007 ⇒169. 99-112;
13387   Snarling sweetly: Josephus on images and idolatry. Idolatry. 2007
⇒763. 73-87.
13388   ᵀ**Barclay, John M.G.** Against Apion: translation and commentary.
Flavius Josephus 10: Lei 2007, Brill lxxi; 430 pp. €149. 90-04-117-
91-1. Bibl. 371-389.
13389   **Bardet, Serge** Le Testimonium Flavianum. Josèphe et son temps 5:
2002 ⇒18,11526; 19,12568. ᴿMSR 64/4 (2007) 64-66 (*Cannuyer,
Christian*).
13390   *Baumgarten, Albert I.* Josephus and ancient Jewish groups from a
social scientific perspective. ᶠFELDMAN, L. AJEC 67: 2007 ⇒40.
1-13.
13391   *Begg, Christopher* David, object of hate and love according to Jo-
sephus. REJ 166 (2007) 395-410 [1 Sam 18];
13392   Israel's confrontation with Edom (Num 20,14-21) according to Jo-
sephus and PHILO. RCatT 32 (2007) 1-18;
13393   The minor judges according to Josephus in comparison with the
bible, PSEUDO-PHILO and the "Samaritan Chronicle No. II". BN
133 (2007) 9-22 [Judg 10,1-5; 12,8-15];

13394   Samson's initial exploits according to Josephus. LASBF 57 (2007) 317-341 [Judg 14-15];
13395   Two ancient rewritings of Numbers 11. Ment. *Philo* RCatT 32 (2007) 299-317;
13396   Isaiah in Josephus. Josephus und das NT. WUNT 209: 2007 ⇒780. 233-243;
13397   The exploits of Deborah and Jael according to Josephus. Laur. 48 (2007) 3-28 [Judg 4-5];
13398   Samson's birth narrative according to Josephus. Jian Dao 28 (2007) 1-32 [Judg 13];
13399   Balaam's talking ass (Num 22,21-35): three retellings of her story compared.Ment. *Philo* ASEs 24 (2007) 207-228;
13400   Joshua's southern and northern campaigns according to Josephus. BZ 51 (2007) 84-97 [Josh 10-11];
13401   Josephus' and PHILO's retelling of Numbers 31 compared. EThL 83 (2007) 81-106;
13402   The Rephidim episode according to Josephus and PHILO. EThL 83 (2007) 367-383 [Exod 17,1-7];
13403   The demise of Joshua according to Josephus. HTS 63 (2007) 129-145 [Josh 23-24];
13404   Solomon's preparations for building the temple according to Josephus. RivBib 55 (2007) 25-40 [1 Kgs 5,15-32; 2 Chr 1,18-2,17];
13405   Gideon's call and rout of Midian according to Josephus. PJBR 6 (2007) 1-31 [Judg 4-8].
13406   *Bickerman, Elias J.* The Seleucid charter for Jerusalem. 315-356;
13407   A Seleucid proclamation concerning the temple in Jerusalem. 357-375;
13408   A document concerning the persecution by Antiochus IV Epiphanes. 376-407;
13409   Ritual murder and the worship of an ass: a contribution to the study of ancient political propaganda. 497-527;
13410   On the Old Russian version of Flavius Josephus. Studies in Jewish and Christian history. AGJU 68/1-2: 2007 ⇒190. 832-859.
13411   *Böttrich, Christfried; Herzer, Jens* Josephus und das Neue Testament – das Neue Testament und Josephus: wechselseitige Wahrnehmungen. Josephus und das NT. WUNT 209: 2007 ⇒780. 3-11.
13412   ᴱ**Calabi, Francesca** Flavio Giuseppe: Contra Apione. Biblioteca ebraica 8: Genova 2007, Marietti 284 pp. €16. 978-88211-63500.
13413   *Catastini, Alessandro* Flavio Giuseppe e la filosofia degli Esseni. ᶠGARCÍA MARTÍNEZ, F. JSJ.S 122: 2007 ⇒46. 53-62.
13414   *Chapman, Honora H.* Josephus and the cannibalism of Mary (*BJ* 6. 199-219). Companion to Greek... historiography. 2007 ⇒724. 419-426.
13415   *Deines, Roland* Die Pharisäer und das Volk im Neuen Testament und bei Josephus. Josephus und das NT. 2007 ⇒780. 147-180.
13416   **DesCamp, Mary T.** Metaphor and ideology: *Liber antiquitatum biblicarum* and literary methods through a cognitive lens. BiblInterp 87: Lei 2007, Brill xiii; 368 pp. 978-90-04-16179-5.
13417   ᴱ**Edmondson, Jonathan; Mason, Steve; Rives, James** Flavius Josephus and Flavian Rome. 2005 ⇒21,938; 22,12796. ᴿTJT 23/1 (2007) 74-75 (*Spilsbury, Paul*); RSR 95 (2007) 613-614 (*Berthelot, Katell*).

13418   **Elledge, Casey D.** Life after death in early Judaism: the evidence
        of Josephus. WUNT 2/208: 2006 ⇒22,12797. RJSJ 38 (2007) 379-
        383 (*Niebuhr, Karl-Wilhelm*); OLZ 102 (2007) 61-64 (*Höffken,
        Peter*); RB 114 (2007) 300-302 (*Murphy-O'Connor, Jerome*);
        RBLit (2007)* (*Maoz, Daniel*).
13419   *Focant, Camille* Les mises en récit par Marc et par Flavius Josèphe
        de la mort de Jean le Baptiste. Graphè 16 (2007) 15-26 [Mk 6,16-
        29].
13420   *Förster, Niclas* Geschichtsforschung als Apologie: Josephus und
        die nicht-griechischen Historiker in *Contra Apionem*;
13421   *Galimberti, Alessandro* Josephus and STRABO: the reasons for a
        choice. Making history. JSJ.S 110: 2007 ⇒1051. 168-91/147-167.
13422   *Goodman, Martin* Josephus and variety in first-century Judaism.
        Judaism in the Roman world. 2007 <2000> ⇒236. 33-46;
13423   A note on Josephus, the pharisees and ancestral tradition. Judaism
        in the Roman world. AJEC 66: 2007 <1999> ⇒236. 117-121.
13424   *Haaland, Gunnar* What difference does philosophy make?: the
        three schools as a rhetorical device in Josephus. Making history.
        JSJ.S 110: 2007 ⇒1051. 262-288.
13425   *Hansack, Ernst* Zum Forschungsstand des 'slavischen Josephus'. Jo-
        sephus und das NT. WUNT 209: 2007 ⇒780. 495-512.
13426   *Hansen, Dirk U.* Nomothetes und Politeuma: Josephus' Präsenta-
        tion des jüdischen Glaubens in *Contra Apionem* II 125-189. Jose-
        phus und das NT. WUNT 209: 2007 ⇒780. 527-533.
13427   *Harrison, Paul V.* Competing accounts of the Baptist's demise:
        Josephus versus the gospel. Faith & Mission 24/2 (2007) 26-42
        [Mk 6,14-29].
13428   *Hata, Gohei* The abuse and misuse of Josephus in EUSEBIUS' Eccle-
        siastical History, books 2 and 3. FFELDMAN, L. 2007 ⇒40. 91-102.
13429   *Horn, Friedrich-Wilhelm* Das Testimonium Flavianum aus neutes-
        tamentlicher Perspektive. Josephus und das NT. WUNT 209: 2007
        ⇒780. 117-136.
13430   *Höffken, Peter* Bileams Ratschlag und seine Eigenart bei Josephus:
        zu Antiquitates 4,126-130. EThL 83 (2007) 385-394 [Num 31,16];
13431   Überlegungen zum Leserkreis der "Antiquitates" des Josephus. JSJ
        38 (2007) 328-341.
        Höffken, P. Josephus...prophetische Erbe Israels 2006 ⇒249.
13432   *Jensen, Morten H.* Josephus and Antipas: a case study of Josphus'
        narratives on Herod Antipas. Making history. JSJ.S 110: 2007 ⇒
        1051. 289-312.
13433   **Jonquière, Tessel M.** Prayer in Josephus. AGJU 70: Lei 2007,
        Brill xiii; 314 pp. €118/$165. 978-90-04-15823-8. Bibl. 291-296.
13434   *Kneebone, E.* Dilemmas of the diaspora: the Esther narrative in Jo-
        sephus' Antiquities 11.184-296. Ramus [Bendigo North, Australia]
        36/1 (2007) 51-77.
13435   *Kushnir-Stein, Alla* Josephus' description of Paneion. SCI 26
        (2007) 87-90.
13436   *Kühnel, Bianca* Josephus Flavius und die christliche Bildexegese.
        Josephus und das NT. WUNT 209: 2007 ⇒780. 469-494.
13437   *Lavan, M.* Slaves to Rome: the rhetoric of mastery in Titus' speech
        to the Jews (Bellum Judaicum 6.328-50). Ramus [Bendigo North,
        Australia] 36/1 (2007) 25-38.

13438 *Leoni, Tommaso* 'Against Caesar's wishes': Flavius Josephus as a source for the burning of the temple. JJS 58 (2007) 39-51.

13439 *Mandel, Paul* Scriptural exegesis and the pharisees in Josephus. JJS 58 (2007) 19-32.

13440 *Marquis, Timothy L.* Re-presenting Galilean identity: Josephus's use of 1 Maccabees 10:25-45 and the term Ioudaios. Religion, ethnicity. WUNT 210: 2007 ⇒648. 55-67.

13441 *Mason, Steve* Josephus and the New Testament, the New Testament and Josephus: an overview. Josephus und das NT. WUNT 209: 2007 ⇒780. 15-48;

13442 Josephus's Pharisees: the narratives;

13443 Josephus's Pharisees: the philosophy. In quest of the historical Pharisees. 2007 ⇒402. 3-40/41-66;

13444 Encountering the past through the works of Flavius Josephus. Historical knowledge. 2007 ⇒403. 105-138;

13445 Essenes and lurking Spartans in Josephus' *Judean war*: from story to history. Making history. JSJ.S 110: 2007 ⇒1051. 219-261.

13446 **Mason, Steve N.** Josephus and the New Testament. ²2003 <1992> ⇒19,12586... 21,13315. ᴿTheoforum 38 (2007) 96-98 (*Laberge, Léo*).

13447 *Mayer-Opificius, Ronald* "Der Ursprung des größten Leids für die Juden" (Josephus Ant. 19.366). Studien zu Ritual. BZAW 374: 2007 ⇒937. 191-206.

13448 *Mazzanti, Angela M.* Flavio Giuseppe. Senectus. Ebraismo e Cristianesimo 3: 2007 ⇒725. 111-116.

13449 *Milikowsky, Chaim* Justus of Tiberias and the synchronistic chronology of Israel. ᶠFELDMAN, L. AJEC 67: 2007 ⇒40. 103-126.

13450 ᵀ**Moraldi, Luigi** Antichità giudaiche. 2006 ⇒22,12833. ᴿHum(B) 62 (2007) 445-447 (*Carazzali, Giulia*).

13451 *Nodet, Etienne* Josephus' attempt to reorganize Judaism from Rome. Making history. JSJ.S 110: 2007 ⇒1051. 103-122;

13452 Josephus and the books of Samuel. ᶠFELDMAN, L. AJEC 67: 2007 ⇒40. 141-167.

13453 ᴱᵀ**Nodet, Etienne** Flavius Josèphe: les antiquités juives, 4: livres VIII et IX. 2005 ⇒21,13319; 22,12834. ᴿJSJ 38 (2007) 140-142 (*Spottorno, M. Victoria*); Theoforum 38 (2007) 367-369 (*Laberge, Léo*).

13454 *Pastor, Jack* Josephus as a source for economic history: problems and approaches. Making history. JSJ.S 110: 2007 ⇒1051. 334-346.

13455 *Price, J.J.* The failure of rhetoric in Josephus' Bellum Judaicum. Ramus [Bendigo North, Australia] 36/1 (2007) 6-24;

13456 Josephus and the dialogue on the destruction of the temple. Josephus und das NT. WUNT 209: 2007 ⇒780. 181-194.

13457 *Rajak, Tessa* Document and rhetoric in Josephus: revisiting the 'charter' for the Jews. ᶠFELDMAN, L. AJEC 67: 2007 ⇒40. 177-189.

13458 *Rappaport, Uriel* Josephus' personality and the credibility of his narrative. Making history. JSJ.S 110: 2007 ⇒1051. 68-81.

13459 *Roca, Samuel* Josephus and the *Psalms of Solomon* on Herod's messianic aspirations: an interpretation. Making history. JSJ.S 110: 2007 ⇒1051. 313-333.

13460 *Saddington, Denis* A note on the rhetoric of four speeches in Josephus. JJS 58 (2007) 228-235.

13461 *Sänger, Dieter* "Auf Betreiben der Vornehmsten unseres Volkes" (Josephus, Ant 18, 64): zur Frage einer jüdischen Beteiligung an der Kreuzigung Jesu. Von der Bestimmtheit. 2007 <1999> ⇒306. 49-70.

13462 *Schimanowski, Gottfried* Die jüdische Integration in die Oberschicht Alexandriens und die angebliche Apostasie des Tiberius Julius Alexander. Jewish identity. AJEC 71: 2007 ⇒577. 111-135.

13463 *Schreckenberg, Heinz* Zu Flavius Josephus: Plädoyer für eine neue Editio maior critica des griechischen Textes. JSJ 38 (2007) 513-29;

13464 Adnotationes criticae ad Flavii Iosephi Contra Apionem;

13465 *Schwartz, Daniel R.* Josephus on his Jewish forerunners (Contra Apionem 1.218). ᶠFELDMAN, L. 2007 ⇒40. 191-194/195-206;

13466 'Judaean' or 'Jew'?: how should we translate Ἰουδαῖος in Josephus?;.

13467 Doing like Jews or becoming a Jew?: Josephus on women converts to Judaism. Jewish identity. AJEC 71: 2007 ⇒577. 3-27/93-109;

13468 Josephus on the pharisees as diaspora Jews. Josephus und das NT. WUNT 209: 2007 ⇒780. 137-146;

13469 Composition and sources in *Antiquities* 18: the case of Pontius Pilate. Making history. JSJ.S 110: 2007 ⇒1051. 125-146.

13470 *Schwartz, Joshua; Peleg, Yehoshua* Are the 'Halachic temple mount' and the 'other court' of Josephus one and the same?. ᶠFELDMAN, L. AJEC 67: 2007 ⇒40. 207-222.

13471 **Sevin, Marc** Flavio Josefo–uma testemunha judaica da Palestina no tempo dos apóstolos. Fátima 2007, Difusora Biblica 116 pp.

13472 **Shahar, Yuval** Josephus Geographicus: the classical context of geography in Josephus. TSAJ 98: 2004 ⇒20,12004... 22,12837. ᴿBZ 51 (2007) 289-291 (*Jeska, Joachim*); Henoch 29 (2007) 159-166 (*Mason, Steve*).

13473 *Siegert, Folker* Verbergen und Bekennen: ein Gespräch mit Josephus über seine Apologie (Contra Apionem). Josephus und das NT. WUNT 209: 2007 ⇒780. 387-399.

13474 *Sievers, Joseph* The ancient lists of contents of Josephus' Antiquities. ᶠFELDMAN, L. AJEC 67: 2007 ⇒40. 271-292.

13475 *Timpe, Dieter* Römische Geschichte bei Flavius Josephus. Antike Geschichtsschreibung. 2007 <1960> ⇒334. 259-291.

13476 *Troiani, Lucio* Flavio Giussepe e la bibbia. RstB 19/2 (2007) 75-82.

13477 *Van Henten, Jan W.* Noble death in Josephus: just rhetoric?. Making history. JSJ.S 110: 2007 ⇒1051. 195-218.

13478 *Van Henten, J.W.; Huttink, L.* Josephus. Time in ancient Greek literature. Mn.S 291: 2007 ⇒705. 213-230.

13479 *Virmes, Clacir, Jr.* Josefo: sua vida, suas obras e suas contribuições para o estudio da bíblia. Hermenêutica 7 (2007) 85-101.

13480 *Vogel, Manuel* Geschichtsschreibung nach den Regeln von Lob und Tadel: Sterbeszenen bei Josephus und im Neuen Testament. Josephus und das NT. WUNT 209: 2007 ⇒780. 535-546.

13481 *Ward, J.S.* Roman Greek: Latinisms in the Greek of Flavius Josephus. Classical Quarterly 57 (2007) 632-649.

13482 *Weiss, Zeev* Josephus and archaeology on the cities of the Galilee. Making history. JSJ.S 110: 2007 ⇒1051. 385-414.

13483 *Weißenberger, Michael* Die jüdischen 'Philosophenschulen' bei Josephus: Variationen eines Themas. Josephus und das NT. WUNT 209: 2007 ⇒780. 521-525.

13484 *Weitzman, Steven* Unbinding Isaac: martyrdom and its exegetical alternatives. Contesting texts. 2007 ⇒840. 79-89.
13485 *Whealey, Alice* Josephus, EUSEBIUS of Caesarea, and the Testimonium Flavianum. Josephus und das NT. 2007 ⇒780. 73-116.
13486 *Whitmarsh, T.* Josephus, Joseph and the Greek novel. Ramus [Bendigo North, Australia] 36/1 (2007) 78-95.
13487 *Zollschan, Linda T.* The date of the Fannius Letter: Jos.Ant. 14.233. JSJ 38 (2007) 9-38.

Q8.1 *Roma Pompeii et Caesaris*—Hyrcanus to Herod

13488 *Angeli Bertinelli, Maria G.* Agli esordi delle relazioni fra Roma e l'Iran: la diplomazia al tempo di Silla (Plut. Sull. 5, 8-11). MUSJ 60 (2007) 461-482.
    E**Eshel, H.** Qumran scrolls and Hasmonean state. 2004 ⇒684.
    E**Günther, L.** Herodes und Rom. 2007 ⇒827.
13489 **Günther, Linda-M.** Herodes der Große. Gestalten der Antike: 2005 ⇒21,13339; 22,12844. R*JSJ* 38 (2007) 111-112 (*Schwartz, Daniel R.*); ThLZ 132 (2007) 918-920 (*Vogel, Manuel*).
13490 **Kasher, Aryeh** King Herod: a persecuted persecutor: a case study in psychohistory and psychobiography. T*Gold, Karen* SJ 36: B 2007, De Gruyter xx; 514 pp. €138. 978-3-11-018964-3. Collab. *Eliezer Witztum*; Bibl. 455-502.
13491 *Läufer, Erich* Das Grab Herodes des Großen entdeckt. HL 139/2 (2007) 15-16.
13492 **Lichtenberger, Achim** Die Baupolitik Herodes des Großen. ADPV 26: 1999 ⇒15,10711... 18,11583. R*ThR* 72 (2007) 270-271 (*Zwickel, Wolfgang*).
13493 **Netzer, Ehud** The architecture of Herod, the great builder. TSAJ 117: 2006 ⇒22,12846. R*ThLZ* 132 (2007) 920-921 (*Vogel, Manuel*); PEQ 139 (2007) 219-223 (*Jacobson, David M.*); RSR 95 (2007) 599-601 (*Berthelot, Katell*); OLZ 102 (2007) 712-718 (*Japp, Sarah*); RBLit (2007)* (*Richardson, Peter*).
13494 *Schwentzel, Christian-G.* La monarchie hasmonéenne d'après le témoignage des monnaies: état juif ou état hellénistique?. RANT 4 (2007) 135-148;
13495 L'image officielle d'Hérode le Grand. Ment. *Josephus* RB 114 (2007) 565-593.
13496 Tomb of King Herod discovered at Herodium by Hebrew University archaeologist. BiSp 20/2 (2007) 55-59.
13497 *Wenning, Robert* Das Grab Herodes des Großen: Israel–Herodium. WUB 45 (2007) 68-69.
13498 *Wilk, Janusz* Curriculum vitae Heroda I zwanego Wielkim [Curriculum vitae d'Hérod I appelé le Grand]. AtK 148/2 (2007) 353-356. P.

Q8.4 **Zeitalter Jesu Christi**: *particular/general*

13499 **Bernett, Monika** Der Kaiserkult in Judäa unter den Herodiern und Römern: Untersuchungen zur politischen und religiösen Geschichte

Judäas von 30 v. bis 66 n.Chr. WUNT 203: Tü 2007, Mohr S. xiii; 441 pp. €99. 978-3-16-148446-9. Bibl. 357-394.

13500   *Bickerman, Elias J.* The Herodians. Studies in Jewish and Christian history. AGJU 68/1-2: 2007 ⇒190. 656-669.

13501   ᴱ**Bock, Darrell L.; Herrick, Gregory J.** Jesus in context: background readings for gospel study. 2005 ⇒21,13349; 22,12849. ᴿBS 164 (2007) 501-503 (*Fantin, Joseph D.*).

13502   *Bond, Helen K.* Standards, shields and coins: Jewish reactions to aspects of the Roman cult in the time of Pilate. Idolatry. 2007 ⇒ 763. 88-106.

13503   **Botta, Mario G.** E la Parola divenne carne: l'ambiente vitale dei vangeli. N 2007, EDI 288 pp. €22.

13504   **Bringmann, Klaus** AUGUSTUS. Gestalten der Antike: Da:Wiss 2007, 303 pp. €29.90. 9783-89678-6050. 30 ill. ᴿHZ 285 (2007) 695-698 (*Walter, Uwe*).

13505   *Eck, Werner* Judaea wird römisch: der Weg zur eigenständigen Provinz. Rom und Judaea. Tria Corda 2: 2007 ⇒218. 1-51.

13506   *Grabner-Haider, Anton* Jüdische Kultur im 1. Jahrhundert. Kulturgeschichte der Bibel. 2007 ⇒435. 295-307.

13507   **Hanson, K.C.; Oakman, Douglas** La Palestina ai tempi di Gesù: la società, le istituzioni, i suoi conflitti. 2003 ⇒21,13354. ᴿEccl(R) 21/1 (2007) 130-131 (*Izquierdo, Antonio*).

13508   **Horsley, Richard A.; Hanson, John S.** Bandidos, profetas e messias: movimentos poppulares no temp de Jesus. ᵀ*Royer, Edwino A.* São Paulo 2007, Paulus 226 pp.

13509   *Hørning Jensen, Morten* Message and minting: the coins of Herod Antipas in their second temple context as a source for understanding the religio-political and socio-economic dynamics of early first century Galilee. Religion, ethnicity. WUNT 210: 2007 ⇒648. 277-313.

13510   **Jensen, Morten H.** Herod Antipas in Galilee: the literary and archaeological sources on the reign of Herod Antipas and its socio-economic impact on Galilee. WUNT 2/215: 2006 ⇒22,12857. ᴿJSJ 38 (2007) 402-405 (*Reed, Jonathan L.*); BBR 17 (2007) 369-371 (*Schnabel, Eckhard J.*); OLZ 102 (2007) 516-519 (*Höffken, Peter*); RBLit (2007) 93-96 (*Chancey, Mark A.*).

13511   *Kemezis, A.M.* AUGUSTUS the ironic paradigm: Cassius Dio's portrayal of the *Lex Julia* and *Lex Papia Poppaea*. Phoenix [Toronto] 61/3-4 (2007) 270-285.

13512   *Levine, Amy-Jill* Theory, apologetic, history: reviewing Jesus' Jewish context. ABR 55 (2007) 57-78.

13513   **Newman, Hillel** Proximity to power and Jewish sectarian groups of the ancient period: a review of lifestyle, values, and halakhah in the pharisees, sadducees, Essenes, and Qumran. ᴱ*Ludlam, Ruth* 2006 ⇒22,12865. ᴿRBLit (2007)* (*Oegema, Gerbern*).

13514   *Reinhartz, Adele* Who cares about Caiaphas?. ᶠWILSON, S. 2007 ⇒ 169. 31-40.

13515   **Riedo-Emmenegger, Christoph** Prophetisch-messianische Provokateure der Pax Romana: Jesus von Nazaret und andere Störenfriede im Konflikt mit dem Römischen Reich. NTOA 56: 2005 ⇒21, 13364. ᴿThLZ 132 (2007) 530-32 (*Rebell, Walter*): BiKi 62 (2007) 122-123 (*Hartmann, Michael*); RBLit (2007)* (*Nicklas, Tobias*).

13516 *Rizzo, Francesco Paolo* L'imperatore TIBERIO fu favorevole ai cristiani?. CivCatt 158/15-16 (2007) 257-265.

13517 *Schottroff, Luise* 'Ich diene keiner Herrschaft dieser Welt': Weltherrschaft und Gottes-Dienst in der Jesustradition. ᶠCHANEY, M. 2007 ⇒25. 311-321.

13518 *Shea, Christine* Education in Roman Palestine. Forum 1/1 (2007) 31-39.

13519 **Udoh, Fabian E.** To Caesar what is Caesar's: tribute, taxes and imperial administration in early Roman Palestine (63 B.C.E. - 70 C.E.). BJSt 343: 2006 ⇒22,12870. ᴿRBLit (2007) 295-298 (*Schowalter, Daniel*).

13520 **Van der Schoof, P.** Zó leefde Hoij!: de samenleving in de tijd van Jezus. Heeswijk 2007, Van Berne 224 pp. €23.50. 9788-90762-42-880.

13521 **Wilker, J.** Für Rom und Jerusalem: die herodianische Dynastie im 1. Jahrhundert n. Chr. Studien zur Alten Geschichte 5: Fra 2007, Antike 564 pp. €70. 978-39380-32121.

Q8.7 *Roma et Oriens*, prima decennia post Christum

13522 **Ben Zeev, Miriam P.** Diaspora Judaism in turmoil, 116/117 CE. 2005 ⇒21,13377. ᴿJSJ 38 (2007) 146-148 (*Kerkeslager, Allen*); RBLit (2007)* (*Schwartz, Joshua*).

13523 **Blouin, Katherine** Le conflit judéo-alexandrin de 38-41: l'identité juive à l'épreuve. 2005 ⇒21,13379. ᴿRB 114 (2007) 99-104 (*Honigman, Sylvie*).

13524 *Brüggemann, Thomas* Ἐθ νάρκος, Φύλαρχος and Στρατηγὸς νομάδων in Roman Arabia (1st - 3rd century): central power, local administration , and nomadic environment. The Late Roman army. BAR.International Ser. 1717: 2007 ⇒975. 275-284.

13525 **Carter, Warren C.** The Roman Empire and the New Testament. 2006 ⇒22,12875. ᴿCBQ 69 (2007) 571-573 (*Reed, Jonathan L.*).

13526 *Curran, J.R.* The Jewish War: some neglected regional factors. ClW 101/1 (2007) 75-91.

13527 *Eck, Werner* HADRIAN's hard-won victory: Romans suffer severe losses in Jewish war. BArR 33/5 (2007) 42-51;

13528 Die Militärdiplome im römischen Heer ... und was sie über den Bar-Kochba-Aufstand erzählen. WUB 45 (2007) 72-75.

13529 *Foster, Paul* VESPASIAN, NERVA, Jesus, and the *Fiscus Judaicus*. ᶠHURTADO, L. & SEGAL, A. 2007 ⇒71. 277-301.

13530 *Gatier, Pierre-Louis* Arabie et Syrie: à propos de princes-clients du Ier siècle apr. J.-C. MUSJ 60 (2007) 483-500.

13531 **Goodman, Martin** Rome and Jerusalem: the clash of ancient civilizations. NY 2007, Knopf 624 pp. $35. 978-03754-11854. ᴿTablet (13 Jan. 2007) 24 (*Johnson, Paul*); Sewanee Theological Review 51/1 (2007) 91-100 (*Bryan, C.*).

13532 *Kavon, E.* Tisha B'Av meditation: Bar Kokhba: rebel hero or failed messiah?. Midstream [NY] 53/4 (2007) 37-38.

13533 **Longenecker, Bruce W.** Le lettere perdute di Pergamo: una storia dal mondo del Nuovo Testamento. ᵀ*Trotta, M.G. Rovetta; Calini, E.* Brescia 2007, Queriniana 274 pp. €20. 978-8399-28597. Introd. *Giovanni M.Vian*.

13534   *Porat, Ro'i; Eshel, Hanan; Frumkin, Amos* Finds from the Bar Kokhba revolt from two caves at En Gedi. PEQ 139 (2007) 35-53.
13535   **Schimanowski, Gottfried** Juden und Nichtjuden in Alexandrien: Koexistenz und Konflikte bis zum Pogrom unter Trajan (117 n. Chr.). 2005 ⇒21,13398; 22,12885. ᴿThLZ 132 (2007) 154-155 (*Krauter, Stefan*); OLZ 102 (2007) 327-330 (*Lührmann, Dieter*); JSJ 38 (2007) 423-424 (*Jakab, Attila*).
13536   **Shotter, David** NERO. ²2005 <1997> ⇒21,13399. ᴿLatomus 66 (2007) 508 (*Cogitore, Isabelle*).
13537   *Woods, David* Jews, rats and the battle of Yarmūk. The Late Roman army. BAR.International Ser. 1717: 2007 ⇒975. 367-376.
13538   *Zissu, Boaz* Village razed, rebel beheaded: how HADRIAN suppressed the second Jewish revolt at Horvat 'Ethri. BArR 33/5 (2007) 32-41.

Q9.1 *Historia Romae generalis et* post-christiana

13539   **Andreau, Jean; Descat, Raymond** Esclave en Grèce et à Rome. 2006 ⇒22,12889. ᴿAnCl 76 (2007) 519-520 (*Raepsaet-Charlier, Marie-T.*); REA 109 (2007) 815-817 (*Chandezon, Christophe*).
13540   **Barnett, Paul** The birth of christianity: the first twenty years. After Jesus 1: 2005 ⇒21,13408; 22,12892. ᴿThLZ 132 (2007) 165-167 (*Ådna, Jostein*); CBQ 69 (2007) 807-808 (*Oakman, Douglas E.*); JAOS 127 (2007) 107-108 (*Bond, Helen K.*).
13541   **Baslez, Marie-F.** Les persécutions dans l'antiquité: victimes, héros, martyrs. P 2007, Fayard 417 pp. €24. 978-22136-32124.
13542   *Batten, Alicia* The moral world of Greco-Roman associations. SR 36 (2007) 135-151.
13543   *Baum, Wilhelm* König Abgar bar Manu (ca. 177-212) und die Frage nach dem "christlichen" Staat Edessa. ᶠTUBACH, J. Studies in oriental religions 56: 2007 ⇒154. 99-116.
13544   BENEDICT XVI Jesus, the apostles, and the early church: general audiences 15 March 2006 - 14 February 2007. Ft. Collins, Colo. 2007, Ignatius 163 pp. $15. 978-1-58617-220-6.
13545   *Bickerman, Elias J.* PLINY, TRAJAN, HADRIAN and the christians. Studies in Jewish and Christian history. AGJU 68/1-2: 2007, ⇒ 190. 809-831.
13546   *Bockmuehl, Markus N.A.* New Testament Wirkungsgeschichte and the early christian appeal to living memory. Memory in the bible. WUNT 212: 2007 ⇒764. 341-368.
13547   **Burns, Jasper** Great women of imperial Rome: mothers and wives of the Caesars. L 2007, Routledge xxii; 348 pp. £27.50. 04154-08-989. ᴿEtCl 74 (2006) 385-386 (*Rey, Sarah*).
13548   *Camous, Thierry* Les phéniciens dans l'historiographie romaine et la sous évaluation du rôle joué par les influences phéniciennes dans la République avant les guerres puniques. REA 109 (2007) 227-46.
13549   *Carleton Paget, James* The definition of the terms *Jewish christian* and *Jewish christianity* in the history of research. Jewish believers in Jesus. 2007 ⇒519. 22-52.
13550   **Clarke, John R.** Looking at laughter: humor, power, and transgression in Roman visual culture: 100 B.C.-A.D. 250. Berkeley 2007, Univ. of California Pr. xi; 322 pp. 978-05202-37339.

13551 *Cotton, Hannah M.* The impact of the Roman army in the province of Judaea/Syria Palestine. The impact of the Roman army. 2007 ⇒ 960. 393-407.

13552 **Cuomo, S.** Technology and culture in Greek and Roman antiquity. C 2007, CUP xii; 212 pp. £40/16; $80/30. 978-0521-810739/ 009-034. Ill.

13553 **D'Ambra, Eve** Roman women. C 2007, CUP xxi; 215 pp. $65.

13554 **Davidson, Ivor J.** The birth of the church: from Jesus to CONSTAN-TINE A.D. 30-312. 2004 ⇒21,13433. ^RTrinJ 28/1 (2007) 151-152 *(Hartog, Paul).*

13555 **Diosono, Francesca** Collegia: le associazioni professionali nel mondo romano. R 2007, Quasar 113 pp. 88714-03193.

13556 *Doukellis, P.N.* HADRIAN's *panhellenion*: a network of cities?. Mediterranean Historical Review [TA] 22/2 (2007) 295-308.

13557 *Eck, Werner* Die römische Herrschaft und ihre Zeichen. Rom und Judaea. Tria Corda 2: 2007 ⇒218. 53-103;

13558 Repression und Entwicklung: das römische Heer in Judaea. Rom und Judaea. Tria Corda 2: 2007 ⇒218. 105-155;

13559 Städte und Dörfer: die Organisation der Selbstverwaltung und die provinziale Elite. Rom und Judaea. 2007 ⇒218. 201-247.

13560 **Eckstein, Arthur** Mediterranean anarchy, interstate war, and the rise of Rome. Berkeley 2006, California UP xxi; 369 pp. £32.50.

13561 **Edwards, C.** Death in ancient Rome. NHv 2007, Yale Univ. Pr. xii; 287 pp. £25/$35. 978-03001-12085. Ill.

13562 **Engberg, Jacob** Impulsore Chresto: opposition to christianity in the Roman Empire c.50-250 AD. ECCA 2: Fra 2007, Lang 349 pp. $69. 978-3-631-56778-4. Diss.

13563 **Feeney, Denis** Caesar's calendar: ancient time and the beginnings of history. Sather Classical Lectures 65: Berkeley 2007, Univ. of California Pr. xiv; 372 pp. £19. 978-05202-51199. 14 ill.

13564 **Fürst, Alfons** Christentum als Intellektuellen-Religion: die Anfän-ge des Christentums in Alexandria. SBS 213: Stu 2007, Kathol. Bi-belwerk 126 pp. 978-3-460-03134-0. Bibl. 118-126.

13565 **García, J.M.** Los orígenes históricos del cristianismo. M 2007, En-cuentro 345 pp. ^RCDios 220 (2007) 823-824 *(Gutiérrez, J.).*

13566 **Glancy, Jennifer A.** Slavery in early christianity. 2006 ⇒22, 12924. ^RCrossCur 57 (2007) 299-300 *(Maxwell, William W.);* RBLit (2007)* *(Udoh, Fabian E.).*

13567 *Grabner-Haider, Anton* Römische Kultur und Lebenswelt. Kultur-geschichte der Bibel. 2007 ⇒435. 337-350.

13568 **Guy, Laurie** Introducing early christianity: a topical survey of its life, beliefs and practices. 2004 ⇒21,13447; 22,12927. ^RRBLit (2007) 489-493 *(Judge, Peter).*

13569 **Harries, Jill** Law and crime in the Roman world. Key Themes in Ancient History: C 2007, CUP x; 148 pp. 978-05215-35328.

13570 *Hällström, Gunnar af; Skarsaune, Oskar* Cerinthus, Elxai, and other alleged Jewish christian teachers or groups. Jewish believers in Jesus. 2007 ⇒519. 488-502.

13571 **Hegedus, Tim** Early christianity and ancient astrology. Patristic Studies 6: NY 2007, Lang xiv; 396 pp. €70. 978-08204-72577. Diss. Toronto; Bibl. 375-387. ^RThGl 97 (2007) 496-498 *(Franke, Gerhard)* [Mt 2,1-12].

13572   **Hill, Robert C.** Reading the Old Testament in Antioch. The Bible
        in Ancient Christianity 5: 2005 ⇒21,13454; 22,12931. [R]VigChr 61
        (2007) 96-102 (*Kraus, Thomas J.*); TJT 23 (2007) 193-5 (*Keough,
        Shawn W.J.*); JECS 15 (2007) 116-118 (*Mueller, Joseph G.*).
13573   **Hoornaert, Eduardo** Origens do cristianismo: uma leitura crítica.
        Brasília 2006, Ser 181 pp. 85866-62569.
13574   *Jackson-McCabe, Matt* What's in a name?: the problem of "Jewish
        Christianity". Jewish Christianity reconsidered. 2007 ⇒598. 7-38,
        305-310.
13575   *Jelsma, Auke* De bijbel in het koptische christendom. ITBT 15/7
        (2007) 11-14.
13576   *Jones Hall, Linda* The governors of Phoenicia as revealed in the
        letters of Libanius. MUSJ 60 (2007) 433-446.
13577   **Kahlos, Maijastina** Debate and dialogue: christian and pagan cul-
        tures c. 360-430. Aldershot 2007, Ashgate x; 213 pp. 978-0-7546-
        5713-2. Bibl. 185-203.
13578   *Kelly, B.* Riot control and imperial ideology in the Roman Empire.
        Phoenix [Toronto] 61/1-2 (2007) 150-176.
13579   **Kelly, Christopher** Ruling the later Roman empire. Revealing an-
        tiquity 15: CM 2006, Belknap 341 pp. 978-0-674-01564-7.
13580   **Kesich, Veselin** Formation and struggles: the birth of the church
        AD 33-200. The Church in History 1/1: Crestwood 2007, St Vladi-
        mir's Seminary Pr. 204 pp. 978-08814-13199. Ill.
13581   *Kinzig, Wolfram* The Nazoraeans. Jewish believers in Jesus. 2007
        ⇒519. 463-487.
13582   [E]**Klose, Gerhild; Nünnerich-Asmus, Annette** Grenzen des römi-
        schen Imperiums. Zaberns Bildbände zur Archäologie: Mainz
        2006, Von Zabern 196 pp. €44.90. 38053-3429X. Num. ill.
13583   *Koester, Helmut* The theological aspects of early christian heresy.
        Paul & his world. 2007 <1971> ⇒257. 238-250.
13584   **König, Ingemar** Der römische Staat: ein Handbuch. Stu 2007, Re-
        clam 456 pp. €18.90.
13585   *Kyrtatas, D.J.* The Greek world during the Roman empire. History
        of ancient Greek. 2007 ⇒669. 346-355.
13586   *Lahey, Lawrence* Evidence for Jewish believers in Christian-Jewish
        dialogues through the sixth century (excluding Justin). Jewish be-
        lievers in Jesus. 2007 ⇒519. 581-639.
13587   **Laplana, Josep de C.** L'església dels primers segles. 2006 ⇒22,
        12941. [R]AST 80 (2007) 599-602 (*Amengual i Batle, Josep*).
13588   *Laurence, Patrick* Le Priscillianisme: révélation ou anarchie?.
        ConnPE 108 (2007) 49-60.
13589   *Le Roux, M.* The survival of the Greek gods in early christianity.
        JSem 16 (2007) 483-497.
13590   **Levick, Barbara** Julia Domna: Syrian empress. L 2007, Routledge
        xxxi; 244 pp. 04153-31439.
13591   **Levieils, Xavier** Contra Christianos: la critique sociale et religieuse
        du christianisme des origenes [origines] au concile de Nicée (45-
        325). [D]*Maraval, Pierre* BZNW 146: B 2007, De Gruyter xiii; 548
        pp. €119.63. 978-3-11-019554-5. Diss. Paris.IV; Bibl. 517-548.
13592   *Liebeschuetz, Wolfgang* The impact of the imposition of Roman
        rule on northern Syria. The impact of the Roman army. 2007 ⇒
        960. 421-438.

13593 **Litfin, Bryan M.** Getting to know the church fathers. GR 2007, Baker 301 pp. $23. 15874-31963.

13594 *Luomanen, Petri* Ebionites and Nazarenes. Jewish christianity. 2007 ⇒598. 81-118, 313-317.

13595 **Luttikhuizen, Gerard P.** La pluriformidad del cristianismo primitivo. Córdoba 2007, Almendro 175 pp.

13596 *Lüdemann, Gerd* What really happened?: the rise of primitive christianity, 30-70 CE. Free Inquiry [Amherst, NY] 27/3 (2007) 24-31.

13597 *Marcos, Mar* La idea de libertad religiosa en el imperio romano. Libertad e intolerancia religiosa. 'Ilu.M 18: 2007 ⇒688. 61-81.

13598 *Mendels, Doron* Societies of memory in the Graeco-Roman world. Memory in the bible. WUNT 212: 2007 ⇒764. 143-162.

13599 **Miktat, Paul** Konflikt und Loyalität: Bedingungen für die Begegnung von früher Kirche und römischem Imperium. Pd 2007, Schöningh 107 pp. €9.90.

13600 **Montserrat Torrents, José** La sinagoga cristiana. ²2005 <1989> ⇒21,13480. ᴿQVC 226 (2007) 136-140 (*Tragan, Pius-Ramon*).

13601 **Morgan, Teresa** Popular morality in the early Roman Empire. C 2007, CUP 380 pp. £55. 978-05218-75530.

13602 **Mullen, Roderic L.** The expansion of christianity: a gazetteer of its first three centuries. SVigChr 69: 2004 ⇒20,12093; 21,13482. ᴿBBR 17 (2007) 181-182 (*Schnabel, Eckhard J.*).

13603 *Nicklas, Tobias* Das Christentum der Spätantike: Religion von 'Büchern', nicht (nur) von Texten: zu einem Aspekt der 'Materialität von Kommunikation'. Sacra Scripta [Cluj-Napoca, Romania] 5/2 (2007) 192-206.

13604 **Noffke, Eric** Cristo contro Cesare: come gli ebrei e i cristiani del I secolo risposero alla sfida dell'imperialismo romano. PBT 71: 2006 ⇒22,12957. ᴿThLZ 132 (2007) 442-444 (*Georges, Tobias*); Protest. 62 (2007) 347-349 (*Rinaldi, Giancarlo*).

13605 *Olmo Lete, Gregorio del* Les bibliothèques de l'antiquité, de la chrétienté et du judaïsme. StMon 49 (2007) 377-401.

13606 **Oppermann, Manfred** Thraker, Griechen und Römer an der Westküste des Schwarzen Meeres. Mainz 2007, Von Zabern 121 pp. 978-38053-37397.

13607 **Parkin, Tim G.; Pomeroy, Arthur J.** Roman social history: a sourcebook. NY 2007, Routledge xviii; 388 pp. £70/30. 978-0415-4-26749/56.

13608 *Pearson, Birger A.* Earliest christianity in Egypt: further observations. ᶠJOHNSON, D. 2007 ⇒78. 97-112.

13609 *Pouderon, Bernard* Tu ne tueras pas (l'enfant dans le ventre): recherches sur la condamnation de la contraception comme homicide dans les premiers siècles de l'Eglise. RevSR 81 (2007) 229-248;

13610 L'interdiction de l'avortement dans les premiers siècles de l'église. RHPhR 87 (2007) 55-73.

13611 *Prostmeier, Ferdinand-Rupert* "Zeig mir deinen Gott!": Einführung in das Christentum für Eliten. Frühchristentum und Kultur. 2007 ⇒623. 155-182.

13612 *Rinaldi, Giancarlo* Profetismo e profeti cristiani nel giudizio dei pagani. Profeti e profezia. 2007 ⇒565. 101-122.

13613 **Ritter, Adolf M.** 'Kirche und Staat' im Denken des frühen Christentums: Texte und Kommentare zum Thema Religion und Politik in der Antike. TC 13: 2005 ⇒21,13496. ᴿRHE 102 (2007) 522-524 (*Anton, Hans H.*).

13614 **Ronning, Christian** Herrscherpanegyrik unter TRAJAN und KON-STANTIN: Studien zur symbolischen Kommunikation in der römischen Kaiserzeit. STAC 42: Tü 2007, Mohr S. ix; 445 pp. 978-3-16-149212-9. €79. Diss. Münster 2003.

13615 *Roth, Jonathan P.* Jews and the Roman army: perceptions and realities. The impact of the Roman army. 2007 ⇒960. 409-420.

13616 ᴱ**Sanader, Mirjana** Kroatien in der Antike. Mainz 2007, Von Zabern 143 pp. 978-38053-37403.

13617 *Scheidel, W.* Roman funerary commemoration and the age at first marriage. CP 102/4 (2007) 389-402.

13618 *Sizgorich, Thomas* 'Not easily were stones joined by the strongest bonds pulled asunder': religious violence and imperial order in the later Roman world. JECS 15 (2007) 75-101.

13619 *Skarsaune, Oskar* The Ebionites. ⇒ 519. 419-462;

13620 Jewish believers in Jesus in antiquity–problems of definition, method, and sources. ⇒519. 3-21;

13621 Evidence for Jewish believers in Greek and Latin patristic literature. ⇒519. 505-567;

13622 The history of Jewish believers in the early centuries–perspectives and framework. Jewish believers in Jesus. 2007 ⇒519. 745-781.

13623 *Speyer, Wolfgang* Der christliche Heilige der Spätantike: Wesen, Bedeutung, Leitbild. <2001>;

13624 Reale und ideale Oikumene in der griechischen und römischen Antike <2001>. Frühes Christentum. 2007 ⇒320. 259-269/169-181.

13625 *Stock, Alex* Frühchristliche Bildpolemik. Handbuch der Bildtheologie, 1. 2007 ⇒591. 120-138.

13626 *Stothers, R.* Unidentified flying objects in classical antiquity. CJ 103/1 (2007) 79-92.

13627 *Stratton, Kimberly B.* The rhetoric of "magic" in early christian discourse: gender, power and the construction of "heresy". Mapping gender. BiblInterp 84: 2007 ⇒621. 89-114.

13628 *Swancutt, Diana M.* Still before sexuality: "Greek" androgyny, the Roman imperial politics of masculinity and the Roman invention of the Tribas. Mapping gender. BiblInterp 84: 2007 ⇒621. 11-61.

13629 **Vidal Guzmán, Gerardo** Retratos de la antigüedad romana y la primera cristiandad. M 2007, Rialp 319 pp. ᴿTE 51 (2007) 399-400 (*Fayos, Rafael*).

13630 **White, Cynthia** The emergence of christianity. Greenwood Guides to Historic Events of the Ancient World: Westport, CT 2007, Greenwood xvi; 209 pp. $45.

13631 **Wilken, Robert L.** Der Geist des frühen Christentums. Gü 2007, Gü 240 pp. €30. 35790-54236;

13632 I cristiani visti dai romani. Studi biblici 155: Brescia 2007, Paideia 270 pp. €27.90. 978-88394-07436.

13633 **Wilson, Stephen G.** Leaving the fold: apostates and defectors in antiquity. 2004 ⇒20,12111... 22,12990. ᴿRBLit (2007) 290-295 (*Redelings, David*).

13634 **Winkelmann, Friedhelm** Il cristianesimo delle origini. 2004 ⇒ 22,12991. ᴿRivAC 83 (2007) 526-529 (*Ramieri, Anna M.*).

13635 **Ziegler, Mario** Successio: die Vorsteher der stadtrömischen Christengemeinde in den ersten beiden Jahrhunderten. Antiquitas 1/54: Bonn 2007, Habelt 361 pp.

Q9.5 Constantine, Julian, Byzantine Empire

13636 *Abdulfatthah, Kamal* Throne villages of the highlands: local nobility and their mansions in Ottoman Palestine. NEA 70 (2007) 43-50.

13637 ^T**Amidon, Philip** PHILOSTORGIUS: church history. WGRW 23: Atlanta 2007, SBL xxv; 284 pp. $35. 978-15898-32152. Bibl. 251-63.

13638 *Bernardi, Anne-M.* Rêve et guérison dans le monde grec des époques tardive et byzantine. Guérisons du corps. 2007 ⇒906. 123-134.

13639 *Carile, Antonio* L'espansione araba nel VII secolo. X simposio paolino. Turchia 21: 2007 ⇒860. 181-196.

13640 ^E**Casiday, Augustine; Norris, Frederick** The Cambridge history of christianity, vol. 2: CONSTANTINE to c. 600. The Cambridge history of Christianity 2: C 2007, CUP xx; 758 pp. $195. 978-05218-12443.

13641 *Girardet, Klaus M.* Vom Sonnen-Tag zum Sonntag: der *dies solis* in Gesetzgebung und Politik KONSTANTINs d. Gr. ZAC 11 (2007) 279-310.

13642 **Hainthaler, Theresia** Christliche Araber vor dem Islam: Verbreitung und konfessionelle Zugehörigkeit: eine Hinführung. Eastern christian studies 7: Lv 2007, Peeters xii; 188 pp. 978-90429-19174.

13643 *Humfress, Caroline* Judging by the book: christian codices and late antique legal culture. Early christian book. 2007 ⇒604. 141-158.

13644 *Lewin, Ariel S.* The impact of the Late Roman army in Palaestina and Arabia. The impact of the Roman army. 2007 ⇒960. 463-480.

13645 *Marasco, Gabriele* Vita e miracoli dell'imperatore GIULIANO nell'agiografia contemporanea. Studi sull'Oriente Cristiano 11/2 (2007) 9-20.

13646 *Safrai, Ze'ev; Sion, Ofer* Nomad settlement in Palestine during late Byzantine-early Moslem period. ^FMEYERS, E. AASOR 60/61: 2007 ⇒106. 397-411.

13647 *Sipilä, Joonas* Fluctuating provincial borders in mid 4th century Arabia and Palestine. The Late Roman army. BAR.International Ser. 1717: 2007 ⇒975. 201-209.

13648 **Sivertsev, Alexei** Private households and public politics in 3rd-5th century Jewish Palestine. TSAJ 90: 2002 ⇒18,11669; 19,12722. ^RZAR 13 (2007) 319-336 (*Otto, Eckart*).

13649 *Whitby, Mary* The biblical past in John MALALAS and the *Paschal chronicle.* ^FCAMERON, A. 2007 ⇒23. 47-66.

13650 ^{ET}**Wolff, Étienne** Rutilius NAMATIANUS: Sur son retour. P 2007, Société d'Édition "Les Belles Lettres" cii; 118 pp. 978-2-251-0144-7-0. Collab. *Serge Langel; Joëlle Soler.*

XVIII. Archaeologia terrae biblicae

T1.1 General biblical-area archaeologies

13651 Archaeology enters the blogosphere. BArR 33/1 (2007) 15.

13652   *Boshoff, Willem* 'Die Klippe Swyg!': artefakte, ektofakte, tekste, godsdiens en geskiedenis: argeologie en die bybelwetenskappe as gesprecksgenote. OTEs 20 (2007) 10-33.

13653   *Bunimovitz, Shlomo* Children of three paradigms: my generation in Israeli archaeology. BArR 33/5 (2007) 30, 80.

13654   *Cole, Dan P.* Digging in the Holy Land-and in the Holy Book. BArR 33/6 (2007) 30, 86.

13655   **Dane, Gerhard; Läufer, Erich** Wo Jesus lebte: eine Entdeckungsreise für Kinder im Heiligen Land. Mü 2007, Don Bosco 96 pp. €14.90. 978-37698-16204. Num. phot.

13656   [E]**De Martino, Stefano** Storia d'Europa e del Mediterraneo: il mondo antico, 1: la preistoria dell'uomo: l'Oriente mediterraneo; vol. I: dalla preistoria alla storia; vol. II: le civiltà dell'Oriente mediterraneo. R 2006, Salerno 741 + 770 pp. €140. 88840-25257/435. Num. ill. [R]SMEA 48 (2006) 312-317 (*Alberti, Lucia*).

13657   *Finkelstein, Israel* A short summary: bible and archaeology. Quest for the historical Israel. 2007 ⇒421. 183-188.

13658   **Finkelstein, Israel; Silberman, Asher** Keine Posaunen vor Jericho: die archäologische Wahrheit über die Bibel. 2002 ⇒18,11682; 20,12127. [R]ThR 72 (2007) 158-160 (*Zwickel, Wolfgang*).

13659   **Hodos, Tamar** Local responses to colonization in the Iron Age Mediterranean. 2006 ⇒22,13020. [R]Antiquity 81 (2007) 805-806 (*Antonaccio, Carla*).

13660   *Hoppe, Leslie J.* Archaeology and politics: an unfortunate mix. BiTod 45 (2007) 39-44.

13661   Ignorance of the bible isn't bliss. BArR 33/5 (2007) 15.

13662   **King, Philip J.; Stager, Lawrence E.** Life in biblical Israel. Library of Ancient Israel: 2001 ⇒17,10711... 21,13544. [R]ThR 72 (2007) 177 (*Zwickel, Wolfgang*); JNES 66 (2007) 212-213 (*Routledge, Bruce*).

13663   **Kletter, Raz** Just past?: the making of Israeli archaeology. 2006 ⇒ 22,13022. [R]CSMSJ 2 (2007) 76-77 (*Brown, Stuart C.*).

13664   *Maeir, Aren M.* Is biblical archaeology passé?. BArR 33/3 (2007) 28.

13665   **Magness, Jodi** The archaeology of the early Islamic settlement in Palestine. 2003 ⇒20,12132. [R]JNES 66 (2007) 158-160 (*Hoffman, Tracy*).

13666   *Mazar, Amihai* Concluding summary: archaeology's messsage. Quest for the historical Israel. 2007 ⇒421. 189-195.

13667   **McRay, John** Archaeology and the New Testament. 1991 ⇒ 7,b495... 10,11503. [R]ThR 72 (2007) 263-264 (*Zwickel, Wolfgang*).

13668   **Newgrish, Bernard** Chronology at the crossroads: the Late Bronze Age in western Asia. Leicester 2007, Matador xii; 710 pp. £29.99. 10 fig.

13669   *Shanks, Hershel* The joy of print: the duel between the web and the page. BArR 33/1 (2007) 4, 79;

13670   Of "curiosities" and "relics": special objects that connect us to our past are important in themselves. BArR 33/5 (2007) 6.

13671   **Shear, Ione M.** Kingship in the Mycenaean world and its reflections in the oral tradition. Prehistory Monographs 13: 2004 ⇒21, 13559. [R]Gn. 79 (2007) 660-662 (*Parker, Victor*).

13672   Unprovenanced and unpublished. BArR 33/1 (2007) 64.

13673 **Vieweger, Dieter** Archäologie der biblischen Welt. UTB 2394: 2003 <2006> ⇒19,12746... 21,13565. [R]ThR 72 (2007) 172-173 (*Zwickel, Wolfgang*); OLZ 102 (2007) 524-527 (*Jericke, Detlef*); RBLit (2007)* (*Reed, Jonathan L.*).

13674 *Vokotopoulos, L.* The dark ages: the archaeological evidence. History of ancient Greek. 2007 ⇒669. 258-265.

13675 **Wilkinson, Tony J.** Archaeological landscapes of the Near East. 2003 ⇒19,12747... 22,13033. [R]BASOR 345 (2007) 74-76 (*Farrand, William R.*).

13676 *Zwickel, Wolfgang* Biblische Archäologie (I, II). ThR 72 (2007) 150-178, 261-292.

T1.2 Musea, organismi, *displays*

13677 *Andrenucci, Sandra* Human-bodied goddesses in the collection of the Egyptian museum of Florence. Proceedings Ninth Congress, 1. OLA 150: 2007 ⇒992. 69-76.

13678 [E]**Andrews, Carol A.R.; Van Dijk, Jacobus** Objects for eternity: Egyptian antiquities from the W. Arnold Meijer collection. 2006 ⇒ 22,13035. [R]ArOr 75 (2007) 105-106 (*Vachala, Břetislav*).

13679 Archaeological center to be built in Israel. BArR 33/1 (2007) 14.

13680 *Bartman, Elizabeth; Nagy, Helen* Classical art in Copenhagen. AJA 111 (2007) 787-794.

13681 Biblical archaeology dying at Oxford University. BArR 33/2 (2007) 13.

13682 *Bickel, Susanne* Das antike Ägypten. BIBEL+ORIENT. 2007 ⇒ 659. 16-17.

13683 **Briend, Jacques; Caubet, Annie; Pouyssegur, Patrick** Le Louvre et la bible. 2005 ⇒21,13575; 22,13037. [R]REJ 166 (2007) 317-322 (*Couteau, Elisabeth*).

13684 [E]**Brown, Michelle P.** In the beginning: bibles before the year 1000. 2006 ⇒22,13038. [R]RBLit (2007)* (*Holmes, Michael W.*).

13685 [E]**Curtis, John; Tallis, Nigel** Forgotten empire: the world of ancient Persia. 2005 ⇒21,13578; 22,13041. Exhib. British Museum 9.9. 2005-8.1.2006. [R]AJA 111 (2007) 583-584 (*Gates, Charles*).

13686 [E]**Di Pasquale, Giovanni; Paolucci, Fabrizio** Il giardino antico da Babilonia a Roma: scienza, arte e natura. Livorno 2007, Sillabe 351 pp. 978-88-8347-385-2. Catalogo della mostra: Firenze, Limonaia del Giardino di Boboli, 2007; Bibl. 340-351.

13687 [E]**Durand, Jannic** Armenia sacra, mémoire chrétienne des Arméniens (IVe-XVIIIe s.). P 2007, Musée du Louvre 472 pp. [R]CRAI (2007) 927-928 (*Mahé, Jean-Pierre*).

13688 *Hartje, Nicole* Michelangelo Merisi da CARAVAGGIO: Rückblick auf die Ausstellungen in Neapel/London (2004/2005), Mailand (2005/2006) und Amsterdam (2006). Kunst Chronik 60 (2007) 159-169.

13689 **Hawass, Zahi** Hidden treasures of the Egyptian Museum: one hundred masterpieces from the centennial exhibition. 2002 ⇒19, 12754. [R]NEA(BA) 70 (2007) 115-116 (*Glazier, Darren*).

13690 *Kaiser, Helga* Ein Kaiser kehrt zurück: große Konstantin-Ausstellung in Trier. WUB 45/3 (2007) 2-5.

13691   *Keel, Othmar* Die Sammlungen BIBEL+ORIENT der Universität Freiburg. BIBEL+ORIENT. 2007 ⇒659. 6-8.

13692   ᴱ**Krieg, Martin**, *al.*, Das unsichtbare Bild: die Ästhetik des Bilderverbotes. 2004 ⇒21,13590. ᴿETR 82 (2007) 459-460 (*Cottin, Jérôme*) [Exod 20,4-6].

13693   *Küchler, Max* Griechenland, Rom, Byzanz und der Vordere Orient. BIBEL+ORIENT. 2007 ⇒659. 72-73.

13694   *Lenssen, Jürgen* Bilder im Museum: das Konzept des Museums am Dom in Würzburg. BilderStreit. 2007 ⇒578. 297-306.

13695   **Levy, Thomas E.** Journey to the Copper Age: archaeology in the Holy Land. San Diego, CA 2007, San Diego Museum of Man 112 pp. 978-09378-08832. Num. ill.; Exhibition 2007-8.

13696   Das persische Weltreich–Pracht und Prunk der Großkönige. 2006 ⇒22,13048. Ausstellung 2006 Pfalz Speyer. ᴿOLZ 102 (2007) 752-755 (*Koch, Heidemarie*).

13697   ᴱ**Reeve, John** Sacred: books of the three faiths: Judaism, christianity, Islam. L 2007, British Library 224 pp. £15. 978-07123-495-50. Exhib. British Library 2007.

13698   *Renger, Konrad* Peter Paul RUBENS: Ausstellungen und Publikationen der Jahre 2004-2006. Kunst Chronik 60 (2007) 173-188.

13699   ᴱ**Rummel, Ute** Meeting the past: 100 years in Egypt: German Archaeological Institute Cairo 1907 - 2007: catalogue of the special exhibition in the Egyptian Museum in Cairo 19th November 2007 to 15th January 2008. Cairo 2007, Deutsches Archäologisches Institut Kairo xii; 173 pp. 978-977-17-5220-2.

13700   ᴱ**Saporetti, Claudio** Il progetto "Duplicazione e rinascita". Geo-Archeologia, Suppl. 1 2007, 139 pp Catalogazione dei reperti e dei testi dello 'Iraq Museum of Baghdad'.

13701   Scholar censures scroll exhibit. BArR 33/2 (2007) 13.

13702   *Staubli, Thomas* Das Projekt BIBEL+ORIENT MUSEUM;

13703   *Steymans, Hans-U.* Vorderasien und die Welt der Bibel. BIBEL+ORIENT. 2007 ⇒659. 9-11/38-39.

13704   *Sudilovsky, Judith* Museum goes under the sea. BArR 33/5 (2007) 14-15.

13705   **Teeter, Emily** Ancient Egypt: treasures from the collection of the Oriental Institute University of Chicago. 2003 ⇒19,12764; 22, 13052. ᴿJNES 66 (2007) 125-126 (*Troy, Lana*).

13706   *Uehlinger, Christoph* Das kulturelle Gedächtnis und sein gesellschaftlicher Kontext. BIBEL+ORIENT. 2007 ⇒659. 12-13.

13707   Update for digs 2007. BArR 33/2 (2007) 14.

13708   *Windorf, Wiebke* CARAVAGGIO–auf den Spuren eines Genies: Düsseldorf, museum kunst palast, 9. September 2006 - 7. Januar 2007. Kunst Chronik 60 (2007) 170-172.

13709   ᴱ**Ziegler, Christiane; Andreu, Guillemette; Suzuki, Madoka** L'homme égyptien d'après les chefs-d'oeuvre du Louvre. Nagoya 2005, Musée municipale de Nagoya 118 pp. Exposition.

T1.3   *Methodi*—**Science in archaeology**

13710   *Allen, Mitch* Think small!. NEA 70 (2007) 196-197.

13711   *Bruins, Hendrik J.; Mazar, Amihai; Van der Plicht, Johannes* The end of the 2ⁿᵈ millennium BCE and the transition from Iron I to

Iron IIA: radiocarbon dates of Tel Rehov, Israel. Synchronisation III. DÖAW 37: 2007 ⇒988. 79-99.

13712 *Cahill, Jane M.; Passamano, James A.* Full disclosure matters. NEA 70 (2007) 194-196.

13713 [E]**Caubet, Annie** Faïences et matières vitreuses de l'Orient ancien: étude physico-chimique et catalogue des oeuvres du Département des antiquités orientales. P 2007, Musée du Louvre 309 pp. 2-350-31073-6. Bibl. 293-303.

13714 *Cockitt, Jenefer A.; David, Ann R.* The radiocarbon dating of ancient Egyptian mummies and their associated artefacts: implications for Egyptology. Current research in Egyptology 2006. 2007 ⇒991. 21-53.

13715 *Finkelstein, Israel* Digging for the truth: archaeology and the bible. Quest for the historical Israel. 2007 ⇒421. 9-20.

13716 *Finkelstein, Israel; Piasetzky, Eliazer* Radiocarbon dating and the Late-Iron I in northern Canaan. UF 39 (2007) 247-260.

13717 *Jacobs, Paul; Holland, Christopher* Sharing archaeological data: the distributed archive method. NEA 70 (2007) 197-200.

13718 **Krieger, William H.** Can there be a philosophy of archaeology?: processual archaeology and the philosophy of science. Lantham, MD 2006, Lexington xi; 145 pp. $75. 07391-1249X. Ill.

13719 Love at first site. BArR 33/1 (2007) 44-45.

13720 *Mazar, Amihai* On archaeology, biblical history, and biblical archaeology. Quest for the historical Israel. 2007 ⇒421. 21-33.

13721 *McCollough, C. Thomas; Edwards, Douglas R.* The archaeology of difference: setting the stage. [F]MEYERS, E. AASOR 60/61: 2007 ⇒ 106. 1-11.

13722 *Neumann, Kristina* Scholarship winner. BArR 33/1 (2007) 46-47.

13723 **Rainville, Lynn** Investigating Upper Mesopotamian households using micro-archaeological techniques. BAR Int. Ser. 1368: 2005 ⇒21,13610. [R]BASOR 345 (2007) 76-78 (*Bernbeck, Reinhard*).

13724 *Ritmeyer, Kathleen* A dig's best find. BArR 33/1 (2007) 45.

13725 *Sharon, Ilan; Gilboa, Ayelet; Boaretto, Elisabetta* [14]C and the Early Iron Age of Israel–where are we really at?: a commentary on the Tel Rehov radiometric dates. Synchronisation III. DÖAW 37: 2007 ⇒988. 149-155.

13726 *Ussishkin, David* Archaeology of the biblical period: on some questions of methodology and chronology of the Iron Age. Understanding the history. PBA 143: 2007 ⇒545. 131-141.

13727 *Whitcher Kansa, Sarah; Kansa, Eric; Schultz, Jason M.* An open context for Near Eastern archaeology. NEA 70 (2007) 188-194.

13728 **Wilkinson, Paul** Archaeology: what it is, where it is, and how to do it. Oxf 2007, Archaeopress 103 pp. $25.

T1.4 *Exploratores*—Excavators, pioneers

13729 [E]**Cohen, Getzel M.; Joukowsky, Martha Sharp** Breaking ground: pioneering women archaeologists. 2004 ⇒20,563; 22,13071. [R]NEA(BA) 70 (2007) 61-63 (*Meyers, Carol*).

13730 **Lebeau, Richard** Atlas de la découverte de l'Egypte: voyageurs, archéologues, amateurs de l'antiquité à nos jours. P 2007, Autrement 80 pp. €15.

13731   *Ooghe, Bart* The rediscovery of Babylonia: European travellers and
        the development of knowledge on Lower Mesopotamia, sixteenth
        to early nineteenth century. JRAS 17 (2007) 231-252.
13732   BANKES W: **Sartre-Fauriat, Annie** Les voyages dans le Hawran
        (Syrie de Sud) de William John Bankes (1816 et 1818). 2004 ⇒20,
        12172... 22,13074. [R]RH 309 (2007) 186-187 (*Saliou, Catherine*).
13733   CUMONT F; ROSTOVTSEV M: [E]**Bongard-Levine, Grégory**, *al.*,
        Mongulus Syrio salitem optimam dat: la correspondance entre Mi-
        khaïl Rostovtzeff et Franz Cumont. Mémoires de l'Académie des
        inscriptions et Belles-Lettres 36: P 2007, De Boccard xvi; 363 pp.
        978-2-87754-193.0.
13734   EDWARDS A: **Moon, Brenda** More usefully employed: Amelia B.
        Edwards, writer, traveller and campaigner for ancient Egypt. 2006
        ⇒22,13079. [R]BiOr 64 (2007) 98-101 (*Raven, Maarten J.*).
13735   PENDLEBURY J: **Grundon, Imogen** The rash adventurer: a life of
        John Pendlebury. L 2007, Libri xvi; 384 pp. $55. 19019-65066.
13736   PETRIE F: [E]**Drower, Margaret S.** Letters from the desert: the cor-
        respondence of Flinders and Hilda Petrie. 2004 ⇒20,12182; 21,
        13627. [R]NEA(BA) 70 (2007) 232 (*Blakely, Jeffrey A.*).
13737   SALT H: **Usick, Patricia; Manley, Deborah** The sphinx revealed:
        a forgotten record of pioneering excavations. L 2007, British Mu-
        seum Pr. 76 pp. £20. 978-08615-91640.
13738   SPYCKET A: **Spycket, Agnès** À temps et à contretemps: un demi-si-
        ècle d'archéologie et de contacts dans le domaine du Proche-Ori-
        ent. 2004 ⇒20,12185; 21,13628. [R]JNES 66 (2007) 144 (*Biggs,
        Robert D.*).

T1.5 *Materiae primae*—metals, glass

13739   *Avilova, L.I.; Terejova, N.N.* Lingotes normalizados de metal en el
        Próximo Oriente desde el Eneolítico a la Edad del Bronce. AuOr
        25 (2007) 183-199.
13740   [E]**Bianchi, R.S.** Reflections on ancient glass from the Borowski Col-
        lection. 2002 ⇒18,11740; 19,12803. [R]JNES 66 (2007) 133-135
        (*Meyer, Carol*).
13741   **Born, Hermann; Völling, Elisabeth**, *al.*, Gold im Alten Orient.
        2006 ⇒22,13088. [R]OLZ 102 (2007) 677-680 (*Rehm, Ellen*).
13742   *Dussart, Odile* Fouilles de Khirbet Edh-Dharih, III: les verres.
        Syria 84 (2007) 205-247.
13743   *Healey, Elizabeth* Obsidian as an indicator of inter-regional con-
        tacts and exchange: three case-studies from the Halaf period. AnSt
        57 (2007) 171-189.
13744   [E]**McConchie, Matasha** Archaeology at the north-east Anatolian
        frontier, V: iron technology and iron-making comunities of the first
        millennium BC. ANESt.S 13: 2004 ⇒20,607. [R]BASOR 347 (2007)
        112-114 (*Muhly, James*).
13745   *Ponting, Matthew J.* Copper-based metalwork from the Jewish
        quarter excavation in the Old City, Jerusalem. BAIAS 25 (2007)
        208.
13746   *Stern, E.M.* Ancient glass in a philological context. Mn. 60 (2007)
        341-406.

13747 *Tebes, Juan M.* "A land whose stones are iron, and out of whose hills you can dig copper": the exploitation and circulation of copper in the Iron Age Negev and Edom. DavarLogos 6 (2007) 69-91.

T1.6 *Silex, os*—'Prehistory' flint and bone industries

13748 *Antl-Weiser, Walpurga* Die Studien des Oberleutnants Josef Bayer in Palästina in den Jahren 1917 und 1918. MAGW 136-137 (2007) 145-171.
13749 *Chabot, Jacques; Eid, Patrick* Stone tools from a Bronze Age village (Tell Nusstell, Syria). Ber. 50 (2007) 7-36.
13750 **Chapman, John; Gaydarska, Bisserka** Parts and wholes: fragmentation in prehistoric context. Oxf 2007, Oxbow xiv; 233 pp. 18421-72220. Contrib. *Ana Raduntcheva; Bistra Koleva.*

T1.7 **Technologia antiqua**

13751 *Brienza, Emanuele* Impianti idraulici antichi rinvenuti a Medinet Madi. EVO 30 (2007) 9-21.
13752 *Stevens, Anna; Eccleston, Mark* Craft production and technology. Egyptian world. 2007 ⇒747. 146-159.
13753 *Yener, K. Aslihan* Transformative impulses in Late Bronze Age technology: a case study from the Amuq Valley, southern Turkey. [F]ADAMS, R.. 2007 ⇒2. 369-385.

T1.8 **Architectura**; *Supellex*; **furniture**

13754 *Abd El-Moneim, Safaa* The meaning and religious purpose of the naos. Proceedings Ninth Congress, 1. OLA 150: 2007 ⇒992. 55-9.
13755 *al-Hesan, Abdel Q.* The Ottoman Qatrana castle. ADAJ 51 (2007) *13-*20. **A.**
13756 *al-Zoqurti, Ibrahim* The Umayyad palaces in Bilad ash-Sham: geographical distribution and function. ADAJ 51 (2007) *43-*49. **A.**
13757 *Bietak, Manfred; Forstner-Müller, Irene* Eine palatiale Anlage der frühen Hyksoszeit (Areal F/II): vorläufige Ergebnisse der Grabungskampagne 2006 in Tell el-Dabʿa. Ä&L 16 (2007) 63-78.
13758 **Brusasco, Paolo** The archaeology of verbal and nonverbal meaning: Mesopotamian domestic architecture and its textual dimension. BAR international series 1631: Oxf 2007, Archaeopress v; 147 pp. 978-1-4073-0045-0. Bibl.
13759 *Carlotti, Jean-François* À propos de la construction pharaonique. Or. 76 (2007) 145-157.
13760 *Crawford, Harriet* Architecture in the Old Babylonian period. Babylonian world. 2007 ⇒716. 81-94.
13761 **Darcque, Pascal** L'habitat mycénien: formes et functions de l'espace bâti en Grèce continentale à la fin du IIe millénaire avant J.-C. 2005 ⇒21,13644. [R]Antiquity 81 (2007) 804-5 (*Dickinson, Oliver*).
13762 *De Vincenzi, Tommaso; Rinaldi, Paolo* The development of Hittite military architecture: '*Kastenmauer*' and '*Casematte*' building techniques. SMEA 49 (2007) 207-216.

13763	*Feuerherm, Karljürgen* Architectural features of Larsa's urban dwelling B 27 and division of inheritance. JNES 66 (2007) 193-204.

13764	**Goyon, Jean-C.**, *al.*, La construction pharaonique du Moyen Empire à l'époque gréco-romaine: contexte et principes technologiques. 2004 ⇒20,12220... 22,13120. ᴿJEA 93 (2007) 285-288 (*Eigner, Dieter*).

13765	*Harmanşah, Ömür* Upright stones and building narratives: formation of a shared architectural practice in the ancient Near East. ᶠWINTER, I. CHANE 26: 2007 ⇒171. 69-99.

13766	**Hellmann, Marie-C.** L'architecture grecque, 2: architecture religieuse et funéraire. Les manuels d'art et d'archéologie antique: 2006 ⇒22,13122. ᴿRAr (2007) 345-347 (*Le Roy, Christian*).

13767	**Hernandez, J.P.** Antoni GAUDÉ: la parola nella pietra: i simboli e lo spirito della Sagrada Familia. Bo 2007, Pardes 114 pp. €20. 888-9-241318.

13768	*Jiménez-Serrano, Alejandro* The funerary meaning of the niched architecture in Egypt during the third millennium. GöMisz 213 (2007) 23-38.

13769	*Kaiser, Helga* Die Geburtsstunde des Kirchenbaus. Ment. *Constantine* WUB 45 (2007) 6-7.

13770	*Margueron, Jean-Claude* Notes d'archéologie et d'architecture orientales 14–la salle du trône, d'Uruk à Babylone: genèse, fonctionnement, signification. Syria 84 (2007) 69-106.

13771	**McKenzie, Judith** The architecture of Alexandria and Egypt, c. 300 B.C. to A.D. 700. NHv 2007, Yale Univ. Pr. xx; 458 pp. 978-0-300-11555-0. Bibl. 430-444.

13772	**McLaren, P. Bruce** The military architecture of Jordan during the Middle Bronze Age: new evidence from Pella and Rukeis. 2003 ⇒ 20,12232; 22,13137. ᴿCSMSJ 2 (2007) 69-70 (*Chadwick, Robert*).

13773	**Milson, David** Art and architecture of the synagogue in late antique Palestine: in the shadow of the church. Ancient Judaism and early Christianity 65: Lei 2007, Brill xxviii; 579 pp. €179. 90-04-15186-9. Bibl. 273-297.

13774	**Pfälzner, Peter** Haus und Haushalt: Wohnformen des dritten Jahrtausends vor Christus in Nordmesopotamien. 2001 ⇒17,10788... 22,13146. ᴿZA 96 (2006) 297-304 (*Miglus, Peter A.*).

13775	**Roller, Duane** The building program of Herod the Great. 1998 ⇒ 14,9952...17,10789. ᴿThR 72 (2007) 268-270 (*Zwickel, Wolfgang*).

13776	**Rosenberg, Stephen G.** Airaq al-Amir: the architecture of the Tobiads. 2006 ⇒22,13148. ᴿPEQ 139 (2007) 217-219 (*Jacobson, David M.*).

13777	**Rossi, Corinna** Architecture and mathematics in ancient Egypt. 2004 ⇒20,12247... 22,13149. ᴿNEA(BA) 70 (2007) 118-119 (*Musacchio, T.*);

13778	C 2007 <2004>, CUP xxii; 280 pp. 9780521-690539. Bibl. 255-70.

13779	**Sala, Maura** L'architettura sacra della Palestina nell'età del Bronzo Antico I-III: contesto archeologico, analisi architettonica e sviluppo storico. Contributi e materiali di archeologia orientale 13: R 2007, Università...'La Sapienza' xiv; 341 pp. €50. 11209631. 23 pl.

13780	**Sear, Frank** Roman theatres: an architectural study. 2006 ⇒22, 13151. ᴿAntiquity 81 (2007) 1112-1114 (*Dodge, Hazel*).

13781 *Sebag, Deborah* La maison cananéenne au Bronze ancien: construction, utilisation, destruction. Orient Express 1-2 (2007) 39-45.

13782 *Segal, Arthur; Eisenberg, Michael* Sussita-Hippos of the Decapolis: town planning and architecture of a Roman Byzantine city. NEA 70 (2007) 86-107.

13783 **Seguin, Jeffrey** Le migdol du Proche-Orient à l'Égypte. P 2007, Presses de l'Univ. Paris-Sorbonne 161 pp. €22.80.

13784 *Shanks, Hershel* Assyrian palace discovered in Ashdod. BArR 33/1 (2007) 56-60.

13785 *Spence, Kate* Architecture. Egyptian world. 2007 ⇒747. 366-387.

13786 *Spreafico, Gilberta* La formulazione architettonica e spaziale dell'area sacra nell'edilizia templare del Ferro I in Palestina. VO 13 (2007) 59-83.

13787 **Starzmann, Maria T.** Archäologie des Raumes: soziale Praxis und kulturelle Bedeutung am Beispiel der Wohnarchitektur von Fara. Wiener Offene Orientalistik 5: Müns 2007, LIT xxiv; 293 pp. 978-3-7000-0532-2/8258-9742-0. Bibl. 255-287.

13788 *Vriezen, K.J.H.* De kerstgeschiedenis in de vroegste kerken. ITBT 15/8 (2007) 28-31.

13789 *Warburton, David A.* The architecture of Israelite temples. Ahab Agonistes. LHBOTS 421: 2007 ⇒820. 310-328.

13790 *Westgate, Ruth* The Greek house and the ideology of citizenship. World Archaeology 39/2 (2007) 229-245.

13791 **Wightman, G.J.** Sacred spaces: religious architecture in the ancient world. ANES.S 22: Lv 2007, Peeters xxxi; 1156 pp. £125/ $174. 978-90429-18030.

13792 *Dietre, Carla* L'area di Tell Yelkhi: i piccoli oggetti;

13793 *Fiorina, Paolo* Khirbet Hatara: i piccoli oggetti. Mes. 42 (2007) 167-209/211-229.

13794 **Matthews, Victor H.** Manners and customs in the bible: an illustrated guide to daily life in bible times. ³2006 <1988> ⇒22,13161. ᴿJHScr 7 (2007)* = PHScr IV,533-534 (*Power, Bruce*); RBLit (2007)* (*Koller, Aaron*).

T2.1 *Res militaris*—military matters

13795 *Backer, Fabrice de* Some basic tactics of Neo-Assyrian warfare. UF 39 (2007) 69-115;

13796 Notes sur certains sapeurs néo-assyriens. RANT 4 (2007) 45-64.

13797 *Burke, Aaron A.* Magdalūma, migdālîm, magdoloi, and majādīl: the historical geography and archaeology of the magdalu (migdāl). BASOR 346 (2007) 29-57.

13798 *Casevitz, Michel* Sur les armes de David et Goliath, et d'autres. Les armes dans l'antiquité. 2007 ⇒1054. 281-293.

13799 *Heagren, Brett* Logistics of the Egyptian army in Asia. Moving across borders. OLA 159: 2007 ⇒722. 139-156.

13800 **Herold, Anja** Streitwagentechnologie in der Ramses-Stadt: Knäufe: Knöpfe und Scheiben aus Stein. Forschungen in der Ramses-Stadt 3: Mainz 2006, Von Zabern xiv; 407 pp. €128. 978-38053-3-5065.

13801   **Lundh, P.** Actor and event: military activity in ancient Egyptian narrative texts from Thutmosis II to Merenptah. Uppsala Studies in Egyptology 2: 2002 ⇒20,12264; 22,13176. ᴿJEA 93 (2007) 305-308 (*Manassa, Colleen*).

13802   *Morkot, R.G.* War and the economy: the international 'arms trade' in the Late Bronze Age and after. ᶠLLOYD, A. AOAT 347: 2007 ⇒ 98. 169-195.

13803   *Nadali, Davide* Monuments of war, war of monuments: some considerations on commemorating war in the third millenium BC. Or. 76 (2007) 336-367.

13804   *Spalinger, Anthony* The army. Egyptian world. 2007 ⇒747. 118-128.

13805   *Vogel, Carola* Hieb- und stichfest?: Überlegungen zur Typologie des Sichelschwertes im Neuen Reich. ᶠGUNDLACH, R. 2006 ⇒56. 271-286.

T2.2 *Vehicula, nautica*—transport, navigation

13806   **Adams, C.** Land transport in Roman Egypt: a study of economics and administration in a Roman province. Oxf 2007, OUP xiv; 331 pp. £69. 978-01992-03970.

13807   ᴱ**Fansa, Mamoun; Burmeister, Stefan** Rad und Wagen: der Ursprung einer Innovation: Wagen im Vorderen Orient und Europa. BAMN 40: 2004 ⇒20,12269... 22,13183. ᴿAnCl 76 (2007) 447-448 (*Raepsaet, Georges*).

13808   *Cavillier, Giacomo* Tra il Nilo e il Mediterraneo, fra l'Egitto e il Levante: la cantieristica navale del Nuovo Regno tra tradizione e innovazione. Aeg. 87 (2007) 127-141.

T2.4 *Athletica*—sport, games

13809   **Birchler, Anne** Concours sportifs et autres jeux exécutés au cours des fêtes religieuses hittites. ᴰ*Lebrun, René* 2007, Diss. Inst. Catholique de Paris.

13810   *Carter, M.J.* Gladiatorial combat: the rules of engagement. CJud 59/2 (2007) 97-114.

13811   **Decker, Wolfgang** Pharao und Sport. 2006 ⇒22,13193. ᴿJAOS 127 (2007) 220-221 (*Sullivan, Peter*).

13812   ᴱ**Knauß, Florian; Wünsche, Raimund** Lockender Lorbeer: Sport und Spiel in der Antike. 2004 ⇒21,13700. ᴿGn. 79 (2007) 478-479 (*Decker, Wolfgang*); RAr (2007) 350-352 (*Siebert, Gérard*).

13813   **Meijer, Fik** The gladiators: history's most deadly sport. ᵀ*Waters, Liz* NY 2005, St. Martin's xviii; 267 pp.

13814   **Newby, Zahra** Greek athletics in the Roman world: victory and virtue. Oxford studies in ancient culture and presentation: 2005 ⇒ 21,13703; 22,13198. ᴿJRS 97 (2007) 347-48 (*Erskine, Andrew*).

13815   *Yon, Marguerite* Du sport à Chypre. MUSJ 60 (2007) 55-76.

T2.5 *Musica, drama, saltario*—music, drama, dance

13816 *Baumann, Gerlinde* JHWH–ein musikalischer Gott?: ein Potpourri. Musik, Tanz und Gott. SBS 207: 2007 ⇒429. 129-138.

13817 *Berder, Michel* La figure de l'étranger dans le livret de *Nabucco* de VERDI. L'étranger dans la bible. LeDiv 213: 2007 ⇒504. 413-425 [Jer 34,2; 30,23; 50,2; 51,37];

13818 Images et musiques eucharistiques: la Cène, de SCHÜTZ à MESSIAEN;

13819 *Billon, Gérard* Images et musiques eucharistiques: la Cène, de VINCI à BUÑUEL. Les récits fondateurs de l'eucharistie. CEv.S 140 (2007) 140-143/130-140.

13820 *Braun, Joachim* Music and the bible: an archaeological investigation. AnBru 12 (2007) 7-19.

13821 *Broadhurst, Laurence* 'Where my interests and ignorance coincide': early christian music and other musics. ^FWilson, S. 2007 ⇒ 169. 136-148.

13822 **Burgh, Theodore W.** Listening to the artifacts: music culture in ancient Palestine. 2006 ⇒22,13204. ^RRBLit (2007)* (*Porter, Benjamin*).

13823 *Davies, Andrew* Oratorio as exegesis: the use of the book of Isaiah in HANDEL's Messiah. BiblInterp 15 (2007) 464-484.

13824 *Decleire, Vincent* Le Psaume 116 (117) dans la musique baroque et classique. Etudes 151 (2007) 399-401.

13825 *Dorfman, Joseph* Israeli composers and Judaism. AnBru 12 (2007) 41-56.

13826 *Dumbrill, Richard J.* Commentary on the new incised scapula from Tel Kinrot. NEA 70 (2007) 56-58.

13827 *Emerson, Joel; McEntire, Mark* Raising Cain, fleeing Egypt, and fighting Philistines: the Old Testament in popular music. 2006 ⇒ 22,13210. ^RRBLit (2007) 570-573 (*Vette, Joachim*).

13828 *Fariselli, Anna C.* Musica e danza in contesto fenicio e punico. Itineraria [Firenze] 6 (2007) 9-46.

13829 *Flynn, William T. In persona Mariae*: singing the Song of Songs as a passion commentary. Perspectives on the passion. LNTS 381: 2007 ⇒457. 106-121.

13830 *Franz, Ansgar* "Mit immerwährender Begier"?: Hohelied-Rezeption im deutschen Kirchenlied. Das Hohelied. 2007 ⇒836. 163-86.

13831 *Geiger, Michaela* Mirjams Tanz am Schilfmeer als literarischer Schlüssel für das Frauen-Tanz-Motiv–eine kanonische Lektüre. Musik, Tanz und Gott. SBS 207: 2007 ⇒429. 55-75 [Exod 15,20-21; Judg 11,34; 21,19- 23; 1 Sam 18,6-7; Jer 31,4].

13832 *Halbreich, Harry* Le compositeur comme Juif: Ernest BLOCH et Arnold SCHOENBERG. AnBru 12 (2007) 33-40.

13833 *Hartenstein, Friedhelm* "Wach auf, Harfe und Leier, ich will wecken das Morgenrot" (Psalm 57, 9)–Musikinstrumente als Medien des Gotteskontakts im Alten Orient und im Alten Testament. Musik, Tanz und Gott. SBS 207: 2007 ⇒429. 101-127.

13834 *Hornby, Emma* From nativity to resurrection: musical and exegetical resonances in the Good Friday chants *Domine audiui* and *Qui habitat*. Perspectives on the passion. LNTS 381: 2007 ⇒457. 85-105.

13835   *Kruse, Matthias* Al Fana und Anashid: zwei interkulturell orientierte Hohelied-Vertonungen. Das Hohelied. 2007 ⇒836. 271-282.

13836   *Linsenmann, Andreas* "In die Musik versetzet"–Textexplikation in der Johannes-Passion von Heinrich SCHÜTZ als intertextuelle Transferleistung. Intertextualität. Sprache & Kultur: 2007 ⇒447. 110-126.

13837   ᴱ**Mortier-Waldschmidt, Odile** Musique & antiquité: actes du colloque d'Amiens, 25-26 octobre 2004. 2006 ⇒22,13223. ᴿKernos 20 (2007) 453-454 (*Motte, A.*).

13838   **Paz, Sarit** Drums, women, and goddesses: drumming and gender in Iron Age II Israel. OBO 232: FrS 2007, Academic xii; 143 pp. 978-3-7278-1610-9. Bibl. 128-143.

13839   *Petzoldt, Martin* Zu BACHs Hohelied-Verständnis. Das Hohelied. 2007 ⇒836. 199-217.

13840   *Raphael, Rebecca* Madly disobedient: the representation of madness in HANDEL's oratorio "Saul". PRSt 34/1 (2007) 7-21.

13841   *Ravasi, Gianfranco* La parola, la scrittura e la musica. La parola. Sussidi biblici 95: 2007 ⇒293. 13-47.

13842   *Roeland, Johan* Het religieuze sentiment van de Mattheuspassie: enkele gedachten bij de *New generation remix*. Ment. *Bach, J* Str. 74 (2007) 300-306.

13843   *Roten, Hervé* Musiques de la synagoge: histoire et tradition. AnBru 12 (2007) 20-32.

13844   *Schroeter-Wittke, Harald* Zwischen Himmel und Hölle: ein theophoner Sampler durch das Paradies. "Schau an der schönen Gärten Zier ...". Jabboq 7: 2007 ⇒415. 125-145.

13845   **Schuol, Monika** Hethitische Kultmusik: eine Untersuchung der Instrumental- und Vokalmusik anhand hethitischer Ritualtexte und von archäologischen Zeugnissen. 2004 ⇒20,12302... 22,13234. ᴿBiOr 64 (2007) 424-426 (*Polvani, A.M.*).

13846   *Sölken, Peter* Bibel und Neue Musik. JRPäd 23 (2007) 123-132.

13847   **Stapert, Calvin R**. A new song for an old world: musical thought in the early church. Liturgical Studies: GR 2007, Eerdmans xiv; 232 pp. $18/£9.

13848   *Staubli, Thomas* Musikinstrumente der Levante und ihr Gebrauch: Teil III: Harfen, Leiern und Lauten. WUB 43 (2007) 70-73;

13849   Teil IV: Horn, Trompete und Pfeifen. WUB 46 (2007) 64-67.

13850   *Venditti, Rodolfo L'enfance du Christ* di BERLIOZ: fede e religione, musica e poesia in una composizione centrata su Gesù, rifugiato politico. ATT 13 (2007) 498-519.

13851   *Waner, Mira* Music culture in Roman-Byzantine Sepphoris. Religion, ethnicity. WUNT 210: 2007 ⇒648. 425-447.

13852   *Watson, J.R.* Emblem and irony: passion narrative in post-Reformation hymnody. Perspectives on the passion. LNTS 381: 2007 ⇒ 457. 122-138.

13853   **Ziegler, Nele** Florilegium marianum IX: les musiciens et la musique d'après les archives de Mari. Mémoires de N.A.B.U. 10: Antony 2007, SEPOA viii; 343 pp. $75. 0959-5671. Bibl. vii-viii.

T2.6 *Vestis*, **clothing**

13854   **Bender, Claudia** Die Sprache des Textilen: Untersuchung zu Kleidung und Textilien im Alten Testament. ᴰ*Timm, Stefan* 2007, Diss. Hamburg [ThLZ 132,1266].

13855 **Cleland, L.; Davies, G.; Llewellyn-Jones, L.** Greek and Roman dress from A to Z. L 2007, Routledge xiv; 225 pp. £60. 978-04152-26615. Ill.

13856 *Gherchanoc, Florence; Huet, Valérie* S'habiller et se déshabiller en Grèce et à Rome (I): pratiques politiques et culturelles du vêtement: essai historiographique. RH 309/1 (2007) 3-30.

13857 *Good, Irene* Cloth in the Babylonian world. Babylonian world. 2007 ⇒716. 141-154.

13858 *Pompei, Amarillis* Osservazioni su un copricapo regale. Aeg. 87 (2007) 73-98.

13859 **Rummel, P. von** *Habitus barbarus*: Kleidung und Repräsentation spätantiker Eliten im 4. und 5. Jahrhundert. RGA.E 55: B 2007, De Gruyter xi; 481.

13860 *Schüngel-Straumann, Helen* Die Schrift: Kleider in der Bibel (1): was Männer und Frauen anziehen. Christ in der Gegenwart 59/11 (2007) 87;

13861 (2): Sinn und Zweck. Christ in der Gegenwart 59/12 (2007) 95;

13862 (3): Alltagskleidung, "gut gegürtet". Christ in der Gegenwart 59/13 (2007) 103;

13863 (4): von Kopf bis Fuß. Christ in der Gegenwart 59/14 (2007) 111;

13864 (5): Nacktheit und Scham. Christ in der Gegenwart 59/15 (2007) 119;

13865 (6): Nacktheit und Ehre. Christ in der Gegenwart 59/16 (2007) 127;

13866 (7): männliche und weibliche Nacktheit. Christ in der Gegenwart 59/17 (2007) 135;

13867 (8): je nach Lebensalter. Christ in der Gegenwart 59/18 (2007) 143;

13868 (9): in Sack und Asche gehen. Christ in der Gegenwart 59/19 (2007) 151;

13869 (Schluß): Salomo in seiner Pracht. Christ in der Gegenwart 59/39 (2007) 319.

13870 **Skinner, Margarita** Palestinian embroidery motifs: a treasury of stitches 1850-1950. L 2007, Melisande 210 pp. £15. 978-19017-64478.

13871 *Vita, Juan-P.* Les documents des archives est du palais royal sur les textiles: une contribution à la connaissance de la procédure administrative à Ougarit. Le royaume d'Ougarit. 2007 ⇒1004. 243-265.

13872 **Zawadzki, Stefan** Garments of the gods: studies on the textile industry and the pantheon of Sippar according to the texts from the Ebabbar archive. OBO 218: 2006 ⇒22,13250. [R]Mes. 42 (2007) 289-291 (*Seminara, Stefano*).

13873 *Zingale, Livia M.* Riflessioni in tema di apprendistato femminile e arte della tessitura: in margine a P.Oxy. LXVII 4596. Aeg. 87 (2007) 199-208.

T2.7 *Ornamenta*, **jewellery**, *mirrors*

13874 *Brody, Aaron J.; Friedman, Elizabeth* Bronze bangles from Tell en-Nasbeh: cultural and economic observations on an artifact type from the time of the prophets. [F]CHANEY, M. 2007 ⇒25. 97-114.

13875 *Caubet, Annie* 'Une demeure d'argent et d'or, un palais de pur lapis-lazuli'. [F]WYATT, N. AOAT 299: 2007 ⇒174. 39-43.

13876 *Fischer, Moshe; Saar, Ortal-Paz* A magical mirror plaque from Yavneh-Yam. IEJ 57 (2007) 83-86.
13877 *Gansell, Amy R.* Identity and adornment in the third-millennium BC Mesopotamian 'royal cemetery' at Ur. CamArchJ 17/1 (2007) 29-46;
13878 From Mesopotamia to modern Syria: ethnoarchaeological perspectives on female adornment during rites of passage. [F]WINTER, I. CHANE 26: 2007 ⇒171. 449-483.
13879 *Kobayashi, Katsuji* An obsidian refitting from Sos Höyük, eastern Turkey. ANESt 44 (2007) 141-154.
13880 *Sass, Benjamin* Jewellery in the kingdoms of Israel and Judah and among their neighbours. REJ 166 (2007) 259-263.

T2.8 Utensilia

13881 **Bevan, Andrew** Stone vessels and values in the Bronze Age Mediterranean. C 2007, CUP ix; 301 pp. $76. 978-05218-80800.
13882 *Graff, Gwendola* A propos d'une brasseuse de bière prédynastique: évolution iconographique et attestations archéologiques. JSSEA Supplement 34 (2007) 96-106.
13883 **Grutz, Robert** Late Bronze and Iron Age chalices in Canaan and ancient Israel. BAR International Ser. 1671: Oxf 2007, Archaeopress vi; 240 pp. £36. 978-14073-01068. Ill.
13884 *Kopp, Peter* Prä- und frühdynastische Steingefäße–Chronologie und soziale Divergenz. MDAI.K 63 (2007) 193-210.
13885 **Kristakis, Konstandinos S.** Cretan Bronze Age pithoi: tradition and trends in the production and consumption of storage containers in Bronze Age Crete. Prehistory Monographs 18: 2005 ⇒21, 13741. [R]AJA 111 (2007) 375-376 (*Pavúk, Peter*).
13886 *Maeir, Aren M.* The bone beverage strainers. Middle Bronze Age IIA cemetery. AASOR 62: 2007 ⇒14280. 119-123.
13887 *Reynolds, Paul; Waksman, Yona* Beirut cooking wares, 2nd to 7th centuries: local forms and North Palestinian imports. Ber. 50 (2007) 59-81.
13888 **Sparks, R.T.** Stone vessels in the Levant. APEF 8: Leeds 2007, Maney xviii; 488 pp. £96/$198. 978-19043-50972.
13889 *Ziffer, Irit* A note on the Nahal Mishmar 'crowns'. [F]WINTER, I. CHANE 26: 2007 ⇒171. 47-67.

T2.9 *Pondera et mensurae*—weights and measures

13890 *Bordreuil, Etienne* Numération et unités pondérales dans les textes administratifs et économiques en ougaritique et dans les tablettes métrologiques en cunéiforme suméro-akkadien. Le royaume d'Ougarit. 2007 ⇒1004. 381-421.
13891 *Gaspa, Salvatore* Vessels in Neo-Assyrian documents: capacity measures and listing conventions. SAA Bulletin 16 (2007) 145-84.
13892 *Hadad, Shulamit* Weights from the early Roman period at Ramat Hanadiv. IEJ 57 (2007) 208-210.
13893 *Kushnir-Stein, Alla* Palestinian lead weight mentioning the Emperor HADRIAN. ZPE 159 (2007) 291-292.

13894 *Kushni-Stein, A.* Two lead weights from the colony of Caesarea Maritima. Israel Numismatic Research 2 (2007) 137-141.
13895 **Michailidou, A.** Weight and value in pre-coinage societies: an introduction. Melethmata 42: 2005 ⇒21,13748. ^RREA 109 (2007) 809 (*Graslin-Thomé, Laetitia*).

T3.0 **Ars antiqua**, *motiva, picturae* [icones T3.1 infra]

13896 **Albenda, Pauline** Ornamental wall painting in the art of the Assyrian Empire. Cuneiform Monographs 28: 2005 ⇒21,13754. ^RJAOS 127 (2007) 378-380 (*Winter, Irene J.*).
13897 *Aloise, Agnese* Categorie temporali e figurazioni dell'Antico Regno: alcune osservazioni. Aeg. 87 (2007) 13-32.
13898 *Bäbler, Balbina; Nesselrath, Heinz-G.* Der Stoff, aus dem die Götter sind–zum Material griechisch-römischer Götterbilder und seiner ideellen Bedeutung. Welt der Götterbilder. 2007 ⇒823. 145-168.
13899 *Berlejung, Angelika* Die Reduktion von Komplexität: das theologische Profil einer Gottheit und seine Umsetzung in der Ikonographie am Beispiel des Gottes Aššur im Assyrien des 1. Jt. v. Chr. Welt der Götterbilder. BZAW 376: 2007 ⇒823. 9-56.
13900 *Bickel, Susanne* Der leere Thron Echnatons: zur Ikonographie der Amarnazeit. ^FKEEL, O. OBO Sonderband: 2007 ⇒83. 189-214.
13901 *Bietak, Manfred* Bronze Age paintings in the Levant: chronological and cultural considerations. Synchronisation III. DÖAW 37: 2007 ⇒988. 269-300.
13902 **Bietak, Manfred; Marinatos, Nanno; Palivou, Clairy** Taureador scenes in Tell El-Dab'a (Avaris) and Knossos. W 2007, Österr. Akad. der Wissenschaften 173 pp. €75.80. 978-37001-37801. Collab. *Ann Brysbaert*; Num. ill.
13903 ^E**Bodiou, L.; Frère, D.; Mehl, V.** L'expression des corps: gestes, attitudes, regards dans l'iconographie antique. 2006 ⇒22,13278. ^RREG 120 (2007) 808-810 (*Cairon, Elodie*).
13904 *Bombardieri, Luca* La macinazione nella raffigurazione iconografica a Cipro tra II e I millennio a.C.: sviluppo della rappresentazione e confronti con il Vicino Oriente e l'area egea. Mes. 42 (2007) 253-268.
13905 **Braun-Holzinger, Eva A.** Das Herrscherbild in Mesopotamien und Elam: spätes 4. bis frühes 2. Jt. v. Chr. AOAT 342: Müns 2007, Ugarit-Verlag vi; 218 pp. 978-3-934628-98-4. 77 pp of ill.; Bibl. 201-206.
13906 *Brenk, Frederick E.* "Great royal spouse who protects her brother Osiris": Isis in the Isaeum at Pompeii. With unperfumed voice. 2007 ⇒200. 346-370.
13907 *Busch, Angela* Zur Ikonographie phönikischer Elfenbeine–ein Forschungsprojekt. Proceedings Ninth Congress, 1. OLA 150: 2007 ⇒ 992. 251-261.
13908 *Cheng, Jack* Self-portraits of objects. ^FWINTER, I. CHANE 26: 2007 ⇒171. 437-448.
13909 *Collon, Dominique* The Queen under attack—a rejoinder. Iraq 69 (2007) 43-51 [Queen of the Night].
13910 **Cooney, Kathlyn M.** The cost of death: the social and economic value of ancient Egyptian funerary art in the Ramesside period.

Egyptologische uitgaven 22: Lei 2007, Nederlandsch Instituut voor Het Nabije Oosten xv; 509 pp. 978-90625-82228. CD-ROM.
13911   **Croisille, Jean-M.** La peinture romaine. Manuels d'art et d'archéologie antique: 2005 ⇒21,13765. ᴿRAr (2007) 394-396 (*Allag, Claudine*).
13912   Dazzling frescoes restored. BArR 33/4 (2007) 13.
13913   *Dégardin, Jean-Claude* Khonsou et les manifestations osiriennes à Karnak. Proceedings Ninth Congress, 1. OLA 150: 2007 ⇒992. 399-404.
13914   *El-Khadragy, Mahmoud* Some significant features in the decoration of the chapel of Iti-ibi-iqer at Asyut. SAÄK 36 (2007) 105-135.
13915   *Feruglio, Valérie; Kechoyan, Anna* L'art rupestre d'Arménie. DosArch 321 (2007) 46-49.
13916   **Fiechter, J.J.** Faux et faussaires en art égyptien. 2005 ⇒21,13773. ᴿBiOr 64 (2007) 632-636 (*Raven, Maarten J.*).
13917   *Fontaine, Carole R.* 'Be men, O Philistines!' (1 Samuel 4:9): iconographic representations and reflections on female gender as disability in the ancient world. This abled body. Semeia Studies 55: 2007 ⇒356. 61-72.
13918   **Gachet-Bizollon, Jacqueline** Les ivoires d'Ougarit e l'art des ivoiriers du Levant au Bronze Récent. Ras Shamra-Ougarit 16: P 2007, Recherche sur les Civilisations 477 pp. €68. 978-28653-83122. 122 pl. ᴿRA 101 (2007) 188-189 (*Amiet, Pierre*).
13919   *Galán, José M.* An apprentice's board from Dra Abu el-Naga. JEA 93 (2007) 95-116.
13920   ᴱ**Giuliani, Luca** Meisterwerke der antiken Kunst. 2005 ⇒21, 13777. ᴿAnCl 76 (2007) 592-593 (*Prost, Francis*); RAr (2007/1) 144-145 (*Muller, Marion*).
13921   **Hodske, Jürgen** Mythologische Bildthemen in den Häusern Pompejis: die Bedeutung der zentralen Mythenbilder für die Bewohner Pompejis. 213 ill.; 204 pl.; CD-ROM Stendaler Winckelmann-Forschungen 6: Ruhpolding 2007, Rutzen 328 pp.
13922   **Jacobson, David M.** The Hellenistic paintings of Marisa. Leeds 2007, Maney xxx; 196 pp. £60. 37 fig.; 54 pl.; also fascimile reprint of *Painted tombs in the necropolis of Marissa (Marêshah)* by *Peters, John P.*; *Thiersch, Hermann* [1905].
13923   **Keel, Othmar** Goddesses and trees, new moon and Yahweh: ancient Near Eastern art and the Hebrew bible. JSOT.S 261: 1998 ⇒ 14,10217; 17,10885. ᴿHeyJ 48 (2007) 790-791 (*Jeffers, Ann*);
13924   La iconografía del Antiguo Oriente y el Antiguo Testamento. ᵀ*Piquer Otero, Andrés* Biblioteca de Ciencias Bíblicas y Orientales 9: M 2007, Trotta 422 pp. 978-84816-47853. 500 ill.
13925   *Koemoth, Pierre P.* L'Atoum-serpent magicien de la stèle Metternich. SAÄK 36 (2007) 137-146.
13926   **Le Quellec, Jean-L.; Flers, Philippe & Pauline de** Du Sahara au Nil: peintures et gravures d'avant les pharaons. 2005 ⇒21,13786. ᴿMSR 64/4 (2007) 68-69 (*Cannuyer, Christian*).
13927   *Merzeban, Rania* Tired workers in Old Kingdom daily life scenes?. MDAI.K 63 (2007) 225-246; Pl. 27-32.
13928   *Meyer, Marion* Wunschbilder: zu bildlichen Darstellungen abstrakter Personifikationen des guten Lebens. Die Welt der Götterbilder. BZAW 376: 2007 ⇒823. 183-205.

13929 *Mode, Markus* König David am Kleinen Ob?: Anmerkungen zu einer Silberschale in sogdischer Tradition. [F]TUBACH, J. Studies in oriental religions 56: 2007 ⇒154. 143-168.

13930 **Moorey, Peter R.S.** Idols of the people: miniature images of clay in the ancient Near East. 2003 ⇒19,12986... 22,13308. [R]NEA(BA) 70 (2007) 116-118 (*Nakhai, Beth A.*).

13931 *Nenninger, Marcus* Der Tod zur See als Motiv auf griechischen Grabstelen. Lebendige Hoffnung. ABIG 24: 2007 ⇒845. 379-412.

13932 **Nunn, Astrid** Der figürliche Motivschatz Phöniziens, Syriens und Transjordaniens vom 6. bis zum 4. Jahrhundert v. Chr. OBO.A 18: 2000 ⇒16,11186... 20,12366. [R]ThR 72 (2007) 288-289 (*Zwickel, Wolfgang*).

13933 *Nunn, Astrid* Der Parallelismus membrorum in den altorientalischen Bildern. Parallelismus membrorum. OBO 224: 2007 ⇒541. 185-237.

13934 [E]**Ockinga, B.G.; Sowada, K.N.** Egyptian art in the Nicholson Museum, Sydney. 2006 ⇒22,13310. [R]BiOr 64 (2007) 625-627 (*Meulenaere, H.J.A. de*).

13935 *Robins, Gay* Art. Egyptian world. 2007 ⇒747. 355-365.

13936 *Roller, Lynn E.* Towards the formation of a Phrygian iconography in the Iron Age. Anatolian Iron Ages 6. ANESt.S 20: 2007 ⇒1026. 207-223.

13937 *Sass, Benjamin* From Maraš and Zincirli to es-Sawda: the Syro-Hittite roots of the South Arabian table scene. [F]KEEL, O. OBO Sonderband: 2007 ⇒83. 293-320.

13938 **Schmandt-Besserat, Denise** When writing met art: from symbol to story. Austin 2007, University of Texas Pr. 134 pp. 978-0-292-71334-5. Bibl. 117-127.

13939 **Schroer, Silvia; Keel, Othmar** Die Ikonographie Palästinas, Israels und der Alte Orient: eine Religionsgeschichte in Bildern, 1: vom ausgehenden Mesolithikum bis zur Frühbronzezeit. 2005 ⇒21, 13799; 22,13319. [R]BZ 51 (2007) 127-129 (*Zwickel, Wolfgang*); Bijdr. 67 (2006) 90-91 (*Beentjes, P.C.*); OLZ 102 (2007) 57-61 (*Thiel, Winfried*).

13940 *Seidl, Ursula* A goddess from Karkemiš at Olympia?. Anatolian Iron Ages 6. ANESt.S 20: 2007 ⇒1026. 225-243.

13941 **Shalomi-Hen, Racheli** The earliest pictorial representation of Osiris. Proceedings Ninth Congress, 2. OLA 150: 2007 ⇒992. 1695-1704.

13942 **Siebler, Michael** Art romain. P 2007, Taschen 95 pp. €8.10. 978-38228-54532. Photos.

13943 *Simon, Erika* Frühe Apollonbilder und das Problem früher Zeusbilder. Welt der Götterbilder. BZAW 376: 2007 ⇒823. 169-182.

13944 *Slanski, Kathryn E.* The Mesopotamian 'rod and ring': icon of righteous kingship and balance of power between palace and temple. Regime change. PBA 136: 2007 ⇒993. 37-59.

13945 [E]**Suter, Claudia E.; Uehlinger, Christoph** Crafts and images in contact: studies on eastern Mediterranean art of the first millennium BCE. OBO 210: 2005 ⇒21,693; 22,668. [R]Or. 76 (2007) 436-440 (*Di Ludovico, Alessandro*); JAOS 127 (2007) 552-554 (*Thomason, Allison K.*).

13946 **Tanner, Jeremy** The invention of art history in ancient Greece: religion, society and artistic rationalisation. 2006 ⇒22,13323. [R]CamArchJ 17 (2007) 355-356 (*Hughes, Jessica*).

13947 *Taylor, J.H.* The earliest Egyptian hippocampus. [F]LLOYD, A. AOAT 347: 2007 ⇒98. 405-416.
13948 *Tefnin, Roland* La peinture égyptienne ancienne: fragile trésor.... Egypte Afrique & Orient 45 (2007) 65-71.
13949 *Thijs, Ad* The scenes of the High Priest Pinuzem in the temple of Khonsu. ZÄS 134 (2007) 50-63.
13950 **Tiradritti, Francesco** Ägyptische Wandmalerei. Mü 2007, Hirmer 391 pp. €128. 978-37774-37057. 350 ill.
13951 *Topper, Kathryn* Perseus, the maiden Medusa, and the imagery of abduction. Hesp. 76 (2007) 73-105.
13952 *Uehlinger, Christoph* Neither eyewitnesses, nor windows to the past, but valuable testimony in its own right: remarks on iconography, source criticism and ancient data-processing. Understanding the history. PBA 143: 2007 ⇒545. 173-228.
13953 *Van Voss, M. Heerma* Von unten nach oben lesen. JEOL 40 (2006-2007) 41-42.
13954 *Vittozzi, Giuseppina C.* Rivisitando la tomba di Petosiri: note su alcuni aspetti iconografici. VO 13 (2007) 101-113.
13955 *Wiggermann, Frans A.M.* Some demons of time and their functions in Mesopotamian iconography. Die Welt der Götterbilder. BZAW 376: 2007 ⇒823. 102-116.

T3.1 *Icones*—ars postbiblica

13956 *Achermann, Walter* Der wunde Punkt: Emil Nolde: Der ungläubige Thomas (1912), Nolde-Stiftung, Seebüll. BiHe 43/171 (2007) 24-25 [John 20,24-29].
13957 *Al-Rawi-Kövari, Melinda* Die Verkündigungsszene in der frühbyzantinischen Kunst unter besonderer Berücksichtigung der koptischen Kunst, Teil I. JCoptS 9 (2007) 111-159 [Lk 1,26-38].
13958 **Angeli, Alessandro** La devozione al santo volto di Cristo nell'iconografia delle immagini sacre. Il Volto di Cristo 7: R 2007, Velar 144 pp.
13959 *Arriba Cantero, Sandra de* Presencia iconográfica de san José en la provincia de Palencia. EstJos 61 (2007) 31-47.
13960 *Baert, Barbara* The healing of the blind man at Siloam, Jerusalem: a contribution to the relationship between holy places and the visual arts in the Middle Ages. ACr 95 (2007) 49-60, 121-30 [Jn 9,1-14].
13961 [E]**Bagatti, Bellarmino** Elzear HORN: Iconographiae monumentorum Terrae Sanctae (1724-1744). [T]*Hoade, Eugene* 2004 <1962> ⇒20, 12382. [R]CDios 220 (2007) 827 (*Gutiérrez, J.*).
13962 *Baker, Kelly J.* Painting the gospel: Henry Ossawa TANNER's *The Annunciation* and *Nicodemus*. Between the text and the canvas. 2007 ⇒685. 188-210 [Lk 1,26-31; John 3,1-3].
13963 **Band, Debra** I will wake the dawn: illuminated psalms. Ph 2007, Jewish Publication Society of America xvii; 222 pp. 978-0-8276-0839-9. Bibl. 221-222; Literary comm. *Arnold J. Band.*
13964 **Barber, Charles** Figure and likeness: on the limits of representation of Byzantine iconoclasm. 2002 ⇒18,11919. [R]Prudentia 39/1 (2007) 27-29 (*Harley, Felicity*).
13965 *Bauer, Dieter* Er muss wachsen, ich aber muss kleiner werden: das Täuferbild vom Isenheimer Altar. BiHe 43/169 (2007) 4-5 [John 3,30].

13966   *Baumgarth, Ines* Das Wesentliche im Unscheinbaren: der heilige
        Josef in spätmittelalterlichen Weihnachtsbildern. WUB 46 (2007)
        44-49.
13967   *Bickerman, Elias J.* On the theology of figurative art: a recent study
        by E.R. Goodenough. Studies in Jewish and Christian history.
        AGJU 68/1-2: 2007 ⇒190. 917-946 [Review of Erwin R. Good-
        enough, Jewish symbols in the Greco-Roman period, 12: summary
        and conclusions (NY: Pantheon 1965)];
13968   Symbolism in the Dura synagogue. Studies in Jewish and Christian
        history. 2007 ⇒190. 894-916 [Review of Erwin R. Goodenough,
        Jewish symbols in the Greco-Roman period, 9-11: symbolism in the
        Dura synagogue (NY: Pantheon 1964) ⇒45,3503a.
13969   ᴱ**Bisonti, Fabrizio; Gentili, Giovanni** La rivoluzione dell'imagine,
        arte paleocristiana tra Roma e Bisanzio. CinB 2007, Silvana 296
        pp. 195 ill.
13970   *Bucher, Christina* The Song of Songs and the enclosed garden in
        fifteenth-century paintings and engravings of the Virgin Mary and
        the Christ-child. Between text and canvas. 2007 ⇒685. 95-116.
13971   **Bunge, Gabriel** The Rublev Trinity. ᵀ*Louth, Andrew* Crestwood,
        NY 2007, St Vladimir's Seminary 120 pp. $27.
13972   **Büchsel, Martin** Die Entstehung des Christusporträts: Bildarchäo-
        logie statt Bildhypnose. 2003 ⇒19,13023; 22,13346. ᴿSpec. 82
        (2007) 169-170 (*Barber, Charles*);
13973   Mainz ³2007, Von Zabern 196 pp. €65. 978-38053-32637.
13974   *Contessa, Andreina* La rappresentazione dell'arca dell'alleanza nei
        manoscritti ebraici e cristiani della Spagna medievale. materia giu-
        daica 12 (2007) 153-160.
13975   **Cormack, Robin** Icons. CM 2007, Harvard Univ. Pr. 144 pp. $23.
13976   **Dagron, Gilbert** Décrire et peindre: essai sur le portrait iconique.
        P 2007, Gallimard 294 pp. €29.
13977   **Didi-Huberman, Georges** L'image ouverte: motifs de l'incarna-
        tion dans les arts visuels. P 2007, Gallimard 408 pp.
13978   *Dooley, Ann* 'Re-drawing the bounds: marginal illustrations and
        interpretative strategies in the Book of Kells. Signs on the edge.
        2007 ⇒709. 9-24.
13979   Die drei Könige in der Kunst. WUB 46 (2007) 27 [Mt 2,1-12].
13980   *Dünzl, Franz* Bilderstreit im ersten Jahrtausend. BilderStreit. 2007
        ⇒578. 47-76.
13981   *Eichler, Ulrike* Christus im Zwielicht: zu Michelangelo CARAVAG-
        GIOs Bild David und Goliath. WuD 29 (2007) 299-302.
13982   *Engemann, Josef* Aktuelle Fragen zu Methoden der Bildinterpreta-
        tion. JAC 50 (2007) 199-215.
13983   **Esteller, Eduard C.** L'arte paleocristiana. Mi 2007, Jaca 71 pp. 98
        ill.
13984   *Exum, Jo Cheryl* The accusing look: the abjection of Hagar in art.
        Religion and the arts 11/2 (2007) 143-171 [Gen 16];
13985   Shared glory: Salomon DE BRAY's *Jael, Deborah and Barak*.
        Between the text and the canvas. 2007 ⇒685. 11-37.
13986   *Fendrich, Herbert* PICASSOs Friedenstaube?. BiHe 43/170 (2007)
        22-23 [Gen 8,11];
13987   Anleitung zur Betrachtung: die "Verspottung Jesu" von Fra
        ANGELICO im Kloster San Marco in Florenz. BiHe 43/172 (2007)
        24-25 [Mt 26,67-68].

13988   *Filippini, Roberto* L'eucaristia dall'antico al nuovo patto: il reper-
torio biblico della Cappella del Corporale. VivH 18 (2007) 229-44.
13989   *Fleurier, David D.* Le mystère de la décoration animalière dans un
manuscrit des Epîtres catholiques. Actes du huitième congrès. OLA
163: 2007 ⇒989. 187-198.
13990   **Folda, Jaroslav** Crusader art in the Holy Land, from the Third
Crusade to the fall of Acre, 1187-1291. 2005 ⇒21,13835. [R]Kunst
Chronik 60 (2007) 236-241 (*Kühnel, Bianca*); PEQ 139 (2007)
225-228 (*Hunt, Lucy-Anne*).
13991   *Gamer, Elisabeth-C.* Überlegungen zur Interikonizität: Malewitsch,
Duchamp, Warhol und die Mona Lisa. Intertextualität. Sprache &
Kultur: 2007 ⇒447. 127-148.
13992   *Garhammer, Erich* Entbanalisierung des Vertrauten: Bilder in Kir-
chenräumen. BilderStreit. 2007 ⇒578. 201-221.
13993   **Goll, Jürg; Exner, Matthias; Hirsch, Susanne** Müstair: die mit-
telalterlichen Wandbildern in der Klosterkirche. Mü 2007, Hirmer
296 pp. Num. ill.
13994   *Gorringe, Thomas* The transforming power of the cross. Perspec-
tives on the passion. LNTS 381: 2007 ⇒457. 42-52.
13995   *Gounaris, G.* Die Wandmalereien aus dem Grab Nr. 18 der theolo-
gischen Fakultät der Aristoteles-Universität Thessaloniki. Früh-
christliches Thessaloniki. STAC 44: 2007 <1990> ⇒388. 79-89.
13996   Das Graduiertenkolleg "Die Bibel–ihre Entstehung und ihre Wir-
kung": Kunst im Kontext: "Isaaks Opferung" in der jüdischen,
christlichen und islamischen Kunst. Opfere deinen Sohn!. 2007 ⇒
442. 257-312 [Gen 22].
13997   *Hallermann, Heribert* Kitsch oder Kunst?: Bilder, Bilderstreit und
Bilderverehrung im Kirchenrecht. BilderStreit. 2007 ⇒578. 169-
185.
13998   *Hart, Trevor* 'Goodly sights' and 'unseemly representations': tran-
scendence and the problems of visual piety. Idolatry. 2007 ⇒763.
198-212.
13999   *Haudebert, Pierre; Reynier, Chantal* Des images pour la bible.
EeV 117/167 (2007) 1-4.
14000   *Hellemans, Babette* Tangible words: some reflections on the notion
of presence in Gothic art. Iconoclasm. 2007 ⇒633. 235-246.
14001   *Hirner, Roswitha* Eine Passionsgeschichte im Alten Testament: der
Makkabäerschrein in St. Andreas zu Köln. WUB 43 (2007) 37-40.
14002   *Hofmann, Friedhelm* Recht auf Kultur–Pflicht zur Kultur: kirchli-
ches Kultur-Engagement zwischen Martyria, Leiturgia und Diako-
nia. BilderStreit. 2007 ⇒578. 11-19.
14003   *Hornik, Heidi J.* The *Baptism of Christ and temptations* by Michele
TOSINI: a Lukan reading. Interp. 61 (2007) 376-85 [Lk 3,21; 4,1-9];
14004   The bible and the sixteenth-century painter: *Nativity, Way to Cal-
vary* and *Crucifixion* as visual narratives by Michele TOSINI.
Between the text and the canvas. 2007 ⇒685. 164-187.
14005   **Hornik, Heidi J.:; Parsons, Mikeal C.** Illuminating Luke: the pub-
lic ministry of Christ in Italian Renaissance and baroque painting.
2005 ⇒21,13849; 22,13378. [R]BTB 37 (2007) 80-81 (*Gowler,
David B.*).
14006   **Huizing, Klaas** Handfestes Christentum: eine kleine Kunstge-
schichte christlicher Gesten. Gü 2007, Gü 144 pp. 978-3579-0801-
3-0.

14007 *Hunt,Lucy-Anne* Illustrating the gospels in Arabic: Byzantine and Arab Christian miniatures in two manuscripts of the early Mamlūk period in Cambridge. The bible in Arab christianity. 2007 ⇒882. 315-349.

[E]**Illert, M.** Doctrina Addai 2007 ⇒11028.

14008 *Jensen, Robin M.* The passion in early christian art. Perspectives on the passion. LNTS 381: 2007 ⇒457. 53-84.

14009 **Jensen, Robin M.** Face to face: portraits of the divine in early christianity. 2005 ⇒21,13850. [R]ChH 76 (2007) 401-403 (*Davis, Thomas J.*).

14010 *Joynes, Christine E.* Visualizing Salome's dance of death: the contribution of art to biblical exegesis. Between the text and the canvas. 2007 ⇒685. 145-163 [Mk 6,17-29].

14011 *Karkov, Catherine E.* Margins and marginalization: representations of Eve in Oxford, Bodleian Library, MS Junius 11. Signs on the edge. 2007 ⇒709. 57-84.

14012 *Katsanis, Bobbi D.* Meeting in the garden: intertextuality with the Song of Songs in HOLBEIN's *Noli me tangere*. Interp. 61 (2007) 402-416 [John 20,17].

14013 **Köninger, Ilsetraud; Moos, Beatrix** Auf den zweiten Blick: CHAGALL und die Bibel. Stu 2007, Kath. Bibelwerk 155 pp. €16.90. 97-8-34602-72286. 70 ill.

14014 *Kraus, Jeremia* Worauf gründet unser Glaube?: Jesus von Nazaret im Spiegel des Hitda-Evangeliars. FThSt 168: 2005 ⇒21,13857. [R]GuL 80 (2007) 477-478 (*Hartmann, Stephanie*).

14015 *Lara, Jaime* Christian cannibalism and human(e) sacrifice: the passion in the conversion of the Aztecs. Perspectives on the passion. LNTS 381: 2007 ⇒457. 139-165.

14016 *Lowden, John* The sacrifice of Isaac in the Bibles Moralisées. Opfere deinen Sohn!. 2007 ⇒442. 197-241 [Gen 22].

14017 *Luz, Ulrich* 'Effective history' and art: a hermeneutical study with examples from the passion narrative. Perspectives on the passion. LNTS 381: 2007 ⇒457. 7-29.

14018 **Mahnke, Hermann** Christus für uns: die Bilder im Evangeliar Heinrich des Löwen ausgelegt für Menschen unserer Zeit. B 2006, Weißensee 152 pp. €29.50. 38999-80778. 14 pl.

14019 *Marino, Eugenio* Arte e fede: come si 'forma' e 'interpreta' l'opera d'arte ispirata dal vangelo e dalla tradizione ecclesiale. RAMi 2 (2007) 401-412 [Lk 23,34].

14020 *Marki, Euterpi* Die frühchristliche Grabmalerei in Thessaloniki. Frühchristliches Thessaloniki. 2007 <1990> ⇒388. 55-63;

14021 Frühchristliche Darstellungen und Motive, die die weltliche Malerei nachahmen, in einem Doppelgrab der Westnekropole von Thessaloniki. Frühchristliches Thessaloniki. STAC 44: 2007 <1996-97> ⇒388. 65-78.

14022 **Mastacchi, Roberto** Il credo nell'arte cristiana italiana. Siena 2007, Cantagalli 206 pp. 100 ill.

14023 *Mavropoulou-Tsioumi, Chrysanthi* Susanna in einem frühchristlichen Grab von Thessaloniki. Frühchristliches Thessaloniki. STAC 44: 2007 <1983> ⇒388. 91-101 [Dan 13].

Mennekes, F. Apocalypsis: Dürervariationen 2007 ⇒7531.

14024 *Morrison, Elizabeth* Iconographic originality in the oeuvre of the Master of the David Scenes. Flemish manuscript painting. 2007 ⇒1046. 149-162.

14025 *Moussa, Helene* Biblical scenes in Coptic 'folkloric' style by Marguerite Nakhla (1908-1977). Actes du huitième congrès. OLA 163: 2007 ⇒989. 287-300.

14026 *Münch, Birgit U.* Saepe et sedulo recogitata passio: narrative Texte zur Passion und ihre Wirkung auf die Bildkünste am Beispiel der *Vita Christi* LUDOLPHs von Sachsen (um 1348). What is 'theology' in...Middle Ages?. 2007 ⇒903. 591-614 [Scr. 62,83*–G. Hendrix].

14027 **Nes, Solrunn** The uncreated light: an iconographic study of the Transfiguration in the eastern church. ^T*Moi, Arlyne* GR 2007, Eerdmans xx; 187 pp. $25. 978-08028-17648. [Mk 9,1-10].

14028 *Noga-Banai, Galit* Das Kreuz auf dem Ölberg: mögliche frühe Bildbezeugungen. RQ 102 (2007) 141-154.

14029 *Norris, Sally E.* The imaginative effects of Ezekiel's *merkavah* vision: CHAGALL and Ezekiel in creative discourse. Between the text and the canvas. 2007 ⇒685. 80-94 [Ezek 1].

14030 *Nutu, Ela* Framing Judith: whose text, whose gaze, whose language?. Between text and canvas. 2007 ⇒685. 117-144 [Jdt 13].

14031 *O'Kane, Martin* The biblical Elijah and his visual afterlives. Between text and canvas. 2007 ⇒685. 60-79 [1 Kgs 17-2 Kgs 2];

14032 'The bosom of Abraham' (Luke 16:22): Father Abraham in the visual imagination. BiblInterp 15 (2007) 485-518 [Gen 22; Lk 16,22; Rev 12].

14033 **O'Kane, Martin** Painting the text: the artist as biblical interpreter. The Bible in the modern world 8: Shf 2007, Sheffield Phoenix xiv; 234 pp. $70. 978-1-905048-36-6. Bibl. 215-224.

14034 *Oates, Amy* The *Raising of Lazarus*: CARAVAGGIO and John 11. Interp. 61 (2007) 386-401.

14035 ^E**Pace, Valentine** Le jugement dernier entre Orient et Occident. P 2007, Cerf 252 pp. €74. 978-22040-82600. Texte de *Angheben, Marcello*; 200 pl. [Mt 25,31-46].

14036 **Pfeiffer, Heinrich** La Chapelle Sixtine révélée. P 2007, Hazan 352 pp. €59;

14037 La Sistina svelata: iconografia di un capolavoro. Città del Vaticano 2007, Libreria Editrice Vaticana 351 pp. 185 ill;

14038 The Sixtine Chapel: a new vision. ^T*Lindberg, Steven* Vatican City 2007, Vaticana 352 pp. $125.

14039 **Poeschel, Sabine** Handbuch der Ikonographie: sakrale und profane Themen in der bildenden Kunst. Da:Wiss 2005, 432 pp. €50. 3896-7-85133.

14040 *Pyper, Hugh S.* Love beyond limits: the debatable body in depictions of David and Jonathan. Between the text and the canvas. 2007 ⇒685. 38-59 [2 Sam 1,26].

14041 *Rauchenberger, Johannes* Blinder Glaube: Christus in der Kunst des beginnenden 21. Jahrhunderts. HerKorr Spezial (2007) 57-61.

14042 *Reiss, Moshe* Abraham's moment of decision: according to LEVINAS and REMBRANDT. JBQ 35 (2007) 56-59 [Gen 22].

14043 *Richard, Annette* La figure de Gaspard, le roi noir, dans les *Adorations des mages* au XVe siècle, en Flandres. L'étranger dans la bible. LeDiv 213: 2007 ⇒504. 385-412 [Mt 2,1-2; 2,9-11].

14044 *Rickert, Franz* Zu den Opferdarstellungen des Ashburnham-Pentateuch (Fol. 6r, 10v und 76r). JAC 50 (2007) 111-120.

14045 *Rowland, Christopher* William BLAKE and the New Testament: the perspective of the pictures. Between the text and the canvas. 2007 ⇒685. 211-238.

14046 The Saint John's Bible, 1: Pentateuch. ColMn 2006, Liturgical 158 pp. $70. Handwritten and illuminated by *Donald Jackson.* ᴿRBLit (2007)* (*Vogels, Walter A.*).

14047 *Saraceno, Francesco* 'Quei misteriosi caratteri'. Ment. *Poussin, N.* Gr. 88 (2007) 5-22 [John 7,53-8,11].

14048 *Schauerte, Thomas* Ein erfundener Skandal: CARAVAGGIOs "Matthäus Giustiniani" und "Matthäus Contarelli". BilderStreit. 2007 ⇒ 578. 245-270 .

14049 **Schmied, Wieland** Von der Schöpfung zur Apokalypse: Bilder zum Alten Testament und zur Offenbarung. Stu 2007, Radius 231 pp. €29. Vorwort *Wolfgang Huber*.

14050 *Scholz, Piotr O.* Geburt der koptischen Ikonizität aus dem Geiste altägyptischer Mentalität. HBO 44 (2007) 147-171.

14051 *Schrenk, Sabine; Rexin, Gerhard* Erstaunen oder Flucht?: zur Darstellung des Jordan in den spätantiken Bildern der Taufe Jesu. JAC 50 (2007) 180-198 [Mt 3,13-17].

14052 **Silver, Larry** Hieronymus BOSCH. 2006 ⇒22,13413. ᴿActBib 44/1 (2007) 163-164 (*Boada, J.*).

14053 *Smelova, Natalia* Biblical allusions and citations in the Syriac *Theotokia* according to MS Syr. New Series 11 of the National Library of Russia, St Petersburg. The bible in Arab christianity. 2007 ⇒882. 369-391.

14054 **Sörries, Reiner** Daniel in der Löwengrube: zur Gesetzmäßigkeit frühchristlicher Ikonographie. 2005 ⇒21,13890. ᴿRHPhR 87 (2007) 507-508 (*Matter, M.*); RivAC 83 (2007) 501-503 (*Laichner, Johannes*).

14055 *Speyer, Wolfgang* Zum antiken Hintergrund der Ikone. Frühes Christentum. WUNT 213: 2007 ⇒320. 281-289.

14056 ᴱ**Spier, Jeffrey** Picturing the bible: the earliest christian art. NHv 2007, Yale Univ. Pr. 309 pp. $65/$40. 978-03001-16830/09128-04477. Kimbell Art Museum, Forth Worth, 18 Nov.-30 March 2008; 303 ill.

14057 *Spieser, Jean-M.* Die Anfänge christlicher Ikonographie. Handbuch der Bildtheologie, 1. 2007 ⇒591. 139-170.

14058 **Standaert, Nicolas** An illustrated *Life of Christ* presented to the Chinese emperor: the history of *Jincheng shuxiang* (1640). Mon. 59: Sankt Augustin 2007, Institut Monumenta Serica 333 pp. 978-38050-05487.

14059 *Stephan-Maaser, Reinhild* Ringen mit Leib und Seele: Jakobs Kampf mit dem Engel in der älteren Kunst. "Schau an der schönen Gärten Zier ...". Jabboq 7: 2007 ⇒415. 286-310 [Gen 32,23-33].

14060 **Török, László** After the pharaohs, treasures of the Coptic art from Egyptian collections, Museum of Fine Arts, Budapest, 18 March-18 May 2005. 2005 ⇒21,13899. ᴿRAr (2007) 428-430 (*Rutschowscaya, Marie-Hélène*).

14061 ᴱ**Ulianich, Boris** La croce: iconografia e interpretazione (sec. I-XVI). N 2007, Elio De Rosa 3 vols; 502 pp. Convegno Napoli 1999; Num. ill.

14062 **Uspenskij, L.; Losskij, V.** Il senso delle icone. Mi 2007, Jaca 230 pp. €40.

14063 **Van Ael, Joris** Le récit de la Passion en 16 icônes. Namur 2007, Fidélité 120 pp. €22.50. 978-28735-63479. Introd. Dom *A. Louf.*

14064 **Vasileios, Marinis** Wearing the bible: an early christian tunic with New Testament scenes. JCoptS 9 (2007) 95-109 [Lk 1,26-38].
14065 **Velmas, Tania** L'arte bizantina. Mi 2007, Jaca 71 pp. 88 ill.
14066 *Verdon, Timothy* Art and the liturgy. Interp. 61 (2007) 359-374.
14067 *Vispi, Pietro* La *Maddalena* di Timoteo VITI nella cattedrale di Gubbio. ACr 95 (2007) 461-464.
14068 *Walker Vadillo, Mónica A.* Challenged iconography: the last folio in the "Cycle of the life and passion of Christ" in the "Bible of Avila". 'Ilu 12 (2007) 227-236.
14069 *Weigand, Stefan* Auf Tuchfühlung: ein Zugang zur Kreuzwegstation von Waldemar Kolmsperger. BilderStreit. 2007 ⇒578. 21-27.
14070 *Weiss, Zeev* "Set the showbread on the table before Me always" (Exodus 25:30): artistic representations of the showbread table in early Jewish and christian art. [F]MEYERS, E. AASOR 60/61: 2007 ⇒106. 381-390.
14071 *Weiß, Wolfgang* Bilderzauber-Zauberbilder: Bild und Plastik in der westlichen Kirche des Mittelalters. BilderStreit. 2007 ⇒578. 77-114.
14072 *Wiederkehr, Dietrich* Petrusbilder als andere Petrustexte: Ikonographie und Exegese. [F]KIRCHSCHLÄGER, W. 2007 ⇒85. 299-318.
14073 **Wolfl, Michael** Müstair: Falttafeln zu den mittelalterlichen Wandbildern in der Klosterkirche. Mü 2007, Hirmer 5; 11 pp. 4 pl.
14074 *Zachow, Marian* Modernisierung durch Tradition?: "ο μικροκος-μος της οδου γουεμπστερ" oder der Versuch einer Annäherung an die griechische Kunst der ersten Hälfte des 20. Jahrhunderts. [F]BLUMENTHAL, S. von. 2007 ⇒16. 143-155.
14075 **Zuffetti, Zaira** La Sacra Famiglia nell'arte. Tra arte e teologia: Mi 2007, Ancora 184 pp. €29.50.

T3.2 **Sculptura**

14076 *Abrahamsen, Valerie* Evidence for a christian goddess: the Bendis-zodiac relief at Philippi. Forum 1/1 (2007) 97-112.
14077 *Achermann, Walter* Der Wegweiser: Albert Schilling, Der Weisende (Wirbelauermarmor, Zürich 1957). BiHe 43/169 (2007) 24-25.
14078 *Aker, Jülide* Workmanship as ideological tool in the monumental hunt reliefs of Assurbanipal;
14079 *Assante, Julia* The lead inlays of Tukulti-Ninurta I: pornography as imperial strategy. [F]WINTER, I. 2007 ⇒171. 229-263/369-407.
14080 *Åström, Paul* A plank-shaped red polished figurine with three heads. JPHR 21 (2007) 4-6.
14081 *Bahrani, Zainah* The Babylonian visual image. Babylonian world. 2007 ⇒716. 155-170.
14082 *Bailey, Donald M.* A snake-legged Dionysos from Egypt, and other divine snakes. JEA 93 (2007) 263-270.
14083 **Barbotin, Christophe** Les statues égyptiennes du Nouvel Empire: statues royales et divines. P 2007, Musée du Louvre 584 pp. 978-2-35031-109-8. v. 1. texte; v. 2. planches.
14084 **Bolshakov, A.O.** Studies on Old Kingdom reliefs and sculpture in the Hermitage. ÄA 67: 2005 ⇒21,13917; 22,13439. [R]BiOr 64 (2007) 156-159 (*Vachala, Břetislav*).

14085   **Böhm, Stephanie** Klassizistische Weihreliefs: zur römischen Rezeption griechischer Votivbilder. Palilia 13: 2004 ⇒20,12479; 21, 13921. ᴿGn. 79 (2007) 545-548 (*Strocka, Volker M.*).

14086   ᴱ**Brinkmann, Vincenz; Wünsche, Raimund** Gods in color: painted sculpture of classical antiquity. Mü 2007, Stiftung Archäologie 224 pp. $35. Exhib.

14087   *Chapman, Cynthia R.* Sculpted warriors: sexuality and the sacred in the depiction of warfare in the Assyrian palace reliefs and in Ezekiel 23:14-17. LecDif 8/1 (2007)* 1-19.

14088   *Collon, Dominique* Iconographic evidence for some Mesopotamian cult statues. Welt der Götterbilder. 2007 ⇒823. 57-84.

14089   *Cornelius, Izak* The headgear and hairstyles of pre-Persian Palestinian female plaque figurines. ᶠKEEL, O. OBO Sonderband: 2007 ⇒ 83. 237-252.

14090   *Curtis, John* The broken obelisk. Iraq 69 (2007) 53-57.

14091   **Dorman, Peter** Faces in clay: technique, imagery, and allusion in a corpus of ceramic sculpture from ancient Egypt. 2002 ⇒18,12036; 20,12489. ᴿJEA 93 (2007) 300-302 (*Szpakowska, Kasia*).

14092   *Draycott, Catherine* Dynastic definitions: differentiating status claims in the archaic pillar tomb reliefs of Lycia. Anatolian Iron Ages 6. ANESt.S 20: 2007 ⇒1026. 103-134.

14093   *Feldman, Marian H.* Darius I and the heroes of Akkad: affect and agency in the Bisitun relief. ᶠWINTER, I. 2007 ⇒171. 265-293.

14094   **Filges, Axel** Skulpturen und Statuenbasen: von der klassischen Epoche bis in die Kaiserzeit. Didyma 3. Teil: Ergebnisse der Ausgrabungen und Untersuchungen seit dem Jahre 1962 5: Mainz 2007, Von Zabern x; 185 pp. €59. 978-38053-37182. Contrib. *Wolfgang Günther.*

14095   *Fink, Amir S.* Where was the statue of Idrimi actually found?: the later temples of Tell Atchana (Alalakh) revisited. UF 39 (2007) 161-245.

14096   ᴱ**Fitzenreiter, Martin; Herb, Michael** Dekorierte Grabanlagen im Alten Reich: Methodik und Interpretation. L 2006, Golden House lvi; 887 pp. 978-04153-94857.

14097   **Gans, U.-W.** Attalidische Herrscherbildnisse: Studien zur hellenistischen Porträtplastik Pergamons. Philippika 15: 2006 ⇒22,13454. ᴿBiOr 64 (2007) 757-758 (*Moormann, Eric M.*).

14098   *Gatier, Pierre-L.* L'Athéna de Zebdani. Syria 84 (2007) 309-311.

14099   *Gubel, Eric* L'altissime Astarté de la Via Appia Nuova et ses racines orientales. StEeL 24 (2007) 53-58.

14100   *Gulyás, András* The Osirid pillars and the renewal of Ramesses III at Karnak. SAÄK 36 (2007) 31-48.

14101   *Herrmann, Christian* Zwerg oder Zwergin?–Kumulation von Schutz- und Abwehrkräften, dargestellt in einer Figurine des BIBEL+ORIENT Museums. ᶠKEEL, O. OBO Sonderband: 2007 ⇒ 83. 253-268.

14102   *Hirsch, Eileen* Des Gottes neue Kleider: zur Ikonographie eines besonderen Schurzes. ᶠGUNDLACH, R. 2006 ⇒56. 27-39.

14103   *Jost, Melanie* Der Würfelhocker des Ḥr-3ḥbj.t. MDAI.K 63 (2007) 185-192; Taf. 25-26.

14104   *Kaelin, Oskar* Pazuzu, Lamaschtu-Reliefs und Horus-Stelen: Ägypten als Modell im 1. Jt. v. Chr. ᶠKEEL, O. OBO Sonderband: 2007 ⇒83. 365-378.

14105   *Kaizer, Ted* Further remarks on the 'Heracles figure' at Hatra and Palmyra. ^FTUBACH, J. Studies in oriental religions 56: 2007 ⇒154. 37-48.

14106   *Klug, Andrea* Darstellungen von Königsstelen. ^FGUNDLACH, R. 2006 ⇒56. 41-102.

14107   *Kousser, Rachel* Mythological group portraits in Antonine Rome: the performance of myth. AJA 111 (2007) 673-691.

14108   **Lembke, Katja** Die Skulpturen aus dem Quellheiligtum von Amrit: Studie zur Akkulturation in Phönizien. Damazener Forschungen 12: 2004 ⇒20,12505; 22,13460. ^ROLZ 102 (2007) 30-33 (*Fischer-Genz, Bettina*); RAr (2007) 336-339 (*Hermary, Antoine*).

14109   *Mazar, Amihai* An ivory statuette depicting an enthroned figure from Tel Rehov. ^FKEEL, O. OBO Sonderband: 2007 ⇒83. 101-10.

14110   **Morgan, Enka E.** Untersuchungen zu den Ohrenstelen aus Deir el Medine. ÄAT 61: 2004 ⇒20,12509. ^ROLZ 102 (2007) 12-20 (*Luiselli, Maria M.*).

14111   *Nadali, Davide; Rivaroli, Marta* Definire lo spazio: l'interpretazione del paesaggio nei rilievi e nelle iscrizioni di età neo-assira. SMSR 73 (2007) 5-50.

14112   *Nauerth, Claudia* Heidnisch oder christlich?: die Statuengruppe von Caesarea-Philippi (Euseb, *Hist. eccl.* VII,18)–Möglichkeiten der Deutung. HBO 43 (2007) 93-102.

14113   *Nishiaki, Yoshihiro* A unique neolithic female figurine from Tell Seker al-Aheimar, northeast Syria. Paléorient 33/2 (2007) 117-125.

14114   *Ornan, Tallay* Who is holding the lead rope?: the relief of the broken obelisk. Iraq 69 (2007) 59-72;

14115   The godlike semblance of a king: the case of Sennacherib's rock reliefs. ^FWINTER, I. CHANE 26: 2007 ⇒171. 161-78.

14116   ^E**Palagia, Olga** Greek sculpture: function, materials, and techniques in the archaic and classical periods. 2006 ⇒22,13466. ^RREA 109 (2007) 336-337 (*Duplouy, Alain*).

14117   **Press, Michael D.** Philistine figurines and figurines in Philistia in the Iron Age. 2007, Diss. Harvard [HThR 100,512].

14118   *Reed, Stephanie* Blurring the edges: a reconsideration of the treatment of enemies in Ashurbanipal's reliefs. ^FWINTER, I. CHANE 26: 2007 ⇒171. 101-130.

14119   *Reiche, Christina* 'Eine Welt aus Stein, Bild und Wort': Bild und Text als Medien des monumentalen Diskurses im Alten Ägypten. ^FGUNDLACH, R. 2006 ⇒56. 159-204.

14120   *Retzleff, A.* The Dresden type satyr.hermaphrodite group in Roman theaters. AJA 111 (2007) 459-472.

14121   *Sanders, Susan J.* Baal au foudre: the iconography of Baal of Ugarit. ^FWYATT, N. AOAT 299: 2007 ⇒174. 249-266.

14122   *Schiestl, Robert* The statue of an Asiatic man from Tell El-Dab'a, Egypt. Ä&L 16 (2007) 173-185.

14123   *Seidl, Ursula* Weiterleben eines Kopfes: vom Beter zum Schutzgeist. ^FKEEL, O. OBO Sonderband: 2007 ⇒83. 1-8.

14124   *Sence, Guillaume* Dur-Sharrukin: le portrait de Sargon II: essai d'analyse structuraliste des bas-reliefs du palais découvert è Khorsabad. REA 109 (2007) 429-447.

14125   *Shafer, Ann* Assyrian royal monuments on the periphery: ritual and the making of imperial space. ^FWINTER, I. CHANE 26: 2007 ⇒ 171. 133-159.

14126 *Stern, Ephraim* Votive figurines from the Beersheba area. ^FKEEL, O. OBO Sonderband: 2007 ⇒83. 321-328.

14127 *Suter, Claudia E.* Between human and divine: high priestesses in images from the Akkad to the Isin-Larsa period. ^FWINTER, I. CHÂNE 26: 2007 ⇒171. 317-361.

14128 *Vittozzi, Giuseppina C.* Sculture iscritte da Deir el-Medina ai Musei Vaticani. Aeg. 87 (2007) 55-71.

14129 *Wahls, Christina* Das Rätsel der verschwundenen Statuen in Dura-Europos: Überlegungen zum Verbleib der großformatigen plastischen Kultbilder aus Dura-Europos. JAC 50 (2007) 85-101.

14130 *Wilson, P.* A cult of Amasis and 'The procession of two gods' at Saïs. ^FLLOYD, A. AOAT 347: 2007 ⇒98. 437-450.

14131 *Winter, Irene J.* Representing abundance: a visual dimension of the agrarian state. ^FADAMS, R. 2007 ⇒2. 117-138.

14132 ^E**Zieger, Christiane** Le mastaba d'Akhethetep. Fouilles du Louvre à Saqqara 1: Lv 2007, Peeters 304 pp. €80. 978-23503-10848.

14133 *Ziffer, Irit* The first Adam, androgyny, and the 'Ain Ghazal two-headed busts in context. IEJ 57 (2007) 129-152.

T3.3 *Glyptica*; **stamp and cylinder seals**; *scarabs, amulets*

14134 *Ben-Tor, Daphna* Scarabs of Middle Bronze Age rulers of Byblos. ^FKEEL, O. OBO Sonderband: 2007 ⇒83. 177-180.

14135 **Ben-Tor, Daphna** Scarabs, chronology and interconnections: Egypt and Palestine in the second intermediate period. OBO.A 27: FrS 2007, Academic 211 pp. £65. 978-37278-15935. 109 pl.

14136 *Collon, Dominique* Babylonian seals. Babylonian world. 2007 ⇒ 716. 95-123.

14137 **Deutsch, Robert** Messages from the past: Hebrew bullae from the time of Isaiah through the destruction of the first temple. 1999 ⇒ 15,11163...19,13161. ^RThR 72 (2007) 280-81 (*Zwickel, Wolfgang*).

14138 **Dusinberre, Elspeth** Gordion seals and sealings: individuals and society. 2005 ⇒21,13976. ^RBASOR 345 (2007) 87-88 (*Muscarella, Oscar W.*); RAr (2007) 319-320 (*Brixhe, Claude*).

14139 **Eggler, Jürg; Keel, Othmar** Corpus der Siegel-Amulette aus Jordanien vom Neolithikum bis zur Perserzeit. OBO.A 25: 2006, ⇒ 22,13490. ^RTEuph 34 (2007) 162-163 (*Lemaire, André*); OLZ 102 (2007) 522-524 (*Hübner, Ulrich*); ThLZ 132 (2007) 1182-1183 (*Frevel, Christian*).

14140 *Eggler, Jürg; Uehlinger, Christoph* Hašabyah und der 'Herr der Löwen': ein bemerkenswertes Siegel aus dem perserzeitlichen Amman. ^FKEEL, O. OBO Sonderband: 2007 ⇒83. 151-176.

14141 *Farhi, Yoav* A Yehud stamp impression from North Jerusalem. TelAv 34 (2007) 90-91.

14142 *Finkielsztejn, Gerald; Gibson, Shimon* The retrograde-F-shaped YH(D) monogram: epigraphy and dating. TelAv 34 (2007) 104-13.

14143 ^E**Frangipane, Marcella** Arslantepe *Cretulae*: an early centralised administrative system before writing. Arslantepe 5: R 2007, CIRAAS 528 pp. 88901-70174. Bibl. 521-528. ^RPaléorient 33/2 (2007) 172-175 (*Wright, Henry T.*).

14144 *Freedman, David N.* The (almost) perfect fake and/or the real thing. New seals. HBM 8: 2007 ⇒721. 1-5.

14145   *Geva, Hillel* A chronological reevaluation of Yehud stamp impressions in Paleo-Hebrew script, based on finds from excavations in the Jewish quarter of the Old City of Jerusalem. TelAv 34 (2007) 92-103.

14146   *Guillaume, Philippe* More bull-leapers, some bouncing kids and less scorpions. UF 39 (2007) 311-318.

14147   **Gyselen, Rika** Sasanian seals and sealings in the A. Saeedi collection. Acta Iranica 44: Lv 2007, Peeters xviii; 407 pp. 978-90-429-1268-7. Bibl. ix-xviii.

14148   **Herbordt, Suzanne** Die Prinzen- und Beamtensiegel der hethitischen Grossreichszeit auf Tonbullen aus dem Nisantepe-Archiv in Hattusa. Bogazköy-Hattusa 19: 2005 ⇒21,13980; 22,13498. ᴿMes. 42 (2007) 288-289 (*Messina, Vito*); JAOS 127 (2007) 339-348 (*Van den Hout, Theo*).

14149   *Herrmann, Christian* Weitere ägyptische Amulette aus Palästina/Israel. ZDPV 123 (2007) 93-132.

14150   **Herrmann, Christian** Ägyptische Amulette aus Palästina/Israel, 3. OBO.A 24: 2006 ⇒22,13499. ᴿBiOr 64 (2007) 365-369 (*Germond, P.*).

14151   *Incordino, Ilaria* I sigilli regali della III dinastia da Bet Khallaf (Abido). Aeg. 87 (2007) 45-53.

14152   *Konrad, Kirsten* Bes zwischen Himmel und Erde: zur Deutung eines Kopfstützen-Amuletts. ZÄS 134 (2007) 134-137. Pl. XXI.

14153   *Küchler, Max* Amphorenstempel in Jerusalem: ein übersehener Bildträger im Palästina der hellenistischen Zeit. ᶠKEEL, O. OBO Sonderband: 2007 ⇒83. 329-348.

14154   *Lemaire, André* New inscribed Hebrew seals and seal impressions. New seals. HBM 8: 2007 ⇒721. 9-22.

14155   *Lippolis, Carlo* Note su tre sigilli da Khirbet Hatara. Mes. 42 (2007) 231-234.

14156   *Lipschits, Oded, al.*, Seventeen newly-excavated Yehud stamp impressions from Ramat Raḥel. TelAv 34 (2007) 74-89.

14157   *Lipschits, Oded; Vanderhooft, David* Yehud stamp impressions: history of discovery and newly-published impressions;

14158   Summary of Yehud stamp impressions, arranged by type. TelAv 34 (2007) 3-11/114-120;

14159   Yehud stamp impressions in the fourth century B.C.E.: a time of administrative consolidation?. Judah and the Judeans. 2007 ⇒750. 75-94.

14160   *Lubetski, Meir* A man called MNR. New seals. 2007 ⇒721. 48-54;

14161   Falcon of gold. New seals. HBM 8: 2007, ⇒721. 23-34;

14162   Horus the falcon as a personal name. New seals. 2007 ⇒721. 35-7;

14163   *Nwahw/Nwaw*: new names in the biblical period. New seals. HBM 8: 2007 ⇒721. 38-47.

14164   *Magen, Yitzhak; Har-Even, Benny* Persian period stamp impressions from Nebi Samwil. TelAv 34 (2007) 38-58.

14165   *Matoïan, Valérie* Un cachet conoïde en 'faïence': témoin inédit des derniers temps de l'histoire d'Ougarit ou artefact postérieur à la destruction de la cité?. Le royaume d'Ougarit. 2007 ⇒1004. 201-218.

14166   **Merrillees, Parvine H.** Catalogue of the western Asiatic seals in the British Museum: cylinder seals VI: pre-Achaemenid and Achaemenid periods. 2005 ⇒21,13989. ᴿBiOr 64 (2007) 746-748 (*Giovino, Mariana*).

14167 **Mitchell, T.C.; Searight, A.** Catalogue of the western Asiatic seals in the British Museum: stamp seals III: impressions of stamp seals on cuneiform tablets, clay bullae and jar handles. Lei 2007, Brill 314 pp.

14168 *Molfese, Cristiana* Prime manifestazioni dello 'stile internazionale' nel Medio Bronzo?: il caso dei sigilli e degli avori. Kaskal 4 (2007) 83-113.

14169 **Müller, Walter; Pini, Ingo** Corpus der minoischen und mykenischen Siegel, 3: Iraklion: Archäologisches Museum, Teil 1 und 2: Sammlung Giamalakis. Mainz 2007, Von Zabern xviii; xxix; 711 pp. 532 ill.; nach Vorarbeiten von *Agnes Sakellariou†*.

14170 *Müller-Kessler, C.; Mitchell, T.C.; Hockey, M.I.* An inscribed silver amulet from Samaria. PEQ 139 (2007) 5-19.

14171 *Münger, Stefan* Amulets in context: catalogue of scarabs, scaraboids and stamp-seals from Tel Kinrot/Tell el-Oreme (Israel). ᶠKEEL, O. OBO Sonderband: 2007 ⇒83. 81-100.

14172 *Perraud, Milena* Les formules spécifiques du chapitre 166 du *Livre des morts* inscrites sur des amulettes-chevets. Proceedings Ninth Congress, 2. OLA 150: 2007 ⇒992. 1495-1508.

14173 *Puech, E.* Une nouvelle amulette en araméen christo-palestinien. ᶠBAR-ASHER, M., 2. 2007 ⇒9. *71-*84.

14174 *Reich, Ronny; Shukron, Eli* The Yehud stamp impressions from the 1995-2005 City of David excavations. TelAv 34 (2007) 59-65.

14175 **Schulz, Regine** Khepereru-scarabs: scarabs, scaraboids, and plaques from Egypt and the ancient Near East in the Walters Art Museum, Baltimore. Oakville, CT 2007, Halgo 186 pp. 978-1-892-840-04-2. Collab. *Matthias Seidel*; 21 pp of pl.; CD-ROM; Bibl. 181-186.

14176 *Sousa, Rogério F. de* The heart amulet in ancient Egypt: a typological study. Proceedings Ninth Congress, 1. 2007 ⇒992. 713-720.

14177 *Staubli, Thomas* Sammlung Liebefeld: 60 Siegelamulette aus der Südlevante. ᶠKEEL, O. OBO Sonderband: 2007 ⇒83. 45-80.

14178 *Stern, Ephraim; Lipschits, Oded; Vanderhooft, David* New Yehud stamp impressions from En Gedi. TelAv 34 (2007) 66-73.

14179 *Uehlinger, Christoph* Spurensicherung: alte und neue Siegel und Bullen und das Problem ihrer historischen Kontextualisierung. ᶠHARDMEIER, C. ABIG 28: 2007 ⇒62. 89-137.

14180 *Van der Veen, Peter* Gedaliah Ben Ahiqam in the light of epigraphic evidence (a response to Bob Becking). New seals. HBM 8: 2007 ⇒721. 55-70.

14181 *Vanderhooft, David; Lipschits, Oded* A new typology of the Yehud stamp impressions. TelAv 34 (2007) 12-37.

14182 *Vermeulen, Floris* Seels as getuis van buitelandse invloede in Palestina gedurende die Persiese periode. JSem 16 (2007) 228-266.

14183 *Ziffer, Irit* A seal impressed handle in the collection of the Eretz Israel Museum, Tel Aviv. Ä&L 16 (2007) 195-199.

14184 *Zwickel, Wolfgang* Der Hörneraltar auf Siegeln aus Palästina/Israel. ᶠKEEL, O. OBO Sonderband: 2007 ⇒83. 269-292.

T3.4 Mosaica

14185 **Andreae, Bernard** Antike Bildmosaiken. 2003 ⇒19,13201... 22, 13526. ᴿGn. 79 (2007) 164-170 (*Donderer, Michael*).

14186   **Bowersock, Glenn W.** Mosaics as history: the Near East from late antiquity to Islam. 2006 ⇒22,13528. ᴿÁJA 111 (2007) 818-819 (*Poulsen, Birte*); Syria 84 (2007) 351-353 (*Sartre, Maurice*); IJCT 14 (2007) 636-639 (*Dunbabin, Katherine M.D.*).

14187   **Ferdi, Sabah** Corpus des mosaïques de Cherchel. 2005 ⇒21, 14002; 22,13531. ᴿREA 109 (2007) 361-363 (*Morand, Isabelle*).

14188   *Goodman, Martin* The Jewish image of God in late antiquity. Judaism in the Roman world. AJEC 66: 2007 <2003> ⇒236. 205-217.

14189   *Khrisat, Bilal; al-Hamarneh, Katreena;Mjalli, Abdel M.* Mosaic conservation of Saints Cosmos and Damianius church at Jarash. ADAJ 51 (2007) *31-*42. **A.**

14190   ᴱ**Morlier, Hélène** La mosaïque gréco-romaine. EFR 352: 2005 ⇒ 21,14006. ᴿRAr (2007) 391-394 (*Vassal, Véronique*).

14191   *Sanson, Virginio* I mosaici di Ravenna. RPLi 261 (2007) 43-53.

14192   **Talgam, Rina; Weiss, Zeev** The mosaics of the house of Dionysos at Sepphoris. 2004 ⇒20,12577; 21,14009. ᴿIEJ 57 (2007) 248-252 (*Hachlili, Rachel*).

14193   *Viviano, Benedict T.* Synagogues and spirituality: the case of Beth Alfa. Matthew and his world. 2007 <2006> ⇒339. 134-145.

T3.5 *Ceramica*, **pottery**

14194   ᴱ**Al-Maqdissi, Michel; Matoïan, Valérie; Nicolle, Christophe** Céramique de l'âge du Bronze en Syrie, I: la Syrie du sud et la vallée de l'Oronte. BAH 161: Beyrouth 2002, Institut français d'archéologie du Proche-Orient vi; 160 pp. 29127-38164;

14195   II: l'Euphrate et la région de Jézireh. BAH 180: Beyrouth 2007, Inst. franç. d'archéologie du P.-O. ix; 321 pp. 978-23515-90614.

14196   ᴱ**Aviram, Joseph,** *al.*, Masada VIII: the Yigael YADIN excavations 1963-1965: final reports. Masada Reports 8: J 2007, Israel Exploration Society xiv; 232 pp. $68. 978-96522-10788.

14197   ᴱ**Bar-Nathan, Rachel** Masada VII: the Yigael YADIN excavations 1963-1965: final reports: the pottery of Masada. 2006 ⇒22,13541. ᴿRB 114 (2007) 146-148 (*Murphy-O'Connor, Jerome*).

14198   *Bignasca, Andrea* A rare kernos variant Tell el-Hesi. NEA 70 (2007) 51-53.

14199   *Bourgeois, Ariane* Céramiques romaines en Gaule (productions–exportations–importations) (années 2005-2006). REA 109 (2007) 273-295.

14200   *Brustolon, Anna; Rova, Elena* The late Chalcolithic period in the Tell Leilan region: a report on the ceramic material of the 1995 survey. Kaskal 4 (2007) 1-42.

14201   *Cohen, Susan; Bonfil, Ruhama* The pottery. Middle Bronze Age IIA cemetery. AASOR 62: 2007 ⇒14280. 77-99.

14202   *Dooijes, Renske, al.*, Restorations on the late Uruk pottery of Jebel Aruda–old and new;

14203   *Duistermaat, Kim* Not fit for firing: unfired vessel fragments from Late Bronze Age Tell Sabi Abyad, Syria, and their value for the study of pottery technology. Leiden Journal of Pottery Studies 23 (2007) 61-76/21-40.

14204   *Elaigne, Sandrine* Les importations de céramiques fines hellénistiques à Beyrouth (site Bey 002): aperçu du faciès nord levantin. Syria 84 (2007) 107-142;

14205 La circulation des céramiques fines hellénistiques dans la région égéenne: un aperçu à partir du mobilier de Délos et de Thasos. BCH 131 (2007) 515-557.

14206 **Faiers, Jane**, *al.*, Late Roman pottery at Amarna and related studies. MEES 72: 2005 ⇒21,14021. [R]BiOr 64 (2007) 653-656 (*Guidotti, M. Cristina*).

14207 *Fletcher, Alexandra* The prehistoric ceramic assemblage from Horum Höyük. AnSt 57 (2007) 191-202.

14208 *Greene, Kevin* Late Hellenistic and early Roman invention and innovation: the case of lead-glazed pottery. AJA 111 (2007) 653-671.

14209 *Groot, Niels C.F.* In search of the ceramic traditions of Late Iron Age IIC pottery excavated at Tell Deir 'Alla in the central Jordan valley. Leiden Journal of Pottery Studies 23 (2007) 89-108.

14210 *Groot, Niels C.F.; Dik, Joris* Persian period pottery in Transjordan: towards a characterisation of ceramic traditions of an obscure period. Leiden Journal of Pottery Studies 22 (2006) 87-100.

14211 *Gürtekin-Demir, R. Gül* Provincial productions of Lydian painted pottery. Anatolian Iron Ages 6. ANESt.S 20: 2007 ⇒1026. 47-77.

14212 **Herrmann, Christian** Formen für Ägyptische Fayencen aus Qantir, Band II: Katalog der Sammlung des Franciscan Biblical Museum, Jerusalem und zweier Privatsammlungen. OBO 225: FrS 2007, Academic 125 pp. FS49. 978-37278-15829. Num. pl.

14213 *Lehmann, Gunnar* Decorated pottery styles in the northern Levant during the Early Iron Age and their relationship with Cyprus and the Aegean. UF 39 (2007) 487-550.

14214 *Loche, Giovanni* L'esportazione e importazione della ceramica nel tardo medioevo: il caso di Venezia. LASBF 57 (2007) 623-632.

14215 *London, Gloria; Shuster, Robert D.; Jacobs, Loe* Ceramic technology of selected Hellenistic and Iron Age pottery based on re-firing experiments. Leiden Journal of Pottery Studies 23 (2007) 77-88.

14216 *Maeir, Aren M.; Dayagi-Mendels, Michal* An elaborately decorated clay model shrine from the Moussaieff Collection. [F]KEEL, O. OBO Sonderband: 2007 ⇒83. 111-124.

14217 *Magness, Jodi* Why pottery matters. BArR 33/1 (2007) 28.

14218 *Mani, Clément; Monchambert, Jean-Yves* Les ateliers de production céramique à Ougarit: nouvelles recherches. Le royaume d'Ougarit. 2007 ⇒1004. 175-199.

14219 *Mazar, Amihai* Myc IIIC in the land Israel: its distribution, date and significance. Synchronisation III. DÖAW 37: 2007 ⇒988. 571-82.

14220 *Meyers, Carol* Terracottas without texts: Judean pillar figurines in anthropological perspective. [F]CHANEY, M. 2007 ⇒25. 115-130.

14221 [E]**Momigliano, Nicoletta** Knossos pottery handbook, Neolithic and Bronze Age (Minoan). BSA Studies 14: L 2007, BSA 276 pp. CD-ROM.

14222 *Nieuwenhuyse, Olivier P.* The earliest ceramics from Tell Sabi Abyad, Syria. Leiden Journal of Pottery Studies 22 (2006) 111-128.

14223 *Ornan, Tallay* Labor pangs: the Revadim plaque type. [F]KEEL, O. OBO Sonderband: 2007 ⇒83. 215-236.

14224 *Orsingher, Adriano* Bruciaprofumi lotiformi: una produzione fenicia. VO 13 (2007) 115-140.

14225 *Pellegrino, Emmanuel* Les céramiques communes de Beyrouth (secteur Bey 002) au début de l'époque romaine. Syria 84 (2007) 143-168.

14226　*Postgate, J.N.* The ceramics of centralisation and dissolution: a case study from Rough Cilicia. AnSt 57 (2007) 141-150.

14227　*Reynolds, Robert* Analysis of pottery sherds from the Karak Plateau, central Jordan: shift in CaO/SiO$_2$ composition through time. Leiden Journal of Pottery Studies 22 (2006) 65-86.

14228　**Rose, Pamela** The eighteenth dynasty pottery corpus from Amarna. ᴱ*Bourriau, Janine* Excavation.Memoir 83: L 2007, Egypt Exploration Society 301 pp. £65. 978-08569-81791. Bibl.

14229　*Singer-Avitz, Lily* On pottery in Assyrian style: a rejoinder. TelAv 34 (2007) 182-203.

14230　*Steiner, Margreet* The Iron Age pottery of Khirbet al-Mudayna and site WT-13 in Jordan. Leiden Journal of Pottery Studies 22 (2006) 101-110.

14231　*Taxel, Itamar* Application-decorated bowls: a cultural characterisation of the pagan and christian population of Jerusalem in the late Roman and Byzantine periods. IEJ 57 (2007) 170-186.

14232　*Van As, Abraham* Some technological aspects of late Uruk pottery from Jebel Aruda, Syria. Leiden Journal of Pottery Studies 23 (2007) 41-60.

14233　*Van As, Abraham; Jacobs, Loe* Interpretation and simulation of the manufacturing technique of Roman Sagalassos red slip ware. Leiden Journal of Pottery Studies 22 (2006) 129-136.

14234　*Weber, Sabine* Greek painted pottery in Egypt: evidence of contacts in the seventh and sixth centuries BC. Moving across borders. OLA 159: 2007 ⇒722. 299-316.

14235　*Zevulun, Uza; Ziffer, Irit* A human face from Tel Haror and the beginning of Canaanite head-shaped cups. ᶠKEEL, O. OBO Sonderband: 2007 ⇒83. 9-44.

T3.6 **Lampas**

14236　*Lapp, Eric C.* Marketing religious difference in late antique Syria-Palestine: clay oil lamps as clientele indicators. ᶠMEYERS, E. AASOR 60/61: 2007 ⇒106. 371-380.

14237　*Mastrocinque, A.* Late antique lamps with defixiones. GRBS 47/1 (2007) 87-99.

14238　*Pappalardo, Carmelo* Lucerne di periodo arabo (VII-IX sec.) rinvenute negli scavi di Umm al-Rasas-Kastron Mefaa e della regione del Nebo in Giordania. LASBF 57 (2007) 563-595.

14239　**Sussman, Varda** Oil lamps in the Holy Land: saucer lamps from the beginning to the Hellenistic period, collections of the Israel Antiquities Authority. BAR International Series 1598: Oxf 2007, Archaeopress 493 pp.

T3.7 *Cultica*—**cultic remains**

14240　*Avner, Rina* The Kathisma: a christian and Muslim pilgrimage site. Aram 19 (2007) 541-557.

14241　**Barguet, Paul** Le temple d'Amon-Rê à Karnak: essai d'exégèse. RAPH 21: Le Caire 2007 <1962>, Institut Français d'Archéologie Orientale xix; 368 pp. 2-7247-0422-3.

14242 **Baum, Nathalie** Le temple d'Edfou: à la découverte du grand siège de Rê-Harakhty. P 2007, Rocher 636 pp. Num. ill. ᴿEgypte 47 (2007) 59 (*Bergerot, Thierry-Louis*).

14243 *Ben-David, Chaim* Golan gem: the ancient synagogue of Deir Aziz. BArR 33/6 (2007) 44-51.

14244 **Berndt-Ersöz, Susanne.** Phrygian rock-cut shrines and other religious monuments. CHANE 25: 2006 ⇒22,13604. ᴿJPHR 21 (2007) 99-100 (*Roos, Paavo*).

14245 **Bénichou-Safar, Hélène** Le tophet de Salammbô à Carthage: essai de reconstitution. CEFR 342: 2004 ⇒21,14047. ᴿEpig. 69 (2007) 475-479 (*Bartoloni, Piero*).

14246 *Brissaud, Philippe* Tanis—Tell Sân El-Hagar: étude du fond du temple d'Amon. Proceedings Ninth Congress, 1. OLA 150: 2007 ⇒992. 225-231.

14247 *Cannata, Maria* Social identity at the Anubieion: a reanalysis. AJA 111 (2007) 223-240.

14248 **Cauville, Sylvie** Dendara: le temple d'Isis. PIFAO 968: Le Caire 2007, Institut français d'archéologie orientale Vol. 1: Texte; xxviii; 369 pp; vol. 2: Planches (photographies: *Alain Lecrer*). £135. 978-2-7247-0461-7. 286 pl., disquette;

14249 Le temple de Dendara XII, 1: texte; 2: planches. Dendara 12: Le Caire 2007, Institut français d'archéologie orientale xxiv; 347 pp; 219 pl. €130. 978-2-7247-04600.

14250 *Çilingiroğlu, Altan* Properties of the Urartian temple at Ayanis. Anatolian Iron Ages 6. ANESt.S 20: 2007 ⇒1026. 41-46.

14251 *Evans, Jean M.* The square temple at Tell Asmar and the construction of early dynastic Mesopotamia, ca. 2900-2350 B.C.E.. AJA 111 (2007) 599-632.

14252 **Feyel, Christophe** Les artisans dans les sanctuaires grecs aux époques classique et hellénistique. BEFAR 318: 2006 ⇒22,13613. ᴿCRAI 1 (2007) 53-55 (*Gauthier, Philippe*).

14253 *Freyberger, Klaus S.* Der Tempel von Medjdel Andjar: Kulte in der südlichen Beka' in hellenistisch-römischer Zeit. MUSJ 60 (2007) 77-110.

14254 *Gaber, Amr* The location of the central hall in the Ptolemaic temples. ArOr 75 (2007) 445-470.

14255 *Hachlili, Rachel* The menorah, the ancient seven-armed candelabrum: origin, form and significance. JSJ.S 68: 2001 ⇒17,11138... 20,12637. ᴿIEJ 57 (2007) 119-120 (*Levine, Lee I.*).

14256 **Holtzmann, Bernard** L'Acropole d'Athènes: monuments, cultes et histoire du sanctuaire d'Athèna Polias. 2003 ⇒19,13285... 22, 13621. ᴿRAr (2007) 347-349 (*Le Roy, Christian*).

14257 *Kletter, R.; Ziffer, I.; Zwickel, W.* From the fields of Philistia: ritual stands from a cultic repository pit at Yavneh. Qad. 134 (2007) 89-95. H.;

14258 Neue Einsichten in die Welt der Philister: Tempelmodelle voller Rätsel. WUB 44 (2007) 70, 72.

14259 **Kyriakidis, Evangelos** Ritual in the Bronze Age Aegean: the Minoan peak sanctuaries. 2006 ⇒22,13627. ᴿCamArchJ 17 (2007) 368-370 (*Cherry, John F.*).

14260 *Lalagüe-Dulac, Sylvie* Forgerons et sanctuaires dans l'Anatolie antique. RANT 4 (2007) 231-240.

14261 *Lebrun, René* De quelques sanctuaires louvites: fonctionnement et continuité. RANT 4 (2007) 241-247.

14262 *Levine, L.I.* In search of the synagogue, part I: unearthing the oldest Jewish houses of prayer. Reform Judaism [NY] 35/4 (2007) 42-47;

14263 Part II: the temple destroyed; the synagogue takes a turn (70 C.E.-4th century). Reform Judaism [NY] 36/2 (2007) 48-54, 60.

14264 **Lurson, Benoît** Osiris, Ramsès, Thot et le Nil: les chapelles secondaires des temples de Derr et Ouadi es-Sebouâ. OLA 161: Lv 2007, Peeters x; 240 pp. €75. 978-90-429-1891-7.

14265 *Matassa, Lidia* Unravelling the myth of the synagogue on Delos. BAIAS 25 (2007) 81-115.

14266 *Mazar, A.; Panitz-Cohen, N.* A few artistic and ritual artifacts from the Iron Age at Tel Rehov. Qad. 134 (2007) 96-102. **H**.

14267 [E]**Nigro, Lorenzo** Mozia XII: zona D, la "Casa del sacello domestico", il "Basamento meridionale" e il sondaggio stratigrafico I: rapporto preliminare delle campagne di scavi XXIII e XXIV (2003-2004). Quaderni di archeologia fenicio-punica 3: R 2007, Missione Archeologica a Mozia vi; 340 pp. 88-88438-02-12. Bibl. 305-314.

14268 *Nuzzolo, Massimiliano* The sun temples of the Vth dynasty: a reassessment. SAÄK 36 (2007) 217-247.

14269 **Schiff Giorgini, Michela** Soleb III-V: le temple. [E]*Beaux, Nathalie* 1998-2003 ⇒18,12236s; 19,13310. [R]BiOr 64 (2007) 615-617 (*Brand, Peter J.*).

14270 *Singer, Suzanne F.* Rising again: hi-tech tools reconstruct Umm el-Kanatir. BArR 33/6 (2007) 52-60, 86.

14271 *Sourouzian, Hourig, al.*, The temple of Amenhotep III at Thebes: excavation and conservation at Kom el-Hettân: fourth report on the sixth, seventh and eighth seasons in 2004, 2004-2005 and 2006. MDAI.K 63 (2007) 247-335; Pl.. 33-46.

14272 *Spence, K.* Topography, architecture and legitimacy: Hatshepsut's foundation deposits at Deir el-Bahri. [F]LLOYD, A. AOAT 347: 2007 ⇒98. 353-371.

14273 **Stucky, Rolf A.**, *al.*, Das Eschmun-Heiligtum von Sidon: Architektur und Inschriften. Antike Kunst.B 19: 2005 ⇒21,14098. [R]TEuph 34 (2007) 195-198 (*Elayi, J.*); RAr (2007) 334-335 (*Baurain, Claude*); Mes. 42 (2007) 291-292 (*Lippolis, Carlo*).

14274 *Susanna, Fiammetta* Templi punici o di matrice punica con cripta o con strutture sotterranee in Nord Africa. VO 13 (2007) 141-176.

14275 *Tarhan, Taner M.* A third temple at Cavuštepe-Sardurihinili?: Uc Kale. Anatolian Iron Ages 6. ANESt.S 20: 2007 ⇒1026. 265-282.

14276 **Thiers, Christophe; Volokhine, Youri** Ermant I: les cryptes du temple ptolémâque: étude épigraphique. MIFAO 124: 2005 ⇒21, 14099. [R]BiOr 64 (2007) 342-346 (*Waitkus, Wolfgang*).

14277 **Wegner, Josef W.** The mortuary temple of Senwosret III at Abydos. PPYEE 8: NHv 2007, Peabody Museum xli; 418 pp. 978-0-9740025-4-5. Bibl. xxvii-xli; Ill.

14278 **Weiss, Ze'ev** The Sepphoris synagogue. 2004 ⇒20,12668... 22, 13656. [R]AJA 111 (2007) 179 (*Porter, Adam L.*); JAOS 127 (2007) 390-392 (*Eliav, Yaron Z.*). **H**.

14279 **Willems, Harco; Coppens, Filip; De Meyer, Marleen** The temple of Shanhûr, 1: the sanctuary, the *Wabet,* and the gates of the central hall and the great vestibule (1-98). OLA 124: 2003 ⇒19,13317; 22,13657. [R]BiOr 64 (2007) 161-167 (*Budde, Dagmar*).

T3.8 Funeraria; *Sindon*, the Shroud

14280 EGarfinkel, Yosef; Cohen, Susan The Middle Bronze Age IIA cemetery at Gesher: final report. AASOR 62: Boston, MA 2007, ASOR xvi; 149 pp. $75. 978-0-89757-075-6. Bibl. 139-149.

14281 *Aizik, N.; Peleg, Y.* A rare discovery at an Iron Age burial cave in northern Samaria. Qad. 133 (2007) 25-26. **H.**

14282 *Badawi, Massoud* Huit tombes hellénistiques à Jablé. Syria 84 (2007) 185-204

14283 *Beeck, Lies op de* Relating Middle Kingdom pottery vessels to funerary rituals. ZÄS 134 (2007) 157-165. Pl. XXIV-XXVI.

14284 *Betrò, Marilina, al.,* Preliminary report on the University of Pisa 2007 season in TT 14 and M.I.D.A.N.05. EVO 30 (2007) 23-40.

14285 *Bommas, Martin* Das Motiv der Sonnenstrahlen auf der Brust des Toten: zur Frage der Stundenwachen im Alten Reich. SAÄK 36 (2007) 15-22.

14286 EBranigan, Keith Cemetery and society in the Aegean Bronze Age. 1998 ⇒14,10492. RIEJ 57 (2007) 116-117 (*Maeir, Aren M.*).

14287 *Brunwasser, M.* A ride to the afterlife. Arch. 60/5 (2007) 20-24.

14288 **Buhl, Marie-L.; Riis, P.J.** Hama: fouilles et recherches de la Fondation Carlsberg 1931-1938, 12: Bronze Age graves in Ḥamā and its neighbourhood. Nationalmuseets Skrifter, Større Beretninger 14: K 2007, Nationalmuseet 115 pp. 978-87760-20736. Num. pl.

14289 **Cherpion, Nadine; Corteggianni, Jean-P.; Gout, Jean-F.** Le tombeau de Pétosiris à Touna el-Gebel: relève photographique. Bibliothèque générale 27: Le Caire 2007, Institut français d'archéologie orientale 197 pp. €77.90. 978-27247-04266. REgypte Afrique & Orient 47 (2007) 49-51 (*Bergerot, Thierry-Louis*).

14290 *Chesson, Meredith S.* Remembering and forgetting in Early Bronze Age mortuary practices on the southeastern Dead Sea plain, Jordan. Performing death. 2007 ⇒1038. 109-139.

14291 *Chiocchetti, Lucia* The children's burial of 'Ubaid period: Tell Abu Husaini, the Hamrin area and beyond. Mes. 42 (2007) 117-141.

14292 *Closterman, Wendy E.* Family ideology and family history: the function of funerary markers in classical Attic peribolos tombs. AJA 111 (2007) 633-652.

14293 *Cohen, Susan* Gesher in MB IIA context. Middle Bronze Age IIA cemetery at Gesher. AASOR 62: 2007 ⇒14280. 131-137.

14294 *Cultraro, Massimo* Combined efforts till death: funerary ritual and social statements in the Aegean Early Bronze Age. Performing death. 2007 ⇒1038. 81-108.

14295 **Davies, Penelope J.E.** Death and the emperor: Roman imperial funerary monuments, from AUGUSTUS to MARCUS AURELIUS. 2000 ⇒16,11449... 19,13334. RLatomus 66 (2007) 473-475 (*Perrin, Yves*).

14296 *Doumet Serhal, Claude* Three burials with silver artefacts from the Middle Bronze Age I/II A at Sidon: British Museum excavations. MUSJ 60 (2007) 29-46.

14297 *Einaudi, Silvia* The 'tomb of Osiris': an ideal burial model. Proceedings Ninth Congress, 1. OLA 150: 2007 ⇒992. 475-483.

14298 *El-Masry, Yahia* Rock-tombs from the late Old Kingdom in the 9th nome of Upper Egypt. SAÄK 36 (2007) 183-215.

14299 **Falb, Christian**, *al.*, Gräber des 3. Jahrtausends v. Chr. im syrischen Euphrattal, 4: der Friedhof von Abu Hamed. Schriften zur vorderasiatischen Archäologie 8: Saarwellingen 2005, Saarländische 365 pp. 3-930843-96-X. Bibl.; vi pp pl.

14300 *Fiorina, Paolo* L'area di Tell Yelkhi: le sepolture;

14301 Kheit Qasim: les tombes de la fin du III jusqu'à la fin du II millenarie [*sic*] a.C. Mes. 42 (2007) 1-115/151-165.

14302 *Franklin, Norma* Lost tombs of Israelite kings. BArR 33/4 (2007) 26-35.

14303 *Fugitt, Stephen M.* Towards an understanding of Philistine burials. JSem 16 (2007) 1-21.

14304 *Garetto, Tiziana D.; Cremasco, Margherita M.; Fulcheri, Ezio* Studio dei resti scheletrici umani rinvenuti nell'area di Yelkhi–Jebel Hamrin–Iraq. Mes. 42 (2007) 143-149.

14305 *Garfinkel, Yosef; Cohen, Susan* The bronzes;

14306 The burials. Middle Bronze Age IIA cemetery. AASOR 62: 2007 ⇒14280. 101-108/15-68.

14307 *Goldman, A.L.* The Roman-period cemeteries at Gordion in Galatia. Journal of Roman Archaeology 20 (2007) 299-320.

14308 *Goring-Morris, Nigel; Horwitz, Liora K.* Funerals and feasts during the pre-pottery Neolithic B of the Near East. Antiquity 81 (2007) 902-919.

14309 *Gorzalczany, Amir* Centro y periferia en el antiguo Israel: nuevas aproximaciones a las práticas funerarias del Calcolítico en la planicie costera. AntOr 5 (2007) 205-230.

14310 *Graf, F.* Untimely death, witchcraft, and divine vengeance: a reasoned epigraphical catalog. ZPE 162 (2007) 139-150.

14311 *Grajetzki, W.* Box coffins in the late Middle Kingdom and second Intermediate period. EVO 30 (2007) 41-54.

14312 *Hachlili, Rachel* Attitudes toward the dead: protective measures employed against the desecration of tombs, coffins, and ossuaries. [F]MEYERS, E. AASOR 60/61: 2007 ⇒106. 243-255.

14313 **Hachlili, Rachel** Jewish funerary customs, practices and rites in the second temple period. JSJ.S 94: 2005 ⇒21,14135; 22,13684. [R]ThLZ 132 (2007) 148-150 (*Zangenberg, Jürgen*); JSJ 38 (2007) 113-115 (*Triebel, Lothar*).

14314 *Hess, Orna* Finds from a cemetery in Nahal Tavor. Middle Bronze Age IIA cemetery at Gesher. AASOR 62: 2007 ⇒14280. 11-13.

14315 *Hoffmann, R.J.* 'Faccidents': bad assumptions and the Jesus tomb debacle. CSER Review [Amherst, NY] 1/2 (2007) 32-35.

14316 *Hoppe, Leslie J.* Jesus family tomb?: bad television and worse archaeology. BiTod 45 (2007) 179-183.

14317 *Hoz, Maria P. de* An Anatolian funerary stele in an antique shop in Seville (Spain). Epigraphica Anatolica 40 (2007) 119-124.

14318 *Johnson, David J.; MacDonald, Julie; Harris, Deborah C.* Five rock cut shaft tombs from Wadi Al-Maṭaḥa. ADAJ 51 (2007) 339-344.

14319 **Kanawati, Naguib**, *al.*, Deir el-Gebrawi, 2: the southern cliff: the tombs of Ibi and others. Australian Centre for Egyptology: Reports 25: Oxf 2007, Aris & P. 98 pp. 978-08566-88089. 75 pl.

14320   *Katz, Dina* Sumerian funerary rituals in context. Performing death.
2007 ⇒1038. 167-188.

14321   ᴱ**Koch, Guntram** DAI, Sarkophag-Studien, 3: Akten des Symposi-
ums des Sarkophag-Corpus, 2001, Marburg, 2.-7. Juli 2001. Mainz
2007, Von Zabern xii; 354 pp. 120 pl.

14322   **Laussermayer, Roman** Radiokarbon-Datierung des Turiner Grab-
tuches: kritische Analyse der Datierungsergebnisse. Imst: Lausser-
mayer 2007, 259 pp. 3-9501493-3-3. Bibl. 197-208.

14323   **Lefebvre, Gustave** Le tombeau de Pétosiris, vol. 1: description; 2:
textes; vocabulaires et planches. Le Caire 2007 <1923-1924>,
IFAO viii; 214 + 104 + 60 pp. 68 pl.

14324   *Lembke, Katja, al.*, Vorbericht über den Survey in der Petosiris-Ne-
kropole von Hermupolis/Tuna el-Gebel (Mittelägypten) 2004-2006.
AA 2 (2007) 71-127.

14325   *Liston, Maria A.* Secondary cremation burials at Kavousi Vronda,
Crete: symbolic representation in mortuary practice. Hesp. 76
(2007) 57-71.

14326   *Long, J.* The Shroud's early history, part I: to Edessa. BiSp 20/2
(2007) 46-53;

14327   The Shroud's earlier history, part 2: to the great city. BiSp 20/4
(2007) 120-128.

14328   *Mackinnon, Michael* Osteological research in classical archaeol-
ogy. AJA 111 (2007) 473-504.

14329   **Manassa, Colleen** The Late Egyptian underworld: sarcophagi and
related texts from the Nectanebid period: 1. sarcophagi and texts.
ÄAT 72,1: Wsb 2007, Harrassowitz xxvi; 538 pp. 978-3-447-
05671-7;

14330   2. plates. ÄAT 72,2: Wsb 2007, Harrassowitz xix; 312 pp.

14331   *Marchegay, Sophie* Les pratiques funéraires à Ougarit à l'Âge du
Bronze. Le royaume d'Ougarit. 2007 ⇒1004. 423-447.

14332   *McCane, Byron R.* Jewish ossuaries of the early Roman period:
continuity and change in death ritual. ᶠMᴇʏᴇʀs, E. AASOR 60/61:
2007 ⇒106. 235-242.

14333   *Melloni, Georg P.* Der Glaube an die Auferweckung: das Zeugnis
der Gräber. WUB 43 (2007) 41-43.

14334   *Miniaci, Gianluca* L'origine sociale dei sarcofagi *rishi*: un'analisi
archeologica. Aeg. 87 (2007) 105-125.

14335   *Morris, Ellen F.* Sacrifice for the state: first dynasty royal funerals
and the rites at Macramallah's rectangle. Performing death. 2007
⇒1038. 15-37.

14336   **Nutkowicz, Hélène** L'homme face à la mort au royaume de Juda:
rites pratiques et représentations. 2006 ⇒22,13701. ᴿPOC 57
(2007) 213-214 (*Attinger, D.*).

14337   **Papadopoulos, John K.** The Early Iron Age cemetery at Torone.
Monumenta Archaeologica 24: 2005 ⇒21,14155. ᴿAntiquity
81(2007) 482-483 (*Whitley, James*).

14338   *Perry, Megan A.* A preliminary report on the cemeteries of Bir
Madhkur. BASOR 346 (2007) 79-93.

14339   *Perry, Megan A.; Al-Shiyab, Abdel Halim; Falahat, Hani* The
2006 Wadi Abu Khaharif and Wadi Al-Mudayfiʿat cemetery exca-
vations. ADAJ 51 (2007) 303-312.

14340   *Petrosyan, Levon* La culture de l'âge du Bronze récent du cimetière
de Lchashen. DosArch 321 (2007) 42-43.

14341   *Piedad Sánchez, Jorge* Enterramientos antiguos. Qol 44 (2007) 73-88.

14342   *Pinar, Joan; Turell, Luis* Ornamenta vel vestimenta ex sepulchro abstulere: reflexiones en torno a la presencia de tejidos, adornos y accesorios de indumentaria en el mundo funerario del Mediterráneo tardoantiguo. CCO 4 (2007) 127-167.

14343   *Pollock, Susan* The royal cemetery of Ur: ritual, tradition, and the creation of subjects. Representations of political power. 2007 ⇒ 687. 89-110;

14344   Death of a household. Performing death. 2007 ⇒1038. 209-222.

14345   ᴱ**Polz, D.** Für die Ewigkeit geschaffen: die Särge des Imeni und der Geheset. Mainz 2006, Von Zabern x; 139 pp. €29.90. 978-38053-37946.

14346   **Radermakers, Jean; Vervier, Jean; Villeneuve, Estelle** La découverte du tombeau de Jésus?. Que penser de: P 2007, Fidélité 148 pp. €10. 978-28735-63820.

14347   **Rahmani, Levi Y.** A catalogue of Jewish ossuaries in the collections of the state of Israel. 1994 ⇒10,12111. ᴿThR 72 (2007) 265-266 (*Zwickel, Wolfgang*).

14348   *Rasimus, Thomas* Une évaluation critique du film *The lost tomb of Jesus*. LTP 63 (2007) 113-120.

14349   *Raven, Maarten J., al.*, Preliminary report on the Leiden excavations at Saqqara, season 2006: the tombs of Tia, Meryneith and Maya. JEOL 40 (2006-2007) 5-18;

14350   Season 2007: the tomb of Ptahemwia. JEOL 40 (2006-2007) 19-39.

14351   **Raven, M.J.; Taconis, W.K.** Egyptian mummies: radiological atlas of the collections in the National Museum of Antiquities in Leiden. 2005 ⇒21,14161. ᴿJEA 93 (2007) 302-304 (*Strouhal, Eugen*).

14352   *Richardson, Peter* Khirbet Qana's necropolis and ethnic questions. ᶠMEYERS, E. AASOR 60/61: 2007 ⇒106. 257-266.

14353   *Richardson, Seth* Death and dismemberment in Mesopotamia: discorporation between the body and body politic. Performing death. 2007 ⇒1038. 189-208.

14354   *Riesner, Rainer* Ein falsches Jesus-Grab, Maria Magdalena und kein Ende. ThBeitr 38 (2007) 296-299.

14355   *Rife, Joseph L., al.*, Life and death at a port in Roman Greece: the Kenchreai cemetery project, 2002-2006. Hesp. 76 (2007) 143-181.

14356   **Riggs, Christina** The beautiful burial in Roman Egypt: art, identity, and funerary religion. 2005 ⇒21,14164; 22,13713. ᴿArOr 75 (2007) 249-251 (*Smoláriková, Kvĕta*); JAOS 127 (2007) 382-384 (*Corbelli, Judith*).

14357   *Ruby, Pascal Et l'on brûlera tous les héros...* poésie épique, pratiques funéraires et formes du pouvoir dans la protohistoire méditerranéenne du début du Iᵉʳ millénaire. Pratiques funéraires. 2007 ⇒653. 321-349.

14358   *Russo, Barbara* Some notes on the funerary cult in the early Middle Kingdom stela BM EA 1164. JEA 93 (2007) 195-209.

14359   *Rutherford, Ian* Achilles and the sallis wastais ritual: performing death in Greece and Anatolia. Performing death. 2007 ⇒1038. 223-236.

14360   *Salvoldi, Daniele* Le tombe tebane private di età amarniana: evoluzione architettonica, stilistica ed iconografica. EVO 30 (2007) 77-93.

14361 *Scheele-Schweitzer, Katrin* Zur Darstellung von mehr als einem ältesten Sohn in Gräbern des Alten Reiches. GöMisz 213 (2007) 69-75.

14362 *Schmid, Stephan G.* Paläste der Erinnerung: neue Forschungen zu nabatäischen Grabkomplexen in Petra. WUB 43 (2007) 2-7.

14363 *Schwartz, Glenn M.* Status, ideology, and memory in third-millennium Syria: 'royal' tombs at Umm el-Marra. Performing death. 2007 ⇒1038. 39-68.

14364 *Seger, Joe D.* Queen or crone?: gendered archaeology in an LB tomb at Gezer. ^FMEYERS, E. AASOR 60/61: 2007 ⇒106. 85-93.

14365 *Shalev, Sariel* Metallurgical analysis. Middle Bronze Age IIA cemetery at Gesher. AASOR 62: 2007 ⇒14280. 109-114.

14366 *Silvano, Flora* Antichità egiziane nel Museo di Anatomia umana dell'Università di Pisa. EVO 30 (2007) 95-116.

14367 *Stordeur, Danielle* Les crânes de Tell Aswad (PPNB, Syrie): premier regard sur l'ensemble, premières réflexions. Syria 84 (2007) 3-32.

14368 *Üyümez, Mevlüt, al.*, Afyonkarahisar'in Doğusunda Önemli Bir Orta Tunç Çağı Nekropolü: Dede Mezarı [An important Middle Bronze Age cemetery in West-Central Anatolia]. BTTK 71 (2007) 811-841. **Turkish**.

14369 *Vasiljević, Vera* Der Grabherr und seine Frau: zur Ikonographie der Status- und Machtverhältnisse in den Privatgräbern des Alten Reiches. SAÄK 36 (2007) 333-345.

14370 *Waheeb, M.* A unique Early Bronze Age IV tomb near Tell El-'Umeeiri, Jordan. ANESt 44 (2007) 90-112.

14371 *Waywell, Geoffrey B.; Berlin, Andrea* Monumental tombs from Maussollos to the Maccabees. BArR 33/3 (2007) 54-65.

14372 *Wenzel, Gabriele* Die Funktion der Hilfslinien im Grab des Pepianch Heni-kem (Meir A2). MDAI.K 63 (2007) 337-358; Taf. 47-48.

14373 *Wieckowski, Wieslaw* The skeletons. Middle Bronze Age IIA cemetery. AASOR 62: 2007 ⇒14280. 69-75.

14374 **Willems, Harco**, *al.*, Dayr al-Barshā, 1: the rock tombs of Djehutinakht (no. 17K74/1), Khnumnakht (no. 17K74/2), and Iha (no. 17K74/3): with an essay on the history and nature of nomarchal rule in the early Middle Kingdom. OLA 155: Lv 2007, Peeters xxiv; 126 pp. €78. 978-90429-18252. Num pl., ill.; Bibl. xi-xxiv.

14375 *Zissu, Boaz* A burial cave from the second temple period at El-Maghar on the southern coastal plain. BAIAS 25 (2007) 9-17.

14376 **Zivie, Alain; Chapuis, Patrick** The lost tombs of Saqqara. ^T*Lorton, Alain Z.* P 2007, Cara Cara 151 pp. $30. Ill.

T3.9 *Numismatica*, coins

14377 *Ahipaz, N.* A hoard of Byzantine *soldi* from the Deir 'Aziz Synagogue. Israel Numismatic Research 2 (2007) 157-165.

14378 *Amigues, Suzanne* L'"arbre à styrax": nouvelle interprétation d'un monnayage de Selgè. CRAI 1 (2007) 285-293.

14379 *Amit, D.; Bijovsky, G.* A numismatic update on the northwestern extent of the territory controlled by the Bar Kokhba rebels. Israel Numismatic Research 2 (2007) 133-135.

14380 *Arbel, Yoav* The Gamla coin: a new perspective on the circum-
stances and date of its minting. Milk and honey. 2007 ⇒474. 257-
275.

14381 *Bijovsky, G. AION*: a cosmic allegory on a coin from Tyre. Israel
Numismatic Research 2 (2007) 143-156;

14382 Numismatic evidence for the Gallus Revolt: the hoard from Lod.
IEJ 57 (2007) 187-203.

14383 *Bodzek, J.* Remarks on the iconography of Samarian coinage: hunt-
ing in *Paradeisos*?. Israel Numismatic Research 2 (2007) 35-45.

14384 *Bricault, L.* Deities from Egypt on coins of the southern Levant. Is-
rael Numismatic Research 2 (2007) 123-136.

14385 *Callegher, Bruno* Cafarnao IX: addenda: monete dalle ricognizioni
di superficie (2004-2007). LASBF 57 (2007) 493-502;

14386 Tesoro o monete sparse?: a proposito di un gruzzolo di bronzi della
zecca di Flavia Neapolis (Samaria). LASBF 57 (2007) 503-520.

14387 *Ciecielag, J.* Anti-Jewish policy of the Roman Empire from
VESPASIAN until HADRIAN, in the light of numismatic sources–fact
or myth?. Israel Numismatic Research 2 (2007) 101-110;

14388 On the Qumran coins once again. Qumran Chronicle 15/3-4 (2007)
175-182.

14389 **Duyrat, Frédérique** Arados hellénistique: étude historique et mo-
nétaire. BAHI 173: 2005 ⇒21,14192; 22,13734. ᴿTEuph 34
(2007) 159-162 (*Elayi, J.*).

14390 *Elayi, Josette* Remarques méthodologiques sur l'étude iconogra-
phique des monnaies phéniciennes. MUSJ 60 (2007) 47-54.

14391 *Elayi, Josette; Elayi, Alain G.; Bour, R.* A new variety of an
aradian series and the representation of turtles on aradian coins.
TEuph 33 (2007) 11-20 (Pls I-III).

14392 *Elayi, Josette; Lemaire, A.* Bulletin d'information: 1: Syrie–Phéni-
cie–Palestine: deuxième partie: numismatique. TEuph 33 (2007)
23-82.

14393 **Flament, Christophe** Le monnayage en argent d'Athènes de
l'époque archaïque à l'époque hellénistique (c. 550 - c.40 av. J.-
C.). Etudes numismatiques 1: LvN 2007, Assoc. de Numismatique
Hoc 310 pp. €50. 978-29304-49111. Num. ill.

14394 *Fontanille, J.-P.* Two unrecorded Hasmonean coins. Israel Numis-
matic Research 2 (2007) 89-92.

14395 *Frolova, N.A.* Catalogue of 2nd century coins of the Spartokid dy-
nasty (Hygiaenon, Spartocus, Paerisades). VDI 263 (2007) 70-113.
R.

14396 *Gerson, S.N.* A newly discovered Bar Kokhba small silver over-
struck on a Judea Capta *denar*;

14397 *Gitler, H.; Tal, O.; Van Alfen, P.* Silver dome-shaped coins from
Persian period southern Palestline. Israel Numismatic Research 2
(2007) 131-132/47-62.

14398 **Gitler, Haim; Tal, Oren** The coinage of Philistia of the fifth and
fourth centuries BC: a study of the earliest coins of Palestine. 2006
⇒22,13738. ᴿIEJ 57 (2007) 117-118 (*Boardman, John*).

14399 *Goldenberg, David* Babatha, Rabbi Levi and THEODOSIUS: black
coins in late antiquity. DSD 14 (2007) 49-60.

14400 *Goodman, Martin* The meaning of 'fisci iudaici calumnia sublata'
on the coinage of NERVA. ᶠFELDMAN, L. AJEC 67: 2007 ⇒40. 81-
89.

14401 *Hendin, D.* Echoes of 'Judaea Capta': the nature of DOMITIAN's coinage of Judea and vicinity;
14402 A Seleucid coinage of Demetrias by the Sea. Israel Numismatic Research 2 (2007) 123-130/77-87.
14403 ^E**Howgego, Christopher; Burnett, Andrew** Coinage and identity in the Roman provinces. 2005 ⇒21,14197; 22,13740. ^RAJA 111 (2007) 176-177 (*Johnston, Ann*).
14404 *Jacobson, D.M.* Military helmet or dioscuri motif on Herod the Great's largest coin?. Israel Numismatic Research 2 (2007) 93-101.
14405 *Kovalenko, S.A.* On the problem of imitation (copying) in Greek numismatics. VDI 263 (2007) 115-123. **R**.
14406 **Le Rider, Georges; Callataÿ, François de** Les Séleucides et les Ptolémées: l'héritage monétaire et financier d'Alexandre le Grand. 2006 ⇒22,13742. ^RSyria 84 (2007) 339-341 (*Duyrat, Frédérique*).
14407 *Lemaire, André* Administration in fourth-century B.C.E.: Judah in light of epigraphy and numismatics. Judah and the Judeans. 2007 ⇒750. 53-74.
14408 *Lorber, C.C.* The Ptolemaic mint of Ras Ibn Hani. Israel Numismatic Research 2 (2007) 63-75.
14409 **Mattingly, H..B.** From coins to history: selected numismatic studies. 2004 ⇒20,240. ^RLatomus 66 (2007) 482-484 (*Pedroni, Luigi*).
14410 *Müller-Wollerman, Renate* Foreign coins in late period Egypt. Moving across borders. OLA 159: 2007 ⇒722. 317-326.
14411 *Nicolet-Pierre, H.* Egyptian imitation of Athenian tetradrakhms of the classical period (5-4 centuries BC). VDI 263 (2007) 124-138. **R**.
14412 *Oakman, Douglas E.* Batteries of power: coinage in the Judean temple system. ^FNEYREY, J. SWBAS n.s. 1: 2007 ⇒116. 171-185.
14413 *Ostermann, Siegfried* Bildprogramm und Ideologi: jüdische und römische Münzen des 1. und 2. Jahrhunderts n. Chr. in Palästina. BiKi 62 (2007) 10-15.
14414 *Rappaport, U.* Who minted the Jewish War's coins?. Israel Numismatic Research 2 (2007) 103-116.
14415 **Schaps, David M.** The invention of coinage and the monetization of ancient Greece. 2004 ⇒21,14204. ^RGn. 79 (2007) 471-472 (*Mäckel, Iris*).
14416 *Sigismund, Marcus* Small change?: coins and weights as a mirror of ethnic, religious and political identity in first and second century C.E. Tiberias. Religion, ethnicity. 2007 ⇒648. 315-336.
14417 *Strelkov, A.V.* Towards the origin and spread of imitations of Athenian coins in the east in 5th-6th centuries BC. VDI 263 (2007) 139-155. **R**.
14418 *Syon, D.* Yet again on the bronze coins minted at Gamla. Israel Numismatic Research 2 (2007) 117-122.
14419 *Tal, O.* Coin denominations and weight standards in fourth-century BCE Palestine. Israel Numismatic Research 2 (2007) 17-28.

T4.3 **Jerusalem**, *archaeologia* **et historia**

14420 *Bahat, D.* New discoveries in the Western Wall tunnels. Qad. 133 (2007) 41-47. **H**.

14421   *Becking, Bob* Sennacherib and Jerusalem: new perspectives. JSem
        16 (2007) 267-288.
14422   *Bickerman, Elias J.* Nebuchadnezzar and Jerusalem. Studies in
        Jewish and Christian history. AGJU 68/1-2: 2007 ⇒190. 961-974.
14423   *Bieberstein, Klaus* "Zum Raum wird hier die Zeit": drei Erinne-
        rungslandschaften Jerusalems. JBTh 22 (2007) 3-39;
14424   Ein großer Raum im Obergeschoss ... der Abendmahlssaal auf dem
        Berg Zion. WUB 44 (2007) 40-41;
14425   Auf Jesu Spuren?: Klaus Bieberstein über Jerusalems Erinnerungs-
        landschaft zwischen Fact und Fiction. WUB 44 (2007) 62-63.
14426   *Castelli, Silvia* Fondare Gerusalemme: tradizioni bibliche, ellenisti-
        che e romane sulle origini. At. 95/1 (2007) 203-213.
14427   *Dawson, Sarah* 'The Jerusalem perspective: 150 years of archaeo-
        logical research' (Brown Univ., Providence, RI, Nov. 2006).
        Henoch 29 (2007) 412-414.
14428   **Díez Fernández, Florentino** El Calvario y la cueva de Adán: el re-
        sultado de la últimas excavaciones en la basílica del Santo Sepul-
        cro. Instituto Bíblico y Oriental 1: 2004 ⇒20,12786; 22,13768.
        [R]RB 114 (2007) 151-152 (*Murphy-O'Connor, Jerome*).
14429   *Doll, Michael* Zu Fuß beten: die Via Dolorosa. WUB 44 (2007) 58-
        61.
14430   **Edelman, Diana V.** The origins of the 'second' temple. 2005 ⇒21,
        14225; 22,13771. [R]JHScr 7 (2007)* = PHScr IV,495-503 (*Boda,
        Mark*); RBLit (2007) 96-99 (*Hogeterp, Albert L.A.*).
14431   **Eliav, Yaron Z.** God's mountain: the Temple Mount. 2005 ⇒21,
        14226. [R]JSJ 38 (2007) 104-105 (*Langer, Gerhard*).
14432   *Faust, Avraham* Shimron all wet on water system;
14433   Final comment. BArR 33/2 (2007) 66-67/69, 77.
14434   *Finkelstein, Israel, al.*, Has King David's palace in Jerusalem been
        found?. TelAv 34 (2007) 142-164.
14435   *Fraile Yécora, Pedro I.* Jerusalén de agua. Revista Aragonesa de
        Teología 13/2 (2007) 65-79.
14436   **Franken, H.J.** A history of potters and pottery in ancient Jerusa-
        lem: excavations by K.M. KENYON in Jerusalem 1961-1967. 2005
        ⇒21,14228. [R]BASOR 346 (2007) 96-98 (*Cahill, Jane*); Leiden
        Journal of Pottery Studies 22 (2006) 149-153 (*Mattingly, Gerald*).
14437   *Friedheim, Emmanuel* The religious and cultural world of Aelia
        Capitolina—a new perspective. ArOr 75 (2007) 125-152.
14438   [E]**Geva, Hillel** Jewish quarter excavations in the Old City of Jerusa-
        lem conducted by Nahman AVIGAD, 1969-1982, III: area E and
        other studies. 2006 ⇒22,13776. [R]OLZ 102 (2007) 133-6 (*Zwickel,
        Wolfgang*); RB 114 (2007) 149-151 (*Murphy-O'Connor, Jerome*).
14439   *Gieschen, Charles A.* The lost tomb of Jesus?. CTQ 71 (2007) 199-
        200 [⇒T.3.8].
14440   **González Echegaray, J.** Pisando tus umbrales, Jerusalén: historia
        antigua de la ciudad. 2005 ⇒21,14232; 22,13777. [R]SJOT 21
        (2007) 156-157 (*Pfoh, Emanuel*).
14441   *Goodman, Martin* The pilgrimage economy of Jerusalem in the sec-
        ond temple period. Judaism in the Roman world. AJEC 66: 2007
        <1999> ⇒236. 59-67.
14442   **Grimm, Michael A.** Lebensraum in Gottes Stadt: Jerusalem als
        Symbolsystem der Eschatologie. Jerusalemer Theologisches Forum

11: Müns 2007, Aschendorff 489 pp. €62. 978-3-402-11015-7. [Rev 21,1-22,5].

14443 *Gruson, Philippe, al.*, Sui passi di Gesù, 2: Gerusalemme, una geografia sacra. Il Mondo della Bibbia 18/1 (2007) 14-52.

14444 *Häusl, Maria* Zion/Jerusalem–eine diakonische Gestalt?. Frauen gestalten Diakonie, 1. 2007 ⇒552. 43-53.

14445 *Himbaza, Innocent* Le mur de Manassé (2 Ch xxxiii 14) entre archéologues et théologiens. VT 57 (2007) 283-294.

14446 **Hjelm, Ingrid** Jerusalem's rise to sovereignty: Zion and Gerizim in competition. JSOT.S 404: 2004 ⇒20,12793... 22,13781. [R]Bib. 88 (2007) 139-144 (*Ristau, Kenneth A.*); JThS 58 (2007) 603-607 (*Kartveit, Magnar*).

14447 *Innes MacAdam, Henry* The alleged "Jesus family" tomb near Jerusalem: archaeology, the media and New Testament history. PJBR 6 (2007) 33-54 [⇒T3.8].

14448 *Islam, M. Anwarul; Al-Hamad, Zaid F.* The Dome of the Rock: origin of its octagonal plan. PEQ 139 (2007) 109-128.

14449 **Jacobovici, Simcha; Pellegrino, Charles** The Jesus family tomb: the discovery, the investigation, and the evidence that could change history. SF 2007, HarperSanFrancisco 218 pp. $28. 978-006119-2029. Foreword *James Cameron*. [R]America 196/13 (2007) 36-37 (*Fitzmyer, Joseph A.*); RBLit (2007)* (*Reed, Jonathan*).

14450 **Keel, Othmar** Die Geschichte Jerusalems und die Entstehung des Monotheismus, 1-2. Orte und Landschaften der Bibel 4/1,1-2: Gö 2007, Vandenhoeck & R. 2 vols; 771+613 pp. €149. 978-3-525-50-177-1. Bibl. 1295-1316.

14451 *Kloner, A.* New discoveries in the Western Wall tunnels–notes on D. Bahat's article in Qadmoniot 133 (pp. 41-47). Qad. 134 (2007) 125. H.

14452 **Kloner, Amos; Zissu, Boaz** The necropolis of Jerusalem in the second temple period. Interdisciplinary Studies in Ancient Culture and Religion 8: Lv 2007, Peeters viii; 820 pp. €90/$131. 978-9042-9-17927.

14453 *Knowles, Melody D.* Pilgrimage to Jerusalem in the Persian period. Approaching Yehud. SBL.Semeia Studies 50: 2007 ⇒376. 7-24.

14454 **Knowles, Melody D.** Centrality practiced: Jerusalem in the religious practice of Yehud and the diaspora in the Persian period. SBL Archaeology and biblical studies 16: 2006 ⇒22,13784. [R]JHScr 7 (2007)* = PHScr IV,169-196 (*Knoppers, Gary N.; Fulton, Deirdre N.; Janzen, David: Klein, Ralph W.*).

14455 *Küchler, Max* Die beiden heilsamen Wasser Jerusalems: Betesda und Schiloach zur Zeit Jesu. WUB 44 (2007) 24-27 [Jn 5,1-9; 9];

14456 Ein Berg voller Erinnerungen: Jesustraditionen auf dem Ölberg. WUB 44 (2007) 28-35;

14457 Höhe und Schicksalsberg Jerusalems: ein jahrtausendealter heiliger Ort. WUB 44 (2007) 36-39.

14458 **Küchler, Max B.**, *al.*, Jerusalem: ein Handbuch und Studienreiseführer zur Heiligen Stadt. Orte und Landschaften der Bibel 4/2: Gö 2007, Vandenhoeck & R. xiv; 1266 pp. €99. 978-35255-01702. [R]RB 114 (2007) 309-312 (*Murphy-O'Connor, Jerome*); RBLit (2007)* (*Fassbeck, Gabriele*).

14459 *Kügler, Joachim* Prophetenmörderin und Himmelsstadt: die Bedeutung Jerusalems für die Urkirche. WUB 44 (2007) 64-66;

14460   "Und er zog nach Jerusalem hinein ..." (Mk 11, 11): was bedeutete
         die Stadt für den historischen Jesus?. WUB 44 (2007) 11.
14461   *Lernau, O.; Reich, R.; Shukron, E.* New discoveries at the City of
         David, Jerusalem. Qad. 133 (2007) 32-40. **H.**;
14462   Recent discoveries in the City of David, Jerusalem. IEJ 57 (2007)
         153-169.
14463   **Levine, Lee I.** Jerusalem: portrait of the city in the second temple
         period (538 BCE-70 CE). 2002 ⇒19,13470; 22,13791. ^{R}JJS 58
         (2007) 343-345 (*Bond, Helen K.*).
14464   **Lipschits, Oded** The fall and rise of Jerusalem: Judah under Baby-
         lonian rule. 2005 ⇒21,14244; 22,13792. ^{R}JHScr 7 (2007)* =
         PHScr IV,21-80, 507-509 ⇒22,593 (*Vanderhooft, David S.; Al-
         bertz, Rainer; Eskenazi, Tamara C.; Knoppers, Gary N.; Master,
         Daniel M.; Williamson, H.G.M.; Ristau, Ken*); JThS 58 (2007)
         179-180 (*Goldhill, Simon*);
14465   Jerusalem between destruction and restoration: Judah under Baby-
         lonian rule. 2004 ⇒20,12801. ^{R}PHScr II, 591-592 ⇒373 (*Avioz,
         Michael*). **H.**
14466   *Livne-Kafri, Ofer* Jerusalem: the navel of the earth in Muslim tradi-
         tion. Islam 84 (2007) 46-72.
14467   *Lux, Rüdiger* Das neue und das ewige Jerusalem: Planungen zum
         Wiederaufbau in frühnachexilischer Zeit. ^{F}HENTSCHEL, G. EThSt
         90: 2007 ⇒65. 255-271.
14468   *Mansfeld, Maria L.F.* Jerusalem in the 19th century: from pilgrims
         to tourism. Aram 19 (2007) 705-714.
14469   *Marguerat, Daniel* Jewish and christian understandings of the fall
         of Jerusalem: conflicting interpretations of a historical event. An-
         cient and modern scriptural historiography. BEThL 207: 2007 ⇒
         389. 311-331.
14470   **Mazar, Eilat** Preliminary report on the City of David excavations
         2005 at the Visitors Center Area. J 2007, Shalem 88 pp. $23. 978-
         96570-52747. Ill.;
14471   **Mazar, Eilat**, *al.*, The Temple Mount excavations in Jerusalem
         1968-1978 directed by Benjamin Mazar: final reports vol. 2: the
         Byzantine period. Qedem 46: J 2007, Institute of Archaeology of
         the Hebrew Univ. xiv; 215 pp. 0333-5844.
14472   **Morris, Colin** The sepulchre of Christ and the medieval west: from
         the beginning to 1600. 2005 ⇒21,14251; 22,13801. ^{R}CCMéd 50
         (2007) 198-199 (*France, John*).
14473   *Na'aman, Nadav* When and how did Jerusalem become a great
         city?: the rise of Jerusalem as Judah's premier city in the eighth-
         seventh centuries B.C.E.. BASOR 347 (2007) 21-56.
14474   *O'Mahony, Anthony* 'Making safe the holy way': Ethiopian pilgrim
         and monastic presence in 14th-16th century Egypt and Jerusalem.
         Aram 19 (2007) 723-738.
14475   *Patella, Michael* Seers' corner: places of repentance. BiTod 45
         (2007) 93-96.
14476   **Pringle, Denys** The churches of the Crusader Kingdom of Jerusa-
         lem: a corpus: III, the city of Jerusalem. C 2007, CUP xxv; 506 pp.
         £110. 978-05213-90385. Drawings by *Leach, Peter E.*; 212 pl; 81
         fig.
14477   *Pury, Albert de* Der geschichtliche Werdegang Jerusalems als Aus-
         druck der "vertikalen" Ökumene: Plaidoyer für ein versöhntes Jeru-
         salem. ^{F}KEEL, O. OBO Sonderband: 2007 ⇒83. 529-558.

14478 **Ricca, Simon** Reinventing Jerusalem: Israel's reconstruction of the Jewish Quarter after 1967. L 2007, Tauris xiii; 258 pp. 978-18451-13872.

14479 **Ritmeyer, Leen** The quest, revealing the Temple Mount in Jerusalem. 2006 ⇒22,13811. [R]BAIAS 25 (2007) 191-196 (*Rosenberg, Stephen*).

14480 *Sebag, Deborah* Fouilles dans les jardins de l'Éléona á Jérusalem (Pl. I-II). RB 114 (2007) 427-446.

14481 *Shanks, Hershel* Did ancient Jerusalem draw wáter through Warren's shaft?. BArR 33/2 (2007) 64-65.

14482 *Shimron, Aryeh* Faust's major errors. BArR 33/2 (2007) 67-69.

14483 *Steiner, Margreet L.* The notion of Jerusalem as a holy city. [F]AULD, G. VT.S 113: 2007 ⇒5. 447-458.

14484 *Taxel, Itamar* A christian ceramic basin from Jerusalem. LASBF 57 (2007) 521-526.

14485 *Then, Reinhold* Der letzte Weg durch Jerusalem: von Getsemani nach Golgota: Stationen der Passion. WUB 44 (2007) 48-55.

14486 *Uziel, Joe; Shai, Itzhaq* Iron Age Jerusalem: temple-palace, capital city. JAOS 127 (2007) 161-170.

14487 *Van Campen, Mathijs* Lastige steen of visioen van vrede?: Jeruzalem in de joods–christelijke toekomstverwachting. ThRef 50 (2007) 380-405.

14488 [E]**Vaughn, Andrew G.; Killebrew, Ann E.** Jerusalem in bible and archaeology: the first temple period. SBL.Symposium 18: 2003 ⇒ 19,829... 22,13821. [R]JSSt 52 (2007) 390-393 (*Prag, Kay*).

14489 **Vermeylen, Jacques** Jérusalem, centre du monde: développements et contestations d'une tradition biblique. LeDiv 217: P 2007, Cerf 402 pp. €36. 978-22040-82624. [R]CEv 141 (2007) 142 (*Ferry, Joëlle*); EeV 117/183 (2007) 21-22 (*Cothenet, Edouard*).

14490 *Villeneuve, Estelle* Rollstein: ja oder nein?: ein Königsgrab für den "König der Juden". WUB 44 (2007) 47.

14491 A visit to the wailing wall. BArR 33/6 (2007) 72, 86.

14492 *Woods, David* Adomnán, Arculf, and the true cross: overlooked evidence for the visit of the Emperor HERACLIUS to Jerusalem c.630?. Aram 19 (2007) 403-413.

14493 *Zangenberg, Jürgen* Yeshua aus Talpiot und Jesus von Nazaret: Bemerkungen zum angeblichen Grab Jesu und seiner Familie. WUB 44 (2007) 2-7. [⇒T3.8].

T4.4 **Judaea, Negeb**; *situs alphabetice*

14494 *Bienkowski, Piotr* Tribes, borders, landscapes and reciprocal relations: the Wadi Arabah and its meanings. JMA 20/1 (2007) 33-60.

14495 *Edelman, Diana* Settlement patterns in Persian-era *Yehud*. A time of change. LSTS 65: 2007 ⇒850. 52-64.

14496 *Erickson-Gini, Tali* The Nabataean-Roman Negev in the third century CE. The Late Roman army. BAR.International Ser. 1717: 2007 ⇒975. 91-100.

14497 *Faust, Avraham* Settlement dynamics and demographic fluctuations in Judah from the Late Iron Age to the Hellenistic period and the archaeology of Persian-period *Yehud*. A time of change. LSTS 65: 2007 ⇒850. 23-51.

14498 *Levin, Yigal* The southern frontier of *Yehud* and the creation of Idumea. A time of change. LSTS 65: 2007 ⇒850. 239-252.

14499 *Lipschits, Oded; Tal, Oren* The settlement archaeology of the province of Judah: a case study. Judah and the Judeans. 2007 ⇒750. 33-52.

14500 *Steiner, Andreas M.* Ecco la tomba di Erode 'Re dei Giudei'. Archeo 23/6 (2007) 10-19.

14501 *Stern, Ian* The population of Persian-period Idumea according to the ostraca: a study of ethnic boundaries and ethnogenesis. A time of change. LSTS 65: 2007 ⇒850. 205-238.

14502 *Tal, O.* Eretz-Israel during the Hellenistic period: an archaeological perspective. Qad. 133 (2007) 2-14. **H.**

14503 *Zucconi, Laura M.* From the wilderness of Zin alongside Edom: Edomite territory in the eastern Negev during the eighth-sixth centuries B.C.E.. Milk and honey. 2007 ⇒474. 241-256.

14504 **Ashdod: Dothan, Moshe; Ben-Shlomo, David** Ashod VI: the excavations of Areas H and K (1968-1969). IAA Reports 24: 2005 ⇒ 21,14276. [R]BASOR 347 (2007) 110-112 (*Master, Daniel M.*).

14505 **Ashdod; Ashkelon**: *Lehmann, Gunnar; Niemann, Hermann M.* Israel: Mittelmeerküste zwischen Aschkelon und Aschdod: fruchtbare Dünen im Philisterland. WUB 43 (2007) 66-67.

14506 **Be'er Shema**: *Dolinka, Benjamin J.* Be'er Shema-Birsama of the *Notitia dignitatum*: a prolegomenon to the 2006 excavations. Late Roman army. BAR.International Ser. 1717: 2007 ⇒975. 111-118.

14507 **Beersheba**: *Thareani-Sussely, Yifat* The 'archaeology of the days of Manasseh' reconsidered in the light of evidence from the Beersheba valley. PEQ 139 (2007) 69-77.

14508 **Beth Guvrin**: *Cohen, M.; Hubsch, A.; Kloner, A.* The Roman amphitheater at Beth Guvrin. Qad. 133 (2007) 48-57. **H.**

14509 **Bethlehem**: **Martín de la Torre, V.** Viaje a la ciudad de Belén: cuna del amor, semilla de Intifada. Benasque (Huesca) 2007, Barrabes 269 pp.

14510 *el-Ḥasi*: *Blakely, Jeffrey A.; Horton, Fred L.; Doermann, Ralph W.* Judäischer Regierungsvorposten und Festung: der Tell el-ḥesi während des 10.-8. Jh.s v. Chr. ZDPV 123 (2007) 133-164.

14511 **Emmaus**: *Fleckenstein, Karl-Heinz; Fleckenstein, Louisa* Israel: Emmaus-Nicopolis: neue Ausgrabungen auf der Suche nach dem biblischen Emmaus. WUB 43 (2007) 65-66.

14512 **En-Gedi**: **Hirschfeld, Yizhar** Ein Gedi: 'a very large village of Jews'. 2006 ⇒22,13850. [R]PEQ 139 (2007) 60 (*Kingsley, Sean*);

14513 En-Gedi excavations, 2: final report (1996-2002). J 2007, Israel Exploration Society xii; 669 pp. $96. 965-221-0633. Num. ill. [R]RB 114 (2007) 458-463 (*Murphy-O'Connor, Jerome*); UF 39 (2007) 926-927 (*Zwickel, Wolfgang*);

14514 *Porath, R., al.,* The Moringa cave at the En-Gedi oasis. Qad. 133 (2007) 27-31. **H.**;

14515 **Stern, Ephraim** En-Gedi excavations, 1: conducted by B. Mazar and J. Dunayevsky: final report (1961-1965). J 2007, Israel Exploration Society xxv; 435 pp. $88. 965-221-0641. 8 pl.; Num. fig., phot. [R]IEJ 57 (2007) 125-127 (*Maeir, Aren M.*); RB 114 (2007) 454-458 (*Murphy-O'Connor, Jerome*).

14516 **Gath**: *Avissar, Rona S.; Uziel, Joe; Maeir, Aren M.* Tell eş-Şâfî/ Gath during the Persian period. A time of change. LSTS 65: 2007 ⇒850. 65-115;

14517 *Maeir, Aren* Die Heimat des Goliat: Israel–Tell Es-Safi/Gat. WUB 45 (2007) 70;

14518 Ten years of excavations at biblical Gat Plishtim. Qad. 133 (2007) 15-24. **H.**;

14519 *Zukerman, Alexander, al.*, A bone of contention?: Iron Age IIa notched scapulae from Tell eş-Şâfî/Gath, Israel. BASOR 347 (2007) 57-81.

14520 **Gaza**: *Briend, Jacques, al.*, Gaza, una cultura millenaria. Mondo della Bibbia 18/5 (2007) 33-57;

14521 [E]**Haldimann, M.-A.**, *al.*, Gaza à la croisée des civilisations: contexte archéologique et historique. Genève 2007, Musée d'art et d'histoire 256 pp.;

14522 *Patella, Michael* Seers' corner: Gaza. BiTod 45 (2007) 162-166.

14523 **Gezer**: Israel–Geser: neue Ausgrabungen in Geser–eine Stadt König Salomos?. WUB 46 (2007) 57.

14524 **Herodion**: *Jacobson, David* Editorial: has Herod's place of burial been found?. PEQ 139 (2007) 147-148.

14525 **Horvat Radum; Horvat 'Uza**: [E]**Beit-Arieh, I.**, *al.*, Horvat 'Uza and Horvat Radum: two fortresses in the biblical Negev. Mon.25: TA 2007, Yass vi; 349 pp. 965-266-023-X.

14526 **Jamnia**: *Fischer, Moshe; Taxel, Itamar* Ancient Yavneh–its history and archaeology. TelAv 34 (2007) 204-284;

14527 *Zwickel, Wolfgang* Bewegte Geschichte: die Stadt Yavne. WUB 44 (2007) 71.

14528 **Jericho**: *Antonetti, Sandra Intra moenia* Middle Bronze Age burials at Tell es-Sultan: a chronological perspective. Synchronisation III. DÖAW 37: 2007 ⇒988. 337-356;

14529 *Nigro, Lorenzo* Aside the spring: Byblos and Jericho from village to town in the second half of the 4th millennium BC. Byblos and Jericho;

14530 *Polcaro, Andrea* Funerary architecture, findings and mortuary practices in the EB I Jericho necropolis. Byblos and Jericho. 2007 ⇒1050. 95-108;

14531 *Sala, Maura* Early shrines at Byblos and Tell es-Sultan/ancient Jericho in the Early Bronze I (3300-3000 BC). Byblos and Jericho. 2007 ⇒1050. 1-45/47-68;

14532 *Villeneuve, Estelle* Alla ricerca delle mura di Gerico. Mondo della Bibbia 18/3 (2007) 23-26.

14533 **Kadesh Barnea**: [E]**Cohen, Rudolph; Bernick-Greenberg, Hannah** Excavations at Kadesh Barnea (Tell el-Qudeirat) 1976-1982, part 1: Text, part 2: Plates, plans and sections. IAA Reports 34/1-2: J 2007, Israel Antiquities Authority xiv; 397; 326 pp. 978-40620-46.

14534 **Lachish**: *Ussishkin, David* The renewed archaeological excavations at Lachish (1973-1994). Mon. 22: 2004 ⇒20,12859... 22, 13871. [R]PEQ 139 (2007) 213-217 (*James, Peter*).

14535 **Maresha**: *Ehrlich, A.; Kloner, A.* Plastic vessels and rhyta from Maresha. Qad. 134 (2007) 103-109. **H.**;

14536 **Kloner, Amos** Maresha excavations final report I: subterranean complexes 21, 44, 70. IAA Reports 17: 2003 ⇒19,13569. [R]PEQ 139 (2007) 61-62 (*Jacobson, David M.*).

14537   *Masada*: The second fall of Masada. BArR 33/2 (2007) 12;
14538   *Chapman, Honora H.* Masada in the 1st and 21st centuries. Making history. JSJ.S 110: 2007 ⇒1051. 82-102.
14539   *Mor*: **Barako, Tristan J.** Tel Mor: the Moshe Dayan excavations, 1959-1960. IAA Reports 32: J 2007, Israel Antiquities Authority viii; 268 pp. $28. 124 fig.
14540   *Motza*: *Khalaily, Hamoudi, al.*, Excavations at Motza in the Judean hills and the early pre-pottery Neolithic B in the southern Levant. Paléorient 33/2 (2007) 5-37.
14541   *Nitzana*: *Urman, D.* New excavations at Nitzana. Qad. 134 (2007) 113-124. **H.**
14542   *Qumran*: *Pfann, Stephen* Reassessing the Judean desert caves: libraries, archives, genizas and hiding places. BAIAS 25 (2007) 147-170.
14543   *Ramat Saharonim*: *Rosen, Steven A., al.*, Investigations at Ramat Saharonim: a desert neolithic sacred precinct in the central Negev. BASOR 346 (2007) 1-27.
14544   *Yotvata*: *Davies, Gwyn; Magness, Jodi* The Roman fort at Yotvata, 2006. IEJ 57 (2007) 106-114.
14545   *Ziklag*: *Blakely, Jeffrey A.* The location of medieval/pre-modern and biblical Ziklag. PEQ 139 (2007) 21-26.

T4.5 Samaria, Sharon

14546   *Faust, Avraham* The Sharon and the Yarkon basin in the tenth century BCE: ecology, settlement patterns and political involvement. IEJ 57 (2007) 65-82.
14547   *Ronen, A.* Mousterian sites on the Carmel coastal plain. Qad. 134 (2007) 75-81. **H.**
14548   **Zertal, Adam** The Manasseh hill country survey, 1: the Shechem syncline. CHANE 21/1: 2004 ⇒20,12872; 22,13887. [R]OLZ 102 (2007) 141-143 (*Zwickel, Wolfgang*).
14549   **Zwingenberger, Uta** Dorfkultur der frühen Eisenzeit in Mittelpalästina. OBO 180: 2001 ⇒17,11332... 20,12873. [R]ThR 72 (2007) 157-158 (*Zwickel, Wolfgang*).

14550   *Aphek*: *Guzowska, Marta; Yasur-Landau, Assaf* The Mycenaean pottery from Tel Aphek: chronology and patterns of trade. Synchronisation III. DÖAW 37: 2007 ⇒988. 537-545.
14551   *'Atlit*: *Haggi, Arad; Artzy, Michal* The harbor of Atlit in northern Canaanite / Phoenician context. NEA 70 (2007) 75-84.
14552   *Bareket*: *Paz, S.; Paz Y.* Tel Bareket–excavations in a fortified city of the Early Bronze Age II in the central coastal plain. Qad. 134 (2007) 82-88. **H.**
14553   *Bethel*: **Gomes, Jules F.** The sanctuary of Bethel and the configuration of Israelite identity. BZAW 368: 2006 ⇒22,13891. [R]ZAW 119 (2007) 293-294 (*Köhlmoos, M.*); OTEs 20 (2007) 247-250 (*Weber, B.*); CBQ 69 (2007) 776-777 (*Sweeney, Marvin A.*);
14554   **Köhlmoos, Melanie** Bet-El–Erinnerungen an eine Stadt: Perspektiven der alttestamentlichen Bet-El-Überlieferung. FAT 49: 2006 ⇒ 22,13893. [R]JETh 21 (2007) 256-258 (*Weber, Beat*); OLZ 102 (2007) 465-470 (*Pfeiffer, Henrik*).

14555 *Caesarea M*: **Ayalon, Etan** The assemblage of bone and ivory artifacts from Caesarea Maritima, Israel 1st-13th centuries CE. 2005 ⇒ 21,14320. RQad. 134 (2007) 127-128 (*Geva, H.*);

14556 *Patella, Michael* Seers' corner: Caesarea Maritima. BiTod 45 (2007) 35-38.

14557 *Dor*: *Gilboa, Ayelet* A career at one site. BArR 33/4 (2007) 24, 78.

14558 *Ebal*: **Hawkins, Ralph K.** The Iron Age structure on Mt. Ebal: excavation and interpretation. DYounker, Randall W. 2007, Diss. Andrews [AUSS 46,122].

14559 *'En Esur*: **Yannai, Eli** ʿEn Esur (ʿEin Asawir) 1: excavations at a protohistorical site in the coastal plain of Israel. IAA Reports 31: J 2006, Israel Antiquities Authority vi; 302 pp. $28. 189 fig.

14560 *Jaffa*: *Peilstöcker, Martin* Urban archaeology in Yafo (Jaffa): preliminary planning for excavations and research of a Mediterranean port city. PEQ 139 (2007) 149-165.

14561 *Samaria*: *Chapman, Rupert L., III* Samaria: royal citadel of the kings of Israel. BAIAS 25 (2007) 207;

14562 *Dabrowa, Edward* Samarie entre Jean Hyrcan et Antiochos IX Cyzicène. Ment. *Josephus* MUSJ 60 (2007) 447-459;

14563 *Niemann, Hermann M.* Royal Samaria–capital or residence?: the foundation of the city of Samaria by Sargon II;

14564 *Ussishkin, David* Samaria, Jezreel and Megiddo: royal centres of Omri and Ahab. Ahab Agonistes. 2007 ⇒820. 184-207/293-309.

14565 *Tzur Natan*: *Marder, Ofer, al.*, Tzur Natan, a pre-pottery Neolithic A site in central Israel and observations on regional settlement patterns. Paléorient 33/2 (2007) 79-100.

T4.6 **Galilaea**; *Golan*

14566 *Aviam, Mordechai* Distribution maps of archaeological data from the Galilee: an attempt to establish zones indicative of ethnicity and religious affilation. Religion, ethnicity. 2007 ⇒648. 115-132;

14567 Archaeology and history: what archaeology can show about ethnic and religious regions in ancient Galilee. Historical knowledge. 2007 ⇒403. 196-215 With *William S. Green*.

14568 *Bernett, Monika* Roman imperial cult in the Galilee: structures, functions, and dynamics. Religion, ethnicity. 2007 ⇒648. 337-356.

14569 *Böttrich, Christfried* Was kann aus Nazaret Gutes kommen?: Galiläa im Spiegel der Jesusüberlieferung und bei JOSEPHUS. Josephus und das NT. 2007 ⇒780. 295-333.

14570 *Cappelletti, Silvia* Non-Jewish authors on Galilee. Religion, ethnicity. WUNT 210: 2007 ⇒648. 69-81.

14571 *Chancey, Mark A.* How Jewish was Jesus' Galilee?. BArR 33/4 (2007) 43-50, 76;

14572 The epigraphic habit of Hellenistic and Roman Galilee. Religion, ethnicity. WUNT 210: 2007 ⇒648. 83-98.

14573 **Chancey, Mark A.** Greco-Roman culture and the Galilee of Jesus. MSSNTS 134: 2005 ⇒21,14339. RScrB 37/1 (2007) 35-36 (*Wansbrough, Henry*); JR 87 (2007) 266-268 (*Harrill, J. Albet*); StPhiloA 19 (2007) 221-223 (*Kloppenborg, John S.*); RBLit (2007) 91-93 (*Reed, Jonathan L.*); RBLit (2007) 91-93 (*Reed, Jonathan*).

14574 *Edwards, Douglas R.* Identity and social location in Roman Galilean villages. Religion, ethnicity. WUNT 210: 2007 ⇒648. 357-374.
14575 *Freyne, Seán* Galilee as laboratory: experiments for New Testament historians and theologians. NTS 53 (2007) 147-164;
14576 Galilean studies: old issues and new questions. Religion, ethnicity. WUNT 210: 2007 ⇒648. 13-29.
14577 **Horsley, Richard A.** Archaeology, history, and society in Galilee. 1996 ⇒12,10170... 14,10741. [R]ThR 72 (2007) 264-265 (*Zwickel, Wolfgang*);
14578 Galilea. 2006 ⇒22,13912. [R]RTL 38 (2007) 411 (*Di Pede, E.*).
14579 *Levin, Yigal* When did the Galilee become Israelite?. Shnaton 17 (2007) 113-132. H.
14580 **Lichtenberger, Achim** Kulte und Kultur der Dekapolis: Untersuchungen zu numismatischen, archäologischen und epigraphischen Zeugnissen. ADPV 29: 2003 ⇒19,13609; 21,14343. [R]Gn. 79 (2007) 158-164 (*Schwarzer, Holger*); BBR 17 (2007) 371-372 (*Schnabel, Eckhard J.*).
14581 *Lissovsky, Nurit* History on the ground: on the evolution of sacred places in the Galilee. ZDPV 123 (2007) 165-184.
14582 *Moreland, Milton* The inhabitants of Galilee in the Hellenistic and early Roman periods: probes into the archaeological and literary evidence. Religion, ethnicity. WUNT 210: 2007 ⇒648. 133-159.
14583 *Paavola, Daniel E.* Response to Mark T. Schuler;
14584 *Schuler, Mark T.* Recent archaeology of Galilee and the interpretation of texts from the Galilean ministry of Jesus. CTQ 71 (2007) 117-120/99-117.
14585 *Zangenberg, Jürgen* A region in transition: introducing religion, ethnicity, and identity in ancient Galilee. Religion, ethnicity. WUNT 210: 2007 ⇒648. 1-10;
14586 Das Galiläa des Josephus und das Galiläa der Archäologie: Tendenzen und Probleme der neueren Forschung. Josephus und das NT. WUNT 209: 2007 ⇒780. 265-294.
14587 *Zwickel, Wolfgang* The Huleh valley from the Iron Age to the Muslim period: a study in settlement history. Religion, ethnicity. WUNT 210: 2007 ⇒648. 163-192.

14588 *Bet Yeraḥ*: **Greenberg, Raphael**, *al.*, Bet Yeraḥ: the early Bronze Age mound. IAA reports 30: J 2006, Israel Antiquities Authority 490 pp. $40. 965-406-197-X.
14589 *Beth Shan*: **Braun, Eliot** Early Beth Shan (strata XIX-XIII): G.M. Fitzgerald's deep cut on the tell. University Museum Monographs 121: 2004 ⇒20,12904; 22,13920. [R]BASOR 345 (2007) 78-80 (*Harrison, Timothy P.*);
14590 *Martin, Mario A.S.* A collection of Egyptian and Egyptian-style pottery at Beth Shean. Synchronisation III. DÖAW 37: 2007 ⇒ 988. 375-388;
14591 [E]**Mazar, Amihai** Excavations at Tel Beth-Shan 1989-1996, I: from the Late Bronze Age IIB to the medieval period. 2006 ⇒22,13922. [R]OLZ 102 (2007) 136-137 (*Zwickel, Wolfgang*); RB 114 (2007) 145-146 (*Murphy-O'Connor, Jerome*);
14592 II: the Middle and Late Bronze Age strata in Area R. J 2007, Israel Exploration Society xix; 731 pp. 96522-1065X. 1 CD. [R]UF 39 (2007) 935-937 (*Zwickel, Wolfgang*).

14593 **Mazor, Gabriel; Najjar, Arfan** Nysa-Scythopolis: the Caesareum and the Odeum. IAA Reports 33: J 2007, Israel Antiquities Authority xxii; 293 pp. $28. 978-965-406-201-5. 180 fig.; Bibl. 225-230.

14594 *Beth She'arim*: *Peppard, Michael* Personal names and ethnic hybridity in late ancient Galilee: the data from Beth She'arim. Religion, ethnicity. WUNT 210: 2007 ⇒648. 99-113.

14595 *Bethsaida*: [E]**Arav, Rami; Freund, Richard A.** Bethsaida, 3. 2004 ⇒21,14351. [R]BASOR 346 (2007) 98-100 (*Zorn, Jeffrey R.*);

14596 *Notley, R. Steven* Et-Tell is not Bethsaida. NEA 70 (2007) 220-230;

14597 *Savage, Carl* Supporting evidence for a first-century Bethsaida. Religion, ethnicity. WUNT 210: 2007 ⇒648. 193-206;

14598 **Skupinska-Løvset, I.** The temple area of Bethsaida: Polish excavations on el-Tell in the years 1998-2000. Łódz 2006, Łódz Univ. Pr. 194 pp. 38 pl. [R]PJBR 6/2 (2007) 161-166 (*Zangenberg, J.*).

14599 *Caesarea P*: **Mitterer, Martin** Existenz an der Quelle des Lebens und an den Toren der Hölle: Caesarea Philippi zur Zeit Jesu historisch und archäologisch. Norderstedt 2007, Books on Demand 146 pp. 978-3-8370-1072-5;

14600 *Tsaferis, Vassilios* Caesarea Philippi (Paneas) in the Roman and Byzantine periods. [F]MEYERS, E. 2007 ⇒106. 333-347.

14601 *Capernaum*: **Loffreda, Stanislao** Cafarnao V: documentazione fotografica degli scavi (1968-2003). SBF.CMa 44: 2005 ⇒21,14354. [R]SBSl (2007) 116-117 (*Štrba, Blažej*);

14602 *Runesson, Anders* Architecture, conflict, and identity formation: Jews and christians in Capernaum from the first to the sixth century. Religion, ethnicity. WUNT 210: 2007 ⇒648. 231-257.

14603 *Chorazin*: *Magness, Jodi* Did Galilee decline in the fifth century?: the synagogue at Chorazin reconsidered. Religion, ethnicity. WUNT 210: 2007 ⇒648. 259-274.

14604 *Dan*: **Biran, Avraham; Ben-Dov, Rachel** Dan II: a chronicle of the excavations and the Late Bronze Age 'Mycenaean' tomb. 2002 ⇒18,12511... 22,13930. [R]AJA 111 (2007) 166-167 (*Leonard, Albert, Jr.*); JNES 66 (2007) 137-138 (*Burke, Aaron A.*).

14605 *Gadara*: *Weber, Thomas M.* Gadara and the Galilee. Religion, ethnicity. WUNT 210: 2007 ⇒648. 449-477.

14606 *Gamla*: **Berlin, Andrea** Gamla I: the pottery of the second temple period: the Shmarya Gutman excavations, 1976-1989. IAA Reports 29: 2006 ⇒22,13932. [R]PEQ 139 (2007) 129-130 (*Stacey, David*).

14607 *Hazor*: *Ben-Tor, Amnon; Zuckerman, Sharon* Hazor, 2007. IEJ 57 (2007) 211-215;

14608 *Hoppe, Leslie J.* Taking a second look: new excavations at Hazor. BiTod 45 (2007) 379-383;

14609 *Van Koppen, Frans* Syrian trade routes of the Mari age and MB II Hazor. Synchronisation III. DÖAW 37: 2007 ⇒988. 367-374;

14610 *Zuckerman, Sharon* Anatomy of a destruction: crisis architecture, termination rituals and the fall of Canaanite Hazor. JMA 20/1 (2007) 3-32;

14611 Dating the destruction of Canaanite Hazor *without* Mycenaean pottery?. Synchronisation III. DÖAW 37: 2007 ⇒988. 621-629;

14612 '...Slaying oxen and killing sheep, eating flesh and drinking wine...': feasting in late Bronze Age Hazor. PEQ 139 (2007) 186-204.

14613 *Hippos*: Israel–Hippos: Fußabdruck eines römischen Soldaten entdeckt. WUB 46 (2007) 58.

14614 *Legio*: *Tepper, Yotam* The Roman legionary camp at Legio, Israel: results of an archaeological survey and observations on the Roman military presence at the site. The Late Roman army. BAR.International Ser. 1717: 2007 ⇒975. 57-71.

14615 *Magdala*: *Shanks, Hershel* Major new excavation planned for Mary Magdalene's hometown. BArR 33/5 (2007) 52-55.

14616 *Megiddo*: ᴱ**Finkelstein, Israel; Ussishkin, David; Halpern, Baruch** Megiddo III–the 1992-1996 seasons. 2000 ⇒16,11690... 18, 12459. ᴿThR 72 (2007) 275-276 (*Zwickel, Wolfgang*);

14617 **Harrison, Timothy P.** Megiddo, 3: final report on the Stratum VI excavations. OIP 127: 2004 ⇒20,12921... 22,13949. ᴿBASOR 345 (2007) 83-87 (*Mazar, Amihai*).

14618 *Nazareth*: *Pfann, Stephen; Voss, Ross; Rapuano, Yehudah* Surveys and excavations at the Nazareth village farm (1997-2002): final report. BAIAS 25 (2007) 19-79.

14619 *Peqi'in*: *Gal, Zvi; Smithline, Howard; Shalem, Dina* Gender and social hierarchy in the Chalcolithic period in the light of the Peqi'in cave, Israel. FS MEYERS, E. AASOR 60/61: 2007 ⇒106. 41-48.

14620 *Qarqur*: ᴱ**Lapp, Nancy** Preliminary excavation reports...: Tell Qarqur. AASOR 56: 2003 ⇒19,13658... 22,13913. ᴿCSMSJ 2 (2007) 72 (*Duff, Catherine A.*).

14621 *Rehob*: *Mazar, Amihai* Eine bedeutende Stadt im Bet-Shean-Tal: Israel–Tel Rehov. WUB 45 (2007) 66-67.

14622 *Rekhesh*: *Kuwabara, Hisao; Paz, Yitzhak* The first season of excavations at Tel Rekhesh: the preliminary stage (15-27 March 2006)– excavation results. Orient Express 1-2 (2007) 17-25.

14623 *Sepphoris*: *Aubin, Melissa* Two terracotta figurine fragments from the Sepphoris acropolis. ᶠMEYERS, E. AASOR 60/61: 2007 ⇒106. 311-316;

14624 *Fischer, Alysia* The lives of glass-workers at Sepphoris. 301-310;

14625 *Galor, Katharina* The stepped water installations of the Sepphoris acropolis. ᶠMEYERS, E. AASOR 60/61: 2007 ⇒106. 201-213;

14626 *Grantham, Bill* The butchers of Sepphoris: archaeological evidence of ethnic variability. ᶠMEYERS, E. 2007 ⇒106. 279-289;

14627 *McCollough, C. Thomas* Monumental changes: architecture and culture in late Roman and early Byzantine Sepphoris. 267-277;

14628 *Miller, Stuart S.* Stepped pools and the non-existent monolithic "miqveh". ᶠMEYERS, E. AASOR 60/61: 2007 ⇒106. 215-234;

14629 Priests, purities, and the Jews of Galilee. Religion, ethnicity. WUNT 210: 2007 ⇒648. 375-402;

14630 *Strange, James F.* Sepphoris and the earliest christian congregations. ᶠMEYERS, E. AASOR 60/61: 2007 ⇒106. 291-299;

14631 *Weiss, Zeev* Sepphoris (Ṣippori), 2006. IEJ 57 (2007) 96-106;

14632 Sepphoris (Ṣippori), 2007. IEJ 57 (2007) 215-229.

14633 *Tiberias*: Israel–Tiberias: byzantinische Kirche in Tiberias entdeckt. WUB 46 (2007) 58;

14634 *Hirschfeld, Yizhar; Galor, Katharina* New excavations in Roman, Byzantine, and early Islamic Tiberias. Religion, ethnicity. WUNT 210: 2007 ⇒648. 207-229.

14635 *Tsaf*: *Ben-Shlomo, David; Freikeman, Michael; Garfinkel, Yosef* Tel Tsaf, 2007. IEJ 57 (2007) 236-241;

14636 *Garfinkel, Yosef, al.*, Tel Tsaf: the 2004-2006 excavation seasons. IEJ 57 2007, 1-33.

14637 *Yoqne'am*: ᴱ**Ben-Tor, Amnon; Zarzecki-Peleg, Anabel; Cohen-Anidjar, Shlomit** Yoqne'am, 2: the Iron Age and the Persian period: final report of the archaeological excavations (1977-1988); v. 3: the Middle and Late Bronze Ages: final report of the archaeological excavations (1977-1988). Qedem Reports 6-7: J 2005, Institute of Archaeology xxvi; 421 + xxxv; 435 pp. 0793-4289.

14638 *Zahara*: *Cohen, Susan L.* Tel Zahara, 2007. IEJ 57 (2007) 229-36.

T4.8 *Transjordania*: (East-)Jordan

14639 *Abdulkarim, Maamoun* Les *centuriationes* dans la province romaine de Syrie: nouvelles perspectives d'étude. Syria 84 (2007) 249-276.

14640 *Ali, Nabil* The relationship between susbsistence and pottery production areas: an ethnoarchaeological study in Jordan. Leiden Journal of Pottery Studies 21 (2005) 119-128.

14641 *Clark, Douglas R.; Porter, Barbara A.* "Crossing Jordan" in Washington, D.C.: the tenth international conference on the history and archaeology of Jordan. NEA 70 (2007) 111-113.

14642 **Cordova, Carlos E.** Millennial landscape change in Jordan: geoarchaeology and cultural ecology. Tucson 2007, Univ. of Arizona Pr. xx; 255 pp. $55. 978-08165-25544. 49 ill.

14643 *Daviau, P.M. Michèle* Stone altars large and small: the Iron Age altars from Hirbet el-Mudeyine (Jordan). ᶠKEEL, O. OBO Sonderband: 2007 ⇒83. 125-150.

14644 *El-Khouri, Lamia* Nabataean pilgrimage as seen through their archaeological remains. Aram 19 (2007) 325-340.

14645 *Gatier, Pierre-L.* Decapolitana. Syr. 84 (2007) 169-184.

14646 *Hindawi, Abdel N.* The Iron Age of the northern Jordanian plateau. UF 39 (2007) 451-479.

14647 **Kennedy, David; Bewley, Robert** Ancient Jordan from the air. 2004 ⇒22,13971. ᴿLASBF 57 (2007) 718-720 (*Hamarneh, Basema*).

14648 *Kitchen, K.A.* Moab in Egyptian and other sources: fact & fantasy. GöMisz 212 (2007) 119-128.

14649 *Levy, Thomas E.; Najjar, Mohammad; Higham, Thomas* Iron Age complex societies, radiocarbon dates and Edom: working with the data and debates. AntOr 5 (2007) 13-34.

14650 **Parker, S. Thomas,** *al.*, The Roman frontier in central Jordan: final report on the Limes Arabicus Project, 1980-1989. DOS 60: 2006 ⇒22,13977. ᴿAJA 111 (2007) 589-591 (*Freeman, Philip W.*); JRS 97 (2007) 370-371 (*Isaac, Benjamin*); Syria 84 (2007) 348-351 (*Sartre, Maurice*).

14651 *Piccirillo, Michele* Ricerca storico-archeologica in Giordania XXVII-2007. LASBF 57 (2007) 646-724.

14652 **Routledge, Bruce E.** Moab in the Iron Age: hegemony, polity, archaeology. 2004 ⇒20,12956... 22,13978. ᴿAJA 111 (2007) 386-387 (*Whiting, Charlotte*).

14653 ᴱ**Salje, Beate; Riedl, Nadine; Schaurte, Günther** Gesichter des Orients: 10,000 Jahre Kunst und Kultur aus Jordanien. 2004 ⇒22, 13979. ᴿJAOS 127 (2007) 223-224 (*Porter, Benjamin W.*).

14654 *Savage, Steven H.; Keller, Donald R.* Archaeology in Jordan, 2006 season. AJA 111 (2007) 523-547.

14655 *al-Ḥawariğ*: *Lovell, J. L., al.*, The third preliminary report of the Wadi Ar-Rayyan archaeological project: the second season of excavations at Al-Khawarij. ADAJ 51 (2007) 103-140.

14656 *al-ʿUmayri*: *Herr, Larry G.; Clark, Douglas R.* Tall al-ʿUmayri through the ages. Crossing Jordan. 2007 ⇒719. 121-128.

14657 *Amman*: *Abu Shmais, Adeeb; Scheltema, Gajus* A menhir discovered at Wadi Ṣaqra, ʿAmman district. ADAJ 51 (2007) 283-287.

14658 *Aswad*: *Contenson, Henri de* Nouvelles données sur Tell Aswad et l'Aswadien (Damascène). Syria 84 (2007) 307-308.

14659 *Azraq*: *Richter, Tobias, al.*, Preliminary report on the 2006 season at epipalaeolithic ʿAyn Qaṣiyya, Azraq Ash-Shishan. ADAJ 51 (2007) 313-328.

14660 *Bethany*: *Hecht, Anneliese* Wo Johannes taufte: Betanien-die Taufstelle Jesu in Jordanien. BiHe 43/169 (2007) 17-18;

14661 *Mkhjian, Rustom* Bethany beyond the Jordan where Jesus was baptized. ADAJ 51 (2007) 239-241.

14662 *Busayra*: **Bienkowski, Piotr** Busayra: excavations by Crystal-M. Bennett 1971-1980. British Academy Monographs in Archaeology 13: 2002 ⇒18,12565...21,14416. ᴿJNES 66 (2007) 135-37 (*Burke, Aaron A.*); BASOR 337 (2005) 101-103 (*Mattingly, Gerald L.*).

14663 *El-Ğafr*: *Fujii, Sumio* Wadi Abu Ṭulayḥa: a preliminary report of the 2006 summer field season of the Jafr basin prehistoric project, phase 2. ADAJ 51 2007, 373-402;

14664 PPNB barrage systems at Wadi Abu Ṭulayḥa and Wadi Ar-Ruwayshid Ash-Sharqi: a preliminary report of the 2006 spring field season of the Jafr basin prehistoric project, phase 2. ADAJ 51 (2007) 403-427.

14665 *ez Zeraqon*: **Douglas, Khaled** Die Befestigung der Unterstadt von Hirbet ez Zeraqon im Rahmen der frühbronzezeitlichen Fortifikation in Palästina. ADPV 27,3; Deutsch-jordanische Ausgrabungen in Hirbet ez-Zeraqon 1984-1994., Endberichte 3,1: Wsb 2007, Harrassowitz x; 260 pp. €84. 978-3447-054645;

14666 **Genz, Hermann** Die frühbronzezeitliche Keramik von Hirbet ez-Zeraqon. ADPV 27/2: 2002 ⇒18,12568; 20,12980. ᴿSyria 84 (2007) 329-331 (*Muller, Béatrice*).

14667 *Farasa*: *Schmid, Stephan G.* The international Wadi Farasa project (IWEP) preliminary report on the 2006 season. ADAJ 51 (2007) 141-150.

14668 *Faynan*: ᴱ**Barker, Graeme; Gilbertson, David; Mattingly, D.J.** Archaeology and desertification: the Wadi Faynan Landscape Survey, southern Jordan. Levant supplementary ser. 6; Wadi Faynan ser. 2: Oxf 2007, Oxbow xxvi; 510 pp. 978-1-84217-286-5. 1 CD-ROM; Bibl. 465-502;

14669 *Barker, Graeme; Mattingly, David* Cores and peripheries revisited: the mining lanscapes of Wadi Faynan (southern Jordan) 5000 BC-AD 700. ᶠCUNLIFFE, B. 2007 ⇒28. 95-124.

14670 *Gadara D*: *Häser, Jutta; Vieweger, Dieter* The 'Gadara Region Project' in northern Jordan: spring campaign 2005 on Tall Zarʿa;

14671 *Häser, Jutta* The 'Gadara Region Project' in northern Jordan: the spring campaign 2006 on Tall Zarʿa. ADAJ 51 (2007) 9-20/21-34;

14672 Das "Gadara Region Project": der Tell Zera'a in den Jahren 2005 und 2006. ZDPV 123 (2007) 1-27;

14673 **Weber, Thomas M.** Gadara–Umm Qês, 1: Gadara decapolitana. ADPV 30: 2002 ⇒18,12574... 22,13999. ᴿBer. 50 (2007) 125-126 (*Butcher, Marguerite S.*).

14674 *Gerasa*: *Blanke, Louise* From bathhouse to congregational mosque: further discoveries on the urban history of islamic Jarash. ADAJ 51 (2007) 177-197;

14675 **Kennedy, David** Gerasa and the Decapolis: a virtual island in northwest Jordan. Duckworth Debates in Archaeology: L 2007, Duckworth 216 pp. £13. 978-07156-35674. Bibl. 199-210.

14676 *Ghor eş-Şafī*: *Politis, Konstantinos; O'Hea, Margaret; Papaioannou, Georgios* Ghawr Aş-Şafi survey and excavations 2006-2007. ADAJ 51 (2007) 199-210.

14677 *Heshbon*: *LaBianca, O.S.; Walker, B.* Tall Hisban: palimpsest of great and little traditions on Transjordan and the ancient Near East. Crossing Jordan. 2007 ⇒719. 111-120;

14678 **Ray, Paul J.** Tell Hesban and vicinity in the Iron Age. Hesban 6: 2000 ⇒16,11832... 19,13701. ᴿOLZ 102 (2007) 143-144 (*Zwickel, Wolfgang*).

14679 *Ḫirbet el-Batrawi*: *Nigro, Lorenzo* Preliminary report of the second season of excavations by the University of Rome "La Sapienza" at Khirbat Al-Batrawi (upper Wadi Az-Zarqa'). ADAJ 51 (2007) 345-360.

14680 *Ḫirbet es-Samra*: *Nabulsi, A.J., al.*, The ancient cemetery in Khirbat As-Samra after the sixth season of excavations (2006). ADAJ 51 (2007) 273-281.

14681 *Irbid*: *El-Khouri, Lamia* Roman and Byzantine settlements in the region of west Irbid. PEQ 139 (2007) 166-185.

14682 *Jawa*: **Daviau, Paulette M.M.,** *al.*, Excavations at Tall Jawa, Jordan, 1-2. CHANE 11/2: 2002 ⇒18,12586; 20,12988. ᴿPEQ 139 (2007) 130-132 (*Storfjell, J. Bjørnar*).

14683 *Johfiyeh*: **Lamprichs, Roland** Tell Johfiyeh: ein archäologischer Fundplatz und seine Umgebung in Nordjordanien: Materialien zu einer Regionalstudie. AOAT 344: Müns 2007, Ugarit-Verlag xi; 787 pp. 978-3-86835-000-5. Bibl. 305-315. ᴿUF 39 (2007) 933-934 (*Zwickel, Wolfgang*).

14684 *Madaba*: *Cordova, Carlos E., al.*, Geomorphological assessment of middle paleolithic sites on the Madaba plateau. ADAJ 51 (2007) 329-337;

14685 *Harrison, Timothy P.; Foran, Debra; Graham, Andrew* Investigating 5,000 years of urban history: the Tall Madaba archaeological project. Crossing Jordan. 2007 ⇒719. 143-152;

14686 Preliminary report of the 2000, 2004, and 2005 seasons at Tall Jalul, Jordan (Madaba Plains project). AUSS 45/1 (2007) 73-86.

14687 *Petra*: Petra voted one of new seven wonders of the world. BArR 33/6 (2007) 14-15;

14688 *Bedal, Leigh-Ann; Gleason, Kathryn L.; Schryver, James G.* The Petra garden and pool complex, 2003-2005. ADAJ 51 (2007) 151-176;

14689 *Graf, David F.* In search of Hellenistic Petra: excavations in the city center. Crossing Jordan. 2007 ⇒719. 333-339;

14690 *Graf, David F., al.*, The Hellenistic Petra project: excavations in the Qaṣr Al-Bint Temenos area: preliminary report of the second season, 2005. ADAJ 51 (2007) 223-238;

14691 *Lavento, Mika, al.*, The Finnish Jabal Harun project survey preliminary report of the 2005 season. ADAJ 51 (2007) 289-302;

14692 *Sharp Joukowsky, Martha* Exciting developments: the Brown University 2006 Petra Great Temple excavations. ADAJ 51 (2007) 81-102;

14693 *Villeneuve, Estelle* Jordanien: Beidha: ein Phantompalast in Petra. WUB 43 (2007) 69;

14694 *Wenning, Robert* Jordanien: Petra: Nische und Betyl–in Kontakt mit den Göttern. WUB 44 (2007) 68-69.

14695 *Qaṣr el-Ḥarane*: *Maher, Lisa A.; Richter, Tobias; Jones, Daniel* Archaeological survey at the epipaleolithic site of Al-Kharrana IV. ADAJ 51 (2007) 257-262.

14696 *Qaṣr Wadi Musa*: *Lindner, Manfred, al.*, Umm Rattam survey: specialized reports. ADAJ 51 (2007) 243-256.

14697 *Ramm*: *Rollefson, Gary O.; Matlock, Wesley J.* Enigma variations: ritual structures from late prehistory and early antiquity at Ṭurayf Al-Maragh, Wadi Ramm. ADAJ 51 (2007) 211-222.

14698 *Saḥam*: *Walker, Bethany J., al.*, Village life in Mamluk and Ottoman Ḥubraṣ and Saḥam: Northern Jordan project, report on the 2006 season. ADAJ 51 2007, 429-470.

14699 *Ṣiqlab*: *Maher, Lisa A.* 2005 excavations at the geometric kebaran site of ʿUyun Al-Ḥammam, Al-Kura district, Jordan. ADAJ 51 (2007) 263-272.

14700 *Telelat Ghassul*: *Bourke, Stephen J., al.*, A fourth season of renewed excavation by the University of Sydney at Tulaylat Al-Ghassul (1999). ADAJ 51 (2007) 35-80.

14701 *Tirẓah M*: *Hamitovsky, Itzhak* Between Tirzah and Tirzah (Thersila) in the Onomasticon of EUSEBIUS, and the origin of Menaham Ben Gadi. BetM 52/1 (2007) 42-55 [2 Kgs 15,14]. H.

14702 *Zahrat adh-Dhraʿ*: *Edwards, Phillip C.; House, Emily* The third season of investigations at the pre-pottery neolithic A site of Zahrat adh-Dhraʿ 2 on the Dead Sea plain, Jordan. BASOR 347 (2007) 1-19.

T5.1 **Phoenicia**—*Libanus*, **Lebanon**; *situs mediterranei*

14703 *Artin, Gassia* The *énéolithique* necropolis of Byblos: a new methodological approach and interpretation. Byblos and Jericho. 2007 ⇒1050. 69-81.

14704 *Doumet-Serhal, Claude* Sidon: carrefour de l'Orient il y a 5000 ans. DosArch h.s. 13 (2007) 34-45.

14705 **Doumet-Serhal, Claude**, *al.*, The Early Bronze Age in Sidon: 'College site' excavations (1998-2000-2001). 2006 ⇒22,14034. RPaléorient 33/1 (2007) 189-190 (*Monchambert, Jean-Y.*).

14706 *Frost, Honor* Le naufrage de Tyr. DosArch h.s. 13 (2007) 28-33.

14707 *Marriner, Nick; Morhange, Christophe* Ports antiques et paléo-environnements de Tyr: 5000 ans d'occupation humaine. DosArch h.s. 13 (2007) 20-27.

14708 **Rey-Coquais, Jean-Paul** Inscriptions grecques et latines de Tyr. 2006 ⇒22,14039. ᴿCRAI 1 (2007) 365-66 (*Dentzer, Jean-Marie*).

14709 *Seif, Assaad* Petrographic analyses of selective ceramic material discovered in the eneolithic tombs of Byblos. Byblos and Jericho. 2007 ⇒1050. 83-94.

14710 **Thalmann, Jean-Paul**, *al.*, Tell Arqa: I: les niveaux de l'âge du Bronze. BAHI 177: 2006 ⇒22,14040. ᴿMes. 42 (2007) 281-8 (*Bonacossi, Daniele*); Syr. 84 (2007) 333-5 (*Monchambert, Jean-Y.*).

14711 ᴱ**Fontan, Elisabeth** La Méditerranée des Phéniciens: exposition à l'Institut du monde arabe. DosArch h.s. 13 Dijon 2007, Faton 80 pp 1141-7137.

14712 *Fontan, Elisabeth; Le Meaux, Hélène* La Méditerranée des Phéniciens: de Tyr à Carthage. DosArch h.s. 13 (2007) 2-9.

14713 **Neville, Ann** Mountains of silver & rivers of gold: the Phoenicians in Iberia. Oxf 2007, Oxbow 240 pp. 978-1-84217-177-6. Bibl. 209-231; Foreword *R.J.A. Wilson*.

14714 **Robb, John** The early Mediterranean village: agency, material culture, and social change in Neolithic Italy. C 2007, CUP xxiii; 382 pp. 978-0-521-84241-9. Bibl. 347-371.

T5.4 **Ugarit**—*Ras Šamra*; **Ebla**—*Tell Mardikh*

14715 *Al-Maqdissi, Michel, al.*, Rapport préliminaire sur les activités de la Mission Syro-Française de Ras Shamra-Ougarit en 2005 et 2006 (65ᵉ et 66ᵉ campagnes). Syria 84 (2007) 33-55.

14716 ᴱᵀ**Arnaud, Daniel** Corpus des textes de bibliothèque de Ras Shamra-Ougarit (1936-2000) en sumérien, babylonien et assyrien. AuOr. S 23: Sabadell (Barcelona) 2007, AUSA 265 pp. 9788488-810724.

14717 *Calvet, Yves* Remarques sur la topographie de la cité d'Ougarit. Le royaume d'Ougarit. 2007 ⇒1004. 287-294;

14718 Ugarit: the kingdom and the city–urban features. Ugarit at seventy-five. 2007 ⇒1058. 101-111.

14719 *Caubet, Annie* A propos des arts de luxe à Ougarit. Le royaume d'Ougarit. 2007 ⇒1004. 267-283.

14720 **Cornelius, Izak; Niehr, Herbert** Götter und Kulte in Ugarit. Zaberns Bildbände zur Archäologie: 2004 ⇒20,13023... 22, 14047. ᴿBiLi 80 (2007) 124-125 (*Schipper, Friedrich*).

14721 *Dietrich, Manfried* Ugarit und seine Beziehungen zu Zypern und zur ägäischen Inselwelt. Studien zu Ritual. BZAW 374: 2007 ⇒937. 55-91.

14722 **Dietrich, Manfried; Loretz, Oswald** Studien zu den ugaritischen Texten, 1: Mythos und Ritual. AOAT 269/1: 2000 ⇒16,8560. ᴿAuOr 25 (2007) 155-168 (*Olmo Lete, Gregorio del*).

14723 **McGeough, Kevin M.** Exchange relationships at Ugarit. ANESt.S 26: Lv 2007, Peeters xviii; 438 pp. €95. 978-90-429-1935-8.

14724 **Monchambert, Jean-Y.** La céramique d'Ougarit: campagnes de fouilles 1975 et 1976. 2004 ⇒20,13028; 22,14055. ᴿSMEA 48 (2006) 326-335 (*Di Paolo, Silvana*).

14725 *Niehr, Herbert* The topography of death in the royal palace of Ugarit: preliminary thoughts on the basis of archaeological and textual data. Le royaume d'Ougarit. 2007 ⇒1004. 219-242.

14726   ^E**Peri, Chiara** Poemi ugaritici della regalità: i poemi di Keret e di
        Aqhat. 2003 ⇒19,13764... 22,14059. ^RUF 39 (2007) 887-901
        (*Mazzini, Giovanni*).
14727   **Smith, Mark S.** The rituals and myths of the feast of the goodly
        gods of KTU/CAT 1.23. 2006 ⇒22,14065. ^RArOr 75 (2007) 239-
        246 (*Čech, Pavel*); Maarav 14 (2007) 99-102 (*Hamilton, Mark W.*);
        AuOr 25 (2007) 311-318 (*Olmo Lete, Gregorio del*); RBLit
        (2007)* (*Pardee, Dennis*).
14728   **Tropper, Josef** Ugaritische Gramatik. AOAT 273: 2000 ⇒16,
        8587... 20,13036. ^RAuOr 25 (2007) 328-330 (*Sanmartín, J.*).
14729   *Vita, Juan-Pablo* Two Hurrian loanwords in Ugaritic texts. AltOrF
        34 (2007) 181-184.
14730   **Yon, Marguerite** The city of Ugarit at Tell Ras Shamra. 2006 ⇒
        22,14071. ^RAJA 111 (2007) 582-583 (*Joffe, Alexander H.*); OLZ
        102 (2007) 316-319 (*Herrmann, Wolfram*); Maarav 14 (2007) 111-
        114 (*Pitard, Wayne T.*); CBQ 69 (2007) 570-571 (*McLaughlin,
        John L.*); JAOS 127 (2007) 373-374 (*Tatlock, Jason*).

14731   *Matthiae, Paolo* Nouvelles fouilles à Ebla en 2006: le temple du
        rocher et ses successeurs protosyriens et paléosyriens. CRAI 1
        (2007) 481-525.
14732   *Pinnock, Frances* Byblos and Ebla in the 3rd millennium BC: two
        urban patterns in comparison. Byblos and Jericho. 2007 ⇒1050.
        109-133.

T5.8 Situs efossi Syriae in ordine alphabetico

14733   *Al-Maqdissi, Michel, al.*, Environmental changes in the Jebleh plain
        (Syria): geophysical, geomorphological, palynological, archaeolog-
        ical and historical research. RANT 4 (2007) 3-10.
14734   *Awad, Nazir; Castel, Corinne* Cinquième mission archéologique
        franco-syrienne dans la micro-région d'Al-Rawda (Syrie intéri-
        eure): la campagne de 2006. Orient Express 1-2 (2007) 26-32.
14735   *Baddre, Leila; Gubel, Eric* Les fouilles de Tell Kazel (Sumur?).
        DosArch h.s. 13 (2007) 46-49.
14736   *Beck, Anthony, al.*, Evaluation of Corona and Ikonos resolution sat-
        ellite imagery for archaeological prospection in western Syria. An-
        tiquity 81 (2007) 161-175.
14737   **Butcher, Kevin** Roman Syria and the Near East. 2003 ⇒19,13799
        ... 22,14083. ^RJNES 66 (2007) 63-65 (*Sidebotham, Steven E.*).
14738   *Cooper, Lisa* Exploring the heartland of the Early Bronze Age
        'Caliciform' culture. CSMSJ 2 (2007) 43-50.
14739   *Fortin, Michel* Reprise de la prospection de la moyenne vallée de
        l'Oronte (Syrie) par une mission syro-canadienne: 2004-2006.
        CSMSJ 2 (2007) 19-41.
14740   ^E**Geyer, Bernard; Monchambert, Jean-Y.** La basse vallée de
        l'Euphrate Syrien du Néolithique à l'avènement de l'Islam. 2003 ⇒
        19,13803-4... 22,14084. ^RZA 96 (2006) 294-297 (*Wilkinson, Tony*).
14741   *Koliński, Rafal* The Upper Khabur region in the second part of the
        third millennium BC. AltOrF 34 (2007) 342-369.
14742   ^E**Martin, Lutz; Klengel-Brandt, Evelyn; Kulemann-Ossen, Sa-
        bina** Tall Knédig: die Ergebnisse der Ausgrabungen des Vorderasi-

atischen Museums Berlin in Nordost-Syrien von 1993 bis 1998. WV.DOG 113: 2005, ⇒21,14513. ᴿOLZ 102 (2007) 429-434 (*Bo natz, Dominik*); Syr. 83 (2006) 304-308 (*Lyonnet, Bertille*).

14743 *Villeneuve, Estelle* Entdeckung von Menschenopfern?: Syrien– Umm El-Marra. WUB 45 (2007) 65.

14744 **Walmsley, Alan** Early Islamic Syria: an archaeological assessment. L 2007, Duckworth 176 pp. £12. 978-07156-35704.

14745 *Afis*: **Venturi, Fabrizio** La Siria nell'età delle trasformazioni (XIII- X sec. a.C.): nuovi contributi dallo scavo di Tell Afis. Studi e testi orientali 8, Serie archeologica 1: Bo 2007, CLUEB 463 pp. 978- 88-491-2933-5. Bibl. 435-463.

14746 *Al Umbashi*: ᴱ**Braemer, Frank; Échallier, Jean-C.; Taraqji, Ah- mad** Khirbet Al Umbashi: villages et campements de pasteurs dans le 'désert noir' (Syrie) à l'âge du Bronze. BAH 171: 2004 ⇒20, 13054... 22,14090. ᴿBASOR 345 (2007) 91-93 (*Petty, Alice*).

14747 *Antioch O*: *De Giorgi, A.U.* The formation of a Roman landscape: the case of Antioch. Journal of Roman Archaeology 20 (2007) 283- 298;

14748 *Liebeschuetz, Wolfgang* From Antioch to Piazza Armerina and back again. MUSJ 60 (2007) 135-151;

14749 **Sandwell, Isabella** Religious identity in late antiquity: Greeks, Jews, and Christians in Antioch. ᴰ*North, John* Greek culture in the Roman world: C 2007, CUP xii; 310 pp. £55/$99. 978-0-521-8791- 5-6. Diss. University College, London; Bibl. 282-307.

14750 *Apamea*: *Balty, Janine; Balty, Jean-Charles* Apamée, base milita- ire, de Séleucus à Anastase. MUSJ 60 (2007) 111-125.

14751 *Aswad*: *Contenson, Henri de* Nouvelles données sur Tell Aswad et l'Aswadien (Damascène). Syr. 84 (2007) 307-308;

14752 *Stordeur, Danielle* Les crânes surmodelés de Tell Aswad (PPNB, Syrie): premier regard sur l'ensemble, premières réflexions. Syr. 84 (2007) 5-32.

14753 *Bamuqqa*: *Callot, Olivier* Bamuqqa, histoire d'un village banal. MUSJ 60 (2007) 127-134.

14754 *Barkousa*: *Aliquot, Julien* Burqush-Barkousa: du village à cité. MUSJ 60 (2007) 241-267.

14755 *Beydar*: ᴱ**Lebeau, Marc; Suleiman, Antoine** Tell Beydar: the 2000-2002 seasons of excavations, the 2003-2004 seasons of archi- tectural restoration: a preliminary report = rapport préliminaire sur les campagnes de fouilles 2000-2002 et les campagnes de restaura- tion architecturale 2003-2004. Subartu 15: Turnhout 2007, Brepols v; 309 pp. 978-2-503-51812-1.

14756 *Brak*: *Huot, Jean-Louis* Chroniques bibliographiques 9: les fouilles à Tell Brak. RA 101 (2007) 137-145;

14757 *McMahon, Augusta; Oates, Joan* Excavations at Tell Brak 2006- 2007. Iraq 69 (2007) 145-171.

14758 *Carchemish*: ᴱ**Peltenburg, Edgar J.** Euphrates River Valley settle- ment: the Carchemish sector in the third millennium BC. Levant supplementary series 5: Oxf 2007, Oxbow vi; 285 pp. 978-18421- 72728. ᴿPaléorient 33/2 (2007) 175-177 (*Fortin, M.*).

14759 *Damascus*: *Abdulkarim, Maamoun; Olesti-Vila, Oriol* Les centu- riationes dans la province romaine de Syrie: nouvelles perspectives d'étude. Syr. 84 (2007) 249-276;

14760 **Burns, Ross** Damascus: a history. 2006 ⇒22,14103. ᴿRB 114
       (2007) 122-128 (*Murphy-O'Connor, Jerome*).
14761 *Emar*: **Mori, Lucia** Reconstructing the Emar landscape. Quaderni
       di geografia storica 6: 2003 ⇒19,13818; 21,14526. ᴿBiOr 64
       (2007) 411-414 (*Richardson, Seth*).
14762 *es-Sweyhat*: **Holland, Thomas A.**, *al.*, Archaeology of the Bronze
       Age, Hellenistic, and Roman remains at an ancient town on the
       Euphrates River. Excavations at Tell es-Sweyhat, Syria, 2; UCOIP
       125: 2006 ⇒22,14106. ᴿAJA 111 (2007) 808-809 (*Potts, D.T.*).
14763 *Leilan*: *De Lillis Forrest, Francesca; Milano, Lucio; Mori, Lucia*
       The Akkadian occupation in the northwest area of the Tell Leilan
       acropolis. Kaskal 4 (2007) 43-64.
14764 *Mari*: **Anbar, Moshe** Prophecy, treaty-making and tribes in the
       Mari documents during the period of the Amorite kings (from the
       end of the 19ᵗʰ century B.C.E. until 1760 B.C.E.). J 2007, Bialik
       xvi; 309 pp. $45. 96534-29329;
14765 *Butterlin, Pascal* Les nouvelles recherches archéologiques fran-
       çaises à Mari, un premier bilan (2005-2006). Orient Express 1-2
       (2007) 5-13.
14766 **Margueron, Jean-C.** Mari: métropole de l'Euphrate, au IIIe et au
       début du IIe millénaire av. J.C. 2004 ⇒20,13077... 22,14114.
       ᴿBASOR 345 (2007) 80-82 (*Ross, Jennifer C.*);
14767 ᴱ**Margueron, Jean-C.; Rouault, Olivier; Lombard, Pierre** Akh
       Purattim 1. Lyon 2007, Maison de l'Orient 337 pp. 978-29032-64-
       888.
14768 *Qadesch O*: *Tubb, Jonathan* The identification of Qadesh. BAIAS
       25 (2007) 207-208.
14769 *Qarqur*: ᴱ**Lapp, Nancy** Preliminary excavation reports and other
       archaeological investigations: Tell Qarqur. AASOR 56: 2003 ⇒19,
       13658... 22,13913. ᴿCSMSJ 2 (2007) 72 (*Duff, Catherine A.*).
14770 *Qatna*: ᴱ**Al-Maqdissi, Michel**, *al.*, Excavating Qatna, 1: prelimi-
       nary report on the 1999 and 2000 campaigns of the joint Syrian-
       Italian-German archaeological research project at Tell Mishrifeh.
       Damascus 2002, Direction Général des Antiquités 239 + 135
       (Arab.) pp. 30001-04909. 191 ill.;
14771 ᴱ**Bonacossi, Morandi D.** Urban and natural landscapes of an an-
       cient Syrian capital: settlement and environment at Tell Mishrifeh/
       Qatna and in central-western Syria. Studi archeologici su Qatna 1:
       Udine 2007, Forum 350 pp. €70. 978-88842-04189. Cong. Udine
       2004. ᴿJARCE 42 (2005-2006) 208-210 (*Whincop, Matthew*);
14772 *Villeneuve, Estelle* Syrien–Qatna: als Elfenbein modern war. WUB
       44 (2007) 67.
14773 *Ta'yinat*: *Batuik, Stephen* Ancient landscapes of the Amuq: geoar-
       chaeological surveys of the Amuq Valley: 1999-2006;
14774 *Harrison, Timothy P.* Neo-Hittites in the north Orontes Valley: re-
       cent investigations at Tell Ta'yinat. CSMSJ 2 (2007) 51-57/59-68.
       Terqa:⇒ 14767.
14775 *Titriş Höyük*: *Nishimura, Yoko* The North Mesopotamian neigh-
       borhood: domestic activities and household space at Titriş Höyük.
       NEA 70 (2007) 53-56.
14776 *Tuttul*: **Miglus, Peter A.; Strommenger, Eva** Der Palast A.
       WVDOG 114; Ausgrabungen in Tall Bi'a/Tuttul 7: Wsb 2007, Har-

rassowitz xii; 93 pp. €80. 978-3-447-05579-6. Beitrag von *Samy Achwan*; 90 pp ill.; CD; Bibl. 81-87.

T6.1 **Mesopotamia**, *generalia*

14777 **Allsen, Thomas T.** The royal hunt in Eurasian history. 2006 ⇒22, 14127. RJRAS 17 (2007) 349-350 (*Bentley, Jerry H.*).

14778 EChavalas, Mark W.; Younger, K. Lawson Mesopotamia and the bible: comparative explorations. JSOT.S 341: 2002 ⇒18,458... 21, 14548. RJSSt 52 (2007) 143-145 (*Millard, Alan*).

14779 **Fagan, Brian M.** Return to Babylon: travelers, archaeologists, and monuments in Mesopotamia. Boulder, CO 2007, University Press of Colorado xix; 386 pp. 08708-18678. Rev. ed.

14780 *Grabner-Haider, Anton* Sumerische, babylonische, kanaanäische Kultur. Kulturgeschichte der Bibel. 2007 ⇒435. 231-250.

14781 **Kaelin, Oskar** "Modell Ägypten": Adoption von Innovationen im Mesopotamien des 3. Jahrtausends v. Chr. OBO.A 26: 2006 ⇒22, 14130. RMes. 42 (2007) 280-281 (*Lippolis, Carlo*); JAOS 127 (2007) 384-386 (*Suter, Claudia E.*).

14782 *Kouchoukos, Nicholas; Wilkinson, Tony* Landscape archaeology in Mesopotamia: past, present, and future. FADAMS, R. 2007 ⇒2. 1-18.

ELeick, G. The Babylonian world 2007 ⇒716.

14783 ERothman, Mitchell S. Uruk Mesopotamia & its neighbours: cross-cultural interactions in the era of state formation. School of American Research advanced seminar series: 2001 ⇒17,11532. RRA 101 (2007) 183-186 (*Huot, J.-L.*).

14784 *Sallaberger, Walther* Benno LANDSBERGERs 'Eigenbegrifflichkeit' in wissenschaftsgeschichtlicher Perspektive. Das geistige Erfassen. 2007 ⇒746. 63-82.

14785 *Steinkeller, Piotr* City and countryside in third-millennium southern Babylonia. FADAMS, R. 2007 ⇒2. 185-211.

14786 *Wilhelm, Gernot* Bemerkungen zum Selbstverständnis der Altorientalistik als Nachwort zum Leipziger Kolloquium. Das geistige Erfassen. 2007 ⇒746. 331-340.

T6.5 **Situs effossi Iraq** *in ordine alphabetico*

14787 **Bernhardsson, Magnus T.** Reclaiming a plundered past: archaeology and nation building in modern Iraq [1900-1941]. 2005 ⇒21, 14561; 22,14143. RCamArchJ 17 (2007) 115-6 (*Matthews, Roger*).

14788 **Bonomi, Joseph** Nineveh and its palaces: the discovery of Botta and Layard, applied to the elucidation of Holy Writ. Piscataway, NJ 2003 <1894>, Gorgias xx; 537 pp. $89. 15933-30677. 273 ill.

14789 *Dutant, Viviane* Irak: Sumer: italienische Entdeckungen mitten im Krieg. WUB 43 (2007) 68-69.

14790 *Haditha*: EKepinski, Christine; Lecomte, Olivier; Tenu, Aline Studia euphratica: le moyen Euphrate iraquien révélé par les fouilles préventives de Haditha. 2006 ⇒22,14146. RRA 101 (2007) 190-191 (*Charpin, Dominique*).

14791   *Mashkan-shapir*: **Stone, Elizabeth C.; Zimansky, Paul E.** The anatomy of a Mesopotamian city: survey and soundings at Mashkan-shapir. 2004 ⇒ 20,13109... 22,14149. [R]JAOS 127 (2007) 376-378 (*Richardson, Seth*).

14792   *Nimrud*: **Oates, Joan; Oates, David** Nimrud: an Assyrian imperial city revealed. 2001 ⇒17,11538... 20,13110. [R]BiOr 64 (2007) 215-218 (*Heeßel, N.P.*).

14793   *Nippur*: **McMahon, Augusta** Nippur V: the early dynastic to Akkadian transition: the area WF sounding at Nippur. UCOIP 129: 2006 ⇒22,14151. [R]Antiquity 81 (2007) 1102-1104 (*Roaf, Michael*).

14794   *Uruk*: [E]**Pedde, Friedhelm** Uruk: Kleinfunde, 4: Metall- und Steinobjekte im Vorderasiatischen Museum zu Berlin. 2000 ⇒16,11956 ... 19,13860. [R]OLZ 102 (2007) 285-287 (*Gilibert, Alessandra*).

T6.7 Arabia

14795   [E]**Avanzini, Alessandra** A port in Arabia between Rome and the Indian Ocean (3rd c. BC - 5th c. AD): Khor Rori report 2. Arabia antica 5: R 2007, "L'Erma" di Bretschneider 742 pp. 978-88-8265-469-6. Bibl.; 6 pp pl.

14796   **Farès-Drappeau, Saba** Dédan et Liḥyān: histoire des Arabes aux confins des pouvoirs perse et hellénistique (IVe-IIe s. avant l'ére chrétienne). TMO 42: 2005 ⇒21,14588. [R]TEuph 34 (2007) 168-171 (*Lemaire, André*).

14797   *Lauer, Joachim* Karawanen von Dhofar nach Gaza: die Weihrauchstraße. WUB 44 (2007) 73-75.

14798   *Magee, Peter* Beyond the desert and the sown: settlement intensification in late prehistoric southeastern Arabia. BASOR 347 (2007) 83-105.

T6.9 Iran; *Central Asia*

14799   **Callieri, Pierfrancesco** L'archéologie du Fārs à l'époque hellénistique. Persika 11: P 2007, De Boccard 179 pp. €48. 978-27018-02-282. Quattre leçons au Collège de France (2007); 100 ill.

14800   *Hole, Frank* Cycles of settlement in the Khorramabad Valley in Luristan, Iran. [F]ADAMS, R. 2007 ⇒2. 63-82.

14801   **Kohl, Philip L.** The making of Bronze Age Eurasia. C 2007, CUP xxiii; 296 pp. 0-521-84780-X.

14802   *Mortazavi, Mehdi* Mind the gap: continuity and change in Iranian Sistan archaeology. NEA 70 (2007) 109-110.

14803   **Stronach, David; Roaf, Michael** Nush-i Jan I: the major buildings of the Median settlement. L 2007, The British Institute of Persian Studies 242 pp. 978-0-901477-06-4. Num. ill.; Bibl. 219-225.

14804   *Wright, Henry T.* Ancient agency: using models of intentionality to understand the dawn of despotism. [F]ADAMS, R. 2007 ⇒2. 173-184.

T7.1 Ægyptus, *generalia*

14805 [E]**Bagnall, Roger S.; Rathbone, Dominic W.** Egypt: from ALEXANDER to the Copts. 2004 ⇒20,13132; 22,14160. [R]RB 114 (2007) 297-299 (*Murphy-O'Connor, Jerome*).

14806 **Baines, John** Visual and written culture in ancient Egypt. L 2007, OUP xiv; 419 pp. 978-0-19-815250-7. Bibl. 338-405.

14807 *Bednarski, Andrew* Egypt and the modern world. Egyptian world. 2007 ⇒747. 476-487.

14808 *Beinlich, Horst; Hallof, Jochen* Datenbank der Ritualszenen altägyptischer Tempel (SERaT)–Ankündigung. GöMisz 214 (2007) 7.

14809 *Bietak, Manfred* Où est le palais des Hyksos?: à propos des fouilles à Tell el-Dab'a et 'Ezbet Helmi. CRAI 2 (2007) 749-780.

14810 [E]**Bietak, Manfred** Ä&L 11-13. 2001-2003. [R]Ber. 50 (2007) 121-124 (*Genz, Hermann*).

14811 **Brune, Karl-H.** Index zu: Das christlich-koptische Ägypten in arabischer Zeit (Stefan Timm). [E]*Gaube, Heinz; Röllig, Wolfgang* BTAVO.B 41: Wsb 2007, Reichert 230 pp. 978-3-89500-505-3.

14812 **Burleigh, Nina** Mirage: Napoleon's scientists and the unveiling of Egypt. NY 2007, Harper xv; 286 pp. 978-0-06-059767-2. Bibl. 261-269.

14813 **Colla, Elliott** Conflicted antiquities: egyptology, egyptomania, Egyptian modernity. Durham, NC 2007, Duke University Pr. x; 345 pp. 978-0-8223-3992-2. Bibl. 311-328.

14815 **Curran, Brian A.** The Egyptian renaissance: the afterlife of ancient Egypt in early modern Italy. Ch 2007, University of Chicago Pr. xiv; 431 pp. 978-0-226-12893-1. Bibl. 389-411.

14815 *Darnell, John C.* The deserts. Egyptian world. 2007 ⇒747. 29-48.

14816 **Desroches Noblecourt, Christiane** Gifts from the pharaohs: how Egyptian civilization shaped the modern world. P 2007, Flammarion 287 pp. 978-2-08-030562-6.

14817 **Fischer, Erika** Ägyptische und ägyptisierende Elfenbeine aus Megiddo und Lachisch: Inschriftenfunde, Flaschen, Löffel. [D]*Braun-Holzinger, E.A.* AOAT 47: Müns 2007, Ugarit-Verlag xiv; 456 pp. 978-39346-28892. Diss. Mainz; Bibl. 361-438. [R]UF 39 (2007) 913-915 (*Zwickel, Wolfgang*).

14818 **Gasbarri, Stefano** Simboli geometrici e astronomici dell'antico Egitto: dalla piramide di Cheope all'esodo degli ebrei dalla terra dei faraoni. R 2007, Kappa 188 pp. 978-88-7890-861-1. Bibl. 9-12.

14819 **Gillam, Robyn** Performance and drama in ancient Egypt. 2005 ⇒ 21,14598. [R]BiOr 64 (2007) 105-112 (*Pouls Wegner, Mary-Ann*).

14820 *Grimal, Nicolas; Adly, Emad; Arnaudiès, Alain* Fouilles et travaux en Égypte et au Soudan, 2005-2007 (Pl. XIII-XXXVIII). Or. 76 (2007) 176-283.

14821 **Gros de Beler, Aude** Guerriers et travailleurs. Anciens Égyptiens tome II: 2006 ⇒22,14171. [R]BiOr 64 (2007) 640-3 (*Vogel, Carola*).

14822 *Hagen, Fredrik* Local identities. Egyptian world. 2007 ⇒747. 242-251.

14823 **Jacq, Christian** Les grands sages d l'Egypte ancienne. Tempus: P 2007, Perrin 256 pp.

14824 *Jeffreys, David* The Nile valley. Egyptian world. 2007 ⇒747. 7-14.

14825 **Kleinke, Nira** *Female spaces*: Untersuchungen zu Gender und Archäologie im pharaonischen Ägypten. GöMisz.B 1: Gö 2007, Seminar für Ägyptologie 76 pp. €9.50. Anhang: Bibl.; Ill.

14826 *Lupo, Silvia* Territory and territoriality in ancient Egypt: an alternative interpretation for the Early Dynastic and Old Kingdom periods. GöMisz 214 (2007) 71-83.

14827 **Maruéjol, Florence** L'Egypte ancienne pour les nuls. 2006 ⇒22, 14175. ᴿEgypte Afrique & Orient 46 (2007) 53-54 (*Albert, Florence*).

14828 **Mengoli, Pierangelo** Astronomia egizia. Budrio 2006, n.p. 432 pp. Bibl.

14829 *Mills, A.J.* The oases. Egyptian world. 2007 ⇒747. 49-56.

14830 *Rolandi, Marco* I mestieri artigiani nelle κατ' οἰκίαν ἀπογραφαί e nelle liste di popolazione dell'Egitto romano: aspetti e problemi. Aeg. 87 (2007) 181-197.

14831 ᴱ**Rummel, Ute** Begegnung mit der Vergangenheit: 100 Jahre in Ägypten: Deutsches Archäologisches Institut Kairo 1907-2007: Katalog zur Sonderausstellung im Ägyptischen Museum in Kairo 19. November 2007 bis 15. Januar 2008. Kairo 2007, Deutsches Archäologisches Institut Kairo xii; 173 pp. 978-977-17-5177-9.

14832 **Russmann, Edna R.; Strudwick, Nigel; James, T.G.H.** Temples and tombs: treasures of Egyptian art from the British Museum. Seattle 2006, Univ. of Washington Pr. 136 pp. $40. 110 ill.; Catalogue exhib.

14833 Serekh II: Vivere al tempo dei faraoni. T 2004, A.C.M.E. 150 pp.

14834 *Smith, Stuart T.* Ethnicity and culture. Egyptian world. 2007 ⇒747. 218-241.

14835 Société d'Égyptologie, Genève: Bulletin, 27. Genève 2005-2007, Société d'Égyptologie 120 pp. FS40; ill.

14836 *Sofia, Anna* Prodotti egizi ad Atene: testimonianze nella commedia antica e di mezzo. Aeg. 87 (2007) 143-180.

14837 **Stanley, Daniel J.**, *al.*, Geoarchaeology. Oxford Centre for Maritime Archaeology Monograph 2: Oxf 2007, Institute of Archaeology xiv; 128 pp. 978-0-9549627-4-6. Bibl. 119-126.

14838 **Toivari-Viitala, Jaana** Women at Deir El-Medina...during the Ramesside period. Egyptologische uitgaven 15: 2001 ⇒17,11573... 21,14606. ᴿJNES 66 (2007) 128-131 (*Teeter, Emily*).

14839 **Vörös, G.** Egyptian temple architecture: 100 years of Hungarian excavations in Egypt, 1907-2007. Budapest 2007, Kairosz 202 pp. 978-96366-20844.

14840 *Wilfong, T.G.* Gender and sexuality. Egyptian world. 2007 ⇒747. 205-217.

T7.2 *Luxor*; **Karnak** [East Bank]—**Thebae** [West Bank]

14841 **Azim, Michel; Réveillac, Gérard** Karnak dans l'objectif de Georges LEGRAIN—catalogue raisonné des archives photographiques. 2004 ⇒20,13163; 21,14614. ᴿBiOr 64 (2007) 361-364 (*Chappaz, Jean-Luc*); BiOr 64 (2007) 511-525 (*Arnaudiès, Alain*).

14842 *Bedman, Teresa; Martín-Valentín, Francisco* Le faucon divin du Ouadi El-Qouroud: un example de topographie sacrée à la vallée de l'Ouest. Proceedings Ninth Congress, 1. 2007 ⇒992. 161-165.

14843 Cahiers de Karnak, XII (2007). Le Caire 2007, Ifao 1-400; 401-828 pp. €90. 1110-2470. Fasc 1 et 2: avec figures, plans et planches; CD-ROM; Centre franco-égyptien d'étude des temples de Karnak.
14844 *Gulyás, Andras* A cosmic libation: researches on the theology of Luxor temple. Proceedings Ninth Congress, 1. OLA 150: 2007 ⇒ 992. 895-905.
14845 *Maruéjol, Florence* Thoutmosis III bâtisseur à Thèbes. Egypte Afrique & Orient 47 (2007) 3-10.
14846 **Seiler, A.** Tradition & Wandel: die Keramik als Spiegel der Kulturentwicklung Thebens in der zweiten Zwischenzeit. 2005 ⇒21, 14618. ᴿBiOr 64 (2007) 627-632 (*Op de Beeck, Lies*).

T7.3 **Amarna**

14847 **Aston, David; Jeffreys, David** The survey of Memphis, III: the Third Intermediate Period levels: excavations at Kom Rabia (Site Rat): Post-Ramesside levels and pottery. Excavation Memoir 81: L 2007, Egypt Exploration Society x; 90 pp. £65. 08569-81559. 57 pl.; Bibl. 83-90.
14848 *Cochavi-Rainey, Zipora; Rainey, Anson F.* Finite verbal usage in the Jerusalem Amarna Letters. UF 39 (2007) 37-56.
14849 **Darnell, John C.; Manassa, Colleen** Tutankhamun's armies: battle and conquest during ancient Egypt's late eighteenth dynasty. Hoboken, NJ 2007, Wiley 320 pp.
14850 **Feldman, Marian H.** Diplomacy by design: luxury arts and an 'international style' in the ancient Near East, 1400-1200 BCE. 2006 ⇒22,14186. ᴿCamArchJ 17 (2007) 119-121 (*Wengrow, David*); UF 39 (2007) 803-886 (*Fischer, Erika*).
14851 **Goren, Yuval; Finkelstein, Israel; Na'aman, Nadav** Inscribed in clay: provenance study of the Amarna tablets and other ancient Near Eastern texts. Tel Aviv Univ. Mon. 23: 2004 ⇒20,13169. ᴿAJA 111 (2007) 806-807 (*Robson, Eleanor*).
14852 *Kemp, Barry* Tell el-Amarna, 2006-7. JEA 93 (2007) 1-63.
14853 *Krauss, Rolf* Eine Regentin, ein König und eine Königin zwischen dem Tod von Achenaten und der Thronbesteigung von Tutanchaten (= Revidierte Überlegungen zum Ende der Amarnazeit, 4). AltOrF 34 (2007) 294-318.
14854 **Kuckertz, Josefine** Gefässverschlüsse aus Tell El-Amarna: Grabungen der Deutschen Orient-Gesellschaft 1911 bis 1914: sozioökonomische Aspekte einer Fundgattung des Neuen Reiches. WVDOG 107; Ausgrabungen der Deutschen Orient-Gesellschaft in Tell el-Amarna 6: Saarbrücken 2003, Saarbrücken xxii; 154 pp. ⇒ 19,13936. 3-930843-88-9. Bibl. ix-xx ᴿJEA 93 (2007) 274-276 (*Lines, Dan*).
14855 *Miller, Jared L.* Amarna Age chronology and the identity of Nibḫururiya in the light of a newly reconstructed Hittite text. AltOrF 34 (2007) 252-293.
14856 ᵀ**Moran, William L.** Les lettres d'El-Amarna. LAPO 13: 1987 ⇒ 3,e766... 10,12725. ᴿAuOr 25 (2007) 327-328 (*Sanmartín, J.*).
14857 **Nicholson, Paul T.** Brilliant things for Akhenaten: the production of glass, vitreous materials and pottery at Amarna Site O45.1. Ex-

cavation memoir 80: L 2007, Egypt Exploration Society vii; 393 pp. £65. 978-0-85698-178-4. Bibl. 377-388.
14858 *Van der Westhuizen, J.P.* The morphology and morphosyntax of the personal pronouns in the Amqi-Amarna letters. JSem 16 (2007) 194-210.
14859 **Weatherhead, Fran; Kemp, Barry J.** The main chapel at the Amarna workmen's village and its wall paintings. Egypt Exploration Society.Memoir 85: L 2007, Egypt Exploration Society 424 pp. £65. 978-08569-81869. Num. ill.; Bibl.
14860 **Weatherhead, Frances J.** Amarna palace paintings. [E]*Lloyd, Alan B.* Excavation memoir 78: L 2007, Egypt Exploration Society xxiv; 386 pp. £60. 978-0-85698-166-1.

T7.4 **Memphis,** *Saqqara*—**Pyramides,** *Giza* (Cairo); **Alexandria**

14861 *Billing, Nils* The corridor chamber: an investigation of the function and symbolism of an architectural element in the Old Kingdom pyramids. Proceedings Ninth Congress, 1. 2007 ⇒992. 183-193.
14862 *Brier, Bob* How to build a pyramid: hidden ramps may solve the mystery of the Great Pyramid's construction. Arch. 60/3 (2007) 23-27.
14863 **Corteggiani, Jean-P.** The great pyramids. NY 2007, Abrams 127 pp. 978-0-8109-9458-4. Bibl. 120-121.
14864 *Deslandes, Bruno* Travaux recents menés dans la pyramide à degrés de Saqqarah. CRAI 4 (2007) 1475-1482.
14865 *Dittmer, Jon; Mathieson, Ian* The geophysical survey of north Saqqara, 2001-7. JEA 93 (2007) 79-93.
14866 *El Hawary, Amr* New findings about the Memphite theology;
14867 *Gennaro, Alfredo* Giza pyramids today: figures against assumptions. Proceedings Ninth Congress, 1. 2007 ⇒992. 567-74/815-19.
14868 **Hellum, Jennifer** The pyramids. Westport (Conn.) 2007, Greenwood xvii; 148 pp. 978-0-313-32580-9. Bibl. 135-142.
14869 *Houdin, Jean-P.* La construction de la grande pyramide. Proceedings Ninth Congress, 1. OLA 150: 2007 ⇒992. 919-926.
14870 **Kanawati, Naguib** Tombs at Giza, Vol II: Seshathetep/Heti (G5150) and Seshemnefer I I(G5080). 2002 ⇒18,12780. [R]BiOr 64 (2007) 159-161 (*Vugts, Marije*).
14871 [E]**Lehner, Mark; Wetterstrom, Wilma** Giza reports: the Giza Plateau Mapping Project, 1. Boston, Mass. 2007, Ancient Egypt Research Associates xx; 324 pp. £40. 978-0-9779370-1-1. Introd. *Hawass, Zahi A.*
14872 *Mathieson, I.* Recent results of a geophysical survey in the Saqqara necropolis. [F]LLOYD, A. AOAT 347: 2007 ⇒98. 155-167.
14873 **Raven, Maarten J.** The tomb of Pay and Raia at Saqqara. 2005 ⇒ 21,14634; 22,14203. [R]Antiquity 81 (2007) 233-234 (*Strudwick, Helen*).
14874 *Smith, H.S.* The sacred animal necropolis at North Saqqara yet again!: some Late Period inscribed offering-tables from the site. [F]LLOYD, A. AOAT 347: 2007 ⇒98. 329-352.
14875 [E]**Ziegler, Christiane,** *al.*, Fouilles du Louvre à Saqqara, 1: le *mastaba* d'Akhtihetep. P 2007, Musée du Louvre 250 pp. Num. ill. [R]CRAI (2007) 1037-1039 (*Grimal, Nicolas*).

14876 *Owens, E.J.* The waters of Alexandria. [F]LLOYD, A. AOAT 347: 2007 ⇒98. 289-299.

T7.6 *Alii situs Ægypti* **alphabetice**

14877 *Abu Rawash*: *Valloggia, Michel* Fouilles archéologiques à Abu Rawash (Egypte): rapport préliminaire de la campagne 2007. Genava 55 (2007) 177-182.

14878 *Abydos*: *Budka, Julia* The Oriental Institute Ahmose and Tetisheri project at Abydos 2002-2004: the New Kingdom pottery. Ä&L 16 (2007) 83-120.

14879 *Asyut*: **Kahl, Jochem** Ancient Asyut: the first synthesis after 300 years of research. The Asyut Project 1: Wsb 2007, Harrassowitz x; 188 pp. 978-3-447-05650-2. Bibl. 159-176; Ill.

14880 *Bakchias*: *Pernigotti, Sergio* Bakchias 2006: la quindicesima campagna di scavi. Aeg. 87 (2007) 369-375.

14881 *Berenike*: [E]**Wendrich, Willemina; Sidebotham, Steven E.** Berenike 1999/2000: report on the excavations at Berenike, including excavations in Wadi Kalalat and Siket, and the survey of the Mons Smaragdus Region. Berenike report 6: LA 2007, Cotsen Institute xix; 404 pp. $40. 1-931745-28-5. Bibl. 382-396.

14882 *Buto*: *Hartung, Ulrich, al.*, Tell el-Fara'in-Buto 9. Vorbericht. MDAI.K 63 (2007) 69-165; Taf. 11-22.

14883 *Canopus*: **Goddio, Franck** The topography and excavation of Heracleion-Thonis and East Canopus (1996-2006). Oxford Centre for Maritime Archaeology Mon. 1: Oxf 2007, Institute of Archaeology, Univ. of Oxford xvi; 136 pp. 978-09549-62739. Bibl. 131-32.

14884 *Deir el-Medina*: **Häggman, Sofia** Directing Deir el-Medina: the external administration of the necropolis. 2002 ⇒20,13206; 21, 14640. [R]BiOr 64 (2007) 138-145 (*Haring, Ben*).

14885 *el-Dab'a*: **Hein, Irmgard; Jánosi, Peter** Tell el-Dab'a XI: Areal A/V Siedlungsrelikte der späten 2. Zwischenzeit. DÖAW 25: 2004 ⇒ 20,13207; 22,14214. [R]OLZ 102 (2007) 145-151 (*Bagh, Tine*).

14886 *el-Lahun*: *Frey, Rosa A.; Knudstad, James E.* The re-examination of selected architectural remains at el-Lahun. JSSEA.Supplement 34 (2007) 66-82.
        Heracleion-Thonis: ⇒14883.

14887 *Kharga*: *Ikram, Salima; Rossi, Corinna* North Kharga Oasis Survey 2004 preliminary report: Ain el-Tarakwa, Ain e.-Dabashiya and Darb Ain Amur. MDAI.K 63 (2007) 167-184; Taf. 23-24.

14888 *Mons Claudianus*: [E]**Peacock, D.P.S.; Maxfield, V.A.** Survey and excavation Mons Claudianus 1987-1993,3: ceramic vessels & related objects. DFIFAO 54: 2006 ⇒22,14219. [R]BiOr 64 (2007) 392-393 (*Parlasca, Klaus*); JAOS 127 (2007) 556-558 (*Gates-Foster, Jennifer E.*).

14889 *Plinthine*: *Boussac, Marie-F.* Recherches récentes à Taposiris Magna et Plinthine, Egypte (1998-2006). CRAI 1 (2007) 445-479.

14890 *Qantir*: *Forstner-Müller, Irene; Müller, Wolfgang* Neueste Ergebnisse des Magnometersurveys während der Frühjahrskampagne 2006 in Tell El-Dab'a/Qantir. Ä&L 16 (2007) 79-81.

14891 *Quseir al-Qadim*: Le Quesne, Charles Quseir: an Ottoman and Napoleonic fortress on the Red Sea coast of Egypt. American Re-

search Center in Egypt Conservation series 2: Cairo 2007, American University in Cairo Press xxv; 362 pp. 978-977-416-009-7. Ill.; Bibl. 331-344.
Taposiris Magna: ⇒14889.
14892 *Tebtynis*: **Hadji-Minaglou, Gisèle** Tebtynis IV: les habitations à l'est du temple de Soknebtynis. FIFAO 56: Le Caire 2007, Institut Français d'Archéologie Orientale du Caire xvi; 250 pp. €49. 978-2-7247-0468-6.

T7.7 Antiquitates Nubiae et alibi

14893 *Bonnet, Charles* Kerma et l'exploitation des mines d'or. BSFE 169-170 (2007) 59-61;
14894 *Bonnet, Charles, al.*, Les fouilles archéologiques de Kerma (Soudan). Genava 55 (2007) 183-246.
14895 *Castiglioni, Alfredo; Castiglioni, Angelo* Les pistes millénaires du désert oriental de Nubie. BSFE 169-170 (2007) 17-50.
14896 *Glück, Birgit* Die 'nubische' N-Ware–eine nubische Ware?. MDAI. K 63 (2007) 9-41; Taf. 3-5.
14897 **Peacock, David; Blue, Lucy** The ancient Red Sea port of Adulis, Eritrea: results of the Eritro-British expedition. Oxf 2007, Oxbow xii; 145 pp. $60. 978-18421-73084. 83 ill.
14898 *Rilly, Claude* Le déchiffrement des textes méroïtiques: un travail en cours. Egypte Afrique & Orient 47 (2007) 37-48.
14899 *Roccati, Alessandro* Arpenter le désert autrefois et aujourd'hui. BSFE 169-170 (2007) 51-58.
14900 **Rose, Pamela J.**, *al.*, The Meroitic temple complex at Qasr Ibrim. Excavation Memoir 84: L 2007, Egypt Exploration Society ii+viii+170 pp. £65. 978-08569-81845.
14901 **Scholz, P.O.** Nubien: geheimnisvolles Goldland der Ägypter. 2006 ⇒22,14231. ᴿNeotest. 41 (2007) 457-459 (*Stenschke, Christoph*).
14902 *Smith, Stuart T.* Death at Tombos: pyramids, iron and the rise of the Napatan dynasty. Sudan & Nubia 11 (2007) 2-14. Kirwan memorial lecture.
14903 A voyage to Abyssinia. BArR 33/2 (2007) 70.

T7.9 Sinai

14904 *Basílico, Susana: Lupo, Silvia* The final stage and abandonment of Tell El-Ghaba, north Sinai: a site on the Egyptian eastern border. Proceedings Ninth Congress, 1. OLA 150: 2007 ⇒992. 151-160.
14905 **Beit-Arieh, Itzhaq** Archaeology of Sinai: the Ophir expedition. 2003 ⇒21,14660. ᴿBASOR 347 (2007) 108-110 (*Adams, Russell*).
14906 *Vassiliev, Alexandre* The localization of the Shasu-Land of Ramses II's rhetorical texts. Current research in Egyptology 2006. 2007 ⇒ 991. 162-168.

T8.1 Anatolia *generalia*

14907 **Bayliss, Richard** Provincial Cilicia and the archaeology of temple conversion. BAR.Internat. Ser. 1281: 2004 ⇒22,14243. ᴿNEA (BA) 70 (2007) 178-179 (*Holum, Ken*).

14908 *Berndt-Ersöz, Susanne* Phrygian rock-cut step monuments: an interpretation. Anatolian Iron Ages 6. 2007 ⇒1026. 19-39.

14909 **Birney, Kathleen** Sea peoples or Syrian peddlers?: the Late Bronze-Iron I Aegean presence in Syria and Cilicia. 2007, Diss. Harvard [HThR 100,507].

14910 **Brandt, Hartwin; Kolb, Franz** Lycia et Pamphylia: eine römische Provinz im Südwesten Kleinasiens. 2005 ⇒21,14663. [R]RAr (2007) 409-410 (*Cavalier, Laurence*).

14911 *Casana, Jesse* Structural transformations in settlement systems of the northern Levant. AJA 111 (2007) 195-221.

14912 *Cavalier, L.* Architecture romaine d'Asie Mineure: les monuments de Xanthos et leur ornementation. Scripta Antiqua 13: 2005 ⇒21, 14665. [R]REA 109 (2007) 339-341 (*Tardy, Dominique*).

14913 *Çevik, Özlem* The emergence of different social systems in Early Bronze Age Anatolia: urbanisation versus centralisation. AnSt 57 (2007) 131-140.

14914 *Forlanini, Massimo* Geographica diachronica. [F]KOŠAK, S. 2007 ⇒ 90. 263-270.

14915 *Greaves, Alan M.* Trans-Anatolia: examining Turkey as a bridge between East and West. AnSt 57 (2007) 1-15.

14916 **Hülden, O.** Gräber und Grabtypen im Bergland von Yavu (Zentrallykien): Studien zur antiken Grabkultur in Lykien. Ant. 45: Bonn 2006, Halbelt 2 vols; xxxii; 619 pp. €125. 978-37749-34252. Pls.

14917 *Iskili, Mehmet; Can, Birol* The Erzurum region in the Early Iron Age: new observations. Anatolian Iron Ages 6. ANESt.S 20: 2007 ⇒1026. 153-166.

14918 *Matthews, Roger* An arena for cultural contact: Paphlagonia (north-central Turkey) through prehistory. AnSt 57 (2007) 25-34.

14919 *Özdoğan, Mehmet* Amidst Mesopotamia-centric and Euro-centric approaches: the changing role of the Anatolian peninsula between the East and the West. AnSt 57 (2007) 17-24.

14920 *Patitucci, Stella; Uggeri, Giovanni* La Cilicia in PLINIO (*N.H.*, V, 91-93): aspetti storici e topografici II: il settore costiero della Cilicia Tracheia. X simposio paolino. Turchia 21: 2007 ⇒860. 95-147.

14921 *Şerifloğlu, Tevfik E.* The Malatya-Elazığ region during the Middle Bronze Age: a re-evaluation of the archaeological evidence. AnSt 57 (2007) 101-114.

14922 [E]**Seyer, Martin** Studien in Lykien. W 2007, Österr. Archäologisches Institut 144 pp. €49. Num. ill.

14923 *Summers, Geoffrey D.* Public spaces and large halls at Kerkenes. Anatolian Iron Ages 6. ANESt.S 20: 2007 ⇒1026. 245-263.

14924 *Thompson, Daniel* At the crossroads: prehistoric settlement in the Maeander valley. AnSt 57 (2007) 87-99.

14925 *Tsetskhladze, Gocha R.* Thracians versus Phrygians: about the origin of the Phrygians once again. Anatolian Iron Ages 6. ANESt.S 20: 2007 ⇒1026. 283-310.

T8.2 Boğazköy—*Hethaei*, the Hittites

14926 *Arıkan, Yasemin* The Mala River and its importance according to Hittite documents. SMEA 49 (2007) 39-48.

14927   *Genz, Hermann* Late Iron Age occupation on the northwest slope at Bogazköy. Anatolian Iron Ages 6. 2007 ⇒1026. 135-151.
14928   *Hagenbuchner-Dresel, Albertine* Verschlußsysteme bei den Hethitern. [F]KOŠAK, S. 2007 ⇒90. 353-365.
14929   *Lebrun, René* TYNNA, la cappadocienne. [F]KOŠAK, S. 2007 ⇒90. 459-466.
14930   **Oberheid, Robert** Emil O. FORRER und die Anfänge der Hethitologie: eine wissenschaftliche Biografie. B 2007, De Gruyter xvii; 458 pp. €118. 978-31101-94340. CD; Bibl. 427-435.
14931   *Schachner, Andreas* Die Ausgrabungen in Boğazköy-Ḫattuša 2006. AA 1 (2007) 67-93.

T8.3 Ephesus; Pergamon

14932   *Bammer, Anton* Iron Age architecture at Ephesos. Anatolian Iron Ages 6. ANESt.S 20: 2007 ⇒1026. 1-18.
14933   **Klebinder-Gauss, Gudrun** Bronzefunde aus dem Artemision von Ephesos. Forschungen in Ephesos 12/3: W 2007, Verlag der Österr. Akad. d. Wissenschaften 309 pp. 9783700-136415. Bibl.; Num. ill.
14934   *Koester, Helmut* Ephesos in early christian literature. Paul & his world. 2007 <1995> ⇒257. 251-265.
14935   *Muss, Ulrike* Late Bronze Age and early Iron Age terracottas: their significance for an early cult place in the artemision at Ephesus. Anatolian Iron Ages 6. ANESt.S 20: 2007 ⇒1026. 167-194.
14936   **Trebilco, Paul** The early christians in Ephesus from Paul to IGNATIUS. WUNT 166: 2004 ⇒20,13253... 22,14256. [R]BS 164 (2007) 123-124 (*Fantin, Joseph D.*); BZ 51 (2007) 283-286 (*Lau, Markus*); TJT 23/1 (2007) 78-80 (*Chambers, Stephen L.*).

14937   *Koester, Helmut* The Red Hall in Pergamon. Paul & his world. 2007 <1995> ⇒257. 168-176.
14938   **Kranz, Peter** *Pergameus Deus*: archäologische und numismatische Studien zu den Darstellungen des Asklepios in Pergamon während Hellenismus und Kaiserzeit. 2004 ⇒21,14684. [R]Gn. 79 (2007) 532-537 (*Meyer, Marion*).
14939   **Massa-Pairault, Françoise-H.** La gigantomachie de Pergame ou l'image du monde. BCH.S 50: P 2007, De Boccard 250 pp. 106 pl.
14940   *Pirson, Felix, al.*, Pergamon–Bericht über die Arbeiten in der Kampagne 2006. AA 2 (2007) 13-70.
14941   **Qeyrel, François** L'autel de Pergame: images et pouvoir en Grèce d'Asie. Antiqua 9: 2005 ⇒21,14686. [R]RAr (2007) 371-374 (*Hermary, Antoine*).

14944 ^E**Yener, Kutlu A.** The Amuq Valley regional project, 1: surveys in the plain of Antioch and Orontes Delta, Turkey, 1995-2002. OIP 131: 2005 ⇒21,14687; 22,14260. ^R*Antiquity* 81 (2007) 802-804 (*Quenet, Philippe*); Paléorient 33/2 (2007) 170-171 (*Marro, Catherine*).

14945 *Yildirim, Bahadir; Gates, Marie-Henriette* Archaeology in Turkey, 2004-2005. AJA 111 (2007) 275-356.

14946 *Antioch P*: **Mitchell, S.; Waelkens, M.** Pisidiaɴ Antioch: the site and its monuments. 1998 ⇒14,11145. ^RGn. 79 (2007) 249-253 (*Boterman, Helga*).

14947 *Çatalhöyük*: ^E**Hodder, I.** Changing materialities at Çatalhöyük: reports from the 1995-99 seasons. BIAA Monograph 39: 2005 ⇒21,14688. ^RBiOr 64 (2007) 730-735 (*Düring, Bleda S.*);

14948 Çatalhöyük perspectives: reports from the 1995-99 seasons by members of the Çatalhöyük teams. BIAA Monograph 40: 2005 ⇒ 21,14689. ^RBiOr 64 (2007) 735-739 (*Özbal, Rana*).

14949 *Gordion*: *Voigt, Mary M.* The Middle Phrygian occupation at Gordion. Anatolian Iron Ages 6. ANESt.S 20: 2007 ⇒1026. 311-333;

14950 *Vries, Keith de* The date of the destruction level at Gordion: imports and the local sequence. Anatolian Iron Ages 6. ANESt.S 20: 2007 ⇒1026. 79-101.

14951 *Hassek Höyük*: **Gerber, J. Christoph** Hassek Höyük III: die frühbronzezeitliche Keramik. IF 47: 2005 ⇒21,14693. ^RBiOr 64 (2007) 741-742 (*Matthews, Roger*); Paléorient 33/2 (2007) 164-166 (*Marro, Catherine*).

14952 *Hirbemerdon Tepe*: *Laneri, Nicola; Valentini, Stefano; D'Agostino, Anacleto* Hirbemerdon Tepe: a late third to mid second millennium BC settlement of the upper Tigris valley. AnSt 57 (2007) 77-86.

14953 *Kilise Tepe*: ^E**Postgate, Nicholas; Thomas, David** Excavations at Kilise Tepe, 1994-98: from Bronze Age to Byzantine in western Cilicia. McDonald Institute Monographs: C 2007, McDonald Institute for Archaeological Research Vol. 1: Text. xxiii; 623 pp, 357 fig.; vol. 2: appendices, references & figures. ix; 625-877 pp; 358-585 fig.. £95. 978-19029-37403.

14954 *Nevah Çori*: **Becker, Jörg** Nevah Çori: Keramik und Kleinfunde der Halaf- und Frühbronzezeit. Archaeologica Euphratica 4: Mainz 2007, Von Zabern xiii; 314 pp. €140. Num. ill.

14955 *Sardis*: **Dusinberre, Elspeth R.M.** Aspects of empire in Achaemenid Sardis. 2003 ⇒19,14018; 21,14695. ^RJNES 66 (2007) 138-140 (*Garrison, M.B.*).

14956 *Troia*: *Pavúk, Peter* New perspectives on Troia VI chronology. Synchronisation III. DÖAW 37: 2007 ⇒988. 473-478.

T8.9 Armenia; *Urartu*

14957 *Badalyan, Ruben; Smith, Adam T.* L'Arménie à l'âge du Bronze et à l'âge du Fer. DosArch 321 (2007) 38-41.

14958 **Badalyan, R.S.; Avetisyan, P.S.** Bronze and Early Iron Age archaeological sites in Armenia, 1: Mt. Aragats and its surrounding region. British Archaeological Reports International Series 1697: Oxf 2007, Archaeopress 319 pp. £45. 978-14073-01396. Num. ill.

14959   *Newton, Maryanne W.; Kuniholm, Peter I.* A revised dendrochronological date for the fortress of Rusa II at Ayanis: Rusahinili Eiduru-kai. Anatolian Iron Ages 6. ANESt.S 20: 2007 ⇒1026. 195-206.
14960   *Tanyeri-Erdemir, Tuğba* The temple and the king: Urartian ritual spaces and their role in royal ideology. [F]WINTER, I. CHANE 26: 2007 ⇒171. 205-225.

T9.1 Cyprus

14961   [E]**Åström, Paul; Nys, Karin** Hala Sultan Tekke 12: tomb 24, stone anchors, faunal remains and pottery provenance. Studies in Mediterranean Archaeology 45/12: Sävedalen 2007, Åström 62 pp. $62. 104 fig.
14962   **Bekker-Nielsen, T.** The roads of ancient Cyprus. 2004 ⇒21, 14698. [R]REA 109 (2007) 350-352 (*Aupert, Pierre*).
14963   [E]**Campagnolo, Matteo**, *al.*, Chypre: d'Aphrodite à Mélusine. Mi 2006, Skira 238 pp.
14964   [E]**Campagnolo, Matteo; Martiniani-Reber, Marielle** Chypre: éclairages archéologiques et historiques. Genève 2007, La pomme d'or 206 pp.
14965   **Clarke, Joanne** On the margins of Southwest Asia: Cyprus during the 6th to 4th millennia BC. Oxf 2007, Oxbow x; 158 pp. £45. 978-1-84217-281-0. Bibl. 131-153.
14966   *Craps, Davina* Where are the children?: identifying mortuary rituals for the Late Cypriote III and Cypro-Geometric periods in Cyprus. JPHR 21 (2007) 69-95.
14967   *Destrooper-Georgiades, A.* Chypre: numismatique;
14968   *Egetmeyer, M.; Lemaire, A.* Chypre: épigraphie. TEuph 33 (2007) 139-177/129-137.
14969   [E]**Flourentzos, Pavlos** Proceedings of the International Archaeological Conference 'From Evagoras I to the Ptolemies': the transition from the classical to the Hellenistic period in Cyprus. Nicosia 2007, Dept of Antiquities xx; 296 pp. 978-99633-64428. Nicosia, 29-30 Nov. 2002.
14970   [E]**Fourrier, Sabine; Grivaud, Gilles** Identités croisées en milieu méditerranéen: le cas de Chypre (antiquité-moyen âge). 2006 ⇒22, 14279. [R]RAr (2007) 328-330 (*Hatzopoulos, Miltiade*).
14971   Greek epics depicted on Cypriot sarcophagus. BArR 33/2 (2007) 12.
14972   *Hadjisavvas, Sophocles* The public face of the absolute cchronology [*sic*] for Cypriot prehistory. Synchronisation III. DÖAW 37: 2007 ⇒988. 547-549.
14973   [E]**Jacobsen, Kristina W.; Sørensen, Lone W.** Panayia Ematousa, 1: A rural site in south-eastern Cyprus, 2: Political, cultural, ethnic and social relations in Cyprus: approaches to regional studies. Monographs of the Danish Institute at Athens 6,1-2: Aarhus 2006, Aarhus University Pr. 2 vols. 978-87-7288-836-1.
14974   **Karageorghis, J.** Kypris: the Aphrodite of Cyprus, ancient sources and archaeological evidence. 2005 ⇒21,14703. [R]AJA 111 (2007) 586-588 (*Iacovou, Maria*).

14975 [E]**Karageorghis, Vassos** Ancient Cypriote art in Russian museums. 2005 ⇒21,14708. [R]RAr (2007) 323-325 (*Fourrier, Sabine*); Gn. 80 (2008) 84-86 (*Matthäus, Hartmut*).

14976 **Karageorghis, Vassos**, *al.*, Excavations at Kition VI: the Phoenician and later levels. 1999-2005 ⇒21,14709. [R]Gn. 79 (2007) 720-723 (*Lembke, Katja*); RAr (2007) 325-328 (*Fourrier, Sabine*).

14977 *Karageorghis, Vassos* Quelques réflexions sur l'archéologie chypriote aujourd'hui. CRAI 4 (2007) 1483-1488.

14978 *Petit, T.* Chypre: bibliographie. TEuph 33 (2007) 119-128.

14979 **Yon, Marguerite**, *al.*, Kition-Bamboula V: Kition dans les textes. 2004 ⇒20,13296... 22,14286. [R]BiOr 64 (2007) 431-433 (*Stol, M.*); REA 109 (2007) 352-353 (*Aupert, Pierre*).

14980 **Yon, Marguerite** Kition de Chypre: mission française de Kition-Bamboula. 2006 ⇒22,14287. [R]REA 109 (2007) 353-354 (*Aupert, Pierre*); RAr (2007) 331-332 (*Hellman, Marie-Christine*); Syria 84 (2007) 344-345 (*Hermary, Antoine*).

T9.3 *Graecia*, Greece

14981 *Broodbank, Cyprian; Kiriatzi, Evangelia* The first 'Minoans' of Kythera revisited: technology, demography, and landscape in the prepalatial Aegean. AJA 111 (2007) 241-274.

14982 *Camp, John M., II* Excavations in the Athenian Agora 2002-2007. Hesp. 76 (2007) 627-663.

14983 **Habicht, Christian** Athènes hellénistique: histoire de la cité d'ALEXANDRE le Grand à MARC ANTOINE. [T]*Knoepfler, Denis; Knoepfler, Martine* P [2]2006 <2000>, Les Belles-lettres 596 pp. [R]CRAI (2007) 635-637 (*Knoepfler, Denis*).

14984 **Hagel, D.K.; Simpson, R. Hope** Mycenaean fortifications, highways, dams and canals. Studies in Mediterranean Archaeology 133: 2006 ⇒22,14293. [R]AJA 111 (2007) 374-375 (*Mee, Christopher*).

14985 **Kyrieleis, Helmut**, *al.*, XII. Bericht über die Ausgrabungen in Olympia: 1982-1999. 2003 ⇒19,14042; 21,14726. [R]Gn. 79 (2007) 87-89 (*Jacquemin, Anne*).

14986 **Mauzy, Craig.A.** Agora excavations 1931-2006: a pictorial history. 2006 ⇒22,14297. [R]REA 109 (2007) 345-346 (*Perrin-Saminadayar, Eric*).

14987 *McGinnis, E.B.* Delphi's influence in the world of the New Testament, part 1, Delphi: center of the world. BiSp 20/1 (2007) 25-32;

14988 Part 2, the oracles of Delphi. BiSp 20/2 (2007) 61-64.

14989 **Petrakos, Vasileios**, *al.*, Great moments in Greek archaeology. [T]*Hardy, David* LA 2007, Paul Getty Museum 379 pp. $75. 978-08-923-69102. 658 fig.

14990 **Schofield, Louise** The Mycenaeans. LA 2007, J. Paul Getty Museum 208 pp. $30. 978-19056-70031. Num. ill.

T9.4 **Creta**

14991 *Adams, Ellen* 'Time and chance': unravelling temporality in north-central neopalatial Crete. AJA 111 (2007) 391-421.

14992   **Haggis, Donald C.** Kavousi 1: the archaeological survey of the Ka-
vousi region. Prehistory Monographs 16: 2005 ⇒21,14737. [R]AJA
111 (2007) 575 (*Prent, Mieke*).

14993   *Haggis, Donald C., al.*, Excavations at Azoria, 2003-2004, part 1:
the archaic civic complex. Hesp. 76 (2007) 243-321;

14994   Part 2: the final Neolithic, late Prepalatial, and early Iron Age occu-
pation. Hesp. 76 (2007) 665-716;

14995   Stylistic diversity and diacritical feasting at Protopalatial Petras: a
preliminary analysis of the Lakkos deposit. AJA 111 (2007) 715-
775.

14996   **Hatzaki, Eleni M.** Knossos: the Little Palace. ABSA.S 38: 2005
⇒21,14739. [R]RAr (2007) 320-322 (*Langohr, Charlotte*).

14997   **Kyriakidis, Evangelos** Ritual in the Bronze Age Aegean: the Mi-
noan peak sanctuaries. 2005 ⇒21,14740. [R]AJA 111 (2007) 576-
578 (*Nowicki, Krzysztof*).

14998   *Pietrovito, Marco* The Minoan 'horns of consecration' and 'double
axe' as metaphors of passage. JPHR 21 (2007) 7-32.

14999   **Shaw, Joseph** Kommos: a Minoan harbour and Greek sanctuary in
southern Crete. 2005 ⇒21,14743. [R]REA 109 (2007) 349-350
(*Gondicas, Daphné*).

15000   *Wallace, Saro* Why we need new spectacles: mapping the experien-
tial dimension in prehistoric Cretan landscapes. CamArchJ 17
(2007) 249-270.

15001   *Westgate, Ruth* House and society in classical and Hellenistic
Crete: a case study in regional variation. AJA 111 (2007) 423-457.

15002   *Wiersma, Corien W.* Groups of notables and ritual practices: the
role of Minoan palaces on Minoan ritual practices. JPHR 21 (2007)
33-52.

T9.6 Urbs Roma

15003   [E]**Boyle, Anthony J.; Dominik, William J.** Flavian Rome: culture,
image, text. 2003 ⇒19,14060; 20,13325. [R]BZ 51 (2007) 291-292
(*Klauck, Hans-Josef*).

15004   [E]**Coates, Victoria C.G.; Seydl, Jon L.** Antiquity recovered: the
legacy of Pompeii and Herculaneum. LA 2007, Getty Museum vii;
296 pp. $60. 978-08923-68723. Num. ill.

15005   **Ermatinger, James W.** Daily life of christians in ancient Rome.
Westport (Conn.) 2007, Greenwood xvi; 201 pp. 0-313-33564-8.
Bibl. 19-198.

15006   **Grimal, Pierre** Rome et l'amour: des femmes, des jardins, de la sa-
gesse. Bouquins: P 2007, Laffont 1029 pp. €30. 978-22211-06297.

15007   [E]**Haselberger, L.; Humphrey, J.** Imaging ancient Rome: docu-
mentation–visualization–imagination: proceedings of the Third
Williams Symposium on Classical Architecture. JRA Suppl. 61:
Portsmouth, RI 2006, Journal of Roman Archaeology 337 pp.
$125. 978-18878-29618. Ill.

15008   *Hvalvik, Reidar* Jewish believers and Jewish influence in the
Roman church until the early second century. Jewish believers in
Jesus. 2007 ⇒519. 179-216.

15009   **König, Ingemar** Vita Romana: vom täglichen Leben im alten Rom.
Da:Wiss 2007 <2004>, 224 pp.

15010 **Langlands, Rebecca** Sexual morality in ancient Rome. 2006 ⇒22, 14320. [R]JRS 97 (2007) 277-279 (*Mordine, Michael J.*).

15011 [E]**Larmour, D.H.J.; Spencer, D.** The sites of Rome: time, space, memory. Oxf 2007, OUP xvi; 436 pp. £75. 978-01992-17496. Ill.

15012 **Martini, W.** Das Pantheon HADRIANs in Rom: das Bauwerk und seine Deutung. SbWGF 44/1: 2006 ⇒22,14321. [R]JRS 97 (2007) 350-352 (*Burrell, Barbara*).

15013 **Puccini-Delbey, Géraldine** La vie sexuelle à Rome. P 2007, Tallandier 400 pp. €35. 978-28473-42093.

15014 *Riemer, Ulrike* Fascinating but forbidden?: magic in Rome. A kind of magic. LNTS 306: 2007 ⇒468. 160-172.

15015 *Stroup, Sarah C.* Making memory: ritual, rhetoric, and violence in the Roman triumph. Belief and bloodshed. 2007 ⇒639. 29-46.

15016 [E]**Tomei, Maria A.; Liverani, Paolo** Carta archeologica di Roma: primo quadrante. Lexicon topographicum urbis Romae, Suppl. 1,1: 2005 ⇒22,14325. [R]RivAC 83 (2007) 532-536 (*Vella, Alessandro*).

T9.7 Catacumbae

15017 *Borgognoni, Sonia* La ceramica comune dallo scavo della catacomba di San Zotico. RivAC 83 (2007) 99-136.

15018 **Cappelletti, Silvia** The Jewish community of Rome: from the second century B.C. to the third century C.E. JSJ.S 113: 2006 ⇒22, 14327. [R]RBLit (2007)* (*Lieu, Judith; Kerkeslager, Allen*).

15019 *Cippolone, Valeria* Primi dati archeologici e antropologici dagli scavi della catacomba di Santa Mustiola di Chiusi. RivAC 83 (2007) 23-42.

15020 **Ghilardi, Massimiliano** Gli arsenali dell fede: tre saggi su apologia e propaganda delle catacombe romane (da Gregorio XIII e Pio XI). 2006 ⇒22,14328. [R]CivCatt 158/3 (2007) 199-200 (*Baruffa, A.*).

15021 *Giordani, Roberto* La scoperta della catacomba sotto la vigna Sanchez et la nascità degli studi d'antichità cristiane;

15022 *Pagni, Giuliana* Gli inumati della catacomba di Santa Mustiola a Chiusi: relazione preliminare. RivAC 83 2007, 277-315/43-59.

15023 *Sgarlata, Mariarita* Dieci anni di attività dell'ispettorato per le catacombe della Sicilia orientale. RivAC 83 (2007) 61-98.

15024 **Sgarlata, Mariarita; Salvo, Grazia** La catacomba di Santa Lucia e l'oratorio dei quaranta martiri. 2006 ⇒22,14331. [R]RivAC 83 (2007) 513-516 (*Majorca, Lucia*).

15025 *Welten, Peter* 'Arbeiten und nicht verzweifeln' oder: von Venosa nach Bretten: Katakombenforschung an der Friedrich-Wilhelms-Universität zu Berlin. [F]WILLI, T. 2007 ⇒167. 385-404.

T9.8 *Archaeologia paleochristiana*—early Christian archaeology

15026 *Abu Shmais, Adeeb* Excavation and conservation work in the church of Khuraybat as-Suq. ADAJ 51 (2007) *7-*12. A.

15027 **Balderstone, Susan** Early church architectural forms: a theologically contextual typology for the eastern churches of 4th-6th centuries. Buried History Monograph 3: Melbourne 2007, Australian Institute of Archaeology x; 70 pp. Bibl. 45-52.

15028   *Buzi, Paola* Bakchias tardo-antica; la chiesa del *kom* sud. Aeg. 87 (2007) 377-391.

15029   *Dauphin, Claudine* Sex and ladders in the monastic desert of late Antique Egypt and Palestine. BAIAS 25 (2007) 206.

15030   *Del Corso, Lucio; Mastrogiacomo, Mariella* Gli ambienti meridionali nell'atrio della Chiesa dei Propilei Gerasa: note archeologiche ed epigrafiche. OCP 73 (2007) 185-205.

15031   *Di Segni, Leah* On the development of christian cult sites on tombs of the second temple period. Aram 19 (2007) 381-401.

15032   *Dresken-Weiland, Jutta* Vorstellungen von Tod und Jenseits in den frühchristlichen Grabinschriften der *Oikumene*. Antiquité Tardive 15 (2007) 285-302.

15033   ᴱ**Figueras, Pau** Horvat Karkur ʾIllit: a Byzantine cemetery church in the northern Negev: final report of the excavations 1989-1995. 2004 ⇒20,12635; 21,14060. ᴿRB 114 (2007) 148-149 (*Murphy-O'Connor, Jerome*); RivAC 83 (2007) 523-6 (*Quadrino, Daniela*).

15034   *Lampe, Peter* La découverte et l'exploration archéologique de Pepouza et Tymion, les deux cités principales du montanisme en Phrygie. "Dieu parle". Histoire du texte biblique 7: 2007 ⇒556. 203-217.

15035   *Lawler, Andrew* First churches of the Jesus cult. Arch. 60/5 (2007) 47-51.

15036   *Marki, Euterpi* Das kreuzförmige Martyrion und die christlichen Gräber an der Tritis-Septemvriou-Straße in Thessaloniki <1981>;

15037   Die ersten christlichen Friedhöfe in Thessaloniki <2000>. Frühchristliches Thessaloniki. STAC 44: 2007 ⇒388. 11-41/43-53.

15038   *Mastrorilli, Daria* Considerazioni sul cimitero paleocristiano di S. Aurea ad Ostia. RivAC 83 (2007) 317-376.

15039   *Mgaloblishvili, Tamila* An unknown Georgian monastery in the Holy Land. Aram 19 (2007) 527-539.

15040   *Padovese, Luigi* Memorie antiche di Rhossos (Arsuz). X simposio paolino. Turchia 21: 2007 ⇒860. 157-166.

15041   *Piccirillo, Michele* La Chiesa Cattedrale di Hama-Epifania in Siria. LASBF 57 (2007) 597-621.

15042   **Piccirillo, Michele; Bagatti, Bellarmino** La nuova Gerusalemme: artigianato palestinese al servizio dei luoghi santi. SBF.CMa 51: Mi 2007, Custodia de Terra Santa xvi; 238; 36 pp. 978-88-89081-11-2.

15043   **Quietzsch, Harald** La Passione nel paesaggio: bibliografia tedesca / Passion in der Landschaft: deutschsprachige Bibliographie. ᴱ*Andresen, Johannes; Barbero, Amilcare; Gentile, Guido* Ponzano Monferrato 2007, Centro Documentazione dei Sacri Monti 157 pp. Unverkäuflich (abrufbar www.sacrimonti.net).

15044   **Rebillard, E.** Religion et sépulture: l'église, les vivants et les morts dans l'antiquité tardive. 2003 ⇒20,13357; 21,14774. ᴿAug. 37 (2007) 393-397 (*Spera, Lucrezia*).

15045   **Reed, Jonathan L.** The HarperCollins visual guide to the New Testament: what archaeology reveals about the first christians. NY 2007, HarperOne 169 pp. $25. 978-00608-42499 [BiTod 46,64— Donald Senior].

15046   *Segal, Arthur* Israel: Hippos: die Kirchen von Sussita. WUB 43 (2007) 62-64.

15047 *Strange, James F.* Archaeological evidence of Jewish believers. Jewish believers in Jesus. 2007 ⇒519. 710-741.
15048 *Tchekhanovets, Yana* On the identification problem of the Georgian "Devtuban" monastery. LASBF 57 (2007) 423-430.
15049 *Tzaferis, Vassilios* Inscribed "To God Jesus Christ": early christian prayer hall found in Megiddo prison. BArR 33/2 (2007) 38-49.
15050 *Zäh, Alexander* Eine unbekannte Säulen-Basilika auf dem Territorium von Bargylia. OCP 73 (2007) 417-432.
15051 *Zoroğlu, Levent* Rovine del periodo protocristiano a Kelenderis. X simposio paolino. Turchia 21: 2007 ⇒860. 149-156.

XIX. Geographia biblica

U1.0 Geographica

15052 ᵀ**Amato, E.** DIONISIO di Alessandria: Descrizione della terra abitata. Testi a fronte 93: 2005 ⇒21,14777. ᴿREA 109 (2007) 319-321 (*Counillon, Patrick*).
15053 *Fortin, Michel* La vallée de l'Oronte: une entité géographique unique au Proche-Orient. CSMSJ 2 (2007) 7-18.
15054 ᴱ**Radt, Stephan** STRABONS Geographika, 6: Buch V-VIII: Kommentar. Gö 2007, Vandenhoeck & R. vi; 525 pp. €189. 978-35252-59559.

U1.2 Historia geographiae

15055 *Dozeman, Thomas B.* Biblical geography and critical spatial studies. Constructions of space 1. LHBOTS 481: 2007 ⇒377. 87-108.
15056 **Magnani, Stefano** Geografia storica del mondo antico. 2003 ⇒21, 14790. ᴿGn. 79 (2007) 271-272 (*Marcotte, Didier*).
15057 *Novembri, Galleria* I cristiani e la geografia: tra recupero e trasformazione delle fonti classiche. La cultura scientifico-naturalistica. SEAug 101: 2007 ⇒914. 83-97.
15058 **Rainey, Anson F.** The sacred bridge: Carta's atlas of the biblical world. 2006 ⇒22,14347. ᴿIEJ 57 (2007) 123-125 (*Cogan, Mordechai*); BBR 17 (2007) 161-3 (*Hess, Richard S.*); BAIAS 25 (2007) 185-191 (*Bartlett, J.R.*); TJT 23 (2007) 198-200 (*Irwin, Brian P.*); RBLit (2007)* (*Borowski, Oded*).

U1.4 Atlas— maps

15059 ᴱ**Beitzel, Barry** Biblica: the bible atlas: a social and historical journey through the lands of the bible. Lane Cove, Australia 2006, Global 575 pp. ᴿRBLit (2007)* (*Hawkins, Ralph K.*).
15060 ᴱ**Bolen, Todd** Survey of western Palestine: the maps. Historic views of the Holy Land (1870s): 2004 ⇒21,14798. CD-ROM; BiblePlaces.com. ᴿTJT 23 (2007) 237-238 (*Irwin, Brian P.*).

15061   ᴱ**Curtis, Adrian** Oxford bible atlas. Oxf ⁴2007 <1962>, OUP x;
        229 pp. £20/$35. 978-01910-01581. Bibl. 203. ᴿRB 114 (2007)
        471-473 (*Murphy-O'Connor, Jerome*).
15062   ᴱ**Erlemann, Kurt; Noethlichs, Karl L.** Neues Testament und An-
        tike Kultur 1-4: 2004-2006 ⇒20,613... 22,655. ᴿRBLit (2007)*
        (*Verheyden, Joseph*).
15063   *Havrelock, Rachel* The two maps of Israel's land. JBL 126 (2007)
        649-667.
15064   **Isbouts, Jean-P.** The biblical world: an illustrated atlas. Wsh 2007,
        National Geographic 367 pp. $40. 978-14262-01387.
15065   **Lawrence, Paul** The IVP atlas of bible history. 2006 ⇒22,14354.
        ᴿKerux 22/2 (2007) 54-58 (*Dennison, James T., Jr.*); TJT 23
        (2007) 197-198 (*Irwin, Brian P.*); CBQ 69 (2007) 789-790 (*Mac-
        Donald, Burton*); RBLit (2007)* (*Stenschke, Christoph*);
15066   Der große Atlas zur Welt der Bibel: Länder, Völker, Kulturen.
        ᴱ*Millard, Alan; Siebenthal, Heinrich von; Walton, John* Gießen
        2007, Brunnen 188 pp. 978-3-7655-5443-8.
15067   *Long, Burke O.* Bible maps and America's nationalist narratives.
        Constructions of space 1. LHBOTS 481: 2007 ⇒377. 109-125.
15068   **Rainey, Anson; Notley, R. Steven** Carta's new century handbook
        and atlas of the bible. J 2007, CARTA 280. $50. 96522-07039.
15069   *Smith, Julie Ann* "My Lord's native land": mapping the christian
        Holy Land. ChH 76 (2007) 1-31.
15070   **Szczepanowicz, Barbara; Mrozek, Andrzej** Atlas zwierząt biblij-
        nych: miejsce w biblii i symbolika. Kraków 2007, WAM 280 pp. P.
15071   *Whitelam, Keith W.* Lines of power: mapping ancient Israel.
        ᶠCHANEY, M. 2007 ⇒25. 40-79.
15072   **Wittke, Anna-M.; Olshausen, Eckart; Szydłak, Richard** Histo-
        rischer Atlas der antiken Welt. Der neue Pauly: Supplemente 3: Stu
        2007, Metzler xix; 308 pp. €180. 978-34760-20314.

U1.5 Photographiae

15073   *Beck, Anthony, al.*, Evaluation of Corona and Ikonos resolution sat-
        ellite imagery for archaeological prospection in western Syria. An-
        tiquity 81 (2007) 161-175.
15074   **Chatelard, Géraldine; Tarragon, Jean-M. de** The empire and the
        kingdom–Jordan as seen by the Ecole biblique et archéologique de
        Jérusalem (1893-1935). 2006 ⇒22,14363. ᴿRB 114 (2007) 152-
        154 (*Murphy-O'Connor, Jerome*).
15075   ᴱ**Denise, Fabrice; Nordiguian, Lévon** Une aventure archéolo-
        gique: Antoine POIDEBARD, photographe et aviateur. 2004 ⇒21,
        14807. ᴿBer. 50 (2007) 133-135 (*Dodd, Erica C.*).
15076   *Hallote, Rachel* Photography and the American contribution to
        early "biblical" archaeology, 1870-1920. NEA 70 (2007) 26-41.
15077   **Herrmann, Georgina; Colley, Helena; Laidlaw, Stuart** The pub-
        lished ivories from Fort Shalmaneser, Nimrud: a scanned archive of
        photographs. 2004 ⇒20,13379. ᴿSyria 84 (2007) 331-333 (*Muller,
        Béatrice*).
15078   **Lyons, Claire L.**, *al.*, Antiquity and photography: early views of
        ancient Mediterranean sites. LA 2005, Getty Museum 240 pp. $65.
        133 ill.

15079 ^E**Nordiguian, Lévon; Salles, Jean-François** Aux origines de l'archéologie aérienne: A. Poidebard (1878-1955). Poidebard, A. <M> 2000, ⇒16,12173... 20,13380. ^RBer. 50 (2007) 131-133 (*Dodd, Erica C.*).

U1.6 Guide books, *Führer*

15080 **Arnould-Béhar, Caroline** La Palestine à l'époque romaine. Guide Belles Letres des Civilisations: P 2007, Belles Lettres 254 pp. €17. 978-22514-10364.

15081 **Atlante della bibbia:** un viaggio attraverso le terre bibliche fra storia, geografia, società. Mi 2007, Touring Club Italiano 576 pp. Pref. *Ravasi, Gianfranco*.

15082 **Bar, Doron** Sanctifying the land : the Jewish holy places in the State of Israel. J 2007, Ben-Zvi 274 pp. 978-965217-2686. Bibl. 255-268.

15083 **Brocke, Christoph vom** Griechenland. Biblische Reiseführer 1: Lp 2007, Evangelische 280 pp. €16.80. 978-33740-24636. Num. ill.

15084 **Bruneau, Pilippe; Ducat, Jean** Guide de Délos. ⁴2005 <1965, 1983> ⇒21,14812. ^RREA 109 (2007) 346-348 (*Hasenohr, Claire*).

15085 **Cimok, Fatih** Biblical Anatolia: from Genesis to the Councils. 2005 ⇒21,14815. ^RCoTh 77/2 (2007) 216-219 (*Chrostowski, Waldemar*).

15086 **Coarelli, Filippo** Rome and environs: an archaeological guide. ^T*Harmon, Daniel P.; Clauss, James J.* Berkeley 2007, Univ. of California Pr. x; 555 pp. $75/25. 978-05200-79601/18.

15087 **Diéz Fernández, F.** Guía de Tierra Santa: Israel, Palestina, Sinaí y Jordania: historia–arqueología–biblia. ³2006 <1990> ⇒22,14368. ^RCDios 220 (2007) 253-254 (*Gutiérrez, J.*).

15088 **Elliger, Winfried** Mit Paulus unterwegs in Griechenland: Philippi, Thessaloniki, Athen, Korinth. Stu ²2007 <1978, 1987>, Kath. Bibelwerk 254 pp. €19.90. 978-34603-27993. 46 ill.

15089 **Fant, Clyde E.; Reddish, Mitchell G.** A guide to biblical sites in Greece and Turkey. 2003 ⇒19,14100. ^RNEA(BA) 70 (2007) 114-115 (*Lampe, Peter*).

15090 **Feldtkeller, Andreas** Jordanien. ^E*Brocke, Christoph vom* <ed> EVAs Biblische Reiseführer 2: Lp 2007, Evangelische 128 pp. €12.80. 978-3-374-02462-9.

15091 **Garella, Aldo** 8 giorni per la Terra Santa. Vercelli 2007, Raviolo 107 pp.

15092 **Peterson, John** Historical Muscat: an illustrated guide and gazetteer. HO 1/88: Lei 2007, Brill xiv; 151 pp. 90-04-15266-0. Bibl. 127-132.

15093 **Walker, Peter** In the steps of Jesus: an illustrated guide to the places of the Holy Land. 2006 ⇒22,14371. ^RRB 114 (2007) 473-474 (*Murphy-O'Connor, Jerome*).

U1.7 Onomastica

15094 ^E**Bagg, Ariel M.** Répertoire géographique des textes cunéiformes: Band 7/1: die Orts- und Gewässernamen der neuassyrischen Zeit; 1:

die Levante. BTAVO.B 7: Wsb 2007, Reichert xcv; 376 pp. 978-3-89500-586-2.
15095 **Elitzur, Yoel** Ancient place names in the Holy Land: preservation and history. 2004 ⇒20,13383; 21,14817. ᴿBASOR 346 (2007) 95-96 (*Rainey, A.F.*); Maarav 14 (2007) 77-97 (*Hutton, Jeremy M.*).
15096 ᵀ**Notley, R. Steven; Safrai, Ze'ev** EUSEBIUS, Onomasticon: the place names of divine scripture. Jewish and Christian Perspectives 9: 2005 ⇒21,14820; 22,14374. ᴿPEQ 139 (2007) 223-225 (*Taylor, Joan E.*); Henoch 29 (2007) 167-172 (*Isaac, Benjamin*) [⇒15667].

U2.1 Geologia

15097 **Nützel, Werner** Einführung in die Geo-Archäologie des Vorderen Orients. 2004 ⇒20,13388... 22,14377. ᴿPaléorient 33/2 (2007) 169-170 (*Geyer, Bernard*).
15098 *Thomas, Ross; Niemi, Tina M.; Parker, S. Thomas* Structural damage from earthquakes in the second-ninth centuries at the archaeological site of Aila in Aqaba, Jordan. BASOR 346 (2007) 59-77.

U2.2 Hydrographia; rivers, seas, salt

15099 *Al-Muheisen, Zeidoun* Water engineering and irrigation system of the Nabataeans: a regional vision. ADAJ 51 (2007) 471-486.
15100 *Hoss, Stefanie* Die Mikwen der späthellenistischen bis byzantinischen Zeit in Palästina. ZDPV 123 (2007) 49-79.
15101 **Hoss, Stefanie** Baths and bathing: the culture of bathing and the baths and thermae in Palestine from the Hasmoneans to the Moslem conquest. ᴰ*Fischer,Thomas* BAR Int. Ser. 1346: Oxf 2005, Archaeopress vi; 212 + 100 pp. £45. 18417-16928. Appendix on Jewish ritual baths (Miqva'ot); Diss. Köln.
15102 **Strauß-Seeber, Christine** Der Nil: Lebensader des alten Ägypten. Mü 2007, Hirmer 200 pp. €60. 978-37774-37156. 230 ill.

U2.3 Clima, pluvia

15103 *Eastwood, Warren J.; Yiğitbaşıoğlu, Hakan* Climate history, vegetation and landscape change in northeast Turkey. Anatolian Archaeology 13 (2007) 5-7.
15104 *Kirleis, Wiebke; Herles, Michael* Climatic change as a reason for Assyro-Aramaean conflicts?: pollen evidence for drought at the end of the 2nd millennium BC. SAA Bulletin 16 (2007) 7-37.
15105 **Lehoux, Daryn** Astronomy, weather, and calendars in the ancient world: *parapegmata* and related texts in classical and Near Eastern societies. C 2007, CUP xiv; 566 pp. £65. 978-05218-51817. Ill.
15106 **Rosen, Arlene M.** Civilizing climate: social responses to climate change in the ancient Near East. Lanham, MD 2007, Altamira xiv; 209 pp. $72/33. 978-07591-04938/45. Ill.
15107 *Zwickel, Wolfgang* Regen, Dürre, Hungersnöte: die Erforschung des Klimas in Palästina in den letzten 10.000 Jahren. WUB 46 (2007) 2-7.

U2.5 *Fauna*, **animalia**

15108 **Arnott, W.G.** Birds in the ancient world from A to Z. L 2007, Routledge xiv; 288 pp. £60/$110. 978-04152-38519.

15109 *Aufrère, Sydney* Aperçu de quelques ophidiens fantastiques de l'Egypte pharaonique. Monstres et monstruosités. Cahiers KUBA-BA 9: 2007 ⇒726. 11-36.

15110 *Bader, Bettina* Von Palmen und Vögeln–Vorschau auf die Keramik aus dem Areal H/VI östlich des Palastes G in ʿEzbet Helmi. Ä&L 16 (2007) 37-61.

15111 *Bianchi, Enzo* Uomini, animali e piante: per una lettura non antropocentrica della bibbia. Qol(I) 128-129 (2007) 16-19.

15112 ᴱ**Ciccarese, Maria P.** Animali simbolici: alle origini del bestiario cristiano, 2: (leone - zanzara). BPat 44: Bo 2007, EDB 510 pp. €37.70.

15113 *Cohen, Susan; Liphschitz, Nili* The organic materials. Middle Bronze Age IIA cemetery. AASOR 62: 2007 ⇒14280. 115-117.

15114 *Cornelius, I.* Animals in the art of Ugarit. JSem 16 (2007) 605-623;

15115 A terracotta horse in Stellenbosch and the iconography and function of Palestinian horse figurines. ZDPV 123 (2007) 28-36.

15116 *Dalix, Anne-S.* Symbole animal dans la société ougaritaine–sur la piste des cervides et les hippopotamidés. Le royaume d'Ougarit. 2007 ⇒1004. 327-356.

15117 *Danrey, Virginie* Du chaos au cosmos: les monstres dans la littérature mythologique sumérienne et akkadienne;

15118 Dépots de fondation et gardiens de porte 'monstrueux' en Mésopotamie. Monstres et monstruosités. Cahiers KUBABA 9: 2007 ⇒ 726. 69-96/97-111.

15119 **Davies, Sue; Smith, H.S.** The sacred animal necropolis at North Saqqâra: the falcon complex and catacomb: the archaeological report. Egypt Exploration Society Excavation memoir 73: 2005 ⇒ 21,14835; 22,14397. ᴿBiOr 64 (2007) 355-361 (*Kessler, Dieter*).

15120 *De Roos, J.* Animals in Hittite texts. JSem 16 (2007) 624-634.

15121 *Evans, Linda* Fighting kites: behavior as a key to species identity in wall scenes. JEA 93 (2007) 245-247.

15122 *Farber, W.* Lamaštu and the dogs. JSem 16 (2007) 635-645.

15123 *Galter, H.D.* Der Skorpion und die Königin: zur Tiersymbolik bei den Assyrern. JSem 16 (2007) 646-671.

15124 *Gidi, Yehalom* The pig's testimony. AntOr 5 (2007) 195-204.

15125 *Herles, Michael* Der Vogel Strauß in den Kulturen Altvorderasiens. MDOG 139 (2007) 173-212.

15126 *Horwitz, Liora K.* The faunal remains. Middle Bronze Age IIA cemetery. AASOR 62: 2007 ⇒14280. 125-129.

15127 **Jankovic, Bojana** Vogelzucht und Vogelfang in Sippar im 1. Jahrtausend v. Chr. AOAT 315: 2004 ⇒20,13420... 22,14403. ᴿOLZ 102 (2007) 151-153 (*Osten-Sacken, Elisabeth von der*).

15128 **Janssen, Jack J.** Donkeys at Deir El-Medîna. 2005 ⇒21,14846. ᴿBiOr 64 (2007) 369-375 (*Dorn, Andreas*).

15129 *Kilmer, A.D.* The horses and other features of Marduk's attack chariot (EE IV) and comparanda. JSem 16 (2007) 672-679.

15130 **Klenck, Joel D.** The Canaanite cultic milieu: the zooarchaeological evidence from Tel Haror, Israel. BAR.Internat. Ser. 1029: 2002 ⇒ 22,14405. ᴿNEA(BA) 70 (2007) 180-181 (*Popkin, Peter*).

15131 *Klengel, Horst* Studien zur hethitischen Wirtschaft, 3: Tierwirtschaft und Jagd. AltOrF 34/1 (2007) 154-173.
15132 *Lion, B.; Michel, C.* Les porcs dans la documentation textuelle paléo-babylonienne. JSem 16 (2007) 680-700.
15133 *Mazar, Amihai; Panitz-Cohen, Nava* It is the land of honey: beekeeping at Tel Reḥov. NEA 70 (2007) 202-219.
15134 *Muntingh, L.M.* Animal metaphors and similes in ancient Near Eastern wisdom literature. JSem 16 (2007) 701-750.
15135 *Nielsen, Kirsten* I am like a lion to Ephraim: observations on animal imagery and Old Testament theology. StTh 61 (2007) 184-197.
15136 *Nys, Nadine; Bretschneider, Joachim* Research on the iconography of the leopard. UF 39 (2007) 555-615.
15137 **Osborne, C.** Dumb beasts and dead philosophers: humanity and the humane in ancient philosophy and literature. Oxf 2007, Clarendon xiv; 262 pp. £40. 978-01992-82067.
15138 *Osten-Sacken, E. von der* Straussenreiter, Affenführer und Löwengreif. JSem 16 (2007) 751-790.
15139 *Quack, Joachim F.* Tier des Sonnengottes und Schlangenbekämpfer: zur Theologie der Katze im Alten Ägypten. Eine seltsame Gefährtin. Apoliotes 1: 2007 ⇒707. 11-39.
15140 *Sasson, Aharon* Corpus of 694 astragali from stratum II at Tel Beersheba. TelAv 34 (2007) 171-181.
15141 *Schwartz, Joshua* Katzen in der antiken jüdischen Gesellschaft. Eine seltsame Gefährtin. Apoliotes 1: 2007 ⇒707. 41-73.
15142 **Smelik, Klaas A.D.** Bijzonders bijbels beestenboek: twaalf bijbelse dieren aan her woord. Hilversum 2007, NZV 144 pp. €20. 90698-62808. Ill. *Lika Tov.*
15143 **Smith, Harry S.; Davies, Sue; Frazer, K.J.** The sacred animal necropolis at North Saqqara: the main temple complex, the archaeological report. Excavation Memoir 75: 2006 ⇒22,14414. [R]Antiquity 81 (2007) 232-233 (*Riggs, Christina*).
15144 *Twiss, Katheryn C.* The zooarchaeology of Tel Tifdan (Wadi Fidan 001), southern Jordan. Paléorient 33/2 (2007) 127-145.
15145 *Van der Westhuizen, J.P. Ushumgal* in Sumerian literature with special reference to the inscription in Gudea of Lagash: Cylinder B IV:13-22. JSem 16 (2007) 771-785.
15146 **Veldhuis, Niek** Religion, literature, and scholarship: the Sumerian composition Nanse and the birds, with a catalogue of Sumerian bird names. 2004 ⇒20,13430. [R]OLZ 102 (2007) 420-423 (*Oelsner, J.*).
15147 *Viaggio, S.* Birds in Ešnunna and other Old Babylonian texts. JSem 16 (2007) 786-840.

U2.6 *Flora*; plantae biblicae et antiquae

15148 *Antonets, E.V.; Solopow, A.I. Principatus medio* (Plin. NH. XIII.74): towards the interpretation of PLINY's description of the manufacture of papyrus. VDI 260 (2007) 9-19. **R.**
15149 *Broshi, Magen* Date beer and date wine in antiquity. PEQ 139 (2007) 55-59.
15150 *Cohen, Andrew C.* Barley as a key symbol in early Mesopotamia. [F]WINTER, I. CHANE 26: 2007 ⇒171. 411-421.

15151   **Foxhall, Lin** Olive cultivation in ancient Greece: seeking the ancient economy. Oxf 2007, OUP xviii; 294 pp. £65. 978-01981-528-80. 66 ill.

15152   *Galindo Burke, José Luis; Herchet, Jörg* Der Garten: "Die Kunst ist eine Harmonie, die parallel zur Natur verläuft ..." (Paul Cézanne). "Schau an der schönen Gärten Zier". Jabboq 7: 2007 ⇒ 415. 146-160.

15153   *Gispert-Sauch, G.* Listen to the Spirit: oil. VJTR 71 (2007) 590-94.

15154   *Goodman, Martin* Kosher olive oil in antiquity. Judaism in the Roman world. AJEC 66: 2007 <1990> ⇒236. 187-203.

15155   *Hadas, Gideon* The balsam *Afarsemon* and Ein Gedi during the Roman-Byzantine period. RB 114 (2007) 161-173.

15156   *Naumann, Helmut* Die Platane von Gortyna. Studien zu Ritual. BZAW 374: 2007 ⇒937. 207-225.

15157   **Penner, Ingrid; Kogler, Franz; Schwarz, Friedrich** Pflanzen der Bibel. ÖKO.L. Sonderheft 29/2: Linz 2007, 16 pp.

15158   **Warnock, Peter** Identification of ancient olive oil processing methods based on olive remains. BAR Internat. Series 1635: Oxf 2007, Archaeopress vii; 104 pp. £29. 93 fig.

15159   *Winitzer, Abraham* Biblical *mĕlîlot*, Akkadian *millatum*, and eating one's fill. [F]WINTER, I. 2007 ⇒171. 423-436 [Deut 23,25-26].

U2.8 Agricultura, alimentatio

15160   *Abraham, Martin* Gesegnete Mahlzeit contra Privatkonsum: Essen in der Bibel. FoRe 32/4 (2007) 39-41;

15161   Kosten–aber nicht folgenlos: Essen in der Bibel–vom Stiften und Zerstören der Gemeinschaft. zeitzeichen 8/5 (2007) 26-28.

15162   **Borowski, O.** Agriculture in Iron Age Israel. 2002 <1987> ⇒19, 14159; 21,14879. [R]LASBF 57 (2007) 736-41 (*Kaswalder, Pietro*).

15163   **Bottéro, Jean** The oldest cuisine in the world: cooking in Mesopotamia. [T]*Fagan, Teresa Lavender* 2004 ⇒20,13454. [R]NEA(BA) 70 (2007) 231 (*Homan, Michael M.*).

15164   *Böhmisch, Franz* Das verlorene Paradies: die Bibel und das Fleischessen. ThPQ 155 (2007) 39-50.

15165   *Brewer, Douglas* Agriculture and animal husbandry. Egyptian world. 2007 ⇒747. 131-145.

15166   *Bukowski, Peter* Schmecket und sehet: ist unser Essen gebetskonform?: eine biblische Betrachtung zu dem, was auf den Tisch kommt. zeitzeichen 8/7 (2007) 20-22.

15167   **Dunbabin, Katherine M.D.** The Roman banquet: images of conviviality. 2003 ⇒19,14163... 22,14443. [R]Latomus 66 (2007) 461-464 (*Robert, Jean-Noël*).

15168   **Federici, Giulio C.** I pranzi nella bibbia. R 2007, AdP 73 pp. 978-88-7357-447-7. Bibl.

15169   *Hershkowitz, M.* Agricultural facilities from the late Roman period at Tel Dan. Qad. 134 (2007) 110-112. **H**.

15170   *Hopkins, David C.* 'All sorts of field work': agricultural labor in ancient Palestine. [F]CHANEY, M. 2007 ⇒25. 149-172.

15171   *Hruška, Blahoslav* Agricultural techniques. Babylonian world. 2007 ⇒716. 54-65.

15172   *Katz, Ofir, al.*, Chalcolithic agricultural life at Grar, northern Ne-
        gev, Israel: dry farmed cereals and dung-fueled hearths. Paléorient
        33/2 (2007) 101-116.
15173   *Krech, Volkhard* Die semantischen und sozialstrukturellen Kontex-
        te der Mahlfeier: eine religionssoziologische Typologie. Herren-
        mahl. QD 221: 2007 ⇒572. 39-58.
15174   *Lill, Anne* The social meaning of Greek symposium. Studien zu Rit-
        ual. BZAW 374: 2007 ⇒937. 171-186.
15175   **McCarter, Susan F.** Neolithic. NY 2007, Routledge 221 pp. $110/
        35.
15176   ᴱ**Mee, Christopher; Renard, Josette** Cooking up the past: food
        and culinary practices in the Neolithic and Bronze Age Aegean.
        Oxf 2007, Oxbow xii; 380 pp. £35. 978-1842-172278. 103 ill.
15177   *Meyers, Carol L.* From field crops to food: attributing gender and
        meaning to bread production in Iron Age Israel. ᶠMEYERS, E.
        AASOR 60/61: 2007 ⇒106. 67-84.
15178   *Mori, Lucia* Land and land use: the middle Euphrates valley. Baby-
        lonian world. 2007 ⇒716. 39-53.
15179   *Reynolds, Frances* Food and drink in Babylonia. Babylonian world.
        2007 ⇒716. 171-184.
15180   **Simmons, Alan H.** The neolithic revolution in the Near East: trans-
        forming the human landscape. Tucson (Ariz.) 2007, University of
        Arizona Pr. xvii; 338 pp. $55. 978-0-8165-2442-6. Bibl. 281-328;
        Foreword *Ofer Bar-Yosef.*
15181   *Speyer, Wolfgang* Das Mahl als religiöse Handlung im Altertum.
        Frühes Christentum. WUNT 213: 2007 ⇒320. 121-136.
15182   **Stein-Hölkeskamp, Elke** Das römische Gastmahl: eine Kulturge-
        schichte. 2005 ⇒21,14895. ᴿAKuG 89 (2007) 219-222 (*Koster,
        Severin*); Neotest. 41 (2007) 251-253 (*Stenschke, Christoph*).
15183   *Tassin, Claude* Repas gréco-romains et juifs dans l'antiquité. Les
        récits fondateurs de l'eucharistie. CÉv.S: 140 (2007) 13-20.
15184   ᴱ**Thurston, Tina L.; Fisher, Christopher T.** Seeking a richer har-
        vest: the archaeology of subsistence intensification, innovation, and
        change. NY 2007, Springer x; 273 pp. 978-0-387-32761-7.
15185   *Weingarten, Susan* Food for thought: some recent books on ancient
        Greek and Roman food. SCI 26 (2007) 205-210.

U2.9 **Medicina** *biblica et antiqua*

15186   *Abusch, Tzvi* Witchcraft, impotence, and indigestion;
15187   *Avalos, Hector* Epilepsy in Mesopotamia reconsidered. Disease in
        Babylonia. 2007 ⇒996. 146-159/131-136.
15188   ᴱᵀ**Boudon-Millot, Véronique** GALIEN, tome 1: Introduction géné-
        rale sur l'ordre de ses propres livres, sur ses propres livres: Que
        l'excellent médecin est aussi philosophe. P 2007, Belles Lettres
        ccxxxviii; 314 pp. £75. 978-2-251-00536-2. ᴿREA 109 (2007) 770-
        771 (*Samama, Evelyne*).
15189   *Burgsmüller, Anne* PSEUDO-BASILIUS von Ankyra: deutliche Worte
        eines Arztes im Dienst gemäßigter männlicher und weiblicher As-
        kese. La cultura scientifico-naturalistica. 2007 ⇒914. 479-488.
15190   ᴱ**Cam, Marie-T.** La médecine vétérinaire antique: sources écrites,
        archéologiques, iconographiques: actes du colloque international de

Brest, 9-11 septembre 2004, Université de Bretagne Occidental. Rennes 2007, Presses Universitaires de Rennes 324 pp. €23. 978-27535-04042. Ill.

15191 *Corsaro, Francesco* La scienza medica nei *Cesti* di SESTO GIULIO AFRICANO. Cultura scientifico-naturalistica. 2007 ⇒914. 513-524.

15192 **Distort, Marco** La depressione tra fede e terapia: attualità della bibbia per un problema antico. 2006 ⇒22,14456. ^RCivCatt 158/3 (2007) 95-96 (*Forlizzi, G.*).

15193 *Douek, Ellis* Ancient & contemporary management in a disease of unknown aetiology. Disease in Babylonia. 2007 ⇒996. 215-218.

15194 **Dvorjetski, Estee** Leisure, pleasure and healing: spa culture and medicine in ancient Eastern Mediterranean. JSJ.S 116: Lei 2007, Brill xv; 534 pp. €179/$242. 978-90-04-15681-4. Bibl. 433-497.

15195 *Farber, Walter* Lamaštu–agent of a specific disease or a generic destroyer of health?. Disease in Babylonia. 2007 ⇒996. 137-145.

15196 *Flemming, R.* Women, writing and medicine in the classical world. Classical Quarterly 57 (2007) 257-279.

15197 *Gahl, Hilde & Klaus* Der Arzt und der Kranke: Graham GREENE "Under the Garden" und Überlegungen Viktor VON WEIZSÄCKERs zur Arzt-Patient-Beziehung. ^FBRÄNDLE, W. 2007 ⇒18. 113-124.

15198 *Geller, Barbara* Rabbis, Romans, and rabies: religion, disease, and the "other": a case study. ^FMEYERS, E. 2007 ⇒106. 349-362.

15199 *Geller, Mark* The archaeology of biblical-talmudic medicine. BAIAS 25 (2007) 206;

15200 Incantations within Akkadian medical texts;

15201 Phlegm and breath–Babylonian contributions to Hippocratic medicine. Disease in Babylonia. 2007 ⇒996. 389-399/187-199.

15202 *Haas, V.* Hittite rituals against threats and other diseases and their relationship to the Mesopotamian traditions. Disease in Babylonia. 2007 ⇒996. 100-119.

15203 *Hannig, Rainer* Ägyptologie als Hilfswissenschaft der Medizingeschichte. GöMisz.B 2 (2007) 13-18.

15204 *Heeßel, Nils P.* The hands of the gods: disease names, and divine anger. Disease in Babylonia. 2007 ⇒996. 120-130.

15205 ^E**Hermans, Michel; Sauvage, Pierre** Biblia e medicina: o corpo e o espírito. ^T*Silva, Paula S.R.C.* São Paulo 2007, Loyola 127 pp. 97-8-85150-34307.

15206 ^E**Horstmanshoff, H.F.J.; Stol, M.** Magic and rationality in ancient Near Eastern and Graeco-Roman medicine. 2004 ⇒20,13495; 22, 14467. ^RJNES 66 (2007) 147-148 (*Biggs, Robert D.*).

15207 ^{ET}**Johnston, I.** GALEN: On diseases and symptoms. C 2006, CUP x; 334 pp. £55/$99. 978-05218-65883.
       ^FJOUANNA, J. La science médicale antique 2007 ⇒79.

15208 *Kappauf, Herbert* Wunder in der Medizin: wenn ein Krebs plötzlich verschwindet. Zeichen und Wunder. 2007 ⇒553. 88-107.

15209 *Kämmerer, Thomas R.* Infektionskrankheiten: ihre keilschriftliche Überlieferung und molekularbiologische Bewertung. Studien zu Ritual. BZAW 374: 2007 ⇒937. 133-145.

15210 *Koleva-Ivanov, Elka* 'Être sous l'emprise de la mort (*ḥry mt*)' dans les textes magiques et littéraires égyptiens;

15211 *Kousoulis, Panagiotis* Dead entities in living bodies: the demonic influence of the dead in the medical texts. Proceedings Ninth Congress, 1. OLA 150: 2007 ⇒992. 1001-1009/1043-1050.

15212   *Kwasman, T.* The demon of the roof. Disease in Babylonia. 2007 ⇒996. 160-186.

15213   *Lange, Eva* Kretischer Zauber gegen asiatische Seuchen: die kretischen Zaubersprüche in den altägyptischen medizinischen Texten. GöMisz.B 2 (2007) 47-55.

15214   ^ELeven, Karl-H. Antike Medizin: ein Lexikon. 2005 ⇒21,14924. ^RNeotest. 41 (2007) 447-451 *(Stenschke, Christoph).*

15215   *Maier, Johann* "Ich, JHWH, bin dein Arzt!": Heilung durch Gott und ärztliche Kunst in der jüdischen Tradition. ^FTRUMMER, P. 2007 ⇒153. 60-84.

15216   **Massar, Natacha** Soigner et servir: histoire sociale et culturelle de la médecine grecque à l'époque hellénistique. ULB Culture et cité 2: 2005 ⇒21,14925. ^RAnCl 76 (2007) 450-451 *(Jacquemin, Anne).*

15217   *Michaud, Jean-M.* Une approche culturelle de la maladie en contexte proche-oriental. ^FWYATT, N. 2007 ⇒174. 193-217.

15218   *Riddle, John M.* Women's medicines in ancient Jewish sources: fertility enhancers and inhibiters. Disease in Babylonia. 2007 ⇒996. 200-214.

15219   *Ritner, Robert K.* Cultural exchanges between Egyptian and Greek medicine. Moving across borders. OLA 159: 2007 ⇒722. 209-221.

15220   *Rosenow, Daniela* Es stinkt: Hygiene im alten Ägypten. GöMisz.B 2 (2007) 35-46.

15221   **Scurlock, Jo A.** Magico-medical means of treating ghost-induced illnesses in ancient Mesopotamia. 2006 ⇒22,14476. ^RJHScr 7 (2007)* = PHScr IV,467-471 *(Noegel, Scott).*

15222   **Scurlock, Jo A.; Andersen, Burton R.** Diagnoses in Assyrian and Babylonian medicine. 2005 ⇒21,14930. ^RJHScr 7 (2007)* = PHScr IV,467-471 ⇒22,593 *(Noegel, Scott).*

15223   *Stephan, Joachim* Die anatomischen, physiologischen und pathophysiologischen Grundlagen der ägyptischen Krankheitslehre. GöMisz.B 2 (2007) 87-102.

15224   *Stol, Marten* Fevers in Babylonia. Disease in Babylonia. 2007 ⇒ 996. 1-39.

15225   *Usar, Kurt* "Wohin sonst sollen wir gehen ...?": Gedanken eines Arztes für Homöopathie zum Thema Heil und Heilung durch Jesus von Nazareth. ^FTRUMMER, P. 2007 ⇒153. 281-298.

15226   *Vomberg, Petra* Darstellungen von Krankheiten und Kranken in der ägyptischen Kunst. GöMisz.B 2 (2007) 57-73;

15227   Augenerkankungen in Ägypten. GöMisz.B 2 (2007) 75-85.

15228   *Wasserman, Nathan* Between magic and medicine–apropos of an Old Babylonian therapeutic text against Kurārum disease;

15229   *Wilson, J.V. Kinnier* Infantile and childhood convulsions, and Sa.gig XXIX. Disease in Babylonia. 2007 ⇒996. 40-61/62-66.

15230   *Wilson, J.V. Kinnier; Reynolds, E.H.* On stroke and facial palsy in Babylonian texts. Disease in Babylonia. 2007 ⇒996. 67-99.

15231   *Witthuhn, Orell* Marburger Treffen zur altägyptischen Medizin. GöMisz.B 2 (2007) 7-12 [2002-2007].

U3 *Duodecim tribus*; **Israel tribes**; *land ideology; adjacent lands*

15232   **Jeschke, Marlin** Rethinking Holy Land: a study in salvation geography. Scottdale, PA 2005, Herald 171 pp. $17. 978-08361-93176. ^RRExp 104 (2007) 396-398 *(Wallace, Robert E.).*

15233 **le Roux, Magdel** The Lemba: a lost tribe of Israel in southern Africa?. 2003 ⇒19,14203. [R]IRM 96 (2007) 144-146 (*Mbiti, John*).

15234 *Liron, Hannah* Israele: utopia e realtà. Conc(I) 43 (2007) 240-246; Conc(GB) 2,55-60; Conc(D) 43,169-174.

15235 **March, W. Eugene** God's land on loan: Israel, Palestine, and the world. LVL 2007, Westminster 131 pp. $20. 978-06642-31514.

15236 **Marchadour, Alain; Neuhaus, David** La terre, la bible et l'histoire: "vers le pays que je te ferai voir...". 2006 ⇒22,14487. [R]BLE 108 (2007) 338-339 (*Deberge, Pierre*); RTL 38 (2007) 254-257 (*Di Pede, E.*);

15237 The land, the bible, and history: toward the land that I will show you. Abrahamic dialogues 5: NY 2007, Fordham Univ. Pr. 232 pp. $40. 978-082322-6597. Bibl. 209-225. [R]America 196/12 (2007) 30-31 (*Anderson, Gary A.*).

15238 *Morgenstern, Matthias* 'Erez Israel', madre straniera. Conc(I) 43 (2007) 257-268; Conc(GB) 2,69-78; Conc(D) 43,181-189.

15239 *Raheb, Mitri* Terra, popoli e identità: una prospettiva palestinese. Conc(I) 43 (2007) 247-256; Conc(GB) 2,61-68; Conc(D) 43,174-181.

15240 *Ravitzky, Aviezer* The land of Israel: desire and dread in Jewish literature. Hearing visions. 2007 ⇒817. 153-168.

15241 **Torrance, David; Taylor, George** Israel, God's servant: God's key to the redemption of the world. Milton Keynes 2007, Paternoster 224 pp. £10. 978-18422-75542.

15242 **Wazana, Nili** All the boundaries of the land: the promised land in biblical thought in the light of the ancient Near East. J 2007, Bialik xix; 370 pp. $31. 96534-29337.

15243 **Wolff, Katherine** 'Geh in das Land, das ich Dir zeigen werde...': das Land Israel in der frühen rabbinischen Tradition und im Neuen Testament. EHS.T 340: 1989 ⇒5,g240... 10,13543. [R]ThR 72 (2007) 86-87 (*Tilly, Michael*).

U4.5 *Viae*, roads, routes

15244 *al-Ghabbān, 'Alī B. Ibrāhīm* Le Darb al-Bakra: découverte d'une nouvelle branche sur la route commerciale antique, entre al-Higr (Arabie saʿūdite) et Pétra (Jordanie). CRAI 1 (2007) 9-31.

15245 *Ben-David, Chaim* The paved road from Petra to the 'Arabah–commercial Nabataean or military Roman?. The Late Roman army. BAR.International Ser. 1717: 2007 ⇒975. 101-110.

15246 *Burton, Margie* Biomolecules, Bedouin, and the bible: reconstructing ancient footways in Israel's northern Negev. Milk and honey. 2007 ⇒474. 215-239.

15247 *Efe, Turan* The theories of the 'Great Caravan Route' between Cilicia and Troy: the Early Bronze Age III period in inland western Anatolia. AnSt 57 (2007) 47-64.

15248 *Lolos, Y.* Via Egnatia after Egnatius: imperial policy and inter-regional contacts. Mediterranean Historical Review [TA] 22/2 (2007) 273-293.

15249 *Masetti-Rouault, Maria-G.* La route du Moyen-Euphrate à la fin de l'Âge du Bronze. Le royaume d'Ougarit. 2007 ⇒1004. 141-161.

15250 *Ökse, A. Tuba* Ancient mountain routes connecting central Anatolia to the upper Euphrates region. AnSt 57 (2007) 35-45.

15251 *Roll, Israel* Crossing the Negev in Late Roman times: the administrative development of *Palaestina Tertia Salutaris* and of its imperial road network. The Late Roman army. BAR:International Ser. 1717: 2007 ⇒975. 119-130.

15252 **Staccioli, Romolo A.** The roads of the Romans. [T]*Sartarelli, Stephen* 2003 ⇒22,14497. [R]IJCT 14/1-2 (2007) 250-254 (*Heinz, Werner*).

U5.0 *Ethnographia, sociologia; servitus*

15253 **Agosto, Efrain** Servant leadership: Jesus and Paul. 2005 ⇒21, 14944; 22,14499. [R]RRT 14/1 (2007) 6-8 (*Bury, Benjamin*).

15254 *Albertz, Rainer* Social history of ancient Israel. Understanding the history. PBA 143: 2007 ⇒545. 347-367.

15255 **Balla, Peter** The child-parent relationship in the New Testament and its environment. WUNT 155: 2003 ⇒19,14221... 22,14501. [R]RBLit (2007) 309-312 (*Aasgaard, Reidar*);

15256 2005 <2003> ⇒21,14948. [R]BTB 37 (2007) 140-41 (*Stewart, Eric*); TJT 23/1 (2007) 61-62 (*Trites, Allison A.*).

15257 *Bar, Shaul* Intermarriage in the biblical period. BiTod 45 (2007) 97-104.

15258 *Bonnington, Mark* Fleeing idolatry: social embodiment of anti-idolatry in the first century. Idolatry. 2007 ⇒763. 107-119.

15259 *Botha, Johannes Eugene* Exploring issues around biblical, western and African social values. HTS 63 (2007) 147-169.

15260 *Bowe, Barbara* The New Testament, religious identity, and the other. Contesting texts. 2007 ⇒840. 93-101.

15261 **Buell, Denise** Why this new race: ethnic reasoning in early christianity. 2005 ⇒21,14953. [R]JR 87 (2007) 271-272 (*Williams, Michael A.*).

15262 *Charvát, Petr* Social configurations in early dynastic Babylonia (c. 2500-2334 BC). Babylonian world. 2007 ⇒716. 251-264.

15263 *Chávez, Emilio G.* "Ya no son ni extranjeros ni forasteros": el inmigrante y la migración en la biblia: una mirada bíblico-teológica. AnáMnesis 17/1 (2007) 1-12.

15264 **Cocco, Francesco** Sulla cattedra di Mosè: la legittimazione del potere nell'Israele post-esilico (Nm 11; 16). [D]*Ska, Jean Louis* Bo 2007, EDB 330 pp. €26. 978-88-10-22132-7. Diss. Pont. Ist. Biblico; Pres. *Jean-Louis Ska*; Bibl. 269-309.

15265 **Cook, Stephen L.** The social roots of biblical Yahwism. 2004 ⇒ 20,13546... 22,14508. [R]CrSt 28 (2007) 217-219 (*Gianto, Agustinus*); JAOS 127 (2007) 86-87 (*Fox, Nili S.*).

15266 *Crook, Zeba A.* Structure versus agency in studies of the biblical social world: engaging with Louise Lawrence. JSNT 29 (2007) 251-275.

15267 **Crossley, James G.** Why christianity happened: a sociohistorical account of christian origins (26-50 CE). 2006 ⇒22,14510. [R]CBQ 69 (2007) 815-816 (*Gowler, David B.*); RBLit (2007)* (*Rohrbaugh, Richard L.*).

15268 *Czachesz, István* The emergence of early christian religion: a naturalistic approach. Explaining christian origins. BiblInterp 89: 2007 ⇒609. 73-94.

15269 **Destro, Adriana; Pesce, Mauro** Forme culturali del cristianesimo nascente. 2005 ⇒21,14958; 22,14511. [R]RivBib 55 (2007) 252-255 (*Rescio, Mara*); CBQ 69 (2007) 821-822 (*Elliott, John H.*); TC. JBTC 12 (2007)* 2 pp (*Aragione, Gabriella*).

15270 *Dever, William G.* Ethnicity and the archaeological record: the case of early Israel. [F]MEYERS, E. AASOR 60/61: 2007 ⇒106. 49-66.

15271 *Dieckmann, Detlef* Identität in der Krise des Exils: Israels Segens-Existenz nach Sach 8, Gen 12 und Gen 26. Identität. BTSP 30: 2007 ⇒409. 23-40.

15272 **Domeris, William R.** Touching the heart of God: the social construction of poverty among biblical peasants. LHBOTS 466: NY 2007, Clark xiv; 216 pp. 978-0-567-02862-4. Bibl. 179-204.

15273 *Elliott, Neil* Die Hoffnung der Armen in Schranken halten. Sozialgeschichte, 1. 2007 ⇒450. 205-226.

15274 *Engberg-Pedersen, Troels* Epilogue. Explaining christian origins. BiblInterp 89: 2007 ⇒609. 299-311.

15275 *Fales, Frederick M.* Arameans and Chaldeans: environment and society. Babylonian world. 2007 ⇒716. 288-298.

15276 **Fewell, Danna N.** The children of Israel: reading the bible for the sake of our children. 2003 ⇒19,14233; 20,13552. [R]Perspectives on Hebrew Scriptures II, 673-675 ⇒373 (*Broida, Marian*).

15277 **Flemming, Dean E.** Contextualization in the New Testament: patterns for theology and mission. 2005 ⇒21,14962. [R]AsbJ 62/2 (2007) 121-123 (*Rynkiewich, Mike*).

15278 *Friesen, Steven J.* Ungerechtigkeit oder Gottes Wille: Deutungen der Armut in frühchristlichen Texten. Sozialgeschichte, 1. 2007 ⇒ 450. 271-292.

15279 *Glancy, Jennifer* Slavery, historiography, and theology;
15280 Response to Harrill. BiblInterp 15 (2007) 200-211/222-224.
15281 **Goodblatt, David** Elements of ancient Jewish nationalism. 2006 ⇒ 22,14517. [R]HebStud 48 (2007) 386-390 (*Chapman, Honora H.*); RBLit (2007)* (*Tucker, W. Dennis, Jr.*).

15282 *Gottwald, Norman K.* The interplay of religion and ethnicity in ancient Israel. [F]CHANEY, M. 2007 ⇒25. 28-39.

15283 **Gottwald, Norman K.** The politics of ancient Israel. 2001 ⇒17, 11882... 20,13559. [R]BBR 17 (2007) 165-167 (*Moore, Michael S.*).

15284 *Harrill, J. Albert* The slave still appears: a historiographical response to Jennifer Glancy. BiblInterp 15 (2007) 212-221.

15285 **Harrill, James A.** Slaves in the New Testament. 2006 ⇒22,14519. [R]BiblInterp 15 (2007) 200-211, 222-224 (Resp. 212-221) (*Glancy, Jennifer A.*); CBQ 69 (2007) 148-150 (*Beavis, Mary Ann*).

15286 *Harvey, A.E.* Eunuchs for the sake of the kingdom. HeyJ 48 (2007) 1-17.

15287 **Hiltbrunner, Otto** Gastfreundschaft in der Antike und im frühen Christentum. 2005 ⇒21,14978. [R]RQ 102 (2007) 275-278 (*Heid, Stefan*).

15288 *Horsley, Richard A.* Von der Wahrnehmung der einfachen Menschen. Sozialgeschichte, 1. 2007 ⇒450. 13-34.

15289 **Horsley, Richard; Silberman, Neil** La revolución del reino: cómo Jesús y Pablo transformaron el mundo antiguo. 2005 ⇒21,14981; 22,14522. [R]ResB 54 (2007) 70-71 (*Tosaus Abadía, J.P.*).

15290   *Jackson, Bernard S.* Gender critical observations on tripartite breeding relationships in the Hebrew Bible. A question of sex?. HBM 14: 2007 ⇒872. 39-52.

15291   **Johnson-DeBaufre, Melanie** Jesus among her children: Q, eschatology, and the construction of christian origins. HThS 55: 2005 ⇒ 21,14984. ^RCBQ 69 (2007) 360-61 (*Batten, Alicia*); RBLit (2007)* (*Fleddermann, Harry T.*).

15292   *Joseph, M.J.* In search of social amity–biblical and the theological perspectives. BiBh 33/1 (2007) 87-98.

15293   **Jossa, Giorgio** Giudei o cristiani?: i seguaci di Gesù in cerca di una propria identità. StBi 142: 2004 ⇒20,13571... 22,14525. ^RRBLit (2007)* (*Verheyden, Joseph*).

15294   **Kessler, Rainer** Sozialgeschichte des alten Israel: eine Einführung. 2006 ⇒22,14530. ^RActBib 44/1 (2007) 63-64 (*Boada, J.*); ThZ 63 (2007) 272-273 (*Kellenberger, Edgar*); ThLZ 132 (2007) 1201-1202 (*Knauf, Ernst A.*).

15295   **Killebrew, Ann E.** Biblical peoples and ethnicity: an archaeological study of Egyptians, Canaanites, Philistines, and early Israel, 1300-1100 B.C.E. 2005 ⇒21,14990; 22,14532. ^RTrinJ 28/1 (2007) 145-146 (*Aderhold, K. Loren*); CBQ 69 (2007) 330-332 (*Jacobs, Paul F.*); JAOS 127 (2007) 386-388 (*Wright, Jacob L.*).

15296   *Kirk, Alan* Karl POLANYI, Marshall SAHLINS, and the study of ancient social relations. JBL 126 (2007) 182-191.

15297   **Knust, Jennifer W.** Abandoned to lust: slander and ancient christianity. 2006 ⇒22,14533. ^RBiCT 3/3 (2007)* (*Townsley, Gillian*).

15298   *Lawrence, Louise J.* Structure, agency and ideology: a response to Zeba Crook. JSNT 29 (2007) 277-286.

15299   *Lourenço, João* O contexto judaico da 'identidade cristã' proposta no Novo Testamento. Did(L) 37 (2007) 75-91.

15300   *Luomanen, Petri* The sociology of knowledge, the social identity approach and the cognitive science of religion. Explaining christian origins. BiblInterp 89: 2007 ⇒609. 199-229.

15301   **Markschies, Christoph** Das antike Christentum: Frömmigkeit, Lebensformen, Institutionen. 2006 <1997> ⇒22,14539. ^RJETh 21 (2007) 367-369 (*Padberg, Lutz E. von*).

15302   *Martin, Clarice* Es liegt im Blick–Sklaven in den Gemeinschaften der Christus-Gläubigen. Sozialgeschichte, I. 2007 ⇒450. 251-270

15303   *Martin, Luther H.* The promise of cognitive science for the study of early christianity. Explaining christian origins. 2007 ⇒609. 37-56.

15304   **Meeks, Wayne A.** Cristo é a questão. ^T*Carvalho, Priscilla W. de* Bíblia e sociologia: São Paulo 2007, Paulus 112 pp.

15305   *Melloni, Javier* Mediazione e opacità delle scritture e dei dogmi. Conc(I) 43/1 (2007) 84-93; Conc(D) 43/1,57-64; Conc(GB) 2007/ 1,65-72.

15306   *Merkt, Andreas* "Eine Religion von törichten Weibern und ungebildeten Handwerkern": Ideologie und Realität eines Klischees zum frühen Christentum. Frühchristentum und Kultur. 2007 ⇒623. 293-309.

15307   *Meyers, Carol* Contesting the notion of patriarchy: anthropology and the theorizing of gender in ancient Israel. A question of sex?. HBM 14: 2007 ⇒872. 84-105.

15308   **Moenikes, Ansgar** Der sozial-egalitäre Impetus der Bibel Jesu und das Liebesgebot als Quintessenz der Tora. Wü 2007, Echter 208 pp. €17. 978-3429-02892-3 [Lev 19,18.33-34; Dt 6,4-5; 10,18-19].

15309 *Navone, John* Divine and human hospitality. BiTod 45 (2007) 225-230.

15310 *Osiek, Carolyn* Motivation for the conversion of women in early christianity: the case of pentecostalism. [F]NEYREY, J. SWBAS n.s. 1: 2007 ⇒116. 186-201;

15311 Familienangelegenheiten. Sozialgeschichte, I. 2007 ⇒450. 229-250.

15312 *Pathrapankal, Joseph* Religious identity and complementarity: biblical and theological reflections. Enlarging the horizons. 2007 ⇒ 285. 61-81.

15313 **Prieto, Christine** Cristianismo e paganismo: a pregação do evangelho. [T]*Balancin, Euclides M.* Bíblia e sociologia: São Paulo 2007, Paulus 133 pp.

15314 **Römer, Thomas; Bonjour, Loyse** L'homosexualité dans le Proche-Orient ancien et la bible. Essais bibliques 37: 2005 ⇒21, 15006. [R]RBLit (2007) 72-75 (*Nissinen, Martti*);

15315 L'omosessualità nella bibbia e nell'antico Vicino Oriente. [E]*Ambrogio, Maria* Piccola collana moderna 123: T 2007, Claudiana 143 pp. 978-88-7016-696-5;

15316 La homosexualidad en el Cercano Oriente antiguo y la biblia. México 2007, Comunidad Teológica de México 129 pp. =Kodomein 11/12 (2007).

15317 *Ruane, Nicole J.* Bathing, status and gender in priestly ritual. A question of sex?. HBM 14: 2007 ⇒872. 66-83.

15318 **Sadler, Rodney S., Jr.** Can a Cushite change his skin?: an examination of race, ethnicity, and othering in the Hebrew Bible. JSOT. S 425; LHBOTS 425: 2005 ⇒21,15008. [R]CBQ 69 (2007) 133-134 (*Spencer, John*); LASBF 57 (2007) 733-4 (*Baranowski, Krzysztof*).

15319 *Sallaberger, Walther* The palace and the temple in Babylonia. Babylonian world. 2007 ⇒716. 265-275.

15320 **Schmidt, Tanja** Die Funktion der Bibel für die religiöse Identitätsbildung in posttraditioneller Zeit. [D]*Karle, Isolde* 2007, Diss. Bochum [ThRv 104/1,iv].

15321 *Schreiber, Stefan* Zur Attraktivität urchristlicher Mahlgemeinschaft: ein Zwischenruf. Herrenmahl. 2007 ⇒572. 187-191.

15322 *Selz, Gebhard J.* Power, economy and social organisation in Babylonia. Babylonian world. 2007 ⇒716. 276-287.

15323 *Sivatte, Rafael de* Biblia y pobres. RLAT 24 (2007) 255-270.

15324 **Spina, Frank A.** The faith of the outsider: exclusion and inclusion in the biblical story. 2005 ⇒21,15014; 22,14556. [R]SBET 25/1 (2007) 97-98 (*Calvert, Robert*); OTEs 20 (2007) 523-524 (*Du Toit, Jaqueline*).

15325 *Sprondel, Gottfried* Sozialgeschichtliche Forschung am AT und ihr theologischer Ertrag. Studien zu Ritual. Ment. *Weber, M.* BZAW 374: 2007 ⇒937. 343-348.

15326 *Steele, Laura D.* Women and gender in Babylonia. Babylonian world. 2007 ⇒716. 299-316.

15327 **Theissen, Gerd** El movimiento de Jesús: historia social de una revolución de los valores. [T]*Ruiz-Garrido, Constantino* S 2005, Sígueme 331 pp;

15328 Le mouvement de Jésus: histoire sociale d'une révolution des valeurs. [T]*Hoffmann, Joseph* 2006 ⇒22,14559. [R]Cart. 23 (2007) 232-

233 (*Martínez Fresneda, F.*): EstB 65 (2007) 551-553 (*Velasco Arias, Javier*); RBLit (2007) 331-333 (*Mainville, Odette*).

15329 *Venter, Pieter M.* Die huwelik as identiteitsmerker in die Ou Testament. HTS 63 (2007) 1213-1237.

15330 *Werbick, Jürgen* Über religiöse Ritualisierung von Gruppenidentitäten–und ihre Ambivalenz: ein Zwischenruf. Herrenmahl und Gruppenidentität. QD 221: 2007 ⇒572. 59-61.

15331 *Woodard-Lehman, Derek* One in Christ who lives within: dispersive universality and the pneuma-somatics of identity. BiCT 3/3 (2007)* 19 pp. [Gal 2,19-20; 3,28].

15332 *Wunsch, Cornelia* The Egibi family. Babylonian world. 2007 ⇒ 716. 236-247.

15333 *Yee, Gale* Recovering marginalized groups in ancient Israel: methodological considerations. Biblical responses. 2007 ⇒771. 22-49;

15334 FCHANEY, M. 2007 ⇒25. 10-27.

U5.3 Commercium, oeconomica

15335 **Abraham, Kathleen** Business and politics under the Persian Empire: the financial dealings of Marduk-nasir-apli of the House of Egibi (521-487 B.C.E.). 2004 ⇒20,13622... 22,14565. ROLZ 102 (2007) 680-684 (*Oelsner, Joachim*).

15336 *Alkier, Stefan* Wirtschaftsleben in der Antike: Religion, Politik, Ökonomie und Recht. BiKi 62 (2007) 2-9.

15337 *Bleiberg, Edward* State and private enterprise. Egyptian world. 2007 ⇒747. 175-184.

15338 *Boffo, Laura* Dal Vicino-Oriente all'Italia Settentrionale: persone e mestieri. MUSJ 60 (2007) 355-380.

15339 *Cline, Eric H.; Yasur-Landau, Assaf* Musings from a distant shore: the nature and destination of the Uluburun ship and its cargo. TelAv 34 (2007) 125-141.

15340 *Cooney, Kathlyn* Labour. Egyptian world. 2007 ⇒747. 160-174.

15341 **Drexhage, Hans-Joachim; Konen, Heinrich; Ruffing, Kai** Die Wirtschaft des Römischen Reiches (1.-3. Jahrhundert). 2002 ⇒18, 13232. RGn. 79 (2007) 82-84 (*Schneider, Helmuth*).

15342 **Evans Jane D.** The coins and the Hellenistic, Roman and Byzantine economy of Palestine. Joint Expedition to Caesarea Maritima Excavation Reports 6: Boston 2006, American Schools of Oriental Research xxiv; 240 pp. $85. 08975-7074X. 8 pl.

15343 *Fabre, David* Recherches sur l'organisation du commerce maritime dans l'Egypte ancienne: l'apport de l'anthropologie: enjeux et questionnements. Proceedings Ninth Congress, 1. 2007 ⇒992. 677-694.

15344 *Goddeeris, Anne* The Old Babylonian economy;

15345 *Jursa, Michael* The Babylonian economy in the first millennium BC. Babylonian world. 2007 ⇒716. 198-209/224-235.

15346 *Katary, Sally L.D.* Land tenure and taxation. Egyptian world. 2007 ⇒747. 185-201.

15347 **Kloft, Hans** Die Wirtschaft des Imperium Romanum. 2006 ⇒22, 14578. RBiKi 62/1 (2007) 62-63 (*Hölscher, Andreas*).

15348 *Müller-Wollermann, Renate* Ägypten auf dem Weg zur Geldwirtschaft. Proceedings Ninth Congress, 2. OLA 150: 2007 ⇒992. 1351-1359.

15349   **Nissen, Hans J.** Archaic bookkeeping: writing and techniques of economic administration in the ancient Near East. 1993 ⇒9,15429; 13,11289. [R]CSMSJ 2 (2007) 74-75 (*Waples, M.J.*).

15350   *Potts, D.T.* Babylonian sources of exotic raw materials. Babylonian world. 2007 ⇒716. 124-140.

15351   *Premnath, D.N.* Loan practices in the Hebrew Bible. [F]CHANEY, M. 2007 ⇒25. 173-185.

15352   *Radner, Karen* Hired labour in the Neo-Assyrian empire. SAA Bulletin 16 (2007) 185-226.

15353   *Rathbone, D.* Merchant networks in the Greek world: the impact of Rome. Mediterranean Historical Review [TA] 22/2 (2007) 309-20.

15354   *Renger, Johannes* Economy of ancient Mesopotamia: a general outline. Babylonian world. 2007 ⇒716. 187-197.

15355   **Rosenfeld, Ben-Zion; Menirav, Joseph** Markets and marketing in Roman Palestine. [T]*Cassel, Chawa* JSJ.S 99: 2005 ⇒21,15040; 22, 14590. [R]JSJ 38 (2007) 419-422 (*Gardner, Gregg*); Henoch 29 (2007) 393-396 (*Kloppenborg, John S.*); RBLit (2007)* (*Trainor, Michael*).

15356   *Römer, Malte* Die Aussagekraft der Quellen für das Studium ägyptischer Wirtschaft und Verwaltung. ZÄS 134 (2007) 66-81, 83-106.

        [E]**Scheidel, W.**, *al.*, The Cambridge economic history of the Greco-Roman world 2007 ⇒734.

15357   *Shatzman, Israel* Economic conditions, security problems and the deployment of the army in Later Roman Palestine, part 1: economy and population. The Late Roman army. 2007 ⇒975. 153-200.

15358   *Silver, Morris* Redistribution and markets in the economy of ancient Mesopotamia: updating Polanyi. AntOr 5 (2007) 89-112.

15359   **Van Driel, Govert** Elusive silver: in search of a role for a market in an agrarian environment. 2002 ⇒18,13246... 22,14595. [R]OLZ 102 (2007) 276-280 (*Oelsner, J.*).

15360   *Van Koppen, Frans* Aspects of society and economy in the later Old Babylonian period. Babylonian world. 2007 ⇒716. 210-223.

15361   *Warburton, David A.* Work and compensation in ancient Egyptian. JEA 93 (2007) 175-194.

15362   *Wilson, Penelope; Gilbert, Gregory* Saïsand its trading relations with the eastern Mediterranean. Moving across borders. OLA 159: 2007 ⇒722. 251-265.

15363   *Yener, K. Ashhan* The Anatolian Middle Bronze Age kingdoms and Alalakh: Mukish, Kanesh and trade. AnSt 57 (2007) 151-160.

15364   *Zimmermann, Thomas* Anatolia as a bridge from north to south?: recent research in the Hatti heartland. AnSt 57 (2007) 65-75.

U5.7 **Nomadismus**, ecology

15365   *Bar-Yosef, Ofer* The emergence of social complexity in the neolithic of the Near East. [F]MEYERS, E. 2007 ⇒106. 19-39.

15366   *Betts, Alison V.G.* The Aralo-Caspian region. Ancient nomads. ANESt.S 25: 2007 ⇒15369. 1-10.

15367   *Jackson, Samuel* Phoenicians and Assyrians versus the roving nomad: western imperialism, western scholarship and modern identity. Gilgameš. ANESt.S 21: 2007 ⇒986. 207-223.

15368 *Yagodin, Vadim N.* The Duana archaeological complex. Ancient
       nomads. ANESt.S 25: 2007 ⇒15369. 11-78.
15369 **Yagodin, Vadim; Betts, Alison; Blau, Soren** Ancient nomads of
       the Aralo-Caspian region: the Duana archaeological complex.
       ANESt.S 25: Lv 2007, Peeters viii; 138 pp. 978-90-429-1934-1.

U5.8 Urbanismus

15370 *Algaze, Guillermo* The Sumerian takeoff. [F]ADAMS, R. 2007 ⇒2.
       343-368.
15371 *Baker, Heather D.* Urban form in the first millennium BC. Babylo-
       nian world. 2007 ⇒716. 66-77.
15372 *Castel, Corinne; Peltenburg, Edgar* Urbanism on the margins: third
       millennium BC Al-Rawda in the arid zone of Syria. Antiquity 81
       (2007) 601-616.
15373 **Cohen, Getzel M.** The Hellenistic settlements in Syria, the Red
       Sea Basin, and North Africa. 2006 ⇒22,14604. [R]IHR 29 (2007)
       588-590 (*Holt, Frank L.*).
15374 **Cooper, Lisa** Early urbanism on the Syrian Euphrates. 2006 ⇒22,
       14605. [R]Antiquity 81 (2007) 480-481 (*Oates, John*).
       [E]**Cunliffe, B.**, *al.*, Mediterranean urbanization 2005 ⇒676.
       [E]**Falk, H.** Wege zur Stadt 2005 ⇒686.
       Georgi, D. The city in the valley 2005 ⇒234.
15375 **Geus, C.H.J.** de Towns in ancient Israel and in the southern Le-
       vant. Palestina antiqua 10: 2003 ⇒19,14324... 22,14607. [R]NEA
       (BA) 70 (2007) 119-120 (*Ortiz, Steve*).
15376 **Goodman, P.J.** The Roman city and its periphery: from Rome to
       Gaul. L 2007, Routledge xvi; 309 pp. £50/$90. 978-04153-38653.
15377 [E]**Gros, Pierre; Torelli, Mario** La storia dell'urbanistica: il mondo
       romano. R ²2007 <1988>, Laterza 532 pp [CRAI 2007,1042-6–P.
       Gros].
15378 *Moeller, Nadine* Urban life. Egyptian world. 2007 ⇒747. 57-72.
15379 *Nigro, Lorenzo* Alle origini della prima urbanizzazione palestinese:
       il caso dell'edificio 7102 di Tell el-'Areini. VO 13 (2007) 25-38.
15380 *Oates, Joan, al.*, Early Mesopotamian urbanism: a new view from
       the north. Antiquity 81 (2007) 585-600.
15381 *Pournelle, Jennifer R.* KLM to Corona: a bird's-eye view of cul-
       tural ecology and early Mesopotamian urbanization;
15382 *Rothman, Mitchell S.* The archaeology of early administrative sys-
       tems in Mesopotamia. [F]ADAMS, R. 2007 ⇒2. 29-62/235-254.
15383 *Sala, Maura* Prodromi della prima urbanizzazione palestinese ai
       confini del deserto basaltico siro-giordano: l'insediamento fortifica-
       to del Bronzo Antico I (3400-3200 a.C.) a Jawa. VO 13 (2007) 39-
       58.
15384 *Speyer, Wolfgang* Die Stadt als Inbegriff der menschlichen Kultur
       in Realität und Symbolik der Antike. Frühes Christentum. WUNT
       213: 2007 <1998> ⇒320. 153-168.
15385 *Stone, Elizabeth C.* The Mesopotamian urban experience. [F]ADAMS,
       R. 2007 ⇒2. 213-234.

U6 **Narrationes peregrinorum et exploratorum**; *loca sancta*

15386 *Benjamin, Don C.* The archaeology of pilgrims. BiTod 45 (2007) 248-253.
15387 **Bitton-Ashkelony, Brouria** Encountering the sacred: the debate on christian pilgrimage in late antiquity. 2005 ⇒21,15059. [R]ChH 76 (2007) 158-159 (*Smith, Julie A.*).
15388 *Bottini, G. Claudio* Il pellegrinaggio in Terra Santa: itinerari di catechesi biblica. [F]VERNET, J. 2007 ⇒158. 15-32.
15389 **Calderón, Salvador M.** Seguindo Jesús na Terra Santa. Sao Paolo 2007, CEFID 107 pp.
15390 **Chareyron, Nicole** Pilgrims to Jerusalem in the Middle Ages. [T]*Wilson, W. Donald* 2005 ⇒21,15062; 22,14616. [R]ChH 76 (2007) 617-619 (*Crawford, Paul F.*).
15391 The frightful road to Jericho. BArR 33/5 (2007) 70, 72.
15392 *Groen, Bert* Wallfahrten im Judentum, Christentum und Islam. HID 61 (2007) 26-47.
15393 [E]**Herz, Randall** Die 'Reise ins Gelobte Land' Hans TUCHERs des Älteren (1479-1480). 2002 ⇒21,15068. [R]ZDPV 123 (2007) 185-186 (*Hartmann, Gritje*).
15394 [E]**Langeli, Attilio Bartoli; Niccacci, Alviero** Fra GIOVANNI di Fedanzola da Perugia (1330 c.): Descriptio Terrae Sanctae: Ms. Casanatense 3876. [E]*Nicolini, Ugolino; Nelli, Renzo*; [T]*De Sandoli, Sabino; Alliata, Eugenio; Boettcher, John* SBF.CMa 43: 2003 ⇒19, 14350; 22,14620. [R]CDios 220 (2007) 825-826 (*Gutiérrez, J.*).
15395 [E]**Longo, Pier Giorgio** La itinerario di andare in Jerusalem. Villanova Monferrato (AL) 2007, ATLAS 237 pp. €20. Resoconto di un anonimo pellegrino 1469; 65 ill.
15396 [E]**Nardone, Jean-Luc** La représentation de Jérusalem et de la Terre sainte dans les récits de pêlerins européens au XVIe siècle. Etudes et essais sur la Renaissance: P 2007, Champion lxxv; 575 pp. $95. 978-27453-14925.
15397 **O'Loughlin, Thomas** Adomnán and the holy places: the perceptions of an insular monk on the locations of the biblical drama. L 2007, Clark 368 pp. $140. 978-05670-31839.
15398 Of Suleymân the Dragoman. BArR 33/4 (2007) 68, 70.
15399 [E]**Paoletti, Anna** Viaggio a Gerusalemme di Pietro CASOLA. 2001 ⇒21,15072. [R]RSCI 61/1 (2007) 210-212 (*Pibiri, Eva*); LASBF 57 (2007) 760-761 (*Loche, Giovanni*).
15400 *Pavić, Milorad* Prilog poznavanju hodočasničkih putovanja od Venecije do Svete zemlje u XVI. stoljeću [A contribution to our knowledge about pilgrimages from Venice to the Holy Land during the sixteenth century]. CCP 59 (2007) 33-47. **Croatian**.
15401 *Pazzini, Massimo* Dai viaggi di R. Petachia di Regensburg (XII secolo): descrizione della terra d'Israele (traduzione annotata). LASBF 57 (2007) 405-421.
15402 *Podskalsky, Gerhard* Der altrussische Wallfahrsbericht vom Hl. Land (Chož(d)enie)—ein Grenzgänger zwischen Geographie, Volkskunde und Theologie. OS 56 (2007) 269-274.
15403 *Rudy, Kathryn* A pilgrim's memories of Jerusalem: London, Wallace Collection MS M319. JWCI 70 (2007) 311-325.

15404   [E]**Rutherford, Ian; Elsner, Jas** Pilgrimage in Graeco-Roman & early christian antiquity: seeing the gods. 2005 ⇒21,958. [R]JAAR 75 (2007) 418-421 (*Ascough, Richard S.*); JRS 97 (2007) 281-283 (*Rives, J.B.*); Kernos 20 (2007) 442-444 (*Pirenne-Delforge, Vinciane*); JThS 58 (2007) 268-270 (*Pulleyn, Simon*).

15405   *Schreiner, Stefan* Die Reise Fürst Mikolaj Krzysztof RADZIWIŁŁs ins Heilige Land, nach Syrien und Ägypten. HBO 42 (2006) 387-409.

15406   **Taylor, Joan** The Englishman, the Moor and the Holy City–the true adventures of an Elizabethan traveller. 2006 ⇒22,14625. [R]PEQ 139 (2007) 140-141 (*Thomas, Robin*).

U7   *Crucigeri*—The Crusades

15407   [ET]**Edgington, Susan B.** ALBERT of Aachen: Historia Ierosolimitana: history of the journey to Jerusalem. Oxford Medieval Texts: Oxf 2007, Clarendon lxi; 949 pp. £120. 978-01992-04861.

15408   **Elouard, D.** Les croisades... au-delà des mythes. P 2007, DDB 166 pp. €16. 978-22200-57873.

15409   **Jaspert, Nikolas** The Crusades. [T]*Jestice, Phyllis G.* 2006 ⇒22, 14648. [R]EHR 122 (2007) 526-527 (*Tyerman, C.J.*).

15410   **Lock, Peter** The Routledge companion to the Crusades. 2006 ⇒ 22,14652. [R]CCMéd 50 (2007) 198 (*France, John*).

15411   [E]**Madden, Thomas F.** The fourth Crusade: event, aftermath, and perceptions: papers from the sixth conference of the Society for the Study of the Crusades and the Latin East, Istanbul, Turkey, 25-29 August, 2004. Burlington,VT 2005, Ashgate xxiv; 184 pp. $100. 978-07546-63195.

15412   **Phillips, Jonathan** The second Crusade: extending the frontiers of christendom. NHv 2007, Yale Univ. Pr. xxx; 353 pp. $40. 978-030-01-12740.

15413   **Prawer, Joshua** Histoire du royaume latin de Jérusalem. [T]*Nahon, Gérard* P [2]2007 <1969-1971, 1975>, CNRS 623 pp. Ill.

15414   **Riley-Smith, Jonathan** The Crusades: a history. NHv [2]2005 <1987>, Yale Univ. Pr. xiv; 353 pp. $20. 978-03001-01287.

15415   **Sourdel, Dominique; Sourdel-Thomine, J.** Certificats de pèlerinage d'époque ayyoubide: contribution à l'histoire de l'idéologie de l'Islam au temps des croisades. 2006 ⇒22,14660. [R]CRAI 1 (2007) 280-281 (*Richard, Jean*).

15416   **Tyerman, Christopher** God's war: a new history of the Crusades. 2006 ⇒22,14661. [R]IHR 29 (2007) 850-852 (*France, John*).

15417   [E]**Zimmermann, Harald** Thomas EBENDORFER: Historia Jerusalemitana. MGH.SRG 21: 2006 ⇒22,14663. [R]Francia 34/1 (2007) 305-306 (*Olivier, Mathieu*).

U8   Communitates Terrae Sanctae

15418   *Amit, Thomas* Laurence OLIPHANT: financial sources for his activities in Palestine in the 1880s. PEQ 139 (2007) 205-212.

15419   *Heyde, Maren von der* Vierzig Jahre Besatzung und kein Ende in Sicht. JK 68/2 (2007) 39-41.

15420 *Hoestermann, Marita* Zwei feindliche Brüder? Israel und Palästina in ihrem scheinbar unlösbaren Konflikt: ein persönlicher Erfahrungsbericht. Katholische Bildung 108 (2007) 491-502.

15421 *Jeppesen, K.* Nabots vingård i palaestinensisk udlaegning. DTT 70 (2007) 25-37 [1 Kgs 21].

15422 *Khoury, Rafiq* Chrétiens de Terre Sainte: expérience historique et réalité présente. POC 57 (2007) 291-317.

15423 *Kippenberg, Hans Gerhard* Außenpolitik auf heilsgeschichtlichem Schauplatz: die USA im Nahostkonflikt. Apokalyptik und kein Ende?. BTSP 29: 2007 ⇒499. 273-295.

15424 **Kirchhoff, Markus** Text zu Land–Palästina im wissenschaftlichen Diskurs 1865-1920. Schriften des Simon-Dubnow-Instituts 5: 2005 ⇒21,15087. ᴿRHR 224 (2007) 513-515 (*Trimbur, Dominique*).

15425 ᴱ**O'Mahony, Anthony** Palestinian christians: religion, politics and society in the Holy Land. 1999 ⇒15,12220. ᴿPOC 57 (2007) 452-453 (*Merceron, R.*).

15426 **Sizer, Stephen** Zion's christian soldiers?: the bible, Israel and the church. DG 2007, InterVarsity 199 pp. $18.

XX. Historia scientiae biblicae

Y1.0 History of exegesis: General

15427 Anhang 2: Hermeneutische Überlegungen und Traktate. Significatio. 2007 ⇒424. 320-322.

15428 *Bertacchini, Roberto A.M.* Stephana (1Cor 1,16 e 16,15-17): valore e attualità della tradizione ed esegesi patristica. Ricerche teologiche 18/1 (2007) 137-182.

15429 *Caruso, Giuseppe* L'esegesi di *Rm* 9 nel *Liber de induratione*. X simposio paolino. Turchia 21: 2007 ⇒860. 205-232.

15430 **Cook, John G.** The interpretation of the Old Testament in Greco-Roman paganism. STAC 23: 2004 ⇒20,13708... 22,14678. ᴿRevSR 81 (2007) 133-134 (*Vinel, Françoise*).

15431 *Dulaey, Martine* "Le plus grand des prophètes": la figure symbolique de Jean Baptiste chez les Pères. Graphè 16 (2007) 43-59 [Mt 11,9-11].

15432 *Fairbairn, Donald* Historical and theological studies: patristic exegesis and theology: the cart and the horse. WThJ 69 (2007) 1-19.

15433 **Fiedrowicz, Michael** Theologie der Kirchenväter: Grundlagen frühchristlicher Glaubensreflexion. FrB 2007, Herder 448 pp. 978-3-451-29293-4.

15434 *Guinot, Jean-Noël* L'interprétation des Pères de l'église. Les récits fondateurs de l'eucharistie. CEv.S: 140 (2007) 35-62.

15435 *Hartog, Paul* The 'rule of faith' and patristic biblical exegesis. TrinJ 28/1 (2007) 65-86.

   Kannengiesser, C. Handbook of patristic exegesis 2004 ⇒459.

15436 **La Source, Isabelle de** Lire la bible avec les pères, 7: Jérémie: Jérémie, Nahoum, Habacuq; 2 livre des Rois 22,8...25,31; 2 livre des Chroniques 35,20 à 36,12. P 2007, Médiaspaul 154 pp. €13.50. 978-27122-10021. Bibl. 151-52.

15437   **Litfin, Bryan M.** Getting to know the church fathers: an evangeli-
cal introduction. GR 2007, Baker 301 pp. $23.

15438   *Michel, Paul; Forster, Regula* Fragekatalog zur älteren Exegese
und Hermeneutik. Significatio. 2007 ⇒424. 323-358.

15439   **Moreschini, Claudio; Norelli, Enrico** Early christian Greek and
Latin literature: a literary history, 1: from Paul to the age of Con-
stantine; 2: from the Council of Nicea to the beginning of the medi-
eval period. 2005 ⇒21,15116. ᴿKerux 22/1 (2007) 47-48 (*Denni-
son, James T., Jr.*); CTJ 42 (2007) 185-187 (*Williams, Mark F.*);
ThLZ 132 (2007) 1083-1085 (*Greschat, Katharina*); TC.JBTC 12
(2007)* 3 pp (*Nicklas, Tobias*);

15440   Letteratura cristiana delle origini greca e latina. R 2007, Città N.
248 pp. €16.50.

15441   *Ng, E.Y.L.* Montanism: a charismatic movement in the early
church?: good news to women. CGST Journal [Hong Kong] 43
(2007) 89-111. C.

15442   **O'Keefe, John J.; Reno, Russel R.** Sanctified vision: an introduc-
tion to early christian interpretation of the bible. 2005 ⇒21,15117;
22,14687. ᴿNeotest. 41 (2007) 243-246 (*Van der Merwe, Dirk G.*).

15443   *Otto, Eckart; Weder, Hans* Biblical scholarship. Religion past and
present, 2. 2007 ⇒1067. 70-83.

15444   *Špelič, Miran* Sveto pismo kot temelj oznanila in teologije cerkve-
nih očetov [The bible as the basis of church fathers' preaching and
theology]. Ment. *Augustinus, Irenaeus, Origenes.* Bogoslovni Vest-
nik 67 (2007) 417-430. S.

15445   *Rapp, Claudia* Holy texts, holy men, and holy scribes: aspects of
scriptural holiness in late antiquity. The early christian book. 2007
⇒604. 194-222.

15446   **Sandys-Wunsch, John** What have they done to the bible?: a his-
tory of modern biblical interpretation. 2005 ⇒21,15118; 22,14691.
ᴿRBLit (2007) 515-517 (*Van der Watt, Jan*).

15447   **Smend, Rudolf** From ASTRUC to ZIMMERLI: Old Testament schol-
arship in three centuries. ᵀ*Kohl, Margaret* Tü 2007, Mohr S. viii;
265 pp. €29. 978-3-16-149338-6.

15448   **Thompson, John L.** Reading the bible with the dead: what you can
learn from the history of exegesis that you can't learn from exegesis
alone. GR 2007, Eerdmans xi; 324 pp. $20. 978-08028-07533.
Bibl. 302-314.

15449   **Wilken, Robert L.** The spirit of early christian thought: seeking
the face of God. 2003 ⇒19,14423... 22,14693. ᴿProEc 16 (2007)
345-348 (*Christman, Angela R.*).

15450   **Williams, Anna N.** The divine sense: the intellect in patristic theol-
ogy. C 2007, CUP xi; 252 pp. 978-0-521-79317-9. Bibl. 240-249.

15451   *Ziegenaus, Anton* Die "Wunder" der Dämonen im Urteil der Väter.
FKTh 23/2 (2007) 114-122 [1 Sam 28,3-10; 2 Cor 11,14-15; 2
Thess 2,9-10].

Y1.4 *Patres apostolici et saeculi II*—First two centuries

15452   *Bernardelli, Giovanna A.* La letteratura dei primi tre secoli tra
antropologia classica e spiritualità cristiana. Senectus. Ebraismo e
Cristianesimo 3: 2007 ⇒725. 207-334.

15453 *Berry, C.E.* How the post-apostolic church responded to government: gleaning public do's and don'ts from the second-century apologists. Criswell Theological Review 5/1 (2007) 53-67.

15454 *Burini de Lorenzi, Clara* Il martire 'esegeta letterale' della *Passio Christi*. ConAss 9/2 (2007) 85-102.

15455 *Carfora, Anna* Martiri cristiani e carisma profetico. Profeti e profezia. 2007 ⇒565. 143-157.

15456 *Cattaneo, Enrico* Figure di vescovi-profeti nel II secolo. Profeti e profezia. 2007 ⇒565. 173-203.

15457 **Ehrman, Bart D.** Peter, Paul, and Mary Magdalene: the followers of Jesus in history and legend. 2006 ⇒22,14696. [R]RRT 14 (2007) 209-211 (*Markham, Ian*);

15458 Simón Pedro, Pablo de Tarso y María Magdalena: historia y leyenda del cristianismo primitivo. [T]*Noriega, Luis* Barc 2007, Ares y M. 448 pp. 978-84843-28896.

15459 *Ekenberg, Anders* Evidence for Jewish believers in 'church orders' and liturgical texts. Jewish believers in Jesus. 2007 ⇒519. 640-658.

15460 [E]**Foster, Paul** The writings of the Apostolic Fathers. L 2007, Clark xvi; 159 pp. $110/30. 978-0-567-03105-1.

15461 *Gregory, Andrew F.; Tuckett, Christopher M.* Reflections on method: what constitutes the use of the writings that later formed the New Testament in the Apostolic Fathers?. Reception of the NT. 2007 ⇒441. 61-82.

15462 [E]**Harding, Mark** Early christian life and thought in social context: a reader. 2003 ⇒19,14431. [R]RBLit (2007)* (*Van der Watt, Jan*).

15463 **Heimgartner, Martin** PSEUDOJUSTIN–über die Auferstehung: Text und Studie. PTS 54: 2001 ⇒17,12114... 21,15232. [R]RSPhTh 91 (2007) 169-171 (*Meunier, Bernard*).

15464 [ET]**Holmes, Michael W.** The Apostolic Fathers: Greek texts and English translations. GR [3]2007 <1992, 1999>, Baker xxv; 806 pp. $43. 978-08010-34688.

15465 [T]**Holmes, Michael W.** The Apostolic Fathers in English. [3]2006 ⇒ 22,14699.. [R]RBLit (2007)* (*Stander, Hennie*).

15466 **Jefford, Clayton N.** The Apostolic Fathers: an essential guide. 2005 ⇒21,15140; 22,14700. [R]RBLit (2007)* (*Welborn, Laurence*);

15467 The Apostolic Fathers and the New Testament. 2006 ⇒22,14701. [R]TJT 23/1 (2007) 77-78 (*Keough, Shawn W.J.*); CTJ 42 (2007) 402-404 (*Deppe, Dean*); Theoforum 38 (2007) 369-373 (*Coyle, J. Kevin*); JThS 58 (2007) 694-695 (*Hall, Stuart G.*)..

15468 *Magri, Annarita* Caino, lo gnosticismo e i *Testimonia* nel quadro dell'esegesi del II sec.: i Perati e i Cainiti. RiSCr 4/1 (2007) 101-132.

15469 *Metzger, Marcel* A la suite des apôtres, lettres aux églises. ConnPE 105 (2007) 6-13.

15470 **Micaelli, Claudio** La cristianizzazione dell'ellenismo. 2005 ⇒22, 14703. [R]CivCatt 158/3 (2007) 317-319 (*Cremascoli, G.*).

15471 *Mueller, Joseph G.* The ancient church order literature: genre or tradition?. JECS 15 (2007) 337-380.

15472 *Nagy, Agnès A.* Récits antiques anthropophages: recherche sur le contexte de l'accusation de'anthropophagie lancée contre les chrétiens au IIe siècle. Asdiwal 2 (2007) 137-142.

15473	*Pitta, Antonio* L'uso delle Scritture nel I e II sec. d. C. RstB 19/2 (2007) 5-6.

15474	**Pouderon, Bernard** Les apologistes grecs du IIe siècle. 2005 ⇒21, 15148; 22,14709. ^{R}POC 57 (2007) 216-217 (*Attinger, D.*); AnCl 76 (2007) 359-361 (*Schamp, Jacques*); JThS 58 (2007) 702-704 (*Edwards, M.J.*).

15475	*Pourkier, Aline* L'hérésiologie aux premiers siècles du christianisme, nouveau genre littéraire. ^{F}WORONOFF, M., 1. 2007 ⇒172. 389-398.

15476	*Riches, John* Talking points from books. ET 118 (2007) 157-161.

15477	*Skarsaune, Oskar* Fragments of Jewish christian literature quoted in some Greek and Latin fathers. Jewish believers in Jesus. 2007 ⇒ 519. 325-378.

15478	**Tabbernee, William** Fake prophecy and polluted sacraments: ecclesiastical and imperial reactions to Montanism. SVigChr 84: Lei 2007, Brill xxxvii; 485 pp. 978-90-04-15819-1. Bibl. 425-444.

15479	*Valerio, Adriana* Il profetismo femminile cristiano nel II secolo: bilancio storiografico e questioni aperte. Profeti e profezia. 2007 ⇒ 565. 159-172.

15480	*Waldner, Katharina* Les martyrs comme prophètes: divination et martyre dans le discours chrétien des I et II siècles. RHR 224 (2007) 193-209.

15481	ARISTIDES: *Lattke, Michael* War Aristides ein Mann von Bildung?: forschungsgeschichtliches Protokoll eines (nicht nur) deutschen Gelehrtenstreits in den ersten 40 Jahren der Aristides-Forschung. Frühchristentum und Kultur. 2007 ⇒623. 35-74.

15482	ARNOBIUS S: *Amata, Biagio* La polemica anticreazionistica e antiscientifica di Arnobio di Sicca. La cultura scientifico-naturalistica. SEAug 101: 2007 ⇒914. 317-329.

15483	CLEMENS A: [⇒15654] *Bucur, Bogdan G.* Revisiting Christian Oeyen: "The other Clement" on Father, Son, and the angelomorphic Spirit. VigChr 61 (2007) 381-413;

15484	*Desjardins, Michel R.* Clement's bound body. Mapping gender. BiblInterp 84: 2007 ⇒621. 411-430;

15485	*Dinan, Andrew* The mystery of play: Clement of Alexandria's appropriation of PHILO in the *Paedagogus* (1.5.21.3-22.1). StPhiloA 19 (2007) 59-80;

15486	**Hägg, Henny F.** Clement of Alexandria and the beginnings of christian apophaticism. 2006 ⇒22,14722. ^{R}TS 68 (2007) 921-922 (*Donovan, Mary A.*); JThS 58 (2007) 271-273 (*Gould, Graham*); JECS 15 (2007) 425-426 (*Bennett, Byard*);

15487	**Osborn, Eric F.** Clement of Alexandria. 2005 ⇒21,15166. ^{R}JR 87 (2007) 633-634 (*Otten, Willemien*); JECS 15 (2007) 423-424 (*Anderson, Neil*);

15488	*Zagórski, Dariusz* Weryfikacja ideału μεσοτης w zyciu przyjaciela Boga (gnostyka). Roczniki Teologiczne 54/4 (2007) 99-121. **P**.

15489	CLEMENS R: *Cirillo, Luigi* Création, providence et thème de naissance: le débat dans les Reconnaissances pseudo-clémentines, VIII, 5-34 et ses sources. ^{F}KAESTLI, J. & JUNOD, E. 2007 ⇒82. 161-179;

15490	*Gregory, Andrew F.* 1 Clement and the writings that later formed the New Testament. The reception of the NT. 2007 ⇒441. 129-57;

15491 *Gregory, Andrew F.; Tuckett, Christopher M.* 2 Clement and the writings that later formed the New Testament. The reception of the NT. 2007 ⇒441. 251-292;

15492 *Jones, F. Stanley* The Pseudo-Clementines. Jewish Christianity reconsidered. 2007 ⇒598. 285-304, 331-333;

15493 Marcionism in the Pseudo-Clementines. ᶠKAESTLI, J. & JUNOD, E. 2007 ⇒82. 225-244;

15494 **Kelley, Nicole** Knowledge and religious authority in the Pseudo-Clementines: situating the *Recognitions* in fourth-century Syria. WUNT 2/213: 2006 ⇒22,14745. ᴿJSJ 38 (2007) 406-407 (*Reed, Annette Y.*); JEH 58 (2007) 515-518 (*Carleton Paget, James*); JECS 15 (2007) 576-577 (*Upson-Saia, Kristi*);

15495 *Kelley, Nicole* The theological significance of physical deformity in the Pseudo-Clementine "Homilies". PRSt 34/1 (2007) 77-90 [John 9,1-3];

15496 *Ndoumaï, Pierre* Richesse et foi selon Clément de Rome et Hermas. Theoforum 38 (2007) 185-209;

15497 *Nicklas, Tobias* "The Pseudo-Clementine Romance" (Lausanne-Geneva, Aug.-Sept. 2006). Henoch 29 (2007) 186-189;

15498 **Pratscher, Wilhelm** Der zweite Clemensbrief. KA V 3: Gö 2007, Vandenhoeck & R. 304 pp. €69.90. 978-3-525-51688-1;

15499 *Stanton, Graham* Jewish christian elements in the Pseudo-Clementine writings. Jewish believers in Jesus. 2007 ⇒519. 305-324.

15500 DIDACHE: *Arcari, Luca* La Scrittura in Did. 16: uso, concetto e funzione della Scrittura in alcuni gruppi della Siria del II sec. e.v. RstB 19/2 (2007) 215-239 [Mt 24];

15501 *Burini De Lorenzi, Clara* Didachè. Dizionario... sangue di Cristo. 2007 ⇒1137. 410-424;

15502 **Del Verme, Marcello** Didache and Judaism: Jewish roots of an ancient Christian-Jewish work. 2004 ⇒20,13765... 22,14758. ᴿJJS 58 (2007) 166-167 (*Pietersen, Lloyd K.*); RivBib 55 (2007) 120-123 (*Barbaglio, Giuseppe*); Bib. 88 (2007) 281-284 (*Jefford, Clayton N.*); Lat. 73 (2007) 608-609 (*Penna, Romano*); VetChr 44 (2007) 351-354 (*Chialà, Sabino*);

15503 E ²2007, Clark c. 291 pp. Bibl. 5-111. ᴿRdT 48 (2007) 791-792 (*Arcari, Luca*);

15504 *Draper, Jonathan A.* The holy vine of David made known to the gentiles through God's servant Jesus: "Christian Judaism" in the Didache. Jewish Christianity reconsidered. 2007 ⇒598. 257-83, 331;

15505 *Khomych, Taras* The admonition to assemble together in Didache 16.2 reappraised. VigChr 61 (2007) 121-141;

15506 **Khomych, Taras** 'May your church be gathered together' (Did. 9.4): a study in the diversity of early christian eucharistic celebrations with special attention to the evidence from the Didache. ᴰ*Dehandschutter, B.* 2007, 1; 258 pp. Diss. Leuven;

15507 *Koester, Helmut* Eschatological thanksgiving meals: from the *Didache* to Q and Jesus. From Jesus to the gospels. 2007 <2006> ⇒ 256. 285-291;

15508 *McCurry, Jeffrey* 'Indeed you will even have no enemy': a spirituality of moral vision in the *Didache*. Spiritus 7 (2007) 193-202;

15509 **Spivak, Eugene** A Christian-Jewish school: Didache, doctrina, Matthew. ᴰ*Watson, B.* 2007, Diss. Aberdeen [RTL 39,607];

15510　*Tuckett, Christopher M.* The Didache and the writings that later formed the New Testament. The reception of the NT. 2007 ⇒441. 83-127;

15511　**Varner, William** The way of the Didache : the first christian handbook. Lanham 2007, University Press of America 147 pp. $33. 07-618-37140.

15512　DIOGNETUS: *Foster, Paul* The Epistle to Diognetus. ET 118 (2007) 162-168;

15513　**Gentili, Giobbe** A Diogneto. Religione e religioni: 2006 ⇒22, 14765. [R]StPat 54 (2007) 264-265 (*Corsato, Celestino*);

15514　*Holmstrand, Jonas; Sjöberg, Lina* Brevet till Diognetos i ny översättning. SEÅ 72 (2007) 151-171;

15515　*Sandin, Pär* Diognetiana. VigChr 61 (2007) 253-257;

15516　*Van de Beek, Abraham* Every foreign land is their native country, and every land of birth is a land of strangers: Ad Diognetum 5. JRTheol 1 (2007) 178-194.

15517　HERMAS: *Bucur, Bogdan G.* The Son of God and the angelomorphic Holy Spirit: a rereading of the Shepherd's christology. ZNW 98 (2007) 120-142;

15518　*Durante Mangoni, Maria B.* Erma, un profeta a Roma. Profeti e profezia. 2007 ⇒565. 53-66;

15519　[T]**Quacquarelli, A.** Il Pastore di Erma. R 2007, Città N. 144 pp. €5;

15520　*Verheyden, Joseph* The Shepherd of Hermas and the writings that later formed the New Testament. The reception of the NT. 2007 ⇒ 441. 293-329.

15521　HIPPOLYTUS: *Andrei, Osvalda* Spazio geografico, etnografia ed evangelizzazione nella Synagoge di Ippolito. ZAC 11 (2007) 221-278;

15522　**Bradshaw, Paul F.; Johnson, Maxwell E.; Phillips, L. Edward** The Apostolic tradition: a commentary. Hermeneia: 2002 ⇒18, 13330... 21,15207. [R]Worship 81 (2007) 344-346 (*Findikyan, Michael D.*).

15523　IGNATIUS A: **Brent, Allen** Ignatius of Antioch. L 2007, Continuum xii; 180 pp. £55. 978-05670-32003. Bibl. 163-167;

15524　*Foster, Paul* The epistles of Ignatius of Antioch and the writings that later formed the New Testament. The reception of the NT. 2007 ⇒441. 159-186;

15525　*Haykin, M.A.G.* 'Come to the Father': Ignatius of Antioch and his calling to be a martyr. Themelios 32/3 (2007) 26-39;

15526　**Lotz, John-P.** Ignatius and concord: the background and use of the language of concord in the letters of Ignatius of Antioch. PatSt 8: NY 2007, Lang xviii; 247 pp. 978-0-8204-8698-7. Bibl. 227-241;

15527　*Müller, Ulrich B.* Zwischen Johannes und Ignatius: theologischer Widerstreit in den Gemeinden der Asia. ZNW 98 (2007) 49-67 [2 Cor 6,14-7,1];

15528　*Norelli, Enrico* Modelli carismatici di chiesa e loro tramonto nella Siria occidentale del II secolo: ciò che ci insegnano l'*Ascensione di Isaia* e Ignazio di Antiochia. Profeti e profezia. 2007 ⇒565. 31-52;

15529　*Pouderon, Bernard* Les lettres d'Ignace d'Antioche, ou la mise en scène de l'imitation du Christ. ConnPE 105 (2007) 14-23.

15530 IRENAEUS L: **Aróztegui Esnaola, Manuel** La amistad del verbo con Abraham según San Ireneo de Lyon. AnGr 108: 2005 ⇒21, 15218. ᴿRHE 102 (2007) 187-190 (*Vianès, Laurence*) [Gen 12,1];

15531 **Mutschler, Bernhard** Das Corpus Johanneum bei Irenäus von Lyon: Studien und Kommentare zum dritten Buch von Adversus Haereses. WUNT 189: 2006 ⇒22,14794. ᴿRBLit (2007)* (*Roukema, Riemer*);

15532 Irenäus als johanneischer Theologe. STAC 21: 2004 ⇒20,13787; 21,15224. ᴿBZ 51 (2007) 154-156 (*Nagel, Titus*).

15533 JUSTINUS M: *Aragione, Gabriella* Justin de Naplouse devient Justin Martyr (*1 Apologie* 2,4). RThPh 139 (2007) 127-141;

15534 *Bobichon, Philippe* Comment Justin a-t-il acquis sa connaissance exceptionnelle des exégèses juives?. RThPh 139 (2007) 101-126;

15535 *D'Anna, Alberto* Note sull'attribuzione del *De resurrectione* dello Pseudo-Giustino. Cristianesimi. 2007 ⇒569. 83-106;

15536 *Grech, Prosper* Il dialogo in Giustino. Letteratura cristiana. Letture patristiche 11: 2007 ⇒934. 365-371;

15537 *Greschat, Katharina* Justins "Denkwürdigkeiten der Apostel" und das Petrusevangelium. Evangelium nach Petrus. TU 158: 2007 ⇒10828. 197-214;

15538 *Knust, Jennifer W.* Roasting the lamb: sacrifice and sacred text in Justin's Dialogue with Trypho. Religion and violence. 2007 ⇒770. 100-113;

15539 Enslaved to demons: sex, violence and the apologies of Justin Martyr. Mapping gender. BiblInterp 84: 2007 ⇒621. 431-455.

15540 ᴱᵀ**Munier, Charles** Justin: apologie pour les chrétiens. SC 507: 2006 ⇒22,14808. ᴿRHPhR 87 (2007) 350 (*Gounelle, R.*); OCP 73 (2007) 550-553 (*Cattaneo, E.*); REAug 53 (2007) 161-162 (*Pouderon, Bernard*);

15541 ᵀᴱ**Munier, Charles** Justin Martyr: apologie pour les chrétiens: introduction, traduction et commentaire. 2006 ⇒22,14809. ᴿContacts 59 (2007) 366-368 (*Stavrou, Michel*); VigChr 61 (2007) 228-229 (*Van Winden, J.C.M.*); RHPhR 87 (2007) 351 (*Prieur, J.-M.*); Aug. 37 (2007) 397-402 (*Dell'Osso, Carlo*);

15542 *Mutschler, Bernhard* Pistis und Gnosis: drei Verhältnisbestimmungen im zweiten Jahrhundert: Justin, IRENÄUS, KLEMENS. Erkennen. 2007 ⇒579. 343-365;

15543 *Nguyen-huu, Anna Kim-Chi* Im Anfang waren der Logos und der Memra: Logos-Theologie bei Justin und in der jüdischen Auslegung. leqach 7 (2007) 17-67 [John 1,1-18];

15544 *Norelli, Enrico* Que pouvons-nous reconstituer du *Syntagma* contre les hérésies de Justin?: un exemple. RThPh 139 (2007) 178-181;

15545 *Nuvolone, Flavio G.* Justin Martyr: il était temps de le redécouvrir. RThPh 139 (2007) 99-100;

15546 ᴱ**Parvis, Sara; Foster, Paul** Justin Martyr and his worlds. Mp 2007, Fortress xv; 246 pp. $35. 978-08006-62127;

15547 *Shodu, Emmanuel L.* Les formules de foi chrétienne chez Justin Martyr. RThPh 139 (2007) 143-165;

15548 **Shodu, Emmanuel L.** La mémoire des origines chrétiennes selon Justin martyr. ᴰ*Wermelinger, Otto* 2007, Diss. Fribourg;

15549 *Skarsaune, Oskar* Jewish christian sources used by Justin Martyr and some Greek and Latin fathers. Jewish believers in Jesus. 2007 ⇒519. 379-41;

15550   *Smith, S.C.* Was Justin Martyr an inclusivist?. Stone-Campbell Journal 10/2 (2007) 193-211;
15551   *Snyder, Harlow Gregory* "Above the bath of Myrtinus": Justin Martyr's "school" in the city of Rome. HThR 100 (2007) 335-362;
15552   *Visonà, Giuseppe* L'uso delle Scritture nel Dialogo con Trifone di Giustino. RstB 19/2 (2007) 241-259.

15553   MARCION: *Barton, John* Marcion revisited. The OT: canon, literature and theology. MSSOTS: 2007 <2003> ⇒183. 67-81;
15554   *Gianotto, Claudio* L'uso delle scritture in Marcione e negli gnostici. RstB 19/2 (2007) 261-273;
15555   **Harnack, Adolf von** Marcion: l'évangile du Dieu étranger: une monographie sur l'histoire de la fondation de l'église catholique. ᵀ*Lauret, Bernard* 2003 <1921> ⇒19,14515... 22,14816. ᴿMSR 64/2 (2007) 92-93 (*Cannuyer, Christian*);
15556   Marcione: il vangelo del Dio straniero: una monografia sulla storia dei fondamenti della chiesa cattolica. ᴱ*Dal Bo, F.* Genova 2007, Marietti xxxviii; 334 pp. €22;
15557   **May, Gerhard** Markion: gesammelte Aufsätze. 2005 ⇒21,256; 22,14818. ᴿJEH 58 (2007) 108-109 (*Carleton Paget, James*).
15558   PAPIAS: ᴱᵀ**Norelli, Enrico** Papias: esposizione degli oracoli: i frammenti. 2005 ⇒21,15253; 22,14823. ᴿTeol(M) 32 (2007) 255-257 (*Simonelli, Cristina*); Hum(B) 62 (2007) 608-610 (*Parrinello, Rosa M.*); CivCatt 158/4 (2007) 298-299 (*Cremascoli, G.*).
        POLYCARPUS S: **Dehandschutter, B.** Polycarpiana 2007 ⇒213;
15559   **Hill, Charles E.** From the lost teaching of Polycarp: identifying IRENAEUS' apostolic presbyter and the author of *Ad Diognetum*. WUNT 186: 2006 ⇒22,14827. ᴿTrinJ 28 (2007) 309-311 (*Berding, Kenneth*); RBLit (2007) 506-509 (*Weedman, Mark*);
15560   *Holmes, Michael W.* Polycarp's letter to the Philippians and the writings that later formed the New Testament. The reception of the NT. 2007 ⇒441. 187-227.
15561   TATIANUS: *Lössl, Josef* Bildung? Welche Bildung?: zur Bedeutung der Ausdrücke "Griechen" und "Barbaren" in Tatians "Rede an die Griechen". Frühchristentum und Kultur. 2007 ⇒623. 127-153.
15562   THEOPHILUS A: *Gorman, Michael* The earliest Latin commentary on the gospels. Study of the bible. 2007 <2003> ⇒238. 423-494 [⇒15712].

Y1.6 Origenes

15563   **Amo Usanos, Rafael** El principio vital del ser humano en IRENEO, Orígenes, AGUSTÍN, TOMÁS de Aquino y la antropología teológica española reciente. TGr.T 148: R 2007, E.P.U.G. 357 pp. 978-88-7839-093-5.
15564   *Bacci, Lucia* Api, formiche a altri animali nel *Contra Celsum* di Origene (IV 74-99). La cultura scientifico-naturalistica. SEAug 101: 2007 ⇒914. 109-126.
15565   *Bostock, Gerald* The Origen conferences 1973-2005: a thematic list of the papers. Adamantius 13 (2007) 297-325.
15566   *Buchinger, Harald* Early eucharist in tradition?: a fresh look at Origen. Jewish and christian liturgy. 2007 ⇒580. 207-227.

15567 ᴱ**Castagno, Adele M.** La biografia di Origene fra storia e agiografia. 2004 ⇒21,15270; 22,14842. ᴿREAug 53 (2007) 179-180 (*Fédou, Michel*).

15568 **Cocchini, Francesca** Origene: teologo esegeta per una identità cristiana. Primi secoli 1: 2006 ⇒22,14846. ᴿGr. 88 (2007) 893-894 (*Bonfrate, Giuseppe*); Nicolaus 34/2 (2007) 218-220 (*Scognamiglio, Rosario*); Aug. 37 (2007) 402-403 (*Grech, Prosper*).

15569 ᴱ**Dal Covolo, Enrico; Maritano, Mario** Omelie su Giosuè: lettura origeniana. Nuova Biblioteca di Scienze Religiose 5: R 2007, LAS 104 pp. €9. 88213-06496.

15570 **Dawson, John D.** Christian figural reading and the fashioning of identity. 2002 ⇒18,13429... 21,15282. ᴿChH 76 (2007) 161-163 (*Bobertz, Charles A.*).

15571 ᵀ**Díaz-Sánchez-Cid, José R.** Orígenes: Homilías sobre Jeremías. Biblioteca de Patrística 72: M 2007, Ciudad N. 430 pp. 978-84971-51191.

15572 *Fürst, Alfons* HIERONYMUS gegen Origenes: die Vision Jesajas im ersten Origenismusstreit. REAug 53 (2007) 199-233 [Isa 6,2-3];

15573 Der junge Origenes im Bildungsmilieu Alexandrias. Frühchristentum und Kultur. 2007 ⇒623. 249-277.

15574 *Goranson, Stephen* CELSUS of Pergamum: locating a critic of early christianity. ᶠMEYERS, E. AASOR 60/61: 2007 ⇒106. 363-369.

15575 *Gorman, Michael M.* Paris lat. 12124 (Origen on Romans) and the Carolingian commentary on Romans in Paris lat. 11574. RBen 117 (2007) 64-128.

15576 **Grafton, Anthony; Williams, Megan** Christianity and the transformation of the book: Origen, EUSEBIUS, and the library of Caesarea. 2006 ⇒22,14852. ᴿChH 76 (2007) 397-399 (*Trigg, Joseph W.*); TC.JBTC 12 (2007)* 4 pp (*Kraus, Thomas J.*).

15577 **Grappone, Antonio** Omelie origeniane nella traduzione di RUFINO: un confronto con i testi greci. R 2007, Inst. Patrist. Augustinianum 414 pp.

15578 **Köckert, Charlotte** Christliche Kosmologie und antike Naturphilosophie: eine Untersuchung zur Auslegung des Schöpfungsberichtes bei Origenes, BASILIUS von Caesarea und GREGOR von Nyssa unter besonderer Berücksichtigung kaiserzeitlicher Timaeus-Interpretationen. ᴰLöhr, Winrich 2007, Diss. Hamburg [Gen 1-2].

15579 *Law, T.M.* A history of research on Origen's Hexapla: from Masius to the Hexapla project. BIOSCS 40 (2007) 30-48.

15580 **Lubac, Henri de** Histoire et Esprit: l'intelligence de l'écriture d'après Origène. Oeuvres complètes 16: 2002 <1950> ⇒18,13418 ... 22,14867. ᴿLTP 63 (2007) 171-172 (*Pelchat, Marc*);

15581 History and spirit: the understanding of scripture according to Origen. ᵀ*Nash, Anne* SF 2007, Ignatius 507 pp. Greek and Latin translation by *Juvenal Merriell.*

15582 *Markschies, Christoph* AMBROSIUS und Origenes: Bemerkungen zur exegetischen Hermeneutik zweier Kirchenväter Origenes und sein Erbe. TU 160: 2007 <1999> ⇒272. 195-222;

15583 Der Heilige Geist im Johanneskommentar des Origenes: einige vorläufige Bemerkungen. <2005> ⇒272. 107-126;

15584 Die Origenes-Editionen der Berliner Akademie: Geschichte und Gegenwart. <2005> ⇒272. 251-263;

15585   '...für die Gemeinde im Grossen und Ganzen nicht geeignet...'?: Er-
        wägungen zu Absicht und Wirkung der Predigten des Origenes.
        Origenes und sein Erbe. TU 160: 2007 <1997> ⇒272. 35-62;
15586   Gott und Mensch nach Origenes: einige wenige Beobachtungen zu
        einem großen Tema. <2001> ⇒272. 91-105;
15587   Origenes in Berlin: Schicksalswege eines Editionsunternehmens.
        Origenes und sein Erbe. TU 160: 2007 <2002> ⇒272. 239-249;
15588   Origenes: Leben–Werk–Theologie–Wirkung. <2005> ⇒272. 1-13;
15589   Origenes und die Kommentierung des paulinischen Römerbriefs.
        Origenes und sein Erbe. TU 160: 2007 <1999> ⇒272. 63-89;
15590   Was bedeutet οὐσία?: zwei Antworten bei Origenes und AMBROSI-
        US und deren Bedeutung für ihre Bibelerklärung und Theologie.
        Origenes und sein Erbe. TU 160: 2007 <1995> ⇒272. 173-193.
15591   *Mitchell, Margaret M.* Origen, CELSUS and LUCIAN on the 'dénoue-
        ment of the drama' of the gospels. [F]GRANT, R. NT.S 125: 2007 ⇒
        53. 215-236.
15592   **Moreno Pampliega, Javier** El concepto de 'verdad' en la polémi-
        ca de Orígenes contra Celso. [D]*Fraijo Nieto, Manuel* 2007, 544 pp.
        Diss. Univ...de Educación a Distancia, Madrid.
15593   [T]**Muraru, Adrian** Origen: omilii, comentarii şi adnotări la Geneză
        [Origen: homilies, commentaries and annotations on Genesis];
        Omilii şi adnotări la Exod [Homilies and annotations on Exodus];
        Omilii şi adnotări la Levitic [Homilies and annotations on Leviti-
        cus]. Tradiţia creştină 1-3: Iaşi 2006, Polirom 672; 480; 608 pp. Bi-
        lingual editions. **Romanian**.
15594   [T]*Narvaja, José Luis* Una espiritualidad del peregrino: Las cuarenta
        y dos moradas de los hijos de Israel: traducción, introducción y
        notas. Strom. 63/3-4 (2007) 233-278 [Num 33].
15595   *Nicolini-Zani, Matteo* 'Aolijin', or Origen in Chinese: a report on
        Origenian and patristic studies in contemporary China. Adamantius
        13 (2007) 341-378.
15596   *Niculescu, Michael V.* Spiritual leavening: the communication and
        reception of the good news in Origen's biblical exegesis and trans-
        formative pedagogy. JECS 15 (2007) 447-481.
15597   *Nigro, Giovanni* Origenismo e polemiche trinitarie: DIDIMO e BASI-
        LIO su Ps 32. VetChr 44/1 (2007) 111-138.
15598   *O'Leary, Joseph S.* The theological status of philosophy in Origen.
        [F]BRITO, E. BEThL 206: 2007 ⇒19. 3-18.
15599   *Pazzini, Domenico* Il discorso sulle scienze nel *Commento a Gio-*
        vanni di Origene. La cultura scientifico-naturalistica. SEAug 101:
        2007 ⇒914. 127-139.
15600   *Perrone, Lorenzo* "Goldene Schalen voll von Räucherwerk" (Apc.
        5,8): das Bild vom Gebet bei Origenes. JAC 50 (2007) 51-71.
15601   [E]**Prinzivalli, Emanuela** Il commento a Giovanni di Origene: il te-
        sto e i suoi contesti. 2005 ⇒21,789; 22,14880. [R]StPat 54 (2007)
        697-700 (*Corsato, Celestino*); JECS 15 (2007) 113-114 (*Moser,*
        Maureen B.).
15602   *Ramelli, Ilaria* Origen's interpretation of *Hebrews* 10:13: the even-
        tual elimination of evil and the apocatastasis. Aug. 47 (2007) 85-
        93;
15603   Christian soteriology and christian Platonism: Origen, GREGORY of
        Nyssa, and the biblical and philosophical basis of the doctrine of
        apokatastasis. VigChr 61 (2007) 313-356.

15604 *Rombs, Ronnie* A note on the status of Origen's *De principiis* in English. VigChr 61/1 (2007) 21-29.
15605 *Sena, Antonio* Profeti e profezie nel *Discorso vero* di Celso. Profeti e profezia. 2007 ⇒565. 123-142.
15606 *Sheridan, Mark* Origen's concept of scripture: the basis of early christian interpretation. DR 125 (2007) 93-110.
15607 ^E**Simonetti, Manlio** Origene: omelie sull'Esodo. ^T*Danieli, Maria I.* 2005 ⇒21,15322. ^RCivCatt 158/4 (2007) 307-8 *(Cremascoli, G.)*.
15608 **Tzamalikos, Panayiotis** Origen: philosophy of history & eschatology. SVigChr 85: Lei 2007, Brill xvii; 498 pp. €147. 978-90041-56487. Bibl. 439-460.
15609 *Van den Hoek, Annewies; Herrmann, John J., Jr.* Celsus' competing heroes: Jonah, Daniel, and their rivals. ^FKAESTLI, J. & JUNOD, E.. 2007 ⇒82. 307-339.
15610 *Yuditsky, Alexey* (Eliyahu) On Origen's transliterations as preserved in the works of the church fathers. Leš. 69 (2007) 301-310. **H**.

Y1.8 Tertullianus

15611 **Brabander, Kris de** Le retour au paradis: la relation entre la sanctification de l'homme et l'ascese sexuelle chez Tertullien. Instrumenta Patristica et Mediaevalia 48: Turnhout 2007, Brepols 451 pp. €75. 978-2503-524900. Bibl. 13-25. ^RRHE 102 (2007) 971-972 *(Prieur, Jean-Marc)*; Aug. 37 (2007) 406-411 *(Dell'Orso, Carlo)*.
15612 *Brennecke, Hanns C.* 'An fidelis ad militiam converti possit?' [Tertullian, de idolatria 19,1]: frühchristliches Bekenntnis und Militärdienst in Widerspruch?. Ecclesia est in re publica. AKG 100: 2007 <1997> ⇒201. 179-232.
15613 *Chapot, Frédéric, al.*, Chronica Tertullianea et Cyprianea 2006. REAug 53 (2007) 325-367;
15614 Ouverture et résistance: deux approches de la relation de l'église avec l'extérieur aux IIe-IIIe siècles. Ment. *Clemens Alexandrinus* RevSR 81/1 (2007) 7-26.
15615 *Georges, Tobias* Retorsio aus theologischer Perspektive: Gerichtsszene und maiestas in Tertullians *Apologeticum*. Frühchristentum und Kultur. 2007 ⇒623. 223-235.
15616 *Greschat, Katharina* Neue Literatur zu Tertullian. ThR 72 (2007) 91-96.
15617 ^T**Hauses, Regina** Tertullianus: Adversus Iudaeos: Gegen die Juden. Fontes christiani 75: Turnhout 2007, Brepols 387 pp. €46.64. 978-2-503-52265-4/6-1.
15618 **López Montero, Roberto** Totius hominis salus: la antropología del "Adversus Marcionem" de Tertuliano. Dissertationes theologicae 2: M 2007, Publicaciones "San Dámaso" 598 pp. €35. 978-84-96318-40-3. Bibl. 549-566.
15619 **Lukas, Volker** Rhetorik und literarischer Kampf: Tertullians Streitschrift gegen MARCION als Paradigma der Selbstvergewisserung der Orthodoxie gegenüber der Häresie: eine philologisch-theologische Analyse. ^D*Dünzl, Franz* 2007, Diss. Würzburg [ThRv 104/1,xiv].
15620 *Mattei, Paul* Les frontières de l'église selon la première tradition africaine (Tertullien, CYPRIEN, Anonyme *De rebaptismate*). RevSR 81/1 (2007) 27-47.

15621   ^T**Schleyer, Dietrich** Tertullian: *De baptismo, De oratione*/Von der Taufe, Vom Gebet. FC 76: Turnhout 2006, Brepols 339 pp. €41. 25035-21150. ^RJThS 58 (2007) 707-708 (*Hall, Stuart G.*).

15622   ^{ET}**Turcan, Marie** Tertullien: Le manteau: introduction, texte critique, traduction, commentaire. SC 513: P 2007, Cerf 254 pp. €29. 978-22040-84932.

15623   ^E**Uglione, Renato** Tertulliano: teologo e scrittore. Letteratura cristiana antica, studi: 2002 ⇒19,14613; 20,13863. ^RAug. 37 (2007) 403-405 (*La Conte, Maria G.*).

15624   ^{ET}**Vicastillo, Salvador** Tertuliano: El bautisma; la oración: introducción, texto crítico, traducción y notas. Fuentes Patrísticas 18: 2006 ⇒22,14910. ^RBurg. 48 (2007) 558-59 (*Sánchez, Manuel D.*).

15625   **Wilhite, David E.** Tertullian the African: an anthropological reading of Tertullian's context and identities. Millennium-Studies 14: B 2007, De Gruyter 232 pp. €88. 978-31101-94531.

15626   *Windon, Brad* The seduction of weak men: Tertullian's rhetorical construction of gender and ancient christian "heresy". Mapping gender. BiblInterp 84: 2007 ⇒621. 457-478.

15627   **Zilling, Henrike M.** Tertullian: Untertan Gottes und des Kaisers. 2004 ⇒20,13866... 22,14911. ^RLatomus 66 (2007) 451-453 (*Rambaux, Claude*); At. 95 (2007) 970-972 (*Stagl, Jakob F.*).

Y2.0   *Patres graeci*—**The Greek Fathers**—*in ordine alphabetico*

15628   *Bucur, Bogdan G.* Exegesis of biblical theophanies in Byzantine hymnography: rewritten bible?. TS 68 (2007) 92-112.

15629   ^T**Ciarlo, Domenico; Negro, Antonella** EUNOMIO: Apologia; BASILIO di Cesarea: Contro Eunomio. CTePa 192: R 2007, Città N. 355 pp. 978-88-311-8192-1. Apologia trad. da *D. Ciarlo*; Contro Eunomio trad. da *A. Negro*; Bibl. 127-137.

15630   **Krueger, Derek** Writing and holiness: the practice of authorship in the early christian east. Divinations: 2004 ⇒20,13871; 22,14914. ^RJR 87/1 (2007) 92-94 (*Rousseau, Philip*).

15631   **Skeb, Matthias** Exegese und Lebensform: die Proömien der antiken griechischen Bibelkommentare. Clavis Commentariorum.Antiquitatis et Medii Aevi 5: Lei 2007, Brill xix; 450 pp. 978-90-04-15333-2. Bibl. 389-425.

15632   **Whitacre, Rodney A.** A patristic Greek reader. Peabody 2007, Hendrickson xxiv; 279 pp. $30. 978-15985-60435.

15633   ALEXANDER M: ^E**Kollmann, B; Deuse, W.** Alexander <Cyprius>: Laudatio Barnabae. Fontes christiani 46: Turnhout 2007, Brepols 162 pp. €39.16. 978-2-503-52561-7/2-4 [Alexander Monachus].

15634   AMPHILOCUS I: ^T*Amsler, Frédéric* Amphiloque d'Iconium: Contre les hérétiques encratites et apotactites. ^FKAESTLI, J. & JUNOD, E. 2007 ⇒82. 7-40.

15635   ATHANASIUS A: **Gwynn, David M.** The Eusebians: the polemic of Athanasius of Alexandria and the construction of the Arian controversy. Oxf 2007, OUP ix; 280 pp. 978-01992-05554. Bibl. 251-68;

15636   *Smit, Peter-Ben* Manliness and the cross: a note on the reception of aspects of early christian masculinity in Athanasius' *Life of Anthony*. LecDif 8/1 (2007)* 8 pp;

15637 **Weinandy, Thomas G.** Athanasius: a theological introduction. Aldershot 2007, Ashgate viii; 150 pp. £50/17. 978-0-7546-1720-4. Bibl. 141-146;

15638 *Zañartu, Sergio* El logos en el De incarnatione Verbi de Atanasio: una primera aproximación. TyV 48/2-3 (2007) 261-301.

15639 BASILIUS C: *Ciarlo, Domenico* Sulle ragioni teologiche e morali della trattazione scientifica nelle *Omelie sull'Esamerone* di Basilio di Cesarea. La cultura scientifico-naturalistica. SEAug 101: 2007 ⇒914. 141-152;

15640 **Hildebrand, Stephen M.** The trinitarian theology of Basil of Caesarea: a synthesis of Greek thought and biblical truth. Wsh 2007, Catholic University of America Pr. xiv; 254 pp. $60. 978-0-8132-1473-3. Bibl. 223-243 ᴿRBLit (2007)* (*Weedman, Mark*);

15641 *Ioannidis, Fotios* Scienza e teologia negli *Hexaemeron* di Basilio Magno e di GREGORIO di Nissa. La cultura scientifico-naturalistica. SEAug 101: 2007 ⇒914. 153-162;

15642 *Müller-Abels, Susanne* Natur und Naturbetrachtung im *Hexaemeron* des Basilius und des AMBROSIUS. La cultura scientifico-naturalistica. SEAug 101: 2007 ⇒914. 339-345;

15643 *Trabace, Ilaria* Le fonti dell'Hom. in ps. 29 di Basilio di Cesarea. VetChr 44 (2007) 283-304.

15644 CHRYSOLOGUS P: ᴱ**Steffann, Marie** Pierre Chrysologue: Le signe des signes: sermons sur la Passion et la Résurrection. CPF 94-95: P 2007, Migne 174 pp. €14. 29085-87564.

15645 CHRYSOSTOMUS: **Amirav, Hagit** Rhetoric and tradition: John Chrysostom on Noah and the Flood. 2003 ⇒19,14628... 21,15361. ᴿJThS 58 (2007) 293-295 (*Young, Frances*) [Gen 6-9];

15646 *Barone, Francesca* Una nota a Giovanni Crisostomo, *De Davide et Saule* II (PG 54, 690,18-31). Schede medievali 45 (2007) 215-221.

15647 *Broc-Schmezer, Catherine* Le jaillissement de la miséricorde: formulations chrysostomiennes des rapports entre grâce et libre arbitre autour de Rm 9-11. L'exégèse patristique de Romains 9-11. 2007 ⇒806. 83-100;

15648 ᵀ**Cataldo, Antonio** Giovanni Crisostomo: Mi opposi a lui a viso aperto: hom. in illud: In faciem restiti. Galatina (LE) 2007, Congedo 137 pp. [Gal 2,11];

15649 *Gargano, Innocenzo S.* Giovanni Crisostomo e le sacre scritture. PATH 6 (2007) 335-363.

15650 *Pasquato, Ottorino* La natura tra Dio e l'uomo in Giovanni Crisostomo, *In Genesim, Sermones* I-VIII; *Homiliae*, 1-31 [Gen 1-3];

15651 *Schatkin, Margaret A.* St John Chrysostom's attitude toward nature and science. La cultura scientifico-naturalistica. SEAug 101: 2007 ⇒914. 241-258/259-269;

15652 *Shepardson, Christine* Controlling contested places: John Chrysostom's *Adversus Iudaeos* homilies and the spatial politics of religious controversy. JECS 15 (2007) 483-516;

15653 *Vallejo Girvés, Margarita* El entorno montañoso de Antioquía según Juan Crysóstomo. La cultura scientifico-naturalistica. SEAug 101: 2007 ⇒914. 271-280.

15654 CLEMENS A: *Lechner, Thomas* Rhetorik und Ritual: platonische Mysterienanalogien im Protreptikos des Clemens von Alexandrien. Frühchristentum und Kultur. 2007 ⇒623. 183-221 [⇒Y1.4].

15655   CYRILLUS A: *Boulnois, Marie-O.* L'élection d'Israël et la grâce of-
ferte à tous selon Cyrille d'Alexandrie. L'exégèse patristique de
Romains 9-11. 2007 ⇒806. 101-124;

15656   **Farag, Lois M.** St. Cyril of Alexandria: a New Testament exegete:
his commentary on the gospel of John. Gorgias Diss. 29; Early
Christian Studies 7: Piscataway, NJ 2007, Gorgias iv; 354 pp.
$115. 978-15933-35816. Bibl. 317-344.

15657   DIDYMUS C: *Geljon, Albert C.* Philonic elements in Didymus the
Blind's exegesis of the story of Cain and Abel. Ment. *Origenes*
VigChr 61 (2007) 282-312 [Gen 4];

15658   **Layton, Richard A.** Didymus the Blind and his circle in late-an-
tique Alexandria: virtue and narrative in biblical scholarship. 2004
⇒20,13908; 21,15376. [R]IJCT 14/1-2 (2007) 271-276 (*Schatkin,
Margaret A.*);

15659   [T]**Prinzivalli, Emanuela** Didimo il Cieco: lezioni sui salmi. LCPM
37: 2005 ⇒21,15377. [R]CivCatt 158/4 (2007) 510-512 (*Cremascoli,
G.*); JThS 58 (2007) 290-292 (*Lössl, Josef*).

15660   DIONYSIUS A: **Andia, Ysabel de** Denys l'Aréopagite: tradition et
métamorphoses. 2006 ⇒22,14955. [R]CTom 134 /2007) 586-588
(*Celada, Gregorio*);

15661   **Klitenic Wear, Sarah; Dillon, John M.** Dionysius the Areopagite
and the Neoplatonist tradition: despoiling the Hellenes. Aldershot
2007, Ashgate x; 142 pp. 978-0-7546-0385-6. Bibl. 135-140.

15662   *Poirel, Dominique* Le mirage dionysien: la réception latine du
Pseudo-Denys jusqu'au XIIe siècle à l'épreuve des manuscrits.
CRAI 3 (2007) 1435-1455;

15663   **Schäfer, Christian** The philosophy of Dionysius the Areopagite:
an introduction to the structure and the content of the treatise "On
the divine names". PhAnt 99: 2006 ⇒22,14958. [R]VigChr 61 (2007)
116-117 (*Van Winden, J.C.M.*).

15664   EPIPHANIUS S: *Nieto Ibáñez, Jesús-M.* El lapidario griego de san
Epifanio de Cipre: mineralogía clásica y tradición bíblica. La cultu-
ra scientifico-naturalistica. SEAug 101: 2007 ⇒914. 99-107;

15665   A Greek epitome of Saint Epiphanius' De Gemmis in two Spanish
libraries (National Library and El Escorial). Muséon 120 (2007)
77-89.

15666   EUDOCIA AUGUSTA: [E]**Schembra, Rocco** Eudocia Augusta: Home-
rocentones. CChr.SG 62: Turnhout 2007, Brepols cc; 492 pp. 978-
2-503-40621-3. Bibl. vii-xvii.

15667   EUSEBIUS C: **Freeman-Grenville, G.S.P.; Chapman, R.L., III;
Taylor, J.E.** The Onomasticon by Eusebius of Caesarea. 2003 ⇒
19,14662; 20,13921. [R]Henoch 29 (2007) 167-172 (*Isaac, Benja-
min*) [⇒15096];

15668   *Inowlocki, Sabrina* Eusebius' appropriation of Moses in an apolo-
getic context. Moses. BZAW 372: 2007 ⇒821. 241-255;

15669   **Inowlocki, Sabrina** Eusebius and the Jewish authors: his citation
technique in an apologetic context. AGJU 64: 2006 ⇒22,14966.
[R]ThLZ 132 (2007) 440-442 (*Ulrich, Jörg*); RSR 95 (2007) 609-
611 (*Berthelot, Katell*);

15670   *Markschies, Christoph* Eusebius als Schriftsteller. Origenes und
sein Erbe. TU 160: 2007 <2004> ⇒272. 223-238;

15671 *Morlet, Sébastien* Le commentaire d'Eusèbe de Césarée sur Is 8,4 dans la *Démonstration évangélique* (VII,1, 95-113): ses sources et son originalité. Adamantius 13 (2007) 52-63.

15672 *Perrone, Lorenzo* Eusèbe de Césarée face à l'essor de la littérature chrétienne au IIe siècle: propos pour un commentaire du IVe livre de l'Histoire Ecclésiastique. ZAC 11 (2007) 311-334;

15673 ^E**Timm, Stefan** Eusebius von Caesarea: Das Onomastikon der biblischen Ortsnamen: Edition der syrischen Fassung mit griechischem Text, englischer und deutscher Übersetzung. TU 152: 2005 ⇒21,15388; 22,14974. ^RThRv 103 (2007) 390-391 (*Fürst, Alfons*); LASBF 57 (2007) 755-756 (*Pazzini, Massimo*);

15674 *Timpe, Dieter* Was ist Kirchengeschichte?: zum Gattungscharakter der *Storia ecclesiastica* des Eusebius. Antike Geschichtsschreibung. 2007 <1989> ⇒334. 292-328;

15675 *Verdoner, M.* Og kødet blev ord... skriftlighedens betydning i Eusebs *Kirkehistorie*. DTT 70 (2007) 224-239.

15676 EVAGRIUS P: **Dysinger, Luke** Psalmody and prayer in the writings of Evagrius Ponticus. 2005 ⇒21,15393; 22,14977. ^RHeyJ 48 (2007) 287-288 (*Hill, Robert C.*); Worship 81 (2007) 367-368 (*Driver, Stephen*); EO 24/1 (2007) 126-128 (*Sheridan, Mark*); ABenR 58 (2007) 448-450 (*Vivian, Tim*);

15677 ^{ET}**Géhin, Paul** Evagre le Pontique: Chapitres des disciples d'Evagre. SC 514: P 2007, Cerf 349 pp.

15678 GREGORIUS NAZ: *Crimi, Carmelo* Le api sapienti di Gregorio Nazianzeno. La cultura scientifico-naturalistica. SEAug 101: 2007 ⇒ 914. 233-239;

15679 **Daley, Brian E.** Gregory of Nazianzus. 2006 ⇒22,14981. ^RNT 49 (2007) 304-306 (*Guthrie, Sally*).

15680 GREGORIUS NYS: *Cassin, Matthieu* La nature de l'air chez Grégoire de Nysse. Cultura scientifico-naturalistica. 2007 ⇒914. 163-177;

15681 *DelCogliano, Mark* The composition of WILLIAM of St. Thierry's "Excerpts from the books of blessed Gregory on the Song of Songs". Cîteaux 58 1/2 (2007) 57-77;

15682 *Grelier, Hélène* Connaissances naturalistes chez Grégoire de Nysse dans ses traités théologiques: fonctions et dynamisme argumentatifs;

15683 *Ieraci Bio, Anna M.* Gregorio di Nissa (*De hominis opificio* 30) e la fisiologia galenica del *De usu partium*. La cultura scientifico-naturalistica. SEAug 101: 2007 ⇒914. 179-196/489-512;

15684 ^E**Karfíková, Lenka; Douglass, Scot; Zachhuber, Johannes** Gregory of Nyssa: Contra Eunomium II: an English version with supporting studies: proceedings of the 10th international colloquium on Gregory of Nyssa (Olomouc, September 15-18, 2004). SVigChr 82: Lei 2007, Brill xxi; 553 pp. 978-90-04-15518-3;

15685 *Laird, Martin* The fountain of his lips: desire and divine union in Gregory of Nyssa's *Homilies on the Song of Songs*. Spiritus(B) 7/1 (2007) 40-57;

15686 ^E**Mann, Friedhelm** Lexicon Gregorianum: Wörterbuch zu den Schriften Gregors von Nyssa, 6: λαβή-ὀψοφόρος. Lei 2007, Brill 972 pp;

15687 **Maspero, Giulio** Trinity and man: Gregory of Nyssa's Ad Ablabium. SVigChr 86: Lei 2007, Brill xxxii; 216 pp. $139. 978-90-04-15872-6. Bibl. 201-210;

15688   ^E**Maspero, Giulio; Mateo-Seco, Lucas** Diccionario de San Gregorio de Nisa. 2006 ⇒22,14988. ^RBurg. 48/1 (2007) 302-303 (*Diego Sánchez, Manuel*);

15689   Gregorio de Nissa: Dizionario. R 2007, Città N. 600 pp. €66. 978-88311-93368;

15690   Motta, Beatrice L'astrologia nel *Contra fatum* di Gregorio di Nissa. La cultura scientifico-naturalistica. 2007 ⇒914. 677-684;

15691   Ramelli, Ilaria La cultura naturalistica in Gregorio di Nissa, *De anima et resurrectione*: scienza e *logos*. La cultura scientifico-naturalistica. SEAug 101: 2007 ⇒914. 197-215;

15692   Reyes Gacitúa, Eva El perfume del esposo: según Gregorio de Nisa en el Commentario al Cantar de los Cantares. TyV 48/2-3 (2007) 207-214;

15693   Romano, Roberto Osservazioni sulla cultura scientifica di Gregorio di Nissa, *De virginitate*, XI,4. La cultura scientifico-naturalistica. SEAug 101: 2007 ⇒914. 217-223;

15694   Taranto, Salvatore Le intelligenze angeliche nell'opera di Gregorio di Nissa: continuità e discontinuità con la tradizione. Cristianesimi. Spudasmata 117: 2007 ⇒569. 221-249;

15695   Vinel, Françoise Arbres, plantes et fleurs dans l'*In hexaemeron* et les *Homélies sur le Cantique des cantiques* de Grégoire de Nysse: simples métaphores ou références scientifiques?. La cultura scientifico-naturalistica. SEAug 101: 2007 ⇒914. 225-231;

15696   Weber, Augustinus Aufstieg in die Höhe: Psalter- und Psalmenexegese bei Gregor von Nyssa. BZ 51 (2007) 216-234.

15697   HIPPOLYTUS R: *Norelli, Enrico* Un testimonium sur l'Antichrist (Hippolyte, l'Antichrist 15 et 54). ^FKAESTLI, J. & JUNOD, E. 2007 ⇒82. 245-270.

15698   METHODIUS O: *Franchi, Roberta* Ispirazione biblica (Gn 1,26) e linguaggio pagano-filosofico in un passo del *De autexusio* di Metodio d'Olimpo. VetChr 44 (2007) 239-256.

15699   NICHOLAS D: ^E**Famerie, Etienne** Concordantia in Nicolaum Damascenum. AlOm 249: Hildesheim 2007, Olms xiii; 503 pp. 978-3-48-7-13298-3.

15700   PROCOPIUS G: ^E**Auwers, Jean-Marie** L'interprétation du Cantique des Cantiques à travers les chaînes exégétiques grecques (Epitomé de Procope, chaîne de Polychronios, chaîne dite d'Eusèbe, catena Barberiniana. ^D*Coulie, Bernard* 2007, 2 vol; xi; 490 pp. Diss. Louvain [RTL 39,155ss].

15701   ROMANOS M: *Countryman, L. William* A sixth-century plea against religious violence: Romanos on Elijah. ^FGRANT, R. NT.S 125: 2007 ⇒53. 289-301 [1 Kgs 17];

15702   ^T**Trombi, Ugo** Romano il Melode: Kontakia/2. CTePa 198: R 2007, Città N. 278 pp. €20. 97888-3118-1983.

15703   THEODORETUS C: *Borrelli, Daniela* La follia di Nabucodonosor nel *Commento a Daniele* di Teodoreto di Cirro. La cultura scientifico-naturalistica. SEAug 101: 2007 ⇒914. 467-477 [Dan 4];

15704   **Clayton, Paul B.** The christology of Theodoret of Cyrus: Antiochene christology from the Council of Ephesus (431) to the Council of Chalcedon (451). Oxford Early Christian Studies: Oxf 2007, OUP x; 355 pp. £75/€124. 978-01981-43987. Diss.;

15705 *Hill, Robert C.* The commentary on Daniel by Theodoret of Cyrus. Geschichte der Daniel-Auslegung. 2007 ⇒4994. 151-163;

15706 ᵀ**Hill, Robert C.** Theodoret of Cyrus: The questions on the octateuch: on Genesis and Exodus. Library of Early Christianity 1: Wsh 2007, Catholic Univ. of America civ; 345 pp. $50; $30. 08132-149-98. Greek text revised by *Petruccione, John*;

15707 Theodoret of Cyrus: The questions on the octateuch: on Leviticus, Numbers, Deuteronomy, Joshua, Judges, and Ruth. Library of Early Christianity 2: Wsh 2007, Catholic Univ. of America xxxii; 431 pp. $45; $25. 08132-15013. Greek text revised by *Petruccione, John*;

15708 *Orselli, Alba M.* Teodoreto di Cirro, testimone dell'impero romano d'Oriente. X simposio paolino. Turchia 21: 2007 ⇒860. 167-180;

15709 **Weaver, Joel A.** Theodoret of Cyrus on Romans 11:26: recovering an early christian Elijah Redivivus tradition. AmUSt.TR 249: Fra 2007, Lang xvii; 184 pp. 978-0-8204-8608-6. Bibl. 161-177.

15710 THEODORUS M: *Gerber, Simon* Diatessaron-Zitate bei Theodor von Mopsuestia?. ZAC 11 (2007) 348-359;

15711 **Thome, Felix** Studien zum Johanneskommentar des Theodor von Mopsuestia. ᴰ*Seeliger, Hans R.* 2007, Diss.-Habil. Tübingen.

15712 THEOPHILUS A: **Russell, Norman** Theophilus of Alexandria. Early Church Fathers: L 2007, Routledge x; 222 pp. £18/$25 [⇒15562].

Y2.4 **Augustinus**

15713 ᴱ**Van Bavel, Tarcisio J.; Bruning, Bernard** Saint Augustin. Bru 2007, Mercator 319 pp. 978-90615-37328. 225 ill.;

15714 Saint Augustine. ᵀ*Clark, Margaret; Holberton, Paul* Bru 2007, Mercator 320 pp. 978-90615-37335. 225 ill.;

15715 San Agustín. Bru 2007, Mercator 320 pp. 225 ill.;

15716 Sint Augustinus. Bru 2007, Mercator 320 pp. €69. 978-90615-37311. 225 ill.

15717 *Alexanderson, Bengt* St. Augustin, les sciences et le salut dans le De Genesi ad litteram et dans le De doctrina christiana . La cultura scientifico-naturalistica. SEAug 101: 2007 ⇒914. 363-372.

15718 *Allen, Pauline* Augustine's commentaries on the Old Testament: a mariological perspective. ᶠCAMERON, A. 2007 ⇒23. 137-151.

15719 *André, Jean-Marie* Saint Augustin et la culture médicale gréco-romaine. La cultura scientifico-naturalistica. 2007 ⇒914. 597-604.

15720 ᵀ**Anoz, J.; Fuertes Lanero, M.** San Agustín: tratados sobre el evangelio de san Juan. Obras Completas 13: M ³2005, BAC xix; 728 pp. Ed. bilingüe.

15721 **Aprile, Biagio** 'Passio Christi tam evidenter quasi evangelium recitatur': la passione di Cristo sulla croce: studio sul commento II, al salmo 21 di Agostino d'Ippona. ᴰ*Pastor, Félix* TGr.T 149: R 2007, E.P.U.G. 304 pp. 9788878390959. Diss. Gregoriana; Bibl. 283-97.

15722 *Bertacchini, Roberto A.M.* Anticipi di modernità nella *scientia* agostiniana. La cultura scientifico-naturalistica. 2007 ⇒914. 401-417.

15723 *Bochet, Isabelle* 'Qu'as-tu que tu n'aies reçu?': le choix gratuit de Dieu: les commentaires augustiniennes de Rm 9. L'exégèse patristique de Romains 9-11. 2007 ⇒806. 125-148.

15724 **Bonner, Gerald** Freedom and necessity: St. Augustine's teaching on divine power and human freedom. Wsh 2007, Catholic University of America Pr. xii; 142 pp. 0-8132-1474-2. Bibl. 133-137.

15725 **Burton, Philip** Language in the Confessions of Augustine. Oxf 2007, OUP 198 pp. 978-0-19-926622-7. Bibl. 179-187.

15726 **Byassee, Jason** Praise seeking understanding: reading the psalms with Augustine. Radical traditions: GR 2007, Eerdmans xiv; 290 pp. $32. 978-08028-40127 [ThD 53,157–W. Charles Heiser].

15727 [T]**Calabrese, Claudio** San Agustín de Hipona: Interpretación literal del Génesis. Col. de Pensamiento Medieval 78: 2006 ⇒22,15015. [R]RelCult 53 (2007) 635-637 (*Langa, Pedro*).

15728 *Calabrese,Claudio* Los supuestos hermenéuticos de Agustín de Hipona en el libro XII del *De Genesi ad litteram*. Epimeleia 16 (2007) 87-106.

15729 *Caruso, Giuseppe* La categoria dell'amore nel commento alla prima lettera di Giovanni. Asp. 54/2 (2007) 99-112.

15730 [ET]**Catapano, Giovanni** Aurelio Agostino: Tutti i dialoghi: testo latino a fronte. 2006 ⇒22,15016. al. trans. [R]CivCatt 158/3 (2007) 336-338 (*Pirola, G.*).

15731 **Chrétien, Jean-L.** Augustin d'Hippone: Discours sur les psaumes, 1: du psaume 1 au psaume 80; 2: du psaume 81 au psaume 150. [E]*Caron, Maxence; Escande, Renaud* Sagesses chrétiennes: P 2007, Cerf 1592; 1486 pp. €68+68. 978-22040-80460/3256. [R]LV(L) 56/2 (2007) 119-120 (*Delmulle, Jérémy*); EThL 83 (2007) 505-508 (*Dupont, A.*).

15732 *Cipriani, Nello* Lo studio della natura e il lavoro umano in S. Agostino. La cultura scientifico-naturalistica. 2007 ⇒914. 373-384.

15733 *Clark, Gillian* City of books: Augustine and the world as text. The early christian book. 2007 ⇒604. 119-138.

15734 **Coninck, Lucas de; Coppieters 't Wallant, Bertrand; Demeulenaere, Roland** La tradition manuscrite de recueil de Verbum Domini jusqu'au XIIe siècle: prolégomènes à une édition critique des Sermones ad populum d'Augustin d'Hippone sur les évangiles (serm. 51 sqq.). Instrumenta Patristica et Mediaevalia 45: 2006 ⇒22,15020. [R]BECH 165 (2007) 201-203 (*Bourgain, Pascale*).

15735 *Coyle, J. Kevin* The Manichaeism of Augustine. Saint Augustine. 2007 ⇒15714. 181-191.

15736 [T]**Demateis, Mariano** El comentario de San Agustín de Hipona a los salmos graduales. CuMon 42 2007, 195-242. Introd. y notas *Fernando Rivas*.

15737 *Djurovic, Zoran* St. Augustine's filioque in the Treatise 99 and the gospel of John. Philotheos 7 (2007) 218-231.

15738 [E]**Drecoll, Volker H.** Augustin Handbuch. Tü 2007, Mohr S. xvii; 799 pp. €79. 978-31614-82694.

15739 **Drobner, Hubertus** Augustinus von Hippo, Predigten zum Markusevangelium (Sermones 94/A-97): Einleitung, Text, Übersetzung und Anmerkungen. Fra 2007, Lang 186 pp.

15740 *Dulaey, Martine* Augustine and the bible. Saint Augustine. 2007 ⇒ 15714. 107-119.

15741 *Dupont, Anthony* Sermo 90A (Dolbeau 11, Mainz 40): self-love as the beginning of love for neighbour and God. Aug(L) 57/1-2 (2007) 31-48 [Mt 22,37-40; Rom 13,8-10].

15742 **Ellingsen, Mark** The richness of Augustine: his contextual and pastoral theology. 2005 ⇒21,15457. ᴿSBET 25/1 (2007) 107-108 (*Balserak, Jon*).

15743 *Esler, Philip F.* Prototypes, antitypes and social identity in First Clement: outlining a new interpretative model. ASEs 24 (2007) 125-146.

15744 *Falardeau, Sébastien* Exégèse augustinienne de Lc 2,1-52. Scriptura(M) 9/2 (2007) 61-68.

15745 *Ferraro, Giuseppe* Lo Spirito Santo nelle *Esposizioni sui Salmi* di sant'Agostino. Theologica & Historica 16 (2007) 39-103.

15746 **Ferri, Riccardo** Gesù e la verità: Agostino e TOMMASO interpreti del vangelo di Giovanni. R 2007, Città N. 307 pp. €23.

15747 ᴱ**Fitzgerald, Allan D.** Agostino: dizionario enciclopedico. ᴱ*Alici, Luigi; Pieretti, Antonio* R 2007, Città Nuova 1480 pp. 978-88-311-9337-5.

15748 *Harrison, C.* The early works (386-96). Saint Augustine. 2007 ⇒ 15714. 165-179;

15749 Taking creation for the creator: use and enjoyment in Augustine's theological aesthetics. Idolatry. 2007 ⇒763. 179-97 [Rom 1,20-5].

15750 *Heidl, György* Science and mysticism in Augustine's *De disciplinarum libris*;

15751 *Jaskiewicz, Sylwester* Il cristiano di fronte ai luminari del cielo: il commento agostiniano a *Gn* 1,14-19. La cultura scientifico-naturalistica. SEAug 101: 2007 ⇒914. 385-391/711-722.

15752 **Knowles, Andrew; Penkett, Pachomios** Agustín y su mundo. ᵀ*García González, M.J.* Conocer la historia: M 2007, San Pablo 191 pp. 978-84285-30009.

15753 *Kooijman, Arie* Van aangezicht tot aangezicht: sermoenen van Augustinus over het evangelie volgens Matteüs. KeTh 58 (2007) 223-242.

15754 *Kuehn, Evan F.* The Johannine logic of Augustine's trinity: a dogmatic sketch. TS 68 (2007) 572-594.

15755 *Lawless, George* Augustine's In Johannis euangelium tractatus. Saint Augustine. 2007 ⇒15714. 135-141.

15756 **Lazcano, Rafael** Bibliografía de San Agustín en lengua española (1502-2006). Guadarrama (M) 2007, Revista Agustiniana 554 pp. 978-84957-45607. ᴿCDios 220 (2007) 847-48 (*Rodríguez Díez, J.*).

15757 **Lombardi, Elena** The syntax of desire: language and love in Augustine, the Modistae, DANTE. Toronto 2007, Univ. of Toronto Pr. viii; 380 pp. 978-0-8020-9070-6. Bibl. 357-375.

15758 *Luis Vizcaíno, Pío de* San Agustín y la biblia. ResB 55 (2007) 31-8.

15759 *Lüpke, Johannes von* Einkehr in Gottes Wort: Anfang und Ziel der Theologie nach Augustins "Confessiones" (I,1-6). ᶠBRÄNDLE, W. Lüneburger Theologische Beiträge 5: 2007 ⇒18. 187-200.

15760 **Manca, Luigi** Il volto ambiguo della ricchezza: Agostino e l'episodio evangelico del giovane ricco. 2006 ⇒22,15045. ᴿRivista di scienze religiose 21/1 (2007) 169-170 (*Dell'Osso, Carlo*) [Mt 19,16-29].

15761 *Marone, Paola* La luna nella cultura scientifico-naturalistica di Agostino. La cultura scientifico-naturalistica. 2007 ⇒914. 701-10.

15762 *Massie, Alban* De 'l'espérance cachée' à la 'plénitude de la foi': le salut d'Israël, figure de la fin des temps, selon Augustin?. L'exégèse patristique de Romains 9-11. 2007 ⇒806. 149-168.

15763   ^E**Mayer, Cornelio** CAG 2. Corpus Augustinianum Gissense. 2004
         ⇒20,13993; 21,15479. ^RThR 72 (2007) 501-4 (*Fuhrer, Therese*).
15764   *McCarthy, Michael C.* "We are your books": Augustine, the bible,
         and the practice of authority. JAAR 75 (2007) 324-352.
15765   *Meloni, Pietro* Sant'Agostino e il *Cantico dei Cantici*. Sandalion
         29-30 (2006-2007) 95-111.
15766   *Michel, Paul* Wie der Text den Exegeten zu Allegorese und typolo-
         gischer Deutung zwingt: Augustinus, >De Genesi contra Manichae-
         os< und >Contra Faustum<. Significatio. 2007 ⇒424. 11-26.
15767   ^T**Monat, Pierre** [I] Sur la Genèse contre les Manichéens; [II] Sur
         la Genèse au sens littéral: livre inachevé: De Genesi ad litteram im-
         perfectus liber. Oeuvres de Saint Augustin 50: 2004 ⇒20,13995.
         ^RRevSR 81 (2007) 423-425 (*Vinel, Françoise*).
15768   ^E**Monteverde, Franco** Opera omnia di Sant'Agostino, 44/1: indice
         analitico generale (A-B). R 2007, Città N. cviii; 540 pp. 97888-31-
         19-4761.
15769   *Mühlenberg, Ekkehard* Augustine of Hippo. Religion past & pres-
         ent, 1. 2007 ⇒1066. 497-502.
15770   **O'Donnell, James J.** Augustine: a new biography. 2005 ⇒21,
         15481; 22,15053. ^RChH 76 (2007) 156-158 (*Chin, Catherine M.*);
         Theol. 110 (2007) 133-134 (*Pettersen, Alvyn*).
15771   *Paparazzo, Ernesto* Agostino, le api e le diamante: un confronto
         con PLINIO il Vecchio;
15772   *Rexer, Jochen* La data della Pasqua ed astrologia nella *Lettera 55*
         di Agostino. La cultura scientifico-naturalistica. SEAug 101: 2007
         ⇒914. 393-399/763-771.
15773   ^E*Ribreau, Mickaël, al.*, Bulletin augustinien pour 2006/2007 et
         compléments d'années antérieures. REAug 53 (2007) 369-429.
15774   ^T*Rivas, Fernando* El comentario de san Agustín de Hipona a los
         salmos graduales (2ª parte: Sal 119-121[*sic*]). CuMon 42 (2007)
         333-376;
15775   El comentario de san Agustín de Hipona a los salmos graduales
         (Sal 129-131). CuMon 42 (2007) 465-515.
15776   *Schrama, Martijn* 'The hart that thirsts with longing': Augustine's
         commentary on Psalm 42. Saint Augustine. 2007 ⇒15714. 121-33.
15777   *Schraut, Andreas* "Petrus a Petra, Petra vero Ecclesia": Mt 16,18
         bei Augustinus. Aug(L) 57/3-4 (2007) 321-344.
15778   *Sfameni Gasparro, Giulia Studium sapientiae*: astronomia e astro-
         logia nell'itinerario intellettuale e religioso di Agostino. La cultura
         scientifico-naturalistica. SEAug 101: 2007 ⇒914. 723-761.
15779   *Simeone, Cristina M.* La hermenéutica en San Agustín. Epimeleia
         16 (2007) 107-116.
15780   **Ten Boom, Wessel H.** Provocatie: Augustinus' preek tegen de
         Joden. Kampen 2006, Kok 408 pp. €32.50. 978-90435-12619.
15781   **Trapè, Agostino** Introduzione generale a sant'Agostino. 2006 ⇒
         22,15060. ^RSdT 19 (2007) 80-81 (*Melini, Augusto*).
15782   *Van Geest, Paul* Augustine's thoughts on how God may be repre-
         sented. Iconoclasm. 2007 ⇒633. 179-200.
15783   *Van Reisen, Hans* Open de ogen van je hart!: Augustinus' verkondi-
         ging over de genezing van de blindgeborene. TLi 91 (2007) 304-
         314 [John 9].
15784   *Weidmann, Clemens* Zwei Lücken in den *Quaestiones in Heptateu-
         chum* des Augustinus. REAug 53 (2007) 113-139.

Y2.5 Hieronymus

15785 **Arns, Paulo E.** A técnica do livro segundo são Jerônimo. [T]*Rodrigues, Cleone A.* São Paulo 2007, Cosac Naify 207 pp. 978-85-750-3-585-6. Pref. *Alfredo Bosi*; Bibl. 193-198.

15786 *Ayán Calvo, Juan José* San Jerónimo y la biblia. ResB 55 (2007) 23-28.

15787 *Canellis, Aline* Le livre II de l'*In Zachariam* de saint Jérôme et la tradition alexandrine. SE 46 (2007) 111-141;

15788 Le livre III de l'*In Zacchariam* de Saint Jérôme et la tradition alexandrine. Adamantius 13 (2007) 66-81.

15789 *Capelli, Valeria* Segni diacritici ed eredità filologica origeniana in Girolamo. Adamantius 13 (2007) 82-101.

15790 *Courtray, Régis* Der Danielkommentar des Hieronymus. Geschichte der Daniel-Auslegung. BZAW 371: 2007 ⇒4994. 123-150;

15791 Jérôme, traducteur du_*Livre de Daniel*. Pallas 75 (2007) 105-124.

15792 *Degórski, Bazyli* La natura del deserto nelle *Vitae* di San Gerolamo. Cultura scientifico-naturalistica. SEAug 101: 2007 ⇒914. 549-578.

15793 *Fraïsse, Anne* Comment traduire la bible?: au sujet d'un échange de lettre entre AUGUSTIN et Jérôme. "Dieu parle". Histoire du texte biblique 7: 2007 ⇒556. 73-92.

15794 *Ganz, David* Harley 3941: from Jerome to Isidore. Early medieval palimpsests. Ment. Eusebius of Caesarea. 2007 ⇒966. 29-35.

15795 *García Domene, Juan Carlos* Divulgar al divulgador: memoria de san Jerónimo. ResB 55 (2007) 57-64.

15796 **González Salinero, Raúl** Biblia y polémica antijudía en Jerónimo. TECC 70; 2003 ⇒19,14760... 22,15074. [R]EE 82 (2007) 613-614 (*Crespo Álvarez, Macarena*).

15797 [T]**Gourdain, Jean-L.** Jérôme: homélies sur Marc. SC 494: 2005 ⇒ 21,15518; 22,15075. [R]LTP 63 (2007) 158-159 (*Dîncă, Lucian*); RevSR 81 (2007) 563-565 (*Chapot, Frédéric*); JThS 58 (2007) 295-297 (*Adkin, Neil*).

15798 *Graves, Michael* "Judaizing" christian interpretations of the prophets as seen by Saint Jerome. VigChr 61 (2007) 142-156.

15799 **Graves, Michael** Jerome's Hebrew philology: a study based on his commentary on Jeremiah. SVigChr 90: Lei 2007, Brill xii; 228 pp. €89. 978-90041-62044. Diss. Hebrew Union College; Bibl. 201-9.

15800 *Grego, Igino* San Girolamo maestro di spiritualità in Terra Santa. [F]VERNET, J. 2007 ⇒158. 239-261.

15801 *Itzkowitz, Joel B.* Jews, Indians, phylacteries: Jerome on Matthew 23.5. JECS 15 (2007) 563-572.

15802 [T]**Jeanjean, Benoît; Lançon, Bertrand** Saint Jérôme: Chronique. 2004 ⇒20,14022... 22,15078. [R]LTP 63 (2007) 143-144 (*Bussières, Marie-Pierre*); RSPhTh 91 (2007) 177-178 (*Meunier, Bernard*).

15803 [ET]**Leclerc, P.; Morales, E.M.; Vogüé, A. de** Jérôme: trois vies de moines (Paul, Malchus, Hilarion). SC 508: P 2007, Cerf 337 pp. €39. 978-22040-82761.

15804 *Marasco, Gabriele* Gerolamo e la natura delle sciemmie;

15805 *Margarino, Sara M.* La traduzione del *qîqāyôn*: un esempio di scienza botanica e di esegesi in Girolamo. La cultura scientifico-naturalistica. SEAug 101: 2007 ⇒914. 291-301/303-315 [Jonah 4,6].

15806 *Moro, Caterina* La traduzione di Girolamo dei profeti minori;

15807 *Pieri, Francesco* Il problema dei *testimonia* profetici nella critica di Gerolamo alla LXX. Adamantius 13 (2007) 102-125/126-143.

15808 *Schorch, Stefan* Der Alte und das Biest: Hiernonymus als Übersetzer der Hebräischen Bibel. WuD 29 (2007) 11-19.

15809 *Schwienhorst-Schönberger, Ludger* "Er wird wie Christus sein": Psalm 1 in der Auslegung des Hieronymus. Der Bibelkanon. 2007 ⇒360. 212-230.

15810 **Weingarten, Susan** The saint's saints: hagiography and geography in Jerome. AJEC 58; AGJU 58: 2005 ⇒21,15529. ᴿHenoch 29 (2007) 172-176 (*Kraus, Matthew*).

Y2.6 **Patres Latini** *in ordine alphabetico*

15811 *Bain, Andrew M.* Re-reading Scripture with the Latin Fathers. RTR 66 (2007) 166-179.

15812 *Bauer, Johannes B.* Testularum Experimentum et al. Anonymi in Iob commentarius (I,17; II,31.58; III,19). RBen 117 (2007) 207-10.

15813 *Deproost, Paul-A. Formatur... limatur...* le corps d'Adam et Eve dans la poésie latine chrétienne. Le corps dans les cultures méditerranéennes. 2007 ⇒1023. 105-125.

15814 **Green, R.P.H.** Latin epics of the New Testament: JUVENCUS, SEDULIUS, ARATOR. 2006 ⇒22,226. ᴿJThS 58 (2007) 721-723 (*White, C.*).

15815 AMBROSIASTER: *Bussières, Marie-Pierre* Le public des "Questions sur l'Ancien et le Nouveau Testament de l'Ambrosiaster. ASEs 24 (2007) 229-247;

15816 ᴱᵀ**Bussières, Marie-P.** Ambrosiaster: Contre les païens (Questions sur l'Ancien et le Nouveau Testament 114) *et* Sur le destin (Questions sur l'Ancien et le Nouveau Testament 115). SC 512: P 2007, Cerf 273 pp. €30. 978-22040-84239;

15817 **Lunn-Rockliffe, Sophie** Ambrosiaster's political theology. Oxford Early Christian Studies: Oxf 2007, OUP x; 211 pp. £45. 978-0199-2-30204.

15818 AMBROSIUS M: *Begasse de Dhaem, Amaury* Israël et les nations: la miséricorde dans l'histoire: l'exégèse ambrosienne de Rm 9-11. NRTh 129 (2007) 235-253;

15819 **Braschi, Francesco** L'explanatio psalmorum XII di Ambrogio: una proposta di lettura unitaria: analisi tematica, contenuto teologico e contesto ecclesiale, tomo I. SEAug 105: R 2007, Augustinianum 950 pp. 88796-11135. Diss. Augustinianum;

15820 *Cutino, Michele* Appunti sulla terminologia astronomico-astrologica di Ambrogio. La Cultura scientifico-naturalistica. SEAug 101: 2007 ⇒914. 685-700;

15821 *Gorman, Michael M.* From ISIDORE to CLAUDIUS of Turin: the works of Ambrose on Genesis in the early Middle Ages. Study of the bible. 2007 <1999> ⇒238. 1-18;

15822 *Granado, Carmelo* San Ambrosio y la biblia. ResB 55 (2007) 15-22;

15823 *Moretti, Paola F. Leo gallum et maxime album veretur*: tracce della dottrina delle simpatie et antipatie naturali in Ambrogio. La cultura scientifico-naturalistica. SEAug 101: 2007 ⇒914. 347-355;

15824 **Nauroy, Gérard** Exégèse et création littéraire chez Ambroise de Milan: l'exemple du De Ioseph patriarcha. EAug.Antiquité 181: P 2007, Institut d'Études Augustiniennes 539 pp. €56. 978-28512-12-191;
Ambroise de Milan 2003 ⇒617;
[E]**Nauroy, G.** Lire et éditer aujourd'hui Ambroise 2007 ⇒941;

15825 *Nazzaro, Antonio V.* Il sacrificio di Isacco nell'esegesi di Ambrogio di Milano. Letteratura cristiana. Letture patristiche 11: 2007 ⇒934. 295-316 [Gen 22,1-19];

15826 *Passarella, Raffaele* Aspetti di medicina ginecologica e pediatrica nell'opera di Ambrogio. La cultura scientifico-naturalistica. SEAug 101: 2007 ⇒914. 579-595;

15827 *Zelzer, Michaela* Appunti su Ambrogio e le discipline scientifico-naturali. Cultura scientifico-naturalistica. 2007 ⇒914. 357-362.

15828 APRÍNGIO B: *Lamelas, Isidro P.* Apríngio de Beja (cerca de 531-560) comentador do Apocalipse. Itin(L) 53 (2007) 159-184.

15829 CASSIANUS J: **Casiday, Augustine** Tradition and theology in St John Cassian. L 2007, OUP xiv; 303 pp. 978-0-19-929718-4. Bibl. 270-299.

15830 CROMAZIUS: [T]**Trettel, Giulio** Cromazio: trattati sul vangelo di Matteo. 2005 ⇒22,15101. [R]CivCatt 158/4 (2007) 194-195 (*Cremascoli, G.*).

15831 CYPRIANUS: *Andrist, Patrick* Les *testimonia* de l'*Ad Quririnum* de Cyprien et leur influence sur la polémique antijudaïque latine postérieure: proposition du méthode autour de Dt 28,66 et Nm 23,19. Cristianesimi. Spudasmata 117: 2007 ⇒569. 175-198;

15832 *Jurissevich, Elena* Le prologue de la Vita Cypriani versus le prologue de la Passio Perpetuae et Felicitatis: de la prééminence du récit de la vie et du martyre d'un évêque sur le récit de la passion de simples catéchumènes et laïcs. Cristianesimi. Spudasmata 117: 2007 ⇒569. 131-148;

15833 *Marotta, Beatrice* Malattia del corpo, malattia dell'anima nel *De mortalitate* di Cipriano;

15834 *Viggiani, Maria C.* La peste di Cartagine del 252: *Praemium vite et gaudium salutis aeternae* tra Cipriano e Ponzio. La cultura scientifico-naturalistica. SEAug 101: 2007 ⇒914. 525-534/535-547.

15835 FACUNDUS H: [T]**Petri, Sara** Facondo di Ermiane: Difesa dei tre capitoli. CTePa 193-194: R 2007, Città N. 2 vols. 978-88-311-8193-8/4-5.

15836 FLORUS L: [E]**Coppieters 'T Wallant; Demeulenaere, R.; Fransen, P.I.** Flori Lvgdvnensis: collectio ex dictis XII patrum, pars III. CChr.CM 93 B: Turnhout 2007, Brepols xci; 456 pp. 978-25030-4-9359.

15837 GREGORIUS M: **Boesch Gajano, Sofia** Grégoire le Grand: aux origines du Moyen Âge. [T]*Martin-Bagnaudez, Jacqueline; Lucas, Noël* P 2007, Cerf 230 pp. €34. 22040-76692;

15838 *Cremascoli, Giuseppe* I *Moralia in Iob* di Gregorio Magno. Letteratura cristiana. Letture patristiche 11: 2007 ⇒934. 341-348;

15839 **Henne, Philippe** Grégoire le Grand. Histoire: P 2007, Cerf 322 pp. €25. 22040-82396;

15840 *Merino Rodriguez, Marcelo* San Gregorio y la biblia. ResB 55 (2007) 39-47;

15841 *Michel, Paul* Die Schrift ermutigt die Einfältigen und demütigt die Weisen: Gregor der Große, Widmungsbrief zu den >Moralia in Iob<. Significatio. 2007 ⇒424. 49-66;

15842 ᴱ**Vogüe, Adalbert** Commento al primo libro dei Re/1 (I-III,37). ᴱ*Gargano, Innocenzo*; ᵀ*Gandolfo, Emilio* <Gregorii Magni Opera 6/1: R 2007, Città N. cxlix; 286 pp. 978-88311-94136.

15843 HILARIUS P: *Beckwith, Carl L.* Photinian opponents in Hilary of Poitier's Commentarium in Matthaeum. JEH 58 (2007) 611-627;

15844 *Ladaria Ferrer, Luis* San Hilario y la biblia. ResB 55 (2007) 7-14;

15845 ᵀ**Passerini, I.** Ilario di Poitiers: Commento al Salmo 118. Letture cristiane 42: Mi 2007, Paoline 456 pp. €32.

15846 JUVENCUS: *Fraïsse, Anne* Eléments biographiques dans l'épopée biblique de Juvencus. Latomus 66 (2007) 673-689.

15847 NICETA R: ᵀ*Gianotti, Daniele Niceta di Remesiana*: il valore della salmodia. La parola. Sussidi biblici 95: 2007 ⇒293. 51-93.

15848 PAULINUS N: *Guttilla, Giuseppe* La profanazione dei luoghi santi in Palestina: l'*Ep*. 58 di GIROLAMO ed il *De errore* di FIRMICO Materno nell'*Ep*. 31 di Paolino di Nola. Aug. 47 (2007) 103-116.

15849 PELAGIUS: ᴱ**Cerretini, Antonella** Pelagio: lettera sulla castità. ᵀ*Norelli, Enrico* Letteratura cristiana antica 14: Brescia 2007, Morcelliana 147 pp. 978-88-372-2117-1. Bibl. 141-143; Pref. *Claudio Moreschini*.

15850 PRUDENTIUS A: *Lamprecht, J.C.* The Jonah- and Nineveh-exemplum in Aurelius Prudentius Clemens' "Cathemerinon" VII. "Hymnus Ieiunantium", lines 81-175. APB 18 (2007) 97-119.

15851 SULPICIUS SEVERUS: ᵀ**Fiocco, Davide** Sulpicio Severo: Lettere e dialoghi. CTePa 196: R 2007, Città N. 256 pp. 978-88-311-8196-9.

15852 VITTORIO C: *D'Auria, Isabella* Il giudizio divino (Gn 3,10-19) nella riscrittura esametrica di Claudio Mario Vittorio (Alethia 1,471-519). VetChr 44/1 (2007) 33-57.

Y2.8 Documenta orientalia

15853 *Abraha, Tedros* Una versione (popolare?) tigrina degli andemta sui quattro vangeli: un altro passo nelle edizioni degli andemta nell'ultimo ventennio. OCP 73 (2007) 61-96.

15854 *Ariesan, Claudiu T.* Rarissima avis: the *Phoenix* of LACTANTIUS between allegorical myth and natural sciences. La cultura scientifico-naturalistica. SEAug 101: 2007 ⇒914. 281-290.

15855 ᴱᵀ**Bandt, Cordula** Der Traktat "Vom Mysterium der Buchstaben": kritischer Text mit Einführung, Übersetzung und Anmerkungen. TU 162: B 2007, De Gruyter viii; 260 pp. 978-3-11-019606-1. Bibl. 236-250.

15856 *Botha, Phil J.* The relevance of the book of Daniel for fourth-century christianity according to the commentary ascribed to EPHREM the Syrian. Geschichte der Daniel-Auslegung. BZAW 371: 2007 ⇒4994. 99-122.

15857 *Brock, Sebastian* St Ephrem the Syrian on reading scripture. DR 125 (2007) 37-50;

15858 Joseph and Potiphar's wife (Genesis 39): two anonymous dispute poems. ᶠREININK, G. OLA 170: 2007 ⇒129. 41-57.

15859 **Brock, Sebastian P.; Kiraz, George A.** EPHREM the Syrian: select poems: vocalized Syriac text with English translation, introduction, and notes. Eastern ChristianTexts 2: Provo, UT 2006, Brigham Young Univ. Pr. 283 pp. $40. 978-09348-93657.

15860 *Bruns, Peter* 'Kein Geschöpf ist von Natur aus böse': naturphilosophische Erwägungen in Ezniks *De Deo*. La cultura scientifico-naturalistica. SEAug 101: 2007 ⇒914. 655-656.

15861 *Coakley, J.F.* Mushe Bar Kepha and a lost treatise of Henana on Palm Sunday. Muséon 120 (2007) 301-325.

15862 *Cunneen, S.* The Mary we never knew: new light from the Syriac tradition. Commonweal 134/22 (2007) 10-12.

15863 *Hidal, Sten* Evidence for Jewish believers in the Syriac fathers. Jewish believers in Jesus. 2007 ⇒519. 568-580.

15864 *Kaniyamparampil, E.* Feminine-maternal images of the Spirit in early Syriac tradition. L&S 3 (2007) 169-187.

15865 *King, Daniel* PAUL of Callinicum and his place in Syriac literature. Muséon 120 (2007) 327-349.

15866 *Kofsky, Aryeh; Ruzer, Serge* Logos, Holy Spirit and Messiah: aspects of APHRAHAT's theology reconsidered. OCP 73 (2007) 347-378.

15867 *Lange, Christian* Zum Pilatusbild in der frühen syrischen Literatur. [F]HIEROLD, A. KStT 53: 2007 ⇒66. 31-60.

15868 [E]**Lange, Christian** EPHRAEM der Syrer: Kommentar zum Diatessaron. FC 41-42: Turnhout 2007, Brepols 2 vols; 366 + 367-698 pp. €37.29+37.29. 978-25035-19746/28694.

15869 *Orengo, Alessandro* Medicina e astrologia nel trattato teologico di EZNIK di Kolb, scrittore armeno del V secolo. La cultura scientifico-naturalistica. SEAug 101: 2007 ⇒914. 627-640.

15870 [E]**Overbeck, Julian J.** S. EPHRAEMI Syri, Rabulae episcopi Edesseni, Balaei, aliorumque opera selecta = Selected works of St. Ephraem the Syrian, Rabbula, bishop of Edessa, and Balai. Piscataway (N.J.) 2007, Gorgias xxix; xxxviii; 423 pp. 978-15933-35175. Latin material translated by *Hidemi Takahashi*.

15871 *Palmer, Andrew* What Jacob actually wrote about EPHRAIM. Jewish and Christian liturgy. 2007 ⇒580. 145-165.

15872 *Pani, Giancarlo* EFREM contro Giuliano: potere imperiale e potenza di Dio. X simposio paolino. Turchia 21: 2007 ⇒860. 257-280.

15873 *Papoutsakis, Manolis* The making of a Syriac fable: from EPHREM to ROMANOS. Muséon 120 (2007) 29-75.

15874 *Poirier, Paul-H.; Crégheur, Eric* La parabole de l'ivraie (Matthieu 13,24-30.36-43) dans le Livre des lois des pays. [F]KAESTLI, J. & JUNOD, E. 2007 ⇒82. 297-305.

15875 [E]**Ramos Jurado, E.A.**, *al.*, PORFIRIO de Tiro: Contra los cristianos: recopilación de fragmentos, traducción y notas. Cádiz 2006, Univ. de Cádiz, Servicio de Publicaciones 173 pp.

15876 *Swanson, Mark* Beyond prooftexting (2): the use of the bible in some early Arab christian apologies. The bible in Arab christianity. 2007 ⇒882. 91-112.

15877 *Ter Haar Romeny, Bas* A Philoxenian-Harclean tradition?: biblical quotations in Syriac translations from Greek. [F]REININK, G. OLA 170: 2007 ⇒129. 59-76.

15878 *Timbie, Janet* Non-canonical scriptural citation in SHENOUTE. Actes du huitième congrès. OLA 163: 2007 ⇒989. 625-634.

15879 **Trzcionka, Silke** Magic and the supernatural in fourth-century Syria. L 2007, Routledge 216 pp. £57. 978-04153-92419.

15880 *Upson-Saia, Kristi* Caught in a compromising position: the biblical exegesis and characterization of biblical protagonists in the Syriac dialogue hymns. Hugoye 9/2 (2006)*.

15881 *Vethanath, Sebastian* Image of paradise in St. EPHREM. ETJ 11 (2007) 56-76.

Y3.0 **Medium aevum,** *generalia*

15882 *Affolter-Nydegger, Ruth* In bukolisches Gewand gekleidete Heilsgeschichte: BERNHARD von Utrecht, Kommentar zur >Ecloga Theoduli<. Significatio. 2007 ⇒424. 271-315.

15883 *Andrée, Alexander* 'Et factum est': the commentary to the prologue to the book of Lamentations in the manuscript Paris, BnF, lat. 2578. RBen 117 (2007) 129-153 [Lam 1].

15884 Anhang 1: Der vierfache Schriftsinn am Beispiel Jerusalem. Significatio. 2007 ⇒424. 316-319.

15885 *Arbache, Samir* Bible et liturgie chez les Arabes chrétiens (VIe-IXe siècle). The bible in Arab christianity. 2007 ⇒882. 37-48.

15886 *Auffarth, Christoph* Apokalyptisches Mittelalter: das Dritte Reich–des Geistes/der Gewalt. Apokalyptik und kein Ende?. BTSP 29: 2007 ⇒499. 117-129.

15887 *Bain, Emmanuel* 'Homme et femme il les créa' (*Gen* 1,27): le genre féminin dans les commentaires de la Genèse au XIIe siècle. StMed 48/1 (2007) 229-270.

15888 *Bogaert, Pierre-M.* Une lecture liturgique vielle latine Jérémie 1,5-10 dans le Ms. Turin, BNU, F.VI.1. RBen 117 (2007) 287-293.

15889 *Bremmer, Rolf H., Jr.* Footprints of monastic instruction: a Latin psalter with interverbal Old Frisian glosses. Signs on the edge. 2007 ⇒709. 203-233.

15890 *Cacciotti, Alvaro* Sapienza e stoltezza: il motivo paolino di 1Cor 1,17-31 in alcune elaborazioni spirituali del tardo medioevo. X simposio paolino. Turchia 21: 2007 ⇒860. 281-302.

15891 *Campbell, William S.* Conclusion: reading Romans in conversation with medieval interpreters: the challenge of cross-fertilization. Medieval readings of Romans. 2007 ⇒394. 202-212.

15892 *Carella, Bryan* Reconstructing a lost Latin homily on Ecclesiasticus (Sirach) 5.8. RBen 117 (2007) 261-286.

15893 *Clark, Mark J.* Glossing Genesis 1.2 in the twelfth century, or how ANDREW of St. Victor and Peter COMESTOR dealt with the intersection of *nova* and *vetera* in the biblical *Glossa ordinaria*. SE 46 (2007) 241-286;

15894 Stephen LANGTON and HUGH of St. Cher on Peter COMESTOR's "Historia scholastica": the Lombard's Sentences and the problem of sources used by Comestor and his commentators. Recherches de théologie et philosophie médiévales 74 (2007) 63-117 [Gen 1-3].

15895 Commentario sulle lettere cattoliche. Il sangue di Cristo nella teologia, 1. 2007 ⇒634. 311-319. Anonimo Scotto.

15896 *Dahan, Gilbert* Les pères dans l'exégèse médiévale de la bible. RSPhTh 91/1 (2007) 109-127.

15897 *Davis, Stephen J.* The Copto-Arabic tradition of *theosis*: a eucharistic reading of John 3:51-57 in Būluṣ al-Būshī's treatise *On the incarnation*. Partakers of the divine nature. 2007 ⇒954. 163-174.

15898 [E]**Dinkova-Bruun, Greti** Liber prefigurationum Christi et Ecclesie; Liber de gratia Novi Testamenti. CChr.CM 195: Turnhout 2007, Brepols xxxix; 189 pp. €110. 978-2503-049519. Bibl. xxxiv-xxxix.

15899 *Dunn, James D.G.* Romans in the Middle Ages: some responses to the essays of H. Lawrence Bond, Ian Christopher Levy, and Thomas R[!]. Ryan. Medieval readings of Romans. 2007 ⇒394. 153-7.

15900 *Elliott, Mark W.* Romans commentaries in the later Middle Ages. Medieval readings of Romans. 2007 ⇒394. 182-201.

15901 **Flori, Jean** L'Islam et la fin des temps: l'interprétation prophétique des invasions musulmanes dans la chrétienté médiévale. L'Univers historique: P 2007, Seuil 444 pp. €25. 978-20205-92665.

15902 *Fransen, Paul-Irénée* Un commentaire marginal Lyonnais du Deutéronome du milieu du IXe siècle. RBen 117 (2007) 31-63, 339-82.

15903 *Funkenstein, Josef* Samuel and Saul in medieval political thought. HPolS 2/2 (2007) 149-163.

15904 *Gorman, Michael M.* The myth of Hiberno-Latin exegesis. Study of the bible. 2007 <2000> ⇒238. 232-275.

15905 *Hamm, Berndt* Normierte Erinnerung: Jenseits- und Diesseitsorientierungen in der Memoria des 14. bis 16. Jahrhunderts. JBTh 22 (2007) 197-251.

15906 *Hedwig, Klaus* "Quod factum est ( ) in ipso vita erat": sobre la metafísica de un punto faltante en TOMÁS y ECKHART. AnáMnesis 17/2 (2007) 75-104 [John 1,3-4].

15907 **Hughes, Kevin L.** Constructing antichrist: Paul, biblical commentary, and the development of doctrine in the early middle ages. 2005 ⇒21,15626; 22,15164. [R]JThS 58 (2007) 335-6 (*Evans, G.R.*).

15908 *Iversen, Gunilla* Biblical interpretation in tropes and sequences. Journal of Medieval Latin 17 (2007) 210-225.

15909 *Jeauneau, Édouard A. Sensus* dans l'exégèse biblique du haut Moyen Âge (IXe-XIIe siècle). "Tendenda vela". 2007 <1996> ⇒ 253. 85-97.

15910 *Jung-Kaiser, Ute* Die Christus-Johannes-Figur: ein Beispiel für natürliche Hohelied-Auslegung in mittelalterlichen Frauenklöstern?. Das Hohelied. 2007 ⇒836. 115-130.

15911 *Kanaan, Marlène* Un exemple de littérature apocryphe médiévale Le roman de Barlaam et Joasaph. ConnPE 108 (2007) 26-38.

15912 *Knoch, Wendelin* Exegese und Dogmatik: theologische Implikationen der Trennung von systematischer und biblischer Theologie in der Frühscholastik. ThGl 97/1 (2007) 1-11.

15913 *Krey, Philip D.W.* Response to H. Lawrence Bond, Ian Christopher Levy, and Thomas F. Ryan. Medieval readings of Romans. 2007 ⇒ 394. 158-163.

15914 *LaVere, Suzanne* From contemplation to action:. the role of the active life in the *Glossa ordinaria* on the Song of Songs. Spec. 82/1 (2007) 54-69.

15915 *Levy, Ian C.* Medieval readings of old and new law: from sacra pagina to sacra doctrina. Medieval readings of Romans. 2007 ⇒394. 70-97 [Rom 4,3-5; 4,7-8; 4,11; 4,15; 4,18].

15916 *Loewen, Peter V.; Waugh, Robin* Mary Magdalen preaches through song: feminine expression in the Shrewsbury *Officium Resurrectio-*

nis and in Easter dramas from the Germans lands and Bohemia. Spec. 82 (2007) 595-641.

15917 *Lowden, John* Under the influence of the Bibles Moralisées. Under the influence. 2007 ⇒976. 169-185.

15918 **Meyer, Ann** Medieval allegory and the building of the new Jerusalem. 2003 ⇒20,14103. ᴿJR 87/1 (2007) 94-5 (*Harris, Jennifer A.*).

15919 *Michel, Paul* dc ist anders niht wan ... Predigt II des sog. Schwarzwälder Predigers. Significatio. 2007 ⇒424. 213-234 [John 10];

15920 Naturauslegung zuhanden von Predigern: Petrus BERCHORIUS, >Reductorium morale<. Significatio. 2007 ⇒424. 163-174.

15921 *Michel, Paul; Forster, Regula* Rhetorik und Exegese als Fundament der Predigt: GUIBERT von Noigent, >Quo ordine sermo fieri debeat<. Significatio. 2007 ⇒424. 67-102.

15922 *Orth, Peter* Metrische Paraphrase als Kommentar: zwei unedierte mittelalterliche Versifikationen der Psalmen im Vergleich. Journal of Medieval Latin 17 (2007) 189-209 [Ps 17].

15923 *Prügl, Thomas* Medieval biblical principia as reflections on the nature of theology. What is 'theology' in the Middle Ages?. 2007 ⇒ 903. 253-275 [Scr. 62,95*-G. Hendrix].

15924 *Seiler, Annina* Exegese eines neutestamentlichen Gleichnisses (Arbeiter im Weinberg): eine althochdeutsche Predigt über Mt 20,1-16. Significatio. 2007 ⇒424. 175-190.

15925 *Tchernetska, Natalie* Do it yourself: digital image enhancement applied to Greek palimpsests. Early medieval palimpsests. 2007 ⇒ 966. 23-27.

15926 *Traill, David A.* Biblical exegesis and medieval Latin lyric: interpretational problems in *Nutante mundi cardine, relegentur ab area* and *Vite perdite.* Journal of Medieval Latin 17 (2007) 329-341.

15927 *Vos, Nienke* The saint as icon: transformation of biblical imagery in early medieval hagiography. Iconoclasm. 2007 ⇒633. 201-216.

15928 *White-LeGoff, Myriam* Jean-Baptiste, héros médiéval, dans la "Vie saint Jehan-Baptiste" de 1322. Graphè 16 (2007) 73-89.

Y3.4 **Exegetae mediaevales** [Hebraei ⇒K7]

15929 *Chevalier-Royet, Caroline* Les révisions bibliques de Théodulf d'Orléans et la question de leur utilisation par l'exégèse carolingienne. Etudes d'exégèse carolingienne. 2007 ⇒878. 237-256.

15930 *Fernández Sagrador, Jorge Juan* Los padres hispanos y la biblia. ResB 55 (2007) 49-55.

15931 **Gire, Pierre** Maître ECKHART et la métaphysique de l'Exode. Patrimoines christianisme: 2006 ⇒22,2812. ᴿRHE 102 (2007) 666-667 (*Counet, Jean-Michel*); RHE 102 (2007) 1038-1041 (*Beyer de Ryke, Benoît*).

15932 ABELARD P: *Bond, H. Lawrence* Another look at Abelard's commentary on Romans 3:26;

15933 *Cosgrove, Charles H.* Abelard's interpretation of Romans: response to Jean Doutre;

15934 *Doutre, Jean* Romans as read in school and cloister in the twelfth century: the commentaries of Peter Abelard and William of St. Thierry. Medieval readings of Romans. 2007 ⇒394. 11-32/135-141/33-57;

15935 *Murphy, Sean E.* 'The law was given for the sake of life': Peter Abelard on the law of Moses. ACPQ 81 (2007) 271-306;

15936 ᴱ**Romig, Mary; Burnett, Charles** Petrus Abaelardus: opera theologica V: Expositio in Hexameron; Abbreviatio Petri Abaelardi Expositionis in Hexameron. CChr.CM 15: 2004 ⇒ 20,14115; 22,15179. ᴿSpec. 82 (2007) 153-154 (*Heyder, Regina*); CCMéd 50 (2007) 100-103 (*Jolivet, Jean*); RHE 102 (2007) 1002-1004 (*Verbaal, Wim*);

15937 *Schildgen, Brenda D.* Female monasticism in the twelfth century: Peter Abelard, Heloise, and Paul's letter to the Romans. Medieval readings of Romans. 2007 ⇒394. 58-69.

15938 AELRED R: ᴱ**Raciti, Gaetano** Aelredi Rievallensis: homeliae de oneribus propheticis Isaiae. CChr.CM II D; Aelredi Rievallensis opera omnia 5: 2005 ⇒21,15650. ᴿCîteaux 58/1-2 (2007) 171-173 (*Dutton, Marsha L.*);

15939 *White, Lewis Bifarie itaque potest legi*: ambivalent exegesis in Aelred of Rievaulx's *De oneribus*. Cistercian Studies Quarterly 42 (2007) 299-327.

15940 ALCUIN: *Gorman, Michael M.* Alcuin before Migne. Study of the bible. 2007 <2002> ⇒238. 347-376.

15941 ALEXANDER C: *Michel, Paul* Wie der Bibeltext dazu gebracht wird, den mehrfachen Schriftsinn zu begründen: Alexander von Canterbury, Der geistliche Weinkeller. Significatio. 2007 ⇒424. 43-48.

15942 ALEXANDER H: *Horowski, Aleksander* I prologhi delle 'Postillae' ai vangeli sinottici di Alessandro di Hales. CFr 77 (2007) 27-62;

15943 "Postillae Magistri Alexandri super Isaiam": alla ricerca del loro autore. CFr 77 (2007) 519-540.

15944 ANASTASIUS S: ᴱᵀ**Baggarly, John D.; Kuehn, Clement A.** Anastasius of Sinai: Hexaëmeron. OCA 278: R 2007, Pontificio Istituto Orientale lxxxii; 495 pp. 978-88-7210-357-6. Foreword *Munitiz, Joseph A.*; Bibl. lxviii-lxxxii.

15945 ANDREA SV: ᴱ**Van Liere, Franciscus A.; Zier, Marcus A.** Andreae de Sancto Victore opera, 8: Expositionem svper dvodecim prophetas. CChr.CM 53 G: Turnhout 2007, Brepols lxi; 391 pp. €210. 978-25035-26188.

15946 ANGELOMUS L: *Gorman, Michael M.* The Commentary on Genesis of Angelomus of Luxeuil and biblical studies under Lothar. Study of the bible. 2007 <1999> ⇒238. 153-230;

15947 *Kurth, Jörg; Michel, Paul; Forster, Regula* Das Programm eines siebenfachen Schriftsinns und die Auslegung von David und Bathseba: Angelomus von Luxeuil, >Enarrationes in libros regum<. Significatio. 2007 ⇒424. 103-128 [2 Sam 11].

15948 ANSELMUS: *Litwa, M. David* The practice of perceiving God's reality: the role of the psalms in Anselm's *Proslogion*. ABenR 58 (2007) 137-153.

15949 APRINGIO B: *Lamelas, Isidro P.* Apríngio de Beja (cerca de 531-560) comentador do Apocalipse. Itin. 53 (2007) 159-184.

15950 AQUINAS: *Allard, Maxime* Les passions de la connaissance: Thomas d'Aquin, lecteur de Qohélet 1,18. ScEs 59/1 (2007) 35-49; ᴱ**Dauphinais, M.,** *al.,*Reading John with Aquinas 2005 ⇒795;

15951 *Emery, Gilles* L'Esprit Saint dans le commentaire de saint Thomas d'Aquin sur l'épître aux Romains. NV 82 (2007) 373-408;

15952 **Fabro, Cornelio** Breve introduzione al tomismo. Segni (RM) 2007, Verbo Incarnato 162 pp. 978-88-89231-11-1. Bibl. 127-132;

15953 *Levering, Matthew* Christ the priest: an exploration of Summa Theologiae III, question 22. Thom. 71 (2007) 379-417;

15954 **Maritain, Jacques** Il dottore angelico San Tommaso d'Aquino. ClCr 303: 2006 ⇒22,15195. [R]StPat 54 (2007) 241-242 (*De Carolis, Francesco*);

15955 *Ryan, Thomas F.* The love of learning and the desire for God in Thomas Aquinas's *Commentary on Romans*. Medieval readings of Romans. 2007 ⇒394. 101-114;

15956 [T]**Saint-Eloi, Jean-Eric de** Thomas d'Aquin: commentaire de la première épître aux Corinthiens: complété par la postille sur la première épître aux Corinthiens (Chap. 7,10b au chap. 10,33) de Pierre de Tarentaise. 2002 ⇒18,13676... 21,15686. [R]CTom 134 (2007) 213-214 (*Martínez, Manuel Ángel*); Gr. 88 (2007) 197-199 (*Bonanni, Sergio Paolo*); Irén. 80/1 (2007) 201-202;

15957 *Son, Eunsil* Thomas d'Aquin et l'Écriture: une exégèse contemplative: l'interpretation de l'expression "justice de Dieu" dans le Commentaire de l'Épître aux Romans. RSPhTh 91 (2007) 731-741;

15958 **Torrell, J.-P.** Amico della verità: vita e opere di Tommaso d'Aquino. 2006 ⇒22,15201. [R]Teol(M) 32 (2007) 259-260 (*Valsecchi, Alfonso*);

15959 *Van Dyke, Christina* Human identity, immanent causal relations and the principle of non-repeatability: Thomas Aquinas on the bodily resurrection. RelSt 43 (2007) 373-394;

15960 **Wawrykow, Joseph P.** The SCM Press A-Z of Thomas Aquinas. 2005 ⇒21,15695. [R]SBET 25 (2007) 229-30 (*Hamilton, Barry W.*);

15961 [E]**Weinandy, Thomas G.; Keating, Daniel A.; Yocum, John P.** Aquinas on scripture: an introduction to his biblical commentaries. 2005 ⇒21,15696. [R]NV(Eng) 5 (2007) 691-694 (*Dulles, Avery*).

15962 ARNALDUS V: [E]**Perarnau i Espelt, Josep** Arnaldi de Villanova: Alphabetum catholicorum ad inclitum dominum regem Aragonum pro filiis erudiendis in elementis catholicae fidei; Tractatus de prudentia catholicorum scolarium. Arnaldi de Villanova Opera Theologica Omnia 4; Corpus Scriptorum Cataloniae, Ser. A, Scriptores: 2007, Institut d'Estudis Catalans 255 pp;

15963 Arnaldi de Villanova: Introductio in librum [Ioachim] 'De semine scripturarum' e Allocutio super significatione nominis tetragrammaton. 2004 ⇒20,14145... 22,15204. [R]RSCI 61/1 (2007) 181-183 (*Scavizzi, Barbara*).

15964 BEDA V: Beda, Venerabile In Genesim, In I Samuhelem, In Regum Librum XXX quaestiones, De tabernaculo et vasis eius ac vestibus sacerdotum, De templo, In Ezram et Neemiam, In Proverbia Salomonis, In Cantica Canticorum, In Marci Evangelium expositio, Commentarius in Lucam, In Lucae evangelium expositio, Commentarius in Johannem, Expositio Actuum Apostolorum, In Epistolas septem catholicas, Expositio Apocalypsis, Homiliarum Evangelii libri II, Historia ecclesiastica gentis Anglorum. Il sangue di Cristo nella teologia, 1. 2007 ⇒634. 337-613;

15965 [E]**Crépin, André** Bède le Vénérable: Histoire ecclésiastique du peuple anglais. [E]*Lapidge, Michael;* [T]*Monat, Pierre; Robin, Phi-*

lippe SC 489-491: 2005 ⇒21,15701s; 22,15207. ᴿRevSR 81 (2007) 135-137 (*Gauthier, Pierre*);

15966 *Gorman, Michael M.* Bede's *VIII Quaestiones* and Carolingian biblical scholarship. Study of the bible. 2007 <1999> ⇒238. 62-104;

15967 Jacobus Pamelius (1536-1587) and a St Victor manuscript used for the 1563 edition of Bede: Paris lat. 14489. <1998> ⇒238. 47-60;

15968 Source marks and chapter divisions in Bede's commentary on Luke. Study of the bible. 2007 <2002> ⇒238. 378-422;

15969 The *Argumenta* and *Explanationes* on the psalms attributed to Bede. Study of the bible. 2007 <1998> ⇒238. 20-45;

15970 The canon of Bede's works and the world of Ps. Bede. Study of the bible. 2007 <2001> ⇒238. 299-345;

15971 *Michel, Paul* Vier Tischbeine, also vier Schriftsinne: die >Expositio de tabernaculo< des Beda Venerabilis. Significatio. 2007 ⇒ 424. 27-42 [Exod 25,23-28];

15972 *Moorhead, John* Some borrowings in Bede. Latomus 66 (2007) 710-717 [Mt 25,31-46].

15973 BENEDICTUS A: *Chiesa, Paolo* Benedetto di Aniane epitomatore di GREGORIO Magno e commentatore dei Re?. RBen 117 (2007) 294-338.

15974 BERNARDUS C: ᵀ**Fassetta, Raffaele** Bernard de Clairvaux: sermons sur le Cantique, 5: sermons 69-86. SC 511: P 2007, Cerf 532 pp. Texte latin: *Leclercq, J.; Rochais, H.; Talbot, Ch.H.*; introd. et notes de *Paul Verdeyen*. ᴿCRAI 4 (2007) 1944-46 (*Zink, Michel*).

15975 BONAVENTURA: *Beal, Rebecca S.* Bonaventure as a reader of endings: the Commentary on Ecclesiastes. FrS 65 (2007) 29-62;

15976 *Braune-Krickau, Barbara; Michel, Paul* Von den vielen Dimensionen der Schrift: Bonaventuras hermeneutische Einleitung zum >Breviloquium<. Significatio. 2007 ⇒424. 129-161;

15977 *Karris, Robert* Nova et Vetera: things new and old in St. Bonaventure's Commentary on the Gospel of John. FrS 65 (2007) 121-136.

CLAUDIUS T: **Boulhol, P.** Claude de Turin 2002 ⇒3439.

15978 CUSANUS N: *Borsche, Tilman* Meditative Variation: ein Weg der Selbstreflexion des Denkens bei Nikolaus von Kues *De theologicis complementis*. ᶠBRÄNDLE, W. 2007 ⇒18. 79-92.

15979 DIONYSIUS BAR SALIBI: **Ryan, Stephen D.** Dionysius Bar Salibi's factual and spiritual commentary on Psalms 73-82. CRB 57: 2004 ⇒20,14158... 22,15217. ᴿJSSt 52 (2007) 403-404 (*Van Rooy, H.E.*); BiOr 64 (2007) 725-727 (*Salvesen, A.G.*).

15980 DUNS SCOTUS J: **Filho, Domingos B.** A vontade salvífica e predestinante de Deus e a questão do cristocentrismo: um estudo sobre a doutrina de João Duns Escoto e seus ecos na teologia contemporânea. TGr.T 155: R 2007, E.P.U.G. 357 pp. 978-88-7839-107-9.

15981 ERIUGENA: *Jeauneau, Édouard A.* Erigène et GRÉGOIRE de Nysse. "Tendenda vela". 2007 <1998> ⇒253. 201-215;

15982 Prière pour obtenir l'intelligence des Ecritures <2003> 61-65;

15983 Artifex scriptura. "Tendenda vela". 2007 <1996> ⇒253. 67-83;

15984 Le *De paradiso* d'AMBROISE dans le livre IV du *Periphyseon*. "Tendenda vela". 2007 <1992> ⇒253. 217-229.

15985 GAUTIER C: *Ganeva, Martha* Poétique de l'expression de soi dans l'*Alexandreis* et la paraphrase du Psaume 50 de Gautier de Châtillon. CCMéd 50 (2007) 271-288.

15986 GERMANUS P: ᴱ**Bernard, Philippe** Epistolae de ordine sacrae oblationis et de diversis charismatibus Ecclesiae Germano Parisiensi episcopo adscriptae. CChr.CM 187: Turnhout 2007, Brepols 380 pp. 978-2-503-04871-0. Opere spurie e dubbie; Expositio brevis antiquae liturgiae Gallicanae in duas epistulas digesta; Bibl. 269-334.

15987 GILBERT H: *Aptel, Christine* Au long des nuits: étude sur les vingt-et-un premiers sermons de Gilbert de Hoyland sur le Cantique des Cantiques. CCist 69 (2007) 276-293.

15988 GILBERTUS U: *Andrée, Alexander* The rhetorical hermeneutics of Gilbert the Universal in his gloss on Lamentations. Journal of Medieval Latin 17 (2007) 143-158.

15989 GIOACCHINO F: **Potestà, Gian L.** Il tempo dell'Apocalisse: vita di Gioacchino da Fiore. 2004 ⇒20,14161; 22,15224. [R]HZ 285 (2007) 728-730 (*Segl, Peter*).

15990 GREGORIUS E: *Torró, Joaquín Pascual* Figuras de la cruz en Gregorio de Elvira. AnVal 33/66 (2007) 217-249.

15991 GREGORIUS N: [T]**Mahé, Annie & Jean-P.** Paroles à Dieu de Grégoire de Narek. Lv 2007, Peeters 486 pp.

15992 HAYMON A: *Boucaud, Pierre* Claude de Turin († ca. 828) et Haymon d'Auxerre (fl. 830): deux commentaires d'*I Corinthiens*;

15993 *Edwards, Burton* From script to print: manuscripts and printed editions of Haimo's commentary on the Song of Songs;

15994 *Heil, Johannes* Haimo's commentary on Paul: sources, methods and theology. Etudes d'exégèse carolingienne. 2007 ⇒878. 187-236/59-85/103-121;

15995 *Jullien, Marie-Hélène* Le *De corpore et sanguine Domini* attribué à Haymon. Etudes d'exégèse carolingienne. 2007 ⇒878. 23-57;

15996 *Matter, E.Ann* Haimo's commentary on the Song of Songs and the traditions of the Carolingian schools. Etudes d'exégèse carolingienne. 2007 ⇒878. 89-101;

15997 *Shimahara, Sumi* Le succès médiéval de l'*Annotation brève sur Daniel* d'Haymon d'Auxerre, texte scolaire carolingien exhortant à la réforme. Etudes d'exégèse carolingienne. 2007 ⇒878. 123-164.

15998 HERBERTUS B: **Goodwin, Deborah L.** "Take hold of the robe of a Jew": Herbert of Bosham's christian Hebraism. Ment. *Jerome* 2006 ⇒22,15229. [R]Spec. 82 (2007) 707-708 (*Chazan, Robert*).

15999 HERVÉ DE B: *Boucaud, Pierre* Un témoin méconnu de l'exégèse spirituelle: Hervé de Bourgdieu (ca. 1075-ca. 1150): présentation et édition critique du commentaire sur le cantique d'Habacuc. RechAug 35 (2007) 47-98 [Hab 3,1-19].

16000 HILARIUS P: *Marafioti, Domenico* Sant'Ilario e il libro dei Salmi. RdT 48 (2007) 455-466.

16001 HILDEGARD B: [E]**Dronke, Peter**, *al.*, Hildegardis Bingensis opera minora. CChr.CM 226: Turnhout 2007, Brepols 594 pp. 978-2-503-05261-8;

16002 *Kowalewska, Małgorzata* Komentarz do biblijnego opisu stworzenia (Gen 1-2) w *Liber divinorum operum* Hildegardy z Bingen. AcMed 20 (2007) 163-176. **P**.

16003 HRABANUS M: *Panagía Miola, María* Hrabanus Maurus and the *Commentarium in Genesim*: their place in the Carolingian renovatio. IncW 1 (2007) 519-542.

16004 ILDEPHONSUS T: [E]**Codoñer Merino, Carmen; Yarza Urquiola, Valeriano** Ildefonsi Toletani episcopi: De virginitate Sanctae Mariae, de cognitione baptismi, de itinere deserti; De viris illustribus .

CChr.SL 114A: Turnhout 2007, Brepols 644 pp. 978-2-50301143-1. Bibl. 11-18, 477-482.

16005 JOHN S: *Barrau, Julie* La *conversio* de Jean de Salisbury: la bible au service de Thomas BECKET?. CCMéd 50 (2007) 229-244.

16006 JUNILLUS A: [T]**Maas, Michael** Exegesis and empire in the early Byzantine Mediterranean: Junillus Africanus and the Instituta regularia divinae legis. 2003 ⇒19,14898... 22,15243. [R]RSPhTh 91 (2007) 187-189 (*Meunier, Bernard*).

16007 KORANDA V: *Halama, Ota* Připisky Václava Korandy ml. V krnovské bibli [Die Glossen Václav Koranda des Jüngeren in der Bibel von Krnov-Jägerndorf]. Studie o rukopisech 36 (2005-2006) 121-140. **Czech**.

16008 LANFRANC B: **Collins, Ann** Teacher in faith and virtue: Lanfranc of Bec's commentary on Saint Paul. Commentaria 1: Lei 2007, Brill x; 219 pp. €90. 978-90041-63478.

16009 LAURENTIUS D: **Daub, Susanne** Von der Bibel zum Epos: poetische Strategien des Laurentius am geistlichen Hof von Durham. 2005 ⇒21,15737. [R]StMed 48/1 (2007) 441-443 (*Gufler, Gabriela*).

16010 LOVE N: [E]**Sargent, Michael G.** Nicholas Love: the mirror of the blessed life of Christ: a full critical edition based on Cambridge University Library Additional MSS.6578 and 6686. Exeter Medieval Texts and Studies: 2005 ⇒21,15738. [R]RHE 102 (2007) 581-582 (*Robson, Michael*).

16011 LUDOLPH C: Ludolphe le Chartreux: Vie de Jésus-Christ, I. Étampes 2007, Clovis 590 pp.

16012 MACARIUS C: *Orlov, Andrei* Many lamps are lightened from the one': paradigms of the transformational vision in the Macarian homilies.<2001> ⇒283. 269-287;

16013 *Orlov, Andrei* Vested with Adam's glory: Moses as the luminous counterpart of Adam in the Dead Sea scrolls and the Macarian homilies. From apocalypticism to merkabah mysticism. JSJ.S 114: 2007 <2006> ⇒283. 327-343 [Gen 1,26-27; 3,21].

16014 MAXIMUS C: **Törönen, Melchisedec** Union and distinction in the thought of St. Maximus the Confessor. L 2007, OUP xv; 222 pp. 978-0-19-929611-8. Bibl. 199-215.

16015 NAGHEL P: **Kors, Mikel** De bijbel voor leken: studies over Petrus Naghel en de historiebijbel van 1361. Lv 2007, Encyclopédie bénédictine xvii; 208 pp. €50. 978-25035-26614. Introd. *Geert H.M. Claassens*.

16016 NICHOLAS L: *Klepper, Deeana C.* First in knowledge of divine law: the Jews and the old law in Nicholas of Lyra's Romans commentary. Medieval readings of Romans. 2007 ⇒394. 167-181;

16017 The insight of unbelievers: Nicholas of Lyra and christian readings of Jewish text in the later Middle Ages. Ph 2007, University of Pennsylvania Pr. 225 pp. $55. 978-0-8122-3991-1. Bibl. 197-216;

16018 *Krey, Philip D.W.* Nicholas of Lyra's commentary on Daniel in the Literal Postill (1329). Geschichte der Daniel-Auslegung. BZAW 371: 2007 ⇒4994. 199-215.

16019 ODO: **Mutius, Hans-Georg von** Die hebräischen Bibelzitate beim englischen Scholastiker Odo: Versuch einer Revaluation. 2006 ⇒ 22,15251. [R]EstB 65 (2007) 396-398 (*Niclós, J. Vicente*).

16020 OLIVI P: [E]**Flood, David** Peter of John Olivi: On Genesis. St Bonaventure, NY 2007, Franciscan Institute Publications xxxviii; 695 pp. $50. 978-15765-91444;

16021   *Karris, Robert J.; Flood, David* Peter Olivi on the early christian
        community (Acts 2:42-47 and 4:32-35): the christian way with tem-
        poralities. FrS 65 (2007) 251-280.

16022   PETER P: *Gorman, Michael M.* Peter of Pisa and the *Quaestiuncu-
        lae* copied for Charlemagne in Brussels II 2572. Study of the bible.
        2007 <2000> ⇒238. 276-298.

16023   PHOTIUS: *Lesseri, Valeria* La morte di Abele e la strage degli inno-
        centi secondo Fozio. Aug. 47 (2007) 227-228 [Gen 4,8].

16024   PICUS J: *Edelheit, Amos* The 'scholastic' theology of Giovanni Pico
        della Mirandola: between biblical faith and academic skepticism.
        RThAM 74 (2007) 523-570;

16025   **Wirszubski, Chaïm** Pic de la Mirandole et la cabale. ᵀ*Mandosio,
        Jean-Marc* P 2007, L'Eclat xxiv; 500 pp. €32. Suivi de *Gershom
        Scholem,* Considérations sur l'histoire des débuts de la cabale chré-
        tienne.

16026   ROBERT G: **Ginther, James R.** Master of the sacred page: a study
        of the theology of Robert Grosseteste (1229/30-1235). 2006 ⇒22,
        15257. ᴿNV 82 (2007) 251-252 (*Borel, Jean*); HeyJ 48 (2007) 636-
        637 (*Robson, Michael*).

16027   RUPERTUS T: ᴱᵀ**Magoga, Alessio** Ruperto di Deutz: Mite e umile
        di cuore: i libri XII et XIII del 'De gloria et honore Filii hominis:
        super Matthaeum'. Sapientia 13: 2004 ⇒21,15748. Ed. biling.
        ᴿRET 67 (2007) 527-531 (*Simón, Alfredo*).

16028   THEODULF O: *Gorman, Michael M.* Theodulf of Orléans and the
        exegetical miscellany in Paris lat. 15679. Study of the bible. 2007
        <1999> ⇒238. 106-151.

16029   THEOPHYLACTUS O: *Brown, Andrew J.* The gospel commentary of
        Theophylact, and a neglected manuscript in Oxford. NT 49 (2007)
        185-196.

16030   THIERRY C: ᴱᵀ**García Ruiz, Pilar** Thierry de Chartres: Tratado de
        la obra de los seis días. Pensamiento Medieval y Renacentista:
        Pamplona 2007, Eunsa 171 pp.

16031   THOMAS I: *Jeauneau, Édouard A.* Thomas of Ireland and his *De
        tribus sensibus sacrae scripturae*. "Tendenda vela". 2007 <2003>
        ⇒253. 99-107.

16032   WILLIAM ST: *Del Cogliano, Mark* The composition of William of
        St. Thierry's *Excerpts from the books of Blessed Gregory on the
        Song of Songs*. Cîteaux 58/1-2 (2007) 57-77.

16033   WYCLIF J: **Evans, G.R.** John Wyclif: myth and reality. 2005 ⇒
        21,15753. ᴿChH 76 (2007) 636-637 (*Jeffrey, David L.*).

              Y4.1 **Luther**

16034   *Arnold, Matthieu* Les cantiques de Martin Luther (1524-1543).
        L'hymne antique. 2007 ⇒974. 639-651.

16035   *Basse, Michael* Luthers frühe Dekalogpredigten in ihrer histori-
        schen und theologischen Bedeutung. Luther 78/1 (2007) 6-17 [Ex
        20,1-17].

16036   **Batka, Lubomír** Peccatum radicale: eine Studie zu Luthers Erb-
        sündenverständnis in Psalm 51. EHS.T 847: Fra 2007, Lang 279
        pp. 978-3-631-56228-4.

16037 ^E**Beutel, Albrecht** Luther Handbuch. 2005 ⇒21,15759; 22,15269.
^RGr. 88 (2007) 199-201 (*Pani, Giancarlo*); Luther 78 (2007) 187-
188 (*Rieske, Uwe*); ThLZ 132 (2007) 1085-87 (*Müller, Gerhard*).

16038 *Brondos, David A.* Did Paul get Luther right?. Dialog 46/1 (2007)
3-13.

16039 **Buchholz, Armin** Schrift Gottes im Lehrstreit: Luthers Schriftver-
ständnis und Schriftauslegung in seinen drei großen Lehrstreitigkei-
ten der Jahre 1521-1528. TVG Systematisch-Theologische Mono-
grafien 20: Gießen 2007 <1993>, Brunnen 340 pp. €30. 978-3765-
5-95493.'

16040 *Burger, Christoph* Eigen ervaring stuurt de exegese van de bijbelse
tekst: Luther legt het "Magnificat" uit. Luther-Bulletin 16 (2007)
27-40 [Lk 1,46-55].

16041 **Burger, Christoph** Marias Lied in Luthers Deutung: der Kommen-
tar zum Magnifikat (Lk 1,46b-55) aus den Jahren 1520/21. SuR 34:
Tü 2007, Mohr S. x; 209 pp. €79. 9783-16149-0668. ^RThLZ 132
(2007) 1089-1091 (*Leppin, Volker*) [Lk 1,46-55].

16042 *Donfried, Karl P.* Paul and the revisionists: did Luther get it all
wrong?. Dialog 46/1 (2007) 31-40.

16043 **Ebeling, Gerhard** Luther: Einführung in sein Denken. ⁵2006 ⇒22,
15273. ^RLuther 78 (2007) 114-115 (*Theißen, Henning*).

16044 ^E**Junghans, Helmar** Vom alltäglichen Dank an Gott: Luthers Aus-
legung von Ps 118,1 im Jahre 1530. Luther 78 (2007) 62-65.

16045 **Kaufmann, Thomas** Martin Luther. 2006 ⇒22,15278. ^RLuther 78
(2007) 185-186 (*Schilling, Johannes*); JETh 21 (2007) 377-379
(*Padberg, Lutz E. von*).

16046 **Korsch, Dietrich** Martin Luther: eine Einführung. UTB 2956: Tü
²2007, Mohr S. viii; 183 pp.

16047 **Leppin, Volker** Martin Luther. 2006 ⇒22,15281. ^RThLZ 132
(2007) 1221-1224 (*Beutel, Albrecht*).

16048 *Lohse, Eduard* Martin Luther und der Römerbrief des Apostels
Paulus: biblische Entdeckungen. Rechenschaft vom Evangelium.
BZNT 150: 2007 <2006> ⇒268. 110-130 [Rom 1,17].

16049 **Marty, Martin** Martin Luther: a penguin life. 2004 ⇒20,14209;
21,15780. ^RChH 76 (2007) 175-177 (*Harran, Marilyn*).

16050 *Meyer zu Helligen, Klaus-Peter* Kirche nach dem Verständnis D.
Martin Luthers. WuD 29 (2007) 103-116.

16051 **Mikkonen, Juha** Luther and CALVIN on Paul's Epistle to Gala-
tians: an analysis and comparison of substantial concepts in Lu-
ther's 1531/35 and Calvin's 1546/48 commentaries on Galatians.
Åbo 2007, Akademi Univ. Pr. viii; 308 pp. 978-95176-54043. Diss.
Åbo Akademi.

16052 **Mikoteit, Matthias** Theologie und Gebet bei Luther: Untersuchun-
gen zur Psalmenvorlesung 1532-1535. TBT 124: 2004 ⇒20,14213.
^RThRv 103 (2007) 62-63 (*Spehr, Christopher*).

16053 **Pesch, Otto H.** Martin Lutero: introduzione storica e teologica.
^T*Danna, Carlo* BTCon 135: Brescia 2007, Queriniana 487 pp.
€44.50. 978-88399-04355. ^RCredOg 27/4 (2007) 161-163 (*Dal La-
go, Luigi*); StPat 54 (2007) 647-652 (*Tura, Ermanno R.*).

16054 *Saarinen, R.* How Luther got Paul right. Dialog 46/2 (2007) 170-
173.

16055 ^E**Slenczka, Notger** Was man in den Evangelien suchen und erwar-
ten soll: die Einleitung zu Luthers Wartburgpostille von 1522. Lu-
ther 78 (2007) 134-139.

16056 *Stanley, Timothy* HEIDEGGER on Luther on Paul. Dialog 46/1 (2007) 41-45.
16057 *Steiger, Johann A.* Ad Deum contra Deum: zur Exegese von Genesis 22 bei Luther und im Luthertum der Barockzeit. Opfere deinen Sohn!. 2007 ⇒442. 135-154.
16058 *Stolle, Volker* Taufe und Buße: Luthers Interpretation von Röm 6,3-11. KuD 53 (2007) 2-34;
16059 Die Schlüssel des Himmelreichs: Luthers Interpretation von Matthäus 16,19 in seiner Auseinandersetzung mit dem Papsttum. NZSTh 49 (2007) 241-281.
16060 **Stolle, Volker** Luther und Paulus: die exegetischen und hermeneutischen Grundlagen der lutherischen Rechtfertigungslehre im Paulinismus Luthers. 2002 ⇒18,13757... 22,15300. ᴿAcTh(B) 27/1 (2007) 163-166 (*Stenschke, Christoph*).
16061 **Tomlin, Graham** Lutero y su mundo. M 2007, San Pablo 190 pp.
16062 *Walden, Wayne* Luther: the one who shaped the canon. RestQ 49/1 (2007) 1-10.
16063 *Waschke, E.-J.* Martin Luther und die Juden oder: von einem Irrweg in der Theologie. ᶠWILLI, T. 2007 ⇒167. 371-384.
16064 ᴱ*Zschoch, Hellmut* Christus der Trostprediger: aus Luthers Auslegung von Joh 14 und 15 (1537/38). Luther 78/1 (2007) 2-5.

Y4.3 Exegesis et controversia saeculi XVI

16065 *Burkard, Dominik* Bildersturm?: die Reformation(en) und die Bilder. BilderStreit. 2007 ⇒578. 115-140.
16066 *Karp, Jonathan* Jews, Hebraism, and the Reformation world. Reformation 12 (2007) 177-190.
16067 *Kaufmann, Thomas* Abendmahl und Gruppenidentität in der frühen Reformation. Herrenmahl. QD 221: 2007 ⇒572. 194-210.
16068 *Leppin, Volker* Apokalyptische Strömungen in der Reformationszeit. Apokalyptik und kein Ende?. BTSP 29: 2007 ⇒499. 75-91.
16069 *Melloni, Alberto* Christianisme et réforme. Réformes. Christianity and history 4: 2007 ⇒561. 37-63.
16070 *Rolin, Patrice* L'exégèse de 'Ceci est mon corps' chez les réformateurs. Les récits fondateurs de l'eucharistie. CEv.S: 140 (2007) 112-116.
16071 *Roussel, Bernard* La Cène reformée. Les récits fondateurs de l'eucharistie. CEv.S: 140 (2007) 78-87.
16072 *Schneider-Ludorff, Gury* Stiftung und Memoria im theologischen Diskurs der Reformationszeit. JBTh 22 (2007) 253-268.

Y4.4 Periti aetatis reformatoriae

16073 ARETINO P: **Boillet, Elise** L'Arétin et la bible. THR 425: Genève 2007, Droz 588 pp.
16074 BULLINGER H: *Aston, Margaret* Bullinger and iconoclasm. Heinrich Bullinger, II. 2007 ⇒910. 625-636;
16075 *Backus, Irena* Bullinger and humanism. II. ⇒910. 637-659;
16076 *Baschera, Luca; Moser, Christian* Indexed bibliography of the literature on Heinrich Bullinger, 1975-2004. I. ⇒910. 31-55.

16077   *Bergjan, Silke-Petra* Heinrich Bullinger, patristische Quellen und historische Arbeit in der Behandlung der Bilderfrage. 1. 389-406;

16078   *Bernhard, Jan-A.* Die apologetische Funktion des Zweiten Helvetischen Bekenntnisses im Siebenbürgen des 18. Jahrhunderts. Heinrich Bullinger, II. 2007 ⇒910. 821-837;

16079   *Bierma, Lyle D.* Bullinger's influence on the Heidelberg catechism. Heinrich Bullinger, II. 2007 ⇒910. 791-798;

16080   *Bolliger, Daniel* "Hören wir nit hie den Heydnischen Symmachum schwätzen?: die Geschichtsauffassung des jungen Bullinger im Urteil des orthodoxen Zürcher Chorherrn Johannes Wirz (1591-1658). Heinrich Bullinger, II. 2007 ⇒910. 721-744;

16081   *Britz, Rudolph M.* Did Bullinger's Huysboeck shape the christian society at the Cape of Good Hope during its formative years?. Heinrich Bullinger, II. 2007 ⇒910. 839-852;

16082   *Bryner, Erich* Bullinger und Ostmitteleuropa: Bullingers Einfluss auf die Reformation in Ungarn und Polen: ein Vergleich. 799-820;

16083   *Campi, Emidio* Current state and future directions of Bullinger research. Heinrich Bullinger, 1. 2007 ⇒910. 1-30;

16084   *Christ-von Wedel, Christine* Zum Einfluß von ERASMUS von Rotterdam auf Heinrich Bullinger. 1. 2007 ⇒910. 407-424;

16085   *Delville, Jean-P.* Bullinger et l'exégèse d'une parabole (1542): une comparaison avec ses contemporains. 1. 379-388 [Mt 20,1-16];

16086   *Dingel, Irene* Bullinger und das Luthertum im Deutschen Reich. Heinrich Bullinger, II. 2007 ⇒910. 755-777;

16087   *Engammare, Max* Tägliche Zeit und recapitulatio bei Heinrich Bullinger: von der Studiorum ratio zum Diarium. 1. ⇒910. 57-68;

16088   *Euler, Carrie* Practical piety: Bullinger's marriage theology as a skillful blending of theory and praxis. 2. ⇒910. 661-670;

16089   *García, Aurelio A.* Bullinger's De testamento: the amply biblical basis of reformed origins. II. 2007 ⇒910. 671-692;

16090   *Göing, Anja-Silvia* Schulausbildung im Kontext der Bibel: Heinrich Bullingers Auslegungen des Propheten Daniel (1565). 437-458;

16091   *Haari-Oberg, Ilse* Die Gründung Zürichs zu Abrahams Zeiten in den historischen Werken Heinrich Bullingers. 1. ⇒910. 425-435;

16092   *Henrich, Rainer* Bullinger als Briefschreiber, am Beispiel seiner Briefe an Johannes Haller. 1. ⇒910. 129-142;

16093   *Hohl, Martin* Heinrich Bullinger als Oekonom. 1. ⇒910. 143-156;

16094   *Holenstein, André* Reformatorischer Auftrag und Tagespolitik bei Heinrich Bullinger. Heinrich Bullinger, 1. 2007 ⇒910. 177-232;

16095   *Ingold, Evelyn* Staatsbildung, Ehemoral und "weibliche Zucht": Heinrich Bullingers "Christlicher Ehestand" im Spannungsfeld zwischen ständischen Eheschließungsinteressen und frühneuzeitlicher Staatsbildung. Heinrich Bullinger, 1. 2007 ⇒910. 289-312;

16096   *James, Frank* The Bullinger/Vermigli axis: collaborators in toleration and reformation. Heinrich Bullinger 1. 2007 ⇒910. 165-175;

16097   *Jecker, Hanspeter* Lange Schatten und kurzes Gedächtnis: Heinrich Bullingers posthumer Einfluss auf die Behandlung der Täufer in der Schweiz. Heinrich Bullinger, II. 2007 ⇒910. 707-720;

16098   *Jörg, Ruth* "Ut linguam patriam discerem rectius et melius". Beobachtungen zu Heinrich Bullingers Erwerb einer zweiten Schreibsprache. Heinrich Bullinger, 1. 2007 ⇒910. 81-91;

16099   *Kettler, Wilfried* Bemerkungen zur volkssprachlichen Rezeption des theologischen Schrifttums von Heinrich Bullinger. 693-706;

16100 *Kirby, Torrance* The civil magistrate and the 'cura religionis': Heinrich Bullinger's prophetical office and the English Reformation. Heinrich Bullinger, 2. ZBRG 24: 2007 ⇒910. 935-950;
16101 *Leu, Urs B.* Die Zürcher Täufer zur Bullingerzeit. 251-269;
16102 *MacCulloch, Diarmaid* Heinrich Bullinger and the English-speaking world. Heinrich Bullinger, II. 2007 ⇒910. 891-934;
16103 *Millet, Olivier* Rhétorique, homilétique et éloquence chez Henri Bullinger. Heinrich Bullinger, 1. ZBRG 24: 2007 ⇒910. 93-118;
16104 *Moser, Christian* Die Evidenz der Historie: zur Genese, Funktion und Bedeutung von Heinrich Bullingers Universalgeschichtsschreibung. Heinrich Bullinger, 1. 2007 ⇒910. 459-491;
16105 *Mühling, Andreas* Bullinger als Seelsorger im Spiegel seiner Korrespondenz. Heinrich Bullinger, 1. 2007 ⇒910. 271-287;
16106 *Nelson Burnett, Amy* Heinrich Bullinger and the problem of eucharistic concord. Heinrich Bullinger, 1. 2007 ⇒910. 233-250;
16107 *Opitz, Peter* Von prophetischer Existenz zur Prophetie als Pädagogik: zu Bullingers Lehre vom munus propheticum. 493-513;
16108 *Raath, Andries; De Freitas, Shaun* From Heinrich Bullinger to Samuel Rutherford: the impact of reformation Zurich on seventeenth-century Scottish political theory. II. 2007 ⇒910. 853-879;
16109 *Reich, Ruedi* Dialog mit Heinrich Bullinger. II. ⇒910. 951-960;
16110 *Sedlerhuis, Herman J.* Kirche am Kreuz: die Ekklesiologie Heinrich Bullingers. Heinrich Bullinger, II. 2007 ⇒910. 515-536;
16111 *Stephens, W. Peter* Predestination or election in ZWINGLI and Bullinger. Heinrich Bullinger, 1. ZBRG 24: 2007 ⇒910. 313-334;
16112 *Strohm, Christoph* Frontstellungen, Entwicklungen, Eigenart der Rechtfertigungslehre bei Bullinger.II. 2007 ⇒910. 537-572;
16113 *Stuber, Christine* Zur Wirkungsgeschichte der Confessio Helvetica Posterior in der Schweiz (16.-19. Jh.). II. 2007 ⇒910. 745-753;
16114 *Taplin, Mark* Ochino, Bullinger and the Dialogi XXX. 335-355;
16115 *Thiel, Albrecht* Heinrich Bullinger und Hessen: reformierte Politik und politische Reformation. II. 2007 ⇒910. 779-789;
16116 *Van't Spijker, Willem* Bullinger als Bundestheologe. 573-592;
16117 *Vischer, Lukas* ... einen Bund mit euch und allen lebenden Wesen. Heinrich Bullinger, II. 2007 ⇒910. 961-976;
16118 *Widmer, Paul* Bullinger und die Türken: Zeugnis eines geistigen Widerstandes gegen eine Renaissance der Kreuzzüge. II. 593-624;
16119 *Wright, David* Heinrich Bullinger and the early Church Fathers. Heinrich Bullinger, 1. 2007 ⇒910. 357-378.

16120 CALVIN J: *Berthoud, Pierre* Liberté et justice sociale: l'apport de l'Ancien Testament dans la pensée des Réformateurs, et de Jean Calvin en particulier. RRef 58/5 (2007) 85-102;
16121 **Currid, John D.** Calvin and the biblical languages. Fearn, Ross-shire 2006, Focus 128 pp. £10. 978-18455-02126;
16122 *Gerrish, B.A.* Calvin, John. Religion past and present, 2. 2007 ⇒ 1067. 324-336;
16123 *Holder, R. Ward* John Calvin and the grounding of interpretation: Calvin's first commentaries. 2006 ⇒22,15327. [R]ThTo 64 (2007) 406, 408, 410 (*Thompson, John L.*); Faith & Mission 24/2 (2007) 96-98 (*Winstead, Melton*);
16124 *Parsons, Michael* "Let us not be like those ... who want to call God to account": John Calvin's reading of some difficult deaths. Pacifica 20 (2007) 1-23 [2 Sam 6; 11-12; Acts 5,1-11];

16125   *Pitkin, Barbara* Prophecy and history in Calvin's lectures on Daniel (1561). Geschichte der Daniel-Auslegung. 2007 ⇒4994. 323-347;

16126   *Selderhuis, Herman J.* Calvin's view of the bible as the word. RW 57 (2007) 270-285;

16127   **Selderhuis, Herman J.** Calvin's theology of the Psalms. GR 2007, Baker 304 pp. $30. 978-08010-31663;

16128   TWhite, **Robert** Sermons on the beatitudes. E 2006, Banner of Truth 128 pp. £9. 978-08515-19340 [Mt 5,3-11];

16129   **Zachman, Randall C.** John Calvin as teacher, pastor, and theologian: the shape of his writings and thought. 2006 ⇒22,15340. RCTJ 42 (2007) 195-196 (*De Jong, James A.*);

16130   Image and word in the theology of John Calvin. ND 2007, Univ. of Notre Dame Pr. 521 pp. $55. 978-02680-45005.

16131   CAPITO W: **Heimbucher, Martin** Prophetische Auslegung: das reformatorische Profil des Wolfgang Fabricius Capito ausgehend von seinen Kommentaren zu Habakuk und Hosea. DZschoch, Hellmut 2007, Diss. Wuppertal [ThLZ 132,1271].

16132   COMENIUS J: **Neval, Daniel A.** Comenius' Pansophie: die dreifache Offenbarung Gottes in Schrift, Natur und Vernunft: unvollendete Habilitationsschrift. Z 2007, TVZ 308 pp. 978-3-290-17435-4.

16133   ERASMUS: EBedouelle, **Guy; Cottier, Jean-F.; Vanautgaerden, Alexandre** Erasme de Rotterdam: Exhortation à la lecture de l'évangile. 2006 ⇒22,15342. REThL 83 (2007) 206-210 (*François, W.*);

16134   EHovingh, **P.F.** Opera omnia Desiderii Erasmi Roterodami [...] ordinis sexti tomus sextus: annotationes in Novum Testamentum (pars secunda). ASD VI,6: 2003 ⇒20,14261; 22,15344. RGn. 79 (2007) 227-229 (*Hinz, Vinko*);

16135   **Krans, Jan** Beyond what is written: Erasmus and BEZA as conjectural critics of the New Testament. 2006 ⇒22,15345. RRBLit (2007) 558-559 (*Elliott, J.K.*);

16136   EVan Poll-Van de **Lisdonk, M.L.** Opera omnia Desiderii Erasmi Roterodami [...] ordinis sexti tomus octavus: annotationes in Novum Testamentum (pars quarta). ASD VI,8: 2003 ⇒20,14265; 22,15348. RGn. 79 (2007) 229-231 (*Hinz, Vinko*).

16137   FLACIUS: *Zovko, Jure* Die Bibelinterpretation bei Flacius (1520-1575) und ihre Bedeutung für die moderne Hermeneutik. ThLZ 132 (2007) 1169-1180.

16138   HESSELS J: *François, Wim* Augustinian bible exegesis in Louvain: the case of John Hessels' commentary on 1 John 2,15-18a. Aug(L) 57/3-4 (2007) 399-424.

16139   JUAN R: *Ramón Casas, Fernando E.* Notas marginales de San Juan de Ribera a los Salmos 102-103. FIBÁÑEZ ARANA, A. 2007 ⇒72.

16140   LUIS DE G: *Martín Ramos, Nicasio* María de Nazaret en la mirada de Fray Luis de Granada. Communio 40/1 (2007) 5-55.

16141   MELANCHTHON P: *Scheible, Heinz* Melanchthons Verständnis des Danielbuchs. Geschichte der Daniel-Auslegung. 2007 ⇒4994. 293-321.

16142   NADAL J: TEHomann, **Frederick A.** Jerome Nadal, S.J.: Annotations and meditations on the gospels, 2: the passion narratives. Ph 2007, Saint Joseph's xvi; 291 pp. $40. 0-916-101-487. Introd. *Walter Melion*; 22 pl.; 13 fig.

16143 PEDRO A: ^{ET}**Jericó Bermejo, Ignacio** Fray Pedro de Aragón y
Fray Luis de León: Autoridad de la iglesia y autoridad de la escritu-
ra: textos salmantinos. Pensamiento 10: M 2007, Revista Agustinia-
na 398 pp. 978-84957-45675.

16144 PERERA B: *Reiser, Marius* Die Opferung Isaaks im Genesiskom-
mentar des Jesuiten Benito Perera (1535-1610). Bibelkritik und
Auslegung der Heiligen Schrift. WUNT 217: 2007 <2006> ⇒294.
153-184 [Gen 22].

16145 SOTO D DE: *Jericó, José I.* Las reelecciones de Domingo de Soto
sobre la Sagrada Escritura (1536-1537): introducción, texto latino y
traducción castellana (I). Communio 40/1 (2007) 57-100.

16146 TOLEDO F DE: *Morali, Ilaria Amicizia et dilectio per gratiam* nel
Commentarium in Ioannis evangelium di Francisco de Toledo S.J.
(1532-1594). Gr. 88 (2007) 729-760.

16147 TYNDALE W: *Bridges, Timothy A.* Tyndale's virtues. Faith & Mis-
sion 24/2 (2007) 3-17;

16148 **Werrell, Ralph S.** The theology of William Tyndale. 2006 ⇒22,
15361. ^RHeyJ 48 (2007) 801-802 (*Brazier, Paul*); SCJ 38 (2007)
1126-1128 (*Chibi, Andrew A.*).

Y4.5 *Exegesis post-reformatoria*—**Historical criticism to 1800**

16149 *Mandelbrote, Scott* Biblical scholarship at Oxford in the mid-eigh-
teenth century: local contexts for Robert LOWTH's *De sacra poesi
Hebraeorum.* Sacred conjectures. 2007 ⇒833. 3-24.

16150 **Sheehan, Jonathan** The Enlightenment Bible: translation, scholar-
ship, culture. 2005 ⇒21,15844; 22,15365. ^RRRT 14/1 (2007) 19-
20 (*Moberly, Walter*); ThLZ 132 (2007) 31-33 (*Reventlow, Hen-
ning Graf*).

Y4.7 **Auctores 1600-1800 alphabetice**

16151 ASTRUC J: *Gertz, Jan C.* Jean Astruc and source criticism in the
book of Genesis. Sacred conjectures. 2007 ⇒833. 190-203;

16152 *Gibert, Pierre* De l'intuition à l'évidence: la multiplicité docu-
mentaire dans la Genèse chez H.B. WITTER et Jean Astruc;

16153 *Nahkola, Aulikki* The *Mémoires* of Moses and the genesis of
method in biblical criticism: Astruc's contribution;

16154 *Smend, Rudolf* Jean Astruc: a physician as a biblical scholar. Sa-
cred conjectures. 2007 ⇒833. 174-189/204-219/157-173.

16155 DIODATI G: **Farrari, Andrea** John Diodati's doctrine of holy scrip-
ture. 2006 ⇒22,15375. ^RKerux 22/2 (2007) 58-62 (*Dennison,
James T., Jr.*).

16156 EDWARDS J: **Withrow, Brandon G.** 'Full of wondrous and glori-
ous things': the exegetical mind of Jonathan Edwards in his Anglo-
American cultural context. 2007, Diss. Westminster Theol. Sem.
[WThJ 69,410].

16157 GERHARD J: ^E**Steiger, Johann A.** Johann Gerhard: Tractatus de
legitima scripturae sacrae interpretatione (1610). Doctrina et pietas
I.13: Stu 2007, Frommann-Holzboog 537 pp. €498. 978-37728-
24340. Mitw. *Vanessa von der Lieth.*

16158 GRABE J: *Keene, Nicholas* John Ernest Grabe, biblical learning and religious controversy in early eighteenth-century England. JEH 58 (2007) 656-674.

16159 HOBBES T: *Parker, Kim I.* That 'dreadful name, Leviathan': biblical resonances in the title of Hobbes' famous political work. HPolS 2/4 (2007) 424-447.

16160 HÜTTER L: ^E**Steiger, Johann A.** Leonhart Hütter: Compendium locorum theologicorum ex Scripturis.Sacris et libro Concordiae. Doctrina et Pietas II,3: Stu-Bad Cannstatt 2006, Frommann-Holzboog 1144 pp. 37728-18722. 2 Teilbde; Lateinisch-deutsch-englisch; ursprünglich 1610 gedruckt.

16161 KANT I: **Lema-Hincapié, Andrés** Kant y la biblia: principios kantianos de la exégesis bíblica. 2006 ⇒22,15386. ^RAlpha Omega 10 (2007) 510-514 (*Prieto López, Leopoldo*);

16162 *Weidner, Daniel* Kants Säkularisierung der Philosophie, die politische Theologie der bürgerlichen Gesellschaft und die Kritik der Bibel. ZRGG 59 (2007) 97-120.

16163 LAURENTIUS B: ^E**Tombeur, Paul**, *al.*, Thesaurus Laurentii a Brundusio, 1: opera theologica et exegetica, series A–formae: enumeratio formarum. CChr.Thesaurus Patrum Latinorum: 2005 ⇒21, 15849. ^RCFr 77 (2007) 705-706 (*Cargnoni, Costanzo*).

16164 LEIBNIZ G VON: *Steinberg, Jesse R.* Leibniz, creation and the best of all possible worlds. IJPR 62/3 (2007) 123-133.

16165 LOWTH R: *Bultmann, Christoph* After Horace: sacred poetry at the centre of the Hebrew Bible. Sacred conjectures. ⇒833. 62-82;

16166 *Cullhed, Anna* Original poetry: Robert Lowth and eighteenth-century poetics. Sacred conjectures. ⇒833. 25-47;

16167 *Prickett, Stephen* Robert Lowth and the idea of biblical tradition. Sacred conjectures. LHBOTS 457: 2007 ⇒833. 48-61;

16168 *Rogerson, John* Charles-François Houbigant: his background, work and importance for Lowth. Sacred conjectures. 2007 ⇒833. 83-92.

16169 ROUSSEAU J: *Kochin, Michael* Living with the bible: Jean-Jacques Rousseau reads Judges 19-21. HPolS 2/3 (2007) 301-325.

16170 SIMON R: *Bernier, Jean* Richard Simon et l'hypothèse des écrivains publics: un échec humiliant. RHPhR 87 (2007) 157-176;

16171 **Müller, Sascha** Richard Simon (1638-1712): Exeget, Theologe, Philosoph und Historiker: eine Biographie. 2005 ⇒21,15853; 22, 15391. ^RFZPhTh 54 (2007) 275-276 (*Viviano, Benedict T.*);

16172 Kritik und Theologie: christliche Glaubens- und Schrifthermeneutik nach Richard Simon (1638-1712). MThS 66: 2004 ⇒20,14291. ^RTThZ 116 (2007) 91-93 (*Reiser, Marius*); ThRv 103 (2007) 302-303 (*Lies, Lothar*);

16173 *Reiser, Marius* Richard Simons biblische Hermeneutik. Bibelkritik. WUNT 217: 2007 ⇒294. 185-217.

16174 SPINOZA B: *Albertini, Francesca* Theologie und Geschichtsphilosophie am Jüdisch-Theologischen Seminar in Breslau (1854-1938): der Fall von Baruch Spinoza. Der Geschichtsbegriff. Religion in der Moderne 17: 2007 ⇒660. 98-108;

16175 *Gottlieb, Michah* Spinoza's method(s) of biblical interpretation reconsidered. JSQ 14 (2007) 286-317.

16176 WESLEY J: **Bullen, Donald A.** A man of one book?: John Wesley's interpretation and use of the bible. Studies in Evangelical History

and Thought: Milton-Keynes 2007, Paternoster xviii; 239 pp. £20.
978-18422-75139.
16177 WITTICH C: *Del Prete, Antonella* 'Parlant suivant les préjugés du
commun': exégèse biblique et physique cartésienne dans les écrits
de Christophorus Wittich. Bulletin annuel, Institut d'histoire de la.
Réformation 26 (2007) 29-41.

Y5.0 *Saeculum XIX*—Exegesis—19th century

16178 *De Groot, Christiana; Taylor, Marion A.* Recovering women's
voices in the history of biblical interpretation. Recovering women
interpreters. SBL.Symposium 38: 2007 ⇒408. 1-17.
16179 *Koester, Helmut* Thomas Jefferson, Ralph Waldo Emerson, the
Gospel of Thomas, and the apostle Paul. Paul & his world. 2007
⇒257. 195-206.
16180 *Liagre, Guy J.L.* "Tolle lege!" Bijbelverspreiding, christelijke ge-
nootschappelijkheid en vrijmetselarij bij aanvang van de negentien-
de eeuw. AnBru 12 (2007) 161-179.
16181 *Wilkinson, A.* Slavery and scripture. Humanitas [Chichester, UK]
9/1 (2007) 53-65.

16182 BESANT A: *De Groot, Christiana* Annie Besant: an adversarial
interpreter of scripture ⇒408. 201-215;
16183 BUTLER J: *Benckhuysen, Amanda W.* Reading between the lines:
Josephine Butler's socially conscious commentary on Hagar.
Recovering women interpreters. 2007 ⇒408. 135-148 [Gen 16;
21].
16184 CHARLES E: *Taylor, Marion A.* Elizabeth Rundle Charles: translat-
ing the letter of scripture into life. ⇒408. 149-163;
16185 CORNWALLIS M: Mary Cornwallis: voice of a mother. Recovering
women interpreters. SBL.Symposium 38: 2007 ⇒408. 31-44.
16186 FRASSINETTI G: *Falasca, Manfredo* L'amore del Frassinetti per la
sacra scrittura. Vivar(C) 15 (2007) 37-46.
16187 GRATZ P: *Wolff, Norbert* "Das Bibelstudium, sowohl das kritische
als das moralische ...": Peter Alois Gratz (1769-1849)–Bibelwis-
senschaftler und Seelsorger. Gottes Wort. 2007 ⇒537. 131-140.
16188 HALL S: *Lee, Bernon P.* Conversations on the bible with a lady of
Philadelphia. Recovering women interpreters. 2007 ⇒408. 45-62.
16189 HUPFELD H: *Kaiser, Otto* An heir of ASTRUC in a remote German
university: Hermann Hupfeld and the 'new documentary hypothe-
sis'. Sacred conjectures. LHBOTS 457: 2007 ⇒833. 220-248.
16190 KIERKEGAARD S: *Simmons, J.* Aaron What about Isaac?: rereading
Fear and trembling and rethinking Kierkegaardian ethics. JRE 35
(2007) 319-345 [Gen 22,1-19; Mt 22,35-40; Mk 12,29-31].
16191 LE CAMUS E: *Berder, Michel* La Cène dans *La vie de Jésus*
d'Emile Le Camus. Les récits fondateurs de l'eucharistie. CEv.S:
140 (2007) 123-129.
16192 MCAULEY C: *Davis, Elizabeth M.* Wisdom and mercy meet: Cath-
erine McAuley's interpretation of scripture. Recovering women
interpreters. SBL.Symposium 38: 2007 ⇒408. 63-80.
16193 NEWMAN J: **Brighi, Davide** Assenso reale e scienze profane: il
contributo di John Henry Newman ad una rinnovata ragione teolo-
gica. TGr.T 143: R 2007, E.P.U.G. 218 pp. 978-88-7839-083-6.

16194 NIETZSCHE F: *Marsal, Eva* Die Gefangenen: Gleichnisse bei Nietzsche. Geschichten. Hodos 5: 2007 ⇒615. 85-102.

16195 NIGHTINGALE F: *De Groot, Christiana* Florence Nightingale: a mother to many. Recovering women interpreters. SBL.Symposium 38: 2007 ⇒408. 117-133.

16196 RENAN E: **Rétat, Laudyce** L'Israël de Renan. 2005 ⇒21,15870. ᴿREJ 166 (2007) 590-592 (*Rothschild, Jean-Pierre*).

16197 ROSSETTI C: *Benckhuysen, Amanda W.* The prophetic voice of Christina Rossetti. ⇒408. 165-180;

16198 SCHIMMEL-PENNINCK M: *Beal, Lissa M.W.* Mary Anne Schimmel-Penninck: a nineteenth-century woman as psalm-reader. Recovering women interpreters. SBL.Symposium 38: 2007 ⇒408. 81-98.

16199 SMITH J: *Flake, Kathleen* Translating time: the nature and function of Joseph Smith's narrative canon. JR 87 (2007) 497-527.

16200 STOWE H: *Taylor, Marion A.* Harriet Beecher Stowe and the mingling of two worlds: the kitchen and the study. ⇒408. 99-115;

16201 TRIMMER S: *Weir, Heather E.* Helping the unlearned: Sarah Trimmer's commentary on the bible. Recovering women interpreters. SBL.Symposium 38: 2007 ⇒408. 19-30.

16202 WELLHAUSEN J: *Barton, John* Wellhausen's_*Prolegomena to the history of Israel*: influences and effects. The OT: canon, literature and theology. MSSOTS: 2007 <1995> ⇒183. 167-179.

16203 WOOSNAM E: *Kerfoot, Donna* Etty Woosnam: a woman of wisdom and conviction. ⇒408. 217-231;

16204 WORDSWORTH E: *Idestrom, Rebecca G.S.* Elizabeth Wordsworth: nineteenth-century Oxford principal and bible interpreter. Recovering women interpreters. SBL.Symposium 38: 2007 ⇒408. 181-99.

Y5.5 *Crisi modernistica*—The Modernist Era

16205 **Arnold, Claus** Kleine Geschichte des Modernismus. FrB 2007, Herder 160 pp. €9.90. 978-34512-91067. ᴿThPh 82 (2007) 620-621 (*Schatz, Klaus*).

16206 ᴱ**Laplanche, François; Biagioli, Ilaria: Langlois, Claude** Autour d'un petit livre: Alfred LOISY cent ans après: actes du colloque..., Paris 23-24 mai 2003. Turnhout 2007, Brepols 351 pp. €47.47.

16207 *Reiser, Marius* Wahrheit und literarische Arten der biblischen Erzählung. Bibelkritik und Auslegung der Heiligen Schrift. Ment. *Origenes* WUNT 217: 2007 <2005> ⇒294. 355-371.

16208 *Robles Muñoz, Cristóbal* Alfred LOISY, más allá del ruido y del humo: 'qui perdiderit animam suam salvam faciet eam' (Marc VIII, 35). HispSac 59 (2007) 633-706.

16209 *Stefani, Piero* Scienza, storia e critica biblica. Il Regno 52 (2007) 784-786.

16210 *Weiß, Otto* Alfred Firmin LOISY (1857-1940). ThRv 103 (2007) 17-28.

Y6.0 *Saeculum XX-XXI*—20th-21st Century Exegesis

16211 *Clark, Timothy* Recent Eastern Orthodox interpretation of the New Testament. CuBR 5/3 (2007) 322-340.

16212 *Heschel, Susannah* Die Faszination der Theologie für die Rassen-
theorie: wie Jesus im deutschen Protestantismus zum Nazi wurde.
KuI 22 (2007) 120-131.

16213 **Knight, Douglas A.** Rediscovering the traditions of Israel. SBL.
Studies in Biblical Literature 16: [3]2006 <1973, 1975> ⇒22,15430.
[R]RBLit (2007) 517-520 (*McKenzie, Steven L.*).

16214 *Ko, M.* The bible in China. Tripod [Hong Kong] 27/144 (2007) 5-
19.

16215 **Kübler, Mirjam** Judas Iskariot: das abendländische Judasbild und
seine antisemitische Instrumentalisierung im Nationalsozialismus.
[D]*Jähnichen, Traugott* 2007, Diss. Bochum [ThRv 104/1,iv].

16216 *Reiser, Marius* Geist und Buchstabe: zur Situation der östlichen
und der westlichen Exegese. Bibelkritik und Auslegung der
Heiligen Schrift. WUNT 217: 2007 <2001> ⇒294. 63-78.

16217 **Savran, George W.** Encountering the divine: theophany in biblical
narrative. JSOT.S 420: 2005 ⇒21,15889; 22,15440. [R]BS 164
(2007) 498-499 (*Chisholm, Robert B., Jr.*); CBQ 69 (2007) 338-
339 (*Walls, Neal H.*).

16218 **Thiel, Winfried** Unabgeschlossene Rückschau: Aspekte alttesta-
mentlicher Wissenschaft im 20. Jahrhundert: mit einem Anhang:
Grundlinien der Erforschung des "Deuteronomistischen Geschichts-
werkes". BThSt 80: Neuk 2007, Neuk 81 pp. 978-3-7887-2183-1.

16219 BALTZER K: *Baltzer, Klaus* Klaus Baltzer (1928). Alttestamentliche
Wissenschaft in Selbstdarstellungen. 2007 ⇒438. 87-100.

16220 BARTH K: *Barth, Karl* Die Menschlichkeit Gottes (1956);
16221 Die Lehre vom Wort Gottes–Prolegomena zur kirchlichen Dogma-
tik (1932). Grundtexte. 2007 ⇒588. 214-223/130-136;

16222 *Blake, Elizabeth A.* Journey to transcendence: Dostoevsky's theo-
logical polyphony in Barth's understanding of the Pauline KRISIS.
Studies in East EuropeanThought 59/1-2 (2007) 3-20;

16223 **Burnett, Richard E.** Karl Barth's theological exegesis: the herme-
neutical principles of the Römerbrief period. GR 2004, Eerdmans
xvi; 312 pp. $45;

16224 *Dempsey, Michael T.* Biblical hermeneutics and scriptural interpre-
tation: the revelatory presence of God in Karl Barth's theology of
scripture. BTB 37 (2007) 120-131;

16225 *Dreyer, Theunis F.J.* Karl Barth as a homilist. HTS 63 (2007)
1473-1491;

16226 *Landmesser, Christof* Christus und Adam oder Adam und Christus:
Anmerkungen zur Auseinandersetzung zwischen Karl Barth und
Rudolf BULTMANN im Anschluss an Röm 5. ZDT 23 (2007) 153-
171;

16227 **Lindsay, Mark R.** Barth, Israel, and Jesus: Karl Barth's theology
of Israel. Aldershot 2007, Ashgate xx; 124 pp. £50. 978-07546-50-
874.

16228 *Link, Christian* Karl Barths Römerbrief (1921) als theologisches
Signal. ZDT 23 (2007) 135-152;

16229 *Maurer, Ernstpeter* Theologische Weichenstellungen in Karl
Barths Römerbriefauslegung von 1922. ZDT 23 (2007) 209-218;

16230 **Müller, Denis** Karl Barth. Initiation aux Théologiens: 2005 ⇒21,
15905; 22,15453. [R]BLE 108 (2007) 435-436 (*Molac, Philippe*);
RThPh 139 (2007) 227-247 (*Cardon, Philippe*);

16231 **Nimmo, Paul T.** Being in action: the theological shape of Barth's ethical vision. L 2007, Clark x; 202 pp. £65/$130/€110.90;

16232 *Pelser, Gert; Van Aarde, Andries G.* The historical-hermeneutical prelude to the legacy of Karl Barth. HTS 63 (2007) 1347-1375;

16233 Historical consciousness and existential awareness in Karl Barth's hermeneutics. HTS 63 (2007) 1377-1411;

16234 *Pfleiderer, Georg* Hermeneutik als Dialektik: eine Lektüre von Karl Barths Römerbriefkommentar (1922). ZDT 23 (2007) 172-192;

16235 **Rostagno, Sergio** Karl Barth. [T]*Ruiz-Garrido, Constantino* Teólogos del siglo XX 4: 2006 ⇒22,15454. [R]ActBib 44/1 (2007) 35-37 (*Boada, Josep*);

16236 *Ruddies, Hartmut* Die Wiederkehr der Religionen und die Krise der Kirche: Karl Barths "Römerbrief" als theologisches Signal. ZDT 23 (2007) 130-134;

16237 *Schaede, Stephan* "Und bitte, lieber nicht 'begeistert'": Weichenstellungen in Karl Barths Römerbriefkommentar zu Röm 5 für den aktuellen theologischen Diskurs. ZDT 23 (2007) 219-245;

16238 **Webster, John** Karl Barth. Outstanding christian thinkers: [2]2004 <2000> ⇒20,14334... 22,15456. [R]AThR 89 (2007) 170-171, 173 (*Terry, Justyn*);

16239 **Wood, Donald; Michielin, Maico M.** Barth's theology of interpretation. Aldershot 2007, Ashgate xiv; 189 pp. 978-0-7546-5457-5. Bibl. 179-187.

16240 BENEDICTUS XVI: *Ghiberti, Giuseppe* L'interpretazione della scrittura nella chiesa nella teologia di J. Ratzinger. PATH 6 (2007) 45-64;

16241 'Sono un diligente lettore della sacra scrittura': Joseph Ratzinger davanti alla bibbia. ATT 13/1 (2007) 10-39;

16242 *Grech, Prosper* Il Cardinale Ratzinger e l'esegesi attuale. PATH 6 (2007) 65-77;

16243 *Martin, Francis* Joseph Ratzinger, Benedict XVI, on biblical interpretation: two leading principles. NV(Eng) 5 (2007) 285-314;

16244 *Söding, Thomas* Die Lebendigkeit des Wortes Gottes: das Verständnis der Offenbarung bei Joseph Ratzinger. Der Theologe Joseph Ratzinger. QD 222: 2007 ⇒613. 12-55.

16245 BENJAMIN W: *Boer, Roland* From PLATO to Adam: the biblical exegesis of Walter Benjamin. BiCT 3/1 (2007)*.

16246 BLONDEL M: **Antonelli, Mario** Maurice Blondel. [T]*Gutiérrez Carreras, Rosario* Teólogos del siglo XX 5: 2006 ⇒22,15460. [R]ActBib 44/1 (2007) 38-39 (*Boada, Josep*);

16247 *Troisfontaines, Claude* L'attente d'un médiateur: Maurice Blondel lecteur de saint Paul. [F]BRITO, E. BEThL 206: 2007 ⇒19. 243-263;

16248 BOECKER H: *Boecker, Hans Jochen* Hans Jochen Boecker (1928). Alttestamentliche Wissenschaft in Selbstdarstellungen. UTB 2920: 2007 ⇒438. 103-112.

16249 BRUCE F: *Gasque, W. Ward* Frederick Fyvie Bruce (1910-1990): an unhyphenated evangelical: fourth John Rylands Professor at the University of Manchester (1959-1978). Crux 43/4 (2007) 21-30.

16250 BRUEGGEMANN W: [E]*Winters, Bradford* A conversation with Walter Brueggemann. Image 55 (2007) 52-61.

16251 BUBER M: *Amir, Yehoyada* Buber, Martin. Religion past and present, 2. 2007 ⇒1067. 243-244;

16252   *Fellbaum, Aaron* Martin Bubers Projekt einer philosophischen Anthropologie. FZPhTh 54 (2007) 114-124;

16253   *Fricke, Martin* Martin Buber als Brückenbauer zwischen Tradition und Moderne. Deutsches Pfarrerblatt 107 (2007) 13-17;

16254   ^E**Koschel, Ansgar; Melhorn, Annette** Vergegenwärtigung: Martin Buber als Lehrer und Übersetzer. 2006 ⇒22,15483. ^RFrRu 14/1 (2007) 54-56 (*Banse, Holger*);

16255   *Mendes-Flohr, Paul* Martin Buber: a builder of bridges. JSQ 14 (2007) 101-119;

16256   *Raurell, Frederic* Filosofia relazionale e bibbia in Martin Buber. Laur. 48/3 (2007) 349-375;

16257   *Schäfer, Barbara* Buber's Hebrew self: trapped in the German language. JSQ 14 (2007) 152-163.

16258   BULTMANN R: **Dreher, Matthias** Rudolf Bultmann als Kritiker in seinen Rezensionen und Forschungsberichten: kommentierte Auswertung. Beiträge zum Verstehen der Bibel 11: 2005 ⇒21,15926. ^RThLZ 132 (2007) 28-29 (*Zager, Werner*); ThR 72 (2007) 242-245 (*Körtner, Ulrich H.J.*);

16259   *Koester, Helmut* Early christianity from the perspective of the history of religions: Rudolf Bultmann's contribution. Paul & his world. 2007 <1985> ⇒257. 267-278;

16260   *Lindemann, Andreas* Bultmann, Rudolf. Religion past and present, 2. 2007 ⇒1067. 269-270;

16261   *Thyen, Hartwig* Rudolf Bultmann als Historiker und Theologe. Studien zum Corpus Iohanneum. 2007 <1985> ⇒332. 8-28.

16262   CHILDS B: *Chapman, S.B.* How scripture speaks: Brevard Childs (1923-2007). CCen 124/18 (2007) 8-9.

16263   CONRAD J: *Conrad, Joachim* Joachim Conrad (1935);

16264   CRÜSEMANN F: *Crüsemann, Frank* Frank Crüsemann (1938). Alttestamentliche Wissenschaft in Selbstdarstellungen. UTB 2920: 2007 ⇒438. 183-194/235-248.

16265   DAUBE D: **Carmichael, Calum** Ideas and the man: remembering David Daube. Studien zur europäischen Rechtsgeschichte: 2004 ⇒ 20,14349; 22,15499. ^RTRG 75 (2007) 93-96 (*Rodger, Alan*).

16266   FLORENSKIJ P: *Dennes, Maryse* Pavel Florenskij: philologie du nom de Dieu et exégèse de son usage dans les traditions vétéro- et néo-testamentaires. Ist. 52 (2007) 350-360.

16267   GERSTENBERGER E: *Gerstenberger, Erhard S.* Erhard S. Gerstenberger (1932). Alttestamentliche Wissenschaft in Selbstdarstellungen. UTB 2920: 2007 ⇒438. 141-152.

16268   GIRARD R: *Godfrey, D.* René Girard–scapegoating, mythology and the bible. Search 30/1 (2007) 15-25.

16269   GOPPELT L: **Simonsen, Horst** Leonhard Goppelt (1911-1973): eine theologische Biographie: Exegese in theologischer und kirchlicher Verantwortung. ^D*Roloff, Jürgen* Gö 2004, Vandenhoeck & R. 296 pp. $40. Diss. Erlangen-Nürnberg. ^RRBLit (2007)* (*West, Jim*).

16270   GRUNDMANN W: ^E**Deines, Roland; Volker, Leppin; Niebuhr, Karl-W.** Walter Grundmann: ein Neutestamentler im Dritten Reich. Arbeiten zur Kirchen- und Theologiegeschichte 21: Lp 2007, Evangelische 386 pp. €48. 978-33740-24766.

16271   GUNKEL H: *Villiers, Pieter G.R. de* Hermann Gunkel as innovator. OTEs 20 (2007) 333-351.

16272 HAIGHT R: *Makowski, Jarosław* Wiara przeczy arogancji: Z Roge-
rem Haightem SJ rozmawia Jarosław Makowski [La foi conteste
l'arrogance: Jarosław Makowski s'entretient avec Roger Haight SJ,
théologien américain]. PrzPow 2 (2007) 36-53. **P.**;

16273 *Kubacki, Zbigniew* Kim dia Rogera Haighta jest Jezus?: komentarz
do wywiadu Jarosław Makowski [Qui est Jésus pour Roger
Haight?: commentaire à l'entretien de Jarosław Makowski]. PrzPow
2 (2007) 54-60. **P.**

16274 HARRINGTON W: *Mangan, C.*, *al.*, Gracious teacher. RLR 46/244
(2007) 152-170.

16275 HEMPEL J: *Rendtorff, Rolf* Johannes Hempel und die ZAW. KuI 22
(2007) 114-119;

16276 *Smend, R.* Johannes Hempel (1891-1964): ein Alttestamentler in
kritischer Zeit. ᶠWILLI, T. 2007 ⇒167. 347-370.

16277 HENGEL M: *Deines, Roland* Martin Hengel: a life in the service of
christology. TynB 58/1 (2007) 25-42.

16278 HENRY M: **Vidalin, Antoine** La parole de la vie: la phénoménolo-
gie de Michel Henry et l'intelligence des Écritures. 2006 ⇒22,
15514. ᴿThPh 82 (2007) 272-275 *(Kühn, R.)*.

16279 HESCHEL A: *Gillman, Neil* The dynamics of prophecy in the writ-
ings of Abraham Joshua Heschel. Hearing visions. 2007 ⇒817. 41-
52.

16280 HULL J: *Lübben, S.D.* Blindness, the wind and the Holy Spirit: an
interview with John M. Hull. EpRe 34/1 (2007) 69-79.

16281 JENNI E: *Jenni, Ernst* Ernst Jenni (1927). Alttestamentliche Wis-
senschaft in Selbstdarstellungen. 2007 ⇒438. 61-73.

16282 JEREMIAS Joachim: *Lohse, Eduard* Joachim Jeremias als Ausleger
des Römerbriefes. Rechenschaft vom Evangelium. BZNT 150:
2007 <2002> ⇒268. 147-157.

16283 JEREMIAS Jörg: *Jeremias, Jörg* Jörg Jeremias (1939);

16284 KAISER O: *Kaiser, Otto* Otto Kaiser (1924). Alttestamentliche Wis-
senschaft in Selbstdarstellungen. 2007 ⇒438. 251-263/2-17.

16285 KÄSEMANN E: *Harrisville, Roy A.* The life and work of Ernst Käse-
mann (1906-1998). LuthQ 21 (2007) 294-319.

16286 KIERKEGAARD S: *Stiewe, Martin* Die Bedeutung Sören Kierke-
gaards für Kirche und Theologie. WuD 29 (2007) 117-126.

16287 KOCH K: *Koch, Klaus* Klaus Koch (1926). Alttestamentliche Wis-
senschaft in Selbstdarstellungen. UTB 2920: 2007 ⇒438. 33-49.

16288 KUSS O: *Backhaus, Knut* Zermürbung und Zuversicht: Otto Kuss
als Ausleger des Hebräerbriefs. ᴹKUSS, O. 2007 ⇒92. 235-256;

16289 *Bracht, Werner* Erinnerungen an Person und Werk von Otto Kuss.
ᴹKUSS, O. 2007 ⇒92. 10-39;

16290 *Eckert, Jost* Christentum-Judentum: Antisemitismus bei Otto
Kuss?. ᴹKUSS, O. 2007 ⇒92. 70-86;

16291 *Ernst, Josef* Gedanken über Otto Kuss, den Hundertjährigen.
ᴹKUSS, O. 2007 ⇒92. 259-267;

16292 *Hämmerle, Franz* Mit Otto Kuss unterwegs von München nach Sy-
rakus. ᴹKUSS, O. 2007 ⇒92. 283-289;

16293 *Kuss, Otto* Persönliche Gedanken niedergelegt in einem (nicht
abgeschickten) FAZ-Fragebogen. ᴹKUSS, O. 2007 ⇒92. 268-270;

16294 *Lohse, Eduard* Otto Kuss als Ausleger des Römerbriefes. Rechen-
schaft vom Evangelium. BZNT 150: 2007 <2006> ⇒268. 175-193;

16295 ᴹKUSS, O. 2007 ⇒92. 40-56;

16296 *Wanetschek, Horst* Otto Kuss–Erinnerungen an seine letzten Lebensjahre. ᴹKUSS, O. 2007 ⇒92. 271-282.

16297 LAGRANGE M: **Montagnes, Bernard** Marie-Joseph Lagrange: une biographie critique. 2005 ⇒21,15958; 22,15529. ᴿRB 114 (2007) 154-156 (*Murphy-O'Connor, Jerome*);

16298 Marie Joseph Lagrange: un biblista al servizio della chiesa. ᵀ*Orard, Colette; Simone, Paola* Domenicani 28: Bo 2007, Studio Domenicano 668 pp. €38. 978-88709-46274.

16299 LANCELLOTTI A: *Lioi, F.S.* Padre Angelo Lancellotti: grecista e traduttore dell'Apocalisse. Theologia Viatorum 11-12 (2007) 115-26.

16300 LEVINAS E: *Weksler-Waszkinel, Jakub* Teologiczno-filozoficzne aspekty papieskiej laudacji E. Levinasa [Les aspects théologiques et philosophiques de la louange pontificale de E. Levinas]. Ment. JOHANNES PAULUS II. PrzPow 2 (2007) 81-100. **P.**;

16301 *Wolff, E.* Giving up your place in history: the "position" of Levinas in philosophy and Jewish thought. JSem 16 (2007) 180-193;

16302 The constellation subject–women–God in the ethics of Levinas. JSem 16 (2007) 587-603.

16303 LI RONGFANG: *Lee, Archie C.C.* Critical biblical hermeneutics of Li Rongfang in the socio-intellectual context of China. ᶠSUGIRTHARAJAH, R. 2007 ⇒148. 70-85.

16304 LIGHTFOOT R: *Court, John M.* Robert Henry Lightfood (30th September 1883-24th November 1953). ET 118 (2007) 488-492.

16305 LOCKWOOD G.: *Lockwood, G.* Reflections on 40 years' engagement with New Testament interpretation 1967-2007. LTJ 41 (2007) 5-15.

16306 LUBAC H DE: **Morali, Ilaria** Henri de Lubac. ᵀ*Domínguez García, José Francisco* Teólogos del siglo XX 3: 2006 ⇒22,15555. ᴿActBib 44/1 (2007) 33-35 (*Boada, Josep*).

16307 METZGER M: *Metzger, Martin* Martin Metzger (1928). Alttestamentliche Wissenschaft in Selbstdarstellungen. UTB 2920: 2007 ⇒ 438. 115-128.

16308 MEYER E: *Tomes, Roger* Conjuring history from texts: Eduard Meyer's contribution to biblical studies. Ancient and modern scriptural historiography. BEThL 207: 2007 ⇒389. 47-59.

16309 MEYNET R: *Décoppet, Alain* L'analyse rhétorique de Roland Meynet: une méthode pour comprendre la bible?. Ḥokhma 91 (2007) 2-18.

16310 MINEAR P: *Sweat, Laura C.* A comprehensive bibliography of Paul Sevier Minear (1906-2007). HBT 29 (2007) 61-73.

16311 MOWINCKEL S: *Collins, John J.* Mowinckel's *He that cometh* revisited. StTh 61 (2007) 3-20;

16312 **Hjelde, Sigurd** Sigmund Mowinckel und seine Zeit: Leben und Werk eines norwegischen Alttestamentlers. FAT 50: 2006 ⇒22, 15557. ᴿZNTG 14 (2007) 161-164 (*Arneth, Martin*); SvTK 83 (2007) 86-88 (*Mettinger, Tryggve N.D.*); RevSR 81 (2007) 418-420 (*Bons, Eberhard*); OLZ 102 (2007) 440-442 (*Smend, Rudolf*); RBLit (2007)* (*Biddle, Mark E.*).

16313 MURRAY J: **Murray, Iain H.** The life of John Murray. E 2007, Banner of Truth 220 pp.

16314 NIDA E: **Stine, Philip C.** Let the words be written: the lasting influence of Eugene A. Nida. SBL.Biblical Scholarship in North America 21: 2004 ⇒20,14382... 22,15561. ᴿJSSt 52 (2007) 145-147 (*Clark, David*).

16315 ORCHARD B: *Wansbrough, Henry* A pioneer of biblical studies: Dom Bernard Orchard, 1910-2006. DR 125 (2007) 157-176.

16316 PETERSON E: *Lohse, Eduard* 'Heilsgeschichte' im Römerbrief: zur Interpretation des Römerbriefs durch Erik Peterson. Rechenschaft vom Evangelium. BZNT 150: 2007 <2000> ⇒268. 131-146.

16317 RAD G VON: *Barton, John* Gerhard von Rad on the world-view of early Israel. The OT: canon, literature and theology. MSSOTS: 2007 <1984> ⇒183. 215-233;

16318 *Renner, J.T.E. Heilsgeschichte* and apocalyptic in the writings of Gerhard von Rad. LTJ 41 (2007) 77-83.

16319 RENDTORFF R: *Rendtorff, Rolf* Rolf Rendtorff (1925). Alttestamentliche Wissenschaft in Selbstdarstellungen. 2007 ⇒438. 19-31;

16320 **Rendtorff, Rolf** Kontinuität im Widerspruch: autobiographische Reflexionen. Gö 2007, Vandenhoeck & R. 156 pp. €24.90. 978-3-525-57308-2.

16321 REVENTLOW H: *Reventlow, Henning Graf* Henning Graf Reventlow (1929). Alttestamentliche Wissenschaft in Selbstdarstellungen. UTB 2920: 2007 ⇒438. 131-138.

16322 RICOEUR P: *Dubertrand, Roland* Vérité et dialogue chez Paul Ricoeur. ChDial 29 (2007) 207-218;

16323 *Hettema, Theo L.* Ricoeur en de bijbelse hermeneutiek: werkwoorden van geloven. Bijdr. 68 (2007) 298-317;

16324 *Janowski, J. Christine* Erinnerung und Vergessen im eschatologischen Horizont der "schwierigen Vergebung": zu Paul Ricoeur, Gedächtnis, Geschichte, Vergessen. JBTh 22 (2007) 413-450.

16325 ROSENZWEIG F: **Malka, Salomon** Franz Rosenzweig, le cantique de la révélation. La nuit surveillée: 2005 ⇒21,16014. ᴿSal. 69 (2007) 793-795 (*Vicent, Rafael*);

16326 **Rühle, Inken** Gott spricht die Sprache der Menschen: Franz Rosenzweig als jüdischer Theologe–eine Einführung. 2004 ⇒20, 14407; 21,16015. ᴿThGl 97 (2007) 504-506 (*Fuchs, Gotthard*).

16327 SAUER G: *Sauer, Georg* Georg Sauer (1926). Alttestamentliche Wissenschaft in Selbstdarstellungen. UTB 2920: 2007 ⇒438. 51-8.

16328 SCHLATTER A: **Hägele, Clemens** Die Schrift als Gnadenmittel: Adolf Schlatters Lehre von der Heiligen Schrift in ihren Grundzügen. Stu 2007, Calwer 256 pp. €24.90.

16329 SCHLIER H: *Lohse, Eduard* Heinrich Schliers Kommentare zu den paulinischen Briefen. Rechenschaft vom Evangelium. BZNT 150: 2007 <2003> ⇒268. 158-174.

16330 SCHMIDT L: *Schmidt, Ludwig* Ludwig Schmidt (1940);
16331 SCHMIDT W: *Schmidt, Werner H.* Werner H. Schmidt (1935);
16332 SCHUNCK K: *Schunck, Klaus-D.* Klaus-Dietrich Schunck (1927). Alttestamentliche Wissenschaft in Selbstdarstellungen. UTB 2920: 2007 ⇒438. 275-284/197-207/75-85.

16333 SCHWEITZER A: *Bröhenhorst, Klaus* Streiflichter zum Nachhaltigkeitsphänomen bei Albert Schweitzer und Dietrich BONHOEFFER. ᶠBRÄNDLE, W. 2007 ⇒18. 93-106.

16334 SEEBASS H: *Seebass, Horst* Horst Seebass (1934);
16335 SEYBOLD K: *Seybold, Klaus* Klaus Seybold (1936);
16336 SMEND R: *Smend, Rudolf* Rudolf Smend (1932). Alttestamentliche Wissenschaft in Selbstdarstellungen. 2007 ⇒438. 169-181/209-218/155-166.

16337 THIEL W: *Thiel, Winfried* Winfried Thiel (1940). Alttestamentliche Wissenschaft in Selbstdarstellungen. 2007 ⇒438. 287-297.
16338 VEIJOLA T: *Dietrich, Walter* Wissen–und doch glauben: über das wissenschaftliche Werk Timo Veijolas (1947-2005). Offenbarung und Anfechtung. BThSt 89: 2007 ⇒338. 1-9.
16339 WANKE G: *Wanke, Gunther* Gunther Wanke (1939);
16340 WELTEN P: *Welten, Peter* Peter Welten (1936). Alttestamentliche Wissenschaft in Selbstdarstellungen. 2007 ⇒438. 265-72/221-233.

Y6.3 *Influxus Scripturae saeculis XX-XXI*—Survey of current outlooks

16341 *Arnal, William* A parting of the ways?: *scholarly* identities and a peculiar species of ancient Mediterranean religion. ^FWILSON, S. 2007 ⇒169. 253-275.
16342 *Artus, Olivier; Abadie, Philippe* Bulletin d'Ancien Testament. RSR 95 (2007) 559-594.
16343 **Avalos, Hector I.** The end of biblical studies. Amherst, NY 2007, Prometheus 399 pp. $32. 978-1-59102-536-8. Bibl. 345-383.
16344 **Bach, Alice** Religion, politics, media in the broadband era. The Bible in the Modern World 2: 2004 ⇒20,14419... 22,15601. ^RJR 87 (2007) 494-495 (*Hackett, Rosalind I.J.*).
16345 *Birch, Bruce C.* Impairment as a condition in biblical scholarship: a response. This abled body. Semeia Studies 55: 2007 ⇒356. 185-195.
16346 **Carson, D.A.** New Testament commentary survey. GR ⁶2007, Baker 160 pp. $14. 978-08010-31243.
16347 **Evans, Craig** Fabricating Jesus: how modern scholars distort the gospels. 2006 ⇒22,15606. ^RRBLit (2007)* (*Patterson, Stephen J.*).
16348 *Favaro, Gaetano* Lettura della bibbia nell'India contemporanea. CredOg 27/2 (2007) 29-39.
16349 *Fredriksen, Paula* Mandatory retirement: ideas in the study of christian origins whose time has come to go. ^FHURTADO, L. & SEGAL, A. 2007 ⇒71. 25-38.
16350 *Henze, Matthias* The reemergence of second temple Judaism in German scholarship. Ment. *Boccaccini, G.* Henoch 29 (2007) 209-212.
16351 **Longman, Tremper, III** Old Testament commentary survey. GR ⁴2007 <2003>, Baker 157 pp. $14. 978-0-8010-3123-6.
16352 *Tyrol, Anton* Biblický apoštolát v roku 2008. SBSl (2007) 5-10. **Slovak.**

Y7.2 *Congressus biblici*: **nuntii**, *rapports, Berichte*

16353 Arbeitstagung des Novum Testamentum Patristicum (NTP) vom 26.-27. Januar in Göttingen. ASEs 24 (2007) 535-536.
16354 *Atmatzides, Charadamipos* Η 62η γενικη συνεδευση της Studiorum Novi Testamenti Societas. DBM 25/1 (2007) 112-122.
16355 *Ausloos, H.; Lemmelijn, B.* Specialists' symposium on the Septuagint translation. EThL 83 (2007) 256-260. Leuven Dec. 2006.
16356 *Bakker, Freek L.* Symposium over bijbelse figuren in de islamitische traditie. TTh 47 (2007) 87-88.

16357 *Barrado, Pedro* Celebración del cincuentenario de la casa de Santiago. ResB 53 (2007) 68-71. Asociación Bíblica Española en Jerusalén 2006;

16358 XIX Jornadas de la Asociación Bíblica Española. ResB 56 (2007) 68-70.

16359 *Boer, M.C. de* Studiorum Novi Testamenti Societas: the sixty-first general meeting 25-29 July 2006. NTS 53 (2007) 271-273.

16360 *Callaert, Lut* Internationale conferentie over Matteüs, Jakobus en de Didache. TTh 47 (2007) 212.

16361 *Chia, Samuel* International conference on hermeneutics and the reading of the bible, 22-24 March 2007, Chung Yuan Christian University, Taiwan. SiChSt 3 (2007) 219-220. **C.**

16362 *Cifrak, Mario* Konferencija voditelja biblijskih djela srednje Europe katolicke biblijske federacije. BoSm 77 (2007) 745-746;

16363 Medunarodni znanstveni skup: Biblija-knjiga Mediterana par excellence: Split, 24.-26. rujna 2007. BoSm 77 (2007) 747-750;

16364 Kamo ide egzegeza?: izmedu sustavnog prihvacanja i raspadanja usporednog proucavanja religija. BoSm 77 (2007) 751-752. **Croatian**.

16365 *Cimosa, Mario* 'Figures in biblical and cognate literature': conference of ISDCL, Tübingen, 30 giugno - 4 luglio 2007. RivBib 55 (2007) 385-386.

16366 *Copeland, Kirsti B.* 'The "otherworld" and its relations to this world' (Nijmegen, March 2007). Henoch 29 (2007) 422-424.

16367 *Dupont, A.* Fifteenth International Conference on Patristic Studies: workshop on Rom 2,14 in the patristic era (Oxford, August 2007). EThL 84 (2007) 300-302.

16368 *François, W. Biblia Sacra* at the Sixteenth Century Society and Conference. EThL 84 (2007) 302-303. Minneapolis, Oct. 2007.

16369 *Gatti, Vittorio* Cronica della XXXIX Settimana Biblica Nazionale: 'La violenza nella bibbia' Roma, 11-15 settembre 2006. ATT 13/1 (2007) 233-241.

16370 *Haquin, André* Autour de la 'Bible de Lobbes' (1084): les institutions, les hommes, les productions (Tournai, 30 mars 2007). RTL 38 (2007) 455-456.

16371 *Hohnjec, Nikola* Biblijski znanstveni Kongresi u Ljubljani-Slovenija. BoSm 77 (2007) 579-582. **Croatian**.

16372 *Huarte Osácar, Juan* Exégesis y teología en diálogo: XIX Jornadas de la Asociación Bíblica Española (Sevilla, 10-13 de septiembre de 2007). CTom 134/3 (2007) 551-569.

16373 *Jeličić, Andela* Izvješće s 19. Kongresa IOSOT-a International Organization for the Study of the Old Testament, Ljubljana, 15.-20. srpnja 2007. EThF 16 (2007) 652-656. **Croatian.**

16374 *Leemans, J.* GREGORY of Nyssa and the bible. EThL 83 (2007) 262-263. Sorbonne Feb. 2007.

16375 *Luciani, Didier* Le Lévitique et les Nombres: Colloquium biblicum Lovaniense LV (Leuven, 1-3 août 2006). RTL 38 (2007) 148-150.

16376 *Marenco, Mariarita* Convegno dei biblisti piemontesi, Torino, 3 giugno 2006. ATT 13 (2007) 231-234.

16377 *Maritz, Petrus; Steegen, Martijn* Repetitions and variations in John: an international symposium held at Leuven (November 7-9, 2006). EThL 83 (2007) 243-255.

16378 *EMason, Eric* News from the annual meeting of the Society of Biblical Literature (Washington, DC, Nov.17-21). Henoch 29 (2007) 414-421.

16379 *Mazzinghi, Luca* Fourth international conference on the deuterocanonical books: the book of Wisdom and Hellenistic Jewish philosophy, 24-26 May 2007, Pápa, Hungary. RivBib 55 (2007) 263-65.

16380 *Nazarczuk, Maria A.* Report of the seventieth international meeting of the Catholic Biblical Association of America. CBQ 69 (2007) 757-765.

16381 *Oegema, Gerbern* The Pseudepigrapha and christian origins sections at the SNTS (2001-2006). Henoch 29 (2007) 183-185.

16382 *Öhler, Markus* 61st General Meeting der Studiorum Novi Testamenti Societas vom 25. bis 29. Juli 2006 in Aberdeen. BZ 51 (2007) 157-160.

16383 *Palmisano, Maria C.* Il XIX congresso IOSOT (Ljubljana, 15-20 luglio 2007). RivBib 55 (2007) 390-391.

16384 *Patterson, S.J.* Fall meeting 2006: report from the Jesus Seminar on christian origins. Fourth R [Santa Rosa, CA] 20/1 (2007) 16-20;

16385 Spring meeting 2007: report from the Jesus Seminar on christian origins. Fourth R [Santa Rosa, CA] 20/3 (2007) 15-20.

16386 *Rustow, Marina* International Workshop on Rationalism and Sacred Text, 10th-12th Centuries ("Consejo Superior de Investigaciones Científicas", Madrid, and "Escuela de Traductores de Toledo", Toledo, 29 November-1 December 2006). CCO 4 (2007) 367-378.

16387 *Segalla, Giuseppe* 62° Congresso generale della 'Studiorum Novi Testamenti Societas' (SNTS): Sibiu (Romania) 31 luglio-4 agosto 2007. StPat 54 (2007) 633-637.

16388 *Sova, Milan* 19. kongres Medzinárodnej organizácie pre štúdium Starého zákona. SBSl (2007) 118-119 [IOSOT].

16389 *Stowasser, Martin* Tagung der Arbeitsgemeinschaft der deutschsprachigen katholischen Neutestamentlerinnen und Neutestamentler (AKN) vom 19.-23. Februar 2007 in Mödling. BZ 51 (2007) 312-313.

16390 *Štrba, Blažej* 70. stretnutie Katolíckej biblickej spoločnosti Ameriky. SBSl (2007) 119-120 [CBAA]. **Slovak.**

16391 *Van Belle, G.* Colloque 'Studiorum Novi Testamenti Societas'. EThL 83 (2007) 610-611. Sibiu 2007.

16392 *Walsh, Jerome T.* Report of the sixty-ninth international meeting of the Catholic Biblical Association of America. CBQ 68 (2007) 706-715.

16393 *Wénin, André* Aujurd'hui lire la bible?: exégèses contemporaines et recherche universitaire (Lyon, 30 nov.-2 déc. 2006). RTL 38 (2007) 301-305;

16394 Jésus: portraits évangéliques. EThL 83 (2007) 581-583. Cycle de conférences, LvN et Bru, 2007;

16395 Troisième colloque international du RRENAB (Paris, 8-10 juin 2006). RTL 38 (2007) 137-141;

16396 EThL 83 (2007) 589-592.

16397 *Willi, Thomas* 'Zwischen Zensur und Selbstbesinnung': christliche Rezeption des Judentums. ThLZ 132 (2007) 738-739 Symposion, 15.-16. Feb. 2007, Greifswald.

Y7.4 *Congressus theologici*: nuntii

16398 *Brasser, Martin* "Glaube, Wahrheit und Vernunft": zweite Tagung der Internationalen Rosenzweig-Gesellschaft. FrRu 14/2 (2007) 123-125.

16399 *Carnicella, Cristina* Cronaca del XI simposio SIRT: 'ridire il simbolo della fede oggì: 'credo nello Spirito santo'. Ricerche teologiche 18/1 (2007) 265-275.

16400 *Colantuono, Gaetano* Ebrei e cristiani fra IV e VIII secolo: nona settimana di studi tardoantichi e romanobarbarici (Monte Sant'Angelo 9-12 ottobre 2006). VetChr 44/1 (2007) 145-150.

16401 *Crom, D. de* The Greek Bible in Byzantine Judaism: international colloquium, Cambridge July 2007. EThL 83 (2007) 615-616.

16402 *Ercolani, Tommaso* 'Visage et infini': analisi fenomenologiche e fonti ebraiche in Emmanuel LÉVINAS. RSF 62 (2007) 413-417.

16403 *Famerée, Joseph* Session de l'Académie internationale des sciences religieuses sur la christologie (Oxford, 25-29 août 2006). RTL 38 (2007) 445-446.

16404 *Haquin, André* L'autorité en liturgie: 54e semaine d'études liturgiques de Saint-Serge (Paris, 26-29 juin 2006). RTL 38 (2007) 141-142.

16405 *Kalamba, Nsapo* Bible et liturgie dans les églises d'Afrique: journée d'étude Omnes Gentes (Bruxelles, 16 décembre 2006). RTL 38 (2007) 305-307.

16406 *Mey, P. de* The light of Christ shines upon all: the third European Ecumenical Assembly, Sibiu, Sept. 2007. EThL 83 (2007) 611-14.

16407 *Raimbault, Christophe* Bible et catéchèse: donner la parole à la Parole. CEv 140 (2007) 66-69. Coll. Inst. cath. de Paris 2007.

16408 *Renker, Alwin* "Lebendig und kräftig und schärfer" (Hebr 4,12): 31. Deutscher Evangelischer Kirchentag vom 6. bis 10. Juni 2007 in Köln. FrRu 14/4 (2007) 281-286.

16409 *Tanner, Norman* Oxford patristics conference. Gr. 88 (2007) 861-863 15th International Conference on Patristic Studies, Oxford Aug. 2007.

16410 *Vonach, Andreas* "Priestertum und Priesteramt": Symposion der Katholisch-Theologischen Fakultät der Universität Innsbruck am 17./18. November 2006. HlD 61 (2007) 262-265.

Y7.8 **Reports of archaeological meetings**

16411 The 108th meeting of the Archaeological Institute of America. AJA 111 (2007) 357.

16412 *Bertalotto, Pierpaolo* I manoscritti del mar Morto e la biblioteca di Nag Hammadi (Trani, 6-8 giugno 2007). VetChr 44 (2007) 155-59.

16413 La cinquième journée d'études de la Société belge d'études byzantines. Byz. 77 (2007) 635-638.

16414 *Geva, Hillel* A symposium held in memory of Ruth Amiram; the thirty-third archaeological congress in Israel. Qad. 133 (2007) 61-62. H.

16415 *Ikeda, Jun; Mori, Wakaha* Trends in ancient Near Eastern language studies: a report of 53e Rencontre Assyriologique Internationale.

Bulletin of the Society for Near Eastern Studies in Japan 50/2 (2007) 275-285. J.
16416   *Shanks, Hershel* Jerusalem forgery conference: not how to make them, but how to detect them. BArR 33/3 (2007) 4, 78.
16417   The thirty-third archaeological conference. IEJ 57 (2007) 114-115.
16418   *Tristenský, František* Konferencia v Birminghame. SBSl (2007) 120-121. The Dead Sea Scrolls–text and context. **Slovak**.

Y8.0 *Periti*: Scholars, personalia, organizations

16419   Auszeichnung für Prof. Dr. Clemens THOMA. Forscher und Lehrer im christlich-jüdischen Dialog. FrRu 14/2 (2007) 126-129.
16420   [E]**Batalden, Stephen; Cann, Kathleen; Dean, John** Sowing the word: the cultural impact of the British and Foreign Bible Society, 1804-2004. 2004 ⇒20,315; 22,15680. [R]BiTr 58 (2007) 156-160 (*Noss, Phil*).
16421   *Bickel, Susanne; Schroer, Silvia; Uehlinger, Christoph* "Die Würde des Originals"–ein Dank an Othmar Keel von FreundInnen und SchülerInnen. [F]KEEL, O. OBO Sonderband: 2007 ⇒83. xxi-xxviii.
16422   *Browning, D.; Pellauer, D.; Schweiker, W.* Tributes to Paul RI-COEUR. Criterion [Chicago] 45/3 (2007) 2-7.
16423   **Buffon, Giuseppe** Les franciscains en Terre sainte: religion et politique: une recherche institutionnelle (1869-1889). 2004 ⇒20, 14487; 21,16111. [R]CFr 77 (2007) 465-67 (*Vadakkekara, Benedict*).
16424   *Byrd, R.O.* Edgar Johnson GOODSPEED: American Moffatt or American monkey?. BHHe 42/2 (2007) 36-47.
16425   *Caffulli, Giuseppe* Stanislao LOFFREDA l'archeologo di Cafarnao. TS(I) (2007) maggio-giugno, 24-25.
16426   **Contini, Ricardo** L'opera di Giovanni GARBINI: bibliografia degli scritti 1956-2006. Brescia 2007, Paideia 123 pp. €90. 978-05218-40392.
16427   *Daley, Brian E.* Jerome H. Neyrey, SJ: a personal portrait. [F]NEY-REY, J. SWBAS n.s. 1: 2007 ⇒116. 5-10.
16428   *Dentzer, Jean-M.* Rapport sur la vie et les activités de l'Ecole archéologique et biblique française de Jérusalem (2006-2007). CRAI 4 (2007) 1688-1696.
16429   *García Martínez, Florentino* André DUPONT-SOMMER and the Dead Sea scrolls. Qumranica minora I. StTDJ 63: 2007 <2003> ⇒ 230. 285-296.
16430   *Goldberg, H.* Discontinuities: the case of Saul Lieberman. Trad. 40/3 (2007) 69-75. Review of **E.J. Schochet** & **S. Spiro**, *Saul Lieberman: the man and his work* (NY: Jewish Theological Sem. of America, 2005).
16431   *Gómez García, V.T.* El Profesor Gerardo SÁNCHEZ MIELGO, O.P. rasgos biográficos. EsVe 37 (2007) 7-13.
16432   *Grappe, Christian* Éloge du professeur Gerd THEISSEN: prononcé, le mercredi 10 mai 2006, par Christian Grappe à l'occasion de la cérémonie de remise des titre et insignes de Docteur Honoris Causa de l'Université Marc Bloch. RHPhR 87 (2007) 5-12.
16433   *Hempelmann, Heinzpeter* Klaus HAACKER zum 65. Geburtstag. ThBeitr 38 (2007) 169-173.

16434 *Hillerbrand, H.; Lueking, F.D.; Marty, M.E.* Tributes for Jaroslav Jan PELIKAN. Criterion [Chicago] 45/3 (2007) 9-13.

16435 How scholarship affects scholars: losing faith: two who did and two who didn't. BArR 33/2 (2007) 50-57.

16436 *Ispérian, G.* Qui est cardinal MARTINI?. Christus 216 (2007) 472-481.

16437 *Kasemaa, Kalle* Arthur VÖÖBUS–ein Forscher des christlichen Orients. Studien zu Ritual. BZAW 374: 2007 ⇒937. 147-151.

16438 *Kindler, A.* The history of the Israel Numismatic Society. Israel Numismatic Research 2 (2007) 5-15.

16439 *Koester, Helmut* Insights from a career of interpretation. Paul & his world. 2007 ⇒257. 279-290.

16440 *Kvanvig, Helge S.* "Celebrations of Klaus Koch's 80ᵗʰ birthday" (Univ. of Hamburg, Nov. 2006). Henoch 29 (2007) 199-205.

16441 *La Genière, Juliette de* Rapport sur la vie et les activités de l'Ecole française d'Athènes (2006-2007). CRAI 4 (2007) 1555-1570.

16442 *Lavagne, Henri* Rapport sur la vie et les activités de l'Ecole française de Rome (2006-2007). CRAI 4 (2007) 1676-1687.

16443 *Lehnert, Volker A.* Exegetisch Kirche leiten: Klaus HAACKER als Lehrer der Kirche. ThBeitr 38/4-5 (2007) 239-250.

16444 **Martini, Carlo M.** Mein Leben. Mü 2007, Neue Stadt 93 pp. €90. ᴿStZ 225 (2007) 430-432 (*Batlogg, Andreas*).

16445 *Menacher, M.D.* Gerhard Ebeling in retrospect. LuthQ 21 (2007) 163-196.

16446 *Meurer, Siegfried* Bible societies. Religion past and present, 2. 2007 ⇒1067. 33-37.

16447 **Meyer, Friedrich** Die Bibel in Basel: Schwerpunkte in der Bibelgeschichte der Stadt Basel seit der Zeit der Humanisten und Reformatoren bis zu Gründung der Bibelgesellschaft. 2004 ⇒20,14507. ᴿRHE 102 (2007) 250-251 (*Beaude, Pierre-Marie*).

16448 *Mobley, K.P.* Helen Barrett Montgomery: a 'middle-of-the-road-Baptist' bible translator. BHHe 42/2 (2007) 55-68.

16449 *Mulliez, Dominique, al.*, Rapport sur les travaux de l'Ecole française d'Athènes en 2006. BCH 131 (2007) 927-1118.

16450 Nota biografica e scripta del Cardinal Albert Vanhoye. ᶠVANHOYE, A. AnBib 165: 2007 ⇒156. 603-628.

16451 *Oelsner, Joachim* Leipziger Altorientalistik: 1936-1993. Das geistige Erfassen. 2007 ⇒746. 315-330.

16452 ᴱ*Pantalacci, Laure; Denoix, Sylvie* Travaux de l'Institut français d'archéologie orientale en 2006-2007. BIFAO 107 (2007) 243-377.

16453 *Rakeffet-Rothkoff, A.* A note on R. Saul LIEBERMAN and the Rav. Trad. 40/4 (2007) 68-74.

16454 *Rezvykh, Petr* Schellings Rede über die Bibelgesellschaften. ZNTG 14 (2007) 1-48.

16455 *Robinson, James M.* Theological autobiography. Jesus: according to the earliest witness. 2007 <1998> ⇒301. 203-234.

16456 *Scagliarini, Fiorella* Pubblicazioni di Maria Giulia Amadasi GUZZO. Or. 76 (2007) 7-21.

16457 *Schreiner, Stefan* Laudatio für Prof. Dr. Kurt SCHUBERT: Rede anlässlich der Verleihung des ICCJ-International Sir Sigmund Sternberg-Awards an Prof. Kurt Schubert am 6. Juli 2006 im Palais Epstein, Wien. Dialog 67 (2007) 6-10.

16458   *Shanks, Hershel* The collector. Ment. *Moussaieff, Shlomo* BArR
        33/3 (2007) 12-14;
16459   New Met galleries reveal stunning art, ossuaries. BArR 33/4 (2007)
        12;
16460   Does the Israel Antiquities Authority want to destroy BAR?. BArR
        33/6 (2007) 6, 84.
16461   *Signer, Michael A* Die Würde des Judentums und des jüdischen
        Volkes achten: Laudatio für Peter von der OSTEN-SACKEN. KuI 22
        (2007) 161-170.
16462   ᴱ**Spencer, Patricia** The Egypt Exploration Society–the early years.
        Occasional Publication 16: L 2007, Egypt Exploration Society ix;
        262 pp. £22. 978-08569-81852. Num ill.; Bibl. 257-262.
16463   *Stendahl, Krister* Why I love the bible. HDB 35/1 (2007) 20-28.
16464   *Sznycer, Maurice* Quelques souvenirs épars sur un itinéraire
        scientifique et culturel et une longue amitié. Ment. *Guzzo, M.* Or.
        76 (2007) 84-92.
16465   *Waal, V. de* The centenary of the London Society for the Study of
        Religion: Friedrich VON HÜGEL, Claude MONTEFIORE and their
        friends. Theol. 110 (2007) 251-259.
16466   *Wright, N.T.; Hebden, S.; Stice, R.* The bishop as preacher, teacher,
        and pastor: an interview with Dr. N.T. WRIGHT, Bishop of Durham
        (Church of England). ChiSt 46 (2007) 328-344.

Y8.5 *Periti*: in memoriam

16467   Adinolfi, Marco 10.6.1919-29.8.2005 ⇒21,16144. ᴿCFr 77 (2007)
        517 (*Vadakkekara, Benedict*).
16468   Alberigo, Giuseppe 1926-15.6.2007. ᴿRCatT 32 (2007) 253-259
        (*Raguer, Hilari*).
16469   Alp, Sedat 2.1.1913-9.10.2006 ⇒22,15709. ᴿMDOG 139 (2007)
        7-8 (*Wilhelm, Gernot*).
16470   Artzi, Pinhas 1923-2007. ᴿShnaton 17 (2007) 13-17 (*Klein, Jacob*).
16471   Álvarez Verdes, Lorenzo 28.1.1934-1.11.2007. ᴿResB 56 (2007)
        72 (*Mingo Kaminouchi, Alberto de*).
16472   Barbaglio, Giuseppe 26.6.1934-28.3.2007. ᴿRivBib 55 (2007) 261-
        262 (*Fabris, Rinaldo*).
16473   Barsotti, Divo 1914-2006.
16474   Baumbach, Günther †12.8.2007 aet. 78. ᴿThLZ 132 (2007) 1398
        (*Feldtkeller, Andreas*).
16475   Bottéro, Jean 31.8.1914-15.12.2007.
16476   Boyce, Nora E.M. 2.8.1920-4.4.2006 ⇒22,15718. ᴿBSOAS 70
        (2007) 143-149 (*Hintze, Almut*).
16477   Cabrol, Agnès 1964-7.1.2007. ᴿEgypte Afrique & Orient 44 (2006)
        3-4 (*Andreu, Guillemette*).
16478   Cardascia, Guillaume 1914-2006 ⇒22,15721. ᴿRA 101 (2007) 1-2
        (*Démare-Lafont, Sophie*).
16479   Childs, Brevard S. 2.9.1923-23.6.2007. ᴿRevBib 69 (2007) 114.
16480   Chouraqui, André 11.8.1917-9.7.2007. ᴿCEv 142 (2007) 64 (*Tas-
        sin, Claude*).
16481   Cocagnac, Maurice 1926-2006 ⇒22,15724. ᴿCEv 142 (2007) 63-
        64 (*Tassin, Claude*).

16482 Cohen, Rudolph 1936-2006 ⇒22,15725. ^RQad. 133 (2007) 64 (*Naḥlieli, D.; Shor, P.*).
16483 Deiss, Lucien 1921-9.10.2007. ^RCEv 142 (2007) 64 (*Tassin, Claude*).
16484 DeVries, Keith 1937-16.7.2006 ⇒22,15728. ^RAJA 111 (2007) 549-551 (*Sams, G. Kenneth*).
16485 Douglas, Mary 25.3.1921-16.5.2007. ^RTablet (26 May 2007) 45; BArR 33/5 (2007) 28, 84, 86 (*Hendel, Ronald S.*).
16486 Dubois, Marcel Jacques 23.3.1920-14.6.2007. ^RTS(I) (2007/4) 62-63 (*Acquaviva, Giorgio*).
16487 Duval, Yves-Marie Sept. 1934-12.3.2007.
16488 Ehrlich, Ernst Ludwig 27.3.1921-21.10.2007.
16489 Feliks, Yehudah 1922-2005. ^RShnaton 17 (2007) 1-3 (*Amar, Zohar*).
16490 Fischer, Henry George 10.5.1923-11.1.2006 ⇒22,15731. ^RZÄS 134 (2007) iii, v-vii (*Eaton-Krauss, M.*).
16491 Franke, Detlef 24.11.1952-2.9.2007.
16492 Fritz, Volkmar 12.2.1938-21.8.2007. ^RThLZ 132 (2007) 1398-99 (*Hübner, Ulrich*); IEJ 57 (2007) 241-242; HlL 139/3 (2007) 7 & MDOG 139 (2007) 9-10 (*Hübner, Ulrich*); BArR 33/6 (2007) 22.
16493 Frymer-Kensky, Tikva 21.10.1943-31.8.2006 ⇒22,15733. ^RShnaton 17 (2007) 5-8 (*Tigay, Jeffrey H.*).
16494 Fuller, Reginald H. 24.3.1915-4.4.2007.
16495 Gamper, Arnold 28.1.1925-8.9.2007.
16496 Groves, J. Alan 17.12.1952-5.2.2007.
16497 Hinkel, Friedrich 1925-2007.
16498 Hirschfeld, Yizhar 1950-16.11.2006 ⇒22,15739. ^RQad. 133 (2007) 62-63 (*Patrich, Y.*); TS(I) n.s. 1/6 (2007) 62-63 (*Piccirillo, Michele*); IEJ 57 (2007) 242-243; BAIAS 25 (2007) 211-212 (*Gibson, Shimon*); BArR 33/2 (2007) 16 (*Tsafrir, Yoram*).
16499 Holtz, Traugott 9.7.1931-3.7.2007. ^RThLZ 132 (2007) 1161-1162 (*Tanner, Klaus*).
16500 Israelit-Groll, Sarah 25.12.1925-15.12.2007. ^RLingAeg 15 (2007) vii-viii.
16501 Jashemski, Wilhelmina F. 10.7.1910-24.12.2007.
16502 Korfmann, Manfred Osman 26.4.1942-11.8.2005 ⇒21,16177; 22,15742. ^RBer. 50 (2007) 5-6 (*Genz, Hermann*).
16503 Lewis, Naphtali 14.12.1911-11.9.2005 ⇒21,16181. ^RSCI 26 (2007) 253-255 (*Cotton, Hannah M.*).
16504 Léon-Dufour, Xavier 3.7.1912-13.11.2007.
16505 Lindner, Manfred 22.7.1918-30.10.2007.
16506 Matson, Frederick R. 29.7.1912-27.3.2007.
16507 McKane, William 18.2.1921-4.9.2004 ⇒20,14574. ^RZAW 119 (2007) 1 (*Emerton, John*).
16508 Mellink, Machteld Johanna 1917-24.2.2006 ⇒22,15748. ^RAJA 111 (2007) 553-558 (*Greenwalt, Crawford H., Jr.*).
16509 Merkelbach, Reinhold 7.6.1918-28.7.2006 ⇒22,15749. ^RZPE 163 (2007) 3-12 (*Koenen, Ludwig*), 13-16 (*Petzl, Georg*), 17-24 (*Henrichs, Albert*).
16510 Metzger, Bruce Manning 9.2.1914-13.2.2007. ^RPSB 28 (2007) 99-106 (*Charlesworth, James H.*); PSB 28 (2007) 107-113 (*Metzger, John M.*); Henoch 29 (2007) 424-427 (*Charlesworth, James H.*);

BArR 33/3 (2007) 16 (*Sanders, James A.*); ThRev 28/2 (2007) 3-32 (*MacAdam, H.I.*).
16511 Metzger, Henri 1912-2007.
16512 Milik, Józef T. 24.3.1922-6.1.2006 ⇒22,15751. ᴿSyria 84 (2007) 313-314 (*Contenson, Henri de*); PJBR 6/2 (2007) 123-134 (*Graf, D.F.*).
16513 Minear, Paul Sevier 17.2.1906-22.2.2007 ᴿHBT 29 (2007) 57-60 [Bibl. 61-73 by *Laura C. Sweat*] (*Black, C. Clifton*).
16514 Nibbi, Alessandra 30.6.1923-15.1.2007. ᴿDiscEg 63 (2005) (*Vandersleyen, Claude*).
16515 North, Robert G. 25.3.1916-2.6.2007. ᴿBib. 88 (2007) 450-451 [On p. 450 the text in brackets, 6th paragraph, lines 3-4, should simply read: in Giordania.]; CBQ 69 (2007) 756-757 (*Swetnam, James*); AcBib 11/3 (2007) 327-328.
16516 O'Connor, Michael Patrick 7.4.1950-16.6.2007.
16517 Orchard, Bernard 3.5.1910-28.11.2006 ⇒22,15756. ᴿScrB 37/1 (2007) [<The Times, London December 5, 2006]. ⇒16315.
16518 Pelikan, Jaroslav 17.12.1923-13.5.2006 ⇒22,15759. ᴿProEc 16 (2007) 123-125 (*Wilken, Robert L.*).
16519 Perkins, Ann 18.4.1915-7.5.2006 ⇒22,15760. ᴿAJA 111 (2007) 149-150 (*Darling, Janina K.; Downey, Susan B.*).
16520 Petersen, William L. 19.1.1950-20.12.2006 ⇒22,15761. ᴿVigChr 61 (2007) v-vi.
16521 Places, Edouard des 23.7.1900-19.1.2000 ⇒16,13236; 18,14063. ᴿWith unperfumed voice 2007 <2002> ⇒200. 522-526 (*Brenk, Frederick E.*).
16522 Popkes, Wiard 30.6.1936-3.1.2007.
16523 Raddatz, Alfred 15.3.1928-7.6.2007. ᴿWJT 6 (2006) 355-360 (*Wischmeyer, Wolfgang*).
16524 Ribera Florit, Josep 13.10.1935-24.12.2007.
16525 Ridderbos, Herman N. 13.2.1909-8.3.2007.
16526 Rolley, Claude 11.11.1933-2.2007. ᴿRAr (2007/1) 121-128 (*Verger, Stéphane*).
16527 Ross, James F. 1927-28.5.2007 aet. 79. ᴿBArR 33/5 (2007) 20 (*Shanks, Hershel*).
16528 Salom, Alwyn 23.3.1928-2.2007.
16529 Schubert, Kurt 4.3.1923-4.2.2007. ᴿBiLi 80 (2007) 55 (*Höslinger, Norbert*); FrRu 14 (2007) 235-236 (*Stemberger, Günter*); HlD 60 (2006) 294-295 (*Langer, Gerhard*); Chilufim 2 (2007) 5-9 (*Langer, Gerhard*); Dialog 67 (2007) 3-5 (*Himmelbauer, Markus*).
16530 Silberman, Lou H. 23.6.1914-6.6.2007.
16531 Strugnell, John 25.5.1930-30.11.2007.
16532 Sullivan, Kathryn 17.5.1905-22.9.2006 ⇒22,15778. ᴿBiTod 45 (2007) 5-10 (*Osiek, Carolyn*); CBQ 69 (2007) 104-105 (*Osiek, Carolyn*).
16533 Tefnin, Roland 4.1945-13.7.2006 ⇒22,15780. ᴿEgypte Afrique & Orient 45 (2007) 3-4 (*Angenot, Valérie*).
16534 Toombs, Lawrence E. 1.4.1919-14.12.2007.
16535 Trigger, Bruce G. 18.6.1937-1.12.2006 ⇒22,15782. ᴿSociety for the study of Egyptian antiquities (winter 2007).
16536 Ucko, Peter 27.7.1938-14.6.2007.
16537 Van Loon, Maurits Nanning 22.9.1923-12.10.2006 ⇒22,15783. ᴿBiOr 64 (2007) (*Meijer, Diederik*).

16538 Vetter, Dieter 29.9.1931-21.6.2006 ⇒22,15786. ^RFrRu 14/1 (2007) 68-69 (*Van Doorn, Ralph*).
16539 Zalewski, Saul 1928-2006. ^RShnaton 17 (2007) 9-11 (*Assis, Eliyahu; Avioz, Michael*).

Index Alphabeticus

Auctorum

^Ddir. dissertationis ^Eeditor ^FFestschrift ^Mmentio ^Rrecensio ^Ttranslator/vertens

A ageson J 8 3 6 1
^R1084 7883
Aaron C 1682 **D** 3139
Aartun K 10028
A asgaard R 7 6 3 6
^R15255
Ababneh M 10227
Abadie P 3728 3798
3838 3925 16342
^E49 ^R265 355 768
3813 4052 4274
4314 4757
Abarbanel ^M11745
A basciano B 7 8 3 8
7978
Abbà M 2713
Abbott M ^R6793
Abd el-Aziz S 10268
Abd El-Fattah A 12735
-**Moneim** S 13754
Abdi K 10158
Abdulfatthah K 13636
Abdulkarim M 14759
^{ET}11695
A begg M ^M1 1 0 7 7
^R11200 11232
Abel W von ^{ET}11695
Abelard P ^M15932-7
Abell J 1417
Abelow B 8651
Abesamis,C 5527
Abécassis A 8834
Abhilash 5698
Abraha T 15853
Abraham I 1418 **K**
13245 15335 **M**
15160s **W** 8625 9779
Abrahami P 10159
Abrahamsen V 14076

Abravanel I ^M11821
11833s **J** ^M2088
Abt T 12736
Abu' Shaqra F 10228
Abu Shmais A 14657
15026
Abulafia D 11696
A busch T 2 7 2 8
12831 15186
A chenbach R 347
2661 4823 5048
11356 14077 ^R58
137 546 3078 3320
Achermann W 13956
14077
Achtemeier E 5049 **P**
^R7687
Ackerman D 8020 **S**
3594
Ackermann P 4419
Acklin Zimmermann
B 9071 ^E552
Acquaviva G ^R16486
Acuff J 8652s
Adam A 348 1419
9336 ^R9793 **J** 7888
K 3595 3978 ^R419
3585 5182 **P** 9226
Adamik T 10993
Adamo D ^E349
Adams B ^F1 **C** 12737
13110 13806 ^E642
E 8968 9732 14991
^E350 8004 **M** 8968
R ^F2 ^R14905
Adekambi M 4454
Ademiluka S 9553
Aderhold K ^R1202
3414 15295
Adeso P 4377

Adewuya J 8131 9554
Adeyemi F 7814
A diego I 1 0 3 2 3
10364ss
Adinolfi M 5281 6973
†16467
Adkin N ^R15797
Adler W 10672 ^R2644
Y 11243
Adly E 14820
Adrian W 2585
Adunka E 12016
A ejmelaeus A 1 7 6
2340-9 3230 3323
3384 3556 3655
10484s ^R2380 **L** ^F3
Aelred R ^M15938s
Aerden G ^R4414
Affolter-Nydegger R
1420 15882
Afinogenov D ^T13378s
Africanus S ^M15191
Agamben G 7869
A gius J 2 9 2 3 9 9 8 0
^D2815 3122 5093
Agosto E 2164 15253
Agourides S 2164
Aguilar Chiu J 7681
8091 ^E156
Aguirre Monasterio R
879 8835 8930
Agus A 11562
Agwulonu A 6650
Agyenta A 2976
Ahearne-Kroll P ^R7083
S 6459 ^R363
Ahiamadu A 1931
Ahipaz N 14377
Ahituv S 9900 10096
^R326 4720

Arcari L 7573 10673
   10746 15500 ᴿ7538
   15503
Archer J 10855
Archi A 10324 12616
   ᴿ13293
Arcidiacono C 8321
Ardener E 179
Ardon C 4996
Arens E 1230
Aretino P ᴹ16073
Arènes J 2135
Argárate P ᴰ10807
Argov E ᴿ369
Ariarajah S 12947
Arias Montano B
   ᴹ2428
Arichea D 8397
Ariel D ᴱ11070 Y
   11361
Aries W 12914
Ariesan C 15854
Aristides ᴹ15481
Aristoteles 10587
   ᴹ2110 6949 7833
   11735
Arjava A ᴱ10494
Arıkan Y 14926
Armenteros Cruz V
   2729 8656
Armitage D 8202
Armoni C 10495
   ᴱ10496
Armstrong D 1609 J
   ᴿ1847 9647 12228
Arnal W 5502s 5656
   16341 ᴿ852
Arnaldus V ᴹ15962s
Arnaud D 10162
   13190 ᴱᵀ14716
Arnaudiès A 14820
   ᴿ14841
Arndt T 11563
Arneth M 2662 2853
   3658 3790 4204
   4142 4165 9903s
   ᴿ3057 16312
Arnobius S ᴹ15482
Arnold B 3692 9837
   ᴱ1076 C 16205 D
   9458 M 16034 ᴱ899
   ᴿ899 6091 R 11247
Arnott W 15108

Arnould-Béhar C
   15080
Arns P 15785
Arocena F ᴱ4100
Aroga Bessong D
   2549
Aróztegui Esnaola M
   15530 ᴱ757s
Arraj J 6220
Arriba Cantero S de
   13959
Artemidorus E
   ᴹ10504
Arterbury A 8657
Artés Hernández J
   10997
Artigas M 2809
Artin G 14703
Artola Arbiza A
   1778s
Artus O 2812 3191
   3292 6114 16342
   ᴰ2917 3380 ᴿ137
   416 2723 2847
   3148 3257 3261
   3430
Artzi P †16470
Artzy M 14551
Arx B. d' ᴿ13249
Arzt-Grabner P 8005
   10497
Asano A 8163
Ascalone E 13191
Asenjo R 11839
Ascough R ᴿ15404
Asgeirsson J ᴱ12283
   ᴿ12217
Ash P ᴿ462
Asher J ᴿ7629 8020
Ashton J 7007 7046
Ashwin-Siejkowski P
   ᴿ10564
Askani H 1780
Askénazi L 2654
Assaël J 8482
Assante J 14079
Assefa D 10674
Assis E 3463 3489
   4909 5216s ᴿ16539
Asskamp R ᴱ646
Assmann A 10003
   ᴱ7775 J 3082s

12485 12738-41 ᴱ647
   754 7775
Aster S 4756 13192
Aston D 13111 14847
   M 16074
Astori D ᴱ3992
Astren F 11336
Astruc J ᴹ833 16151-4
   16189
Asurmendi Ruiz J 3894
   4455
Aßfalg J ᴱ1126
Ataç M 12835
Athanasius A ᴹ15635-8
Athas G 10098
Athenagoras ᴹ10692
Athikalam J ᴿ4729
   5007 7481
Atkinson J 1781 K
   11248 13381 ᴿ7627
Atmatzides C 16354
Attias J ᴱ755
Attinger D 7280 11860
   ᴿ8962 12059 14336
   15474 P ᴿ1070
Attridge H 9074 ᴱ648
   756 2646 ᴱ6269
   ᴿ8427 8431 M ᴱ39
Atwell J 12664
Atzori M 10998
Aubert B 6939 R
   ᴱ1059s
Aubin M 14623
Aucker W 3761 ᴱ5
Auffarth C 12594
   15886
Auffret P 4154 4194
   4205 4219 4233 6202
   6612
Aufrecht W ᴿ10098
Aufrère S 10309s
   12742 15109
Augello A 1297
Augias C 5285
Augruso A 9228 9313
Augustin R 4736
Augustinus H 4042
   4048 4053 ᴹ1455
   1623 1788 5900
   11732 11692 15444
   15563 15713-84
   15793

Baldwin C 2310 **M**
10999
Balensi J [E]61
Balentine S 4255
Balint B [R]8899
Ball H 7365 8125
Balla P 8132 15255s
Ballard P [E]359 761
Ballester C [T]6752
Ballhorn E 1852 3112
4241 9339 [E]360
2167
Balliu C 2587
Baloyi M 4738
Balserak J [R]15742
Balthasar H von 7466
[M]1612 9007
Balthazar P 5939 9610
Balty J 14750 [E]1134
Baltzer K 16219 8553
[M]16219 [R]3814s
Balz H 9166 [D]7800 [F]7
Balzac H de [M]2092
Balzaretti C [R]3810
Bamberg M [E]650
Bambi Kilunga G 4828
Bammer A 8342 14936
Band D 13963
Bandt C [ET]15855
Bandy A [R]7541
Bankes W [M]13732
Banks D 12956 **I** [E]651
Banning E [E]13193
Banon D 11757 11863
P 13383
Banschbach E 6027
Banse H [R]16254
Bantu J 3729
Bar D 15082 **Hiyya A**
[M]11726 **S** 15257 **T**
9838 [E]51
Barako T 12957 14539
Baraniak M 11249
Baranowski K [R]15318
Bar-Asher E 10007
10146 [E]13 149
11071 **M** 9839 9905
11337 11524 [E]34 74
652 [F]8s
Baray L [E]653
Brun P [E]653
Barbaglia S [R]5285

Barbaglio G 5288
6085 7685 9104
†16472 [R]15502
Barbati G 1611
Barbára M [ET]4392
Barber C 13964
[R]13972
Barbero A [E]654
15043
Barbi A 6765
Barbieri G [R]6806 **M**
[E]655
Barbiero G 4187
4192 4213 4393s
8659
Barbotin C 14083
Barc B 11000
12335s
Barcala Muñoz A
12017
Barceló P 13338
Barclay J 1935 9138
9459 11362 13384-
7 [E]656 [R]585
[T]13388
Bardet S 13389
Bardski K 4931
Bar-Efrat S 1595
3557
Bargellini F 5050
Barguet P 14241
Barhebraeus [M]11746
Bar-Ilan M 10636
Barkay G 3699
Barker D 2350 **G**
14669 [E]14668 **M**
9032 9340 12666
[E]341 [R]10680 **P**
3324 **W** 4778
Barlet L 6569
Bar-Nathan R
[E]14197
Barnay S 361
Barnbrock C 1423
Barnett P 13540
Barnhart B 9229
Baron A 2092
Barone F 15646
Baroni A [E]956 **R**
1596
Barr D [E]762 [R]7470
7529 9761 **G** 2245
J [M]1576

Barrado P 16357s
[R]5449
Barram M 9167 [R]7840
Barrau J 16005
Barrelet M 13273
Barrett C 6766 6975
8228 9781 12836
Barré M 4785
Barrick W 2928 9969
[R]1103
Barriocanal Gómez J
11864 12889
Barrios Tao H 1424
6300
Barrot L 5923
Barrowclough D [E]657
Barry C 12337s **J**
11131
Barsotti D †16473
Barstad H 5121 12958
Barta H [E]1014 **K** [R]5888
8950
Bartelmus R 4420 9840
9906 [R]3480 3505
Barth H 2481s 8660 **K**.
1687 7870 12404
16220s [M]1513 4335
7684 9030 9472
16220-39
Barthel J 1853
Barthélemy D 4003 **J**
[M]10261 [R]5816
Bartholomew C 2740
1278 [E]362 6492
Bartlema R 7492
Bartlett J [R]3970 15058
Bartman E 13680
Bartolini E 8661
Bartolomé J 6301s
9611
Bartoloni P [R]14245
Barton J 183 1425ss
1854-7 2006ss 2168ss
2226 2647 4652ss
5051s 5601 8777
8803s 8872 9341
13027 15553 16202
16317 [R]1863 **S** 7686·
9460 [E]363 763s
Bartor A 3185
Baruffa A [R]15020
Barus A 7047
Bar-Yosef O 15365

Bednarski A 14807
Bedouelle G [E]16133
  [R]6091
Bedriñán C 2439
BeDuhn J 12249ss
  [E]558
Beech T 10637
Beeck L de 14282
Beentjes P 187 3800
  10856 [D]3518 [R]252
  1101 1106 1492
  2552 2403 3813
  4635 13939
Beeson S 13030
Beevers B 8133 8147
Begasse de Dhaem A
  7964 15818
Begg C 13391-405
  [E]1196
Behr J [R]6819
Behrends O [E]767
Behrens A 1858 8665
Behrmann I [E]388
Beinert W [R]2755
Beinlich H 14808
Beintker M 9735
Beit-Arieh I 9909
  14905 [E]14525
Beitzel B [E]15059
Bejarano W [R]5337
Bekken P 7890
Bekker-Nielsen T
  14962
Bel B [E]658
Belayche N 12595
  12621
Belda M [D]6677
Bell L 13112 R 7965
  9075
Belli F 7690 7966
Bellia G 13031 [E]768
Bellinger W 4148
  8903 [E]784
Bellini I [R]318 824
Bellis A 1971 4895
  [E]769
Beltrán Flores A 8566
Beltz W [E]114
Belza C [T]13153
Bembry J [R]3581
Ben Ahron Z 11573 Is-
  raël M 11819 Sham-
  mai H [F]13 Tahar S

10078 Zeev M
  13522 Zvi E 3780
  3801s 5080 [E]372s
  2210 [R]134 3814s
  3862 4653 5115
  5221
Benamozegh E
  11865
Benckhuysen A
  16183 16197
Ben-Daniel J 7574 -
  David C 14243
  15245
Bendell L 12513
Bendemann R von
  6304 [D]8246 [E]286
Bender C 9841
  13854 [E]333
Ben-Dov J 10677
  10764 R 14604
Benedictus A
  [M]15973
BENEDICTUS XVI
  1299 1429 4103
  5460ss 5467s
  13544 [F]14 [M]613
  1618 1633 5455s
  5458s 5463-6
  5469-78 5482-89
  5491-6 5499ss
  5542 8943 9005
  9008 9780 12082
  12138 12190
  16240-4
Bengtsson P 3530
Benjamin D 1232
  3200 15386 M
  2010 W [M]16245
Benn G 11996
Bennema C 6947
Bennett B 12252
  [R]15486 C 13113 P
  10589
Ben-Shlomo D
  14504 14635
Bensussan G 11700
Bentley J [R]14777
Bentoglio G 9462
Ben-Tor A 14607
  [E]14637 D 14134s -
  Toviya E 12022
Benvenuti A 559

Benyoetz E 2949 11866
Benzi G 4760
Berceville G [R]6998
Berchman R [R]13361
Berder M 13817s
  16191 [D]5915 [R]355
  480
Berdichevsky M 7796
Berding K 5602 [E]374
  [R]15559
Berends B 9463
Berenguer Amador A
  [R]11839
Berenson Maclean J
  6206
Berg S 1688 11188 W
  8790
Bergant D 1173 2743
  3168 4395 8770
  12960s [R]814 4557
  8579 9431
Bergen W 3272 [R]8796
Berger D 11365 J·
  11867 K 5290 5469
  9464 11002 12285
  [E]188 M 11527 Y
  [T]11754
Bergerot T [R]12754
  14242 14288
Berges U 466 2172
  4786 [R]4739 8746
  [T]4724
Bergey R 9052
Bergjan S 16077
Bergman M [R]596 N
  9842
Bergmann C 8839
Bergmeier R [R]7778
  11092 11191
Bergold R 1300
Bergsma J 3288
Berlanga Fernández I
  [T]4035
Berlejung A 3928 3950
  13899 [E]138 1078
Berlin A 3896 4231
  14371 14606
Berlinerblau J 1233
Berlioz H [M]13850
Berlis A 9688
Berlyn P 3765
Berman J 3531 3856

Bile M ^{R}10394
Bilezikian G 9207
Bilic N 5232
Billault A ^{R}12467
Billefod Y 5870
Billing N 14861
Billington C 3621
Billon G 1303 1431
   6164 7575 13819
   ^{E}772
Billoteau E ^{T}6198
Bily L 8627
Bimson J 1080
Bindemann W 12025
Bing C 8320
Bingen J 13115
Binni W 7057 7222
   8574
Binz S 1234 8771
   9009
Biran A 14604
Birch B 1235 16345
   ^{R}3580
Birchler A 13809
Bird J 12512 ^{R}538
   8278 M 191 6493s
   ^{R}5253 8145 8950 P
   1972
Birdsall J 192
Birk B 2095
Birmelé A 1615
Birnbaum E 3885
Birney K 14909
Birzer B ^{R}12427
Biser E 5291 7691
   8933
Bismuth D ^{T}10877
Bisonti F ^{E}13969
Bispham E ^{E}661
Bissoli C 1304-7
Bittasi S 1616 6919
   9466
Bittleston K ^{T}2455
Bittner R 4270
Bitton-Ashkelony B
   15387
Bizer C 1308
Bizjak J 9034
Black C 5242 ^{R}16513
   D ^{E}5660 F ^{E}379 J
   10165 S ^{R}7840
Blacketer R ^{R}2459
Blaine B 7058

Blair M 5104
Blake E 16222 W
   ^{M}2093s 14045
Blakely J 14510
   14545 ^{R}13736
Blamey K ^{T}1547
Blanc A ^{E}959
Blanchard Y 1432
   1784 7059 ^{E}902
Blanco Moreno M
   ^{T}10955 Pacheco S
   6619
Bland D ^{E}1710 K
   ^{R}11402
Blank I 1690
Blanke L 14674
Blanton T 8134 W
   5292 7639
Blasberg-Kuhnke M
   9343
Blasi A ^{E}380
Blasius A ^{E}662
Blau J 2408 9843
   10031 S 15369
Blázquez J 193 Pé-
   rez R 5529 ^{R}5462
Bledstein A 4058
Bleeker J ^{R}251
Bleiberg E 15337
Bleibtreu E ^{R}13220
Blenkinsopp J 194
   4726 8894 11373
   ^{E}1016
Blevins C 1691
Blischke F 7815 M
   4590
Bloch R 3046 ^{R}9943
   10826 11604 Y
   9844
Blocher H 12026
   ^{D}7925
Bloedhorn H ^{E}9943
Blois F de ^{E}12255 L
   de ^{E}960
Blok H & L ^{E}11868
Blomberg C 1785
   5278 5723 ^{R}112
   242 6266 8334
   8609 9188
Blondel M ^{M}16246s
Bloom H 5546 M
   11775

Bloomquist G 8271
   ^{D}10637
Blouin K 13523
Blount B ^{E}5643
Blösel W ^{R}679
Blue L 14897
Blum E 2665 2900
   13036 ^{D}3610 3642
   8590 ^{E}313 773s H
   13322 M 6572 6747
   ^{R}1078 6582 7121
Blumczynski P 2551
Blumell L 12027
Blumenkranz B 12028
Blumenthal C 8537 D
   ^{R}11736 F 3085 5138
   S von ^{F}16
Boada J ^{R}754 757 916
   1502 5290 5399 5528
   8646 9548 14052
   15294 16235 16246
   16306
Boadt L 1859 4657
   ^{R}4664 4726
Boardman J ^{R}14398
Boaretto E 13725
Boase E 4910
Bobertz C ^{R}8884 15570
Bobichon P 15534
Bobonich C ^{E}663
Bobzin H 4997
Boccaccini G 5504
   10678s 11374 12029
   ^{E}381 775 10680
   ^{M}16350
Boccara E 11820
Bochet I 15723 M 9648
Bock D 5603 1860s
   6477 6770 ^{E}13501
   ^{R}6263
Bockmuehl M 6064
   8485 9467 13546
   ^{D}5811 ^{E}68 143 382
Boda L 5856 M 4658
   5055 ^{E}776s 904 ^{R}86
   14430
Bode E ^{R}7015
Bodenheimer A 2111
Bodi D 1973
Bodiou L ^{E}13903
Bodner K 2011 3574
   3634 ^{R}3690
Bodzek J 14383

Boud'hors A 10311 ^{R}32
Boudon-Millot V ^{E}79 ^{ET}15188
Boulanger I 5836
Boulhol P 3439 ^{E}906
Boulnois M 15655
Bouloumie A 2132
Bouma G ^{E}961
Boumis P 1864
Bour R 14391
Bouretz P 8874
Bourgain P ^{R}15734
Bourgeault C 4104
Bourgeois A 14199 **H** 8644
Bourgine B ^{R}8962
Bourguet D ^{E}6265
Bourke S 14700
Bourquin Y 6306 6409 ^{R}813
Bourriau J ^{E}14228
Bousquet F ^{R}233
Boussac M 14889
Boustan R 11776s ^{R}1167
Bouton C 13038
Boutot A ^{T}8971
Bouvarel-Boud'hors A ^{E}989
Bouvier B 6896 **G** 10244
Bovati P 8668 9468
Bovey A ^{E}976
Bovon F 197s 6156s 6496 6554s 6867 6896 12286
Bowald M 1437s
Bowden J ^{T}2678 2797 9649
Bowe B 15260 **H** 10606
Bowersock G 5264 14186
Bowie A ^{E}13323
Bowman A 13117 **R** 3464
Boxall I 5244 5971 7470 7495 ^{R}2232 7863
Boyarin D 10681 10790 11577 12033-6

Boyce J 6600 **N** †16476
Boyd G 5294
Boyer C 5295 10920
Boyle A ^{E}15003 **B** 4586
Boys M 12037
Bozzetto-Ditto L 2055
Böck B 12837
Böckler A 5878 11376 11869 ^{R}8799
Böhl M 6111
Böhler D 3868 ^{E}384
Böhm S 14085
Böhmisch F 15164
Böll V 10320
Böntert S ^{R}93
Börker-Klähn J 13278
Börner-Klein D 3886 4603 10639
Bösen W 6158
Bösenecker J ^{R}546
Böttigheimer C 8975 ^{D}1788
Böttrich C 10640 13411 14569 ^{D}6347 7069 ^{E}63 780 ^{R}6562s 6659 10669
Bövingloh D 1939
Bøgh B 12598
Braaten C 3166 ^{E}3140 **L** ^{R}5080 **M** 7471
Brabander K de 15611
Bracht K 5000 ^{E}4994 **W** 16289
Brackley D 5896
Bradley M 5724
Bradshaw P 6119 9347 15522 ^{F}17
Brady C 2286
Braemer F ^{E}14746
Braginskaya N 10775
Brahe T 2794
Brakke D ^{E}907
Branca P 5547
Branch R 3736 ^{R}1288 4266 8549

Brand P 13118 ^{R}14269 **S** 9011
Brandau R 12038
Brandt H 14910 **O** ^{E}729 **P** 9348
Branick V 8022 ^{R}825
Branigan K ^{E}664 14285
Branitzky L 1439
Brankaer J 7388 ^{E}10859
Brant J ^{E}781
Braschi F 15819
Brasser M 16398
Braulik G 199 385 3373 9349s ^{D}3358
Braun E 14589 **J** 1309 13820 ^{R}10354 **R** 1693 **T** 6574 6717 **W** ^{E}562 ·
Braune-Krickau B 3533 15976
Braun-Holzinger E 13905 ^{D}14817
Bravo A 1237
Brawley R 6497 ^{E}386 ^{R}197
Bray G 5940 ^{E}5644 **S** de 13985
Brayford S 2710
Brazier P ^{R}16148
Bräm A 2422
Brämer A 11822
Brändle F 9351 **W** ^{F}18
Breaux J ^{E}745
Brech H 9139
Breck J 1440
Bredenkamp D 8083
Bredin M 7496 ^{E}387 ^{R}7068
Brednich R ^{E}1152
Bregantini G 6773
Bregman M 11578
Breitling A 1441
Breitsching K ^{E}782
Bremmer J 10491 11004 12039 12668 ^{E}908 10992 ^{R}12510 **R** 15889 ^{E}709
Brenk F 200 6928s 6942 7817s 10501 12488s 12514 12554-70 13340 13906 ^{R}11049 16521

Brutti M 13341 ^{R}11511
Brüggemann T 13524
Bründl J 2814
Brüske G 9353
Bryan C 6223ss ^{R}13531
Bryant R ^{R}3 7687
Bryce T 13280ss
Bryner E 16082
Bsteh P ^{R}16529
Bubenik V 10376ss
Buber M 207 9912 11377 11579 11823 11871-924 ^{M}2628 16251-7 ^{T}2525
Buccellati G 9021
Buchanan C 1111
Buchegger-Müller J ^{R}5830 7722 9831
Bucher C 13970
Buch-Hansen G 7062
Buchhold J 8344
Buchholz A 16039 **M** ^{E}10494
Buchinger H 15566
Buchmayr F 11925
Bucking S 10502
Buckley J 12257s ^{E}10170 ^{R}125
Bucur B 6083 15483 15517 15628
Budde D ^{R}14279
Budka J 14878
Buehlmann A 4490 4537
Buekens A 4981
Buell D 15261
Buetubela Balembo P 6410
Buffon G 16423
Buganza Torio J 1445
Buhl M 14287
Buitenwerf R 7596 ^{E}2552
Bukowski P 15166
Bulkeley T 5115
Bullen D 16176
Bullinger H ^{M}910 12405 16074-119
Bultmann C 4832 16165 **R** 9786 12409 12462 ^{M}1538 7052

8045 16226 ^{M}16258-61
Bundesen L 9689
Bunge G 13971
Bunimovitz S 13653
Bunine A 6774 6908
Bunta S 4969 10760
Burchard C ^{D}10776 ^{F}21
Burckhardt L ^{E}665
Burer M ^{R}1785
Burgaretta D 11701
Burger C 16040s **M** ^{D}11575
Burgh T 13822
Burgos Núñez M de 8412
Burgsmüller A 15189
Burgués J 6030
Burini de Lorenzi C 15454 15501
Burk D 1789
Burkard D 16065 **G** 10245
Burke A 13797 ^{R}14604 14662 **D** 2355 **S** ^{R}8682 **T** 7694 ^{E}151
Burkert W 208 12515 12572
Burkett D ^{R}511
Burkitt F 392 12041
Burleigh N 14812
Burmeister S ^{E}13807
Burne M 9234
Burnet R 1314 8165 ^{R}4052
Burnett A ^{E}14403 **C** ^{E}15936 **J** 4060 ^{E}784 **R** 16223
Burnette-Bletsch R 1241
Burney C ^{F}22
Burns J 2287 12042 13547 ^{R}1872 **P** ^{E}5550 **R** 14760
Burrell B ^{R}15012
Burrichter R 1315
Burridge R 5265 9470
Burrus V 8670 ^{E}563
Burt S ^{R}13066

Burton K 9561 **M** 15246 **P** 15725 **W** 1446
Bury B ^{R}6819 11470 15253
Buscemi A 7929 8166 8322 13907
Busch E ^{E}7871 **P** 10748 12601 ^{R}1506 6901 10753
Buschmann G 1941
Bush L 1790 ^{R}1105
Busi G 11824
Buss M 2012 ^{R}195
Busse H ^{T}12920 **U** 7011 ^{E}393 785
Bussières M 1211 15815 ^{ET}15816 ^{R}15802
Butarbutar R 8080
Butcher K 12670 14737 **M** ^{R}14673
Butler J ^{M}16183 **T** ^{R}546
Butterlin P 14765
Butterweck-Abdelrahim K 10246
Butticaz S 5116 6731 6897 ^{R}7004
Butting K 2590 2616 ^{R}4462
Buttrick D 5297 6309
Buzi P 15028
Buzzard A 5044
Buzzetti C 9787 ^{R}5386
Büchner F 7389
Büchsel M 13972s
Bühler P 9690
Bühlmann W 3024
Bürki B ^{E}786 9354
Büttner F ^{E}4061 **G** 1317 7253 ^{E}1316
Byamungu G 2901
Byassee J 15726
Bybee J 10591
Byers G 2815
Byrd R 16424
Byrne R 4457
Byron J 7460
Byrskog S 2174 6310

Caba J 7063 7382
Caballero J 1618 ^{R}5063 6931 7057 8301

Cardascia G †16478
Cardellini I 8647 12045
Cardellino L 2097 5975 6057 6080
Carden M ^{R}2061 12714
Cardete M ^{E}564
Cardin C ^{E}992
Cardoso Pereira N 4801 -**Orlandi C** 1792
Carella B 15892
Carey G 4982 ^{R}5249 **H** 6438
Carfora A 15455
Cargnoni C ^{R}16163
Carile A 13639
Carleton Paget J 11006 13549 ^{E}68 382 ^{R}6953 15557
Carlin N 2458
Carlos Otto F de ^{T}6155
Carlotti J 13759 **P** 9471
Carlson R 5726 **S** 6266
Carlsson L 10777
Carmichael C 2978 16265
Carmignani P ^{E}1023
Carmody T ^{R}37
Carnevale L 4273
Carnicella C 16399
Caron G 2931 **M** ^{E}15731
Carr D 1866s ^{R}2219 3862
Carrell P ^{R}12062
Carrière J 3419
Carroll R D 5117 ^{E}395 831 **J** 6313
Carruba O 13283
Carson D 5247s 7012s 7441 8069 8487 8528 8544 8567 16346 ^{D}7100 ^{E}396 5642 ^{R}7692 7780 8768
Carstens P 5139
Carter E 13251 **F** 1695 **M** 13810 **P** 7066 **W** 5727 5766s 7014 13525 ^{R}5253 5289

Cartledge P 13324
Caruso A ^{T}4234 4036s **G** 15429 15729
Carvalho J 7589 ^{R}2437 **P de** ^{T}15304 **R de** ^{T}9370 **V de** 5551
Carver S 5299
Casaburi M 12838
Casadei M 11007
Casado A ^{R}825
Casalegno A 6777 7015
Casalini N 6267s 8364
Casalone C 9468 ^{E}9468
Casana J 14911
Casanellas i B P ^{E}2442
Caseau B ^{E}102
Casellas J ^{R}8644
Casevitz M 13798 ^{T}5210
Casey M 5300 9035
Casiday A 15829 ^{E}13640
Casola P 15399
Cassaro G ^{R}5460
Cassel C ^{T}15355
Cassianus J ^{M}12302 15829
Cassidy R 6065 6498 7607 ^{R}8868
Cassin M 15680
Cassiodorus 4036s 4234
Cassuto P ^{E}963
Castagno A ^{E}15567
Castel C 14734 15372
Castelao P ^{R}5584
Castelbajac I de 3496
Castellano Cervera J 7351
Castelli D ^{M}11843 **E** ^{R}11494 **S** 14426 ^{R}11322
Castellucci E 6226 12046 ^{R}5460
Castelo D 8576 ^{R}573
Castiglioni A 14895

Castillo A del 5168
Castleman R 12411
Castro-Rebelo P 5836
Cataldo A ^{T}15648 **J** ^{R}4910
Catana L 1450
Catapano G ^{ET}15730
Catastini A 13413
Catchpole D 5301
Caterina S ^{M}9408
Cates L 2979
Cathcart K ^{E}10171
Cathey J ^{R}9842
Cattaneo E 5302 9208 15456 ^{E}565 ^{R}9820 15540
Catto S 11381
Caubet A 13683 13875 14719 ^{E}13713
Causse J 2775 12463s ^{E}397
Cauville S 14248s
Cavaglion A 11382
Cavalcanti T 1619
Cavalier L 14912 ^{R}14910
Cavallotto S ^{E}1142
Cavigneaux A 2856 10172 12839 ^{R}10193
Cavill P 2057
Cavillier G 13808
Cayzer J ^{T}6122
Cazeaux J 2655 2711
Cazelais S 2746 12339s ^{R}8168 8171 8950
Cebulj C 7011 7016
Čech P ^{R}14727
Celada G ^{R}15660
Cellerino A ^{R}2
Celsus P ^{M}15574
Cenerini F ^{R}212
Cerasi E 1451
Cerbelaud D 8934 12047s
Cericato J ^{E}7642
Cermáková A 10626
Cerni R ^{T}2443
Cerretini A ^{E}15849
Cervelló-Autuori J 10248
Cervera i Valls J 3194
Ceulemans R 4396 10011 ^{E}412

Dirscherl E 5609
Dirven L 12492
Distort M 15192
DiTommaso L 10778s
  11198 ^{R}180 325 467
  4982 9746 10784
Dittmer J 14865
Dîncă L ^{R}15797
Díaz E 1796 **G** ^{R}9227
  J ^{R}8992 **Marcos C**
  10930 Mateos M
  5310 **Rodelas J** 6948
  7700 Sariego J
  ^{R}4518 **-Sánchez-Cid**
  J ^{T}15571
Díez Aragón R ^{T}5327
  7210 **Fernández F**
  14428 Merino L
  2290 9618 10645
Djomhoué P 9564
Djurovic Z 15737
Do T 7452
Doan W 4664
Dobbeler S von 3932
  3945
Dobbs-Allsopp F
  10592
Dobias-Lalou C ^{E}919
  ^{R}957 10394
Docherty S ^{R}866 4492
  8010 8019
Dochhorn J 4598 6660
  8003 ^{R}10748s
Dockwiller P ^{R}8714
Docter R 10078
Dodaro R 1623
Dodd C 5311 **B** ^{E}571 **E**
  ^{R}15075 15079 **L**
  13289
Dodge H ^{R}13780
Dodi A 2291
Dodson A 10256
  13125 **D** ^{R}328 **J**
  4596
Doering L ^{R}652 9056
  11212
Doermann R 14510
Dogan-Alparslan M
  ^{E}35
Doghramji P 6230
Doglio C 4110 7475
  7500 ^{R}7010

Dogniez C 2360
  4728 ^{T}5210
Doherty C 6146
Dohmen C 1462
  3027s 3231 5817
  6623 12058 ^{E}69
  411
Dolansky S 2819
Dolinka B 14506
Doll M 14429
Dolna B 11934s
Dombradi E 3213
Domeris W 4835
  15272
Domhardt Y ^{R}4320
  11573
Dominik W ^{E}681
  15003
Dominique P ^{T}2696
Domitianus ^{M}12488
Domínguez García J
  ^{T}16306
Domning D 2820
Donadoni S 10257
Donahue J 6276
  9038 ^{R}109 6191
Donaldson T 11395
  ^{R}5700
Donati A ^{E}1013
Donbaz V 12839
Donderer M ^{R}14185
Donelson L 8365
Donfried K 2177
  16042 ^{R}8334
Donner H ^{E}9954
Donnet D ^{R}982 -
  Guez B 1973
Donovan M ^{R}15486
Dooijes R 14202
Dooley A 13978
Doran C ^{R}4104 **R**
  6722
Dorandi T 10577
Dorey P 2821
Doré D 3887 ^{E}802
Dorfman J 13825
Doriath A ^{T}12057
Dorival G 1871
  10646 ^{E}912
Dorman J 11258 **P**
  14091 ^{E}920
Dormeyer D 6316
  6398 6452 6454
  6781s ^{R}1404 6295

Dorn A ^{R}15128
Doron D 2555
Dostoevskij F ^{M}2101
  16222
Dotan A 2248 ^{E}2266
Dothan M 14504
Dotolo C ^{E}165
Doty W ^{T}2187
Doucet L 1976
Doudna G 11141 11199
Douek E 15193
Doughty L ^{E}699
Douglas K 14665 **M**
  2669 3251 3293
  †16485
Douglass S ^{E}936 15684
Doukellis P 13556
Doumet Serhal C 14295
  14704s
Doutre J 8199 15934
Dove M 2460
Dovere E ^{R}3195
Dowling E 6729 **R**
  8011
Downey S ^{R}16519
Downing F 9619 13047
  ^{R}8950 9180
Downs D ^{R}7687 7893
Doxey D ^{R}13131
Doyle B ^{D}4225 ^{E}412
  ^{T}4723 4781 5189
  11514 **D** ^{R}9747 **K**
  2228 **T** 7546
Dozeman T 15055 ^{E}803
  ^{R}3027
Döhling J 8582
Döhnert A ^{E}1073
Döpp S ^{E}1117
Döring G 2592
Dörken-Kucharz T
  ^{R}2063
Dörner R ^{E}921
Dracontius ^{M}2102
Draï R 2903
Draper J 5678 15504
  ^{E}84 413 922 6277
Drawnel H 10647
  10686 ^{E}414
Dray B 10593 **C** 2292
  S 8011
Draycott C 14092
Drechsel W 4323
Drecoll V ^{E}15738

Ebach J 2716 2822
3003 4066 ^{E}415
Ebel E 1875 8026
Ebeling F 12245 **G**
12412 16043 ^{M}16445
J ^{E}10176
Ebendorfer T 15417
Eberhardt G 8585
Eberhart C ^{R}3253
Ebner M 5324 5470
6121 6576 8055
9112 10795 ^{D}5710
^{E}572
Eccleston M 13752
Echallier J ^{E}14746
Eck W 218 10578s
13505 13527s
13557ss
Eckert J 16290
Eckey W 6558s 6785
8272
Eckhart M ^{M}1449
15906
Eckstein A 13560 **H**
1876 7077 ^{D}7726
7888 **P** 7652
Edart J 416s 7934s
Edayadiyil G 3029
Eddy P 5294
Edelheit A 16024
Edelman D 219 3056
14430 14495 ^{R}13066
Edelmann B 13348
Edenburg C ^{R}372
Eder C 13220 **S** 3490
^{R}2484 **W** ^{E}1147
Edgar W 4208
Edgerton W 1698
Edgington S ^{ET}15407
Edinger E 2141
Edmonds P 6560
Edmondson J ^{E}13417
Edrei A 11591
Edwards A ^{M}13734 **B**
15993 ^{E}401 **C** 13561
D 13349 13721
14574 ^{E}106 **J** 5325
^{M}16156 **K** 2791 **L**
6502 **M** 6976 8171
10392 10461 ^{E}5645
^{R}15474 **P** 14702 **R**
^{R}6987 **T** 2293

Edzard D 10177s
^{E}1070 **L** ^{E}967
Eeckhout C 1181
Efe T 15247
Effa A 3764
Efron J 4983 6868
Egetmeyer M 14968
Eggen R 6031
Egger M 1944 **W**
9198 -**Wenzel R**
4605 ^{E}295
Eggler J 14139s
Ego B 3903 3955
11784 ^{E}418 1079
^{R}262 2910
Egwim S 4224s
Ehlich K 2229
Ehling K 5663 6412
Ehlinger C ^{T}5378
5379s
Ehrenberg E 13252
Ehrenkrook J von
10687
Ehrensperger K 7846
7898
Ehrhardt N 10526
Ehring C 4799
Ehrlich A 14535 **C**
^{E}419 **E** †16488 **U**
11592 11936
Ehrman B 219 1625
2315s 5558 10862
10931 15457s
Eibach U 1706
Eichhorn A 6122
Eichler U 13981
Eid P 13749
Eidinow E 12520
Einaudi S 14296
Eiring J ^{E}1030
Eisele W 12576
Eisen R 4278
Eisenberg J 11396 **M**
13782
Eisenman R 8547
Eisenstadt S 11397
Eißler F 11338
Eitan A 3835
Ekblad B 9247 9565
Ekem J 9566
Ekenberg A 15459
Ekroth G ^{R}3116
El Hawary A 14866

Elaigne S 14204s
Elayi A 14391 **J** 12677
12969 14390ss
El-Enany K 10258
Elengabeka E 1626
8204
Elert W 12413
Elgvin T 10648 11201
Elias J 7704
Eliav Y 14431
Eliezer B ^{M}11747
Elihai Y 12064
Elior R 3705 11785ss
11842 ^{E}29
Elitzur Y 15095
Elizabeth T ^{M}9404
Elizur S 4606 11398
El-Kaisy F 12916
El-Khadragy M 13914
El-Khouri L 14644
14681
Elledge C 11079 11259
13418
Ellenberger Y ^{E}2251
Ellens J 5559 7260
8414 8682 8941
12065 ^{E}105 ^{R}803
Elliger W 15088
Ellingsen M 15742
Ellington S 4067
Ellingworth P 2461
2593s 5880 ^{T}5258
Elliott J 399 2317s
5509 6416 8492 8683
10932 ^{E}151 317 752
^{R}219 2315 16135
16510 **M** 8684 9792
11399 15900 ^{E}4788 **N**
15273 **W** ^{E}7001
Ellis E ^{F}37 **J** 2789 7822
M 9475
Ellul J ^{M}9481
Elm von der Osten D
^{E}924
Elman Y 11593
El-Masry Y 14297
El-Nowieemy M 12760
Elorza Ugarte J 4665
Elouard D 15408
Elowski J ^{E}6977
Elsas C ^{R}12913
Elsner J ^{E}15404
Eltrop B 9620

Faiers J 14206
Faiq S 2595
Fairbairn D 15432
Fairchild M ᴿ8334
Faist B 1226
Faivre A & C 11016 **D** 2777
Falahat H 14339
Falardeau S 15744
Falasca M 16186
Falb C 14298
Falcetta A ᴱ245
Falconer A ᴿ173 **S** 13009
Fales F 13203 15275
Falk D 11145 11261 ᴱ776s ᴿ2946 **H** ᴱ686
Fallon M 7476
Falsini R 5328
Famerée J 16403
Famerie E ᴱ15699
Fansa M ᴱ13807
Fansaka Biniama B 4236 7236
Fant C 15089
Fantin J ᴿ170 1084 2181 5567 8285 13501 14935
Fantuzzi V ᴿ5555
Farag L 15656
Farahian E 6887 ᴿ316 1268 6944
Faraj A 10107
Faraone C 10517 ᴱ571 969
Farber W 15122 15195
Farci M 6081
Farès-Drappeau S 14796
Farhi Y 14141
Farias J de ᵀ5468
Farin M 4597 9250
Farina M ᴿ493 9628s 9640
Fariselli A 13828
Farkaš P 6577 ᴱ807
Farkasfalvy D ᴿ5461
Farnés P 9370
Farouk A 10260
Farouki N ᴿ12890
Farout D 10261 10629
Farrand W ᴿ13675
Farrari A 16155

Farrelly M ᴿ1505
Farruggia E ᴱ1120
Fasce S 4607
Fasoli M 2098
Fassbeck G ᴿ894 14458
Fassberg S 9846 10108 ᴱ8ss 808 ᴿ11071
Fassetta R ᵀ15974
Fassler M ᴱ756
Faßnacht M ᴱ99 574
Fatoohi L 5329
Faure P 4112
Faust A 12970s 14432s 14497 14546
Fausti S 5725
Faü J 11706
Favaro G 16348 **S** 13204
Favry N 13127
Fawkes G 12678
Fayant M ᴿ70
Fayos R ᴿ13629
Fàbrega V ᴿ2484 6073 11993
Feder F 2409 10262
Federici G 15168
Fedler K 9476
Fee G 2596 7705 8172s
Feeney D 13563
Fehr B ᴿ12524
Feinberg A ᴱ11938
Feininger B ᴱ214
Feissel D 10518
Felber S 9794
Feldman A 11146s **L** 220 3287 10796ss ꟳ40 **M** 12972 14093 14850 ᴱ171 687 **Y** 2124 10799
Feldmann E ᴹ11932
Feldmeier R 8924 8494
Feldtkeller A 15090 ᴿ16474
Feliks Y †16489 ᴱ11595
Feliu L 12679s
Fellbaum A 16252
Felle A 12067

Feller B 3214 10182
Fellman J 3733
Fendrich H 10936 13986s
Feneberg R ᴿ6924
Fenske W 5510 7080. 7823
Fentress-Williams J 2983s
Ferdi S 14187
Ferguson E ᴿ614
Ferjaoui A 10046
Ferlisi G 8586
Fernando G 7081 **L** ᴱ809
Fernández de Castro C 8687 **Eyzaguirre S** 5330 **Marcos N** 2252 2361 5209 6209 **Nassar M** ᴿ5183 **Ramos F** 6165 **Sagrador J** 8688 15930 **Tejero E** ᴿ4404 **Ubiña J** 6503 ᴱ688 **V** ᴱ428
Ferracci M ᵀ9278
Ferrada Moreira A ᴿ1237
Ferrara G ᴿ5460
Ferrari A ᴱ1110 **F** ᴿ977· 12587 **L** ᵀ5381s **P** 1627
Ferrario F 9199
Ferraro G 9371 15745
Ferreira A d'Almeida ᴹ2437 **J** ᴿ5742 **Valério P** 6095
Ferreiro A 6901 ᴱ5057
Ferrer J 10109 ᴿ2445 **V** ᴱ810
Ferrero M ᴱ158
Ferré J ᴿ5560
Ferri C ᵀ5063 **R** 15746 ᴱ575
Ferriès M ᴿ1134
Ferry J ᴰ4857 ᴿ1912 14489
Feruglio V 13915
Fesko J 2823 9080 ᴿ7782
Feß E 11939
Fetko F 12068
Fetterman J 3159

Galileo G ᴹ2798 2801
2809
Galimberti A 13421
Galindo Burke J 15152
F 6781s
Galinier-Pallerola J
ᴿ12059
Galinsky K ᴱ692
Galizi M 6280
Gallagher C ᴿ405 R
ᴱ427 6790 T 9253
Galli C ᴱ428
Gallo L 1629
Galor K 14625 14634
ᴱ1033
Galpaz-Feller P 3514
Galter H 13207 15123
Gamba G 5733
Gamberini P 8983
ᴿ1145 5460 8961
Gambetti S 11405
13129
Gambino F ᴱ2449
Gamer E 13991
Gamliel C 11760
Gamper A †16495
Gan J 10013
Gandhi ᴹ8426
Gandolfo E ᵀ15842
Gane R 3253
Ganeva M 15985
Gangale G 5515
Gangloff A 12467
Gans U 14097
Gansell A 13877s
Ganske J 6886
Ganz D 2423 15794
Garbe G 5774
Garber Z ᴱ5562 ᴿ5165
Garbini G 9920
ᴹ16426
Garcia-Rivera A 8984
Garcilazo A 8112
García A 16089 Bazán
F 10864s 12207
12273 12348 Dome-
ne J 15795 Fernán-
dez M 4811 Gonzá-
lez M ᵀ5450 15752
Grimaldos M 3142
Huidobro T ᴿ6909 J
13565 López F 3031
8843 9479 Martínez

F 230s 2717 2924
3869 4985 10690
10780 10802
11086-90 11152s
11208ss 11266-80
16429 ᴱ100 124
ᶠ46 ᴿ11224 More-
no A 7084s N 6918
Pérez J 6166 Que-
sada A ᴿ5462 Re-
cio J 12847 Rivera
J 6232 Ruiz P
ᴱᵀ16030 Ureña L
4149 4151
Gardner A 3824
5002 5041 G
13354 ᴿ15355 I
10111 12261
ᴱ12262
Gardocki D 5982
9545
Garella A 15091
Garetto T 14303
Garfinkel S 4545 Y
14304s 14635s
ᴱ14306
Garfinkle S 13208
ᴿ12684
Gargano I 6433 6732
8336 9254 15649
ᴱ15842
Garhammer E 13992
ᴱ578
Garland D 1948
Garmaz J 1339
Garmus L 9376
Garner D ᴿ8881
Garnier R 10467
Garr W 9965
Garrett D ᴱ1168
Garribba D 5323
ᴱ928 ᴿ5356
Garrison M ᴿ14955
Garrone D 8692
ᴱ3428
Garuti P 3115 5334
6124 8417 ᴰ6725
6739 10489
Gary H 2462
Garzón Bosque I
ᵀ7086 M 9377
Gasbarri S 14818
Gascoigne J ᴿ2801

Gaspa S 13891
Gasque W 6791 16249
Gass E 3469 3515
12977 ᴿ2251
Gasse A 10267 12765
Gasti F ᴱ957
Gaß E 9852
Gaßmann G ᴿ944
Gates C ᴿ13685 M
14945 -Foster J
ᴿ14888
Gathercole S 5700
7712 10866s ᴰ11295
Gatier P 10521 13530
14098 14645 ᴱ130
Gatti E ᵀ4727 5381 N
5967 6082 V 16369
ᵀ1086
Gaube H ᴱ14811
Gaudé A ᴹ13767
Gauger J 3852
Gauron G ᴱ1043
Gauthier P ᴿ14252
15965
Gautier C ᴹ15985
Gaventa B 232 7713
7961
Gawlikowski M 10522
Gawlinski L 12521
Gaydarska B 13750
Gaziaux E ᴱ19
Gaztambide D 2143
Gäbel G 6099 6399
8418 ᴿ6041
Gäckle V 8070
Gärtner C 1340 J 4818
ᴿ5053 5079
Gebauer R 12414
ᴿ9288
Geddes A ᴹ834
Gee J 12766
Geerlings W ᴱ1117
Geffré C 233
Gehring R 9169
Gehrke H 13355
Geiger A 4911 G 9853
M 13831 ᴱ429
Geisser C 12415
Geisterfer P ᴿ8588
Geitz J ᵀ5296
Gelardini G 8419 ᴱ430
8420 ᴿ5520 8418
8462

Gillman J ^{R}9737 N
16279
Gillmayr-Bucher S
1979 3492 4282 ^{E}65
^{R}3514
Gilmore A 1085
Gilmour G 3470 ,
Giménez A ^{ET}436
Ginsburg E ^{T}11598
Ginther J 16026
Ginzberg L 11599
Gioacchino F ^{M}15989
Giombini S 12577
Giordani R 15021
Giorgieri M 10329
Giorgio G ^{E}582 12932
Giovagnoli C ^{R}11865
11804
Giovanoni M 5840
Giovino M 12849
^{R}14166
Gippert J 10363
Giralt-López E 2295
^{E}131
Girard R 694 12468
^{M}3561 4308 8845
9091 12922 16268
Girardet K 13641
Giraudo C 6149 9380
Gire P 1473 3032
15931
Giri J 5335
Gironés Guillem G
9658 ^{R}5462
Girón Blanc L 11600s
Gisel P 1474 1800
^{E}755 930
Gispert-Sauch G 9015
9170 15153 ^{R}809
1103 2232 7476
8878 12301
Gissel J 13050
Gitay Y 2826 2907
^{R}2210
Gitin S ^{E}801 ^{F}50
Gitler H 14397s
Giulea D 10692
Giuliani L ^{E}13920 M
11845
Giuntoli F ^{R}3239
Giurisato G 7380
Gkoutzioudes M ^{R}6
Glabach W 7505

Glancy J 13566
15279s ^{R}15285
Glas G 2144 4668
^{E}817
Glaser E 12075 T
8367
Glassner J ^{T}13209 .
Glatzer M 9909
Glavich M 9622
Glazier D ^{R}13689 M
^{E}1123
Gleason K 14688
Glenny W 5118
Glinert L 9921
Gloer W 1713
Gloël H 12076
Gloor D ^{R}887 5378
Glotin E 9261
Glowa W ^{D}1690
Gluska I 11532
Glück B 14896
Glynn J 1184s
Gmainer-Pranzl F
^{R}947
Gmirkin R 2671
Gniffke F 12578
Gnilka J 12894
12933
Gnirs A ^{R}10274
Gnuse R 3528 ^{R}1529
3775 8899 8908
12956
Goan S 1630
Goddard A 9481
Goddeeris A 15344
Goddijn S ^{T}10875
Goddio F 14883
Godfrey D 16268
Godo E 2103
Godzieba A 5336
Goebel A 4423
Goebs K 13130
Goedegebuure P
10334
Goehring J ^{E}78
Goethe J von ^{M}2107s
2112
Goetschel R 13051
Goff M 11281 ^{R}124
768 797
Goffard S 5046 .
Gogarten F 12416s
Gogel S 9922 .

Goheen M 1278 9796
Gojny T 2105
Golczewski F 11942
Gold K ^{T}13490
Goldberg A 11533
^{M}2523 ^{R}11556 H
16430
Goldenberg D 14399 G
^{F}51 R 11408
Goldfus H 10147
Goldhill S ^{R}11402
14464
Goldingay J 4041 4789
4843 8907s ^{E}4 ^{R}117.
211
Goldman A14307 L
11154 Y ^{E}136
Goldstein E 5151
Goldsworthy G 1475
Goldwasser O 10048
Golinets V ^{R}10174
Golka F ^{R}5150
Goll J 13993
Gollwitzer H 12418
Gomaa F 10268
Gombis T 8205 ^{R}8190
9094
Gomes J 14553 P 1284
Gonçalves F 4844
Gondicas D ^{R}14999
Gonis N ^{E}10524
Gonneaud D 5611 6069
7802
Gonsalves F ^{E}275
^{R}5265
Gonzaga W 8208
Gonzalez A 9546 Cruz'
M 1631 Echegaray J
14440 Faus J 8985 J
6793 ^{ET}983 ^{E}1124
Roura M ^{T}9895 Sali-
nero R 15796 Zuga-
sti J 4367
Good D 1951 ^{E}432 I
13857
Goodacre M ^{R}5562
5660
Goodblatt D 15281
Gooder P ^{R}7688 8012
8135 9656
Goodman D ^{R}7623 M
236 3708 7612 11282
11321 11409-16

Greenfield J ET10749
Greenman J E439 5881
7878
Greenspahn F 11943
E440
Greenspoon L R152
Greenstein E 4284s
4546
Greenwalt C R16508
Greenway R F55
Greer J 5128 R12878 R
3629 12419
Greeve Davaney S
5338
Greeven H 6281
Gregg B 5339
Greggo S 2145 9383
Grego I 240 15800
Gregorius E M15990
M M196 4286 4331
15837-42 N 4397
M3943 15981 15991
Naz M15678s Nys
M936 4437 15578
15603 15641 15680-
96 16374
Gregory A 2780 6507s
10943s 15461
15490s E441 822
R10962 B 4824
R4910 J 13055
Gregur J 6753
Greidanus S 1716
Greimann D E10624
Greiner A 1717 B
2108 E442
Greisch J 1479
Greisiger L 10781
E154
Grelier H 15682
Grelot P 2183 9742
Grenholm C E494
Grenn D 9699
Grenz S M1504
Grenzer M 4361s
Greschat K 4286
15537 15616 R594
2432 15439
Greshake G R165
Greve A R6073
Grieb A 7879 8274
Grieg E M4423
Grieve J T10609

Griffin D 8621
Griffith S 12917
Grilli M 5612 6258
9482 D5791s 5795
Grillmeier A 8963s
Grimal N 14820
R701 13133 14875
P 15006
Grimaldi N 2064
6169
Grimm M 14442 W
E1079
Grimsrud T R7496
Grindheim S 7971
8217
Gripentrog S E577
Grivaud G E14970
Grobel K T9786
Groddek D 10335s
12470 13132 E90
Groen B 15392
Groenewald A 2184s
4196 12471 R1076
Grogan G 9797
Grohe J E931
Grohmann M 4071
4245 R4095
Gromova D 13292
Gronchi M 5340
Groneberg B 12850
E823 R2886
Groot N 14209
14210
Groote L de 2908
3626 M de R12538
Gropp D 10113
Groppe E 12079
Gros de Beler A
14821 P E15377
Gross C 4953 M
11944s T 1343
Grossi G 5532 V
12209
Grossman E R13176
J 3321 3555 3650
11745 R680 M
R11105 11515
Grosvenor M 10397
Groß M 9384 W
2496 3471 3511
9854s D12977
R1248
Groves A †16496

Grözinger K 11423 R29
Gruber M 1480 4965
5173 5187 6691 7088
7330 7432 7506
10005 R11244 11545
Gruen E 13258 R656
3937 W R7671
Grumett D R5325
Grund A 4465
Grundmann W M16270
Grundon I 13735
Grunewald E E4012
Gruson P 1303 6170
14443
Grutz R 13883
Grün A 5736 9262ss
Grünberg W 12080
Grünschloss A 5984
Grünwaldt K R5083
Grypeou E 11018
11681 12210
Gryson R 1121 E2419s
Guardasole A E79
Guardini R 2186
Gubel E 14099 14735
Gubler M 1952 9115
Gudauskienė I 4743
Gude B 5093
Guermeur I 10270
12770
Guerra A R9017 Suárez
L 7507
Guerriero E R5460
Guerrino E E5460
Guerry E 8696
Guest D 9700 R1999
Gueunier N 2606
Gueuret A 4547
Guevara Llaguno J
2827 3007 8813
Guérinel R 9200
Gufler G R16009
Guggenheimer H
ET11603
Guglielmetti R· 4391.
ET4400
Guibal F 2862
Guida A E824
Guide F E906
Guidi A 2088
Guidotti M R14206
Guijarro Oporto S 241
879 5677 6329 6383
9172 9385 E825

Hakola R 6951 7092s 11425
Halama O 16007
Halayqa I 9958
Halbertal M 11792
Halbmayr A ^{R}3082
Halbreich H 13832
Halcewicz-Pleska-czewski J 8943
Haldimann M ^{E}14521
Halevi J ^{M}11723
Halevy R 9857
Halewi J ^{M}13051
Halivni D 11946
Hall D 8027 **J** ^{E}681 **J** ^{R}**9 0 2 3 S 1 0 9 4 6 1 2 2 1 1** ^{M}**1 6 1 8 8** ^{R}**15467 15621**
Hallacker A ^{E}309
Hallermann H 13997
Hallof J 14808
Halloran J 10188
Hallote R 15076 ^{R}1024 1035
H a l p e r n B 3 6 0 3 ^{E}**14616 -Amaru B** ^{F}60
Ham C 5778
Hamam A 4508
Hamarneh B ^{R}10494 14647
Hamblenne P ^{R}2432
Hamblin W 3709
Hamidovic D 11283 11323
Hamilton A ^{R}**118 B** ^{R}**15960 G 10050 10630 J 2909 7094 9016** ^{R}**6987 8910 M 3581 4365** ^{E}**150** ^{R}**296 8 1 9 3 6 9 7 4 6 5 5 14727 S** ^{E}**695**
Hamitovsky I 14701
Hamm B 15905 D 6794
Hammad A ^{T}12895
Hamman A ^{T}11019
Hammer A 5985
Hammes A 8121 ^{R}363
Hamoneau D 12934
Hamza K 10271
Handel G ^{M}**13823** 13840

Handy L 5153 ^{R}86
Hanegbi M ^{E}11816
Hanegraaff W ^{E}1154
Haney L 4906 R ^{R}**234**
Hanhart R 3870
Hanisch H 1344 5986
Hankey V ^{M}61
Hannah D 10694
Hannig R 15203
Hansack E 13425
Hansel J 11793
Hansen D 13426
Hanson J **13508 K** 13507
Haquin A 16370 16404 ^{R}**605 786** 3116 9354 10929
Harahsheh R 10233
Hardin J ^{R}**7971 M** ^{E}599
Harding J ^{R}**43 M** ^{E}15462
Hardmeier C 244 2020 3370 3782 ^{E}**1034** ^{F}62
Hardt M 6376 9173
Hardy D ^{T}14989
Har-Even B 14164
Harezga S 1634
H a r i n g B ^{E}**9 9 8** ^{R}**14884**
Harink D 7719
Harkins A ^{R}11158
Harl M 2366 ^{T}5210
Harland P 11426 ^{E}**169** ^{R}**12202**
Harley F ^{R}13964
Harlé P 6420
Harlow J 9858
Harman A 5003
Harmanşah Ö 13765
Harmon D ^{T}**15086 M** ^{R}**9761 S 4246 T** ^{R}**13007**
H a r n a c k A v o n 1 2 4 2 0 1 5 5 5 5 s ^{M}**8949**
Harnisch W 8082
Harrak A ^{T}11021
Harran M ^{R}16049

Harries J 13569 **R** ^{E}584
Harrill J 15284s ^{R}14573
Harrington D 1186 1635 4609 5737 5779 6276 7508 8302 8424 ^{E}**1 1 9 5 8 3 6 6 8 4 3 8** ^{R}**386 5751 5768 8768 8878 H 11212 W** 6733 7095 ^{M}16274
Harris D **14318 G** 7509 **J** 245 11733 11607 ^{R}**15918 M 3059 8135 R 11710 11747 W** ^{E}585 696
Harrison C 15748s **J** 7720 **K** 10610 **P** 1481 2793 2828 13427 **T** 13009 14617 14685 14774 ^{E}661 ^{R}14589
Harrisville R .9117 16285
Harstine S 7096
Hart J 6106 **K** 1482 **T** 13998
Hartenstein F 2781 3 7 3 1 4 7 9 8 8 5 9 1 13833 **F** ^{D}**4799** ^{E}**77** 89 168 **J** 1483 7097 7381 9659s 10835 11022 12296
Hartin P 8499 8548 ^{R}386
Hartje N 13688
Hartlieb E 2608 9701 ^{E}365
Hartman L 6485
Hartmann G ^{R}**15393 M** 5858 6413 ^{R}9048 9540 13515 **S** ^{R}14014 **-Roffler V** 1337 6681
Hartog P 15435 ^{R}13554
Hartropp A 9484
Hartung U 14882.
Harvey A 15286 ^{R}471 5252 7827 ^{R}3839 **G** 1980 12081 **P** 1886 **V** 2188
Harviainen T 11342
Hasel M ^{R}127
Haselberger L ^{E}15007
Hasenberg P ^{R}5570
Hasenmüller M ^{E}4117
Hasenohr C ^{R}15084

Heller R 3332 9859
Hellerman J 5516 8298
Hellholm D 4986 7479
Hellmann M 13766
  R14980
Hellum J 14868
Hellwig M 2820 E1123
Helmer C E446 829
  1880
Helseth P 1955
Heltzer M 11430 R181
  12969
Hemelrijk E 12499
Hemer C 6795
Hempel C 11285 E88
  R2308 4593 11141
  11244 J M16275s
Hempelmann H 9800
  16433 R 5987
Henao Mesa J 6425
Henares Díaz F R870
Hendel R 2254 3276
  3619 9928 13059
  R2701 16485
Henderson I D6540 E26
  589 R369 7829 J
  4871 S 6372 R9476
Hendin D 14401s
Hendricks O 9538
Hendrickx S E1
Hendriks W 6422
Hengel M 246s 1881
  2321 5343-6 5517
  5703 5845 5882ss
  5969 5988 6073
  6282 6332 6414
  6441 6605 6680
  7098s 7244 9039s
  9539 9661 11431
  M16277 R 5988
Hengstl J E58
Henige D 3783
Henkelman W TE1147
Henne P 15839
Henner J R10451
Hennessy K T6156
Henning R 6796
Henrich R 16092 S
  1088
Henrichs A R16509
Henriksen J 1487
Henrix H 12084-9
  R221 576

Henry C 3605 M
  M16278
Hensell E 1638 5739
  6658 9265 R204
Henshke D 3186
  11609s
Hens-Piazza G 3668
Hentrich T 1956
Hentschel A 10471
  G F65 R3631
Henze B 9662 M
  10695 16350 E830
  R259 4980
Heracleon M12242
Heraclitus 12582
Herb M E14096
Herbert T 8174
Herbertus B M15998
Herbordt S 14148
Herchet J 15152
Hercsik D 8647
  R1895
Heriban J 1089
Hering J 9485
Herion G E1256 H
  1346
Herles M 9959
  13212 15104
  15125 R12849
Hermanni F E916
Hermans M E15205
Hermanson E 2609
Hermary A R14108
  14941 14980
Hermisson H 4790
Hermon P 1249
Herms E 1882 8630
  R 7511
Hernández J 7480
  13767 R452 2231
  5697
Herodotus 13323
  M679 3772 3910
  5015 12572 13033
  13045
Herold A 13800
Herr B 3520 L
  14656
Herren M 2498
Herrenschmidt C
  10631
Herrero de J M
  12246 Mombiela J

6236 Serrano A 5535
Herrick G E13501
Herrmann C 14101
  14149s 14212 F 6461
  G 15077 J 15609 K
  1488s 2464 E447 P
  10526 R 11213 W
  3120 10019 12423
  R14730
Hershkowitz M 15169
Hertig P 8060 E427
  6790
Hervé de B M15999
Herweg R 3060 11432
Herz R E15393
Herzer J 6172 8047
  8371 13411 E780
Herzig A 11713 E698
Herzl T M11890 11908
Herzog W 5347ss Z
  12983
Heschel A M11934s
  11958 11960 16279 S
  12090 16212
Hesiod M6740 12518
Heskett R 4744
Hess O 14314 R 4401
  8698 9902 10015
  10051 10189 12688s
  E831 2710 R15058
Hessels J M16138
Hettema T 16323
Heuberger R 11950
Heuser S 9486 E409
Heyde M von der
  15419
Heyder R R15936
Heyman G 9120
Heymel M 4288
Heyne A 4466
Hezser C 11433 R922
  11572 11608 11666
  11674 11800
Hick J 8987 12424
Hidal S 15863 ·
Hidalgo Díaz P R5462
Hiebert R R2385 3674
  3971 3976 T 2864
  R803
Hieke T 1187 1883
  3034 3386 3843 3946
  3956 5818 6613 7602
  10836 R889 1302

Holms S ^{E}761
Holmstedt R 9967
Holmstrand J 15514
Holoubek J 6578
Holst S 11214
Holt E 4847 **F** ^{R}15373
Holter K ^{E}593
Holtz G 7726 **T**
†16499
Holtzmann B 14256
Holum K ^{R}14907
Holyhead V 9388s
Holzbrecher F 7864
Holze H ^{R}10482
Homan M 3062 ^{R}3242
15163
Homann F ^{TE}16142
Homer ^{M}4276 10398
10549 13107
Homolka W 5519
11951
Honegger A ^{M}4426
Honigman S 2367s
^{R}13523
Hood J ^{R}1948
Hooker M 7613 ^{R}6328
7827
Hoop R de 2986 4891
^{R}307
Hoornaert E 13573
^{R}5543
Hoover O 13359
Hoping H 6465 6468
Hopkins D 15170 **J**
8965 **S** 4424
Hopp T 13048
Hoppe L 3422 5859
8814s 13660 14316
14608 ^{R}811 4020
4672 **R** 2191 5477
8500 9801 ^{R}5464
9799
Horbury W 248 4610
10651 ^{F}68
Horch H 11952 12095
Horn C 11027 **F** 7659
8059 9487 13429
^{R}217 7750 7881
7921
Hornby E 13834
Hornik H 14003ss
Hornung E 12736
12773 ^{E}701 13133

Horodecka A 4162
Horowitz E 3909
6063 **W** 10190s
Horowski A 15942s
Horrell D 6979 7660
7827 8072 8501s
8527 ^{E}350 8004
^{R}8075 **J** ^{R}760 1658
1837
Horrocks G 10398s
Horsley R 5678 5704
6871 9540 11435
13360 13508
14577s 15288s ^{E}84
413 449s 594 6277
Horst R 10652
Horstmanshoff H
^{E}15206
Hort F 2322
Horton C ^{E}832 **F**
14510 **M** 8944
Horwitz L 14308
15126
Hose B 9174 9488
Hoskins P 7100
Hoss S 15100s
Hossfeld F 4044s
4074 ^{D}3234 ^{E}175
^{F}69 ^{R}4076
Hostetter E ^{R}4754
Hotam Y 7796
Hotze G 6579
Houbigant C ^{M}16168
Houdin J 14869
Hough S 9266
Houk C 2675
Houlden J 595 5351
L 5352 ^{E}1090
Houngbedji R 9567
House E 14702 **P**
9743 ^{E}443
Houston G 10528 **W**
8592 ^{R}3118
Houtman C 1347
1492 3509 3516s
^{D}2239 2985
Houwink ten Cate
13295
Hovingh P ^{E}16134
Howard J 7848 **K**
^{R}4409 **R** 1720
Howe B 8503
Howgego C ^{E}14403

Hoye W 9062
Hoyos Camacho A
^{R}9696
Hoz M de 14317
Hödl K 11953s
Höffken P 249 3772
4802 13430s ^{R}4726
4761 13418 13510
Höflmayer F 13035
Höghammar K ^{E}1036
Höhne D 6513
Hölderlin F ^{M}8925
Hölscher A ^{R}15347
Höslinger N ^{R}16529
Höttges B 2065
Høgenhaven J 11157
11215 ^{R}11190 ·
13509
Hørning Jensen M 5353
13509
Hrabanus M ^{M}16003
Hrotsvita G ^{M}2113
Hruška B 15171
Hsia R Po-chia ^{E}596
Hsieh L ^{R}7887
Hu W ^{R}4280 13059
Huang Y 10612
Huarte Osácar J 16372
^{R}241 5316 7697
Hubbard R 3910
Huber I 12690 **K** 7514
L 1348s 7515 **P**
10192 **W** 12426
Hubsch A 14508
Huddlestun J ^{R}12990
Huebner S 13134
Huehnergard J 2258
10193 10599
Hušek V 1217
Huet V 13856
Huffmon H 12526 ·
Hughes E 1334 **J** 11158
^{R}13946 **K** 15907 **R**
8136
Huglo M ^{R}4061
Hugo P 3743 11159
^{E}514
Huhn M 9568
Huie-Jolly M 1493s
Hui-juan M 2610
Huizenga A ^{R}8088
Huizing K 14006
Hull J ^{M}16280 **M** 8127
Hulse E ^{R}1828

Iversen G 15908
Iverson K 6335 ^{R}143
5653 6293 8023
Ivorra Robla A 9390
Iwanski D 4290 4469
Izquierdo A 9269s
^{R}13507
Izydorczyk Z 10948

Jack A ^{R}6328
Jackson B 3833 15290
^{R}5904 **D** 2466 2892
^{E}1220 **S** 15367 **T**
1610 ^{R}2820 -**Mc**-
Cabe M 13574 ^{E}598
Jacob B 2718 E
^{ET}2718 **W** ^{ET}2718
Jacobovici S 14449
Jacobs A 12097 ^{R}2840
J 3144 11735 11772
L 11846 14215
14233 **M** 2732 4179
P 13717 ^{R}15295
Jacobsen K ^{E}14973
Jacobson D 13922
14524 ^{R}13493 13776
14536 14404 **H** 3376
K 1721 **R** 1721s **S**
11955
Jacq C 14823
Jacquemin A ^{R}14985
15216
Jacquet-Gordon H
12775
Jaffee M 11438 ^{E}689
^{R}11981
Jaffé D 11618s
Jagersma B ^{R}10178
12840 **H** 1286
Jahn B 13213
Jahnke T 1957
Jaillard D 12528
12580
Jaime Murillo L 6661
Jakab A 5566 ^{R}13535
Jaki S 4119
Jakubowski-Tiessen M
7517
James B ^{R}987 **F** 16096
G 1350 **P** ^{R}14534 **T**
14832
Jančovič J 11095
Janecko B 3169

Janif M 12694
Jankovic B 15127
Jankowski S 4591
Janowski B 1884
2866s 4075 4144s
8593 9083 9802
13061 ^{D}4057 8585
^{E}442 454s 525 703
935 **C** ^{E}935 **J** 9702
16324
Janse M 10401
10488 **S** 1189 3739
6922 8846 **van**
Rensburg J 1723
Jansen A 7102 **H**
9271 **L** ^{R}11734 **R**
9272 -**Winkeln K**
10276ss 13136
Janssen C 7950 8113
8122 9703 12166 **J**
2611 15128
Janssens Y 12351
Janßen M ^{R}643 8533
Janzen D 3121 3859
^{R}14454 **J** 1495
4259 **W** ^{F}73 ^{R}8803
Japhet S 252 3860
3871 11761 ^{F}74
Japp S ^{R}13493
Jarick J 3806s 4551
^{E}833 2710
Jaroš K ^{E}2324
Jarschel H ^{E}140
Jashemski W †16501
Jasink A 13296
Jaskiewicz S 15751
Jasnow R ^{R}12817
Jason M 11295 ^{R}420
Jasper D ^{E}586
Jaspert N 15409
Jassen A 11439 ^{R}812
1913 11327 11719
Jastrzembski V
12098
Jaubert R ^{E}704
Javier E 9569
Jay E ^{E}586 **J** ^{R}10254
Jähnichen T ^{D}16215
Jáger R ^{R}6294
Jánosi P 14885
Jáuregui H de 12247
Jeanjean B ^{T}15802
Jeanrond W ^{E}44

Jeauneau É 253 2925
15909 15981-4 16031
Jecker H 16097
Jeffers A 3391 ^{R}13923
Jefferson L 8073 **R**
11347 **T** ^{M}16179
Jeffery P 10949
Jefford C 15466s ^{R}143
15502
Jeffrey D 2066 ^{E}456
^{R}16033
Jeffreys D 14824 14847
Jeffries L 10615
Jeggle-Merz B 9391
Jeličić A 16373
Jelonek T 2987
Jelsma A 13575
Jenkins A 1803 **P**
12427   ·   ·
Jenner K ^{F}75
Jenni E 5223 9863s
16281 ^{F}76 ^{M}16281 **H**
9865 10115 10279
Jennings S 9570 **T**
7661 7972 **W** 2754
Jens W ^{M}6174
Jensen A 1496 **H** 3561
J 4672 **M** 13432
13510 ^{R}9196 **R**
14008s
Jenson P 5157 **R** 1804
4402
Jeon J 3306
Jeongyeon G 10053
Jeppesen K 15421
Jeremias J 5061 16283
^{F}77 ^{M}16282s
Jericke D 4291 ^{R}13673
Jericó Bermejo I
^{ET}16143 **J** 16145
Jerome 4722 8183
^{M}2453 7624 15572·
15785-810 15848
15998
Jersak B ^{E}599
Jervell J 6799
Jervis L 7850 ^{R}7882
Jeschke M 15232
Jeska J ^{R}6495 13472
Jestädt H 1351
Jestice P ^{T}15409
Jewett R 7881 7902
Jezierska E 2560

Kaatz K 12263
Kabasele A 2988 4363
Kachouh H 7223
Kadari T 11620
Kaddari M 9930s
Kaefer J ^{E}140
Kaelin O 14104 14781
Kaennel L ^{E}930
Kaestli J 1885 3065
 5006 10873 10953s
 12299 ^{E}82 352 7647
 10939 10913 ^{F}82
 ^{T}10952
Kafka F ^{M}2114 2958
 11815
Kahana H 3911 M
 11538
Kahl J 12776 14879 W
 9571
Kahlos M 13577
Kahn D 12986s
 13138s G 11348 P
 11621
Kaiser B 5158 G 4292
 H 3710s 13690
 13769 O 254 4612ss
 10805s 16189 16284
 ^{M}16284 ^{R}467 11514
 U ^{E}12277 W 458
 1724s 5616 ^{E}1168
 ^{M}8909
Kaithkottil J 7519
Kaizer T 14105
Kajon I 13062
Kakkanattu J 5107
Kalagasidis C ^{R}5591
Kalamba N 16405
Kalas J 9663
Kaler M 12239 12369
 12385 ^{R}12244 12353
Kalimi I 3810s ^{E}828
Kalin I ^{R}12935
Kallas E 11715
Kallendorf C ^{E}706
Kalman J ^{R}11578
Kalmanofsky A 4912
Kalmin R 11622
Kalogerake D 7453
Kaltner J 1255 ^{R}1243
 1257 9849
Kam A ^{R}1258
Kamesar A 11623
 ^{T}7484

Kamil J ^{E}59
Kaminski C 2733
Kaminsky J 8782
 ^{R}4726 11675
Kamionkowski S
 4673 4960
Kammenhuber A
 ^{E}10339
Kammler H 8053
 ^{R}7816
Kampen J 3934
Kampling R 5478
 11957 ^{E}707 ^{R}459
Kamuwanga L 9572
 12472
Kanaan M 15911
Kanagaraj J 7106
Kanawati N 14319
 14870
Kaneva I 10195
Kangas R 8252
Kangosa-Kapumba G
 6580
Kaniyamparampil E
 15864
Kannengiesser C 459
Kansa E 13727
Kant I ^{M}1548 16161s
Kantiréa M 12530
Kapelus M 12639
Kapera Z 10752
 11096s ^{R}11082
Kapic K 6880
Kaplan E 11958 G
 ^{R}8880 K 1981
Kappauf H 15208
Kappes B 1726
Kaptijn E ^{R}31
Karabell Z 12100
Karageorghis J
 12531 14974 V
 14976s ^{E}14975
Karakash I 6622
Karakolis C 7395
 7949
Karali M 10402
 10530 10567
Kardong T ^{R}4119
Karfíková L ^{E}936
 15684
Karkov C 14011
Karle I 7729 ^{D}15320
Karlic I 5357

Karmann T 10839
Karner G 3767 .
Karo J ^{M}11785
Karp J 16066
Karras V 9213
Karrer L ^{D}2032 M 4770
 6872 8355 9176
 ^{D}7779 ^{R}8424 8432
 8480 8993
Karris R 7903 15977
 16021 ^{T}6980
Kartun-Blum R 2067
Kartveit M ^{R}2724
 14446
Kasemaa K 16437
Kasher A 13490 R
 ^{R}2303
Kasole Ka-Mungu B
 3879
Kasparick S 1727
Kasper W 6070 9122
 12101s ^{M}5389 9204
Kass L 2719
Kasser R 10874 12352
 ^{ET}10878 ^{TE}10875ss .
Kassian A 12640
Kaswalder P 11441
 ^{R}15162
Katary S 15346
Katsanis B 14012 N
 10403
Katz D 2467 12852
 14320 O 15172 S
 ^{E}603
Katzoff R ^{D}10511
 ^{E}11098
Kauffmann S 9084
Kaufhold H ^{E}1126
Kaufman G 8988 J
 8115
Kaufmann F 2613 J
 1353 T 16045 16067
Kauhanen T 2372
Kavanagh P 3311
Kavka M 8880
Kavon E 13532
Kawashima RS 2022
Kaye A ^{E}708 ^{R}10596 .
Kayser F ^{R}212 10573
Kazazis J 10404 10531
Kazel ^{M}14735
Kazen T 3277 9041s

Landfester M ^{E}1139 1157
Landgraf M 1360
Landgrave Gándara D ^{E}80
Landmesser C 16226 ^{E}446 1880 ^{R}8736
Landsberger B ^{M}14784
Landy F 9986 11630 ^{R}1252
Lane T 6520
Laneri N 14952 ^{E}1038
Lanérès N ^{R}10542
Lanfranc B ^{M}16008
Lanfranchi P 10808 11453 13364 ^{ET}10655 -Veyret C ^{T}7151
Lang B 3147 8851 ^{E}1188 ^{R}372 J 1091 ^{R}614 M 7331 11038 12583 ^{E}845
Langa P ^{R}4035 5057 6561 7086 15727
Lange A 1889 3957 4677 4877 9397 ^{E}797 926 ^{R}1867 11236 C 15867 ^{E}15868 D 263 E 15213 G 1361 9625
Langeli A ^{E}15394
Langella A ^{R}9617
Langenhorst G 4296s 5569 ^{R}2063
Langer G 2510 11800 ^{R}2484 14431 16529 R 11454 ^{R}11929
Langkau T 5570
Langlands R 15010 ^{R}969
Langlois C ^{E}16206
Langohr C ^{R}14996
Langston S 3037
Laniak T 3839
Lanna S 13147
Lanoir C 3477 3541
Lanzarini V ^{T}184
Lapham F ^{R}5277
Lapidge M ^{E}15965
Lapinkivi P 12855
Laplana J de C 13587
Laplanche F 1645 9151 ^{E}16206

Lapp E 14236 N ^{E}14620 ^{E}14769
Lapsley J 1811 1984 ^{E}395 ^{R}4941
Lara J 14015
Larcher P ^{E}963
Largen K 1812
Largo Domínguez P 9626
Larkman S 13148
Larmour D ^{E}15011
Laronde A ^{R}1019 13327
Larsen M 13215 ^{F}94 T ^{E}439 608 933 5881 7878
Larson D 1813 J ^{R}9603 Lovén L ^{E}1039
Lash E 1890 N 9493 ^{M}9506
Lashofer C 9398
Lasine S ^{R}43
Lasker-Schüler E ^{M}2958 11957 11996
Lassave P 1507 1842 2451
Lassus A de ^{T}7467
Latorre A 12112
Latourelle R ^{R}5467
Latré G 2024
Lattes A 11801
Lattke M 10656 15481 ^{E}10642 ^{F}95
Latvus K 9573
Lau M 5821s 6408 ^{R}14935
Lauber S 5238
Lauer J 14797
Launay M de 2758 ^{T}5167
Launderville D 4937 ^{R}3581 4932 10017
Laurant S ^{E}3936 10883
Laurence P 13588
Laurentius B ^{M}16163 D ^{M}16009
Lauret B ^{T}15555
Lauria C 5995
Laussermayer R 14322

Lavagne H 16442
Lavan M 13437
Lavatori R 6286
Lavento M 14691
LaVerdière E 6678
LaVere S 15914
Lavery K 2936
Lavik M 4774
Lavoie J 4578 4588s ^{R}802 2847 11793 12064
Law P ^{E}9276 T 15579
Lawee E 11764
Lawler A 15035
Lawless G 15755
Lawrence J 11455s L 2196 6655 6700 8711 15298 P 15065s
Lawrie D 3526
Layton B 10313 R 15658
Lazaridis N 4501ss
Lazcano R 4261 15756
Lähnemann J 2025
Lämmerhirt K ^{R}703
Läpple A 5481 10657
Läufer E 13491 13655
Le Boulluec A 1891 4765 7979 12302
Le Camus E ^{M}16191
Le Dinahet M ^{R}1036
Le Donne A 5364
Le Guern M 2026
Le Meaux H 14712
Le Minh Thong J 7120
Le Moigne P ^{E}556 2370
Le Quellec J 13926
Le Quesne C 14891
Le Rider G 14406
Le Roux J 8712 ^{E}469 M 3478 13589 15233
Le Roy C ^{R}13766 14256
Leade J ^{M}10469
Leader-Newby R ^{E}715
Leal J ^{E}931
Leaman O ^{E}11707 ^{R}11741
Leander H ^{R}6350
Leaney G 7523
Leary M ^{R}939 7185
Lebeau M ^{E}14755 R 13730

Leuenberger M 4078
9972 ᴿ953 4163 -
Wenger S ᴿ5941
Leugers A ᴿ635
Leuner H ᴹ12111
Leung Lai B 2149
4185 4198
Leuschner F 9399
Leutzsch M 1729 3123
6385
Lev S 11542
Leven K ᴱ15214
Levene D 10123 **N**
ᴱ11981
Levenson A ᴿ2483 **J**
8899 11967
Levering M 1245 3846
15953 ᴱ795
Levick B 13590
Levieils X 6873 13591
ᴿ11618
Levin C 2680 3768
ᴰ2973 ᴿ2656 3367
3485 **Y** 14498 14579
ᴱ850
Levinas E ᴹ97 1439
1522 1580 7898
11688 11980 14042
16300ss 16402
Levine A 5784 6585
13512 ᴿ598 **B** 12706
12994 **L** 14262s
14463 ᴿ14255
Levinskaya I 6805
Levinson B 1892 ᴱ839
J 11635s
Levison J 4974
Levoratti A ᴱ2651
Levy B 4851 **I** 15915
T 13695 14649
ᴱ717ss 1040
Lewicki T 8431
Lewin A 13644 ᴱ975
Lewis C 2564 **D** 9575
J 5132 7828 **N**
†16503 **P** 3573 **Q**
2163 **S** 6984 7443
ᴿ7656 **T** ᴱ371
Leyrer D 7734 7940
Légasse S 3235 9400
Lémonon J 6176 8093
Léna M 5366
Léon P 6177

Léonas A 2376s
Léon-Dufour X 6985
7336 †16504
Létourneau P 12355
Lévêque J 265 4298-
306 4366 4371
4383 4473 8048
Lévy C 12584
Li Rongfang ᴹ16303
Li T 5013
Liagre G 16180
Libânio J 9548
Lichtenberger A
12608 13492
14580 **H** 1730
2511 3935 7951
ᴱ442 792 935
Lichtenstein M ᴱ703
Lichtert C 1600
Licona M ᴿ6487
LiDonnici L 11459
ᴱ60
Lieber A 10810 ᴱ60
ᴿ11786 **L** 12115
Lieberherr-Marugg R
1337 3618
Lieberkühn S 12116s
Lieberman S ᴹ16430
16453
Liebeschuetz W
13592 14748
Liederbach M ᴿ1847
9558
Lienhard M 1731
Lier G 2300s 11543
Lierman J 5618 ᴱ851
Lies L ᴿ7233 16172
Liesen J ᴱ787
Liess K 1215 4163
Lieth A von der 5136
Lieu J ᴱ88 471 ᴿ236
7688 9002 15018 **S**
10111 ᴱ107
Lieven A von 12783
Lightfoot J ᴱᵀ11034
R ᴹ16304
Lightner R 7122
Lightstone J 11460
11544 11637
Liljeström M 2410
Lill A 15174
Lilla S 266

Lim T 3335 3543
11166 ᴱ5
Lima M 5062
Limburg J 4557 5063
5162
Linafelt T ᴿ4402
Lincoln A 6986s 7123s
8432 ᴿ7178 **B** 13268
Lind M 9495
Lindberg S ᵀ14038 **T**
9541
Lindemann A 2512
5367 7984 9216
16260 ᴰ7928 8106
ᴱ852 ᴿ8014
Lindgård F 8152
Lindner H 12118 **M**
14696 †16505 **R** ᴱ697
Lindsay D 1509 **H** ᴱ682
M 16227
Lindström F ᴰ4759
Lindvall T 5549
Lines D ᴿ10244 1ʼ4854 ·
Ling T 7125
Lings K 2937
Link C 2760 16228
Linke W 7524
Link-Wieczorek U
1510
Linsenmann A 13836
Linssen M 12609
Linville J 5108 5112
ᴿ325 5115
Linzey A 10965
Lioi F 16299
Lion B 15132 ᴱ720 ᴿ54
1027
Lionel J 9401
Liphschitz N 15113
Lipiński E 10124 12995
Lipourlis D 10409
Lippolis C 14155
ᴿ14273 14781
Lipschits O 12996
14156-9 14178 14181
14464s 14499 ᴱ750ʼ
1016 1041
Lipton D 8596 ᴿ2669
Liron H 15234
Liss H 3307 ᴱ11763
ᴿ11499
Lissovsky N 14581
Liston M 14325

Lucchesi E 10314s ^{E}32
Lucci L 6806
Luchsinger J 4505s ^{E}76
Luciani D 1191 2762
  3257 16375 ^{R}3124 **R**
  5370 ^{R}8987 **V** ^{R}240
Lucianus S ^{M}10525
  15591
Ludlam R ^{E}13513
Ludolph C ^{M}16011
Ludolphy I ^{E}2517
Ludwig F 5163
Lueking F 16434
Luft U 2783 13152
Luh J 1512
Luis de G ^{M}16140 **de**
  León ^{M}4 2 6 1 **L**
  16143 ^{M}4433 **Vizcaí-**
  no P de 15758
Luiselli M 1 2 7 8 5
  ^{R}14110
Luisier P 1 2 3 5 2
  ^{R}10310
Lujić B 2566
Łukarz S 5874
Lukas V 15619
Lukinovich A ^{E}70
Lull D 7873 7892 7910
  ^{E}8008
Lumbreras Artigas B
  7311
Luna C ^{ET}12585 **M**
  7853
Lund J 2644 10126
  ^{E}1030 Ø 4794
Lundager Jensen H
  4308
Lundberg M 4880
Lundbom J 4852 5123
  9753 ^{R}199
Lunde J 5620 ^{E}374
Lundh P 13801
Lundhaug H 12356
Luneau R 6704
Lunn N 3984 **-Rock-**
  liffe S 15817
Luomanan P ^{E}6523
Luomanen P 13594
  15300 ^{E}609
Lupieri E 7484 12264
Lupo S 14826
Luppe W ^{R}10524
Lurson B 14264

Luschin R 2151
Luschnig C 10410
Lust J 4971 ^{F}100
  ^{R}4941
Luth J ^{E}4012
Luther M ^{M}357 1631
  2110 2461 2593
  5021 7693 9166
  16034-64 16086
  ^{T}2517
Luttikhuizen G
  11803 13595 ^{F}101
Lutzer E 5371
Luukko M 10200
  13217s
Lux R 5219 5225
  14467 ^{E}774 844
Luz U 5742-6 5785
  6179 8094 12952
  14017 ^{R}5722
Luzárraga Fradua J
  4404
Luzzani S 1114
Luzzatto M ^{M}11780
  1 1 7 9 3 **S** 9 8 8 5
  ^{M}2278 11830
Lübben S 16280
Lücking S ^{E}99
Lüdemann G 5482
  6180 6807 9500
  13596
Lüdicke K ^{E}128
Lührmann D 10845
  ^{R}8 2 2 7 1 0 9 3 2
  13535
Lüllau E 1732
Lüning P 1814
Lüpke J 15759
Lütze F ^{R}6062
Lyke L 4430
Lyonnet B ^{R}14742
Lyons C 15078 **G**
  8242 **M** 4938 **W**
  ^{E}1022 ^{R}10797
Lyotard ^{M}1788
Lyu E 7737

Maas M ^{T}16006
MacAdam H ^{R}5277
  16510
Macarius C ^{M}16012s
MacArthur J 6988
  7444

Macaskill D ^{R}8993 **G**
  10703 11462 ^{R}2852
MacCarty S 8783
Macchi J 3039 3913-6
  5064 5109 5174 5188
  5190 5195 5202 5211
  ^{E}506
Macciò A 5928
Maccoby H 11463
MacCoy M ^{R}9196
MacCulloch D 16102
MacDonald B ^{R}1104
  15065 **D** ^{E}869 ^{R}12582·
  J 14318 **M** 491 6989
  8325 9671s ^{R}8314 **N**
  1513 3236 3374 9807
Macé C ^{R}1214
Machado A 7301
Machiela D 10660
Macintosh A ^{R}9842
M a c k H 9 9 3 5 **M**
  ^{R}11836
Mackay I 7285
Mackenzie E ^{R}7879
Mackey J 9055
Mackie S 8433s
Mackinet B 12119
Mackinnon M 14328
Macky N ^{E}457
MacLaren D 4203 6657
Maclean W 6338
Macleod A ^{R}8944 **C**
  ^{R}1574 **D** 7563 7566
  7568
MacPherson D. 1733.
  12120 ^{E}292
Macumber H ^{R}8679
Madden T ^{E}15411
Maddison B 2121s
M a d i g a n K ^{E}9 2 1 7
  ^{ET}9666 **P** ^{R}12664
Madsen A 9123
Maeir A 10008 10307
  13664 13886 14216
  14516ss ^{R}664 14285
  14515
Maffre F ^{R}13335
Mafico T 10018
Magary D ^{E}43
Magaz J ^{E}4431
Magdalene E 4309 **F**
  4310
Magdelaine C ^{E}79

Maraví Petrozzi A
R5462
Marazzi M 13300
Marböck J 4639 4648
R33
Marbury H 4523
Marcato G D6337 7075
R7296 8530
Marcelo M E7086
March W 1093 15235
Marchadour A 7132s
15236s R5467
Marchal J 8277s R8281
Marchand S E1042
Marchegay S 14331
Marchello A R6091
Marcheselli M 7408
7436
Marchesi G 8992
Marcilla J R786 9354
Marcion M6549 15553-
7
Marcon L 4559
Marconcini B 1287
1651 E4682 G 8530
Marcos M 13597 E688
Marcotte D R15056
Marcus D 2262 3455 J
6183 8126
Mardaga H 7397 7413
R11008
Marder O 14565
Mareček P 7246
Marenco M 16376
R7057
Maré L 4237 R4011
4401 4511
Margalit B 12707
Margarino S 5571
15805
Margolin R 11849
Marguerat D 475 1894
5372 5852 5929
6071 6809s 6897
10966 11037 14469
D6912 E7647 10913
Margueron J 13770
14766 E14767
Maria Cecilia 9404
Mariani M R5460
Marianini T 9124
Marin P 1515

Marinatos N 12536
13902
Marincola J E679 724
Marinconz L T8691
Marinelli C 3640
Marini S 8853
Marino E 14019 M
7526 13296
Mariottini C R1725
Maritain J 15954
Maritano M E15569
Maritz P 7384s
16377 E886
Marius V 8168
Marizza M 13301s
Mark M 3986 Z
R11849
Markham I R15457
Marki E 14020s
15036s
Markl D 3148 8810
9502 R104 267 277
1248 1265 3197
Marks F 9667
Markschies C 272
12241 15301
15582-90 15670
E773
Marlow H 4775
R8774
Marone P 2426
15761
Marotta B 15833
Marquardt M 12124
Marques V R7703
T7619
Marquis G 2385 T
13440
Marrassini P E45
Marriner N 14707
Marro C E1037
R14944 14951
Marsal E 16194
Marsh C 5373
Marshall I 6811s
9125 E6813 R8373
9117 J 7527 M
R5337
Martens E 4755 8909
9179
Marti K 4047
Martin A 6403 8243
10967 R10541 C

15302 R10294 D E648
de Viviés P 4795
10704 R4052 E R9670
F 4079 8634 16243 G
5374 R842 Hogan K
3872 J F103 K 10606
L 3495 15303 E14742
R 1170 M 14590
E1159 O 1192 T 8178
8506 W 5375 -
Bagnaudez J T15837
Martinelli Tempesta S
E978
Martinengo E R314
Martines C 8784s
Martinez Gazquez J
12900 -Sève L R1020
Martini C 4800 6588
9281s 16444 M16436
R5460s 8983 M·
12501 15012
Martiniani-Reber M
E14964
Martín Contreras E
2263 de la Torre V
14509 J 10811
Ramos N 16140
Martínez A 7994 Ávila
S 9405 Camino J
8966 Delgado J 2971
Fresneda F 5376
R881 4100 5316 6155
6173 6178 9086 9100
15328 M R9238
15956
Martín-Moreno J 6241
9283 10968 -Peralta
C T4024 -Valentín F
14842
Martone C 2264 11168
11464 R10662
Marttila M E338 .
Marty M 16049 16434
Martyn J 6959
Marucci C 5537 6150
Maruéjol F 14827
14845
Marx A 3124 3258
4122 R3257
Mary G R9418
Masalha N 11973
Mascarenhas T 4080
Masenya M 9578s

Mullen E ᴿ2719 3324
J 6652 P 5862 R
13602 ᴱ6993
Muller B 12709
  ᴿ14666 15077 E
  ᴿ8993 M ᴿ13920 R
12436
Mullier S 5863
Mulliez D 16449
Mullings L 9585
Mullins M 5748 R
ᴱ14592
Mullooparambil S
5886
Mulloor A 5966
Mulsow M ᴱ754
Mulzac K 4903 ᴿ1682
4777
Mulzer M 9987 ᴿ702
Mumford G 13157
Mundele Ngengi A
2911
Munier C ᴱᵀ15540
ᵀᴱ15541
Munima Mashie G
7137
Munn M 12538
Munnich O 4767
Munoz F ᴿ299
Munro I 12795
Muntingh L 15134
Munzinger A 7830
Muñoz Gallarte I
  ᴿ6315 León D 7138
  7485 ᴿ6975 P
  ᴿ11674
Muraoka T 2379
9866ss 9874s 10153s
ᴿ10114
Muraru A ᵀ15593
Murdoch B ᴿ10763 I
ᴿ2829
Murgano R 12796
Murphy S 15935 -
O'Connor J 3717
5391 7616-9 7855
8326 ᴿ5277 13418
14197 14428 14438
14458 14513 14515
14591 14760 14805
15033 15061 15074
15093 16297

Murray I 16313 J
  ᴹ16313 M 11042
11645 O 13368 P
9506
Murre-Van den Berg
  H ᴿ610 8990
Musacchio T ᴿ10282
13777
Muscarella O ᴿ14138
Muskett G 12539
Muss U 14940
Mussner F 6815
Musso E 9408
Mustakallio A ᴱ3
Musy G ᴿ12059
Mußner F 5484 7532
8360
Mutel J 1526 12938
Muthunayagom D
4749
Mutius H von 16019
Mutschler B 15531s
15542 ᴿ6262
Mutzafi H 10130
Mühlenberg E 15769
  ᴿ8962
Mühling A 16105 M
9757
Müller A 5875 9876
  C 8508 Celka S
  ᴱ61 D 16230 E
  7585 8439 G 1527
  ᴰ8426 ᴿ16037 H
  4126 ᴱ792 4048 K
  ᴱ647 L ᴱ66 M 9409
  ᶠ113 ᴿ10269 N
  8602 P 6038ss
  6053 6055 6105
  6648 6689 ᴱ615 R
  3066 3584 3588 S
  16171s U 15527 V
  13158 W 14169 W
  9155 14890 ᴿ406 -
  Abels S 15642 -
  Fieberg R 7598 -
  Friese A 1370 -
  Kessler C 10131
  14170 -Wollerman
  R 14410 15348
  ᴱ711
Müllner I 1989 4364
4474 9410 9710
ᴿ3329

Münch B 14026 C
5917 6041s 6054
6113 6458
Münchow C 4987
Münger S 14171
Münk H 8726 ᴱ616
Mützelfeldt K ᴹ12179
Mwamba Munene S
7396
Myers J 11810 S 12310
Mykytiuk L J 9941
Myllykoski M 8558
10847
Myre A 6245

N a'aman N 3675s
3760 3785 13003
13219 14473 14851·
ᴿ9900 12998
Nabati M 2153
Nabergoj I 2833
Nabulsi A 14680
Nachama A 11978
Nacke B ᴱ574
Nadaï J de 8800
Nadal J 16142 ᴹ16142
Nadali D 13803 14111
Naef E 2032 T 13078
ᴱ1176
Naeh S 11646
Nagel A 7533 E 4822 P
10889 10971s ᶠ114 T
  ᴿ7430 15532 W
13220
Naghel P ᴹ16015
Nagy A 6134 12797
15472 H 13680
Nahkola A 16153
Naḥlieli D ᴿ16482
Nahman (ben Simhah)
  ᴹ11850
Nahmanides ᴹ11756
11765
Nahon G ᵀ15413
Nahson D 4433
Najda A 4688
Najjar A 14593 M
14649
Najm S 2863
Najman H 3874 10813
ᴿ4653
Nakamura M 2895
12649

829 1863 2315 6346
6445 6563 6801
6976 7482 7829
8138 8153 10932
10939 12283 13515
15439
Nickle K 5653
Nickoloff J ᴱ1119
Niclós J ᴿ16019
Nicolaci M 7281
Nicolai K ᵀ11092
Nicolas C ᴱ982
Nicolet-Pierre H 14411
Nicoletti A ᴿ4003
Nicolini U ᴱ15394 -
Zani M 15595
Nicolle C ᴱ14194s
Niculescu M 15596
Nida E ᴹ2610 2621
16314
Niditch S 2034 8859
Niebuhr K 1898 5485
9759 ᴱ799 16270 ᴿ12
217 393 5464 7951
8005 8499 10476
11519 13418
Niedermayr H 3223
Niehaus J 2939
Niehl F 1371
Niehoff M 10814 ᴿ799
Niehr H 11473 12710
14720 14725 ᴰ12685
ᴿ67
Nielsen H 6995 I
ᴱ1049 J 7141 K
3752 4169 15135
ᴿ3540 T 13329
Niemand C 5395
ᴰ7514 ᴿ5426
Niemann H 3677
14505 14563 ᴿ3414
U ᴱ9464
Niemi T 15098
Nienhuis D 1899
Niesiolowski-Spanò L
2734 13004
Niesner M 12141
Nießen C 3009 ᴱ65
Nieto Ibáñez J 15664s
Nietzsche F ᴹ1515
7793 16194
Nieuwenhuyse O
14222

Niewiadomski J
ᴰ9750
Nigdelis P 2272
Nightingale F
ᴹ16195
Nigosian S 1257
Nigro G 15597
ᴿ9410 L 14529
14679 15379 ᴱ1050
14267
Nihan C 2684ss 3261
3315 3392 3566
3891 4940 ᴱ506
ᴿ3250
Nikolsky R 11660
Nimmo P 16231
ᴿ4335
Nishiaki Y 14113
Nishimura Y 14775
Niskanen P 4826
5015
Nissan E 11661
Nissen H 13222
15349
Nissim G ᴿ11619
Nissinen M 4689
ᴿ15314
Nisslmüller T 5396
Nisus A 4855
Nitoglia G 12221
Nitsche S 4779
Nitzan B 11174
11299 ᴿ11135
Nivière A ᴿ3081
Noam V 11553
Nobile M 4690 ᴿ99
3250 4491 4961
Nobilio F 7142
Noblesse-Rocher A
9157 ᴿ810
Noce C ᴱ1117
Nocquet D 2784
3128 3343 3566
12711 ᴿ136 8584
Nodet E 3129 3936s
6135 11325 11474
13451s ᴱᵀ13453
ᴿ2671
Noegel S 1529 3989
4353 4563 12861
ᴿ986 4544 8689
12646 12716
15221s

Noel J ᴱ488
Noerdergraaf A ᴱ12135
Noethlichs K ᴱ15062
Noël A 6178 D ᴿ3519
F 6659
Noffke E 4642 10662
13604 ᴿ259 5744
6964 8906 11448
12290
Noga-Banai G 14028
Nogales T ᴱᵀ983
Nogalski J 5066s
Noll K 3425 3678
13005 ᴿ4687 4850
12714
Nolland J 5749 6996
ᴿ5738
Noltensmeier G 1962
Nommik U 4319 4475
Nonnos de P 12604s
Noormann R 2518
Noort E 2802 3130
4856 ᴰ8825
Noratto Gutiérrez J
7143
Nordheim M von 4228
Nordhofen E 1372 J
9091
Nordiguian L ᴱ15075
15079
Nordling J 8406
Nordmann S 11980
Norelli E 1130 1900
8536 11044s 15439s
15528 15544 15697
ᴱᵀ15558 ᵀ15849
Noret J ᴱ4543
Noriega L ᵀ15458
Norrelius A ᵀ5730
Norris F ᴱ13640 R
ᴱᵀ4407 ᵀᴱ4408 S
14029
Nortel J 2079
North J 12486 ᴰ14749
R †16515 W 7144
ᴿ6987 7092
Northcote J 2707
Northcott K ᵀ281
Nortjé-Meyer L ᴿ7688
Norton G ᵀ2362
Norwick S 1161
Noss P 2617s ᴱ489
ᴿ16420

Okambawa W 8102
Okland J ^R8717
Okoye J 1990 5398
9182
Oladimeji T 4901
Olanisebe S 5126
Olason K ^E132
Olbricht T ^E150 804
Old H 1738
Oldenhage T 2620
6443
Oleson J ^E1162
Olesti-Vila O 14759
Olitzky K 11956
Olivi P ^M16020s
Olivier M ^R15417
Ollenburger B ^R20
Olmi E ^M5554
Olmo Lete G del
10024 10065ss
10588 12713 13605
^R24 10596 14722
14727 **Veros R del**
7536
Olney D 4618
Olsen G 12144
Olshausen E 15072
Olson D 10708s **K**
^R6489
Olsson B ^E729 ^R9656
11192 **T** ^D9303
Olszowy-Schlanger J
9918 11766
Omerzu H 2204 4170
7743 10849 ^R353
497 518
Onuki T 5399 12222
Onwuka P 8218
Ooghe B 13731
Oosterhuis H 6565
Op de Beeck L ^R14846
Opitz P 16107 ^E910
Oppenheimer A & N
^E282
Oppermann M 13606
Optatus M ^M2426
Orard C ^T16298
Orazzo A ^T4049
Orbe A ^M12215
Orchard B †16517
^M16315
Ordan D ^T11936
Orella E ^E4127

Orengo A 15869
Orevillo-Montenegro
M 9589
Origenes 4392
^M2997 7969 10790
10807 15444
15563-610 15657
16207
Orji C ^R9546
Orlandi G ^E849 **T**
12278
Orlov A 283 4927
8441 10663s
10710-24 10767
16012s ^R10680
Ornan T 12862
14114s 14223
Oropeza B 7974
^R6888
Orriols i Llonch M
12801
Orsatti M 8377
Orselli A 15708
Orsingher A 14224
Ortega Monasterio M
^R2250
Orth P 15922
Ortiz S ^R15375
Ortkemper F 10976
^R11092
Orton D ^E1066ss
^T5258 8912
Osborn E 15487
Osborne C 15137 **R**
^E644 676
Osburn C ^F120
Osei-Bonsu J 9590
Oshima T 10161
10190s 12863
Osiek C 491 1902
3161 9671s 15310s
^E9217 ^{ET}9666
^R10499 16532
Osier J ^R8879 11799
11841 12014
Ossicini A ^R5460
Ossom-Batsa G 5967
Osten-Sacken E v d
15138 ^R15127 **P**
^M16461
Ostermann F 1377 **S**
14413

Ostmeyer K 2035 5707
6052 6706 9288
Ostriker A 9711
Oswald W 3610
Oszajca W 9289s
Otero Lázaro T 7744
11864
Ott K 4693 10634
^E1074
Otte M 9971
Otten H 10347 **M** 5065
W ^R15487
Ottermann M 9591
Ottesen Søvik E 2991
Otto E 347 2036 2687s
2834 2941 3067s
3203s 3262 3345ss
4084 4858s 8821
8911 11219 15443
^D2662 ^E469 492 858
8830 ^R395 767 830
2219 3050 3057 3148
3199 3325 3340 3355
3368 3435 3720 4827
4838 4932 11346
13648 **F** 11982 **R**
12439
Otzen B 3877
Oudshoorn J 11300
Outtier B 2411
Oveja A 6084
Overath J 1531 5574
Overbeck J ^E15870
Overstreet D 2091
Owen D 10207 **P** 7745
Owens E 14876 **J**
^T9546 **M** ^R2852 8135
Oz A ^M2124
Ozankom C 9592
Öhler M 6818·7806.
9510 16382 ^E370
Ökse A 15250
Özaslan H 12076
Özbal R 13234 ^R14948
Özdoğan M 14919
Özfirat A 14943

Paavola D 14583
Paccosi G ^R5462
Pace A ^E645 **B** ^R1601 **V**
^E14035
Pachel A ^T12014
Pachniak K 12223

Pathrapankal J 285 1535 4694 6639 7333 15312
Patitucci S 14920
Patmore H 4942
Patri S 10348
Patrich Y ^{R}16498
Patrick D ^{R}2697 3207 4907 8825
Patte D ^{E}494
Pattemore S 2621s 4014 ^{R}5115
Patterson D ^{R}781 10921 P 1821 R 3010 4086 9413 S 12312 16384s ^{R}829 16347
Pattison B ^{R}1124 S 1794
Patton C ^{E}4932
Patuel J ^{R}4404
Paucker A 11983
Paudice A 11812
Paul A 2081 C ^{R}514 3193 D 5751 M 8603 8823 S 5134 ^{E}152 T 9511
Paulien J 5625
Paulinus N ^{M}15848
Paulus S 3222
Pavić M 15400
Pavía A 4128 6755
Pavúk P 14956 ^{R}13885
Pawlikowski J 1656 8997
Paximadi G 3239 ^{R}2943
Paya C 9294 ^{T}5248
Payen P ^{E}690 ^{R}679
Payne L ^{R}6967
Paz S 13838 14552 Y 14552 14622
Pazdan M 6997
Pazzini D 15599 M 5164 5197 5204 15401 ^{R}2251 4006 15673
Päschel D 12147
Pàmias J ^{E}12541
Peacock D 14897 ^{E}730 14888
Pearce L ^{R}2786 S 2382 10816s ^{R}11134

Pearson B 12224 13608
Peckham B 4882 J 1903
Pedde F ^{E}14794
Peden K ^{E}12155
Pedersen C ^{E}12884 N 12266
Pedersén O 10209 ^{R}12609
Pedro A ^{M}16143 de P 11663
Pedroli L 7537
Pedroni L ^{R}273 14409
Peels E ^{E}766 H 2571 4251 4905 8860 ^{D}3653 13010
Peerbolte B 10548 ^{E}468 495 846 ^{R}5438
Peeters C 10621
Peetz M 3627
Peilstöcker M 14560
Peker H ^{E}35
Peklaj M 2735
Pelagius ^{M}15849
Peláez del Rosal J 5258 J ^{E}10429
Pelchat M ^{R}15580
Peleg Y 13470 14280
Pelicka M ^{R}5466
Pelikan J 1657s 6819 †16518 ^{M}16434
Pelissero A 5575
Pellauer D 16422 ^{T}1547
Pellegrini P ^{E}975 S 5405 5865 5911 6346 6446
Pellegrino C 9414 14449 E 14225
Pelletier A 4695 8729 ^{R}1283
Pellistrandi C 9673
Pellitero R 1659
Pelser G 16232s
Peltenburg E 15372 ^{E}14758
Pemsel-Maier S 9415 9674
Penchansky D 12714

Pendlebury J ^{M}13735
Peng K 7989 -Kèller S· ^{R}8648
Penkett P 15752
Penkower J 2659
Penley P 2869
Penn M 6875
Penna R 5406 7749 7916 7975s ^{D}7756 ^{R}7835 15502
Penner I 15157 T 2979 6820s 10850 ^{E}496 538 621 863
Pennington J 5793 M 4409
Penny D 6719
Pentiuc E 4928 8884
Peña Hurtado B ^{R}3030 4259
Peppard M 14594 ^{R}6994
Perani M 2267 11722 ^{E}145
Perarnau i Espelt J. ^{E}15962 J ^{E}15963
Perdrix L 6051
Perdue L 4324 4477s 4861
Perego G 6323 ^{R}225
Peregrinus P ^{M}12039
Pereira C ^{T}5262 D 6707 M 9184 N 6610 V 1739
Perera B ^{M}16144
Peretto E ^{R}2431 4036
Pereyra R 5191
Pergnier M 2623
Peri C 8730 ^{E}3337 14726 ^{T}12998
Peršič A 1904
Perkins A 16519 J 9416 L 8604 P 5654 8116 8509 ^{R}661 1165 10862
Perlitt L 5069
Pernigotti S 14880 ^{E}12802 13159 ·
Pernkopf E 5999
Perotti P 6186 12476
Perón J 9417
Perraud M 14172
Perrin N 8123 12313s ^{R}6184 12290 Y

Rouleau D 12386
Rountree K 9716
Roure D R2744
Rousseau J M16169 **P**
  12280 R15630
Roussel B 16071
Routledge B 14652
  R13662
Rouwhorst G 6138
Rova E 14200
Rowe C 6531 6596
  6891 R6819
Rowland C E112 9549
  2093s 7482 9519
  14045 **J** 13165
Rowlandson J 13372
Roy J E642 **L** 12387 **S**
  8609
Royannais P 1550
Royer E T7703 13508
Royé S 2239
Royle M 1199
Royse J 10551
Rozenboim D 9425
Röcke W 5018
Rödiger K 2521
Röhrbein-Viehoff H
  6188
Röhser G E188 R425
  6368 7604 8611
  9824
Röll W E4263
Röller D 1388
Röllig W 9945 E14811
Rölver O 1551 3721
Römer C 4178 7000 **M**
  13166 15356 **T** 1911
  2686 2690s 2915
  3069ss 3299s 3416
  3428-32 3448 3456
  3722 4087 4864
  5086 13269 15314ss
  D3261 E389 506 873s
  R267 3594 **W** 12870
Römheld D E926
Rönnegård P 9303
Rösel C R214 **H** 3449
  M 2389s 3104s E89
  R313 691 898 1257
  5087
Rösler W E208
Ruane N 15317
Ruark C 12939

Rubens P M13698
Rubenstein J E11668
Rubin A 10136
  ET9885 R11751
Rubino M 5581
Rubio G 13226
Ruby P 14357
Ruddies H 16236
Ruderman D 12163
Rudhardt J 303
Rudman D 4569
Rudnig T 3613 3723
  R4943 -**Zelt** S 5087
  R5079
Rudolph K R12210
  12257
Rudy K 15403
Ruether R 9717 E943
Ruf M 6389
Ruff W 2962
Ruffieux N R2377
Ruffing K 15341
Ruffini G E696
Rufinus T15577
Ruhstorfer K 1552
Ruiz D 7807 **E**
  R8664 **González E**
  T11751 **J** 4945
  6093 9596 **López**
  D 3919 **Morell O**
  R11536 **P** 9304 -
  Garrido C T15327
  16235
Rull Ribó D 10297
Rumšas S R6176
Rumianek R 4946
Rummel P von
  13859 **U** E13699
  14831
Runacher C R308
  6176
Runesson A 14602
Runia D 10820 E626
  R504 973
Ruoppo A R2110
Rupertus T M16027
Rupp H 1389
Ruppert L 2723
Rupprecht H E10552
  R11098
Rusam D 3352 6734
  R816
Ruschmann S 7164

Ruscillo D R1025
Rusecki M 6003
Russell B 3133 R4068
  D ET12582 **L** E530 **N**
  15712
Russi A E4117
Russmann E 14832
Russo B 14358 R12768
  R 3741 5931
Ruster T M947
Rustow M 16386
Rutgers L R11402
Rutherford I 14359
  E15404
Rutishauser C 11813
  R11970
Rutledge F 1748
Rutschowscaya M
  R14060
Ruwe A 3274
Ruzer S 304 4897·
  5631s 5893 5907
  6087 8888 9131
  9520s 12164 15866
Rückl J 3072 R3638
Rüegger H 1553
Rühle I 16326
Rüpke J 12505 E555
  627s 924 12506
  12597 R12507
Rüsen-Weinhold U
  2522 E57
Rüster C 10347
Rüterswörden U 3353ss
  3381 3383 3433 E507
Ryan J 8285 **P** R1905 **R**
  3482 **S** 15979 E4003
  R3121 **T** 15955 R795
Rybicki A 3041
Rydbeck L E342
Ryholt K E10520
Ryken L E1100
Rynkiewich M R15277
Ryzhik M 9946 11555 ·

S aadia M11709
  11768ss
Saar O 13876
Saari A 6189
Saarinen R 16054
Saban M 11993
Sabar Y 10137
Sabbahy L 10298

Savagnone G 9001
Savarimuthu S 6097
Savenko S 4439
Savigni R ^{R}4286
Savran G 16217
Saward J 9770
Sawday J 2805
Sawicki M ^{R}5461
Sawyer D 9718 J ^{E}509
  M 5567
Sayago J ^{R}6240
Sazonov V 13228
Sänger D 306 5491
  5633ss 5899 6432
  7544 7761 7808
  8056 8184s 8237
  9185 12165 13461
  ^{D}6373 ^{E}12 21 383
  510ss ^{R}396 5618
  7787
Sáenz-Badillos A 9948
  9886 ^{E}11751
Sánchez Bosch J 7762
  8247 Cañizares J
  6930s Caro J ^{E}1264
  D ^{R}5794 6191 H
  6532 León M ^{E}1007
  Manzano M ^{ET}2452
  Mielgo G ^{M}16431
  Navarro L 5636
  5887 6094 7166
  ^{E}788 ^{R}6267s 6274
  6344 6453 6632
  7445 7507 Rojas G
  ^{R}5462 -Cetina E
  2629
Scaer D 5794 P 6735
Scafi A 2840s
Scagliarini F 16456
  ^{R}10122 10633
Scaglioni G 6216
  ^{R}2197
Scaiola D 3547 5166
  8610 ^{R}316 858 1100
  1268 1307 2193
  3250 4055 4129
  4517s 4727 5386
  5744 6276 6864
  6978 7015 7334
  8142
Scalabrini P 2692
Scalise P 4904
Scarafile G ^{E}629

Scaramuzzi F 1664
Scardilli P 1665
Scarpat G ^{ET}3976
Scarpi P ^{E}12597
Scavizzi B ^{R}15963
Schaberg J 9675
Schachner A 14931
Schaede S 16237
Schaller B 5929
Schamp J ^{R}15474
Schapdick S 7167
Schaper J 3206
  3356s 4183
Schaps D 14415
  ^{E}11098
Scharer M ^{E}9211
Scharf G ^{R}761
Scharfenberg R 6005
Schart A 5073 ^{E}77
  ^{R}1265 5182
Schatkin M 15651
  ^{R}15658
Schattner-Rieser U
  10756s
Schatz E 3240 K
  ^{R}16205
Schatzmann S ^{T}1118
Schauerte T 14048
Schaurte G ^{E}14653
Schäfer B 1392 5113
  8150 9305 11994
  16257 ^{E}207 513
  ^{T}11673 C 15663 P
  2523 11673s ^{E}29
  945 ^{M}11525 R
  7626 -Bossert S
  8743 ^{E}607 -Lich-
  tenberger C 1823
Scheele-Schweitzer
  K 14361
Scheepsma W ^{E}2554
Scheffler E 3388s
  6736 7398 8447
  8864
Scheiber T 13010
Scheible H 16141
Scheid J 12507s ^{E}946
Scheidel W 13617
  ^{E}734
Scheindlin R 11723
Schelander R 1393
Schelkens K 1666
  2180

Schellenberg A 2766
  4328 4570s
Schelling F ^{M}16454 P
  1101
Scheltema G 14657
Schembra R ^{E}15666
Schenck K 8448 10822
Schenk W ^{R}6546
Schenke H ^{E}12277 L
  6295 9426
Schenker A 307 416s
  1201 2255 2269s·
  2391s 3266 3283s
  3375 3682 3789 4229
  4892 4899 5215
  ^{D}4828 9567 ^{E}514s
  4003 ^{F}136 ^{R}315 455
  492 510 837 897
  2251 3078 3104 3232
  4157 4495
Schentuleit M ^{R}10299
Schepers K ^{ET}4410
Schepper M de 13011
  ^{R}11714
Scherer A 3488 3504
  ^{E}296 330 ^{R}3479
Schering E ^{R}12427
Schewe S 8227
Schibler H 1394
Schiestl R 14122
Schiff Giorgini M
  14269
Schifferdecker K 1750
Schiffman L 11114
  ^{D}11439 ^{E}8865·
  ^{M}11093
Schiffner K 6533 9991
  ^{E}7
Schiffrin D ^{E}650
Schildgen B 15937
  ^{E}394 7872
Schille G 6834
Schillebeeckx E ^{M}8980
Schiller J 4089
Schilling J ^{R}16045
Schimanowski G 1395
  13462 13535
Schimmel-Penninck M
  ^{M}16198
Schindler D 1555 P
  2975
Schinella I 7410s 9427
Schinkel D 8306 9771

9191 9315ss 9432
16244 ^{E}520 5456s
5464 ^{R}9820
Sölken P 13846
Sölle D ^{M}9298
Sörries R 14054
Sørensen L ^{E}14973
Spadaro A 10785
Spaeth B ^{R}8052
Spagnoletto A 1223
Spalinger A 10302
12815 13804 ^{R}10266
Spangenberg I 2698
2767 4191 ^{R}4572
Spans A ^{T}4724
Sparkes B ^{E}661
Sparks K 1202 2785
^{R}4051 11514 12982
R 13888
Sparn W 3108 7594
Spataro R ^{E}158
Spaulding D 6540
Specht H 2158
Speckman M 9600
Spehr C ^{R}16052
Spence A ^{R}9096 K
13785 14272 S
10583
Spencer D ^{E}15011 F
6846s 9678 ^{R}6825 J
^{R}15318 M 3074
3241 P 6541s
^{E}16462 ^{R}9678 S
^{E}5881
Spener P 12177
Spera L ^{R}15044
Spero M 4334 S 3322
Speyer W 320 2102
8639s 10584
12396ss 12481s
12592 12612 13373
13623s 14055 15181
15384
Speyr A von ^{M}1612
Spica A 2082
Spieckermann H 8614
8623 ^{D}4590 8605
^{E}713 823
Spiegel J 9679 P 1755
Spier J ^{E}14056
Spies M 11998
Spieser C 12816 J
14057

Spieß C 10625
Spijkerboer A 3921
Spilsbury P ^{R}13417
Spina F 15324
Spinks D 1565
Spinoza B ^{M}16174s
Spitaler P 6907 7933
10472
Spivak E 15509
Spivey R A 5242
Splett J ^{M}9204 ^{R}97
Spong J 1566
Spottorno Díaz-Caro
M 2252 M ^{R}13453
Spreafico A 4707 G
13786
Spring C 3012
Sprinkle J ^{R}2787
3253 3272 3324 P
4963 6671 7920
Sprondel G 15325
Spronk K 2916 3360
3509 3517 4708
^{E}521 2577 ^{R}2787
3483 8753
Sproul R 1828
Spuntarelli C ^{T}2649
Spurling H 11681
Spycket A 13738
^{M}13738
Squires J 6543 ^{R}9013
Srampickal T 6356s
7811
Stabryła W 3136s
6205
Staccioli R 15252
Stacey D 11118s
^{R}14606
Stackert J 3361
Stadelmann H 1567
^{E}880 ^{R}1442 L 9318
Stadler J 3549 M
12817
Staehelin E 12773
Stager L 13662
Stagl J ^{R}15627
Stahl R ^{R}546
Stahlhoefer A 8304
Staley J 5587 L 2083
4135
Stam C 9065
Stampa I ^{E}5460
Stamper S ^{R}8968

Standaert N 14058
Stander H ^{R}585 15465
Standhartinger A 2591$^.$
5496 9680 10759
12331s ^{D}8367 ^{E}16
^{R}8315 8385
Stanglin K ^{R}6847
Stanila C ^{R}5467
Stanislas S 9319
Stanley C ^{R}7660 D
14837 J 321 T 16056
Stannish S 13171
Stanton G 322 15499
^{D}6972 ^{E}814 ^{F}143 R
2872
Stapert C 13847
Stapleton J 9433
Stare M 6462 7287
7368 ^{R}8122 8392
Stark C 5588 5841
12722
Starkey J ^{E}1055
Starnitzke D 6645 9527
Starobinski-Safran E
11682
Starowieyski M 10902
^{E}10986
Starr J 8535
Starzmann M 13787
Stassen S 3550
Stauber J ^{ET}10541
Staubli T 2539 4443
13702 13848s 14177
Stauder-Porchet J
^{R}10308
Stavrakopoulou F 3685
3779 13374
Stavrou M 1844 5867
^{R}15541
Stayer C ^{R}584
Steadman S ^{R}22
Stears K ^{E}1025
Steegen M 16377
Steel L 13172
Steele J ^{E}739 L 15326
Steenstrup J ^{M}13050
Stefan H ^{F}144
Stefani P 7769 11559$^.$
16209 ^{R}1110
Stefaniw B 2209
Stefanovic Z 5020
Steffann M ^{E}15644

Straus J ^{R}1164 13334
13361
Strauss G ^{R}8700 **H**
4050 4171 **L** ^{M}2014
11806 **M** 2596 5275
^{R}198 6184 8950 **R**
12659 ^{M}2055
Strauß-Seeber C 15102
Strawn B 1323 1331
2047 4253 4821
7565 11227s ^{E}677
^{R}2292
Strazicich J 5111
Streck M 2897 3994
^{E}740 1071s ^{R}10213
12833
Strecker C 5436 9160
^{R}323 549 7840
Streete GC 7771
Streeter B ^{M}5676
Strelan R 6607 6850
^{E}95 ^{R}594
Strelkov A 14417
Strickert F 1996s
Strickland M 12333
Stricklen T 1568 1759
Striet M 6466 6471
^{E}524
Strijdom J 7833
Strobel K 13315
Strocka V ^{R}14085
Strohm C 16112 **S**
5021
Strommenger E 13220
14776
Stronach D 14803
Strong J 4968 ^{E}104
Strouhal E ^{R}14351
Stroumsa G 9133
Stroup S 15015
Strömberg A ^{E}1039
Strube S 6361
Strubel R 4772 4976
Struck P ^{E}602
Strudwick H ^{R}14873 **N**
10303 14832
Strugnell J †16531
Strus J ^{R}696
Strübind K 1760 8615
Strüder C 8049
Strzałkowska B ^{R}2643
4255
Strzelczyk G ^{M}8943

Stubenrauch B 9004
Stuber C 16113
Stuckenbruck L
10731ss 10823
11183 11307
11504 ^{E}764
Stuckey T 7179
Stuckrad K von ^{R}612
Stucky R 14273
Studemund Halévy
M 11825 12002
Studevent-Hickman
B 10218
Stuhlmacher P 5830
9824s ^{D}7858 ^{E}525
^{R}5464
Stulman L 4709 4868
Stump G 9847
Sturcke H 9058
Sturdy J 5280
Stümke V 5831
Styers R 9134
Suárez C 8917
Suber Williams M
7599
Sublon R 7002
Subramanian J 5711
Sudati F ^{T}6252
Sudilovsky J 13704
Suermann H 11063
Suess P 8641
Suggit J ^{T}7548
Sugi A 12818
Sugirtharajah R
9603s ^{E}526s 5646
^{F}148
Suh M 3242 **R** 8253
Suhl A 7674
Sukenik E 11121
Sulavik A ^{E}4930
Suleiman A ^{E}14755
Sullivan J ^{R}2070 **K**
†16532 **P** ^{R}13811
Sulpicius S ^{M}15851
Summers G 14923
Sumner G ^{R}12419
Sumney J 7772 8283
Sundermeier T 9320
Sunukjian D 1761
Suriano M 9951
10141
Susanna F 14274
Sussman V 14239

Sutcliffe A 11836
Suter C 14127 ^{E}741
13945 ^{R}14781 **D**
10734s
Sutherland D ^{R}1232
Sutskover T 3015
Sutter Rehmann L 1965
2541 9774 ^{E}478
Suzawa K 11649
Suzuki M ^{E}13709
Süel A 10355
Süssenbach C 4091
Svartvik J 12182
Svendsen S 8451
Swancutt D 13628
11308
Swanson M 15876 **R**
324 5276 ^{E}8018
8144s ^{R}856
Swart G 8189 ^{R}10393 **L**
13174
Swartley W 8868
Swartz M ^{R}11777
Swearingen M 5045
Sweat L 16310
Sweeney J ^{R}8529 **M**
325 3686s 3734
4710s 4886 5192
^{E}2210 ^{R}603 2263
3423 4779 4850 4863
4899 5072 8797.
14553
Swetnam J 1674 8467
8469 8478 9436
10445 ^{R}7705 8462
16515 ^{T}8457
Swidler L 9681
Swindell A 2085
Swinson L 8466
Syon D 14418
Syreeni K 2159 7354
^{R}5351 6333
Sysling H 2634
Sywulka P 7773
Szamocki G 3459
Szczepanowicz B
15070
Szczur P 7561
Szesnat H 2336
Sznol S 11725
Sznycer M 16464
Szpakowska K 12819
^{E}98 ^{R}10241 10303
^{R}14091

Van Loon M †16537
Van Meegen S 3397
4158 E160 537
Van Midden P 1833
8618 R1286 3518
Van Minnen P 10852
Van Neste R 8383
Van Nuffelen P R369
Van Oorschot J D4327
E1207
Van Oort J 10906s
T10905
Van Os B 5593s
Van Oyen G 5448
11065 E890 6296
Van Parys M 1764
Van Pelt M 9881s
Van Petegem P R1479
Van Peursen W 3773
4633 4634 11310
E75 536 R10680
11102
Van Poll-Van de Lis-
donk M E16136
Van Praag H 2161
Van Reisen H 15783
Van Riessen R 1580
Van Rompay L 10156
Van Rooy H 2415
4951 R15979
Van Ruiten J 10771
11066 R262 2910
10768
Van Seters J 2219
2699 3176 3181
3821 R1867 1913
3429 3613
Van Staalduine-Sul-
man E R2292
Van Steenbergen G
2637s 4750
Van Treek Nilsson M
3648 R888
Van Utt G 8773
Van Veldhuizen P
3156 R3896
Van Vessem L 1833
Van Voorst R R10441
Van Voss M 13953
Van Wieringen W
3173 3518 8560
Van Winden J R15541
15663

Vanautgaerden A
E16133
Vance D 3551 L
10451
Vandaele S 2639
Vande Kerkhove J
E891
Vandecasteele-Van-
neuville F E7056
VandenBerg M 9726
VandenHove I 9646
Vander Lugt W 6880
Vander Stichele C
6820s 10850 E496
538 621 863
Vanderhooft D
14157ss 14178
14181 R14464
VanderKam J 10741s
10772 11311
11511s D10660
11078 11507
R3870 11158
11485
Vandersleyen C
R16514
Vandevelde P E1581
Vanheiden K 2242
Vanhoomissen G
1967 T13001
Vanhoozer K 8650
E1105 M1437
Vanhoye A 1409
2220 6201 8193
8456-60 9135s
9194s 9221s 9324
9440s 9529 F156
M16450
Vanier J 7210
VanLandingham C
7780
Vanni U 7555s 7781
D7519 7537 8208
Vannier M 10989
Vanoni G 9048
Vanséveren S 10357
Vanstiphout H F157
Van't Spijker W
6381 16116
Vanzan P R532
Vargas-Machuca A
2642

Varghese J 7211 V
6551
Vargon S 2278
Varickasseril J 5804
6856 R1251 5247
Varillon F 9325s
Varner W 5839 15511
Varo F 1270 5526
Varšo M 3382
Varo Pineda F 3304
Varro 7937
Varsalona A 9204
Vashalomidze S E154
Vasholz R 3267
Vasileios M 14064
Vasiliu A E7394
Vasiljević V 14369
Vassal V R14190
Vassar J 4030 R4039
Vassilaki S 10474
10486
Vassiliev A 14906
Vattukulam T 10489
Vaughn A E14488
Vaux R de 11128
Vaz A 2788
Vârtejanu-Joubert M
4717
Vázquez Allegue J
1676 11312 R1240
2166 3256 3540 5737
7500 8906 L T9334
Večko T 4923 5035
Veerkamp T 7320
Vegas Montaner L
9953
Vegge T 7835
Veglianti T E634 1137
Veijola T 338 1582
1968 2966 3367 4339
8754 8789 8919
M16338
Veilleux A 12347
Velankanni F 6142
Velasco Arias J R15328
Velati M 12191
Velde H te 12825
Veldhuis N 15146 E157
Veligianni-Terzi C
10452 13332
Veling T 11817
Vella A R15016
Vellguth K 1583

Welker M 1930 9802
^{E}455 751 ^{F}163 ^{R}6255
Wellhausen J ^{M}16202
Wellman J ^{E}639
Wellmann B 2873ss
5892 11692
Wells B 1772 3207 **P**
6481 9099 **R** 4890
7440
Welten P 3834 15025
16340 ^{M}16340
Wendebourg N 9776
Wendel U 7308 9532
W e n d l a n d E 4 0 0 0
5193 7457
Wendrich W ^{E}14881
Wenell K 6436 11516
Wengrow D ^{R}14850
Wengst K 2631 8409
^{D}6339 ^{E}7 ^{R}280 7754
Wenham G 4139 ^{F}164
Weninger F 13181
Wenkel D 8267 8461
^{R}904
W e n n i n g R 13497
14694
Wenthe D 4752
Wenz G 8619 9224
^{E}855 944 ^{R}5464
Wenzel G 14372 **H**
^{R}372
Werbick J 1678 15330
Werblowsky R 12197
Weren W 5808
W e r f e l F ^{M}1 1 9 2 5
11987
Werline R 5043 9330
11517 ^{E}776s ^{R}3078
W e r m a n C 10774
11186
W e r m e l i n g e r O
^{D}15548
W e r n e r G 8764 **H**
2051 **M** 1773
Werrell R 16148
Werrett I 11201 11315
^{R}11115
Wesley J ^{M}16176
Wesselius J ^{R}742 2286
10138 10140
Wessels W 4884 5171
5184 ^{R}8907

W e s s e l s c h m i d t Q
^{E}4054
Wessig W 12008s
West G 9606s ^{E}544
^{R}527 **J** ^{R}2829 3412
3904 4318 5686
16269 **M** 12483
Westbrook R 3208
4888
Westcott B 2322
W e s t e n h o l z A
^{E}1 0 2 2 4 **J** 1 0 2 2 5
12879 ^{E}10224
Westerhoff M 10319
Westerholm S 5809
7787 7924 9162
^{D}5711
Westfall C 8462
Westgate R 13790
15001
Weß P 9008
W e t t e r s t r o m W
^{E}14871
Wettlaufer R 6207
W e y m a n n M 6616
9729
Wénin A 1977 2739
2772s 2847 3017ss
3 6 5 1 16393-6
^{D}2705 3923 ^{E}813
^{R}1892 3587 4052
Whealey A 13485
Wheaton G ^{R}7068
Whincop M ^{R}14771
W h i t a c r e R 1205
15632
Whitby M 13649
Whitcher Kansa S
13727
White C 13630 ^{R}239
1 5 8 1 4 **E** 2 0 0 3
^{R}1987 1995 ^{R}8613
J 10468 ^{R}370 8015
8407 **L** 15939 **R**
11853 ^{T}16128
Whitehouse R ^{E}695
Whitelam K 13018
13103 15071
W h i t e - L e G o f f M
15928
Whiteley I 7488
W h i t i n g C ^{R}1 0 4 0
3 5 9 9 1 4 6 5 2 **R**
^{E}10208

Whitley J 1229 ^{R}14337
Whitlock J 1835
Whitmarsh T 13486
^{E}712
W h i t n e y K 1 0 6 6 9
^{T}2753
Whitters M 5913
Whybray N 341
Wiarda T 7788 ^{R}6065
9810
Wick P 7634 ^{E}323
Wickham L 12233
Wicks J ^{F}165
Wider D 7945
W i d m e r M 3 0 7 8 **P**
16118
W i e b a c h - K o e p k e S
12829
Wieckowski W 14373
Wieczorek S 10635
Wiederkehr D 14072 -
Pollack G 8832
Wieland G 8384
Wielenga B 4918
Wiener M 13104 13182
Wiersma C 15002
Wiese C ^{T}11781
Wiesehöfer J 13271s
Wiesel E 11693 ^{M}2134
Wiesheu A 7316
Wifstrand A 342
Wiggermann F 12880
13955
Wiggins S 12727s
Wightman G 13791
Wijsen F ^{D}9586
Wilch J 3552
Wilcke C 3228s ^{E}746
^{F}166
Wilckens U 2545s 8463
9831ss ^{R}1919
Wilczek D 6553 **P** 2640
Wilde C 1836
Wilder T 7677
Wildgruber R 5027ss
5040 9449
Wiley T 8198
Wilfong T 14840
Wilhelm G 14786 ^{E}703
1057 ^{R}16469
Wilhite D 15625
Wilhoit J ^{E}1100

Khirbet al-Mukhayyat
14651
Khorsabad 14124
Kilise Tepe 14953
Kinneret 13826
Kir-Heres 10085
Kitim 13101
Kition 14976 14979s
Kizzuwatna 12659
Knossos 13902 14221
14996
Kommos 14999
Krokodilô 10252
Kuntillet Ağrud 9936
12667
Kythera 14981
Lachish 12955 13017
14534 14817
Larsa 13763
Lchashen 14340
Lefkopetra 10532
Legio 14614
Leilan 14200 14763
Leontopolis 2389 3969
11380
Lod 14382
Luxor 10268 14844
M a d a b a   1 4 6 5 1
14684ss
Magdala 14615
Makkedah 10135
M a r e s h a   1 4 5 3 5 s
10104s
M a r i   9 9 6 0   1 2 8 1 8
13853 12877 14764-
7 16415
Marisa 13922
Masada 4942 13912
1 3 3 8 1   1 4 1 9 6 s
14537s
Mashkan-shapir 14791
Medinet Habu 12807
Medinet Madi 13751
M e g i d d o   1 4 5 6 4
14616s 14817 15049
Memphis 14247 14847
14866
Miletus 10526
Mizpah 14164
Modin 14371
M o n s   C l a u d i a n u s
14888
Mor 14539

Motza 14540
Mozia 14267
Mudayna 14651
Muscat 15092
N a h a l   M i s h m a r
13889
Nazareth 5287 14618
Nebo 14651
Nevah Çori 14954
Nimrud 10160 14792
Niniveh 5196
Nippur 3841 10131
13758 14793
Nitzana 14541
Nush-i Jan 14803
N u s s t e l l   1 3 7 4 9
13887
O l y m p i a   1 3 9 4 0
14985
Ostia 729
P a l m y r a   1 0 1 1 1
1 0 1 4 3   1 0 5 2 2
14105
Panayia Ematousa
14973
P a n e i o n   1 3 4 3 5
15185
Pella 13772
Peqi'in 14619
P e r g a m o n   1 2 5 7 0
14097
Persepolis 4821
Petra 10494 12694
1 4 3 1 8   1 4 3 6 2
14687-94
Petras 14995
Philippi 14076 7868
8298
Plinthine 14889
P o m p e i i   1 3 9 2 1
15004
Priene 10516
Qadesch O 14768
Qantir 14212 14890
Qarqur 14620 14769
Q a ş r   e l - H a r a n e
14695
Qasr Ibrim 14900
Q a ş r   W a d i   M u s a
14696
Qaṭna 10239 14770ss
Qumran 3051 10788
1 0 8 0 2   1 0 8 1 3

10823 13701 14542
Quseir al-Qadim 14891
Rabba 14142
Ramad 14752
Ramat Hanadiv 13892
Ramat Raḥel 14156
R a m a t   S a h a r o n i m
14543
Ramm 14697
Ras Ibn Hani 14408
Rehob 14621 15133
13711 13725 14109
14266
Rekhesh 14622
Rhossos 15040
Rimah 10498
Rukeis 13772
S a b i   A b y a d   1 4 2 0 3
14222
Sagalassos 14233
Saḥam 14698
Saïs 14130 15362
S a m a r i a   3 3 0 3   7 2 6 3
9951 13253 14170
14301 14386 14561-4
Saqqara 14132 10289.
14349s 14376 14864s
14872s 14875 15119
15121
Sardis 14955
S e k e r   a l - A h e i m a r
14113
Sepphoris 5773 13851
14192 14278 14623-
32 16417
Shanhûr 14279
Shechem 10189
S i d o n   1 0 0 2 1   1 0 0 9 4
12984 14273 14295
14704s
S i p p a r   3 3 7 8   1 3 8 7 2
15127
Şiqlab 14699
Skythopolis 7263
Soleb 14269
Sukkot 12667
Sumhuram 14795
Susa 13256 14804
Tanis 14246
Taposiris Magna 14889
Tarsus 7624
Ta'yina 14773s
Tebtynis 14892

Voces

Akkadicae

Aramaicae

Graecae

Sacra Scriptura

19,1-29 2934s
19,37-38 10007
21-22 2932
21 1990 16183
21,20 2942
22 1378 1730
  2067 2108
  2115 2124
  2148 2948s
  2953-64 3715
  3881 8577
  11153 11468
  12918 13996
  14016 14032
  14042 16057
  16144
22,1-19 2080
  2116 2950
  2952 2966
  4339 15825
  16190
22,18 2904
24 2951 2965
  9556
24,66-26,20
  2971
25,21-23 11568
25,22 2968
26 15271
26,4 2904
26,6-11 10327
28,10-19 1776
28,14 2904
28,20-22 2969
30,2 2974
32-33 8826
32,23-33 2982
  2998 3000
  14059
32,24-32 2987
32,25-32 2996
33,1-17 2976
33,4 11647
34 2807 2977
  2979s 2989
  2992 2995
34,2 2991
34,12 2354
34,24 2994
35,22 2986
36,9-43 4329
37-47 9859

37-50 2158
  8826 12889
38 2978 2983
  2985 2988
  2999 9582
38,6-11 8816
38,17-20 4345
39 15858
40 3013
40,5-8 3003
41,14 3006
42,18 6671
42,23 3004
49 3014
49,5-7 1523
49,8-12 3011
49,17 7569
50,15-26
  10771
50,19 2974

Exodus

1-15 10655
1,1-14 10771
1,8-2,10 3057
1,10 3072
1,11 3061
2-3 9565
2,1 11185
2,1-10 3064
  12945
2,10 3055
3-4 3088
3 3096
3,1-12 9376
3,9-12 4869
3,13-15 3087
3,14 3090
4 3091
4,10-17 6072
4,24 6620
4,24-26 3085
  3092
5,5 3084
6,2-8 3087
6,14-25 11185
7-11 3099
7,14-11,10
  3098
12-15 3125
12 7169
12,43-50 3177

14 1313 3138
14,30-31 3120
  6218
15 2363 3112
15,1 3120
15,1-18 3135
  4050
15,1-21 3122
  3133 3136s
15,3 8604
15,20-21
  13831
15,21 3123
16 3126 3134
17,1-7 13402
17,8 3117
19,1-9 3128
19,3-8 3119
20,1-6 1745
20,1-17 412
  535 2151
  4521 5879
  9236 9263s
  9507 16035
20,2-3 3151s
20,2-5 3153
20,2-17 5635
20,3 3154
20,4-6 2536
  3155 13692
20,5-6 3156
20,7 3157
20,8 3158
20,8-11 3159s
  12909
20,12 2454
  3161s
20,13 3163ss
20,14 3166s
20,15 3168ss
20,16 3171
20,17 3172s
  8560
20,23-23,19
  3178
20,24 3179
21 3180
21,1-6 11582
21,2-11 3181
21,6 3177
21,10 3182
21,22-25 3183
  3184s 13610

22,2 3186s
22,4 2354
22,16 2354
22,20-26 3188
22,24-26 3185
22,28-29 3189
23,4-5 3190
24 3237
24,1-14 6740
24,3-8 2695
25-31 3239
25,8-9 3152
25,10-22 3240
25,23-28 15971
25,30 14070
28 4969
29 8792
32-34 3078 3234
  3245
32 3233 3236
  3238 3320
  3500
32,7-14 8617
33-34 3241
33 3243s
33,7-11 3231
33,18-23 10712
34,5-6 8592
34,5-8 3087
34,6-7 3232
36-40 3230

Leviticus

1-4 3271
1-7 3132 3272
6,12-16 3273
9-10 3274
10,16-20 3275
11 3276
12 3277
12,2 4245
12,6-8 12665
13 3278
15 3277
16 2785 3279
  8415 12668
16,5-26 3280
17-26 3361
17 11162
17,3-4 11167
18 3281s

12,8-15 13393
13-16 3513-9
13 13398
14-15 13394
14,14 3520
14,18 3520
16 8595
17-21 3521
19-20 2937
19-21 3526-527
  16169
19 3522-5
19,11-25 2934s
21 3528
21,19-23 13831

Ruth

1 8840
1,6-18 9578
1,16-17 3554
2 3555
2,10-12 1877

1 Samuel

1-2 1829 3569
1-7 3465
1-12 3570
1 3568 8792
1,10-11 8793
2 2410 3571
2,1-10 8793
2,12-17 3572
3 3573
3,17 8620
4,1-7,1 8595
5,6 10008
6,5 10008
7,15-17 3504
8-12 3587
8 3588
8,1-3 3572
9-10 3589
10 3588
10,17-27 3590
10,27 3591
12 3588
12,11 3592
13,13-14 3593
15 8826
16,14-23 3618
17 10090

17 3619s
17,4-7 3621s
17,4-51 3623
18 13391
18,1-5 2934s
18,6-7 13831
20 2045
24-26 3624
24 1394
25 3625-627
  8826
25,1 3504
27-31 3628
28 3629
28,3-10 15451
28,16-19 3630

2 Samuel

1-5 3631
1 3628
1,19 3632
1,26 14040
2-12 3633
3 11159
4 3634
6 3635 16124
6,6-8 3636
6,10 3827
6,20-23 3637
6,23 3434
7 3638s 4806
7,1-17 3640
9-20 9859
11-12 3641ss
  7888 8805
  16124
11 15947
12,1 2052
12,1-4 3644
12,1-6 3645
13 1350 2977
  3646s
13,1-22 3648
14,20 3649
15-17 3650
15,1-19,9 2259
18,17-29 3651
20,1 3652
21-23 3528
21 8840
21,1-14 3461
  3653

21,15-22 3654
22-23 3571
24 3655-656
  14579

1 Regum

1-2 3694
1 3656
2-11 3698
3,1-15 3728
3,16-28 3729s
5,15-32 13404
8 3286
8,12-13 3731
10 1979 3732
10,1-13 3733
11-14 3734
13 5129
14,25 13155
15,19 3735
16,8-20 3736
17-18 3742s
17-22 14031
17 15701
17,1-24 3744
17,8-16 3745
17,17-24 3746
18,20-24 3746
19 3747s
19,1-13 1773
19,1-21 3749
19,4 1667
  3750 9254
  9311 9335
  9398
19,9-18 3751
20-22 3752
21 15421
21,1 2052
22,1-38 3753
22,19-23 3754

2 Regum

1-2 14031
2 6660
2,23-25 3758
3 3759s 12993
4-5 3761
4,8 6388
4,31-37 3762
5 3763s

5,1-7 9563
5,1-19 8595
9-10 3765s
10,29-36 3424
13,16 3767
14,23-29 5169
15,14 14701
16,10-18 3768
17 3433 3769
17,6 10183
17,7-20 3770
17,21-23 3771
18-19 3772s
18-20 3774ss
18,4 12719
18,26-27 9944
20,1-11 3777
20,8-11 3778
21-25 3757
21 3433 3779
22-23 1980 3423
  3780-6 4850
22 11771
22,8 3787
23 3385 3788
23,1-3 3789
23,4-15 3790
  9880
23,8-9 3791
23,29 3792
24,18-25,21
  3793
25,22-26 3794s
25,27-30 3420
  3796s 13027

1 Chronica

5,1-2 3823
5,24-29 11185
8,28-32 3824
9 3825s
9,35-38 3824
13,15-16 3635
15-16 3827
17 3828
21,1 2835
23,6-24,31˙3727

2 Chronica

1,1-18 3728
1,18-2,17 13404

16 5094 8744
16,1-43 4959
16,6 4960
16,8 2940
16,9 8266
16,48-52 6662
17 4961
17,23 6400
18,31-32 1777
19 4961
20 4962s
20,25-26 4964
20,37 4965
21 4961
21,2 9998
21,7 9998
21,25-27 4966
21,30-32 4966
23,14-17 4967
   14087
28,3 4958 4968
28,12 4969
31,6 6400
31,8 4968
32,19 4968
33,7 4952
34-37 4971 7299
34-42 4972
34 4954 4970
   8659
36-37 4954 4963
   4973s
36,24 8158
36,26-29 8349
37 1742 8157
   8253
37,1-14 4975ss
38-39 4978 7596
40-42 4979
40-48 11271
44,15 11175
44,24 6740
47,1-12 7299

Daniel

1-6 5030s
2 5029 5032
2,41-43 5033
3,24-50 5034s
3,28 8105
3,52-88 2356

4 5029 9455
   15703
4,14 6021
4,30 5036
5 5037
7-12 5039s
7 5029 5038
   7514 11165
7,5 5041
7,9-14 3754
7,13-14 511
   5355
9 5042s
9,24-27 5044
11 5045
11,40-5 11225
12,7 6450
13 2083 5046s
   14023

Hosea

1-3 5092-5
1,6 6610
2 5096
2,1-15 5097
2,11 5098
2,18-25 5099
4-8 5100
5,8-6,6 5101
5,12 5102
9-14 5103
11-13 5106
11 5104s
11,1-11 5107
13,5 5041

Joel

2,17 5112
2,21-3,2 5113

Amos

1-2 5121
1,1 5122
1,2-3,8 5123
1,3-2,16 5124
2,6-12 5125
2,6-16 5126
3-4 5127
5,11 9855
6,4-7 5128

7,1 7596
7,10-17 5129ss
   9998
7,14 5132
7,14-15 5122
8,1-12 1749
9,1 5133
9,6 5134
9,7-10 5135
9,9 5136
9,11-12 6924

Abdias **Obadiah**

1-21 11748

Jonas

1-4 15850
1,3 5168
2,1 9752
2,2-9 5169
2,3-10 4050
4,1-11 5170
4,6 15805
4,10-11 5171

Micheas
Micah

2,6-11 9998
3,8 5184
4,8-5,3 5185
5,1-5 5186
7,5-10 5187
7,6 6019

Nahum

1,3 5198
3,1-7 4919
3,4 5199

Habakkuk

1,1-11 1699
1,5 5205
1,7 5206
2,3-4 7932
2,4 5207 8216s
2,4-5 5208
2,5 12685
3 3103 5209

3,1-19 15999

Soph. **Zephan.**

2,4 5193

Aggaeus
Haggai

1 5216
1,1-11 5217
2,5 5218
2,8 5219
2,17 5220

Zechariah

1-6 5225
1-8 5226s
3 3754
3,1-2 2835
3,7 5228
7 5229
8 15271
8,2-8 4896
9,9 6096
11 5230
11,4-17 5231
12-14 5232
14 3286

Malachi

1,2-5 5235·
1,6-2,16 5236
2 3867
3 5237
3,13-21 5238
3,13-24 5239
3,14 8798
3,23-24 5240
3,24 5241

Matthaeus

1-2 1358
1 7544
1,1-17 5707
   5836ss 6634
1,18-2,23 5839
1,18-25 5840-3
1,23 5844
2 5845

25,32-33 6113
26,14-16 2069
26,26-28 6146
26,26-29 6147
26,27-28 6148
  9432
26,28 524 6149-
  52 6466ss
  6470-3 9439
26,31 5811
26,36-46 6200s
26,41 6474
26,42 5791
26,45-56 6202
26,47-56 7398
26,52 7399
26,63-66 6203
26,67-68 13987
27,3-8 2069
27,3-10 6204s
27,15-26 6206
27,19 7399
27,24 6207
27,25 6208
  12103
27,27-31 6209
27,37 6210
27,43 6211
27,45 6212
27,45-56 6213
27,48-49 6214
27,51 6215
27,51-53 6216
27,51-54 6217
27,54 6218
28,1-20 5757
28,16-20 1702
  5698 5803
  6258
28,18-20 6259

Marcus

1,1 6343
1,1-15 6373s
1,5 6375
1,9-11 5871
1,14-20 6376
1,15 6377
1,29-31 6378
1,40-45 6379
2,1-3,6 6380
2,5 6381

2,10 6382
2,13-28 6383
2,18-20 6384
2,21-22 6385
2,23-28 6386
2,28 6382
  6387
3,1-6 6386
3,20-21 6361
3,21 6388
3,22-26 6389
3,27 6390s
3,31-35 6361
  6392
3,35 6393
4,3-20 6394
4,11 6395
4,14-20 1616
4,21 6396
4,24 6397
4,26-29 6027
  6398
4,30-32 6039
  6399s
4,35-41 6401ss
5,1-20 6404-7
5,13 6408
5,25-34 6409
6-8 7285
6,1-6 6361
6,2 6410
6,3 9632
6,13 9145
6,14-29 6411
  13427
6,16-29 13419
6,17-18 6412
6,17-29 6413
  14010
6,18-29 2334
6,30-44 6322
6,37 6057
6,45-52 6407
6,52-53 10537
7,1-23 6271
7,3 6414
7,14-23 6415
7,22 6416
7,24-30 6061
  6417
7,24-31 6418
7,27-28 6419
7,31-37 6420

8,1-9 6322
8,14-21 6421
8,26 6422
8,27-30 9037
  10675 10681
  10689 10727
8,29-33 6423
8,31 6368
8,33 6424
8,34 6425
8,34-35 6426
9,1-10 6427
  14027
9,2-8 6428
9,2-9 1764
9,2-10 6429
9,9 6343
9,31 6368
9,33-37 6337
9,33-50 6430
9,43-47 6431
9,49-50 6699
10 6087
10,13-16 6128
10,17-22 6432
10,17-31 6433
10,33-34 6368
10,35-45 6434
10,45 6137
10,46-52 5666
  9260
11-12 6435s
11,1-26 6291
11,15-17 6437
11,15-19 6314
  6438
11,23 10472
11,27-12,17
  6292
12,1-8 6439
12,1-12 6322
  6440-5
12,13-17 6446
12,17 6078
12,18-27 6447
12,28-34 5670
  6432
12,29-31 9496
  9509 16190
12,35-37 5669
  6448
12,41-44 6449

13 6332 6450
  9749
13,9-13 6451
13,28-29 6452
13,28-37 6453
13,30-37 6454
13,32 6455s
13,32-37 6457
13,34 6458
14-15 6463
14,22-24 6146
14,22-25 5982
  6464
14,23 6148
14,23-24 6465s·
  9432
14,24 6137
  6149-50 6152
  6467-73
14,38 6474
14,43-52 7398
14,47 6475
14,50 9366
14,51-52 6476
14,53-72 6477
14,54-72 6423
14,62 6478
14,66-72 6479
15,6-15 6206
15,20-25 6480
15,33-39 6314
15,34 6481
15,38-39 6482
15,42-47 6483s
16 5698
16,1-8 6485ss
16,6-7 6343
16,8 6488s
16,9-20 6490

Lucas

1-2 6584
1,1-4 6605s
1,4 6607
1,5-25 6608
1,5-38 6609
1,26-31 13962
1,26-38 9201
  13957 14064
1,28 6610
1,31-35 11165
1,39 6611

1,1-18 1373
5639 7224-30
9054 9319
15543
1,1-51 7079
1,3-4 7003
15906
1,4 7089
1,13 7231s
1,14 6961 7233
1,14-18 7234
1,16 7235
1,17 7236
1,18 6961 7223
10479
1,19-2,12 7237
7436
1,21-28 7000
1,29 7055 7131
7238s
1,32 5871
1,33-44 7000
1,34 7240
1,35-42 9357
1,38 7241
1,39 7131
1,51 7089
2-11 8763
2,1-11 7242-8
2,1-12 6120
9581
2,13-20 7249s
2,13-22 7251
7346 9320
2,19 7252
3 7153 7253s
3,1-3 13962
3,1-21 7255
3,3-7 7256
3,5 7257
3,5-7 1777
3,8 7258
3,11 7259
3,13 7260
3,14-15 7261
3,16 6949 7262
3,16-18 6961
3,23 7263
3,30 2103 13965
3,51-57 15897
4-5 7160
4 6120 7133
7264-7

4,1-42 7088
7268ss 9583
4,13-14 7271
4,16 7451
4,19-26 7272
4,22 12128
4,24 7131
4,35-38 7273
4,44 7274
4,46-54 7216
5-6 7275
5,1-9 14455
5,1-16 7276
5,1-18 7216
5,2-16 6004
5,17 7277
5,19-23 7278s
6 1416 6120
7153 7282-7
6,1-15 7289
6,4 7074
6,25-35 1712
6,32-40 7290
6,32-51 7291
6,45 8349
6,48-51 7290
6,51-58 7292
6,66 7293
6,68 7294
7,1-10,21
7295s
7,15 7297
7,28-39 7298
7,37-38 7271
7,37-39 1577
7088s 7299
7,53-8,11
7300-4
14047
8,12 7305
8,12-59 7306
8,25 7307
8,31-32 1732
8,44 7308s
8,48-49 7310
9-10 8747
9 7133 7216
7311 14455
15783
9,1-3 15495
9,1-14 13960
9,4 7090
9,22 7199

10 7219 7299
7312-7314
15919
10,1-5 7315
10,1-14 7316
10,7-9 7317
10,7-10 7318
10,12-13 7319
10,22-21,25
7320
10,22-39 7321-
23
11-12 7325
7160 7324
11 14034
11,1-12,9 7326
11,9-10 7112
11,17-29 9259
11,26 7090
11,47-14,31
7346
11,47-52 7327
11,49-52 7131
11,51-52 7328
12 7329
12,1-8 7330ss
12,3-6 2069
12,20-28 7333
12,20-32 9427
12,20-36 7334
12,24 7335
12,27-28 7336
12,31-32 7337
12,42 7199
13-16 7350
13-17 7351-4
13 7348s
13,1 7355
13,1-11 7356
13,1-20 7357s
13,10 7359
13,16 6018
13,26 7360
13,31-16,33
7361s
13,31-32 7363
13,31-35 1762
13,34 4445
5140
13,34-35 7364
14-15 16064
14-16 7367
14 7365s

14,1-4 7368
14,1-14 7369
14,2-4 7370
14,6 7371s
14,16 7373
14,18-26 7374
14,23-29 7375
14,28 7376
15-17 7378
15 7377
15,1-8 7379
15,20 6018 7187
16,2 7199
16,16-22 7374
16,16-33 7380
16,21-22 7381
16,23 9323
17 7229s 7382-6
17,17-19 7131
17,20-23 6074
18-19 7387-93
18-21 5695 7394
18,1-20,10 7396
18,1-20,29 7346
18,1 7395
18,1-11 7397
18,1-12 7398
18,11 7399
18,28-19,16
7400
18,33-38 7401
18,38 7402
18,39-40 6206
18,40 7403s
19 7405 8747
19,13 7399 7406
19,16 3719 7407
19,17-18 7000
19,19-22 7408
19,25-26 7000
19,25-27 7409ss
19,25-37 7401
19,28-30 9577
19,28-37 7088
19,30 7090
19,34 7153 7412
19,35 7413s
19,37 7415
19,38-42 1744
19,39 7255 7416
19,40 7417
20-21 7121
20 5621 7418s

15,16 8059
15,26-27 8000
16 8001
16,1-2 9669
16,1-16 9674
16,7 9656
16,17-20 8002
16,20 8003

1 ad Corinth.

1-2 8048
1-4 8049ss
1-6 8052
1,10-3,4 8053
1,10-17 8054
1,16 15428
1,17-31 15890
1,18-25 1706
  8055
1,21 8926
1,23-24 7761
1,26 8056
1,26-31 8057
2,8 8058
3,16 8059
4 8060
4,9 8061
5 9275
5,1 7831
5,7 7169
5,10-11 8062
5,12-13 8063
5,21 9080
6,1-11 8064
6,1-20 8036
6,8 8065
6,9 7821
6,9-10 7934-35
  8062 8066
6,9-11 8750
6,19 8059
7 7822 8067
7,12-16 8068
8-10 9519
8,1-11,1 8078
8,10-20 8079
9 8080
9,1-8 8081
9,1-23 8082
9,24-27 8083
10,8 8084
11 8085

11,2-16 8086ss
11,17-34 1741
  8089
11,24 6149
11,27-34 9554
11,29 8090
12 8098-101
12,8 8102
12,15-16 8103
12,27 8120
13 8104
13,3 8105
14 8106
14,33-36 8088
14,34 8107
14,34-35 8108
15 7238 7844
  8121ss 8747
  9485
15,8 1778
15,10 8124
15,12-20 8125
15,19-26 8126
15,21-22 8120
15,29 8127s
15,29-34 8129
15,44-49 8130
16,15-7 15428

2 ad Corinth.

1,12-4,6 8147
1,15-22 9159
2,14 8148
2,14-17 8149
3 5612
3,16-17 8219
3,17-18 8150
4 1760
4,3-6 1709
4,7-10 7847
4,13 8151
4,16-5,10 8152
5,1-5 9018
5,1-10 8153
5,11-7,4 8154
5,14-6,10 8155
5,14 1622
5,14-19 9474
5,14-21 1713
5,18-21 8156
5,19-21 1775
6,7 7760

6,14-7,1 2203
  8157s 15527
6,16 8059
8,9 7700
10,1-6 8159
10,4 7760
11,1-12,18
  8160
11,1-15 8159
11,3 8161
11,4 8162
11,14-5 15451
12,1-4 2816

Ad Galatas

1-2 8200
1 8199
1,1-5 8201
1,8-9 8202
1,11-2,21 7844
  8203
1,11-17 7807
1,11-24 8204
1,13-17 7847
2-3 8205
2 5795 6922
2,1 6908
2,1-10 8206s
2,1-21 8208
2,11 15648
2,11-14 8209
2,15-21 8210
2,16 7739
  7745 8211s
2,19-20 15331
3-4 7965
3 8213 9162
3,2 7745
3,5 7745
3,6-14 8214
3,6-22 8215
3,10 7745
3,10-12 8216s
3,10-14 8218
3,13 12165
3,16 8219
3,22 7739
3,28 15331
4 8220
4,3 8221
4,4 7700 7791
4,6 8222s

4,12-5,1 8224
4,13-14 8021
4,21-5,1 9771
4,21-31 7728
  8225
4,25 12908
4,26 8226
5-6 8227
5,11 8228
5,13-6,2 8229
5,13-6,10 7736
  8230
5,13-26 8231
5,16-18 8232
5,19-21 8233
6,6-10 8234
6,10 8235
6,13 8236
6,18 8237

Ad Ephesios

1-6 9608
1 8252
1,1-14 8048
2 8253
2,11-22 8254
2,19 9771 11239
2,20 8255
3,14-21 8256
3,19 8257
4,14-16 1688
4,17-24 8258
5,5 8323
5,18 8259s
5,21 8261
5,21-23 8729
5,21-31 9564
5,21-33 8262s
5,22-6,9 9485
5,22-33 8264
5,25-30 8265
5,25-33 8068
5,26 8266
6,11-17 7760
6,14 8267

Ad Philip.

1,1-6 8288
1,3-11 8289
1,7-11 8290
1,11 8291